D1550979

ENSAYO

DE UN

DICCIONARIO DE LA LITERATURA

TOMO I

FEDERICO CARLOS SAINZ DE ROBLES

ENSAYO
DE UN
DICCIONARIO
DE LA
LITERATURA

TOMO I

TERMINOS, CONCEPTOS, «ISMOS» LITERARIOS

AGUILAR

TERCERA EDICION, 1965
CORREGIDA Y AUMENTADA

Núm. Rgtro.: 2234-49.
Depósito legal. M. 18502.—1964 (I).

Printed in Spain. Impreso en España por Gráficas Orbe, Padilla, 82, Madrid.

ADVERTENCIA MUY IMPORTANTE

CUYA LECTURA SE ENCARECE

He titulado esta obra—la primera en su género que se publica en España—: ENSAYO DE UN DICCIONARIO DE LA LITERATURA.

Que nadie crea que me impulsó a titularlo así un concepto sospechoso de falsa modestia. Todo lo contrario. El conocimiento cabal de la extensión, de la complejidad, de la dificultad de la empresa, me señaló otro título aún más humilde: APUNTES PARA UN ENSAYO DE UN DICCIONARIO DE LA LITERATURA. *Me decidí por el primero, desagradándome la poca eufonía del segundo. Pero conste que, tan bien como quien mejor lo comprenda, me doy cuenta de lo peliagudo, de lo espinoso de mi intento; un intento que jamás podrá superar su significado, ni mucho menos lograrse en una obra* completa, *ya que no* perfecta.

Un DICCIONARIO DE LA LITERATURA *será constantemente un esfuerzo en tensión, en continuidad, en superación. Cada una de sus ediciones exigirá correcciones, ampliaciones, complementos innumerables. Tal como hoy aparece, cada una de sus fichas podría alargarse y precisarse hasta un límite de fijación muy difícil. El tiempo y la extensión de los volúmenes que integran el* DICCIONARIO *han impedido los alardes definitivos. Cada ficha es, pues, como un compendio de sí misma. Con el tiempo, cada ficha se irá desarrollando en lozanía y en eficacia y en previsión, bien a merced de mis propias y limitadísimas posibilidades, bien con estas y con aquellos consejos, con aquellas sugerencias, con aquellas correcciones que puedan aportar generosamente cuantos lectores cultos se crean capacitados para auxiliarme en esta ímproba labor.*

Porque, ni que decir tiene, con cuánta sinceridad y anticipado agradecimiento solicito de todos y de cada uno de los lectores de este DICCIONARIO *el estímulo, la colaboración, la corrección, la advertencia.*

Pueden—¡naturalmente!—haber escapado a mi perspicacia y a mi cultura —harto deleznables y movedizas—fichas de trascendencia, noticias y datos de importancia excepcional—aun para lo compendioso de mi obra—, peculiaridades de técnica, conocimiento de fuentes y repertorios. Me temo que con el tiempo se delate la verdad de estas sospechas. Pero mi actitud no es la de cantar la palinodia, *ni* la de curarme en salud, *sino la sencilla de presentar humildemente una obra mía en la que puse—con las apuntadas limitaciones de espacio y de tiempo—cuanto celo, conocimiento y voluntad me son propios.*

Realmente, lo interesante es que los lectores españoles no carecieran de este Diccionario de la Literatura, *tan útil—siquiera sea en conato—, del que carecen la casi totalidad de los países. Lo demás... ya se irá dando* por añadidura.

TOMO I

TERMINOS, CONCEPTOS «ISMOS» LITERARIOS

A

ABECÉ (V. Alfabeto)

1. Los primeros rudimentos de una ciencia o arte.
2. Libro en el que los niños aprenden a leer.
3. Nombre de algunas obras docentes elementales: *A B C musical, A B C del estilo, A B C del dibujo.*

ABIMALIC (Lengua)

Lenguaje de los berberiscos y nombre del autor de la primera gramática de esta lengua.

ABIPÓN (Lenguaje)

Idioma de la América española—región peruana—hablado por los indígenas abipones, que habitaban en el Chaco. Era rama del gran tronco quichua, armonioso, pero de monosílabos de extremada rareza. Hoy casi ha desaparecido el pueblo abipón.

ABOLICIONISMO

Sistema, doctrina o principios cuyo objeto es abolir la esclavitud.

La primera vez que se aplicó la palabra abolicionismo a la esclavitud de los negros fue en los Estados Unidos. En 1775 fundóse en Filadelfia una Sociedad abolicionista, que eligió por presidente a Benjamín Franklin. Diez años después —1785—, en el Estado de Nueva York, fundóse una *Sociedad de Manumisión,* que fue imitada poco después por otras semejantes en Rhode Island, Connecticut, Delaware, Maryland y Virginia.

En 1831, Benmajín Lundy y Guillermo Lloyd Garrison fundaron en Boston la revista semanal *The Liberator.* Y un año después, en la misma ciudad, quedó establecida la *New-England Antislavery Society.* En 1833 se celebró en Filadelfia la primera gran asamblea abolicionista, de la cual nació la *American Antislavery Society.* Por entonces el abolicionismo encontró sus apóstoles en mujeres y hombres llenos de entusiasmo humanitario: Sara y Angelina Grimke, María Capman, Guillermo Lloyd, Smith Brown, May, Goodell, Mac-Intosch, Birney, Keapp, Tappan...

En 1863, siendo presidente Abraham Lincoln—y luego de la durísima guerra entre los estados antiesclavistas y los esclavistas—, quedó abolida la esclavitud en los Estados Unidos, apareciendo la llamada *Acta de Emancipación,* el día 1 de enero de aquel año.

Al referirnos al abolicionismo de la esclavitud en los Estados Unidos, como directa explicación del *ismo,* no afirmamos que antes—y aun mucho antes—el abolicionismo no tuviera vigencia en otros países. Sino que, posiblemente, como tal *ismo* no tuvo caracterización total hasta la mencionada fecha en la mencionada República norteamericana.

Porque, en verdad, el abolicionismo aplicado a la esclavitud es antiquísimo. El cristianismo, por su misma naturaleza, debía destruir la esclavitud. Su naturaleza, su existencia y sus doctrinas son incompatibles con aquel estado. Según Viollet, "el principio cristiano hiere lentamente a la esclavitud en el corazón". Y Guizot afirmó: "Ya no se encuentra quien ponga en duda que la Iglesia católica ha tenido poderosa influencia en la abolición de la esclavitud."

El *Deuteronomio* (XV, 14; XXIII, 16) atestigua ya tierna solicitud en favor de los esclavos; los esenios y los terapeutas judíos, únicos en el mundo antiguo, no los tenían; y la Iglesia cristiana primitiva consideró a los esclavos como hermanos, facilitó las emancipaciones y las incluyó en el número de las obras piadosas. El Concilio de Iliberis—305—prohibió matar a los esclavos, imponiendo durísimas penitencias a quienes los matasen. El Concilio de Orleáns —549—ordenó que si algún esclavo se refugiase en una iglesia, después de haber cometido alguna falta, fuese cogido, y que al devolverlo a su amo se le exigiere juramento a este de que no le haría daño alguno.

Los Concilios de Mérida—666—y XI—675—y XVII—694—de Toledo dispusieron que las culpas del esclavo no serían castigadas por el amo, sino por tribunales ordinarios. La llamada *Manumissio in Ecclesia* fue uno de los métodos más sencillos para otorgar la libertad del esclavo. Y en el seno de la Iglesia nacieron las dos órdenes religiosas dedicadas a la redención de los cautivos, no solo allegando para ello recursos materiales, sino también dedicando sus propios bienes, su libertad y su vida a esta tan santa obra, y aun entregándose los propios religiosos al cautiverio para redimir a otros. Tales fueron los Trinitarios o Maturinos, fundados por San Juan de Mata y San Félix de Valois hacia el año 1200, y los Mercedarios, fundados—en 1223—por San Pedro Nolasco.

Inglaterra, Francia y los Estados Unidos se disputan la honra de haber creado *oficialmente* el abolicionismo. Estaba reservado a Wilberforce—1759-1833—, miembro de la Cámara de los Comunes, lograr la abolición de la trata en Inglaterra—1807—, a ejemplo de Dinamarca, que se había anticipado en 1792. Justo es reconocer que en Inglaterra, en 1776, y en la Cámara de los Comunes, se alzó la voz de David Hartley, afirmando "que la trata de esclavos era contraria a las leyes divinas y a los derechos del hombre". Pero su proposición fue rechazada. En Francia, la Convención decretó—1794—que los esclavos fueran emancipados, medida que fue revocada—1802—por Napoleón. No desapareció la esclavitud de las colonias inglesas hasta 1833, y de las francesas hasta 1848. Fue necesaria una larga guerra—1860-1865—para que se suprimiera en los Estados Unidos.

En España, el abolicionismo provocó grandes polémicas durante el siglo XIX. *La Sociedad Abolicionista Española,* creada en 1863 por el ilustre puertorriqueño don Julio Vizcarrondo, no vio realizados sus propósitos hasta 1887. Para secundarla fue fundada otra *Sociedad* de señoras, que adoptó como enseña en todos los libros, folletos y hojas que publicó un escudo representando a un negro, desnudo de medio cuerpo arriba, con las manos encadenadas, rodilla en tierra y con los brazos en alto, en actitud suplicante. La *Sociedad Abolicionista* fundó—julio de 1865—la revista *El Abolicionista Español,* que, en 1872, fue sustituido por *La Propaganda.* El día 23 de marzo de 1873 se dictó por España la ley emancipatoria para Puerto Rico. La de 13 de enero de 1880 suprimió por completo la esclavitud en Cuba.

V. BIOT: *Memoria sobre la abolición de la esclavitud.* Madrid, 1862—LABRA, Rafael María de: *La abolición y "La Sociedad Abolicionista Española" en 1873.* Madrid, 1874. JAY: *Miscellaneous Writings on Slavery.* 1853.

ABREVIADO

(Del bajo latín *abbreviare.*) En latín: *breviarium.* Reducción de una obra extensa en una pequeña o de varias en una sola Los antiguos, para la propagación de los libros, cuyas copias íntegras manuscritas resultaban costosas y pesadas, encontraron una panacea en la reducción hecha con indudable mérito. Recuérdense las célebres síntesis de Justino, Cornelio Nepote, Valerio Patérculo, Eutropio, Constantino Porfirogeneta... Parte de la crítica ha estimado que dichos resúmenes habían contribuido, y no poco, a que se perdieran las obras completas de que eran remedos. Y acusa a Justino de la desaparición de la *Historia Universal* de Trogo Pompeyo, y a Floro, de la pérdida de varias de las *Décadas* de Tito Livio. Los resúmenes fueron más utilizados para el conocimiento de las ciencias históricas que para el de las ciencias y el derecho.

Con la aparición de la imprenta dejaron de tener importancia los resúmenes; ya no se intenta sino escasísimas veces sintetizar las obras maestras, y dichos escasos intentos se realizan con miras a facilitar a las impacientes niñez y mocedad el conocimiento de libros largos excepcionales—el *Quijote,* la *Iliada, La Divina Comedia...*—, cuyos textos íntegros se alejan de la ligera curiosidad de las citadas edades.

Los resúmenes se utilizan hoy para presentar en unas proporciones discretas las disciplinas de vastísimas proporciones como la Historia, la Filosofía, el Derecho, el Arte...

Los resúmenes o abreviados son designados también con las palabras sinónimas de *Manual, Extracto, Análisis sumario, Ensayo, Compendio, Epítome, Síntesis, Prontuario, Breviario, Nociones...*

ABREVIATURAS

1. Cercenamiento de letras o sílabas para escribir con mayor rapidez algunas palabras.
2. Letras iniciales que sirven para indicar una palabra entera.
3. Signos o caracteres inventados o admitidos para suplir algunas sílabas y hasta palabras enteras.
4. Notas y caracteres que representan las sílabas o palabras que se omiten para abreviar la escritura.

La necesidad de la rapidez en la escritura hizo que se inventaran las abreviaturas representativas, que ya fueron muy utilizadas por griegos y romanos.

Dichas abreviaturas consisten: en omitir alguna letra al principio, en medio o al final de una palabra; en disponer de signos que reemplazan sílabas, diptongos, consonantes dobles...

Sigla se llamó a la letra inicial que se empleaba como abreviatura de una palabra *S. D. M.* son, por ejemplo, las siglas de *Su Divina Majestad.* Sigla se llamó también a cualquier signo que sirviera para ahorrar letras o espacio en la escritura.

Los hebreos conocieron y utilizaron igualmente las siglas.

La abreviación por las siglas es sumamente sencilla: consiste en representar una palabra por una o más letras de dicha palabra. Hay varias clases de siglas: la *sigla simple,* que representa una palabra por su inicial; la *sigla compuesta,* que representa la palabra por su inicial y alguna y algunas otras letras; la *sigla reduplicada,* que repite dos o más letras para marcar el superlativo de la palabra; y, finalmente, la *sigla transpuesta o vuelta,* que marca, con la inicial de la palabra, el género femenino de la misma.

He aquí algunos ejemplos de diferentes siglas:

1.° De siglas simples: I. O. M., por *Iovi Op-*

timo Maximo; D. M., por *Dis manibus;* S. P. Q. R., por *Senatus populusque romanus.*

2.º De siglas compuestas: AM., por *amicus;* CS., por *cónsul.*

3.º De siglas reduplicadas: COSS., por *consules duo;* AUGGG., por *Augusti tres.*

4.º De siglas transpuestas o invertidas: Ɔ por *Caia.*

Los antiguos (hebreos, griegos y romanos) utilizaron con entusiasmo las abreviaturas, hasta el extremo de que en el manuscrito conocido con el título de *Virgilio d'Asper*—conservado en los fondos de la abadía de Saint Germain-des-Prés— se ofrecen numerosos pasajes escritos con abreviaturas; así, el verso

Tytire, tu patulae recubans sub tegmine fagi

se encuentra representado por

Tytire, t. p. r. s. t. f.

Naturalmente, el abuso de las abreviaturas motivó infinitos errores en la traducción de algunos pasajes. Por ejemplo, en *El Martirologio,* de San Jerónimo, refiriéndose a los compañeros de San Pánfilo, se lee: *Juliani cum Ægyptis V. mil.* Y los copistas tradujeron: *Cum quinque millibus,* cuando la recta traducción es: *Cum quinque militibus.*

Otro género de abreviaturas fue usado en los manuscritos de la antigüedad: consistía en suprimir una o varias letras de una palabra, marcando la supresión con ciertos signos. Así, las letras *m* y *n* eran reemplazadas por un trazo recto; la *i,* por un punto; la *a,* por dos; la *e,* por tres; la *o,* por cuatro; la *u,* por cinco; la enclítica latina *que,* por una vírgula.

Otro sistema de abreviaturas—signos convencionales, verdadera taquigrafía—fue inventado por Tirón, esclavo de Cicerón, llamado por ello sistema de *notas tironianas* (V.), y muy en boga hasta el siglo X.

También pueden considerarse como abreviaturas los *Monogramas* (V.) y las *Ligaduras* (V.). Y, naturalmente, es preciso tener en cuenta la *Taquigrafía* (V.).

El *Diccionario* de la Real Academia Española recoge, en una larga lista, las abreviaturas más usuales, entre las que son más conocidas:

Afmo.	*afectísimo.*
A. A.	*autores, Altezas.*
Alf.º	*Alfonso.*
A L. R. P. de V. M.	*a los reales pies de vuestra majestad.*
Am.º	*amigo.*
B.	*beato, bueno.*
C. P. B.	*cuyos pies beso.*
D.	*don.*
D.ª	*doña.*
Dha., dho., dhas., dhos.	*dicha, dicho, dichas dichos.*
Dr.	*doctor.*
E.	*Este.*
S.	*Sur.*
N.	*Norte.*
O.	*Oeste.*
Dupdo.	*duplicado.*
Em.ª	*Eminencia.*
Ilmo.	*ilustrísimo.*
Excmo.	*excelentísimo.*
Jhs.	*Jesús.*
J. C.	*Jesucristo.*
Km.	*kilómetro.*
Lic.	*licenciado.*
N.ª S.ª	*Nuestra Señora.*
V. gr.	*verbigracia.*
Sta., Sto.	*santa, santo.*
Vol.	*volumen.*

El estudio de las abreviaturas usadas en los manuscritos antiguos constituye una parte de la Paleografía (V.).

V. MABILLON: *De re diplomatica.*—NICOLAÏ: *Tractatus de siglis veterum.*—BERINGINS: *Clavis diplomatica.*—MILLARES CARLO, A.: *Paleografía española.* Madrid, 1933.

ABRUPCIÓN

Por medio de esta figura retórica quedan suprimidas las transiciones del discurso, con lo cual se le da una mayor viveza.

ABSOLUTISMO

1. Sistema de gobierno absoluto.

Generalmente se denomina absolutismo al poder moderador de un Estado que gobierna sin dar participación en la gobernación a elemento alguno de cuantos integran la colectividad dirigida. El absolutismo, pues, concentra en una mano o en una oligarquía los tres poderes del Estado: legislativo, ejecutivo y judicial. El absolutismo está muy próximo al *despotismo* (V.), aun cuando este tiene un sentido mucho más estrecho y autoritario.

Además del *absolutismo del poder,* existe el *absolutismo del Estado,* cuando este centraliza las atribuciones que debieran estar concedidas a distintos organismos con vida propia dentro de aquel (V. Centralismo). El absolutismo se ha ejercido a veces por colectividades llamadas *poligarquías,* pero con más frecuencia en los tiempos modernos por un solo individuo, llamado *monarca.* De donde se deduce que el absolutismo es independiente de la *forma* de gobierno.

Para defender el absolutismo se ha supuesto un imposible: la perfección humana. Se ha dicho que si hay *minorías selectas* en los Estados, en esas minorías existirá un hombre que sea el más ilustre, en cuyas manos han de quedar los resortes todos del poder.

Admitida la teoría del derecho divino de los reyes, ya es más fácil la defensa del absolutismo monárquico. Si el poder emana de Dios; si el rey es un ser que recibe de la Divinidad la misión de regir a su pueblo; si lo que pasa en el mundo está ordenado por las leyes providenciales, entonces es de toda conveniencia que el elegido de Dios dé dirección libérrima a los destinos de su pueblo.

De vez en vez la Naturaleza sorprende a la Humanidad con uno de esos genios extraordinarios que los contemporáneos admiran y las generaciones veneran. Así, Alejandro Magno, Pericles, Julio César, Lorenzo de Médicis, Napoleón. Pero ni estos genios abundan tanto, ni sus dotes extraordinarias han de vincularse en sus familiares. Así es que la práctica ha correspondido muy mal al sistema. Desdichadamente, han sido muchos más los monarcas absolutos incapaces. Además, aun cuando el monarca sea un modelo de perfección, no cabe, en lo posible, que su talento y su energía abarquen todas las esferas de la gobernación de un país. La razón, pues, condena todo absolutismo en el Poder, ejérzalo uno solo, ejérzanlo muchos; porque el absolutismo implica la falta de razón de todos los demás.

El absolutismo, tal como la moderna escuela absolutista lo entiende y lo expone, es mucho menos antiguo de lo que sus mismos defensores creen. Durante gran parte de la Edad Media, la monarquía en Europa vivió con escasísimo poder. El *feudalismo* (V.), que concedió a los nobles tantos privilegios, impidió que los reyes pudieran ejercer el poder *en absoluto*. También las Cortes, con su fuerza y su eficacia, se opusieron a la voluntad real. Los siglos XV y XVI marcan el inicio del absolutismo en Europa. Y este llega a su máximo esplendor con Luis XIV, quien pudo con justicia lanzar la celebérrima frase: *L'État c'est moi*. En España se determinó el absolutismo con los Reyes Católicos, quienes alcanzaron la unidad nacional y el sometimiento absoluto de la nobleza, de las Cortes y del clero. Y tuvo su fin con Fernando VII, al establecerse el régimen constitucional.

El absolutismo tuvo un esplendor máximo, durante la antigüedad, en las monarquías orientales, donde el rey asumía todos los poderes; y era supremo juez, y supremo sacerdote y aun dios, penetrando su personalidad en todas las esferas de la vida de su nación.

Los pueblos griego y romano, tan amantes de la libertad individual, no se libraron de caer en el más terrible absolutismo, aquel con los tiranos y este con los césares y emperadores.

Con la invasión de los bárbaros y el nacimiento de las nacionalidades cristianas, el absolutismo se hace casi imposible. El pueblo elige a los jefes que han de gobernarlo, y cuando estos jefes bastardeaban el poder en beneficio propio, en el asesinato o en la deposición encontraron el pago de su imprudencia.

Durante el siglo XX, al decaer los regímenes democráticos y constitucionales, la aparición de los llamados *totalitarismos* ha marcado el renacimiento del absolutismo personal, ejercido por los directores de cada tendencia política. Recordemos a Hitler y su *nazismo* (V.) y a Mussolini y su *fascismo* (V.).

El ilustre profesor Santamaría de Paredes ha sintetizado así el absolutismo: "La monarquía absoluta es la concentración de la soberanía en una sola persona, de la cual emanan los poderes del Estado. Por eso el rey es, a la vez, en esta forma de gobierno, legislador, magistrado y jefe de poder ejecutivo, confundiendo en su persona la unidad ideal de la soberanía con la representación material de la misma. La conocida frase de Luis XIV: *L'État c'est moi (El Estado soy yo)*, en cuanto significa la identificación del Estado con la personalidad del rey, es la fórmula que mejor expresa la verdadera naturaleza de la monarquía absoluta.

"No obstante esta omnipotencia, como quiera que es imposible de hecho el ejercicio de todas las funciones públicas por una misma persona, el monarca absoluto delega o retiene, según le place, las atribuciones que por derecho propio cree le corresponden independientemente de la nación; y de aquí la división de las atribuciones en *retenidas y delegadas*.

"Mediante tal sistema de delegación, el absolutismo se extiende como una red inmensa por todo el territorio, abarcando en sus mallas todos los servicios y funciones de *Estado*, que se llaman funciones y servicios del *Rey*; así es que cabe admitir dentro de esta forma de gobierno la existencia de los diversos organismos que ejercen los tres poderes: legislativo, ejecutivo y judicial. Pero conviene observar: 1.º, que como hay otro orden propiamente tal que el del rey, estos poderes se califican de *Órdenes* en la monarquía absoluta; 2.º, que las atribuciones que se llaman propias de cada uno de los Órdenes son realmente delegadas y solo denotan su competencia respectiva, y 3.º, que como delegadas pueden volver al punto de donde partieron, convirtiéndose en retenidas por la voluntad del monarca. Las Cortes son Cuerpos Consultivos del rey, a los cuales pide consejo y convoca cuando le place; los funcionarios del Poder judicial son sus justicias, a quienes puede retirar el conocimiento de las causas; y los ministros que están a la cabeza del Poder ejecutivo son simplemente los secretarios de su despacho, a quienes hacer pasar del favor a la desgracia sin tener en cuenta la opinión de sus súbditos.

"Fijándose algunos en la unidad que resulta de esta concentración de poderes, han enaltecido la monarquía absoluta como el gobierno más enérgico, en el cual todo marcha hacia el mismo fin, porque el motor es uno y el mecanismo uno también. Pero no se tiene presente, al hacer esta afirmación, que por tal motivo es el gobierno más funesto para un país, porque, no existiendo contrapeso alguno a la voluntad del monarca, no hay medio de contener el capricho y la arbitrariedad cuando el interés personal se sobrepone al interés público. Y, por desgracia, esto es lo que ocurre generalmente, cuidándose ante todo los reyes absolutos de sostenerse en el trono, sean cualesquiera los medios, dejándose arrastrar por los favoritos y gente palaciega que mayor halago les prestan y perdiendo a veces su tiempo en asuntos y distracciones que no redundan lo más mínimo en beneficio del Estado. Verdad es que príncipes cuenta la historia de la monarquía absoluta que han dado lustre y prestigio a sus naciones; pero muchos más ejemplos pueden citarse de lo contrario, en una forma de gobierno en que todo se hace depender de la persona, y en que, sin embargo, nada importan las condiciones personales para la ocupación del Poder.

"Finalmente, hay una razón decisiva para rechazar la monarquía absoluta, y es la que contradice por completo el principio del *self-government*, que es condición esencial de legitimidad de las formas del Estado."

2. También se ha dado el nombre de absolutismo al sistema o doctrina de lo Absoluto, ya en el campo de la Filosofía.

El absolutismo filosófico comprende todas las tendencias que intentan encontrar un principio anterior y superior a las supuestas antinomias del dualismo de la Naturaleza y del Espíritu, del Pensamiento y del Ser, de lo Finito y de lo Infinito.

El absolutismo ha sido llamado filosofía de la identidad; identidad que es como una síntesis de los tres pares de términos antes señalados. Y porque es una concepción alejada de la experiencia y una construcción apriorística, el absolutismo ha llegado a ser entendido como sinónimo del *idealismo abstracto*.

La concepción de una *realidad espiritual*, bien distinta de la que poseemos; la comprensión de que la esfera del Ser excede a la esfera del conocimiento; la consideración tanto de los objetos del mundo sensible como de las posibilidades de nuestra actividad racional, nos revelan la existencia de lo Infinito y Absoluto, "como realidad esencialmente distinta de los cuerpos y de los espíritus".

El absolutismo filosófico tuvo sus antecedentes en el *panteísmo* (V.) antiguo y su desarrollo lógico en el monismo idealista postkantiano.

El absolutismo filosófico hizo su aparición con Giordano Bruno, con Spinoza, con Fichte. Según la crítica moderna, "cada concepción de lo absoluto es una deformación de la idea de la Divinidad, y, lógicamente, corresponde a una nueva clase de absolutismo".

El absolutismo se opone al *relativismo* (V.) y al *pragmatismo* (V.). Para otros críticos, el absolutismo, además de una doctrina o un sistema, "es una preocupación inseparable de todo pensar, ya que el alma racional, no pudiendo abarcar la causa última de toda existencia, la contempla en sus infinitos reflejos del mundo sensible, de la inteligencia y de la vida moral".

V. (PARA EL ABSOLUTISMO POLÍTICO.) SANTA MARÍA DE PAREDES: *Derecho político*. Madrid, 1903.—GETTELL, Raymond G.: *Historia de las ideas políticas*. Barcelona, Labor, 1937, segunda edición.—BENEYTO, Juan: *Historia de las doctrinas políticas*. Madrid, Aguilar, 1950.

ACADEMIA (V. Academismo)

ACADÉMICO (Género, estilo...)

Estilo que parece ser el más adecuado y el más conveniente en las academias y a los académicos.

Lo *académico* de estilo consiste en cierto purismo de lenguaje, en una atención exagerada a la ortodoxia de la sintaxis y de la construcción, que llegan, a veces, a dar al escrito monotonía y frialdad. El estilo académico es propio, únicamente, de las relaciones, memorias, disertaciones y discursos del género demostrativo. En todo caso, no se puede soportar un estilo tan pulido y meticuloso en los géneros que exijan cualidades fuertes y vivas, ni en una obra cualquiera, por poco que ella sea de algún arranque: la novela, el cuento, el drama, la composición lírica, la arenga.

El estilo académico queda calificado por el orden exacto de una elección esmerada, por el giro severo de las ideas, por la pureza de los vocablos, por la elegancia y armonía serenas de la frase.

ACADEMISMO

Puede aplicarse este vocablo: a la filosofía platónica; al estilo literario, sometido en absoluto a los dictados gramaticales o artísticos de una Academia; al afán de literatos y artistas por ingresar como miembros en una Academia oficial; a la tendencia de someter a una minoría el derecho de encauzar y de dirigir todas las corrientes artísticas y literarias, impidiendo en nombre de lo estatuido el encanto de la renovación y el gozo del hallazgo; a un sentido hermético y reglado de lo tradicional.

1. Academismo deriva de Academia, y este de *Akademos*, héroe griego, atleta maravilloso.

En la parte de la Cerámica, situada fuera de Atenas, a orillas del Cefiso, el famoso Akademos legó a los atenienses veinte estadios de terreno a condición de dedicarlos a gimnasio. Hiparco, hijo de Pisistrato, los cercó con una muralla. Cimón los hizo desecar por medio de un acueducto, y plantó plátanos y olivos, cedros y cipreses, formando deliciosas alamedas. Dentro de este singular recinto tuvieron bellísimas estatuas el Amor y las Gracias, altares Hércules y Prometeo, y un santuario Minerva.

Platón explicó filosofía en estos jardines de Akademos. A la filosofía platónica se le dio el nombre de *académica y academismo* al entusiasmo de sus numerosos discípulos. Las modificaciones experimentadas por las doctrinas de Platón dieron origen a la aparición de posteriores *academias.* Así conocemos: la *Antigua,* o de las doctrinas puras de Platón; la *Segunda,* fundada por Argesilao; la *Nueva,* instituida por Carnéades; la *Cuarta,* abierta por Filo, y la *Quinta,* dirigida por Antíoco.

Academismo fue, pues, en un principio, una exclusiva tendencia filosófica que reunía a todos los discípulos, más o menos directos y ortodoxos, de Platón. Después... Después pasó a ser todo lo demás: cánones rígidos de tradicionalismo, ataques implacables contra lo imaginativo y audazmente renovador, repudio de todo adorno.

El nombre de academismo, de academia, se ha perpetuado. En la Italia renacentista se dio, indistintamente, a las diversas asociaciones de sabios, literatos, eruditos, artistas y a los establecimientos docentes de diverso linaje. En nuestros días, la dedicación es aún más amplia; y existen academias militares, musicales, de estudios universitarios, de baile, de esgrima...

Sin embargo, el nombre se aplica más ceñidamente a las asociaciones de profesionales dedicados al fomento y expansión de cualquiera de las ramas del saber humano.

La primera institución de esta índole no llevó el nombre de Academia, sino el de *Museo,* y fue fundada en el siglo III, antes de Cristo en Alejandría, por Tolomeo Soter. En el Museo se reunían filósofos, matemáticos, retóricos, poetas, gramáticos...

Durante la Edad Media, en Córdoba y en Granada, los musulmanes establecieron las instituciones llamadas *aljamas,* de índole muy semejante a las de nuestras modernas academias.

A instancias del sabio Alcuino, Carlomagno fundó una en su propio palacio. Y Latini—en 1270—fundó la de *Bellas Artes de Florencia.* Y la de los *Juegos Florales de Tolosa* nació en 1323. Lorenzo de Médicis—1724—creó la *Academia Platónica* de Florencia. Antes, en 1442, Alfonso de Aragón había establecido en Nápoles la *Academia Alfonsina.* En Florencia existieron la *Academia della Crusca* o *Academia Furfuratorum*—1582—y la *Academia del Cemento* —1657—, fundada esta última por el cardenal Leopoldo de Médicis. En Roma, la *Academia Lincei*—1609—y la *de los Arcades*—cuyos miembros eran de distintas nacionalidades. En Nápoles, la *Academia Secretorum Naturae*—1560.

En España surgió el gusto por las Academias con la llegada a su trono de la casa de Borbón. Y fue la primera la *Real Academia de la Lengua,* fundada en su propio domicilio por don Juan Manuel Fernández Pacheco, marqués de Villena, y establecida por la Real Cédula de Felipe V de 3 de octubre de 1714. Su objeto —bien determinado en su divisa: un crisol puesto al fuego—fue este: *Limpia, fija y da esplendor,* y ello, al idioma castellano, velando por su propiedad, por su claridad y por su pureza.

En sus orígenes, componían la Academia un director, veinticuatro académicos y un secretario con facultades para formar sus Estatutos. En 1847 recibió nuevos Estatutos. Los vigentes rigen desde 20 de agosto de 1859. La Academia ha quedado constituida por treinta y seis académicos de número, que residen—o deben residir—en Madrid; veinticuatro correspondientes españoles, que viven fuera de la capital, y varios honorarios correspondientes extranjeros.

Los famosos "sillones de la Academia" fueron en un principio veinticuatro, señalados, respectivamente, con una letra del alfabeto de mayúsculas. Por Real Decreto de 1847 se añadieron los doce sillones restantes, que van señalados con las doce primeras letras minúsculas. Por Real Decreto de 26 de noviembre de 1926 se aumentaron los académicos de número con los de las lenguas regionales: dos por la catalana—Rubió y Lluch y Eugenio d'Ors—, dos por la gallega —Ramón Cabanillas y Armando Cotarelo—, dos por la vasca—Julio de Urquijo y el P. Azcué—, uno por la valenciana—el P. Fullana—y uno por la mallorquina—don Lorenzo Riber.

Durante bastantes años la Academia de la Lengua celebró sus reuniones en el palacio de su fundador, marqués de Villena, situado en la plaza de las Descalzas Reales; en 1754, Fernando VI le concedió domicilio en la Real Casa del Tesoro, dependencia del Real Palacio. Carlos IV la llevó a un palacete de la calle de Valverde, que hoy ocupa la Academia de Ciencias Exactas, Físicas y Naturales. Finalmente, en 1894 fue trasladada al palacio de nueva planta que en la actualidad ocupa.

En un principio no existieron en la Academia sino dos cargos: director y secretario. Con posterioridad fueron creándose otros: censor, bibliotecario perpetuo, tesorero y vocal adicto a la Comisión administrativa.

Los primeros académicos reunidos en el domicilio del marqués de Villena fueron ocho, entre los que se contaron: Fray Juan Interián de Ayala, el historiador Juan Ferreras, Antonio González Barcia, el poeta Gabriel Alvarez de Toledo, los profesores del Colegio Imperial y jesuitas PP. José Casani y Bartolomé Alcázar, don José de Solís y de Gante, duque de Montellana.

La primera junta general de la Academia se celebró el 6 de julio de 1713.

La Real Academia Española ha tenido a su cargo la publicación de admirables obras, de imprescindible necesidad algunas de ellas. El *Diccionario de autoridades* (1726-1739), en seis grandes tomos, dedicados a don Felipe V. La primera *Ortografía*—1741—. La primera *Gramática*—1771—. El primer *Diccionario de la Lengua*—1780—, en un tomo, del que van impresas diecisiete ediciones. La edición monumental del *Quijote*—1780—. La reimpresión en latín y castellano del *Fuero Juzgo*—1815—. La gran edición de las *Cantigas,* dirigidas por el marqués de Valmar. La edición facsímil de las *Obras completas* de Cervantes—1917—. Las *Obras dra-*

máticas de Lope de Vega, en dos series de muchos tomos, dirigida y magníficamente prologada la primera por Menéndez y Pelayo. La ya nutrida *Biblioteca selecta de clásicos españoles.* Obras menores, pero interesantísimas, como el *Prontuario de Ortografía,* el *Compendio,* el *Epítome de Gramática y el Diccionario manual e ilustrado.* En 1914 se inició la revista trimestral *Boletín de la Real Academia Española.*

El primer concurso literario lo convocó la Academia en 1778, otorgando el primer premio al poeta Vaca de Guzmán por su oda a *Las naves de Cortés, destruidas.* Desde esta fecha, ningún año ha dejado de organizar la Academia certámenes parecidos, que siempre alcanzaron grandes éxitos y rigurosa fama. Y en la actualidad otorga premios "de fundaciones", con carácter permanente, como los titulados *Fastenrath, Piquer, Cortina, Alba,* que recaen, por años, en obras de muy diversos géneros.

En la Academia, hoy, funciona un Seminario de Lexicografía, dirigido por el secretario perpetuo, don Julio Casares. Y se ha iniciado la publicación de un nuevo *Diccionario de autoridades.*

Las recepciones públicas de los nuevos académicos, que han de leer una disertación sobre temas de investigación literaria, y a los que contesta un antiguo académico, empezaron en 1847. Algunos de tales discursos contienen un valor excepcional, siendo todos impresos por la Real Academia y repartidos por esta durante las recepciones de ingreso.

Entre los directores más ilustres que ha tenido la Real Academia Española figuran: Martínez de la Rosa, el duque de Rivas, el marqués de Molíns, el conde de Cheste, don Alejandro Pidal, Menéndez Pidal, José María Pemán...

La *Real Academia de la Historia* fue creada por Real Decreto de Felipe V de fecha 18 de abril de 1738, a petición de su secretario, don Agustín de Montiano Luyando, literato e investigador, que dirigía un notable grupo de personajes asiduos concurrentes a la Real Biblioteca de Madrid. Sus miembros tuvieron los mismos honores y prerrogativas que los de la Academia de la Lengua. La Academia de la Historia fue reorganizada por el Real Decreto de 25 de febrero y por la Real Orden de 20 de marzo de 1847. En 28 de mayo de 1856 fueron aprobados los Estatutos por los que hoy se rige. Por divisa tiene la figura de un ángel, con la llama de la inteligencia en la cabeza y en actitud de escribir; y la leyenda: *Nox fugit historiae lumen dum fulget iberis.* Por sus Estatutos fundacionales, consta de veinticuatro miembros, incluso un director, un secretario y un censor. Entre sus importantes publicaciones, destaca la archifamosa *España Sagrada.*

La *Real Academia de Bellas Artes de San Fernando* fue fundada por Felipe V en su Real Decreto de 17 de julio de 1744 y a instancias del marqués de Villarias y del escultor italiano Olivieri. Fernando VI completó su organización —por Real Cédula de 30 de mayo de 1757—mediante unos Estatutos y un reglamento encaminados a asegurar su existencia y buen funcionamiento. Su primitivo nombre fue *Real Academia de las Nobles Artes de San Fernando,* que conservó hasta 1873, año en que se le agregó la sección de Música, tomando el nombre actual. En su escudo figuran los atributos de las tres artes: pintura, escultura y arquitectura, con una mano en ademán de arrojar tres coronas y la leyenda *Non coronabitur nisi legitime certaverit.* Esta Academia se divide en cuatro secciones: Escultura, Pintura, Arquitectura y Música, y se compone de cuarenta y ocho académicos de número y un número ilimitado de corresponsales domiciliados fuera de Madrid.

Real Academia de Ciencias Exactas, Físicas y Naturales (que en su origen—1657—fue llamada *Academia Naturae Curiosorum,* y después, en 1834, de *Ciencias Naturales*), establecida por decreto de 25 de febrero de 1847.

Real Academia de Ciencias Morales y Políticas, fundada por decreto de 30 de septiembre de 1857.

Real Academia de Medicina y Cirugía (cuyo origen fue una famosa *Tertulia médica,* en 1732), establecida en 1773.

Real Academia de Jurisprudencia y Legislación (antes se llamó de *Santa Bárbara* y más tarde, 1763, de *Derecho Español, y de la Concepción),* en 1826.

Academia Española de Bellas Artes de Roma. Establecida en el monte Janículo y en 1873, por disposición de don Emilio Castelar, presidente de la República Española.

Otras Academias sumamente interesantes existen en distintas provincias. Así, en Barcelona: *Academia Provincial de Bellas Artes,* con veintisiete académicos y tres secciones: Pintura, Escultura y Arquitectura. *Academia de Buenas Letras,* que celebró su primera sesión en 1729, y a la cual Fernando VI otorgó el título de *Real,* aprobando sus Estatutos en 1751; sus Estatutos vigentes fueron aprobados por Real Orden de 22 de julio de 1885; comprende treinta y seis académicos de número y muchos más correspondientes; su escudo y su divisa datan de 1731: una colmena y abejas de oro en campo azul, ornamentado con tomillo y flores, y el lema: *Per thyma et flores. Real Academia de Ciencias y Artes,* creada en 1764 y aprobada en 1770.

En Sevilla: *Real Academia de Bellas Artes,* que consta de diecinueve académicos y fue creada por Real Decreto de 31 de octubre de 1849. *Real Academia Sevillana de Buenas Letras,* que quedó fundada por Fernando VI, otorgándole el título de *Real* en 1752; se compone de cuarenta académicos (diez preeminentes y treinta numerarios, residentes en Sevilla) y de tres secciones: Literatura, Ciencias Filosóficas y Ciencias Exactas, Físicas y Naturales.

En Zaragoza: *Real Academia de Bellas Artes*

de San Luis, cuya fundación fue aprobada por Carlos IV el 17 de abril de 1792, otorgándole el título de *Real* y el nombre de su esposa la reina doña María Luisa; constitúyenla veintitrés académicos numerarios y se divide en tres secciones: Música, Pintura y Escultura.

En Valencia: *Real Academia de las Nobles y Bellas Artes de San Carlos,* fundada en 1753 por iniciativa de varios profesores, auxiliados por el Ayuntamiento, y aprobada por Carlos III el 14 de febrero de 1778; se compone de veintiocho miembros y de tres secciones: Pintura, Escultura y Arquitectura.

En Granada: *Academia de Bellas Artes,* fundada por Real Decreto de 31 de octubre de 1849; comprende: un presidente, dos consiliarios, un secretario y quince académicos.

En Cádiz: *Real Academia de Ciencias y Letras,* fundada en 1876 por Alfonso XII.

En Valladolid: *Academia de Historia y Geografía,* fundada en 1753.

Existen también otras Academias en La Coruña—la de la Lengua Gallega—, en Córdoba —la de Nobles Letras—, en Vizcaya—la de Estudios Vascos...

Con lo antecedente nos hemos referido exclusivamente a las Academias actuales, con sus correspondientes antecedentes históricos. Pero debemos ahora aludir a las Academias españolas, abundantísimas, de otros siglos, y desaparecidas, por desdicha, ya que fueron paradigmas de vida literaria y artística, de polémicas fecundas, de curiosísimas anécdotas.

Las más importantes Academias literarias de España surgieron en el llamado Siglo de Oro, y prepararon su aparición los *certámenes poéticos,* los *torneos literarios,* las *justas poéticas,* los *juegos florales,* multiplicados y bien repartidos por toda la vieja piel de toro ibérica, y en los que los poetas y las multitudes hallaban impresiones y gustos inolvidables.

Una de las Academias más famosas fue la valenciana *de los Nocturnos,* fundada en 1591 por don Bernardo Catalá y Valesiola. Se componía de cuarenta y cinco miembros autorizados por su alcurnia o sus méritos literarios, los cuales se reunían todos los miércoles en el palacete del fundador, que era el presidente, para presentar y discutir temas morales, poéticos o políticos. Los ejercicios de esta Academia eran nocturnos. De aquí el nombre que se dio a la misma, y cada miembro tomó un sobrenombre relacionado con la noche: *Sombra, Silencio, Vigilia, Reposo, Tinieblas, Miedo, Olvido, Lluvia...* Entre sus más famosos miembros, Guillén de Castro tomó el nombre de *Secreto;* Rey de Artieda, el de *Centinela;* López Maldonado, el de *Sincero...* La primera sesión de la *Academia de los Nocturnos* se celebró el 4 de octubre de 1591; la última, el 13 de abril de 1593. En 1616 fue resucitada por Guillén de Castro con el nombre de *Los Montañeses del Parnaso.* Esta Academia contaba con presidente, consiliario, secretario y portero. Y en sus actas quedan registradas y reproducidas 805 poesías, 85 fragmentos en prosa. Fue la más importante e interesante de las que existieron durante el Siglo de Oro. "Repasando los volúmenes de esta institución—escribe Pfandl—, puede deducirse que estas academias no eran simplemente, como las jesuíticas, lugares de reunión para ensayos reglamentados y metódicos, ni como los conventículos de la Italia de entonces, en que se sometían a discusión problemas filológicos, éticos y filosóficos y se intentaba el derrumbamiento de la escolástica, sustituyéndola con la implantación de los estudios clásicos, sino Círculos de recreo y de ameno pasatiempo, en los cuales se discutían temas literarios y se poetizaba por *dilettantismo.*"

En Madrid existieron varias Academias curiosísimas. Hacia 1586, la *Imitatoria,* a la que asistían literatos y pintores, políticos y embajadores. El año 1610 presentó en todo su apogeo la *del conde de Saldaña,* de la que eran miembros Lope de Vega, Mira de Amescua, los Argensolas. De 1617 a 1622, Sebastián Francisco de Medrano presidió otra Academia, bien asesorado por Tirso de Molina. Academias famosas fueron igualmente la *de los Anhelantes* y la *de los Ociosos,* vinculadas a los Argensolas. En 1600, Pedro Venegas dirigía una Academia en Granada. En Barcelona, durante los últimos años de la Casa de Austria, funcionó la *Academia de los Desconfiados.*

El siglo XVIII tuvo notabilísimas Academias particulares: la *del Buen Gusto,* que presidieron la condesa de Lemos y la marquesa de Sarriá; la *Tertulia de la Fonda de San Sebastián,* de la que formaban parte Nicolás Fernández de Moratín, Cerdá y Rico, Cadalso, Tomás de Iriarte, Vicente de los Ríos, Ignacio López de Ayala y algunos eruditos italianos.

Durante el romanticismo madrileño se hizo archifamosa la *Academia del Mirto,* a la que pertenecieron Espronceda, Ventura de la Vega, el marqués de Molíns, Escosura, Zorrilla...

ACADEMIAS HISPANOAMERICANAS.—Creadas modernamente, como hijuelas de la Real Academia Española de la Lengua, y formadas por los académicos correspondientes, funcionan en la América de habla española las academias Argentina, Colombiana, Costarriqueña, Cubana, Chilena, Ecuatoriana, Guatemalteca, Hondureña, Mejicana, Panameña, Peruana, Salvadoreña, Uruguaya y Venezolana. Además, en Manila existe la *Academia Filipina,* correspondiente también de la Española.

PRINCIPALES ACADEMIAS EXTRANJERAS.—*Academia Francesa,* fundada por Richelieu en 1637. *Academia Real de Berlín,* fundada en 1700 por Federico II, y cuyo primer presidente fue Leibniz. *Academia de Dublín,* 1683. *Academia Real de San Petersburgo,* fundada en 1725 por Catalina II. *Real Academia de Italia,* 1926. *Real Academia de Estocolmo,* 1741. *Real Academia de Copenhague,* 1743. *Academia de Ciencias y Be-*

llas Artes de Lisboa. Academia Británica, 1902...

En 1899 fue creada la *Asociación Internacional de Academias.* Ningún país como Italia presenta tan crecido número de *Academias* literarias con los títulos más curiosos y con los intentos más originales. Merecen recordarse: *Academia de los Arcades,* de Roma; *Academia Platónica,* de Florencia; *Academia de los Fantásticos,* de Roma; *Academia de los Humoristas,* de Roma; *Academias de los Ociosos y de los Obtusos,* en Bolonia; *Academia de los Ardientes,* en Nápoles; *Academia de los Argonautas,* en Venecia; *Academia de los Obstinados,* en Viterbo; *Academia de los Caliginosos,* en Ancona; *Academia de los Desunidos,* en Fabriani; *Academia de los Insensatos,* en Perugia; *Academia de los Inmóviles,* en Alejandría; *Academia de los Ofuscados,* en Cesana; *Academia de los Innominados,* en Parma; *Academia de los Olímpicos,* en Vicenza; *Academia de los Ocultos,* en Brescia; *Academia de los Elevados,* en Ferrara; *Academia de los Oscuros,* en Luca; *Academia de los Perseverantes,* en Treviso...

2. Dentro del academismo hay que considerar el estilo denominado académico; estilo que parece ser el más adecuado y el más conveniente en las Academias y a los académicos.

ACANTO (Lenguaje)

Una de las lenguas africanas habladas en la Costa de Oro y en la Costa de los Esclavos por los numerosos poblados que han formado una de las más vastas regiones de la Guinea.

El idioma acanto, que utiliza una población numerosa y diseminada, comprende unos ocho dialectos, el más importante de los cuales es el *santi.*

El acanto es sumamente pobre en formas gramaticales. La conjugación de sus verbos es muy restringida. El significado de los vocablos varía según la entonación que se les da. El acanto abunda en imágenes y responde al carácter de un pueblo bárbaro y guerrero, aun cuando no desprovisto de inteligencia.

ACATALÉCTICO (Verso)

Nombre dado al *verso completo;* al que no le falta ni pie ni sílaba.

ACCÉSIT

Voz latina usada en los certámenes y concursos literarios para denotar el grado inmediato inferior al del primer premio otorgado.

ACCESORIAS

Partes que en una obra literaria sirven para reparar, embellecer y desenvolver el tema, sin ser en él absolutamente necesarias.

ACCESORIOS

1. Elementos no esenciales en una obra literaria, a la que, sin embargo, adornan, valorizan, recalcan y hasta definen en ocasiones.

2. En el género teatral, también las decoraciones, los muebles y demás elementos del aparato escénico.

ACCIDENTE

1. Calidad o estado que se halla en alguna cosa sin que pertenezca a su esencia o naturaleza.

2. El sentido *figurado* de una palabra.

3. Atributo *no esencial* a la cosa que pertenece.

4. Modo o manera de ser una cosa que nuestro entendimiento concibe, en oposición a la sustancia o esencia de la cosa considerada en sí misma.

5. Alteración que los nombres y los verbos reciben en sus terminaciones para marcar el género, el número, los tiempos, los modos, las personas, las voces...

6. Episodio secundario o circunstancial en la obra literaria.

ACCIDENTE (Lugares del)

En el lenguaje de *escuela literaria o filosófica,* título genérico con el que se designan los diferentes lugares comunes del razonamiento, analizados y descritos por Aristóteles en el segundo libro de los *Tópicos.*

ACCIÓN

1. El acto y el efecto de hacer, de obrar.

2. Origen del movimiento o de la mutación que se inicia en una cosa y termina en otra. Es un accidente modal, que nace de la potencia, y que se divide en *inmanente y transitiva*—según permanezca en el agente o se transmita—y en *instantánea o sucesiva*—según el efecto dure un tiempo inapreciable o apreciable.

3. En la obra literaria, el desenvolvimiento, según las reglas del arte, del suceso que constituye el argumento o trama. En esta acción se determina tres partes: *exposición, nudo y desenlace* (V.). La regla fundamental de la acción literaria es la *unidad.*

ACCIÓN ORATORIA

Gestos, ademanes, actitudes y voz con que el autor—o un intérprete—comunican al público una obra literaria a él dedicada. El sentido de los palabras es el que determina la armonía de voz, actitudes, ademanes y gestos. Demóstenes afirmaba que la acción era "el principio, el medio y el fin del arte del orador". Cicerón llamó a la acción oratoria "lenguaje del cuerpo".

Los retóricos afirman que la acción oratoria únicamente es propia de la elocuencia. Pero igualmente lo es de otros géneros literarios, como la poesía épica o el drama o cualquier otro que tenga por fin la representación activa de la vida humana, concatenación de actos y sucesos proyectados por el objeto principal de la obra, y enlazados de un modo que formen conjunto.

Los griegos y romanos distinguían tres partes en la acción literaria: la *memoria, la pronunciación—o declamación—y el gesto* (V.).

V. CICERÓN: *De oratore,* libro III.—QUINTILIANO: *De institucione oratoria,* libros X y XI. FENELÓN: *Dialogues sur l'éloquence.*—TALMA (Mme.): *Études sur l'art théâtral.*

ACÉFALOS (Versos)

Se denominan así aquellos versos en que falta el principio del primer pie. Se encuentran algunos en la *Ilíada* y en la *Odisea.*

ACENTO

1. Es la mayor intensidad con que se hiere determinada sílaba al pronunciar una palabra; es el lazo de unión entre los varios sonidos o letras que constituye un vocablo. La sílaba sobre la cual recae el acento es la predominante en la palabra, y queda marcada con un signo ortográfico que—para nuestro acento tónico o agudo—consiste en una rayita oblicua que baja de derecha a izquierda del que escribe (').

2. En poesía, el acento se toma por la voz misma, por el lenguaje, por el verso.

3. Manera peculiar de articular y pronunciar las palabras, propia, no solo de cada nación, sino también en las diversas provincias, ciudades, villas y aldeas de cada país. Así, en España hay un acento catalán, y un acento gallego, y un acento vasco, y un acento andaluz... Y en Francia, un acento gascón, y un acento normando, y un acento borgoñón...

4. Uno de los más importantes elementos constitutivos del verso, que, aun teniendo la medida correspondiente, sería poco armonioso y grato, o no constaría, de no ir acentuado en determinadas sílabas.

5. Acento oratorio es la inflexión que toma la voz del actor escénico o del orador para expresar adecuadamente la emoción de que se halla transido.

La palabra acento deriva de la latina *acentus,* compuesta de la preposición *ad y cantus,* traducción exacta del vocablo griego *prosodia,* que significa: *canto al que se acompaña una sílaba.*

El acento es elemento *esencial* en la versificación española, y su colocación influye de tal manera en la estructura y medida del verso, que con solo variarlo quedan destruidas, desapareciendo su armonía.

Ejemplo (de la *Elegía* de Martínez de la Rosa a la duquesa de Frías):

> Tanto infeliz que socorrió piadosa,
> tanto huérfano pobre y desvalido
> de que fue tierna madre, los que un día
> su bondad y sus prendas admiraron,
> en largas filas, silenciosos, mustios,
> tus pasos lentamente van siguiendo...

Si cambiamos la colocación de las palabras que componen cada uno de estos versos endecasílabos, de manera que resulte el mismo número de sílabas y sin que se altere su sentido, pero haciendo que caigan sus acentos en sitio distinto del que corresponde a los versos, desaparecerá su armonía y aun dejarán de ser tales versos:

> Tanto infeliz que piadosa socorrió,
> tanto pobre y desvalido huérfano
> de que tierna madre fue, los que un día
> admiraron su bondad y sus prendas,
> silenciosos, mustios, en largas filas
> van siguiendo lentamente tus pasos...

Con relación al acento, las palabras se dividen: *agudas*—las que lo llevan en la última sílaba—, *llanas o graves*—las que lo llevan en la penúltima sílaba—y *esdrújulas*—las que lo llevan en la antepenúltima sílaba.

Otras palabras pueden considerarse como *átonas* o sin acento para la armonía del verso. Son átonas, ordinariamente, todas las que, no significando ninguna idea de sustancia o modo, sirven solo para expresar relaciones entre los conceptos; así, los *artículos,* casi todos los *adjetivos no calificativos,* algunos casos *oblicuos* de los *pronombres personales,* el recíproco *se* y la mayor parte de las *preposiciones y conjunciones.*

Acento *final* es el último que lleva cada verso, y puede recaer sobre la *última, penúltima y antepenúltima* sílaba del mismo, influyendo, por tanto, en su medida, ya que si recae sobre la última, esta sílaba vale por dos, y suena bien el verso al oído, aunque tiene una sílaba de menos; y si recae sobre la antepenúltima, las dos últimas sílabas valen por una y suena bien el verso, aunque tiene entonces una sílaba de más. Según el lugar que ocupa el acento final, se dividen los versos en *agudos, llanos y esdrújulos.* Verso *agudo* es el que lleva su acento final en la última sílaba, o sea el que acaba en palabra aguda y tiene una sílaba de menos. Verso *llano* es el que lleva su acento final en la penúltima sílaba, o sea el que termina en palabra llana y tiene justo el número de sílabas. Verso *esdrújulo* es el que trae su acento final en la antepenúltima sílaba, o sea el que acaba en palabra esdrújula y tiene una sílaba de más. Sirvan de ejemplo los siguentes versos:

> Joven angélico,
> desde tu trono
> oye mi voz.

Tres versos de los llamados de cinco sílabas. Los tres llevan su acento *final* en la *cuarta* sílaba. El primero es *esdrújulo* y consta realmente de *seis* sílabas, pero resulta de *cinco,* porque las dos últimas suenan en nuestro oído como una sola. El segundo es *llano,* y consta de *cinco* sílabas justas. El tercero es *agudo,* y tiene realmente *cuatro,* pero resulta también de *cinco,* porque la última es apreciada por *dos* en nuestro oído.

ACEPCIÓN

1. Sentido o significación en que se toma una palabra, o la manera particular de interpretarla el que la lee o el que la oye.

2. *Acepción recta* dícese del sentido primitivo, fundamental, esencial o principal de una palabra.

En los escritos literarios debe evitarse el uso en una misma frase o en una misma ilación de ideas de una palabra en dos o más *acepciones,* porque no pueden resultar de su uso sino la confusión y la oscuridad.

ACERTIJO

Enigma que en la conversación familiar se suele proponer para divertirse en descifrarlo. Un enigma muy ingenioso, en francés, es el atribuido a Voltaire:

Pir *Vent* *Venir*
Un *Vient* *D'un*

Es decir: Un *sous,* Pir, Vient *sous* Vent, D'un *sous* Venir, lo que forma: *Un soupir vient souvent d'un souvenir* (Un suspiro nace frecuentemente de un recuerdo). (V. Jeroglífico.)

ACLAMACIÓN

1. Epifonema, alabanza, exaltación exagerada de alguien o de algo.

2. Manifestaciones generales de aprobación, simpatía o fanatismo en cualquier acto público, expresadas por medio de vocerío, gritos, rumores, gestos, aplausos...

En Atenas, los magistrados eran elegidos por *aclamación.* Los senadores romanos aceptaban una proposición por *aclamación* cuando se inclinaban al lado del proponente. La *aclamación* de los bárbaros se manifestaba por el ruido de sus armas, hiriendo los escudos con las espadas.

El pueblo prorrumpía en *aclamaciones* cuando los emperadores distribuían dinero entre los menesterosos.

Augeat imperium nostri ducis, augeat annos!

dice Ovidio en sus *Fastos,* I, 613.

Las *aclamaciones* pasaron al teatro en tiempo de Plauto. El actor que últimamente ocupaba la escena daba la señal de los aplausos con estas palabras: *Valete et plaudite.* Nerón llevó las aclamaciones a los circos y a los espectáculos deportivos...

Literariamente, *aclamación* significa *unanimidad.*

ACOMPAÑAMIENTO

1. Séquito. Comitiva. Los que preceden y los que siguen.

2. En el teatro, las personas que salen al escenario y no hablan o solo dan gritos o pronuncian escasas palabras.

3. La composición que se toca para *acompañar* a la voz.

ACONSONANTADO (Verso)

Se da el nombre de aconsonantados a aquellos versos que tienen sonidos iguales—en vocales y consonantes—a partir de la última vocal tónica.

La Virgen cant*aba,*
la dueña dorm*ía...*
La rueca gir*aba,*
loca de alegr*ía.*
....
¡Hila con cuid*ado*
mi velo de ni*eve,*
que vendrá el am*ado*
que al altar me ll*eve!*

(VILLAESPESA.)

En estas dos estrofas, respectivamente, son aconsonantados los versos impares entre sí, e igualmente los versos pares.

ACOTACIÓN

1. Apuntamiento que se pone al margen de algún escrito, y referente al mismo.

2. En el teatro, las advertencias que lleva la copia de la obra escénica referentes a las mutaciones, a las tramoyas, a las entradas y salidas de actores, a las luces y pausas, etcétera, etc.

ACRA o GA (Lenguaje)

Idioma hablado en Acra o Incran (Nigricia marítima). En este idioma no existen los géneros. Los artículos y las preposiciones van a continuación de los substantivos. Los plurales se forman por la inflexión. La mayor parte de los tiempos de la conjugación se distinguen los unos de los otros en la entonación, que es muy variable y dificilísima de ser representada por el alfabeto latino. Ni la voz pasiva ni el infinitivo de los verbos se emplean jamás.

ACROAMA

En el antiguo teatro griego se llamaba así a un intermedio de música instrumental en los juegos públicos.

Entre los romanos se daba este nombre a la recreación dramática o musical en las casas particulares y a la lectura hecha por un esclavo. A finales de la República romana, *acroama*—que en griego significa *audición*—designaba todas las representaciones musicales o dramáticas dadas fuera de los circos o de los teatros públicos, análogos a las actuales conferencias, recitales poéticos, conciertos de cámara, lecturas de obras literarias en Ateneos y Academias.

ACROAMÁTICOS o ACROÁTICOS

1. Se llaman así, *libros acroamáticos,* aquellos en que los poetas helénicos trataban de materias sublimes u ocultas, y que no podían ser comprendidas más que por los iniciados adeptos.

2. Llámase también *acroamático o acroamática* el modo o forma de enseñar valiéndose de narraciones, discursos, ejemplos...

ACROLOGÍA

1. Escritura jeroglífica, en la que las ideas son representadas por medio de cosas cuyo nombre empieza con la misma letra que la de la idea que representa.

2. Investigación de las causas primordiales, de los primeros principios, o sea de lo absoluto.

ACRÓSTICO

Es una composición poética en que las letras iniciales, medias o finales de cada verso, leídas de arriba abajo, o a la inversa, forman un nombre o concepto. El acróstico se compone de tantos versos como letras tiene el nombre a quien se dedica, y cada verso debe empezar —mediar o terminar—por una de las letras de este nombre, tomándolas seguidamente, de manera que para hacer un acróstico con la palabra *María,* el primer verso debe empezar con una *M,* el segundo con una *A,* y así sucesivamente. El acróstico más difícil, aquel en el que culmina la perfección del género, resulta de colocar por segunda vez el nombre mismo en el hemistiquio, o sea en las letras que comienzan la última mitad de cada verso.

Los acrósticos tuvieron buena fortuna durante la Edad Media. Muchos poetas, enamorados de mujeres imposibles, les dedicaban acrósticos de maravillosa dificultad. En España, el acróstico tuvo igualmente mucha boga durante los siglos XVI y XVII. En *La Celestina* se encuentra un buen acróstico, escrito en coplas de arte mayor por el bachiller Fernando de Rojas, en el que dice su nombre, el de la tragicomedia que acabó y el del pueblo de donde era natural. El acróstico se prestó mucho a las cortesanas y galantes insinuaciones y maledicencias.

Como ejemplo, copiamos el que Patricio de la Escosura, en su drama *La corte del Buen Retiro,* pone en boca del conde de Villamediana, con el título de *Amor imposible*:

Ira del cielo, amor, fueron tus tiros,
Sobre el que adora un imposible objeto,
Arde, y su fuego, que ocultó el respeto,
Bramando exhala en rápidos suspiros.
En vano ablandan bronces y porfiros,
Lágrimas de dolor. ¡Cruel aleto!
Dura suerte! No muda un solo afeto
En tanto el hombre cambia en raudos giros.
Bárbaro amor, concede una esperanza,
O que a olvidar me mueva su desprecio:
Rompe, si no, los lazos de la vida:
Baste ya lo sufrido a tu venganza.
Oh!, no escuches, amor, mi ruego necio:
No, ingrata sea, nunca aborrecida.

Otro acróstico curioso: el Consejo particular de Carlos II de Inglaterra se llamó *cábala,* porque las letras iniciales de los nombres de las cinco personas que lo formaban componían la palabra *cabal*:

Clifford
Ashley
Buckingham
Arlington
Landerdale

El más difícil acróstico que se conoce es el dedicado al mariscal *François de Bassompierre,* por Chabrol, en su tragedia en cinco actos *Oriselle ou les Extremes mouvements d'amour,* estrenada en París, en 1633. La tragedia es muy mala, pero la ha hecho inmortal el acróstico, verdaderamente impresionante que copiamos a continuación:

Fonder sur ses exploits un respect **F**avorable,
Rend**R**e à tous les mortels sa faveu**R** ador**R**able,
A s **A** i l l i r les destins et les v**A**incre **A** la fois,
Nonobsta**N**t tous les traits de l'i**N** f o r t u **N**e même,
Considérer **C**ombien son prin**C**e en se**C**ret l'aime,
Objecte à v**O**s haineux les s**O**ins d'un b**O**n Francois,
Il me croiro**I**t vraiment atte**I**nt d'ingrat**I**tude,
Si je ne vou**S** offrois ce**S** fruits de mon e**S**tude,
Dont le naïf **D**essein **D**emande votre a**D**veu;
Et si vous agré**E**s c**E**s termes de la gu**E**rre,
Burinant sur le **B**ronze une fois **B**assompierre
Au lieu de M**A**rs, **A**près on vous en croir**A** dieu.
Sans doute le**S** assauts **S**ur les troupe**S** anglaises
Sont digne**S** d'empe**S**cher les étrangère**S** noises,
Où leurs c**O**ups red**O**ublés subirent v**O**tre effort.
Mais sans **M**ettre à l'oubli co**M**me à l'heure **M**ars blème
Pour n'a**P**procher vos **P**as avec Ne**P**tunc même
Il fuyo**I**t, d'où l'Anglois v**I**nt recevo**I**r la mort
Encor**E**; mais le temps pour l'h**E**ure m**E** dispense,
Rest**R**eignant mes escrits aux **R**igueu**R**s du silence
Ra**R**ement peut-on voir sans gue**R** **R**e et désarroy.
En cela vous avez prévu votre anagramm**E**,
Qui, disposant mes vers par le fil de ma trame,
Vous dit : *Fais des amis auprès de ce bon roy.*

ACTA

1. Escrito que contiene las deliberaciones y acuerdos de cada una de las sesiones de cualesquiera juntas, reuniones, consejos, gobiernos, academias...

2. Certificación oficial en que consta el resultado de la elección de una eprsona para desempeñar determinados cargos privados o públicos.

3. Auto. Protocolo. Registro.

ACTA ERUDITORUM

Nombre del primer diario literario que se publicó en Alemania. Lo fundó y dirigió—en Leipzig—el famoso físico y literato Otto Mencke, en 1682. Acabó de publicarse en 1776. Su colaborador más insigne fue Leibniz.

ACTAS

De los Mártires *(Acta Martyrum).*—Registros en los cuales se consignaban los documentos oficiales, las decisiones y las sentencias de los jueces en relación con los cristianos. La más antigua recopilación de las *Actas de los Mártires* es la que reunió—siglo IV d. J. C.—el historiador de la Iglesia Eusebio, en sus dos obras *Martyribus palaestinae y Sinagogae martyriorum.* En Constantinopla existió otra gran recopilación en doce tomos, que fue, probablemente, la base de *Actis Santorum,* de Simeón Metaphraste. En Occidente, durante el siglo XIII, Jacobo de Vorágine compuso su famosísima *Leyenda áurea o historia lombarda.* Un siglo después, el cartujo Surio logró una colección más extensa todavía de las *Actas de Mártires.* El benedictino de San Mauro Thierry Ruinart, siglos más tarde, publicó su cuidada y severa recopilación *Acta martyrum sincera,* París, 1689.

DE LOS SANTOS.—Durante los siglos XVII y XVIII trabajaron los jesuitas en una compilación gigantesca: *Acta sanctorum.* El plan inicial fue obra del jesuita de Amberes Heriberto Rosweyd, que murió en 1629 sin haber podido realizar su proyecto. Su obra la llevó a cabo el jesuita Juan Bollando, quien consiguió reunir tal cantidad de documentos y manuscritos, que fue preciso darle—1635—un auxiliar: el jesuita Godofredo Henschen. En 1643 publicaron dos grandes volúmenes en folio, que comprendían únicamente los santos del mes de enero. En 1658 aparecieron otros tres tomos... Un nuevo colaborador: el P. Daniel Papebrok...

Todos estos sabios reunidos fueron llamados Bollandistas, y su obra, de la cual apareció en Venecia una edición completa, pero incorrecta, fue llamada la *Obra de los Bollandistas,* de la cual han aparecido más de sesenta volúmenes.

DE LOS CONCILIOS.—Es la denominación general dada a las recopilaciones de las decisiones o *cánones* de los Concilios. La primera colección de este género admitida por la Iglesia latina es la de Dionisio *el Menor*: *Collectio sive Codex canonum eclesiasticorum.*

Las compilaciones conocidas con el nombre de *Actas de los Concilios* son de tres clases: 1.ª Actas de los Concilios, tanto generales como particulares. 2.ª Actas de los Concilios de un país determinado. 3.ª Actas de los Concilios de una provincia eclesiástica.

En España tenemos algunas colecciones muy interesantes. Entre ellas: *Collectio conciliorum hispaniae,* por García Girón de Loaysa, Madrid, 1593; *Colección de cánones y de todos los Concilios de la Iglesia española,* por Tajado y Ramiro, Madrid, 1849 a 1855.

ACTO

1. Hecho o acción.
2. Cada una de las partes en que se divide una obra teatral. Entre acto y acto se correrá o bajará el telón de boca, o durante algún tiempo se abrirá una pausa en la representación. Cuando estas pausas son muy breves, los actos reciben el nombre de cuadros.
3. El inmediato y simultáneo resultado de la acción, abstractamente considerada, de suerte que entre la acción y el acto no media tiempo. Ejemplo: quien se mira en un espejo, simultanea la presentación de su cuerpo y la visión del mismo reproducida en aquel.
4. Las conclusiones que se exponen y se defienden en las Universidades, Seminarios y Colegios.

ACTO TEATRAL.—Actos o jornadas son las distintas partes del drama que empiezan cuando el telón se levanta o la cortina se descorre, y concluyen cuando cae aquel o se cierra esta, ocultando a los actores a la vista del público. *Cuadros* son ciertas subdivisiones que algunos autores han introducido dentro de los actos. *Entreacto o intermedio* es el espacio de tiempo que media entre acto y acto. Estos intermedios suelen—solían, por mejor decir—amenizarse con música o baile.

Los griegos no conocieron la división de sus obras teatrales en actos. Cuando los actores principales desaparecían de la escena, eran reemplazados por el coro. Aristóteles, en su *Poética,* no hace mención alguna a los actos; para él, la obra dramática se dividía en *prótasis, epítasis, catástasis y catástrofe,* sin que, en realidad, ninguna pausa separara estas partes. Los romanos, cuyo espíritu, menos literario, era más propenso a fatigarse, sintieron la necesidad de establecer, por decirlo así, puntos de descanso en la ruta que la imaginación había de recorrer. El uso y la voluntad de los poetas, apoyados por el asentimiento público, fijaron el número de estos *descansos,* de estas *pausas,* en cinco, y Horacio—en su *Arte poética*—quiso hacer una ley inviolable de esta usanza:

Neve minor, nec sit quinto productior actu
Fabula, qua posci vult spectata reponi.

Fueron los españoles quienes antes *se saltaron a la torera* el precepto horaciano. Cristóbal de Virués, y, sobre todos, el maravilloso Lope de Vega, se decidieron a reducir a tres los actos de sus producciones escénicas, innovación que acogió el público con mucha complacencia. Los tres actos correspondían a la *exposición, nudo y desenlace.*

Shakespeare prefirió la división en cinco actos. Y también los grandes trágicos franceses Corneille y Racine.

El teatro realista de fines del siglo XIX se decidió por la división española.

En la actualidad, rara es la obra teatral que consta de cinco o de cuatro actos. Abundando, en cambio, las de dos y uno.

ACTOR

Nombre general de los artistas que hacen profesión de representar las obras teatrales. Se distinguen tres clases de actores: aquellos que hablan—o declaman—, aquellos que cantan y aquellos que interpretan el pensamiento *mímicamente.*

El arte del actor es tan antiguo como el arte dramático. Las primeras tragedias fueron improvisadas por los mismos actores.

Este arte consiste en aparentar en la escena lo que realmente no es. La palabra *hipócrita,* en griego, quiere decir *comediante.*

Las tres divisiones del actor mencionadas corresponden a las tres clases de espectáculos dramáticos: *declamación, canto y pantomima* (V.).

Entre los griegos, la mujer no podía aparecer en escena. Los papeles femeninos eran interpretados por hombres convenientemente disfrazados. En Grecia, los actores no tan solo disfrutaban de todos los derechos de ciudadanos, sino que eran aptos para los empleos y cargos públicos. Aristodemo, Sátiro y Neoptolemo fueron enviados como embajadores del Gobierno de Atenas ante Filipo, rey de Macedonia, percibiendo por su embajada una remuneración liberalísima.

Los poetas—autores—eran los principales actores o *protagonistas* de sus propias obras, y aparecían en la escena con el rostro cubierto por una máscara. El segundo actor o *teuteragonista* entraba siempre a la escena por la parte de la derecha, y su misión era dar la réplica en el diálogo al protagonista. En la tragedia fue introducido un tercer actor o *tritagonista,* encargado de explicar referencias y detalles. Y el *Coro* (V.) estaba compuesto por los campesinos, soldados, esclavos y demás personajes de la fábula.

Entre los romanos, la profesión de actor fue considerada como servil. El ciudadano que pisaba la escena quedaba infamado. Los actores profesionales perdían sus derechos políticos y muchos de los civiles. Esta condición deprimente para el actor ha subsistido hasta muy entrada la Edad Moderna. El Concilio de Arlés—año 315—declaró excomulgados a los comediantes. Muy entrado el siglo XVII, aún se ponían trabas para que los actores fueran enterrados *en sagrado.*

Tampoco en los dieciséis primeros siglos de la Era Cristiana la mujer pudo aparecer en la escena. Los tipos femeninos los interpretaban efebos u hombres afeminados en la voz y en el gesto.

Entre los más célebres actores de la antigüedad están: en Grecia, Neoptolemo, Sátiro, Aristodemo, Teodoro y Polo, que llegaron a reunir grandes fortunas; en Roma, Esopo, Roscio—tan alabados y queridos por Cicerón—y Ambivio Turpio.

ACTUALISMO

Nombre dado a la doctrina filosófica refundida principalmente por Gentile.

Giovanni Gentile—1875-1944—nació en Sicilia y murió en Florencia, asesinado por los antifascistas. Fue profesor de Filosofía en las Universidades de Nápoles, Palermo, Mesina, Pisa y—desde 1926—Roma. Ministro de Instrucción Pública en 1922, llevó a cabo la reforma de la escuela italiana, redactando la primera ley orgánica después de la de 1859. El ideario de Gentile tuvo influencia decisiva en la estructuración ideológica del *fascismo* (V.). Entre sus más importantes obras figuran: *La Filosofıa di Marx*—1899—, *Il modernismo e i rapporti fra religione e filosofia*—1909—, *La riforme della dialettica hegeliana*—1913—, *I profeti del Risorgimento*—1923—, *La filosofia dell' arte*—1931—, *Che cosa é il fascismo, La rinascita dell' idealismo, Sistema di logica, come teoria del conoscere*—1917—, *L'atto del pensare come atto puro*—1911, su obra más importante—, *L'esperienza pura e la realta storica, Studi filosofici...*

El actualismo es una nueva forma del idealismo hegeliano, y Gentile lo desarrolló y puntualizó en su libro *El acto de pensar como acto puro.* El actualismo es la doctrina de la inmanencia absoluta, según la cual lo verdadero concreto y real es el *pensamiento actual,* y el acto de pensar es la condición indispensable de la cosa pensada. No vale, pues, la anticipación de la realidad "como potencia cognoscible en el acto del pensamiento". El actualismo identifica la filosofía con la vida, y su obstinación definitiva parece ser el superar el objetivismo por medio de la subjetivación de lo real.

Para el actualismo, las formas absolutas del espíritu son tres:

1.ª La posición del sujeto (Arte).

2.ª La posición del objeto (Religión).

3.ª La posición síntesis del sujeto y objeto (Filosofía).

Únicamente en la Filosofía—según el actualismo—se halla la forma final y la plena actuación del espíritu.

El actualismo también sostiene que filosofar es educar y, sobre todo, autoeducarse. Por ello cree que en el acto libre de autoformación del educando se hallan implícitos el saber, la norma y la autoridad del educador.

El actualismo ha tenido innumerables defensores.

V. MARCHESINI: *I metodo critici di G. Gentile.* En "Riv. di Fil.", 1910.—SCIACCA: *La Filosofía de hoy.* Trad. cast. Barcelona. Ed Miracle, ¿1945?—MASNOVO: *Attualismo filosofico.* En "Riv. di Fil. Neo-Scol.", 1912.—HEINEMANN, F.: *Neue Wege der Philosophie.* Leipzig, 1929.

ACUMEN

1. Agudeza. Perspicacia. Ingenio. Talento.
2. El interés, o la gracia, o la sutileza en una obra literaria.

ACUMULACIÓN (V. Figuras de pensamiento)

Consiste esta figura retórica en reunir en un mismo período o bajo una misma forma, sin alterar la acción oratoria, una porción de pormenores y de interpretaciones parciales, con objeto de dar mayor claridad y un desarrollo más meticuloso a la idea sustancial.

ADAGIO

Sentencia breve, y las más veces moral y fundada en la experiencia.

Se diferencia del *proverbio* en que este procede del pueblo y tiene un carácter popular. El *adagio* procede de los escritos de sabios y poetas, y jamás llega a adquirir popularidad.

Son famosos los *Adagios* de Erasmo, colección de más de cuatro mil, sacados de los escritores de la antigüedad.

ADANISMO o ADAMISMO

Secta religiosa fundada en el siglo II después de Cristo y en las doctrinas de Prodico, sofista griego, quien proclamó que para volver al estado primitivo de inocencia, sin el pecado original, era preciso vivir desnudos por completo, como Adán y Eva en el Paraíso.

Los adanitas se negaron a admitir el matrimonio, consecuencia, según ellos, del pecado original. Creían que las acciones no eran por sí mismas morales o inmorales. Negaban la unidad de Dios y la necesidad de la oración, según Tertuliano, y calificaban de locura el martirio. Jactábanse de poseer los libros secretos de Zoroastro, relativos a la magia. Y vivían en comunidad, teniendo mujeres y hombres libertad absoluta para gozar en común. Se alimentaban exclusivamente de verduras y de fruta.

La herejía—originada en el norte de Africa—desapareció en el siglo IV. Pero reapareció en el siglo XII, patrocinada por Tanchilin, sectario flamenco, nacido en Amberes, que recorrió los Países Bajos predicando la rebelión y el desprecio de las iglesias y de los eclesiásticos, la no diferencia entre sacerdotes y legos y que la fornicación y el adulterio eran acciones meritorias y necesarias.

A Tanchilin le asesinó—1124—en Colonia un sacerdote, al que había infamado.

Volvieron a presentarse los adanitas en el siglo XIV, en el Delfinado y en la Saboya, con el nombre de *Turlupines* o *Hermanos y Hermanas del Espíritu Libre*. Y se unieron en la frontera del Rin con los *Begardos*, sectarios que seguían doctrinas análogas a las de los gnósticos e iluminados, admitiendo la impecabilidad del alma humana cuando llega a la visión directa de Dios, la cual creían posible en esta vida.

La creencia adamita echó hondas raíces en Holanda, en Francia, en Suiza, en Inglaterra y llegó a penetrar en Cataluña.

En Bohemia, los *Begardos* cambiaron su nombre por el de *Picardos*, y transformaron en paraíso un islote del río Luschintz, donde vivían con la comunidad de mujeres.

La herejía tenía su lema latino:

Jura, perjura, secretum prodere nolli.

(Jura y perjura si es necesario, pero guarda siempre el secreto.)

El jefe de los husitas, Ziska que había observado cómo el adanismo se filtraba en las filas de su ejército religioso, combatió con saña a los adanitas, haciendo morir en la hoguera a más de 5.000.

En el siglo XVI, Schnuder y Schuster, de Amsterdam, intentaron ir desnudos como Adán, siendo encarcelados primero y desterrados después. Más tarde—1781—, a favor del llamado *Edicto de Tolerancia* del emperador de Austria José II, brotaron en esta nación algunos *focos adanitas* en el distrito de Chrudim. En 1820 se renovó la herejía en algunos valles de Suiza, obligando al Gobierno federal a tomar la radical medida de encerrar en manicomios a cuantos practicasen el *desnudismo paradisíaco*.

Posteriormente, los adanitas se refugiaron en Marruecos y tomaron el nombre de *Marrocanos*. Y ya en las postrimerías del siglo pasado, el adanismo se introdujo en la secta de los *Perfeccionistas*, de Nueva York.

ADAPTACIÓN

Refundición o arreglo de una obra ajena; mas, tan leal y delicadamente realizada, que no atente a los valores del original.

ADIAFORISMO

Doctrina filosófica de la apatía o indiferencia (V. INDIFERENTISMO). Adiaforia— ἀδιαφορία —es un estado del espíritu en que no se establece diferencia entre el valor de las cosas; por consiguiente, no se emociona por nada. Para Pirrón, la adiaforia era el *supremo bien*. Cicerón proclamó—*Acad.*, II, 42—: "Pyrrho autem ea ne sentire quidem sapientem, quae ἀπάθεια nominantur."

El adiaforismo fue doctrina defendida por los estoicos, para los cuales, a excepción de la virtud y del vicio, todas las demás cosas eran "moralmente indiferentes"; por ello fueron llamados *adiaforistas*.

También fueron llamados así los luteranos divididos en dos grupos durante las controversias formuladas—1548—en el *Interim* de Leipzig. Unos se avinieron a la aceptación de ciertas ceremonias religiosas romanas y al reconocimiento de la autoridad episcopal. Otros, los luteranos puritanos, combatieron los mismos puntos.

Y nuevamente surgió el adiaforismo entre los pietistas en la segunda mitad del siglo XVIII.

Unos declararon peligrosas e indignas del cristiano las diversiones de la época. Otros combatieron este juicio, acusándolo de prejuicio, y declarando ser indiferentes las tales diversiones para el bien o para el mal del alma.

ADICIÓN

1. Aumento de una o varias letras al principio, medio o fin de una palabra.

2. Indicación o nota que se pone en las márgenes de un libro con objeto de dar a conocer un dato, presentar un resumen de acontecimientos, aclarar una cuestión... que el libro no contiene. El libro impreso más antiguo donde se encuentran adiciones marginales es una edición de Apuleyo, publicada en Roma —1469—por Swenheim y Pannartz.

ADJUNCIÓN (V. Figuras de palabra)

Figura de construcción que se comete cuando una palabra que tiene relación con dos o más miembros del período está patente en uno de ellos y se sobrentiende en los demás, como, por ejemplo:

> Era hombre de mucha violencia, (era) expedito en las decisiones, (era) muy aficionado a ser el primero en actuar...

(V. Zeugma.)

ADÓNICO (Verso)

Es el compuesto de un dáctilo, de un espondeo o troqueo, es decir: — ∪ ∪ — ∪ (larga, breve, breve, larga, breve o larga), y conviene por su marcha viva y rápida a los cantos alegres y divertidos.

El empleo de este verso en una composición larga le daría una uniformidad de indudable monotonía. Por tanto, no se usa sino mezclado con otros. Los antiguos poetas lo hacían así también; de este modo, el último verso de una estrofa sáfica es un adónico.

> Vuela al ocaso, busca otro hemisferio,
> baje tu llama al piélago salobre,
> délfico numen, y a tu luz suceda
> pálida noche.
> Manto de estrellas el Olimpo vista
> su gala oculten pájaros y flores,
> sombras y nieblas pavorosas cubran
> valles y montes.
>
> (FRAY DIEGO GONZÁLEZ.)

ADONISMO

Tendencia estética, en literatura y en arte, que lleva al cultivo exclusivo, amanerado y morboso, y a la exaltación de la belleza corporal.

El adonismo estético nació, con el culto al hijo de Cinira y de Mirra, y amante de Venus, en Biblos, el Líbano y Chipre, propagándose a Rodas, Samos y Atenas.

El adonismo ha surgido en todos los tiempos y en todos los países, coincidendo con épocas de decadencia en la inspiración y de sensualismo en las costumbres.

ADOPCIONISMO

Herejía originada por las doctrinas de los españoles Elipando, arzobispo de Toledo, y Félix, obispo de Urgel.

Dicha herejía fue una modificación del *nestorianismo,* como este lo era a su vez del *arrianismo.*

Elipando y Félix cayeron en su herejía queriendo combatir con pasión la de Migecio, monje hispalitano, quien sostenía la existencia de una sola y única persona divina, que se había manifestado por tres veces: "en David, bajo el nombre del Padre; en Jesucristo, bajo el nombre del Hijo, y en San Pablo, bajo el nombre del Espíritu Santo".

Elipando y Félix—y posteriormente Ascarico, metropolitano de Braga—no negaron la divinidad del Verbo, ni que no fuera Jesucristo. Su herejía fue mucho más sutil. Reconocieron en Jesucristo la divinidad y la filiación divina, pero afirmaron que, *como hombre,* Cristo no fue hijo de Dios, sino por el bautismo, y aun esto *por adopción,* lo mismo que los demás hombres.

El resultado era admitir en Cristo no solo dos naturalezas, sino dos personalidades distintas, desconociendo el dogma de la comunicación de idiomas o propiedades divinas.

El adopcionismo, nacido posiblemente en la Bética--Alcuino, en su *Epístola XV,* afirma: *Maxime origo hujus perfidiae a Corduba civitate processit*—, se corrió por todo el norte de España y por las regiones meridionales de Francia y de Germania. Fue combatido duramente por el Papa Adriano I, por Alcuino y por Beato de Liébana, y condenado por varios sínodos celebrados en Ratisbona—792—, Francfort—794—y Aquisgrán—799.

Beato de Liébana escribió: *De adoptione contra Elipandum, libri duo.* Alcuino, maestro de Carlomagno: *Adversus Felicem Urgellitanum, libri septem; Contra Elipandum, libri quatuor.* San Paulino de Aquileya: *Sacro syllabum de sanctissima Trinitate adversus Elipandum et Felicem.*

V. FLÓREZ, P. Enrique: *España Sagrada* Tomo V.—LAFUENTE, Vicente de: *Historia eclesiástica de España.* Tomo III.—MENÉNDEZ Y PELAYO, Marcelino: *Heterodoxos españoles.* Tomo I.—SAINZ DE ROBLES, Federico Carlos: *Elipando y San Beato de Liébana.* Madrid, Aguilar, 1935.

ADRIANISMO

Secta herética del siglo I, fundada por un discípulo de Simón *el Mago*. El fundador prometía a cuantos se hicieran bautizar por él que se verían libres de la enfermedad, de la vejez, del dolor y de la muerte.

—Secta herética fundada por Adriano Hamstedio (1521-1581) en Dardrecht, con adopción de las ideas anabaptistas. Sus principales adeptos fueron las mujeres, las cuales creían que no era necesario el bautismo de los hijos inmediatamente a su nacimiento, sino que se podía aplazar su administración hasta pasados algunos años.

Los adrianistas pretendían también que el cuerpo de Jesucristo estaba formado únicamente por la sustancia de su Madre.

ADVENTISMO

Herejía religiosa iniciada en Inglaterra y en los Estados Unidos por Guillermo Miller (1782-1849).

Guillermo Miller nació en Fiftsfield (Massachusetts) y murió en Low-Hampton (Nueva York). Su principal doctrina fue el chiliasmus.

Miller predijo el fin del mundo para los años 1843 y 1844 y removió la antigua herejía de los *milenarios*. Sus adeptos—muy numerosos en los países de lengua inglesa—fueron llamados *milenaristas o adventistas*. Creían todos ellos en un reinado de Jesucristo, en forma visible durante mil años, pasados los cuales tendría lugar el Juicio final con el premio eterno para los buenos y la eterna condenación para los malos.

El adventismo se dividió en dos sectas: los *Advent Christians*—1861—, que afirmaban que el hombre fue creado para vivir eternamente, que perdió este don por el pecado, pero que podía recuperarlo *mediante su fe* en Jesucristo, y la *Seventh Day Adventist*—1845—, cuyos miembros eran vegetarianos y practicaban la abstinencia. Las dos sectas creyeron en el Juicio final y en la eternidad del premio y del castigo.

Hacia fines del siglo pasado, la *Life and Advent Union*, secta adventista, lanzó la creencia de que los muertos en pecado mortal "no resucitarían para vivir eternamente".

Los principios más puros del adventismo fueron recogidos por Guillermo Miller en su libro *Evidence from Scripture and History of the Second coming of Christ about the Year 1843 and of His Personal Reign of One Thousand Years.*

V. LITCH, J.: *Discussion on the Millennium.* Boston, 1860.—WELLCOME, J. G.: *History of the Second Advent Message.* Farmouth, 1874.—DRESBACH: *Die protestantische Sekten der Gegenwarth.* Bremen, 1888.—ANDREWS, J. N.: *History of the Sabbath and First Day.* Battle Creek, Mich., 1873.

ADVERTENCIA

Nota breve que acompaña a algún escrito, y que sirve para aclarar o completar el sentido de la intención del autor.

ADVIENTO (Sermón de)

Sermón o plática pronunciada en una iglesia o capilla por un sacerdote durante las cuatro semanas que preceden a la Navidad.

ADYNATON (V. Imposible)

Figura patética, por la cual se afirma que, primero que se verifique o deje de verificarse un suceso, se transformarán las leyes de la Naturaleza.

> Cuando yo, arrepentido y suspirando,
> esas palabras diga,
> que tú finges y adornas a tu gusto,
> hacia sus fuentes volverán los ríos,
> huirá el hambriento lobo del cordero,
> el galgo de la liebre, amará el oso
> el mar profundo, y el delfín los Alpes.
>
> (JÁUREGUI.)

AEDA

(Del griego ἀείδειν cantor.) Bardo, poeta o cantor épico de la antigua Grecia, anterior a Homero. Componía himnos religiosos o celebraba las hazañas de los héroes.

Durante mucho tiempo, los aedas fueron los mismos sacerdotes, y la primera forma de la poesía griega fue el himno, el canto religioso. Durante la guerra de Troya, poetas laicos cantaron las glorias de los héroes guerreros y de los amantes famosos. Desde entonces los sacerdotes profetizaron en sus cánticos, y los aedas no fueron sino los poetas ambulantes enamorados de todas las bellezas de la vida.

Entre los aedas religiosos o míticos sobresalieron: Anfión, a cuya voz se desmoronaron las piedras de los muros de Tebas; Lino, hijo del mismo Apolo, y vencedor de Hércules en un concurso de cítara; Panfo, cuyos cánticos estaban henchidos de tristeza y melancolía; Filammon, "inventor" del coro de vírgenes que cantaba en el nacimiento de los hijos de Latona; Crisotemis, que fue el primero en cantar el himno de Apolo Pitio; Olen, que, según la leyenda, llegó de Licia a Delos y compuso la mayor parte de los himnos célebres transmitidos de generación en generación.

Entre los aedas que cantaron a los héroes y los amores durante la guerra de Troya, se hicieron célebres: Femio, alabado por Homero; Tamiris, nacido en Tracia, que perdió la voz por haberse creído superior a las Musas; Demodeo, que cantó las querellas entre Ulises y Aquiles...

El canto de los aedas era como una recitación rítmica, una especie de declamación musical. Se acompañaban en tal declamación con las notas de un instrumento de cuerda: cítara o *forminx*.

V. MEISLING: *De aoidois atque rhapsodis*. Helsinger, 1809.

AFABULACIÓN

Moralidad, explicación, interpretación de una fábula.

AFECTACIÓN (del estilo)

1. Defecto del estilo literario. Es, en un escritor, la pretensión de ostentar unas calidades—o cualidades—que no posee.
2. Afectación es lo contrario de lo natural; vicio debido a la tendencia estudiada, exagerada o fingida.
3. Extravagancia presuntuosa en la forma de hablar o de escribir.

AFÉRESIS (V. Metaplasmo)

Figura gramatical que consiste en suprimir una sílaba o una letra en el principio de una palabra. *Lucubración,* por *elucubración.*

Los latinos la usaron con frecuencia, y ha desempeñado un interés muy importante en la transformación de las lenguas.

AFGANA (Lengua)

Idioma que hablan las tribus afganas de Cabul y de una parte del Indostán septentrional. Pertenece a la rama persa o irania de las lenguas indoeuropeas. Comprende los dialectos siguientes: el *duraní,* el *berduraní* y el *pataní.*

V. DORN: *A chrestomathy of the pushtu or afghan language.* San Petersburgo, 1847.

AFGANA (Literatura)

La literatura afgana forma parte de la persa. Hay algunas obras sobre la historia de aquella escritas en lengua persa. Su poesía ofrece gran originalidad. El dialecto *puchtú* es el más utilizado por los poetas. Sin embargo, esta literatura apenas si se acredita desde hace cuatro siglos. El capitán y crítico literario Raverty ha reunido—1861, Londres—un número considerable de fragmentos literarios de escritores afganos, en prosa y en verso, con el título de *Gulshan-i-Roh* (*El jardín de Roh*).

Entre los poetas afganos más importantes están: el sha Ahmed, Rehmán, y el kan de los kattaks Khushál, autor de odas y poemas en puchtú y en persa.

V. RAVERTY, Cap.: *Selections from the poetry Afghans...* Londres, 1862.

AFICHE (Galicismo)

V. Cartel. Aviso. Album. Diario.

AFIJO (V. Lengua)

1. Sílaba o letras que en algunas lenguas, como la hebrea, se juntan al fin de algunas voces para añadir algo a su significación o modificarla.
2. El pronombre personal pospuesto y unido al verbo: *voyme, pedile...*
3. Todo elemento silábico, partícula, etcétera, que se incorpora a un vocablo. Si la incorporación es por el principio, se llama *prefijo*: *reposición*. Si la incorporación es por el fin, se llama *afijo o postfijo.*

AFINIDAD (de las lenguas)

Relaciones que existen entre varias lenguas que pertenecen a una misma *familia*: el griego y el latín, que proceden del tronco pelásgico; el latín y las lenguas que derivan de él: español, portugués, francés, italiano...; el árabe y el siríaco; el alemán y el sueco.

Las afinidades se encuentran particularmente reunidas en los alfabetos, en las palabras, en las formas gramaticales, en la construcción y en la sintaxis.

Los signos aquellos en los que se encuentran las señales afines entre dos o más idiomas sirven de *hilo conductor* para los estudios etnográficos; y la filología comparada ha llevado mucha luz a los orígenes de todas las razas.

Los estudios modernos sobre las grandes emigraciones de los pueblos y sobre sus relaciones militares, culturales, políticas y comerciales han esclarecido mucho el aparente milagro de la semejanza de dos lenguas habladas por pueblos casi antípodas en la geografía.

AFINIDAD (de las palabras)

Se llama así a la propiedad que tienen algunas letras de poder ser empleadas o sustituidas las unas por las otras, ya en la misma lengua a que pertenecen, ya también al trasladar una palabra de una lengua a otra. Así, son afines *Ph y F*: *Filosofía,* por *Philosophia.* El conocimiento de la afinidad de las letras es muy importante para los estudios etimológicos, porque son como la clave de gran número de anomalías, más bien aparentes que reales, pero que, sin embargo, tienen casi siempre su fundamento.

ÁFONA

Se denomina así la sílaba que no suena.

AFORISMO

(Del griego ἀφορισμός: definir.)

1. Sentencia breve y doctrinal. El primero de los aforismos de Hipócrates es el más célebre y con más frecuencia citado: "La vida es corta; el arte, largo; la ocasión pasa veloz; el experimento es peligroso; el juicio es difícil..."
2. El aforismo debe ser: profundo en la ob-

servación; exacto, conciso y claro en la expresión; agudo en la intención; positivo en la moralidad.

El aforismo, a veces, representa la condensación de un sistema, un a modo de axioma, resumen de toda una ciencia, una larga y continuada serie de observaciones.

En el Derecho, los aforismos son los principios inmutables de la antigua ley romana. Y en Derecho, como en Medicina, se llama aforismo a todo pensamiento extraído de una razón categórica y absoluta. (V. APOTEGMA.)

AFRICANAS (Lenguas)

Pese a los importantes resultados obtenidos por la ciencia y la lingüística como resultado de los viajes de sabios y exploradores llevados a cabo en el Africa durante el siglo XIX, todavía resulta muy difícil el intento de clasificar las lenguas habladas en el continente negro.

Se poseen noticias firmes del egipcio, del cartaginés y aun de un pequeño grupo de *idiomas muertos,* como el *copto,* el *gaucho...*

En la actualidad, en Africa se hablan algunos idiomas impuestos por la colonización: el árabe, el francés, el portugués, el español, el inglés, el holandés, el alemán, el danés.

Y, naturalmente, existen las lenguas propiamente africanas. El *abisinio,* el *berebere,* el *dongola* o *kensy,* el *dankali,* el *changalla,* el *chilluk...* Las lenguas de la región del Atlas forman la familia *atlántica,* de la cual son más importantes el *tuareg* y el *amazigh.* Las lenguas de la Nigricia marítima o de la Guinea y de la Senegambia se subdividen en *fulat* o *pule,* en *mandinga,* que comprende cinco dialectos, en *jolop, seracolet, felupe, bullam, kanga, achantia*—con ocho dialectos—, *gaman, tjemba, tembú, dagwumba*—con dos dialectos—, *acra o ga, adampe, kerrapie, ardrah*—con cuatro dialectos—, *wawu, qua, kaylee*—tres dialectos—, *oongobai, empoongwa.*

Las lenguas de la región del Africa central comprenden las *familias* siguientes: *congolés*—ocho dialectos—, *cafre*—cuatro dialectos—, *hotentote*—dos dialectos—, *monomotapa*—cuatro dialectos—, *gallas*—dos dialectos—, *sommali, hurrur,* etc., etc... Las lenguas del Sudán y de la Nigricia interior se subdividen en *tombuctú, garangi, maniana, mosi, calanna, fobi, kallagi, haussa*—dos dialectos—, *mandara, offadeh, mobba, baghermet, dar-runga, hibo,* etc., etc.

La mayoría de estas lenguas son monosilábicas, y algunos filólogos las han calificado de *aliterales,* porque en la composición de sus vocablos se evita la acumulación de las consonantes, y se las alterna regularmente con las vocales.

V. KOELLE, W.: *Polyglotta africana.* (Léxico comparado de más de cien idiomas africanos. Varias ediciones. Londres.)

AGENÓ o AGENÉS (Patois)

Dialecto hablado en la antigua comarca de Francia, provincia de Guyena, que forma parte del departamento de Lot y Garona, y cuya capital era Agen.

Una de las más importantes variedades de la lengua *d'oc* o romance meridional. Se hablaba, y se habla aún, con algunas modificaciones, en toda la extensión del valle del río Garona. Hacia Burdeos, el agenés se altera, *afrancesándose* más y más. Hacia los Pirineos adquiere una dureza y una aspiración gutural que le aproxima al español de las montañas.

En el dialecto agenés, como en el languedociano en general, se encuentran bastantes vocablos de griego, adoptados, seguramente cuando los romanos establecieron escuelas públicas en las provincias meridionales de las Galias. El agenés no ofrece grandes riquezas literarias.

V. HOULET, J. H.: *Essai sur l'historie littéraire des patois du midi de la France.* 1859.

AGLUTINACIÓN (Lenguas de)

Son denominadas así aquellas en las que las radicales se aglomeran, sin confundirse por completo, para formar palabras compuestas que explican las combinaciones de las ideas y toda clase de relaciones. Se las llama también *lenguas aglomeradas.*

En la historia del lenguaje se señalan el *monosilabismo,* la *aglutinación* y la *flexión* de los idiomas. La organización de las lenguas aglutinantes es más perfecta que la de las lenguas monosilábicas, y la de las lenguas de flexión mucho más que la de las aglutinantes. La aglutinación comprende el monosilabismo; la flexión, a la vez, el monosilabismo y la aglutinación.

Entre las lenguas aglutinantes y las de flexión existe esta diferencia: las aglutinantes no presentan una fusión completa de la palabra principal o radical con las palabras que se unen a ella para expresar el caso, el número y la persona, si se trata de sustantivos, el número y la persona si se trata de verbos; las variaciones y prolongaciones excesivas de la aglutinación no pueden tener lugar sino a expensas de la unidad de las palabras.

Pueden señalarse dos grados de aglutinación: la *aglomeración simple* y la *incorporación.* En el primer caso, la aglutinación no es sino una *yuxtaposición;* en el segundo, hay una absorción de una palabra por otra, de modo que resulta de ella un principio de flexión del compuesto por asimilación del elemento subordinado al elemento principal.

Ejemplo de aglutinación citado por M. Lenoir, y refiriéndose a los pronombres en lengua magiar. He aquí cómo la palabra *Rep,* que significa *espejo,* se puede modificar:

Rep-em	Mi imagen.
Rep-ed	Tu imagen.
Rep-e	Su imagen.
Rep-unk	Nuestra imagen.
Rep-etek	Vuestra imagen.
Rep-ek	Su imagen.
Rep-ei-m	Mis imágenes.
Rep-ei-d	Sus imágenes.
Rep-ei-nk	Nuestras imágenes.
Rep-ei-tek	Vuestras imágenes.

Y aún se podrían añadir veintitantas preposiciones o terminaciones análogas a *nek*, que expresarían una relación diferente.

La clase de lenguas aglutinantes comprende la mayor parte de las lenguas del mundo y es la más pobre en producciones literarias. Se la puede dividir en cinco ramas: tártara, caucasiana, malaya, americana y vascuence. La tártara comprende dos grupos: asiático u oriental y europeo u occidental. El grupo asiático comprende: mogol, turco y tongus—del que el manchú es un dialecto.— El grupo europeo abarca: las lenguas finesas, el chudio, el uralio, el lapón, el samoyedo y el magiar o húngaro.

La rama americana presenta en el grado más alto el fenómeno de la incorporación propiamente dicha: la palabra principal absorbe a sus subordinadas; y la aglomeración de tantas radicales en una sola palabra se hace por medio de apócopes de estas radicales.

La rama vascongada también presenta el fenómeno de la incorporación; la declinación se verifica por medio de posposiciones, como en las lenguas tártaras.

AGNICIÓN

En la tragedia y en la comedia, el reconocimiento de una persona cuya calidad se ignoraba, y al fin se descubre con súbita mudanza de fortuna.

AGNOMINACIÓN (V. Paronomasia)

AGNOSTICISMO

Doctrina o tendencia filosófica que declara incognoscibe lo que no es accesible a la experiencia.

El agnosticismo—derivado del *positivismo* (Véase)—no niega lo incondicional, lo absoluto; pero cree que no vale la pena especular filosóficamente acerca de ellos. Según el agnosticismo, es preciso desembarazarse de problemas tan perturbadores como son la existencia de otro mundo inmortal, la del alma espiritual, la de un *substratum* de los fenómenos, la del principio de finalidad o de causalidad. El agnosticismo es una consecuencia lógica de aplicar a la explicación del enlace de los fenómenos el método de la observación, eliminando las bases de la lógica y de la metafísica, y excluyendo de toda explicación lo no conocido.

El agnosticismo adquirió inmediato auge gracias al entusiasmo con que fue recibido por los positivistas, criticistas y evolucionistas. Y también, todo hay que decirlo, porque tres grandes ingenios: Hume, Hamilton y Kant le ayudaron a medrar. Según algunos críticos, Hume le preparó el camino; Hamilton, al insinuar que el principio de la causalidad es debido a la impotencia intelectual, lo planteó, y Kant, al sentar "que el numeno no es más que un concepto limitativo", lo favoreció visiblemente.

El escocés David Hume (1711-1776), quien a la claridad de Locke y a la agudeza crítica de Berkeley unió una actitud fría y escéptica frente a las inclinaciones teológicas y místicas del último, afirmó que todo nuestro conocimiento, en cuanto a su contenido, procede de la experiencia; el pensamiento no crea nada, tan solo relaciona el material que se nos ha dado en las ideas de la percepción externa e interna.

Según Hume, para que un concepto tenga sentido, es menester que podamos unir a él *una representación;* un concepto solo tiene sentido cuando podemos señalar la perfección, de donde brota. "El mérito conocidísimo de Hume consiste en aplicar esta exigencia al concepto de causa y efecto, a la causalidad. Dondequiera que aplicamos este concepto, sea al fuego y al calor, sea al movimiento de las bolas de billar movientes y movidas, sea a la voluntad y al movimiento, sea también a las puras conexiones psíquicas internas, solo percibimos, si bien lo examinamos, una sucesión temporal, un antes y un después. Ante todo, para él, la dubitabilidad o, más exactamente, la falta de fundamento lógico, no significa inseguridad de la ciencia; al contrario, la ciencia descansa sobre el instinto y la costumbre con mayor seguridad que sobre la razón y la lógica."

Pero el verdadero exaltador del agnosticismo fue el escocés William Hamilton (1788-1856), profesor de Filosofía de Edimburgo, quien hermanó la doctrina escocesa del *commom sense* con el criticismo de Kant, estableciendo en Lógica la cuantificación del predicado. Para Hamilton, su Filosofía fue la explanación y aplicación de las verdades constitutivas y normales que la conciencia nos revela inmediatamente. Los datos que la conciencia nos revela han de aceptarse en su *integridad* y sin torcerse ni mutilarse. Hamilton combatió el idealismo puro, declarando la imposibilidad de conocer lo absoluto. El pensamiento no puede elevarse por encima de la conciencia, y como esta no es posible sino por la correlación del sujeto y del objeto, resulta, en definitiva, que pensar es condicionar. Concebir, para Hamilton, es comprender las cosas en relación con un objeto limitado y finito. Para Hamilton, determinamos las cosas de una manera siempre relativa en cuantidad extensiva—espacio—,

intensiva—grado—y protensiva—tiempo—. Hamilton se muestra en su agnosticismo más radical que Kant, quien deja subsistir la noción de lo absoluto "a título de idea y como principio regulador de la razón".

Al agnosticismo se le han puesto grandes reparos. Entre ellos: que es antifilosófico y anticientífico, ya que niega a la razón poder para aplicar su actividad más allá del campo de los sentidos; que al declarar incognoscible lo absoluto, lo da ya de alguna manera por conocido; que renuncia al examen científico de la conciencia, del yo y de lo que en este laboran las representaciones y las asociaciones; que representa el pesimismo en la ciencia.

El agnosticismo ha sido proscrito no solo por los idealistas y los dualistas, sino también por gran parte de los materialistas.

V. Harris, W. P.: *Agnosticism.* En "The Journal of Speculative Philosophy". Nueva York, abril 1881.—Holland, R. A.: *Agnosticism and Religion.* En "The Journal Speculative Philosophy". Nueva York, abril 1882. Schurmann: *Agnosticism.* En "Philosophical Review", 1905.—Aster, Ernest von: *Geschichte d. engl. Phil.* Bielefeld, 1927.—Aster, Ernest von: *Historia de la Filosofía.* Barcelona. Labor, 1935.

AGRARISMO

Doctrina económica de los fisiócratas, según la cual la única fuente de riqueza es la agricultura.

Fueron llamados fisiócratas los economistas que, a partir del siglo xvii, iniciaron la oposición contra los principios fundamentales del *mercantilismo* (V.), que defendía la industria, el comercio y el valor de los metales preciosos.

Fisiócratas insignes fueron Bosguillebert, Vauban, Quesnay, Gournay, Turgot y los españoles Francisco Javier Pérez y Jovellanos.

La esencia del agrarismo se puede resumir de la siguiente manera: "La tenencia de oro y plata no hace dichosa a una nación *(maudit argent),* pues los metales preciosos tienen únicamente la función de servir como dinero, y este servicio también puede prestarlo algunas veces el papel moneda. Un pueblo es rico si está provisto de todos aquellos bienes necesarios para la vida. La Naturaleza nos proporciona la materia de la que todos los bienes se producen; solo ella es productiva, por consiguiente; la agricultura es la única ocupación que tiene carácter productivo. Por tanto, ninguna balanza de comercio, pues este beneficia por igual a ambas naciones; ninguna intromisión del Estado en la economía nacional, ningún exceso de funciones gubernamentales, ninguna tutela de la vida económica, puesto que cada uno sabe mejor que nadie lo que debe hacer. Si los mercantilistas habían expresado ya el pensamiento de que la nación forma un organismo económico, al plantearse el problema de cómo se hace rico un pueblo, los fisiócratas acentúan más este pensamiento cuando establecen el principio: *campesinos pobres, nación pobre; nación pobre, rey pobre.* Es el mismo pensamiento contenido en el refrán alemán: *Cuando el labrador tiene dinero, lo tiene el mundo entero.*

"Finalmente, los fisiócratas sacaron una conclusión fiscal de su principio, la agricultura es la exclusiva ocupación productiva, al afirmar que el impuesto territorial debe ser el impuesto único. Su pensamiento es el siguiente: solo la agricultura es *productiva,* porque es la única que da un remanente sobre el coste de producción, un *produit net,* y se representaban esto de la manera siguiente: Imagínese un labrador que después de la recolección tiene repletos sus almacenes y graneros con toda clase de productos del suelo, y supóngase que no vende ninguno de estos artículos. El labrador retirará de sus almacenes lo que necesite para sembrar y atender diariamente al sostemiento de su persona, familia y animales; y cuando haya transcurrido el año y recogido nueva cosecha, se verá que la anterior no se ha consumido por completo, sino que todavía sobra una cantidad. Este resto es el *produit net,* el remanente sobre los gastos de producción. En la vida corriente, el labrador vende esta parte sobrante. Las industrias no producen un remanente de esta naturaleza. Por tanto, si se exige a un industrial un impuesto, lo paga formalmente, sin duda alguna; pero como no dispone de un *producto neto,* no lo podrá soportar, y tendrá que cargárselo al precio del artículo. De esta manera repercutirá el impuesto hasta que, por último, encuentre quien pueda sobrellevarlo, porque tenga un *producto neto,* y este es el labrador. ¿Por qué, pues, este rodeo? Es mucho más sencillo exigir el impuesto al agricultor; por consiguiente, la contribución territorial debe ser el impuesto único."

Se deduce de lo anterior que el agrarismo trató, por vez primera, de la doctrina de la repercusión del impuesto.

El agrarismo, movimiento económico—y aun político—, que surgió para combatir los excesos y errores del mercantilismo, cayó en otros errores y excesos. Cuando el mercantilismo pide el florecimiento exclusivo de la industria y del comercio y la intervención del Poder público en todas las esferas de la vida económica, el agrarismo pide todo lo contrario: habla del *maldito dinero,* desea únicamente el desarrollo de la agricultura y rehúsa toda intervención del Estado en la vida económica: *laissez faire, laissez passer, le monde va de lui même.* Si el mercantilismo representa los intereses de la ciudad, el agrarismo representa los del campo; y al pretender combatir la exageración que hacían los mercantilistas del dinero metálico, caía en la exageración de dar mayor valor que al dinero al *producto neto* de la tierra; y al negar la intervención del Estado en la vida económica, cayó en el error de exaltar imprudentemente el individualismo.

Para el agrarismo, la razón fundamental fue esta: riqueza *real, primordial, natural* es aquella que puede ser consumida sin empobrecimiento. Más aún—y esto es tan profundamente fisiocrático como profundamente antimercantilista—, *es necesario* un consumo grande para su abundante reproducción. ¿Cuál es esta riqueza *única,* cuyo consumo provoca su reproducción aumentada? Los productos de la tierra, es decir, los géneros agrícolas. La tierra, en su producción, pone al servicio del hombre su fecundidad; la agricultura, que realiza la colaboración del hombre y de la Naturaleza, "es la única forma de la actividad humana que da un producto neto".

Los fisiócratas edificaron la teoría del agrarismo sobre estos dos asertos fundamentales: la agricultura, única productora de producto neto; las demás ramas de la actividad humana son estériles.

Contra el mercantilismo—ya aplicado en Francia moderadamente por Colbert—surgieron los primeros conatos del agrarismo.

En 1697 publicó Pedro de Boisguillebert su tratado *Détail de la France sous le régne présent;* y, poco después, su gran obra *Dissertation sur la nature des richesses, de l'argent et des tributs.* Para Boisguillebert, la riqueza de una nación no consistía en el dinero, "sino en las cosas útiles que directamente proporcionan las industrias extractivas".

El mariscal Vauban, en su *Projet d'un dîme royale*—1707—, pidió la elevación de las clases más humildes, especialmente de las rurales, para lo cual surgirió que se suprimieran los impuestos indirectos—opresivos e injustos—, reemplazándolos por uno solo, consistente en un diezmo de los productos agrícolas.

Pero el verdadero fundador del agrarismo fue Francisco Quesnay (1694-1774), hombre sumamente raro, hijo de ricos y honrados labradores, médico y práctico de talento, que hizo una brillantísima carrera. Fue médico de la famosísima madame de Pompadour y de Luis XV al lado del cual disfrutó de verdadera fama. Publicó varios trabajos biológicos. Pero su vocación irresistible fue la Economía.

Quesnay defendió los siguientes principios:

1.º Únicamente las riquezas *extractivas* pueden acrecentar la riqueza pública.

2.º El dinero no produce riqueza y solo se necesita en sumas limitadas, pues pierde de su valor cuando estas están en exceso.

3.º La riqueza pública se determina por los bienes útiles de por sí.

4.º Únicamente con la agricultura se obtiene *un producto neto,* que, a la vez, aporta las primeras materias a la industria y el alimento a todo el pueblo, constituyendo la fuente que puede satisfacer todas las necesidades del Estado, por cuyo motivo todos los impuestos percibidos del comercio y de la industria recaen sobre la agricultura.

5.º Lo único justo es proveer las arcas del Erario mediante un solo tributo que fuese directamente percibido de la agricultura, constituyendo *un impuesto único* y general sobre la tierra.

6.º La agricultura solo puede prosperar cuando llegue a ser libre la venta de sus productos y estos obtengan los precios determinados por las circunstancias.

7.º En la economía política funcionan *leyes naturales,* como en el desenvolvimiento del organismo humano y de los animales todos. Y estas leyes, actuando libremente, reportan a la colectividad las mayores prosperidades, mientras los Gobiernos solo pueden refrenarlas y estorbarlas, pero jamás conseguir progreso alguno.

En 1757 publicó Quesnay su *Tableau économique.* Pero, en verdad, su doctrina del agrarismo fue expuesta científicamente y en su totalidad por sus discípulos Le Mercier de la Rivière y Dupont de Nemours.

Gonnard opina que el agrarismo ha pasado sucesivamente por las tres etapas siguientes:

"1.ª La de Quesnay, en su primera manera, agraria, estudiando minuciosamente los problemas de práctica, prosiguiendo los análisis positivos, apegada a la observación de las realidades más a ras del suelo.

2.ª La de Quesnay del derecho natural, ampliando su sistema agrario hasta convertirlo en sistema económico, y su sistema económico en doctrina sociológica y metafísica, pero conservando esta doctrina su sabor a la tierra, su sabor positivo.

3.ª La de Le Mercier y Dupont, que constituyen un sistema más liberal que agrario, con un sistema más agrario que liberal, como era al principio."

V. Kellner, G.: *Zur Geschichte des Physiokratismus.* Gotinga, 1847.—Daire, Eug.: *Economistes financiers du XVIII siècle.* París, s. a.—Gonnard, René: *Historia de las doctrinas económicas.* Madrid, Aguilar, 1952.—Kleinwachter, F. von: *Economía política.* Trad. cast. Barcelona, 1925.—St. Bauer: *El nacimiento de la fisiocracia.* Trad. cast., 1904. Ders, Von: *Entstehen und Werden der physiokrat. Teorie.* Berlín, 1906, 3.ª ed.

AGRIONÍAS

Uno de los más remotos antecedentes del teatro. Antiguas fiestas dedicadas a Baco. De un carácter casi bárbaro, se celebraban principalmente en Atenas, acompañadas de demostraciones populares, que evocaban dramáticamente las aventuras del dios. Las bacantes cantaban y bailaban licenciosamente alrededor de las dos víctimas abrasadas sobre un altar en honor de

Baco. Víctimas humanas, al principio; reemplazadas luego por dos machos cabríos. De las danzas circulares y violentas salían los más hermosos cantos ditirámbicos. De las agrionías dramáticas y sugestivas nació la tragedia. Pero tales ceremonias, mitad dramáticas y mitad pastorales, persistieron fuera de las ciudades populosas, en las aldeas y en los lugarejos.

V. MAGNIN, Charles: *Origines du théâtre antique.* Introduction.

AGUSTINIANISMO

1. Sistema, admitido por la Iglesia, de los adictos a la doctrina de San Agustín. Concilia la inefable eficacia de la gracia divina con la libre voluntad humana en una dichosa cooperación.

Para el agustinianismo, la gracia mueve al hombre física e infaliblemente, pero *no necesariamente,* a obrar.

2. Sistema herético que afirma que la gracia divina *obliga* al hombre a obrar.

Este sistema destruye el postulado ortodoxo de la voluntad humana libre. Y se basó en la doctrina de San Agustín, *caprichosamente* interpretada por Jansenio.

AIMARÁ (Lengua)

Lenguaje de la América meridional, hablado en la región sur del Perú y en la región noroeste de las Repúblicas argentina y boliviana, y especialmente en el país de La Paz, por los indígenas aimarás. La lengua aimará pertenece a la rama quichua; pero, no obstante, tiene peculiaridades suficientes para formar sola un idioma aparte. La lengua aimará la hablan los canchis, los canas, los collas, los collaguas, los lupacas, los pacasas, los charcas, los carancas, etc. Un número muy crecido de voces aimarás derivan del *quichua,* y también ciertas analogías gramaticales, como las terminaciones genéricas que sirven para designar los nombres de abstracción, de instrumentos, de lugares... Mujer, en lengua aimará, es *guarmi;* en quichua, *warmi.*

El aimará no tiene las articulaciones *b, d, f, g.* Algunas palabras que tienen un mismo sonido varían de significado según se acentúen tónicamente.

La palabra *jocca,* según la entonación que se le dé, podrá significar mozo, hijo, pedazo de pan...

Los sustantivos derivan ordinariamente de una raíz primitiva, interpretada a veces en sentidos bien diferentes: *haca* es vida; *hihua* es muerte; *iqui,* sueño; el infinitivo *hacana* participa, a la vez, de tres significados. El plural se forma por medio de la terminación *naca;* y hay formas especiales para diferentes casos: *na,* genitivo; *taqui,* dativo; *ro,* acusativo; *y,* vocativo. Los pronombres personales son declinables. Los versos se derivan, bien de un sustantivo, bien de la tercera persona, masculino del singular del presente, cambiando la vocal *e* en *i.* La pasiva de los verbos se forma como la nuestra, con el verbo auxiliar ser, *cancatha.* Las preposiciones son sustituidas por terminaciones. Las conjunciones se colocan al fin de las preposiciones que rigen...

V. LUDEWIG, M. H.: *The literature of american aboriginal languages.* Londres. Varias ediciones.

A

AINIA

Nombre dado a un poema árabe—conservado en la Biblioteca Nacional de París—, cuyos versos terminan siempre con la letra *ain.*

AKHYANA (Cuento, leyenda...)

Reciben este nombre en la literatura de la India brahmánica los poemas que tienen por objeto la exaltación de las tradiciones populares. Los *Akhyanas* algunas veces se han escrito en idioma persa, en estrofas, pero sin que los versos rimen entre sí.

ALA

Nombre dado por el autor dramático y poeta Simmias a una pequeña composición poética en versos figurados. En esta composición las *alas* están formadas por seis plumas o seis versos coriámbicos, que disminuyen gradualmente de medida según su posición en el ala.

ALAMBICAMIENTO

1. Idea de excesiva sutileza.
2. Frase preciosista y rebuscada.

ALBA

Composición breve y sencilla de los trovadores. Su tema era el sentimiento que producía la separación de los amantes al apuntar el día. Su carácter distintivo era la reiteración —como estribillo—de la palabra *alba.*

Modernamente, corresponde esta poesía a la *alborada* y a la *serenata.* Los más bellos modelos de *albas* pertenecen al famoso trovador Guiraldo de Borneil.

V. SUÁREZ MOTA, J.: *Antiguas composiones líricas.* Madrid, 1889.

ALBANÉS (Lenguaje)

Idioma hablado en Albania. Antiguo lenguaje de los macedonios, ilirios y epirotas.

El *albanés* tiene cuatro dialectos: el *guegaria*—entre la frontera de Cátaro, la Herzegovina y el Drin—, el *toskaria*—hablado en Berat y en toda la Georgia—, el *japuria*—hablado en la Japigia del Epiro—y el *chamuria*—hablado por masarakios, aidomitas y suliotas—. El albanés es idioma mucho más pobre que el griego o el eslavo. Multiplica las consonantes en construcción con una sola vocal, lo que hace dificilísima la pronunciación. Escasea en términos abstractos y en palabras compuestas. El acento tónico siempre recae sobre la última sílaba. Los sonidos y articulaciones simples son treinta y siete: ocho vocales y veintinueve consonantes; se cuentan, además, otros quince signos compuestos, por lo que el alfabeto cuenta en total con cincuenta y dos letras. Con frecuencia se usan los caracteres griegos...

ALBANESA (Literatura)

La literatura albanesa ofrece sus primeros textos durante los siglos XIII y XIV. Y, como en otros muchos países, durante la última Edad Media y los inicios del siglo XVI, es la *poesía popular* la que triunfa casi como única manifestación literaria: leyendas, fábulas, canciones, adivinanzas, proverbios..., muchos de los cuales eran cantados en fiestas y romerías.

Los primeros monumentos de la literatura culta son textos religiosos, en prosa o en verso, destinados a la instrucción o la religión, y compilaciones de poemas tradicionales de índole popular. Entre aquellos están: el *Misal* de Gjon Buzuku, impreso en 1555; el *Cuneus Prophetarum*—1685—, de Pedro Bogdano, arzobispo de Uskub; la *Vida de la Virgen María* —1762—, de Jul Variboba, sacerdote albanés, nacido en Toscana. Entre las compilaciones: *Rapsodias de un poeta albanés,* de Girolamo de Rada, y las *Rapsodias albanesas,* de José Schiro.

Exceptuada la novela en verso *Erveheja,* de Muhamet Cami, y los erotismos líricos de Necim Bey (siglo XVIII), la literatura áulica albanesa no es anterior al pasado siglo XIX.

Entre los escritores albaneses perfectamente personales y estudiados figuran: Girolamo de Rada (1814-1903), fundador de los primeros periódicos albaneses, autor del poema lírico narrativo *Milosao,* de los *Cantos de Serafina Thopia,* del caótico poema *Skanderberg,* y de otras varias obras en prosa y en verso. José Schiro (1865-1925), sacerdote italoalbanés, antólogo de cantos populares, autor del idilio *Milo Haidhee,* de los *Kenkat e Iuftes* (*Cantos de batalla*), de los poemas patrióticos *El retorno, En tierra extranjera.* Terencio Tocci (n. 1880), fundador de revistas y periódicos, prosista y ensayista. Antonio Santori (1819-1894), italoalbanés, autor del drama *Emira.* Gabriello Dara (1826-1885), nacido en Sicilia, autor del poema *Kenka e sprasme e Bales (El último canto de Bela).* Giusseppe Serembe (1843-1891), calabrés—*Vjershe*—. Pashko Vasa (1827-1892), historiador, erudito, poeta traductor de la Biblia en ghego y en tosco, en colaboración con Konstantin Cristoforidhi (1827-1895), gramático y lexicógrafo. Naim Be Frosheri (1846-1900), de copiosa producción, enriquecedor y renovador de la lengua, de enorme popularidad; entre sus mejores obras figuran: *El pastoreo y la agricultura*—poema—, *Istori e Skenderbeut*—poema épico en 12.000 octosílabos—. Nore Mjedja (n. 1886), jesuita escutarino, versificador elegante. El franciscano Gjergji Fishta (n. 1871)—*El arpa de la montaña,* en dos tomos—. Mihal Grameno (1872-1931), autor de las excelentes novelas *Oxaqu* y *El patronímico,* y de numerosos cuentos. Asdren, seudónimo de Aleks. S. Drenova (nació en 1872), uno de los más ilustres poetas albaneses, modernista y refinado. El poeta escutarino Hil Mosi (n. 1885); el franciscano y elegíaco Vincenc Prennushi; el novelista Lazer Cetta (n. 1895); el fecundo lírico Lasgush Poradecci; los críticos Focion Miciacio y Gjon Muzaka; el satírico Gjergji Bubani; el erudito I. M. Qafececi; el novelista de historia Lambi Dardha; el narrador-costumbrista Ernest Koligi; el dramaturgo Etehem Haxhiademi...

V. PETROTTA, Gaetano: *Popolo, lingua e letteratura albanese.* Palermo, 1932.—PRAMPOPINI, Santiago: *Historia universal de la literatura.* Buenos Aires, Uteha, 1941, tomo XIII.

ALBIGENSISMO

Nombre dado a la herejía de los albigenses, naturales de la ciudad francesa de Albi.

Los albigenses fueron también llamados *cátaros,* del griego *katharos,* puros; nombre dado también a otros herejes—como valdenses, montanistas y puritanos—que pretendían distinguirse por su ascetismo y por la pureza de sus costumbres.

Los albigenses se extendieron rápidamente, durante los siglos XII y XIII, por el mediodía de Francia.

El albigensismo tiene muchos puntos de contacto con el *gnosticismo* (V.) y el *maniqueísmo* (V.), y adquirió el doble carácter *anticristiano* y *antisocial* que constituía un grave peligro para la Iglesia y el Estado; y encontró un protector decidido en el poderoso conde de Tolosa, Raimundo VI. Además, algunos señores, apoyándose en las doctrinas albigenses, que condenaban la propiedad, se apoderaban de los monasterios y de los bienes de la Iglesia.

El Pontífice Alejandro III excomulgó—1176— a los albigenses. Inocencio III quiso convertirlos por la persuasión, invitando al conde de Tolosa a que persiguiese a los albigenses. Pero Raimundo VI no solo no aceptó la invitación; sino que hizo asesinar al legado del Papa, Pedro de Castelnau—1208—. Inocencio III, después de eximir del juramento de fidelidad a los súbditos de Raimundo, *predicó la cruzada,* a la que concedió las mismas indulgencias que las concedidas a los cruzados contra los mahometanos. La guerra duró veinte años: 1209 a 1229. Al frente de la cruzada estuvieron Arnau, abad del Císter, y el famoso Simón de Montfort. Los cruzados se apoderaron de Béziers e hicieron perecer a más de 60.000 personas. El conde Raimundo, auxiliado por Pedro II de Aragón, presentó batalla a los cruzados en Muret—13 de septiembre de 1213—, en la que quedaron estos victoriosos y perdió la vida el monarca aragonés. Terminada esta primera *fase* de la lucha, el IV Concilio de Letrán condenó a los albigenses. Y el condado de Tolosa fue entregado a Simón de Montfort, que fue asesinado poco después—1218—de una pedrada. Raimundo VII, hijo de Raimundo VI, recobró el condado por las armas. Entonces, Amalrico, hijo de Simón de Montfort, cedió sus derechos al rey de Francia, Luis VIII, a quien fue facilísimo derrotar los ejércitos de Tolosa. La guerra terminó—1229—con el tratado de Meaux-París. La guerra, interrumpida varias veces, tuvo momentos de gran efervescencia, gracias al fanatismo de los cruzados y al odio existente entre los franceses del Norte y del Mediodía.

San Bernardo y Santo Domingo de Guzmán tomaron parte muy principal en la misión de convertir a los albigenses.

Eran puntos esenciales del albigensismo:

1.° Existencia de dos dioses—*dualismo*—, el Dios del bien, creador de las almas, y el Dios del mal, que encerró las almas en los cuerpos, o sea, dentro de la materia mala.

2.° Jesucristo era un *eon,* enviado por el Dios del bien para predicar a los hombres su origen y liberarlos del estado de esclavitud.

3.° El hombre estaba compuesto de dos elementos, uno bueno y otro malo, y siendo estos elementos irreconciliables entre sí, no había otro medio para la consecución del bien que acudir al *suicidio,* logrando así la separación del alma y del cuerpo, ya que este era el elemento malo.

4.° Propugnación de la disolución del matrimonio; evitando el matrimonio, se evitaba *la maldad* de los cuerpos engendrados para que sirvieran de prisión a las almas.

5.° Condenación, por funesta, de toda clase de propiedad.

6.° Negación de la autoridad del Antiguo Testamento.

Los albigenses se dividían en *perfectos* y *creyentes.* Los primeros, que habían recibido el bautismo espiritual o *consolamentum*—único sacramento que admitían—, debían abstenerse de comer carne, vivir en estado de pobreza y permanecer célibes.

Los *creyentes,* que podían vivir a su gusto, sin otra obligación que la de recibir, antes de morir, el *consolamentum,* que les administraban los *perfectos* por la imposición de las manos.

Los albigenses atacaban, a la vez, a la Iglesia y al Estado, y negaban a este el derecho de imponer castigos.

El Concilio de Tolosa—1229—venció al albigensismo, pero no acabó por completo con él. Aunque con menores bríos, levantó varias veces la cabeza, hasta que en 1253 fue aniquilado por las armas.

V. BARRAU-DARRAGON: *Historia de las cruzadas contra los albigenses.* Trad. cast. Barcelona, 1883.—PEYROT: *Histoire des albigeois.* París, 1870.—DONAIS: *Origine des albigeois, action de l'Eglise au XIIe siècle.*—BOULENGER, A.: *Historia de la Iglesia.* Barcelona, 1936.

ALBORADA o ALBADA

Canción poética del amanecer. Género muy cultivado por los trovadores. Tenía como regla rigurosa la repetición al fin de cada estrofa de la palabra *alba* o *aurora,* alusión jaculatoria al nuevo día. (V. Alba.)

ALBUM (Libro blanco o en blanco)

1. Libro en blanco, encuadernado, dedicado a escribir composiciones literarias, sentencias, máximas, piezas de música, firmas...; o a colocar retratos de personas queridas o notables; o a dibujos—apuntes o bocetos—, acuarelas...

2. Tablita debidamente preparada y destinada a contener cualquier escrito de carácter público. Cicerón nos dice—*De Orat.,* II, 12—que los *Anales de Máximo* fueron escritos en un álbum por el Pontífice Máximo.

3. Lista de alguna corporación de carácter público, como lo prueba la expresión *Album decurionum,* empleada por Tácito en sus *Anales*—IV, 42—para referirse a la lista de los senadores.

4. Trozo de muro blanqueado sobre el que los antiguos magistrados hacían escribir en gruesos caracteres sus edictos.

ALCAICO (Verso)

Verso y metro griegos inventados por Alceo y aceptados por los latinos. El verso alcaico es endecasílabo y comprende: un yambo o un espondeo, un yambo, una cesura larga o breve y dos dáctilos. Alceo colocó este verso a la cabeza de la estrofa también inventada por él, y que se formaba así: dos alcaicos, un yámbico dímetro hipercataléptico y un dáctilo-trocaico tetrámetro. El verso alcaico es uno de los más armoniosos que existen. La estrofa alcaica, corta, sonora, rápida, resulta particularmente apropiada a la oda, al movimiento, al vigor, a la pasión lírica.

He aquí un ejemplo, tomado de Alceo:

Οὐ χρὴ κκκοῖσιν θυμὸν ἐπιτρέπειν
Προκόφομες γὰρ οὐδέν ἀσάμενοι
Ω βύκχι φάρμακον δ' ἄριστον.
Οινον ἐνεικάμενος μεθυ:θῆν.

Horacio, probablemente obedeciendo a necesidades de la lengua latina, modificó esta estrofa, introduciendo en ella con frecuencia el espondeo, pero manteniendo con rigurosidad el ritmo:

O diva, gratum quae regis Antium
Praesens vel imo tollere de gradu
Mortale corpus, vel superbos
Vertere funeribus triumphos.

En los fragmentos que se conservan de Alceo se observa que el poeta abría una pausa después de cada estrofa; pausa necesaria, pues que el verso debía ser cantado. Horacio prescindió de tal regla y unió frecuentemente una estrofa con otra. El verso alcaico no se encuentra fuera de la estrofa alcaica sino en algunos poetas romanos de la decadencia, como Claudiano, Prudencio, Enodio, que utilizaron un *alcaico-espondaico,* esto es: tomando su último pie un espondeo.

En las lenguas modernas, el verso alcaico y la estrofa alcaica no se encuentran sino en la *poesía lírica erudita* alemana, que se ha ejercitado en reproducir exactamente todas las formas de la métrica grecolatina.

ALCAICO (Gran) (V. Troqueo)

ALCMAICO o ALCMÁNICO (Verso)

Verso cuya invención ha sido atribuida al poeta Alcman. Es un yámbico de cinco pies o un tetrámetro dáctilo. Fue muy bien recibido y muy utilizado por los poetas latinos.

ALDINAS (Ediciones)

Llámanse así las ediciones de obras, impresas en Venecia, entre 1494 y 1584 por Aldo Manucio el *Viejo,* Pablo Manucio y Aldo Manucio el *Joven.*

Ediciones sumamente apreciadas, tanto por la elegancia material de su ejecución como por la corrección y pureza de sus textos.

La mayor parte de tales ediciones son las primeras que se hicieron de ciertos autores griegos y latinos, y no han vuelto a repetirse. Entre otras, cabe señalar: *Rhetores groeci* y el *Alexander Aphrodiensis.*

Aldo el *Viejo* llegó a grabar y fundir sucesivamente nueve clases de caracteres griegos y catorce de caracteres romanos.

ALEGORÍA

Figura retórica y género literario. Etimológicamente, esta palabra deriva de: ἄλλη, otro, y ἀγορά, discurso, significando: *discurso que hace entender otro.* Como figura retórica, alegoría consiste en sustituir un objeto verdadero por otro que lo evoca. Así se dice que la venda y las alas de Cupido son una alegoria. En la alegoría todas las palabras *están trasladadas,* ofreciendo el conjunto de la frase dos sentidos perfectos: uno literal y otro intelectual. Podemos, pues, definir la *alegoría* diciendo con casi todos los autores que es un tropo de sentencia por semejanza, que, en virtud de una comparación tácita, presenta completos el sentido literal y el intelectual. Es una serie consecuente de metáforas. La alegoría se distingue del alegorismo en que en este algunas palabras no están trasladadas y tienen solo un sentido; pero en la alegoría todas ellas están trasladadas y representan los dos sentidos ya aludidos.

Ejemplos de *alegorías:*

Alma, región luciente,
prado de bienandanza, que ni al hielo
ni con el rayo ardiente
falleces, fértil suelo,
producidor eterno de consuelo.

De púrpura y de nieve,
florida la cabeza, coronado,
a dulces pastos mueve,
sin honda ni cayado,
el buen Pastor en ti, su hato amado.

El va, y en pos, dichosas,
le siguen sus ovejas do las pace
con inmortales rosas,
con flor que siempre nace,
y cuanto más se goza, más renace.

Y dentro a la montaña
del alto bien las guía, y en la vena
del gozo fiel las baña,
y les da mesa llena,
Pastor y pasto Él solo y suerte buena.

Y de su esfera, cuando
la cumbre toca altísimo subido
el sol, Él, sesteando,
de su hato ceñido,
con dulce son deleita el santo oído.
....
....

¡Oh son, oh voz! Siquiera
pequeña parte alguna descendiese
en mi sentido, y fuera
de sí el alma pusiese,
y toda en Ti, ¡oh Amor!, la convirtiese.

Conocería dónde
sesteas, dulce Esposo, y desatada
desta prisión, adonde
padece, a tu manada
viviera junta, sin vagar errada.

(Fray Luis de León.)

Quebraste al cruel dragón, cortando
las alas de su cuerpo temerosas
y sus brazos terribles no vencidos;
que con hondos gemidos

se retira a su cueva, do silbando
tiembla con sus culebras venenosas,
lleno de torpe miedo en sus entrañas,
de tu león temiendo las hazañas;
que, saliendo de España, dio un rugido,
que lo dejó asombrado y aturdido.

(F. DE HERRERA.)

Los mejores modelos de alegoría son, en la antigüedad clásica: las *Plegarias* de la *Ilíada;* la *Caverna de las ideas,* de Platón; "el joven Hércules entre la voluptuosidad y la virtud", de Jenofonte; el "gobierno de la República", de Horacio... Muchos de los personajes de Esquilo no son sino alegorías: la Fuerza, la Violencia, el Destino...

Una larga alegoría es el famoso *Roman de la rose.* Los autos sacramentales elevan a su ápice la utilización de lo alegórico.

La alegoría puede ser considerada *como figura del discurso, como modo general de expresión y como un modo de interpretación.*

Como figura del discurso no es sino, ya está dicho. una metáfora continuada.

Como modo general de expresión, se encuentra ya en la infancia del lenguaje.

Como modo de interpretación, desempeña un papel importantísimo en la exégesis de las Sagradas Escrituras por los teólogos católicos.

Diversas obras relativas al lenguaje, al derecho, a los libros místicos, a la sátira, se han escrito *en forma alegórica.* En la *Gramática* de Guarna, escritor italiano del siglo XV, dicha disciplina es como un reino gobernado por dos reyes: el Nombre y el Verbo, que se hacen perpetua guerra. El jurisconsulto holandés Hoppers escribió, en forma de drama, que se desarrollaba a bordo de un navío, un tratado de jurisprudencia en doce tomos.

Una de las frases alegóricas más populares en todo el mundo es la de M. Prudhomme: "El carro del Estado navega sobre un volcán." Frase que es la parodia de un defecto que la alegoría debe evitar ante todo: la incongruencia simbólica.

Formas especiales de *alegoría* son la *parábola,* el *apólogo,* la *fábula* y el *emblema* (V.).

ALEGORISMO

Es la práctica, en literatura y en arte, de la alegoría. (V. Simbolismo.)

Sin embargo, el alegorismo se distingue de la alegoría en que en aquel algunas palabras no están *trasladadas* y ofrecen un sentido único, mientras que en esta todas las palabras están trasladadas y presentan más de un sentido.

La alegoría es una figura retórica, y el alegorismo, un género literario.

El alegorismo ha triunfado—y triunfa—en todas las literaturas y en el arte todo de cualquier tiempo y de cualquier país. El alegorismo—que en ocasiones tiene el incentivo del misterio y que a veces sirve para clarificar hasta el límite lo incomprensible—da al arte y a la literatura la medida de lo imaginativo, de lo paradójico y de lo poético.

El alegorismo puede ser: *físico, moral e histórico.* Es físico el alegorismo cuando representa el orden de cosas que se refiere a los principios de la Naturaleza; así, el Día y la Noche, la Primavera y el Otoño, la Juventud y la Vejez. Es moral el alegorismo cuando representa una idea filosófica o una idea moral; así, la Justicia, el Valor, la Razón. Es histórico el alegorismo cuando simboliza hechos reales de los cuales puede deducirse una enseñanza o una impresión humana.

Las religiones antiguas se valieron del alegorismo para hacer comprender al vulgo sus teorías y sus mitos. La base de la mitología helénica aplicada a las artes fue el alegorismo, que inspiró las obras más geniales de Fidias, Politectes, Praxiteles, Mirón... En las Catacumbas romanas, los primeros cristianos cubrieron los muros con alegorías que significaban el triunfo de Cristo sobre los falsos dioses.

El alegorismo más exaltado triunfa, durante la Edad Media, en las miniaturas de los manuscritos, en las pinturas murales, en los capiteles y los retablos románicos y ojivales de las catedrales y de los monasterios, en la poesía lírica y épica—recordemos *La Divina Comedia,* de Dante, y *El laberinto,* de Juan de Mena—, en los ejemplos más sugestivos de los escolásticos, en las primeras tentativas dramáticas denominadas *farsas y danzas...*

El alegorismo triunfó en la pintura del Renacimiento, motivando los lienzos de Orcagna, Giotto, Bufalmaco, Benozzo-Gozoli, la inolvidable *Danza macabra* de Holbein... Posteriormente, acudieron al alegorismo el Bosco, Miguel Angel, Rubens, Alberto Durero, Lucas Cranach, Valdés Leal...

Un *puro alegorismo* es de necesidad en el género teatral denominado *auto sacramental,* llevado a su culminación por nuestro Calderón de la Barca y aceptado con entusiasmo delirante por los públicos. ¿Qué mayor alegorismo que el de hacer personajes humanos y apremiantes de símbolos, como la Envidia, el Pecado, la Ignorancia, la Fe, la Verdad?...

La literatura española de los siglos XVI y XVII presenta obras maestras dentro del alegorismo Y un autor celebérrimo, Baltasar Gracián, filósofo y pensador genial, diríase que cumple su mejor destino cuando se atiene a las alegorías. Su gran obra *El Criticón* ha sido calificada de "la gran novela simbólica de nuestro siglo XVII". "Las tres partes de *El Criticón*—escribe Valbuena Prat—representan la cumbre de la obra gracianesca y la culminación del estilo de la época, que, análogamente al de ciertos sectores del teatro de Calderón, conduce desde un precedente realista a la idealización máxima literaria, en que los hombres se han convertido en símbolos, el ambiente natural en artificio de alegoría."

El alegorismo moral fue cultivado magistralmente por Quevedo—en sus sátiras lucianescas—, por Rodrigo Fernández de Ribera—en *Los anteojos de mejor vista, El mesón del mundo*—, por Vélez de Guevara—en *El diablo cojuelo*...

Artistas y literatos han seguido cultivando el alegorismo en los tiempos contemporáneos. ¿No triunfa plenamente el alegorismo en pintores como Goya, Proudhon, Delacroix, Ingres, Gérome; en poetas como Shelley, Tennyson, Heine, Hugo Fóscolo, Leopardi, Barbier, Joao de Deus, Almeida Garret, Espronceda, Leconte de Lisle, Baudelaire, Zorrilla; en dramaturgos como Grillparzer, Wildenbruch, Stefan George, Ibsen, Edmond Rostand, Björnson?

V. BLÜMMER: *Ueber den Gebrauch der Allegorie in den bildenden Künsten.* Friburgo, 1903, 2.ª ed.—GERLACH E ILG: *Allegorien...* Viena, 1903.—WINCKELMANN: *Versuch einer Allegorie.* Leipzig, 1886.—REINACH, S.: *Historia general de las artes plásticas.* Madrid, 1906.

ALEJANDRÍA (Biblioteca de)

La más célebre de la antigüedad. Fue fundada por Tolomeo Soter, en la parte de la ciudad llamada Bruchion. Su primer bibliotecario fue Demetrio Falereo. Amiano y Aulo Gelio afirman que, en su época, la Biblioteca se componía de 700.000 volúmenes. Cuando la Biblioteca del Bruchion llegó a contar 400.000 obras, se formó en el Serapeón otra suplementaria, de 300.000. Aquella quedó destruida por un incendio al llegar Julio César a Alejandría. Esta, aumentada con los volúmenes que pertenecieron a los reyes de Pérgamo, fue donada a Cleopatra, y quedó destruida el año 390, a consecuencia de las luchas entre cristianos y paganos. Restaurada a principios del siglo VI, el año 641 fue mandada quemar por Amrú, conquistador de Alejandría, al frente de sus musulmanes.

Como alguien defendiese la inmunidad de la famosa Biblioteca, se atribuye a Amrú la respuesta siguiente: "Si esos libros de que me hablas están de acuerdo con el Alcorán, son inútiles; si son contrarios al Alcorán, son perniciosos; dad, por tanto, orden de destruirlos." Seis meses tardaron en consumirse aquellos cientos de volúmenes preciosos.

ALEJANDRINA (Versión)

Diose este nombre a la versión griega que del texto hebreo de la Biblia se llevó a cabo durante el reinado de los primeros Tolomeos.

Inicióse tal versión por consejo de Demetrio Falereo, primer bibliotecario de Alejandría, al monarca Tolomeo Filadelfo, quien mandó a Jerusalén a su oficial Aristeo con el fin de que adquiriera un ejemplar del libro santo. El gran sacerdote no solo accedió a entregar el ejemplar, sino que envió a Alejandría a setenta y dos sabios judíos, con el fin de que llevaran a cabo la versión apetecida. Los sabios se alojaron en la isla de Faros, en donde dieron fin a su misión. La leyenda añade que fueron encerrados uno a uno, o pareados, en celdas, con un *stenógrafo,* al que dictaron la traducción. Concluidas las traducciones se confrontaron, y en nada discrepaban.

ALEJANDRINISMO

Nombre dado al sistema filosófico y a la tendencia literaria adoptados en la escuela de Alejandría

La fama, muy justa, de los filósofos alejandrinos, y los admirables escritos acerca de sus doctrinas, fueron causa de que, durante algún tiempo, quedaran relegados en el olvido otros muchos escritores y artistas que, antes y después de los filósofos, tanto hicieron por la poesía, la crítica, la ciencia, llegando a lograr un largo período de cultura helénica, con propias características muy acusadas.

Los filósofos alejandrinos son posteriores a la Era cristiana; iniciaron sus escuelas en el siglo III, para terminar su influencia en el siglo V. Sin embargo, el alejandrinismo, como período de cultura general, es muy anterior. Empezó en el siglo IV antes de Cristo, y continuó pujante durante la dinastía de los Tolomeos. El primero de estos monarcas, Tolomeo *Soter (Salvador),* el primero de los Lúgidas, hijo de Lago, general de Alejandro Magno, a quien, a la muerte de este famosísimo conquistador, correspondió el dominio del Egipto, hizo de Alejandría, capital de su reino flamante, un centro maravilloso de literatos, de artistas y de sabios.

Siguiendo los consejos de Demetrio de Falero, fundó una biblioteca y un museo, que habían de ser pasmo de su época y de la tradición. El museo, enorme edificio de riquísimos pórticos y salas, estaba rodeado de unos bellos jardines, dedicados al coloquio de filosofía, arte o poesía. En este museo, Euclides enseñó las matemáticas y fundó la escuela de la que salieron Aristarco de Samos, Arquímedes, Eratóstenes, Apolonio de Perga; Diodoro Cronos enseñó la filosofía, contando entre sus discípulos a Filón y a Zenón de Cittium. La poesía, la crítica y la gramática tuvieron como primer maestro a Filetas de Cos.

Distinguió a la poesía alejandrina una extremada erudición mitológica y arqueológica, mezclada en unas formas sabias y en un estilo sumamente amanerado. El sentimiento quedó sacrificado al arte; y este arte, sumamente refinado, tuvo una propensión extraordinaria *a los efectos* del primer momento. Y la imaginación quedó ahogada por los resabios eruditos.

Faltan textos para apreciar debidamente el alejandrinismo poético, y los escasos con que contamos refiérense a Propercio, acusado de imitador, y a Filetas. Los críticos alejandrinos alabaron más particularmente a Calímaco, que vivió durante los reinados de Tolomeo Filadelfo y Tolomeo Evergetes. De los numerosos poemas compuestos por Calímaco—elegías, epopeyas, dramas satíricos, himnos, epigramas—no nos quedan sino algunos epigramas e himnos. Estos últimos interesan particularmente por el eclecticismo religioso con que el poeta intenta unificar la multiplicidad de tipos mitológicos.

Asclepíades de Samos, a quien se atribuyen innumerables epigramas, y que vivió en Alejandría, fue contemporáneo de Calímaco. Por la misma época, Teócrito, que vivió algún tiempo en Alejandría, se formó poéticamente como discípulo de Filetas.

En una época en que Grecia había perdido su fecundidad literaria, o el arte hábil de renovar con nuevas formas las obras de su pasado, cuando la *crítica* y la *erudición* habían reemplazado al genio creador, el alejandrinismo acertó a *contener* una decadencia demasiado rápida, aprovechando y como *zurciendo* salvados valores aislados en una expresión muy peculiar.

Arato, amigo de Teócrito, fue contado entre los alejandrinos, a pesar de no haber estado en Alejandría, por delatar la influencia retórica y *pensada* del alejandrinismo. Lo mismo puede afirmarse de Euforión, quien, en sus numerosos escritos, se goza en prodigar las locuciones poco conocidas y las alusiones difíciles de interpretar.

Apolonio de Rodas, discípulo de Calímaco, alcanzó un gran renombre con su epopeya *Los argonautas,* en cuyos recitados se encuentra la misma abusiva erudición de la que los alejandrinos hicieron su mérito capital.

Sin embargo, los defectos del alejandrinismo literario se delatan enteramente en el poema de Licofrón *Alexandra,* obra extraña, en la que lo histórico está presentado bajo la forma enigmática de los oráculos, y en la que se encuentran reunidas las más singulares leyendas y las más absurdas expresiones.

En el siglo II antes de Cristo se hizo sentir entre los poetas la influencia alejandrina; así, en las *Geórgicas* y en las *Metamorfosis* de Nicandro de Colofón, y en dos poemas—hoy perdidos—acerca de la Medicina. Dicha influencia lírica aún se patentiza en el siglo I antes de Cristo, y en el mismo Partenio, maestro griego de Virgilio y amigo de Gallus.

Los trabajos críticos de los alejandrinos versaron acerca de temas de la Gramática y de la Filología, principalmente referidos a los textos de los poetas homéricos.

Filetas se aplicó a explicar las palabras oscuras, las locuciones arcaicas y las expresiones propias de distintos dialectos. El inició la recensión alejandrina de la *Ilíada* y de la *Odisea,* que posteriormente llegaría—ampliada y precisada—a ser la definitiva, según la cual los dos famosos poemas han llegado hasta nosotros.

Zenodoto, discípulo de Filetas, puso las bases más firmes de la crítica sistemática aplicada a los textos literarios; sin embargo, su imprudencia y su audacia motivaron no pocas alteraciones, confusiones y falsedades en los textos homéricos por él estudiados. Su discípulo, Aristófanes de Bizancio, y el discípulo de este, Aristarco, alcanzaron el éxito, jamás suficientemente alabado, de terminar la depuración y de dar la suprema armonía en la *Ilíada* y en la *Odisea.*

Los textos homéricos de Aristófanes de Bizancio y de Aristarco son los más dignos de crédito, los más bellos, los más congruentes. Desdichadamente, el trabajo colosal de estos dos eximios críticos y exegetas fue llevado a un nuevo confusionismo por otros espíritus menos perspicaces.

Después de este famoso período del alejandrinismo crítico, los trabajos de corrección, de interpretación y de gramática fueron continuados por eruditos que nacieron o que enseñaron en Alejandría; entre ellos destacaron: Dídimo—que resumió todos los estudios acerca de Homero—, Apolonio "el Sofista" que redactó un *Léxico de palabras encontradas en Homero*—, Apión—que en tiempos de Tiberio inició una nueva revisión de la *Ilíada*—, Apolonio Díscolo—quien, en el siglo II después de Cristo, redactó una gramática sumamente curiosa.

El alejandrinismo literario se prolongó hasta el siglo III, con Longino y Porfirio, para decaer rápidamente y perderse en las sutilezas del *alegorismo* (V.)

Artísticamente, el alejandrinismo se caracterizó no por sus peculiares intuiciones, ni por sus formas de vida, sino por inclinarse más y mejor al *conocimiento* del arte que a la creación artística; el alejandrinismo artístico eligió los cánones que le exigían las preferencias estéticas y no los que le señalaban las imperiosas necesidades de su propio devenir. El alejandrinismo—que supo armonizar, resumir, compilar, imitar con singulares prerrogativas calidades del *espíritu* crítico—encontró enormes dificultades para librarse de las influencias y refugiarse en una evolución autóctona. Puede afirmarse, sin grandes temores al error, que el alejandrinismo artístico no hizo sino *mecanizar* los temas y la técnica.

V. CONAT: *La poésie alexandrine sous les trois premiers Ptolémées.* París, 1882.—KINSGLEY, Ch.: *Alexandria and her schools.* Londres, 1903, 3.ª ed.—MATTER, J.: *Essai historique sur l'école d' Alexandrie.* París, 1910.—SCHOELL: *Histoire de la littérature grecque.* Tomo XIII.—MÜLLER: *Histoire de la littérature de l'ancienne Grèce.* Tomo II.—PIERRÓN: *Historia de la lite-*

ratura griega. (Síntesis española). Madrid, s. a.—GROEFENHAN: *Geschichte der Klassischen Philologie.*

ALEJANDRINO (Dialecto)

Nació este dialecto de la mezcla del macedónico con otros de diferentes partes de Grecia. Lo hablaron los egipcios, los sirios y los judíos, y contenía un elevado número de vocablos extranjeros. Se dio el nombre de *helenistas* a los escritores de aquellas naciones que se sirvieron del *alejandrino o helenístico.*

ALEJANDRINO (Verso)

Llámase en España verso alejandrino al compuesto de dos *hemistiquios* (V.) de siete sílabas cada uno. En Francia, el alejandrino consta de doce sílabas, y de trece en Portugal.

Su nombre deriva, posiblemente, de la gran abundancia con que se emplearon estos versos para narrar las hazañas del famoso monarca Alejandro Magno.

El alejandrino no fue "flor espontánea" en el Parnaso castellano, ya que no se le encuentra en la poesía popular. Tuvo mucha boga en la poesía erudita, en el mester de clerecía. En versos alejandrinos están compuestos el *Libro de Apolonio,* el *Libro de Aleixandre,* los poemas de Berceo, gran parte del *Libro del Buen Amor* y el *Rimado de Palacio,* del canciller Ayala.

Cada uno de los hemistiquios debe llevar dos acentos cuando menos y cuando más tres. Pero en nuestro Berceo ya se encuentran transgresiones de la regla, convirtiéndose en regla el defecto de acentuar únicamente las sílabas sexta y décimotercera, o penúltimas de cada parte, regla esta que era la normal en los versos de arte menor.

Yo, maestro Gonzalo / de Berceo nomnado,
yendo en romeria / caecí en un prado
verde e bien sencido, / de flores bien poblado,
logar cobdiciaduero / pora omne cansado.

(BERCEO.)

A partir del siglo XV, el alejandrino deja de usarse. Y muy a fines del siglo XVIII lo resucita tímidamente Cándido María Trigueros, denominándole *pentámetro francés.* Pero son los románticos quienes nuevamente se deciden muy a menudo por el alejandrino:

¿Qué quieren esas nubes / que con furor se agru-
del aire transparente / por la región azul? [pan
¿Qué quieren cuando el paso / de su vacío ocupan
del cenit suspendido / su tenebroso tul?

(ZORRILLA.)

Rubén Darío modificó el alejandrino, dándole una acentuación rítmica distinta: cargando los acentos en la tercera y sexta sílaba:

¡Ay!, la pobre princesa / de la boca de rosa
quiere ser golondrina, / quiere ser mariposa,
tener alas ligeras, / bajo el cielo volar;
ir al sol por la escala / luminosa de un rayo,
saludar a los lirios / con los versos de mayo,
o perderse en el viento, / sobre el trueno del mar.

El alejandrino apareció en Francia en el siglo XI: poema *Pèlerinage de Jerusalén* Y la crítica francesa señala como primeros poetas en usar dicho metro a Lamberto de Port y a Alejandro de Bernay o de París. También en Francia dejó de usarse durante los siglos XIV y XV, resucitándolo con nuevos bríos los poetas de la Pléyade. Chénier y los románticos dieron un movimiento libre a los alejandrinos no observando regla fija alguna.

Quizá las doce sílabas del alejandrino francés se deban a la escasa sonoridad de las desinencias francesas, siempre mudas, que obligaron a sacrificar las sílabas finales de los hemistiquios.

ALEJANDRINOS (Eruditos y poetas)

1. Se llamó *alejandrinos* a los judíos que, permaneciendo en Grecia y en Egipto, se pusieron en relación con las doctrinas y las literaturas griegas y orientales.

2. También se llamó *alejandrinos* a cuantos sabios griegos u orientales enseñaron en Alejandría.

Euclides enseñó matemáticas, y fundó una escuela, de la que salieron sabios como Aristarco de Samos, Arquímedes, Eratóstenes. Diodoro Cronos enseñó filosofía, y fueron discípulos suyos Filón y Zenón de Cittium.

La poesía *alejandrina* era el resultado de la mezcla de los siguientes ingredientes: erudición arqueológica y mitológica, formas sabias, estilo recargado, imaginación lastrada por las citas.

Poetas *alejandrinos* fueron: Filetas—elegíaco—, Asclepíades de Samos, Apolonio de Rodas, Arato, Nicandro de Colofón, Licofrón...

Los trabajos críticos de los *alejandrinos* se refirieron a la gramática y a la filología, principalmente, de los textos homéricos. Filetas inició la revisión *alejandrina* de la *Iliada* y de la *Odisea.* Zenodoto, su discípulo, sentó las bases de la crítica sistemática de los textos. Aristarco terminó la revisión.

Otros eruditos *alejandrinos* fueron: Dídimo el Aristarquiano, Apolonio el Sofista—autor de un lexicón acerca de las palabras usadas por Homero—, Apión—que inició una nueva revisión de la *Iliada*—, Apolonio Díscolo—que resumió sabiamente todos los estudios gramaticales de su época—, Longino y Porfirio, alegóricos de una sutileza oscurísima...

ALELUYAS

Pareados, tercetos o cuartetos, que acompañan y explican estampas o dibujos, representa-

dos en pliegos sueltos, sobre diversas materias: historia, leyendas, política, biografía, sátira, etc... La forma de los versos es desaliñada. Tuvieron su origen en las estampitas repartidas por la Iglesia con motivo de algunas solemnidades.

Durante el siglo XIX alcanzaron los *pliegos de aleluyas* su apogeo, convirtiéndose a veces su aparente sencillez en verdaderos libelos.

ALEMANA (Lengua)

Forma parte del gran grupo indoeuropeo. El antiguo alemán, conocido con el nombre de *gótico,* aparece completamente constituido en la famosa Biblia de Ulfilas, cuya primera redacción data del siglo IV.

Indudablemente, el alemán, por sus orígenes, es una de las antiguas lenguas llegadas de Asia a Europa en una época incierta. Pudiera derivar del sánscrito. Pero guarda más semejanzas con la lengua griega.

Entre los siglos IV y VIII, con lentas modificaciones, el alemán se perfecciona. La lengua *gótica,* en tiempos de Carlomagno, admite en su desarrollo *elementos extranjeros,* principalmente escandinavos, anglosajones y francos. Y por esta época cambia el nombre: de gótico a alemán (antiguo alemán, *diutisc;* gótico, *thiudisks;* anglosajón, *theodisc). De gótico* a *deutsch* o *teutsch,* alemán o teutónico.

La principal distinción establecida en la historia de la lengua alemana es la de *alto* y *bajo* alemán, denominaciones no solamente geográficas y sociales, sino definidoras de las diferencias del idioma entre las regiones y las clases.

En sus orígenes, el alto alemán aludió al hablado en las montañas y en las mesetas, es decir, en la Alemania del Sur. El bajo alemán era de la Alemania del Norte. Después se llamó alto alemán al usado por las gentes cultas, y bajo alemán, al hablado por las clases humildes. Más tarde, alto alemán fue el alemán literario, ya perfecto. Bajo alemán fue el conjunto de dialectos hablados en distintas partes de Alemania.

El alemán llega a su máxima belleza y perfeccionamiento con la traducción de la Biblia por Lutero, el cual adoptó el dialecto de Misnia. ¡Singular coincidencia! La primera y la última etapa de la lengua alemana quedan señaladas por dos traducciones de la Biblia: la de Ulfilas, en el siglo IV, y la de Lutero, en el siglo XVI. La gestación ha durado catorce siglos; el resultado del parto ha sido uno de los idiomas más ricos y más completos de Europa.

Damos a continuación algunas características fundamentales de la lengua alemana.

Su alfabeto consta de veintiséis letras, que han conservado la forma gótica, y tienen casi el mismo valor que nuestras letras latinas. La *v* tiene valor de *f,* y se pronuncia *fau.* Las tres vocales *a, o, u* pueden estar modificadas por una diéresis sobre ellas, y entonces tienen el valor siguiente: *ä,* de *e; ö,* valor intermedio entre la *ä* y la *o;* y *ü,* valor intermedio entre la *i* y la *u.*

Las palabras se pronuncian según el acento tónico, que se coloca siempre sobre la sílaba radical.

Los sustantivos tienen dos declinaciones: fuerte y débil.

Los géneros son tres: masculino, femenino y neutro.

Los números son dos: singular y plural.

Los adjetivos forman los comparativos y superlativos por medio de terminaciones que se añaden al positivo, preceden al sustantivo y están sometidos a las reglas de la concordancia para el género y el número.

La conjugación alemana es muy analítica; descompone el futuro con el auxiliar *werden* unido al infinitivo del verbo.

El verbo alemán tiene seis modos y dos tiempos simples solamente: el presente y el imperfecto. Los verbos son: activos, pasivos, neutros y reflexivos. Existe un gran número de verbos irregulares; la irregularidad consiste en la alteración de las vocales o consonantes radicales; estas alteraciones sirven para clasificarlos de una manera cómoda.

La preposición se coloca delante de su régimen, y rige diferentes casos.

La construcción alemana es muy compleja; puede, sin embargo, reducirse a una ley primordial, que contiene totalmente el genio de la lengua: la palabra determinada va precedida de la palabra que la determina. En cuanto a las inversiones, unas son libres y otras obligatorias. Son obligatorias cuando la preposición va precedida por una locución adverbial o por una frase circunstancial completa.

Quizá deba el alemán a su origen iranio la suma facilidad para crear palabras compuestas. Como en el griego, hay en el alemán numerosos verbos a los que se pueden agregar preposiciones y partículas propias para modificar o enriquecer con ellas el sentido. Muchas veces forma palabras compuestas de *dos sustantivos, sin cambio alguno de estos.*

El alemán posee numerosos dialectos, algunos de los cuales son verdaderos idiomas, con gramáticas y literaturas propias. El suizo, el renano, el suabio, el suevo, están entre dichos dialectos.

V. SCHOEBEL, C.: *Analogies constitutives de la langue allemande avec le grec et le latin expliquées par le sanscrit.*—GRIMM, J.: *Geschichte der deutschen Sprache.* Leipzig, 1855.

ALEMANA (Literatura)

La historia de la literatura alemana no se remonta a tiempos anteriores que los alcanzados por su idioma. Sería pueril intentar el hallazgo de un momento literario anterior a la traducción, en lenguaje gótico de la Biblia llamada de Ulfilas, personaje que vivió entre los años 318 y 388.

En la historia de la literatura alemana hay que considerar los períodos siguientes:

I. *Período gótico* (desde los tiempos más remotos hasta Carlomagno, año 768).—En este período, aparte de la versión mencionada de Ulfilas, solo quedan algunos escritos teológicos de escasa importancia y una traducción del tratado de la *Nativitate Jesu,* de San Isidoro de Sevilla.

II. *Período franco* (desde Carlomagno hasta el advenimiento de los *Hohenstaufen,* 768 a 1137).—De este período se conocen algunos cantos guerreros, entre los que sobresalen el *Canto de Hildebrando* y de *Hadubrando*; las *Glosas de Malberg,* comentarios a las leyes sálicas, traducidas del latín a un alemán casi ininteligible; la *Plegaria de Wessobronne,* especie de acto de fe; el *Ludwisgslied—Canto de Luis—*; el *Muspied,* fragmento de un poema sajón del siglo IX acerca del Juicio final; *Merigarto—El jardín sumergido en el mar—*, fragmento de un poema enciclopédico, compuesto por un eclesiástico a mediados del siglo XI.

En este período cabe mencionar a extraordinarios sabios y escritores, como Teodulfo—poeta y teólogo—, Warnefriedo—historiador—, Eginhardo—historiador—, Rabom Mauro, arzobispo de Maguncia, y sus discípulos Otfriedo, Walafriedo, Haimon y Estrabón. Este período produjo, además, un canto de victoria—de autor anónimo—, que tiene por tema la derrota de los normandos por Luis III, en el 881; dos traducciones de los salmos, una de ellas debida a Notker; un himno en honor de Hannon, arzobispo de Colonia, y una paráfrasis del *Cantar de los Cantares,* por Willeram.

III. *Período suabo o de los Minnesaenger* (desde los Hohenstaufen hasta el origen de las Universidades alemanas, 1137 a 1346).—El reinado de los Hohenstaufen es uno de los más interesantes períodos de la literatura alemana. Las Cruzadas exaltaron el sentimiento religioso de la nación. Las relaciones casi constantes de los alemanes con los franceses, normandos y provenzales, griegos y árabes, extendieron el círculo de sus ideas, enriquecieron su imaginación y purificaron su gusto. Los Hohenstaufen acogieron y propagaron el espíritu caballeresco y galante desarrollado en la Provenza. Y se cantó en los idiomas suabo y provenzal. Así se formaron los *Minnesaenger—cantores del amor—*, que se sirvieron del dulcísimo dialecto suabo.

Las poesías de esta época se dividen en tres clases: 1.ª Las que corresponden a las epopeyas escandinavas. 2.ª Las que están tomadas de la poesía romana; y 3.ª Las que por su origen y fisonomía son esencialmente alemanas.

La primera clase es esencialmente épica: comprende los *Nibelungen* y el *Libro de los héroes*—Heldenbach—, que cuenta las aventuras del rey Ottnit, de Dietroch, de Bern y de otros caballeros. El argumento esencial de los *Nibelungen* es la venganza de Crimilda contra los asesinos de Siegfried, su esposo.

La segunda clase comprende los poemas relativos a la tradición del Santo Grial: *Percival, Titurel* y algunos otros, por Wolfram de Eschembanch, y *Lohengrin,* cuyo autor se ignora. Los poemas que se refieren al rey Arturo y a los caballeros de la Tabla Redonda: *Wigalois,* por Grafemberg; *Iwein,* por Hartmana; *Tristán e Isolda,* por Gottfried de Estrasburgo, y *Wigamur,* de autor desconocido.

La tercera clase contiene el poema de *Rolando,* o sea la batalla de Roncesvalles, por Conrado; *Flora y Blancaflor,* por Conrado Heck; *Erneit,* por Enrique de Veldeck.

IV. *Período renano o de los Meistersaenger* (desde el origen de las Universidades hasta la Reforma, 1346 a 1523).—El establecimiento de las Universidades alemanas independientes de la Iglesia, el intenso estudio de los clásicos, favorecido por la llegada de numerosos griegos fugitivos de los turcos, y la invención de la imprenta, lograron transformar por completo la literatura alemana hasta darle *una peculiaridad* decisiva. De este período quedan: baladas y narraciones poéticas, novelas y cuentos picarescos, poemas didácticos, canciones guerreras... Obras fundamentales son: la *Nave de los locos,* de Sebastián Brand; la *Crónica de Limburgo,* por Gansbein; la *Crónica de Alsacia,* por Twinger de Koenigshofen; la *Crónica de Turingia,* por Rothe; la *Historia de las guerras de Borgoña,* por D. Schelling; la *Historia de la ciudad de Breslau,* por Eschenloher; el *Reinecke Voss,* traducción del *Roman de Renart; Eulenspiegel* o *Til espiegle,* maravillosas aventuras picarescas; el poema popular *Teuerdank.* En este período la poesía pasó de la nobleza a la clase media y a los artesanos (*meistersaenger*). Entre estos se hicieron famosos: Enrique de Mugelín, Muscatblut, Conrado Herder, Miguel Beheim, Sixto Buchsbaum, Conrado Ottinger, Conrado Zorn, el Monje de Salzburgo, Pedro Zwinger, Hulzing, Alberto Lesch, Regembogen, Juan Folz...

V. *Período sajón* (desde la escuela de Lutero hasta la de Opitz, 1523 a 1625).—Alemania quedó dividida en dos bandos irreducibles: reformistas y contrarreformistas. Lutero *creó* un idioma, hasta cierto punto nuevo, que se extendió del uno al otro extremo de Alemania.

La poesía de los *meistersaenger* fue continuada con éxito por Hams Sachs, de Nuremberg, zapatero poeta que compuso más de seis mil obras, entre ellas más de doscientas comedias y tragedias.

La poesía épica se enriqueció con *La nave afortunada,* de F. Fischart, y con *Frorchmaeusler,* de Rollenhagen. Burkart escribió sus fábulas; Juan Fischart, sus *Sátiras* y traducciones de Rabelais; Valentín Ickelsamer, su *Gramá-*

tica alemana—1600—; Juan Thurnmeyer, la *Crónica de Baviera;* Kantzow, la *Crónica de Pomerania;* David, la *Crónica de Prusia.* Entre las novelas de costumbres tuvo mucha popularidad *Shildburger*—"Historia de los habitantes de Schilda"—, y entre las novelas históricas o historias noveladas, *Pedro Leu.*

VI. *Período silesio y suizo* (desde la escuela de Opitz hasta Klopstock, 1625 a 1760). Período confuso y en que *casi retrocedió* la literatura alemana.

En la poesía lírica destacaron: Spee y Weckherlin, autor de epigramas, sonetos, odas, églogas; Martín Opitz, uno de los mejores poetas alemanes, de gran corrección de lenguaje y admirable juicio estético; Offmann de Hoffmonswaldeau, fundador de la segunda escuela silesiana, conceptuoso, incorrecto de forma y de lenguaje. Chr. Offmann y Laurenberg cultivaron la poesía didáctica; Logan y Wernicke, el epigrama; Grijphius fue llamado "el padre de la poesía dramática", género que cultivaron con éxito Klay, Dach y Lohenstein.

La novela más famosa de esta época es el *Simplicissimus,* de S. Greifenson, de Hirschfeld—1669—, cuyo argumento es de un realismo sorprendente. La *novela histórica* tuvo sus mejores autores en Zesen y en Lohenstein—*Arminio y Thuanells*—. J. M. Moscheroch—seudónimo de Philander de Sittewald—escribió prosa satírica con una vivacidad y una sal verdaderamente admirables. Las mejores publicaciones históricas de la época son: *Crónica de Spira,* de Lehmann—1612—; *Guerra de los hussitas,* de Teobaldo—1610—; *Toma de Magdeburgo*—1660—, por Frisio; *Espejo de honor de la Casa de Austria*—1668—, por Birken.

VII. *Período nacional* (desde Klopstock hasta 1830).—Comprende la época clásica por excelencia y se detiene en los preliminares del romanticismo. Klopstock fue el verdadero creador de un nuevo lenguaje poético.

Y ya no cabe que apuntemos sino nombres. En la *epopeya*: Klopstock, Wieland, F. Müller, L. H. de Nicolai; en el *cuento:* Hagedorn, Wieland, Gellert, Thümmel, Meissner, A. Wall; en la *fábula*: Lessing, Litchwher, Pfeffel; en el *idilio*: Bronner, Voss, Gressner; en la *novela*: Goethe, Hermes, Wieland, Hippel, Thümmel, Schultz, Klinger, Heinse; en el *romance*: Bürger, Herder, Schiller, los condes de Stolberg, Goethe; en la *tragedia*: Lessing, Gerstemberg, Klinger, Babo, Goethe, Schiller, Leisewitz; en la *comedia*: Lessing, Engel, Wezel, Goter, Lenz, Goethe, Schroeder, Kotzebue, Iffland; en la *poesía lírica*: Haller, Klopstock, Uz, Ewald de Kleist, Ramler, Crame, Denis, Weisse, Goetz, Hoelty, Voss, Goethe, Schiller, Matthison, Hoelderlin, M. Claudio, Bürger, Facolis, Kosegarten; en la *sátira*: Rabener, Lichtemberg, Hippel; en la *poesía didáctica*: Haller, Uz, Wieland, Neubeck, Tiedge; en la *poesía descriptiva*: Haller, Ewald de Kleist, Stolberg, Matthison.

VIII. *Período del romanticismo* (desde principios del siglo XIX hasta el Imperio).—Muchos autores de los que hemos mencionado en el período anterior también podrían incluirse en este: así, Juan Pablo Richter, Hoelderlin, Goethe, Schiller.

Poetas puramente románticos son: Luis Tieck, Federico de Hardenber—que firmaba "Novalis"—, Enrique de Kleis, el austríaco Grillpazer, Hoffmann, Enrique Heine, Körner, Mauricio Arndt, Schekendorf, Ruckert, Uhland, Clemente Brentano, Eichendorff...

La novela de la época sobresale en Hoffmann, en Chamisso, en Arnim, en Eichendorf, en el barón de La Motte-Fouque...

Autores dramáticos muy interesantes son: Uhland, Zacarías Werner, Grillpazer.

Historiadores: Niebuhr, Ranke, Curtius, Mommsen, Raumer, Humboldt, Gregorovius...

Cuentistas: los hermanos Grimm...

IX. *Período del Imperio.*—Hasta 1900, aproximadamente. Neorromanticismo y realismo. En la poesía sobresalen: Freiligrath, Herwegh, Freytag, Liliencron, Geibel, Grisebach, Auerbach, Reuter, Conrado Fernando Meyer—suizo de nacimiento—, Nietzsche, Hayse...

En el género dramático: Lodwig, Hebbel, Ricardo Wagner, Lindau, Hugo Bürger, Blumental, Wilbrand, Wildebruch, Schlaf, Holg, Hauptmann, Sudermann...

En la novela: Freytag, Gottfried Keller, Meyer, Hauptmann, Sudermann, Bleibtreu, Max Kretzer, Frenssen, Ricarda Huch, Clara Viebig...

En la Historia: Freitsche, Lamprecht...

A fines de este mismo período de romanticismo mitigado y de naciente y duro realismo, empiezan a darse a conocer dos escritores magníficos: Thomas Mann y Jakob Wassermann.

X. *Período del realismo, simbolismo, expresionismo, post-expresionismo* (desde 1900 hasta nuestros días).—En el ensayo sobresalen: Stefan George—el teórico del grupo simbolista, reacción contra el naturalismo—, Gundolf, Bertram, Franz Roth...

En la poesía: Rilke, Dehmel, George. Hugo de Hofmannsthal...

En el teatro: Wedeking, Sternheim, Kaiser, Hasenclever, Bronnen, Brecht, Toller, Werfel, von Unruh, Bruckner...

En la novela: Enrique y Thomas Mann, Wassermann, Toller, Hesse, Hans Fallada.

V. Koch, M.: *Historia de la literatura alemana.* Barcelona, "Colección Labor", núm. 119.—Bossert, A.: *Histoire de la Littérature allemande.* París, s. a. [¿1934?].—Wiegler, P.: *Ges. der deutschen Literatur.* Berlín, 1930.—Franke, K.: *Die Kulturwerte der deutschen Literatur.* Berlín, 1925, 2.ª edición.—Vogt y Koch: *Gesch. der deutschen Literatur.* Leipzig, 1919-1920, 4.ª ed.—Borinski, K.: *Geschichte der deutschen Literatur.*

A

1921. Dos tomos.—NADLER, Y.: *Geschichte der deutschen Literatur nach Stämmen und Landschaften.* 3.ª ed., cuatro tomos. Ratisbona, 1929-1932.

ALEMANA (Versificación)

La lengua alemana admite los sistemas prosódicos conocidos, obteniendo de ellos los efectos y conclusiones que le son peculiares. Tiene la medida y la rima sobre las que se basa, en general, la versificación moderna; la rima ha sustituido, como en general ha ocurrido en todas partes, a la aliteración, que marca groseramente el ritmo de los primitivos poemas nacionales. Los denodados intentos de Schlegel y otros románticos modernos para volver a la *aliteración* (V.) no han conseguido más éxito que los realizados para sustituir la rima por la simple asonancia.

Un principio de medida característico de la versificación alemana consiste en el acento tónico, que permite marcar el ritmo, no por el número global de sílabas, sino únicamente por el de las vocales acentuadas. Toda vocal que recibe este acento se distingue claramente de las otras por la elevación de la voz para producir el efecto rítmico de la sílaba larga con relación a las breves. De aquí que pies de desigual número de sílabas tendrán una medida equivalente y tendrán, por ende, el mismo lugar en el verso. Es el caso del anapesto sustituyendo al yambo. De ello hay ejemplos en los más perfectos modelos poéticos, como en la famosa balada de Goethe *El rey de los alisos:*

Wer rei / tet so spät / durch Nacht / und Wind?
Mein Sohn, / was birgst / du so bang / dein Ges-
[chicht?...

Esta mezcla de sílabas largas y breves, dando por resultado la preponderancia del acento tónico, ha permitido a los alemanes liberarse de la rima y sustituirla por sílabas y sus combinaciones en pies métricos de diversos valores, es decir, abandonar los principios de la versificación moderna para volver a la de la antigüedad clásica.

De esta manera volvieron al encuentro no solamente del yambo y del anapesto—que estos pueden encontrarse asimismo en todas las literaturas—, sino el dáctilo, el espondeo y todos los pies de la prosodia griega y latina.

Así formaron todos los versos y grupos de versos de los clásicos, desde el hexámetro hasta el adónico, desde la estrofa alcaica hasta el simple dístico. Se puede traducir de este modo a todos los poetas griegos y latinos en los mismos metros que ellos consagraron. Pero se llegó a más: se exageró el parecido del ritmo, extendiéndolo hasta los detalles más minuciosos; para conseguir ciertos efectos de armonía, el verso alemán se hizo calco del verso griego, pie por pie, larga por larga, breve por breve. Matthison cita con orgullo los versos de la *Odisea* sobre el acantilado de Sísifo, interpretados por Voss con un parecido asombroso. Bastará un ejemplo:

Αὖτις ἔπειτα πέδονδε κυλίνδετο λᾶας ἀναιδής.

Hurtig mit Donnergepolter entrollte de tückische
[Marmors

Este hallazgo métrico se aplicó también a las poesías originales. Klopstock, Lessing, Goethe, Schiller, Koerner, Ruckert, Platen y tantos otros han empleado el hexámetro, los versos yámbicos y toda clase de versos líricos combinados en estancias o en estrofas, con o sin el recurso accesorio de la rima.

V. KLOPSTOCK: *Sobre los metros griegos en alemán.* Disertación inserta en la *Mesiada.*—HERWIGG y DONATZI: *Prosodia alemana.* 1841.—EDLER: *Deutsche Versbaulehre.* Berlín, 1842.—MINCKWITZ: *Lehrbuch der deutsche Verskunst.* Leipzig, 5.ª ed.—ADLER MESNARD: *Literatura alemana del siglo XIX.* 1853, dos tomos. Tomo II.

ALEUTIANA (Lengua)

Idioma hablado por los indígenas de las islas Aleutianas, y que difiere de los idiomas de la América más septentrional y de la región boreal y se aproxima al grupo de los idiomas esquimales. Comprende varios dialectos, que se diferencian los unos de los otros y que son los de las islas Unalaska, Kigalga, Akutan, Unimak. Lengua muy rica en formas gramaticales.

V. ESCHOLTY, M.: *Grammaire aléoutienne.*

ALFABETO

1. Reunión de letras de una lengua dispuestas en cierto orden convencional.
2. Abecedario.
3. Libro en el que se hallan escritas y combinadas las letras en sílabas y palabras para aprender a leer.

Se conocen dos clases de escrituras: la *ideográfica* o *figurativa* y la *fonográfica* o *alfabética.*

En la primera, sin sonidos, existe una relación directa con el pensamiento, y queda expresada por símbolos o por simples imitaciones. En la segunda, el pensamiento pasa directamente a las articulaciones y sonidos de la voz humana. Y el sonido despierta en quien lo oye la idea de la figura, y la figura, la idea del sonido a que está unida.

La escritura alfabética nació de la escritura ideográfica.

La escritura alfabética parece haber sido inventada simultáneamente en Fenicia y en la India. Los dos grandes sistemas alfabéticos tuvieron su desenvolvimiento propio, independiente del otro.

SISTEMA ALFABÉTICO FENICIO.—Ha dado origen

a los alfabetos griego, latino, etrusco, gótico y a la mayoría de los europeos. Herodoto atribuye a Cadmo el conocimiento de las letras, la escritura. ¿Introdujeron los fenicios el alfabeto en Grecia? Lucano así lo declara en sus versos:

Phoenices primi, famas si creditur, ausi
mansuram rudibus vocem signari figuris.

Sin embargo, otros autores de la antigüedad: Platón, Diodoro de Sicilia, Cicerón, Plinio, atribuyen la invención a Thor, Athor u Osiris, principal divinidad egipcia, a quien los griegos dieron el nombre de Hermes. Y Tácito explica: "Estos son los egipcios, los cuales *inventaron* las letras del alfabeto... Los fenicios, que tuvieron el imperio del mar, fueron los que *introdujeron* las letras en Grecia..."

Los hebreos, que convivieron con los egipcios, tomaron a estos las letras de su alfabeto, acaso antes que los fenicios. El alfabeto hebreo de nuestros días no es el primitivo. El actual es de origen caldeo.

Champollión sostuvo la teoría de que todos los alfabetos de los pueblos del Asia occidental, es decir, los alfabetos semíticos, los cuales han dado origen a los alfabetos europeos, tienen un origen egipcio.

Del antiguo alfabeto griego se hacen derivar, en primer término, el etrusco, el latino y el griego ordinario. El etrusco, a su vez, ha formado el úmbrico, el osco y el samnita. El griego ordinario ha dado los elementos al copto, al gótico y al eslavo.

El carácter latino es hoy el más usado: el español, el francés, el italiano, el portugués, el inglés, el polaco, el húngaro, el flamenco, el holandés... derivan de él.

SISTEMA ALFABÉTICO INDIO.—El alfabeto sánscrito, a decir de los hindúes, fue revelado por los dioses; de aquí que se llamara *devanagari,* que significa escritura de los dioses. Este alfabeto no lleva la marca de un lento desenvolvimiento, sino que revela una inteligencia filosófica y analítica casi superior a la capacidad humana. Tiene signos especiales para representar las vocales y los diptongos, los cuales son catorce; las consonantes son treinta y cuatro; en total, cuarenta y ocho signos distintos constituyen el sistema más completo y más regular de caracteres alfabéticos que se haya inventado.

Todas las escrituras derivadas del alfabeto indio se escriben y leen de izquierda a derecha. Las derivadas del egipcio o fenicio, unas se escriben y leen de derecha a izquierda—como el hebreo—, y otras, como las lenguas europeas, han adoptado la misma dirección que las escrituras de origen indio.

En los alfabetos hay que distinguir los *sonidos propiamente dichos o vocales* y las *articulaciones de estos sonidos o consonantes.* Las vocales son como el esqueleto del lenguaje; las consonantes, la parte fluida—carne, sangre, nervios—del mismo. Naturalmente, la riqueza de un alfabeto depende de la cantidad de sonidos y articulaciones diferentes cuya representación tiene. La perfección de un alfabeto consiste en poseer tantos caracteres diversos en la escritura como sonidos haya en la lengua hablada, de modo que cada carácter designe siempre el mismo sonido y que cada sonido quede representado por el mismo carácter.

En los alfabetos europeos de origen latino los *sonidos vocales* se presentan figurados de la siguiente manera: *a, e, i, o, u.* Y las consonantes o articulaciones de los sonidos vocales: *b, c, d, f,* etcétera.

La clasificación natural del alfabeto romano es así:

Vocales simples	*a, e, i, o, u.*
Diptongos	*ae, ai, au, ei, eu.* *oe, oi, ou, eu.*
Guturales	*g, j, q.*
Dentales	*d, t, c, z.*
Labiales	*b, p, m, f.*
Linguales	*l.*
Palatales	*n, r, s, x.*

El alfabeto español, como derivado del latino, tiene los mismos caracteres que este, con algunas excepciones. La *j* siempre suena suave en el latino. En el castellano suena fuerte unida a las vocales. En el castellano se admiten como consonantes solas la *ch, ll* y *ñ.*

Emplean el alfabeto gótico: el alemán, el danés, el sueco, el finés, el irlandés, el lituano, el islandés, el bohemio, el estoniano... Téngase en cuenta que el alfabeto gótico es el latino, con la circunstancia de que los caracteres toman formas angulosas.

El alfabeto griego, con modificaciones más o menos sensibles, sirve para el ruso, el servio, el valaco, el búlgaro, etc...

El alfabeto ruso consta de treinta y cinco letras. El hindú tiene cincuenta. El chino, doscientas.

La multiplicidad de los alfabetos ha sido uno de los obstáculos principales a la difusión de las lenguas.

V. LEPSIUS: *Standar alphabet.* Londres y Berlín, 1863.—EICHHOFE: *Parallèle des langues de l'Europe et de l'Inde.*—VOLNEY: *L'alphabet européen appliqué aux langues asiatiques.*

ALGARABÍA

Una corrupción o modismo de la lengua árabe que hablaban los mudéjares españoles durante la Edad Media.

ALGONQUINAS (Lenguas)

Lenguas de la América septentrional—región de los grandes lagos—, habladas por más de cincuenta mil indígenas. Estas lenguas son: el *algonquin,* el *chippeway,* el *ogibway,* el *abenogui,* el *lenapé* o *delaware,* el *mohicano,* el *massachusetts* y el *narragansetts.*

Son lenguas esencialmente figurativas, polisilábicas, transpositivas e imitativas. Su alfabeto comprende cinco vocales: *a, e, i, o, u;* tres vocales *nasales: an, en, on,* y solamente seis consonantes: *k, h, n, r, s, t.*

El alfabeto massachusetts tiene las consonantes *p, q, d, b, m, x, f, r, z.*

V. Pickering, John: *Essay on an uniform ortography for the indian languages of north America.* Cambridge.

ALITERACIÓN

Es una figura de dicción, o elegancia por combinación, que consiste en repetir una misma letra en la cláusula, con el fin de hacerla armoniosa, con una armonía imitativa particular.

> El ruido con que rueda la ronca tempestad.
> (Zorrilla.)

ALJAMÍA

1. Nombre dado a la lengua castellana por los musulmanes españoles.

2. Texto castellano escrito en caracteres arábigos.

3. En literatura son llamados *poemas aljamiados* los escritos en castellano, pero con caracteres árabes. Así, el *Poema de Yusuf,* obra de un morisco aragonés de la segunda mitad del siglo XIV, escrita en el metro del mester de clerecía.

V. Fernández y González, F.: *Escritos aljamiados.* En "Boletín de la Academia de la Historia", 1885.—Saavedra, Eduardo: *Discurso* de recepción en la Real Academia Española. 1878.

ALMAICO (Verso). (V. Alemaico o Alemánico, verso.)

ALMANAQUE (literario)

1. Catálogo o registro que comprende todos los días del año, distribuidos por semanas y meses, y con detalles complementarios como: signos del Zodíaco, principio de las estaciones, fases de la luna, anuncio de los eclipses, santos y festividades.

2. *Calendario* (V.).

3. El primer almanaque conocido fue el dirigido—1475—por el célebre astrólogo Regio Montano.

En Barcelona, Bernardo de Granollachs imprimió uno en 1487.

En Francia, entre 1637 y 1700, aparecieron los almanaques astronómicos de Duret de Montbrison.

En Inglaterra, las Universidades de Cambridge y Oxford patrocinaron unos *almanaques proféticos* llamados *piscatores;* almanaques que puso en popularidad española el gran satírico don Diego de Torres y Villarroel.

Hasta 1855, la publicación de los almanaques en España dependía de la dirección y autorización del Estado.

Posiblemente, fue Benjamín Franklin quien primero llevó a los almanaques—fueron famosos los publicados por él en Filadelfia—las máximas morales, los consejos sociales y familiares, las recetas y las frases ingeniosas.

Los almanaques literarios fueron puestos en boga en Alemania por Goethe y Schiller.

ALMO

1. Lo animador. Lo vivificador.

2. Venerable. Santo. Benéfico.

ALOCUCIÓN

1. Discurso. Arenga. Razonamiento breve dirigido por un jefe a sus súbditos.

2. Exhortación, razonamiento, discurso corto en acción de gracias o en otro cualquier sentido, siempre que en ellos predomine el afecto o la pasión.

3. Discurso de circunstancias.

No se pueden fijar reglas para este género de discursos. El tono, el estilo, las ideas, dependen de la persona que habla y de sus relaciones con el auditorio.

La alocución militar constituye un género aparte. (V. *Proclama.)*

ALOTRIOLOGÍA

Defecto literario que consiste en llevar a un discurso o a una doctrina pensamientos o ideas que no se refieren al tema general.

ALSACIANO (Dialecto)

Mezcla de palabras alemanas, francesas y hebreas. También se le denomina *patois,* precisamente porque ha conservado más o menos fielmente su estado primitivo a través de las alteraciones sucesivas de la lengua original. El alsaciano conserva interesantes aspectos del antiguo dialecto *alemánico* o *alto alemán,* que se ha conservado también en Suabia y en algunas partes de Suiza.

ALTISONANTE (Estilo)

Está caracterizado por las palabras más sonoras y por las frases más enfáticas. Todo en él es rebuscado: el vocablo, el período, la entonación.

ALTRUISMO

Doctrina filosófica opuesta al egoísmo, y que concreta una corriente de benevolencia hacia nuestros semejantes. Esta doctrina fue introducida en la moral positivista por Augusto Comte, quien inventó el propio neologismo expre-

sivo, formándolo de la voz italiana *altrui,* derivada a su vez del vocablo latino *alterus,* otro.

Los sentimientos altruistas consisten en querer bien a otro, y pueden impulsarnos a sacrificar nuestro propio bien al del prójimo.

Para la escuela positivista, el altruismo es primitivo en el mismo grado que el egoísmo; y ambos derivan de dos funciones igualmente fundamentales de la célula viviente: el egoísmo de la *nutrición,* por la que el ser viviente extrae del medio exterior lo que es necesario a su subsistencia y a su desarrollo; el altruismo deriva de la *reproducción,* por la que el ser viviente extrae de sí mismo a otro ser viviente, y lo sustenta hasta que pueda bastarse a sí mismo. Si para el *utilitarismo* (V.), el altruismo es el amor del prójimo por sí, para el *positivismo* (V.), es el amor del prójimo por el prójimo.

Algunos filósofos han llamado también altruismo toda manera de *actuar* que tienda al bien del prójimo; en este caso, el altruismo no es necesariamente un sentimiento.

Según Comte, en el hombre alternan el egoísmo—o sentimientos personales— y el altruismo —*afección, veneración, humanidad, simpatía*—. El altruismo es un resultado obtenido *fatalmente* por la educación y la ciencia; y, a su vez, la moralidad social es un resultado fatal del altruismo. Pero como el positivismo no reconoce al hombre dueño de sus tendencias y deseos para obrar altruísticamente, el altruismo, en su mejor contenido y destino—de deseo, de voluntad y de satisfacción—, no es reconocido por la escuela positivista. Tampoco se halla un altruismo más elevado en la escuela inglesa. Spencer distingue sentimientos *egoístas, egoaltruistas* y *altruistas;* y define los segundos como aquellos que producen un placer a quien los pone en práctica, causando al tiempo gozo en otras personas; es decir, un altruismo realizado sin querer, inclusive contra la voluntad.

Algo elevó de categoría al altruismo el filósofo francés Jean-Marie Guyau (1854-1888), quien lo consideró *instintivo* y *racional* a la vez, admitiendo la libertad moral para ser realizado.

No han faltado los filósofos que afirmen que el altruismo, para alcanzar su grado máximo de eficacia, ha de estar nutrido por el *sentimiento religioso.* En un principio, el altruismo se distinguió de la *caridad,* precisamente porque esta ostenta un carácter de piedad religiosa.

V. Comte, Augusto: *La philosophie positive.* Tomo I.—Guyau, Ernest: *Esquisse d'une morale sans obligation ni sanction.* París, 1885.—Balmes, Jaime: *Filosofía fundamental.*—Van der Aa, P.: *Institutiones philosophicae.* Bruselas. 5.ª ed., 1908.—Mehlis, G.: *Die Geschichtsphilosophie Comtes.* Leipzig, 1909.

ALUSIÓN

Es una figura indirecta que consiste en hacer notar la relación que existe entre lo que se dice y un objeto que no se nombra y se supone conocido; según la Academia, alusión es la referencia que se hace a alguna cosa.

> Vio [Don Quijote] no lejos del camino una venta, que fue como si viera una estrella que a los portales, si no a los alcázares, de su redención le encaminaba. (Cervantes.)

> Quien no se satisface con el dominio de vastos imperios [Napoleón], va a consumirse en una roca solitaria en la inmensidad del océano. (Balmes.)

La alusión es en pequeño lo mismo que la alegoría en grande. La segunda es como un espejo. La primera es como un fragmento de este espejo.

Alguien ha dicho que la alusión es "un proyectil que, desviándose de la línea recta, va a herir, por medio de un rodeo, al objeto que se propone el que dispara".

AMANERAMIENTO

Manera peculiar de escribir siempre sujeta a los mismos dictados, que da al estilo uniformidad y monotonía.

AMATEURISMO

Puede definirse, en un sentido peyorativo, como la falta de *dedicación total* por parte del sujeto a un quehacer científico, artístico, literario...

Amateurismo comprende también a cuantas personas se dedican a una actividad literaria, artística, científica, sin miras interesadas, es decir, haciendo de su inclinación *no una profesión,* sino una distracción.

Para algunos críticos, amateurismo no debe ser considerado como lo contrario de lo profesional, *sino como opuesto a lo suficiente.* Es decir, que el amateurismo comprende a todos aquellos artistas y escritores que "por ineficacia espiritual y por radical insuficiencia técnica" son incapaces de ninguna labor de mérito.

AMBIGÜEDAD

Defecto de elocución, que consiste en ofrecer a la consideración un hecho o un dicho que pueden interpretarse en dos o más sentidos o de los que pueden deducirse diversos conceptos, quedando el espíritu sin saber qué partido o conveniencia adoptar. Generalmente, tal confusión no suele provenir de la voluntad de quien habla o escribe, sino de las palabras de que se ha servido para expresar su pensamiento.

La ambigüedad no debe confundirse con el

equívoco, ya que en este interviene la intención de quien lo plantea con ánimo precisamente de provocar la duda; mientras que aquella es involuntaria.

La ambigüedad, además, depende del lenguaje, y el equívoco deriva de la idea.

AMBROSIANA (Biblioteca)

Se la llamó así en honor de San Ambrosio, patrón de Milán, y fue fundada a principios del siglo XIV por el cardenal Federico Borromeo, quien llegó a reunir en ella 15.000 manuscritos y 35.000 volúmenes.

Intentó el cardenal que en esta Biblioteca trabajaran continuamente dieciséis sabios, a los que se llamaría "doctores de la Biblioteca Ambrosiana". El proyecto no se realizó sino mucho más modestamente. Los doctores fueron dos, y su insignia era una medalla de oro con la inscripción *Singuli singula,* como para recordarles la obligación de que cada uno de los dos realizara un trabajo especial.

En esta Biblioteca, el famoso erudito abate Mai hizo sus primeros descubrimientos de fragmentos de obras de autores griegos y latinos, entre los palimpsestos.

La Biblioteca Ambrosiana contiene hoy medio millón de obras, muchas de ellas preciosas.

AMEBEO

1. Especie de poema en que dos interlocutores se responden alternativamente, como sucede en la égloga IX de Virgilio.

2. Pie de verso latino. Consta de cinco sílabas: las dos primeras, largas; las dos siguientes, breves; y la última, larga.

AMERICANAS (Lenguas)

El origen de las lenguas americanas, así como el de los pueblos que las hablan, aún no han quedado perfectamente determinados. Vater afirma que tales lenguas pasan de quinientas. Adrián Balbi las reduce a unas cuatrocientas. Lepsius cree que son cincuenta las lenguas principales, siendo las demás variantes o alteraciones de aquellas.

Realmente, estriba la dificultad más peliaguda en determinar cuáles son lenguas y cuáles dialectos, ya que muchas de aquellas y de estos no están escritos y solo son hablados por pueblos bárbaros o semibárbaros.

Geográficamente, las lenguas americanas pueden clasificarse en lenguas de la América meridional, lenguas de la América central y lenguas de la América septentrional.

El primer grupo comprende, según Balbi: 1.º Lenguas de la región austral: el *patagón,* el *tehuelhet,* la familia *chilena* y el *puelche.* 2.º Lenguas de la región peruana: el *peruano* o *quichua,* el *chiquito,* el *aimará,* el *moxo,* el *abipón* y el *mocobis.* 3.º Lenguas de la región brasileña: el *guaraní,* el *tupi,* el *botocudo.* 4.º Lenguas de la región del Orinoco y del Amazonas: la familia *caribe,* etc...

El grupo de las lenguas de la América central comprende: 1.º Lenguas de la región de Guatemala: el *maya* o *yucateque,* el *quiche,* el *pigil,* el *kachiquel,* el *man* o *pocomán.* 2.º Lenguas de la meseta de Anahuac o de la región mejicana: el *mejicano* o *azteca,* el *misteque,* el *zapoteca,* el *masteca,* el *tlapaneca,* el *matlazingue,* el *coro,* el *totonaca,* el *tarahumara,* el *tarasco,* el *mixo,* el *popoluca,* el *otomi* y el *pima.*

El grupo de las lenguas de la América septentrional comprende: 1.º Lenguas de la meseta central y de los países limítrofes al Este y al Oeste: el *sonora* u *opata,* el *apache,* la familia *pawni,* el *arrapahoe,* el *comanche,* el *californiano.* 2.º Lenguas de la región del Missouri: familia *colombiana* y la familia *sioux,* de la que derivan el *dacota,* el *osaga* y el *assiniboin.* 3.º Lenguas de la región de los Alleghans y de los lagos: familia *floridiana*—el *muskoghi,* el *chactas,* el *cherokée*—, familia *iroquesa*—el *onondaga,* el *seneca,* el *hurón,* el *oneida*—, familia *algoquina*—el *mohicano,* el *delaware,* el *abenagui,* el *chippeway,* el *ogibway,* el *massachussets,* el *narragansetts...*

Las lenguas de la región boreal del continente americano o los idiomas esquimales: el *groenlandés,* el *aleutiano,* el *techutchi...*

Se ha comprobado en todas las lenguas americanas una caracterizada semejanza de formas gramaticales, pese a las diferencias de vocabularios. Tales diferencias pueden explicarse por la perpetua mutación material de las lenguas, acoplándose así las sensibles modificaciones a una gramática única y común.

V. LUDEWIG, H. E.: *The Literature of american aboriginal languages.*—BRASSEUR DE BOURBOURG: *Collection de documents dans les langues indiennes...*

AMERICANISMO

Vocablo o frase propia de los pueblos americanos que se ha introducido en los lenguajes europeos. Los *americanismos* pueden ser expresión de cosas autóctonas de aquel continente —vicuña, chocolate, manigua, pampa—, o arcaísmos europeos conservados desde la época colonial, o modificaciones de la fonética y de la ortografía.

V. DE VERE: *Americanismus.* Londres, 1872.—GROUSSAC, P.: *A propósito de americanismos.* En el tomo I, apéndice 2.º de los *Anales de la Biblioteca Nacional* de Buenos Aires.—BARTLLET: *Dictionary of americanisms.* Boston, 1889.

AMETRICISMO

Con precisión magnífica lo ha definido el poeta Eduardo Cirlot—en su *Diccionario de is-*

mos—: "El arte se halla, como el hombre, situado entre dos fuerzas contrarias que lo solicitan. Una de ellas es la belleza de la serenidad clarividente; la otra es la fascinación del abismo. Por la primera, el artista se esfuerza por ordenar su obra según un sistema numérico, multiplicando las referencias conscientes y construyendo los planos, las superficies o los tiempos—si se trata de música—de un modo rigurosamente exacto; es el reino de la *Divina Proporción,* de que habló Luca Pacioli. Por la segunda de las tendencias aludidas, el creador se abandona al goce dionisíaco de un fervor natural que le hace desdeñar como inadecuadas las premisas métricas.

"En nuestra época, que podría ser considerada, en su esencia, como la crisis del romanticismo, han sido numerosas las tentativas por romper con la severidad de las formas de contención. En especial, en el período expresionista, que se extiende desde 1890 a 1920, en las artes plásticas, en poesía y en música ha dominado la intención rítmica, la pasión del abismo, la lucha contra todo canon prefijado, manifestándose en verso libre, en temática libre, tal intención regresiva, orgíaca.

"Amétricas han sido las producciones más significativas de esos seis lustros de insurrección contra la sequedad y el anquilosamiento de las normas tradicionales. Ello ha servido para aportar descubrimientos que la sensibilidad, aun en el desorden, ha puesto sobre el tapete del arte y de la estética. Siguiendo un ritmo eterno, el lado nocturno de la existencia ha asumido el mando de la misión artística."

AMNESTÍA

Palabra utilizada por los últimos escritores del clasicismo griego, y de quienes la tomaron los romanos, para describir el acta o arreglo por los cuales eran *olvidadas* las ofensas.

Amnestia pasó a significar el *repudio* de la venganza, tan amada por los dioses y los hombres del paganismo.

AMONEANO

Según refiere Filón de Biblos, amoneano era la escritura misteriosa en que estaban redactadas las obras halladas por Sanconiaton en los templos de Egipto, escritura que tuvo que descifrar para redactar su historia.

AMOR

1. Inclinación invencible hacia lo que nos parece bello o digno de cariño y atrae nuestra voluntad.

2. El sentimiento humano *literario por excelencia.* El que ha inspirado más obras geniales.

AMORALISMO

Nombre dado al sistema filosófico que niega la moral y que rechaza sus leyes. El amoralismo tiene un carácter más filosófico que el *materialismo* (V.), y no han faltado autores que afirmen que el amoralismo no envuelve carácter moral o inmoral, que no es conforme ni contrario a la moralidad, y que, en ocasiones, es ajeno a la moralidad.

Posiblemente, el más ilustre exaltador del amoralismo ha sido Federico Nietzsche (1844-1900), nacido en Röcken, junto a Lützen. Según Nietzsche, el hombre tiene tendencia al poder; y el placer y el dolor solo tienen importancia en cuanto guardan relación con aquel. El gozo aumenta el poder. La piedad lo disminuye, por cuanto debilita la voluntad encaminada al encumbramiento. Si el hombre prescinde de todas sus debilidades—altruismo, simpatía, compasión, generosidad, precisamente los fundamentos de la moral—, conseguirá convertirse en el *superhombre.*

"A través de todos los períodos de la creación nietzscheana alienta la oposición contra la democracia, el socialismo y el cristianismo, alienta un individualismo aristocrático que se opone a las teorías igualitarias, al eudemonismo social, lo mismo que a la divinización hegeliana del Estado. Pero hasta tratándose de los particulares, la aspiración mezquina a la felicidad, la cauta prevención del dolor, lo mismo que la enfermiza compasión de los sufrimientos ajenos, lo considera como un signo de la *decadencia* de la vida que se extingue."

Voluntad desmedida, carencia de sentimientos compasivos, renuncia de los vicios que debilitan la personalidad física, falta de escrúpulos en la utilización de los medios, ansia implacable de mandar..., he aquí los caracteres del amoralismo. El superhombre nietzscheano sería el colmo del hombre inmoral. Nietzsche propuso como esencia del mundo la *Voluntad de poder,* oponiéndola a la *Voluntad de vivir* propuesta por Schopenhauer.

V. NIETZSCHE, F.: *Así hablaba Zaratustra.* Buenos Aires, Aguilar, 1949.—HÖFFDING, H.: *Historia de la filosofía moderna.* Madrid, Jorro, 1912.—HEINEMANN, F.: *Neue Wege der Philosophie.* Leipzig, 1929.

AMPLIFICACIÓN

1. Sócrates la ha definido: "Una manera de expresarse que aumenta o disminuye los objetos; una forma que se da al discurso, y que sirve para hacer que parezcan las cosas más grandes o más pequeñas de lo que son en efecto."

2. Desarrollo que de palabra o por escrito se da a una proposición o idea, explicándola de varios modos, enumerando los detalles, circunstancias o puntos que con ella se relacionan, y encaminado todo ello a persuadir mejor o a convencer con más fuerza.

3. Muchos autores distinguen la *amplifica-*

ción de la *conmoración,* enseñando que aquella es una figura que consiste en desenvolver el contenido de un pensamiento importante, presentándolo en sus diferentes fases o aspectos. Así definida, no todos la consideran como figura; y se fundan en que la virtualidad del pensamiento exige tal amplificación, si se ha de dar a conocer en toda su importancia; y es claro que cuando una forma del pensamiento es necesaria, no se le puede dar en rigor el nombre de figura.

Esta virtud del agradecimiento es en la que ha andado más liberal la Naturaleza; aun a las flores no se la negó. Honró a todos los animales con el culto y armas de alguna virtud que pudiese acordar al hombre de su obligación. En el delfín dibujó la misericordia; en el elefante estampó la gratitud; en el caballo marcó la obediencia; en el león copió la fortaleza; en la cigüeña representó la piedad; en el pelícano grabó la caridad; en la tórtola figuró la continencia; en la paloma trasladó la simplicidad; en la abeja bosquejó la diligencia; en el buey señaló la paciencia; en el céfalo cifró la abstinencia; en el porfirión iluminó la castidad; en algunos peces remedó la virginidad; mas en todos esmaltó algún agradecimiento. (P. NIEREMBERG.)

AMPULOSO (Estilo)

Estilo en el que se emplean con abundancia palabras pretenciosas y frases altisonantes para expresar ideas sencillas y aun ramplonas.

Generalmente, el estilo ampuloso se da en la imitación literaria y en las épocas llamadas *de decadencia.* De ordinario, la imitación exagera y falsea al modelo; intenta alcanzar con el vocabulario lo que le falta *de fondo;* intenta encubrir *una impotencia.*

ANA

Colección de pensamientos selectos, en máximas morales o críticas, de anécdotas, atribuidos a un personaje, cuyo título peculiar lleva la terminación *ana.*

El más antiguo *ana* es el *Scaligerana,* dividido en dos partes: *Scaligerana prima,* compuesto y editado por el propio Escalígero—Saumur, 1669—, y *Scaligerana secunda,* compuesto por Du Moulin y publicado por Isaac Vossius, La Haya, 1686.

Otros *ana* famosos son: *Colomesiana*—Utrecht, 1675—, disquisiciones de Paul Colomies acerca de historia, crítica y literatura; *Perroniana,* compuesto por Christophe Dupuy con los temas sacados de unas conversaciones con el cardenal Du Perron...; *Volteriana*—París, 1748—, *Bonapartiana, Rousseana, Beaumarchaisiana...*

En Francia tuvieron una excelente acogida y se multiplicaron durante los siglos XVII y XVIII.

V. D'ARTIGNY: *Nouveaux mémoires de littérature.* Tomos I, III y VII.

ANABAPTISMO

Teoría herética que negó la validez al bautismo de los niños. Unicamente se admitía el de los adultos. El anabaptismo tuvo puntos de contacto con el *donatismo,* el *novacianismo* y las teorías *valdenses* y *albigenses,* que igualmente se negaban a practicar el bautismo durante la infancia.

El anabaptismo apareció con anterioridad a la Reforma. Casi todos los autores están conformes en señalar su iniciación durante la llamada *guerra de los aldeanos*—1476—en Alemania, encaminada a protestar contra los abusos del régimen imperial y feudal.

Derrotados los aldeanos por falta de disciplina y de táctica militar, pudieron, sin embargo, presentar sus agravios y deseos en doce artículos, cuya defensa y explicación ante el monarca y los nobles llevó a cabo elocuentemente Hans Müller de Bulgenbach.

Al estallar la tormenta violentísima de la Reforma, los anabaptistas se unieron a Lutero, creyéndole capaz de conseguir el éxito de sus postulados. Desilusionados poco después, abandonaron al agustino heresíarca, capitaneados por Nicolás Storch, quien de discípulo de Lutero se convirtió en su adversario.

Storch, que solo concedía el bautismo a los adultos, al frente de sesenta y dos discípulos se dedicó a predicar la insurrección por toda la Franconia.

Pero el más decidido propulsor del anabaptismo fue Tomás Müntzer—1521—, de Alstädt, pastor destituido de Zwickau, quien, nombrado jefe militar de un numeroso ejército—cargo que desempeñó con tanto ardor como desconocimiento técnico—, hizo pública su doctrina.

Según Müntzer, el bautismo resultaba inútil, ya que el hombre se divinizaba *por la sola comunicación del Verbo Eterno por Dios;* el matrimonio entre esposos no convertidos quedaba reducido a concubinato; el reino de Dios era establecido sobre la base de la igualdad universal y la comunidad de bienes; y constituyó la rebautización como divisa principal de la secta.

Lutero, aliado con los príncipes alemanes, combatió ferozmente a los anabaptistas, derrotándolos en Frankenhausen. Los dirigentes Müntzer y Pfeiffer fueron llevados al patíbulo, y si aquel, poco antes de morir, se retractó de sus errores y recibió la comunión católica, este se mantuvo firme en su error.

Pero el anabaptismo no desapareció. Melchor Hoffmann, discípulo de Müntzer, lo reorganizó en Westfalia, en el Holstein y en la Frisia Oriental. David Joris, en los Países Bajos. El panadero Matthiesen, que se decía Enoc llegado del cielo, en muchas ciudades alemanas, entre las que se contaba Münster.

De esta ciudad hicieron los anabaptistas la

nueva Sión. Titularonse profetas de Dios David y Juan de Leyden, este último de una elocuencia arrebatadora y de una impresionante belleza física. Y fueron llamados profetas del diablo el Pontífice y Lutero.

Juan de Leyden instituyó la poligamia y la comunidad de bienes. Y ejerció una tiranía tan brutal como incongruente. A excepción de la Biblia, mandó quemar todos los libros y monumentos artísticos.

Unidos el obispo desposeído de Münster, conde Waldeck; el obispo de Colonia, el landgrave de Hesse, el duque de Güeldres y otros príncipes, sitiaron la ciudad al frente de un poderoso ejército, tomándola el 24 de junio de 1535. La matanza fue terrible. Pocos anabaptistas escaparon con vida.

El *espíritu* de la herejía se continuó en el *baptismo,* que aún hoy tiene adeptos en los Países Bajos, Alemania, Inglaterra y Estados Unidos.

V. SPANHEIM: *De origine Anabapt.* Lugduni, 1643.—JOCHMUS, H.: *Münsterche Geschichte der Legenden und Sagen.* Munich, 1826.—MELANCHTON: *Die Historie von Th. Müntzer.* 1525.

ANACEFALCOSIS

Nombre dado por los retóricos griegos y romanos a una sumaria recapitulación de los principales puntos de un escrito o de un discurso.

Cicerón se hizo notar en este género de resúmenes.

ANACOLUTA (V. Figuras de palabra)

(De *a,* privativo, y *acoloutein,* acompañar, seguir.)

1. Anacoluta es un vicio de construcción que tiene lugar siempre que una proposición no tiene conexión lógica con la que le precede. También cuando se admite una proposición, a la que ni habría que referirse, ya que es consecuencia lógica de otra primeramente admitida.

2. Gramaticalmente considerada, la anacoluta indica la falta de una partícula, resultado o complemento obligado de otra partícula precedente o subsecuente. Como ejemplo, cabe citar el verso 330 del libro II de la *Eneida,* donde el *quot* exige un *tot,* de que carece.

ANACREÓNTICO (Género)

Se da este nombre a un género de poesía, inventado por Anacreonte, que ha pasado desde la antigüedad a la lírica moderna. Antes y después de Anacreonte otros poetas cantaron el amor, sus penas y sus gozos; pero solamente él dedicó cantos a la *voluptuosidad amorosa* como inclinación de la naturaleza, como don de carácter, como gusto de la razón y como fuente de una felicidad pura e inalterable.

Con tal naturalidad cantó los placeres amorosos Anacreonte, que, como muy bien escribió Martínez de la Rosa: "Al leer sus composiciones, no parecen trabajadas con arte, sino nacidas en un momento de inspiración; el corazón entusiasmado del poeta le dictaba pensamientos vivos; su imaginación risueña le presentaba imágenes agradables, y los versos fluían de su labio sin violencia ni esfuerzo."

Odas anacreónticas son las que consideran la vida bajo su aspecto agradable, cantando los alegres placeres del amor, de los festines y el vino, la música y el baile, y cuanto es recreo y pasatiempo.

> ¡Con qué diverso tono
> de Anacreón la lira
> placeres solo canta,
> tan solo amor respira!
> Ya el néctar de Lieo
> celebra en son festivo,
> y sigue nuestra planta
> su canto alegre y vivo;
> ya expresa con dulzura
> de amor los falsos bienes,
> su gozo y su ventura,
> sus ansias y desdenes.

Las *anacreónticas* tienen carácter festivo, alegre y suave; bosquejan los pensamientos en pocas, pero felices pinceladas. Los mejores modelos son Anacreonte, Horacio y Catulo entre los antiguos. Entre los españoles: Villegas, Cristóbal de Castillejo, Cadalso, Meléndez Valdés, Iglesias, Martínez de la Rosa... En Francia: Clément Marot, Ronsard, Du Bellay, Remy Bellau, Lafosse, Chaulier, Seillans, Mérard de Saint-Just, Parny, Bertin, Saint-Victor... En Italia: Marchetti, Rolli, Cappoza, Ridolfi, Corsini, Gaetani, Paganini... En Inglaterra: Stanley, Willis, Eddison... En Alemania: Goethe, Overbeck...

ANACREÓNTICO (Verso)

Verso hecho a imitación de los de Anacreonte. (V. Iámbico, verso.)

ANACRONISMO

Error—en el discurso o en el escrito—que consiste en dar como sucedido un hecho antes o después de cuando realmente sucedió. Durante algunos siglos se llamaba *anacronismo* cuando el hecho había sucedido antes de lo pensado; y *panacronismo,* si después. Por extensión se califica hoy de anacronismo todo error que atribuye a personajes de una época costumbres, usos e ideas de otra época.

Pocos escritores tan impertérritamente culpables de enormes anacronismos como los geniales Shakespeare y Lope de Vega.

ANACRONSIS (V. Arsis)

Valía este término para designar, en la métrica griega, a una o varias sílabas puestas en cuatro versos antes de la *arsis* o sílaba acentuada. (V. Arsis.)

ANACROSIS

Parte del himno pítico en la que se relataba el combate de Apolo con la serpiente Pitón.

ANACRUSIS

Se da el nombre de anacrusis a la sílaba o sílabas débiles que preceden, *al principio* de cada verso, al primer acento rítmico fuerte. Los siguientes versos de Lope de Vega llevan anacrusis de dos sílabas cada uno:

> *Que quien* vive sin gusto de Venus
> *sole*dades al hielo y al sol,
> *como* bestia pasa la vida...

ANADIPLOSIS (V. Figuras de palabra)

Consiste esta figura en empezar una proposición con la palabra con que concluye la precedente.

> Posiblemente, con tales tentativas no lograrás sino *la muerte. La muerte* será quien anule todos tus perversos intentos.

ANÁFORA (V. Figuras de palabra)

Consiste en repetir una misma palabra al principio de dos o más frases, o de los diversos miembros de un período.

> Aquí vive el contento,
> *aquí* reina la paz; *aquí,* asentado
> en rico y alto asiento,
> está el amor sagrado,
> de glorias y deleites rodeado.
>
> (FRAY LUIS DE LEÓN.)

> *Cuando* yunque, sufre; *cuando* mazo, tunde.

> ... *Todos* cabalgan en mula,
> sólo *Rodrigo* a caballo;
> *todos* visten oro y seda,
> *Rodrigo* va bien armado;
> *todos* espadas ceñidas,
> *Rodrigo* estoque dorado;
> *todos* con sendas varicas,
> *Rodrigo* lanza en la mano;
> *todos* guantes olorosos,
> *Rodrigo* guante mallado;
> *todos* sombreros muy ricos,
> *Rodrigo* casco afinado;
> y encima del casco lleva
> un bonete colorado.
>
> *(Romancero del Cid.)*

> *Juegos* de manos, *juegos* de villanos.

ANAGNÓRISIS

De ἀναγνωρίζω, reconocer. Sinónimo de "agnición" y de "reconocimiento".

Según Aristóteles y todos los demás antiguos retóricos, la anagnórisis era un momento de gran trascendencia en las obras de ficción: aquel en que se encuentran y se reconocen dos personajes. (V. Agnición.)

ANAGOGISMO

Interpretación mística y espiritual de las cosas terrenas.

Para Dante Alighieri—en su *Convivio*—, el anagogismo es una forma superior y trascendente del lenguaje, que se produce "cuando espiritualmente se atiende, más que al sentido literal de las cosas significadas, a las cosas sublimes de la vida eterna".

Por ello, para Dante Alighieri, cuando se dice que el profeta proclamó santa y libre la Judea al liberarse el pueblo de Israel de la cautividad en Egipto, lo que el profeta quiso realmente significar—por anagogismo—es que al salir el alma de la cautividad del pecado se hace santa y libre en su potestad.

El anagogismo ha sido muy utilizado, no solo por los exegetas y los comentaristas de los sagrados textos, sino también, fervorosamente, por los poetas y por los artistas.

El anagogismo es el medio más eficaz con que los hombres pueden crear su propia sustantividad en el plano superior de lo eterno, el método más admirable para vivir la dualidad de su condición terrestre y divina.

ANAGRAMA

De ἀνά, hacia atrás, y γράμμα, letra; anagrama significa, pues, letra invertida. El anagrama, uno de los más sutiles ejercicios del espíritu, consiste en "una transposición de las letras de una palabra o un nombre que, mediante cierta combinación de estas entre sí, le da un sentido distinto, ya sea favorable, ya adverso, a la persona o cosa con cuya palabra se forma el anagrama".

Las reglas del anagrama se reducen a exigir que la *nueva palabra* que sustituye y aun cambia el sentido o el valor a la primera sea ingeniosa e inteligible.

Anagrama de *Isabel* es *Lesbia* y es *Belisa.*

A la pregunta de Pilatos: *Quid es veritas?,* Jesús respondió con este magnífico anagrama: *Es vir qui adest.*

Los griegos conocieron el anagrama, pero le dedicaron muy poca atención. Licofronte—que vivió en el siglo III antes de Cristo—transformó el nombre de *Ptolemaios,* Tolomeo, en la expresión *apomelitos,* que significa *miel.*

En la *Enciclopedia metódica francesa* se encuentra un anagrama de un ingenio verdaderamente admirable: "De vuelta de sus viajes el joven Estanislao, rey que fue de Polonia, halló reunida en Lissa, con objeto de cumplimentarle, a toda la ilustre familia de Lescinski. Entonces era rector del Colegio de Lissa el célebre Jablonski, que, pronunciando un discurso en felicitación del príncipe, dispuso luego se dieran varios bailes, ejecutados por trece jóvenes, que representaban a otros tantos héroes. Cada danzante llevaba un broquel, en que estaba grabada con caracteres de oro una de las trece letras de las dos palabras *Domus Lescinia,* y al fin de cada baile venían a colocarse los danzantes de tal manera, que con los broqueles formaban otros tantos diferentes anagramas. En el primer baile estaban las letras en el orden natural:

Domus Lescinia.

En el 2.° .... *Ades incolumis.*
En el 3.° .... *Omnis es lucida.*
En el 4.° .... *Mane sidus loci.*
En el 5.° .... *Sis columna Dei.*
En el 6.° .... *I scande solium.*

Crébillon tituló una de sus novelas: *Les amours de Zéokinisul, roi des Kofirans,* es decir: *Los amores de Luis Quince, rey de los francos.*

V. Lalanne, L.: *Curiosités littéraires.* París, 1857.—Disraeli, Isaac: *Curiosities of literature.* Londres. Tres volúmenes.

ANALECTAS

1. Del griego ἀνάλεγω, recoger. Nombre dado por los antiguos a los restos de un festín. Y, por extensión, aplicado a los fragmentos literarios escogidos de un autor. Mabillón publicó con este título una colección de manuscritos inéditos. Y Brunck también dio el mismo título a la primera edición íntegra de la *Antología griega* según el texto de Céfalo.
2. Florilegio de verso o prosa.

ANALES

Nombre dado a los relatos de sucesos históricos de día en día, mes en mes o año en año. Su forma es semejante a la de las efemérides, diarios y crónicas.

La diferencia entre el analista e historiador es bien sencilla. El primero no observa entre los sucesos que cita sino la *relación de sucesión.* El historiador se preocupa del encadenamiento, del desarrollo lógico de los hechos, observando las relaciones de causalidad y de finalidad que existen entre unos y otros, determinando la necesidad de dependencia.

Para Aulo Gelio, historia es el relato de un testigo ocular; y anales son el relato de lo pasado.

Históricamente, *anales* son libros en los cuales se consignan los sucesos por orden cronológico y distribuidos en años, meses o días.

En Roma, la redacción de los anales estuvo confiada al *pontifex maximus,* y debieron escribirse los primeros en el siglo IV antes de Cristo.

Los griegos tuvieron sus anales *por olimpiadas;* y los romanos, por los *fastos consulares.* La mayor parte de las crónicas del Bajo Imperio y de la Edad Media son anales.

En España, son famosos los tres *Anales toledanos;* los *Anales castellanos primeros* (618-939) o *Cronicón de San Isidoro de León,* y los *Anales castellanos segundos* (1-1126), llamados también *Anales complutenses; Anales compostelanos* (1-1248).

Jerónimo de Zurita denominó a su obra capital *Anales de la Corona de Aragón* (Zaragoza, 1562-1580).

A partir del siglo XIX se han dado los nombres de anales a muchas revistas de temas literarios e históricos, y aun de materias que nada tienen que ver con la historia o la literatura.

ANÁLISIS

Del griego ἀνάλύω, desliar, descomponer, reducir.

1. El análisis literario es la *descomposición* de un escrito o de un discurso, despojándolo de sus adornos, reduciéndolo a las partes esenciales, para mejor conocer el orden y el valor de las ideas y aun de los mismos adornos y partes secundarias.
2. El análisis, como la disección de los cuerpos, nos permite penetrar en el secreto de una composición literaria, conocer sus resortes y sus recursos, adivinar las combinaciones de que el autor se ha valido para producir el conjunto que nos ha puesto de manifiesto. Nos enseña también cómo debemos imitar los modelos literarios y cómo eliminar de ellos lo fútil o perecedero.
3. El análisis, como la sabiduría del relojero al desmontar todas las piezas del maravilloso aparato, nos permite darnos una idea total y precisa *del conjunto armonioso y en marcha* de la obra literaria. El análisis literario debe aplicarse a la *composición,* al *estilo,* al *tema* y a la *intención* de la obra.
4. Se llama también análisis a la *crítica* de una obra en los periódicos y revistas. Estos análisis se reducen, generalmente, a *extractos.*
5. Análisis es, pues, la *concentración* sucesiva de nuestra inteligencia sobre los diferentes puntos de un objeto.
6. Analizar es reducir, *sintetizar.* En rigor, no hay síntesis sin análisis, ni análisis sin síntesis, puesto que para descomponer algo en sus partes hay que considerar que estas partes corresponden al todo, y que una relación estudiada implica el objeto total.

ANALÍTICAS (Lenguas)

Por el procedimiento de su mecanismo gramatical, las lenguas de *flexión* se dividen en *sintéticas* y *analíticas.*

Analíticas, las más modernas, son aquellas que sustituyen los casos de la declinación *con las preposiciones.*

Se llaman lenguas analíticas porque las relaciones de las ideas están marcadas, no por palabras nacidas de las mismas ideas, sino por vocablos peculiares, signos independientes. Lo contrario que en las lenguas sintéticas, en las que cada palabra representa por sí misma, no solo una idea, sino las relaciones de esta idea con otras y su importancia en la proposición.

En las lenguas analíticas, cada una de las relaciones de posesión, de filación, de atribución de acción ejercitada, ha sido *abstraída y generalizada,* y queda representada por un signo peculiar, una preposición las más de las veces.

La tendencia de estas lenguas es llegar a no extraer de los sustantivos y de los verbos sino *el objeto y la acción* "en su pura abstracción".

El efecto más caracterizado de las lenguas analíticas es el de llegar a la inversión cada vez más de tarde en tarde. Cuando una palabra lleva consigo misma el signo de su valor gramatical, y, por decirlo así, *el uniforme de su empleo,* poco importa su lugar en la frase. Pero cuando no es sino el signo abstracto de una idea, logra que el orden de los términos siga exactamente el de las ideas, y su lugar queda determinado con todo rigor como el signo de una fórmula matemática.

V. DENINA, Ch.: *La clef des langues.* Berlín. Tres volúmenes.—MÉRIAN, Barón de: *Principes de l'étude comparative des langues.*—BREULIER: *De la formation et de l'étude des langues.*

ANALOGÍA

Del griego ἀνάλογια, relación, correspondencia.

1. Relación de semejanza, proporción o conveniencia que tienen unas cosas con otras, siendo estas y aquellas de géneros diferentes.

2. Operaciones del espíritu para hallar tales semejanzas y correspondencia entre las cosas, y aplicarlas lo mismo en la gramática, en la lógica y en la literatura.

La analogía se diferencia de la *idealidad* en que aquella se verifica entre cosas distintas. Y de la *similitud,* en que la analogía se aproxima a cosas que tienen puntos semejantes y puntos diferentes.

Como juicio de experiencia, la analogía puede ser *próxima* y *lejana.* La próxima es la percepción actual de la semejanza o de la conexión de dos cosas presentes. La analogía lejana es aquella por medio de la cual, siendo conocida la relación de dos hechos, deducimos la existencia del uno de la existencia del otro.

La analogía es, por tanto, el principio que debe presidir las tentativas hechas por los escritores eruditos para desenvolver regularmente una lengua literaria y enriquecerla. La analogía es la regla y el límite del neologismo. Un vocablo nuevo será tanto mejor recibido cuanto mayor sea su analogía con otros vocablos ya ortodoxos.

ANALOGÍA DEL ESTILO

La analogía del estilo radica en considerar la palabra con relación a la idea, y la idea con relación al sujeto.

ANALOGÍA DE LOS SUJETOS

Tiene como misión, al examinar y criticar las obras literarias de dos o más autores, señalar en ellas lo que pudiera haber de reminiscencia, de imitación o plagio, consideradas entre sí o con relación a un modelo.

ANAMITA (Lengua)

Lenguaje monosilábico, hablado en la parte más conocida de Annam. Es lenguaje distinto del chino por su vocabulario, aun cuando ha recogido en él muchas palabras chinas. Se determinan en el anamita cuatro dialectos: 1.º, el *tonquinés*—o más puro—; 2.º, el *cochinchino;* 3.º, el *loyés,* y 4.º, el *lactho*—el más inculto—. La gramática anamita tiene grandes analogías con aquellos idiomas monosilábicos más aparentes: el chino, el siamés y el birmano. Esta lengua está dotada de seis tonos o entonaciones musicales, necesarias para multiplicar los sentidos de las palabras, ya que su vocabulario es muy pobre.

V. ROSNY, L. de: *Notice sur la langue annamite.* París, 1895. Tercera edición.

ANAPÉSTICO (Verso)

Verso griego y latino que tiene como base el pie anapesto. Cada medida de este género de verso se compone de dos pies o de una dipodia. En el verso anapéstico se encuentran las nueve variedades siguientes:

1.ª El *monómetro,* formado rigurosamente por dos anapestos; pero, lo mismo que las variedades siguientes, admite la sustitución de espondeo y dáctilo, y en ocasiones de proceleusmático y tríbaco. Ordinariamente se le utiliza como cláusula. Ausonio lo empleó aisladamente:

O flos juvenum
Spes laeta patris!
Non mansuris
Ornate bonis:
Omnia praecox
Fortuna tibi
Dedit et rapuit.

Este verso admite numerosas combinaciones, no resultando tan monótono como el adónico.

2.ª El *monómetro hipercataléptico,* compuesto de dos anapestos más una sílaba, fue llamado también *anapéstico córico,* porque era el empleado frecuentemente por los coros en las tragedias. He aquí un modelo:

Animus / male for / tis.

3.ª El *dímetro braquicataléptico* o *aristofánico* se compone de tres pies:

Venit op / tima Cal / iope.

4.ª El *dímetro cataléptico,* de tres pies y medio, fue empleado como cláusula por los trágicos latinos:

Jamjam, absumor; conficit anima
Vis vul / neris, ul / ceris aes / tus.

(ATTIO.)

5.ª El *dímetro* comprende cuatro pies y admite un anapesto y un espondeo en todos los lugares, y un dáctilo en los lugares impares. Después del segundo pie lleva una pausa o reposo.

Audax / nimium // qui freta / primus
Rate tam / fragili // perfida / rupit.

(SÉNECA.)

6.ª El *trímetro cataléptico,* compuesto de cinco pies, tiene cuatro anapestos, más un antibaquio:

Anapaes / tus inest / quater, ul / timus an / tibac-
[chius.

(TARENTINO MAURO.)

7.ª El *trímetro* comprende seis pies:

Inclyte / parva / praedite / patria, / nomine / ce-
[lebri.

(ATTIO.)

8.ª El *tetrámetro cataléptico,* usado frecuentemente por Aristófanes, está compuesto por siete pies y lleva una pausa o reposo después del cuarto. También se encuentra alguna vez en Plauto:

Neque quo / fugiam, / neque ubi / lateam / neque
[hoc / dedecu' / quomodo / celem.

9.ª El *tetrámetro* comprende ocho pies y fue muy utilizado por Plauto:

Nec placi / tan mores, / quibu' / video / vulgo /
[gnatis / esse pa / rentes.

El *paremíaco,* llamado así por ser el utilizado por los autores para sus máximas y proverbios, es un *anapéstico dímetro cataléptico:*

Felix / nimium / prior aetas,
Conten / ta fide / libus ar / vis.

(BOECIO.)

El *arquebúlico,* llamado así por el poeta Arquebulo, quien lo empleó exclusivamente, es un *anapéstico trímetro cataléptico:*

Tibi nas / citur om / ne pecus, / tibi cres / cit
[herba.

El *anapéstico-trocaico* es un anapéstico trímetro; comprende tres anapestos más un itifálico, que mezclan así el anapéstico y el trocaico:

Pede ten / dite, cor / sum addite, // convo / late /
[planta.

(PETRONIO.)

ANAPESTO

Pie de verso griego y latino, compuesto de dos sílabas breves y una larga: ◡ ◡ —.

ANAPISTÓGRAFO (Libro)

Es aquel que tiene sus hojas escritas o impresas por una sola cara; esto es, tienen la lectura en las páginas impares y el blanco en el reverso. En España, varios de los libros anapistógrafos más interesantes son los manuscritos de la Fundición Real de caracteres de imprenta, publicados en Madrid—siglo XVIII—. También lo son la mayoría de los antiguos libros japoneses y chinos, impresos en tiras largas de papel, por una sola cara, dobladas estas y cosidas de manera que solo quedan de manifiesto las estampadas.

ANARQUISMO

Doctrina política del siglo XIX, iniciada por Godwin y desenvuelta por Proudhon, cuya pretensión era fundir los ideales del liberalismo y del socialismo, las dos grandes corrientes sociales de aquel siglo. El anarquismo consideraba como la meta de la revolución humana “una sociedad sin gobierno, en que cada individuo fuese su propia ley”.

Las teorías anarquistas de Godwin y de Proudhon fueron acogidas con gran entusiasmo en toda Europa, y así nacieron: el *anarquismo colectivista,* cuyos propagadores fueron Bakunin y el príncipe Kropotkin; y el *anarquismo religioso,* exaltado por Tolstoi; y el *anarquismo comunista,* predicado en Francia por Reclus y Juan Grave.

Desdichadamente, apareció, al mismo tiempo

que el anarquismo teórico, el *práctico,* erupción morbosa en las sociedades mal gobernadas durante muchos años, que todo lo fía a la violencia, al terror y demás medios de odio y destrucción, a que denominan sus panageristas "la propaganda por el hecho". Y en pocos años asesinaron los anarquistas a la emperatriz Isabel de Austria, al rey Humberto de Italia, al presidente de Francia Carnot, al presidente de los Estados Unidos Mac-Kinley, a Cánovas del Castillo en España, aparte los numerosos atentados fracasados contra jefes de Estado y personas preeminentes—como los que amenazaron a don Alfonso XII en 1878, y a don Alfonso XIII en 1906, cuando regresaba de contraer matrimonio.

El anarquismo teórico tomó del liberalismo su desconfianza y menosprecio del Estado y su entusiasmo por la iniciativa particular; y del socialismo, su condenación de la propiedad privada y el sentimiento colectivo de la explotación que sufren los trabajadores. El anarquismo se propuso "demostrar la incapacidad económica y administrativa del Estado; acusarlo de originar grandes males, y condenarlo a ser destruido". Porque, según Godwin, la libertad sin el socialismo constituye un privilegio, y el socialismo sin la libertad es el camino de la autocracia y la esclavitud.

El anarquismo asume dos formas diferentes: *individualista y comunista.*

El anarquismo individualista posee predominantemente un carácter filosófico y literario. Exalta el individualismo hasta el más alto grado y pone en sus manos todas las prerrogativas del derecho de propiedad.

El anarquismo comunista tiene un sentido absolutamente político y social. Tiende a que el Estado desaparezca para ser sustituido por asociaciones voluntarias.

El principal representante del anarquismo individualista fue el alemán Max Stirner (1806-1856), cuyos antecedentes filosóficos habrán de buscarse en la izquierda hegeliana, puente entre Feuerbach y Nietzsche. Stirner llega a la apoteosis de lo individual en la consigna de que para cada uno nada hay superior a sí propio. Y así, el *yo* actúa en Política, haciéndose todo o destruyéndolo, con Fichte o con el *nihilismo* (V.). Esta orientación enfrenta al individuo con el Estado. "La voluntad individual y el Estado son potencias mortalmente enemigas —dice Stirner—y entre ellas no cabe la paz. El Estado tiene como único fin la limitación, el dominio y la subordinación del individuo. Por eso el Estado y yo somos enemigos." Y, lógicamente, para Stirner, el interés personal del individuo es la única ley; y el derecho de su libertad justifica el destronamiento de la autoridad; y la fuerza se convierte en derecho; y cada individuo tiene derecho al desenvolvimiento tan integral como le permitan los recursos de su propio poder.

Para Bakunin, el Estado es una institución histórica transitoria, una forma pasajera de la sociedad. Kropotkin veía en la existencia del Estado, del gobierno y de la ley, tan solo una protección de las clases privilegiadas, y por ello defendió la asociación libre de los grupos libres, en lugar del Estado autoritario y el que, abolida la propiedad, a cada persona le fuera asignada y asegurada una renta mínima. León Tolstoi tiñó el anarquismo de un sentimiento cristiano, predicando el retorno a los ideales de la cristiandad primitiva y abogando por la supresión de la fuerza, del pago de los impuestos y del servicio militar obligatorio.

La síntesis ideal del anarquismo individualista fue obra del escritor ruso Miguel Bakunin (1814-1876), el cual defendió "la federación libre de los individuos, dentro de los grupos, y de estas asociaciones en una federación universal; pero conservando cada individuo el derecho de separarse de la comunidad."

El anarquismo individualista fue defendido en los Estados Unidos por Josiah Warren, y Benjamín Tucker. Según Warren, "cada hombre debe tener su gobierno, su derecho, su iglesia, constituyendo un sistema dentro de sí mismo". Tucker sostuvo la tesis "de que los individuos podían formar asociaciones y separarse de las mismas, por medio de contratos sociales y voluntarios, a su libre arbitrio".

El anarquismo comunista coincide con el individual en el odio al Estado, en la oposición a la idea de autoridad. Pero se diferencia de él en buscar no la felicidad de cada individuo, *sino la de todos,* sacrificando a esta la personal, y en creer que la revolución *es una necesidad ineludible y apremiante.* Para el anarquismo comunista, la desaparición del actual sistema político y económico únicamente puede conseguirse *por medios violentos.*

Lombroso consideró el anarquismo como un caso patológico social; los anarquistas, según él, no son sino locos o "criminales natos".

V. Zoccoli: *L'anarchia.* Turín, 1907.—Gertel, Raymond G.: *Historia de las ideas políticas.* Barcelona, Labor, 1937.—Reclus, Eliseo: *L'évolution, la révolution et l'idéal anarchiste.* 1898.—Stirner, M.: *Der Einzige und sein Eigenthum.* 1844.

ANASTROFE (V. Figuras de palabra)

Defecto de construcción, que consiste en invertir de un modo inusitado el orden de las partes de una oración.

ANATEMATISMO

Escrito literario dirigido a provocar el anatema contra una real o supuesta herejía.

ANDALUZ

Realmente, ni dialecto es, sino un modo peculiar de hablar el castellano. Difiere de este en una pronunciación blanda, que suprime algunas consonantes de las palabras o reemplaza las duras por las dulces.

ANÉCDOTA

Del griego ἀ—primativo—y ἔκδοτος, sinónimo de inédito.

Suceso, ocurrencia, episodio ignorado antes, o poco conocido, y de ordinario chistoso o picante, relativo a ciertos acontecimientos históricos o a la vida privada de una persona.

ANECDÓTICO (Género)

Es el género dedicado a recoger, contar y comentar las anécdotas. Se emplea como título de colecciones de obras publicadas por primera vez: tales son *Anecdota graeca*, de Muratori, de Beker, etc., o el *Thesaurus anecdotorum*, de Mortara.

Durante mucho tiempo los historiadores prescindieron de la anécdota, creyéndola indigna, escandalosa, insignificante.

Los siglos XVIII y XIX se encargaron de demostrar la importancia enorme de la anécdota; y la tiene, hasta el punto de que muchos trances oscuros de la Historia han sido puestos en claro por la anécdota rigurosa.

Hoy puede decirse que al gran público le interesa de la Historia cuanto es *anecdótico*. De aquí la moda de las biografías de personajes históricos. En la anécdota ha encontrado el público amenidad, gracia, sabor fuerte y... ¡verdad!

Hoy, ni el más intransigente investigador tiene inconveniente en apoyar una afirmación sobre una anécdota rigurosa.

Antiguamente, la distinción entre *Historia* y *Crónica* estaba, precisamente, en que esta recogía, *se hacía eco* de las anécdotas, y aquella no.

V. VOLTAIRE: *Diccionario filosófico*. Madrid, Ed. Bergua. 1935.

ANECDOTISMO

Tendencia literaria y artística, vigente en todas las épocas, sumándose a la cual, los artistas y literatos, creyendo agotados los temas de creación original, o sintiéndose incapaces de provocarlos, se entregaban a revivir lo puramente anecdótico de la vida, y más comúnmente de *cada propia vida*. Cada literato, cada artista buscaba su efusión recordando episodios vividos, ya en su intimidad, ya en su proyección dentro de la sociedad de su tiempo.

En realidad, en la literatura, los llamados géneros *epistolar* y de *memorias* resultan puro anecdotismo, ya que los escritores se limitan a *narrar* lo sucedido en torno suyo. Anecdotismo son las *Confesiones* de Rousseau, y las *Memorias* de Casanova, y las *Cartas* de Prévost.

Los grandes creadores han huido del anecdotismo, de *lo cotidiano* dentro del mundo real, prefiriendo crearse *mundos propios* en los que la anécdota falla. Únicamente los artistas débiles ceden ante la continua circunstancia, porque son incapaces de salirse del organismo aparente. Cultivan también el anecdotismo aquellos novelistas—hoy tan numerosos—que llevan a sus obras sus propios sucesos, apetencias y reacciones, convirtiéndose en los protagonistas de sus narraciones.

Y anecdotismo es, en la pintura, el llamado género de *historia*, para triunfar en el cual el pintor no se fía de su inspiración ni de su fantasía, sino de sus recursos técnicos y de una fría documentación.

ANFIBOLOGÍA

Figura que consiste en usar de vocablos o expresiones que se pueden interpretar en dos o más sentidos.

ANFÍBRACO

Pie de verso griego y latino, compuesto de tres sílabas, la primera y la tercera breves, y la segunda larga: ◡ — ◡.

ANFÍMACRO

Pie de la métrica grecolatina, que consta de tres sílabas en el siguiente orden: larga, breve, larga.

ANFITEATRO

1. Edificio de forma redonda u oval, cercado en su interior de gradas, donde se celebran determinados espectáculos.

2. Por extensión, el local de nuestros teatros, cuyos asientos están colocados en gradas, en semicírculo, y en la parte más alta de la sala. (V. Teatro.)

ANGELISMO

Tendencia a cultivar los temas angélicos en la poesía y en la pintura.

Conviene advertir que el angelismo artístico y literario no circunscribe el concepto de *ángel* a su acepción religiosa ortodoxa. El angelismo comprende, es cierto, al *ángel* ortodoxo, pero también al *bien* en su oposición al *mal*, según lo entendieron algunas religiones antiguas, especialmente la persa.

Durante el período gótico, pintores y escultores y poetas identificaron el mundo de los insectos con el demoníaco, y el mundo de las flores con el angélico.

También se denomina *ángeles*—con más o menos impropiedad—a los espíritus, a las ideas.

El angelismo ortodoxo halló su expresión maravillosa e impresionante en el *Apocalipsis* de San Juan, verdadera apoteosis angélica.

El angelismo se introduce en innumerables poemas universales, como *La Divina Comedia*, *El paraíso perdido*, *La Mesiada*.

Un pintor moderno, Dante Gabriel Rossetti, intenta *angelizar* figuras humanas, temas, tonos, emotividades.

Un gran poeta español contemporáneo, Rafael Alberti, en su mejor obra, *Sobre los ángeles,* diserta acerca del angelismo aplicado a las ideas, a los espíritus.

ANGLICANISMO

Religión del Estado en la Gran Bretaña. Se le llama también *Episcopalismo* o *Alta Iglesia.*

Su origen data del año 1534, en que el rey Enrique VIII rompió sus relaciones con el Pontificado. Y fue completado y reafirmado decisivamente por la reina Isabel I, quien—en 1562—publicó el *Acta de uniformidad.*

El anglicanismo admite los principios esenciales del luteranismo, pero se distingue de él:

1.° Porque mantiene la jerarquía eclesiástica y el episcopado.

2.° Porque celebra suntuosamente las ceremonias del culto.

3.° Porque reconoce por jefe supremo al soberano.

4.° Porque su dogma y disciplina corren a cargo de los arzobispos y obispos.

5.° Porque el rey convoca las asambleas del clero y es coronado por el arzobispo de Cantorbery, primado de Gran Bretaña.

El resumen o código de las creencias religiosas en el anglicanismo está formado por los 39 artículos de la *Confesión isabelina (articles of religion)* de 1562.

El anglicanismo admite: el dogma de la Trinidad, la Encarnación, el descendimiento de Cristo a los infiernos, la Resurrección y el Espíritu Santo (artículos 1.°-5.°).

En los artículos 6.°, 7.° y 8.° declara canónicas las Santas Escrituras y aprueba los tres símbolos: el de los Apóstoles, el de Nicea y el de San Atanasio.

Acepta igualmente: la predestinación, el pecado original y la salvación por la fe. Proclama que la Iglesia la forman todos los fieles, y que sus determinaciones han de basarse en la Biblia. Niega el culto de las imágenes y el de los santos, la eficacia de las indulgencias y la existencia del purgatorio (artículos 9.°-22).

En los artículos 23 y 24 reserva exclusivamente a los que ejercen el ministerio religioso el derecho de predicar y administrar los Sacramentos, y exige que sea inglés quien pretenda ingresar en la liturgia.

En los artículos 25 y 26 sostiene que los Sacramentos, aun cuando sean administrados por pecadores, operan la gracia divina y afirman la fe.

Para el anglicanismo, el bautismo tiene parecida significación a la que le dan los católicos (artículo 27); en la comunión, el pan y el vino son, respectivamente, el cuerpo y la sangre de Cristo, pero no material, sino espiritualmente (artículo 28); reprueba la elevación y la adoración de la hostia y la doctrina católica de lo que esta y el vino son después de consagrados (artículo 29); y administra la comunión en las respectivas especies (artículo 30).

El anglicanismo considera—artículo 31—la misa como una profanación; autoriza el matrimonio de los sacerdotes—artículo 32—y admite la excomunión—artículo 33.

Los restantes artículos del *Acta de uniformidad* se refieren a las jerarquías y a la disciplina.

El rey es el jefe supremo de la Iglesia anglicana, provee las vacantes episcopales y está obligado al mantenimiento de la religión.

El arzobispo de Cantorbery es el primado del Reino Unido (¡!). Pero el arzobispo de York es el primado de Inglaterra (¡!). Entre los obispos existe también un orden de preferencia. El de Londres es el de mayor categoría. Los arzobispos y obispos forman parte de la Cámara de los Lores. En cada catedral existe un cabildo, compuesto de un deán y varios canónigos. En la jerarquía, tras los *deanes* van los *arcedianos,* y luego los *rectores,* los *vicarios,* los *curas* y los *diáconos.*

El anglicanismo posee en Inglaterra una fuerza enorme, debida a sus privilegios y riquezas. En tiempo de Eduardo VI se escribió en inglés su liturgia, se suprimió la misa y se redactaron los dogmas en 42 capítulos.

El anglicanismo no fue aceptado por todos los ingleses. Y los súbditos del trono de Isabel I se hallaron divididos en cuatro grupos religiososo: *católicos, anglicanos*—la mayoría—, *puritanos* e *independientes.* En Escocia aparecieron los *presbiterianos,* que no quisieron admitir el régimen episcopalista y que confiaron la dirección de sus iglesias a los *pastores o ministros* elegidos por el pueblo.

Realmente, en sus orígenes, el anglicanismo fue *un raro fenómeno.* Negaba la *autoridad del Pontífice,* pero conservaba celosamente *la fe en los dogmas.* Así, Enrique VIII publicó —1539—el *Bill de los seis artículos,* por el que ordenaba, bajo pena de muerte, confesar: la transustanciación, la comunión bajo una sola especie, el celibato de los clérigos, la obligación del voto de castidad, la misa por las almas del purgatorio y la confesión auricular.

Este credo, que disgustó a los católicos y a los protestantes, provocó extraordinarias revueltas. Enrique VIII hizo detener o decapitar a los primeros *como traidores,* y quemar a los segundos *como herejes.*

V. PERREY: *A history of the English Church.* Londres, 1861-1864.—OVERTON: *Life in the English Church.* Londres, 1885-1894. Tres tomos.—DIXON, R. W.: *History of the Church of England from the abolition of the Roman jurisdiction.* Londres, 1878-1902. Seis tomos.—WORDSWORTH: *De la Iglesia católica y de su rama anglicana.* Oxford, 1861. Trad. cast. Madrid, 1871.

ANGLICISMO

Nombre dado a la palabra inglesa admitida en el léxico español.

No son muchos los anglicismos utilizados en nuestro lenguaje: *budín* o *pudín, cóctel, mitin, líder...*

Modernamente, la industria y los deportes han suministrado una mayor cantidad: *fútbol, boxeo, k. o., córner, rail, sidecar...*

ANGLOSAJONA (Lengua y Literatura) (Véase Inglesa, Lengua y Literatura.)

ANIMISMO

1. Doctrina filosófica que hace del alma humana—con sus atributos de unidad, identidad, sustancialidad, simplicidad, espiritualidad e inmortalidad—el principio *que anima* al cuerpo, de manera que es ella la causa de los hechos vitales, así como de los hechos psíquicos. Los órganos no son entonces más que instrumentos de que el alma se sirve y que ella hace funcionar.

Fue Aristóteles quien introdujo el animismo en la filosofía. En su tratado *Del alma* atribuyó a esta cuatro funciones: nutritiva, sensible, locomotriz y racional. Y la llamó *entelechia,* palabra que, según Cicerón—*Tusc.,* I—, viene a significar moción continua y perenne. Sin embargo, críticos posteriores afirman que Aristóteles dio a la palabra *entelechia* significado de fin o finalidad, por manera que quiso precisar que el alma es un ser completo, acabado, fin del cuerpo, y que preside su organización. Aristóteles consideró el alma como un ser distinto del cuerpo, no como un resultado de la organización, sino como un principio de la misma.

El animismo fue profesado por la filosofía escolástica, pero decayó a partir del siglo XVII, cuando se pretendió explicar los fenómenos todos de la vida, ya por causas puramente mecánicas—Leibniz, Descartes—, ya por acciones químicas.

Volvió a reanimar el animismo el alemán Georg Ernest Stahl (1660-1734), quien desarrolló sus teorías en sus obras *Theoria medica vera*—1707—y *Experimenta, observationes et animadversiones chymico-physicae*—1731—. Stahl admitió en los seres vivientes un doble elemento: uno, principio de unidad, sin campo de expansión; y otro, organismo sin fuerza organizante. El primero, llamado alma, nutre, repara y hace al segundo, llamado cuerpo. Para Stahl, el alma, principio de unidad y de vida, es absolutamente racional y consciente. Ahora bien: Stahl atribuía la ejecución de las funciones vitales al instinto, y creía que el alma era el yo, y el yo, el principio vital.

2. Históricamente se ha dado el nombre de animismo a la obsesión de las razas o de las tribus de inferior civilización de hacer intervenir en todos los hechos de la vida y en todos los actos de los seres *a los espíritus superiores* o *extraordinarios.* Y también a una teoría que abarca estos dos dogmas: el que se refiere a un alma individual, cuya existencia puede prolongarse después de la destrucción del cuerpo, convirtiéndose entonces aquella en *fantasma* o *espectro;* y el que se refiere a la existencia de numerosos espíritus, jamás encarnados, cuya influencia es decisiva entre los vivientes. Los pueblos salvajes atribuyen al alma, espectro o fantasma, las siguientes propiedades: ser causa de la vida y del pensamiento; tener dominio independiente de la voluntad y de la conciencia; dejar tras sí el cuerpo y poder marchar de un lugar a otro por los aires y rapidísimamente; ser impalpable e invisible, pero capaz de apariciones; tener poder para, cuando su cuerpo ha quedado destruido, penetrar en otros cuerpos humanos o de animales y dominarlos por completo. En muchos pueblos salvajes, el sueño y la enfermedad se explican *como una ausencia del alma.*

Los fetiches, los manes, los lares, las hadas, los genios, los demonios son *las almas inmortales* del animismo en los pueblos de escasa cultura, idólatras o muy supersticiosos.

3. Artísticamente, se conoce por animismo —concepción primitiva del universo—el anhelo que impulsa a los artistas a buscar las emociones y las sorpresas estéticas *en un retorno* a la inspiración y a los procedimientos de las épocas primitivas, cuando el arte vivía su infancia. Sí, como afirmaba Blake, "el progreso es el castigo de Dios", el arte busca *su animación* más decisiva en los elementos de una sencillez —o infantilidad—heroica. Artistas como Picasso, Matisse, Max Ernest, Marc Chagall y tantos y tantos más, contemporáneos, actuales, han soñado desprenderse de la barbarie en la "standardización" y del racionalismo aplicado, sumiéndose en la ilusión de un idealismo colocado aún más allá de lo mitológico.

ANISOSILÁBICOS

Llámase así a los versos que, en oposición a los *isosílabos* (V.), cuentan con un número desigual de sílabas.

Los versos anisosilábicos son antiquísimos en la poesía castellana. Los encontramos en el *Poema del Cid*:

> Fabló Martín Antolínez, — odredes lo que ha [dicho:
> Fabló mio Cid, — el que en buen hora çinxo espada:

El primer hemistiquio consta de ocho sílabas; el segundo, de siete; el tercero, de cinco; el cuarto, de nueve.

Lo encontramos en la *Disputa de Elena y María*—fines del siglo XIII—:

> ... comer e gastar
> e dormir e folgar,
> fijas de omnes buenos ennartar,
> casadas e por casar.

Primer verso, seis sílabas; segundo, siete; tercero, diez; cuarto, ocho.

Posteriormente, la desigualdad silábica de los versos adquiere una precisión casi rigurosa, alternándose determinados versos que *armonizan* su desigualdad. Así, en las estrofas de pie quebrado:

> Recuerde el alma dormida,
> avive el seso y despierte
> contemplando
> cómo se pasa la vida,
> cómo se viene la muerte
> tan callando.
>
> (JORGE MANRIQUE.)

Y nada digamos de la fortuna que alcanza la combinación de endecasílabos y heptasílabos, tan usada en las *canciones,* en las *silvas*...

> Ella, rica y contenta,
> al mismo Dios por propio norte mira.
> Lleva el fanal de caridad ardiendo,
> y los cielos abriendo
> al favorable soplo que respira...
>
> (B. L. DE ARGENSOLA: *Canción a la Nave de la Iglesia con motivo de la batalla de Lepanto.)*

ANÓNIMA (Obra)

La que aparece sin nombre de autor. Según Barbier, son también obras anónimas aquellas que no llevan el nombre del editor y las traducciones en las que el traductor oculta su nombre.

Las causas que han movido a tantos autores a guardar el anónimo son muchas. El temor de haber escrito una obra mediocre. El haber escrito una obra que pudiera perjudicar el rango, la reputación del autor. Tanto el orgullo como la modestia. Para Renán, el anónimo es una enorme ventaja para la popularidad de una obra.

Naturalmente, el descubrir a los autores de las buenas obras anónimas ha constituido siempre un interés excepcional para los críticos y aun para los públicos.

¿Cuántas páginas se han escrito acerca de la *Batracomiomaquia?* ¿Cuántas acerca de la *Imitación de Cristo?*

Entre las obras que aparecieron anónimas y que después fueron determinados sus autores, sobresalen: *L'ami des hommes,* de Mirabeau; *Le christianisme dévoilé,* de Holbach; *El anti-Maquiavelo,* de Federico II de Prusia; *Ensayo acerca de las costumbres,* de Voltaire; las *Letras provinciales,* de Pascal; *Manon Lescaut,* de Prévost: *Los caracteres,* de La Bruyère; *La princesa de Clèves,* de madame de La Fayette...

V. QUERARD, J.: *Les supercheries littéraires dévoilées.*—BARBIER: *Dictionnaire des ouvrages anonymes et pseudonymes.*—MANNE, D.: *Nouveau recueil d'ouvrages anonymes et pseudonymes.*

ANONIMACIÓN (V. Anagrama, Paronomasia)

ANÓNIMO

1. Escrito cuyo autor se desconoce.
2. Se llama así al nombre falso que oculta al autor de una obra.

Ese nombre falso se denomina también *seudónimo* (V.).

Se distinguen tres clases de anónimos: el autor de una obra, su editor y su traductor. "Entre los autores—escribe André Baillet—, unos omiten sus nombres para evitar el bochorno que sufrirían por haber escrito mal o por haber hecho mala elección en los argumentos; otros, por huir de las alabanzas que podía proporcionarles su trabajo; otros, por temor de que el público se ocupe de ellos; los otros, por humildad, pretendiendo hacerse útiles al público sin ser conocidos; otros, por último, por indiferencia y por desprecio de la vana ostentación que se adquiere escribiendo, porque consideran como una bajeza y un orgullo necio el pasar por autores, a la manera que hacían los príncipes que publicaban sus obras con el nombre de sus domésticos."

Acaso haya una razón más fundamental que Baillet se calla: el anónimo excita enormemente la curiosidad de las gentes. Quien tiene nombre poco o nada conocido, busca la popularidad en el anónimo, explotando la tendencia curiosa por lo desconocido. La prueba está en que muy pocos autores que escribieron con seudónimo o sin nombre, al hacerse famoso uno de sus escritos, han resistido la tentación de declarar su personalidad. ¿Que la obra fracasa? El nombre queda a salvo. ¿Que la obra tiene fortuna? Se descubre el nombre.

ANTANACLASIS (V. Figuras de palabra)

Figura que consiste en repetir una palabra, pero dándole sentido diferente:

> Prefiero mi debilidad; no quiero notarme *fuerte* para tener que obrar *fuerte.*

ANTANAGOGE

Término de la retórica griega en *volver* una acusación, una recriminación contra quien la hace, según indica su etimología: ἀντί. contra ἀναγωγή, acción de repetir. Los griegos le dieron también otros nombres de sentido y etimología análogos, tales como *anticategoría, anticlema...* Los latinos la llamaron *mutua acusatio.* Hoy, pudiera ser equivalente a *recriminación.*

ANTAPODOSIS (V. Período)

Figura en virtud de la cual las palabras de una proposición corresponden a otra, ya guarden un orden semejante, ya inviertan el que tenían en la primera.

ANTECANTO

El estribillo o los versos repetidos de una composición poética cuando se colocan delante de cada estrofa.

ANTECEDENTE, CONSECUENTE...

La primera de las dos proposiciones de un entimema. (V. Lugares comunes.)

ANTECLEMA, ANTICLEMA (Términos retóricos (V. Antanagoge)

ANTEGENESIA

Títulos de algunos tratados filosóficos y literarios acerca de la época anterior a la Creación.

ANTEOCUPACIÓN (V. Figuras de pensamiento)

Figura retórica, que consiste en prevenir una objeción para destruirla inmediatamente.

Se llama también *anticipación y prolepsis* (V.).

ANTEPORTADA

Hoja que con la única expresión del título de un libro precede a la portada.

ANTEPOSICIÓN

Método literario de enseñar exponiendo antes los ejemplos que las reglas.

ANTEROLOGÍA

Se da este nombre al estilo literario florido, brillante, gracioso.

ANTI

Del griego ἀντι, contra. Partícula o, como hoy se dice, prefijo de oposición que sirve para formar títulos de obras destinadas a refutar otras, a combatir a un hombre o un sistema. Así, entre los clásicos, César respondió con un *Anti-Catón* al *Elogio a Catón* escrito por Cicerón. El *Anti-Maquiavelo* de Federico II iba contra las doctrinas del gran florentino.

ANTIBÁQUICO, ANTIBAQUIO (Verso) (V. Báquico)

Pie de verso griego y latino, que consta de tres sílabas: las dos primeras largas y la tercera breve: — — ∪.

ANTICATEGORÍA (V. Antanagoge)

ANTICIPACIÓN (V. Figuras de pensamiento)

Sinónimo de *anteocupación* (V.).

Figura que consiste en responder en el propio discurso a los posibles argumentos que pudieran alegarse en contrario.

> Dirás que muchas barcas
> con el favor en popa,
> saliendo deshinchadas,
> volvieron venturosas.
> No mires los ejemplos
> de las que van y tornan,
> que a muchas ha perdido
> la suerte de las otras.
>
> (LOPE DE VEGA.)

> Si dijeres: Señor, yo no te juré, dirá el Juez: Juró tu hijo o tu criado, a quien tú debieras castigar. (FRAY LUIS DE GRANADA.)

ANTICLIMAX (V. Figuras de pensamiento)

Anticlimax o contragradación (ἀντικλίμαξ) es la reunión en un mismo período de la gradación ascendente y de la gradación descendente. Puede darse como ejemplo estas palabras de Cicerón a Catilina:

> Tú no haces nada, tú no encuentras nada, tú no intentas nada, que yo no solo sepa, sino que también adivine.

ANTIDÁCTILO (V. Anapesto)

Pie de la métrica griega y latina, que consta de dos sílabas breves seguidas de una larga: ∪ ∪ —.

ANTIESCLAVISMO (V. Abolicionismo)

ANTIESTROFA

Figura que consiste en la inversión recíproca de ciertas voces, haciendo que la una ocupe el lugar de la otra, como cuando se dice: *el hijo de tal padre y el padre de tal hijo.*

ANTIFONISMO

Método de cántico litúrgico ejecutado alternativamente por dos coros.

Los hebreos practicaron el canto a dos coros. Y también los dos coros alternaron en la tragedia griega. Por ambas influencias, muy marcadas, la Iglesia católica aceptó en la liturgia el antifonismo.

La primera mención del canto alternado entre los cristianos se hizo en una carta de Plinio el Joven a Trajano, escrita el año 112. Y la perfección de la salmodia antifónica se cumplió, al parecer, en el siglo II y en Edesa, donde la había introducido Bardesano.

El antifonismo fue sancionado, en Oriente, por San Ignacio, patriarca de Antioquía; y en Occidente, por San Ambrosio, arzobispo de Milán. Sin embargo, el antifonismo se usó únicamente, por aquella época, para los himnos. Y ya, a fines del siglo IV, era general el uso del canto antifónico en las iglesias de todo el orbe católico.

La diferencia entre la antífona y el responso es muy clara. En aquella alternan los coros. En este, el coro alterna con el solista. En el siglo VI la antífona precedía al salmo. De aquí que se acudiera por su etimología al verbo *anteponerse,* y que en muchos manuscritos se lea *antephona.*

El antifonismo marcó también los versos que se cantan en el introito, en los invitatorios y en las procesiones.

El antifonismo juega un gran papel en los maitines, laudes y vísperas del oficio divino.

V. REQUENO, P. Vicente: *Dell' arte armonica du greci e romani cantori.* Roma, 1789.—ARTEAGA, Esteban: *De la música de los antiguos.* Roma, 1789.—CERONE, Pedro: *El melopeo.* Madrid, 1613.

ANTÍFRASIS (V. Figuras de pensamiento)

Figura que consiste en dar el sentido de una cosa con palabras que significan lo contrario: *la imponente ternura.*

ANTIGÜEDAD (Ciclo)

Uno de los grupos principales en que se dividen las canciones de gesta y los romances épicos de la Edad Media. Comprende toda clase de canciones y romances de aventuras y poemas de los siglos XII y XIII, referentes "a Roma la Grande", según frase de Jean Bodel.

Unos, como *Alexandro, Julio César, Vespasiano,* tienen la forma de cantares de gesta; otros, como los referentes a *Troya, Eneas Prophilias, Athys,* son auténticos romances de aventuras.

Los más importantes autores de este siglo son Benito de San Mauro, Alejandro de Bernay o de París, Lamberto di Tort.

Pero la mayoría de las obras de este ciclo son anónimas.

ANTILOGÍA

Antilogía o *endíasis* es una figura lógica—según muchos autores, es un trozo de sentencia—, que consiste en juntar con cierto enlace artificioso dos ideas al parecer inconciliables, y que encerrarían un absurdo si se tomasen al pie de la letra.

> Sácame de aquesta muerte,
> mi Dios, y dame la vida;
> no me tengas impedida
> en este lazo tan fuerte.
> Mira que muero por verte,
> y vivir sin Ti no puedo;
> que muero porque no muero.
>
> (SANTA TERESA DE JESÚS.)

> Las primeras nuevas que tuvo el mundo y tuvieron los hombres fueron las que dieron los ángeles de la noche que fue nuestro día. (MIGUEL DE CERVANTES.)

ANTIMETÁBOLA (V. Antimetátesis)

ANTIMETALEPSIS

Figura que consiste en expresar dos pensamientos distintos con las mismas palabras, inversamente repetidas.

La antimetalepsis es una figura de pensamiento, mientras la antimetátesis lo es de estilo. En ello se diferencian.

ANTIMETÁTESIS

De ἀντιμεταθεσις, transposición.

Retruécano, juego de palabras que expresan dos ideas distintas. Figura "de estilo", según varios autores.

> El que quiere hacerme ver lo que yo no puedo ver.

ANTINATURALISMO

Tendencia literaria y artística que se rebela a los dictados de la Naturaleza—y aun de lo natural—para crear un orden, una existencia antinaturales.

Posiblemente es necesario aclarar la anterior definición, no vaya a pensarse que el antinaturalismo es un movimiento literario y artístico enraizado en lo absurdo o en lo irreal. El antinaturalismo niega el concepto *natural* en cuanto lo natural representa la concepción superficial de la realidad; y se resiste al imperio de la *Naturaleza* en cuanto esta alude a la vida animal y vegetal.

El antinaturalismo opone a la Naturaleza *viva*—exceptuado el hombre—lo cósmico, lo mineral, geométrico; y a lo natural, opone lo imaginativo. (V. Naturalismo. Creacionismo.)

ANTINOMIA

1. Contrariedad de doctrinas, de caracteres, de sentimientos.
2. Oposición directa de leyes o doctrinas.

ANTIPARÁSTASIS

Giro metafórico con el que se quiere defender a un acusado, afirmando que si hubiera cometido el hecho que se le imputa, antes merecería premio que castigo.

ANTIPARÍSTASIS o ANTIPERÍSTASIS

Acción entre sí de dos acciones contrarias. La fuerza de cada una vigoriza el esfuerzo de la otra.

ANTIPASTO

Pie de verso latino, compuesto por cuatro sílabas: breve la primera y la cuarta; largas, la segunda y la tercera: ◡ — — ◡.

ANTÍPTOSIS

Figura que consiste en sustituir un caso por otro.

ANTIRREALISMO

Tendencia artística y literaria que se opone al cumplimiento, en la obra creadora, de las exigencias de la realidad. El antirrealismo no significa una *evasión* fuera de la realidad; evasión que no puede darse, que no es factible. El antirrealismo pretende únicamente que ya que la obra artística—disparo de la emoción y cuajo de la inspiración—es una reacción inevitable ante la realidad, dicha reacción "no sea la prevista y aun impuesta por la realidad, sino una reacción imprevista, voluntaria, peculiar en el sujeto antirrealista".

"Pero lo que el hombre sí puede hacer es reaccionar de modos distintos ante esa ineluctable conjunción de apariencias que de continuo solicitan su atención. Neumann divide las formas de arte en dos sentidos principales: afirmación de la realidad, negación de la realidad. En el enorme campo de los hechos artísticos, estas dos posiciones admiten una serie casi inagotable de actitudes intermedias mixtas, complejas. No son tan solo la consciencia y el mundo exterior, visible, los dominios del hombre; también existe la imaginación.

"Este tercer componente es el que tiene un poder definitivo cuando se trata de conculcar las apariencias de lo existente. El antirrealismo se nutre de las posibilidades de la imaginación. Estas van, desde la simple invención de los procesos descriptivonarrativos, en los cuales todo lo que sucede *hubiera podido pasar en la realidad,* hasta la disgregación sistemática de las visiones reales para construir con sus fragmentos mundos imaginarios, nuevos objetos de una ultrarrealidad de la cual el autor pueda sentirse creador absoluto.

"Si, volviendo a la técnica de las oposiciones, creásemos dos polaridades, o sencillamente fijásemos nuestro interés en las que existen con *espíritu* y *vida,* veríamos que el arte sigue una línea rítmica, un fluir y refluir, de la realidad a la irrealidad, del imaginar al ver, del espiritualizar—ascetizar—al vitalizar. El goticismo opuesto al renacimiento, el realismo mágico al expresionismo." (CIRLOT.)

ANTISTROFA (V. Figuras de palabra)

De ἀντιστροφή, vuelta. Figura llamada también *conversión* (V.) y *epístrofa* (V.). A la inversa de la *anáfora* (V.), consiste en la repetición de una o de varias palabras al fin de los diversos miembros del período.

> Todo el universo está lleno del espíritu *del mundo;* se juzga todo según el espíritu *del mundo;* todo se realiza y todo se gobierna según el espíritu *del mundo.* Será cosa de preguntar si igualmente hay que servir a Dios según el espíritu *del mundo.* (BOURDALOUE.)

ANTÍTESIS (ἀντίθεσις)

Figura de pensamiento por medio de la cual se contraponen unos objetos a otros con cierta paridad y simetría.

> Entre espinas
> suelen nacer rosas finas.
> Y entre cardos lindas flores.
> Y en tiestos de labradores,
> olorosas clavellinas.
> A buscar
> se va el oro, y a hollar
> a montes y peñascales.
> Y las perlas orientales
> en las conchas de la mar.
> Todas cosas,
> por ser raras, son preciosas.
>
> (C. DE CASTILLEJO.)

> Yo velo cuando tú duermes; yo lloro cuando tú cantas; yo me desmayo de ayuno cuando tú estás perezoso y desalentado de puro harto. (MIGUEL DE CERVANTES.)

ANTITRINITARISMO

Herejía que negaba el dogma de la Trinidad. La unidad de la naturaleza divina en tres distintas personas fue expuesta amplia y elocuentemente por San Atanasio en su símbolo de Nicea. Y desde el siglo VII fue documento oficial de las iglesias de Oriente y de Occidente.

Desde los primeros siglos no faltaron los partidarios del antitrinitarismo. Los arrianos, negando la divinidad de Jesucristo, quebrantaron ya el dogma de la Trinidad.

Sin embargo, hasta el siglo XVI no llegó a su apogeo el antitrinitarismo. Y antitrinitarios fueron teólogos como Conrad de Gassen, Denck de Nuremberg, Kantz de Worms, Hertzer de Thurgovia...

Pero el más famoso antitrinitario fue el médico aragonés Miguel Servet. En 1531, estando en Basilea, publicó su famoso tratado *de Trinitatis erroribus, libri VII,* que escandalizó a Alemania y a Suiza. Pero Servet aún desarrolló con más minuciosidad su tesis en otra obra: *Dialogorum de Trinitate, libri II.* Y en 1553, ya en franca lucha contra Calvino, lanzó su *Christianismi Restitutio,* en el que combatió la Trinidad como conducente al *triteismo.*

Quemado públicamente Servet, por orden de Calvino, los antitrinitarios se unieron a los anabaptistas—que niegan poco después la Trinidad—y a los socinianos.

V. TRECHEL, F.: *Die protestant. Antitrinitarier vor F. Socius.* Heildelberg, 1839 y 1844.—TRECHSEL, F.: *M. Servet und seine.* Vorgänger. Heidelberg, 1839.—MENÉNDEZ Y PELAYO, M.: *Historia de los heterodoxos españoles.* Madrid, 1881, tomo II.

ANTOLOGÍA

Colección de pequeños poemas, o, según el sentido preciso de los vocablos ἄνθος y λεγω, colección de "flores poéticas". Y por extensión: colección de poesías o de trozos de prosa de distintos autores.

Todas las literaturas antiguas y modernas cuentan con numerosas antologías. La más antigua es la célebre *Antología griega,* que presenta un conjunto de brevísimas poesías, a las cuales los antiguos dieron el nombre de *epigramas.*

Meleagro, el primer autor griego que compuso una antología, vivió en el siglo I antes de Cristo. La tituló Στεφανος—*Corona* o *Guirnalda*—, y en ella reunió epigramas de cuarenta y seis poetas, correspondientes a más de siete siglos de poesía griega. En el prefacio, los nombres de las diversas flores están dedicados a los poetas, como emblemas de sus talentos. La colección está dispuesta por orden alfabético, según la letra inicial del primer verso de cada epigrama.

Durante el reinado de Trajano, Filipo de Tesalónica formó, a imitación de Meleagro, y conservando la misma disposición de este, una nueva colección comprendiendo a los poetas de los siglos I antes de Cristo y I después de Cristo, titulada Στέφανος o Αὐθολογία. En el siglo II aparecieron otras dos colecciones: una, perdida hasta hoy, por Diogeniano de Heraclea; otra, conocida en parte, por Straton de Sardes. La de este, intitulada Μοῦσα παιδική, era una colección de poemas licenciosos. Por esta época, Diógenes Laercio reunió, bajo el título de Παμμετρος, los epigramas que había recogido en sus *Vidas de filósofos.* Siglos después, reinando Justiniano, el escoliasta Agathías formó una nueva colección: Κύκλος ἐπιγραμματων, dividida en siete libros. El primero comprendía *dedicatorias;* el segundo, *descripciones* de pinturas, esculturas y otras obras de arte; el tercero, *epitafios;* el cuarto, *acontecimientos;* el quinto, *epigramas satíricos;* el sexto, *epigramas amorosos;* el séptimo, *exhortaciones* para gozar de la vida.

Todas estas antologías pueden considerarse como suplementos de la de Meleagro. Esta fue publicada por Manso—Jena, 1789—, por Meineke—Leipzig, 1789—y por Graefe—Leipzig, 1811—. Aldo Manucio la había editado en Venecia—1503—, Badius en París—1531—y Henri Etienne en París—1566.

La antología latina más importante es la publicada por Burmann—Amsterdam, 1759 y 1773—con el título de *Anthologia veterum latinorum epigrammatum et poematum.*

A partir del siglo XVI, las antologías se han multiplicado hasta lo infinito. Hoffmann, en su *Lexicon bibliographicon,* se refiere a más de mil.

Contemporáneamente, las antologías aparecen a docenas, cada año, en todas las literaturas del mundo.

ANTONOMASIA (V. Metonimia)

Figura que consiste en emplear una voz apelativa o una calidad característica en lugar del nombre propio de alguna persona, o viceversa. *El Apóstol,* por San Pablo; *El Profeta,* por David; *El Filósofo,* por Aristóteles. O: un *Catón,* por un estoico; un *Demóstenes,* por un gran orador; un *Nerón,* por un hombre cruel.

ANTORISMO (Figura retórica) (V. Definición)

ANTROPOCENTRISMO

Doctrina filosófica que supone que el hombre es el centro de todas las cosas, el fin absoluto de la Naturaleza.

ANTROPOFUISMO o ANTROPOFISMO

Doctrina filosófica que atribuía a los dioses las cualidades de los seres humanos.

ANTROPOMETRISMO

Sistema filosófico que afirma ser el hombre la *medida* de todas las cosas y que responde exactamente al antromorfismo de Protágoras.

Protágoras de Abdera—480 a 410—escribió sobre la *verdad*: "El hombre es la medida de todas las cosas." Y afirmó que no existía ninguna verdad objetiva, sino que una misma proposición puede ser verdadera para uno, y para otro falsa. Para establecer esta tesis se apoyó en la subjetividad y en la relatividad de la percepción sensible; así, por ejemplo, lo que para uno está frío, para otro puede estar caliente; lo que para uno es amargo, resulta dulce para otro. De lo cual se sigue que de dos afirmaciones posibles opuestas solo puede designarse como *verdadera* la que se impone gracias a la personalidad del que la defiende y al arte de su discurso.

Todavía en un sentido amplio—escribe Ernst von Aster—es la frase "el hombre es la medida de todo", característica de la sofística y de toda la época que en ella y con ella comienza. El hombre y el curso de su vida ya no se presentan como dependientes de un destino que le gobierna, de la voluntad divina, de fuerzas intrínsecas de la Naturaleza; se siente entregado a su propio gobierno; su conducta, y en gran parte también su éxito y su felicidad, dependen de su propio carácter, de sus capacidades, de su voluntad y de sus conocimientos. En el drama griego, a los grandes metafísicos de la poesía dramática griega, Esquilo y Sófocles, sigue Eurípides, que tiene afinidades con los sofistas, e introduce sus dramas de carácter: el verdadero e importante problema no es ya la relación del hombre con el Destino, con los dioses, con la esencia de las cosas, sino su relación con el prójimo y con la sociedad. El problema que ante todo se presenta es el siguiente: en estas cuestiones humanas, en el hombre mismo, en el idioma, que por su relación con la retórica es el objeto principal de investigación, en el Estado, en el Derecho, ¿qué cosa hay *natural,* y, por consiguiente, dada e inmutable? ¿Y qué cosa es meramente creación y posición del hombre, y, por consiguiente, cambiable por la voluntad humana? Y precisamente este último extremo es, en el fondo, el que interesa más. Lo humano, por lo mismo que es lo más próximo a nosotros mismos, es también lo más concebible; cuanto más alejadas del hombre están las cosas, tanto más inciertas, y, por lo mismo también, tanto más indiferentes son para los sofistas."

"Respeto a los dioses—dice Protágoras—, no sé si existen o no."

V. ASTER, Ernst von: *Historia de la Filosofía.* Barcelona, Labor, 1935.—GOMPERZ, Th.: *Griech. Denker.* 1912, 3.ª ed.—NESTLE Y WELLMANN: *Der Philosophie der Griechen.* 9.ª edición, seis tomos, 1913.

ANTROPOMORFISMO

Doctrina que atribuye la figura humana a lo que es inhumano. Entre los antiguos—paganos y gentiles—se atribuyó a los dioses la apariencia humana. Pero también entre los hebreos y entre los cristianos se da el antropomorfismo, concibiendo a Dios a nuestra imagen. Descartes, en el libro IV de su *Discurso del Método,* determina los atributos de Dios según la naturaleza humana, excluyendo todo lo que es imperfección, limitación, dependencia, y suponiendo infinito todo lo que es perfección, realidad positiva.

Según algunos filósofos, no podemos formarnos ninguna idea de Dios; no podemos, hablando de Él, emplear ninguna palabra que no responda al antropomorfismo. Todas las representaciones figuradas de Dios son antropomorfismo; lo es también el considerar el pensamiento divino como discursivo, o su voluntad como un acto deliberado, luego decidido, "o el decir que Dios ve, oye, se irrita o se calma". También es antropomorfismo la atribución a Dios de maneras de pensar, de obrar y de sentir que la perfección no puede admitir.

Los hebreos tuvieron prohibida la representación de la divinidad en forma sensible; pero repetidas veces pidieron a sus profetas y a sus legisladores un símbolo visible, un emblema sensible de su fe. Y todo su ceremonial "es una tentativa de reconciliación de aquel deseo y de la conservación de la pureza de su fe". El antropomorfismo de la *Biblia* es, indiscutiblemente, simbólico; pero en sus páginas, repetidas veces, se alude a los ojos, a la cara, al brazo de Dios.

Lactancio—en *De ira Dei,* cap. III—atribuye a Dios afecciones humanas.

El antropomorfismo estuvo más extendido y defendido en la antigüedad pagana. En Egipto, en Grecia, casi todos los dioses tomaron figura humana.

Modernamente, el antropomorfismo ha sido combatido por muchos grandes filósofos. Spinoza lo combatió radicalmente. Y Malebranche afirmó que la suprema cultura no tiene que apelar al antropomorfismo.

V. FLINT, J.: *Theism.* Nueva York, 1903.—MARTINEAU: *Estudy of Religion.* Nueva York, 1911, 3.ª edición.

ANUARIO

1. Relación de los sucesos y hechos acaecidos en un año.
2. Obra que se publica anualmente y que contiene un resumen de los sucesos y hechos del año anterior. (V. Calendario.)

APARATO

Nombre dado a una clasificación de libros, ideas, autores, bajo la forma de cuadro, catálogo, diccionario, etc...

APARIENCIALISMO

Tendencia literaria y artística que rehúye la influencia y el sentido de la subjetividad, para ceñirse, por el estilo imitativo, a las formas aparenciales.

El aparencialismo literario y artístico no intenta crear, ni jugar papel alguno con los esquemas o con las abstracciones; conténtase con aprehender la Vida y los fenómenos vitales en su razón de ser, de *formarse* y de *amanerarse.*

El aparencialismo jamás responderá a un dictado mental y siempre a un apremio visual.

APARITHMESIS

Figura de pensamiento, que consiste en dividir un todo en partes que se enumeran sucesivamente.

APARTE o A PARTE

1. Escrito fuera de la línea marginal de un libro.

2. Monólogo que un actor recita en escena y que se supone no oyen los demás actores presentes.

3. Exclamaciones, palabras o frases destinadas únicamente a los oídos de los espectadores, y que uno de los interlocutores pronuncia fuera del diálogo. Sirve para dar a conocer al público sentimientos, reacciones espirituales, intenciones de un personaje de la obra escénica.

En el teatro griego, los apartes estaban a cargo del Coro. El teatro romántico abusó de los apartes. Modernamente, apenas son utilizados.

APÉNDICE

Agregación, añadidura, suplemento que se añade en alguna obra o tratado, y que sirve para aclarar determinados puntos del texto o para reafirmar su calidad o veracidad.

APLICACIÓN (V. Figuras de pensamiento)

1. Esmero, diligencia que se pone en la obra literaria.

2. Adecuada relación entre el intento, las posibilidades y la acción de las obras literarias.

Se denomina *aplicación,* en retórica, la adopción de una palabra conocida o de un pasaje para adaptarlos a una circunstancia para la cual no parecen haber sido hechos.

APÓCOPE (V. Metaplasmo)

Figura que consiste en suprimir una o más letras al fin de la palabra: *algún,* por *alguno; gran,* por *grande.*

APÓCRIFOS (Escritos y libros)

Del griego ἀπό y κρύπτω. El nombre se aplica a autores y libros. Se entiende por libros apócrifos los de autoridad dudosa, cuando el autor es desconcido o se oculta. Alguna vez el nombre de un autor apócrifo no es otra cosa que un seudónimo utilizado por un escritor que intenta dar realidad al personaje supuesto.

Entre los libros apócrifos más famosos de la antigüedad están los *Anales de Egipto* y los *de Tiro,* escritos por unos sacerdotes que no permitían su lectura sino a los iniciados en la religión; fueron atribuidos por Porfirio a Sankoniaton. Los *Versos de oro,* de Pitágoras. Los *Libros sibilinos,* confiados a la custodia de los decenviros; las *poesías órficas;* los fragmentos publicados por Annio de Viterbo, con el título de *Antiquitatum variarum volumina XVII* —Roma, 1498—, como obras originales de Fabio Pictor, Beroso, Sempronio, Catón, Megasteno...

Las *Sentencias y Cartas* conocidas como de Diógenes *el Cínico* son apócrifas. En el siglo XVI, Sidonio de Módena compuso algunos trozos del tratado de Cicerón *De consolatione,* superchería que pasó inadvertida durante mucho tiempo. En el siglo XVIII, el poeta veneciano Corradino publicó un pretendido manuscrito de Catulo. En 1800, el abate José Marchena hizo *pasar* como de Petronio un fragmento que él había compuesto con suma habilidad. Un jesuita español, el padre Jerónimo Román de la Higuera, publicó en Zaragoza una crónica de su composición, atribuyéndola a Flavio Dextro, historiador citado por San Jerónimo.

Durante mucho tiempo tuvo gran autoridad una *Historia de la conquista de España por los árabes,* publicada a principios del siglo XVII por Miguel de Luna como traductor de Abul-Cacem.

Macpherson, con fina sensibilidad, ha dado como obras del famosísimo bardo Ossian las que no eran sino producciones propias.

Con relación a la Biblia, se entiende como libros apócrifos aquellos a los cuales los exegetas no conceden un origen divino, y cuyas doctrinas, por tanto, no tienen imposición para la fe.

V. NORDIER, Charles: *Questions de littérature légale.* París, 1828.—LALANNE, Lud: *Curiosités littéraires.* París. 1853.

APODIOSIS

Figura, proposición o frase que se utiliza para rechazar con indignación, como absurdo, un argumento contrario.

APÓDOSIS

El segundo miembro de una oración, por medio del cual se completa, termina y perfecciona el sentido de ella, se denomina apódosis.

APÓGRAFO

Copia de un escrito original.

APOLINARISMO

Herejía iniciada por Apolinar, obispo de Laodicea, en el siglo IV

Apolinar enseñó no haber recibido Jesucristo "un cuerpo de carne como el nuestro, ni un alma a la nuestra semejante". Y basó su teoría en dos principios: uno ontológico y otro psicológico.

Ontológicamente, para Apolinar, la unión entre un *hombre completo* y un *Dios completo* no puede ser tal *unidad,* sino una mera yuxtaposición.

Psicológicamente, para Apolinar, el espíritu de Cristo no era un espíritu humano, sino el divino *Logos.* Y siguiendo a Platón, que afirmó de la naturaleza humana estar compuesta de materia—cuerpo, *soma*—, de alma—*álagos*—y de espíritu—*pnous*—, Apolinar negó que Cristo hubiera tomado para sí el *pnous,* sustituyéndolo por el *logos.*

Apolinar aún creyó encontrar un apoyo más firme en un texto de San Juan—I, 14—: *Y el Verbo se hizo carne.*

El apolinarismo se propagó rápidamente por Siria y los países circunvecinos. Y fue condenado por los Sínodos de 378, 379 y 381.

Al morir Apolinar, el apolinarismo se dividió en dos sectas: los *vitalianos,* cuya cabeza fue Vital, obispo de Antioquía, y los *polemeanos.* Para estos últimos, la naturaleza humana de Cristo estaba *entrefundida con la divina.*

V. Draseke: *Apollinaris from Laodiceae.* Leipzig, 1892.—Rainy: *The Ancient Catholic Church.* Nueva York, 1902.—Zurmel: *Histoire de la théologie positive.* París, 1904.

APOLOGÉTICA

Del griego ἀπολογοῦμια, defenderse. Parte de la teología que tiene como objeto la exposición de las pruebas a favor de la divinidad del cristianismo y de la refutación de los ataques contra sus dogmas y sus preceptos.

APOLOGÍA

1. Del griego 'Απολογια (κπό λέγω), escrito con el que alguien quiere defender o justificar algo.

2. Escrito literario en favor de una persona o de una cosa.

3. Por extensión, se dice de las acciones a propósito para enaltecer o justificar a alguno, como: *esta acción hace su apología.*

Las principales obras literarias que llevan el nombre de apología son: *Apología de Sócrates,* por Platón; *Apología de Sócrates,* atribuida a Jenofonte; *Apología o Discurso sobre la magia,* de Apuleyo; *Apologías* de los Padres de la Iglesia griega y de los Padres de la Iglesia latina; *Apología por Herodoto,* compuesta hacia 1565 por Henri Etienne, para justificar a Herodoto contra los reproches que le fueron lanzados por Plutarco...

APOLOGISTAS o APOLOGETAS

Escritores cristianos de los primeros siglos, que expusieron en sus obras las pruebas de la divinidad del cristianismo y su justificación (πολογι). Los principales apologistas son: entre los griegos: Quadrato y Arístides. De la apología del primero, escrita en el año 126, se conservó un fragmento por Eusebio. La segunda se perdió por completo. San Justino, mártir, autor de dos apologías; la primera, presentada al emperador Antonino Pío. La segunda, más filosófica que literaria, fue enviada al Senado romano. San Melitón, obispo de Sardes, que dirigió su apología al emperador Marco Aurelio; San Apolinar de Hierópolis, dirigida la suya también a Marco Aurelio; Atenágoras, filósofo ateniense, que dirigió las suyas a Marco Aurelio y a Commodo. San Teófilo, obispo de Antioquía, que dirigió a su amigo Autólico tres libros, escritos en una forma y con un argumento parecidos a los ya presentados por San Justino.

Los principales apologistas latinos fueron: Tertuliano, que en el siglo II escribió su famosa *Apologetaca.* Minucio Félix, jurisconsulto romano, que escribió la suya—un diálogo titulado *Octaviano*—en el siglo III. Arnobio el Viejo, que escribió en el siglo IX su *Tratado contra los gentiles.*

También fueron *apologistas,* escribiendo contra quienes atacaban la divinidad del cristianismo o sus dogmas: San Cipriano—*De idolorum vanitate*—, Taciano—*Oratio ad Graecos*—, Hermías—*Irrisium gentilium philosophorum*—, Orígenes, Eusebio de Cesarea—*Praeparatio evangelica*—, San Atanasio—*Adversus gentes*—, Orosio, San Isidoro de Sevilla—*Adversus nequitiam judeorum*—y otros muchos.

V. Otto, C. T.: *Corpus apologetarum christianorum saeculi secundi.*—Freppel, C.: *Les apologistes chrétiens.* París, 1860.

APÓLOGO

1. Cuento, relación verdadera o falsa, cuyo principal objeto es deducir una consecuencia moral e instructiva. Pasa por sinónimo de fábula, aunque esta solo debe considerarse como la especie y aquel como el género.

2. Recitado en verso o prosa que encierra una verdad moral bajo una forma alegórica. El apólogo hace hablar a los espíritus, a los dioses, a los animales, a las plantas, a las piedras...

Todos los retóricos afirman que el apólogo, como la fábula, han de tener un estilo sencillo, familiar, gracioso, natural...

Aristóteles no admitía que en los apólogos hablaran los hombres y las plantas; admitía únicamente la voz de los animales.

La parábola, nombre especial admitido por la Biblia, no es, en verdad, sino un apólogo.

Las dimensiones del apólogo varían mucho. Horacio dio grandes proporciones a *La rata de las ciudades y la rata de los campos.* Esopo, Fedro, La Fontaine, Iriarte dieron a sus apólogos una extensión reducidísima.

El apólogo nació en Oriente, tierra de la ilegalidad y la opresión. El apólogo fue como una tímida y encubierta protesta contra las fechorías de los poderosos. ¿Imitaron los hindúes a los griegos o los griegos a los hindúes? La crítica estima que el apólogo pasó de Oriente a Occidente. El *Pantchatranta* es el libro de apólogos más antiguo que se conoce y la fuente de casi todas las colecciones occidentales. Hesíodo, Arquíloco, Alceo, Esopo desarrollaron en Grecia un género que habían llevado a la perfección, en la India y Persia, Bidpai, Vyasa y otros en una literatura religiosa y moral.

Extraordinarias colecciones de apólogos son, en España, *El conde Lucanor,* del infante don Juan Manuel; en Inglaterra, los *Cuentos de Cantorbery*, de Chaucer, ambas derivadas de la famosísima oriental *Calila e Dimna*.

V. SOULIÉ, P.: *Histoire de l'apologue*. París, 1898. 2.ª edición.

APOSICIÓN

Figura que se comete colocando dos o más sustantivos continuados sin conjunción. Ejemplo: *Madrid, población de España*.

APOSIÓPESIS

De ἀποσιώπησις, elipsis, reticencia, *omisión* (V.).

Interrupción brusca del discurso, que añade fuerza a lo que se está diciendo. Figura muy útil en los accesos de cólera.

> ¿Quién puede
> sobre la mera y enmallada cota
> vestir ya el duro y centellante peto?
> ¿Quién enristrar la poderosa lanza?
> ¿Quién...? Vuelve, oh fiero berberisco, vuelve,
> y otra vez corre desde Calpe al Deva.
>
> (JOVELLANOS.)

APOSTILLA

Nota, acotación o glosa puesta en un texto manuscrito o al margen de un libro impreso, y que sirve para interpretar, aclarar, ampliar o completar el contenido de un párrafo o de un capítulo de la obra.

APÓSTROFE

Figura patética por la cual, torciendo el curso de la frase, desviamos de los oyentes la palabra para dirigirla a alguno de ellos en particular, o a nosotros mismos, o a los ausentes, o a los muertos, o a seres invisibles, y hasta a los objetos inanimados, bien para reconvenir, bien para invocar.

> Y pues sé
> que toda la vida es sueño,
> idos, sombras que fingís
> hoy a mis sentidos muertos
> cuerpo y voz, siendo verdad
> que ni tenéis voz ni cuerpo.
>
> (CALDERÓN.)

> Y tú, Betis divino,
> de sangre ajena y tuya mancillado,
> darás al mar vecino.
> ¡Cuánto yelmo quebrado!
> ¡Cuánto cuerpo de nobles destrozado!
>
> (FRAY LUIS DE LEÓN.)

APOTEGMA

1. Dicho sentencioso, agudo y breve.
2. Dicho feliz, célebre por haberlo dicho o escrito algún hombre o mujer ilustre.

> El consejo antes daña que aprovecha, si el que lo da no tiene mucha cordura, y el que lo recibe, mucha paciencia. (FRAY ANTONIO DE GUEVARA.)

APRENSIÓN

Falso concepto que de algunos sucesos o cosas hace formar a uno la imaginación.

APUNTADOR

Quien en las representaciones teatrales, escondido en la concha o entre bastidores, va recordando en voz baja su papel a cada uno de los actores que representan sobre la escena.

ÁRABE (Lengua)

Una de las lenguas semíticas hablada en la Arabia, gran parte de Siria y de Mesopotamia, en el Asia otomana, en Persia en parte de la India, en las costas de Malabar y Coromandel, en el Egipto, en parte de la Nubia, en Argelia, el Sahara, Túnez, Trípoli...

La lengua árabe se divide en: *árabe vulgar, antiguo árabe*—ya en desuso—y *árabe literario*, lengua escrita y sabia, de la que el Alcorán es el más perfecto modelo.

El árabe antiguo comprendía los dialectos del Yemen y del Hedjaz, llamados *himyarita* y *koréisquita*. Al advenimiento del Islam, este último es el que predomina, y consagrado por el Alcorán, absorbió rápidamente los demás dialectos.

El árabe vulgar comprende numerosos dialectos: el *sirio*, el *mogrebino*, el *druso*, el *mapulet*, el *maronita*, el *egipcio*, el *maltés*...

El árabe es una lengua riquísima. Según Renán, los árabes disponen de ochenta palabras para designar la miel, doscientas para designar la serpiente, quinientas para el león y hasta cuatro mil para dar idea de la desdicha. Su vocabulario comprende más de sesenta mil palabras. Los gramáticos árabes pretenden que todas las raíces de su lengua fueron primitivamente verbos. Estas raíces, en realidad, son seis mil, y están compuestas por tres letras y los nombres en las cuales ellas entran. Los verbos forman diecisiete conjugaciones, teniendo estas, en su forma activa, trece modificaciones principales. La conjugación, al parecer, es muy pobre; pero por medio de partículas o por el cambio de punto-vocales, el presente, el futuro, el optativo, el subjuntivo, etc., quedan determinados con una precisión que no ha alcanzado ninguna otra lengua.

La pronunciación árabe se aparta muy poco de la ortografía. Su alfabeto tiene veintiocho letras, todas consonantes, y tres puntos-vocales o *mociones*, colocadas antes o después de las consonantes.

Los árabes conocieron tres géneros de alfabetos principales: el *cúfico*, el *nesqui* y el *mogrebi*.

V. HERBIN: *Développements des principes de la langue arabe*. París, 1883.—COUSSIN DE PERCEBAL: *Grammaire arabe vulgaire*. París. Varias ediciones.—FLÜGEL, G.: *Die grammatischen Schulen der araber*. Leipzig, 1862.—RENÁN, E.: *Historia y sistema comparado de las lenguas semitas*. Madrid, 1901.—SACY, S. de: *Grammaire arabe*... 1834.—NEWMANN, F. W.: *Modern arabic*... Londres, 1902.

ÁRABE (Literatura)

En la historia de la literatura árabe pueden considerarse los períodos siguientes: I. *Anteislámico;* II. *Mahoma y el Quran;* III. *Califas ortodoxos;* IV. *Dinastía Omeya;* V. *Dinastía Abasi;* VI. *Al-Andalus*—subdividido en: VII. *Califato y Reinos de Taifas*—; VIII. *Invasión mogólica;* IX. *Epoca actual.*

I. *Anteislámico.*—Como la guerra y el amor parecen ser las únicas ocupaciones del árabe en este período, la manifestación literaria por excelencia es la poesía. La prosa apenas existe. El poeta estaba considerado como un ser casi divino. Los poemas árabes de esta época reciben el nombre de *muallagas,* algo así como *collares,* engarce de versos. Los autores participan de realismo y de leyenda. Los principales autores de *muallagas* cuyos nombres se conservan son: Imru-I-Qays, Tarafa, Zuhayr, Labid, Amr b. Qulzum, Antara, al-Hariz, b. Hilliza, Habiga y Asa.

Los poemas son eróticos, apasionados, sumamente imaginativos.

Poco después van apareciendo otros metros que ya no variarán: la *casida,* composición fundamental, dividida formalmente en dos partes: un prólogo erótico o lírico—*nasib*—y la exposición del asunto—*madih*—; la sátira, *hicha;* la elegía, *martiya.*

Las principales composiciones de este período se recogieron siglos después en colecciones como las *Mufaddaliyat, Hudaylies, Hamasas,* en el *Kitab al-agani—Libro de las Canciones*—, de Abu Farach al-Islahani.

La vida anteislámica del desierto, caballerosa, guerrera, amorosa, está recogida en la *Novela de Antar,* llamada la *Iliada* de los árabes, y escrita en la época de la invasión mogólica.

II. *Mahoma y el Quran.*—Perfeccionamiento absoluto de la prosa. Literariamente, el Alcorán es la obra capital de los árabes. Y Mahoma origina otros dos monumentos literarios: los *tradices* o tradiciones de los dichos del Profeta y, más tarde, las biografías, como el *Kitab al-zuhd—Libro del ascetismo*—, de Alab b. Musa.

III. *Califas ortodoxos.*—Epoca de escasa literatura. Las guerras de expansión y la organización absorben las energías totales de los árabes.

IV. *Dinastía Omeya.*—La poesía se hace compañera de la música. Los poetas recorren el mundo árabe cantando y tocando instrumentos melodiosos. La *casida* degenera y surge el metro *rachaz,* usado para las largas composiciones y monótonas descripciones.

Excelentes poetas de esta época fueron: Umar b. Abi Rabia—murió el año 719—, comerciante de la Meca, cantor erótico; Ajtal, que era cristiano; Farazdaq; Charir; abd Allah b. al-Mujarrib, poeta cristiano del desierto; Yunus el Kabit; Abu-l-Farach al-Islahani, autor del libro de canciones *Kitab alagani.* También de este período son las famosas parejas amorosas, que no pueden faltar para exaltación de la poesía: Chamil y Butayna, Machnun y Layla, algo así como Abelardo y Eloísa o los amantes de Teruel.

V. *Dinastía Abasi.*—Desarrollo máximo de la literatura árabe, su *edad de oro.*

Poetas máximos: Muti b. Ayas, sentimental; Abu Nuwas, poeta báquico y lírico por excelencia; Abul-Atahiya, poeta cerebral, gran perfeccionador de la sintaxis y de la prosodia; Mutanabbi, el más grande de los poetas árabes; Abu Ala al-Maarri.

Hutanabbi (915-965) fue un gran lírico y un gran épico. Formó escuelas literarias. Sus poesías son los mejores textos clásicos.

Abu Ala al-Maarri (nació el año 973) dejó dos obras famosas: *Siqt al-Zand (Chispas del eslabón)* y *Luzum ma lam yalzam (Obligaciones de lo que no obliga)*

Al-Sanawbari (murió el año 945) creó un nuevo género de poesía: la floral o *nawriyat.*

En este período, raro fue el califa que no destinó grandes cantidades a los poetas. Al-Muqtadir distribuía anualmente veinte mil dinares entre sus poetas.

Los centros culturales eran: Alepo, Bagdad, Basora y Cufa.

Prosistas excelentes fueron: Chaniz (murió en 869), costumbrista excepcional; Jwarizmi (murió 993), maestro en el género epistolar; Al-Hamadani y Al-Harari, autores de *magamas,* colecciones de trozos de prosas rimadas; Tabari, historiador, autor de *Tafsir,* comentario del Alcorán; Masudi, viajero famoso, autor de *Praderas de oro* y de *Ajbar al-zaman (Historia del tiempo)* y el *Katib al-awsat (Libro medio);* Ibn al-Atir (1160-1234), autor de una gran historia universal: *Al-Kamil fi-l-tarij,* y de un tratado histórico acerca de siete mil compañeros del Profeta: *León del bosque;* los gramáticos Jalil, Sibawayhi, Al-Asmai, Al-Mubarrah, Ibn Durayd, Al-Kisai; los jurisconsultos Malik b. Anas, Al-Safei, Dawa de Islaham, Ibn Hazm; el teólogo Al-Gazal; los filósofos Al-Farabi, Al-Kindi, Avicena...

De este período data el *Adab,* una de las principales divisiones de la cultura árabe, género literario equivalente a la Enciclopedia, ya que resume todos los conocimientos puramente profanos: gramática, retórica, poética, historia, filología... El escritor que dominaba el *Adab* era el "intelectual enciclopédico". En este género fueron famosos Ibn Qutayba y Al-Dinawary. El primero escribió *Yyun-al-ajbar (Fuentes de la Historia),* y el segundo, el *Kitab al-nabat (Libro de las plantas)* y el *Kitab al-ajbar altiwal (Libro de largas historias).*

VI. *Al-Andalus.*—En la historia de la cultura árabe, ninguno de sus períodos llegó al grado de perfeccionamiento literario que Al-Andalus, pronto independizado del califato de Damasco. En el siglo XI, *el Kitab al-hada'iq* (el *Libro de los huertos),* con sus doscientos capítulos de doscientos versos cada uno, escrito por Ibn Farach, de Jaén, casi excede en valor a la famosa antología de Oriente el *Libro de la flor.*

Poetas de Al-Andalus son: Ibn Abd Rabbihi—autor del *Iqd* o *Collar,* antología—, Said B. Chudi, Ibrahim B. Idris, Ibn Darrach al-Qastalli, Said de Bagdad—autor del *Libro de los engarces*—...

VII. *Literatura de los Reinos de Taifas.*—Sin embargo, para muchos y excelentes críticos y arabistas, la Edad de Oro de la literatura árabe corresponde a los Reinos de Taifas.

A este período pertenecen: Ibn Hazm, de Córdoba, jurista, poeta, filósofo, historiador; Ibn Ammar, Ibn Labbana, Abd al-Chabbar, creadores de la escuela sevillana, en la corte del rey Al-Mutamid; Ibn. Zaydun, de Córdoba, poeta y prosista; el gran *Cancionero de Abenguzmán,* en el que las composiciones se dividen en dos partes: *tagazzu,* o introducción, y *madih,* o alabanza y tema, con lo que se revolucionó radicalmente el metro y la temática, apareciendo el *Zéfel,* para ser cantado, y que, en opinión de don Julián Ribera, originó la lírica provenzal...

Figuras excepcionales de la época de Taifas en el Al-Andalus fueron: los historiadores Ibn Hayyan, Ibn Bassam, Ibn Jaqan—de Alcalá la Real—, Said al-Magribi, Ibn al-Abbar—valenciano—, Ibn al-Jatib—granadino y poeta además—; los filósofos y teólogos: Ibn Masarra, Avempace—de Zaragoza, músico y poeta también—, Ibn Tufail—de Guadix—, Averroes—de Córdoba, el más extraordinario filósofo árabe—, Mohidin Ibn Arabí—místico, nacido en Murcia...

VIII. *Invasión mogólica*—Nicholson la ha denominado "época de compiladores e imitadores". En efecto, decaído por completo el Califato, dominados los árabes por los mogoles, quedan aquellos divididos en tres imperios: turcos, persas y mogoles. La lengua árabe se ve arrinconada por la persa. Y se acentúan las importaciones de las literaturas de Grecia, Persia y la India. De estas importaciones son famosas: las *Fábulas de Luqman,* el *Calila e Dimna*—fabulario igualmente—y *Las mil y una noches.* Esta última, la más famosa, tiene, según la crítica más calificada, un origen persa e indio y es obra de numerosos autores aún no determinados.

De este período son autores de valor: Ibn Jallikan, Ibn Jaldun—de padres españoles, historiador, filósofo—, Magrizi—historiador y geógrafo—, Suyuti—enciclopedista—, Maqqari—enciclopedista—, Hachi Jalifa—biógrafo—, Sarani—teósofo...

IX. *Literatura actual.*—Desde principios del siglo XIX el mundo árabe se pone en contacto con la cultura occidental. En 1821 empieza a utilizarse la imprenta en Bulaq, El Cairo y Beyrut. Aparecen hacia 1850 los periódicos y revistas que dan trascendencia y popularidad a las producciones literarias.

V. BROCKELMANN: *Geschichte der arabischen literatur.*—ASÍN PALACIOS, M.: *El Islam, cristianizado.* Madrid, 1931.—GONZÁLEZ PALENCIA, A.: *Historia de la literatura arábigoespañola.* Barcelona, 1945. Colec. Labor.—HUART, Cl.: *Literatura árabe.* París, 1902.—MENÉNDEZ PIDAL, R.: *Poesía árabe y poesía europea.* Colec. Austral. Espasa-Calpe, Madrid.—ROSSI, G. B.: *Dizionario storico degli autori arabi.* Parma, 1807.

ÁRABE (Versificación)

El origen de la métrica árabe está muy oscuro. Se atribuye al gramático Khalil la legislación acerca de las formas de versificación; pero Khalil vivió hacia el siglo II de la Héjira, y los modelos poéticos son más antiguos. Los últimos capítulos del Alcorán están escritos en un ritmo libre, análogo al de la antigua poesía hebrea, ritmo fundado sobre el tono del discurso, la asonancia y el paralelismo, verdadera forma de la poesía semítica.

Según Renán, antiguas poesías árabes, anteriores a Mahoma, están escritas en este ritmo. Algunas hipótesis que se han adoptado acerca de las causas que llevaron a los árabes a admitir en sus versos el mecanismo de la cuantidad, aseguran que dicha admisión es imposible que fuera posterior al islamismo. Hubo de serlo a partir de la era *païenne* de los musulmanes, cuando la *poesía sabia,* complicada, se ajustó a una prosodia grandemente alejada del genio primitivo de las lenguas semíticas.

La versificación moderna consiste en cierta disposición alternativa de las sílabas largas y de las sílabas breves. El verso se llama *beit,* nombre que significa lo mismo que *tienda* o *pabellón.* Se denomina *cuerda ligera* una sílaba larga; *cuerda pesada,* dos breves; *pie unido,* una breve y una larga; *pie desunido,* una larga seguida de una breve; *pequeño tabique,* dos breves y una larga; *gran tabique,* cuatro pies, tres breves y uno largo.

Los pies son *primitivos* y *secundarios.* Los primitivos no tienen menos de tres sílabas ni más de cinco, y reunidos forman numerosas combinaciones de versos, en las que sirve de *base* un verso de ocho pies. Los pies secundarios se sirven de las modificaciones en los metros primitivos.

Los poemas árabes se escriben enteramente con una sola rima.

ARABISMO

1. Palabra o giro de la lengua árabe propagado a otro idioma.

2. Nombre dado a la actividad encaminada al estudio de la civilización y de la cultura de los árabes, llevada a cabo por extranjeros a dichas cultura y civilización.

Los ocho siglos durante los cuales vivieron los árabes en España han motivado que su idioma, después del latín, haya sido el que con mayor abundancia ha introducido sus vocablos en la lengua castellana.

Los filólogos afirman que la penetración del árabe en el castellano fue escasísima en la fonética, en la morfología y en la sintaxis, pero abundantísima en el léxico, principalmente en sustantivos concretos referentes a la vida material, ya que musulmanes y españoles tuvieron estrechísimas relaciones comerciales y aun sociales, conviviendo en tierras de romance los mudéjares.

En la botánica, son arabismos: *azucena, alhelí, arrayán, jara, retama...*

En la agricultura: *acequia, aljibe, alcachofa, zanahoria, fanega, alubia, noria...*

En las artes y oficios: *azotea, atarjea, alfombra, cenefa, albañil, laúd...*

En el comercio: *almacén, bazar, aduana, quintal, arroba, quilate...*

En la guerra: *alférez, alfanje, adalid, zaga, rebato...*

En la administración: *alcalde, alguacil, alcabala, albalá, almojarife...*

En las ciencias: *álgebra, cifra, guarismo, redoma, alquitara...*

En la indumentaria: *jubón, albornoz, zaragüelles, babucha...*

En la toponimia: *Alcalá, Alcolea, Medina, Guadalquivir, Guadalajara, Algeciras, Calatayud...*

Algunas interjecciones: *arre, hala, ojalá...*

Ni que decir tiene que la invasión de arabismos tuvo lugar durante la Edad Media. El siglo XVI provoca, con el Renacimiento, la tendencia de la España unificada por los Reyes Católicos hacia los modos, las modas y la cultura europeas.

Al cabo de los años—y aun de los siglos—, España vuelve sus ojos al pasado y ya considera a los musulmanes, no como invasores, sino como a "románticos y amables enemigos", que le legaron una maravillosa cultura, *enraizada* inexorablemente en su tierra, en su estilo y en su destino. Con este concepto bien definido del arabismo surgen en nuestra patria los afanes por estudiar, por ensalzar la espléndida cultura de los *musulmanes españoles.* Y con los afanes, los hombres eruditos dedicados a tan sugestiva tarea: Pascual Gayangos—*Historia de las dinastías musulmanas en España, Crónica del moro Rasis*—, Francisco Codera y Zaidín—*Biblioteca arábigo-española, Tratado de numismática arábigoespañola*—, Julián Ribera y Tarragó—*La enseñanza entre los musulmanes españoles, La épica entre los musulmanes españoles, Bibliófilos y bibliotecas en la España musulmana*—, Mariano Gaspar y Remiro—*Murcia musulmana, Relaciones entre la Corona de Aragón y los príncipes de Granada y Ceuta*—, José Antonio Conde—*Historia de la dominación de los árabes en España*—, Miguel Asín y Palacios—*El Islam cristianizado, La escatología musulmana en "La Divina Comedia"*—, Angel González Palencia—*Historia de la España musulmana, Historia de la literatura hispanoarábiga*—, Emilio García Gómez—*Cinco poetas musulmanes, Poemas arábigoandaluces, Casidas de Andalucía, puestas en verso castellano*—, Nemesio Morata, J. A. Sánchez Pérez, Sánchez Albornoz, Oliver Asín, Pedro Lonjas, Manuel Gómez Moreno y tantos y tantos más, arabistas insignes, exaltadores de la filosofía, de las ciencias, del arte, de la teología de los musulmanes españoles.

ARAGONÉS

Modismo peculiar de hablar el castellano en Aragón. Se aparta algo de las reglas generales de la gramática, y tiene palabras, locuciones o giros propios y peculiares.

ARAMEAS (Lenguas)

Rama de las lenguas semíticas. Comprende dos idiomas: el *siríaco,* o arameo occidental, y el *caldeo,* o arameo oriental, llamado también *babilonio.* Estas lenguas son mucho menos ricas en formas y están menos cultivadas que el hebreo y el árabe, que, como aquellas, forman parte del grupo semita. Tienen escaso vocabulario, pobreza de formas gramaticales, construcciones torpes, y son escasamente aptas para la poesía.

El más antiguo texto arameo conocido lo forman los fragmentos del llamado libro de *Esdras,* escrito hacia el siglo V antes de Cristo, en tiempo de Darío y Jerjes. En el siglo VIII, bajo Ezequías, es decir, aproximadamente ciento veinte años antes de la cautividad, el arameo era ya distinto de la lengua hebrea y lo hablaba la mayoría de la población de Siria. En el siglo VI, más desarrollado entonces que el hebreo, el arameo absorbió todas las lenguas anteriores, exceptuado el árabe, y durante doscientos años fue el órgano principal de la literatura semítica.

V. RENÁN, Ernesto: *Histoire et système comparé des langues sémitiques.*

ARAVACO

Lengua de la familia *caribe* (V.).

ÁRBOL

Este nombre tiene varias acepciones literarias. Se llama *árbol enciclopédico* al conjunto sistemático de las ciencias consideradas como los brazos de un mismo tronco. Es como una expresión metafórica que designa, por una vaga analogía, las diversas clasificaciones de los conocimientos humanos, tales como los entendieron y explicaron Aristóteles, San Buenaventura, Bacon, D'Alembert, Ampère, etc.

En la antigua prosodia francesa se llamó *árbol ahorquillado* a una poesía en la que se unían a los versos cortos los largos, de manera que, a la vista, lo escrito figuraba un tronco con brazos horizontales.

Arbol de la cruz se llamó a un poema alegórico provenzal del siglo XIII acerca de las tres personas de la Santísima Trinidad.

ÁRCADES (Academia de los)

Fue fundada en Roma—1690—por el poeta y retórico Crescimbeni. Su reglamento lo redactó el jurisconsulto Gravina. Sus miembros, hombres o mujeres, se inscribían bajo un nombre pastoril griego, y debían imitar en sus costumbres y en el espíritu de sus obras literarias la sencillez y el buen gusto supuesto en los antiguos habitantes de la Arcadia. Las reuniones tenían lugar en un jardín, siete veces al año.

Desde 1726, la Academia celebraba sesión todos los jueves, durante el verano, en el monte Janículo, en un bosque de laureles y mirtos, que fue denominado *bosque de Parrasio,* y durante el invierno, en el Serbatajo, sala de los archivos y de los retratos de los miembros más ilustres. La reina Cristina de Suecia presidió algunas de estas reuniones en el palacio Corsini.

Al fundarse la Academia, contaba con cien académicos; diez años después, el número se había elevado a seiscientos. Sus modelos literarios fueron Teócrito, Virgilio y Sannazaro.

Muchos escritores españoles de los siglos XVIII y XIX pertenecieron a esta Academia con nombres curiosísimos. Nicolás Fernández de Moratín se llamó *Flumisbo Thermodonciaco;* su hijo Leandro, *Inarco Celenio.*

La Academia de los Árcades todavía existe hoy, con su reglamento atemperado a los tiempos modernos. La elección de presidente se verifica cada cuatro años. El Boletín de la Sociedad tiene como título *Le Giornale Arcadico.*

ARCADIA (Tema de la)

La Arcadia—país muy celebrado en la poesía pastoril—está situado en la más alta meseta del Peloponeso medio; sus antiguos pobladores pertenecieron a la raza eólica y se dedicaban al pastoreo y a la caza, odiando la guerra y teniendo de la existencia una idea de honda y tierna humanidad.

La vida pacífica e idílica de la Arcadia motivó—durante el Renacimiento—una sugestión invencible para los poetas y para los artistas empachados de sabiduría, de intrigas, de cruentas guerras, de políticas maquiavélicas. "Convertir el mundo en una nueva Arcadia" pareció ser una divisa honrosa y un ideal insuperable. Y la Arcadia idealizada fue tema de hermosísimos poemas y de obras narrativas.

En Italia puso "de moda" la tendencia Jacopo Sannazaro con su poema bucólico *Arcadia* —1504—. En Inglaterra, sir Philip Sidney alcanzó justa fama con su novela pastoril *Arcadia*—1590—. Los imitadores surgieron a docenas.

En España, el *arcadismo* alcanzó un éxito y una trascendencia excepcionales, eclipsando la boga de los libros de caballerías. Jorge de Montemayor—*Los siete libros de la Diana,* 1559—, Alonso Pérez—*Segunda parte de la Diana,* 1564—, Gaspar Gil Polo—*Diana, enamorada,* 1564—, Antonio de Lofrasso—*Los diez libros de fortuna de amor,* 1573—, Luis Gálvez de Montalvo—*Pastor de Félida,* 1582—, Miguel de Cervantes—*La Galatea,* 1585—, Bartolomé López de Enciso—*Desengaño de celos,* 1586—, Bernardo González de Bobadilla—*Ninfas y pastores del Henares,* 1587—, Bernardo de la Vega—*Los pastores de Iberia,* 1591—, Lope de Vega—*Arcadia,* 1598—, Bernardo de Balbuena—*El siglo de oro en las selvas de Erifile,* 1608—, Cristóbal Suárez de Figueroa—*La constante Amarilis,* 1607—, Gabriel del Corral—*La Cintia de Aranjuez,* 1628—, Gonzalo de Saavedra—*Pastores del Betis,* 1633—, y otras muchas muestras menos felices que llevaron el tema al amaneramiento y al empalago.

Los poetas que cultivaron el tema de la Arcadia fueron llamados árcades; y en Roma fue fundada la Academia de los Árcades por inspiración de la reina Cristina de Suecia en el siglo XVII.

ARCADISMO

Tendencia literaria y artística—de los siglos XVI y XVII—que buscaba su temática en el bucolismo y en los idilios que inmortalizaron Teócrito y Virgilio.

El arcadismo marca el reblandecimiento y la decadencia del *Renacentismo* (V.), el tránsito de este al *Neoclasicismo* (V.) en algunos países—como Francia y Alemania—, en los que el *Barroquismo* (V.)—*asesino* implacable del Renacimiento—no existió apenas.

El arcadismo fue, como todas las tendencias de transición o de reblandecimiento, un arte menor, sin posibles grandezas; un arte frío y cerebral, un arte sin enjundia y sin esperanzas, un arte que delataba demasiado el método y la impotencia creadora.

Sin embargo, el arcadismo prendió epidémicamente aun en los países de mayor fuerza espiritual, como Italia y España, los cuales, si se redimieron pronto, fue merced a sus reacciones barrocas. Bien es verdad que en España el *Clasicismo* (V.) del siglo XVI fue efímero y no alcanzó las categorías que en Italia o Francia. En España, tras este clasicismo efímero, apareció el *Culteranismo* (V.) gongorino y cierto decadentismo preciosista. En España, el arcadismo surgió como una moda "sin alma", seguida por muy pocos. En Italia, el mal alcanzó enormes proporciones, ya que un grupo de ilustres hombres de letras—Crescimbeni, Francisco de Lemene, Alessandro Guidi, Gravina—intentaron construir el arcadismo volviendo a sus fuentes genuinas. Además, la reina Cristina de Suecia, refugiada en Roma, protegió la fundación de la famosa Academia de los Árcades, a la que pertenecieron poetas y mecenas de todas las naciones europeas.

Muchos críticos han intentado establecer cierto parangón entre el *sentido y los temas* del arcadismo y los de la *caballería andante,* ambos "ismos" tan calificados por una misma época. Sin embargo, la diferencia entre ellos no puede ser más fundamental. La *caballería andante* es una exaltación, una perduración de preocupaciones medievales—torneos, Juegos florales, las Cruzadas, juicios de Dios—, cuya intención más decidida era la de exaltar el orgullo y el valor personal, la generosidad del sacrificio, la limpieza del honor, el decoro en las relaciones sociales, la dedicación absoluta al amor por los en él prendidos, la religiosidad profunda. Por el contrario, el arcadismo era un retorno al clasicismo—decadente—griego y romano y una reacción contra el medievalismo; reacción perfectamente marcada por el inmortal Don Quijote, cuando, desilusionado de sus fervores caballerescos y tundido por el prosaísmo, cree aún posible la salvación de un retorno a la Arcadia. "Este es el prado donde topamos a las bizarras pastoras y gallardos pastores, que en él querían renovar e imitar a la pastoral Arcadia; pensamiento tan nuevo como discreto, a cuya imitación, si es que a ti te parece bien, querría, oh Sancho, que nos convirtiésemos en pastores..., y llamándome yo el pastor *Quijotiz* y tú el pastor *Pancino,* nos andaremos por los montes, por las selvas y por los prados, cantando aquí, endechando allí, bebiendo en los líquidos cristales de las fuentes, o ya de los limpios arroyuelos, o de los caudalosos ríos."

El arcadismo no intenta—como la caballería—contentarse con una *quimera cordial;* busca afanosamente la consecución de un mundo feliz *de ideas,* en el que no cuentan sino las sensaciones, las ilusiones y los deseos personales.

La *andante caballería* es un movimiento *romántico.* El arcadismo es un fruto serondo del Renacimiento, y, por contera, sus orígenes hay que buscarlos en el Clasicismo, movimiento del que el Renacimiento es una soberbia pervivencia. Desde Grecia y Roma, lo *pastoril* sirvió siempre de contrapeso a lo *caballeresco* y *heroico.*

El arcadismo quedó perfectamente *construido* por Teócrito en sus idilios, y sus seguidores Mosco y Bion definieron su forma poética.

¿Cuándo *revivió* el arcadismo, ya iniciado el Renacimiento? Los precedentes más remotos pudieran ser el *Carmen bucolicum,* de Petrarca. Boccaccio llevó el arcadismo a la novela con dos obras: el *Ameto* y el *Ninfale Fiesolano.*

Sin embargo, quien hace triunfar el arcadismo es Jacopo Sannazaro, con su novela *Arcadia*—Venecia, 1502—. Esta obra tuvo un éxito fenomenal. Se multiplicaron sus reimpresiones. Fue traducida a todos los idiomas cultos. Y *abrió escuela* en todos los países, en los que príncipes y nobles anhelaron ser pastores y vivir en una Naturaleza *bien ordenada,* eso sí; porque conviene aclarar que el arcadismo no admitió la brusquedad, los dolores, las suciedades, la incultura, la zafiedad que puede haber en lo pastoril. Es decir, el arcadismo fue un *refinamiento inaudito* de la Naturaleza; pastoras bellas, limpias, con hermosos trajes, exquisito vocabulario, apasionadas por la música y los buenos versos; pastores gallardos, músicos o poetas, amantes cultos y ceremoniosos; pastoras y pastores con nombres rebuscados y extraños; flores exquisitas; bailes ensayados hasta lo inverosímil; paisajes casi intelectuales como esos que aparecen *de fondo* en los cuadros de Botticelli o de Rafael. Sí, puede afirmarse que el arcadismo *se creó* su Naturaleza, falseando, y no poco, la Naturaleza misma.

En el arcadismo cayeron innumerables y magníficos poetas: Garcilaso, Bembo, Camoens, Ronsard, Spenser... Y cada país tuvo sus obras significativas dentro del género.

La Península Ibérica: Feliciano de Silva (¿1492-1558?), con su *Segunda Helena;* Bernardim Ribeiro (1482-1552), con su novela *Saudades,* más conocida por *Menina e moça;* Jorge de Montemayor (1520-1561), con su *Diana*—1558—; Gil Polo (¿1529?-1591), con su *Diana enamorada;* Alonso Pérez, con la *Segunda parte de la "Diana"*—1564—; Fray Bartolomé Ponce, con *Clara Diana a lo divino*—1580—; Antonio de Lofrasso, con *Los diez libros de la Fortuna de Amor*—1573—; Gálvez de Montalvo, con *El pastor de Fílida*—1582—; Suárez de Figueroa (1571 - ¿1639?), con *La constante Amarilis*—1609—; Cervantes, con *La Galatea*—1585—; Lope de Vega, con *Arcadia*—¿1592?—; Bobadilla, con *Ninfas del Henares...*

En Inglaterra: Sir Philip Sidney (1554-1586) escribió—1580—su *Arcadia,* en la que Shakespeare se inspiró para algunas de sus obras, y que introdujo el género pastoril en Inglaterra; género que ya fue conocido por Spenser en su *Shepheard's Calendar*—1579—.

En Alemania: el duque de Brunswick compuso dos novelas de típico arcadismo: *Aramene* y *Octavia;* y Felipe de Zesen, sus *Rosamunda* y *Sofonisbe.*

En Francia alcanzó un suceso extraordinario la *Clélia,* de Magdeleine de Scudery (1607-1701).

ARCAÍSMO

Uso de palabras y frases comunes en otro tiempo y ya caídas en desuso por culpa de la afectación, del capricho o del cálculo.

Garzón, agora, preste, fijodalgo, aina—por mozo, ahora, sacerdote, hijodalgo y aprisa—son palabras arcaicas o anticuadas. *Facer la vía, mal guisado en sus paños, enderezar un tuerto*—por ir de camino, desaliñado en el vestir y reparar un agravio—son frases anticuadas o arcaicas.

Los arcaísmos se toleran al escritor siempre que sean oportunos y realcen el pensamiento, lográndose así renacer a nueva vida muchas voces bellas olvidadas injustamente.

El uso de los arcaísmos suele quitar naturalidad al escrito y darle una afectación antipática.

ARCANISMO (V. Hermetismo)

ARCHIVO

1. Local en el que se reúnen y conservan documentos públicos y particulares.

2. San Isidoro hacía derivar la palabra archivo de la voz latina *arca,* mueble destinado a conservar papeles o efectos de cualquier género. Otros autores la hacen derivar del verbo *arcere,* conservar, guardar.

3. En la antigüedad eran conocidos los archivos con el nombre de *chartarium, graphiarium, scrinium, sacrarium, armarium, grammatophilatium, sanctuarium...*

Los archivos existieron en todos los pueblos. El deseo de transmitir a la posteridad su nombre y sus hechos es natural en el hombre.

Entre los griegos y romanos los manuscritos fueron conservados en los templos. En Roma eran los ediles los encargados de custodiarlos en el templo dedicado a Saturno. Durante la Edad Media fueron los monasterios los que guardaron cuantos documentos se referían a la historia y a las costumbres, al espíritu nacional y a los actos de los pueblos católicos. Poco después cada institución tuvo su archivo particular. A partir de los siglos XIII y XIV, cada Estado se ocupó de los *archivos oficiales,* y los monarcas pusieron gran empeño en que todos los textos referentes a la Historia se fueran agrupando en determinados archivos, puestos bajo la salvaguardia de los mismos reyes.

En la actualidad existen *archivos generales* —de interés histórico nacional—, *archivos oficiales*—de cada departamento de Gobierno, Universidades y Colegios—y *archivos particulares.*

En Italia, los principales archivos son: El Vaticano y los provinciales de Venecia, Florencia, Turín, Pisa, Milán y Nápoles.

En Inglaterra: los reunidos con el título de *Public Record Office,* el del British Museum y los de las Universidades de Oxford, Cambridge y Edimburgo—*Record Office.*

En Alemania: los de Ratisbona, Maguncia, Wetzlar, Cámara Imperial de Spira, Ulm y Casa de Brandeburgo.

En Francia: los de la Sorbona, el Parlamento, Universidades de Burdeos y Lyón.

En España, los archivos más importantes son: el Histórico Nacional, el General de Simancas, el General de Indias, el de la Corona de Aragón, el Histórico de Valencia, el Histórico de Mallorca, el Histórico de Galicia, el de la Real Chancillería de Valladolid y el de la Real Chancillería de Granada.

1. El Histórico Nacional de Madrid fue creado por Real decreto de 28 marzo de 1866. Sus fondos están clasificados en catorce grandes grupos o secciones: *Ordenes monásticas, Ordenes militares, Ordenes civiles, Clero secular, Universidades y Colegios, Corporaciones y particulares, Archivos judiciales, Consejos suprimidos, Estado, Heráldica, Sigilografía, Códices y cartularios, Varios y Biblioteca.*

2. El Archivo Histórico de Simancas fue creado el año 1540 como tal archivo oficial. Felipe II, en 1588, lo organizó por completo. Muchos años antes ya se guardaban en él papeles de interés por orden de los monarcas castellanos Enrique III, Juan II, Enrique IV y los Reyes Católicos. En la actualidad cuenta este archivo con 61.505 legajos y 5.196 volúmenes, ya descontados los fondos trasladados al Histórico Nacional.

3. El Real Archivo de Indias fue fundado por el rey don Carlos III en 1774; sin embargo, no tuvo realidad hasta muchos años después, ya que las obras de la Casa-Lonja, elegida para tal, fueron muy lentas, y más lentos los envíos desde Simancas y otros puntos de todos los papeles referentes a Indias. Hasta muy avanzado el siglo XIX no quedó organizado por completo. Sus secciones son: *Patronato, Contaduría General, Casa de Contratación, Papeles de Justicia, del Consejo de Indias, Escribanía de Cámara, Secretaría del Juzgado de Arribadas de Cádiz y Comisión Interventora de la Hacienda pública de Cádiz, Papeles de Correos, Papeles del Estado, Papeles del Ministerio de Ultramar, Papeles de la Isla de Cuba* y *Papeles de Cádiz.*

4. El Archivo de la Corona de Aragón remonta su fundación al siglo IX; se vislumbra con el primer Wifredo, se declara con Borrell II y se confirma en derecho con Jaime *el Conquistador.* Es el más importante de los españoles en cuanto se refiere al estudio de la Edad Media. Sus secciones son nueve: *Archivo Real, Consejo Supremo de Aragón, Procesos, Generalidad de Cataluña, Clero secular y regular, Guerra de la Independencia, Diversos, Sigilografía* y *Biblioteca.*

5. El Archivo Histórico de Valencia fué fundado en 1419 por Alfonso V. Consta de nueve secciones: *Archivo Real y Real Audiencia, Gobernación, Bailía, Maestre Racional, Generali-*

dad, Justicia, Justicia de 300 sueldos, Conventos y *Protocolos.*

6. El Archivo Histórico de Mallorca nació con el peculiar régimen municipal y administrativo concedido a la isla por Jaime I de Aragón. Sus fondos están agrupados en cuatro secciones: *Régimen municipal y administrativo de la isla, Sindicato forense o Comunidad de las villas de Mallorca, Antigua Curia de la Gobernación* y *Procedencias varias.*

7. El Archivo Histórico de Galicia fue creado en virtud de varias Reales Cédulas de Carlos III, la primera de ellas firmada el 22 de octubre de 1775. Sus secciones son trece: *Fariña, Figueroa, Gómez, Pillado, Castro Arias, Ribera, Juzgado de Provincia, Juzgado de Correos y Caminos, Protocolos de Escribanos antiguos, Visitas de Escribanos, Diplomas y Documentos antiguos, Junta Superior de Armamento y Defensa del Reino de Galicia* y *Varios.*

8. El Archivo de la Real Chancillería de Valladolid es de los más antiguos e importantes de España. Lo fundaron los Reyes Católicos en 1485. Sus fondos se clasifican en cinco secciones: *Reales Provisiones, Pleitos, Ejecutorias, Libros* y *Documentos sueltos.*

9. El Archivo Histórico de la Real Chancillería de Granada fue fundado por los Reyes Católicos en 1500.

V. DEGG: *Ideen einer Theorie der Archivwissenschaften.* Gotha, 1804.—BRAND: *Archivwisseischaft.* Paderborn, 1854.—*Guía de Archivos... de España.* Madrid, 1916.

ARENGA

Discurso dirigido a una asamblea, a un ejército, a una persona, con el propósito de enardecer los ánimos para la acción. La arenga debe ser breve, oportuna, vibrante.

Ferrán hace derivar arenga de *aringo,* lid, justa, cátedra.

Las arengas han sido puestas en boca de personajes célebres.

Arengas pueden ser las patéticas profecías de Isaías y Jeremías.

Tucídides, Demóstenes, Esquines, Cicerón pronunciaron magníficas arengas.

Nuestro Solís, en su *Historia de la conquista de Méjico,* ofrece buenos modelos para arengas guerreras.

El *espíritu* de la arenga puede resumirse en pocas palabras: "Habla poco, habla bien y, sobre todo, habla a tiempo." Las arengas, hoy, suelen reservarse para ser pronunciadas en los campos de batalla o ante las manifestaciones populares políticas.

ARGENTINA (Literatura)

La literatura autóctona argentina, tan genuina y admirable, se inicia a fines del siglo XVIII, cuando aún el país formaba parte del virreinato del Río de la Plata. Entre los escasos literatos de la época colonial, los que pueden ser considerados como "clásicos", figuran: MIGUEL JOSÉ LAVARDÉN (1754-1800), poeta y dramaturgo, autor de la oda *Al Paraná* y de la tragedia neoclásica con tema americano *Siripo.* ESTEBAN DE LUCA (1786-1824), poeta, autor de la primera *Marcha patriótica.* JUAN CRUZ VARELA (1794-1839), imitador de Cienfuegos y de Quintana, poeta y dramaturgo, autor de las tragedias *Argía* y *Dido* y de la oda *Al triunfo de Ituzaingó.*

Con el Romanticismo aparecen las primeras grandes figuras de la literatura argentina: ESTEBAN ECHEVERRÍA (1805-1851), autor del famoso poema *La cautiva.* JUAN MARÍA GUTIÉRREZ (1809-1878), poeta, historiador y crítico, que hizo famosos los *Amores del payador.* JOSÉ MÁRMOL (1818-1871), versificador enfático en los *Cantos del peregrino* y famoso en todo el mundo por la romantiquísima novela *Amalia.* LUIS L. DOMÍNGUEZ (1819-1898), historiador y poeta, cantor del árbol de la pampa argentina *El ombú.* JUAN GUALBERTO GODOY (1795-1864), uno de los primeros intérpretes de la poesía gauchesca. HILARIO ASCASUBI (1807-1875), autor de famosísimos poemas, cuyos héroes se han hecho proverbiales: Santos Vega, Aniceto *el Gallo,* Paulino Lucero. ESTANISLAO DEL CAMPO (1834-1880), autor del poema *Fausto,* símbolo del alma sencilla y religiosa del aldeano argentino. JOSÉ HERNÁNDEZ (1834-1886), el más popular de los poetas argentinos, cuyo poema *Martín Fierro* pasa por ser la obra representativa de la literatura argentina, "algo así como el *Poema del Cid* para la castellana". OLEGARIO VÍCTOR ANDRADE (1841-1882), romántico y ampuloso lírico en *Atlántida* y *Prometeo.* CARLOS GUIDO Y SPANO (1827-1918), prosista y poeta. PEDRO B. PALACIOS (1854-1917), que popularizó el seudónimo de "Almafuerte", llamado "el poeta de la democracia", cantor de los humildes y de los desdichados. RAFAEL OBLIGADO (1851-1920), que cantó *La Pampa.*

Entre los prosistas de esta época destacan: DOMINGO FAUSTINO SARMIENTO (1811-1888), polemista y pensador, autor de *Facundo* y de *Recuerdos de provincia.* JUAN BAUTISTA ALBERDI (1814-1886), jurista, economista y literato. VICENTE FIDEL LÓPEZ (1815-1903), historiador y ensayista, autor de la anecdótica *Historia de la Revolución argentina.* BARTOLOMÉ MITRE (1821-1905), historiador, erudito y literato. EDUARDO GUTIÉRREZ (1853-1890), folletinista, creador del gran tipo Juan Moreira, el gaucho alzado. EUGENIO CAMBACERES (1843-1888), novelista, autor de *En la sangre* y *Sin rumbo.* CARLOS MARÍA OCANTOS (1860-1948), gran novelista, autor de cuarenta libros, entre los que sobresalen *Quilito, Tobi, Fray Judas, Victoria, Don Perfecto.*

Hacia 1880 se inicia la que pudiéramos denominar, en la literatura argentina, *época contemporánea.*

En esta época y en la poesía merecen ser encomiados: LEOPOLDO DÍAZ (1862-¿?), lírico parnasiano en *Los bajorrelieves* y *Las ánforas de Sileno.* LEOPOLDO LUGONES (1874-1938), uno de los más admirables y conocidos poetas argentinos, de los que mayor influencia ejercieron en las siguientes promociones, autor de *Las montañas de oro, Los crepúsculos del jardín, Odas seculares y Lunario sentimental.* ALBERTO GHIRALDO (1875), poeta, dramaturgo y novelista. MANUEL UGARTE (1874-1952), novelista, ensayista y poeta. ENRIQUE BANCHS (1888), de una impresionante sencillez expresiva, hondo y sentimental en *Las barcas, El libro de los elogios, La urna.* BALDOMERO FERNÁNDEZ MORENO (1886-1950), sencillo, tradicionalista, sentimental, cantor de las pequeñas almas y de las pequeñas cosas en *Las iniciales del misal, Intermedio provinciano, Ciudad, Versos de negrita, Aldea española, El hijo.* ARTURO CAPDEVILA (1889), poeta, ensayista, autor dramático, autor de los libros de poemas *Melpómene, El poema del Nenúfar* y *El libro de la noche.* EVARISTO CARRIEGO (1883-1912), el poeta de los suburbios y de los conventillos bonaerenses, bohemio y melancólico, ardiente y desgarrado en *Misas herejes* y *La canción del barrio.* MIGUEL A. CAMINO (1877), famoso por sus canciones criollas e indias con el título de *Chacayaleras y Nuevas chacayaleras.* FERNÁN FÉLIX DE AMADOR (1889), elegíaco y meditativo. PEDRO MIGUEL OBLIGADO (1892), lánguido y muy cuidadoso de la forma. ERNESTO MARIO BARREDA (1883), autor de la *Canción de un hombre que pasa.* RAFAEL ALBERTO ARRIETA (1889), erudito y poeta, autor de los libros de poemas *El espejo de la fuente, Las noches de oro, Fugacidad, Estío serrano.* ALFONSINA STORNI (1892-1938), de una calidez impresionante, autora de *El dulce daño, Languidez, Irremediablemente.*

Poetas menores del modernismo, pero dignos de mención, son: HÉCTOR PEDRO BLOMBERG, EZEQUIEL MARTÍNEZ ESTRADA, ARTURO MARASSO, ALLENDE IRRAGORRI, ALFREDO BUFANO, RAFAEL DE DIEGO, PEDRO MARIO DELHEYE, VÁZQUEZ CEY, JUAN CARLOS DÁVALOS, ERNESTO MORALES, LUIS FRANCO, MARÍA ALICIA DOMÍNGUEZ, NORAH LANGE...

Con los "ismos" poéticos subversivos—ultraísmo, creacionismo, superrealismo—se dan a conocer JORGE LUIS BORGES (1900), con *Fervor de Buenos Aires, Luna de enfrente.* OLIVERIO GIRONDO (1891), con *Calcomanías.* FRANCISCO LUIS BERNÁRDEZ (1893), con *El buque, Alcándara, La ciudad sin Laura.* NICOLÁS OLIVARI, con *La Musa de la mala pata.* LEOPOLDO MARECHAL (1900), con *Días como flechas.* BRANDAN CARAFFA, GONZÁLEZ LANUZA, RAÚL GONZÁLEZ TUÑÓN, RICARDO MOLINARI, MARCOS FINGERIT, JUAN SEBASTIÁN TALLÓN...

En una tendencia aún más desligada del modernismo, aún más decidida en el superrealismo, aún más lanzada en una temeraria experiencia de la metáfora y de las imágenes desenfocadas, están: EDMUNDO MONTAGNE, HÉCTOR IRUSTA, ROBERTO LEDESMA, EUGENIO JULIO IGLESIAS, ARTURO CAMBOURS, OSWALDO DONDO, CARLOS MARÍA PODESTÁ, MARTÍNEZ JEREZ...

Pero sería injusto olvidar a muchos excelentes poetas, que, en medio de la subversión lírica, incontaminados, han sabido conservar su acento original y ortodoxo; así: MARGARITA ABELLA CAPRILE, NYDIA LAMARQUE, RAFAEL JIJENA SÁNCHEZ, LUIS CANÉ, JOSÉ PEDRONI, CONRADO NALÉ ROXLO, ENRIQUE MÉNDEZ CALZADA, HORACIO REGA MOLINA, GONZÁLEZ CARBALHO, BENJAMÍN TABORDA, MARIO BINETTI, PEDRO JOSÉ VIGNALE, CÉSAR FERNÁNDEZ MORENO...

Entre los novelistas y cuentistas más importantes figuran: RICARDO GÜIRALDES (1884-1927), autor de la más hermosa e intensa novela aparecida en Hispanoamérica: *Don Segundo Sombra,* y de *Xaimaca, Raucho, Cuentos de sangre y muerte.* GUILLERMO ESTRELLA (1891), autor de *Egoístas.* ARTURO S. MOM (1895), autor de *Vértigo y La estrella polar.* JORGE NELKE (1890), con *Sebastián* y *Vidas turbias.* ENRIQUE R. LARRETA (1873), autor de la famosa novela *La gloria de don Ramiro* y de *Zogoibi.* ROBERTO J. PAYRÓ (1867-1928), con *Las divertidas aventuras del nieto de Juan Moreira, El casamiento de Laucha, Pago Chico.* MANUEL GÁLVEZ (1882), con *La maestra normal, Nacha Regules, El mal metafísico.* BENITO LYNCH (1885-1952), con *Los caranchos de la Florida, El inglés de los güesos, Raquela, Palo Verde.* HORACIO QUIROGA (1878-1938), con *La gallina degollada, Cuentos de amor, de locura y de muerte.* HUGO WAST (1883), seudónimo de Gustavo Martínez Zuviría, autor de *Valle Negro, Desierto de piedra, La casa de los cuervos, Flor de Durazno.* ENRIQUE DE VEDIA (1867-1912), con *Alcalis, Rosenia, Quintuay.* EDUARDO MALLEA, *con Historia de una pasión argentina* y *La ciudad junto al río inmóvil.* ENRIQUE AMORIM, con *El paisano Aguilar, La carreta* y *El caballo y su sombra.* PABLO ROJAS PAZ, con *Hasta aquí no más y Hombres grises y montañas azules.*

Narradores excelentes son también: MIGUEL CANÉ—*Juvenilia*—, GARCÍA MEROU, EDUARDO WILDE, MANUEL PODESTÁ, LUCIO LÓPEZ—*La gran aldea*—, "FRAY MOCHO", seudónimo de José Alvarez—*Viaje al país de los matreros*—, FRANCISCO SICARDI—*Libro extraño*—, ANGEL DE ESTRADA—*Redención*—, JOAQUÍN V. GONZÁLEZ—*Mis montañas*—, JUAN CARLOS DÁVALOS, ROBERTO GERCHUNOFF—*Los gauchos judíos*—, LEÓNIDAS BARLETTA—*Vidas perdidas*—, ROBERTO ARLT —*El juguete rabioso*—, CARLOS ALBERTO LEUMANN—*La vida victoriosa*—, ARTURO CANCELA —*Tres relatos porteños*—, MARTÍN ALDAO—*La novela de Torcuato Méndez*—, MARTÍN ALDAO (hijo)—*El destino de Irene Aguirre*—, JUAN PABLO ECHAGÜE—*Por donde corre el Zonda*—, NORAH LANGE—*45 días y 30 marineros*—, CÉSAR CARRIZO, SILVERIO BOJ—*Aspero intermedio*—,

BIOY CASARES—*La invención de Morel*—, ROBERTO GACHE—*Baile y Filosofía*...

La historia, la crítica y el ensayo tienen en la literatura argentina admirables representantes: JOSÉ MANUEL ESTRADA (1842-1897)—*Génesis de nuestra raza*—, GUILLERMO FURLONG (1889) —*Entre los alipones*—, RÓMULO CARBIA, EMILIO RAVIGNANI, PAUL GROUSSAC (1848-1929), francés de nacimiento—*Santiago de Liniers, Crítica literaria, Mendoza y Garay, Estudios de Historia argentina*—, CARLOS IBARGUREN—*Juan Manuel de Rosas*—, RAMÓN J. CÁRCANO—*La guerra del Paraguay*—, CALIXTO OYUELA (1857-1930)—*Estudios literarios, Poesías*—, JOSÉ INGENIEROS (1877-1925) —*El hombre mediocre, La simulación de la locura*—, CARLOS OCTAVIO BUNGE—*Nuestra América*—, RICARDO ROJAS—*La literatura argentina*—, JORGE MAX ROHDE—*Las ideas estéticas en la literatura argentina*—, ALVARO MELIÁN LAFINUR—*Literatura contemporánea, Figuras americanas*—, ROBERTO F. GIUSTI, LUIS EMILIO SOTO —*Crítica y estimación*—, ALFREDO A. BIANCHI, JOSÉ LEÓN PAGANO—*El arte de los argentinos*—, ANÍBAL NORBERTO PONCE—*La vejez de Sarmiento*—, MARIANO ANTONIO BARRENECHEA—*El advenimiento de las masas*—, ALEJANDRO KORN (1860-1936)—*La libertad creadora y Axiología*—, RICARDO SÁENZ HAYES—*Miguel de Montaigne*—, ELEUTERIO TISCORNIA—*Martín Fierro*—, EZEQUIEL MARTÍNEZ ESTRADA—*Radiografía de la Pampa*—, ARTURO MARASSO—*Rubén Darío y la creación poética*—, ALBERTO PALCOS, DELFINA BUNGE DE GÁLVEZ, EMILIO BELCHER, JOSÉ MARÍA RAMOS MEJÍA—*Rosas y su tiempo*—, ROBERTO LEVILLIER, LUIS ROQUE GONDRA, RICARDO LEVENE, TORRE REVELLO, JUAN BALESTRA, LIZONDO BORDA, DAVID PEÑA, MARIANO DE VEDIA MITRE, ENRIQUE DE GANDÍA, JUAN B. TERÁN, VICTORIA OCAMPO, RAÚL SCALABRINI, ARTEMIO MORENO, LUCIO VICTORIO MANSILLA (1831-1913) —*Una excursión a los Indios Ranqueles*—, ARTURO BERENGUER, posiblemente, el más agudo crítico actual...

Según el gran crítico Roberto F. Giusti, el teatro argentino "había nacido en 1884 en el picadero de un circo de campaña con la pantomima *Juan Moreira*, dramón rural que tenía por protagonista a un gaucho alzado contra la Policía; saltó luego, tras algunos tanteos, a un escenario permanente, el Apolo, en 1901. Allí, la compañía de los hermanos Podestá, entre quienes había surgido el primitivo drama criollo, ofrecería a la producción rioplatense un hogar estable y un grupo de cómicos que, a falta de otros méritos, tenían cierta experiencia".

Entre los dramaturgos argentinos más eminentes figuran: MARTÍN CORONADO (1850-1919) —*La piedra de escándalo*—, FLORENCIO SÁNCHEZ (1875-1910), nacido en Montevideo, la más recia personalidad dramática hispanoamericana —*M'hijo el dotor, Barranca abajo, La gringa, Nuestros hijos, Los muertos, Los derechos de la salud*—, ENRIQUE GARCÍA VELLOSO (1880-1938) —*Fruta picada, Fuego fatuo, Mamá Culepina, La Victoria de Samotracia*—, ROBERTO J. PAYRÓ—*Sobre las ruinas, Marco Severi, El triunfo de los otros*—, GREGORIO DE LAFERRERE (1867-1913)—*Jettatore, Locos de verano, Las de Barrancos*—, JULIO SÁNCHEZ GARDEL (1879-1937) —*Los mirasoles, Después de misa, La montaña de las brujas*—, EMILIO BERISSO (1878-1922)—*Con las alas rotas*—, DAVID PEÑA (1862-1930)—*Facundo*—, CÉSAR IGLESIAS PAZ—*La mujer fuerte, El velo nupcial*—, ROBERTO CAYOL, JOSÉ DE MATURANA (1884-1917)—*Canción de primavera*—, BELISARIO ROLDÁN—*El rosal de las ruinas*—, VICENTE MARTÍNEZ CUITIÑO, nacido en el Uruguay —*La fuerza ciega, Mate dulce, La humilde quimera*—, ALBERTO GHIRALDO—*Alma gaucha*—, SAMUEL EICHELBAUM—*La mala sed, Cuando tengas un hijo, Pájaro de barro, En tu vida estoy yo*—, NEMESIO TREJO, ENRIQUE BUTTARO, EZEQUIEL SORIA, VÍCTOR PÉREZ PETIT—*Cobarde*—, JOSÉ GONZÁLEZ CASTILLO, ALBERTO NOVIÓN, ERNESTO HERRERA, MARTÍNEZ PAIVA, ARMANDO DISCÉPOLO, ALBERTO VACAREZZA, RAÚL CASARIEGO, HORACIO REGA MOLINA, ROBERTO GACHE, ARTURO CORUSSO, RODRÍGUEZ ACASUSO...

También han escrito para el teatro autores ya mencionados en otros géneros, como: LARRETA—*La linyera, Santa María del Buen Aire*—, ROBERTO LEVILLIER—*Rueda de fuego*—, JOSÉ LEÓN PAGANO—*Nirvana, El dominador*—, ROBERTO ARLT, ARTURO CANCELA, LEÓNIDAS BARLETTA, EZEQUIEL MARTÍNEZ ESTRADA, ARTURO CAPDEVILA, RICARDO ROJAS—*Elelin, La casa colonial, Ollantay*—, GONZÁLEZ TUÑÓN...

V. GIUSTI, Roberto F.: *Literatura argentina*. En el tomo XII de la "Historia universal de la literatura", de Prampolini. Buenos Aires, Uteha, 1941.—LEGUIZAMÓN, Julio A.: *Historia de la literatura hispanoamericana*. Buenos Aires, 1945.—ALONSO CRIADO, Emilio: *Literatura argentina*. Buenos Aires, 1916, 4.ª edición.—GARCÍA VELLOSO, Enrique: *Historia de la literatura argentina*. Buenos Aires, 1914.—GIMÉNEZ PASTOR, Arturo: *Historia de la literatura argentina*. Buenos Aires, Ed. Labor, dos tomos.—ROJAS, Ricardo: *Literatura argentina*. Buenos Aires, 1924, 2.ª edición.

ARGOT

Lengua de convención imaginada por los ladrones, vagabundos y otras gentes de una sociedad pintoresca "fuera de la ley". Cada gran ciudad posee un argot propio de sus *gentes indeseables*. El argot toma las palabras del idioma de cada país y las altera y deforma morfológicamente, dándoles un sentido metafórico. Hay lenguas, como la castellana, la italiana, la provenzal, que, juntamente con la *germanía*, el *caló* y el *furbesco*, proporcionan el mayor contingente de vocablos al argot.

ARGUMENTO

1. Esta palabra, durante mucho tiempo, ha sido empleada como sinónimo de *sumario*. Es

la expresión clara, rápida y sencilla de una obra, de un capítulo, de una comedia.

2. Asunto, materia, tema, idea sobre que versa alguna obra. El gramático Prisciano, en el siglo VI, se impuso a sí mismo la obligación de exponer en versos acrósticos los argumentos para las obras de Plauto. Cousin llamó *argumento* a los *sumarios* explicativos que puso al frente de su traducción de los *Diálogos* de Platón.

ARIA

Es el canto entonado por una sola voz.

ARIA (Lengua) (V. Arya, Lengua).

ARISTOTELISMO

Nombre dado a la suma de la doctrina, de la ciencia y del sistema filosófico de Aristóteles.

Gran filósofo griego, una de las más grandes inteligencias que ha tenido el mundo. Nació —384 antes de Cristo—en Estagira (Macedonia) y murió en 322. Fue hijo de Nicómaco, médico del rey Amintas, y muy amigo desde niño del joven Filipo. Sus primeros maestros fueron su padre y su tutor Próxenes. En 367 estudió en Atenas con Platón, quien le llamó la *inteligencia de la escuela;* y con este maestro permaneció durante veinte años, separándose de él cuando creyó advertir errores en su enseñanza o desconfianzas que él no creía merecer. De aquí la frase: "Amicus Socrates, amicus Plato, sed magis amica veritas."

Combatió las doctrinas de su antiguo condiscípulo Jenócrates, director de la Academia, y el mal gusto de la escuela retórica de Isócrates. En 348 pasó a vivir al lado de su amigo Hermias, tirano de Atarnea, quien quería sustraer las colonias griegas del Asia del yugo de los persas; cuando Hermias fue entregado al rey Artajerjes Oco, lloró su muerte en un himno admirable a la virtud y se retiró a Mitiline, donde se casó con Pitia, hermana de su amigo. En 343, su amigo Filipo, rey de Macedonia, le llamó para que se encargara de la educación de Alejandro; y jamás príncipe alguno tuvo un preceptor tan sublime. Después que su discípulo ocupó el trono, Aristóteles regresó a Atenas, continuando su profesorado, publicando sus obras y fundando el Liceo, rival de la Academia. Enseñaba paseando, y por esto se dio el nombre de *Peripatético* a él, a su sistema y a sus discípulos. Dividió sus clases en *exotéricas,* para el vulgo, y *esotéricas* o *acroamáticas,* para los iniciados. Sostuvo correspondencia incesante con Alejandro, quien hizo recoger y envió a su maestro los animales, plantas, piedras raras, etcétera, de los países que atravesaba, dándole más de 800 talentos de plata para reunir una preciosa biblioteca. A la muerte del rey—323—, acusado de impiedad por los enemigos de la dominación macedónica, Aristóteles cedió la dirección del Liceo a su discípulo Teofrasto y fue a morir poco tiempo después—322—a Calcis, en Eubea. Dejó una hija, llamada Pitia, y un hijo natural, Nicómaco. "Aristóteles es el talento más vasto de la antigüedad—ha escrito L. Grégoire—; sus obras formaban como una inmensa enciclopedia, que abrazaba todas las ciencias conocidas de su tiempo; pero se han perdido muchas. Sería imposible o, a lo menos, temerario el querer exponer con pocas palabras los grandes trabajos de Aristóteles."

Hoefer ha dado una división metódica de las obras del genio, quien dividió las ciencias en *especulativas* y *prácticas,* y pensó que la Filosofía abrazaba todas las ciencias, a excepción de la Historia.

1.° *Ciencias físicas y naturales*: *Historia de los animales, De las plantas, Del alma, Del mundo, Del cielo, De la Física, Las meteorológicas, Ensayo sobre los colores, Parva naturalia,* trataditos muy importantes acerca de la juventud, de la vejez, del sueño, de la duración de la vida, del arte del adivinar, del insomnio, de la respiración, etc., etc.

2.° *Ciencias morales* (de Filosofía práctica): *Moral práctica, Moral a Nicómaco,* la *Gran Moral,* la *Política,* la *Económica,* la *Retórica,* la *Poética,* la *Retórica para Alejandro.* Esta última quizá sea de Anaximenes de Lampsaco.

Ciencias morales (de Filosofía pura): *Lógica,* las *Metafísicas.*

Jamás filósofo alguno ha tenido más fama, más fuerza proselitista, tantos comentadores (¡más de 14.000! contó un crítico), más ediciones de sus obras. La Iglesia se opuso en un principio al *Peripatetismo,* mas luego hubo de ceder, y la autoridad del Estagirita llegó a ser casi sagrada, alabándole e inspirándose en él los teólogos y filósofos cristianos.

La primera edición completa de las obras de Aristóteles fue la de Aldo Manucio, Venecia, 1495-1498, cinco volúmenes en folio. Otras ediciones excelentes: la de Silbourg, Francfort, 1584-1587, en once tomos; la de Beker, Berlín, 1831-1840, en cuatro tomos; la de Dübner, 1852, en la Colección Didot.

En castellano: V. Biblioteca Filosófica—varios volúmenes.

Con su fenomenal talento, Aristóteles abarcó y clasificó la universalidad de los conocimientos humanos. Las reglas que dictó a las ciencias y a las artes siguen en vigor aún, sin embargo de haber transcurrido veinticuatro siglos y a pesar de las revoluciones que han sufrido las costumbres, las instituciones y las lenguas. Por dirigirse más a la razón que a la imaginación, su celebridad fue menos rápida que la del fundador de la Academia.

Aunque la célebre máxima de *nihil est in intellectu quod non fuerit prius in sensu,* que se le atribuye y que tanto se ha repetido y comentado en adelante, da a entender era su dictamen que la sensación es el único origen de los conocimientos humanos, como quiera que distingue entre *lo contingente y lo necesario, lo relativo y lo absoluto,* y que lo contingente y lo relativo corresponde a las sensaciones, y lo necesario y lo absoluto a las ideas de la razón o tipos platónicos, parece que en esta parte hay bastante analogía entre los principios de ambos filósofos, siendo muy verosímil que Aristóteles quiso establecer una especie de término medio entre el sensualismo y el espiritualismo.

Las formas lógicas emanan de la razón y comunican a las sensaciones los caracteres de la universalidad y necesidad. Hay, pues, en los conocimientos dos elementos: uno variable y otro invariable; pero las ideas no son tipos eternos que existen realmente y que solo se manifiestan a la razón, sino a las leyes internas que a esta rigen. La filosofía ha de empezar por determinarlas; y la lógica es, por ende, la obra más singular de Aristóteles y el vínculo que une entre sí todos los ramos de sus vastas investigaciones. A pesar de las muchas vicisitudes que han sufrido los estudios filosóficos con el transcurso del tiempo, la lógica permanece tal como hubo de constituirla el extraordinario pensador macedónico.

Supone principios indemostrables, porque, faltando estos, la demostración sería imposible, incurriéndose entonces para conseguirla en el círculo vicioso. Divide la lógica en tres partes: 1.ª, que trata de los términos o expresiones de ideas; 2.ª, de las enunciaciones de los juicios; 3.ª, del raciocinio. En la primera clasifica los términos, que son las ideas de la inteligencia humana, colocándolos en diez categorías: *sustancia, cantidad, cualidad, relación, acción, pasión, tiempo, lugar, situación y hábito.* Combínanse las categorías, llamadas también *predicamentos,* con los categoremas o *predicables,* que son cinco: *género, especie, diferencia, lo propio y el accidente.*

Diferéncianse los predicamentos de los predicables en que aquellos significan lo que es inherente a la naturaleza de los seres, y estos solo corresponden a los varios aspectos que ofrecen a la mente, siendo en realidad fórmulas por medio de las cuales se combinan unos con otros los predicamentos.

En la segunda parte divide las proposiciones en simples, complexas, afirmativas, negativas, universales, particulares, indefinidas, singulares, impuras y morales, distinguiendo la contradicción de la mera contrariedad, y acumulando sobre esta materia muchas e importantes observaciones.

En la tercera parte establece la teoría del raciocinio, reduciendo todas sus formas al silogismo.

La lógica que se ejercita en las cosas conjeturables se llama dialéctica.

La ciencia tiene por objeto la especulación y la práctica. Las ciencias especulativas se dividen en dos clases: 1.ª, las meramente racionales, como la metafísica y las matemáticas; y 2.ª, las experimentales.

En metafísica, haciendo abstracción de lo que constituye las diversas especies de seres, fundándose en el principio de que una cosa misma no puede ser y no ser al mismo tiempo, deduce de la noción general del ser varias consecuencias. La sustancia es la unidad del ser, que sirve de base a todas sus modificaciones; si la sustancia se separa de sus modificaciones, resta la materia primera del ser. Esta materia se determina por su forma. El ser compuesto de materia y de forma implica la idea de potestad, ya activa, ya pasiva. La activa se manifiesta por el movimiento. La pasiva es la aptitud para recibir modificaciones por la acción de otro ser. La noción del movimiento conduce a Dios, que es el motor inmóvil del universo.

La psicología aristotélica enseña que el alma es el principio de la vida orgánica, siendo a un tiempo mismo sensitiva e intelectual. Los actos de la vida orgánica son la generación y la nutrición; esta especie de vida es común a todos los seres. La vida sensitiva es privativa de los animales. Pero no percibiendo cada sentido más que lo que caracteriza al objeto que se aplica, sería imposible la comparación de las sensaciones unas con otras si no hubiese un sentido interno común y destinado a recibir las sensaciones transmitidas por los otros sentidos externos. Las sensaciones llevan consigo un apetito que les corresponde; unido este a las imágenes percibidas por ministerio de los sentidos, completa la vida sensitiva.

La intelectual, propia del hombre, tiene dos aspectos: pasivo el uno, cuando recibe la acción de las cosas exteriores; activo el otro, siempre que ejerce su propia energía en las sensaciones recibidas. El anhelo de la verdad es, por decirlo así, el apetito racional del alma, que completa la vida intelectual. El entendimiento concibe lo que es, y enseña lo que se debe hacer, encaminando hacia lo bueno y apartando de lo nocivo.

Según Aristóteles, para explicación física del universo son imprescindibles: *principios, causa* y *elementos.*

Los principios son la forma y la privación combinadas con la materia, especie de tercer principio necesario para la existencia de los dos anteriores.

Las causas pueden ser: *material, formal, eficiente y final.*

Entre los elementos están la tierra y el aire; la primera pesada y ligero el segundo. Están unidos por otros dos elementos: el agua y el fuego, participando el aire de la naturaleza del fuego y el agua de la de la tierra.

Combinados los tres principios, las cuatro causas y los cuatro elementos con las leyes del movimiento, explican el mundo físico.

La máxima moral de Aristóteles es moderar los deseos conforme a los principios de la razón. A los principios absolutos de sus predecesores sustituye una regla abstracta, que hace consistir la virtud en un buen medio entre las pasiones encontradas. El fin de la moral es el placer que nace de la moderación aludida.

Aristóteles divide la justicia en *conmutativa* —que rige las relaciones de individuo a individuo y las transacciones que pueda haber entre ellos—y *distributiva*—que concede premios e impone castigos, conforme los méritos o las culpas del ciudadano.

La política atiende a aquellas relaciones de los ciudadanos que están determinadas por las leyes. Aquí también consiste el bien en el término medio entre la tiranía y la anarquía, esto es, en una constitución en que se combinaran la monarquía, la aristocracia y la democracia.

En realidad, hemos sintetizado acaso excesivamente las esencias del aristotelismo, cuya importancia exige una mayor precisión en algunos puntos.

Uno de los temas más sugestivos tocados por Aristóteles es el de los *grados del saber*. "Todos los hombres tienden por naturaleza a saber", es la primera frase de la *Metafísica.*

Por los *sentidos* se sabe; pero esta sabiduría supone un ínfimo saber, ya que este saber es el propio de los animales, y del hombre como tal.

Pero el hombre—alma, inteligencia y voluntad—posee modos superiores de saber: *experiencia, arte y ciencia.*

La *experiencia* nos hace conocer todas las cosas de un modo inmediato y concreto. Pero este conocimiento no se puede enseñar; y si nos dice *cómo* son las cosas, no nos dice *por qué son.*

El *arte* es "un saber hacer" de modo mediato; pone al hombre en condiciones de saber *escoger los medios* para llegar a los fines propuestos, y puede ser enseñado a los demás seres. Pero tampoco explica el *porqué* de lo que existe y de lo que es.

La *sophia*—ciencia—es la más excelsa *manera de saber,* el más alto *grado de conocimiento.* La sabiduría dice lo que son las cosas y por qué son, esto es: tiene que *demostrar* las cosas desde sus *principios.*

La culminación de la sabiduría tiene como objeto "el ente en cuanto tal, las cosas en tanto que son, entendidas en sus causas y principios".

La *Metafísica,* para Aristóteles, es la ciencia superior, aun cuando no la más necesaria; y es la principal por ser la única que estudia las *cosas en cuanto son* y el *ente en cuanto tal.*

Hay diferentes tipos de entes. Los objetos físicos, las *cosas naturales,* que son verdaderas, pues se mueven, llegan a ser y dejan de ser, así un árbol o un caballo. Otros entes no se mueven, y son los *objetos matemáticos;* no son cosas; existen en la mente, pero no *separados* y fuera de ella.

Y añade el gran filósofo español Julián Marías: "¿Cómo tendría que ser un ente para reunir las dos condiciones? Tendría que ser inmóvil, pero separado, una cosa. Ese ente, si existiera, se bastaría a sí mismo, y sería el ente supremo, el que merecería en su plenitud llamarse *ente.* Pero a este ente llama Aristóteles divino, Dios. Y la ciencia suprema que trataría de Él sería una ciencia *teológica.* Es decir, Dios es en Aristóteles aquel conjunto de condiciones metafísicas que hacen que un ente lo sea plenamente. La ciencia del ente en cuanto tal y la de Dios, que es el ente por excelencia, son una y la misma."

Para Aristóteles, es evidente que hay *un primer principio;* que las causas de las cosas no son serie infinita ni infinitamente varias en género, ya que ni una cosa puede proceder de otra *ad infinitum,* ni los orígenes del movimiento forman serie sin fin, ni las causas finales pueden llevarse *ad infinitum.*

Es preciso admitir alguna cosa aparte de la cosa concreta, porque de no haber nada aparte de los individuos, no habrá objeto del pensamiento, sino únicamente de los sentidos; y no existirá el conocimiento, a menos que afirmemos que la sensación es el conocimiento. La esencia de las cosas puede expresarse en el concepto; y este concepto—lo universal—queda ligado al fenómeno particular como la forma a la materia.

Aristóteles estableció las definiciones y acepciones de que son susceptibles estos términos: *principio, causa, elemento, naturaleza, unidad, necesidad, pluralidad, sustancia, identidad, ser, existir, potencia, todo, parte,* etcétera.

Según Aristóteles, es imposible producir nada de no haber algo que subsista anteriormente. En todo lo que es generado existe materia y forma, y estas dos cosas engendran una tercera: la sustancia, punto de partida de todo. La sustancia de una cosa es su causa, es decir, la forma por razón de la cual la materia es una cosa definida; la materia es lo indeterminado, lo indiferenciado; la forma es la que hace de lo indiferenciado, de lo indeterminado, una realidad, capacitándola para cumplir una misión. Para que la forma sea pura, ha de carecer de materia; pero todo ser real, toda sustancia individual está compuesta de materia y forma.

El conjunto de los seres puede ser considerado como una escala cuyo primer peldaño es la materia carente en absoluto de forma, siendo el último, al contrario, una forma que carece en absoluto de materia, que es pura forma: el espíritu divino absoluto.

Para Aristóteles, es *potencial* lo que aún no está traducido en conceptos filosóficos, lo que sin ayuda externa puede ser por sí mismo, lo que entraña en sí un principio de desarrollo, de movimiento, de cambio. Y es *actual* el acto consumado, el fin obtenido, la realidad completa. El paso de lo potencial a lo actual marca el camino ininterrumpido hacia el fin en producción continua, en eterno devenir.

"Aristóteles—sintetiza magníficamente Luis Nueda—fundamenta el primer motor, el espíritu divino absoluto, desde el punto de vista de la relación de potencialidad y actualidad, basándose en que lo actual es siempre anterior a lo potencial, pues lo posible solo pasa a ser real por un realizado; la serie de la causalidad solo es posible existiendo un principio de movimiento; el primer principio o ser primero no es móvil en sí, ni accidentalmente, sino que es motor, es pura actualidad, y produce el primer movimiento eterno y simple; el ser eterno y necesario no puede ser potencial, porque lo potencial puede ser o no ser, y lo que puede no ser es perecedero; además, si lo potencial fuera lo primero, no podría existir nada.

"Dios es uno, porque la causa de la multiplicidad y variedad del ser está en la materia de la que El no participa; es vida, porque el acto del pensamiento es vida, y Dios es ese acto; y el acto divino, que solo de Él depende, es la mejor vida, la vida eterna; es inteligencia e inteligible a la vez, porque es absolutamente inmaterial y libre; el pensamiento divino es el pensamiento en sí, que es lo mejor que hay en sí, y lo que es pensamiento por excelencia, es el pensamiento del bien por excelencia; el pensamiento divino piensa en sí, porque comparte o participa del objeto del pensamiento, porque se convierte en objeto del pensamiento al entrar en contacto con sus objetos y pensar en ellos; de manera que en Dios el pensamiento y su objeto son idénticos, porque lo que es *capaz* de recibir el objeto del pensamiento, es decir, la esencia, es pensamiento; es *activo* cuando *posee* dicho objeto; por tanto, el elemento divino que parece contiene el pensamiento es la posesión, antes que la sensación y lo más placentero y mejor entre todo es el acto de la contemplación. Dios se halla siempre en ese placentero acto; es el pensamiento del pensamiento, la unidad personal del pensamiento y lo pensado."

En relación a la Moral, Aristóteles afirma que para ser feliz hay que buscar—según distintas opiniones—la *prudencia,* la *virtud* o el *placer.* Existen dos especies de virtud: la *moral* y la *intelectual,* ya que alabamos no solo al justo, sino también al sabio. Las virtudes intelectuales llevan consigo la razón, pertenecen a la parte racional del alma regida por dicha facultad, mientras que las virtudes morales pertenecen a la parte irracional, apetitiva, obediente por su naturaleza a la parte poseedora de la razón. Existen pensamientos y pasiones involuntarios. y también actos, resultantes de aquellas pasiones y pensamientos que no dependen de nosotros mismos. Por tanto, únicamente serán considerados como voluntarios cuantos pensamientos, pasiones y actos realice el hombre dependientes de su poder de abstenerse de llevarlos a cabo, y debidos a sí mismo.

La virtud moral es un hábito que tiende a elegir el justo medio—con relación a nosotros—entre las cosas placenteras y dolorosas. Aquel hombre en cuyo poder estuviese llevar a cabo lo honroso, absteniéndose de lo vil, al realizar lo opuesto, no es bueno.

Siendo para Aristóteles las virtudes como estados intermedios entre pasiones, debidos a propósitos deliberados, el gran filósofo analiza uno a uno dichos estados, ocupándose del *valor*—intermedio entre la audacia (confianza) y la cobardía (temor)—; de la *templaza*—intermedio entre el desenfreno y la insensibilidad—; de la *justicia,* la *delicadeza,* la *magnanimidad,* la *amistad*...

Para Aristóteles, la resultante de la posesión de las virtudes por separado se denomina nobleza y bondad; afectando aquella a la virtud del hombre *para sí,* y afectando esta a la virtud del hombre para con sus semejantes.

Contra la opinión de Sócrates y de Platón, Aristóteles defendió el libre albedrío, que sirve de base a su criterio de que tanto la virtud como el vicio son absolutamente voluntarios. Para Aristóteles será hombre virtuoso, honesto y bueno aquel que sepa usar de todos los bienes sin abusar jamás de ninguno, y no atribuya la felicidad ni solo a la virtud como actividad del alma racional, ni solo a los bienes externos, sino a la unión adecuada de bienes y de virtudes.

Políticamente, el aristotelismo tuvo una importancia extraordinaria semejante. Aristóteles escribió su *Política* después de haber hecho un estudio detallado de los gobiernos de Creta, Cartago, Esparta y Atenas, y de haber consultado las obras de Faleas, de Hipódamo y, sobre todo, de Platón, Aristóteles afirmó que el origen del Estado se encuentra en los esfuerzos del hombre para satisfacer sus deseos y necesidades individuales; que no existe arbitrariedad en las leyes del Estado; que el destino natural del hombre se inclina a la vida política; que el Estado es una institución natural y necesaria y que su función primordial es adaptar a las necesidades particulares de los ciudadanos los principios fundamentales del derecho y de la justicia que yacen en el seno de la Naturaleza y que se descubren fácilmente con la ayuda de la razón; que el hombre creó, buscando una vida mejor, las comunidades domésticas y que reunió estas en una entidad superior, con extensión adecuada, la Ciudad-Estado, forma perfecta de asociación; que el hombre, por naturaleza, es un animal político que solo puede alcanzar sus fines esenciales por medio del Estado, y que solo bajo la influencia de este alcanza una categoría superior; que la unidad del Estado puede conseguirse por medio de una organización adecuada de diversos tipos individuales, y no por la sumisión rígida de los individuos a un régimen disciplinario; que las instituciones políticas tienen fundamentos económicos, y que la forma de gobierno está determinada por el carácter y la distribución de la riqueza; que muy distintos son los términos Estado y Gobierno, ya que aquel está integrado por el cuerpo total de ciudadanos, y el Gobierno por aquellos que ordenan y regulan la vida del Estado; que el Estado—organización colectiva de ciudadanos—debe encontrar limitaciones en su actividad política, pero sin sostener, en contraposición, la idea de los derechos individuales intangibles para el mismo Estado...

Aun cuando ya Píndaro, Herodoto, Tucídides y Platón habían presentado clasificaciones de las formas de gobierno, Aristóteles dio la suya, más exacta, de la que puede decirse que no ha sufrido modificación alguna trascendental hasta nuestros días. Para dar su definición, Aristóteles examinó primero los gobiernos en relación con el número de personas en quienes descansa el poder soberano; en segundo término, de acuerdo con los fines que persiguen en la realidad. En esta segunda consideración, las formas de gobierno pueden ser *puras*—si los gobernantes tienden al bienestar de todos los ciudadanos—o *impuras*—si buscan los gobernantes su propio y exclusivo interés.

Según Aristóteles, cuando el Gobierno del Estado atiende al bienestar general y se ejerce por una sola persona, constituye la *monarquía*. Si el monarca reina y gobierna arbitrariamente en beneficio propio, la monarquía *degenera en tiranía*. Cuando gobierna una minoría selecta en beneficio de todos, constituye la *aristocracia*. Si esta minoría abusa en propio provecho de sus poderes, la aristocracia degenera en *oligarquía*. Cuando el Estado aparece regido por todo el pueblo y se tiene en cuenta el interés general, la forma de gobierno se denomina *república*. Cuando la república—o mayoría constitucional—no se preocupa sino de intereses particulares, degenera en *demagogia*. Monarquía, aristocracia y república son formas puras de gobierno; e impuras la tiranía, la oligarquía y la demagogia.

Para Aristóteles, la mejor forma de gobierno es la afín con las necesidades y el carácter de cada pueblo, ya que el Estado ideal únicamente es posible en el supuesto de que exista también una sociedad ideal. Y, personalmente, creyó lo mejor una democracia moderada.

Políticamente, Aristóteles afirmó teorías tan importantes y eternas como estas: que la buena marcha de una comunidad exige la desaparición de estos extremos: lujo y pobreza; que el fundamento más sólido del Estado radica en la existencia de una clase media floreciente; que es necesaria la reglamentación de la educación del pueblo en sus aspectos físico, intelectual y moral; que es ilícita la guerra de agresión; que la desigualdad social es fuente de injusticia; que los factores geográficos y económicos influyen decisivamente en la organización política...

Naturalmente, se hallan algunos errores en el aristotelismo.

¿Cuáles son tales errores? La defensa de la necesidad de la esclavitud. La afirmación de la superioridad de los griegos sobre los demás pueblos. La creencia en la incapacidad para gobernar de las clases trabajadoras.

El aristotelismo adquirió inmediatamente una importancia y una influencia enormes, que todavía permanecen vigentes.

Los alejandrinos neoplatónicos afirmaron la identidad de las filosofías platónica y aristotélica, concediendo a Aristóteles una autoridad de primer orden. La Iglesia de los primeros siglos miró con desconfianza la filosofía aristotélica, en la cual se hacía referencia a un Dios impersonal, desligado por completo del mundo, y con simpatía la filosofía platónica, mucho más humana, cálida y bella, cuyo Dios era de bondad y de amor. Pero desde el siglo IV, los famosos Padres de la Iglesia de Oriente y de Occidente y los grandes cismáticos y heresiarcas adoptaron las definiciones y la dialéctica del aristotelismo. En el año 420, el obispo Nemesio introdujo en la teología el procedimiento de Aristóteles en la crítica de las varias opiniones. Y San Juan Damasceno, en su *Fuente de la Sabiduría,* se apoyó decidida y decisivamente en la física y en la psicología aristotélicas.

En el siglo IX, el aristotelismo penetró ardorosamente en el mundo árabe. Y genios musulmanes como Averroes y Avicena, y genios judíos como Gabirol y Maimónides, lo exaltaron hasta lo inverosímil. Todas las órdenes monásticas lo acogieron con entusiasmo desmedido. Alejandro de Hales, Alberto Magno y Tomás de Aquino introdujeron el aristotelismo genuino y verdadero; y el eximio autor de la *Summa Theologica* empleó como vehículo, para exponer las verdades reveladas, la doctrina aristotélica. El *escolasticismo* (V.), doctrina filosófica que se enseñó desde el siglo IX al XVI, y que tuvo su origen en las escuelas eclesiásticas fundadas por Carlomagno, y cuyo carácter esencial fue la unión, más o menos íntima, de la filosofía—dialéctica—con la teología, tuvo como idea esencial la enseñanza del aristotelismo *adaptado* a las distintas creencias religiosas de quienes lo explicaban e interpretaban.

El aristotelismo, durante el Renacimiento, fue defendido lo mismo por católicos que por protestantes, estudiándolo y utilizándolo con el mayor entusiasmo: Genadio, Escalígero, Cesalpino, Melanchton, Teodoro de Beza, Ramus, Juan de Vergara, el Brocense, Ginés de Sepúlveda, Caramuel, Huarte, Soto, el Padre Suárez, Báñez, Pedro Ciruelo...

En opinión autorizada de Menéndez y Pelayo, el aristotelismo encontró en España, durante los siglos XVI y XVII, un gloriosísimo apogeo.

Posteriormente—fines del siglo XVII y principios del XVIII—, el aristotelismo sufrió un durísimo embate en toda Europa. Bacon lo había calificado antes de *anticientífico*. Descartes declaró quiméricas y confusamente expuestas las cualidades sensibles de la filosofía aristotélica. Y es que nacían el *racionalismo* (V.), el *positivismo* (V.) y el *materialismo* (V.), enemigos irreconciliables de las doctrinas y sistema de Aristóteles.

Los siglos XIX y XX marcan *una afición* inagotable al Estagirita.

V. DIÓGENES LAERCIO: *Vida de Aristóteles.*—ZELLER, G.: *Aristóteles.* Trad. cast. Madrid, 1913.—GROTTE: *Aristotle.* Varias ediciones. Acaso la mejor biografía.—WALLACE, Ewd.: *Outlines of the philosopy of Aristotle,* Londres, 3.ª ed., 1901.—MARÍAS, Julián: *Historia de la Filosofía.* Madrid, 1943.—CHERNISS, H.: *Aristotle's Criticism of Plato and the Academy.* Baltimore, 1944.—DEFOURNY, M.: *Aristote. Etudes...* París, 1932.—HAMELIN, O.: *Le système d'Aristote.* París, 1931.—GARCÍA LUNA, T.: *Historia de la Filosofía.* Madrid, s. a.

ARLEQUÍN

Personaje de la antigua comedia italiana, que tenía a su cargo divertir al público durante los intermedios de la representación con chistes y bufonadas.

Riccoboni pretende que Arlequín tuvo sus orígenes en los antiguos *mimos latinos.* Estos llevaban, como aquel, la cabeza rapada; se los llamaba *planipedes y mimi centunculo.* Esta última palabra parece designar un traje *a cuadros,* como el de Arlequín.

Otros autores, por el contrario, dan a Arlequín una etimología moderna enteramente: en 1580, un joven comediante, familiar y comensal del presidente Du Harlay, y a quien sus camaradas, por esta razón, llamaron *Harlecchino* (*pequeño Harlay*).

La cuestión de la nacionalidad en los tipos de sus personajes escénicos fue muy importante en Italia. Arlequín representaba a Bérgamo; Pantalón, a Venecia; Escapín, a Nápoles.

Arlequín, tipo teatral regocijante, pasó a la escena francesa en el siglo XVII, introducido por los comediantes italianos, y poco a poco a todas las pantomimas de la farándula mundial.

ARLEQUINADA

1. Acción o ademán ridículo, como los de Arlequín.

2. Pieza de teatro en la que Arlequín sirve de protagonista.

ARMENIA (Lengua)

Esta lengua llamada también *haicana* o *haïciana,* de Haïks, nombre dado a los armenios, corresponde a la familia de las lenguas caucásicas del grupo indoeuropeo. Cuenta con elementos afines a otros del zeud y del sánscrito, idiomas de los que, sin embargo, no parece derivar.

En el armenio hay que distinguir la *antigua lengua o literal* y la *lengua moderna* o *vulgar.* Esta ha tomado numerosos vocablos, alterados por el tiempo, de los pueblos vecinos, y abunda en dialectos y en *patois* sin literatura y sin gramática. Por el contrario, la lengua literal tiene su propia fisonomía y delata un desenvolvimiento regular. Cuenta con más de cuatro mil raíces, y ofrece combinaciones gramaticales sumamente curiosas. Las declinaciones del nombre varían, según los eruditos, de seis a veinte, marcando, ya las desinencias, ya los prefijos, diez casos. La lengua es sonora, aun cuando monótona; monotonía que produce el acento cargado sobre la última sílaba de las palabras. La antigua prosodia que marca el ritmo del verso sin el auxilio de la rima fue adoptada por los poetas armenios después del siglo XI.

V. BELLAUD, C.: *Essai sur la langue arménienne.* París. Varias ediciones.—SCHOEDER: *Thesaurus linguae antiquae armenicae et hordiernae.* Amsterdam.

ARMENIA (Literatura)

Esta literatura, mucho tiempo inestudiada, está llena de tesoros históricos, puestos en evidencia por los trabajos de los mekhitaristas. En los textos publicados por estos se contienen los conocimientos más firmes de una notable parte de la historia de Asia. La historia fue el género literario más cultivado por los autores armenios.

Desgraciadamente, nada queda de las crónicas anteriores al siglo IV, que estuvieron escritas ya en armenio, ya en griego, tales como las escritas por Mar-Apas, Lerubna, Ardito, Corobuto. Los anales que poseemos, datados en los siglos IV y V, corresponden a Agathango, Moisés de Khorena, Lázaro de Parbo y Eliseo. Después de una laguna de varios siglos, causada por las guerras y las disputas teológicas, aparecen otras historias interesantes: en el siglo IX, la del patriarca Juan VI, llamado Juan Católico, y la de Tomás Arzumi; en el siglo siguiente, las de León Yéretz, Mateo de Edessa y Esteban Assoghig; en el siglo XV, la de Tomás de Medzop. Luego, el renacimiento de los estudios históricos provocado por los mekhitaristas determinó la aparición de numerosos escritores de mérito, entre los que sobresale el padre Tchamitchain.

En opinión de los armenios, su literatura posee riquezas suficientes en todos los géneros.

Entre los poetas y escritores eclesiásticos: San Jacobo de Nisibis y el patriarca Nersés, en el siglo IV; San Isaac y San Mesrob, en el siglo V; Gregorio de Nareg, en el X; Nersés Glaïetzi, poeta teólogo, en el XII; el doctor Vartan, fabulista, en el XIII.

De los siglos XIV al XVII, las conquistas turcas en Asia y las querellas religiosas interrumpieron totalmente el progreso de la literatura armenia.

En el siglo XIX los hermanos Calfa han procurado iniciar a sus compatriotas, por medio de las traducciones, en el conocimiento de las literaturas occidentales.

V. SUKIAS SOMAL: *Quadro della storia litteraria de Armenia.* Venecia, 1829.—DULAURIER: *Bibliothèque historique arménienne.* París. Varias ediciones.—PATKAMAN: *Catalogue de la littérature arménienne.* San Pertersburgo, 1860.

ARMONÍA

Armonía de la cláusula "es el agradable sonido que debe tener, y resulta de que las palabras que la forman sean sonoras y fáciles de pronunciar y se hallen acertadamente enlazadas, y de que estén bien dispuestos los miembros e incisos, y bien combinados y distribuidos los tiempos, los acentos y las pausas".

Para la armonía del lenguaje son indispensables la unidad y la variedad en la melodía, en el ritmo del tiempo y en el ritmo del acento.

Generalmente, sin que se haya podido explicar su *porqué,* la armonía del estilo es una consecuencia de la armonía de las ideas.

Los antiguos, para conseguir la armonía del estilo, además de la mezcla de los sonidos, utilizaban los acentos, por medio de los cuales alzaban la voz en una sílaba, la subían en otras o la subían y bajaban en una misma. Si las lenguas modernas carecen del acento elemental y prosódico, tienen, por lo menos, su modulación natural. La interrogación, la admiración, la conminación... Con las entonaciones e inflexiones que les son propias suplen por el acento de los antiguos. La armonía de estilo en nuestra lengua depende de la combinación de los sonidos lentos o rápidos, unidos y sostenidos por articulaciones fáciles y distintas.

"En la Naturaleza es donde debemos buscar los principios de la armonía del estilo. Cada pensamiento tiene su extensión, cada imagen su carácter, cada movimiento de alma su grado de fuerza y rapidez, y cada uno su lenguaje, su giro y su sonido, correspondientes a la ideas que expresa. Los objetos agradables y suaves se juntarán con sonidos agradables y dulces; los desagradables, con ásperos; los lentos y fijos, con graves; los movibles, por ligeros." Por analogía de los sonidos podemos expresar objetos de tres especies: *otros sonidos, pasiones y sentimientos del alma* y *el movimiento.*

Ejemplo de *otros sonidos*:

La abeja susurrando,
el trueno horrisonante, retumbando...
Rompa el cielo en mil rayos encendido,
y con pavor horrísono cayendo
se despedace en hórrido estampido.

(F. DE HERRERA.)

Ejemplo de *pasiones y sentimientos del alma*:

Acude, corre, vuela,
traspasa la alta sierra, ocupa el llano,
no perdones la espuela,
no des paz a la mano,
menea fulminando el hierro insano.

(FRAY LUIS DE LEÓN.)

Ejemplo de *movimiento*:

Subo con tanto peso quebrantado
por esta alta, empinada, aguda sierra.
Del golpe y de la carga maltratado,
me alzo apenas...

(F. DE HERRERA.)

A esta armonía del estilo se la llama *imitativa.*

ARMONISMO

Tendencia literaria y artística—afecta principalmente a la estética—que busca el *equilibrio* entre la forma y el fondo de las obras.

Para la crítica, en su mayoría, el armonismo es indispensable, ya que la estridencia o desarmonía entre el pensamiento y la palabra, o entre el pensamiento y el color, o el pensamiento y las notas, llevarán, en los más de los casos, a que se malogre el libro, el lienzo, la partitura.

La opinión de la crítica no es firme. *Precisamente* en poesía, en pintura, en música, muchas de las obras fundamentales y eternas se han producido con la vulneración del armonismo; basta recordar a Dostoyevski, al impresionismo, a Igor Strawinsky. Posiblemente en lo armónico podrían encontrarse requisitos *dogmáticos* y requisitos *condicionados.* Acaso la estética no pida sino que se cumplan aquellos.

Sí, el armonismo cuenta con unos *elementos insustituibles*: aquellos que afectan a la *cohesión* o *correspondencia* esencial de todos los componentes de una obra. Y ellos serán los únicos respetados.

Debe advertirse que el armonismo deriva de la *armonía natural,* y nunca de esa armonía *forzada*—o exceso de armonía—que se consigue con el rebuscamiento en la falta de inspiración. Las palabras deben *sonar bien* en la frase, para que esta resulte grata, o produzca el efecto determinado que se desea. El armonismo puede ser: *interno y externo,* pero en sus dos formas corresponde a cierto preciosismo, a cierta busca alquitarada de la melodía u orquestación verbal. El armonismo *externo* depende exclusivamente de las palabras y de su colocación en la frase; el *interno* depende de la adecuación de las figuras e imágenes con las ideas y los sentimientos que inspiran la composición literaria.

En pintura, el armonismo *externo* depende del dibujo y del color; el *interno* enraíza en el puro subjetivismo del artista.

En música, el armonismo—su tercer elemento—maduró mucho más tarde que el ritmo y la melodía, y puede ser: *puramente funcional o puramente expresivo;* el primero corresponde al *externo* de las demás Bellas Artes, y el segundo al *interno.*

El armonismo expresivo fue el que tardó en madurar; al menos, no fue ardientemente buscado, para la singularización, hasta Wagner, a quien siguieron Debussy, Alexander Skrjabin, Messiaen, Strawinsky y tantos y tantos más.

Hay, pues, que reconocer que si el armonismo produce obras capitales, lo inarmónico *externamente* también las ha conseguido. Únicamente el *armonismo interno expresivo* no faltará jamás en el esfuerzo creador para que su criatura admire o emocione.

ARMORIAL

Libro o índice de armas de nobleza. Si contiene la genealogía de las familias, se le llama *nobiliario.*

El *Armorial General de Francia* es el más famoso de estos libros. Consta de 34 tomos de texto y 35 tomos de escudos, pintados por el rey de armas Carlos d'Hozier. Se empezó en 1697 y se terminó en 1709.

ARMORICANA

Dialecto céltico y literatura de la Armorica o Bretaña baja. (V. Bretona, Lengua y Literatura.)

ARQUEOLOGÍA

Del griego αρχαιολογια : de αρχαιος, antiguo, y λόγος, discurso, conocimiento o estudio de la antigüedad, mejor aún: de las antigüedades, es decir, de todos los monumentos de arte de los tiempos antiguos relativos a la vida pública y privada, a las costumbres, a las leyes y a las instituciones.

La arqueología es una de las ramas más importantes de la Historia; está en un primer rango entre los estudios accesorios históricos. Comprende, además, una serie importantísima de disciplinas: la filología, la epigrafía, la paleografía, la numismática, la glíptica, la iconografía, etc., que estudian, respectivamente, las lenguas, las inscripciones, los manuscritos, las medallas, la escultura y todas las representaciones en figura. Existen muchas clases de antigüedades y, por consiguiente, muy diversas ramas de la arqueología, según el orden de los objetos de estudio o de los pueblos en los que se explora el pasado. Hay antigüedades sagradas y profanas, y entre aquellas, con mayor importancia, las cristianas. En relación con los pueblos, las antigüedades griegas y romanas superan a las demás en valor; pero también lo tienen las orientales, las cartaginesas, las celtas, las góticas, las bárbaras de la Edad Antigua. Toda nación que tiene una historia antigua importante tiene igualmente antigüedades de interés.

La ciencia de tales antigüedades es de origen moderno. Los pueblos jóvenes rodearon los monumentos de anteriores épocas de leyendas y de mitos.

La arqueología nació en Italia de los recuerdos de Dante y de Petrarca acerca de los viejos manuscritos y de las inscripciones y de las medallas. Y los monumentos permanentes del arte antiguo fueron objeto de concienzudos y bellos estudios durante el gobierno en Florencia de Lorenzo de Médicis. Poco después quedó perfectamente separada la arqueología de la crítica de arte, cuyas diferencias señaló agudamente Winckelmann.

La fundación en Francia de la Academia de las Inscripciones y Bellas Letras deparó a los estudiosos un centro inapreciable para el estudio de las Bellas Artes.

A partir del siglo XVIII se multiplicaron los sabios dedicados a estos estudios: Graevius, Grenovius, Grüter, Muratori, Dom Martin, Baxter, Kircher, el conde de Caylus Lanzi, el abate Barthélemy, Zoega, Rossi, Visconti, Borghesi, Uttfried, Müller, Boettiger, Rochette, Saulcy, Quatremère de Quincy, Champollion, Didrón, Palomino, Ponz, Feijoo, Jovellanos, Capmany.

Son numerosísimas y de importancia suma las obras dedicadas al estudio de las antigüedades. Entre ellas son celebérrimas las conocidas con el nombre de *Thesaurus y Novus Thesaurus antiquitutum*—Venecia, 1744 a 1770—, de Grenovius, Ugholini, Graevius, Sallengre y Poleni, en 34 tomos—publicados también en Leyden, La Haya y Tréveris—: la *Antigüedad explicada,* de Montfaucon—1719—, y los *Anales arqueológicos,* de Didrón—1844.

En España, las *Medallas de las colonias, municipios y pueblos de España*—1761—, del P. Flórez, y el *Viaje de España,* de Ponz, en 18 tomos.

Todos los países cultos tienen numerosas revistas de arqueología.

V. MILLIN: *Introduction à l'étude des monuments antiques.*—CHAMPOLLION-FIGEAC: *Résumé de l'archéologie ou Traité d' archéologie.*—DE CAUMONT: *Abecédaire d'archéologie.* París. Varias ediciones.—MÉLIDA, J. R.: *Arqueología española.* Barcelona. Colec. Labor.—NAVAL, P.: *Arqueología y Bellas Artes.* Madrid, ¿1909?—WINCKELMANN, J.: *Historia del arte antiguo.*

ARQUEOLOGISMO

Es una tendencia literaria y artística que se inspira en el interés por el pasado—destruido o parcialmente desaparecido—. El arqueologismo busca los valores artísticos y literarios fuera del *momento vital,* acudiendo a evocar, a revivir, a revalorizar temas, figuras y cosas de antiguas civilizaciones que permanecían olvidadas o en un secreto de esfinge.

El arqueologismo apareció al iniciarse los viajes de los espíritus selectos hacia los escenarios del mundo antiguo. Y ha llegado a su apogeo como consecuencia de los hallazgos realizados en el Oriente Medio, en Egipto, en Creta, en Etruria, en todo el norte africano...

Posiblemente, el arqueologismo dependió de algo tan sencillo como esta frase: *Cualquier tiempo pasado fue mejor.* Al literato, al artista, le pareció más meritoria su obra si lograba en ella dar la sensación de lo *inactual;* más aún: sugerir la idea de lo desaparecido o muerto con veracidad, o con verosimilitud, al menos. Que ante un cuadro, que leída una novela, el contemplador y el lector digan: así debió de ser la Atenas de Pericles, o la Cartago de Salambó, parece ser el mayor mérito del arqueologismo.

El arqueologismo—como afán colectivo—se inició dentro del Renacimiento por obra de León Battista Alberti (1404-1472). Y Nicolás-Claudio Fabri (1580-1637) puso "de moda" los viajes en busca de restos de remotas civilizaciones, con la intención, indudablemente hermosa, de *reconstruirlas.* Después... Siempre hay que contar con el espíritu imitativo del hombre. Después... Los anticuarios de los siglos XVII y XVIII, la creación de los museos oficiales y particulares, los viajes ex profeso de los aficionados y de los apasionados... hicieron lo demás. Modernamente, las sociedades científicas llevaron el arqueologismo a su interés candente.

En literatura, el arqueologismo ha inspirado obras universales todas, aun cuando de muy diferentes valores; así: *Salambó,* de Flaubert; *La hija del rey de Egipto,* de Ebbers; *Afrodita,* de Pierre Louys; *Sónnica la cortesana,* de Blasco Ibáñez; *El ramo de oro,* de Frazer; *Cleopatra,* de Ludwig; *Quo vadis...?*, de Sienkiewick; *Fabiola,* del cardenal Wisemann; *Los últimos días de Pompeya,* de Bulwer Lytton...

En pintura, en el llamado *género de Historia,* el arqueologismo ha inspirado incontables obras maestras. Un pintor moderno italiano —nacido en Grecia, 1888—, Giorgio de Chirico, ha llevado al arqueologismo todas las audacias de los procedimientos subversivos.

Posiblemente, el arqueologismo *más falso* es el planteado por la música, pese a los esfuerzos de Wagner y de Verdi.

ARQUETIPO

1. Modelo primordial y eterno.
2. Perfección buscada en una obra para que sirva de modelo.

ARQUÍLOCO (Gran) (V. Troqueo)

1. Nombre de una especie de versos inventados por Arquíloco.
2. Verso de siete pies, en arte mayor: los cuatro primeros, por lo común, dáctilos, y a veces espondeos; y los tres últimos, troqueos; y en el arte menor, de dos dáctilos y medio.

ARRIANISMO

Herejía de Arrio, célebre heresiarca, nacido—280—en Siria y muerto en el año 336. Era sacerdote de la Iglesia de Alejandría y orador de una elocuencia avasalladora. Y cuando el obispo Alejandro publicó una pastoral en la que afirmaba la *consustancialidad* de Jesucristo con Dios, Arrio se levantó contra tal afirmación y acusó a su obispo de herejía, negando él la *divinidad de Jesucristo.*

El catolicismo dice que Dios es, a la vez, uno en esencia y trino en personas, Padre, Hijo y Espíritu Santo, y que estas tres personas son igualmente perfectas, eternas e increadas, *absolutamente iguales,* o, mejor, son Dios. Que Jesucristo es la segunda persona, el Hijo, *encarnada* en el tiempo para la redención del género humano.

Arrio afirmó: "que el Hijo *no es igual* al Padre; que *no es su misma esencia,* ni infinito ni eterno; que es una criatura la más perfecta, pero *criatura* al fin, por la cual han sido creadas todas las demás cosas, y que ha llegado a una tal unión con Dios que, en cierto sentido, se le puede llamar Dios, pero sin dejar su propia naturaleza de *criatura*".

El arrianismo se inició en el año 318. La elocuencia arrebatadora de Arrio le atrajo gran número de discípulos y prosélitos, y muchos sacerdotes y algunos obispos se adhirieron públicamente a su opinión. La nueva secta se propagó rápidamente por Egipto, Siria y Palestina.

El Concilio de Alejandría excomulgó a Arrio y a sus principales secuaces los obispos Segundo y Teonás. La excomunión levantó numerosas y airadas protestas. Y el severo y austero Eusebio, obispo de Nicomedia, apoyado por Constancia, hermana del emperador Constantino, exigieron al obispo Alejandro el levantamiento de la excomunión contra Arrio, quien, desterrado de Alejandría, se había refugiado en Cesarea, acogido favorablemente por Eusebio, obispo de tal diócesis.

Los dos obispos Eusebios convocaron un Concilio, que se declaró en favor de Arrio.

Poco convencido de las resoluciones de tan arbitrario Concilio, el emperador Constantino convocó en Nicea de Bitinia un Concilio ecuménico el año 325. La mayor parte de los obispos orientales acudieron a él, pero muy pocos de los occidentales. El Pontífice Silvestre I estuvo representado por Vito y Vicente.

El *alma* y presidente de este memorable Concilio fue el obispo español de Córdoba Osio, ejemplo de santidad, de sabiduría y de elocuencia, el cual invitó a Arrio a que expusiese su doctrina.

Luego de largas y apasionadas discusiones, en las que el diácono Atanasio se impuso por su ciencia y elocuencia, 300 obispos de los 318 asistentes pronunciaron el anatema contra Arrio y su doctrina, y formularon el *Credo* cristiano, que todavía es símbolo de la Iglesia católica.

Posteriormente, con ocasión de celebrarse la consagración de la nueva iglesia del Santo Sepulcro, en Jerusalén, otro Concilio reunido en esta ciudad acogió favorablemente *la justificación* de Arrio, le reintegró en sus funciones sacerdotales, ordenó a todas las iglesias del Imperio que le recibiesen en su comunión y logró del emperador Constantino que desterrase a Tréveris al obispo de Alejandría Atanasio, el más formidable rival del arrianismo.

El rehabilitado heresiarca entró triunfalmente en la ciudad; pero ya en la cumbre de su triunfo se sintió repentinamente enfermo y tuvo que refugiarse en una casa del trayecto, donde murió a los pocos minutos entre espantosos dolores.

Con la muerte de Arrio no desapareció el arrianismo, ya muy extendido por toda Europa. Como tal arrianismo, o como *semiarrianismo* (V.), se mantuvo en predicamento hasta que el segundo Concilio ecuménico, reunido en Constantinopla el año 381, reafirmó totalmente la doctrina del de Nicea. Solo entonces quedó vencida la herejía dentro de las fronteras del Imperio.

Pero muchos pueblos bárbaros—godos o visigodos—aún siguieron manteniendo la herejía. Clodoveo, rey de los Francos, abjuró de ella en 496. Y Recaredo, rey de los visigodos españoles, en 587.

V. ATANASIO, San: *Tratados polémicos.*—BULL: *Defensio fidei Nicenae.*—MÖHLER: *Athanasius.* Mainz, 1844.—GWATKIN: *Studies on Arrianism.* Londres, 1900.—BOULENGER, A.: *Historia de la Iglesia.* Trad. cast. Barcelona, 1936.

ARSIS

Término de métrica griega que designa la elevación de voz sobre una sílaba del verso. Se opone a la *thesis,* que es el descenso de voz. La arsis es la primera sílaba de cada pie, empezando por una larga, y marca la cadencia, que llega a las seis veces en el hexámetro, cinco en el pentámetro, y así en los restantes versos dáctilos.

El efecto de la arsis era tal en la poesía antigua, que, de cuando en cuando, arrastraba a la cesura, alargando una sílaba breve, como en el siguiente ejemplo:

Dona de / hinc au / ro gravi / a sec / toque ele / *[phanto.*

Se llama *anacrosis,* es decir, *preludio,* a una o más sílabas que se encuentran a la cabeza de ciertos versos líricos antes de la arsis. Estos términos de la métrica griega han pasado al lenguaje técnico musical para designar la arsis el tiempo fuerte y la thesis el tiempo débil de la medida.

ARTE (y BELLAS ARTES)

1. Disposición o industria para hacer alguna cosa.

2. Imitación de lo real o de lo irreal por medios materiales.

3. Lo contrario a la *Naturaleza*: todo lo que se hace por industria o disposición del hombre.

4. Conjunto de reglas para hacer bien alguna cosa.

En general, *arte* es lo contrapuesto a *Naturaleza.* Ambos conjuntamente abarcan todos los fenómenos del Universo.

El origen, el fin, la esencia y la clasificación del arte han sido muy discutidos por los críticos. En el arte es elemento indispensable la *inspiración.* En la Naturaleza son elementos esenciales *la percepción y la crítica.*

En relación con la *literatura,* el arte tiene una importancia capital. Se relaciona con la sensibilidad y con el estilo del escritor. Un literato es *artista* cuando se expresa *bellamente, embelleciendo* los temas. La literatura *antiartística* es vulgar, tiene escasa vida. El arte en el escritor produce un conjunto de propiedades y relaciones de ritmo y armonía del cual dependen los efectos agradables y duraderos de sus obras.

El *arte* es la *personalidad* del escritor.

Las Bellas Artes son: la Poesía, la Pintura, la Escultura, la Arquitectura y la Música.

El arte, literariamente, es lo que se debe *conocer* para *hacer.* (V. Métrica, Arte, y Poética, Arte.)

ARTE DRAMÁTICO (V. Comedia. Drama. Melodrama. Opera. Tragedia. Sainete. Entremés. Juguete cómico... Exposición. Desarrollo. Intriga. Peripecia. Prólogo)

ARTE MAYOR (Versos de)

Se denomina así a los que constan de nueve o más sílabas, divididos en dos o más hemistiquios. (V. Métrica, Arte.)

ARTE MENOR (Versos de)

En la métrica castellana se da el nombre de versos de arte menor a los que constan de dos sílabas—*bisílabos*—, tres—*trisílabos*—, cuatro—*tetrasílabos*—, cinco—*pentasílabos*—, seis —*hexasílabos*—, siete—*heptasílabos*—y ocho—*octosílabos.*

Los versos de arte menor no precisan más que un solo acento rítmico, además del que llevan siempre en la penúltima sílaba, en la antepenúltima—palabra esdrújula—, o en la última —palabra aguda—. (V. Métrica.)

ARTE POÉTICA

Título de algunos libros dedicados a la *técnica* de la poesía. Así: la *Poética,* de Aristóteles. Y la *Epístola a los Pisones,* de Horacio. Y el *Art poétique,* de Colletet. Y las obras retóricas de Boileau, Muratori, Menzini, Breitinger y Hermosilla.

ARTE TEATRAL (V. Actor. Declamación...)

ARTES LIBERALES

Con este nombre se designan ordinariamente las artes en las que el pensamiento predomina sobre la materia. El nombre se originó en los pueblos antiguos, donde los hombres libres las cultivaban con preferencia, ya que las *artes mecánicas* eran las ejecutadas por los esclavos. Las escuelas del mundo antiguo establecieron para la enseñanza de las artes liberales una clasificación curiosa.

Eran siete artes, que correspondían a los siete días de la semana: Gramática, Lógica, Retórica, Aritmética, Geometría, Música y Astronomía. Las tres primeras formaban el *trivium,* nombre adoptado en honor de la Trinidad; y las cuatro últimas el *quadrivium,* en recuerdo de los cuatro ríos del Paraíso. Según una costumbre familiar, que puso en boga la escolástica, *versos técnicos* enumeraban las artes liberales y les marcaban su lugar en el *trivium* y el *cuadrivium* con los nombres de las ciencias de las que ellas sacaban su objeto. Un solo verso bastaba para la enumeración:

Lingua, Tropus, Ratio, Numerus, Tonus, Angulus,
[*Astra.*

Con otros dos versos a continuación, precisaban la enseñanza de cada una de ellas, designando por la sílaba inicial la rama que le estaba dedicada:

Gram. loquitur; Dia. verba docet; Rhe. verba mi-
[*nistra;*
Mus. canit; Ar. nunc erat; Ge. Ponderat; As. colit
[*astra.*

Se llamaba *maestro en artes* a aquel que había obtenido en las Universidades el grado necesario para enseñar Humanidades y Filosofía.

En la actualidad son artes liberales: *Composición. Arquitectura. Escultura. Pintura. Música. Poesía. Escenografía. Baile. Canto* (V.).

ARTÍCULO (Escrito)

1. Cláusula, anotación, adición.
2. Cada una de las partes, párrafos o períodos completos en que se divide un escrito.
3. Cada una de las divisiones de un diccionario encabezada con palabra distinta.
4. Cada una de las disposiciones numeradas de una ley, un reglamento, un tratado.
5. Escrito de mayor o menor extensión insertado en un periódico o en una revista.
6. Tema, cuestión, asunto, objeto que se discute y analiza.
7. Cosa particular.
8. Parte de la oración gramatical.

El artículo, como escrito, es una de las manifestaciones literarias más populares. Sus requisitos son: una idea o tema, claridad, sencillez, agilidad, amenidad, oportunidad. La aparición de los primeros periódicos determinó el auge de este género literario, atractivo y difícil. Escritores famosos lo han sido en su carácter de *articulistas,* como nuestro Mariano José de Larra (*Fígaro*).

ARTISTA

1. El que sabe concebir y realizar convenientemente obras bellas.
2. El que estudia el curso de las artes.
3. Persona dotada de cierta virtud, disposición o fuerza para el cultivo de una de las Bellas Artes.

Algunos lexicógrafos pretenden que el artista es aquel cuyas operaciones son más intelectuales que mecánicas.

ARYA o ARIA (Lengua)

Se ignora cuál fue la lengua primitiva de los aryos. Los filólogos señalan tres dialectos, variedades de una lengua común: el *sánscrito* en la India, el *zendo* en la antigua Bactriana y el *persa.*

Los aryos utilizaron la escritura cuneiforme.

Las lenguas aryas importadas a Europa originaron la mayoría de los idiomas occidentales, dos de los cuales, el castellano y el portugués, fueron llevados a América. Todas estas lenguas, por sus analogías indudables, han dado lugar al grupo *indoeuropeo,* a otro *indogermánico* y a otro *sánscrito* o *jafético.* Estas lenguas tienen la estructura más perfecta conocida, son *fluxionantes* en grado sumo. La raíz que se modifica internamente y la agregación de afijos pueden expresar todos los pensamientos al detalle. La conjugación y la declinación obran el milagro de una expresión limpia y exacta. La raíz, en su forma limpia, es monosilábica; está impuesta por una vocal y una o varias consonantes antecedentes o posteriores a aquella. Grimm ha probado la facilidad con que, conocido el mecanismo gramatical—denominado *ley de permutaciones*—, se llega siempre a despejar la raíz de cualquier vocablo.

Posiblemente, fueron idiomas indoeuropeos: el *dacio,* el *frigio,* el *lycieno,* el *albanés* y el *etrusco.* Pero en ellos la procedencia aún no ha quedado bastante clara.

Las lenguas indoeuropeas se dividen en dos grandes grupos: el *asiático* y el *europeo.* Y cada uno de estos en varios subgrupos.

El *asiático,* en subgrupo *indo* y subgrupo *iranio.* En el primero está el *sánscrito,* con las lenguas neosánscritas, como el *hindo* y el *bengalí.* En el segundo: el *zendo,* el *persa antiguo* y el *armenio antiguo.*

El grupo *europeo* se subdivide en: subgrupo *léthico*—con el *prusiano, lituano* y *letón*—; subgrupo *eslavo*—con el *ruso,* el *polaco, búlgaro, servio, moravo, bohemio,* etcétera—; subgrupo *germano*—con el *gótico, sueco, noruego, danés, islandés, alemán, sajón, holandés, flamenco, anglosajón (inglés)*—; subgrupo *céltico*—con el *irlandés, mannés, córnico, armoricano, kimrico*—; subgrupo *griego*—con el *eolio*, el *dorio*, el *jonio* y el *ático*—; subgrupo *itálico*—con el *osco*, el *umbrio*, el *etrusco* y el *latín*, comprendiendo este último el *italiano*, el *francés*, el *castellano*, el *portugués* y el *rumano*.

V. POPP, Fr.: *Grammaire comparée des langues indo-européennes*. París. Varias ediciones.

ASCÉTICA

1. Teoría de los medios y del método para alcanzar una vida virtuosa y perfecta.
2. Doctrina del ascetismo.
3. Nombre de uno de los más atractivos géneros literarios.

En la antigüedad griega ya era conocida y aplicada a la literatura la idea del ascetismo o perfeccionamiento de sí mismo.

En el transcurso del tiempo, la literatura ascética se enriqueció de un modo extraordinario. La única diferencia entre este género en la Edad Media y el mismo en la Edad Moderna está en que antiguamente la literatura ascética tenía como exclusivo y principal objeto la más alta perfección de la vida humana, mientras que la moderna, no deteniéndose en esta forma especial, abraza la perfección humana en general.

No se debe confundir la *ascética* con la *mística*, ya que esta se ocupa de la perfección cristiana en sus formas más sublimes y más raras.

La obra literaria ascética más famosa es el *Kempis* o *Imitación de Cristo*.

Acaso en ningún otro país como en España ha tenido la literatura ascética tantos y tan admirables escritores. Entre los dominicos, Fray Luis de Granada y Fray Alonso de Cabrera; entre los franciscanos, Fray Alonso de Madrid, Fray Bernardino de Laredo, Fray Francisco de Osuna, Fray Diego de Estella, Fray Juan de Pineda, Fray Juan de los Angeles, Fray Antonio Panés; entre los agustinos, Santo Tomás de Villanueva, Malón de Chaide, el beato Orozco, Ponce de León, Cristóbal de Fonseca, Juan Márquez, Fray Luis de León, Hernando de Zárate, Pedro de la Vega, Pedro de Valderrama; entre los jesuitas, Alonso Rodríguez, Luis de la Palma, Luis de la Puente, Nieremberg; entre los sacerdotes seculares, Alejo Venegas, Pedro Caldés, Hernando de Talavera, Juan de Avila...

Los tratadistas señalan tres vías para llegar a la unión del hombre con la Divinidad: *vía purgativa, vía iluminativa* y *vía unitiva*. Las dos primeras son comunes en el trato al ascetismo y al misticismo. La tercera es peculiar y privativa del segundo.

La literatura ascética española se origina en los últimos años del reinado de los Reyes Católicos. El confesor de la reina Isabel, Fray Hernando de Talavera, se propuso que la *expresión literaria* pusiera al alcance de la mente menos sutil, "la de la más simple viejecita", las enseñanzas de los caminos para llegar a Dios.

Ascéticos de talla excepcional han sido San Francisco de Sales, San Alfonso María de Ligorio y el cardenal Belarmino.

V. SAINZ Y RODRÍGUEZ, Pedro: *Introducción a la Historia de la Mística en España*. Madrid, 1927.—DOYLE, P.: *Principles of Religions Life*. Londres, 1906.—DEVINE, P.: *Manual of Ascetical Theology*. Londres, 1902.

ASCETISMO

Profesión de la vida ascética. Sistema moral que conduce al hombre *a contrariar voluntariamente*, hasta el límite que le consientan sus propios recursos y fuerzas, sus necesidades y satisfacciones naturales. El subordinar estas satisfacciones a la razón y al deber no es suficiente para llegar al ascetismo. Ni tampoco que tales necesidades sean las llamadas "instintos y apetitos del cuerpo". El sentido negativo del ascetismo es más amplio: contraría necesidades socialmente honrosas, como las de sociedad, familia, cultura, aseo...

El mayor ascetismo supone el mayor desdén por los placeres y las necesidades materiales.

En el ascetismo, el ideal—noblemente concebido—sustituye esa *base psicológica* requerida por toda doctrina moral. Se ha llegado a decir que el ascetismo es una *moral sin psicología*.

Desde luego puede afirmarse que el ascetismo es una moral eminentemente *subjetiva*. Fundada en el menosprecio del cuerpo y de las posibilidades humanas para el placer, intenta asegurar el triunfo del alma sobre los instintos y las pasiones. El ascetismo intenta desenvolver todas las energías del alma emancipada de las servidumbres de la materia propia y de la naturaleza exterior. Y es entonces un ascetismo *metafísico* o *filosófico*, según lo creían en la Edad Antigua.

Pero también existe otro ascetismo fundado en el dogma de la expiación, tomado como objetivo para calmar la ira divina por medio del sufrimiento y de las privaciones voluntarias, ascetismo *teológico* o *religioso* que privó durante la Edad Media.

A los dos anteriores ascetismos, los más nobles, puede añadirse un tercero: el llamado *cosmológico* o *pesimista*, eco del antiquísimo *nirvana*, por el cual el hombre, movido por la melancolía, por el escepticismo, por el hastío de la vida circundante, y sujeto por determinadas concepciones empírico-inductivas de la realidad, busca la soledad y el silencio.

Se ha creído encontrar los primeros gérmenes del ascetismo en la filosofía de Pitágoras. En efecto, en la doctrina pitagórica se recomienda el sacrificio de la voluntad; y su proverbial silencio "era condición y a la vez resultado de la vida contemplativa".

Antístenes, fundador de la escuela cínica, aspiró a emancipar al hombre de las leyes naturales y a ganarle su absoluta independencia por medio del desdén por los afectos familiares y patrióticos.

Los estoicos completaron tal doctrina dando al ascetismo un carácter *lógico* que ha hecho tradicional su significación de la *pasividad estoica.*

Zenón afirmó que la virtud se basta a sí misma, que en sí misma encuentra la única satisfacción: *Gratuita est virtus, virtutis praemium ipsa virtus.*

Posiblemente, el desarrollo completo del ascetismo se encuentra en la escuela de Alejandría. El neoplatonismo, en el siglo III, enseña al hombre que el fin de toda su vida terrestre era exclusivamente el de preparar su vuelta eterna a la unidad divina. Plotino llegó a prescindir por completo de la sensibilidad—ya sensación, ya sentimiento—para hacer culminación de la dicha en la perfección del ser.

El ascetismo religioso apareció con el cristianismo. Muchos cristianos apasionados, no conformándose con cumplir el precepto *serva mandata,* se sujetaban *a la vida de consejo,* imponiéndose como regla de conducta las más austeras privaciones, las penitencias más rigurosas, huyendo de todo placer que pudiera mermar las energías espirituales.

La vida ascética cristiana es el antecedente inmediato de la *vida monástica.*

Algunos autores distinguen tres clases de ascetismo: *negativo, positivo y místico.*

El *negativo* consiste en romper los afectos y los lazos sociales que pueden llevarnos al pecado, a la ocasión del pecado. El *negativo* cumple, pues, el conocido precepto de "quien quita la ocasión, evita el peligro".

Consiste el ascetismo *positivo* en la práctica de las virtudes que directa o indirectamente conducen a la perfección moral. El *positivo* no rehúye la lucha, sino que *se fortalece* para vencer en el combate que pueda presentársele.

El ascetismo *místico* tiene por principal y casi exclusivo objeto identificarse "en arrobamientos y deliquios contemplativos con Dios".

El maravilloso San Juan de la Cruz, en sus *Avisos y sentencias espirituales,* explica el modo de alcanzar ese ascetismo místico con una magnífica parábola: "Las condiciones del pájaro solitario son cinco. La primera, que se va a lo más alto; la segunda, que no sufre compañía, aunque sea de su naturaleza; la tercera, que pone el pico al aire; la cuarta, que no tiene color determinado; la quinta, que canta suavemente; las cuales ha de tener el alma contemplativa. Que se ha de subir sobre las cosas transitorias, no haciendo más caso de ellas que si no fuesen, y ha de ser tan amiga de la soledad y silencio, que no sufra compañía ninguna de otra criatura; ha de poner el pico al aire del Espíritu Santo, correspondiendo a sus inspiraciones y deseos, para que, haciéndolo así, se haga más digna de su compañía; no ha de tener demasiado color, no teniendo determinación en ninguna cosa, sino en lo que es más voluntad de Dios; ha de cantar suavemente en la contemplación y amor de Dios."

V. DEVINE: *Manual of Ascetical Theology.* Londres, 1902.—KEMPIS, Tomás de: *Imitación de Cristo.*—RODRÍGUEZ, Padre: *Ejercicios de perfección y virtudes cristianas.*—SCARAMELLI: *Directorium Asceticum.* Londres, 1897.

ASCLEPIADEO (Verso)

Verso griego y latino, cuya invención se atribuye al poeta Asclepíades. Está compuesto de un espondeo, un dáctilo y una cesura larga seguida de dos dáctilos:

Maece / nas ata / vis // edite / regibus,
O et / praeside / um, et // dulce de / cus meum!

(HORACIO.)

Únicamente se diferencia del alcaico en que este lleva un segundo pie yambo. El asclepiadeo lo usaron mucho Horacio y Séneca, este, principalmente, para los coros de sus tragedias. De todos los versos antiguos, es este el que mejor acaricia nuestro oído, porque tiene, como el verso alejandrino, doce sílabas con un reposo obligatorio después de la sexta.

Debe distinguirse el asclepiadeo propiamente dicho del *asclepiadeo espondaico,* que lleva un espondeo como último pie.

Se denomina *gran asclepiadeo* a un verso que se confunde con el *pentámetro coriámbico* (V.).

ASIÁTICAS (Lenguas)

Generalmente, ha sido considerada Asia como la cuna del género humano. Todavía comprende hoy multitud de pueblos que hablan lenguas diferentes. Para intentar una clasificación general de estas lenguas, habrá que tener muy en cuenta las analogías reales que resultan de la identidad del origen, observando las relaciones materiales y fortuitas que provienen de situaciones de conquistas o de cualquiera otra causa contingente. Al estudiar la lingüística asiática, tampoco debe olvidarse que es en Asia donde hay que buscar el origen y tipo de casi todos los idiomas hablados en el Universo.

En Asia se encuentran—primera gran agrupación—lenguas *monosilábicas, polisilábicas y de aglutinación.*

Entre las monosilábicas están: el *chino,* el *tibetano,* las lenguas *del Birman y de Ava,* el *peguano,* el *grupo anamita,* el *siamés* y el *laossiamés.*

En las lenguas polisilábicas se encuentran *siete familias*: 1.ª, la *chino-japonesa;* 2.ª la *tártara,* que comprende los grupos *tonguso, mogol* y *turco;* 3.ª, familia *siberiana,* que comprende

el *samoyedo,* el *kurielano,* el *korieko,* el *jenisei,* el *kamtchadal*...; 4.ª, familia *india,* que comprende *sánscrito, páncrito,* el *pali,* el *fan,* el *kawi,* el *hindostani,* el *bengali,* el *cachemir,* el *telinga,* el *malabar,* el *cingalés,* el *tamul,* el *maldivio,* el *tsigano,* el *seikh,* el *mahrato*...; 5.ª, familia *persa,* que comprende el *zenda,* el *parsi,* el *kurda,* el *oseta,* el *afghano,* el *beluche*...; 6.ª, familia *caucasiana,* que comprende el *grupo georgiano,* el *grupo armenio* y el *grupo lesghio*...; y 7.ª, familia *semita,* que comprende el *grupo hebreo (samaritano, rabínico, fenicio, cartaginés),* el *grupo siríaco (palmeriano, sabeo, nabateo, caldeo),* el *grupo médico (pelvi),* el *grupo árabe* y el *grupo abisinio.*

ASIÁTICAS (Sociedades)

Asociaciones de sabios, cuya misión es el estudio de las lenguas y literaturas de Asia. La primera de estas sociedades se formó en Batavia, por los holandeses, hacia 1780. Fue su exponente la publicación de *Verhandelingen van het Bataviaasch genootschap van kunsten en wetenschappen*—Batavia, 1780 a 1833, en 15 volúmenes.

Sin embargo, esta Sociedad no estudió sino lo concerniente a las colonias holandesas. Las *Academias libres* las inició—1784—William Jones en Bengala y en Calcuta. En 1819 y 1828 aparecieron las de Bombay y Madrás. La Sociedad de Bengala publicó sus Memorias con el título de *Asiatic Researches,* de 1788 a 1828, y creó un *Journal* dedicado exclusivamente a temas de filología. La de Madrás publicó una revista periódica con el título de *Journal of Literature and Science.*

La *Sociedad Asiática* de París fue fundada —1824—por Champollión, De Sacy, Chézy, Abel Rémusat y V. de Saint-Martin. Esta Sociedad, consagrada por una real ordenanza de 1829, entró en relación con eruditos de diversas nacionalidades, especialistas en el tema, a los que nombró miembros correspondientes. Se debe a esta institución la publicación de más de 200 manuscritos caldeos, fenicios, pehlvis, mogoles, georgianos, sánscritos, tagalos, etc...

La *Société Royal Asiatique de la Grande-Bretagne et d'Irlande* data de 1823. Su sede fue Londres. Y principales miembros de ella: Colebrooke, Johnston, Wynn, Ouseley Staunton, Haughton... Sus *Transactions,* publicadas desde 1824, fueron transformadas—1838—en un *Journal of the Asiatic Society.*

La revista más importante en la materia fue el *Journal des Connaissances Orientales,* publicada en Bonn.

ASIÁTICO (Estilo)

Lo tuvieron los orientales del Asia Menor. Es un estilo copioso, abundante, muy florido, detallista, que fácilmente degenera en hinchado y afectado.

ASÍNDETON o DISYUNCIÓN (V. Figuras de palabra)

Es una figura de dicción o elegancia que suprime las conjunciones o el verbo de una oración, con el fin de comunicar rapidez a la enumeración y al estilo.

> Llamas, dolores, guerras,
> muertes, asolamientos, fieros males
> entre tus brazos cierras...
>
> (FRAY LUIS DE LEÓN.)

> La lluvia, el sol, el ondeante viento,
> la nieve, el hielo, el frío,
> todo embriaga en celestial contento
> el tierno pecho mío.
>
> (MELÉNDEZ VALDÉS.)

> Lo mío, mío, y lo tuyo, de entrambos.

> (La Omnipotencia) al fuego junta con el hielo, al hambre con el hastío, la podredumbre con la entereza, la muerte con la eternidad. (NIEREMBERG.)

ASOCIACIÓN

Es una figura indirecta que consiste en decir de muchos o de todos lo que solo debe aplicarse a uno, a algunos, al mismo que habla; o viceversa, es decir, de uno o de algunos, lo que debe entenderse de todos.

> *Empezaremos* a correr el velo y descubrir la distancia que ha de los bienes del cielo a los que son de la tierra, por la consideración de la eternidad y flaca condición del tiempo; luego *llegaremos* a tratar de la vileza de lo temporal y de la grandeza de lo eterno... (NIEREMBERG.)

ASOCIACIONISMO

Nombre dado a la doctrina filosófica de la moderna escuela inglesa, según la cual la asociación de ideas es la ley más general que enlaza los hechos psicológicos. Entre sus representantes más ilustres se hallan Spencer, James Mill, John Stuart Mill y Bain.

El asociacionismo no ve—especialmente en los juicios universales y necesarios—más que *asociaciones inseparables.*

Stuart Mill intentó explicar los fenómenos universales y necesarios por medio de asociaciones cuyos términos, no ofrecidos nunca separadamente en ninguna experiencia, se atraen mutuamente de una manera tan irresistible que es imposible pensar en el uno sin pensar en el otro. La imposibilidad de concebir ciertas ideas —un cuadrado redondo—; la necesidad de ciertos juicios—el principio de la contradicción, por ejemplo—, se explican así.

"En el siglo XVIII—ha escrito Goblot—, época en que las leyes de la asociación estaban vagamente formuladas, reconocíanse diversas *relaciones de asociación;* la causa hace pensar en el efecto y el efecto en la causa, el fin en el medio y el medio en el fin, el continente en el contenido y el contenido en el continente, etcétera. Llegáronse a distinguir asociaciones *reflexivas,* en las que el espíritu pasa de un término a otro en virtud de una relación lógica, y asociaciones *empíricas,* que no suponen ninguna relación lógica. Estas últimas relaciones de asociación se redujeron a la *contigüidad* y a la *semejanza.* Hoy no se da ya el nombre de asociaciones más que a las asociaciones empíricas; las otras son juicios o razonamientos."

El mismo Goblot determina las leyes que regulan el retorno de los estados de conciencia en ausencia de la causa que había provocado la primera aparición de ellos. Dichas leyes son:

A) De *reviviscencia*:

1.ª *Ley de reviviscencia.* Considerado aisladamente, todo estado de conciencia tiende a renacer.

2.ª *Ley de intensidad.* La reviviscencia es más grande cuando el estado de conciencia fue más intenso. La intensidad puede responder a la mayor excitación, a la atención espontánea, a la atención provocada, a un estado especial del organismo.

3.ª *Ley de la frecuencia.* A cosas iguales, la reviviscencia será tanto más grande cuanto más frecuente fue el estado de conciencia.

4.ª *Ley de los intervalos o del olvido.* La reviviscencia de un estado de conciencia se va debilitando durante la duración de los intervalos de olvido.

B) *Retorno o Renacimiento*:

1.ª *Ley de asociación propiamente dicha.* Un estado de conciencia pasado no puede revivirse mientras no se corresponda con un estado de conciencia presente.

2.ª *Ley de simultaneidad.* Cuando han sido simultáneas dos representaciones, el recuerdo de una trae aparejado el de la otra.

3.ª *Ley de sucesión continua.* Cuando dos representaciones se sucedieron, el recuerdo de la primera tiende a provocar el de la segunda, pero no a la inversa.

4.ª *Ley de semejanza.* Cuando dos estados de conciencia se asemejan, el recuerdo de uno puede provocar el del otro por medio de la parte que tienen de *común.*

5.ª *Ley del contraste.* Cuando dos representaciones forman contraste, el recuerdo de una puede provocar el de la otra precisamente por la parte que las *separa.*

El fundamento de la psicología del asociacionismo está en la *teoría del conocimiento* de John Stuart Mill; teoría de descomposición de la conciencia en *ideas* elementales, que se unen en unidades asociativas más o menos firmes. Sin embargo, es de justicia señalar que el asociacionismo surgió *claramente* del empirismo de Locke y Hume. El haber perseguido este empirismo hasta convertirlo en una teoría y en un método, consecuentemente desarrollado, de la ciencia pura de la experiencia, es el gran mérito de la más famosa obra de Stuart Mill: *Lógica deductiva e inductiva,* publicada en 1843.

Pero, con mayor impresión, el asociacionismo empezó a ser elaborado mucho tiempo antes de Hume, siendo muy firme la creencia de que un concepto únicamente tiene sentido cuando podemos señalar la percepción de donde brota. El mérito de Hume consistió en aplicar esta exigencia al concepto de causa y efecto, a la causalidad.

Y concreta Ernst von Aster: "Dondequiera que aplicamos este concepto, sea al fuego y al calor, sea al movimiento de las bolas de billar movientes y movidas, sea a la voluntad y al movimiento, sea también a las puras conexiones psíquicas internas, solo percibimos, si bien lo examinamos, una sucesión temporal, un antes y un después. Al aplicar este concepto a las puras conexiones psíquicas internas, va Hume mucho más allá que Berkeley y Malebranche, quienes, al menos en parte, anticipan un análisis de la causa, pero en los actos *interiores* de la voluntad creen experimentar inmediatamente una verdadera relación causal. ¿Cómo logramos hacer de un *después* un *por eso,* de un después un necesariamente después? ¿Cómo logramos ante la reaparición de la *causa* concluir a la aparición del *efecto?* Esa conclusión jamás puede ser lógicamente fundada: por más que hayamos mil veces percibido que se experimenta calor cuando se enciende fuego, ninguna conclusión lógicamente fundamentable nos enseña que así será también la vez milésima primera. De aquí que ningún procedimiento inductivo de conocimiento pueda ser lógicamente fundable.

"Pero si lógicamente es injustificable, sin embargo, psicológicamente podemos explicarnos cómo llegamos a tal aparente *conclusión.* Si hemos percibido con frecuencia que dos clases de fenómenos, por ejemplo, fuego y calor, coexisten o se suceden, se forma entre esas dos representaciones una *asociación de experiencia o contacto,* en virtud de la cual, al aparecer una en la conciencia, evoca tras sí el recuerdo de la otra."

V. GOBLOT, Edmond: *El vocabulario filosófico.* Barcelona, Apolo, 1933.—ASTER, Ernst von: *Historia de la Filosofía.* Barcelona, Labor, 1935.—LOCKE, John: *Ensayo sobre el entendimiento humano.* Madrid, 1915.

ASONANCIA

1. Es una elegancia de lenguaje que consiste en terminar con sílabas idénticas o semejantes dos o más incisos de una cláusula. El empleo regular y sistemático de esta figu-

ra ha causado la *rima asonante* en la versificación.

> Si estuviere enfermo, aquí *me curarán;* y si sano, aquí *me conservarán.* Si estuviere vivo, aquí *me esforzarán;* y si muerto, aquí *me resucitarán.* (FRAY LUIS DE GRANADA.)

2. *Asonancia* es la *semejanza* de sonido en la terminación de dos o más palabras, a contar desde la vocal acentuada; esta semejanza resulta de la igualdad de las vocales predominantes en la terminación, y juntamente de la diferencia total o parcial de los demás elementos fonéticos. Son vocales predominantes las que llevan el acento y la vocal fuerte (*a, e, o*) no acentuada en la última sílaba. En las palabras esdrújulas no se tiene en cuenta para la asonancia la penúltima sílaba, porque su sonido es muy débil y poco perceptible. Las palabras agudas no pueden asonantar con las llanas ni con las esdrújulas; las llanas y las esdrújulas pueden asonantar mutuamente.

ASONANTAR

1. Consiste en mezclar en los versos o en la prosa palabras que forman asonantes, lo cual se tiene por un grave defecto.
2. Escribir en asonantes.

Según Hermosilla, nunca se deben asonantar aquellos temas y conceptos que por su grandiosidad necesitan la correspondencia de una brillante, pomposa y difícil composición. Para apoyar su aserto manifiesta que ningún poeta griego o latino escribió odas, sátiras, epístolas, epopeyas, elegías en versos yámbicos, sino en nobles hexámetros puros o mezclados con el pentámetro.

Se pueden asonantar las composiciones en versos *llanos, agudos* y *esdrújulos.*

En versos *llanos*:

> Siendo yo niño tierno,
> con la niña *Dosila,*
> me andaba por la selva
> cogiendo *florecillas.*
> De que alegres guirnaldas
> con gracia *peregrina*
> para ambos coronarnos
> su mano *disponía...*
>
> (MELÉNDEZ VALDÉS.)

En versos *agudos*:

> Parad, airecillos,
> no inquietos *voléis,*
> que en plácido sueño
> reposa mi *bien.*
> Parad, y de rosas
> tejedme un *dosel,*
> pues yace dormida
> la flor de *Zurguén...*
>
> MELÉNDEZ VALDÉS.)

En versos *esdrújulos*:

> Eres rico y eres *título;*
> tienes más salud que un *cuácaro;*
> tu independencia es sin *límite,*
> como la que goza el *pájaro;*
> que las rentas de tus *vínculos,*
> gracias al supremo *árbitro,*
> te aseguran mesa *opípara...*
> ¡Dios la libre de *parásitos!*
>
> (BRETÓN DE LOS HERREROS.)

ASONANTE (Verso)

Palabra que termina en las mismas vocales que otra, contando desde aquella en que carga el acento; como *sueño y lento, casa y tanta, osado y quebranto.* (V. Versificación. Española.)

ASSINIBOIN (Idioma) (V. Sioux)

ASTEÍSMO

Del griego αστεισμός, elegancia.

Asteísmo o urbanidad es una figura indirecta, consistente en una alabanza delicada bajo el aparente carácter de reprensión o vituperio, o expresada en tono festivo y forma de chanza.

> EL REGOCIJO. (*Dirigiéndose a Santo Tomás, que permanece en silencio*):
>
> Que ni voz ni labio mueve,
> y aun por eso le llamaron
> el buey mudo en sus niñeces;
> porque calló hasta que pudo
> dar un bufido tan fuerte,
> que estremeció a su bramido
> toda la herética gente.
>
> (CALDERÓN DE LA BARCA: *Auto del Sacro Parnaso.)*

ASTURIANO (Bable)

Dialecto del castellano. Es rico, sonoro y enérgico. De todos los dialectos españoles, es el que presenta las formas más antiguas, y en ellas se marca claramente la procedencia latina en sus vocablos.

"Entre sus particularidades principales están: prolongación frecuente de un sonido silábico vocal inicial de la palabra que se despliega en consonante de su órgano: *yes,* por eres; *yera, yeyes, yera,* por era, eras, era; *güeyos,* por ojos.

Metátesis de vocales: *echoren,* por echaron.

Desarrollo, en ocasiones, de la *í* acentuada en el diptongo *ie*: *subiemos,* por subimos.

En los verbos *er* e *ir,* apócope de la *e* final de la tercera persona del presente de indicativo, en la primera y tercera del subjuntivo y en el pluscuamperfecto del subjuntivo.

Conversión en fricativa z de la *d* final de la palabra: *virtuz, verdaz,* por virtud y verdad.

Diptongación de la *o*: *suerbo, respuendo,* por sorbo y respondo.

Multiplicación de los aumentativos y diminutivos: *rapacín y rapazacu.*

Los pronombres personales son: *yo, tú, illi, nusotrus, vusotrus, illus.*

Diptongación de las vocales en hiato: *tiatro,* por teatro; *cain,* por caen.

El adjetivo delata las tres formas latinas de sus géneros: *bonu, bona, bono,* por *bonus, bona, bonum.*

Uso enclítico de los pronombres personales: *dicenme, cuéntanle.*

Preferencia del masculino posesivo en ambos géneros: *mio muyer.*

Sustitución de la *h* aspirada y el sonido gutural por la *f fazer,* por hacer; y de la *j* por *x* o *y*: *baxar,* por bajar..."

ASUNTO

1. *Tema, argumento, motivo, negocio* (V.).
2. Lo que representa una composición pictórica o escultórica.

ATEÍSMO

Negación de la existencia de Dios.

D'Alembert exigió que se distinguiese "la ignorancia o desconocimiento de Dios" de "la posesión de su idea, que es después rechazada o negada". A esto último queda circunscrito el ateísmo. La intolerancia de las épocas ha calificado de ateos a cuantos no conciben o dogmáticamente creen y confiesan a Dios tal y como le confiesa y cree una mayoría.

Resulta sumamente difícil precisar el sentido vivo y práctico que tiene la palabra *ateísmo.* Supone, ante todo, una negación—y no es, por tanto, definible en términos positivos—; y se ha empleado para designar la negación de lo estimado como *verdad oficial.*

Los griegos acusaron de ateo a Aristóteles. Y los católicos acusaron de lo mismo al *espiritualista* Descartes porque no compartía con los escolásticos las opiniones del *pagano* Aristóteles.

El que pudiera denominarse *ateísmo absoluto* no existe como doctrina. Los más insignes espíritus de todas las épocas, acusados de ateísmo, tuvieron idea y creencia de un *Dios absoluto.* Así, Platón, Pitágoras, Teofrasto, Aristófanes, Lucrecio..., y entre los modernos, Spinoza, Hobbes, Haeckel, Strauss...

El *ateísmo,* pues, se aplica a la negación de una idea de Dios reputada como ortodoxa y rígida para la mayoría.

En un sentido general, la palabra *ateísmo* se puede aplicar a toda la doctrina filosófica que estima como una ficción la concepción de un Dios personal, creador y maestro todopoderoso del mundo.

En un sentido más restringido, se aplica exclusivamente a las doctrinas que ven en la materia el principio único de todos los seres. En este aspecto, el ateísmo se diferencia radicalmente: del *positivismo,* que rechaza toda noción *a priori* y todo concepto universal y absoluto, tomando los hechos como la única realidad científica y la experiencia y la inducción como los métodos exclusivos de la ciencia; y del *panteísmo,* que, en sus especulaciones acerca del origen de las cosas, sustituye la abstracción *materia* por otras abstracciones, como la sustancia (Spinoza), la idea (Hegel) y la voluntad (Schopenhauer).

La Historia nos muestra cómo cada exaltación del ateísmo provocó una reacción del *teísmo* amenazado. El *deísmo moral* de Sócrates fue consecuencia del ateísmo de los sofistas griegos. El epicureísmo romano animó la gran revolución del *teísmo cristiano.* El ateísmo del Renacimiento y del siglo XVII desembocó en el *deísmo metafísico y sabio* de Descartes, de Newton, de Leibniz. El ateísmo racionalista del siglo XVIII, con los *sistemas de la Naturaleza,* naufragó en el *teísmo romántico* de la siguiente centuria.

V. DANTEC, Félix le: *L'Athéisme.* París, 1906.—CARO: *L'Idée de Dieu et ses nouveaux critiques.* París, 1864.—PIAT: *De la croyance en Dieu.* París, 1907.—RADELET, C.: *Etudes philosophiques de Theodicée*: *Connaissance de Dieu; Existence de Dieu; Essence de Dieu.* Namur, 1911.

ATELANA

Género de comedia bufa del antiguo teatro romano. Su nombre, según Diomedes, derivaba de una pequeña ciudad, Atella, en el país de los Oscos, Campania. Estas atelanas eran representadas en teatros de piedra, en una época en la que los romanos no habían construido aún sus circos ni sus teatros en los bosques.

Cuantos tipos intervenían en las representaciones atelanas eran grotescos. Los sátiros, los silenos, Pan, cuantos personajes intervenían en los dramas satíricos griegos, eran reemplazados, con mayor variedad, por Bucco, Manducus, Panniculus, Maccus, Dorsellu y un sinfín de parásitos brutales, viejos libidinosos, bárbaros guerreros, entre todos los cuales lograban una farsa espeluznante y, sin embargo, atractiva por su sensualidad.

Casi todos los personajes de la comedia atelana han llegado, con escasas variantes, a la *Comedia dell' Arte* italiana. Maccus, holgazán y comilón, no es otro sino el Polichinela napolitano. Pappus, viejo ridículo y avariento, es Pantalón. Panniculus, vestido con telas de mil colorines, delata bien a las claras al Arlequín moderno. Es muy difícil fijar la fecha en que las farsas atelanas de los Oscos llegaron a Roma. Acaso hacia el año 540 de la fundación de la urbe.

Las primeras atelanas representadas en Roma ofrecieron la novedad de las costumbres rústicas de la Campania. Posteriormente, los temas fueron más variados, a juzgar por los títulos de algunas atelanas de Pomponio: *Maccus, soldado; El guardián del templo, El médico, El candidato, La prostituta, El mercader de esclavas...* Quintus Novius escribió atelanas con argumentos históricos o mitológicos: *Las fenicias, Andrómaca.* Se atribuye a Afranio *Bucco, adoptado.* Parte de la crítica sostiene que el dictador Sila compuso atelanas o, al menos, que escribió obras teatrales en el dialecto de la Campania, donde había nacido. Otros autores de atelanas fueron Titinius, Fabius Dorsennus, Mommius o Mummius. Munk recoge los títulos de 64 atelanas de Pomponio. Los fragmentos que se conservan de este teatro están recogidos en *Poetarum latinorum scenariorum fragmenta*—Leipzig, 1834 y 1840.

El cinismo y la obscenidad eran las características de las atelanas.

V. MÉRIL, Ed. de: *Histoire de la comédie ancienne.*—MEYER: *Etudes sur le théâtre latin.* París, 1889. 3.ª edición.

ATEMATISMO

Tendencia artística y literaria a suprimir los temas con intención de supervalorizar lo puramente técnico.

En la literatura, lo puramente técnico suma: el estilo, la riqueza de la prosa, la ingeniosidad de la frase, la originalidad de las imágenes, el colorido descriptivo...

En España, modernamente, han destacado ilustres escritores atemáticos: Gabriel Miró, "Azorín", Gómez de la Serna, muchos de los denominados *poetas puros...* Según alguno de estos poetas, precisamente el poema es importante cuando hace olvidar al lector la falta de tema para sumirle en el ámbito estrictamente poético.

En pintura, los "ismos subversivos"—cubismo, espacialismo...—huyen de los temas y propenden a una excitación puramente visual.

El atematismo se basa—al decir de artistas y literatos—en la afirmación de que la necesidad creadora no está en el tema ni depende de él, "sino, exclusivamente, en la afirmación del *yo creador*".

El atematismo musical ha sido posible gracias al expresionismo atonal de autores como Alban Berg, Webern, Skrjabin; sin embargo, lo que en su origen pudo tener una originalidad preocupante ha llegado a sumirse en su lógico abismo: en la mecanización.

El atematismo puede dar una excepción digna de consideración, jamás una regla general; ni siquiera una tendencia sostenida.

ATENEO

1. Santuario dedicado por los griegos a venerar a Atenea, diosa protectora de las ciencias y de las artes.

2. Corporación literaria científica.

3. Local en que se reúnen y tienen su residencia las corporaciones literarias o científicas. Aun cuando durante la Edad Media existieron ciertos *Estudios* denominados *Ateneos,* la importancia y la trascendencia del Ateneo se inician en el siglo XVIII, a impulso de las ideas y de los idealismos de la Revolución francesa, definidora del liberalismo religioso, político y cultural. El *Ateneo de las Artes,* de París, fue fundado en 1792. La influencia francesa revolucionaria, inmensa en todo el mundo, dio origen a innumerables Ateneos en cada nación, centros mantenedores de la libertad de pensamiento y de la necesidad de las controversias. Y puede afirmarse que alguno de estos Ateneos representan la evolución doctrinaria de su país. Así, el *Ateneo de Madrid.*

El Ateneo de Madrid fue fundado por Martínez de la Rosa, y quedó abierto en 1822 en un caserón de la calle de Atocha, frente a la de Relatores. Lo dirigió el glorioso general Castaños; lo sostuvieron económicamente varios nobles y literatos con cuotas mensuales de treinta reales; y en él quedaron establecidas dos cátedras gratuitas, regentadas por varios ilustres socios, y una selecta biblioteca. La reacción absolutista de 1823 clausuró el Ateneo, acusándolo de "nefastas ideas liberales".

En 1835, la Sociedad Económica Matritense gestionó ante la reina gobernadora María Cristina su restauración. La Comisión nombrada para dicha gestión la integraron Olózaga, Alcalá Galiano, el duque de Rivas, López Olavarrieta, Miguel de los Ríos y Ramón de Mesonero Romanos. Y tanto y tan de prisa y tan excelentemente trabajaron dichos ilustres varones, que arrancaron a la reina una Real orden—16 de noviembre de 1835—por la que se autorizaba el restablecimiento del Ateneo. El primer local donde funcionó estuvo en la calle del Prado, número 28, esquina a la de San Agustín, en la casa llamada de Abrantes, en uno de los salones cedidos gratuitamente por el impresor Tomás Jordán. La magna asamblea fundacional se celebró en la noche del día 26. ¡Qué de hombres insignes concurrieron a ella con un regocijo auténticamente juvenil! Aun cuando debe advertirse que, entonces, muchos de ellos aún no habían ganado su calificativo perdurable, más o menos justo. Vale la pena citar algunos nombres: Martínez de la Rosa Donoso Cortés, Istúriz, Alcalá Galiano, Caballero, Pacheco, Olózaga, el duque de Rivas, Argüelles, Quintana, Gil y Zárate, Larra, Espronceda, Roca de Togores, Nicasio Gallego, Ventura de la Vega, Revilla, los Madrazos—Federico y Pedro—, el actor Latorre, Romea, Grimaldi, Bretón de los Herreros, Mesonero Romanos... La primera Junta directiva quedó constituida así: Presidente, duque de Rivas; consiliarios: Olózaga y Alcalá Galiano; tesorero, Olavarrieta; contador, Fabra; secretarios: De los Ríos y Mesonero Romanos. La inauguración tuvo efecto el 6 de diciembre de 1835, con un discurso del presidente y unos discursillos de los restantes miembros de la Junta. En aquel solemne día los socios eran 295: políticos, literatos, artistas, científicos y... hasta sencillos aficionados a las letras, a las artes, a las ciencias y a la política El *programa* llenó de gozo a cuantos oyeron desarrollarlo a Mesonero Romanos: Cátedras. Biblioteca nutridísima. Publicación de obras científicas y literarias. Creación de una revista que defendiera las ideas, los ideales y la vida económica del Ateneo. Continuas conferencias, durante las cuales los oradores admitirían la controversia. Tertulias en los diferentes saloncillos. Y, sobre todo, una tribuna siempre asequible a cuantos quisieran ocuparla para enseñar o discutir.

Posteriormente, el Ateneo tuvo varios domicilios. En la calle de Carretas, número 27; en la plaza del Angel, número 1, casa propiedad del marqués de Falces; en la calle de la Montera, número 22, casa del antiguo Banco de San Carlos. El edificio propio que hoy ocupa fue inaugurado el 31 de enero de 1884.

Seguir la historia del Ateneo de Madrid, además de precisar un número extraordinario de páginas, nos llevaría a escribir la historia de la evolución política y literaria de España durante más de un siglo. Baste afirmar que el Ateneo ha tenido una influencia decisiva en la vida intelectual española hasta 1936. Las mejoras inteligencias enseñaron en él, convirtiéndolo en semillero fecundo del progreso espiritual de España, aun admitiendo igualmente sus no escasos errores, tanto en política como en cultura.

V. García Martí, Victoriano: *El Ateneo de Madrid.* Madrid, Dossat, 1949.—Araújo Costa, Luis: *El Ateneo de Madrid.* Madrid, 1950.—Labra, Rafael María de: *El Ateneo de Madrid.* Madrid, 1905.

ATENUACIÓN (V. Litote)

Atenuación o litote es una figura indirecta por la cual, en vez de afirmar positivamente una cosa, se niega en absoluto o disminuye la contraria, aminorando la fuerza del pensamiento para presentarlo sin dureza, aunque dejando que el lector penetre en la intención.

De un simple suele decirse: "No es muy avisado."

De quien miente: "Creo que no es exacto lo que usted asegura."

Quiero imitar al pueblo en el vestido,
en las costumbres solo a los mejores,
sin presumir de roto y mal ceñido.

No resplandezca el oro y los colores
en nuestro traje, ni tampoco sea
igual al de los dóricos cantores.

....

¿Sin la templanza viste tú perfeta
alguna cosa? ¡Oh muerte! Ven callada,
como sueles venir en la saeta.

No en la tonante máquina, preñada
de fuego y de rumor, que no es mi puerta
de dorados metales fabricada.

(F. Rioja.)

ATICISMO

1. Delicadeza, finura y elegancia en el lenguaje.

2. Por extensión: gusto exquisito de los escritores en cualquier país y época.

El aticismo procede de Atenas. Los atenienses selectos amaban la elegancia, la precisión, la delicadeza, la corrección en el hablar y en el escribir.

En Roma se llamaron áticos, según Cicerón, los escritores que tomaban como modelos de estilo y de elegancia a los atenienses de la buena época: Lisias, Demóstenes, Tucídides... En Roma, sinónimo de aticismo fue la *urbanitas,* de *Urbs,* la ciudad por excelencia: Roma.

Para los griegos, el aticismo fue el estilo propio de los mejores escritores de los siglos v y iv antes de Cristo, especialmente de Esquilo, "padre de la tragedia", y de Demóstenes, "sol de los oradores".

V. Girard, G.: *Etudes sur l'éloquence attique.* París, 1873.

ÁTICO (Dialecto)

1. Lenguaje de los buenos escritores griegos.

2. Uno de los cuatro principales dialectos griegos. Lo emplearon los jonios, que, separándose de sus compatriotas que marcharon al Asia Menor, se quedaron en Grecia. El dialecto ático se componía de veintiuna letras. Tenía gracia y expresión singulares y no se corrompió.

Por mandato de Alejandro, sus generales adoptaron el dialecto ático.

El ático se dividió en *antiguo, medio y nuevo.* El *antiguo o puro* fue el de Esquilo, Sófocles, Eurípides, Aristófanes, Tucídides. El *medio* lo hablaron y escribieron—fines del siglo v y a mediados del iv—Platón, Jenofonte, Isócrates. El *nuevo,* Demóstenes, Esquines, Aristóteles, Menandro.

Características del ático fueron: la forma de reduplicación de algunos verbos, la contracción de las vocales y la declinación.

V. Hoffmann: *Lexicón de la Biblioteca griega.* 1834.

ATOMISMO

Nombre dado a la doctrina filosófica de Demócrito.

Demócrito, conocido con el sobrenombre de *Milesio* o *Abderita,* nació, probablemente, en Abdera (Tracia). Vivió en el siglo v antes de Cristo. Fue educado por los magos de Jerjes y se gastó una fortuna viajando por Asia y por Egipto. Su reputación le salvó, al regreso a su patria, de la nota infamante que alcanzaba a

los que malgastaban las herencias. Su cultura fue extraordinaria. Prefecto de Abdera. El pueblo, en plebiscito, le otorgó un premio de 500 talentos (2.500.000 pesetas). Pocos filósofos han sido más alabados por los sabios que Demócrito. Cantaron su genio Teofrasto, Cicerón, Laercio, Suidas, Estrabón, Clemente Alejandrino, Esiquio Milesio, Valerio Máximo, Apolodoro...

Demócrito enseñó "que el mundo está compuesto de átomos que giran en el vacío; que el alma es un cuerpo muy sutil, impalpable en el cuerpo visible y tangible, que no conoce las cosas sino por medio de las imágenes (εἴδωλα) que de ellas emanan".

De sus numerosísimas obras no han llegado a nosotros sino algunos fragmentos acerca de temas del mayor interés: *De la naturaleza del mundo, Sobre la felicidad del alma, Gran diacosmos, Sobre el fin, Acerca de las imágenes, De la triple generación, Acerca de los planetas, Acerca de los sabores, Sobre las palabras concertadas...*

Demócrito y los demás atomistas llegaron a la última división del ente: a los átomos o partes insecables, indivisibles, que no admiten partición alguna. Los átomos se distinguen entre sí porque tienen distintas formas, de las que dependen sus propiedades. Se mueven en torbellinos y se engarzan de mil maneras y modos, generando así las cosas. Existen mundos diversos, ya en formación, ya en existencia plena, ya en destrucción, cuyas propiedades se fundan en la forma y sutileza de los átomos. Cada uno de estos conserva todos los atributos fundamentales del ente al que perteneció.

Según el atomismo, todo—hasta el alma—está compuesto por átomos; los átomos circulan por el *vacío;* el vacío es el *no ser.* Demócrito dio *un ser* al vacío y le llamó *espacio;* y desde Demócrito el vacío no fue sino un *no ser relativo,* por comparación con lo lleno, con los átomos, y es el *ser espacial.*

Según Demócrito, la percepción se realiza así: "Las cosas emiten imágenes sutilísimas, compuestas de átomos, que penetran en los sentidos. Lo que capta, pues, la mente es una copia o réplica de la cosa. No es, por tanto, atrevido afirmar que el atomismo es una doctrina sensualista.

Von Aster ha resumido magistralmente el atomismo iniciado por los últimos presocráticos: "El ser sustancial, sin origen, sin muerte y sin cambio, de los eleatas, son para Demócrito los átomos impenetrables, solo diferentes en magnitud, figura y posición. Fuera de ellos no existe sino el "no ser", el cual, sin embargo, a pesar de la dialéctica eleática, existe en cierto sentido, a saber: el *vacío,* el espacio vacío en que los átomos se mueven. Los átomos en movimiento chocan unos contra otros y actúan unos sobre otros mediante la presión y el choque. Gracias a sus figuras, se unen entre sí y forman cuerpos coherentes mayores. Todo ello sucede con la necesidad mecánica de la Naturaleza: he aquí un concepto que Demócrito expresa por vez primera bajo esta forma. En la Naturaleza no existe ni el acaso, ni suceso alguno encaminado a un fin. El que del caos resulte el mundo, el que el igual sea una con su igual, no es efecto de una mente ordenadora según un plan, sino de causas mecánicas ciegas. Asimismo enseña que el color, el sonido, el calor y el frío no son nada objetivo, sino apariencias sensibles; o, empleando la expresión característica, no existen por naturaleza (*physei*), sino tan solo por posición (*nomo*), a la manera de una ley creada por la voluntad humana.

"Al fin, la concepción mecanicista del Universo, de Demócrito, desemboca en un materialismo expreso y consciente, aunque, por lo demás, en cierto sentido todos los más antiguo filósofos de la Naturaleza griegos son materialistas, pero cuanto todo lo real es para ellos al mismo tiempo corpóreo: el alma resulta de los átomos del fuego que atraviesan el cuerpo; el pensamiento, la percepción, el sentimiento son movimientos de los átomos del alma, son un proceso corpóreo. En el fondo es también fisiológica la ética de Demócrito, formada por una serie de aforismos: el supremo bien, la felicidad, la "eutimia", la tranquila regularidad de la vida, coinciden con el movimiento tranquilo y regular de los átomos del alma, en oposición a las tormentas de las pasiones."

En la filosofía moderna representaron *el retorno* al atomismo Descartes y Hobbes.

Durante la Edad Media combatió al atomismo el *escolasticismo* (V.). Y, modernamente, Kant intentó acabar con la teoría de los átomos, sustituyéndolos por el concepto de una materia que llenaba continuamente el espacio. Leibniz admitió con el atomismo una primitiva pluralidad de seres simples como fundamento de todo lo real, pero definiéndolos como unidades esencialmente espirituales (las *mónadas* de Leibniz).

V. Suárez, P. Francisco: *Metaphysicae disputationes.* Madrid, 1609.—Aster, Ernst von: *Historia de la Filosofía.* Barcelona, Labor, 1935.—Avendaño, Alejandro de: *Diálogos en defensa del atomismo.* 1706.—Windelband, G.: *Geschichte der alten Philosophie.* 4.ª edición. Munich, 1923.—Zeller: *Die Philosophie der Griechen.* Berlín, 1901, 10.ª edición.

ATROÍSMO o ACUMULACIÓN (V. Figuras de pensamiento)

De σύν ἄθροισμα, amontonamiento.

Figura retórica que consiste en enumerar en la misma frase prolijamente las partes y circunstancias de una cosa, de un hecho, para dar mayor fuerza a los argumentos. (V. Acumulación.)

AUDITORIUM

Lugar donde los poetas y escritores romanos

se reunían para leer sus composiciones a sus amigos.

El *Auditorium* se menciona por vez primera bajo Marco Aurelio, entendiéndose por él una sala o habitación de la residencia imperial.

En tiempos de Diocleciano, el *Auditorium* tomó el nombre de *Secretarium* y perdió su carácter literario, transformándose en lugar de administración de justicia.

AUGUSTEA (Historia)

Colección biográfica escrita en latín en tiempos de Diocleciano y Constantino, y que comprende la vida de los emperadores desde el advenimiento de Adriano hasta la muerte de Carus y sus hijos. Forma como un suplemento de la *Vida de los Césares,* de Suetonio, sin que haya una sucesión inmediata entre ambas obras. En la *Historia augustea* existen lagunas. Nada se encuentra en ella de los reinados de Filipo, Decio, Gallus y Emiliano, entre los años 244 y 253. Acaso estas lagunas se deban a la mutilación de los manuscritos.

Los autores de la *Historia augustea* son seis. A Espartiano se atribuyen las vidas de Adriano, Elio Vero, Didio Juliano, Septimio Severo, Caracalla y Geta. A Julio Capitolino, las de Antonio Pío, Marco Aurelio, Lucio Vero, Pertinax, Clodio Albino, Macrino, los dos Maximinos, los tres Gordianos, Máximo y Balbino. A Vulvatio Galicano, la de Casio. A Elio Lamprido, las de Commodo, Antonino Diadumeneo, Heliogábalo y Alejandro Severo. A Trebelio Pollion, las de los dos Valerios, la de los dos Galianos, los treinta tiranos y Claudiano. A Flavio Vospicus, las de Aureliano, Tácito, Floriano, Probo, los cuatro tiranos Firmo, Saturnino, Próculo y Bonoso, Caro Numeriano y Carino.

La *Historia augustea* tiene un gran valor como documento histórico. Pero escaso crítico y literario. El mejor de sus autores es Vospicus.

La edición príncipe de la *Historia augustea* es la impresa en Milán—1475—por Felipe de Lavagne, en un volumen dividido en tres partes. La primera contiene *Suetonio;* la segunda, la *Historia augustea;* la tercera, *Eutropio y Pablo Diacro.* Por separado, la *Historia augustea* apareció en París—1603—, cuidada por Isaac Casaubon.

V. DIRKSEN: *Les écrivains de l'Histoire auguste.* Leipzig, 1842.

AUMENTACIÓN (V. Gradación. Climax)

Es una figura lógica que consiste en expresar una serie de ideas o pensamientos, guardando en su colocación una progresión ascendente o descendente.

> Dios concedió al hombre una razón que distingue, infiere y concluye; un juicio que reconoce, pondera y decide. (SAAVEDRA FAJARDO.)

> Porque allí llego sediento,
> pido vino de lo nuevo,
> mídenlo, dánmelo, bebo,
> págolo y voime contento.
> (BALTASAR DEL ALCÁZAR.)

AUSPICISMO

Arte supersticioso de adivinar el futuro por medios diversos, como el vuelo o el canto de las aves, la dirección del viento, la intensidad del eco, la duración de la llama, el juego de los naipes.

Antiguamente se diferenciaba claramente el *auspicio* del *augurio.* Aquel se aplicaba a la observación del vuelo de las aves; y este, a la del canto.

El auspicismo tuvo su apogeo en la Roma pagana. Los dioses se comunicaban con sus elegidos—adivinos, augures—por medios extraños como los apuntados, que precisaban una meticulosa interpretación.

Durante la Edad Media, la magia tuvo no poco de auspicismo.

AUSTRALIANAS (Lenguas)

Grupo de lenguas de Oceanía, muy poco conocidas aún.

Los indígenas del interior emplean términos idénticos a los de otros salvajes que viven a miles de millas de distancia. De un lado a otro del continente el lenguaje es el mismo y las radicales y terminaciones indican relaciones de un estrecho parentesco.

Tolwer ha reconocido en las lenguas australianas la ausencia de las articulaciones *f* y *s,* así como de la *h* aspirada. Es empleada frecuentemente una articulación nasal que puede representarse por *ng.* Estos idiomas, por su sonoridad y gravedad, pueden compararse al castellano, y por su dulzura, al italiano. Las dos terceras partes de los vocablos terminan en consonante y aun en dobles consonantes, como *lk, rk, rt.* Faltan en estas lenguas las palabras abstractas; pero hábilmente empleados por los australianos sus idiomas, llegan a expresar con ellos las ideas más sutiles y a reducirlas a sentencias. En las lenguas australianas hay nombres, pronombres, adjetivos y verbos; el duelo entre los pronombres se marca por la adición de un vocablo que significa *dos.* El superlativo se indica con la repetición de la palabra.

V. SOLVADO, Rudesindo: *Mémoires historiques sur l'Australie.* París, 1854.

AUSTRASIANO (Dialecto)

Forma derivativa de la lengua de *oil,* hablada en el país comprendido entre el Rin, el Mosa, el Escalda y los Vosgos, y cuya capital es Metz. Tiene una gran analogía con el borgoñés.

AUSTRÍACA (Literatura)

No puede hablarse de una literatura austríaca nacional. El Imperio fue una reunión fortuita de países cuyos habitantes hablaban lenguas muy diferentes y tenían costumbres y hábitos enteramente opuestos. Pueblos a quienes separan límites tan distintos no pueden considerarse como partes de un mismo cuerpo de nación. Por ello, hay que estudiar por separado la literatura *alemana,* la *húngara,* la *checa,* la *eslovena...*

AUTO

Breve composición dramática, cuyo argumento, por lo general, es bíblico o alegórico. En tiempos de Carlos I de España se denominó *auto* cualquier misterio religioso o milagro divulgados desde los tablados. Posteriormente fueron calificados de *comedias a lo divino.*

El *auto* es una obra escénica de mucha antigüedad. Ya se representaban *autos* durante los siglos XIV y XV en los claustros de las catedrales y en los paraninfos de las Universidades. Eran sencillos, escuetos, emotivos. Su versificación, torpe, pero natural.

En la Biblioteca Nacional de Madrid se guarda un códice, con letra del siglo XVI, que es una interesantísima *Colección de autos, farsas y coloquios.* Contiene 96 piezas con unos 50.000 versos, tres de ellas en prosa, anónimas, a excepción de una de ellas, firmada por el maestro Ferrus, y no fechadas.

Esta *Colección* se ha reimpreso, en parte, en el tomo LVIII de la Biblioteca de Autores Españoles, de Rivadeneyra, y totalmente—1901—en la *Bibliotheca Hispanica,* por Léo Rouanet.

Los *autos* de esta *Colección* se refieren: 1.º, a *temas bíblicos;* 2.º, a *leyendas y vidas de santos;* 3.º, a *alegorías* sobre temas teológicos.

En esta *Colección* la denominación *auto* nada tiene que ver con lo que más tarde fue *auto sacramental* (V.), sino que es una obra dramática en *un acto.*

"Faltos de movimiento, de intriga y de recursos dramáticos, están informados aún del espíritu medieval y debían de ser representados en el interior de las iglesias. Los personajes bíblicos o legendarios conservan algo de su fisonomía tradicional; pero los tipos secundarios (pastores, pajes, etc.) son ya populares españoles. Por esto, por la introducción del *bobo,* cuyo antecedente está en el pastor de las églogas, y del cual ha de resultar el *gracioso,* y por ser la única colección que se conserva de las manifestaciones más antiguas del teatro español del siglo XVI, merecen atención estas piezas, que hacen entre nosotros el mismo papel que los *misterios* franceses y las *sacre rappresentazioni* italianas." (HURTADO y G. PALENCIA.)

AUTO SACRAMENTAL

Composiciones teatrales peculiares de la literatura española, que tuvieron vida muy intensa y extensa y aceptación enorme de público durante los siglos XVI a XVIII. Tenían por objeto la demostración de una verdad cristiana, y bajo la forma de una parábola en acción estaban destinados a transformar un dogma inteligible en una admirable demostración. En ellos figuraban personajes de la historia santa y otros abstractos, como la Gracia, la Fe, la Muerte, la Justicia, el Mahometanismo, el Pecado...

La representación de los autos iba precedida de un prólogo explicativo—*loa*—. Y solía ir seguida de danzas.

El auto sacramental era una representación dramática en un acto, que se hacía, generalmente, para las fiestas del Corpus, fiesta introducida en España por Berenguer de Palaciolo en 1314; luego no puede hablarse de autos sacramentales antes de esta fecha.

Los autos se dividían en *sacramentales,* destinados a celebrar el Corpus, es decir, la *Eucaristía,* y en autos del *Nacimiento,* escritos para festejar la Natividad de Nuestro Señor.

Constituyen los autos sacramentales *un género peculiar* de la literatura española. En tiempos, los organizaban los reyes y príncipes, acudiendo en masa a presenciarlos un pueblo entusiasta, ingenuo y devoto. Otros autos celebraban la Adoración de los Reyes Magos y de los pastores, la huida a Egipto...

Calderón de la Barca, el más glorioso autor del género, redujo su tema al dogma de la Eucaristía.

El primer auto destinado a celebrar la Eucaristía de que tenemos noticia es el *de San Martín,* de Gil Vicente. Después de él fueron famosos autores de autos: Juan de Pedraza —autor de una *Danza de la muerte*—, Juan del Enzina, Micael de Carvajal, Sebastián de Orozco, Bartolomé Paláu, Valdivielso.

Lope de Vega—se dice—escribió cerca de cuatrocientos autos sacramentales, aun cuando solo se conserven de él muchos menos.

Fue Calderón quien llevó a la perfección el género. Su auto es el *auto sacramental tipo;* quitó de él cuantos elementos extraños lo abigarraban; en una palabra: lo *teologizó,* sin despojarlo de su interés dramático.

"Calderón reúne en ellos, de una parte, todos los elementos esenciales del dogma y pensamiento teológicos; y de otra, aquellos que interesaban especialmente en su época, como básicos en la disputa de católicos y protestantes. Así, el problema de la gracia y libertad, el dogma de la Transustanciación y el de la Inmaculada Concepción ocupan lugar preferente." (VALBUENA.)

El elemento lírico tuvo importancia suma en los autos de Calderón, en los que se intercalaban imitaciones bíblicas, paráfrasis de himnos eclesiásticos y trovas populares *vueltas a lo divino.*

Al principio, la representación de los autos se verificaba dentro de los templos, en los claustros de las catedrales. Desde el siglo XVI salieron del todo a la calle. Y en las plazas públicas, ante los monarcas, la nobleza, el clero y el pueblo adquirieron su rango excelso. El teatro griego, las óperas, las escenificaciones italianas al aire libre, pueden dar una idea aproximada de la magnificencia espectacular de los autos.

También escribieron autos muy hermosos Tirso de Molina, Mira de Amescua, Vélez de Guevara, Moreto, Bances Candamo, Zamora...

Pero muerto Calderón, el género arrastró una vida lánguida, hasta que en 1765 Carlos III prohibió su representación.

La literatura española cuenta a miles con autos sacramentales excelentes. Forman un género originalísimo, peculiar, atractivo, fervoroso, con no pocos puntos excelsos de teología y sagradas escrituras. La *alegoría* era *el gran revestimiento* de este género necesitado de la fastuosidad.

V. Valbuena Prat, A.: *Calderón y su época*. 1942.—Valbuena Prat, A.: *Prólogo* a los *Autos sacramentales de Calderón*. Madrid, Aguilar, 1953.—Menéndez y Pelayo, M.: *Calderón y su teatro*. 1884.—Mariscal de Gante: *Autos sacramentales*. Madrid, Renacimiento, 1911.—Biblioteca de Autores Españoles, de Rivadeneyra. Tomo LVIII: *Autos sacramentales*.

AUTOBIOGRAFÍA

Del griego αὐτός, uno mismo; βιος, vida, y γραφειν, escribir. Obra literaria, novela, poema, tratado filosófico, etc., en el cual su autor tiene la intención de contar su vida, de expresar sus pensamientos y de confesar sus sentimientos. La *autobiografía* deja cierto margen considerable a la fantasía del autor, y en esto se diferencia de las *memorias*, que han de ser, como una confesión religiosa, totalmente verdaderas y sinceras. La forma literaria de la *autobiografía* es moderna. Rousseau, Goethe, Byron, Chateaubriand. Lamartine, Musset, *se pintaron sinceramente con acentos literarios* en la *Nueva Eloísa, Werther, Child-Harold, René,* las *Confidences,* las *Nuits,* la *Confession d'un enfant du siècle...* La anterior afirmación no quiere decir que la autobiografía fuera desconocida por los antiguos. Basta recordar las *Confesiones* de San Agustín. Y, mejor aún, el *Libro de mi vida,* de Santa Teresa. Y hasta *La Dorotea,* de Lope de Vega. Aun cuando estas obras—la tercera exceptuada—responden mejor al género de *memorias* por su absoluta exactitud y su absoluta falta de concesión a lo fantástico. (V. Biografía. Memorias. Crónica.)

AUTODIDACTO

Llámase así al escritor, al científico, al artista que se ha formado como tal sin maestro y sin sujeción a disciplina alguna, por propias iniciativa y sensibilidad.

AUTÓGRAFO

Del griego αύτός, uno mismo, y γραφειν escribir. Escrito de mano del autor. Así se dice *carta autógrafa, manuscrito autógrafo*. Se emplea como substantivo y como adjetivo.

Su importancia literaria es muy grande. Sirve para comprobar el texto de un autor y para juzgarle por sus procedimientos de escritor. Sirve, por comparación con otros textos del mismo autor, para determinar obras que le son atribuidas o que le son negadas. Ciertos eruditos, familiarizados con la escritura de hombres célebres, han podido conocer al verdadero autor de una obra anónima.

El gusto por los autógrafos ha existido siempre. Marcial, Quintiliano y Suetonio atestiguan la manía de ciertos coleccionistas. Naturalmente, la importancia de los autógrafos varía según la celebridad del autor, la rareza de sus escritos y la importancia que el propio escrito tenga.

Se atribuye a Loménie de Brienne—secretario de Enrique IV de Francia—la primera colección de este género. En el siglo XVIII se multiplicó el número y fervor de los coleccionistas. Roger de Gaignières legó a Luis XIV—1711—su colección de más de 25.000 autógrafos.

Hoy día, en todos los Archivos y Bibliotecas nacionales existe la sección de autógrafos.

Fueron famosas colecciones particulares de autógrafos: Villenave, Renouard, Dolomien, Fisinecourt, Boutron-Chalard, Víctor Cousin, Julio Claretie, Sardou, Dumas, en Francia; Carlos de Holm, Teodoro Wagner, Guillermo Künzel, Meyer-Cohn, Mynert, en Alemania; Donnadieu, Cole, Juan Dillon, Alfred Morrison, barón Heatto, Juan Joung, en Inglaterra; Basol, Carlo Rion, Carlo Morbio, Luigi Azzolini, Egidio Francisco Succi, en Italia; conde de Benahavis, Salvador Babra, Font de Rubinat, conde de Sobradiel, barones de Escriche, duques de Alba y Medinaceli, Natalio Rivas, en España...

V. Charavay, J. y E.: *L'amateur d'autographes*. Publicación periódica, aparecida en Francia entre 1862 y 1882.—Fontaine, J.: *Iconographie des hommes célèbres*. París, 1828-1843. Cuatro tomos.

AUTOMATISMO

Nombre dado a una doctrina de Descartes —expuesta en su *Discurso del Método*—, según la cual, aplicando a los seres orgánicos la física mecánica, se prueba que los animales son máquinas destituidas de la facultad sensitiva. Todos los fenómenos que en ellos y en los vegetales advertimos se refieren a las leyes del movimiento. Esto mismo sucede, en parte, en el hombre; porque si las sensaciones y las pasiones tienen su asiento en el principio espiritual, las causas físicas de unas y otras entran en la teoría general de la mecánica aplicada al organismo humano.

Debemos advertir inmediatamente que la teoría del automatismo no fue original de Descartes. En 1554 publicó el gran médico español Gómez Pereira su *Antoniana Margarita,* en la que, según Menéndez y Pelayo, se encuentran

doctrinas originales en filosofía que nos presentan a Gómez Pereira como el verdadero precursor de Descartes. La obra comprende cuatro cuestiones principales: *Automatismo de las bestias; Métodos de conocimiento; Principios de las cosas naturales, y Tratado de la inmortalidad del alma.*

Según Gómez Pereira, los animales se determinan en sus acciones por especies o imágenes que de los objetos van a sus órganos, por la educación que crea hábitos, por el instinto y por los fantasmas pasados reviviscentes.

Descartes tomó la doctrina de Gómez Pereira y la amplió, siendo seguido en ella por numerosos filósofos. Pero la teoría tomó proporciones más sutiles y trascendentales al pasar al campo de la psicología y de la ética.

Pierre Janet ha llamado *automatismo psicológico* las formas más simples y rudimentarias de la actividad consciente, las cuales ofrecen los siguientes caracteres: 1.º, tienen, al menos en apariencia, algo de espontáneo y son provocadas, pero no creadas, por una excitación exterior; 2.º, son regulares y están sometidas a un determinismo riguroso, sin variaciones y sin caprichos.

Si por automática se tiene toda acción no prevista conscientemente por la inteligencia, ni preparada por la estética o la moral, al aplicar el automatismo al hombre se le niega su vida pensante y moral, su posibilidad de progreso, y se le convierte en un juguete del destino fatal, ineludible.

AUTOR

1. El que es causa y productor de una cosa.
2. El que ha compuesto una obra literaria, artística o científica.

AUVERNÉS (Patois)

Una de las formas del antiguo romance *du Midi*. Se habla en la antigua provincia o condado del sur de Francia, entre el Borbonés, la Marche, el Limosín, la Guiena, el Languedoc y el Lionés.

Este *patois*—en el que se mezclan vocablos celtas con otros de dialectos romanos— se distingue de las demás lenguas del mediodía y del norte de Francia por una singularidad de pronunciación, que la onomatopeya popular de *charabia* tiende a exprimir.

En los tiempos de oro de la lengua de *oc,* el auvernés tuvo su apogeo literario. Fueron famosos: Clermont, por su escuela de trovadores; Aurillac, por su monasterio, donde Gerbert se formó. Después, el auvernés no ha producido sino obras literarias de valor escaso, como las *Poésies auvergnates,* del abate Coldaqués —1733—; las *Nöels,* de Fr. Pesant—1739—, y una parodia de la *Henriade,* por Faucon—1791.

V. MÉGE, Fr.: *Souvenirs de la langue d'Auvergne.* Riom, 1861.—DANGLARD, Abate: *De litteris apud auvernos.* 1864.

AVADANAS

Nombre sánscrito de las parábolas y apólogos búdicos. En la Biblia budista se encuentran varias avadanas. Sin embargo, únicamente se aplica el nombre a las que forman colección. La principal de estas colecciones de avadanas es una escrita en lengua pali, traducida al tibetano con el título de *Kagyur,* y que consta de cien volúmenes. De esta colección—hoy desaparecida—formó un resumen de excepcional interés el sinólogo Stanislas Julien. Se compone de alegorías e historietas de las que los predicadores budistas se servían para sus ejercicios espirituales ante el pueblo. Stanislas Julien las tradujo de una versión china titulada *Yu-lin* (*El bosque de las comparaciones*) y hecha por Youen-thai. Son ciento doce, y gracias a la fidelidad de la tradición oral de la India, se conservan muchas de ellas con las mismas palabras de Buda.

Casi todos los apólogos y alegorías son de índole moral; pero alguno de ellos, como el titulado *Los ciegos y el elefante del rey,* tienen un profundo sentido filosófico.

Estas avadanas han pasado en su mayoría a las famosas colecciones *Panchatantra* y *Hitopadesa*; y de esta a las obras de Esopo, Fedro, el infante don Juan Manuel y La Fontaine.

Se conoce otra colección de avadanas: *Dirya Avadana* (*Avadana celeste*), reimpresa en Baltimore en 1907.

Es curioso observar cómo en estos apólogos y alegorías faltan las hipérboles e inverosimilitudes propias de las obras literarias de la India, y particularmente de las restantes obras búdicas. Acaso se deba ello a que la sobriedad china ha modificado la forma original de tales composiciones.

V. JULIEN, Stanislas: *Les Avadanas, contes et apologues indiens inconnus jusqu'à ce jour.* París, 1859. Tres tomos.—WEBER: *Histoire de la littérature indienne.* Trad. francesa. París Varias ediciones.

AVANT-PROPOS

Sinónimo—ya muy utilizado en las literaturas europeas—del término castellano *prefacio.* En Francia empezó a usarse en el siglo XVI. El *avant-propos* no dispensa, en ocasiones, de la *introducción.* Voltaire, al frente de su *Ensayo de las costumbres,* puso ambos.

AVERROÍSMO

Doctrinas, teorías y sistema de filosofía de Averroes.

Averroes (Ibn Rochd) nació—1126—en Córdoba y murió—1198—en Marruecos. Su abuelo y su padre fueron cadíes de Córdoba, y aquel uno de los más ilustres jurisconsultos musulmanes de la época. Averroes fue médico, matemático, jurisconsulto, teólogo y filósofo. Almanzor le colmó de honores, y fue cadí—juez mayor en la Mauritania—, pero después cayó en desgracia, siendo acusado de heterodoxo. Solo abjurando públicamente, ante la puerta de la mezquita de Fez, de sus antimahometanas opiniones, pudo llegar a recobrar la libertad y a ser perdonado. Sus obras más importantes fueron: una refutación a la *Destructio philosophorum* de Algazel; dos tratados acerca del entendimiento activo y pasivo; tratados lógicos acerca de varias partes del *Organon;* tratados de física, basados en la física de Aristóteles; un tratado acerca de la armonía entre la teología y la filosofía; una refutación de Avicena; un compendio astronómico del *Almagesto* de Tolomeo; una gran obra de Medicina: *Culliyyat.*

Averroes fue el filósofo árabe que más ha influido en el *escolasticismo* (V.). Fue traductor y comentarista de Aristóteles, manifestando un respeto y una admiración casi supersticiosos por las doctrinas del que era su único maestro. No obstante, sin advertirlo tal vez, se separó de él en muchos puntos para tocar otros exaltados por la escuela mística de Alejandría. Averroes, verdadero ecléctico de la escuela arábiga, por evitar los errores de la filosofía entusiástica y contemplativa, pretende concebir por medio de la lógica la formación del Universo; pero adoptando el sistema de las emanaciones, viene a caer en el panteísmo de los alejandrinos.

Para Averroes, Aristóteles es *el filósofo,* y la religión una representación plástica de la verdad filosófica; el *credo ut intelligam* se transforma para Averroes en la idea de que el contenido religioso de la fe no es sino una forma exótica de las concepciones filosóficas de la razón. Durante toda la Edad Media, Averroes fue el *Comentador* por excelencia. Y Dante, en *La Divina Comedia,* dice: *Averrois, che'l gran comento feo.* El averroísmo puede quedar fundado sobre los siguientes principios:

1.º La materia es una potencia universal, y sus fuerzas activas originan el mundo sensible y material.

2.º La inteligencia humana es una forma inmaterial, eterna y única; es la última de las inteligencias planetarias y una sola para la especie e impersonal.

3.º Las distintas uniones del hombre con la inteligencia universal determinan las diferentes clases del conocimiento, desde el inferior o sensible, hasta el superior o conocimiento místico y profético.

4.º No existe la inmortalidad personal, pero sí la del intelecto único de la especie.

5.º Existen tres clases de espíritus: los *hombres de demostración,* los *hombres dialécticos* y los *hombres de exhortación.* Los primeros exigen pruebas irrefutables. Se contentan los segundos con razonamientos probables. Los terceros se satisfacen con la oración y el culto de las imágenes.

6.º Existe una *doble verdad,* ya que una cosa que es verdadera en filosofía puede ser falsa en teología, y a la inversa.

La teoría más original y famosa de Averroes es la de la unidad numérica del entendimiento humano, o sea del alma racional. Esta doctrina tiende a despojar al individuo no solo del entendimiento agente, sino también del posible. Según el filósofo árabe, el individuo no posee sino el entendimiento *adquirido,* que no es sino una simple disposición del alma de cada hombre a comunicar con el entendimiento *activo, posible* o *material* que existe "como sustancia separada que irradia su luz intelectual hacia las imágenes fantásticas ofrecidas por el alma individual". La diversidad de inteligencias humanas débese a la diversidad de imágenes fantásticas.

El averroísmo tuvo gran aceptación durante la Edad Media y los primeros tiempos del Renacimiento. Entre los averroístas más ilustres se contaron Jeron, Pomponacio, Cardan, Pico de la Mirandola, Aquilino... Pero el averroísmo tuvo enemigos aún más ilustres: Alberto Magno, Tomás de Aquino, Raimundo Lulio, Duns Escoto, Petrarca, Gerson...

V. MENÉNDEZ Y PELAYO, M.: *Historia de los heterodoxos españoles.* Madrid, 1948, 3.ª edición.—MENÉNDEZ Y PELAYO, M.: *Historia de las ideas estéticas.* Madrid 1940, 4.ª edición.—RENÁN, E.: *Averroes y el averroísmo* Valencia, Sempere, ¿1908?—MUNK: *Dictionnaire des sciences philosophiques.*—WERNER: *Der Averroismus in christl. peripatischen Psychologie.* Viena, 1881.—LASINIO: *Studii sopra Averroes.* Florencia, 1875.

AXAMENTA o ASAMENTA

Nombre dado por los autores latinos a pequeñas composiciones en verso, como los epigramas y las silvas. Se empleó también el nombre para designar los *cantos salios.* El origen de la palabra es oscuro. Según Escalígero y Bosio, deriva del verbo *axare* o *assare,* acción musical de flauta que acompañaba al canto.

AXIOLOGISMO

Doctrina y sistema filosóficos de los valores.

Filosóficamente, valor equivale al grado de utilidad o de aptitud de las cosas para satisfacer las necesidades o proporcionar bienestar o deleite. El valor, psicológicamente, se funda en la teoría del pensamiento emocional y pone en juego las distintas actividades de la conciencia. El valor tiene en sí mismo otros dos valores: uno, en sentido abstracto, capaz de provocar una apetencia; otro, en sentido concreto, que es la cosa misma que provoca el deseo.

Para ciertos críticos, fue el filósofo húngaro C. Boehem quien primero distinguió entre la ciencia de lo real u *ontología,* y la ciencia de los valores o *axiología.* "Es la distinción entre lo que es y lo que debería ser, entre lo que es dado a la actividad del hombre y lo que esta actividad debe proponerse realizar, entre el hecho y el derecho, lo verdadero y el bien, la ciencia y la moral (esta distinción coloca la moral fuera de la ciencia). Se puede dar el nombre de axiología, ya a una *Lógica de los juicios de valor* (pues la Lógica tradicional no se ha ocupado sino de los *juicios de existencia;* ahora bien: si los juicios de valor dependen de las mismas reglas lógicas, puede encontrarse alguna dificultad en aplicarlas); ya a una *teoría del valor* y a una ciencia de la *comparación de los valores* (en la que la Moral, especialmente, estaría comprendida)." (GOBLOT.)

Los valores comprenden categorías distintas. Los hay *objetivos y generales,* comunes a todos los seres de una misma clase. Los hay *subjetivos* y *particulares,* que dependen de la circunstancia en la que el ser se encuentre. Los hay *económicos, morales* y *económicomorales,* y *propios* y *derivados,* y *de necesidad* y *de norma*...

Una clasificación más general de los valores pudiera ser esta: 1.º, *vitales* o *biológicos;* 2.º, *psicológicos humanos,* y 3.º, *absolutos* o *trascendentales.*

A partir de Kant, los valores son: *lógicos, estéticos, morales, religiosos; teóricos* y *prácticos; individuales, sociales* y *mixtos; personales, impersonales* y *suprapersonales.*

Para Ehrenfels, el valor no tiene una existencia objetiva, ni es una propiedad, ni una capacidad de los objetos, sino una sencilla y natural relación entre el sujeto y el objeto.

Para Brentano, el valor se funda y se funde en un sentimiento de existencia que envuelve un juicio también existencial.

Según Meinong, todo concepto de valor envuelve un elemento de juicio y toma la forma de un juicio afectivo.

Para Urban, el valor implica un acto intelectual, ya que el valor de un objeto es cierta significación que este ofrece en relación con el sentimiento; y el acto intelectual no es un juicio, sino una simple predisposición cognoscitiva.

Nietzsche pretendió desvalorizar los valores, afirmando que el único valor fundamental es el propio hombre.

La filosofía metafísica afirma que existe el *valor absoluto,* análogo a la evidencia en el orden intelectual. Pero cuantos filósofos defienden las tendencias subjetivistas de la teoría de los valores niegan aquella existencia. Sin embargo, el concepto mismo del valor parece delatar la existencia de un fundamento último de la valoración. "La experiencia—dice Höffding—demuestra que para diferentes individuos, y para un mismo individuo en circunstancias diferentes, se hacen válidos diferentes valores. Si unos valores deben compararse con otros, desde el momento en que cada estimación consciente descansa en una cooperación de aquella índole es preciso admitir un valor fundamental que sirva para establecer la serie o tabla de los diferentes valores."

El axiologismo ha servido para caracterizar ciertas aptitudes sistemáticas contemporáneas: el voluntarismo ético de Minsterberg; el idealismo ético de Fichte; el activismo idealista de Eucken; el filosofismo cultural de Max Scheler.

El axiologismo es un nuevo intento de unificar los problemas filosóficos, tomando como momentos complementarios de la actividad humana la especulación y la vida práctica.

El axiologismo mantiene como uno de sus más nobles postulados exaltar la unidad de la vida espiritual desconocida por una larga época intelectualista que había mecanizado el saber.

El axiologismo tiende a soldar nuevamente las dos partes de la filosofía que aparecen en constante conflicto desde la época de Kant: la Metafísica y la Moral. La teoría del conocimiento, que parecía solo iniciar el problema ontológico, abre el camino al axiologismo, ya que el conocimiento no es solo representación, sino también actividad vital y teleológica. Las relaciones esenciales del *ser* son con el *deber ser* y con lo que *aparece* (teleología y etiología; axiología y ontología).

Metafísicamente, los valores con conceptos ontológicos son muchos: verdad, bien, belleza, utilidad, orden, perfección, ley... Metafísicamente, el valor mínimo e instrumental es la Naturaleza; y el valor absoluto, Dios.

El axiologismo tiene dos direcciones fundamentales: la *metafísica*—que afirma que el valor se deduce del ser—y la *crítica*—que afirma que el valor se deduce del *deber ser.*

V. GOBLOT, Edmond: *La logique des jugements de valeur.* París, 1927.—ODEBRECHT W.: *Grundlegung einer Aestheteschen Werttheorie.* Berlín, 1927.—PERRY, S.: *General theory of value.* Nueva York, 1926.—ZARAGÜETA, Juan: *Contribución del lenguaje a la filosofía de los valores.* Madrid, 1921.

AXIOMA

1. Sentencia, proposición tan clara y evidente que no necesita demostración.
2. Principio, proverbio, máxima, aforismo.
3. Verdad universal, principio de la ciencia.
4. "Lo que no tiene vuelta de hoja".

AZTECA (Lengua)

Los pueblos que hablaban la lengua azteca se extendían desde el grado 37 hasta el lago de Nicaragua, sobre una longitud de 1.600 kilómetros. Es la más extendida aún entre los naturales de Méjico, aun cuando menos sonora que la de los incas. Comprende más palabras abstractas que el inglés y más aumentativos y diminutivos que el italiano. Tiene escasos monosílabos, muchas palabras de dieciséis y más sílabas, que pueden sufrir curiosas y múltiples transformaciones. Como en algunas lenguas europeas, el grado comparativo se forma con varias partículas. Es tan completa la lengua azteca, que con ella se pueden expresar las ideas más abstractas, las ideas filosóficas y religiosas.

B

BAILE

Sinónimo de *danza*. Pero se dio también este nombre en España, en el género dramático de los siglos XVI y XVII, a unas obras escénicas muy breves, en las que se combinaron la mímica, la letra y la música, que eran representadas entre las jornadas primera y segunda de una comedia.

Muchos grandes ingenios escribieron estos bailes escénicos. Así, Francisco de Quevedo: *Los galeotes, Cortes de los bailes.*

Las *loas* y las *jácaras* que se añadieron a los espectáculos teatrales—comedias principalmente—no eran sino variantes de los bailes.

BALADA

Es una composición poética que refiere un acontecimiento completo, consignando únicamente los puntos culminantes, y que va revestida de un tono sentimental y melancólico. Es un poema equivalente al romance español y muy popular en el norte de Europa, singularmente en Inglaterra y Alemania. Las baladas pueden escribirse en toda clase de metros, pero se elegirá en cada caso el más en armonía con el asunto.

En su origen, la balada, como indica su etimología, fue un canto destinado a servir de acompañamiento al baile.

La balada va dividida en coplas con el mismo estribillo. Hoy, separada de la danza, no es sino una composición poética de cortas dimensiones, una combinación métrica cualquiera. Los italianos la llamaron *canzone da ballo*. A partir del siglo XVI, cualquier asunto, y aun la sátira, era propio de la balada.

En Francia constaba de tres estrofas de ocho versos cada una y un *couplet*—o estrofa complementaria—llamado *envío*. La balada nació hacia mediados de la Edad Media, en el norte europeo. Y en el siglo XV aún estaba muy poco cultivada. Hasta el reinado de Carlos V no fue de uso común en Francia, según Pasquier. El gran poeta Villon hizo célebres algunas, como las tituladas *Ballade de l'appel y Ballade des dames du temps jadis.*

En el siglo XVI quedó la balada arrinconada a la aparición de nuevos metros. Sin embargo, jamás ha dejado de cultivarse. En Francia las escribieron Ronsard, Mme. Deshoulières, Sarrazin, Clément Marot, Delavigne, Musset, Víctor Hugo. En Alemania—donde la balada fue una variante del *lied,* canción—, Goethe, Bürger, Uhland, Schiller. En Inglaterra—donde la balada llegó a confundirse con la *canción popular*—, Walter Scott, Robert Burns, Byron, Tennyson, Wordsworth, Coleridge, Campbell. En España, Ruiz Aguilera, Piferrer, Zorrilla, Aguiló, Víctor Balaguer, Milá y Fontanals, Vicente Medina, Gabriel y Galán. En Italia, Fóscolo, Leopardi, Giusti.

BALATA

Composición poética breve que se cantaba antiguamente para acompañar la danza.

BALEAR (Dialecto)

Mezcla de catalán, castellano, griego y árabe, en la que el catalán predomina. Existen diferencias de pronunciación y de ortografía entre el lenguaje hablado en las diferentes islas, mas no las suficientes para que lleguen a constituir dialectos distintos del compuesto en Mallorca, que es el que ofrece el tipo principal.

V. ARMENGUAL, J. J.: *Gramática de la lengua mallorquina*. Palma, 1835.

BALLET

Término del género teatral ya admitido en todas las literaturas. Para determinados críticos no es sino el *baile pantomímico* en una ópera, o bien desligado de esta.

Representación dramática en la que se combinan la danza, la música y la pantomima *con vida propia.*

Como tal obra completa el *ballet* exige de su autor una parte tan importante como las que corresponden a los músicos y a los bailarines, ya que debe imaginar una acción, una intriga con tales peripecias, que puedan expresarse a las claras con los gestos y con los movimientos de la danza. El interés debe surgir, sencilla y bellamente, de la unidad del gesto, el movimiento y la melodía. La mitología, los cuentos de hadas, las baladas, ofrecen materia favorable a la obra maravillosa o de misterio.

En general, el *ballet* ha ofrecido a los músicos y a los artistas coreográficos la oportunidad de obras maestras, quedando relegado a un secundario lugar el autor literario.

El primer *ballet* de que se tiene noticia fue representado—1489—en Tortona, con motivo del matrimonio del duque de Milán Gallis con Isabel de Aragón. Catalina de Médicis introdujo el género en Francia. Catalina hizo representar —1581—el *Grand ballet de Circé et ses nymphes.*

El *ballet* alcanzó su máximo esplendor durante el reinado de Luis XIV, monarca que llegó a tomar parte—como bailarín—en algunos de ellos: *Prospérité des armes de France, Cassandre,* etc.

Los temas para el *ballet* son innumerables: mitológicos, fantásticos, satíricos y hasta religiosos.

Modernamente, son famosos los *ballets* rusos y franceses, representados en todo el mundo. Músicos famosos como Borodin, Rimsky Korsakoff, Debussy, Ravel, han hecho inmortales *ballets.* En España, el gran Manuel de Falla es autor del *ballet El amor brujo,* conocido y admirado en el mundo entero.

V. LACROIX, P.: *Ballets et mascarades...* Ginebra, 1868.—CASTIL-BLAZE: *La danse et les ballets...* París (varias ediciones).

BAPTISMO

Herejía de los baptistas, que sostienen que el bautismo únicamente debe administrarse a los adultos.

En verdad, el baptismo es la doctrina misma del *anabaptismo* (V.), depurada en un sentido más espiritual y más libre.

Al ser derrotados los anabaptistas en la batalla de Frankenhausen—1525—, se dispersaron y propagaron su doctrina en el Rin y en los Países Bajos. Estos emigrados pasaron en 1535 a Inglaterra, y en este país y en dicho año se originó el baptismo.

Se organizó eclesiásticamente por congregaciones, las cuales podían agruparse en una sola federación.

Puntos esenciales del baptismo son:

Cada congregación es autónoma, y ninguna tiene autoridad sobre otra, ya que cada una de ellas recibe directamente la fe de Dios.

Sus funcionarios se dividen en obispos o mayores y diáconos o asistentes.

Su doctrina teológica y litúrgica admite la Escritura como única regla de fe y de religión práctica.

Rechaza todo credo, ya que la sola convicción de cada miembro vale por toda la fe.

Para la iniciación en el cristianismo, el bautismo es imprescindible; por ello exigen un conocimiento y un consentimiento que solo pueden tener los adultos.

Para el baptismo, lo niños que mueren sin bautizar se salvan.

Admite la Eucaristía, pero como un simbolismo, ya que rechaza la presencia real de Cristo en la hostia. La comunión no pasa, pues, de ser un rito.

La clase válida del bautismo es el ordinario de la Iglesia primitiva, o sea el de *inmersión.*

El baptismo se sujeta a dos *confesiones doctrinales,* que son como manifestaciones de la conciencia religiosa subjetiva de quienes forman sus iglesias: la *Confesión de Filadelfia,* aprobada—1689—en Inglaterra y aceptada por los baptistas de Filadelfia en 1742, y la *confesión de New Hampshire,* adoptada por este Estado en 1833.

La primera es una *confesión presbiteriana,* y la segunda es una confesión marcadamente *calvinista.*

El baptismo se extendió prodigiosamente por Inglaterra y más aún por los Estados Unidos, donde llegó a contar—y aún cuenta—con varios millones de afiliados. Pero conviene advertir que el baptismo norteamericano tuvo un origen independiente del europeo. Su organizador fue el ministro puritano Rogerio Williams, de la Iglesia de Inglaterra, que, establecido en Salem (Massachusetts), hízose rebautizar por su compañero Holliman, predicó contra la intervención del poder secular en asuntos religiosos y fundó la primera iglesia baptista.

Los baptistas están divididos en numerosas sectas, entre las cuales son las más poderosas: los *sabatistas,* porque celebran sus cultos el sábado en lugar del domingo; los *winebrennarios,* del nombre de Winebrenner, que con el bautismo admiten el lavado de pies y la Cena del Señor; los *predestinacionistas de los dos principios en el espíritu,* que admiten los dos principios maniqueos; los *campbelitas o Discípulos de Cristo...*

El baptismo posee hoy misiones en distintos países, cátedras, periódicos, organización de propaganda, colegios, seminarios de estudios superiores, escuelas de teología, academias para mujeres...

V. CROSBY: *The History of the English Baptists.* Londres, 1738-1740.—ARMITAGE: *A History of the Baptists.* Nueva York, 1887.—NEWMANN: *A History of the Baptists in the United States.* Nueva York, 1902.

BAQUÍACO o BÁQUICO (Verso)

Verso griego y latino, que tiene como base el pie baquio—formado por una sílaba breve y dos largas—. Es un tetrámetro, es decir, está compuesto de cuatro pies, y, por consiguiente, de doce sílabas. En algunas ocasiones queda dividido en dos dímetros. Y admite, como sustituto del baquio, el peón, el moloso y sus equivalentes. Se usó primitivamente en los cantos en honor de Baco. Los poetas griegos lo usaron raramente; pero los latinos cómicos hicieron su uso frecuentísimo:

Ita cuique est / in aeta / te hominum com / pa-
[ratum;
Ita dis est / complacitum, / volupta / tem est
[moeror.
(PLAUTO.)

El verso baquíaco puede ser teliambo, es decir, terminar con un pie yambo:

Potiora es / se, cui cor / modeste / situm est.
(PLAUTO.)

Algunos gramáticos latinos se refieren a un verso *antibaquiano,* inverso al precedente. Está compuesto de cuatro *antibaquios;* se forma este pie de dos sílabas largas y una breve. Se encuentra en escasísimos poetas. Diomedes nos da un ejemplo:

Laetare, / bacchare, / frotemque / procinge.

BAQUIO

Pie de verso griego y latino, compuesto de una sílaba breve y dos largas: ◡ — —.

BARBARISMO

1. Vicio contra las reglas y pureza del lenguaje.
2. Toda manera de expresarse ajena a la lengua que se habla.
3. Toda palabra que no está en uso, desconocida, desfigurada por una significación que no es la suya; o agregada a otras palabras con las que no puede relacionarse; o colocada, por una conexión viciosa y contraria a las reglas gramaticales, en el discurso.
4. Palabra tomada de un idioma extranjero.

Las voces y locuciones bárbaras se denominan: hebraísmos, helenismos, latinismos, germanismos, anglicismos, galicismos, italianismos, lusitanismos...

En la lengua castellana, la inmensa mayoría de barbarismos que padece se debe a los galicismos introducidos principalmente en el siglo XVIII por una legión de literatos, necios imitadores de la lengua y literatura francesas. En España aparecieron, a imitación de las publicadas en Francia, una serie de revistas literarias pedantescas y plagadas de barbarismos: *El Diario de los Literatos de España*—1737—, *La Academia del Buen Gusto*—1749—, *La Poética Matritense*—1754—. Tales debieron de ser los desafueros perpetrados contra la pureza del idioma castellano en esta época, que ya clamaron contra ellos Juan Pablo Forner—en *Exequias de la lengua castellana,* 1779—, Vargas Ponce—en *Declamación contra los abusos introducidos en el castellano,* 1791—, Tomás de Iriarte—en *Epístola primera,* 1774—, Mayáns y Siscar—en *Oración sobre la elocuencia española*—y Feijoo—*Teatro crítico,* I, disc. XV.

En el presente siglo, el movimiento literario llamado *modernismo* ha llevado al extremo el uso y abuso de los barbarismos más desquiciados y feos: *avalancha* por *alud; banalidad* por *vulgaridad; etiqueta* por *marbete; debutar* por *estrenarse; mongol* por *mogol; revancha* por *desquite; pretencioso* por *presuntuoso; bisutería* por *buhonería, orfebrería* o *joyería; aprovisionar* por *abastecer; acaparar* por *monopolizar; accidentado* por *quebrado,* dicho de un país o terreno; *susceptible* por *sentido, cojicoso, quisquilloso* o *suspicaz; finanzas* por *rentas públicas; confeccionar* por *componer,* etc., etc.

Etimológicamente, barbarismo y extranjerismo son sinónimos.

El barbarismo se puede cometer en la pronunciación—*fonético*—, en la ortografía—*ortográfico*—, en el léxico—*léxico*—, infringiendo las reglas de flexión morfológica, o usando una palabra en una acepción que no es la suya: *traer* por *llevar.*

V. BARALT, Rafael María: *Diccionario de galicismos.* 1855.—MIR, P. Juan: *Prontuario de hispanismo y barbarismo.*

BARCAROLA

Composición poética breve, ligera, amorosa y melancólica, destinada a ser cantada a voz sola o con acompañamiento de instrumentos de cuerda: laúd, vihuela, guitarra.

Melodía cantada por los gondoleros venecianos. Su compás lo daban el balanceo de las góndolas y el movimiento de los remos.

La barcarola poética es como un tenue motivo sentimental para la música, siempre amorosa y sensiblera.

A partir de 1800, casi todos todos los grandes compositores—Paisiello, Hérold, Rossini, Weber, Auber, Verdi—exigieron de sus libretistas la barcarola, tan del gusto de los públicos.

BARDO

1. Poeta entre los antiguos celtas.
2. Por extensión, poeta épico o lírico de cualquier país.

Los bardos eran sumamente admirados por los celtas. Eran los que componían los himnos a los dioses, celebrando sus hazañas; los que animaban *poéticamente* a los guerreros antes de las luchas; los que recogían las tradiciones religiosas y naturales.

Los bardos gozaban de grandes privilegios. Recitaban y cantaban sus poesías acompañándose de instrumentos llamados el *pigboru,* el *erwth* y el *telyn.* En Irlanda, Escocia y el País de Gales, durante muchos años se celebraron concursos entre los bardos, otorgándose al vencedor el arpa de plata de nueve cuerdas. La máxima importancia de la poesía de los bardos se celebró en la corte del famoso rey Arturo, monarca que fijó claramente los novecientos cuarenta privilegios y libertades de que disfrutaban sus poetas.

Cada uno de los caballeros de la Tabla Redonda se enorgullecía de su pequeña corte de bardos, siempre propicios a poetizar las hazañas de sus señores.

En Irlanda hubo dos famosísimos bardos: Fingal y Ossián, cuyas poesías fueron pasmo del mundo, y que aún hoy se imitan.

También tuvo sus bardos la Bretaña francesa, e influyeron decisivamente en los sucesos más importantes de su historia. (Véase Gaélica o celta, Literatura.)

V. Brooke, Miss E.: *Reliques of irish poetry.* Dublín, 1886.—Walker: *Memoirs of the irish bards.* Londres, 1780.

BARROQUISMO

Es la *acción*—en arte y en letras—del barroco.

El barroco fue un movimiento espiritual y literario revolucionario, *pero no subversivo.*

El clasicismo fue *una postura y una definición filosófica,* ambas adoptadas con un sentido y con una gracia de serenidad. El romanticismo y el neoclasicismo, derivados o secuencias de aquel, fueron *dos reacciones de orden.*

El barroco y el romanticismo, dos revoluciones.

El modernismo—con todos sus *ismos*—, otra revolución..., pero *subversiva.*

Y no me refiero sino a los movimientos espirituales y literarios *básicos.*

A todas las reacciones de orden las suele decapitar una revolución. Al Renacimiento lo decapitó el barroco.

El término barroco no se aplicó en un principio sino a una revolución artística. En el sentido más estricto, *barroco* significó todo monumento arquitectónico, escultura, pintura y demás obras de arte exagerados, recargados de detalles, sorprendentes de minucias, originadas por una audacia sin límites y por una imaginación sin freno.

Pero, posteriormente, se ha extendido el significado de barroco a lo espiritual y literario. Y con exactitud innegable. El Renacimiento tenía al mundo rigurosamente *ordenado* en la inspiración y en la forma. El Renacimiento era un cauce amplio, canalizado, *navegable* a placer y a *medida.*

El barroco puso una bomba formidable bajo tal serenidad, ya *un tanto demasiado* preceptiva. Estalló el artefacto. Y la revolución barroca irrumpió en aludes los campos irrigados antes con arte casi mecánico. El barroco fue un puro nervio, una pura excitación. No sabía bien adónde iba ni qué pretendía—si es que el anhelo de vibrar porque sí y de consumirse sin porqué no es una pretensión—. El barroco literario, como el artístico, traía en brazos una cosecha ubérrima y detonante de pasiones breves, de libertades aún no definidas, de confusiones con vitola de caprichos sorprendentes, de graciosísimos y recalcados detalles, de voluntariosos respingos, de estridentes ideales.

Naturalmente, tales exageraciones, para no caer en lo subversivo, tuvieron que tener *un sentido*—más o menos concreto—de creación. Dicho sentido fue el afán nobilísimo de restaurar el valor humano en su auténtico paroxismo de diversidad. El barroco revaloró la maravillosa finitud del hombre, sacando provecho de sus calidades y de sus fallos. Y sin sentir rubores de estos.

El barroco hizo alarde de las limitaciones y hasta de las impotencias de la creación en el hombre artista. El barroco no ocultó ni su audacia, en desproporción con los medios, ni su tendencia a fiar más en la rebeldía de cada momento que en lo magistralmente normativo *de antemano.* Confió más en el hombre "a capricho" que en la tradición paradigmática.

El barroco, por ende, careció de sistema, careció de medida, careció de pulso, careció de justicia crítica. Como cualquier revolución política.

El barroco dio menos obras maestras que el Renacimiento, desde un punto de vista de ortodoxia lógica y ética; pero dio obras mucho más ambiciosas, sugestivas e imposibles de imitación.

Innumerables son los puntos de contacto entre el barroco y el romanticismo: el ímpetu, el desorden, la exorbitancia, la pasión y las pasiones, la injusticia crítica, la tendencia a la melancolía y a las postrimerías del hombre. Por todo ello, no yerran los literatos, estetas y filósofos que han calificado el barroco de *un primer romanticismo moderno,* de *un conato de romanticismo.*

Siendo el barroco un movimiento espiritual y literario, que tuvo en España sus máximas consecuencias y sus más hondas raíces, resulta lógico que cuando, a fines del siglo XVIII y a principios del XIX, ingleses y alemanes parecían haber *descubierto* o *inventado* el romanticismo (V.), no hicieron sino excavar en las ruinas a flor de tierra—y de olvido—del barroco hispano, aún palpitante en los primeros años de la centuria decimoctava. El barroco estalló en España con más fuerza que en ningún otro país, acaso por ser España, pueblo de rebeldía sistemática, del *porque no* opuesto instintivamente al *porque sí;* pueblo de afanes siempre inconcretos, de incongruencias geniales, de amor desmedido por lo exorbitante, de absurdo desprendimiento por todo cuanto solemniza y mediatiza lo vital. Ningún otro pueblo reúne cualidades tan explosivas.

Sin embargo, el barroquismo fue una fecunda acción universal en las letras y en las artes.

Voy a referirme, por separado y debidamente, al barroquismo literario y al artístico, en sus proyecciones nacionales.

1. *Barroquismo literario.*—Literariamente, el

barroquismo significa el triunfo de la *complejidad* y de la *complicación,* ya que la temática y aun la ideología y la intención quedan recubiertas por los elementos expresivos—decorativos—: ingeniosidades, juegos de palabras, metáforas, imágenes audaces, enumeraciones.

a) En España, en rigor, el barroquismo está compuesto por dos fenómenos de rigor externo o interno: el *culteranismo* (V.) y el *conceptismo* (V.), fenómenos que no se excluyen, sino que se completan o que afectan a distintos géneros literarios.

El culteranismo es, primordialmente, una provocación de la forma; y el conceptismo es una insinuación, casi jeroglífica, de la idea. Pero el conceptismo suele valerse de la forma culterana, y el culteranismo, de la ideología conceptuosa.

A nuestro entender, los cuatro grandes escritores hispanos netamente barrocos son: Quevedo, Góngora, Calderón de la Barca y Gracián. En los cuatro existe una armonía casi perfecta en la importancia dada a los elementos decorativos y a los matices ideológicos.

El barroquismo español contó con una pléyade magnífica de singularísimos cultivadores: Alonso de Ledesma (1562-1632), segoviano, autor de *Epigramas y hieroglíficos, Romancero y monstruo imaginado* y *Juegos de Nochebuena, con mil enigmas,* y para muchos críticos, "padre del conceptismo hispano", aun cuando, según Bonilla San Martín y Schevill, le dispute tal gloria el sacerdote y poeta conquense Miguel Toledano (1570-?), autor de una *Minerva sacra* —1616—. Alonso de Bonilla (¿1575?-1641), de Baeza, muy alabado por Lope de Vega, publicó *Nuevo jardín de flores divinas*—1612—y *Peregrinos pensamientos de misterios divinos* —1614—. Luis Carrillo de Sotomayor (1583-1610), cordobés y de muy noble familia, caballero de Santiago y bravo militar, llamado por Baltasar Gracián "el primer cultista de España", autor de la *Fábula de Atis y Galatea, Libro de la erudición poética, Egloga piscatoria.* Fray Hortensio Félix Paravicino (1580-1633), madrileño, trinitario, gran orador sagrado, autor de *Gridonia o cielo de amor vengado, Epitafios y elogios fúnebres, España probada, Constancia christiana.* Juan de Tassis Peralta, conde de Villamediana (1580-1622), caballero de Santiago y archifamoso cortesano y "don Juan", autor de *Fábula de Faetón, Fábula de Apolo y Dafne* y de numerosas poesías y comedias abrumadas de hipérbaton y de retruécanos. Diego Saavedra Fajardo (1584-1648), murciano, militar y diplomático insigne, autor de *Corona gótica, castellana y austríaca, Idea de un príncipe político cristiano. Locuras de Europa, La República literaria.*

Y sin poder ser declarados auténticamente culteranos o conceptistas, lo fueron en algunas de sus obras: Alemán, Lope de Vega, Tirso de Molina, Mira de Amescua, Rojas Zorrilla, Moreto, Espinel, Ubeda, Castillo Solórzano, María de Zayas, Vélez de Guevara...

b) El barroquismo italiano tuvo gran trascendencia y representantes de singulares méritos. Estuvo informado, principalmente, por el *marinismo* (V.), gusto poético barroco y conceptuoso, recargado de imágenes y figuras extravagantes, ideado por Giambattista Marini (1569-1625), aventurero en Nápoles, su patria, y en París, de espléndido sentido musical del verso y pletórico de la imagen, autor de *Adone* —1623—, *Le Rime*—1602—, *La Murteloide* —1619—, *La Sampogna*—1620—, *La sirage degli innocenti*—1632—; Lope de Vega dijo de él: "Marino, gran pintor de los oídos." Trajano Boccalini (1556-1613), gobernador en varias ciudades de los Estados Pontificios, provocó terribles controversias y se atrajo numerosos enemigos con sus obras *Pietra del parangone politico y Ragguagli di Parnasso.* Ottavio Rinuccini (1565-1621), florentino, secretario de María de Médicis, a la que acompañó en sus viajes, uno de los creadores del drama lírico, autor de *La ferola di Dafne, Euridici, Narciso...* Jacopo Peri (1561-1633), romano, poeta y compositor, del Círculo Bardi conocido por la *Camerata florentina,* autor de *Dafne* y otras muchas óperas de recargado decorativismo. Alessandro Tassoni (1565-1635), modenés, secretario del cardenal Colonna y consejero de Francisco I, duque de Módena, de la Academia *degli Umoristi,* autor de *La secchia rapita*—1622—, notable poema burlesco; de las *Considerazioni sopra le rime del Petrarca, Pensieri diversi*—1608—, *Filippichi contro gli spagnuoli y Rime.* Gabriello Chiabrera (1552-1638), que enriqueció la lírica italiana con nuevas formas. Paolo Segneri (1624-1694), poeta y orador sagrado, jesuita, autor de *Quaresmali,* colección de sermones conceptuosos y culteranos.

c) Muy importante fue el barroquismo en Inglaterra, al que sirvió de raíz—aparte indudables influencias hispanas—el *eufuismo* (V.), movimiento literario similar al *marinismo* y al *culteranismo*—pero con más amaneramiento y con menos elegancia y gracia—, fundado por John Lyly (1553-1606), con su novela pedagógica *Euphues, the Anatomy of Wit,* y su continuación: *Euphues and his England.* John Dryden (1631-1700), poeta y dramaturgo, político y agitador religioso, autor de las sátiras "barrocas" *Absalom and Achitophel, The Medall, Mac Flecnoe* y del poema *The Hind and the Panther.* Samuel Butler (1612-1680), autor del poema burlesco *Hundibras.* George Etherege (1636-1691), que satirizó la sociedad corrupta de su época valiéndose de imágenes y jeroglíficos. William Wycherley (1640-1716), de noble familia, dramaturgo y poeta; vivió en Francia, donde frecuentó los ambientes preciosistas; autor de *The Plain Dealer, Love in a Wood, Country Wife.*

d) En Francia, el barroquismo enraizó en el

preciosismo (V.), nacido en el famoso salón literario de Catherine de Vivone, marquesa de Rambouillet (1588-1665). El preciosismo (*préciosité*) originó unos afanes inmoderados por todo lo refinado y sutil, utilizando vocablos rarísimos para expresar pensamientos *siempre confusos* y conseguir imágenes desorbitadas. Los primeros escritores barrocos franceses fueron: François de Malherbe (1555-1628), cortesano y poeta, amigo de Richelieu, consejero de Luis XIII y tesorero de Francia, reformador de la lengua y de la poesía francesa, autor de *Larmes de Saint- Pierre*—1587—, poema en el que despunta el más sutil barroquismo. Alexandre Hardy (1570-1632), poeta y autor dramático, muy influido por el teatro español, comediógrafo a *sueldo* de los comediantes de Valleran Lecomte y, después, del Hotel de Borgoña, en París. Jean Rotrou (1609-1650), poeta y dramaturgo, *pirata* del mejor teatro español. Tomás Corneille (1625-1709), abogado, dramaturgo y poeta, hermano de Pierre. Paul Scarron (1610-1660), poeta burlesco, autor de la feroz sátira la *Mazarinade*—1649—y de *Roman comique.*

En las demás naciones europeas el barroquismo se dejó sentir mucho menos.

Después de lo expuesto, pudiera resumirse diciendo que el barroquismo es un *movimiento literario* formado por otros varios similares: culteranismo, conceptismo, marinismo, eufuismo y preciosismo.

2. *Barroquismo pictórico.*—El barroquismo —como movimiento de reacción contra "lo reglado"—fue más allá del ámbito literario, introduciéndose en el mundo de los colores y de las formas.

Si el barroquismo literario tuvo sus características en las imágenes audaces, en los vocablos desusados y en los pensamientos ahilados de puro sutiles, tuvo, igualmente, características en la pintura.

Pero... ¿contra *qué* reaccionaba el barroquismo pictórico? Contra la *medida* y la *armonía* del renacimiento. ¿Cuáles eran sus características? Por un lado, la introducción en lo formal de dos elementos fundamentales: el *realismo* y la *luz.* Con el realismo oponíase a la amanerada idealización de los manieristas. Con la luz proclamaba el dominio del color sobre el dibujo. En los grandes artistas cinquecentistas, lo esencial fue la línea, la visión de lo táctil. Los grandes artistas barrocos desvalorizan la línea —y, por ende, el plano—de la visión superficial, sustituyéndola por la visión *profunda* surgida de las relaciones entre los primeros y los últimos términos. Los escorzos, las líneas movidas, sustituyen a las líneas horizontales y verticales.

El renacentismo afirmó que cada elemento artístico tenía un valor propio. Por el contrario, el barroquismo afirmó que cada elemento no tenía otro valor que el que adquiría en relación con la *unidad.*

a) El barroquismo pictórico italiano fue de una suprema trascendencia y el primero en orden y jerarquía. Posiblemente, quien implantó este barroquismo fue Michelangelo Merighi o Merisi, llamado "el Caravaggio", por haber nacido—1573—en Caravaggio, cerca de Brescia, y que llevó una vida aventurera de hambres y de abundancias, de estocadas y de huidas. Murió —1610—en Puente Hércules, sobre el Tirreno. Con influencias lombarda y veneciana, las pinturas de Caravaggio destacan por la viveza de color y los estudios lumínicos, por el realismo sensacional y la *voluntaria ruptura* con los cánones del clasicismo renacentista.

También se sublevaron contra la pintura manierista Ludovico (1555-1619), Agostino (1557-1602) y Anibale (1560-1609), Carracci, tres hermanos de fuerte temperamento, "removedores" de la escuela boloñesa. En esta misma escuela, y continuadores del barroquismo de los Carracci, se distinguieron: Guido Reni (1575-1642), Francisco Albani (1578-1660), Domenico Zampieri, "il Domenichino" (1581-1641), Giovanni Francesco Barbieri, "il Guercino" (1591-1666), Paolo Bonzi Felice Boselli, Andrea Donducci, "il Mastelleta".

En la llamada "escuela romana" defienden el barroquismo: el pisano Orazio Lomi, "il Gestileschi" (1563-1646); Bartolomeo Manfredi, de Mantua (1572-1605), cuya acentuación del realismo y de los contrastes lumínicos tanto influyeron en los maestros holandeses y flamencos; Orazio Borgianni (1578-1616), Andrea Sacchi (1599-1661), Pietro de Cortona (1596-1669), iniciador del ilusionismo decorativo, creación típicamente barroca, que escapa de los límites arquitectónicos.

En Nápoles, la influencia del Caravaggio fue decisiva en Mattia Preti, "il Calabrese"; Luca Giordano (1632-1705), Bernardo Cavallino, Salvador Rosa, Rusppolo, Francesco Solimena (1657-1747) y Corrado Giaquinto (1700-1765), que trabajó en el Palacio Real de Madrid, viviendo en España entre 1753 y 1762.

De la "escuela veneciana": Sebastián Ricci (1659-1754), dueño ilustre de toda la riqueza cromática y de todo el sentido decorativo de la pintura barroca veneciana del "settecento"; Giambattista Piazzetta (1682-1754), Giambattista Tiépolo (1696-1770), el mejor pintor italiano del siglo XVIII, que vivió en Madrid desde 1762 hasta su muerte, y los paisajistas Pannini, Antonio Canal, "il Canaletto"; Bellotto, Francesco Guardi.

b) El barroquismo español iníciase en el Levante, merced a los esfuerzos de Francisco Ribalta (¿1551?-1628) y de José de Ribera (1591-1652), el más importante de los pintores tenebristas españoles del siglo XVII, nacido en Játiva, pero cuya vida transcurrió en Italia.

Creemos que el *barroco realista* es en España donde alcanza una mayor gloria, debida a sus muchos y geniales cultivadores. Francisco de

Zurbarán (1598-¿1664?), de Fuente de Cantos (Badajoz); Diego Velázquez, el primero de los pintores de España y uno de los primeros entre los del mundo, de Sevilla (1599-1660); Bartolomé Esteban Murillo, de Sevilla (1618-1682); Alonso Cano (1601-1667), Juan de Valdés Leal (1622-1690), el más barroco de los pintores españoles del siglo XVII; Fray Juan Rizzi (1600-1681), Antonio de Pereda (1608-1678), Juan de Pareja (1606-1670), Juan Bautista Martínez del Mazo (m. en 1667), Juan Carreño Miranda (1614-1685), Claudio Coello (1642-1693), Maíno, Sánchez Cotán, Alejandro de Loarte, Pedro Orrente y los italianizantes Eugenio Caxés y Vicente Carducho, que tanto trabajaron para El Escorial; Moya, Juan de Sevilla, Núñez de Villavicencio, José de Sarabia, Meneses Osorio, Pedro Atanasio Bocanegra, Antonio del Castillo, Esteban Márquez...

c) El barroquismo flamenco tiene su principal representante en Pedro Pablo Rubens (1577-1640), el artista en quien mejor se acentúan los ideales de la pintura barroca. Discípulos de Rubens fueron Jacob Jordaens (1593-1678) y Antonio Van Dyck (1599-1641). Abraham Janssens (1575-1652), muy relacionado con el Caravaggio; David Teniers (1610-1690), Adrián Brouwer (1606-1638) y su discípulo Joos van Craesbeek (1606-1655), Peter Snayers (1592-1667), François van der Meulen (1632-1690), Gonzales Coques, Susterman, Pierre Maert, Corneille de Vos, Franz Snyders (1579-1657), Lucas van Uden, Jan Wildens, Adam Villaest, Jan Siberechts...

d) El barroco holandés tiene magníficos representantes en el extraordinario Rembrandt van Rijn (1606-1669), con quien los efectos de luz y de sombra llegan a sus máximas consecuencias; Franz Hals (1580-1666), Adrián van Ostade (1610-1685), Gerard Terboch (1617-1681), Pieter de Hoch (1629-1683), Johannes Vermeer de Delft (1632-1675), Gabriel Metsu, Jan Steen, Albert Cuyp, Jan van Goyen, Willeu van de Velde, Aert van der Neer, Paul Potter, Meindert Hobbema, Jacob van Ruysdael, Judith Leyster, Dirck Hals...

e) El más antiguo barroquismo pictórico francés se caracteriza por la influencia italiana del Caravaggio y los Carracci. Y son barrocos excelentes los hermanos Antoine, Louis y Mathieu Le Nain, de los cuales es Louis (1593-1648) el más interesante; Philippe de Champagne (1602-1674), pintor oficial de la corte de Luis XIII; Simón Vouet (1590-1649), Eustaquio Le Sueur (1617-1655), Pierre Mignard (1612-1695), Nicolás Poussin (1594-1665), paisajista inimitable; Claude Lorena (1600-1682), el pintor de la luz solar; Antoine Watteau (1648-1721), François Boucher (1703-1770), Jean Honoré Fragonard (1732-1806), Hyacinthe Rigau (1659-1743), Jean-Marc Nottier (1685-1766), Maurice Quentin La Tour (1704-1788), Jean Baptista Chardin, Jean Baptista Grenze, Hubert Robert, Nicolás de Largillière, Jean Baptista Perronneau, Mme. Vigée Le Brun, François Desportes, Lancret...

f) En Inglaterra surge el barroquismo nacional con William Hogarth (1697-1764), continuando con Thomas Rowlandson (1756-1827), Joshua Reynolds (1723-1792), Thomas Gainsborough (1727-1788), verdadero creador del paisaje inglés; Jorge Romney (1734-1802), John Russel (1745-1806); Sir Thomas Lawrence (1769-1830), Richard Wilson (1714-1782).

g) El barroco pictórico alemán fue más mitigado y menos importante, y se nutrió principalmente de Italia y de Flandes. Cristóbal Paudiss (1618-1666), Gaspar Netscher (1639-1684), von Sandrart (1606-1688), Matías Scheits (1670-1700), los dos Roos, de Francfort; Daniel Gran (1694-1757), muy influido por Tiépolo; Daniel Chodowiecki, Ziesenis, los Tischbein, las dos Lisiewska...

3. *El barroquismo escultórico.*—Son sus principales características: rotura del equilibrio miguelangelesco entre la masa y el movimiento, en beneficio de este; movilidad de planos y efectismo en las actitudes y en los ropajes; efectos lumínicos, expresionismo psicológico; evasión de los límites arquitectónicos; exaltación *de lo decorativo,* buscándose con afán el *efecto pintoresco* del conjunto.

a) El barroquismo escultórico italiano, cuyo centro fue Roma, se inició audazmente con Juan Lorenzo Bernini (1598-1680), el escultor más representativo de la escuela barroca en su patria y el que más influyó en el movimiento renovador; según la crítica, su colosal estatua de *San Longino,* que se admira en el crucero de la basílica de San Pedro, en Roma, es "una obra típicamente barroca por su gesto teatral con los brazos abiertos, rompiendo toda relación con las obras arquitectónicas, y por los agitadísimos ropajes con que se envuelve". Camilo Rusconi (1658-1728) y sus discípulos Giussepe Rusconi y Giambattista Maini; Filippo della Valle (1698-1770), Pietro Bracci (1700-1773), último gran representante del barroco; Morleiter, Marchiori, Sammartino, Corradini, Serpotta...

b) Pobre es el barroquismo escultórico francés. Ningún artista genial entre sus cultivadores. El movimiento se centraliza en Versalles. Simón Guillain (1581-1658), Jacques Sarrazin (1592-1660), Jean Vavin (1596-1672), Felipe Buyster, Guilles Guerin y los hermanos Anguier. Pierre Puget (1622-1694), el más barroco de los escultores franceses; Antoine Coysevox (1640-1726), François Girardon, Pierre Le Gross, J. B. Tuby, hermanos Marsy, Martín Desjardins, Thomas Regnaudin, Nicolás y Guillermo Coustou, Robert Le Lorrain, Jean Baptiste Lemoyne, Jean Baptiste Pigalle, Aguntín Pajou, Falconet, los Slodtz, los Adam, la familia Caffieri, Jean Antoine Houdon...

Conviene advertir que el barroquismo escultórico francés a fines del siglo XVIII se despeña en el *rococó,* que no es sino la exasperación de aquel movimiento; algo así como el *churriguerismo* (V.) o riberismo, en que se desbocó el barroco español.

c) Mucha menos importancia aún que el francés tuvieron el barroquismo escultórico inglés y el alemán.

Entre los escultores barrocos ingleses cabe señalar a Nicolás Stone (1586-1647), introductor de los temas alegóricos en los sepulcros; Gabriel Cibber (1630-1700), de origen danés; el holandés Griubing Gibbons (1648-1721).

Entre los alemanes: Baltasar Permoser (1650-1732), Rafael Dönner (1692-1741), Andreas Schlüter (1664-1714), Matías Braum, los dos Brokoff, Schadow...

d) Y como los últimos serán los primeros, me refiero ahora al barroquismo escultórico español, el más extraordinario, el más fecundo, el más sugeridor. Según frase de Renán, la escultura griega no tuvo otro parangón en Europa que la escultura española policromada de los siglos XVII y XVIII.

La imaginería religiosa española, portento de originalidad y de emoción, impar en la Historia, tiene sus características genuinas dentro de lo barroco: como materia, la madera; el estofado, la policromía de maravillosos efectos, el realismo patético más conmovedor y exasperado, la calidez de las líneas, el hondísimo contenido espiritual.

En el barroquismo escultórico hispano resulta sumamente difícil separar las tres tendencias: naturalismo, barroco propiamente dicho y barroco *rococó,* ya que se penetran unas en otras con una sutileza *sin suturas visibles.* Pero sí cabe diferenciar en él los distintos *grupos barrocos*: Castilla, Andalucía, Levante, porque en cada uno de ellos predomina determinada característica. Así, en Castilla, el dramatismo; en Andalucía, la belleza y la ternura dolorosa; en Levante la calidez humana.

Entre los artistas portentosos del barroquismo escultórico hispano figuran: En la *escuela castellana*: Gregorio Hernández (¿1576?-1636), el genio de esta escuela, que tuvo numerosos discípulos; Manuel Pereyra (¿1626?-1667), Alonso Villabrille y Ron y Cristóbal Velázquez, discípulos de Hernández; Narciso Tomé y los Churrigueras, ya avanzado el siglo XVIII.

En la *escuela andaluza,* grupo sevillano: Juan Martínez Montañés (1568-1649), el gran maestro, y uno de sus mejores discípulos: Juan de Mesa (1583-1627); Juan Gómez, también discípulo de Montañés; José de Arce (m. 1666), Felipe de Ribas (m. 1648), Pedro Roldán (1624-1670), Luisa Roldán, "la Roldana", hija del anterior (1656-1704), Pedro Duque Cornejo (1677-1757).

En el grupo granadino: Pablo de Rojas (entre 1581-1607), Bernabé de Gaviría (murió en 1622), Alonso de Mena (1587-1649), el gran maestro Alonso Cano (1601-1667) y su gran discípulo Pedro de Mena (1628-1688), José de Mora (1642-1724), José Risueño (1665-1732), Torcuato Ruiz del Peral (1708-1773).

En la *escuela levantina*: Luis Bonifas y Massó, Julio Capuz, Ignacio Vergara (1715-1776), el gran maestro Francisco Salzillo (1707-1783) y su principal discípulo Roque López (m. 1811).

4. *Barroquismo arquitectónico.*—Se inició en Roma, en el último tercio del siglo XVI, extendiéndose rápidamente por toda Europa.

Entre las características más acusadas del barroquismo arquitectónico figuran: la línea curva-móvil y dinámica como dominante; la concurrencia necesaria y abundante de él, para el efecto plástico, de la escultura y pintura; olvido absoluto de las formas geométricas, definidas, del renacimiento; abundantísima ornamentación; agitada dinámica de las masas constructivas, en las que cada elemento adquiere su valor y su trascendencia en función del conjunto; agudos efectos del claroscuro.

a) En Italia, el gran representante del barroco inicial es Gian Lorenzo Bernini (1590-1680), autor de la grandiosa *columnata de San Pedro;* Francesco Castelli, "il Borromini" (1599-1667); Carlo Maderna (1556-1620), Pietro di Cortona (1596-1669), Carlo Fontana (1634-1714), Guarino Guarini (1624-1683), Cósimo Fanzaga (1591-1678), Domenico Fontana (1543-1607), Giuseppe Zingolo, "il Zingarello"; Giuseppe Cino, Baldassare Longhena (1604-1682), Filippo Juvara (1676-1736), autor principal del Palacio Real de Madrid; Luigi Vantivelli (1700-1773), Giorgio Massari (1696-1766), Fernando (1657-1743), Francisco (1659-1739) y Antonio (1661-¿1741?) Galli; Alfonso Torreggiani (1700-1764), Francesco Dotti (m. 1759), Ruggeri (1705-1740) y Rosso (1724-1798); Alessandro Specchi, Francesco de Sanctis, Nicolás Salvi.

b) En España se inicia el barroquismo arquitectónico con las obras de Juan Gómez de Mora (¿1580?-1648), de Madrid, constructor del monasterio de la Encarnación, de la Casa Panadería y del Ayuntamiento; Juan Bautista Crescenzi, italiano de origen, constructor del Panteón de Reyes de El Escorial, del Palacio del Buen Retiro y de la antigua Cárcel de Corte —hoy Ministerio de Asuntos Extranjeros—; el jesuita Pedro Sánchez, que inició la catedral de San Isidro, terminada por el también jesuita Francisco Bautista; Alonso Cano—el ya citado escultor—y sus discípulos Sebastián de Herrera Barnuevo y Felipe Berrojo; Francisco Herrera, "el Mozo", constructor de El Pilar, de Zaragoza; José de Churriguera (1665-1725), iniciador de un barroquismo *exasperado y vibrante,* que tomó el nombre de *churriguerismo;* Pedro de Ribera (m. en Madrid en 1742), autor de famosas obras madrileñas, como el Hospicio, la iglesia de Montserrat, Nuestra Señora del Puerto, la Fuente de la Fama; Narciso Tomé, autor del *Transparente* de la catedral toledana; Fernando Casas Novoa, constructor del *Obradoiro,* de la catedral de Compostela; Teodoro Ardemáns, arquitecto del Palacio de La Granja; el italiano Juan Bautista Sachetti, continuador del Palacio Real de Madrid; Francisco Carlier, constructor de las Salesas Reales de Madrid...

c) Muy importante es el barroco arquitectónico francés, con características propias y muy acusadas, que durante el siglo XVII tuvo sus principales mantenedores en Salomón Brosse —autor del Palacio de Luxemburgo—, Jacques Lemecier—autor del Palais Royal—, François Mansart—castillo de Maisons—, Luis Levau —palacio Lemberg—, Liberal Bruant—Palacio de Inválidos—, Claude Perrault—columnata del Palacio de Versalles—, Jules Hardouin Mansart —cúpula de los Inválidos.

En el siglo XVIII, y ya decaído el barroco en el *rococó*—algo así como el churriguerismo español—: Robert de Cotte (1656-1735), Germain Boffrand (1667-1754), Delamair—palacio Soubise—, Jacques Gabriel—palacio Biron—, Angel Gabriel—Escuela Militar—, Servandoni—fachada de San Sulpicio—, Soufflot—Santa Genoveva.

d) En Alemania cultivaron el barroquismo arquitectónico: Fischer von Erlach (1656-1763) —San Carlos Borromeo, de Viena—, Hildebrant —palacio del Belvedere—, Jacob Prandauer —monasterio austríaco de Melk—, Baltasar Neumann—castillo de Wurtzburg—, Andreas Schlüter—Palacio Real de Berlín—, Pöppelmann (1662-1730)—el *Zwingere,* de Dresde—, G. W. Knobelsdorf—Ópera de Berlín, castillo de Sans Souci.

El barroquismo arquitectónico alemán no tuvo apenas originalidad, dejándose influir decisivamente por el francés.

V. SAINZ DE ROBLES, F. C.: *Los movimientos literarios.* Madrid, Aguilar, 1949.—VALBUENA PRAT, A.: *Historia de la literatura española.* Barcelona, 1950.—PIJOÁN, José: *Historia del arte.* Barcelona, Salvat, 1923.—SCHUBERT, Otto: *Historia del barroco en España.* Madrid, Calleja, 1924.

BASILIDIANISMO

Doctrina herética de Basílides *el Gnóstico,* filósofo nacido en Persia o en Siria y que murió el año 130. Vivió durante los reinados de Trajano, Adriano y Antonino Pío. Sus secuaces, numerosísimos en Egipto, Siria, Persia, Italia y las Galias, fueron llamados basilidianos.

Según San Clemente de Alejandría y San Ireneo, el basilidianismo, como doctrina, no era sino un reflejo de la de Zoroastro.

Basílides conoció el cristianismo, pero estuvo persuadido de que esta religión había sufrido grandes alteraciones desde la época de su fundador. Y él inició la predicación para el retorno al cristianismo primitivo, y redactó un comentario al Evangelio en 24, desgraciadamente perdido.

El basilidianismo admitió dos únicos principios: el Bien y el Mal, independientes uno de otro. La Luz y las Tinieblas. Admitió que la vida del hombre no era sino una serie de purificaciones dirigidas por los genios que presiden la existencia de los individuos y la de los pueblos; que todo sufrimiento es una expiación, y el martirio, una gracia divina; que la definitiva purificación se verificará necesariamente cuando el alma haya superado la influencia de las pasiones "y de la especie de poder inconsciente y perverso emanado de los animales, las plantas y los minerales".

Su moral podía resumirse así: *Amar todas las cosas como Dios, y no tener, como Él, ni odios ni deseos.*

Y admitía los amuletos y los símbolos gnósticos, afirmando de ellos que poseían virtudes especialísimas.

Como Pitágoras a sus discípulos, Basílides impuso a sus seguidores un silencio de cinco años.

Muchos autores creen que no fue Basílides quien redujo a sistema su doctrina, sino su discípulo e hijo Isidoro, en sus libros *Sobre el Apéndice del Alma, Comentarios sobre el profeta Parchor* y *Etica.*

En España introdujo el basilidianismo Marcos de Menfis; pero tal doctrina no tuvo la menor fuerza de proselitismo en nuestra patria.

V. BOULENGER, A.: *Historia de la Iglesia.* Traducción castellana. Barcelona, 1936.

BÁSTULA o BASTETANA (Lengua)

Uno de los más antiguos idiomas hablados en la Península Ibérica, por un pueblo ibero establecido al sureste de la Bética, que comprendía los territorios de las hoy provincias de Málaga, Granada y Almería. El fenicio era su principal elemento. Algunas palabras marcadas sobre medallas romanas, de sentido incierto, son los restos únicos de este idioma. Los caracteres escritos se leen de derecha a izquierda.

BATOLOGÍA

Repetición inútil y enfadosa de la cosa ya dicha y con palabras similares. (V. Tautología.)

BAYONISMO

Nombre dado a las doctrinas heterodoxas de Miguel de Bay, conocido por Bayo, acerca de la gracia y del pecado original.

Miguel de Bay (1513-1589) nació en Melín (Bélgica). Fue doctor en Filosofía y Teología. Sacerdote. Catedrático en el Colegio de Standonk y en el Colegio Adriano. Deán de San Pedro de Lovaina y conservador de la Universidad de esta ciudad. Estuvo, por orden del cardenal Granvela, en el Concilio de Trento, donde la amistad que le profesaba Felipe II de España le libró de ser condenado. Inquisidor general de los Países Bajos.

Sus ideas heterodoxas se iniciaron hacia 1557. Y ya entonces, a petición de los franciscanos, la Sorbona condenó dieciocho proposiciones de la nueva doctrina. En 1564 publicó su *Opuscula omnia,* obligando a que Pío V—en su Bula *Ex omnibus afflictionibus*—condenara unas setenta y nueve de las proposiciones en ellos contenidas. Se le obligó a la sumisión, pero no llegó a firmar la retractación. Y poco después, en su *Explicatio articulorum,* adoptó audazmente su tesis. Gregorio XIII—1579—renovó la condenación.

Miguel de Bay murió sometido humildemente a la Iglesia. Pero sus errores tuvieron durante algún tiempo vigencia. Y por ellos fue considerado como el precursor del *jansenismo* (V.).

"Según Bayo, los dones que había recibido el hombre antes de su caída no eran dones sobrenaturales: la gloria o visión intuitiva de Dios y la gracia eran una parte integrante de la naturaleza humana, de la misma manera que los ojos y las orejas son partes integrantes del cuerpo. De esto se sigue que el hombre, como consecuencia de la caída original, ha quedado abandonado esencialmente a su naturaleza, privado del auxilio de Dios, y, por tanto, incapacitado para el bien. Todo cuanto hace en este estado es pecado, incluso los movimientos inconscientes de la concupiscencia. El hombre no puede, por consiguiente, estar dispuesto para la gracia, y si él la recibe, es sin su voluntad y concurso. A pesar de esto, la libertad existe, porque la libertad, según Bayo, radica no en la exención de las necesidades interiores, sino en la ausencia de toda violencia exterior" (Boulenger).

Bayo coincidió con Pelagio acerca del estado de la naturaleza humana no caída o inocente. Coincidió con Calvino al creer que la concupiscencia era la causa única del pecado original. Y sobrepasó a Lutero, afirmando que la acción moral, por propia virtud, es instrumento único de justificación, de mérito y de virtud. Todas sus doctrinas heterodoxas quedaron expuestas y defendidas en su obra *Michael Baji opuscula theologica.*

El bayonismo fue duramente combatido por el jesuita Leonardo Lessius (1554-1623), profesor de Teología del colegio de los jesuitas en Lovaina.

Lessius sostuvo contra Bayo: "Que en la obra de la justificación es completamente indispensable la libertad del hombre. Dios, desde toda la eternidad, tiene preparada para cada hombre la gracia indispensable para su salvación; las gracias son siempre suficientes y se hacen eficaces por el concurso de la voluntad del hombre, por su consentimiento a los divinos requerimientos. La predestinación para la salvación no se logra más que por causa de la previsión de los méritos alcanzados con el auxilio de la primera gracia suficiente."

Parecida a la de Luis de Molina, la doctrina de Lessius fue muy combatida por los bayonistas y por las Universidades de los Países Bajos. Pero no llegó a ser condenada por la Santa Sede.

V. DUCHESNE, J. B.: *Histoire du baianisme...* Douai, 1731.—GENNES, P.: *Dissertation sur les bulles contra Baius et sur l'état de nature pure.* Bruselas, 1772.—BOULENGER, A.: *Historia de la Iglesia.* Barcelona, 1936.

BEARNÉS (Dialecto)

Uno de los dialectos de la lengua de *oc.* Es propio del territorio del Bearn, distritos de Pau, Olerón y Orthez. La mayor importancia que ofrece su gramática es la de que basta añadir una *s* al infinitivo de los verbos terminados en una vocal para que la voz activa se transforme en reflexiva.

Otras particularidades consisten: la *a* no admite jamás sobre sí acento alguno; dos *aa,* dos *ee,* dos *ii* no valen más que una *a,* una *e* y una *i* largas; la *v* se pronuncia como *b;* la *h* se aspira con mucha frecuencia: *x* y *xs* tienen el sonido de *ch* francesa; la *lh* suena como *ll* y la *nh* como *ñ;* los verbos son: *esta*—ser—y *habe* —tener o haber.

Durante la Edad Media, al unirse el Bearn con el Foix, se llegó a hablar el bearnés en los mismos Pirineos. Hasta 1789 fue la lengua oficial de su territorio. Hoy amenaza desaparecer, barrido por el francés.

La literatura bearnesa es poco importante. Su último poeta, y tal vez el más importante, fue Despourreins, quien, en el siglo XVIII, compuso—letra y música—canciones aún populares en los Pirineos franceses.

Otras obras literarias son: *Estrées béarneses* —Pau, 1820—y *Poésies béarnaises*—Pau, 1827.

V. NOULET, DR.: *Essai sur l'histoire littéraire des patois du Midi.*—SCHNAKENBURG, G.: *Tableau des patois de la France.* Berlín, 1840.

BECERRO (Libro)

Libro cuyas hojas son de piel curtida de ternera.

Durante la Edad Media, en las iglesias y monasterios se utilizaban los libros becerros para copiar los privilegios y pertenencias eclesiásticos. Las Sinodales ordenaban que todos los monasterios e iglesias tuvieran su libro becerro debidamente manuscrito y forrado.

Son famosos, en España, los libros becerros, o *Becerros,* de los monasterios de Sobrado, Samos, Monfero y Miraflores, por contener las copias de importantes documentos con las firmas y los sellos de numerosos monarcas. Históricamente, es suma la importancia de estos libros singularísimos, que contienen noticias curiosas y fidedignas de numerosos hechos y de personajes de gran trascendencia. (V. Cartulario y Tumbo.)

BELGA (Lengua y Literatura)

No se puede hablar propiamente de lengua y de literatura belgas, ya que las diversas poblaciones que el reino de Bélgica reúne hablan lenguas distintas, cada una de las cuales tiene su Historia. La lengua oficial y de las clases instruidas de Bruselas, la que se expresa en la literatura más aceptada, es la francesa. Un francés, eso sí, entreverado de provincialismos. En las provincias de Hainaut y de Namur se habla el valón.

El flamenco es la lengua de las provincias de Flandes. El holandés se habla a todo lo largo de la frontera con Holanda. Esta diversidad de lenguas impide a Bélgica tener una literatura propia de gran trascendencia. La influencia francesa es decisiva en ella. Y la escasa parte que de ella se salva, cae de lleno en la influencia valona.

Cuenta, sin embargo, la literatura belga con grandes escritores. Entre los poetas: Wackeu, Mathieu, Pirmez, Van Hasselt, Clesse, Soust de Borkenfeldt, Lemmonier, Picard, Warlomont, Rodembach, Verhaeren, Gieckin, Albert Firaud, Valeri Giele, Maeterlinck... Entre los autores teatrales: Aloin, Raoul, Clavareau, Quetelet, Reissemberg, Wackeu, Delmotte, Labarre, Guillaume, Hennequin, Maeterlinck... Entre los novelistas: Saint Genois, De Coster, Greyson, Leclercq, Estella Ruelens, Courouble, Conscience...

Todos estos escritores se expresaron en francés y corresponden a los siglos XIX y XX. Al hablar de la lengua y literatura FLAMENCA (V.), nos referiremos a los literatos belgas que se sirvieron de este idioma.

BELUCHISTÁN (Lenguas del)

Estas lenguas, pertenecientes al grupo de las *iranianas* o *persas,* son dos: el *beluchi* y el *brahui,* habladas, respectivamente, por los beluchos y por los brahus. El *beluchi* guarda una gran semejanza con el persa; la mitad de los vocablos de aquel pertenecen a este, salvo que están reformadas por una especial pronunciación; la otra mitad corresponde a diversas lenguas indostánicas. El *beluchi* se descompone en tres dialectos: el *beluchi* propiamente dicho, que hablan las clases independientes y los funcionarios; el *babi,* hablado por los habitantes de Cabril, y el *sindy-beluchi,* dialecto de los Estados de Sind y de Multan. En cuanto al *brahui,* se habla en las altísimas mesetas del país, y es tenido como un *idioma grosero.*

Las lenguas del Beluchistán son muy poco conocidas; de aquí el interés de su estudio. Se escriben con caracteres arábigos, a los cuales se han añadido algunos particulares por exigencias de la pronunciación.

V. MASSON, Ch.: *Narrative of various Journey in Belochistan.*—POTTENGER, H.: *Travels in Belochistan and Sinde.* Londres.

BELLAS ARTES

1. Todas aquellas dedicadas al cultivo del espíritu y cuya expresión es correcta, diáfana, natural.

2. Por extensión, todas aquellas cuya misión es enseñar o deleitar.

3. Aquellas cuyos autores son universalmente estimados.

4. Por restricción, aquellas que caen dentro *del campo de lo literario*: la *novela,* el *cuento,* la *poesía,* la *crónica,* las *memorias,* el *drama,* la *carta...* (V.).

BELLEZA

1. Propiedad de un ser, de una cosa o de un hecho que los hace ser amados, infundiéndoles deleite espiritual. Esta propiedad existe, pues, en la Naturaleza, en las obras artísticas y en las personas.

2. Resultado de la unidad, verdad y bondad en algo o en alguien.

La noción de la belleza, que tiene en sí una gran trascendencia en el arte y en la crítica literaria, es una de aquellas que la filosofía espiritualista proporciona a la razón, considerada como fuente del conocimiento. No puede confundirse la belleza con ninguno de los caracteres que los sentidos nos hacen recibir por los objetos exteriores ni con los sentimientos que tales objetos excitan en nuestra conciencia. La belleza existe *por sí misma.*

Esta belleza *objetiva* tiene como elementos constitutivos: *integridad del ser; proporción y armonía de las partes entre sí y con el todo; esplendor y claridad.*

No cabe tampoco confundir la belleza con la *verdad* ni con el *bien.* La *verdad* es el *fundamento de la belleza,* pero la verdad no siempre es bella. Si la verdad lo es en el orden natural y en el ideal, surge la belleza. El *bien* dice relación con el apetito y la voluntad; la *belleza,* al contrario, impresiona la sensibilidad y el entendimiento. El *bien,* término de una tendencia, tiene razón de fin o de causa final. La *belleza,* término de una contemplación, tiene razón de causa formal.

La facultad capaz de conocer la *belleza* es el entendimiento. Por ello, a más o menos entendimiento en el hombre, más o menos capacidad de *sentir y gozar* de lo bello.

La belleza se divide en *ideal y real.* La primera es la que "representa al entendimiento la perfección típica a que debe acomodarse un ser". La segunda, "la que solo expresa la belleza de un ser real".

El fundamento de todo arte es "la imitación de la naturaleza bella".

Cierto es que en muchos libros y en muchos cuadros se descubren y pintan seres y cosas *que no son bellos.* Recordemos la *Maritornes* en *Don Quijote, Quasimodo* en *Nuestra Señora de París,* los enanos de Velázquez.

Pero es que el arte supremo del artista ha *embellecido* la realidad con los recursos excepcionales del orden, de la oportunidad, de la ejemplaridad, del bien decir, de la emoción.

Los efectos de la belleza son: *admiración,*

complacencia y *amor o tendencia a la posesión.*

Se distinguen tres linajes de belleza: la *física,* la *intelectual* y la *moral;* es decir: la belleza en los objetos sensibles, en los pensamientos y en los sentimientos y acciones.

Se distinguen también tres grados en la belleza: el superlativo: *lo sublime;* el positivo: *lo bello;* el diminutivo, *lo gracioso.* (V. Estética.)

V. KANT, M.: *Lo bello y lo sublime.*—VOLTAIRE: *Diccionario filosófico.*—PLATÓN: *Diálogos: Hipias, Fedro y El banquete.*—PLOTINO: *Las Eneadas.*—CROUSAZ: *Traité du beau.* GAUCKLER: *Le beau et son histoire.*—DIDEROT: *Traité du beau.*

BENEDICTINA (Orden)

Es de justicia mencionar en este *Diccionario de las Literaturas* la Orden benedictina, por los incalculables servicios que ha prestado a la cultura universal. A miles ha dado los teólogos, los filósofos, los historiadores, los eruditos, los poetas, los humanistas. Jamás faltaron en sus numerosos monasterios las escuelas de enseñanza. El funcionamiento de los *escritorios* en las abadías benedictinas, con sus innumerables pacientísimos y sabios *copistas,* salvó para nosotros no solo los escritos de los Santos Padres, *sino toda la literatura clásica,* multiplicando las copias de obras inmortales para su divulgación.

La Orden benedictina recogió en sus admirables bibliotecas cuantos manuscritos y códices preciosos estaban en trance de perderse. No existe casi ninguna rama de la literatura a la que algún monje benedictino no haya dado una obra maestra.

Basta enumerar algunos de los monasterios benedictinos españoles durante la Edad Media para comprender la importancia pasmosa de su misión cultural. En la Corona de Aragón: los de Bañolas, Galligans, San Cugat de Vallés, Santa María de Ripoll, San Pedro de Besalú, San Pablo del Campo, San Juan de la Peña, Montserrat, San Daniel de Gerona, San Pedro de Puellas, San Pedro de Roda, San Pedro de la Portella... En Galicia: Celanova, Samos, Ribas del Sil, San Salvador de Lérez, San Vicente de Monforte, San Martín de Compostela, San Juan del Poyo... En León y Castilla: San Benito de Sahagún, San Zoil de Carrión, Espinareda, Dueñas, San Mancio de Ríoseco, Santa María de Frómista, San Benito de Zamora, San Pedro de Eslonza, San Vicente de Salamanca, Oña, Santo Domingo de Silos, Cardeña, Arlanza, Liébana, Piasca... En la Rioja: San Millán de la Cogulla, Santa María de Nájera, Valvanera, Irache... Y repartidos en el resto de España: Montserrat, en Madrid; Santa María de Huete, San Benito de Sevilla, San Salvador de Celorio, San Juan de Corias, San Pedro de Villanueva...,

BENGALÍ (Lengua y Literatura)

El bengalí es un lenguaje hablado hoy por más de cincuenta millones de indostánicos y musulmanes. Es un idioma novosánscrito, y en él se distinguen cuatro dialectos. Las cuatro quintas partes del bengalí las forman vocablos sánscritos. Los vocablos persas, árabes, malayos e ingleses proporcionan la otra quinta parte. Tiene su escritura autónoma—especial forma del *devanagari*—, florida y elegante.

Entre sus características fundamentales, cabe mencionar: el nombre carece de género; el adjetivo es invariable acompañando a los masculinos; cuando acompaña a los femeninos recibe una terminación variable; los números son tres: singular, plural y dual; los casos son siete: los seis castellanos y el denominado *instrumental;* los modos son cinco: indicativo, optativo, subjetivo, interceptivo y frecuentativo; las formas temporales del verbo son ocho: dos presentes, dos pasados—definido e indefinido—, un imperfecto, un pluscuamperfecto, un futuro y un condicional. En la construcción precede la voz determinada a la determinante, el adjetivo al sustantivo y el complemento al regente.

La lengua bengalí es llamada también *gaur* o *gaura.* Cuando se la denomina así es por hacerse referencia al *bengalí vulgar,* hablado por las clases bajas.

El bengalí tiene una literatura importante. La poesía y los cantos religiosos abundan en ella. Son famosas sus colecciones *Chaitañ-Charitram*—de salmos—y *Gurudahxina*—de prosa y lírica didácticas—. El bengalí cuenta con magníficas traducciones del *Ramayana* y del *Mahahbarata.*

V. CAREY, W.: *Grammar af the bengalee language.* Serampore, 1885.—CHAMNEY, G.: *Rudiments of Bengali grammar.* Londres, 1821.—CHAMNEY, G.: *Bengali selections.* Londres, 1822.

BERBERISCA o BEREBER (Lengua)

Lengua africana, hablada con pequeñas diferencias por las tribus bereberes establecidas al sur de Argelia y en muchos territorios del Sahara.

Algunos filólogos—Chernier, Langlés y Marsden—han creído que el berberisco podría ser una reproducción del antiguo cartaginés o púnico. Pero la crítica más moderna y segura opina que el berberisco está formado por los restos de los idiomas, muy ligados entre sí, de los númidas, gétulos, garamantos y otros de los antiguos pueblos de la Mauritania y la Libia.

El estudio del berberisco es nuevo en Europa. La gramática presenta muchos puntos de semejanza con los idiomas semíticos. Su etimología, por el contrario, muy pocos. Míster Newman y Ventura de Paradis, que han estudiado atentamente los manuscritos bereberes de la Sociedad Bíblica de Londres, presentaron sus respectivas gramáticas. La pronunciación del berberisco es muy dura, dominando en ella la articulación gutural, que los árabes designan por su *ghain*. Se escribe con los caracteres arábigos, a los cuales se añaden las letras *thim, ja* y *guet*.

El berberisco tiene, como el vascuence, la facultad de poder añadir al verbo dos partículas personales a la vez, explicando la una el complemento directo y la otra el indirecto.

Los eruditos Delaporte—francés—y Hodgson—norteamericano—, cónsules, respectivamente, en Mogador y Argel, recopilaron dos colecciones de cuentos en prosa y cantos en verso escritos en lengua berberisca.

El berberisco cuenta con numerosos dialectos: el *zauia,* o lengua de Cabilia; el *zenata,* de Guad-Ras y Mzab; el *susi,* a lo largo del Atlántico; el *bereber,* en las montañas del Atlas y Marruecos central; el *xelos,* en Orán; el *zarifiz,* en el Rif; el *choviah,* en Túnez.

El *guanche* de los primitivos canarios era un dialecto berberisco.

V. PARADIS, Ventura de: *Grammaire de la langue berebère.* París, 1844.—JUDAS, A. C.: *Sur l'écriture et la langue berebère...* París, 1863.—NEWMAN: *Lybian vocabulary.* Londres, 1882.—HODGSON: *Grammatical sketch and the specimens of the berber language.* Filadelfia, 1840.

BERNESCO (Género)

El iniciado, con sus poesías eróticas y burlescas, por el poeta italiano Francisco Berni (1490-1536).

BESTIARIOS

Se dio este nombre a los tratados en verso y en prosa consagrados a la descripción física, las costumbres y los hábitos de los animales, vegetales y minerales, escritos principalmente durante los siglos XII y XIII. Esta *a modo de historia natural literaria* estaba muy lejos de ajustarse a la verdad. La fantasía privaba en ella, embelleciendo el tema. El fondo de los *Bestiarios* lo constituían fragmentos de Plinio y Aristóteles.

La Edad Media quiso ver en cada uno de los animales como un emblema de una virtud o de un vicio. Describiendo a cada animal y contando su vida, los escritores intentaban presentar a los hombres motivos de meditación.

Muchos son los *Bestiarios* que se han compuesto en latín y en otros idiomas. Entre los principales mencionaremos: el *Speculum naturalis,* de Vicente de Beauvais; el *Tratado de los animales,* de Alberto *el Grande;* el libro *De proprietatibus rerum,* de Bartolomé Glanvil; el *Tesoro,* de Brunetto Latino; el *Bestiario de amor,* de Ricardo de Fournival; el *Bestiario divino,* de Guillermo, clérigo de Normandía; el *Tractatus de bestiis et aliis rebus,* atribuido a Hugo de San Víctor.

Todos los *Bestiarios* son, además, sumamente importantes, porque dan idea del estado en que se encontraban las ciencias naturales durante la Edad Media.

Historia natural legendaria se ha llamado a los *Bestiarios.*

V. LOUANDRE, Ch.: *Zoologie fantastique.* En "Revue des Deux Mondes". 1853.—CAHIER Y MARTÍN, P. P.: *Mélanges d'archéologie...* París, 1851.

BIBLES

Nombre que llevaban, en la Edad Media y en Francia, algunos poemas morales y satíricos, ya porque ensalzasen la verdad y poesía de la Biblia, bien porque satirizasen los extremos contenidos en ella.

BIBLIOFILIA

1. Pasión por los libros.
2. Amor codicioso por los libros raros y curiosos.

La bibliofilia ha existido siempre, aun cuando los términos *bibliófilo* y *bibliofilia* no se hayan popularizado hasta el siglo XIX. Ya en el siglo XIV, Ricardo de Bury, arzobispo de Durham, tituló una deliciosa obrita exaltando los libros: *Philobiblion,* o sea: *Tratado de amor a los libros.*

Es lógico que en la antigüedad, escaseando los ejemplares de las obras maestras, estuviera muy excitada la bibliofilia.

No debe confundirse la *bibliofilia* con la *bibliomanía.* Aquella ama y busca todos los libros raros y curiosos; esta, únicamente a cuantos libros se refieren a una ciencia determinada o a un ramo de conocimientos; aquella busca en los libros orgullo de poseerlos y placer de conocerlos; esta, generalmente, es un puro afán exhibicionista, aun cuando en este punto no están conformes los escritores. Para La Bruyère, la *bibliofilia* es un afán coleccionista que no llega jamás a la curiosidad de conocer los libros "por dentro". Para Voltaire, la *bibliomanía* radica en no leer sino un género determinado de obras.

Son condiciones indispensables para estimular hoy la bibliofilia: 1.ª Que el libro sea de *primera rareza,* es decir, de los que se sabe fueron impresos, sin que se conozca ningún ejemplar; 2.ª Que existan *uno, dos* o *escasísimos ejemplares* del libro en cuestión; 3.ª Que tales libros *salgan a venta* muy de tarde en tarde; 4.ª Que se trate de libros *prohibidos, confiscados* o *quemados* en la época en que fueron impresos; 5.ª Que se trate de libros de los que se ha hecho una escasísima tirada numerada.

Naturalmente, a la *bibliofilia* se debe la conservación durante siglos y siglos de infinitas obras primorosas, únicas, de un valor incalculable. (V. Bibliófilo.)

BIBLIÓFILO

1. El apasionado por los libros.
2. El aficionado a las ediciones raras y curiosas.

El bibliófilo ha existido siempre. El concepto que de él se tiene es muy contradictorio, según los escritores. Para algunos de estos, el bibliófilo es incapaz de leer un solo libro de los que posee; no le preocupa sino la vanagloria de tenerlos o lo que en el mercado puedan valer; inclusive sería capaz de llegar a una acción deshonrosa por conseguir una de las obras anheladas. Para otros escritores, el bibliófilo reúne no escasas buenas cualidades: conserva y preserva con amor el libro precioso; lo revaloriza con su búsqueda en los mercados del mundo; suele, cuando menos, entender mucho de cuantos extremos de cultura afectan al libro: imprenta, tintas, papeles, grabados, encuadernaciones, impresores y grabadores célebres, anécdotas.

Una razón ecuánime, un criterio sereno, no han logrado casi nunca un éxito en la formación de la bibliteca. Las grandes colecciones de libros, búsquedas portentosas, han sido conseguidas siempre por espíritus desequilibrados, por mentes tocadas de fanatismo. En todos los tiempos y en todas las latitudes han existido estos bibliólatras que reúnen libros sin leerlos, estos bibliómanos que buscan ávidos el ejemplar determinado, estos bibliófilos nunca saciados en la consecución de cualquier libro precioso.

De los bibliopiratas puestos en la picota por el bibliopirata don Bartolomé José Gallardo, no faltan curiosos ejemplares a lo largo de la Historia.

De Asinio Pollón, romano, se cuenta que enviaba a los libertos a casa de sus amigos para que al menor descuido de estos escondieran sus libros entre las vestiduras. Alcuino, franco, prevaliéndose de su poder con los carolingios, exigía imperiosamente que se le entregasen para la biblioteca del Palacio cuantos libros raros y curiosos, nobles y plebeyos, adquirían.

Es en el siglo XIII cuando Ricardo de Bury, en su tratado *Philobiblion,* empieza a dar todo su interés, a poner en el primer plano de la representación a estos bibliófilos—amantes de los libros—, único adjetivo que persiste, resumiendo en él, o anegando en él, los de bibliómanos y bibliólatras.

No cabe duda que en la antigüedad, cuando los libros eran escasos y de difícil adquisición, los pocos hombres de letras de entonces eran verdaderos bibliófilos. En realidad, pudiéramos decir que existe un pueblo donde desde el jefe del Estado al último ciudadano, desde el más instruido al más analfabeto, todos sienten un respeto absoluto por el papel impreso o escrito, sin que jamás lo usen para envolver los objetos de comercio, rompan o arrojen al suelo, por creer la impresión y la escritura de origen divino. Nos referimos al pueblo chino. Esta especie de amor, este género de credulidad, son los que poseen los bibliófilos. El mencionado Ricardo de Bury hacía este elogio de los libros: "*Hi sunt magistri qui nos instruunt sine virgis et ferula, sine verbis et cholera, sine pannis et pecunia; si accedis non dormiunt, si inquieres interrogans, non se abscondunt, non remurmurant, si oberres, cachinnos nesciunt, si ignores.*"

Según afirmación de Voltaire, en el *Diario de Londres*—1725—apareció este estupendo anuncio: "Un curioso que posee el único volumen segundo de la *Biblia Latina,* infolio, impresa en Maguncia por Pedro Schoeffer, año 1462, desearía entablar conocimiento con el curioso que posea el volumen primero de esta rara edición." El anuncio surtió efecto. Se conocieron los dos curiosos. Y el poseedor del volumen segundo ¡regaló este al poseedor del primero para que tuviera completa Biblia tan preciosa!

Las colecciones de libros, raras y curiosas, acaparadas por bibliófilos—mejor creemos que por bibliólatras, ya que estos, por no leer, tenían todo el tiempo para conseguir—son incontables. Sobre las materias más diversas, sobre los motivos humanos más pintorescos, D'Ablay, cocinero de Carlos I de Inglaterra, reunió más de 10.000 volúmenes relativos a su oficio. Bledoro donó a la Real Biblioteca de Berlín la suya, de más de 5.000 tomos, *todos* relativos al juego del ajedrez. El doctor Payen regaló a la Biblioteca de París su colección de obras relativas a Montaigne. Cipriano de Valera, el famoso traductor de la Biblia, consiguió reunir 300 ediciones incunables de esta. Famosa mundialmente es la sala Cottoniana del British Museum, donde se guardan todos los *manuscritos* de Roberto Cotton. El duque de La Vallière se ufanaba de poseer las múltiples ediciones de los escritos del seudopadre del Derecho internacional: Hugo Grocio. La Biblioteca Municipal de Madrid guarda una de las más ricas colecciones *paremiológicas*—proverbios, adagios, refranes—del mundo, conseguida de un particular.

El incesante incremento de los bibliófilos dio origen a la formación de gran número de Sociedades, en las que, primeramente, al ponerse en relación, se encontraban motivos de cambalache y noticias de interés para los socios. Luego se pensó en la clasificación de los libros raros, y, por último, en señalarles precio para su venta en todo el mundo.

Las primeras fundaciones de esta clase nacieron en Inglaterra, siendo la más antigua la de los Dilettanti—1734—, que se ocupaban exclusivamente de ayudarse en la busca y captura de la obra codiciada. El *Roxburgh Club* tomó como objeto reproducir libros de extraordinaria rareza o todavía inéditos para uso exclusivo de sus socios.

En Francia se fundó en 1866 la Académie des

Bibliophiles. Antes, en 1820, se había creado la Société des Bibliophiles Français, que reprodujo la primera edición completa de libros clásicos griegos y romanos. En España no faltaron ni faltan Sociedades de este género. La Sociedad de Bibliófilos Españoles, establecida en Madrid desde 1872, inició esta obra de las ediciones primorosas. Otras entidades han editado los *Libros raros y curiosos*—1871-1901—, *Los libros de antaño,* habiéndose creado en 1909 la Sociedad de Bibliófilos Madrileños, cuya colección de 26 obras de antiguos escritores castellanos es muy buscada por los amantes de los buenos libros. Hace años, bajo la dirección del catedrático de Bibliología de la Universidad Central, señor Sáinz y Rodríguez, se inició en Madrid la publicación de "Los clásicos olvidados". Y en 1947, en Sevilla, ha empezado a publicarse la colección "Bibliófilos Sevillanos". En Barcelona, desde 1904, se desenvuelve la Societat Catalana de Bibliofils, la cual, desde su fundación, ha publicado ediciones facsímiles del *Libro de Santa María,* de Ramón Llull; de *Los set sabis de Roma,* manuscrito del siglo XIV; del *Ars moriendi,* del *Cançoner del Conte d'Urgell,* de la *Fiammeta,* de Boccaccio; de la *Historia de Jacob Xalabin,* y otros muchos.

Todas las bibliotecas del mundo tienen un mismo origen de formación: el amor, la monomanía de algunos hombres. Los libros más preciosos y raros del mundo se han conservado por la monomanía o por el amor de algunos hombres.

Nada más respetable, por ende, que la bibliofilia, la bibliomanía y la bibliolatría.

BIBLIOGRAFÍA

Del griego βιβλίον, libro y γράφειν, escribir. Etimológicamente: *la descripción del libro;* en realidad, la ciencia de los libros por la indicación "de su forma y de su contenido".

Otros dos conceptos pueden darse de la bibliografía, también denominada *bibliognosia:* en sentido lato y en sentido estricto. En sentido amplio, es la ciencia que se preocupa de la *enumeración, descripción* y *crítica* de los libros, sin hacer separación alguna de ellos en el tiempo y el espacio. En sentido estricto, es la ciencia de los libros que "trata de los repertorios y de las fuentes de los mismos, y suministra medios de procurarse cuantos conocimientos completan la llamada Historia literaria".

Conviene distinguir precisamente la bibliografía de otras ciencias que no son sino—como ella—ramas de bibliología o ciencia del libro: la *biblioteconomía* y la *bibliotecografía.*

La biblioteconomía analiza el libro "reunido con otros muchos en grandes bibliotecas, su precio y su interés". La bibliotecografía hace "la descripción interno-externa del libro, considerado en sí mismo, para determinar el lugar que ocupa en el movimiento intelectual".

La importancia de la bibliografía es tal, que modernamente figura como asignatura oficial obligatoria en todas las naciones del mundo para cuantos hayan de titularse bibliotecarios.

La bibliografía tiene dos aspectos: como *ciencia pura o literaria* y como *ciencia de aplicación o material.* Como ciencia pura, alcanza rango e importancia considerando el contenido de los libros, su autor, los servicios que aquellos pueden prestar a la cultura; en este sentido, la bibliografía limita con la crítica literaria, y es a esta lo que la geografía o la historia: uno de sus ojos. La bibliografía aplicada, objeto de afanes para el bibliófilo y una especie de locura para el bibliómano, es, simplemente, un oficio o un negocio, ya que estudia *la parte externa* de los libros, su conservación, sus posibilidades de expansión, el grado en que reúnen la curiosidad, la rareza y el valor material.

La bibliografía es más bien producto de épocas de observación y análisis que de invención y originalidad. Entre los griegos fue la época llamada *alejandrina*—decadencia literaria, imitación, falta de inventiva—aquella en que la bibliografía adquirió categoría de ciencia.

La bibliografía tiene un doble interés: material y moral. Es como una lengua común entre los sabios, estudiosos y libreros de todo el mundo.

El interés material de la bibliografía lo es principalmente para los libreros y bibliotecarios. Abraza el volumen de los libros, sus distintas ediciones—con las particularidades de cada una—, sus precios, sus impresores, sus curiosidades. Dicho interés queda registrado en el *catálogo,* ayuda inapreciable con que cuentan todos los bibliotecarios y casi todos los libreros del mundo.

El interés moral se circunscribe a los conocimientos humanos que abarca. "Para algunos eruditos, la bibliografía se reduce a la *Filosofía o ciencia de la humanidad,* la *Teología o ciencia divina* y la *Historia o ciencia de los sucesos.* Otros, intentando seguir la marcha de las ideas, han tomado por base el parecer de Bacon, y quieren circunscribir el campo de la bibliografía a cuanto pertenece a las facultades del alma: *razón* (filosofía), *imaginación* (poesía) y *memoria* (historia), suponiendo que ellas abarcan y explican cuanto el hombre conoce, siente y quiere y, por consecuencia, cuanto ha escrito. Otros intentan clasificar las obras según las necesidades físicas y morales del hombre; y otros, por último, pensando que todo puede reducirse a conocimientos *instrumentales, esenciales* o de *conveniencia.*"

Naturalmente, hoy ya no ofrece la menor duda cuál es el campo de la bibliografía: el de *todos los conocimientos humanos escritos.*

Hasta el siglo XVI no puede hablarse de verdadera ciencia bibliográfica. El primer tratado general de bibliografía pura parece ser el de Conrad Gessner, *Bibliotheca universalis,* Zurich, 1545.

En España, Nicolás Antonio publicó—de 1672 a 1696—su *Biblioteca hispana vetus* y *Biblioteca hispana nova,* índice bibliográfico de los escritores españoles desde los tiempos de Augusto hasta el año 1500 en la *vetus,* y de 1500 a 1570 en la *nova,* con muchos datos de interés aun para los estudiosos de hoy. Pero nuestro país tiene el orgullo de haber tenido uno de los más grandes y antiguos bibliógrafos: San Isidoro de Sevilla, ya que sus *Etimologías* entrañan un esfuerzo de bibliófilo sutil y experimentado.

Nos sería imposible en esta breve ficha mencionar siquiera los más importantes repertorios bibliográficos, ya que suman muchos miles, a los que hay que añadir las incontables revistas que sobre la materia se publican en todo el mundo.

En España siguen siendo imprescindibles los repertorios de Nicolás Antonio, Bartolomé José Gallardo, Salvat y Paláu para las obras literarias.

BIBLIOLOGÍA

1. De las palabras griegas βιβλίον, libro, y λέγω, nota, razón o tratado. Bibliología es, pues, *tratado o razón de los libros.*
2. Tratado de la definición de los vocablos y de las reglas bibliográficas.
3. Suma de conocimientos referentes a los libros.
4. Teórica preliminar de la bibliografía que expone las normas y los términos de la misma.

"La bibliología encierra los elementos de la bibliografía, de cuyas palabras y principios da la definición. Suministra datos exactos y positivos acerca del tamaño, impresión, papel, caracteres y encuadernación de los libros; indica el número de ediciones, su diferente valor y, por último, cuanto se refiere a los procedimientos tipográficos, al arte de la fundición, de la imprenta, a las fábricas de papel, a los talleres de encuadernación, etc."

BIBLIOMANÍA

De las palabras griegas βιβλίον, libro y μανία, locura. Pasión por los libros. Afán que tiene alguien de poseer todos cuantos libros pueda, aun cuando no los necesite.

El bibliómano no trata de adquirir libros para servirse de ellos, sino únicamente para poseerlos con exclusión de los demás.

Para un bibliómano, el mérito de un libro puede estar: en la materia de que trata, en su presentación, en su impresor, en haber pertenecido a algún célebre personaje, en el valor de los materiales que hayan entrado en la manufactura, en estar prohibido o expurgado...

A principios del siglo XIX se creó en Londres el Bibliomanio-Roxburgh-Club, presidido por lord Spencer. Y pocos años después, en Escocia, el Ballentyne-Club.

Hoy día, la bibliomanía casi ha desaparecido, para dar paso a la bibliofilia. (V. Bibliofilia.)

BIBLIOTECA

1. Armario de libros.
2. Conjunto de libros que se colocan ordenadamente en estantes o armarios cerrados.
3. Lugar en que están colocados y guardados los libros.
4. Obra en que se da cuenta de los escritores de una nación o profesión o de las obras que han escrito, como *Biblioteca de don Nicolás Antonio, Biblioteca de B. J. Gallardo, Biblioteca de Salvat...*
5. Nombre genérico de ciertas publicaciones científicas o literarias, como la *Biblioteca de Autores Españoles.*

BREVE RESEÑA HISTÓRICA DE LAS BIBLIOTECAS. *Egipto.*—Las primeras colecciones de libros que se han encontrado proceden de la remotísima cultura africana.

En las excavaciones que constantemente se hacen en los palacios de los faraones, en los templos y en las tumbas, se encuentran en una abundancia extraordinaria los rollos de papiro, de contenido generalmente religioso—oraciones, cantos funerarios—y económico—cuentas, contratos, testamentos—. R. Lepsius, cronista de Egipto, descubrió en el palacio de Ramsés Miamun—siglo XIV antes de Jesucristo—, inmediaciones de Tebas, el sepulcro de los dos bibliotecarios del rey. De tiempos anteriores—Amenosis I, dinastía XVIII, siglo XVII antes de Jesucristo—se conservan en el Museo Británico varios pergaminos con curiosas reseñas de guerras. Y, además, la existencia del funcionario real escriba, desde las primeras dinastías, dedicado a la redacción de libros, hace suponer la existencia de numerosas bibliotecas, si bien de uso exclusivo de reyes y sacerdotes. A los muertos se les solían dejar en la cámara mortuoria o en el mismo sarcófago numerosos rollos—libros—que formaban la biblioteca del difunto.

Asiria.—Sin embargo, la biblioteca más antigua y de probada autenticidad está formada por la serie de numerosas tablillas de arcilla cocida que descubrió el inglés Layard—1854—excavando en la llamada cámara de los leones del palacio del rey Asurbanipal (669-525), en Nínive. Este príncipe, mejor conocido en la cronología hebraica por el nombre de Sardanápalo, consciente, acaso, de la eminente ruina del Imperio asirio, coleccionó importantes escritos, trayéndolos de todos los palacios y templos de su reino y haciéndolos copiar por escribas, hasta formar una biblioteca superior a todas las de su especie en extensión y variedad.

Y no ha sido este el único descubrimiento de esta clase que se hizo en Asiria. B. Smith, en 1872, descubrió numerosas tabletas arcillosas que contienen una versión pueril del Diluvio universal. En Sipparce (ciudad de los libros), próxima a Bagdad, los americanos Hayves, Hilprecht y Peters, que desde 1886 practicaban excavaciones, encontraron 50.000 tabletas de arcilla entre las ruinas del templo del Sol.

Alejandría.—Según datos de la moderna investigación, Tolomeo I, hijo de Lago, sátrapa y rey—323 a 304 a 285 a. J. C.—, ayudado por Demetrio Falero, inició la organización de un famoso establecimiento de cultura denominado *Museion,* una de cuyas dependencias era la biblioteca.

Tolomeo Filadelfo, su hijo, la llevó a su apogeo reuniendo en ella más de 500.000 volúmenes, y empleando 5.000 funcionarios y escribas en su cuidado y en la redacción y transcripción de los códices. Tomaron parte directa en la clasificación y catalogación de aquellos tesoros: Alejandro de Etolia, Zenodoto, Licóforo y Zandro para las producciones del teatro griego y los poemas homéricos, encargándose el primero de las tragedias; el tercero, de las comedias; el segundo, de los cantos de Homero, y el cuarto, de las concordancias; Calímaco de Cirene y Aristófanes de Bizancio, el primero de los cuales, en su obra *Pinakes,* resumió los esfuerzos de bibliotecario, clasificando las obras por orden de materias y catalogándolas luego en la forma siguiente, según Watsmundi: "... primero escribía en el *syllglos*—tira de pergamino pegada en el exterior de cada rollo—el nombre del autor, y si este era dudoso, el de otro autor a quien pudiera atribuirse la obra; ponía después el título o títulos de la obra, y llegaba hasta hacer constar el número de líneas de que constaba; más tarde, incansable en su actividad pinacográfica, añadió a cada uno de los nombres de los autores una biografía sucinta." Esta celebérrima biblioteca, con el tiempo acrecentada prodigiosamente, según Paulo Orosio, fue deshecha por Amrú, lugarteniente del califa Omar, que repartió los volúmenes entre las 4.000 termas de Alejandría, y sirvieron para calentar el agua durante seis meses.

Pérgamo.—Su rey Eumenes o Atalos (197-159 a. J. C.) intentó formar una biblioteca superior a la alejandrina. Empleó como material de escritura pieles de animales preparadas—*pergaminos*—, y reunió 200.000 volúmenes, que fueron trasladados a Alejandría por orden de Marco Antonio. Fue bibliotecario de esta colección Euforión de Calcis.

Grecia.—Las más antiguas bibliotecas griegas fueron reunidas por particulares, y eran las del poeta Eurípides y las de los filósofos Aristóteles y Teofrasto. Pisistrato formó en Atenas la primera biblioteca pública—250.000 volúmenes—, que se llevó Jerjes y que restituyó Seleuco Nicator.

Roma.—El carácter esencialmente bélico de los romanos hizo que no dieran importancia a la literatura en los primeros tiempos, no apareciendo las primeras bibliotecas en Roma hasta el fin de la República, y esto como trofeo de guerra conquistado a los vecinos. Desde entonces se establece la costumbre de que los generales, después de saquear las ciudades de Oriente, llevaran consigo a Roma bibliotecas enteras. Paulo Emilio—157 a. J. C.—recogió la del rey Perseo de Macedonia, y Sila—98 a. J. C.—se incautó de la del erudito ateniense Aistenes, en tanto que Lúculo se apropiaba de cuantas a su paso hallaba en el Asia Menor. El gramático Tiranión acrecentó la traída por Sila con 30.000 rollos. Asinio Pollión llevó a la práctica la idea de César: abrir la primera biblioteca pública "circulante" que ha existido en el mundo en Atrium Libertatis, cerca del *Forum.* Octavio fundó la *Bibliotheca importicu octaviae*—Campo de Marte—; Tiberio, la *Bibiotheca templi Augusti* y la *Bibliotheca pacis;* Ulpio Trajano, la *Bibliotheca Ulpia.* Se multiplicaron también las bibliotecas particulares. Cicerón, en su quinta de Tusculum, reunió 60.000 volúmenes. M. Terencio Varrón se vanagloriaba de sus 30.000 rollos *egregii.* Y el cargo de bibliotecario, que al principio se confió a esclavos o libertos, encomendóse luego a funcionarios públicos oficialmente reconocidos.

Constantinopla.—Al trasladar su residencia imperial a Bizancio, Constantino hizo establecer una biblioteca, en la que se colocaron las obras cristianas que se habían salvado de la destrucción decretada por Diocleciano; Juliano y Teodosio, emperadores de ideas comprensivas, la enriquecieron con obras de todas clases.

Edad Media.—Del siglo v al xv, las más insignes colecciones de libros estuvieron radicadas en monasterios y cenobios. La fundación de uno de estos llevaba aparejada la de una de aquellas, que pronto adquirieron un esplendor inusitado, aun cuando el número de volúmenes era ya muy reducido. Las invasiones bárbaras arrasaron en Occidente las antiguas bibliotecas, cuya historia termina con la caída del Imperio romano. Había, pues, que rehacer. Cada rollo salvado de las hordas debía ser transcrito. Cada pergamino equivalía a un tesoro. Un códice era el más preciado galardón de la cultura. Siendo, además, los monasterios casi los únicos centros de enseñanza, cuantos jóvenes educandos acudían a ellos debían copiar las obras de los antiguos o de los maestros. En los retiros monacales del monte Athos—Grecia—se guardaron los pocos manuscritos clásicos griegos que pudieron salvarse de las antiguas invasiones, y los monjes benedictinos—una regla de sus estatutos les mandaba estudiar y copiar los modelos literarios de la antigüedad—se encargaron de expandir el conocimiento y de formar numerosas y ricas bibliotecas.

Entre las más famosas del medievo figuran:

la del monasterio de Dumio (Galicia), la de Cartagena, del obispo Liciano; la del rey Recesvinto, que fue revisada por San Braulio, de Zaragoza; la de Valclara, que dirigía Juan de Biclara; la de Toledo, que se conoce por los escritos de San Julián; la de Sevilla, fundada por los Santos Leandro e Isidoro; la de Barcelona, que existía en tiempos del obispo Quirico; la de Salamanca, iniciada por Alfonso X; la preciosa de Almanzor, en Córdoba, cuyos restos enriquecen hoy la de El Escorial; y en el extranjero: la de Fulda, fundada por el abad Hrabanus Maurus, que hizo que doce monjes copiaran diariamente antiguos manuscritos; la de Corvey, donde, por una disposición dada en el año 1097, se ordenó que todo aquel que ingresara en el monasterio debía arreglar un libro útil; la de Santiago, de Maguncia; la de San Pedro, de Salzburgo; la de San Germán de los Prados (París), la más importante del mundo, que contenía 60.000 volúmenes y más de 8.000 códices manuscritos, sirvió a los maurinos para preparar su edición de los Santos Padres, hecha en los siglos XVII y XVIII; la de Monte Casino y monasterio de Subíaco, cuna de la Orden de San Benito; la de Oxford, fundada por Ricardo de Bury.

Abundaron igualmente las bibliotecas particulares de personajes celebérrimos. Petrarca legó, al morir, su biblioteca a la iglesia de San Marcos, de Venecia, con la condición de que había de servir para el público. La de don Enrique de Aragón, marqués de Villena, no toda quemada por el obispo don Lope de Barrientos, según estima la crítica, contenía 25.000 volúmenes, en su mayor parte de alquimia, magia, medicina y botánica. Don Pedro de Luna, el famoso antipapa, formó tres hermosas colecciones de manuscritos en Aviñón, Reus y Peñíscola. Carlos "el Sabio", rey de Francia, poseyó 900 manuscritos, iluminados primorosamente, que ocupan dos pisos de la torre del Louvre, colocados horizontalmente, poniéndolos, para leerlos, en atriles giratorios.

Edad Moderna.—Con la invención de la Imprenta, las bibliotecas adquieren un desarrollo inaudito. El Renacimiento enciende en las inteligencias un afán desmedido de cultura. No solamente las ciudades importantes todas, sino dentro de ellas las Universidades, los conventos, las agremiaciones, tendrán, como para satisfacer una necesidad imprescindible, bibliotecas con una lógica organización. Más adelante, los Municipios se encargarán de formar y sostener las municipales, destinadas a facilitar al pueblo ciencias y recreaciones. La Edad Moderna hace de la lectura como una de las principales urgencias de la administración, tan apremiante como la higiene o la beneficencia.

ORGANIZACIÓN DE LAS BIBLIOTECAS.—Varias ciencias son las que tienen por objeto la administración, organización y arreglo material de las bibliotecas.

Los recintos de libros en el Oriente estaban al lado de los templos y eran salas alargadas, escuelas con inscripciones alusivas en las paredes y luz cenital. Sobre trípodes se armaban unos a modo de atriles para en ellos desdoblar los papiros. Las bibliotecas romanas eran habitaciones reducidas, cuadrilongas, bien orientadas, con luz suave y ricamente decoradas. Bustos de repúblicos, emperadores, sabios y mecenas, en mármol y oro. Los libros se colocaban en armarios adosados a las paredes o en medio de los departamentos, dividiendo estos en saloncillos. Los armarios eran de cedro, ébano y encina o cualquier otra madera olorosa, trabajada con primor en flora, fauna, efigies o inscripciones. Los libros, si eran rollos—*volumina*—, se colocaban horizontalmente a lo hondo, quedando fuera, pendientes, las cintillas, en donde constaban el título de la obra y el nombre del autor. A partir del siglo IV, los códices se colocaban tendidos, con los cortes para afuera. Sobre cada armario se solía poner una *tábula* a manera de somero catálogo, en la que se había escrito el título de los contenidos en él.

En la Edad Media, las bibliotecas de los monjes no siguen fórmula de organización alguna. Cualquier celda es apta para amontonar libros; basta que en ella exista un pupitre donde el monje pueda dedicarse a la copia del códice, según vemos a San Gregorio en un marfil del siglo IX. En las bibliotecas de las catedrales y de las nacientes Universidades, para evitar las frecuentes sustracciones, se sujetaban con cadenas los libros a las mesas—*libri catenati*—, o se extendían cadenas a lo largo de las estanterías, para que solo el bibliotecario pudiera manejarlos. En el siglo XIV empezaron a usarse estantes con un saliente en declive, terminando por un reborde de madera, y el libro podía verse fácilmente todo él. Las encuadernaciones preciosas lo exigían así. Se llevó a las bibliotecas, entonces, el pupitre giratorio—para buscar la mejor luz—y el facistol, donde se leían los infolios—tumbos y becerros—. En las paredes, solamente por el friso, se escribían máximas escolásticas o versículos de la Biblia. Siglo XVI: el título de la obra iba en el canto—en la biblioteca de El Escorial llevan los libros cantos dorados con el título en negro—o en el lomo. Los que lo llevaban en el lomo empezaron a colocarse verticalmente, a lo hondo, como en la actualidad. Las librerías, entonces, se convirtieron en credencias con estantes múltiples y el cuerpo inferior más desarrollado. Aparecen los pupitres de doble cuero enfrentados. Se vuelve a la luz cenital, sin prescindir por ello de las vidrieras, más bien de adorno. En el siglo XVIII, cuando se empieza a no colocar los libros en las salas de lectura, se hacen imprescindibles los almacenes, donde se multiplican los estantes, a cuyas más altas partes se llega con escaleras de mano, primero; luego, con escaleras adosadas ya a la construcción por estrechas galerías; almacenes en los

B

que, siguiéndose la sabia decisión de Vitruvio, se debe buscar luz, aire y orientación, armas infalibles contra esos enemigos formidables del libro, que son el polvo, la humedad y la polilla. En las bibliotecas modernas son ya imprescindibles otros muchos departamentos. Hoy no pueden mezclarse el libro y el dibujo; ni estar juntos el códice y el volumen del día. La música, los manuscritos, las estampas, los mapas, las miniaturas exigen su apreciación distinta. Las dependencias son múltiples, como pequeñas bibliotecas de fisonomía distinta dentro de la biblioteca de fisonomía general.

Sistemas de catalogación.—Una biblioteca importante sin catálogo es una biblioteca muerta. El catálogo es a los libros como la luz intensa para los brillantes: exponente admirable de su valor. Según Edwards, los sistemas de catalogación que se han ingeniado pasan de doscientos, todos ellos sujetos a errores y a dificultades, por la diversidad de los conocimientos humanos, cada día más sutiles y sutilizados. He aquí algunos de los más importantes:

Ricardo de Fornival—siglo xiii—estableció tres secciones: 1.ª Filosofía, *trivium, quadrivium,* Metafísica y Moral; 2.ª, Ciencias lucrativas —Medicina, Derecho civil y canónico—, y 3.ª Teología.

Aldo Manucio, "el Viejo", en 1498, publicó su catálogo con las secciones siguientes: 1.ª Gramática. 2.ª Poética. 3.ª Lógica. 4.ª Filosofía; y 5.ª Sagrada Escritura.

Roberto Estienne, en 1546, dividió el suyo en catorce secciones: 1.ª Hebraica. 2.ª Graeca. 3.ª Sacra. 4.ª Profana. 5ª Gramática 6.ª Poética. 7.ª Historia. 8.ª Retórica. 9.ª Dialéctica. 10. Oratoria. 11. Filosofía. 12. Aritmética. 13. Geometría; y 14. Médica.

Conrado Gesner, autor del primer sistema bibliográfico científico, en 1545-1548 publicó su *Biblioteca Universalis,* donde expone su método racional, conciliando la tradición escolástica y las innovaciones y exigencias del Renacimiento, al dividir las artes y las ciencias en *preparatorias* y *sustanciales;* aquellas, en *necesarias* y de *adorno;* las *necesarias,* en *parlantes*—Gramática y Filosofía, Dialéctica, Retórica y Poética— y *matemáticas*—Aritmética, Geometría, Optica, Música, Astronomía y Astrología—; las de *adorno* son: Adivinación, Magia, Geografía, Historia, Artes mecánicas; las ciencias y artes sustanciales comprenden la Filosofía natural, la Metafísica y la Teología, la Filosofía moral y económica, la Política, el Derecho y la Medicina.

En 1540, el español Alejo Venegas, en su obra *Primera parte de las diferencias de libros que hay en el Universo*—Toledo. Reimpreso: Valladolid, 1583—, sigue la siguiente clasificación: 1.º Original—predestinación y libre albedrío—. 2.º Natural—Filosofía visible—. 3.º Racional—funciones y empleos de la razón—; y 4.º Revelación—Sagradas Escrituras.

Una clasificación curiosa es la del médico árabe Taschiköprisade—siglo xvi—, que tomó como base las cuatro formas del saber humano: la Escritura, la Palabra—Filosofía e Historia—, el Pensamiento—Matemáticas y Filosofía—y la Ley—Teología y Derecho.

El gran polígrafo español Nicolás Antonio, en el *Index materiarum* de su *Biblioteca Nova,* distribuye y ordena los libros en doce grupos: Teología, Filosofía, Medicina, Derecho canónico y civil, Política y Economía, Matemáticas, Traducciones, grupo denominado Humanidades —o sea, Gramática, Filología y Lógica—, Historia, Poesía, Miscelánea, Novela y Fábulas—o sea, Literatura.

Menéndez y Pelayo comprendió los siguientes grupos—en parte tomados del catálogo de la Biblioteca del Colegio Mayor de Salamanca—: I. Sagrada Escritura y Exégesis bíblica. II. Teología. III. Libros místicos y ascéticos. IV. Filosofía. V. Ciencias morales y políticas: *a)* Filosofía del Derecho, Derecho natural, etc. *b)* Tratadistas de política. *c)* Economistas y arbitristas. VI. Ciencias de la guerra. VII. Jurisprudencia: *a)* Romanistas. *b)* Canonistas. *c)* Ilustradores del Derecho patrio: Fuero Juzgo, Fuero Real, Partidas, Ordenamiento de Alcalá, Compilaciones de Alonso Díez de Montalvo, Leyes de Toro, Nueva y Novísima Recopilaciones, Legislaciones forales. VIII. Filología y Humanidades. IX. Estética, Preceptiva y Crítica: *a)* Tratados de Estética general. *b)* Tratadistas de Arquitectura, Escultura y Pintura. *c)* Tratadistas de Música. *d)* Preceptistas literarios. X. Ciencias históricas: *a)* Filosofía de la Historia, Crítica histórica, Arte de escribir la Historia. *b)* Cronología. *c)* Arqueología y Geografía de la España antigua. *d)* Epigrafía. *e)* Numismática. *f)* Paleografía. XI. Ciencias matemáticas puras y aplicadas—Astronomía, Cosmografía, Geodesia...—. XII. Ciencias militares. XIII. Ciencias físicas y sus aplicaciones: *a)* Física general, Alquimia, Química. *b)* Mineralogía y Metalúrgica. *c)* Botánica. *d)* Agricultura. *e)* Zoología y Tratados generales de Historia Natural. *f)* Ciencias médicas. *g)* Zootecnia y Veterinaria.

Pero los dos sistemas bibliográficos modernos más completos, aceptados, uno u otro, por todas las grandes bibliotecas del mundo, son los de Brunet y Melvil Dewey.

Brunet, en su *Manuel du libraire et de l'amateur des livres,* expone el siguiente—aceptado por la Biblioteca Nacional de Madrid—:

Teología:

I. Sagradas Escrituras.
II. Liturgia.
III. Concilios.
IV. Santos Padres.
V. Teólogos.
VI. Opiniones particulares.
VII. Religión judaica.

VIII. Religiones orientales.
IX. Apéndice. (Obras filosóficas acerca de la Divinidad y su culto.)

Jurisprudencia:

Introducción.
- Historia de la Legislación y de los Tribunales.
- Filosofía del Derecho.
- Diccionarios.
- Tratados generales.

I. Derecho natural y de gentes.
II. Derecho político.
III. Derecho civil y penal.
IV. Derecho canónico.

Ciencias y Artes:

I. Ciencias filosóficas.
II. Física y Química.
III. Ciencias naturales.
IV. Ciencias médicas.
V. Ciencias matemáticas.
VI. Apéndice. (Alquimia. Astrología.)
VII. Artes.
VIII. Artes mecánicas. Oficios.
IX. Gimnástica.
X. Juegos.

Bellas Artes:

I. Lingüística.
II. Retórica.
III. Poesía.
IV. Ficciones.
V. Filología.
VI. Diálogos.
VII. Epistolarios.
VIII. Polígrafos.
IX. Colecciones de obras o de extractos.

Historia:

I. Prolegómenos.
II. Historia Universal antigua y moderna.
III. Historia de las religiones.
IV. Historia antigua.
V. Historia moderna.
VI. Paralipómenos.
VII. Miscelánea y Diccionarios.
VIII. Periódicos.

Melvil Dewey—bibliotecario de la Universidad de Boston—, en 1885, publicó su sistema bibliográfico llamado *decimal,* por dividir todos los conocimientos humanos en 10 clases, representadas por las cifras 0, 1, 2, 3, 4, 5, 6, 7, 8, 9. Cada una de estas clases se subdividen en 10 grupos, y cada grupo en 10 subgrupos. Las 10 clases base del sistema, son:

0. Obras generales.
1. Filosofía.
2. Religión.
3. Sociología.
4. Filología.
5. Ciencias.
6. Ciencias aplicadas.
7. Bellas Artes.
8. Literatura.
9. Historia.

Los 10 grupos, por clase, son:

00. Obras generales ...
- 1. Bibliografía.
- 2. Biblioteconomía.
- 3. Enciclopedias.
- 4. Colecciones generales.
- 5. Periódicos generales.
- 6. Sociedades generales.
- 7. Diarios.
- 8. Poligrafía.
- 9. Libros raros.

10. Filosofía...
- 11. Metafísica.
- 12. Estudios especiales de Metafísica.
- 13. El espíritu y el cuerpo.
- 14. Sistemas filosóficos.
- 15. Facultades mentales. Psicología.
- 16. Lógica.
- 17. Etica.
- 18. Filósofos antiguos.
- 19. Filósofos modernos.

20. Religión..
- 21. Teología natural.
- 22. Biblia.
- 23. Teología doctrinal. Dogmática.
- 24. Devoción. Práctica. Obras.
- 25. Sermones. Clero. Parroquias.
- 26. La Iglesia: sus Instituciones.
- 27. Historia religiosa.
- 28. Religiones y sectas cristianas.
- 29. Religiones no cristianas.

30. Sociología
- 31. Estadística.
- 32. Ciencia política.
- 33. Economía política y social.
- 34. Derecho.
- 35. Administración.
- 36. Asistencia. Seguros.
- 37. Enseñanza.
- 38. Comercio. Transporte.
- 39. Costumbre. Vida popular.

40. Filología..
- 41. Comparada.
- 42. Inglesa.
- 43. Germánica.
- 44. Francesa.
- 45. Italiana.
- 46. Española.
- 47. Latina.
- 48. Griega.
- 49. Lenguas secundarias.

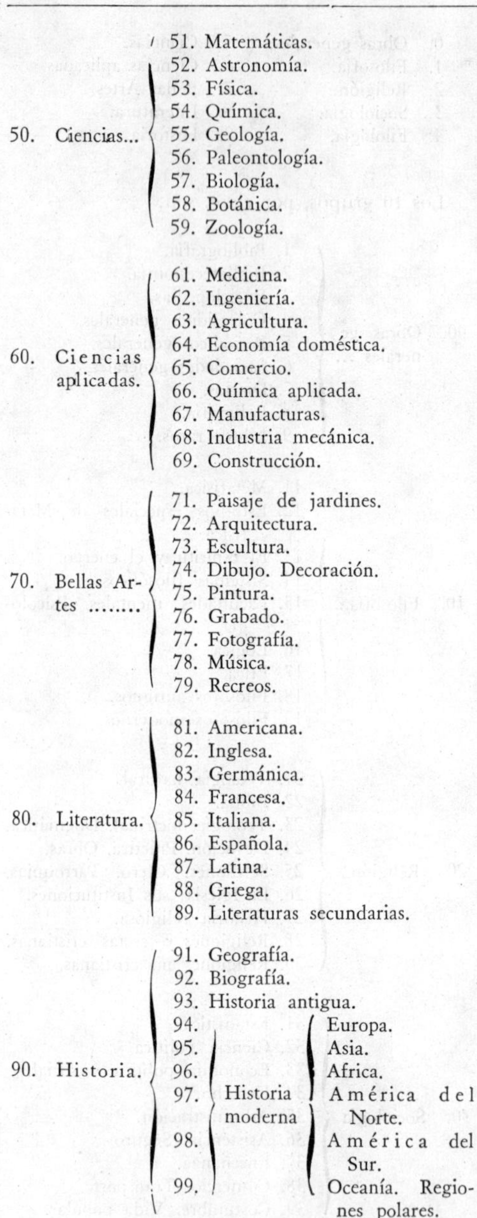

50. Ciencias...
- 51. Matemáticas.
- 52. Astronomía.
- 53. Física.
- 54. Química.
- 55. Geología.
- 56. Paleontología.
- 57. Biología.
- 58. Botánica.
- 59. Zoología.

60. Ciencias aplicadas.
- 61. Medicina.
- 62. Ingeniería.
- 63. Agricultura.
- 64. Economía doméstica.
- 65. Comercio.
- 66. Química aplicada.
- 67. Manufacturas.
- 68. Industria mecánica.
- 69. Construcción.

70. Bellas Artes ....
- 71. Paisaje de jardines.
- 72. Arquitectura.
- 73. Escultura.
- 74. Dibujo. Decoración.
- 75. Pintura.
- 76. Grabado.
- 77. Fotografía.
- 78. Música.
- 79. Recreos.

80. Literatura.
- 81. Americana.
- 82. Inglesa.
- 83. Germánica.
- 84. Francesa.
- 85. Italiana.
- 86. Española.
- 87. Latina.
- 88. Griega.
- 89. Literaturas secundarias.

90. Historia.
- 91. Geografía.
- 92. Biografía.
- 93. Historia antigua.
- Historia moderna:
  - 94. Europa.
  - 95. Asia.
  - 96. Africa.
  - 97. América del Norte.
  - 98. América del Sur.
  - 99. Oceanía. Regiones polares.

Se completa la clasificación con un *índice general de materias* y las oportunas papeletas de *referencia*. Este método, que ha sido muy combatido, gana de día en día opiniones. Es el que se sigue en la biblioteca del Ateneo de Madrid y en la Biblioteca Municipal Matritense, entre otras.

Pueden considerarse también como sistemas bibliográficos—solo aceptables en las pequeñas bibliotecas o como complemento de las grandes, dentro de cada grupo—el de *clasificación por orden alfabético de autores* y el de *clasificación por orden alfabético de materias*. ¿Inconveniente, y grave, de estas clasificaciones? Que no siendo el orden alfabético el mismo en todas las lenguas, para buscar con éxito un libro es preciso conocer aquella en que el repertorio está escrito.

¿CÓMO SE REDACTA UNA FICHA BIBLIOGRÁFICA? *Nombre del autor.*—Han de escribirse completamente: nombres y apellidos, los títulos y cuantos datos se conozcan. Las obras anónimas se indicarán como tales, aun cuando nos fuera conocido el autor; pero en este caso se hará una papeleta de referencia.

Título de la obra.—Debe copiarse íntegro, o al menos de forma que baste a individualizar la obra y la edición. Cuando el título es figurado o falso, debe rectificársele o aclarar el exacto significado de la obra. En los incunables hay que copiar exacta y totalmente la portada, separando con rayas la división de renglones en el original; y si el incunable carece de título o encabezamiento, se redactará uno que indique fehacientemente el contenido.

Otros detalles.—Se indicará el nombre del traductor, del anotador, del prologuista; el lugar de la impresión, la imprenta o editor; el año de la impresión, el número de volúmenes y capítulos y las páginas; los grabados, láminas, mapas, dibujos, planos y cuadros sinópticos; la medida en centímetros a lo ancho y a lo alto y el tamaño—24, 16, 8.º, folio—y la encuadernación.

Las obras árabes y hebreas.—Se transcribirá la fecha por la Era mahometana, pero entre corchetes se reducirá al año vulgar.

Manuscritos.—En los manuscritos se hará, en las observaciones, la indicación, además, si el volumen contiene una o más obras. Algunos datos biográficos del autor o autores, o bibliográficos de la obra u obras; si se conocen otros ejemplares de las mismas y dónde están; si han sido o no publicadas; la clase de pergamino o de papel y el número de cuadernos; el tamaño en milímetros, clase de letra—con indicación al siglo que corresponde—, número de renglones; nombre del copista; fecha del manuscrito o medios de averiguarla.

Incunables.—En los incunables se debe hacer mención de cuantos detalles puedan contribuir al mejor conocimiento y distinción de cada uno; pueden citarse los repertorios bibliográficos en los cuales están incluidos; si tiene notas marginales manuscritas; el estado de conservación del ejemplar; si está completo y faltas que se le asignan; encuadernación y rareza.

Tamaño y forma de las fichas.—El catálogo ha de redactarse en hojas sueltas, para mayor facilidad en la intercalación de nuevas fichas. El tamaño generalmente aceptado para estas es el de media cuartilla: 11 × 16 centímetros.

Número de fichas para cada obra.—Además

de la principal—orden alfabético en los apellidos de autores, con los detalles apuntados anteriormente—, la iniciada con el título de la obra, la del traductor o traductores, la del prologuista; y si en el volumen estuvieran contenidas varias obras, una ficha de referencia para cada título.

MODELO DE FICHA DE UN CODICE (1)

VITAE SANCTORUM. SIGLO X
112 folios.—340 × 240 mm.—Dos cols.
Está formado por varios códices fragmentarios.
Al principio hay tres laberintos, que pertenecieron a otros tantos manuscritos, en los que, respectivamente, se lee: IULIUS ABBATIS LIBRUM.—SANCTE MARIE VIRGINIS.—BELASCONIS AEPISCOPI LIBRUM.
Su caligrafía artística es del estilo de los morales.
La parte literaria está descrita por HARTEL LOEWE. *Bib. Pat. Lat. Hisp.*, pág. 331.

MODELO DE FICHA DE UN INCUNABLE (2)

AENEAS SYLVIUS
EPISTOLAE FAMILIARES
Nurembergae. Antonius Koberger.
1496
Signatura tipográfica: 19-5.
Encuadernado pasta. Tejuelo: *Epistolae Eneoe Sylviis*. 1496. En nuestro ejemplar la signatura *Tiij* es, por error, *Hiij* (folio 146 *r*). En el cuaderno signado *K* la última hoja está en lugar de la primera; el folio 73 debe ocupar, por tanto, el sitio del folio 80, y viceversa.
Hain (3): 158.—Pellechet: 95.—Proctor 2.107.

MODELO DE UNA FICHA DE LIBRO MODERNO

HURTADO Y JIMENEZ DE LA SERNA, Juan
Historia de la Literatura Española
por —— y ANGEL GONZÁLEZ PALENCIA...
Segunda edición.
Madrid.—I. Tip. de la "Revista de Arch., Bibl. y Museos"
1925
XVI-1127 págs. 14 × 21 cm. = °mill.ª rústica.

(1) Códice de la Biblioteca Nacional. Reseñado por J. Domínguez Bordona en su catálogo *Exposición de Códices miniados españoles*.

(2) De la Biblioteca Municipal de Madrid. Reseñado por A. Millares Carlo en la *Revista Biblioteca, Archivos y Museos*.

(3) Repertorios.

MODELO DE FICHA DEL LIBRO ANTERIOR POR MATERIA

HISTORIA DE LA LITERATURA ESPAÑOLA
2.ª edición. 1925.
V. HURTADO Y JIMÉNEZ DE LA SERNA, Juan.

OTRO MODELO POR MATERIA DE LA MISMA OBRA

LITERATURA (HISTORIA DE LA) ESPAÑOLA
2.ª edición. 1925.
V. HURTADO Y JIMÉNEZ DE LA SERNA, Juan.

B

BIBLIOTECOGRAFÍA

1. En sentido amplio: ciencia bibliográfica.
2. En sentido riguroso: estudio y descripción del libro para determinar el lugar que ocupa en el cuadro general de los conocimientos humanos (V. Bibliografía.)

BIBLIOTECONOMÍA

Arte de conservar, ordenar y administrar una biblioteca. (V. Bibliografía.)

BIBLOS

Nombre griego de la planta llamada *papiro* por los latinos, utilizada para fabricar unas finísimas hojas sobre las que podía escribirse. (V. Papiro.)

BILINGÜISMO

Nombre dado a la *moda* seguida por algunos escritores, en todas las épocas, de escribir sus obras en dos lenguas distintas.

Gil Vicente, Camoens y Sa de Miranda, portugueses, escribieron en portugués y en castellano. También en estos dos idiomas escribió Francisco Manuel de Melo.

Martínez de la Rosa y Maury escribieron en castellano y en francés. Telesforo Trueba y Cossío escribió en inglés algunas de sus novelas históricas. Blanco White escribió en inglés su mejor soneto: *Mysterious night*. Juan Maragall escribió en castellano y en catalán. Y Rosalía de Castro, en gallego y en castellano. El granadino Federico García Lorca compuso varias poesías en gallego.

BILLETE (Literario)

1. Cédula, esquela, nota, impresas o manuscritas.
2. Carta brevísima.

Se denomina *billete literario* todo escrito, de muy corta extensión, que contiene el proyecto o esquema de alguna obra literaria, o también aquel en que se transmite alguna noticia de importancia para la composición de cualquier libro referente a una materia *de las bellas letras*.

BIOGRAFÍA

1. Historia y vida de una persona notable.
2. Ciencia o escritos relativos a este género de obras.

Este ramo de la literatura ha sido considerado siempre como el auxiliar más eficaz de la Historia, como el complemento necesario de la simple narración de los hechos. La única y verdadera historia, la ha llamado Carlyle.

La biografía, el más útil comentario de la Historia, según Mennediet, llegó a constituir un género literario entre los antiguos, aun cuando, acaso, hasta el siglo XVIII no parece haberse empleado la palabra *biografía* por vez primera y por el abate Claudio Chastelain, autor de un *Martyrologio universal*—1709—. Pero en la antigüedad clásica abundan las obras maestras del género. Recuérdense las *Vidas paralelas,* de Plutarco; la *Vida de Agrícola,* de Tácito; las *Vidas de los filósofos,* de Diógenes Laercio; la *Cyropedia,* de Jenofonte; la de *Alejandro Magno,* de Quinto Curcio; la *Vida de Sócrates,* de Jenofonte; las *Vidas de los Césares,* de Suetonio; las *Vidas de los grandes capitanes,* de Cornelio Nepote, y tantas más.

Famosa fue, en la Edad Media la *Vida de Carlomagno,* de Eginardo. Y sin salir de nuestra España, durante los siglos medievales, se hicieron célebres las vidas de *Santo Domingo,* de *San Millán* y de *Santa Oria,* de Gonzalo de Berceo; el *Cantar de Mio Cid;* la anónima *Vida de San Ildefonso;* las *Generaciones,* de Pérez de Guzmán; las *Andanzas,* de Pedro Tafar; la *Vida del gran Tamerlán,* de Clavijo; los *Claros varones de Castilla,* de Hernando del Pulgar... Y en numerosas *Crónicas*—como las de Andrés Bernáldez, López de Gomara, Ramón Muntaner, Desclot, Gutierre Díez y otras—se dedican numerosos párrafos a trazar retratos magistrales de personas notables.

La literatura biográfica es susceptible de muchas formas, y bajo todas ellas ha sido cultivada con mayor o menor acierto. La menos grata de ellas es la adaptación del método puramente histórico, es decir, cuando fija sus preferencias en los sucesos, sacrificando la personalidad, como hizo Flechier en su *Vida de Teodosio.*

El gran escollo de los escritores de biografías es su parcialidad en favor de los personajes que eligen como asunto de sus trabajos. El panegirista no puede ser imparcial, y los elogios inspiran dudas y desconfianza. La biografía literaria es un género muy difícil. Exige, entre otros requisitos: documentación firme, objetividad clara, amenidad expositiva, colorido intenso, habilidad en el dibujo del conjunto, juicio sutil, arte de composición, estilo noble y natural.

El público ha sentido siempre—y hoy más que nunca—una predilección extraordinaria por las biografías. Quiere el público conocer al hombre que se ofrece a su curiosidad con todas sus perfecciones y todos sus defectos; las primeras estimulan a la imitación; los segundos producen escarmientos, "y raras veces sucederá que comparando la historia con la biografía, no resalte el conocimiento del vínculo que liga los grandes desastres con las grandes flaquezas, los resultados nobles y benéficos con las disposiciones felices del ánimo y con las sanas propensiones de la voluntad".

Son grandes y ejemplares biógrafos modernos: Quintana, Gibbon, lord Macaulay. Y entre los contemporáneos: Hilaire Belloc, Emil Ludwig, Stephan Sweig, Strachey Lytton, André Maurois.

BIRMANA (Lengua)

Llamada también *barmania, burmana, bomana, mranma, ruk' heng-barma y aracánbirmana.* Se habla en la Indochina, desde el litoral hasta la frontera de la China. Comprende cuatro dialectos principales: 1.º El *birmano o avanés* originario del reino de Ara y hablado por los Myammas, Byammas o Bommas, pueblos dominantes en Birmania, donde radicaron a mediados del siglo XVIII. 2.º El *aracano,* conocido con los nombres de *ruk'heng* y de *yakain,* hablado por los ma-rummas, yakaïs o ruk'hengs; este dialecto puede ser considerado como la lengua primitiva del país, el más puro, el de antecedentes más próximos a las lenguas sánscritas. 3.º El *tanasserim* o *tanengsari,* hablado por los Dawayzas y los Byeitz, que viven en la provincia de Tanasserim, cedida a Birmania por el Siam.; 4.º El *ro* o *yo,* hablado por una tribu del este de las montañas del reino de Aracán.

El birmano es monosilábico por sus raíces; pero está dotado de partículas expletivas que le hacen grave y fácil para la conversación. Los nombres no son declinables, y se distinguen en sus diversos casos por la adición de los artículos *si, i, a, go, ga.* Los plurales se forman añadiendo a los nombres la partícula *go.* Para la indicación de los géneros se marca el femenino añadiendo al nombre el vocablo *ma,* que significa *lo femenino.* Los verbos no tienen terminaciones distintas; el presente, el pasado, el futuro, etc., se indican con las partículas *si, bi, mi,* etc.

El birmano es sumamente difícil para los europeos. Infinitos de sus vocablos no tienen otra distinción que las que le da una entonación únicamente apreciable a oídos expertísimos.

La construcción del birmano es sumamente simple. Los versos se escriben con cuatro pies, es decir, con cuatro monosílabos. Los dos últimos versos de cada composición forman la rima.

Sus letras—doce vocales y treinta y dos consonantes—se escriben con trazos curvilíneos. Muchos de sus caracteres provienen del alfabeto *pali.*

V. LATTER, Thomas: *Grammar of the language of Burman.* Londres, 1845.—JUDSON, A.: *Dictionary of the burman language.* Calcuta, 1828.

B

BIRMANA (Literatura)

Los birmanos poseen en sus dialectos *birmano* y *aracano* y en la lengua *pali* una literatura muy interesante, consistente en obras de historia, filosofía, geografía y poesía. En las pagodas de los talapuinos existen numerosas bibliotecas.

Las obras literarias de los birmanos se dividen en: *religiosas, legislativas, morales* y *literarias*. Entre las primeras sobresalen: los *abhidharma*—metafísica búdica—y el *sottan*—directorio de vida religiosa—. Entre las segundas: el *Magata*, el *Vini*, el *Padimot*, libros canónicos escritos en *pali*, y el *Dammasats*, código de Leyes. Entre las morales, los *Loganithi*—máximas de la vida social—. Entre las literarias, el *Ramdzat*, colección de leyendas fabulosas y heroicas, algunas de las cuales se han llevado al teatro birmano. Este género teatral está muy cultivado. En todas sus obras intervienen reyes, príncipes, ministros y monstruos. Están escritas en un estilo metafórico y enfático, y son representadas por compañías en las que no intervienen las mujeres. Uno de los más importantes dramas heroicos es el titulado *Mananhurry* o *La princesa de la ciudad de plata*.

Los birmanos adoran la poesía. Su lirismo es una especie de melopea muy poco variada y sumamente melancólica.

V. BUCHANAN: *Mémoires sur la littérature birmane*. En el tomo IV de "Asiatik Ressearches". JANCIGNY, Dubois de: *Indochine*.

BIZANTINA (Literatura)

El Imperio de Oriente o Imperio bizantino fue una continuación directa del Imperio romano. Su gloria literaria, con propia fisonomía muy acusada, se extiende de los días gloriosos del emperador Justiniano hasta la caída de Constantinopla en poder de los turcos.

De la cultura bizantina se tienen tres ideas equivocadas. Una, la de que no fue sino una prolongación decadente de la latina (Mommsen). Otra, la de que fue "una superflua sutileza, una inútil divagación" (Montesquieu). Y la tercera, que *bizantinismo* es lo mismo que decir "fosilización, inmovilidad, estancamiento" (Spengler).

Las tres teorías son completamente falsas. La cultura bizantina, *prolongación de la romana*, supo desenvolverse con propios acentos, evolucionar, singularizarse en los más diversos géneros: poesía, historia, didáctica, filosofía. Acaso la evolución fue lenta. Quizá no acabó de precisar su fisonomía. Es fácil que la cultura bizantina creyera que su misión principal era la de "salvar los valores antiguos", en trance de ser absorbidos por los bárbaros. Pero aun con esta creencia de buen juicio, la cultura bizantina se *personalizó*, y no con artificiosa sutileza ni con hieratismo, sino con hondura, con verdad y con gracia.

Las grandes épocas de la literatura bizantina pueden ser determinadas en relación con sus grandes épocas históricas: 1.ª *Continuidad del Imperio romano* (395 a 610). 2.ª *Aparición de un sentido netamente bizantino* (610 a 1081). 3.ª *Desintegración del Imperio* (1081 a 1453).

"Resumir en breves palabras la significación de la literatura bizantina—ha escrito el docto catedrático Montero Díaz—nos obliga a realizar una enumeración deslumbradora. A las letras bizantinas debe la cultura universal la salvación—en gran parte—del clasicismo griego, la transmisión de un inmenso repertorio de temas árabes e indios, la aportación de sus propias creaciones—líricas, históricas y novelescas—, la creación de un saber erudito de primer orden, la irrupción de su sabiduría clásica en los cauces del Renacimiento europeo. La literatura de Bizancio integra la recepción del clasicismo griego y las influencias orientales. Se mueve por esta razón en un ámbito de universales dimensiones. Si el Imperio, como entidad política, ejerció una influencia decisiva en los destinos universales, no fue menor el influjo de su literatura en el desarrollo del espíritu humano."

Primera época: *continuidad del Imperio romano* (395 a 610). La literatura de este período aún está bajo la influencia decisiva de la grecorromana. Únicamente con Justiniano, en el siglo VI, llega la primera plenitud de una cultura autóctona. Y sobresalen: el historiador Procopio de Cesarea, imitador de los mejores modelos clásicos y autor de la *Historia secreta* y del *Liber aedificiorum;* también escribió acerca de los hechos ocurridos entre el año 527 y el 554. Agathias de Myrrhina, otro historiador, continuador de la obra de Procopio. Menandro, historiador igualmente, cuyos anales recogen los sucesos acaecidos en los veinticuatro años que van desde el 558 al 582. Juan Molalas de Antioquía, autor de una *Historia universal*, que comprende desde los orígenes del mundo hasta el año 563. Hierocles, gramático y geógrafo, autor de una "geografía administrativa". Juan "el Lidio", autor de un *Tratado sobre las magistraturas*. El teólogo Leoncio de Bizancio. Los hagiógrafos Juan Mosco y Cirilo de Scythopolis. Los poetas romanos "el Sirio"—príncipe de los melodistas—y Paulo, silenciario de Justiniano, que cantó *Las termas Pitias* e hizo la descripción de Santa Sofía. El cronista Exiquio de Mileto. Los pensadores Damascio y Simplicio.

En esta época son detalles de mucho interés: la progresión de la lengua vulgar, que se aleja gradualmente del griego clásico; la diferencia marcada entre la lengua vulgar y el idioma literario; la pugna entre la tendencia culta y retoricista y la tendencia popular y naturalista.

Segunda época: *el apogeo literario* (610 a 1081). Se caracteriza por la absoluta diferencia entre la lengua hablada—ya con propia personalidad—y la lengua escrita, aún adicta a las elegancias y fervores clásicos. Y por un intento, en el polígrafo Miguel Psellos—siglo XI—de armonizar los dos lenguajes para lograr una literatura genuina.

En esta época sobresalen: Teofilactos Simocattes (VII), autor de la *Historia del emperador Mauricio*. San Juan Damasceno (VIII), cuyo libro *Fuente de la sabiduría* es una especie de *Summa teologica* de la patrística oriental. Georgios Písides (VII), que compuso un poema sobre *Heraclio* y otro—*Hexámeron*—sobre la creación del mundo. Kasia, poetisa. Los eruditos Focio y León VI "el Filósofo". El lexicógrafo Suidas. El hagiógrafo Simeón Metafrastos (X). Los historiadores Geneséis, Teófanes (IX), el monje Georgies y Simeón "el Logoteta". Los epigramáticos Juan de Eucaíta (XI) y Cristóbal de Mitilene. El monje Teodosio, autor de *La conquista de Creta,* poema épico. El gran filósofo y erudito Miguel Psellos (XI), que cultivó todas las ramas del saber humano.

A esta época pertenecen dos obras fundamentales de la literatura bizantina: el *Poema de Digenis Acritas* y el drama *Christós páschon.* El drama data del siglo XI o del XII, y es un conjunto de reminiscencias de la antigua tragedia. El poema, verdadero prodigio de naturalidad, es la culminación del genio popular, y en nada desmerece de los poemas occidentales del medievo, a los que excede en originalidad y refinamiento.

Tercera época: *desintegración del Imperio bizantino* (1081 a 1453). Las continuadas guerras con los turcos llevan a Bizancio a un gran confusionismo y estreñimiento literario. No existen tendencias peculiares. Se continúan las antiguas, más o menos adulteradas. Y del cada vez más íntimo contacto con Occidente, los diversos géneros literarios de Bizancio toman influencias y propensiones.

En esta época se distinguen: Ana Comneno (XII), autora de la *Alexiada* o historia panegírica del reinado de su padre. Nicéforo Griennio (XII), Nicetas Acominates, Eustasio de Tesalónica, Nicéforo Grégoras, Juan Lonaras, Miguel Ducas, Georgios Frantzes, historiadores y cronistas; Gregorio de Corinto y Leoncio Pilatos, gramáticos y filólogos. Los didácticos Balsamón y Demetrios Comatenos. Los poetas Miguel Acominates, el satírico Prodomos, el narrativo Nicetas Eugenianos, Juan Kamateros, Miguel Plocheiros, autor de interesantes tentativas escénicas; Eustases Macrembolita, autor de la novela *Hysmino e Hisminias.*

En este período, en contacto con las culturas occidentales, la poesía bizantina se renueva profundamente. En Bizancio aparecen los temas tan europeos de *Flores y Blancaflor* y el *Román de Renard.* Y de Bizancio parten hacia Europa los temas novelísticos de *Calila e Dimna, Barlaam* y *Josafat y El filósofo Pintipas.*

Casi todos estos escritores escribieron sus obras en la lengua llamada culta. Pero la lengua vulgar, denominada *romaica,* también tuvo su literatura, aun cuando apenas haya llegado a nosotros sino en referencias.

BIZANTINISMO

Tendencia literaria y artística que marca la *descomposición* de la literatura y del arte romanos—del Bajo Imperio—por la incorporación de temáticas, de estilos y de elementos decorativos procedentes del Asia Menor y de Egipto.

El bizantinismo artístico marca también la *paganización* de los estilos arquitectónicos, escultórico y pictórico.

El bizantinismo se *nutrió*—valga la paradoja—con la renuncia de las formas clásicas y con la exaltación de la seca gravedad de sus configuraciones y con el fragor del espíritu nuevo que exige un destino original o, casi, una predestinación.

El bizantinismo fue, principalmente, un movimiento artístico que se inició al ser trasladada a Constantinopla la capitalidad del Imperio Romano de Oriente en el siglo IV.

El bizantinismo artístico fue, en sus orígenes, una *mezcla* extraña de arte romano en decadencia y de elementos helenísticos y orientales en efervescencia aún. De esta mezcla un tanto detonante surge un arte pretencioso en lujo y colorido, brillante, eminentemente sensual y pagano, aun en sus manifestaciones religiosas más bellas. Bizancio fue el punto de fusión de las corriente helenística y siríaca que informaron las manifestaciones artísticas de las primeras centurias de la cristiandad. Bizancio tuvo, indiscutiblemente, propias creaciones artísticas, pero en las más de ellas—en las arquitectónicas especialmente—delató las influencias del arte cristiano oriental, del que aceptó la cúpula, la suntuosa decoración, la monumentalidad de proporciones.

En el bizantinismo artístico pueden ser consideradas tres épocas: 1.ª La del emperador Justiniano (siglo VI); 2.ª La de los siglos IX al XII, pasados los furores impuestos por los iconoclastas; 3.ª A partir del siglo XIV hasta la toma de Constantinopla por los turcos.

Realmente, la importancia capital del bizantinismo radicó en su arquitectura, ya *formada* plenamente en tiempos del gran Justiniano.

Esta arquitectura tuvo unas características muy acusadas: cúpula sobre pechinas; columna con capitel cúbico, en forma de pirámide truncada invertida; ladrillo como material constructivo; decoración suntuosa a base de pinturas murales o mosaicos con tesellas de oro.

A la primera época corresponden las más bellas muestras de la arquitectura bizantina: *Santa Sofía de Constantinopla,* levantada entre los años 532 y 537 por Artemio de Tralles e Isidoro de Mileto; *San Sergio, Santa Irene.*

Conviene advertir que el bizantinismo arquitectónico de este período llega a Italia y "florece" en Rávena con los templos de *San Vital,*

San Apolinar in classe y *San Apolinar el Nuevo...* Construcciones todas estas de plantas cuadradas u octogonales, cúpulas sobre pechinas, pilares enlazados por arquerías, coronas de ventanas horadadas en la parte inferior de las cúpulas...

A la segunda época (siglos IX-XII)—cuya carecterística innovadora más interesante es la colocación de un tambor sobre el que descansa la cúpula, realzándola y prestando más *ligereza* al conjunto—pertenecen las iglesias de *Agia-Theotocos* y de *Kilissé-djami,* en Constantinopla, y la del *monasterio de Dafni,* cerca de Atenas. Este bizantinismo del segundo período es el que se propaga en Venecia y en algunas ciudades meridionales rusas, *cuajando* en dos monumentos de impresionante grandeza: la *iglesia de San Marcos,* en la ciudad italiana, y la *iglesia de Santa Sofía,* en Kiev.

A la tercera época (siglos XIV y XV), sin novedades importantes en la construcción, corresponde un desmedido afán en la *ornamentación,* prodigándose, sobre todo, la pintura.

El bizantinismo escultórico resulta sumamente pobre. Posiblemente impidió su florecimiento la larga e implacable guerra de los iconoclastas. A partir del siglo IX se inicia tímidamente la escultura religiosa, con imágenes poco expresivas y en rígidas actitudes, cuyo mayor mérito radica en la riqueza de sus materiales o de la policromía.

La misma inexpresión y rigidez se observa en las figuras de las pinturas murales, y también la misma magnificencia en los materiales pictóricos, entre los que abundaban el oro y la plata.

Entre los pintores bizantinos destacan: el monje Rabala—siglo VI—, miniaturista e ilustrador de libros; Manuel Panselinos, de Salónica; Andrés Roublev, nacido en Rusia, cuya obra capital es el *icono de la Trinidad,* de Moscú.

V. PIJOAN, José: *Summa Artis.* Vol. VII: *Arte bizantino.* Madrid, Espasa-Calpe, 1935.—BREHIER, L.: *L'art byzantin.* París. 1924.—DALTON, O. M.: *Byzantine art and archeology.* Londres, 1911.—DIEHL, Ch.: *Manuel d'art byzantin.* 1925-1926.—EBERSOLT, J.: *Les arts somptuaires de Byzance.* 1923.

BLANCO (Teatral)

Intermedio. Entreacto. Pausa.

BOCETO

La Academia Española aplica únicamente esta palabra a pintura: "Borrón colorido que hacen los pintores antes de pintar un cuadro, para ver el efecto que produce y corregir sus fallas."

Pero se aplica igualmente a la literatura.

Boceto es como el *ensayo,* el *sumario explicativo,* el *tema en sucinto* de una obra literaria. También el *apunte* que sirve para una futura producción.

Se llaman *bocetos literarios* los *breves escritos de costumbres,* ya que en estos el literato no hace, como el pintor, sino insinuar el dibujo y el colorido de cuanto describe.

Nuestro Pereda tituló *Bocetos al temple* una deliciosa serie de artículos costumbristas montañeses, verdaderos *pequeños cuadros* susceptibles de ampliación. (V. Esbozo.)

BOGOMILISMO

Doctrina herética de los bogomilas. llamados también eucratitas, marcionitas y fundaítas.

El bogomilismo fue una secta *dualista y maniquea,* que se extendió rápida y vigorosamente por Tracia, Macedonia y Bulgaria a partir del siglo VII. Su apogeo llegó durante el reinado del emperador Alejo Comneno (1081-1118), quien persiguió a sus secuaces cruelmente, haciendo quemar públicamente a su jefe y a más de quinientos prosélitos. Los obispos de Capadocia y los Sínodos de Constantinopla de 1140, 1316 y 1325 condenaron el bogomilismo, que desapareció por completo—1463—con la dominación turca sobre los territorios por los que se había extendido la herejía.

Según el bogomilismo, Dios Padre, antropomorfo, pero incorpóreo, tuvo dos hijos: Satanael y Miguel. Satanael se rebeló contra su padre, y al ser arrojado del cielo con sus ángeles, creó un segundo cielo, una segunda tierra y al hombre, que recibió del Padre el *espíritu de vida.* Satanael tentó a Eva y originó así el pecado original.

Miguel—o Jesucristo—, destinado a salvar al género humano, entró por el oído derecho en el seno de María para tomar la figura humana.

El bogomilismo únicamente administraba un *bautismo espiritual;* no admitió de la Escritura sino los salmos y los libros proféticos; negó la presencia eucarística de Cristo; condenó el matrimonio, la comida de carnes y el culto de las imágenes.

El bogomilismo tomó su nombre de su principal propagador: el pope Bogomil Y su doctrina más pura la marcó el famoso *Libro secreto* búlgaro, que en el siglo XII el obispo bogomilista Nazareus remitió a sus correligionarios que residían en la Lombardía. En este *Libro secreto* se condenaba la guerra, la opresión de los débiles y la desigualdad social; se consideraba como apostólica la Iglesia bogomilista y no se reconocía más que las dignidades de diácono, sacerdote y obispo; se ordenaba la monogamia, la única plegaria del *Pater noster,* los ayunos en los martes, jueves y viernes y algunos domingos; la no construcción de templos, "guaridas de demonios"...

V. IRECEK, K.: *Istorija Bolgar.* Odesa, 1875. IVANOV, Jordán: *Bogomilski knigi i legendi.* Sofía 1925.—RACKI: *Bogmili i patareni.* Agram, 1870.—LÉGER: *L' hérésie des Bogomiles.* En "Rev. des Quest. Historiques", VIII, 1870.

BOHEMIA (Lengua) (V. Checa, Lengua)

BOHEMIA (Literatura) (V. Checa, Literatura)

BOHEMIANA o ZÍNGARA (Lengua)

Lenguaje de la India moderna, de origen sánscrito, hablado en los territorios de Sindhy por los zínganos o zíngaros, de raza nómada, dispersa por Europa desde el siglo v. Según la gramática de Kraus, la declinación zíngana no cuenta más que con cinco casos; el verbo tiene dos tiempos solamente: el presente y el pasado; el infinitivo va precedido de la partícula característica *te,* correspondiente a la *to* inglesa; el imperativo es, como en el alemán, la raíz del verbo.

V. GRAFFUNDER: *Grammaire abrégée de la langue bohémienne.* Erfurt, 1835.—POTT, A. F.: *Die Zigeuner in Europa und Asien.* Gotinga. Varias ediciones.—HEISSER, C. von: *Ethnograph und geschichtliche Notizen über die Zingeuner.* Koenisberg, 1842.

BOJIGANGA

Nombre dado—según nos cuenta Agustín de Rojas en su *Viaje entretenido*—a unas compañías teatrales compuestas de "dos mujeres y un muchacho, seis o siete compañeros". Iban de pueblo en pueblo, de villa en villa—los hoy llamados "cómicos de la legua"—, representando comedias, autos, entremeses y bailes en las plazas públicas.

BOLCHEVIQUISMO o BOLCHEVISMO

Doctrina del partido comunista ruso. Conjunto de principios, organización y procedimientos del partido bolchevique.

El bolcheviquismo es uno de los hechos más significativos del movimiento político de nuestra época. Y como tal hecho adquiere su máxima importancia después de la gran guerra mundial de 1914-1918.

Sin embargo, sus antecedentes hay que buscarlos mucho antes, hacia 1883, cuando Axelrod y Plejanov fundaron el Grupo para la Emancipación del Trabajo. Este fue, en realidad, el primer organismo marxista de Rusia. Pero hasta 1894 los representantes de tales ideas no ejercieron ninguna influencia sobre las masas obreras. Entonces empezaron *a sonar* los nombres de Lenin y Krassin. El primero de ellos publicó, en 1902, su famoso folleto *¿Qué debemos hacer?,* con el que consiguió reunir en una todas las tendencias revolucionarias.

Sin embargo, la revolución de 1905 volvió a romper la unidad, quedando al frente de las dos fracciones Lenin y Martov. Los partidarios de Lenin—que eran los más numerosos—fueron llamados *bolcheviques,* de *bolche* = más. Y los de Martov, *mencheviques, de menche* = menos.

La derrota rusa en la gran guerra de 1914-1918 y la desorganización gubernamental subsiguiente permitieron apoderarse del Poder a un grupo revolucionario de la ciudad, sólidamente unido, que se opuso al socialismo reformista y estableció un sistema basado en la teoría del bolcheviquismo. Constituían los bolcheviques el grupo mayoritario del socialismo ruso, partidarios de una política de terrorismo, enfrente de los mencheviques, grupo de minoría, propugnador de un punto de vista más moderado.

La teoría bolcheviquista de la dictadura del proletariado está basada sobre las ideas políticas del marxismo. Según la definición de Lenin, "la dictadura revolucionaria del proletariado consiste en la práctica por el proletariado del Poder político conquistado a la burguesía". El bolcheviquismo no está sujeto a las limitaciones que las constituciones ponen al Poder en los Estados modernos. Sin embargo, no es un Poder que prescinda del derecho o de la ley, ni proclame—como el anarquismo—la supresión de todo poder coactivo; no es una dominación arbitraria, sino un régimen de absoluta coacción, estrictamente organizado, que legisla sobre materias de gobierno, regulándolas aun en los más pequeños detalles. El bolcheviquismo—en teoría—no es la dictadura de una persona, sino la de una clase: la clase proletaria. En la práctica, la verdad es bien distinta.

La dictadura del proletariado, en el bolcheviquismo, se justifica por el propósito de sustituir, durante un período de transición, el Estado burgués por el poder de los pobres, explotados y oprimidos, y priva a las demás clases sociales de todos los derechos políticos. El bolcheviquismo es conscientemente antidemocrático y no admite sino la existencia de un partido único: el comunista. El bolcheviquismo se considera fiel a la teoría de Lenin, y con ello se arroga la identificación del partido con el proletariado.

Gettell ha resumido la doctrina del bolcheviquismo con precisión y brevedad admirables: "El bolcheviquismo coincide con el sindicalismo, porque ve en el Estado un instrumento de dominación de la clase capitalista, prevaliéndose de su poder económico y de los medios de que dispone para influir sobre la opinión, y por la desilusión con que señala a los trabajadores la esterilidad de la acción política en la conquista del Estado. En su lugar, defiende el bolcheviquismo la posesión del Estado tras la revolución y el empleo de sus poderes para aplastar el capitalismo. Se proclama la obligatoriedad del trabajo para vencer la resistencia de la burguesía y borrar las distinciones de clase. Merced a la dictadura autócrata del proletariado, se crea, en definitiva, un régimen de democracia industrial. El bolcheviquismo ampara el gobierno de las clases trabajadoras, con exclusión de los capitalistas. Se justifica el empleo de la fuerza para asegurar el control del Estado y ahogar cualquier intento de restauración del sistema capitalista. En consecuencia, no se permite la libertad de prensa o de palabra, y en materia de educación existe un régimen de intervención, con el fin de propagar las doctrinas bolcheviquistas.

"Con respecto a la política económica, sostiene el bolcheviquismo el control de los trabajadores en la industria. En un principio, los comités de talleres fiscalizaban los centros fabriles de Rusia como empresas separadas; posteriormente, se nacionaliza la propiedad de la industria bajo un sistema federal de secciones y consejos. No pudo llevarse a la realidad la nacionalización de la tierra, pero se llevó a cabo una considerable proporcionalidad en los patrimonios y se dispuso la ejecución de distribuciones periódicas. El triunfo del individualismo en la agricultura es manifiesto; predomina la propiedad privada, moderada por la cooperación comunal. El bolcheviquismo adopta, en su concepción política, el sistema funcional de la representación, que apoyan los pluralistas. El fundamento de este régimen es el Soviet, cuerpo representativo, que descansa en la elección a base de oficios. De este modo se constituye una federación con una jerarquía complicada, que proporciona a los obreros industriales una considerable ventaja sobre los obreros agrícolas."

En cuanto a la Religión, el bolcheviquismo se define cruda y radicalmente con la famosa frase de Marx: *La Religión es el opio de los pueblos.*

Y en cuanto a su fin último—orden social definitivo que se propone establecer—, el bolcheviquismo no da ninguna solución clara. Por cómo se manifiesta, cabe decir de él que siembra el odio, prepara la revolución de un país y, una vez triunfante, procura asegurarla *por la fuerza;* y luego intenta extenderla por todo el mundo, para que este quede regido férreamente por una sola dirección comunista. "Pero deja en la penumbra las bases sobre las cuales ha de establecerse la nueva sociedad."

La organización y la propaganda del bolcheviquismo se lleva a cabo por medio de la Tercera Internacional Comunista (*Komintern*), identificada con el Gobierno soviético. La propaganda, en la que se invierten más de 300.000.000 de rublos anualmente, está perfectamente organizada en casi todos los países del mundo por medio de la Prensa, de la radio, de la enseñanza, de los sabotajes, de los elementos agitadores, de las publicaciones clandestinas.

En la práctica, el bolcheviquismo es la más dura e implacable de las dictaduras.

(Complétese con la lectura de *Sovietismo, Comunismo.*)

V. GETTELL, Raymond G.: *Historia de las ideas políticas.* Barcelona, 1937.—POSTGATE, W.: *The bolshevik theory.* Londres, 1920.—SPARGO, J.: *The psychology of bolshevism.* Nueva York, 1919.—POPOFF: *Historia del bolcheviquismo.* Trad. cast. Madrid, 1924.—WALLING: *Sovietism.* Nueva York, 1920.—ELORRIETA, T.: *El movimiento bolchevista.* Madrid, 1919.

BOLETÍN

1. Periódico noticiero de pequeñas dimensiones, dedicado a tratar temas especiales: literatura, historia, filosofía...

Casi todas las Academias y Universidades publican sus *Boletines,* dedicados con exclusividad a los temas de investigación o divulgación que les son pertinentes.

2. Periódico oficial, de categoría inferior a la *Gaceta,* que se publica en cada provincia o por algunos Ayuntamientos y Corporaciones del Estado.

3. Papeleta manuscrita de noticias, cuando aún no ha habido tiempo de imprimirlas.

BOLIVIANA (Literatura)

La literatura autóctona boliviana se inicia, como en la mayoría de los países hispanoamericanos, con el romanticismo. Según el gran pensador y crítico Fernando Díez de Medina: "La escuela romántica de Bolivia es borrosa, trivial, imitativa. Es fácil reconocer en nuestros líricos la influencia de Lamartine, Hugo, Musset, Byron, Espronceda, Bécquer. Casi todos son españolizantes de sustancia y afrancesados de corteza. Carecen de originalidad en los temas, de elegancia en la expresión... De lo poco que se salva del naufragio de esta escuela, es justo destacar..."

Ricardo José Bustamante (1821-1884), de influencia zorrillesca. Benjamín Lenz (1836-1878), autor de los dramas *Amor, celos y venganza* y *El guante negro.* Manuel José Tovar, romántico grandilocuente. María Josefa Mujía, la poetisa ciega. Félix Reyes Ortiz, poeta elegíaco y autor de los primeros dramas bolivianos *Odio y amor, Los Lanza.* Santiago Vaca de Guzmán (1846-1896)—*Días amargos, Ayes del corazón*—. Mariano Ricardo Terrazas, novelista—*Misterios del corazón*—. Daniel Calvo (1832-1880)—*Rimas, Ana Dorset, Melancolía*—. Néstor Galindo (1830-1865), autor de un lamentoso libro de poemas titulado *Lágrimas.* Emeterio Villamil de Rada (1804-1880), de vida bohemia, que en su extraño libro *La lengua de Adán* intentó demostrar la prioridad geológica y antropológica del continente americano. Ramón Rosquellas, de un romanticismo acentuadísimo y malodramático. Rosendo Villalobos, en quien comienza a insinuarse la transición del romanticismo al modernismo. Joaquín de Lemoine (1857-1924), de inspiración becqueriana, y autor de la novela *El mulato Plácido.* Manuel José Cortés (1811-1865), poeta—*Al Illimani*—y crítico—*Ensayo sobre la Historia de Bolivia*—. Tomás O'Connor D'Arlach, lírico de emotividad íntima y excelente prosista. Ricardo Mujía, enfermizo y angustioso. Adela Zamudio (1854-1928), que popularizó el seudónimo de "Soledad", de honda sensibilidad romántica—*Íntimas, Ráfagas, Ensayos poéticos*—.

Luis Zalles (1832-1896), de temperamento festivo, autor de letrillas y romances. Mercedes Belzú de Dorado, apasionada.

Dentro del modernismo lírico son figuras interesantes: Ricardo Jaimes Freyre (1868-1933), que vivió casi siempre en la Argentina, uno de los más altos poetas de Hispanoamérica—*Castalia bárbara, Los sueños sin vida*—; fue también crítico y dramaturgo—*Prosas profanas*—. Sixto López Ballesteros, discípulo de Verlaine y de Poe. Manuel María Pinto, plástico y sensual. Jaime Mendoza (1874)—*Los malos pensamientos, En las tierras del Potosí, El lago enigmático*—. José Aguirre Acha (1877), melancólico, de un modernismo romántico, discípulo de Núñez de Arce, y autor de la narración *Platonia*. Franz Tamayo (1880), de tendencia parnasiana, de ideas originales y profundas, de enorme influencia y popularidad en su patria, prosista magnífico—*Odas, Proverbios, La Prometheida o Los Oceánidas, Los nuevos Rubayat, Scopas, Seopar*—. Abel Alarcón, traductor de Tagore, de tendencia nacionalista—*En la Corte de Yahuar-Huacac, Era una vez*—. Fabián Vaca Chávez, llamado el poeta del color y de la luz, es también autor dramático. Juan Francisco Bedregal (1883), "el depositario del casticismo en Bolivia", gran hablista, gran prosista—*Don Quijote en la ciudad de La Paz. Figuras animadas*—. Emilio Finot, de un lirismo filosófico. Eduardo Díez de Medina, atildado, parnasiano, autor del gran poema *Manco Kapajh*. Gregorio Reynolds, de inspiración erótica y de notable pericia técnica. Claudio Peñaranda, metafórico y emocional, una de las figuras más representativas del modernismo boliviano, muerto en plena juventud. Nicolás Ortiz Pacheco—*Aniversario de boda, Los pliegues del honor*, obras escénicas—. Raúl Jaimes Freyre, hermano de Ricardo, de un misticismo recoleto a lo Francis James. Adhemar O'Connor D'Arlach, pesimista, muerto en plena juventud. Amable O'Connor D'Arlach, hermano del anterior, buen discípulo de Heine. Adolfo Costa, el poeta de las exquisiteces, de la forma de gran belleza, de espíritu afrancesado. José Eduardo Guerra, José Antonio de Sáinz, Juan Caprilles, Julio Téllez Reyes, Roberto Guzmán Téllez, Luis Felipe Lira, Man Céspedes...

Entre los poetas afectos al postmodernismo y a los "ismos" posteriores cabe mencionar en justicia a Enrique Baldivieso, Humberto Plaza, Víctor Ruiz, Carlos Medinaceli, Lucio Díez de Medina, Omar Estrella, María Quiroga, Carlos Gómez Cornejo, Humberto Viscarra, Víctor Mendizábal, Estanislao Boada, Luis Felipe Videla, Fernando Díez de Medina—pensador y crítico ilustre, además—, Walter Dalence.

Entre los cronistas, historiadores y ensayistas figuran: Bartolomé Martínez y Vela, cronista colonial—*Anales de la Villa Imperial de Potosí*—. Agustín Aspiazu, erudito y hombre de ciencia—*La antigüedad de Egipto, La Meseta de los Andes*—. Isaac Tamayo—*Habla Melgarejo*—. Rodolfo Soria Galvarro, sociólogo y poeta. Eufronio Viscarra, historiador y literato—*La historia de Cochabamba, Tradiciones de Mizque*—. Julio César Valdez, crítico y novelista—*Chavelita, Siluetas y croquis*—. Moisés Ascarrunz, poeta y publicista—*Hombres célebres de Bolivia*—. Alfredo Ascarrunz—*Efemérides bolivianas*—. Belisario Díaz Romero, poliglota, hombre de ciencia, literato—*Hora de La Paz, Hojas dispersas*—. Daniel S. Bustamante, estético y crítico—*Panamericanismo, Rey Wolfram*—. José Aguirre Acha, poeta y ensayista—*La Lira y la Vara, De los Andes al Amazonas*—. Casto Rojas, periodista y literato. El ya mencionado Eduardo Díez de Medina, poeta y ensayista—*Delirios de un loco, Paisajes criollos*—. Augusto Guzmán, literato y crítico—*Historia de la novela boliviana*—. Augusto Céspedes, novelista—*Sangre de mestizos*—. Roberto Prudencio, Luis Jhonson, Eduardo Anze Matienzo, Humberto Palza, Gustavo Adolfo Navarro, Carlos Romero, Luis Espinosa y Saravia, Angel Salas, Jorge Canedo Reyes, Mario Flores, Donoso Torres, Víctor Cabrera Lozada, Antonio Díaz Villamil, Angel Chávez Ruiz, Angel Pinto...

Entre los historiadores y prosistas modernos hay que volver a mencionar—ya nos referimos a ellos como poetas—a Manuel José Cortés —*Bosquejo de los progresos de Hispanoamérica*—. Santiago Vaca Guzmán, "el precursor de la mentalidad boliviana moderna"—*Literatura boliviana, Su Excelencia, Su Ilustrísima*—. José Rosendo Gutiérrez—*La tragedia de Itúrbide, Maldición y superstición*.

Gabriel René Moreno (1839-1909), historiador y literato, una de las glorias más legítimas de las letras bolivianas—*Introducción al estudio de los poetas bolivianos, La Biblioteca Boliviana, Notas bibliográficas*—. Julio L. Jaimes, que popularizó el seudónimo de "Brocha Gorda", poeta y humorista, crítico y narrador—*La Villa Imperial, Epílogo de la Guerra del Pacífico*—. Alberto Gutiérrez, historiador y literato—*Hombres y cosas de ayer, Paradojas*—. José María Camacho, historiador y publicista—*Compendio de la Historia de Bolivia*—. Pedro Kramer, historiador y crítico—*Efemérides bolivianas, Tihuanacú*—. Alcides Arguedas (1879), novelista, ensayista y crítico, el escritor boliviano de más fama actual fuera de su país—*Vida criolla, Raza de bronce, Pueblo enfermo, Los caudillos letrados, Resumen de la Historia de Bolivia*—. Arturo Oblitas (1873-1922), poeta y novelista —*Marina*—. Nataniel Aguirre, dramaturgo y novelista—*Juan de la Rosa, Cuentos de mi nodriza, Visionarios y mártires*—. Tomás O'Connor D'Arlach, poeta y narrador—*Doña Juana Sánchez, Los Presidentes de Bolivia*—. José Santos Machicado, poeta y narrador—*Cuentos bolivianos*—. Jaime Mendoza, llamado por Rubén Darío "el Gorki americano"—*Memorias de un estudiante, Malos pensamientos*—. Abel Alarcón—*Pupilas y cabelleras, Relicario, El Imperio del Sol*—. Gustavo Adolfo Otero (1896), historiador, crítico ilustre y autor de las novelas *Cuestión de ambiente* y *El honorable Poroto.* José Eduardo Guerra (1894), novelista—*El alto de las ánimas*—. Claudio Cortez, novelista—*La tristeza del suburbio*—. Armando Chirveches (1881-1926), magnífico novelista—*Celeste, La candidatura de Rojas, Casa solariega, La virgen del lago, Flor de trópico*—. Demetrio Canelas (1881), novelista—*Aguas estancadas*—. Enrique Finot (1891), historiador, crítico y novelista—*El cholo Portales*—. Luis Toro Ramallo—*Un político*—. Gustavo A. Navarro o "Tristán Marof" (1896)—*Los cívicos, Suetonio Pimenta*—. Julián V. Montellano—*De lo nuestro*—. Walter Carvajal (1885)—*Renovarse o morir*—. Adolfo Costa du Rels (1891), novelista excelentísimo—*Tierras hechizadas, El traje de Arlequín*—. Lindaura Azótegui de Campero—*Huallparrimachi*—. Julio Aquiles Munguía—*Kori Marka*—. Víctor M. Ibáñez—*Cachapuma, Aukakallu*—. José Revuelta—*Cielo y tierra*—. Diomedes de Pereyra—*El Valle del Sol*—. Alberto Ostria Gutiérrez—*La casa de la abuela, Cuentos quéchuas.*

En el género teatral—de no gran importancia en Bolivia—destacan los nombres de Félix Reyes Ortiz—*Odio y amor, El Templario*—. Benjamín Lenz—*El guante negro*—. Ricardo Mujía—*El mundo que juzga*—. Ricardo Jaimes Freyre—*Jefhté*—. Daniel Sánchez Bustamante—*Wolfram*—. Fabián Vaca Chávez—*Carmen Rosa*—. Franz Tamayo—*Las Oceánidas*—. Adolfo Costa du Rels—*Hacia el atardecer*—. Angel Salas—*El último Huayño*—. Enrique Baldivielso—*El dios de la conquista*—. Antonio Díaz Villamil—*La voz de la Kena*—. Y José Antonio Barrenechea, Armando Alba, Nicolás Ortiz Pacheco, Humberto Viscarra Monje, Humberto Viscarra Fabre, Carlos Aramayo, Mario Flores, Alberto Saavedra, Saturnino Rodrigo, Walter Dalence y algunos más.

Como críticos, historiadores, pensadores actuales, tienen acusada personalidad: Carlos Medinacelli, autor de muchos estudios acerca de la literatura boliviana. Roberto Prudencio, filósofo, ensayista, crítico de arte de magnífico espíritu, fundador de la influyente revista *Kollasuyo.* Guillermo Francovich, crítico, ensayista de gran interés—*Supay, Los ídolos de Bacon, Introducción a la Historia de Bolivia, La Filosofía en Bolivia*—. Manuel Carrasco, biógrafo—*Pedro Domingo Murillo*—. Gustavo Adolfo Otero, fecundo, diverso, pletórico de curiosidad, de finísima sensibilidad, novelista, poeta, crítico, ensayista—*Estampas bolivianas, La vida social en la colonia, Figura y carácter del indio*—. José Eduardo Guerra—*Itinerario espiritual de Bolivia*—. Enrique Finot, historiador y crítico—*Historia de la Conquista del Oeste Boliviano, Historia de la literatura boliviana*—. Fernando Díez de Rivera (1908), magnífico pensador y crítico, erudito, prosista de un brillante casticismo, poeta—*La clara senda, Imagen, Franz Tamayo, hechicero del Ande; Thunupa.*

Entre los escritores de las más modernas generaciones merecen una mención:

Octavio Campero Echazú, Guido Villagómez, Otero Reiche, Jesús Lara, Oscar Cerruto, Luis Luksic, Yolanda Bedregal, Fernando Ortiz Sanz, Jorge Canedo Reyes—*Trilogía andina*—, poetas.

Eduardo Ance Matienzo, Gastón Pacheco, Luis Toro Ramallo, Juan B. Coimbra, Manuel Frontaura Argandoña, Porfirio Díaz Machicao, Gilfredo Cortés Candia, narradores.

Ismael Sotomayor, Gunnar Mendoza, Alfonso Crespo Rodas, Enrique Kempf Mercado, Rodolfo Salamanca, Zacarías Monje, Arturo Posnansky, Raúl Botelho, ensayistas, historiadores.

V. Díez de Medina, Fernando: *Perfil de la literatura boliviana.* En "Thunupa", La Paz, 1947.—Otero, Gustavo Adolfo: *Literatura de Bolivia.* En el tomo XII de la "Historia universal de la literatura", de Prampolini. Buenos Aires, Uteha, 1941.—Alarcón, Abel: *La literatura boliviana.* En "Rev. Hispanique", XLI.—Bedregal, Juan Francisco: *Estudio sintético sobre literatura boliviana.* 1925.—Finot, Enrique: *Historia de la literatura boliviana.* México, Porrúa, 1943.—Vaca Guzmán, S.: *Literatura boliviana.* En "Nueva Revista", de Buenos Aires, tomo IV.

BONAPARTISMO

Nombre dado al partido político francés dedicado a defender los derechos al trono de la familia Bonaparte.

El bonapartismo se inició durante el cautiverio de Napoleón en la isla de Elba, y alcanzó su máximo esplendor durante los reinados de Carlos X y de Luis Felipe de Orleáns.

El bonapartismo consiguió llevar a la presidencia de la República a Luis Napoleón Bonaparte, a quien después proclamó emperador. Derrotado—1870—por los alemanes Luis Napoleón, y muerto su único hijo, el príncipe Eugenio Napoleón, el bonapartismo declaró su candidato al príncipe Jerónimo, cuyas ideas librepensadoras y cuya conducta indiscreta le habían hecho impopular en Francia. El bonapartismo logró sumar todos los monárquicos en la Unión Conservatrice. Pero, desdichadamente para la causa bonapartista y aun monárquica, el príncipe Jerónimo rompió con su hijo Víctor, motivando con tal ruptura una escisión en el partido, ya que los miembros de la Unión Conservatrice dividieron sus preferencias entre el padre y el hijo.

En las elecciones de 1885, el bonapartismo, favoreciendo la política de Boulanger, aún logró ochenta puestos en la Cámara. Pero más y más distanciados los *jeronimistas* y los *victorianos,* en las de 1889 únicamente alcanzaron sesenta actas; y en las de 1893, treinta y cinco, y en las de 1896, once.

Hoy, el bonapartismo—que con tanto acierto organizó el ministro Roucher después de la caída del primer imperio—no es sino "un recuerdo romántico".

BORDÓN

Verso quebrado que se repite al final de cada copla.

Todos se acuerdan de algo:
la voz se acuerda del aire,
el mar se acuerda del puerto
y la amada del amante...
¡Yo no me acuerdo de nadie! (bordón).

BORGOÑÓN (Dialecto) (V. Burguiñón, Dialecto, Patois)

BOSQUEJO

1. Idea poco precisa de alguna cosa.
2. Traza primitiva y no definitiva de una obra literaria.
3. Plan de una producción literaria, con exclusión de los detalles.
4. Guión detallado que sirve para la redacción ampliada y definitiva de una obra literaria.

BOTOCUDO **(Lenguaje)**

Idioma de la América del Sur y hablado por los botocudos, tribu salvaje del Brasil, rama desprendida de los Aimores, en los bosques vírgenes que se extienden paralelamente a la costa entre el Río-Prado y el Río-Doce, sobre los confines de la provincia de Minas-Geraes.

El botocudo es hablado en numerosos dialectos, conjuntamente con los idiomas guaranís. Es una lengua muy simple y rica en onomatopeyas. Los monosílabos abundan. La pronunciación no tiene fijeza, predominando los sonidos nasales. Las vocales, muy numerosas, se confunden con facilidad. El botocudo carece de géneros y no tiene sino dos casos: el nominativo y otra forma que responde a las demás relaciones. El plural se forma por la unión a los nombres en singular de las palabras *ruhú*—varios—y *uruhú* —muchos—. La conjugación es muy pobre; parece que no tiene sino dos modos: el infinitivo y el participio.

V. LUDEWIG, H. E.: *The literature of american aboriginal languages.* Artículo *Brasileños.*

BRAHMÁNICA **(Literatura)**

Comprende toda la literatura brahmánica: los *Grhya-Sutras*—tratados de ritos domésticos—; el *Código de Manú-Manava- Dharma-Sutras;* los *Dharma-Sutras*—códigos manuales de costumbres religiosas—; y las grandes epopeyas: el *Mahabharata* y el *Ramayana.* Algunos críticos añaden los *Vedas*—el *Rigveda, el Samaveda,* el *Yajurveda* y el *Atharvaveda*—, cantos, fórmulas de exorcismos, sentencias, etc... (V. Sánscrita, literatura.)

BRAHMANISMO

Sistema metafísico, religioso y moral de la India.

Toda la doctrina del brahmanismo, de concepción panteísta, está recogida en los libros siguientes: los *Vedas,* los *Brahmana,* los *Upanischads y Aryanakas,* y los *Sutras.*

Los *Vedas,* escritos entre los años 1500 y 400 antes de Cristo, son cuatro: el *Rigveda,* colección de himnos en alabanza de varios dioses: el *Sama-Veda* o litúrgica; *el Yajur-Veda,* himnos y fórmulas; y el *Atharva-Veda,* ritos, exorcismos y prácticas de magia.

Los *Upanischads* y *Aryanakas* son libros de carácter filosófico.

Los *Sutras* exponen la tradición védica y tienen un carácter dogmático religioso. Entre los *Sutras* están: los *Grhya-Sutras* o tratados de los ritos domésticos, y los *Dharma-Sutras* o códigos manuales de costumbres religiosas y sociales, entre los cuales sobresale el llamado *Código de Manú* (*Manava-Dharma-Sutra*).

El punto más trascendental del brahmanismo es la *transmigración,* según la cual todo acto, palabra y aun pensamiento, produce un fruto que, bueno o malo, no se manifiesta sino en la siguiente existencia.

Según el brahmanismo, Brahma—o Prajapati—es el señor de las criaturas y el creador de todo, supremo, omnipotente y personal. Brahma vio levantarse ante sí la fuerza que destruye, Siva, y la fuerza que conserva y hace renacer, Visnú, quedando así formada la trinidad—triada, *trimurti*—hindúe. Siva y Visnú están luchando constantemente. Y Brahma, bondadoso, como manantial que es de toda bondad, ha descendido varias veces a la tierra para dar al hombre las leyes por las cuales debía regirse y para hacer su tránsito por el mundo menos penoso.

El brahmanismo modificó sensiblemente la mitología del *vedismo* (V.). Y la clasificación y jerarquía en el panteón deico variaron según las escuelas que se sucedieron. Los dioses eran: Brahma, dios supremo; Indra, Iama, Agni, Varuna, Kuvera, Niwiti, Vayu e Ysana; Agni y Soma eran los dioses del sacrificio y de la libación; Rudra, padre de los vientos; los diez Maruts y los doce Aditias. Cada dios tenía una diosa por compañera, siendo las diosas más importantes: Indrani—esposa de Indra—y Prithivi o la Tierra—esposa de Kuvera.

El culto de los richis o patriarcas tenía a Manú por el primer hombre que se transformó en dios creador, subdividiéndose en siete manús, y de quien procedían los diez Maharquis o Prajapatis, antepasados de las familias brahmánicas.

Hay dos sectas o herejías del brahmanismo: el *visnuismo,* que admitía por dios supremo a Visnú, del cual se reconocían diez encarnaciones o manifestaciones distintas y el *sivaísmo,* o adoración a Siva, culto naturalista y bárbaro que tenía por divisa el *lingam,* símbolo de la generación. La esposa de Siva es Parvati o Bhavani; su primer hijo, Genesa, dios de la inteligencia, y el segundo, Kartikeya, dios guerrero.

La trimurti o trinidad hindúe, compuesta por Brahma, Visnú y Siva, fue formada por los brahmanes para pactar con los herejes y evitar así la influencia del *budismo* (V.). Primitivamente, pues, en la India la religión fue monoteísta, aun cuando desvirtuada por el simbolismo. Y, apoyados en este simbolismo, la credulidad y la superstición crearon ídolos, gigantes, monstruos, y llenaron con ellos el panteón popular, precisamente a cuanto no era sino aspecto distinto de una misma cosa. Así, el sol, símbolo de Agni, considerado en tres momentos esenciales: como *Surya,* la luz brillante, como *Visnú,* el viajero incansable que mide el Universo con tres únicos pasos: la Aurora, el Mediodía y el Ocaso; y como *Pusán,* el vivificador. Y así, el propio Agni, al circular por el cielo, tomó distintos sobrenombres: Mitra, Varuna, Indra..., que hacían pensar a los hombres crédulos y supersticiosos en distintos dioses con particulares atribuciones.

Al influjo de este simbolismo se divide la nación en castas, multiplica la religión sus ídolos y se llega por los sabios a hipótesis naturalistas y panteístas. La unidad de dios se confunde con el alma del mundo. Una tradición vaga de la trinidad, una esperanza de la encarnación, toman cuerpo en la *trimurti* y en las numerosas *avataras* de las deidades salvadores.

Desde aquella edad, Brahma será tenido por el dios supremo que se revela en el goce y en la felicidad. El Universo es Brahma, viene de Brahma, existe por Brahma y volverá a Brahma. Según la doctrina panteísta del brahmanismo, Brahma toma una cantidad innumerable de formas, desempeña un sinnúmero de papeles y forma diferentes *grupos.* Los dos principales son:

1.° La ya mencionada *trimurti*: Brahma el creador, Visnú el conservador y Siva el destructor o modificador.

2.° Una dualidad, "una sustancia más o menos adecuada al poder masculino, una fuerza que ora se distingue, ora se une con él; una fuerza merced a la cual la sustancia es y puede variar las apariencias del ser; una fuerza, en fin, más o menos identificada con el poder femenino. Esta fuerza toma distintos nombres, según el aspecto y según es considerada. Como energía, es llamada *Sacti;* cuando es simple perfección y, por lo mismo ilusión, toma el nombre de *Maya;* cuando es madre de individualizaciones, es *Matri;* cuando es mujer por excelencia, *Sonacha.*

Cada dios de la *trimurti* es hermafrodita. De Brahma surge *Sarasnati;* de Visnú, *Lakmi;* de Siva, *Bhavani.* Brahma tiene cuatro rostros, pronunció cuatro palabras y creó cuatro castas. Estas castas son: los *Brahmanes* o sacerdotes, que salieron de la boca del dios; los *Kchatriya* o guerreros, que salieron de un brazo del dios; los *Vaisyas* o mercaderes, que salieron de una pierna del dios, y los *Sudras* o parias, que salieron de un pie del dios para ser esclavos de las tres anteriores castas.

Visnú, siempre joven, ha salvado varias veces al mundo de perecer, con sus encarnaciones sucesivas, y encierra en sí el vientre de oro que contiene el huevo del Universo.

Siva, el dios terrible que destruye, es, sin embargo, el dios compasivo que *re-crea* y que con un símbolo impuro explica a los hombres su potestad generadora.

Esta *trimurti* era invocada con la palabra sagrada *oum,* proferida por el criador, y que contiene todo el poder y toda la eficacia. Palabra que el devoto no se cansará de pronunciar mientras viva.

A la *trimurti* se le ofrecieron tres grandes sacrificios: el del caballo—*Aswamedha*—, el del toro—*Gomedha*—y el del hombre—*Neramedha*—. Este último fue sustituido por el holocausto voluntario de las viudas, que aún hoy se arrojan a la hoguera que consume el cadáver del esposo.

Salido Brahma del huevo de oro, reflexionó que era necesario crear la dualidad de sexos. De su costado derecho se sacó al hombre—*sivayambhuva manú*—, dotado de la perfecta belleza; y de su costado izquierdo se sacó a la mujer—*sataruppa*—. Y después los bendijo y los mandó a poblar la tierra. Al padre del linaje humano, Brahma le hizo legislador. Pero debe tenerse en cuenta que este *manú sivayambhuva* fue el hombre que pereció en el primer diluvio universal y que había soportado la tiranía de los gigantes Asuras. El segundo manú —*manú satyavatra*—, continuador del primero, el hombre salvado del diluvio universal, fue el que rehízo el género humano.

Brahma tuvo por cuna la flor de loto—*padma*—, sagrada en la India por dicho motivo.

Cierto día en que Visnú estaba muellemente tendido sobre la serpiente *Amenta,* la cual levantaba sus siete cabezas, formando con ellas como una especie de quitasol, teniendo a su lado a su esposa Lakmi, salió un tallo del ombligo del dios; del tallo brotó una flor de loto, y de la corola de la flor salió Brahma, principio creador. Después de cien años divinos de contemplación, Brahma inició la creación. Primero creó el cielo y el abismo; luego, los siete *suargas* o esferas celestes, iluminadas por los resplandecientes cuerpos de los *deiotas;* luego, la tierra con sus dos luminares: el sol y la luna; por fin, los siete *patalas* o regiones inferiores, que tienen por luminarias ocho carbunclos colocados en las cabezas de otras tantas serpientes. Los siete patalas y los siete suargas forman los catorce mundos de que se habla en el brahmanismo.

Después inició Brahma la creación de los seres. Primero, los espíritus puros, y entre ellos los gigantes, para que le ayudaran en la obra que iba a realizar; luego, los *munis* o profetas; luego, los *richis* o santos...

Algunos comentaristas ilustres del brahmanismo clasifican los seres creados por Brahma del modo siguiente:

1. Siete *manús* primitivos, el primero de los cuales, Suayambhuva, se confunde con el mismo Brahma.
2. Siete *manús* secundarios.
3. Siete *richis,* los *maharchis,* los *devarchis* y los *radjarchis,* todos ellos seres sobrenaturales y perfectos, de fisonomía semidivina, semihumana.
4. Los diez *brahmadikas o prajapatis,* obreros de Brahma, habitantes de la luna.
5. Los *vasuas,* protectores y reguladores de las ocho regiones del mundo. Sus nombres son: *Indra*—dios del cielo, de los genios buenos, de los elementos, y el más poderoso después de los que forman la *trimurti*—; *Iama*—divinidad de la noche, de los muertos y del mundo subterráneo—; *Niruti*—jefe de los genios malhechores—; *Agni*—deidad del fuego—; *Varuna*—rey del mar y de todas las aguas—; *Vayu*—dios de los vientos, conductor de los sonidos, padre de la música—; *Kuvera*—dios de las riquezas y su distribuidor—; *Isana*—especie de Siva, en una inferior esfera.
6. Los ocho *sactis* o *matris,* que corresponden exactamente a las ocho *vasuas.*
7. Los siete *munis,* jefes de las siete esferas celestes, sacerdotes, profetas, cantores, verdaderos brahmanes.
8. *Dakcha,* considerado como primogénito de Brahma.
9. *Rudra,* hijo de Brahma, de cuya frente salió.
10. Multitud de divinidades inferiores, en número, según los himnos, de trescientos treinta y dos millones. Entre ellas, los *Devas,* los *Devatas* y los *Suras,* genios benéficos; y los *Daitios,* los *Asuras,* los *Danavas* y los *Rakchacas,* genios maléficos.

Para castigar un crimen incestuoso cometido por Brahma en la persona de su hermana o de su hija *Sarasuati,* Visnú le obligó a reencarnarse cuatro veces durante cuatro épocas famosas. Así, Brahma apareció durante la *Satya-Yuga* encarnado en el cuervo-poeta *Kakabhusuda;* y en la *Treta-Yuga,* en el paria Valmiki, comentarista de los *Vedas* y penitente; y en la *Dwapara-Yuga,* en Viasa Muni, poeta, autor del *Mahabaratha;* y en la *Kali-Yuga,* en Kalidasa, el gran poeta dramático, autor de *Sakuntala.* El castigo de Brahma consistió, pues, en cantar las glorias de Visnú.

La moral del brahmanismo es sumamente severa. Ordena el amor a los semejantes y a los animales; prohíbe dañar al hombre, aunque se hubiera recibido injuria de él; obliga a obedecer a los superiores; aconseja la templanza, la castidad, la limosna; permite la poligamia y el divorcio, pero no el adulterio ni la pública deshonestidad; prohíbe rigurosamente la usura, el juego, el perjurio, el aborto, la calumnia, la borrachera; aconseja la oración, la contemplación solitaria y silenciosa, la modestia, la austeridad.

Dice el *Código de Manú*: "los niños, los ancianos y los débiles deben ser considerados como señores"; "a la mujer no se le debe pegar ni con una flor"; "un padre es más venerable que cien preceptores, y una madre más venerable que mil padres"; "el que guarda resentimiento irá al infierno"...

El brahmanismo, en la actualidad, contiene un número incalculable de sectas que adoran muchos dioses masculinos y femeninos, ya favorables, ya dañinos. Sin embargo, en la actualidad, los brahmanes intentan construir la parte moral y mística de su fe con especulaciones filosóficas, dando un valor secundario a las fábulas sagradas.

V. OLDENBERG: *Die Religion des Vedas.* Berlín, 1894.—MONNIER-WILLIAMS: *Brahmanism and Hinduism.* Londres, 1891.—HARDY: *Die vedisch-brahmanische Religion der alten Indiens.* Munster, 1893.—HOPKINS, E. W.: *The Religions of India.* Boston, 1895.—BÜHLER: *The laws of Manu.* Londres, 1886.—REINACH, Salomón: *Orfeo. Historia general de las Religiones.* Trad. cast. Madrid, 1910.

BRASILEÑA (Lengua)

Pertenece al gran tronco *Guaraní.* Se la llama también *tupi y lingua-geral.* Las principales tribus que la hablan son las de los *Tapas, Tupis, Petiguaros, Cahetos, Tupinambas, Tupinaguinis, Tummimivis;* no todas estas tribus han conservado su nacionalidad; algunas se han cruzado con portugueses, españoles y negros.

Las noticias más preciosas acerca de la lengua brasileña se deben a los trabajos de los jesuitas, quienes han publicado gramáticas, diccionarios y tratados pedagógicos y religiosos.

Las principales características de la lengua brasileña son las siguientes:

1.ª Los sustantivos tienen una misma forma para el singular y para el plural. *Oca* significa, a la vez, *casa* y *casas.*

2.ª Los diminutivos se forman añadiendo una *i* al positivo. Así, *pitanga,* niño, y *pitangai,* niñito.

3.ª El comparativo se forma añadiendo al positivo la terminación *ete,* y haciendo seguir el término de comparación de la preposición *sui.*

4.ª Los pronombres personales son declinables y afectan muchas formas, según vayan solos o acompañados por el verbo.

5.ª Las terminaciones características *ara, ana, aba, pyra,* etc., sirven para derivar de los verbos verdaderos nombres de acción, de agente, de pariente, de instrumento, de lugar, de tiempo... De *juca,* matar, derivan *jucazara,* matador; *juca-*

zaba, instrumento para matar, y *jucapyra*, el muerto.

6.ª El genitivo se expresa colocando el nombre delante de la palabra que le rige. El dativo, por medio de la terminación *pe* o *zupé*. El vocativo, en los nombres que tienen el acento tónico en la última sílaba, quitando la vocal final, o sirviéndose de la partícula exclamativa *gui* o *gue*. El ablativo, con el auxilio de la preposición *pe* o *pyri*. El acusativo, con el auxilio de la preposición *rupi* o *bo*, por, a.

7.ª El infinitivo es el tema radical del verbo. El presente se forma con el empleo puro y sencillo del pronombre personal. Al imperfecto se le agrega la terminación *aeremé*. Al perfecto, *uman*. Al pluscuamperfecto, *uman aeremé*. Al futuro, *né*. El imperativo se forma por medio de diferentes sílabas prefijas.

8.ª La negación se expresa haciendo preceder al verbo de *n* o *nd* y haciéndole seguir de *i*.

9.ª Las preposiciones son reemplazadas por posposiciones.

10. La construcción es esencialmente inversiva.

Hoy, de la fusión de la lengua brasileña con las lenguas portuguesa, española y alguna otra, han nacido muchos dialectos mestizos.

V. FIQUEIRA, L.: *Arte de grammatica de lingua brasilica*. Lisboa, 1687.—SILVA GUIMARAES, J. J.: *Diccionario de lingoa geral des indios do Brazil*. Bahía, 1854.—LUDEWIG, H. E.: *The literature of american aboriginal languages*. Londres, 1858.—RUIZ DE MONTOYA: *Arte de la lengua guaraní*. Viena, 1876.—BOLAÑOS, Fray Luis de: *Gramática guaraní*. Río de Janeiro, 1602.

BRASILEÑA (Literatura)

La literatura brasileña comprende dos grandes períodos: el de *formación*—de 1592 a 1836— y el de *transformación y reacciones ulteriores* —de 1836 a nuestros días.

Fue el español padre José de Anchieta (1553 a 1597) quien preparó el terreno, con sus escritos religiosos, poemas y cartas, para el surgimiento de la literatura brasileña.

En el mismo siglo escribieron: Bento Teixeira Pinto—autor del poema *Prosopopea*—; Pedro de Magalhais Gandavo—autor de un *Tratado das terras do Brasil*—; Fernao Cardim; Gabriel Soares de Sousa—*Tratado discritivo do Brasil em 1587*—; Pero Lopes de Sousa—*Diario da navegaçao da armada que foi â terra do Brasil em 1530*.

Mucho más interesante, desde el punto de vista literario, es el siglo XVII.

A este siglo pertenecen Eusebio y Gregorio de Mattos, verdadero Rabelais brasileño este último, célebre por su humorismo, su agitada vida y sus obras; Manoel Botelho de Oliveira—*Música del Parnaso*, rimas portuguesas, castellanas, italianas y latinas—; Paulo da Trindade —*Conquista espiritual de Oriente*—; Diego Gomes Carneiro; José Borges de Barros—*La constancia triunfante*, comedia, y *Conclusiones amorosas*—; Manoel de Moraes—*Historia da America*—; Padre Antonio de Sa; Fray Vicente do Salvador—*Historia da custodia do Brasil*—... Para la crítica brasileña contemporánea, Gregorio de Mattos es el primer hombre de letras *nacido en el Brasil y producido por el Brasil*.

En 1724 surge la Academia brasileira dos esqueridos, fundada bajo el gobierno del virrey don Vasco Fernandes César de Mendouça. En esta Academia se agrupan escritores tan importantes como: Sebastiao Rocha Pitta—*Historia de América portuguesa*—; fray Manoel da Santa María Itaparica—*Eustachidos*, poema—; Nuño Marques Pereira—*Peregrino da América*—; Alexandre y Bartolomeu Lorenço de Gusmao.

Otros autores sobresalientes en este siglo son: Antonio José, apodado "el Judío", famosísimo autor dramático, que compuso, entre otras obras, *Variedades de Proteu, Encantos de Medea, Laberinto de Creta, O Anfitrao, Júpiter y Alcmena, Precipicio de Phaetonte, Esopaida, Alecrim e da Manjerona*. Fray José de Santa Rita Durao —*Caramurú*, poema—; José Basilio de Gama —*Uruguai*, poema—; Claudio Manoel da Costa —gran poeta épico, autor de los poemas *Vila Rica y Ribeiro do Carmo* y de las *Cartas chilenas*—; Tomaz Antonio Gonzaga—lírico apasionado—; José Ignacio Alvarenga Peixoto—autor de sonetos, odas, liras, el drama en verso *Eneas no Lacio* y una traducción de *Merope*, de Maffei—; Manoel Inacio de Silva Alvarenga—lírico de importancia y miembro de la *Arcadia Ultramarina*...

El siglo XIX puede calificarse "como el de la emancipación de la literatura brasileña" y el de "su mayoría de edad". "Entre el crepúsculo de los árcades y la aurora de los románticos—escribe el docto académico Orico—nótase una fase de transición, en que la poesía cede lugar al púlpito o a la prosa."

A esta fase de transición pertenecen: Pedro Jaques da Almeida—*nobiliaquia paulista*—; Fray Gaspar da Madre de Deu; Antonio José Victorino Berges; Matías Aires Ramos da Silva de Eça—uno de los mejores prosistas, autor de *Reflexoes sobre a vaidade dos homens*.

Del período romántico son los poetas Sousa Caldas; José Eloy Ottoni; Domingo José Gonçalvez de Magalhaes—*Suspiros poéticos*—; Odorico Mendes; Maciel Monteiro; Manuel de Araújo Porto Alegre—autor de *Brasiliana y Colombo*, poema épico—; Antonio Gonçalves Dias—el mejor lírico romántico, autor de *Sexthilas de frey Anto, Esclava*, los *Fimbiras, Y-Juca-Pirama* y otros inmortales poemas.

Entre los prosistas destacaron: Joao Francisco Lisboa—*Vida do Padre Antonio Vieira* y del *Jornal de Timon*—; Feixeira de Sousa—folletinista y novelista—; Soteiro dos Reis—crítico literario—; Francisco de Salas Torres Homen —*Libelo de Fimandro*—; Joao Manoel Pereira da Silva—*Varoes ilustres do Brasil e Historia da fundaçao do Imperio Brasileño*—; Francisco Adolfo Vernhagen—"padre de la historia brasileña", autor de *Historias das lutas contra os holandeses, Historia de la Independencia e Historia geral do Brasil*—; José Bonifacio "o Mozo"; Francisco Otaviano.

Entre los novelistas y dramaturgos: Martins Pena; Joaquín Manoel do Macedo—gran dramaturgo, autor de *O moço louro, Rosa, A moreninha*—; Bernardo Guimaraes—autor de los relatos costumbristas *A esclava Isaura, O seminarista, O ermitao*—; José de Alençar—acaso el novelista más grande del Brasil, autor de *O Guarani, Iracema, Ubiraraja, O gaucho, O tronco de Ipé, Senhora, Luciola, Diva, A pata da gazela, Fil, Encarnación*...—; Manuel Antonio da Almeida—*Memorias de un sargento de milicias*—; Franklin Tavora—autor de las novelas *O matuto, Casa de Palha, Lourenço, O cabeleira*—; Alfredo de Escragnolle Faunay—*Inocencia*, novela, y la crónica *Retirada de Laguna*—; Almisio de Azevedo—el iniciador de la gran novela realista con problemas sociales y humanos en *O homen, Casa de pensao, O mulato, O cortiço*—; Julio Ribeiro—*A carne*, novela—; Antonio de Castro Alves—uno de los más admirables poetas y prosistas brasileños, autor de *Espumas fluctuantes, Gonçaga ou a revoluçao de Minas*, drama; *Os escravos, A cochoeira de Paulo Afonso, Manuscritos de Stenio*...

Ya en la época contemporánea, plenitud de las letras brasileñas, son nombres sobresalientes: Machado de Assis, gran maestro de la poesía, la novela y el cuento; los críticos literarios Silvio Romero, José Verissimo y Araripe Junior; los ensayistas Alberto Torres, Joaquín Nabuco, Oswaldo Orico—este también excelente narrador—; los poetas Guimaraes Passos, Teófilo Dias, Raimundo Correa, Amadéu Amaral, José Albano, Severiano de Rezende, Auta de Sousa, Augusto de Lima, Francisca Julia, Emilio de Menezes, Olavo Bilac, Alberto de Oliveira, Mario Pederneiras, Augusto dos Anjos, Félix Pacheco. El gran novelista Erico Verissimo...

Los autores dramáticos: Artur Azevedo, França Junior, Lucio de Mendouça. Los eruditos e historiadores: Oliveira Lima, Rocha Pombo, Joao Ribeiro, Tobías Monteiro, Eduardo Prado. Entre los novelistas: Graça Aranha—*Chanaan*—; Euclides da Cunha—*O Sertao*—; Coelho Neto, Alcides Maya, Xavier Marque, Alberto Rangel, Ingles de Sousa Afonso Arinos, Lima Barreto, Waldomiro Silveira, Domingos Olimpio...

V. Carvalho, Ronald de: *Pequena historia da literatura brasileira.* Río, 1944.—Araripe, Junior: *Cartas sobre a literatura brasileira.* 1869.—Verissimo, José: *Historia da literatura brasileira.* 1916.

BRETÓN (Lenguaje)

El bretón, bajo bretón o armoricano, es un idioma conservado desde el tiempo de los galos en una región francesa que comprende la Armórica y la Bretaña. Con el galés y el cornuallés—estos dos extinguidos hace cerca de doscientos años—forma el grupo británico de las lenguas celtas. El bretón se ha conservado gracias a la tenacidad de carácter de quienes lo hablan y a la situación geográfica de esta población, pese a la fuerza que sobre la comarca ejercieron las lenguas latina, sajona y francesa durante las sucesivas conquistas de la Bretaña. Lo hablan casi millón y medio de personas en los departamentos de Finisterre, costas del Norte y Morbiham.

Se distinguen en el bretón muchas variedades dialectales que tienen su característica pronunciación: el *vannetés*, hablado en la región de Vannes; el cornuallés, que se habló en la región de Quimper; el *trecoriano*, en la región de Tréquier, y el *leonardo*, en la de Saint-Pob-de-León.

De estos dialectos, el *vannetés* es la lengua primitiva bretona y la más alterada. Y el *cornuallés*, la más corrompida.

La literatura bretona, como la lengua, comprende varios períodos. El primero, o de los orígenes, es un campo desconocido abierto a todas las hipótesis, ya que algunos eruditos hacen derivar al bretón del hebreo, y otros filólogos, del frigio o del lidio. Los griegos y latinos no forzaron ni poco ni mucho la lengua bretona. Hacia el siglo v se inicia el brillante período de los bardos bretones: Gweznou, Tabiésin, Merzín, o Merlín, San Gildas, San Y-Sulio y otros.

Sus cantos, llenos de vivacidad y energía, de color y de gracia, estaban consagrados a los recuerdos históricos, a los misterios religiosos y al amor.

Los *lais* de Bretaña fueron objeto de brillantes imitaciones y variaciones por parte de los trovadores franceses de los siglos siguientes. El ciclo del "Rey Arturo" o de la "Tabla Redonda" es una floración de la literatura bretona, que se convirtió en tema común de todas las literaturas romanas de la Edad Media. Durante los siglos x y xi se redactaron gramáticas y diccionarios de la lengua bretona tal y como la *habían fijado* las obras populares.

En seguida se inició la decadencia. El antiguo lenguaje tiene que ceder al latín, idioma de la Iglesia, y al *romance del norte* francés, lengua de los reyes. La poesía queda reducida al cultivo de los géneros inferiores; está representada por algunas crónicas en rima y por muchas traducciones. Aparecen entonces gramáticas latino-bretonas y diccionarios bretones-latino-franceses, que atienden menos a la apología del viejo idioma que a sus relaciones con los idiomas triunfantes. Luego, la lengua y literatura armoricanas pierden todo el terreno que ganan la lengua y la literatura francesas.

Hoy día, algunos dialectos bretones quedan únicamente como el objeto curioso en manos del filólogo y del crítico literario.

V. Latour D'Auvergne: *Nouvelles recherches*

sur la langue, l'origine, etc..., des Bretons.— MIORET DE KERDANET: *Histoire de la langue gauloise et, par suite, des Bretons.* Rennes, 1821.

BREVE

Nombre dado a las *Cartas* de los Pontífices, en una forma *solemne y más breve* que las Bulas. Los *Breves* aparecen en el siglo XV, bajo el pontificado de Eugenio IV. Mientras las *Bulas* iban selladas en cera verde, los *Breves* lo iban en cera roja, con el sello *del anillo del pescador,* que representaba a San Pedro arrojando sus redes al mar. En la inscripción de los *Breves,* el Pontífice tomó el nombre de *Papa.* La escritura de las *Bulas* es corrientemente la *redonda.* La de los *Breves,* la *itálica.* Unas y otras iban —y van—escritas en latín.

La característica principal de los *Breves* es el primer renglón, en el que se declara el nombre del Pontífice: PIUS PAPA X. Luego: *Dilecte fili salutem et apostolicam benedictionem.* O bien, a falta de encabezamiento: *In perpetuum o Ad perpetuam rei memoriam.* La fecha cuenta desde la Natividad del Señor. Su fórmula es: *Datum Romae apud S. Petrum sub annulo Piscatoris die... Pontificatus nostri anno... N. Cardinalis* (aquí el nombre del cardenal secretario de *Breves.)*

Antiguamente extendía los *Breves* la Cancillería Romana. Hoy, la Secretaría de Breves, una de las cinco que comprende la Secretaría Apostólica.

Los *Breves* van escritos en una sencilla hoja, blanca y fina, de pergamino, de mayor anchura que altura.

BREVIARIO

1. Compendio. Compilación.
2. Libro de rezos.
3. Catálogo o guía para el rezo del oficio canónico y la celebración de la misa.

La palabra breviario se aplicó primitivamente a los devocionarios de viaje de los monjes, y consistía en un delgado fascículo con las indicaciones litúrgicas para un año.

Por extensión, se aplicó a todo el rezo canónico. El breviario llevó otros muchos nombres: *Officium divinum, horae canonicae, divina psalmodia, agenda synaxis, opus Dei, collecta, missa...*

Posiblemente, al *abreviar* el Pontífice Gregorio VII el orden de las oraciones, dio origen al llamado *breviario.* Ya en el siglo IX, Alcuino dio dicho nombre al oficio divino arreglado para uso de los seglares. Y Prudencio de Troyes compuso su *Breviarium Psalterii.* Los principales breviarios son: los de Occidente—el *Romano,* el *Monástico* o *benedictino,* el *Dominicano,* los de las diócesis de Colonia, Munster y Tréveris, el de Milán o *Ambrosiano,* el *Mozárabe*—; los de Oriente—el *Griego,* el *Armenio,* el *Maronita,* el *Copto.*

Las principales reformas del breviario las ordenaron San Gregorio Magno, Inocencio III, Gregorio IX, León X, San Pío V, Sixto V. Paulo IV, Clemente VII, Urbano VIII.

V. ARSEMANI, C.: *Codex liturgicus Ecclesiae universalis.* Roma, 1749.

B

BUCÓLICA

Género de poesía que canta la vida del campo y las sencillas costumbres de sus habitantes, describiendo a la vez las bellezas de la Naturaleza. Se llama también *pastoril,* porque los personajes que intervienen en ella son comúnmente *pastores.* Los poemas bucólicos han recibido los nombres de *Eglogas* e *Idilios.* La palabra *égloga* significa poema *escogido.* Es el nombre que dio Virgilio a sus poesías pastoriles, y se ha conservado para designar toda composición bucólica. La voz *idilio* significa *pequeña imagen;* los poetas griegos llamaron idilios a sus poemas bucólicos, y tal nombre llevan los de Teócrito, Bión y Mosco.

Algunos autores han señalado la diferencia entre la égloga y el idilio. La primera alude a la vida pastoril y reviste *forma dramática.* El segundo describe las escenas de la Naturaleza y tiene *carácter lírico.*

El objeto de la poesía bucólica es recrear el ánimo con la contemplación de las bellezas del campo y las sencillas costumbres de sus habitantes, *como compensación* a las inquietudes que excita la vida urbana. Su *materia* es el campo, la vida de los pastores—sus amores, penas y alegrías.

La poesía bucólica puede ser: *subjetiva* o lírica, *narrativa* o épica y *dialogada* o dramática. Con frecuencia mezcla todas estas formas y aun presenta la de *novela,* como *La Galatea,* de Cervantes.

El defecto más común de la poesía bucólica es: presentar a los pastores sobradamente cultos y discretos, como si fueran moradores de ciudades; no rústicos como son, sino culteranos—damas y señores—disfrazados de pastores.

Las épocas en que mayor cultivo ha tenido la poesía pastoril coinciden en todas las literaturas con los períodos de mayor esplendor. Grandes poetas bucólicos son, además de los mencionados: el Arcipreste de Hita, Juan del Enzina, Garcilaso de la Vega, Bernardo de Balbuena, Meléndez Valdés, entre los españoles. Y Tasso, Guarini, Montemayor, Fontenelle, Andrés Chénier, Gessner... (V. Pastoril, Poesía.)

BUCÓLICO (Verso)

Pastoral o pastoril. Verso utilizado por Teócrito, Mosco y otros poetas bucólicos. (V. Hexámetro, Diferentes especies de.)

BUCOLISMO

Tendencia literaria hacia el cultivo—exclusivo y excluyente—de los temas pastoriles y de las composiciones afines a dichos temas: bucólicas, églogas...

El bucolismo representa, en literatura, el *retorno* a la Naturaleza como única fuente de sentimientos y de inspiración; y se desarrolló especialmente durante el Renacimiento y el Neoclasicismo; es decir, durante las épocas de medida y de orden y como consecuencia del culto rendido a poetas como Teócrito y Virgilio (V. Arcadismo.)

BÚDICA (Literatura)

Es casi totalmente religiosa. Comprende dos cánones de libros sagrados. La Biblia llamada *Tripitaka* o *Tipitaka,* que comprende tres partes: el *Vinaya-pitaka,* o reglas de disciplina, que fue redactado por Sudra Upali; el *Sutta-pitaka,* o tratados didácticos compuestos por Amanda; el *Abhidharma-pitaka,* o metafísica budista, redactada por Kasyapa.

La Biblia *Tripitaka* comprende veintinueve libros, ninguno de ellos anterior al siglo IV antes de Cristo. Están escritos en *pali.* Estos libros corresponden a la iglesia budista del Sur.

A la iglesia budista del Norte corresponden: la *Saddharma-pundarica o Loto de la Verdadera ley;* la *Buddha-Charita*—biografías legendarias de Buda—y la *Salita Vistara* o *Libro de las hazañas.* Estas tres colecciones fueron escritas entre los años 80 y 100 de nuestra era y en idioma sánscrito.

Dentro de la literatura búdica deben considerarse los *Tantros* y los *Sutras,* disposiciones teológicas, y también numerosas leyendas y la historia religiosa.

V. DAVIDS, G.: *Budhism, its History and Literature.* Nueva York, 1896.—POUSSIN, H.: *Boudhisme, Etudes et Matériaux.* París, 1896. COPPLESTON: *Budhism, Primitive and present.* Londres, 1892.

BUDISMO

Sistema religioso monástico fundado por Buda en la India central, junto al Ganges. Hoy, el budismo, propagado por toda la India, Japón, China, Tibet y Malasia, cuenta con más de cien millones de adeptos.

Buda—cuya existencia ha sido puesta en duda por muchos historiadores y críticos—se llamó, primero, *Siddhartha,* y fue un príncipe que renunció al mundo y abrazó la vida solitaria. En esta vida de contemplación tomó el nombre de *Zakyamuni,* es decir, el solitario de los Zakyas, del nombre de una raza de la casta militar. Cuando llegó a la perfección de la ciencia que se había propuesto como ideal, tomó el título de *Buda,* palabra que significa *el Sabio.* Y de este nombre derivó el de su doctrina.

¿Cuándo vivió Buda? Los budistas de Ceylán colocan en el siglo VI antes de Cristo el apostolado de Zakyamuni, testimonio que se halla confirmado por los documentos que suministran los libros búdicos, las inscripciones y las medallas.

Los chinos afirman que Buda predicó en el siglo XI antes de nuestra era; pero esta afirmación, en contradicción con los textos sánscritos, ha sido refutada sutilmente por Eugenio Burnoff.

Se sabe por Estrabón que Megástenes halló en la India dos sistemas religiosos encontrados: el de los brahmanes y el de los garmanes—budistas—. Los filósofos griegos dieron a los sectarios de Buda el nombre de *gimnosofistas.* San Clemente de Alejandría afirmó que el jefe de los gimnosofistas se llamaba *Butta,* y San Jerónimo refiere que, según una tradición antigua de los gimnosofistas, Buda, autor de su filosofía, nació de una virgen que le parió por un costado. Es, pues, incontestable que el budismo es una religión *muy anterior* al cristianismo. Los libros sánscristos, hindúes y palis nos muestran un Buda reformador religioso, a quien preocupaba principalmente la idea de cambiar las costumbres supersticiosas y crueles de sus contemporáneos. Una caridad infinita, el proselitismo, y, por consecuencia, el acceso dado a todos los hombres de todos los rangos y de todas las castas, la admisión al sacerdocio de los individuos pertenecientes aun a las clases más despreciadas, cuando se han hecho dignos de este honor supremo por sus virtudes; en una palabra, la igualdad ante Dios, son las características de la doctrina predicada por Buda.

Según Reinach, Gotama o Buda, hijo de un rey o de un guerrero de sangre real, nació hacia el año 520 antes de Cristo cerca de Kapilavastu, cien millas al norte de Benarés. Hasta los veintinueve años vivió entregado a los placeres. A dicha edad se arrepintió de su existencia depravada y estéril al contemplar tres miserias humanas: un viejo impedido, un anciano abandonado y un cadáver insepulto. Abandonándolo todo: esposa, hijo, riquezas, se hizo monje mendicante, y durante cincuenta años recorrió la India predicando y haciendo discípulos. Murió a los ochenta años, de una indigestión de arroz y de cerdo. Su cuerpo fue quemado, y sus reliquias, repartidas entre sus discípulos, dispersadas minuciosamente por encargo suyo.

Cuando Buda empezó a predicar su doctrina. la India estaba sometida a la doble tiranía del formalismo de los brahmanes y del régimen de las castas. El cisma que originó Buda fue anticlerical y antirritualista. Y, naturalmente, los brahmanes le persiguieron y aun trataron de asesinarle. Su religión, como la cristiana, fue universalista y profundamente igualitaria.

La idea dominante del budismo es la del viejo ascetismo hindú. La vida es un sufrimiento entre existencias pasadas y futuras, que estuvieron y estarán también llenas de tristezas. Como el suicidio—que libraría de tales dolores—impide el renacimiento en otra vida, no cabe otra solución sino matar, mediante la renuncia, el deseo de vivir. La caridad para con los hombres y animales no son bienes en sí, sino formas de la renuncia del egoísmo. Cuando se acaba con el postrero anhelo de vida, el hombre entra en el *nirvana,* que no es la muerte, sino la *muerte en vida,* el *no-ser.*

Buda recordó a sus discípulos sus anteriores encarnaciones por medio de fábulas y de parábolas—*jatakas*—, que se han denominado "la epopeya de la transmigración". En el *Dhammapada* hay un verso—el 183—atribuido al mismo Buda, y que hoy todavía recitan los budistas como una especie de profesión de fe: "Omisión de todo pecado, comisión de todo bien, purificación del corazón: esta es la doctrina de Buda." Y a este verso responde en absoluto lo que la tradición nos ha transmitido de la doctrina de Buda. Muévese esta en torno a dos problemas: el dolor y la salvación. Se dice: "Así como, ¡oh monjes!, el gran océano no tiene más que un sabor, el sabor de la sal, así también esta doctrina no tiene más que un sabor, el sabor de la salvación." Ahora bien: la salvación para el budismo significa el *renacimiento.* Toda la doctrina de Buda está fundada en las llamadas "cuatro nobles verdades". Estas son: la verdad del dolor, la verdad del nacimiento del dolor, la verdad de la cesación del dolor y la verdad del camino que conduce a la cesación del dolor. En otros términos: 1.º Todo lo que existe está sometido al dolor. 2.º Este dolor tiene su origen en las pasiones humanas. 3.º La liberación de las pasiones libera del dolor. 4.º El camino para la liberación es el "noble camino de ocho miembros".

El budismo no niega en absoluto la existencia del alma. Lo que solo niega es que haya un alma eterna y permanente, que sea algo absolutamente distinto y separado del cuerpo. Para el budismo, el alma es una masa de elementos aislados, en eterna mutación. Por ello el budismo se opone a los materialistas, que afirman la inexistencia del alma.

Ha dicho Pischel: "Buda consideró inútil dar una profunda base filosófica a su doctrina. Su sistema no era para él un fin en sí mismo, sino solamente un medio para el fin. Si las tres primeras nobles verdades fueron su confesión filosófica, la cuarta, el camino que conduce a la anulación del dolor, fue su confesión religiosa. La cuarta verdad comprende la ética del budismo. Ella es la que penetra profundamente en la vida diaria; en ella aparece a plena luz la grandeza de Buda. Solo por ella el budismo es una religión."

El budismo tiene cinco mandamientos: 1.º No matarás. 2.º No robarás. 3.º No fornicarás. 4.º No mentirás. 5.º No beberás bebidas embriagadoras. Los deberes de los seglares están sujetos a estos cinco mandamientos. Cuando se los ha cumplido, el corazón *ya puede liberarse por el amor maitri;* en pali, *meta*—. Como el cristianismo, el budismo hace del amor una virtud cardinal.

En el budismo existen cuatro grados de santidad: *los cuatro caminos nobles,* y las personas que llegan a ellos se llaman sucesivamente: *Srotaapanna, Sakrdagamin, Anagamin y Arhat.*

El *Srotaapanna* está ya libre de las encarnaciones en los mundos inferiores: infierno, ámbito de los espectros y mundo animal. La salvación es ya segura. Pero deberá reencarnarse otras siete veces antes de alcanzar el *nirvana.*

El *sakrdagamin*—segundo grado de perfección—, aún no está puro por completo; por ello, deberá reencarnar una vez más. Su nombre significa *el que regresa otra vez.*

El *anagamin*—*el que no regresa*—no vuelve a renacer en la tierra. Solo una vez renacerá en los mundos divinos, alcanzando después el *nirvana.*

Al *arhat*—cuarto y más alto grado—no puede llegar ningún seglar, sino solo los monjes. El *arhat* consigue el *nirvana terrenal.*

Las comunidades de varones y de mujeres fundadas por Gotama-Buda se multiplicaron rápidamente, y recibieron grandes dominios, que gozaron *pro indiviso.* La afluencia avasalladora de gentes de toda Asia al budismo obligó a crear una jerarquía y a formular reglas severas. La multiplicación de los monumentos—*stupas* —dedicados a Buda fomentó la idolatría y un ritualismo nuevo.

Al poco tiempo de haber muerto Buda, el budismo estaba descompuesto en más de veinte sectas. Y Birmania, Nepal, Siam, el Tibet, China y Japón tuvieron un budismo absolutamente heterodoxo, pues discrepaba extraordinariamente del predicado por Gotama.

La depravación más completa del budismo es el llamado *lamaísmo,* del Tibet, teocracia monstruosa, obstáculo para toda civilización y aun para el perfeccionamiento espiritual.

V. KÖPPEN, F.: *Die Religion des Buddha.* Berlín, 1857-1859. Dos tomos.—LUDWIG-HELD, H.: *Deustche Bibliographie des Buddhismus.* Munich, 1916.—HARDY, E.: *Buddha* Leipzig, 1903.—RHYS DAVIDS, MRS.: *Buddhist Manual of Psychological Ethies.* Londres, 1900.—LA VALLÉE POUSSIN, L.: *Boudhisme; opinions sur l'histoire de la dogmatique.* París, 1909.—LA VALLÉE POUSSIN, L.: *Boudhisme, études et matériaux.* Londres, 1898.—PISCHEL, Richard: *Vida y doctrina de Buda.* Madrid, 1927. Trad. cast.

BUEN GUSTO

1. Delicadeza para elegir, sentir y expresar.
2. Instintiva delectación de lo bello y de lo moral.
3. Calidad literaria excluyente de cuanto no tenga un valor de emoción selecta, de inclinación ética y de perfección estética.

BUFÓN

1. Truhán, juglar, payaso, "hombre de placer", que sirve para hacer reír.

B

2. Personaje de la comedia de arte italiana y del teatro español del Siglo de Oro; en este, con el nombre de *gracioso*.

El bufón, siempre al servicio del público o de un señor rico que lo pagaba para que distrajera sus ocios y aliviara sus murrias, ya existía en la antigüedad. Acaso es asiático el origen del bufón. Al menos, se sabe que era una profesión conocida en Persia y en Ecbátana, de donde pasó a Egipto, Grecia y Roma. Amenosis IV tuvo muchos bufones o *locos,* que eran volatineros y amaestradores de monos y de perros. Séneca, Marcial y Suetonio aluden a ellos, entre los que fueron famosos Galba y Capitolino Cecilio. Durante la Edad Media, los bufones solían ser enanos o seres contrahechos, cuya sola presencia ya movía a risa. El bufón debía saber saltar, bailar, cantar y repentizar chistes y contestaciones ingeniosas, poseer un cinismo casi heroico.

Bufones famosos fueron: Geoffroy, de Felipe V, "el Largo", de Francia; Rollet, de Felipe de Valois; Seigni Johan, muy encomiado por Rabelais; Thony, elogiado por Brantôme; Chicot, de Enrique III de Francia, y a quien inmortalizó Alejandro Dumas; Triboulet, de Luis VII, inmortalizado por Víctor Hugo en *El rey se divierte,* y que inspiró a Verdi su *Rigoletto;* L'Angely, de Luis XIII y Luis XIV... En España abundaron los bufones durante los siglos XVI y XVII, y nuestro Velázquez inmortalizó a los conocidos con los nombres de *Esopo, Pablillos de Valladolid* y *Mari Bárbola.*

Los bufones tuvieron gran acogida en las obras teatrales. Los tipos de *Manducus*—monstruo—, *Maccus*—necio y jorobado—, *Papus* —viejo avaro—, *Buccus*—innoble y glotón—nos han sido legados por el teatro romano. *Zanni, Polichinela y Pantalón,* por la comedia de arte italiana. Y en la mayoría de las obras de Lope, Tirso de Molina, Moreto, Rojas, Zorrilla, Vélez de Guevara... aparecen los *graciosos* encargados de decir los *disparates más agudos* y las ejemplaridades más sorprendentes.

Contra los bufones escribieron plumas doctísimas como las de Saavedra Fajardo—en las *Empresas*—y Quevedo—en las *Zahurdas.*

BULA

Se conoce con este nombre un documento papal, una letra apostólica, con sello de plomo y una inscripción que lleva esta fórmula de humildad: *Servus servorum Dei,* precedida del nombre del Pontífice.

Hay que distinguir las *Grandes* y las *Pequeñas Bulas.* Las Grandes comienzan con el nombre del Pontífice y la fórmula *Servus servorum Dei,* terminándose la inscripción con una cláusula a perpetuidad: *In perpetuum; ad perpetuam rei memoriam.* Son signadas y firmadas por el Papa y por los cardenales. Las palabras *Bene valete* ponían remate a las letras apostólicas. En el siglo XI se comenzó a emplear el monograma *B. V.* Frente a este monograma, colocado a la derecha de la Bula, se encontraban a la izquierda dos círculos concéntricos, divididos por mitad por una cruz. En el espacio que separaba los dos círculos iba una divisa particular. Y la cruz era acompañada por estas palabras: *Sanctus Petrus, Sanctus Paulus,* a las que seguía el nombre del Pontífice. La data de las Grandes Bulas era larga; comprendía el año del pontificado, el de la Encarnación, la indicación, el día, la indicación de los funcionarios que extendían la Bula. Las Grandes Bulas, raras desde el siglo XII, son inusitadas a partir del XV, época en que aparecen los *Breves* (V.).

Las *Pequeñas Bulas* se llamaron así en razón a la brevedad característica de sus fórmulas y no a la importancia de los objetos tratados. En general, tienen más interés histórico que las Grandes. La distinción entre aquellas y estas se inicia durante el pontificado de Urbano II, al final del siglo XI. Las Pequeñas llevan igualmente la fórmula *Servus servorum Dei,* pero en vez del *In perpetuam,* expresaron el *Salutem et apostolicam benedictionem.* La data quedó reducidísima. Y el sello de plomo, reservado para los negocios públicos, se usó en las Pequeñas y en las Grandes Bulas.

En la Historia, cada Bula quedó designada por las primeras palabras del texto. Así, la Bula *Clericis laicas,* con que se inician las querellas entre Bonifacio VIII y Felipe "el Hermoso" de Francia; la Bula *Execrabilis,* de Pío II; *Exurge, Domine,* de León X contra Lutero—1520—; la Bula *Cum occasione*—1653—, opuesta al jansenismo...

Con el nombre de *Bula de oro* se conocen las resoluciones de los soberanos de Alemania, Hungría y Bohemia, por llevar un *sello de oro.* La más antigua data del año 1222. Era el documento, por excelencia, en las Dietas desde el año 1356.

V. MABILLON: *De re diplomatica.* París, 1709. TASSIN Y TOUSTAIN: *Noveau traité de diplomatique.*

BULARIO

1. Colección de Bulas.
2. Recopilación de las ordenanzas de los Pontífices, promulgada después de la fijación del Derecho canónico.

El nombre de *Bullarium* fue inventado por el canonista Laercio Cherubini, en el siglo XVI.

El primer bulario se publicó—1550—en Roma, con el título de *Bullae diversorum Pontificum a Joanne XXII ad Julium III, ex bibliotheca Lud. Gomez, Rom, apud Hieronymum de Chartulariis, 1550.*

Antonio Caraffa publicó un bulario conteniendo todas las Bulas desde Clemente I a Gregorio VII. Pedro Constant lo reimprimió en París, añadiendo las bulas hasta Inocencio III.

Pero el bulario más importante es el publicado—1586—por el famoso jurisconsulto Laercio Cherubini. Contiene todas las Bulas de los Pontífices desde León "el Grande" hasta Sixto V. Angelo María Cherubini, hijo de Laercio, hizo una nueva edición—1634—, que contiene hasta las Bulas de Inocencio X.

Angelo de Lantusca y Juan Pablo de Roma continuaron la obra magna de Laercio, y publicaron—1672, en cinco volúmenes—una colección de Bulas hasta Clemente X, que vulgarmente se llama *Bullarium magnum Cherubinorum.*

Mejores ediciones, aun cuando apoyadas en las precedentes, son:

1.ª *Bullarium magnum,* de Jerónimo Magnar, Luxemburgo, 1739-1768, 19 volúmenes, que contienen Bulas desde León "el Grande" hasta Benedicto XIV.

2.ª *Bullarium, privilegiorum ac diplomatum amplissima collectio*—op. et stud. Caroli cocquelines—. Catorce tomos.

3.ª *Benedicti XIV Bullarium.* Roma, 1754, cuatro tomos.

4.ª *Magnum Bullarium Romanor. Summor. Pontificum Clement. XIII, Clement. XIV, Pii VI, Pii VII, Leonis XII et Pii VIII, constitutiones... completens,* ed. Barberi, Roma, 1835, diez volúmenes.

En diferentes ocasiones se han publicado extractos del bulario, mereciendo destacarse los de Horacio Quaranta—Venecia, 1607—, Flavius Cherubini, Agustín Barbosa—Lyón, 1658—, Camarda—1732—y Guerra—Venecia, 1772.

BÚLGARA (Lengua)

Los bulgaros, pueblo de origen tártaro, abandonaron su idioma oraliano al establecerse en Europa en el siglo VI, época en que adoptaron la lengua eslava. Esta decisión acaso haya que atribuirla a la conversión al cristianismo de los búlgaros y a sus relaciones íntimas con los rusos. En el año 867 la lengua eslava era tan perfectamente hablada por los búlgaros, que la Iglesia Romana autorizó el empleo de dicha lengua para la liturgia. El fondo de la lengua búlgara es el eslavón, tronco común del ruso y del servio. El búlgaro no se diferencia de estos sino por matices y diferencias de pronunciación. Un búlgaro y un ruso pueden sostener un diálogo sirviéndose cada uno de su idioma.

Dos dialectos principales se distinguen en la lengua búlgara: el *antiguo* y el *moderno.* El antiguo es el eslavón, llamado también *lengua eclesiástica* y *lengua cirítica.* El nuevo se ha formado a fines del siglo XIV, al contacto con el albanés y el valaco. Como estas lenguas, el búlgaro tiene un artículo que se coloca detrás del sustantivo. No ha conservado de los siete casos de la declinación eslava sino el nominativo y el vocativo; los restantes son reemplazados por las preposiciones. La conjugación es incompleta.

BÚLGARA (Literatura)

La literatura medieval búlgara, redactada en paleoeslavo, tiene un interés puramente filológico. Está formada—conteniendo textos evangélicos—por el *Codex Zographensis*—en la Biblioteca de Leningrado—, el *Codex Marianus*—Museo de Moscú—, el *Codex Assemanianus,* el *Salterio Sinaítico,* el *Eucologio Sinaítico...*

A partir del siglo X se inicia la literatura autóctona. El zar Simeón (893-927) tradujo varios sermones de San Juan Crisóstomo, con el título de *Zlatostrúi (Arroyo de oro)* y compiló doctrinas de diversos escritores griegos en un florilegio didáctico: *Sbornik.*

El obispo Constantino ensayó el verso dodecasílabo, componiendo la *Azbuchna molítva (Plegaria alfabética).* El teólogo Joan Ekzarkh escribió una curiosa miscelánea: *Shestodnev.* El "prezviter" Grigorii completó una versión de la Biblia. Y un monje llamado Khrabr defendió el alfabeto cirílico y los escritos eslavos en un tratado polémico: *O písmenekh (De las letras),* hacia el año 950.

Los bogomilos, partenecientes a una secta herética, se preocuparon en copiar y difundir textos apócrifos o puramente literarios: la *Paleja*—compendio de historia bíblica—; una historia de Troya y otra de Alejandro Magno, la novela *Barlaam y Josaphat,* la novela del sabio Akhirios... Todas estas obras están redactadas en "antiguo búlgaro" o eslavo eclesiástico antiguo.

Entre los siglos XII y XIV se escribió en "búlgaro medio". En esta última centuria, la Escuela de Tërnovo, fundada por el monje Theodosii, promovió el primer importante movimiento literario. Evtimi compuso hagiografías y salmos. Gregorii Tzamblak escribió la vida de su maestro Evtimi. Boril compuso el *Sinodnik,* fragmentos de una crónica que abarca de 1296 a 1413.

Sometido a los turcos, aun cuando conservó celosamente su lengua, el pueblo búlgaro perdió sus afanes literarios. Como única manifestación poética, los *cantos populares,* llenos de melancolía, en los que se canta al amor o las hazañas de los héroes. Un ciclo búlgaro exalta las gestas de los *haidciti* (vagabundos), quienes, organizados en guerrillas, combatían implacablemente al opresor.

Durante la larga dominación turca, la cultura y la lengua búlgara fueron perseguidas, además, por el clero griego, "que trataba de helenizar a los eslavos para preparar un renacimiento del Imperio Bizantino".

A fines del siglo XVIII, un monje del convento Chilandari, del Monte Athos, llamado Paissii, inició el despertar nacional con su *Historia del pueblo búlgaro, de sus zares y de sus santos*—1762—. Su primer discípulo fue Stojko Vladislavov, después arzobispo Sofronii, quien ya en un búlgaro popular escribió varias fábulas, varios sermones y su autobiografía.

B

Mucho hicieron por la cultura y por la literatura búlgara varios eruditos y escritores extranjeros: el ucraniano Georgi Ivanovich Venelin (1802-1893), que escribió en ruso acerca de la historia, de la gramática y del folklore búlgaros. Vasilii Ev. Apricov, quien en 1835 fundó en Gabrovo el primer liceo búlgaro, del que fue director el monje Neofit Rilski (1793-1881), compilador de lecturas para el pueblo. Iván A. Bogorov y el filólogo Konstantin Fotinov (1800-1849), quienes fundaron los primeros diarios en búlgaro.

Bien iniciado el siglo XIX aparecen las figuras literarias búlgaras de indiscutible significación. Neofit P. Bozveli (m. 1849), autor del diálogo alegórico-satírico *La Madre Bulgaria*. N. Gerov, poeta, que se hizo popular con su balada *Stojan e Rada*. Georgi Stojkov Rakovski (1818-1867), revolucionario y folklorista, autor del poema *Gorski pötnik (El caminante de los bosques)*. Petko Rajchov Slavejkov (1827-1895), fundador de periódicos, poeta apasionado y fervoroso de patriotismo. Rajko Zinzifov (1839-1877), que vivió en Turquía y en Rusia, poeta aventurero. Dobro Vojnikov (1833-1878), uno de los fundadores del teatro búlgaro moderno, autor de los dramas *La princesa Raina y El voivoda Stojan*. Vasil Drumev (1838-1901), seudónimo del metropolita Kliment Tërnovski, autor dramático—*Ivanko, La familia infeliz*.

Posiblemente, las dos figuras más significativas de la literatura búlgara anterior a la independencia son: Karavelov y Botev. Liuben Karavelov (1837-1879) logró ver su patria redimida, escribió poemas, novelas, leyendas pletóricas de amor patrio. Khristo Botev (1847-1879), que dio su vida por su patria, poeta apasionado, de una popularidad inmensa entre los aldeanos y obreros búlgaros, autor del poema ensalzando al héroe nacional Haghi Dimitr. Y los poetas y narradores hermanos Miladinov.

El patriarca de la literatura búlgara independiente fue Iván Vazov (1850-1921), versátil y fecundo, poeta y novelista, folklorista e historiador, autor de *El estandarte y el rabel, Los tormentos de Bulgaria, Liberación, Campos y florestas, Bajo nuestro cielo, Italia, Mi lilo comienza a perfumar*, poemas; y de las novelas *Bajo el yugo, La nueva tierra, La zarina de Kazalar*.

Aleko Konstantinov (1863-1897), narrador humorista en *El compadre Ganiu* e *Ida y vuelta a Chicago*. Konstantin Velichkov (1856-1907), traductor de Dante, Petrarca, Racine y Molière, autor de *Cartas a Roma* y de los *Tzarigradske soneti*. Stojan Mikhailovski (1856-1927), satírico, filósofo pesimista, llamado "el Juvenal búlgaro", autor de *Novissima verba, Currente calamo*.

El modernismo triunfó rápidamente en Bulgaria, siendo su guía la revista *Misel (Pensamiento)*. El lirismo nuevo tuvo sus principales representantes en Petko Slavejkov (1866-1912), hijo de su homónimo, prosista y, sobre todo, poeta en *Cantos épicos, Sueños de felicidad, Himnos sobre la muerte del superhombre, Sinfonía de la desesperación, El canto ensangrentado*. Petko Todorov (1879-1916), poeta—*Idilios*—y autor dramático—*Los albañiles, El hada, Las bodas de las serpientes*—. Peiu K. Iavorov (1877-1915), simbolista, místico y musical, autor de *Insomnios*. Kiril Khristov (n. 1875), poeta y autor dramático. Dimcho Debelianov (1887-1916), lírico puro, muerto en el campo de batalla.

En la prosa sobresalen: T. G. Vlaikov (n. 1865), cuentista; G. P. Stamotov (n. 1869), cuentista e ironista; Antón Strashimirov (n. 1870), autor de cuentos campesinos—*Risa y llanto*—; Elin-Pelin (n. 1878), seudónimo de Dimitov Ivanov, novelista costumbrista—*Rosas negras*—; St. Chilingirob (n. 1881), novelista; Dobri Nemirov (n. 1882), novelista de la burguesía; Georgi Raichev, novelista de las montañas; Jordán Iovkov (n. 1884)—*El segador, Las tardes en la posada de Antimovo*—; K. N. Petranov (n. 1891)—*Cuentos de Tracia*—; Ang. Karaliichev (n. 1902); Il. Volen; Nikolai Rainov (n. 1889), narrador de temas legendarios; D. Shishmanov y Vl. Polianov (n. 1899), novelistas de temas urbanos francamente naturalistas.

En la poesía lírica actual sobresalen: Teodor Trianov (n. 1882), discípulo del alemán Dehmel; Nikolai Liliev (n. 1885), discípulo de los franceses Verlaine y Mallarmé; N. V. Rakitin, Em. P. Dimitrov, Iván Grozev, Iván Mirchev y los poetas revolucionarios Khristo Smirnenski, Geo Milev y Khristo Iasenov.

Personalidad notabilísima es Ludmil Stoianov (n. 1888), poeta, novelista, biógrafo, dramaturgo—*Visiones de la encrucijada*.

La poesía femenina está representada por Mara Bielcheva (n. 1868), Dora Gabe (nació en 1885), El. Bagriana (n. 1893)—*La eterna y la santa, La estrella del marinero*—, Anna Kamenova, Fanny Popova Mustafova.

En el teatro ha conseguido repetidos éxitos St. L. Kostov (1880), autor costumbrista y satírico.

V. ANGELOV, B.: *Balgarskata literatura*. Sofía, 1923.—ANGELOV, B., y STOILOV, A. P.: *Note di litteratura bulgara*. Roma. 1925.—KUZMINSKIJ, K.: *Novata Balgarska literatura*. Sofía, 1938.—PENEV, B.: *Balgarska literatura*. Sofía, 1930.—KARÁSEK, J.: *Slavische Literaturgeschichte*. Berlín, 1908.—MURKO, M.: *Geschichte der älteren südslawischen Literaturen*. Leipzig, 1907.—LOBODOWSKI, Jozef: *Literatura búlgara*. En la "Historia universal de la literatura". Madrid, Ed. Atlas, 1946.—PRAMPOLINI, S.: *Historia universal de la literatura*. Buenos Aires, Uteha, 1941, t. XIII.

BULULÚ

Era llamado así, en el siglo XVI, el comediante o farsante que iba de pueblo en pueblo representando algún entremés, loa o comedia, cambiando de voz según la calidad de los personajes de la obra.

V. Sainz de Robles, F. C.: *Historia y antología del teatro español.* Madrid, 1943. Tomo I.

BURGUESISMO

Nombre dado al conjunto de las ideas de la burguesía acerca de la constitución social, de la propiedad, de la producción y de la distribución de la riqueza.

Burguesía, según la Real Academia de la Lengua Española, es "cuerpo o conjunto de burgueses o ciudadanos de las clases acomodadas o ricas". Históricamente, burguesía es sinónimo de *clase media,* de *tercer estado.* Sin embargo, conviene señalar que los sociólogos y economistas hablan de una *media* y de una *pequeña* burguesía.

Según esta opinión, la burguesía *media* es la integrada por cuantos ejercen profesiones libres, por los funcionarios públicos, por los fabricantes y por los capitalistas. La *pequeña* burguesía está formada por los comerciantes, por los artistas industrializados, por los pequeños rentistas.

El burguesismo tiene como características: un sentimiento de igualdad en relación con las clases superiores; una oposición a los privilegios aún no conseguidos; una tendencia al conservalismo económico; un afán invencible por el principio de libertad de trabajo y por el desenvolvimiento del comercio y de la industria.

El burguesismo ama la tradición y las leyes más moderadas y eficaces derivadas de la misma. Se ha dicho que el burguesismo "es el corazón y el alma de las naciones, y la fuerza más eficaz para el desenvolvimiento normal, efectivo y excelente de estas".

Para Baudrillart, la burguesía tuvo su origen en la vida municipal romana. Para otros autores, nace durante la alta Edad Media. En los *burgos*—villas o ciudades—, alrededor de los nobles se agrupan los comerciantes, los intelectuales, los grandes agricultores.

Los reyes de las monarquías medievales, con el fin de luchar contra la nobleza feudal y vencerla, supieron atraerse la amistad y la ayuda de los burgueses, a los que concedieron numerosos privilegios. Así nació el burguesismo o *estado llano,* que en muy poco tiempo alcanzó un poder material y una influencia política extraordinarios. Las corporaciones, los gremios y las comunidades llegaron a *medirse* con la nobleza y el clero; y los reyes, que se habían apoyado en ellas, hubieron de admitir *el estado llano* en Cortes o Parlamentos, denominándolo *tercer estado o brazo.* España fue uno de los países donde la burguesía fue admitida antes, por derecho propio, en las Cortes. En las celebradas en León—1188—, bajo la presidencia del rey Alfonso IX, ya tuvieron entrada los burgueses en igualdad de derechos con los prelados y con los nobles.

Durante muchos siglos—posiblemente hasta fines del siglo XIX—la burguesía tuvo una influencia decisiva en la vida del Estado. Y lógicamente. De la burguesía salieron la mayoría de los hombres que por su talento, ilustración y fortuna alcanzaron los primeros puestos del gobierno de cada país. Y también los que por sus escritos, sus inventos, sus teorías y sus esfuerzos transformaron las sociedades y las pusieron en el camino de su perfeccionamiento y de su más alto destino.

Únicamente a partir de la segunda mitad de la centuria XIX, con las doctrinas de Hegel, Proudhon, Marx y Engels, con la importancia de la industrialización, el burguesismo perdió parte de su influencia para cederla *a las masas obreras organizadas.* Según Proudhon, el burguesismo "constituye una institución *preparatoria* llamada a desaparecer", siendo sustituido por las Asociaciones obreras.

Para el socialismo contemporáneo, la palabra *burguesía* representa el muro que se opone a las reivindicaciones obreras, la *clase explotadora* de los trabajadores humildes, el *espíritu de egoísmo* de la sociedad. Para el socialismo, burguesía es sinónimo de *trust,* de sociedades capitalistas. Idea tan lamentable como falsa (V. Mesocratismo.)

V. Baudrillart, A.: *Bourgeoisie.* En el "Dict. d'Econ. polit." de Say y Chailley.—López Pando, J.: *La burguesía española.* Madrid, 1894. Vedel, V.: *Ideales de la Edad Media.* Tomo III. Barcelona. Manuales Labor.

BURGUIÑÓN o BORGOÑÓN (Dialecto, Patois)

Una de las formas de la lengua *d'oil* y uno de los más antiguos elementos de la lengua francesa. Como el normando y el picardo, el burguiñón no es otra cosa que el *idioma del norte* de Francia, es decir, el francés en formación.

El burguiñón se habla en una gran parte de Francia, al Este y al Centro. Y otros varios *modismos,* como el bresano, el lyonés, el nirvanés, el maconés no son sino variantes del burguiñón.

La pronunciación y la ortografía son características en este *patois.* Y la supresión de las aspiraciones, la desaparición de las consonantes finales y de diversas letras etimológicas, sus agrupaciones eufónicas arbitrarias le dan cierta blandura, no exenta de gracia. Por otra parte, la supresión de los signos de número y de género, la simplificación exagerada de las formas verbales tienden a dejar el dialecto en un estado singular de pobreza gramatical.

V. Mignard, C.: *Histoire de l'idiome bourgignon et de sa littérature propre.* Dijon, 1856.

BURLESCO (Género)

1. Jocoso. Festivo.
2. Que implica burla o chanza.
3. Sarcástico. Irrisorio. Ridículo.

Género literario de gran amplitud, pues que su campo abarca desde la epopeya a la inscripción, cuyo objeto es atraer la risa sobre las cosas prevaliéndose de los distintos aspectos que presentan, según el punto de vista y la persona que las considera. Dicho objeto presenta dos aspectos. Consiste el primero en pintar con pompa y solemnidad, con magnificencia y poesía, cosas pequeñas, vulgares y hasta bajas. Consiste el segundo en pintar personajes elevados, acciones maravillosas, objetos magníficos con colores y en situaciones comunes. El uno engrandece lo pequeño. El otro empequeñece lo grande. La burla, pues, surge de la antítesis, de la contradicción, del trueque de los elementos racional y material que entran en toda composición literaria.

Lo burlesco nunca puede aspirar a constituir el fondo total de una obra de importancia; siempre es forma y nunca fondo.

Lo burlesco, como hemos dicho, tiene cabida en la epopeya, descuella en la comedia y no brilla menos en el género lírico, "pero siempre es máscara que oculta las facciones de una verdad filosófica y moral, siempre presentará los objetos bajo dos aspectos, desconcertando así la vanidad y presunción humanas, haciéndoles ver que se pagan demasiado de sí mismas, y que la opinión muchas veces depende de las formas".

"Del contraste de lo grande con lo pequeño —añade un crítico español—, opuestos continuamente el uno al otro, suele nacer para las almas propensas a la impresión del ridículo un movimiento de sorpresa y alegría tan vivo y repentino, que aun al hombre más melancólico le hace reír a carcajadas; pero no siendo en todos igual esa predisposición, porque varía según la sensibilidad y según la educación literaria, hay divergencia entre los individuos. Así es que lo gracioso para unos, suele ser vulgar e insignificante para otros. Si fuéramos a averiguar el lugar que lo burlesco y ridículo ocupa en la escala de la belleza literaria, encontraríamos que es inverso del que corresponde a lo sublime. Y si tratásemos de indagar la generación psicológica de esta idea, también veríamos que se desenvuelve combinándose al revés los elementos que producen la idea de lo sublime. Es decir, que lo burlesco se aproxima más bien al orden de lo agradable."

Dentro del género de lo burlesco adquieren propios matices el humorismo, la ironía, el sarcasmo, la sátira...

Para nuestro gusto, Marcial, Rabelais, Quevedo, Switf son los más grandes escritores burlescos de todos los tiempos.

BUROCRATISMO

Sistema de administración del Estado cuando predomina la burocracia. Según la Real Academia Española de la Lengua, burocracia es "la influencia excesiva de los empleados públicos en los negocios del Estado". Y también: "clase social que forman los empleados públicos". No pocas veces, y con indudable lógica, se toman como sinónimos las palabras burocracia y burocratismo.

Pero no pocos tratadistas creen que para que exista el burocratismo es preciso que la influencia de los empleados públicos en la administración del Estado *sea abusiva*. Mientras los empleados se limiten a cumplir estrictamente sus funciones, en relación con las normas rígidas dictadas por el Rey o el Gobierno o las Cámaras, no dan lugar a que exista el burocratismo.

Se han dado numerosas y acertadas definiciones del burocratismo. Para Le Play, es "el poder de las oficinas". Para Spoto, "el poder propio de las oficinas". Para Mill, "la influencia de los empleados y dependientes en las oficinas". Para Lieber, "el gobierno directo de una jerarquía de empleados".

Según algunos tratadistas, el burocratismo nació *con el favor* de la monarquía absoluta. Según otros, precisamente *para oponerse* al absolutismo de los monarcas. En cualquiera de los dos casos, el burocratismo tuvo su origen durante el absolutismo gubernamental.

Los que opinan que tuvo su origen *a favor* del absolutismo se basan en lo siguiente: por muy geniales que fueran los reyes absolutos, resultaba imposible que atendieran por sí mismos a todos los negocios del Estado. Entonces organizaron, *con legalidad y con regularidad, delegaciones de su poder* para que atendieran con eficacia a determinados negocios estatales. Estas delegaciones, sabiéndose investidas del mandato real, fueron adquiriendo tal preponderancia, que, en determinados casos, el propio monarca tenía que aceptar sus decisiones. El pueblo aceptó complaciente tales organismos, a los que podía encaramarse. Posteriormente, los monarcas llegaron a apoyarse en este *nuevo poder* para luchar contra la aristocracia, o contra el clero, o contra la milicia.

Los tratadistas que afirman que el burocratismo nació para *mermar* el poder real, se apoyan en las tendencias filosóficas que preconizaban *el principio de la incapacidad de acción en el príncipe*. De esta segunda impresión se pasó posteriormente a la del *principio de la incapacidad de acción del individuo*, necesitado de una administración superior a él apenas se relacionase con sus semejantes o con el Estado.

El burocratismo se organizó sistemáticamente con rapidez extraordinaria, *reforzándose* con dos consecuciones de vitalísima importancia: la *centralización* y la *sucesión familiar en los cargos*. Por medio de la centralización, el burocratismo alcanzó el volumen y el poder de un nuevo Estado dentro del Estado, ya que sus resortes abarcaban la nación toda y toda la vida de la nación. Por el *heredamiento de los cargos* dentro de las familias, alcanzó a ser *una clase*. Al éxito del burocratismo contribuyó, como indica

Le Play, "el hecho de que el pueblo, al mismo tiempo que deseaba ser gobernado, había perdido la facultad de gobernarse, y aceptó la burocracia porque le ofrecía una servidumbre mejor regulada".

Lo cierto es que cuando en Europa aparecieron los Gobiernos representativos, la burocracia estaba ya sólidamente establecida. Y las Constituciones la aceptaron, contentándose, cuando más, con *ajustarla* a los nuevos postulados.

Lieber ha señalado con acierto los caracteres del burocratismo, que son: el *indiferentismo político* y la *presunción biológica*. "En virtud del primero, le son indiferentes las formas de gobierno, a todas las cuales *se adapta*. Por el segundo se arroga poco a poco el ejercicio de atribuciones, que hace inseparables de los oficios."

Modernamente, dos leyes cooperan a la fuerza y al incremento del burocratismo: la ley económica del *mínimo medio* y la ley mecánica de la *resistencia*. La primera permite al burócrata disminuir su esfuerzo—en extensión o en intensidad—en el servicio del Estado. La segunda lleva al burócrata a oponerse por todos los medios posibles a la voluntad del superior y aun al imperio de la ley. Voluntariamente, el burocratismo ha buscado su mayor fuerza *complicando* sus funciones por medio del llamado *expedienteo*, y logrando que sus actos *no estén sometidos a la publicidad*.

Le Play ha señalado los males del actual burocratismo: constituye un verdadero despotismo; desarrolla el afán de los negocios innecesarios; facilita la corrupción por medio del favor, de la recomendación, del soborno; crea el privilegio; sujeta la Administración a la Política, y esta a aquella; destruye la iniciativa individual.

De todas formas, es imposible negar hoy la necesidad de un burocratismo bien organizado.

V. MILLET: *...Bourocratie*. Munich, 1891.—LE PLAY: *La réforme sociale en France*. París. Varias ediciones.—GASCÓN Y MARIN: *Tratado de Derecho administrativo*. Madrid, 1942.

BUSCAPIÉ

Nombre dado a un escrito con el que se intenta averiguar alguna cosa.

BYLINAS

Poesías épicas populares rusas de la Edad Media. Eran recitadas de pueblo en pueblo por los *skazitell*. Se componían de versos libres asonantados, en número de cien a doscientos. Sus temas eran diversos: históricos, satíricos, burlescos, heroicos.

Son famosas las *bylinas* de *Alejandro de Rostov, Ilia de Murom, Dobrynia el del cinturón de oro*.

Las *bylinas* abundaban en imágenes, comparaciones y epítetos. (V. Rusa, Literatura.)

C

CÁBALA

1. Negociación secreta y artificiosa.

2. Cálculo supersticioso para adivinar y prevenir algo.

3. En la literatura judaica, el total de la doctrina religiosa recibida, con excepción del *Pentateuco*.

Este nombre, que en hebreo significa *tradición,* se aplica a una doctrina secreta entre los judíos. Los doctores que la enseñaron pretendían que les había llegado desde Moisés por una transmisión oral, y que a Moisés se la había revelado Jehová, al mismo tiempo que la ley escrita, en el monte Sinaí.

La cábala fue ordenada por Akiba, en el siglo II de nuestra era. Ilustres rabinos, entre los cuales destacó Maimónides, fueron adversarios de esta doctrina.

La cábala puede ser dividida en tres partes: *parte teórica,* o interpretación del sentido de la Escritura; *parte filosófica,* relativa al conocimiento de Dios, de los espíritus y del mundo terrestre; y *parte práctica,* en que se determinan las edades en que han de cumplirse los milagros y en que han de ejercitarse las potencias superiores sobre los seres inferiores.

La parte teórica expone los procedimientos que tienen una gran analogía con los procedimientos literarios. Comprende tres métodos de interpretación: la *temura,* el *notaricón* y la *gematria.*

La *temura* transpone las letras de que consta un nombre para formar nombres nuevos. Este es el procedimiento del anagrama o del que llaman los franceses *calembour.* Los enemigos de Voltaire convirtieron el título de este: *Olimpie* en *O le impie.*

El *notaricón* consiste en tomar las primeras letras de palabras sucesivas y formar con ellas un nuevo nombre. Es el procedimento del *acróstico.*

La *gematria* da a cada letra del alfabeto un valor numérico, siendo aplicado a un vocablo el sentido de otro cuyas letras tienen el mismo valor numérico que las de aquel.

V. FREYSTAD: *Philosophia cabbalistica.* Koenisberg, 1838.—FRANK: *La kabbale.* París, 1843 y 1889.

CÁBALA LITERARIA

Cábala literaria o conciliábulo es una expresión teatral que se emplea para designar el intento de hacer fracasar una obra escénica o el trabajo de un actor. También puede aplicarse a lo contrario: a la exaltación sistemática, a favor de un autor y sus obras o de un actor, por un grupo determinado.

Fue famosa la *cábala* que, bajo los auspicios de Richelieu, se dedicó a atacar *El Cid,* de Corneille.

Hoy día, la llamada *claque* teatral es, ni más ni menos, que una *cábala.*

CABALLERÍAS (Libros y romances de)

Se da el nombre de *Romances y libros de caballerías* a las novelas que durante la Edad Media se dedicaban a la exaltación de las aventuras—heroicas y amorosas—de personajes casi legendarios.

Para Menéndez y Pelayo, las novelas de caballerías nacieron "de las entrañas mismas del medievo", sin que hubiera en ellas influencia alguna del Oriente. Eran una prolongación o degeneración de la poesía épica dedicada a cantar al caballero cristiano, audaz y enamorado. Fue un género narrativo, pomposo, verboso, retórico, que irradió por toda Europa merced a la admiración de las masas por los héroes capaces de empresas inverosímiles.

Dos grandes *ciclos* de estas novelas se iniciaron en Francia: el *bretón*—con las gestas de Merlín, el rey Arturo, Lanzarote del Lago y su hijo Percival, el Santo Grial y los caballeros de la Tabla Redonda—y el *carolingio*—dedicado a exaltar las guerras y conquistas del emperador Carlomagno.

Puede señalarse un *grupo intermedio* entre los dos apuntados, que comprende las novelas inspiradas en la antigüedad clásica: la *Crónica Troyana, Partinuplés, Flores y Blancaflor, Cleomedes y Clarimonda...*

Y un cuarto grupo de novelas de tendencia moral: *Oliveros de Castilla, Artús de Algarve,* la *Gran conquista de Ultramar...*

Gayangos agrupa en tres ciclos las novelas caballerescas: el *bretón,* el *carolingio* y el *grecoasiático.*

En España—país de pasiones fuertes, de imaginación ardiente y de culto fanático a los héroes—, las novelas de caballería tuvieron una acogida excepcional. Su más antiguo modelo es la *Historia del cavallero de Dios que havía por nombre Cifar,* escrita a principios del siglo XV por un eclesiástico que debió de conocer muy bien las novelas del ciclo bretón y los poemas de Chrétien de Troyes. Pero la obra cumbre—y quizá de todo el género—es el *Amadís de Gaula,* de tan enorme fuerza y popularidad, que motivó numerosas continuaciones e imitaciones—muy inferiores todas ellas al modelo—, tituladas: *Las sergas de Esplandián, Lisuarte de Grecia, Amadís de Grecia, Florando de Castilla, Felixmarte de Hircania, Florambel de Lucca,* y el ciclo de los *Palmerines*: *Palmerín de Oliva, Palmerín de Inglaterra, Primaleón y Polendos, El caballero Platir...*

La última novela de este género apareció en 1602, con el título de *Historia famosa del príncipe don Policione de Beocia.*

Don Quijote de la Mancha, famosa novela, que se escribió para ridiculizar las novelas caballerescas—y que consiguió ponerlas en olvido absoluto—, tiene no poco de ellas, aun cuando muy por lo humano y verosímil en un grado genial.

V. THOMAS, H.: *Spanish and portuguese romances of Chivalry.* Cambridge, 1920.—MENÉNDEZ Y PELAYO, M.: *Orígenes de la novela.* I.—GAYANGOS, Pascual: *Prefacio* al tomo XI de la "Biblioteca de Autores Españoles".

CABO

Nombre dado por los poetas anteriores al Siglo de Oro a la estrofa que cerraba la canción o el poema.

CABO ROTO (Versos de)

Artificio métrico que consiste en suprimir la sílaba o sílabas que siguen a la última acentuada, siempre en el mismo verso.

Soy Sancho Panza, escude—
del manchego Don Quijo—;
puse pies en polvoro—,
por vivir a lo discre—;
que el tácito Villadie—
toda su razón de esta—
cifró en una retira—,
según siente *Celesti*—,
libro, en mi opinión, divi—,
si encubriera más lo huma—.

(Don Quijote de la Mancha.)

CACIQUISMO

Nombre dado a la influencia abusiva—empleada con fines bastardos—que ejercen algunas personas en determinados pueblos o comarcas.

El caciquismo es una *terrible plaga política,* desarrollada hoy principalmente en los países latinos. Durante muchos años, en España e Italia, el caciquismo ha sido el resorte de mayor fuerza y de más rotunda eficacia para mover la política de la nación.

¿Qué es un cacique? Un hombre que por su fortuna, sus privilegios, su fuerza o inteligencia, domina por completo a los demás individuos de un pueblo o de una comarca. Su dominio, como el del señor feudal, es absoluto. Favorece a sus amigos. Se venga implacablemente de sus adversarios. Otorga cargos y exenciones a cuantos le sirven fielmente. Arruina a cuantos discuten su autoridad. Para otorgar *su protección* exige la sumisión en todos los aspectos: político, económico, social, administrativo. Como el señor feudal de la Edad Media, el cacique es dueño de vidas y haciendas. Procura él no presentarse en primera línea, *no dar la cara.* Pero él nombra a su antojo las autoridades locales, los empleados, los delegados..., a los que mueve, sin dejarse ver, como marionetas de un guiñol. El cacique maneja la política local por medio de su esbirro el secretario municipal; e interviene en la del Estado por medio del diputado, que le debe el acta, ya que el cacique le otorgó *todos los votos* de la circunscripción, pues nadie en esta vota sino al candidato del cacique.

Al nacimiento y al desarrollo del caciquismo han contribuido por igual la *incultura* del pueblo y el *interés* bastardo de los Gobiernos parlamentarios.

Los pueblos incultos se someten fácilmente al caciquismo. La incultura crea el miedo al poder. En nuestra España se ha observado cumplidamente que, mientras en aquellas regiones de mayor cultura—Cataluña, las Vascongadas—el caciquismo apenas tuvo arraigo, en las de mayor analfabetismo—Galicia, Andalucía—el caciquismo alcanzó su máxima fuerza. La inteligencia consciente se opone inexorablemente al abuso del poder por parte de un individuo.

Como los Gobiernos parlamentarios han de contar en las Cámaras legislativas con una mayoría adicta, para obtener esta precisan de un número equis de diputados, y las candidaturas de estos únicamente pueden triunfar con el apoyo del caciquismo. Por esto, durante muchos años, los partidos políticos procuraron *mimar* a los caciques, y cuando llegaron a la gobernación del país los colmaron de nuevos privilegios. Así pudo decir socarronamente Sagasta que el parlamentarismo no debía contarse por diputados, sino por caciques.

Joaquín Costa, espíritu superior, que tanto combatió el caciquismo, afirmó que el cacique era un oligarca que contaba con el apoyo del Gobierno y de la fuerza armada; que el caciquismo contribuía al gobierno *de los peores,* con exclusión de la "élite" o aristocracia natural; que los gobernadores civiles eran las *pieza-eje* del caciquismo, entre el cacique *que los imponía* y el Gobierno *que los necesitaba;* que los caciques se relacionaban entre sí con unas *seudo-*

Cortes emboscadas; que el estado social de barbarie era correlativo a tal forma bárbara de poder; que la *pasividad* del pueblo era una de las causas más eficaces para el brote y la floración del caciquismo.

Como remedios contra un mal tan indigno, Costa propuso: una *acción quirúrgica* extirpadora, como contra el cáncer; el fomento intensivo de la enseñanza y de la educación por los métodos europeos; el fomento intensivo de la producción y difusión consiguiente del bienestar de los ciudadanos; reconocimiento de la personalidad del Municipio: mayor descentralización local, creación de una jurisdicción especial en cada región; independencia del orden judicial; intervención del pueblo en los juicios civiles; garantizar *personalmente* la efectividad de la ley. En pocas palabras: cultura en el pueblo y moralidad y energía en los Gobiernos.

Hoy puede afirmarse que casi ha desaparecido esta *gangrena,* oprobio de las naciones. El caciquismo no existe sino esporádicamente.

V. COSTA, Joaquín: *Oligarquía y caciquismo.* Madrid, 1902.—SÁNCHEZ DE TOCA, J.: *Caciquismo.* Disc. Acad. de Ciencias Morales y Políticas. 29 de febrero de 1899.

CACOFONÍA

De κακός, desagradable, y φωνή, sonido. Encuentro de letras cuya dicción produce un sonido desagradable al oído. Debe ser rigurosamente evitado por el escritor. Vicio del lenguaje opuesto a la eufonía.

Así: *A*VE VE*cina,* *T*ODO DO*minio,* *Voy a Valen*CIA A *ver* A Antonio O A Anselmo, R*ecurrir es un* RE*curso* RE*cusable...*

Entre los latinos se hizo famoso el verso:

Oh Tite, tute, tate! tibi tanta tyranne tulisti.

Y entre los franceses, el de Voltaire:

Non, il n'est rien que Nanine n'honore?

Entre los griegos fueron cacofónicos todos los sonidos que faltaban a las leyes de la asimilación y contracción; así, los nexos *gt, gh, bt, bp, ml, nl, ts, ao, ae...* (V. Aliteración.)

CACOLOGÍA

1. Locución viciosa.
2. Incorrección de estilo.

CACHIQUEL (Lenguaje)

Idioma de la América Central, derivado del maya o yucateca. Se hablaba en Guatemala, y a mediados del siglo XIX aún era enseñado en la Universidad. En el cachiquel, los adjetivos se forman de los sustantivos con la adición de las sílabas *el* e *il.* Los infinitivos de los verbos en pasiva pueden tomar el lugar del nombre en la conversación. Los sustantivos tienen inflexiones distintas para marcar su género.

V. FLORES, José: *Arte del idioma cachiquel.* Guatemala, 1753.—LUDEWIG, H. E.: *The literature of american aboriginal languages.*

CADDOS (Idiomas)

Grupo de idiomas hablados por diversos pueblos americanos y principalmente por los *caddos, cadocos, nabadacos, yatases, nandacoes, adayes...,* tribus indias que habitan el territorio que se extiende a lo largo de la ribera occidental del río Rojo, en la Luisiana.

Idiomas casi desconocidos por lo raro de las relaciones que tiene el mundo civilizado con tales tribus.

CADENCIA (V. Armonía de estilo)

1. Asonancia.
2. Armonía de los períodos oratorios.

Llámase cadencia a la armonía del estilo, bien sea en prosa o en verso. La cadencia resulta de la acertada elección de las palabras; de la buena disposición de los miembros e incisos, acentos y pausas de la cláusula; de las transiciones; de la variedad de tonos; de los griegos; de la eliminación cuidadosa de cacofonías, hiatos, sonsonetes y todo sonido desagradable; de la hábil combinación de las palabras largas y breves.

Martínez de la Rosa dice en su *Poética* que el *número* o cadencia es en poesía como el compás en la música; pero una y otra han menester, para halagar el oído, otra cualidad esencial a entrambas, a saber: la armonía, que consiste en la variedad de sonidos concertados agradablemente. Boileau aconsejaba: *Ayez pour la cadence une oreille sévère.* En la poesía no es suficiente que el verbo tenga cadencia; es preciso, además, que esta sea la más apropiada al objeto que describe. Así, Homero, cuando se refiere a la lanza de Menelao, arrojada con ímpetu contra Paris, para denotar su velocidad usa de los rápidos dáctilos. Y es conocido el hermoso hexámetro en que Virgilio describe la rapidez con que el carro de Neptuno hiende las olas...

Atque rotis summas levibus perlabitur undas.

Siendo la castellana la lengua de prosodia más semejante a la latina, es, lógicamente, la que reúne mejores condiciones para la cadencia imitativa. Recordemos la *rapidez armoniosa* de Fray Luis de León...

Acude, corre, vuela,
traspasa la alta sierra, ocupa el llano...

El movimiento de la cadencia, lo mismo en el verso que en la prosa, debe ser dulce, agitado, violento, según el asunto de que se trate, para preparar el alma, tan sensible a la armonía, a recibir las impresiones que queramos comunicarle. La cadencia no tiene reglas precisas. La alcanzan el gusto, la inspiración, el instinto, la delicadeza del oído. En resumen: la cadencia no es otra cosa que la hábil combinación de los sonidos adecuados a las ideas.

CAFÉS LITERARIOS

En todas las épocas han existido grupos de escritores que sintieron la necesidad de reunirse para cambiar impresiones e ideas. En la antigua Roma, bajo los pórticos, en los jardines públicos, en las salas de baños se reunieron y conversaron los hombres libres para practicar el culto de las bellas letras. En Europa, desde el siglo XV, adquieren una importancia capital tales reuniones. En París fueron famosos centros de tertulia literaria la *Pomme-de-Pin,* situada en la *Cité,* pasado el puente de Nuestra Señora, y a la que asistieron Villon y Ronsard; y la *Croix-de-Lorraine,* situada en la plaza del Cimetière Saint-Jean.

En Madrid fueron famosas, en el siglo XVII, las tertulias de las *gradas de San Felipe* y de la *Academia madrileña,* a la que asistieron Lope, Quevedo, Montalbán, Cáncer y otros famosos escritores.

Desde el siglo XVIII tales reuniones se celebraron en cafés y botillerías. Así, en este siglo, Moratín padre fundó la de la *Fonda de San Sebastián.* Y tertulias madrileñas famosas en el siglo XIX fueron las del *Parnasillo*—al lado del teatro Español—, la de *La Fontana de Oro*—en la carrera de San Jerónimo—y la de *Lorencini.*

En España, a partir del año 1830—iniciación del romanticismo—, se puede afirmar que no hubo—ni hay—ciudad que no contase con su tertulia literaria *cafetera.* No parece sino que la poesía, la novela y la filosofía necesitaban, para medrar y popularizarse, el ambiente de los cafés.

En Madrid, durante el presente siglo, se hicieron celebérrimas las tertulias literarias de *Pombo*—fundada por Ramón Gómez de la Serna—; de la *Granja El Henar*—fundada por Valle-Inclán—, la del *Café Suizo,* la del *Café de Fornos,* la del *Café de Platerías...* En estas tertulias se han formado verdaderas generaciones de escritores, y han servido para popularizar *tendencias* novísimas, que no hubieran podido medrar en el aislamiento.

Raro es hoy el gran escritor que no ha formado *su peña* alrededor de la mesa de un café. Y cuantos jóvenes se inician en la sugestiva labor literaria ponen su ilusión en ser admitidos en una de estas renombradas tertulias.

CAFRES (Idiomas)

Lenguas habladas por una gran parte de la población del Africa Austral.

Lichtenstein divide la familia cafre en cuatro ramas: la del Norte—indígenas de Quiloa, de Sofala y de Mozambique—, la del Este—habitantes de los alrededores del lago Lagoa—, la del Sur—cafres propiamente dichos o coussas—y la del Oeste—bechuanas o cafres del interior.

"El cafre—escribe el mismo Lichtenstein—es una lengua dulce, sonora, y cuya armonía particular depende de la riqueza de sus vocales, del modo pausado con que se pronuncia y del acento que marca la penúltima sílaba." Y añade Barrow: "La pronunciación de los cafres no tiene la monotonía ordinaria de las lenguas salvajes, ni los sonidos nasales y guturales que dominan en casi todas las lenguas europeas; así es que este idioma se diferencia tanto del hotentote como este último del inglés."

Naturalmente, existen diferencias entre los lenguajes hablados por las cuatro ramas en que Lichtenstein divide a los cafres.

El dialecto de los coussas carece de la articulación *r;* contiene algunos sonidos que *castañetean;* todos los verbos terminan en *a;* no se expresan los verbos que como *haber* y *tener* pueden sobrentenderse fácilmente; *asi* es la terminación femenina, y *ama* la de los diminutivos; los plurales se forman de muy diversos modos; la distinción de los tiempos se modifica sobre los pronombres y no sobre los verbos; los intransitivos no son, por lo común, más que el mismo sustantivo o adjetivo de que se derivan.

La lengua de los bechuanas se llama *sechuana.* Son características importantes en este dialecto: los cambios de letras en la pronunciación; las articulaciones *d, j, v* y *z* no existen; la *r* se convierte en *s;* la *b* y la *m* cambian; rara vez se encuentran dos consonantes seguidas; las palabras más largas nunca pasan de cuatro sílabas, ni las más cortas menos de dos; la primera sílaba de cada palabra es un prefijo, y desempeña el papel que las terminaciones en otras lenguas; la distinción de los nombres se hace cambiando el prefijo; colocado el prefijo repetido entre el nombre y un verbo, toma papel de pronombre relativo; los adjetivos son muy escasos, usándose como atributos los sustantivos; una misma raíz verbal puede pasar por la forma afectiva, causativa y relativa, en cada una de las cuales es susceptible de las voces activa, pasiva, media o reflexiva, y con frecuencia también en una voz recíproca; la conjugación se forma en parte por medio de dos auxiliares: *na* para el pasado y *sta* para el futuro; la construcción es directa, precediendo el sustantivo al atributo y el sujeto al verbo.

Las características más notables de las lenguas cafres se hallan en su estructura aliterativa; en que la inflexión es inicial y no final, como en las demás; en que la raíz nominal es invariable y sus varias relaciones se expresan por modificaciones del prefijo, o, como le llama Colenso, *inflejo;* en que la mayor parte de sus voces son llanas y terminadas en vocal o *m* o *n* líquidas; en que el verbo ofrece doscientas cincuenta formas.

V. FERNÁNDEZ, P. Andrés: *De las lenguas de la cafrería.* Madrid, 1782.—LAURENED, P.: *Comparative Grammar of the South African Languages.* 1869.

C

CALAMBUR (V. Calembour)

CALDEA (Lengua y Literatura)

Los lingüistas colocan ordinariamente la lengua caldea entre las del tronco semítico, en el que forma la rama oriental del brazo aramo.

Los datos más antiguos que se poseen sobre la lengua de los caldeos se encuentran en la Biblia. En efecto, el sagrado libro que los caldeos y los hebreos hablaron en su origen es el mismo idioma, pues Abraham, que nació en Ur, ciudad de Caldea, debió de llevar a Canaán la lengua de su patria. Acaso sea explicable que las relaciones de los hijos de Israel con los cananeos y egipcios bastaran a transformar el caldeo que hablaba Abraham en el hebreo que hablaron sus descendientes. Sin embargo, el caldeo se conservó más puro en las orillas del Eufrates y del Tigris, donde la raza de que era la lengua primitiva formó por largo tiempo el núcleo de la población.

El caldeo guarda también importantísimas semejanzas con el siríaco, hasta el punto de haberse empleado como sinónimos los términos siríaco y caldeo. Muy pocas palabras de estos idiomas tienen diferencias fundamentales, y menos aún tienen radicales distintas. Gran número de estas son por completo semejantes; y la mayor parte de las otras solo se diferencian en tener alguna letra suprimida, añadida o transpuesta.

Algo semejante ocurre entre el caldeo y el hebreo. Las flexiones gramaticales son menos variadas en aquel que en este. En caldeo, una desinencia que se agrega al nombre tiene el valor de nuestro artículo; pero los hebreos colocan en su lugar un adiado, o sea una partícula añadida.

Casi todos los monumentos literarios de la antigua Caldea han desaparecido. Así, las *Observaciones astronómicas* que Calisteno encontró en Babilonia cuando llegó a esta con el ejército de Alejandro. Así, las obras del historiador Beroso, de quien solo quedan unos fragmentos traducidos por Josefo en sus *Antigüedades judaicas.* Así, los *Oráculos,* de que han citado algunos fragmentos Proclo, Simplicio, Olimpiodoro y otros.

Dispersos los judíos entre los caldeos durante la cautividad de Babilonia, se habituaron aquellos al lenguaje de los segundos, o bien mezclaron el hebreo con el caldeo, resultando un tercer idioma, a saber: el hebreo-caldeo, la lengua del *Talmud,* llamada de Babilonia, y del *Targum* de Onkelos.

Se llama *Targumis*—del árabe *tarjam,* explicar—las traducciones o paráfrasis de la Biblia hechas en texto original en la época de la Era cristiana. Los *Targumis* más antiguos son los de Onkelos, y constituyen el monumento más puro de la lengua aramea.

Bajo la dominación de los seleucidas invadió el siríaco parte del dominio del caldeo, dando origen al sirio-caldeo.

En el siglo x aún se redactó *El Massora* en caldeo bíblico; pero muy pronto este idioma perdió toda la existencia literaria, siendo sustituido y despojado por el árabe. El texto más antiguo que se conserva en caldeobíblico es el *Libro de Esdras.*

El caldeo es un lenguaje conciso y prolijo a la vez. Su concisión se manifiesta en las frecuentes inversiones. Su prolijidad, en la prolongación enfática de los nombres y el uso reiterado de las partículas. En el caldeo, el nombre es invariable; el adjetivo confunde los géneros en el plural; la conjugación comprende las voces activa y pasiva; pero esta solo se forma por medio del auxiliar piacho—*quedar*—junto con el participio; los pronombres se conservan casi integramente.

V. ZAMORA, Alfonso de: *Vocabularium hebraicum atque chaldaicum...* Alcalá de Henares, 1530.—MARTÍNEZ DE CANTALAPIEDRA: *Linguae chaldaicae Institutiones.* Madrid, 1580.—RUIZ DE MEDINA: *Gramatica chaldea.* Sevilla, 1610.—DÍAZ PATERNIANO, Fernán: *Gramatica chaldea.* Toledo, 1528.—WINER: *Grammatik des biblischen und targumischen Chaldaismus.* Leipzig, 1842.

CALEMBOUR

Vocablo francés que designa los distintos significados que puede tener una frase según la manera de pronunciar sus palabras.

El *calembour* no fue desconocido por los antiguos. El doble sentido de los oráculos radicaba en equívocos de este género. Se encuentra en obras de Aristófanes y de Plauto. Y en el mismo Cicerón, que llamó a Verres *puerco* y representó a este célebre concusionario como la *escotilla de Sicilia. (Verres,* berraco, y *verrere,* barrer.)

Los franceses fueron siempre aficionadísimos al *calembour,* porque su lengua se presta a tales artificios. Y escritores franceses hubo cuya reputación se basó en su ingenio para el *calembour.* Así, Montmaur, en el siglo XVII, y el marqués de Bièvre, en el XVIII. El primero de los cuales consiguió tantos juegos de palabras y tan ingeniosos, que fueron denominados *montmaurismes.* Al marqués de Bièvre se le debe un *Almanach des calembours,* una *Lettre à la comtesse Tation y Amour de l'ange Lure et de la fée Lure.*

V. BIEVRE, M. de: *Biévriana ou jeux de mots.* París, 1802.—LOREDAN LARCHEY: *Les joueurs de mots... pour servir à l'histoire de l'esprit français.* París, 1866.—HIDALGO, Jenaro: *Juegos de palabras.* Madrid, 1902.

CALENDARIO (Literario)

Publicación anual en la que se recogen las noticias y nombres más destacados literariamente durante dicho período en una localidad, en un país o en el mundo entero.

CALIFORNIANA (Lengua)

Lengua indígena de la región occidental de la América del Norte—Estados Unidos—. El conocimiento incompleto que de ella se tiene permite considerarla como original en medio de los numerosos lenguajes hablados en el norte de Méjico, al que perteneció California hasta el pasado siglo. En la costa del golfo de California se distinguen los dialectos *pima* y *opata*. El país californiano tiene su exponente literario más alto en los *Bocetos californianos,* de Bret-Harte, llenos de originalidad y de humor.

En la vieja California contaron los misioneros hasta seis dialectos. Pero el padre Taraval los dejó reducidos a tres: el de los *pericus* o *picos*—al sur del cabo de San Lucas, en el puerto de La Paz—; el de los *guaicurus, waicurus* o *menquis*—en el centro de California—; el de los *cochimis*—al norte.

La lengua guaicura carece de los sonidos *f, g, l, o, s, z.* La conjugación tiene infinitivo—raíz del verbo—, indicativo con tres tiempos y el imperativo, que se distingue del tiempo anterior por la disonancia. Tiene muy reducido número de preposiciones y conjunciones.

En el *achasthiano* faltan las articulaciones *b* y *f.* Es una lengua pobre.

El *eulemach* es el más rico de los idiomas de esta región.

Los datos mejores que se poseen acerca de las lenguas californianas se deben al español padre Manuel Venegas, cuya *Noticia* fue publicada en castellano—Madrid, 1757—por el padre Andrés Burriel.

V. Ludewig, H. E.: *The literature of american aboriginal languages.*

CALIGRAFÍA (V. Manuscrito)

1. Arte de escribir bien, pronto, correcta y ortográficamente.
2. Obra hecha caligráficamente.
3. Arte de una bella escritura.

Se ha definido la caligrafía como "el arte de representar con signos ortográficos correctos y hermosos la belleza de los sonidos".

También se ha dicho que la caligrafía es la única "bella arte gráfica de la palabra".

Pertenece la caligría a las *expresiones plásticas,* y es, gráficamente considerada, "un dibujo a pulso".

La caligrafía se divide en *teórica* y *práctica.* La primera establece las reglas y normas para escribir. La segunda es la aplicación de las reglas y normas a la escritura.

Las virtudes de la caligrafía son: la *proporción,* la *limpieza,* la *corrección,* la *elegancia,* la *claridad* y el *paralelismo.*

Hay tantos tipos caligráficos como idiomas se conocen. El español, el francés, el inglés, el italiano, el gótico, el hebreo...

La caligrafía, como medio expresivo, puede ser *de adorno* y *con adorno.*

En la antigüedad tuvieron caligrafías muy curiosas y bellas: Egipto, India, China, Arabia, Persia. Todas estas caligrafías complicaron las escrituras con las tintas preciosas—de distintos colores, de oro y de plata—y con dibujos representativos de la figura humana y de diversos objetos.

Para los griegos, caligrafía significó escribir y pintar, y distinguieron entre *calígrafos*—los que escribían bien—, *taquígrafos*—los que tomaban notas en abreviaturas—y *gramáticos* o *escribientes*—los cuales se limitaban a poner *en claro* las notas de los taquígrafos.

En Bizancio fueron muy estimados los *crisógrafos,* cuya misión era poner las letras de oro y de colores en los escritos.

Es natural que hasta la invención de la Imprenta la caligrafía fuera sumamente cuidada por los hombres, ya que de la claridad, precisión y belleza de los manuscritos de sus obras dependía la fidelidad de las copias que iban a dispersarse por todo el mundo civilizado. Y los copistas—en monasterios y palacios—alardeaban de calígrafos y hasta de artistas.

Inventada la Imprenta, el calígrafo puso todo su empeño en imitar de una manera absolutamente regular los caracteres tipográficos.

V. Percossi: *Calligrafia.* Milán, 1907.—Basset: *Alphabets à l'usage des artistes.* París, 1860.—Blanco Sánchez, R.: *Arte de la escritura y de la caligrafía.* Madrid, 1902.

CALIGRAMA

Nombre dado por el poeta Guillaume Apollinaire (1880-1918) a ciertos poemas suyos cuyas palabras estaban dispuestas tipográficamente formando los objetos que intentaba describir —un reloj, una casa, un sauce—. Creía así impresionar más vivamente al lector excitando el órgano inmediato de la percepción.

V. Torre, Guillermo de: *Literaturas europeas de vanguardia.* Madrid, 1923.—Gómez de la Serna, R.: *Prólogo* a la traducción española de *El poeta asesinado,* de Apollinaire. Madrid.

CALIGRAMISMO

Nació esta *tendencia* poética de la práctica de los famosos *caligrammes* inventados por el francés Guillaume Apollinaire, nacido—1880—y muerto en 1918, poeta y prosista inclinado obsesivamente hacia todas las *subversiones* literarias radicales.

El caligramismo prentendió "reunir en una sola obra las bellezas sugerentes de la poesía y la objetiva de la forma".

El caligrama consistía en *dibujar* la idea—o motivación—del poema, sustituyendo las líneas con los versos dispuestos linealmente.

Como Apollinaire ejerció una gran influencia sobre la promoción poética francesa de 1904, reacción vivísima contra el *simbolismo* (V.), el *parnasianismo* (V.) y el *realismo* (V.), el caligramismo alcanzó un éxito fulminante en Francia, contando con el apoyo de varias revistas y de cuantos pintores y escultores pugnaban por las *nuevas expresiones.*

Y en el caligramismo militaron muchos ilustres escritores franceses como Cendrars. Salmon, Robert Delaunay...

En España y en Hispanoamérica el caligramismo encontró algunos devotos magníficos como Guillermo de Torre y Vicente Huidobro.

Tuvo este movimiento poético una indiscutible relación con la modalidad pictórica del *cubismo* (V.); Apollinaire influyó, y no poco, sobre los paladines más famosos de esta *orgía de la visualidad*: Picasso, Braque, Gris, Gleizes, Laurencín, Leger...

V. TORRE, Guillermo de: *Literaturas europeas de vanguardia.* Madrid, 1925.

CALMUCA (Lengua y literatura)

Una de las lenguas tártaras hablada por los calmucos, oletes y tzongares. En ella abundan las palabras mogólicas y tártaras.

Las analogías gramaticales son frecuentes entre estas lenguas. En la lengua calmuca la declinación es sumamente simple y la conjugación menos imperfecta. La pronunciación es escasamente sonora y dulce.

Los calmucos, que aprendieron a escribir mucho después que los restantes pueblos tártaros, recibieron del lama Arandjimba Khuduktu un sistema alfabético que no difiere del mogol sino en ciertas letras de forma más elegante.

Las hordas calmucas que se establecieron en las regiones desiertas del norte del Tibet tuvieron una literatura de cierta importancia: poemas conservados oralmente por sus bardos o *dchangartschi* y algunos libros, entre los que se hicieron famosos: el *Yertunchin tooli*—"Espejo del mundo"—, una especie de cosmografía calcada de las ideas hindúes relativas a la formación del universo. El *Bodko Gaesaerkhan,* obra moral, que tomó su título del nombre de un personaje fabuloso y que contiene las fórmulas para extirpar de raíz en el hombre diez linajes de pecados. El *Goh-Tchikitu*—el principal libro calmuco—, romance mitológico en cuatro partes. El *Ouchandar-Khan* es otro romance mitológico mucho más corto.

También tienen los calmucos libros religiosos muy interesantes. El *Neligaryn Dalaï*—"El Océano de las Parábolas"—, que contiene poemas y lecciones morales según el dogma budista. Los sacerdotes o *guellungs* consultaban los libros de Astrología para determinar el día y el instante favorable para empezar los actos. En cuanto a la literatura ligera y a la poesía sentimental, nos son conocidos algunos fragmentos, y resultan de un valor muy mediano.

V. RÉMUSAT, Abel: *Recherches sur les langues tartares.* París, 1820.—BERGMANN: *Viaje al país de los calmucos.* Trad. Madrid, 1884.

CALÓ (Lenguaje)

1. Lenguaje o dialecto que se habla por la gente pícara en cárceles, ferias, posadas..., y al que también se llama "de germanía".

2. Jerga o lenguaje convencional de los rufianes.

3. Lenguaje de los gitanos. (V. Germanía, Lenguaje de.)

CALVINISMO

Doctrina herética y reformista de Juan Calvino, cuyo verdadero apellido era Chauvin.

Calvino nació—1509—en Noyon (Picardía). Su padre, que había sido secretario del obispo y promotor del cabildo, quiso destinarle a la Iglesia, pero Juan Calvino se negó a ello, abandonando su ciudad natal—1523—y trasladándose a París. En 1528 pasó a Orleáns, donde estudió Derecho. En Brujas trabó amistad con el helenista alemán Wolmar, que le instruyó en la doctrina de Lutero. Pero la conversión de Calvino al protestantismo fue lenta y razonada. En 1533 redactó el discurso inaugural que el rector de la Universidad de París, Nicolás Cop, debía pronunciar, y que fue el manifiesto de los reformadores franceses.

Perseguido por este discurso, Calvino se refugió en Basilea, donde en 1536 publicó su famosísima obra *Institutio Christianae Religionis,* en la cual se encuentra el compendio teológico y moral de su doctrina. Viajó por Italia y Francia. Después se estableció en Ginebra, donde inauguró—con Guillermo Farel—un régimen de intransigencia, que no fue aceptado y que le obligó a refugiarse en Estrasburgo. En 1540 se casó con Ideleta de Bure. En este mismo año asistió a la Dieta de Worms, y en 1541 a la de Ratisbona, donde conoció a Melanchthon. En 1542 fue llamado de nuevo a Ginebra, siendo recibido en triunfo. Desde entonces gobernó allí como único señor, con autoridad, más que absoluta, tiránica. Organizó el *Consistorio,* compuesto de pastores y seglares, que tenía la misión de vigilar la vida pública y privada de todos los ciudadanos, de advertir a los que vivían mal, de dar leyes y hasta de imponer el modo de vestir. Calvino impuso la *intransigencia.* Y cuando alguien se rebeló contra él—Jaime Cruet, Miguel Servet—, no tuvo reparo en hacerle morir de la forma más despiadada.

En 1558, para facilitar la propagación de su doctrina, fundó una *Academia,* o especie de seminario, en el que se reunían los misioneros de la religión reformada. "De esta manera, Ginebra venía a ser como la Roma del protestantismo."

Rapidísimamente el calvinismo se extendió por Francia, la Suiza francesa, el Palatinado, los Países Bajos, Inglaterra y Escocia; y por su organización y fuerza expansiva, ahogó la doctrina zuingliana y perjudicó al luteranismo.

Boulenger ha resumido magníficamente la *doctrina* calvinista así:

1. La doctrina calvinista tiene muchos puntos de contacto con las de Lutero y Zuinglio, y como estas, considera la Biblia *como única fuente de fe.*

2. Conserva también solo *dos sacramentos*: el Bautismo y la Cena. Con respecto a este último, no admite ni la transustanciación ni la presencia real. Sin embargo, admite una *presencia virtual,* que comunica cierta virtud divina a los predestinados.

3. Lo que más caracteriza el sistema de Calvino es su doctrina de la *predestinación absoluta.* Calvino, como Lutero, enseñaba que, en virtud de la imputación de los méritos de Cristo, el hombre queda justificado con sola la fe; pero añade que Dios escogió, "ya antes de la creación del mundo", los individuos a los que otorgaría esta fe, *y que reguló por un decreto eterno e inmutable* la suerte de cada uno, destinando los unos a la salvación y los otros a la condenación, sin que nada—ni los pecados repetidos, ni las virtudes heroicas—pueda modificar su voluntad implacable. Doctrina que podía exaltar la naturaleza humana y centuplicar las energías de los que tuviesen deseo de pertenecer a las clases de los predestinados, pero doctrina, en el fondo, desesperante, deprimente, capaz de destruir el esfuerzo de las mejores almas.

4.° La Iglesia calvinista está organizada sobre el modelo de las Iglesias primitivas. Cada comunidad tiene su *consistorio*—el antiguo *presbiterio*—, compuesto de pastores y de ancianos, elegidos por los fieles. No tiene jerarquía sacerdotal. Así como Lutero hizo a su Iglesia esclava de los príncipes, Calvino la considera completamente autónoma e independiente: la Iglesia calvinista es una *sociedad democrática* que absorbe al Estado.

5.° El *culto* es simple y austero, como el de Zuinglio; suprime las ceremonias, los cuadros, las esculturas y los ornamentos. El oficio religioso no admite otra cosa que la predicación y el canto.

Para muchos críticos, el calvinismo reviste los aspectos peculiares de las herejías de Arrio, Nestorio y Pelagio, sin faltarle resabios del sabelianismo. El *escollo* que representó para las doctrinas protestantes el texto bíblico: *la fe sin obras es muerta en sí misma,* Calvino lo salvó atropellando el principio de la libertad humana. Fatalismo y calvinismo parecen ser una misma cosa.

Los calvinistas fueron llamados *hugonotes* en Francia y *presbiterianos* en Escocia, país donde predicó el calvinismo Juan Knox. Y en Inglaterra el calvinismo penetró en los cuarenta y dos artículos anglicanos compuestos por Cranmer y Ridley.

A diferencia del luteranismo, el calvinismo, en sus varias iglesias, no ha seguido la misma *doctrina inmutable.* Cada grupo de calvinistas tuvo—y tiene—su especial formulario. El formulario que alcanzó mayor difusión fue el firmado por Calvino en la *Confesión de Augsburgo.*

V. BRUNETIERE, F.: *L'oeuvre de Calvin.* En "Discours de combat", tomo II.—STAHELIN: *Jean Calvin.* Elberfeld, 1863. Dos tomos.—CHOISY: *L'Etat chrétien calviniste à Genève.* París, 1902. DARDIER Y JUNDT: *Calvin et le calvinisme.* París, 1870.—GABEREL: *Histoire de l'église de Genève, depuis le commencement de la Réforme.* Ginebra, 1858.—DOUMERGUE: *Jean Calvin. Les hommes et les choses de son temps.* Lausana, 1899.

C

CÁMARAS DE RETÓRICA

Asociación de literatos de los Países Bajos, formada a imitación de las academias y tertulias de España, Francia e Italia. Las primeras datan de fines del siglo XIV y se establecieron en Diest, Gante, Ypres, Amberes, Lovaina y Amsterdam. Los miembros de dichas Cámaras se dividían en *jefes* y *hermanos* o *cameristas.* Los jefes llevaban los títulos de emperador, gran duque, príncipe, capitán... De dichos miembros, unos eran *libres* y tenían autoridad y voto; otros *no eran libres.* y carecían de una y otro. Cada Cámara tenía su fiscal, su bufón y su enseña. Y en las reuniones se ejercitaban los miembros en la poesía, principalmente en las canciones y en las sátiras, improvisadas generalmente. También organizaban representaciones teatrales y concursos literarios con grandes premios. Como estas Cámaras mezclaran la literatura con la política, fueron suprimidas por orden de Felipe II de España. La más célebre entre ellas fue la de Amsterdam, a la que pertenecieron escritores tan importantes como Spiegel, Vischer, Coornhert...

V. REIFFENBERG: *Dictionnaire de la conversation.*

CAMERALISMO

Conjunto completo de doctrinas políticas, jurídicas, técnicas y económicas, referentes a la aplicación de los métodos más apropiados para el sostenimiento, aumento y administración de las rentas reales en los Estados germánicos de concepción mercantilista.

El nombre de cameralismo procede de *Kammer,* lugar donde se guardaban las rentas reales. Los cameralistas fueron numerosísimos. Algunos economistas han creído que el cameralismo del siglo XVII fue la transición entre el mercantilismo y las modernas teorías económicas.

"Los cameralistas se preocuparon menos de las relaciones extranjeras y la balanza favorable del comercio que los mercantilistas en los países marítimos, como Francia, Holanda e Inglaterra; los escritores germánicos concedieron más atención a la industria doméstica, al desarrollo de los recuerdos nacionales, a la eficacia de la administración de los Estados y a las prerrogativas del soberano. Concordaron, sin embargo, con los mercantilistas en la tendencia favorable a la intervención gubernamental en los problemas económicos; en la importancia concedida a los metales preciosos; en los argumentos en favor de la densidad de población, de la grandeza nacional y de la capacidad económica del Estado para que pueda bastarse a sí mismo. Los mercantilistas ingleses fueron hombres de negocios, y expusieron sus ideas por medio de folletos. Los cameralistas germánicos fueron profesores de Hacienda y escribieron tratados voluminosos y sistemáticos."

Los Estados germánicos, desunidos y atrasados en su desarrollo industrial, sostenían un sistema financiero de carácter medieval. No existía ninguna distinción entre la renta personal del monarca absoluto y el tesoro público. Las rentas del Estado procedían de los dominios reales y de las distintas prerrogativas lucrativas que poseía el soberano. "Cuando el crecimiento de los gastos gubernamentales exigió también un aumento de la renta, se inicia la tendencia de multiplicar el número y extensión de los privilegios reales, o *regalías.*"

El cameralismo—que enseñaba a los empleados para la gestión de los asuntos del Estado y a la vez de los asuntos particulares de los príncipes—dejó el terreno preparado en Alemania para la implantación del *mercantilismo* (V.).

V. SOMMER, L.: *Die aesterreischische Kameralisten* (1920-1925).—SCHMOLLER: *Die mercantilischen in seiner historisches.* Bedentung, 1898.—DARIES, S.: *Firts principles of Kameral Sciences.*

CAMORRISMO

Nombre dado a las teorías y prácticas políticas de la Sociedad secreta italiana llamada *Camorra,* nombre tomado del vocabulario español, tan conocido en Nápoles, lugar donde nació la Camorra en tiempos de Fernando II.

Entre los años 1820 y 1883 tuvo amedrentada la sociedad italiana por la impunidad en que quedaban sus crímenes, gracias a la debilidad de las autoridades, que en ocasiones se habían visto obligadas a recurrir a la terrible Asociación para mantener el orden y llevar a cabo ciertos actos políticos. En 1860, durante la revolución, la Camorra llegó a ejercer de Policía oficial.

Posiblemente, la Camorra nació durante las guerras napoleónicas, pero no quedó totalmente organizada hasta 1820. Estaba formada por personas de uno u otro sexo de todas las clases sociales, que, como en una organización militar, podían estar en situación activa o pasiva, y pasaban por distintos grados. Existían reclutadores y centros de reclutamiento. En la Sociedad se ingresaba con el grado de *garzone di malavita* —o sea, aprendiz del crimen y criado de los grados superiores—. Cuando el *garzone* había logrado fama por sus robos o asesinatos, ascendía a *picciotto di sgarro,* formando ya parte de la Asociación.

Luego de probar su temple y sus nervios soportando, sin quejarse, una incisión practicada en una vena, el *picciotto* era nombrado *tamurro.* Entonces tenía que llevar a feliz término otras dos pruebas, llamadas del veneno y del puñal. Solo entonces podía considerarse *camorrista,* luego de prestar un curioso juramento comprometiéndose a tener un duelo a cuchillo con un compañero, a ser fiel a la Sociedad hasta la muerte y enemigo de las autoridades, y a no denunciar jamás a sus compañeros.

Posiblemente, la Camorra no tuvo un jefe supremo con poder ilimitado. Existía, sí, la subordinación de un centro a otro, hallándose el principal en Nápoles, ciudad en la que tenía doce centros la Camorra, uno por cuartel o barrio. El jefe de cada centro era elegido por los afiliados correspondientes, y casi siempre recaía el nombramiento en el más bravo, audaz y sanguinario. Este jefe era llamado *masto*—maestro —y *si masto*—jefe maestro—. Los simples asociados eran denominados *compagni.* Cada centro tenía *su economía propia.* Todo lo robado era reunido y administrado por un *contaruolo* —tenedor de libros—, un *capo carusiello*—cajero—y un secretario. El jefe de cada centro era quien repartía las ganancias entre los asociados y quien señalaba el impuesto exorbitante e inmoral que debían pagar los comerciantes, industriales, rentistas... si no querían *ser molestados* por la Camorra.

En nuestro siglo, los llamados "gángsters" de Norteamérica se organizaron, ni más ni menos, y procedieron como las Sociedades secretas italianas del pasado siglo, la *Camorra* o la *Maffia.*

Cuando un camorrista moría en una riña, la Asociación tomaba inmediatamente dos resoluciones: indemnizar a su familia y vengar a la víctima.

La Camorra explotaba la mendicidad, la prostitución, las malas artes en el juego, el contrabando, las intrigas políticas y galantes, la usura, los negocios de Bolsa, las loterías clandestinas y... hasta la venta del pescado. Cuando los pescadores se negaban a pagar *la camorra,* sus barcas eran hundidas; sus redes, rotas; su pescado, pisoteado y arrojado al mar.

La Camorra, originariamente, no tuvo ideas políticas. Su único ideal fue el crimen. Pero en 1848, aterrado el Gobierno napolitano por los progresos del liberalismo, hizo determinados ofrecimientos a la Camorra para asegurarse su concurso contra la revolución. La Asociación, exigiendo condiciones draconianas, no permitió la inteligencia con el Gobierno de Fernando.

En 1860, Francisco II, después de haber otorgado *a la trágala* la Constitución del 25 de junio, concedió una amnistía general. Los camorristas asaltaron los registros de la Policía y quemaron todos los papeles. Liborio Romano, prefecto de la Policía, se echó en brazos de la Sociedad; y los *picciotti* se convirtieron en esbirros, y los *camorristas* se transformaron en jefes de Policía. ¡Puede suponerse el terror brutal que se apoderó de Nápoles! Los más terribles crímenes quedaron impunes. Tanta inmoralidad, tanto atropello llevaron la desesperación a los corazones honrados.

El propio exceso del mal hizo necesario el remedio. Hombres insignes, valerosos y morales, como el ministro Spaventa, el general La Marmora y el cuestor Aveta, iniciaron la gran batalla contra el camorrismo, apresando a más de mil asociados, destruyendo sus guaridas y deportándolos a Cerdeña. En 1874, el prefecto Merdini logró coger a otros tantos... Sin embargo, la Camorra seguía viviendo a fines del siglo pasado y a principios de este...

V. Alongi: *La Camorra.* Turín, 1890.—Monnier: *La Camorra, notizie storiche.* Florencia, 1899.—Umilta: *Camorra e Maffia.* Neufchâtel, 1878.—De Blasco: *Usi e costumi dei camorristi.* Nápoles, 3.ª ed., 1909.

CANCIÓN

1. Composición en verso para ser cantada.
2. Composición lírica dividida en estrofas largas—menos la última, que es breve—, cuyos versos son endecasílabos o heptasílabos.
3. Nombre dado a determinadas poesías de los siglos XIV, XV y XVI, de las cuales algunas tenían nombre definido: odas, romances...

Literariamente, se llamó canción a una poesía lírica de hondo subjetivismo y cuyo tema era el amor. Su origen enraizó en Italia. Acaso fue Petrarca el primer poeta que las popularizó con su famoso libro *Canzone.*

En España llamaron canciones a muchas de sus poesías Herrera, fray Luis de León, Rioja, Rodrigo Caro, Andrada, Mira de Amescua. En el siglo XIX, Espronceda tituló canciones—la *del Pirata* y la *del Cosaco*—a dos de sus más populares composiciones.

También en España se llamaron canciones las poesías de diversos autores de los siglos XV y XVI, reunidas en las antologías o compilaciones tituladas *Cancioneros* (V.).

Y siglos antes, en algunas literaturas—provenzal, catalana, francesa—fueron conocidas—*cansoun, cansó* y *chanson*—como tales canciones ciertos poemas heroicos de corta extensión. Recuérdese la *Chanson de Roland.*

Y si la canción sigue cultivándose contemporáneamente, aun sin intento de que sean acompañadas por una melodía musical, no debe olvidarse que griegos y romanos pusieron en boga el género. En tiempos de Homero se cantaba el *Himeneo,* canción de bodas, y el *Linos,* canción dramática, en las cuales el solista cantaba el *refrán,* estrofa breve repetida al término de cada una de las restantes estrofas de mayor extensión. Y en Roma se cantaban las *escolias,* tonadas religiosas o patrióticas; las *naeniae,* cánticos fúnebres; las *celeusma,* cánticos de súplica...

CANCIONES DE GESTA

Nombre dado a unos poemas muy populares en la Edad Media, cuyo tema era un suceso histórico o legendario, las hazañas de un héroe casi mítico o los acontecimientos nacionales, guerras en primer plano.

El vocablo *gesta* alude a los trabajos llevados a término por un pueblo o por una familia. Pero en este segundo caso no se entiende por familia el grupo de personas unidas por la sangre, sino *un linaje de familia heroica.*

Estos poemas, escritos en tiradas monorrimas y asonantes, tenían versos de diez y de doce sílabas.

Hay que buscar el origen de la canción de gesta en la cantatas guerreras compuestas en tiempo de los Carolingios para celebrar sucesos contemporáneos. Tales cantatas eran recitadas en lengua franca o en latín. Las primeras estaban inspiradas en las *cantilenas* (V.); estas, alargadas y complicadas con detalles, originaron las canciones de gesta. Así, el canto en lengua franca acerca de la batalla de Saucour, o "canto de Luis", desenvuelto poco a poco, origina la canción de gesta de *Gormond et Isembard.*

Los más antiguos cantares de gesta datan de la primera mitad del siglo XI.

Los cantares de gesta fueron divididos, por los mismos trovadores, en tres grupos principales, atendidos los temas sobre los que versaban. Jean Bodel ha dicho:

Ne sont que trois matières à nul homme entendant
De France, de Bretagne et de Rome la grant.

La *materia de Francia* fue la más rica y popular en los siglos XII y XIII, alcanzando su punto culminante al referirse a Carlomagno, histórica o legendariamente.

La *materia de Bretaña,* desenvuelta, poco más o menos, en la misma época, presenta unas vivas propensiones a la historia religiosa y política del pueblo bretón, en la que se patentiza una gran influencia del genio celta-normando. En este ciclo es famoso el fabuloso rey Arturo, y fueron admirados los Caballeros de la Tabla Redonda, que marcharon a la conquista del Santo Grial.

La *materia de Roma* hay que concretarla en un sentido más amplio, ya que resume todos los confusos recuerdos de la antigüedad griega y romana.

Cada uno de estos ciclos comprende un número más o menos grande de canciones de gesta, agrupadas alrededor de la más importante.

En el *ciclo de Francia,* las gestas carolingias suman cuarenta y seis, conocidas y clasificadas, entre las cuales sobresalen: la *del Rey,* la de *Doon de Mayence* y la de *Garin de Montglane.*

Algún crítico francés ha sugerido que las canciones de gesta estaban en germen en los poemas de *Vidas de Santos,* que les precedieron en la historia de la poesía francesa.

En España, los cantares de gesta debieron de ser recitados *a trozos* antes de formar un poema. La *Canción de Rolando*—compuesta a principios del siglo XI—, el más antiguo cantar de gesta francés que se conoce, influyó poderosamente en la épica española. Con los monjes cluniacenses y los trovadores y los aventureros franceses que vinieron a Castilla, León y Galicia, desde los tiempos de Alfonso VI, bien a fundar monasterios, bien a visitar el sepulcro de Santiago o a militar contra la morisma, llegaron los entusiasmos por las canciones de gesta. Que entre nosotros no fueron líricos en un principio, ya que las primeras canciones de gesta aparecieron prosificadas y diluidas en la *Primera Crónica General* y en la *Primera Crónica de España;* así, los rastros de la *Pérdida de España, Bernardo del Carpio y Mainete,* el *Cantar del rey Fernando* y su continuación el *Cantar del cerco de Zamora,* los *Infantes de Lara y Gesta de don Sancho II de Castilla.*

El Cantar del Mío Cid es la principal y más antigua—completa—canción de gesta española. (V. Épica (Poesía) y Epopeya.)

V. RAJNA, Pío: *Le origini dell' epopea francese.* 1884.—BÉDIER, J.: *Les légendes épiques, recherches sur la formation des chansons de geste.* 1908-1913.—MILÁ Y FONTANALS, M.: *De la poesía heroico-popular castellana.* 1874.—MENÉNDEZ Y PELAYO, M.: *Historia de la poesía castellana en la Edad Media.* I, 1908.

CANCIONERO

1. Colección de poesías, por lo común, de diferentes autores.
2. Colección o antología de poesías de autores de una época determinada o de un mismo género literario.
3. En sentido restringido, recopilación o antología de *canciones.*

Los *Cancioneros* fueron compilaciones de índole lírica. Aparecieron en la Provenza y Cataluña. Y, a su imitación, en Portugal y Castilla. Sin embargo, si creemos el testimonio de Alfonso X "el Sabio", corresponde a Galicia la gloria de haber iniciado en España los citados *Cancioneros,* que tienen una capitalísima importancia, ya por el gran número de poetas cuyas composiciones han salvado del olvido, ya porque los líricos más excelsos no desdeñaron incluir sus poesías en ellos, ya porque resuelven cumplidamente los problemas poéticos de los distintos grupos literarios que se significaron en toda la Península.

El mérito bibliográfico de los *Cancioneros* depende de muchos requisitos: de si son manuscritos o impresos; de la fidelidad de su transcripción; de la época de los mismos; del buen estado de los códices; de la riqueza con que están presentados.

En otro libro mío—*Historia de la poesía castellana*—yo he escrito acerca de los *Cancioneros*: "Innumerables son los *Cancioneros* que contienen, casi siempre sin un determinado criterio, las composiciones de los innumerables poetas del siglo XV. Quien desee saber el número y título de todos esos *Cancioneros,* debe consultar las obras de F. Vendrell—*La corte literaria de Alfonso V de Aragón,* 1932—, de Janer—*De los Cancioneros antiguos,* en "Revista de España", tomo XXVIII—y de Adolfo de Mussafia—*Per la bibliografia dei cancioneros spagnuoli,* 1909.—Yo no citaré sino los más importantes: el *de Baena,* el *de Stúñiga,* el *de Hernando del Castillo,* el *de Resende,* el *de Constantina* y el *de Obras de burlas.* De estos *Cancioneros,* únicamente los dos primeros se publicaron durante el siglo XV; los otros lo fueron en el primer tercio de la siguiente centuria. Su valor es inapreciable. Sin ellos se hubieran perdido las obras de muchos poetas no impresas o apenas divulgadas en copias manuscritas, sujetas a mil variantes."

No importa que estos *Cancioneros*—generalmente conocidos por el nombre del poeta que los compiló o por el del que figura en primer término en la compilación—sean verdaderas selvas poéticas, ya que ningún criterio, según ya he apuntado, ni cronológico ni crítico, rige estas agrupaciones, en ocasiones copiosísimas, de poetas. Lo interesante en verdad era que se salvaran tantas poesías condenadas—aún no inventada la Imprenta—a vivir efímeras y a morir sin dejar rastro. Y esto se consiguió en gran parte con los *Cancioneros.*

Si no tuvieran otro valor, serían aun así uno de los principales monumentos literarios españoles. Pero, felizmente, tienen muchos quilates más. Recogen la poesía cortesana del cuatrocientos, cuyos caracteres ofrecen una complejidad superior a la de la poesía de los siglos anteriores; poesía cortesana que, según nota Menéndez y Pelayo, encierra "un fondo doctrinal de lugares filosóficos, derivados de la frecuente lectura de los moralistas antiguos, especialmente de Séneca", y, por otra parte, una fuerte influencia italiana, principalmente de Dante y Petrarca, de la que se imitan el sentido, alegoría, el metro y la estrofa. En esta imitación aún cabe señalar una bifurcación muy interesante: la imitación de los poetas andaluces, que produce una poesía brillante, muy cuidada de forma, salpicada de imágenes audaces y espléndidas, a veces, y la imitación de los poetas castellanos, que cuaja en una poesía conceptuosa y austera. Un crítico moderno de muy fino criterio, Díaz-Plaja, cree que en estas dos actitudes está el germen lejano de lo que fueron en el siglo XVII el conceptismo y el culteranismo.

Hacia 1445 compiló el judío converso Juan Alfonso de Baena el *Cancionero* que lleva su nombre. Lo dedicó al rey de Castilla don Juan II, y comprende 576 composiciones de sesenta y tantos poetas—cincuenta y tantos conocidos y unos diez anónimos—, de los que, en su mayoría, formaban la corte literaria de don

Juan. El manuscrito original del *Cancionero de Baena* estuvo en la librería de Isabel la Católica; luego pasó a la Biblioteca de El Escorial, de donde fue sacado para que cierta Comisión de estudios trabajara acerca de él. En manos de don José Antonio Conde, al morir este, sus herederos, de buena fe quizá, lo pusieron en venta, adquiriéndolo en pública subasta la Biblioteca Nacional de París en 1.140 francos, precio irrisorio hasta el inri. En 1851 lo editó el gran investigador don Pedro José Pidal, utilizando, no el original, sino una copia muy defectuosa que le fue remitida de París. El valor de este *Cancionero* es excepcional. Es una fuente indispensable para conocer la poesía lírica cortesana de los reinados de Enrique II, Juan I, Enrique III y la minoridad de Juan II. Su importancia histórica no es menor que la literaria. "Leamos el *Cancionero de Baena*—dice Puymaigre—y desfilarán a nuestros ojos los caballeros de férrea armadura, los monjes con su sayal, las nobles damas con sus ropas de brocado, los judíos más o menos convertidos, los médicos árabes, los doctores en teología; las monjas de Sevilla, que traían competencia con las de Toledo; todo un mundo que vive y se mueve, que se deleita en rimar versos ligeros, que canta y celebra *al rey de la faba*, pide aguinaldos, propone y resuelve enigmas."

Lo que el *Cancionero de Baena* representa en la corte castellana de Juan II, representa en la aragonesa de Alfonso V el llamado *Cancionero de Stúñiga*: la pléyade de sus poetas más encomiados. Y, dato curioso: si Cataluña o Aragón se relacionaron mucho más hondamente con Italia—y precisamente durante el reinado de Alfonso V—que Castilla, el *de Stúñiga* es un *Cancionero* en el que se encuentra *la influencia dantesca* en mucha menor intesidad y cantidad que en el de *Baena*. Permaneció inédito hasta 1872, en que lo editaron el marqués de Fuensanta del Valle y don José Sancho Rayón. El mayor número de composiciones—45—en este *Cancionero* corresponden a Carvajal o Carvajales, uno de los más antiguos poetas que firma romances. Otros poetas que figuran en él son: Rodríguez del Padrón, Diego de Valera, Juan de Padilla, Juan de Dueñas, Hugo de Urríes, Alfonso Enríquez...

Si el *Cancionero de Baena* es el *Corpus poetarum* del reinado de don Juan II de Castilla, y el *Cancionero de Stúñiga* lo es del reinado de don Alfonso V de Aragón, el *Cancionero General* de Hernando del Castillo es el cuerpo o colección de las obras de los poetas menores de la época de Enrique IV y de los Reyes Católicos. Se publicó por primera vez—1511—en Valencia, y comprende obras de 138 autores, sin contar con los anónimos. Figuran en él poetas *mayores,* a los que he de referirme especialmente, como Mena, Santillana, Montoro, Alvarez Gato, Gómez Manrique, Pérez de Guzmán, Guillén de Segovia. Modernamente—1882—, la Sociedad de Bibliófilos ha reimpreso el *Cancionero General,* incluyendo en él la primera edición y en apéndice todo lo añadido en las ediciones de 1520—Toledo—, 1540—Sevilla—y 1557—Amberes—. Archer M. Huntington reprodujo en Nueva York, 1904, y en facsímil, la de 1520—Toledo—. El número total de composiciones que abarca este *Cancionero* es el de 964. Por vez primera en una obra de tal índole se encuentra en ella un conato de clasificación: obras *de devoción;* obras agrupadas de ciertos poetas; *canciones, romances, decires, motes, villancicos, preguntas;* obras *de burlas.*

La mayoría de los críticos del pasado siglo—Pidal, Menéndez y Pelayo, Cejador—creen que son anteriores al *Cancionero General* otros, como los conocidos por *Cancionero de Fr. Iñigo de Mendoza,* el *Cancionero de Ramón de Llavia,* el de *Herberay des Essarts*—compilado a fines del siglo xv, según afirmación de Gallardo—, el de *Híjar*—que tiene poesías del mismo siglo xv—, el de Juan Fernández de Constantina, titulado *Guirnalda esmaltada de galanes y eloquentes dezires de diversos autores.* Y afirman que este último no solo sirvió de prototipo al de Castilla, sino que entró íntegramente en él. Esta opinión fue combatida por Foulché-Delbosc, quien asegura la prioridad del *General,* basándose en que su composición 238—71 en el de *Constantina*—está mucho menos completa y cuidada que en este. El valor principal de la *Guirnalda* está en recoger por vez primera romances como los del *Conde Claros,* el de *Fontefrida,* el de la *Rosa fresca,* el de *Durandarte* y algunos otros, verdaderas joyas de la lírica castellana.

Ampliando el *Cancionero General,* en la edición valenciana de 1519 se añadió el llamado *Cancionero de obras de burlas provocantes a risa.* "La mayor parte de las poesías que encierra, aunque muy libres y desaforadas en el lenguaje, son más bien sucias e injuriosas que deshonestas, y algunas, especialmente las del Ropero, que es el poeta mayor de este grupo, podrían pasar, aun en época más culta, por chistosas, sin daño ni peligro de barras." (M. y P.) En Lisboa, el año 1516, se publicó el *Cancionero General...,* por García de Ressende, que contiene poesías de 150 poetas portugueses, de ellos 41 que escribieron en castellano. En opinión de Menéndez y Pelayo, "nunca se vio tan estéril abundancia de versificadores y tanta penuria de poesía". El *Cancionero* es realmente un monumento pesado de los ocios magnánimos, de los galanteos y de la vida de una nobleza heroica y aventurera. Abundan en él las letras de justadores, los *louvores* o encomios de la hermosura femenina, las quejas y encarecimientos enamorados, las *cousas de folgar...* Figuran en él poesías de trovadores castellanos, como Juan Ramírez de la Cámara y Juan de Mena.

Aún pueden señalarse otros *Cancioneros* de mucho interés. El *Cancionero espiritual,* compilado por Martín Martínez de Ampiés e impreso en Zaragoza en 1485. El *Cancionero de romances,* impreso en Amberes en 1555.

V. Amador de los Ríos, J.: *Historia crítica de la literatura española.* Madrid, 1872.—Menéndez y Pelayo, M.: *Historia de la poesía castellana.* Madrid, 1908-1913.

CANON (Literario)

1. Catálogo. Lista.
2. Regla. Decreto.
3. Regla de las proporciones del cuerpo humano que creyeron ideales los griegos.

En literatura se da el nombre de canon a determinadas colecciones de autores.

Se llamó *canon de Alejandría* a una lista, hecha por Aristófanes de Bizancio y por Aristarco en el siglo II antes de Cristo, que comprendía los nombres de los escritores considerados como *ejemplares e inmortales.*

En esta lista estaban comprendidos: los *filósofos* Platón, Jenofonte, Aristóteles, Teofrasto, Esquino; los *dramáticos* Esquilo, Sófocles, Eurípides, Aristófanes, Eupolis, Cratino, Aqueo, Agatón, Yon, Antígono, Tesecrato, Menandro, Filípides; los *poetas* Homero, Periandro, Antímaco, Alcman, Alceo, Safo, Píndaro, Baquílides, Ibicos, Anacreonte, Estesícoro, Simónides, Arquíloco, Hipónax, Hesíodo; los *historiadores* Herodoto, Tucídides, Jenofonte, Eforo, Filistes, Anaximeno, Teopompo, Calisteno; los *oradores* Andocides, Antifono, Lisias, Isócrates, Licurgo, Demóstenes, Dinarco, Hipérides.

Siglos más tarde, Volcacio Sedigito hizo otro *canon de los poetas latinos.*

Modernamente, los *cánones de autores* han sido sustituidos por los *cánones de obras.* En todos los países, por diferentes escritores, han sido publicadas listas con las llamadas *cien mejores obras de la literatura universal.* Naturalmente, en todas estas listas se encuentra las cuarenta o cincuenta *obras literarias indiscutibles*: la *Ilíada,* la *Odisea,* la *Eneida, La Divina Comedia,* el *Quijote,* los *Ensayos* de Montaigne, el *Orlando furioso, Fausto...* Pero de las otras sesenta o cincuenta obras, cada autor seleccionador arrima el ascua... a su país.

En España, una de las listas de obras *más prudentes* la propuso—desde el diario madrileño *A B C*—el gran periodista Enrique Gómez Carrillo.

CÁNTABRO (Lenguaje)

Uno de los más antiguos lenguajes de la Península Ibérica. Lo hablaban en el norte costero de España los cántabros, antes de la dominación —más *oficial que real*—de los romanos en aquella áspera y fiera región. Algún autor ha creído que el vascuence actual es una derivación de aquel lenguaje árido y extraño. (V. Vasca. Lengua.)

CANTANTE o CANTOR

1. Literariamente, el que hace una profesión del *recitado poético sobre una melodía.*
2. El artista que representa óperas, zarzuelas y otros géneros de música acompañada de una ficción literaria. (V. Trovador, Juglar.)

CANTAR

Breve composición poética—llamada también *copla, canción*—, adaptable a determinados aires populares—jota, zorcico, sardana, soleá, fandango...—o que puede ponerse en música para ser cantada.

Es, acaso, el más antiguo y natural de los desahogos del alma humana, en que se combinan la música y la poesía, las primeras manifestaciones artísticas del hombre.

El cantar recoge absolutamente todos los afectos y estados del alma. La literatura más pobre del mundo es rica en esta manifestación literaria-musical.

Dicen que nada cuesta
la despedida.
Dile al que te lo ha dicho
que se despida.

¡Ay, que se me lleva el aire,
ay, que el aire se me lleva!...
¡Ay, que se me lleva el aire,
el aire de mi morena!

Vieron los ojos míos
tu cara bella,
y ahora la tal mirada
cara me cuesta;
pues dijo el alma:
¡Qué cara tan divina!,
pero... ¡qué cara!

El cantar, genuinamente español, ni es de origen exclusivamente árabe—como algunos han pretendido—, ni se confunde con otras composiciones breves, como la *endecha,* la *saeta,* la *cantarella,* el *dicho,* la *playera.* Con su concisión característica y su expresión peculiar, deriva de la más antigua poesía popular. Bien es verdad que hasta el siglo XIX fue considerado como un género literario inferior, indigno de los grandes poetas.

Sin embargo, el *cantar popular anónimo* no dejó jamás de fluir. En el siglo XIX surgió el *cantar literario o culto,* debido a plumas selectas de líricos magníficos como Ferrán, Verdaguer, Antonio de Trueba, Manuel del Palacio, Ferrari, Ruiz Aguilera, Fernández-Shaw, Melchor de Paláu, Campoamor, y—ya en nuestro siglo— los Machados, González Anaya, Díaz de Escobar, Gabriel y Galán... El cantar invade todos los campos de la actividad humana y comprende desde el aforismo hasta la parénesis.

El cantar, para que se inmortalice, es preciso

que se ajuste a la indiosincrasia popular, que se *desubjetivice,* que llegue al corazón del pueblo, y cada uno que lo recite o que lo cante lo sienta como suyo.

CANTARES DE GESTA

Con este nombre se denomina a los primitivos *cantares heroicos* castellanos, compuestos para ser cantados por los juglares en algunos espectáculos públicos o privados.

Precisamente por no estar dedicados a la lectura, y sí únicamente a la recitación, nada de particular tiene que dichos cantares—con la excepción del de *Mío Cid,* cien versos del de *Roncesvalles* y el tardío *Cantar de Rodrigo*—hayan desaparecido.

Y si tenemos noticias fidedignas de ellos, débese a que los historiadores primitivos, tomándolos como fuentes de información fidedigna, *los prosificaron* y los incluyeron así en sus obras. Y sin audacia alguna puede afirmarse que ciertas *Crónicas* no son sino *estrictamente* los cantares prosificados.

Según muchos notables críticos, fue la *Crónica Najerense*—redactada hacia 1160—la primera que recogió, purificados, algunos de dichos cantares: el de *Fernán González,* el de *La condesa traidora,* esposa del conde Garci-Fernández; el de *El infante don García,* hijo de Sancho Garcés y último rey de Castilla; el de *Los hijos del rey Sancho de Navarra;* el de *Sancho II de Castilla y el cerco de Zamora.*

La *Crónica General* prosifica el *Cantar de los infantes de Lara,* el *Cantar de Mío Cid* y el de los fantásticos amores de Carlomagno, en Toledo, con una hermosa judía.

En la *Chronica gothorum*—siglo XI—se recoge, por vez primera, la aventura amorosa del rey godo—aquí Witiza—con Oliva, hija del conde don Julián.

Según Hurtado y González-Palencia: "El *Tudense,* que acaba su *Crónica* en 1236, es quien implanta la moda de las purificaciones de cantares de gesta, que había de seguir la *Crónica General,* empezada por Alfonso X, y la terminada en 1344, aunque los compiladores no les daban gran valor histórico."

CANTATA

1. Pequeño poema destinado a ser cantado.
2. Especie de drama lírico, compuesto de *recitados, arias, dúos y coros,* como si realmente fuera una ópera en miniatura.

Pueden servir de modelo de cantatas las de Moratín a los *Padres del Limbo* y a la *Anunciación,* en las que intervienen varias voces por separado y el coro.

En la cantata hay que distinguir los *recitados* y los *aires.* Los recitados suelen ser de versos alejandrinos, combinados o no con otros metros. Los aires forman estrofas. La cantata tuvo su poética particular durante el siglo XVIII, época en que estuvo de moda.

Originariamente se componía de un solo recitado, seguido de un aire. Después comprendía tres partes: *exposición del sujeto, desenvolvimiento de la escena principal* y *conclusión moral.* Tal sucesión de escenas dramáticas se distinguía del drama en su menor acción y en su más sencilla intriga.

En España, Leandro Fernández de Moratín escribió una bella cantata a *La Anunciación*:

Voz 1.ª
¿Qué nuncio divino
desciende veloz,
moviendo las plumas
de vario color?

Voz 2.ª
El bello semblante
en risa bañó,
que inspira alegría,
disipa temor.

Voz 1.ª
El rubio cabello
al hombro esparció:
diadema le ciñe
de extremo valor.

Voz 2.ª
Ropajes sutiles
adornos le son,
y en ellos duplica
sus luces el sol.

Voz 1.ª
Feliz habitante
de la alta región.

Voz 2.ª
¡Alado Ministro
del Sumo Hacedor!

Voz 1.ª
En hora bendita
la Tierra te vio.

Voz 2.ª
Su dicha pendiente
está de tu voz.

Voces 1.ª y 2.ª
Que tú solo anuncias
favores de Dios.

Voz 3.ª
Lleva a la Santa Nazareth su vuelo
el Angel del Señor, y resplandece
la estancia de María:
de fragantes amores se enriquece
el aire en torno, y suena melodía
igual a la del cielo.
La honesta virgen, ruborosa y muda,
se postra hermosa al paraninfo hermoso.

Ver tanto bien y merecerlo pudo.
El, con acento grave y amoroso:
"No temas, no—le dice—,
de las hijas de Adán la más felice,
llena de gracia estás: está contigo
el Dios que adoras, inefable, eterno,
y el fruto santo que de ti se espera
se ha de llamar Jesús." Dijo, y la esfera
que en luces arde y arreboles de oro,
vuelve a romper con ímpetu sonoro,
y se estremece el enemigo Infierno.

Voz 4.ª
¡Oh instante dichoso
de amor y consuelo,
que la Tierra al Cielo
para siempre unió!
¡Y al Dios poderoso,
que truena, indignado,
piadoso, humanado,
sumiso le vio!

CORO.
Virgen madre, casta esposa,
sola tú la venturosa,
la escogida sola fuiste,
que en tu seno recibiste
el tesoro celestial.
Sola tú, con tierna planta,
oprimiste la garganta
de la sierpe aborrecida,
que en la humana, frágil vida,
esparció dolor mortal.

CANTE

Canto popular español; particularmente andaluz.

CÁNTICO

Esta palabra, que literalmente quiere decir *poesía cantada,* designa un poema lírico, una oda, y alguna vez un poema dramático, compuesto en loor de un acontecimiento memorable para dar gracias a Dios...

Aun cuando griegos y romanos tuvieron sus cánticos de invocación y de súplica, el cántico hace referencia especialísima a la poesía sacra, y principalmente a la cristiana. En el *Antiguo Testamento,* cierto número de fragmentos líricos reciben tal nombre: el *cántico de Moisés,* luego del paso del mar Rojo—*Exodo,* XV—; el de Moisés moribundo—*Deuteronomio,* XXXII—; el de Débora, luego del pecado y de la muerte de Sisara—*Jueces,* V—; el de David por la muerte de Saúl y de Jonathas—*Reyes,* lib. II, cap. I—; el de Judit, después de haber dado muerte a Holofernes—*Judit,* XVI—; el de Tobías, en acción de gracias por haber recobrado la vista —*Tobías,* XIII—. En el *Nuevo Testamento:* el *Magnificat* y los de Zacarías y Simeón.

En realidad, existe una gran semejanza entre los cánticos sagrados y los salmos. Una diferencia los separa: los cánticos *se recitan* sin acompañamiento musical. Los salmos *se cantan.*

V. HERDER: *Historia de la poesía de los hebreos.* Madrid, 1876.—LOWTH, R.: *Leçons sur la poésie des hébreux.* Lyón, 1812.

CANTICUM

Monólogo cantado, que en las comedias latinas representaba un histrión, adelantándose al *proscenium.* Le acompañaba un flautista. El *canticum* era la primera parte de las tres de que constaba la comedia latina, la cual carecía de los coros del drama griego. Muchas veces, el propio autor de la obra era quien desempeñaba el *canticum.* Así lo asegura Tito Livio, refiriéndose a Livio Andrónico.

Aun cuando el *canticum,* como ya se ha dicho, era un monólogo, en la obra *Stichus,* de Plauto, es un diálogo. Y tal importancia alcanzó, que llegó a tener vida propia desglosado de la obra. Y autores hubo como Plauto y Terencio, que los compusieron aislados. El erudito Wolff ha reconocido cuarenta y dos *cantica* seguros y noventa y cinco dudosos como de Plauto; y quince ciertos y tres inseguros como de Terencio.

En el *canticum,* de índole narrativa, solía hacerse como una síntesis del tema de la comedia, solicitándose, además, en él la curiosidad y el aplauso de los espectadores.

V. MAGNIN, Ch.: *Les origines du théâtre antique.* París, 1839, 1868.—WOLFF, G. A. B.: *De canticis in Romanorum fabulis scenius.* Halle, 1825.

CANTIDAD

Se denomina así el tiempo invertido en la pronunciación de una sílaba.

Las sílabas, en razón de la cantidad, pueden ser largas o breves. Cada larga equivale a dos breves.

CÁNTIGA

Composición poética, corta y narrativa, dividida en estrofas, después de cada una de las cuales se repite un estribillo "enlazado por la rima con ellas". Se destinaba, por lo general, al cántico.

Es el nombre peculiar de las composiciones en lengua gallega compuestas por Alfonso X "el Sabio".

Se ha discutido mucho acerca de cómo escribir y pronunciar: si *cántiga* o *cantiga.* Para quienes creen que la palabra deriva de la latina *cantica,* forzosamente ha de aceptarse la forma esdrújula de *cántiga.* Pero otros filólogos pretenden que derívase del vocablo lusogalaico *cantega,* y que, por ende, ha de escribirse y pronunciarse llana: *cantiga.*

Nosotros estimamos más aceptable la primera opinión, ya que siendo las poesías del rey Alfonso el monumento primero y más antiguo del lenguaje galaico-portugués—antes en formación dificultosa—, lógico es pensar que el vocablo *cantega* es posterior en uso al de las *Cántigas.*

Miragres fremosos
faz por nos, Santa Maria,
et marauillosos.

Fremosos miragres
faz, que en Deus creamos,
et marauillosos
porque a máis temamos;
porend un d'aquestes
é ben que vos digamos
dos máis piadosos.

Miragres fremosos
faz por nos, Santa Maria,
et marauillosos.

(ALFONSO X: De la *Cántiga* XXXVI.)

V. VALMAR, Marqués de: *Las Cántigas de Don Alfonso "el Sabio"*. Madrid, 1889. Edición Acad. Esp.—VALERA, Juan: *Las Cántigas de Alfonso "el Sabio"*. Madrid, 1882.

CÁNTIGAS DE AMIGO

Composiciones—de origen popular—de la primitiva lírica portuguesa. Sus temas eran lamentaciones amorosas por la ausencia del ser amado. Cantábanse con acompañamiento de algún instrumento musical. Empléase en ellas un procedimiento de repetición de palabras y de ideas, que constituyen un verdadero *paralelismo* (V.). "Las *Cántigas de amigo* son de una índole especial, de un lirismo más espontáneo, y algunos críticos considéranlas como las más representativas del alma portuguesa, y, por ello, de características más nacionales, circunstancia que ha de tenerse en cuenta en un estudio de los orígenes de la poesía medieval." (Gomes Branco.)

José Joaquín Nunes publicó—1926—*Cántigas de amigo,* edición la más completa de dicho género lírico.

V. RODRIGUES LAPA, M.: *Liçoes de literatura portuguesa. Época medieval.* Coimbra, 1943, 2.ª edición.

CANTILENA

Composición poética breve, dulce y melancólica en versos cortos, destinada a ser cantada. Generalmente se repite en ella el *motivo principal*—casi siempre lamentoso—del tema.

Sin embargo, las cantilenas pueden tener también temas alegres, si hemos de creer a Solís, quien, en su *Historia de la conquista de México,* declara: "Tenían también [los músicos de Moctezuma] sus cantilenas alegres de que usaban en sus bailes..."

CANTILENE

Composición líricopoética de la métrica medieval francesa. Se cantaba con acompañamiento de instrumentos musicales. Sus temas eran hagiografías y leyendas heroicas. Algunos críticos franceses creyeron que las *gestas* de su país derivaban de estas *cantilènes.*

CANTO REAL

Antigua obra de la poesía francesa, que tuvo su máximo esplendor entre los siglos XV y XVI. Es incierto el origen de su nombre. Según algunos críticos, el canto real estaba siempre dedicado al monarca o a cualquier otro personaje de sangre real, y su *couplet* suplementario o *envío* empezaba por estas palabras: Señor, Rey, Príncipe, Princesa... Según otros eruditos, debía su nombre el canto real a ser el monarca quien cada año proponía el tema para un concurso de poemas.

El canto real fue siempre una sátira elegantemente encubierta por una fina alegoría, y se componía de cinco o seis estrofas, cada una de ellas de diez versos, cuando menos, y musicalizando las cinco o seis sobre cinco rimas repetidas en el mismo orden. El último verso de la primera estrofa sirve de refrán a los siguientes.

CANTOS NACIONALES

Poesías de carácter guerrero o político, adoptadas por los pueblos como expresión sentimental nacional. Estas poesías suelen ser de autores anónimos, recogidas por la tradición. De cualquier modo, lo que las caracteriza y distingue de las canciones populares es cierta solemne consagración que las asocia a los peligros de la patria, a sus trabajos, a sus alegrías, a las grandes circunstancias de la vida pública. En muchos pueblos, los cantos nacionales parecen haber sido precedidos por grandes gritos de guerra. Así, las salvajes articulaciones—*hiu, hiu, hiu*—de los hunos, los bramidos de los germanos y de los galos. También los griegos y romanos utilizaron, antes que sus cánticos de guerra, los gritos desaforados para asustar a sus enemigos. Así escribió Julio César: "*Antiquitus institutum est ut clamorem universi tollerent, quibus et hostes terreri et eos incitari existimaverunt.*" El *poean* entre los griegos fue un canto nacional. Y otro la invocación a Sabaoth de los judíos. Y otro el *Kyrie-eleïson,* unido luego a las letanías, de las que resulta el refrán.

Los cantos nacionales de versificación regular y de un valor poético son muy tardíos en muchas literaturas. Los himnos de Tirteo tienen todas las características de los cantos nacionales.

Famosos cantos nacionales: en Francia, *La Marsellesa,* improvisada por Rouget de Lisle en abril de 1792, con el título de *Canto de guerra del ejército del Rin;* en Inglaterra, el *Rule Britannia,* del poeta Thomson, y el magistral *God save the King,* atribuida su letra a Harry Carrey y su música a Haendel, aun cuando otros críticos la atribuyen a un John Bull, organista de capilla de Jacobo I. En Bélgica, la *Brabançonne,* adoptada en 1830.

CANTOS POPULARES

En verdad que no se debía llamar así sino a los cantos cuya música y letra no han reconocido nunca autor, y que, transmitidos de siglo en siglo entre los hombres de una misma raza, se encuentran ahora sin fecha ni lugar de nacimiento. Ni *La Marsellesa* en Francia, ni el *Himno de Riego* o el *Cara al sol* en España, ni el *¡Dios salve al Rey!* en Inglaterra, pueden ser llamados cantos populares, ya que nos son conocidos los nombres de sus autores. Son, nada más ni nada menos, que himnos.

El canto popular no tiene jamás relación con la política ni con la Historia. El canto popular se refiere al amor, a las costumbres, a los recuerdos, a los anhelos nobles, a los dolores grandes.

Los cantos populares—aun cuando no son, como han creído algunos historiadores, los restos de la música primitiva—han existido en todos los pueblos y en todas las épocas. Cantos populares son la *jota* y las *seguidillas* españolas, la *saltarela* napolitana, el *yole* tirolés, la *saga* escandinava, el *dumka* ruso, el *kuhreihen* de los Alpes, el *crakowiak* polaco...

Conocemos el nombre de muchos de los cantos populares de la Grecia clásica: *Elina* era la canción de los tejedores; *Epimulia,* la de los ebanistas; *Himea,* la de los esclavos; *Epilenes,* la de los vendimiadores...

En Inglaterra son famosos cantos populares el *Highlander, Roberto Brace, Caledonia;* en Francia, la *Madelón;* en Suecia, el *Necken* y las *Ondinas*...

"¡Cantos populares!—ha escrito un fino literato del siglo XIX—. Arca de alianza entre los tiempos antiguos y los nuevos, en vosotros deposita una nación los trofeos de sus héroes, la esperanza de sus pensamientos y la flor de sus sentimientos. ¡Arca santa! Nadie te toca ni te rompe mientras tu propio pueblo no te ha ultrajado. ¡Canción popular! Tú guardas el templo de los recuerdos nacionales; tienes las alas y la voz de un arcángel... La llama devora las obras del pincel, los bandidos roban los tesoros, la canción se escapa y sobrevive y corre por entre los hombres. Si las almas envilecidas no saben alimentarla con sueños y con esperanzas, huye a las montañas, se fija en las ruinas y recuerda allí los tiempos antiguos; así como el ruiseñor se escapa volando de una casa incendiada y se coloca en un instante sobre el techo; pero si el techo se hunde, huye a los bosques, y con una voz sonora recita cantos de luto a los viajeros entre ruinas y sepulcros."

CANZONETTA

Poesía lírica italiana. Su nombre deriva, probablemente, del vocablo provenzal *cansó.* La *canzonetta* no se limita, como la canción de los trovadores, al tema del amor; trata de materias más elevadas, y tiene un "estilo sostenido", como la oda. Guido Cavalcanti, Dante y Petrarca ennoblecieron la *canzonetta.* Se caracteriza por sus estrofas iguales, por la distribución de sus rimas, por el número de sus versos. Su metro usual es el endecasílabo o el yámbico. Una *canzonetta* regular no tiene nunca más de quince estrofas. A continuación de la última va una *semi-estrofa,* llamada *ripresa* o *commiato.*

La *canzonetta* es la forma más antigua de la lírica toscana. Se la llamó *Toscana* o *Petrarchesca;* más tarde, *Pindárica* o *Anacreóntica.*

El número de versos de la *canzonetta* varió de nuevo a veinte, según los poetas.

Cada estrofa se dividía en dos mitades: *fronte* y *piedi.*

Hubo *canzonettas* irregulares, en las que cada estrofa carecía de rima; pero, en cambio, rimaban los versos correspondientes de las dos estrofas consecutivas.

CAPA Y ESPADA (Género de)

Género de composición dramática, que tuvo su origen y su gloria máxima en España. La comedia *de capa y espada* era, en tiempo de Lope de Vega y Calderón, una especie de drama doméstico—o de costumbres—con una intriga original y fuerte y con un desenvolvimiento complicado de aventuras y de azares. La capa y la espada que llevaban sus personajes marcaron su nombre, su posición y su rango. Por extensión del género, en nuestros días se aplica a las obras literarias—narrativas o escenificadas—que abundan en espisodios violentos y en situaciones trágicas.

CAPCIOSO

1. Argumento, razonamiento engañoso, artificioso.
2. Argumento destinado a captar el asentimiento de los espíritus excesivamente confiados o poco atentos al discurso.

CAPITALES (Palabras)

Llámanse *capitales* o *enfáticas* las que expresan las ideas principales o que más importancia tienen en cada cláusula. Tales palabras deberán colocarse en el lugar de la cláusula donde puedan producir mayor y mejor impresión, y desembarazadas de otras que pudieran hacerles sombra.

CAPITALISMO

Régimen de economía fundado en el predominio del capital como elemento de producción y creador de riqueza.

Para Carlos Marx y los socialistas, el capitalismo consiste "en el régimen que admite la propiedad y el capital individual, y que tiene como características: el *maquinismo*—que acrecienta el provecho del empresario a costa del trabajo de los obreros—y los abusos cometidos por los capitalistas".

Según Sombart, denominamos capitalismo una modalidad económica en que la forma específica de la economía es la empresa capitalista...; pero por empresa capitalista se entiende aquella forma económica cuyo objetivo es hacer productivo un patrimonio material por medio de una serie de contratos sobre prestaciones y contraprestaciones valorables en dinero, es decir, en la reproducción, para el propietario, de un patrimonio material acompañado de una utilidad.

Y según Wernicke, definiríamos capitalismo como aquella forma de la economía en la que, en oposición a la economía puramente de consumo, los sujetos económicos particulares dedican en mayor o en menor escala su actividad a una economía útil, es decir, al empleo más favorable posible de sus fuerzas y medios."

Finalmente. Ruhland pretende demostrar que toda una serie de pueblos civilizados, desde los judíos y antiguos griegos, hasta el presente, han perecido a manos del capitalismo. No da ninguna definición precisa de este, sino que solamente dice que "la esencia del capitalismo consiste en la apropiación contractual de la *plus valía*".

No puede llamarse capitalismo al denominado patrimonio de disfrute, es decir, los bienes de uso y consumo que sirven de una manera inmediata para la satisfacción de las necesidades de la vida. Capitalismo es el propiamente *patrimonial,* esto es, los medios que sirven para la producción o adquisición de nuevos bienes con fines de utilidad o lucro en sentido económico privado.

Por conducto de la gran explotación, sus propietarios, los grandes capitalistas, se erigen en portadores del progreso económico y técnico y exigen al mismo tiempo una posición social más elevada. Esta ha sido la causa de la gran pujanza adquirida por el capitalismo. Este ha ejercido el desventajoso efecto de que en toda sociedad los intereses económicos se revelen en la actualidad con más energía que nunca, que las luchas de intereses sean más violentas, influyendo y dando la pauta a toda la vida política y cultural de la nación. El capitalismo, desencadenado en el período *liberal,* ha traído como consecuencia el *materialismo* de los países industriales de Occidente y de los Estados Unidos, los cuales "solo crean civilización, pero no cultura".

Según Fuchs, "es necesario imponer a sus excesos determinadas *limitaciones*: por una parte, para evitar la explotación de las humanas energías mediante la protección al obrero"; por otra parte, en lo que hace relación a la explotación de las energías naturales del país y de sus bellezas artísticas mediante "la protección a la patria". Además, antes de la primera gran guerra mundial de 1914-1918, el capitalismo fue objeto de considerables restricciones, determinadas por "el socialismo de Estado, comunal y obrero".

"Esta tendencia seguirá acentuándose en el porvenir, especialmente por el influjo de las diversas formas de *socialización,* no por el *socialismo* en sentido estricto, para el cual son esenciales la supresión de la propiedad privada de todas las formas del capital, así como la de la producción individual y su sustitución por la propiedad colectiva sobre el capital y la producción colectiva, para acabar con el salariado. Esto conduce—como revela el caso de Rusia—a la disminución o al completo aniquilamiento de la producción, y, como consecuencias inmediatas, al hambre y a la miseria.

"Los polos opuestos no están constituidos por el *capitalismo* y el *socialismo,* sino que son, de una parte: *capitalismo* (deseo razonable de lucro en el orden económico privado) y *economía colectiva (solidarismo,* etcétera, cuyo deseo de lucro está limitado por motivos de carácter económico nacional, etcétera, como el "socialismo nacional, comunal y obrero", y otras formas de la "socialización", es decir, el socialismo en sentido amplio), y, por otra parte: *ordenación individualista de la producción y de la economía y socialismo en sentido estricto.* El capitalismo será, indudablemente, limitado por razones de orden económico-colectivo; pero la ordenación individualista de la producción y de la economía habrá de seguir siendo, en el porvenir, el fundamento de la economía nacional."

El marxismo y el socialismo han decretado que el capitalismo es el arma con que la burguesía tiene sometido al pueblo que trabaja. El empleo del capital permite conseguir *plus valía;* la *plus valía,* a su vez, aumenta el capital. Cuanto más acumula el capitalista, más puede acumular. La consigna de la burguesía es ahorrar, ahorrar para transformar continuamente en capital la mayor parte de la *plus valía.* Si el proletario no es más que una máquina de producir *plus valía,* ha dicho Deville, el capitalista tampoco es más que una máquina de capitalizar dicha *plus valía.*

Cuanto más poderoso sea el capitalismo, tanto mejor podrá dominar todos los resortes de la nación: la política, la administración, el maquinismo, la mano de obra. El capitalismo, para los marxistas, es como un pulpo gigantesco e insaciable, cuyos tentáculos oprimen la vida, la secan, la trituran.

El capitalismo tiene, lógicamente, sus ventajas y sus inconvenientes.

Entre los segundos están: la fuerza enorme del capitalismo ajena a sus fines; el poder del capitalismo en relación con la explotación de la clase obrera.

La gran propiedad patrimonial confiere a su propietario un poder enorme, económico y político. En lo que respecta al segundo aspecto, recuérdense los *trusts* de los Estados Unidos, frente a los cuales es casi impotente el Poder público. En relación con el aspecto económico, como el capitalismo no encuentra diques para organizar sus empresas, pone en peligro las del Estado, con las cuales compite y con las cuales *no se adapta.*

El capitalismo, soberano absoluto de una empresa, hállase frente a sus obreros en la misma posición que un monarca anticonstitucional frente a *sus súbditos.* Conforme a ello, dicta unilateralmente las condiciones bajo las cuales coloca a los obreros, a los cuales no les queda otra opción que someterse o dejar de comer.

Las ventajas del capitalismo también son indudables, contándose como la más esencial de aquellas la de que favorece de un modo extraordinario el establecimiento de nuevas empresas, y que coloca al empresario en su verdadero elemento de vida, en cuanto le asegura la absoluta y necesaria libertad de acción.

"Pero, a pesar de todas sus ventajas e inconvenientes (que, además, pueden aminorarse en parte), el capitalismo es actualmente imprescindible mientras los hombres sean como son, y así lo reconoce también Rodbertus, pues es hoy el único medio que poseemos para obligar a los hombres a obedecer, es decir, para hacerles trabajar armónicamente con arreglo a un plan de conjunto. Si algún día se logra perfeccionar a la gran masa humana por cultura, de tal modo que reconozca la necesidad de la cooperación armónica, entonces se podrá sustituir naturalmente la producción capitalista por la social. De hecho existen en nuestros días, si bien en proporciones modestas, múltiples intentos de una producción cooperativa desprovista de capitalismo. Y aún tenemos que hacer mención de otro hecho. Hoy existen toda una serie de empresas industriales en manos del Estado, de la Provincia, del Municipio y de otras corporaciones públicas análogas. Si bien es verdad que también estas empresas están organizadas, en principio, sobre la base *capitalista,* es decir, sobre el sistema del salario, no obstante, el *principio capitalista* pierde así mucho de su dureza, porque estas corporaciones (y lo mismo se puede afirmar en gran parte de algunas Sociedades por acciones) no necesitan estar poseídas del momento especulativo en la misma medida que los empresarios particulares, y, por tanto, se hallan en condiciones mejores de asegurar a sus obreros una colocación parecida a la del empleado. Más no piden los trabajadores." (Kleinwächter.)

Desdichadamente, hoy, capitalismo significa tanto como lucha implacable *de clases,* origen del calamitoso estado en que se encuentra el mundo.

V. SOMBART, Werner: *El moderno capitalismo.* Leipzig, 1902 (en alemán).—WERNICKE, J.: *Capitalismo y política de la clase media.* Jena, 1907 (en alemán).—GONNARD, René: *Historia de las doctrinas económicas.* Madrid, Aguilar, 1952.—FUCHS, C. F.: *Economía política.* Barcelona, Labor, [¿1925?].

CAPITULARES

Nombre dado a las ordenanzas, constituciones, leyes o decretos promulgados por los reyes francos de las primeras dinastías. Estaban divididas las Capitulares en pequeños *capitula,* sin orden, sin método. Los más antiguos ejemplares que se conocen son las *Capitulares* de Clotario I, hacia el año 560, y las *Capitulares triplex* de Dagoberto, que son las primeras que llevan el título de *Capitulario.*

También en Francia, hacia el siglo VIII, aparecieron los primeros *Capitularios episcopales.* En siglos posteriores, en distintos países, abundaron los *Capitularios eclesiásticos* por diócesis.

CAPÍTULO

División que se hace en los libros y en otros escritos para su buen ordenamiento y para la debida separación de las materias o temas de que los libros tratan.

CAPRICHO

1. Idea, concepto o propósito que alguno forma, sin fundamento ni razón las más de las veces, fuera de las reglas ordinarias y comunes.

2. En arte, cuanto se lleva a cabo con la fuerza del ingenio y con la voluntad del temperamento y con exclusión de todas o de la mayoría de las reglas.

CARÁCTER

1. Índole. Condición. Genio.
2. Personalidad literaria.
3. Distintivo o señal diferencial.
4. Modo de ser privativo de cada persona.
5. Elevación, fuerza de ánimo.
6. Originalidad, sello personal.

CARÁCTER (Descriptivo)

Es una de las clases de la *descripción* (V.), que bosqueja la manera especial de obrar de una persona considerada como tipo de una clase entera, o describe las costumbres y condiciones de los distintos estados y categorías sociales, pueblos, profesiones, etc.

CARACTERÍSTICA

1. Letra que en las lenguas clásicas orientales diferencia las formas temporales y las modales en los verbos.

2. Conjunto de las condiciones peculiares de un ser o de una cosa.

CARACTERÍSTICA o CARACTERÍSTICO (Teatro)

Actriz o actor que en las obras escénicas representa papeles de personas de edad.

CARACTERÍSTICA UNIVERSAL

Lengua filosófica universal, proyectada por Leibniz, "en la que los caracteres hubieran sido elegidos de manera que tradujesen bien las ideas, en lugar de ser arbitrarios, como en las lenguas alfabéticas".

CARIBES (Lenguas)

Grupo de idiomas hablados en la América del Sur, particularmente en las regiones de los ríos Orinoco y Amazonas, y en numerosas islas del mar de las Antillas—en la parte donde es denominado *mar Caribe*—. También se habla en Colombia, en las Pequeñas Antillas y en las Guayanas.

Estos idiomas o dialectos son más de treinta, contándose entre los principales: el *caribe* propiamente dicho—hablado en la Guayana francesa—; el *guaribe* y el *pariagote*—hablados en Venezuela, región de Caracas—; el *tamanaque* —dialecto particular de las poblaciones de la orilla derecha del Orinoco—; el *aravaque*—hablado en la Guayana holandesa—; el *chayma*—hablado en Cumaná y en el litoral del golfo Paria—; el *cumaganotte*...

A pesar de las particularidades que separan y diferencian estos dialectos, se observan en todos ellos los mismos caracteres generales. La pronunciación es muy dulce y armoniosa. Casi todas las palabras terminan en una vocal. El plural de los nombres se forma añadiendo al singular las palabras *mucho y todos.* La conjugación es sumamente rica en tiempos, y la voz pasiva se forma con el auxiliar *ser.* La negación se expresa añadiendo una *m* al principio de la palabra o la sílaba *pra* al fin de la misma. En la construcción, los períodos son sumamente largos, sin que caigan por ello en oscuridad alguna. Y existe una forma reverenciosa de lenguaje, reservada para hablar con las mujeres.

Los caribes no utilizaron la escritura hasta que llegaron a sus tierras los europeos. Empleaban—como los peruanos y otros pueblos de América—, para llevar sus cuentas y una correspondencia limitada, los *quippos,* que no eran otra cosa que unos cordelitos que se anudaban de diferentes formas.

Los misioneros han publicado numerosísimos trabajos acerca de las lenguas caribes.

V. LUDEWIG, H. E.: *The literature of americ. aboriginal languages.*—MEINERS, Chr.: *Geschichte des weiblichen Geschbechts.* Tomo I.

CARICATURA

1. Escrito literario en el que, bajo alusiones o emblemas enigmáticos, se intenta ridiculizar a una persona o cosa.

2. Remedo que en el teatro se hace por los actores de personas conocidas, intentando llevarlas al ridículo de una situación grotesca, ante la pública expectación.

En el género literario teatral, la *caricatura* ha tenido siempre una gran importancia y trascendencia. Ha sido un *recurso infalible* para provocar en las multitudes reacciones de tipo moral.

Aristófanes, en Grecia, y Plauto, en Roma, caricaturizaron a personas como el avaro, el hipócrita, el lujurioso; y costumbres como las de los juegos de azar y de envite, las de los pleitos temerarios, la de la murmuración.

Modernamente, muchas obras teatrales son calificadas por sus propios autores como *caricaturas,* cuando con ellas se proponen ridiculizar a alguien o algo, o poner en lastimosa evidencia alguna moda o alguna costumbre.

V. BABAULT, E.: *Annales dramatiques.*—SCHACK, B. de: *Historia del arte escénico en España.*

CARIENTISMO (V. Ironía)

De χαοιεντισμός, broma, chanza. Figura de ingenio, que consiste en disfrazar con delicadeza una burla o ironía.

CARLOVINGIO (Ciclo)

1. Relativo o perteneciente a Carlomagno y su linaje.

2. Dinastía fundada por Clodoveo, primer rey de los francos.

3. El primero en antigüedad e importancia de los tres ciclos principales que comprenden la mayoría de las composiciones poéticas y legendarias de los siglos XII y XIII (V. Gesta. Canción de).

Está compuesto por tres grandes gestas: la del rey, o *Gesta de Pepin;* la de los caballeros del Sur, fieles a la realeza, o *Gesta de Garin de Montglane,* llamada también de *Guillaume au Court Nez,* y la de los héroes rebeldes del Norte, o *Gesta de Doon de Mayence.*

Cada una de estas gestas comprende otras muchas.

Por ejemplo: la *Gesta de Doon de Mayence* comprende once canciones: 1.ª *Doon de Mayence;* 2.ª *Gaufrey;* 3.ª *Enfance Ogier,* por Adenes li Rois; 4.ª *La chavalerie Ogier,* por Raimbert de Paris; 5.ª *Doon de Nanteuil;* 6.ª *Aye d'Avignon;* 7.ª *Guy de Nanteuil;* 8.ª *Parise la duchesse;* 9.ª *Maugis d'Aigremont;* 10. *L'amachour de Monbranc;* 11. *Les quatre fils Aymon.*

La *Gesta de Guillaume au Court Nez* comprende dieciocho canciones, con un total de 117.300 versos: 1.ª *Garin de Montglane;* 2.ª *Girart de Viane;* 3.ª *Aimeri de Narbonne;* 4.ª *Enfances Guillaume;* 5.ª *Coronement Looys;* 6.ª *De charroi de Nismes;* 7.ª *La prise d'Orange;* 8.ª *Liège de Barbastre et Beuve de Comarchis;* 9.ª *Guibert d'Andrenas;* 10. *Mort d'Aimeri;* 11. *Enfances vivien;* 12. *Bataille d'Aleschans;* 13. *Moniage Guillaume;* 14. *Rainouart;* 15. *Bataille de Loquifer;* 16. *Moniage Rainouart;* 17. *Renier;* 18. *Foulque de Candie.*

La *Gesta de Pepin* está formada por dieciocho poemas: 1.º *Berte aux grands pieds,* por

Adenes; 2.º *Enfances Charlemagne;* 3.º *Enfances Roland;* 4.º *Jean de Lanson;* 5.º *Aquin;* 6.º *Aspremont;* 7.º *Fierabras;* 8.º *Otinel;* 9.º *Guy de Bourgogne;* 10. *Prise de Pampelune;* 11. *Anseis de Carthage;* 12. *Roland ou Roncesvalles;* 13. *Conquête de l'Espagne;* 14. *Gaydon;* 15. *Les Saxons;* 16. *Simon de Pouille;* 17. *Huon de Bordeaux;* 18. *Lion de Bourges.*

V. Héricault, Ch. d': *Essai sur l'origine de l'épopée française.* París, 1859.—Gautier, León: *Les épopées françaises.* Tomo I.

CARMINA BURANA

1. Colección de cánticos latinos medievales.
2. Cánticos latinoalemanes que cantaban—siglos xii y xiii—unos clérigos vagabundos llamados *Goliardos o Vagantes.*

El nombre *burana* procede de la Abadía de Beuern, donde se halló el manuscrito que contiene dichos cánticos. Tenían carácter polémico, erótico, satírico.

El texto primitivo de los *carmina burana* fue publicado—Wurzburgo, 1879—por Pernwerth de Bärstein. Gröber—1879—publicó una colección con el título de *Carmina clericorum y Gaudeamus, Carmina vagorum selecta.*

V. Gieschrecht: *Die Vaganten oder Goliarden und ihre Lieder.* Brunswick, 1853.—Ehrenthol: *Studien zu den Liedem der Vagantem.* Leipzig, 1891.

CARNAVAL (Cantos de)

Canti carnascialeschi. Canciones populares de jolgorio en Florencia durante la época renacentista. Lorenzo de Médicis fue el creador de este género, en el que le imitaron Maquiavelo y otros graves escritores, sin que llegaran a igualarle. Un alemán, Henri Isaak, conocido en Italia con el nombre de *Arrigho-Tedeschi,* compuso en Florencia, hacia 1475, sus *Cantos de Carnaval.* Francisco Spaziani los publicó en 1559.

CARNAVAL (Escenas de)

Las más antiguas formas profanas del arte dramático. Nacieron en Alemania—*Fastnachtsspiele*—a continuación del drama religioso.

Datan estas escenas del siglo xv y responden a las groseras costumbres de la época. Sus argumentos eran riñas entre vecinos, burlas de amores, ventas en los mercados, bromas carnavalescas, hurtos ingeniosos. Fueron escritas en *bajo alemán,* y tuvieron éxitos enormes, primero, en Nuremberg, y después, en Ausburgo.

Son conocidos algunos de los autores de este teatro grotesco: Hans Rosenblüt, Hans Folz, Hans Sachs—el más importante y famoso.

V. Keller: *Pièces de Carnaval allemandes au XVe siècle.* Trad. París. Tres volúmenes.

CARNEADISMO

Doctrina filosófica de Carnéades, filósofo griego que nació—213 antes de Cristo—en Cirene. Murió—129—en Atenas. Fueron sus maestros de Filosofía Diógenes de Babilonia, el estoico Crisipo y el académico Hegesino. Se le considera como jefe de la nueva Academia. Enseñó en Atenas que únicamente los dioses podían comprender la verdad, y que el hombre percibía la *apariciencia* de aquella; negó la divinidad y la creencia de los oráculos. Introdujo en la Filosofía helénica una nueva teoría de la *probabilidad.* De 156 a 155, los atenienses le enviaron a Roma, juntamente con el estoico Diógenes y con el peripatético Critolao, para que solicitaran el perdón de un impuesto de guerra cargado sobre Atenas. En su vejez tuvo a su lado a su discípulo y sucesor en la escuela, el laborioso y agudo Clitómaco. Cicerón alabó a Carnéades repetidas veces. Murió sin dejar obra alguna.

Antes que Carnéades, Arcesilao había enseñado que el hombre debe renunciar a la certeza, contentándose con la *probabilidad.* Es imposible conocer las cosas en sí mismas, y por ello debemos abstenernos de todo juicio dogmático. En el orden práctico, admite como regla del juicio la opinión, por cuyo vocablo entiende las apariencias más o menos probables. Carnéades amplió y perfeccionó la doctrina de la *probabilidad.* Entre el sujeto que conoce y el objeto que cree conocer, se coloca la *fantasía,* la *apariencia,* que es relativa a uno y a otro. Pero siendo imposible comparar la apariencia con el objeto, porque para ello sería necesario que de antemano conociésemos el objeto mismo, se sigue no hay medios hábiles de poseer ciencia cierta de las cosas. Sin embargo, no niega toda confianza a la apariencia, porque al cabo pudiera ser verdadera. Por ello, es preciso investigar y discernir cuál es probable y cuál no lo es. Esta probabilidad hay que buscarla en el sujeto que conoce y no en el objeto conocido. Para que el criterio quede constituido, se precisan los requisitos siguientes: vivacidad de la impresión; consonancia que tenga con otras apariencias; examen que hagamos de la apariencia considerándola bajo los distintos aspectos que nos ofrezca.

Nuestro gran filósofo Balmes hace una síntesis maestra del carneadismo en su *Historia de la Filosofía*: "Era Carnéades hombre de talento extraordinario, de mucha facundia y elegancia, y versado en todas las partes de la filosofía, en lo cual excedía al mismo Arcesilao. Sostuvo, como este, que nada sabemos, ni aun sabemos que no sabemos; y cuando Antípatro le objetaba que, al menos, debíamos saber esto último, ya que en ella se fundaba la Academia, respondía Carnéades que la regla era general, sin excepción de ninguna clase; y, por tanto, que la ignorancia de todo queda también envuelta en la ignorancia de la ignorancia. Sin embargo, no se crea que Carnéades estableciese la duda universal, a la manera de Pirrón; admitía las probabilidades; solo negaba la certeza, en lo cual opinaba tener lo bastante para la discusión filosófica y la conducta de vida. Además, parece que no llevaba su severidad hasta el punto que

Arcesilao; este creía que el sabio no debe afirmar *nunca.* Carnéades concedía que en ciertos casos la afirmación era permitida. Esto era un paso importantísimo, y separaba mucho a Carnéades de Arcesilao. Cicerón no aprueba esta reforma, y se inclina a creer que Carnéades no lo estableció así absolutamente, y que trató la cuestión sin resolverla. Y en verdad que no habría mucha lógica en esta concesión de Carnéades; porque siendo doctrina fundamental de su escuela el que no haya ninguna representación verdadera que no pueda ser imitada por otra falsa, no se concibe por qué se encontrarían casos en que la afirmación fuese legítima, a no ser que se destruya el cimiento de la Academia. La escuela de Carnéades combatía hasta la misma dialéctica, comparándola con Penólope, porque deshacía a un tiempo lo que había tejido en otro. ¿Qué se necesita, preguntaban, para formar un montón? ¿Bastan dos granos? ¿Tres? No. ¿Cuatro? No. Lo mismo, añadían, se puede preguntar sobre la riqueza y la pobrcza, la fama y la oscuridad, lo mucho y lo poco, lo largo y lo corto, lo ancho y lo estrecho; y así, decían que no es posible fijar nada, pues que por una degradación vamos retrocediendo delante de una serie de interrogaciones que no nos dejan descansar. "Me paré", decía Crisipo. "Párate en buena hora—replicaba Carnéades—; respira, duerme si quieres; pero ¿de qué te sirve el reposo? Te despertarán, y te encontrarás de nuevo con las preguntas." "Pero haré lo que un buen conductor: detendré los caballos si veo un precipicio; no responderé nada; callaré." "Bien está; pero callas lo que sabes o lo que no sabes; si lo que sabes, el silencio es orgullo; si lo que no sabes, caíste en la red."

"La dialéctica establece que toda proposición es verdadera o falsa. He aquí un ejemplo de las sutilezas con que Carnéades combatía este axioma: "Si dices que mientes y, en efecto, así es, mientes y dices verdad; luego tenemos el sí y el no." Este es un juego de palabras; porque en tal caso se dice verdad respecto a la afirmación de la mentira, como un hecho anterior; el *sí* se refiere al acto de mentir; el *no,* a la falta de verdad en lo afirmado por la mentira."

El carneadismo contó con muchos y muy ilustres discípulos y defensores, entre los que sobresalieron: Clitómaco de Cartago, Filón de Larisa, Antíoco Ascalonita, Teofrasto, Dicearco de Mesina, Estratón de Lampsaco y el genial Cicerón.

V. Corsini: *De Carneadis vita.* En "Fasti Attici", IV, 572.—Gourand: *De Carneadis Academici vita et placitis.* París, 1848.—Balmes, Jaime: *Historia de la Filosofía.* Barcelona, 1884, 7.ª ed.—Ritter: *Histoire de la philosophie ancienne.* Trad. franc. París, 1896.—Windelband, G.: *Geschichte der alten Philosophie.* 4.ª ed. Munich, 1923.—Aster, Ernst von: *Historia de la Filosofía.* Barcelona, Labor, 1935.

CAROLINGIO (Ciclo) (V. Carlovingio, Ciclo)

CAROLINOS (Libros)

Obra teológica atribuida al emperador Carlomagno. Naturalmente, debe pensarse en él como impulsor o como ordenador.

CARTA

1. Papel escrito, doblado y ordinariamente encerrado en un sobre con goma, oblea o lacre, que se envía de una parte a otra para comunicarse y tratarse unas personas con otras estando ausentes.

2. Conversaciones por escrito entre personas ausentes.

A la carta se la llama *letras,* nombre ya anticuado, y *epístola,* cuando está escrita en verso o revestida de galas poéticas.

Las cartas, por los fines y materias de su contenido, se dividen: de *enhorabuena,* de *pésame, petitorias, suasorias, disuasorias,* de *recomendación,* de *oficio,* de *amor, noticieras,* de *felicitación,* de *ofrecimiento...* También hay cartas *científicas, literarias, morales, políticas, religiosas, artísticas, descriptivas...*

La *carta literaria* es uno de los géneros más interesantes y difíciles, pero también de los más y mejor cultivados en todas las literaturas.

La *carta literaria* ha sido estimada hasta tal punto, que con una sucesión de ellas se ha llegado a componer novelas hermosísimas, como *Las amistades peligrosas,* de Lanclos.

La *carta literaria* es la expresión más propicia de las confesiones sinceras de los grandes espíritus ante sus contemporáneos y ante la posteridad. Famosísimas son las *Cartas* de Cicerón, Plinio, San Jerónimo, San Agustín, Santa Teresa de Jesús, Fernando del Pulgar, San Ignacio de Loyola, el Beato Juan de Ávila, Antonio Pérez, Quevedo, el P. Isla...

CARTAGINESA (Lengua y literatura)

Puede establecerse una estrechísima relación entre la lengua cartaginesa y la de los hebreos y fenicios. Se habló en Cartago, en algunos puntos del litoral africano septentrional—donde los cartigenes habían establecido bases comerciales—y en parte de Sicilia, Cerdeña, Malta y España. La lengua cartaginesa era aún hablada en Africa en los tiempos de San Jerónimo y de San Agustín. Hoy día está considerada como una *lengua muerta,* aun cuando algunos filólogos han querido *resucitarla* en el idioma actual de Malta.

Los monumentos literarios de la lengua púnica no son muy numerosos: las inscripciones encontradas en Sicilia, en Malta y sobre el emplazamiento que tuvo Cartago; algunas medallas y dieciséis versos en el *Poenulus* de Plauto.

Hacia el año 509 antes de Cristo, el navegante Hannón escribió una relación de su viaje por las costas africanas, que nosotros conocemos por una traducción griega titulada *Periplo.* Magon, que vivió en el siglo II anterior a nuestra Era, escribió una obra, en veintiocho libros, sobre agricultura, que Escipión Emiliano se llevó a Roma, siendo traducida al griego por Casio Dionisio de Utica y al latín por Sibano.

También hubo un filósofo nacido en Cartago, Asdrúbal Clitomaco, que vivió hacia el año 130 antes de Cristo. Discípulo de Carnéades y su sucesor en la Academia, pertenece más bien a la historia de las letras griegas.

Plinio visitó las bibliotecas cartaginesas. Y Salustio hace mención de algunos libros púnicos que habían pertenecido al rey de Numidia, Hiempsal.

V. Hamaker, H.-A.: *Micellania phoenicia.* Leyden, 1828.—Gesenius, W.: *Paläographische Studien über die Phoenizische und Punische Schrift.*

CARTAS (Escuela de)

Fue proyectada por Napoleón I y fundada en París en 1821. Estuvo destinada a la perfecta formación de archiveros paleógrafos. La enseñanza comprendía: lectura de manuscritos, conocimientos de los idiomas clásicos orientales, estudio de las fuentes de la Historia—medallas, monedas, inscripciones...—. Fue reorganizada y se desarrolló merced a las Ordenanzas reales de 1823, 1829, 1835 y 1849. Desde esta última fecha, los estudios comprendían: paleografía, diplomática, crítica de los manuscritos, arqueología, historia, geografía, Derecho civil, canónico y feudal, conocimientos técnicos de bibliografía, biblioteconomía..., clasificación de libros, documentos y objetos artísticos... Eran exigidos exámenes y tesis. Los alumnos más aventajados eran enviados, por sorteo, como agregados culturales, al extranjero, dándoseles así facilidades para ampliar sus conocimientos.

Los antiguos alumnos de la *Escuela de Cartas* iniciaron en 1839 la publicación de una revista titulada *Bibliothèque de l'Ecole des Chartes,* que aparecía cada dos meses y contenía eruditísimos estudios.

V. Alglave: *L'Enseignement de l'Ecole des Chartes.* En la "Rev. des Cours Littéraires". Tomo I.—Notice historique al frente del tomo I de la *Bibliothèque de l'Ecole des Chartes.*

CARTEL

1. Papel escrito que se fija en algún paraje público para dar a conocer alguna noticia.

2. Todos los pueblos han practicado, con cierta medida, el uso del *cartel*—tabla, pergamino o papel escritos—, que era fijado en las murallas, en las plazas, en las portadas de los edificios. En Atenas, las leyes de Solón fueron expuestas sobre cierto número de rodillos. En Roma, las leyes fueron grabadas sobre tablas o en columnas colocadas al aire libre.

El *cartel literario* recibe también el nombre de anuncio, ya que, de una manera fácil—pegado a las paredes, repartido en las calles, enviado por correo—da a conocer al público la aparición de una obra, su contenido y aun los juicios que ha merecido a la crítica.

El *cartel,* para que sea *literario,* debe reunir un determinado número de calidades. Ser ameno. Ser sugestivo. Estar redactado con corrección y con originalidad.

CARTESIANISMO

Sistema filosófico de Cartesio o Descartes, gran filósofo francés, que nació—1598—en La Haya. Murió—1650—en Estocolmo. Estudió en el colegio de jesuitas de La Flèche. Abrazó la carrera militar, y a las órdenes de Guillermo de Orange combatió a los españoles en Holanda. Guerreó también en Hungría y asistió a la toma de Praga. De regreso a Francia, se dedicó por completo a los estudios filosóficos. Estuvo en Italia en 1624. En 1628 decidió trasladarse a Holanda, país tranquilo, donde vivió hasta el año 1649, consagrado por completo a sus obras y a su abundante correspondencia. En el otoño de este mismo año fue invitado a una residencia en Estocolmo por la reina Cristina de Suecia, con quien mantenía relaciones epistolares. Trasladado a Estocolmo, su débil naturaleza no pudo resistir el clima riguroso de esta ciudad y murió de una pulmonía.

Se considera a Descartes como el fundador de la filosofía moderna.

La fama de Descartes es una de las más sólidas y claras en el mundo.

Dejó escritas, entre otras, las siguientes obras: *Discours de la Méthode*—1637—, *Meditationes de prima philosophia*—1642—, *Epistola ad Gisbertum Voëitum*—1643—, *Principia Philosophiae*—1644—, *Compendium Musicae*—1650—, *De Homine*—póstuma, 1662—, *Le Monde*—póstuma, 1664.—, *Les passions de l'âme*—escrita originariamente en francés—, *Regulae ad directionem ingenii, Inquisitio veritatis per homen naturale...*

El cartesianismo tuvo un triunfo tan rápido como brillante. No solo captó a reyes, ministros, aristócratas, filósofos y hombres de letras, sino que penetró en círculos ortodoxos, como en el Oratorio, y entre muchos franciscanos y benedictinos. Fueron los jesuitas quienes denunciaron y combatieron el cartesianismo, logrando que las *Meditationes* fueran llevadas al Índice Romano el 10 octubre de 1663, y dos meses después, la *Ópera philosophica.* También, por consejo de los jesuitas y de la Sorbona, Luis XIV prohibió la enseñanza del cartesianismo.

En pocas líneas pueden condensarse los principios fundamentales de esta doctrina:

1.º Dualismo entre el alma y el cuerpo, sustancias independientes sin ninguna interacción.

2.º Ocasionalismo o idea de que todas las relaciones aparentes entre el espíritu y la materia provienen de la intervención directa de Dios, quien produce cambios en una sustancia cuando se producen cambios en la otra.

3.° Identificación del alma con el pensamiento.

4.° Dios como principio intelectual del mundo.

Sin embargo, por su gran importancia y por su gran trascendencia, conviene ampliar los conocimientos expuestos del cartesianismo. Para ello empezó por sentar los puntos capitales del cartesianismo:

1.° La duda metódica.

2.° El principio *cogito, ergo sum* (pienso, luego existo).

3. El poner la esencia del alma en el pensamiento.

4.° Constituir la esencia de los cuerpos en la extensión.

¿Cuál fue el origen de la duda metódica y del desdén de Descartes por las escuelas filosóficas? El mismo nos lo explica en su *Discurso sobre el método*—p. IV.—: "Como los sentidos nos engañan algunas veces, quise *suponer* que no había nada parecido a lo que ellos nos hacen imaginar; como hay hombres que se engañan raciocinando aun sobre las materias más sencillas de geometría y hacen paralogismos, juzgando yo que estaba tan sujeto a errar como ellos, deseché como falsas todas las razones que antes había tomado por demostraciones; y considerando, en fin, que aun los mismos pensamientos que tenemos durante la vigilia pueden venirnos en el sueño, sin que entonces ninguno de ellos sea verdadero, me resolví a *fingir* que todas las cosas que habían entrado en mi espíritu no encerraban más verdad que las ilusiones de los sueños."

Del párrafo traducido se desprende que la duda metódica y universal de Descartes no era auténtica ni absoluta, sino una *suposición*, una *ficción;* y se reduce a una idea común a todos los métodos. "Cuando solo se trata de la contemplación de la verdad—dice el propio Descartes—, ¿quién ha dudado jamás de que sea necesario suspender el juicio sobre las cosas oscuras o que no son distintamente conocidas?" Conviene advertir que Descartes no introdujo un método nuevo en la filosofía. La máxima de que no conociendo aún la verdad debe suspenderse el juicio, era vulgarmente admitida entre los griegos.

Contra lo que opinan algunos filósofos, el método cartesiano no es puramente negativo, porque no se limita a negar, esto es, a destruir, sino que edifica sobre las ruinas de lo destruido; no se contentó con afimar: "Esto no es verdad!", pues añadió: "La verdad es esta." De aquí la renovación transcendental que aportó el cartesianismo al campo de la filosofía.

El principio fundamental cartesiano: *Cogito, ergo sum,* nació de una duda. "Pero desde luego, advertí—confiesa Descartes—que mientras quería pensar que todo era falso, era necesario que yo, que lo pensaba, fuera alguna cosa; y notando que esta verdad: *yo pienso, luego existo,* era tan firme y segura, que las más extravagantes suposiciones de los escépticos no eran capaces de conmoverla, juzgué que sin escrúpulo podía recibirla por el primer principio de la filosofía. Cuando conocemos que somos una cosa que piensa, esta primera noción *no está sacada de ningún silogismo;* y cuando alguno dice: yo pienso, luego soy o existo, no *infiere* del pensamiento su existencia, como por la fuerza de un silogismo, sino como una cosa conocida por sí misma, *la ve por una simple inspección del espíritu,* pues que si la dedujera de un silogismo, habría necesitado conocer de antemano esta mayor: todo lo que piensa es o existe. Por el contrario, esta proposición se la manifiesta su propio sentimiento de que no puede suceder que piense sin existir. Este es el carácter propio de nuestro espíritu, de formar proposiciones generales por el conocimiento de las particulares."

Descartes consignaba en la conciencia del yo individual un hecho y un principio. El hecho es la duda, el pensamiento, la existencia. El principio es la relación de la duda al pensamiento y del pensamiento a la existencia. Según el gran filósofo, en la idea de la duda estaba contenido el pensamiento; y la existencia estaba contenida en la idea del pensamiento. La percepción de tales relaciones constituye este principio general: "Todo lo que está claramente contenido en la idea de una cosa, debe afirmarse de esta cosa."

Para trasladarse desde el mundo de la conciencia al de la realidad, hay que resolver el problema siguiente: "Encontrar una idea que no puede subsistir como concepto de la mente, sin que su objeto exista realmente." Y tal idea, para Descartes, es la del Ser Supremo, modelo de todas las perfecciones, ya que la idea de la perfección absoluta implica la de existencia, porque la existencia es una perfección. Así, si él —Descartes—existe, porque esta idea está incluida en su pensamiento, existe el Ser Supremo, porque la existencia de Él está comprendida en la idea que tenemos de este mismo Ser.

Para el cartesianismo, una nueva prueba de la existencia de Dios se saca de la idea *de lo infinito.* "Mi inteligencia—dice Descartes—es finita, y, por consiguiente, no ha podido producir la idea *de lo infinito;* toda causa finita, sea la que fuere, se halla en el mismo caso; de lo que se infiere que esa idea de infinito ha de haber sido producida por el propio Ser Infinito."

Según el cartesianismo, el error procede de la inteligencia o de la voluntad. De la inteligencia no puede derivar, ya que la inteligencia crea ideas, y ninguna idea puede ser falsa, porque para que así fuese sería menester que la idea de una cosa no contuviese lo que en realidad contiene; luego nace el error por un acto de la voluntad, cuando afirmamos lo que no está contenido en las ideas. La regla general de los juicios humanos se reduce a contener la voluntad dentro de los límites del entendimiento.

Establecido así su *método,* Descartes intenta

la construcción del sistema de nuestros conocimientos.

El hombre encuentra en su conciencia dos clases de ideas: la del pensamiento y la de la extensión; dos categorías, a las que corresponden las restantes nociones de la inteligencia. Las sustancias de que son atributos dichas ideas son igualmente distintas, hay, pues, seres espirituales y seres materiales. Aquellos tienen como esencial el pensamiento; estos, la extensión. Hay filosofía de los espíritus y filosofía de los cuerpos.

La teoría espiritualista comprende la idea de Dios y la idea del "hombre que comprende". La idea de Dios implica unidad y repugna de toda divisibilidad y de toda extensión. La sensación supone cuerpo. No hay, pues, Dios en ninguna sensación; es inteligencia pura y pura voluntad. La inteligencia humana posee la idea de lo infinito; y esta idea y cuantas de ellas se derivan son innatas, de lo cual se desprende que la muerte tiene facultad de reproducir por sí misma esas ideas.

Por el contrario, la sola idea de la extensión no nos daría la seguridad absoluta de la existencia de los cuerpos; pero la inclinación natural que nos impele a dar crédito a las sensaciones—inclinación comunicada por el Ser Infinito—, no nos deja de ella duda alguna. De este modo, la veracidad de Dios es la garantía de la existencia real de los cuerpos.

La anterior teoría del pensamiento y de la extensión llevó a Descartes a la afirmación del *mecanismo* de los animales, ya que estos no podían quedar comprendidos dentro de ninguna de las dos clases de ideas.

El cartesianismo en física distingue la extensión y el movimiento. "Esta ciencia es la teoría de las propiedades inmutables de la extensión y de las mudables que dependen del movimiento. Todas las explicaciones de los fenómenos materiales proceden de la mecánica apoyada en la geometría."

"Dios es creador de la materia y primer motor del Universo; pero una vez dado el primer impulso, la mecánica explica todas las operaciones del Universo. Excluye como ociosas las investigaciones relativas a las causas finales. El espacio es una modificación de la extensión; y como la extensión es la esencia de los cuerpos, no puede existir espacio donde no hay cuerpos; lo que equivale a sostener que el vacío es imposible. Desecha los elementos indivisibles llamados átomos, por ser la indivisibilidad incompatible con la extensión, puesto que mal podría componerse de elementos que no le fuesen análogos.

"La divisibilidad de la materia es infinita y su extensión no reconoce límites. Suponer el Universo limitado equivaldría a decir que más allá de sus límites hay un vacío infinito. De estas ideas combinadas con los principios generales de la mecánica dedujo su célebre teoría de los torbellinos."

Para Balmes, el influjo de Descartes en cambiar la faz de la filosofía dependió de varias circunstancias: "1.ª De su indudable genio, cuya superioridad no podía menos de ejercer ascendiente sobre todos los espíritus. 2.ª De que había en los ánimos cierta fermentación contra las escuelas predominantes, faltando únicamente un hombre superior que diese la señal de insurrección contra la autoridad de Aristóteles. 3.ª De que Descartes no solo fue metafísico, sino también físico, astrónomo e insigne matemático; con lo cual, al paso que apartaba a los espíritus de las sutilezas de la escuela, los guiaba hacia los estudios positivos, conforme a las tendencias de la época. 4.ª Siendo Descartes eminentemente espiritualista, atrajo a los pensadores aventajados, a quienes abría ancho campo para dilatarse por las regiones ideales. 5.ª Descartes fue un hombre que no escribió por razones de circunstancias, sino por efecto de convicciones profundas."

El cartesianismo alcanzó rápidamente una influencia inmensa en la filosofía europea. Entre sus primeros discípulos se contaron la reina Cristina de Suecia, la princesa Isabel de Bohemia; entre los oratorianos, Malebranche y el P. Poisson; entre los mínimos, el P. Mersenne, entre los franciscanos, V. A. Legrand; entre los benedictinos, Dom Lami; y casi todos los ilustres escritores y oradores de Port-Royal.

Sin embargo, en 1663, trece años después de muerto Descartes, sus doctrinas fueron condenadas por Roma. Sin embargo, conviene advertir que la casi totalidad de los errores achacados al cartesianismo no son, en verdad, de Descartes, sino de algunos de sus discípulos, malos intérprete o audaces intérpretes, o perversos intérpretes de sus doctrinas. A vivir Descartes, seguramente ni hubiera aprobado, ni reconocido siquiera, las consecuencias sacadas de su filosofía. En su más famosa obra, *Discurso sobre el método,* proclamó orgullosamente que deseaba "conservar constantemente la religión en que por la gracia de Dios había sido instruido desde la infancia", y que "las verdades de la fe católica *han sido siempre las primeras en mi creencia*". Y Balmes atestiguó: "Sea cual fuere el abuso que posteriormente se haya hecho del método de Descartes en lo tocante a la religión, debemos confesar que el ilustre filósofo concibió con el espíritu de examen su adhesión al catolicismo."

Pero, indiscutiblemente, del cartesianismo *mal digerido* y de las dificultades que plantea han nacido el *ocasionalismo* (V.) de Malebranche, el *monismo* (V.) de Spinoza, el *sensualismo* (V.) de Locke y Condillac, el *materialismo* (V.) de La Mettrie, el *idealismo* (V.) de Berkeley y el *criticismo* (V.) de Kant.

V. NISSARD: *Descartes et son influence sur la littérature française.* París, 1844. En "Revue des Deux Mondes".—COCHIN, D.: *Descartes.* 1913. En la colección "Les grandes philosophes.—MILLET, J.: *Descartes; sa vie, ses travaux...* París, 1867.—GRIMM, E.: *Descartes Lehre von der angeborenen. Ideen.* Jena 1883.—FOUILLÉ, A.: *Descartes...* París, 1894.—LEROY, M.: *Descartes.* París, 1928.—TANNERY, A.: *Descartes y su filosofía.* En la edición magnífica de las *Obras completas de Descartes.* París, siete tomos.

CARTISMO

Nombre dado a un partido político inglés nacido en 1832, a consecuencia del descontento producido por el Decreto de Reforma electoral (*Reform Bill*) dado en aquel año. Recibió su nombre de que sus afiliados luchaban por conseguir una constitución democrática llamada *Carta del pueblo.*

Esta *Carta* fue redactada por Francis Place y Guillermo Lovett, y estaba inspirada en otra presentada—1817—al Parlamento por John Cartwright y en un folleto escrito por el conde de Richmond, titulado *De los derechos del pueblo.*

Pero si Place y Lovett fueron los teorizantes del cartismo, Owen fue su más apasionado panegirista y defensor.

¿Cuáles eran los principios mantenidos en la *Carta del pueblo?* Que se dejara al pueblo la libre elección de sus representantes. Que se permitiera el sufragio a los varones mayores de ventiún años y a los naturalizados con dos años de residencia. Que el voto fuera secreto. Que los diputados gozaran de dietas. Que hubiera una igualdad electoral en los trescientos distritos en que quedaría dividido el Reino Unido. Que se aboliese el censo como base del sistema electoral.

En 1838, apoyada por la Working men's Association, fue aprobada la *Carta.* En 1840 el cartismo contaba con cuatrocientas asociaciones. Pero dos años después se inició su decadencia, ya que las condiciones de los obreros fueron muy mejoradas, y estos encontraron nuevas panaceas en las Trade-Unions. Sin embargo, en 1848 los sucesos de París provocaron una reacción del cartismo, que logró sumar 500.000 asociados y llevar a la Cámara de los Comunes una petición, avalada por 5.000.000 de firmas, para que las proposiciones sustanciales de la *Carta* fueran elevadas a categorías de leyes.

Esta explosión súbita del cartismo fracasó, según Erskine May, por la incapacidad política de sus jefes.

V. CARLYLE: *Chartisme.* Londres, 1842.—GAMMOGE: *History of the Chartist Movement.* 1894.

CARTULARIOS

En latín, *Cartularia,* reunión de *cartas.* Se da también este nombre a los diversos "Registros" en que los Capítulos, Abades, Corporaciones religiosas, Signatarios, durante la Edad Media, conservaban las cartas, las actas de donación, las actas de venta, los privilegios, las exenciones, etc. Los *Cartularios* contenían, a menudo, un inventario de dichos documentos, y, a veces, el texto completo de los mismos.

Los *Cartularios* tienen un valor extraordinario para la Historia, ya que contienen numerosísimos detalles relativos a las costumbres, usos y derechos de la época y acerca de la topografía de las diferentes regiones y provincias.

En España son famosos los siguientes *Cartularios:* el de *Carles Many,* de la catedral de Gerona, publicado por Botet y Sisó—1905—en el "Boletín de la Real Academia de Buenas Letras"; el de *San Cugat de Vallés,* publicado por el reverendo Mas en 1910; varios de las provincias de Barcelona y Lérida, publicados por Miret y Sans; el del *Monasterio de Santa María de Eslonza,* publicado por Vignau—1886—en el "Boletín de la Academia de la Historia"; el del *Monasterio de Santo Domingo de Silos,* publicado por el P. Ferotin—1891—en el mismo "Boletín"; el de *Sahagún,* el de *San Juan de la Peña...*

En Francia—1907—, Stein publicó una *Bibliographie générale des cartulaires français,* registrando hasta el número 4.522.

V. GIRY, A.: *Manuel de diplomatique.* París, 1894.

CASIDA

Uno de los géneros poéticos de las literaturas árabe, persa, turca e indostánica. Generalmente, es una composición lírica amorosa o elegíaca, pero algunas veces se emplea para la sátira y para el elogio. La *casida* es un pequeño poema que se compone de dísticos, o de una sola rima, no excediendo nunca su extensión de cien versos ni siendo inferior a veinte.

La *casida* es uno de los modelos de la primitiva poesía árabe. Se atribuye su invención a Mohalhal, poeta que vivió en el siglo V de nuestra Era, y que inoculó de refinamiento y erotismo la lírica.

La aparición de las *casidas* coincidió poco después, en la Arabia, con la introducción de la escritura en este país.

Entre las más célebres *casidas* están las siete llamadas *Mohalacas,* denominadas así porque se colgaron copias de ellas en los muros de la Caaba, luego de haber sido premiadas durante las peregrinaciones que se celebraban en tiempos aún anteislámicos.

V. AHLWARDT, W.: *Ueber Poesie und Poetik der Araber.* Greifswald, 1898.

CASTELLANA (Lengua) (V. Española, Lengua)

CASTELLANA (Literatura) (V. Española, Literatura)

CASTICISMO

Este vocablo no tiene un significado y una valoración exclusivamente lingüísticos. Peculiarmente, significa la tendencia literaria a *cuajarse* en un estilo y en una prosa rigurosamente tradicionales, oponiéndose al exotismo, al arcaísmo y al purismo.

El casticismo no es una reacción de una determinada época o excitada por un determinado fenómeno literario. En todos los países y en todos los tiempos han surgido grupos de pensadores y de escritores decididos a defender el patrimonio fabuloso *de la propiedad en el decir bien,* a oponerse al avance de la mixtificación, de la impureza idiomática.

CASTIZO

1. Vocablo o estilo puro, de abolengo clásico.
2. Escritor que emplea vocablos y giros tomados de los clásicos de su idioma.

CATACRESIS (V. Figuras de palabra)

De κατάχρησις, contra uso. Consiste esta figura retórica en reunir voces al parecer disparatadas, y que, sin embargo, son indispensables para hacerse entender. Por ejemplo: *Pudo ver en las tinieblas, A caballo en un borrico.*

También puede consistir en dar a una palabra un sentido traslaticio para que designe algo que carece de nombre especial. Así, *la hoja de la espada, una hoja de papel, la hoja de un libro.*

Literariamente se diferencian la catacresis y la metáfora en que aquella se comete donde falta de todo punto el nombre, y esta, donde hubo otro.

Fórmase catacresis cuando se usurpan voces ajenas para servirse de ellas con abuso por la semejanza más próxima que tienen con las propias y naturales, o cuando el idioma carece de término peculiar y determinado para expresar una cosa. Así, en el primer caso, decimos por extensión: de *montar un caballo, montar un negocio;* de *dar una limosna, dar un consejo.* En el segundo caso: se llama *parricida* al que mata a su abuelo, a su hijo, a su hermano, y *platero,* al que trabaja la plata y el oro.

CATAFASIS

Afirmación.

CATAGLOTISMO

Uso y abuso de palabras rebuscadas, aun cuando sean castizas.

CATALANA (Lengua)

Idioma de origen grecolatino—de igual naturaleza que el provenzal—, hablado en Cataluña y antiguamente en el Rosellón, parte de Navarra y de Aragón, reino de Valencia y reino de Mallorca.

La lengua catalana tiene una extraordinaria analogía con la lengua del Bajo Languedoc, antiguo lemosín o provenzal. Como todas las lenguas neolatinas—de la alteración del latín al contacto con los antiguos idiomas ibéricos—, presenta las mismas raíces que el castellano, el portugués, el provenzal, el italiano y el rumano, pero con un rasgo distintivo peculiarísimo, ya que carecen de él todas las otras lenguas, inclusive la provenzal; tal rasgo es la brevedad en el desarrollo de las radicales. El catalán suprime las desinencias sonoras del castellano—que recuerdan las graves desinencias de la declinación latina—, y donde este dice *hombre, mundo, ciudadano, bueno,* el catalán dice *hom, mon, ciudadá, bo.* También el catalán suprime muchas de las vocales intermedias utilizadas por los otros idiomas hermanos. Orgullo, en provenzal, es *orguelh,* y en catalán, *orgull.* Tal brevedad entraña cierta rudeza. El catalán es un idioma regular, sometido a formas constantes. Tiene gramáticas, diccionarios... La literatura es tan importante como rica y fecunda.

Entre las particularidades más salientes del catalán se cuentan las mencionadas a continuación:

Ausencia o presencia alternativa de la *s* en ciertos casos.

El artículo plural femenino *las,* los sustantivos y adjetivos terminados en *as* cambian dicha terminación en *es.*

Los sustantivos y adjetivos terminados en *an, en, in, im,* en romance, toman la letra final eufórica *y,* y *ann, affann, sen, estran,* se cambian en *anny, afany, seny, estrany.*

La *e* cambia algunas veces en *i.*

La *u* final se une a alguna de las inflexiones de los verbos.

El artículo singular es *lo, la,* y en plural, *los, las* (o *les*) para el masculino y femenino.

La declinación del artículo se efectúa por preposiciones, sin contracción alguna.

El femenino se forma en los sustantivos y adjetivos por adición de la *a.*

Los adjetivos numerales son: *hu, un, una, dos, tres, quatre, cinch, sis, set, vuyt, nou, deu.*

Los pronombres personales son: *jo, mí, me; tú, te; ell, ella; nos, nosaltres; vos, vosaltres; ells, ellas.* Y tiene otros: *ne, hi, ho, llur, hom, tothom, altri.*

Se caracterizan sus conjugaciones por las terminaciones del infinitivo, como en las restantes lenguas románicas.

Los verbos se dividen en *activos, pasivos, neutros, regulares, irregulares, personales, impersonales* y *defectivos.*

El catalán no tiene aún una ortografía uniforme.

En el diccionario catalán se encuentran en

número bastante crecido vocablos griegos, germánicos, árabes.

Es inexacto que los catalanes hasta el siglo XIII no hablaban otro idioma que el provenzal. Esta lengua cultísima era utilizada por los trovadores no solamente en Cataluña, sino en el norte de Italia, pero era desconocida por el pueblo bajo catalán. La *Crónica*—sus fragmentos—de Berenguer de Puigpardines demuestra que a principios del siglo XII ya se escribía un catalán en todo distinto del provenzal y con hechura y carácter propios.

Del siglo IX se conserva, redactado en catalán primitivo, el epitafio de Bernardo, conde de Barcelona. Del mismo siglo—año 842—es la fórmula—redactada en lengua vulgar—del juramento prestado por el rey Luis con motivo de su alianza con Carlos "el Calvo"; fórmula encontrada por el historiador Nithardo. Y Luitprando, en el año 728, afirma que no eran menos de diez las lenguas que en tiempos de los emperadores romanos se hablaban en la Península: *cantábrica, griega, latina, árabe, hebrea, caldea, celtíbera, valentina y catalana.*

Puede afirmarse, tenidas en cuenta las más modernas investigaciones, que el catalán, en el siglo IX, aparece independiente y caracterizado, sin ninguna influencia extraña.

El desenvolvimiento normal de la lengua catalana hay que buscarlo en la prosa y en los cantares populares. Los *Comentaris* y el *Llibre de la Saniesa,* de Jaime I, revelan un idioma singular, firme, libre de toda influencia.

V. BALLOT: *Gramática catalana.* Barcelona, 1816.

CATALANA (Literatura)

La literatura catalana puede dividirse en *antigua* y *moderna.* A su vez, la *antigua* se subdivide en tres períodos:

1.° *Hegemonía provenzal* (de Jaime I a Pedro IV).

2.° *Edad de oro* (Cortes literarias de Juan I y Alfonso V).

3.° *La decadencia* (hegemonía castellana).

La literatura catalana *moderna* se subdivide en dos:

1.° Siglo XIX.

2.° Siglo XX.

El período de la *hegemonía provenzal* se inicia al independizarse los condes de Barcelona, feudatarios de los reyes francos, y termina con la unión de Aragón y Cataluña.

Durante este período son muy íntimas las relaciones culturales de Cataluña con la Galia meridional. A la corte de los condes catalanes acudieron numerosísimos trovadores procedentes del otro lado de los Pirineos, que se dedicaron a ensalzar en lengua provenzal a sus nuevos señores y pusieron de moda los *serventesios.* Entre tales trovadores fueron famosos Marcabrú, Rambáu de Vaqueiras, Guillermo Rainol, Guiráu de Luc, Bertrán de Born... Naturalmente, a imitación de estos trovadores, otros muchos catalanes escribieron en provenzal, distinguiéndose Sabata, Ramón Vidal, Ripollés, Guillermo de Bergadá, Hugo de Mataplana, Pere Seltvage, Ameneos de Escás, Bernart d'Auriac...

Obras famosas fueron: *Dreita maniera de trobar,* de Ramón Vidal de Besalú—poeta, preceptista y filólogo—; *Proverbis rimats,* de Guillén de Cervera—moralista y didáctico—; *La declamación contra las mujeres,* de Serveri.

El reinado de Jaime I marca el origen peculiar de la literatura catalana.

Jaime I creó una lengua y una literatura nacionales, dejándonos su *Crónica* y el *Llibre de la Saviesa.*

Monumentos literarios de gran importancia son, en la prosa histórica: las *Cróniques* o *Conquestes de Catalunya,* de Desilot; la *Crónica,* de Ramón Muntaner; la *Crónica*—del reinado de Pedro IV—, de Bernat Dezcole; el anónimo relato de *La fi del comte d'Urgell...*

En la prosa filosófica: las obras de Ramón Sibunde, Bacó, Ramón Martí, San Raimundo de Peñafort, Raimundo Lulio, Pax, Marcó...

En la prosa religiosa: Raimundo Lulio—con el *Libre de la contemplació*—, Bernardo Oliver—con *Exercitatori de la pensa a Deu*—, Francisco de Eximenis—con su enciclopedia *Libre del cristiá*—, Sa Bruguera—con *Biblia rimada e eu romans*—, Ros de Tárrega—con *Colecció de vides de Sancts e Sanctes...*

El segundo período de la literatura antigua catalana, que comprende los siglos XV y XVI, se marca por el apogeo de la poesía. En los Juegos florales celebrados en Tolosa el año 1323 fue creada una escuela trovadoresca genuinamente catalana. Escuela que tuvo numerosísimas obras didácticas encaminadas al impulso y reglamentación de la lírica: *Mirall de trobar,* de Berenguer de Noya; *Torcimany,* de Luis d'Aversó; *Compendi,* de Castellnou; *Libre de concordances,* de Jaime March; *Doctrina de Cort,* de Terramagnino de Pisa; *Regles de trobar,* de Jofre de Foixá...

Poetas catalanes que tuvieron *influencia provenzal* fueron: los March—Jaime, Pedro y Arnaldo—, fray Ramón de Cornet, Lorenzo Mallol, fray Anselmo de Turmeda, Arnáu, Troflort, Pau de Belviure, Próxita, mosén Jordi de Sant Jordi, Luis de Villarrasa...

Poetas catalanes de influencia italiana: Ausias March, Jaime Roig, Sors, Ferrer, Fogassot, Roig de Corella, Bosca y Boxadors, Torroella, Vilagut, Tinter, Pou Pinós, Tussell, Civaller, Antonio de Vallmanya, fray Bernardo de Rocaberti, Santcliment, Gueráu, Puentull...

En el género narrativo romancesco y satírico se hicieron célebres: Guillén de Torroella—con *Faula o poema de Artús*—; Bernat Metge—con *Libre de fortuna e prudencia*—; fray Anselmo de Turmeda—con el *Libre dels bons amonesta-*

ments—; Pere March—con *L'arnés del caballer*—; Francisco La Vía—con el *Libre de fra Bernat*—; Jaime Gazull—con el *Sompni de Joan Joan*...

En el género teatral: Francisco Satorres—con *Lo setge de Perpinyá*—; Jaime Romañá—con el *Gastrimargus*—; Bartolomé Parassols—cuyas cinco comedias no han llegado a nosotros.

En la prosa histórica: Bernardo Boades—*Libre dels feyts d'armes de Catalunya*—; Tomich —*Petit memorial de algunes histories e fets antichs*—; Gabriel Turnell—*Crónica* o *Recort*—; Miguel Carbonell—*Croniques d'Espanya*—; Onofre Menescal—*Sermó del rey don Jaume II*—; Antonio Viladomar—*Historia general de Catalunya*—; Pujades—*Crónica universal de Catalunya.*

En la prosa religiosa: Juan Pascoll—*Tractat de beatitud*—; Francisco Pascual—*De la pena dels damnats*—; P. Caldés—*Exercici de la Santa Creu*—; Pedro Martínez—*Mirall dels divins assots*—; Francisco de Pertusa—*Memorial de la fe católica*—; Antonio Boteler—*La scala de Paradis*—; Felipe de Malla—*Lo pecador remut.*

En este segundo período tuvieron mucha popularidad narraciones novelescas como: *Historia de la filla del rey d'Hungria, Historia de Tuglot, Historia de Jacob Xalabin, Disputa del ánima de Guido Corvo, Viatge al Purgatori*—del vizconde de Perellós—, *Visió del Tungdal, Purgatori de Sant Patrici* y otras de menor importancia.

Mención aparte, por su interés, merece la *Disputa del asno,* de fray Anselmo de Turmeda.

El tercer período de la antigua literatura catalana—siglos XVII y XVIII—se caracteriza por la influencia castellana. Sin embargo, dentro de esta influencia—que marca una decadencia en aquella literatura regional—cabe señalar autores de gran notoriedad.

En la poesía: Francisco Vicente García, más conocido por el *Rector de Vallfogona;* José Fontanella—con sus *Giletas*—, Mirambell, Massanés, Pau Feuria—con *Romans de Sant Bernat Calvó*—, Magín Cases, José Romaguera—el gran gongorino—, Ferrer, Isabel Compté, Giribets, Tagell, Ignacio Ferreras, Serra y Pestius, José Catalá...

En el teatro: Fray Antonio Pi, Juan Cassador, Pedro Antonio Bernat—con *La conquista de Mallorca*—, Vallfogona—con *Comedia de Santa Bárbara*—, Fontanella—con *Lo desengany*...

En la prosa histórica: Andrés Bosch—con *Titols de honor de Catalunya y Roselló*—, Bruniquer—con *Relació sumaria de la fundació de Barcelona*—, Sala—con la *Proclamación católica*...

En la prosa religiosa: Sapera—*Joyell de l'ánima devota*—, José Llord—*Foment de la pietat*—, Catalá—*Vida de Santa Eulalia*—, Rafael Vilalta —*Tractat de les ceremonies de la missa*—, Copons—*Espiritual recreo de l'ánima*—, Roquer —*Bon dia del cristiá*—, Salsas y Trillas—*Promptuari moral y sagrat*...

El siglo XIX marca un renacimiento excepcional en la literatura catalana. Los escritores más famosos de este período son:

En la poesía: Aribáu—*Oda a la patria*—, Juan Cortada—*La noya fugitiva*—, Miguel A. Martí —*Llágrimes de la viudesa*—, Tomás y Mariano Aguiló, Rubió y Ors, que popularizó el seudónimo del "Gayter de Llobregat"; Estorch y Siqués, que popularizó el de "Lo Tamboriner del Fluviá"; Pascual y Casas, Milá y Fontanals, Pelayo Briz, Planas y Feliú, Víctor Balaguer, Arturo Masriera, Apeles Mestres, Morera y Galicia, Juan Maragall, Mosé Cinto Verdaguer, Pagés de Puig, Aniceto Pagés, Angel Guimerá, Mateo Obrador, Francisco Bartrina, Román Bassegoda, Jaime Balmes...

En la novela: Antonio Bofarull, Roberto Robert, Alberto Llanas, Martí y Folguera, Feliú y Codina, Joaquín Ruyra, Riera y Bertrán, Emilio Vilanova, Narciso Oller, José Pin y Soler, Catalina Albert—que popularizó el seudónimo de "Víctor Catalá"—, Pons y Massavéu, Genís Aguilar...

En la prosa (histórica, religiosa, científica, etcétera): Los Bofarull—Andrés, Antonio, Carlos, Manuel, Francisco y Próspero—, Roca y Cornet, Milá y Fontanals, Jaime Balmes, Balaguer, Rubió y Lluch, Sempere y Miquel, Fiter e Inglés, Botet y Sisó, el reverendo Gudiol, Fernando Sagarra, J. Ixart...

En el género teatral: Balaguer, José María Arnáu, Rubió y Ors, Manuel Angelón, Federico Soler ("Pitarra"), Pin y Soler, Conrado Roure, Sales Vidal, Riera y Bertrán, Alberto Llanas, Feliú y Codina, Teodoro Basó, Angel Guimerá, Apeles Mestres, Santiago Rusiñol...

El siglo XX marca un apogeo admirable en la literatura catalana. La poesía del modernismo se caracteriza por su corrección de forma y por su expresión exquisita, aun cuando, acaso, carezca de aquella hondura y emoción que tuvo en el siglo precedente.

Poetas excepcionales son: José María Carner, José María de Sagarra, José López-Picó, Carles Riba, Riera y Riquer, Ventura Gassol, Massó y Ventós, Carlos Soldevila, Gabriel Alomar, José Lleonart, Juan Malarriaga, Folcá y Torres, Girbal Jaume.

Autores teatrales: Julio Vallmijana, José María de Sagarra, Ignacio Iglesias, Adriano Gual, Puig y Ferrater, Avelino Artís, Ramón Suriñach, Salvador Vilaregut, Joaquín Ruyra, Prudencio Bertrana, Pous y Pagés, Luis Capdevila, Domingo y Vicente Corominas, Miguel de Paláu, José Carner, Manuel de Montolíu, Santiago Rusiñol, Alfonso Marsillach, Pedro Cavallé, Fernando Soldevila...

Novelistas y narradores: Carlos Soldevilla, Miguel Llor, Prudencio Bertrana, Puig y Ferrater, Ruyra, Massó y Torrents, Ramón Caselles, Felipe Palma, Pous y Pagés, José María de Sagarra, Alfonso Maseras, J. Vallmitjana, Roig y Raventós, J. Pla...

Prosistas: Pedro Corominas, Gabriel Alomar, Eugenio d'Ors, Givanel y Más, Carreras y Artáu, José María Carner, Luis Domenech, I. Suñol, Rovira y Virgilí, Manuel de Montolíu, Miguel S. Oliver, Miguel Utrillo, Ramón D. Perés, Arturo Masriera, Juan Sardá, Bardina, Pompeyo Fabra, Pompeyo Gener...

V. Ixart, J.: *Teatro catalá.* Barcelona, 1879.—Font y Sagué, N.: *Breu compendi de la historia de la literatura catalana.* Barcelona, 1900.—Bernard y Durán: *Historia de la literatura catalana.* Barcelona, 1916.—Milá y Fontanals, M.: *Orígenes del teatro catalán.* Tomo VI de sus *Obras completas.*

CATALÉCTICO (Verso)

Se llama así a cierto verso de la prosodia griega y latina, al cual le falta una parte del último pie. Es como el efecto de una interrupción súbita sacada por la etimología de la palabra: καταληκτικος, *que cesa.* Los griegos llamaban también a este verso κο λο, οἰ, *cortado, truncado.*

El verso puede perder medio pie o un pie entero, y se llama entonces *braquicataléctico.* El verso completo, no truncado, se llama *acataléctico.* Y si en vez de perder un pie o una sílaba, el verso lleva una sílaba de más, se denomina *hipercataléctico.*

V. Hermann, G.: *De metris grecorum et romanorum.* Leipzig, 1796.

CATÁLOGO

De κατάλογος, registro.

Lista metódica o alfabética de los libros u otros objetos que forman una biblioteca, un salón de lectura, un museo, una galería.

Los catálogos de libros se llevan en fichas de papel fuerte o cartón fino, sobre las cuales se escribe para cada libro: el nombre del autor, el título de la obra, la edición—si es primera, segunda, etc.—, el lugar de publicación, el nombre del editor, la fecha, el número exacto de páginas—distinguiendo las que lleven arábiga—, el número de láminas—si las lleva—, si lleva introducción o prólogo y el nombre de su autor, la descripción sucinta de la encuadernación y cuantos detalles más favorezcan al conocimiento más cabal del libro catalogado.

Si el catálogo tiene como fin servir de clave a una importante colección literaria, se añadirá a cada ficha la letra de la serie a la cual el libro pertenece y el número de orden que se le reserva.

Hay tres métodos para clasificar los libros o las fichas que los representan: el *alfabético,* el *por tamaños* y el *metódico.* El primero puede subdividirse: por *orden alfabético de autores,* por *orden alfabético de títulos* y por *orden alfabético de materias.* (V. Biblioteca. Libro.)

V. Renouard, L.: *Catalogue de la bibliothèque d'un amateur.* París, 1915.

CATARSIS

Literalmente, en griego, significa *purificación.* Ya Aristóteles, en su *Poética,* afirmó que la finalidad de la tragedia no era otra que la *purificación de los afectos* de los espectadores por medio de la misericordia o del terror.

Catarsis es, pues, la emoción de ejemplaridad que dejan en el ánimo las obras literarias y artísticas.

CATÁSTASIS

Término de la retórica clásica. De κα αςτασις, *establecer.* Con este nombre se designa a aquella de las partes del discurso dedicada a exponer con brevedad y claridad el tema. Se aplica, generalmente, en la oratoria judicial.

En la literatura teatral, el mismo término representa a la parte tercera de la tragedia, en que se aviva el interés por acercarse al desenlace. (V. Prótasis.)

CATÁSTROFE

Término de la literatura dramática. De καταςτροφον, *conclusión.*

Alude directamente al desenredo de los lances y empeños de los poemas dramáticos, principalmente de la tragedia. No deben ser confundidos los términos *catástrofe* y *desenlace.* Este deshace el fundamento de la fábula, descubre el enredo y es la última parte de la obra. La catástrofe es el último suceso, la exposición del trastorno o mudanza que se supone haber acaecido, el término de la acción. El desenlace debe surgir del mismo enredo de la obra. La catástrofe debe resultar de las costumbres que se ha supuesto a las personas o de la situación en que se las ha colocado.

Tampoco debe creerse que el término catástrofe implica un desenlace *catastrófico*—funesto—. Indica agitación; exige que los espectadores experimenten emociones encontradas. La catástrofe ha de nacer de la lucha de pasiones que produzcan trastornos en la esfera total de la vida y perturben el orden moral.

CATECISMO

1. Librito que contiene el resumen de la doctrina cristiana.

2. Por extensión, todo librito que, semejante a aquel, contiene las reglas o conocimientos fundamentales de cualquier materia.

CATEGORISMO

Nombre dado al sistema filosófico de las categorías y a la escala categórica.

¿A qué se llama categoría? En la lógica aris-

C

totélica, a cada una de las diez nociones generales y abstractas siguientes: *Sustancia, cantidad, calidad, relación, acción, pasión, lugar, tiempo, situación* y *hábito*. En los sistemas panteísticos, cada uno de los conceptos puros o nociones *a priori* con valor trascendental al par lógico y ontológico. En la crítica de Kant, cada una de las formas del entendimiento: *cantidad, cualidad, relación* y *modalidad*.

En un principio, la palabra *categoría* significó *acusación*, sentido que explicó el primero Aristóteles, y que luego se ha conservado en la Filosofía como *atribución*, existiendo en ella una firme idea jerárquica para expresar a la vez los atributos primeros o superiores que se aplican a las cosas cognoscibles. A partir de Kant, la palabra *categoría* designa la idea general o superior que se concibe en los objetos.

No se crea que fue Aristóteles quien primero razonó acerca del categorismo. La historia de las categorías equivale a la de toda la historia del pensamiento, pues no ha existido filósofo de cierta fama que no haya sentido la exigencia de exponer un cuadro general de categorías. Colebrooke cita las de Kânada y las del *Nyaya* de Gotuma, de las que, según algunos filósofos e historiadores de la filosofía—Cousin, Barthélemy, Saint-Hilaire—Aristóteles tomó las suyas. Las categorías de los pitagóricos son igualmente anteriores a las del Estagirita. Y posteriores las de los estoicos y las de Plotino. En la filosofía moderna, son muy interesantes las de Descartes, la de la Lógica de Port-Royal y las de Kant.

Después de numerosos estudios, entre extremos igualmente insolubles y de todo punto inconciliables, puede afirmarse que no se ha precisado por completo la naturaleza de las categorías como *leyes objetivo-subjetivas* del conocimiento, lo mismo cuando se las considera formas abstractas del pensamiento, que cuando se las estima como propiedad de la realidad pensada.

Las categorías—nombre que ha seducido universalmente para aplicarlo a la expresión de la *analogía universal*—equivalen a los *tópicos lógicos o lugares comunes de la Filosofía*, y son, pues, junta e indivisiblemente, leyes de la realidad y moldes de la actividad lógica. Las categorías de Aristóteles son, pues, las diversas maneras de atribuir una cualidad a un sujeto; y el gran filósofo trató de establecer una lista de las diversas categorías que forman los juicios, y enumeró diez.

Las categorías no son, como se ha dado en decir, atributos o nociones muy generales, a las cuales todas las demás nociones pueden ser reducidas, *sino las diversas formas del juicio*. Aún podemos reducir más el concepto de las categorías afirmando que son "los diversos modos en que el ser puede predicarse". Y añade Julián Marías: "Las categorías son, por ello, las flexiones o *caídas* del ser. Aristóteles da varias listas de estos predicamentos, y la más completa comprende diez: sustancia (por ejemplo, hombre), cantidad (de dos codos de largo), cualidad (blanco), relación (doble), lugar (en el Liceo), tiempo (ayer), posición (sentado), estado (calzado), acción (corta), pasión (le cortan). No se trata de la diferencia de cada una de estas cosas, sino de que el ser mismo se flexiona en cada uno de esos modos, y quiere decir cosa distinta en cada una de las categorías. Por esto, si a la pregunta ¿qué es esto? se responde "siete", es, aparte de la verdad o falsedad, una *incongruencia*, porque el *es* de la pregunta se mueve en la categoría de sustancia, y la respuesta en la cantidad. Estas categorías tienen una unidad que es justamente la sustancia, porque todas las demás se refieren a ella: es el caso más claro de unidad analógica. La sustancia está presente en todas las restantes categorías, que no tienen sentido más que sobre el supuesto de ella, a la que en la última instancia se refieren."

Los estoicos redujeron las categorías de Aristóteles a cuatro: *sustancia, cualidad, modo* y *relación*. Durante toda la Edad Media, los escolásticos defendieron las de Aristóteles. Ya en la Edad Moderna, los seguidores de Descartes y de Leibniz proclamaron los siete conceptos innatos, divisivos de todos los posibles, a que respondían otras tantas maneras de ser *de todo lo real finito*, cifrándolos en los conocidos versos:

1 2 3 4 5 6
Mens, mensura, quies, motus, positura, figura
7
sun cum materia cunctarum exordia rerum.

Locke redujo las categorías a tres: *sustancia, modo* y *relaciones*.

Los positivistas fijaron cuatro: los *sentimientos*—estados de conciencia—; los *cuerpos*, u objetos externos; los *espíritus*, sujetos a las afecciones o sentimientos, y las *relaciones* de sucesión y coexistencia, semejanza y desemejanza entre los citados estados de conciencia.

Kant reprocha a la lista aristotélica el que haya sido establecida empíricamente; y él establece una nueva lista, metódicamente, según la clasificación de los juicios; clasificación puesta a prueba durante una larga práctica. Todo juicio puede ser considerado desde cuatro puntos de vista: *cantidad, cualidad, relación, modalidad*, y desde cada uno de estos cuatro puntos de vista son posibles tres clases de juicios; hay, pues, cuatro categorías, y en cada categoría, tres conceptos, imposibles de sacar de la experiencia:

Cantidad	Cualidad	Relación	Modalidad
Unidad.	Afirmación.	Sustancia.	Realidad.
Pluralidad.	Negación.	Causalidad.	Posibilidad.
Totalidad.	Limitación.	Comunidad.	Necesidad.

"Si, privando de su contenido empírico al conocimiento, se descubren en él estos conceptos puros que son la forma del mismo—dice Goblot—, nos vemos llevados a pensar que estos conceptos son *a priori*, que ellos preexisten al conocimiento de los objetos; pero es difícil representarse en qué consiste la existencia *a priori* de estas categorías, puesto que, según la propia confesión de Kant, no hay conocimiento en tanto no hay objetos que conocer. Las categorías son formas *a priori* del conocimiento, *pero no son conocimientos*."

V. MERCIER, Card.: *Logique et Ontologie*. Lovaina, 1910.—GOMPERZ, Th.: *Les penseurs de la Grèce*. Trad. franc. París, Alcán, 1910.—HARTMANN, E. von: *Kategorienlehre*. Leipzig, 1903. 2.ª ed.—RAGNISCO, B.: *Storia critica delle categorie*. Roma, 1871.—MARIAS, J.: *Historia de la Filosofía*. Madrid, 1943, 2.ª ed.

CATILINARIA

1. Reconvención impetuosa y vehemente. Salida de tono. Ex abrupto.
2. Cada uno de los cuatro discursos pronunciados por Cicerón contra Catilina, en los cuales le increpa, le conmina con violencia.

CATOLICISMO

Creencia de la Iglesia católica. Comunidad y gremio universal de los que viven dentro de la Iglesia católica.

La doctrina llamada catolicismo es la de la Iglesia romana, y fue formulada para que no pudiera ser confundida con ninguna otra de las llamadas *reformadas* en el Concilio de Trento, celebrado a mediados del siglo XVI. La palabra catolicismo es de origen moderno. Y posiblemente fue utilizada en sus controversias por los enemigos de la Iglesia católica, que con ella quisieron designar una secta, un partido, negando así la unidad y la universalidad de la Iglesia católica.

El catolicismo se basa en el *reconocimiento absoluto* por parte de los fieles de la autoridad con que Cristo invistió a su Iglesia sobre todo el mundo y para todos los tiempos. Y también en la fe absoluta que los fieles deben tener en cuanto la Iglesia ordena y manda creer por medio de su cabeza visible: el Papa romano, el cual es *infalible* cuando define *ex cathedra* en materia de fe y de costumbres.

El catolicismo, como doctrina, comprende los dogmas y verdades de la fe, revelados por Dios por medio de su Iglesia, en los cuales deben creer todos los fieles, aun a costa de sus vidas, y practicar en consonancia con tales creencias.

El catolicismo tiene, como normas de conducta a cumplir por todos los fieles, los mandamientos de la ley de Dios, los mandamientos de la Iglesia y la recepción de los Sacramentos.

El catolicismo admite dos especies de culto religioso: uno de adoración, *exclusivamente a Dios*, y otro de honor, que rinde a los santos, "pero que debe referirse siempre a Dios". La adoración a Dios consiste en creerle Creador y Señor de todas las cosas, uniéndose a Él por medio de la fe, la esperanza y la caridad.

El catolicismo es el cristianismo (V.) en su unidad y en su universalidad. El catolicismo es uno y único, y es consecuente consigo mismo. El catolicismo es *inmutable*. La unidad en el dogma, el culto de la lengua eclesiástica, el gobierno y la disciplina son en él una cosa natural. Por su misma rigurosa consecuencia, el catolicismo concilia en sí lo que su religión tiene de sobrenatural y de racional; legisla, sin oprimir el libre examen, por la autoridad normal e infalible de la Iglesia; coordina en unidad la multiplicidad vital; une la inocencia y la santidad con la ciencia más profunda en las cosas divinas.

Entre los dogmas del catolicismo están los de la justificación, de la satisfacción y de la comunión de los santos.

Cuantos son católicos creen firmísimamente que sus pecados les son perdonados por la misericordia divina, a causa de Jesucristo, según los términos del Concilio de Trento, que añade: "Somos justificados gratuitamente porque ninguna de las cosas que preceden a la justificación, sea la fe, sean las obras, puede merecer esta gracia. La justicia de Jesucristo es no solamente imputada, sino actualmente comunicada a sus fieles por medio del Espíritu Santo, de manera que no solamente son reputados, sino hechos justos por su causa."

El catolicismo enseña que el valor y el mérito de las obras cristianas provienen de la *gracia santificante*, que se da gratuitamente a los fieles en nombre de Jesucristo.

El catolicismo enseña que solo Jesucristo, Dios y Hombre verdadero al mismo tiempo, era capaz, por la infinita dignidad de su persona, de ofrecer a Dios una satisfacción suficiente por nuestras culpas.

El catolicismo nos enseña que las penas llamadas canónicas impuestas por la Iglesia a los penitentes se fundan "en la necesidad de la satisfacción temporal por obras satisfactorias"; y que el dogma de la satisfacción temporal nos conduce al del Purgatorio y a la distinción entre el pecado venial y el pecado mortal, ya que aquellos que abandonan la vida con la gracia y la caridad, pero, sin embargo, merecedores de penas que la justificia divina se ha reservado, las sufren en la otra vida, en el lugar llamado Purgatorio; y que al dogma del Purgatorio se une la fe en la eficacia de las oraciones, de las limosnas y de los sacrificios ofrecidos por las almas de los que murieron en la paz y en la comunión de la Iglesia católica.

El catolicismo nos enseña que los Sacramentos "no son solamente signos sagrados que representan la gracia, ni sellos que la confirman, sino instrumentos del Espíritu Santo que sirven para darnos la gracia, y que la confieren en virtud de las palabras que se pronuncian y de la acción que se hace sobre nosotros al exterior, con tal de que nosotros no opongamos ningún obstáculo por nuestra mala disposición. El Sacramento obra, como dicen los teólogos, *ex opere operato* y no *ex opere operantis*".

El catolicismo reconoce siete Sacramentos establecidos por Jesucristo, como los medios de la santificación y de la perfección de los fieles:

El *Bautismo,* que borra el pecado original y deja apta al alma para la gracia.

La *Confirmación,* por la cual el que ha recibido la fe del santo bautismo se confirma y corrobora en ella.

La *Penitencia,* que nos perdona los pecados y nos devuelve la gracia.

La *Comunión,* que nos une con el Cuerpo, Alma, Sangre y Divinidad de Jesucristo.

La *Extremaunción,* que nos cura el alma y la prepara para la vida eterna.

El *Orden sacerdotal,* que comunica a quien lo recibe la facultad de decir misa y de perdonar los pecados.

El *Matrimonio,* por el cual un hombre y una mujer se ligan perpetuamente en Cristo para la procreación, educación de la prole y mutuo auxilio.

El catolicismo nos enseña que la Revelación tiene necesidad de ser completada por la Tradición; esto es: que la autoridad de la Iglesia fundada por Cristo puede interpretar las Escrituras del Antiguo y del Nuevo Testamento, Naturalmente, la autoridad de la Iglesia que interpreta las Escrituras está basada en la *infalibilidad* de su cabeza visible: el Pontífice. (V. Cristianismo.)

V. Bossuet, J. A.: *Discurso sobre la Historia universal e Historia de las variaciones de la Iglesia protestante.*—Balmes, Jaime: *El protestantismo comparado con el catolicismo.*

CAUCASIANAS o CAUCÁSICAS (Lenguas)

Idiomas hablados en Asia, entre el sur de Rusia y el norte de Persia, del mar Negro al mar Caspio. Los principales son: el *armenio,* el *georgiano,* el *migreliano,* el *circasiano.* Estas lenguas ofrecen marcadas semejanzas con los idiomas más diversos; pero, sobre todo, con el sánscrito y con el zenda. Las lenguas caucásicas proceden, para su formación, *por aglutinación.* Son sumamente rudas, y la abundancia de las consonantes, la frecuencia de las aspiraciones y de las emisiones nasales las hacen desagradables a oídos europeos.

La opinión de los filólogos es la de que estas lenguas deben estar unidas al grupo persa o al iranio, en la familia de las lenguas indoeuropeas.

V. Bopp, Fr.: *Die Kaukasischen Glieder des indoeuropaïschen sprachstammes.* Berlín, 1847.

CÉDULA

1. Pedazo de papel o cartulina o pergamino escrito o preparado para escribir alguna cosa.

2. Despacho que el rey expedía por algún tribunal superior, tomando alguna providencia u otorgando alguna merced.

CÉLEBES (Lengua y literatura de las islas)

Los idiomas hablados en las islas Célebes y en algunas otras islas vecinas forman parte de las lenguas oceánicas de la *familia malasia.*

Entre los idiomas celebianos están: el *bugis,* particular de la gran mayoría de los habitantes de estas islas; el *macassar,* hablado en algunos lugares del Suroeste.

El *bugis* es el más hablado, pero es más duro y pobre que el *macassar.*

Sus dialectos principales son: el *boni,* el *waju,* el *luwu* y el *soping.*

El *bugis* se escribe con un alfabeto muy diferente al de los otros idiomas oceánicos.

El *macassar* termina casi todas sus palabras con una vocal o con la nasal *ng.* Sus dialectos son: el *turatca,* el *mundar,* el *turajas,* el *manado,* el *gunung-talu* y el *buton.*

La literatura de los idiomas celebianos está formada por narraciones con temas tradicionales y legendarios; relatos históricos referentes a los acontecimientos posteriores a la introducción del islamismo en esta parte de Oceanía; composiciones poéticas superiores a las de los otros pueblos oceánicos, y en las cuales se emplean metros análogos a los del sánscrito; traducciones de libros árabes de jurisprudencia y devoción.

V. Matther, B. J.: *Makassaarsche Spraakkunst.* Amsterdam, 1858.

CELTIBÉRICA (Lengua)

Uno de los idiomas hablados en la Península Ibérica antes de la invasión romana, y cuyo uso persistió hasta mucho después de esta.

La celtibérica o celtíbera es una de las diez lenguas comprendidas en la enumeración hecha por Luitprando; lenguas vigentes en la España del siglo VIII.

Como su nombre indica, era una mezcla de celtaico e ibérico. Fue el idioma de una población que ocupó largo tiempo el interior de dicha Península, y que se distinguía por su adelantado grado de cultura.

No han llegado a nosotros los indudables monumentos de poesía e historia que poseyeron los celtíberos. De su lengua no se conocen sino inscripciones sobre piedras, planchas metálicas, vasos y medallas, que demuestran que dicha lengua poesía un alfabeto particular, cuyos elementos no se conocen todavía.

CÉLTICAS (Lenguas) (V. Bretón, Gaélico, Címbrico...)

CENÁCULO (Literario)

Reunión periódica de literatos para celebrar con un ágape los triunfos de unos y otros, y para cambiar impresiones literarias y artísticas durante las sobremesas.

El Romanticismo francés puso de moda estos cenáculos literarios, entre los que se hicieron famosos los *capitaneados* por Musset, Mallarmé, Verlaine y Víctor Hugo.

En Madrid fueron populares los organizados en el *Café del Príncipe* por los románticos; en el *Café de la Montaña* y en el *Colonial* por los modernistas, y en la *botillería de Pombo* por el grupo *vanguardista* de Ramón Gómez de la Serna.

En estos cenáculos literarios eran frecuentes los tópicos más viejos, las disputas más agrias y las audacias más extravagantes.

CENOBITISMO

Método de vida que observan los cenobitas, personas que profesan la vida monástica.

El vivísimo deseo de llegar a un grado más alto de perfección y aun más puro amor de Dios, es la causa de la institución de la vida monástica.

El cenobitismo exige para su existencia "un grupo de personas que vivan en un cenobio —monasterio—bajo la dirección de un superior".

Aun cuando el cenobitismo por excelencia se aplica a los ascetas de la vida común entre cristianos, el cenobitismo existió ya muchos siglos antes de Cristo. Uño de los mandamientos del *budismo* (V.) fue el de la vida retirada para ganar el *nirvana* con el silencio y la oración. También en el judaísmo y en el filosofismo helénico existió el cenobitismo. Pero en ninguna de estas religiones hubo fuerza cohesiva bastante para mantener a prosélitos unidos en la estrechez, suave y fuerte a la vez, que supo infundir el cristianismo a sus ascetas.

El antecedente del cenobitismo estuvo en el anacoretismo.

El anacoreta, eremita o asceta se retiraba del mundo para vivir en la soledad.

Posiblemente fue San Antonio (251-356) el iniciador del cenobitismo. San Antonio, después de haber repartido sus bienes entre los pobres, se retiró a los desiertos de la Tebaida (Egipto). Pero tanto le atormentaron los deseos carnales y las dudas del espíritu, que comprendió que la vida solitaria sin apoyo ni guía estaba llena de peligros. Entonces reunió a un gran número de anacoretas—que habían acudido sugestionados por la reputación de San Antonio—y les invitó a quedarse con él sometidos "a unos ejercicios comunes de oración y de meditación".

Otro anacoreta, San Pacomio—muerto el año 346—, pagano convertido, fundó en Tabenna, a orillas del Nilo, el primer convento, en el cual, reunidos varios antiguos anacoretas, practicaron una misma regla de vida.

Fue, pues, de San Pacomio la primera reglareforma del cenobitismo. En el siglo IV ya vivían en Tabenna cerca de 5.000 cenobitas. San Basilio propagó el cenobitismo en Capadocia y en el Ponto. Y el cenobitismo pasó de Oriente a Occidente por medio de San Atanasio, que, en su segundo destierro, llegó a Roma acompañado de algunos monjes egipcios. En Francia lo propagó San Gregorio de Tours; San Agustín, en el Africa proconsular; San Ambrosio, en el norte de Italia; San Jerónimo, en Roma. Un canon del Concilio de Tarragona, celebrado en el año 516, revela que los primeros cenobios españoles se fundaron a fines del siglo V o principios del VI. Dicho canon previene *no salgan los monjes de su monasterio* sin permiso del abad. Y añade que el monje que desprecie lo mandado en este canon debe ser encerrado en *una celda del monasterio.*

Pero a quien debe el cenobitismo su verdadero incremento en Occidente fue a San Benito, que instituyó hacia el año 530 el monasterio de Monte Casino, de donde salió y se propagó por todo el Occidente su regla.

V. LECLERQ, Dom.: *Manuel d'Archéologie chrétienne.*—BESSE, Dom.: *Les moines d'Orient antérieurs au concile de Chalcedonie.*—D'ALÉS, Dom.: *Les Pères du désert.*

CENSURA

1. Dictamen, juicio y calificación que se forma y emite acerca de una obra literaria después de haberla leído y releído con detenimiento.
2. Nota, corrección, modificación o reprobación de algún escrito literario, en parte o totalmente.
3. Murmuración, detracción.

El uso de someter a examen o aprobación preliminares los libros, folletos, diarios, revistas, obras de teatro y en general todas las manifestaciones literarias o artísticas de la inteligencia, es casi tan antiguo como el arte y la literatura en los pueblos cuyo temperamento y cuyas costumbres no se avienen a la libertad. Se ha producido y reproducido bajo formas particulares en épocas diversas; pero se ha regularizado y ha pasado a depender del Estado en los tiempos modernos.

En Grecia, la censura no tuvo historia. Al menos, no nos es conocida.

La antigua comedia tenía, al igual que los particulares y que el Estado, todas las libertades y todas las licencias. Mas habiendo llegado el abuso de estas a su extremo, la ley intervino, y el coro, como dijo Horacio—en la *Epístola a los Pisones,* v. 282—, fue reducido al silencio y privado del derecho de dañar. Ignoramos por cuáles métodos preventivos o represivos se consiguió, después de Aristófanes, moralizar la escena.

En Roma se hallan las señales de una verdadera censura. Todas las obras de teatro estaban sometidas a examinadores públicos, instalados en el templo de Apolo Palatino y encargados de permitir o prohibir sus representaciones. Y en el verso 38 de la sátira IX de Horacio se da a entender que también eran examinados los poemas no dramáticos. La institución fue conservada, más rigurosamente aún, bajo el Imperio.

Durante la Edad Media, como las obras eran transmitidas por copias manuscritas, la censura no tenía *campo* en el que aplicarse. Con el nacimiento de la Imprenta, la censura volvió a surgir, aun cuando más atenta a los escritos que pudieran atentar contra los dogmas. Y la Inquisición tuvo entre sus derechos el examen preventivo de los libros y folletos.

Los censores españoles tuvieron en suspenso durante algún tiempo la segunda parte de *Don Quijote de la Mancha* por una frase de una ortodoxia dudosa, puesta en labios de Sancho Panza, acerca de la nulidad de las obras de caridad hechas con negligencia o con pereza. Gracias a las instancias del arzobispo don Bernardo de Sandoval, se calmaron los escrúpulos de los censores y la obra pudo llegar al público.

En Francia ejerció la censura la Facultad de Teología de la Universidad de París.

Para no someterse a este examen riguroso e injusto de la censura, los autores de todos los países y de todos los tiempos se han valido de algunas artimañas, como la de publicar sus obras en el extranjero, la de *falsificar* el pie de imprenta, la de imprimir clandestinamente.

La censura puede ser *preventiva y represiva.* La represiva es menos odiosa, por más explicable. Sin embargo, los pueblos verdaderamente cultos no admiten ninguna de las dos. Únicamente en el caso concreto de un mal social o económico causado por una obra literaria, el Estado entra en acción para reparar y castigar el daño.

Está perfectamente comprobado que cuando el pensamiento de un país queda sometido a un riguroso método de censura, la cultura literaria se anquilosa, llegando a desaparecer o a sobrevivir con un aire raro de artificialidad.

En España, las primeras leyes que fijaron reglas para la impresión de libros fueron dadas por los Reyes Católicos.

V. ZACCARIA, F. A.: *Historia polémica de la prohibición de los libros.* Madrid, 1889.—DESPOIS, Eug.: *Las letras y la libertad.* Madrid, 1895.

CENTÓN

1. Obra literaria, en verso o en prosa, compuesta enteramente o en la mayor parte de fragmentos de producciones de distintos autores, o con sentencias y expresiones ajenas que se hacen pasar o no como propias.

2. Producción literaria sin método y de escaso valor.

Todos los centones literarios han sido obra de autores mediocres, de corto numen y faltos de alientos.

El más antiguo centón de que se tiene noticia es el de Hosidius Geta, escritor del siglo de Augusto. Es un drama titulado *Medea,* compuesto enteramente con versos de Virgilio. Ausonio, a instancias del emperador Valentiniano, hizo un *Canto nupcial* con versos igualmente tomados de Virgilio. En esta misma época, Falconia Proba, mujer del prefecto del pretorio Anicio, compuso—siglo IV—, con versos del mismo autor de la *Eneida,* una *Historia del Antiguo y del Nuevo Testamentos.*

Los centones se multiplicaron en la época del Renacimiento.

En Francia es famoso el *Cantique d'actions de grâces,* compuesto con versículos tomados de la Biblia, en honor de Anne Musnier, heroína del siglo XIII.

En Inglaterra: el *Cicero princeps,* compuesto por Bellenden—1608—, que contiene reglas de gobierno monárquicas formuladas con expresiones de las obras de Cicerón.

En Alemania: el *Lanx satura, sive Cento in christogoniam,* por Morhof—1657—, compuesto con fragmentos de Virgilio, Claudiano y Estacio.

En España: el *Centón epistolario del Bachiller Fernán Gómez de Cibdad Real,* famosísima *falsificación* de una obra del siglo XV, de autor aún desconocido, realizada más de un siglo después.

V. DELEPIERRE, Octavio: *Tableau de la littérature du centon chez les anciens et chez les modernes.* París, 1875.

CENTRALISMO

Nombre dado a las teorías políticas y administrativas que defienden la centralización de los poderes del Estado.

El centralismo concede al Estado—según Spoto—la autoridad suprema y *exclusiva* de proveer al ejercicio y al desarrollo de las funciones de gobierno y administración de los derechos e intereses públicos y colectivos del pueblo.

Algunos tratadistas estiman que el centralismo surge tan pronto como existe un poder central. La teoría es completamente inexacta. En los Estados Unidos, en Inglaterra, existen unos poderes centrales, y, sin embargo, son los países menos centralistas que existen. Para que exista centralismo, según Santamaría de Paredes, es preciso que el poder central *absorba indebidamente* funciones que correspondan a los organismos locales.

El centralismo, históricamente considerado, es tan antiguo como la existencia de las naciones. Los pueblos orientales fueron modelos de centralismo, no conociéndose en ellos ni posibilidad de esferas políticas o administrativas que tuvieran una vida propia, aun en armonía con la estatal.

La *estatolatría* es una concepción helénica, llevada a su paroxismo en España, donde hasta los hijos varones pertenecían al Estado.

En Roma fueron conocidas la centralización y la descentralización. Políticamente, la *civitas* lo fue todo, hasta el punto de no poderse ejercitar los derechos políticos fuera de ella. Pero, en lo económico, cada Municipio gozó de una perfecta autonomía para cuidar de sus derechos, sus oficios y sus intereses.

Durante la Edad Media, la fuerza y los intereses del *feudalismo* (V.) impusieron una auténtica descentralización política y administrativa, mientras los Municipios en los que se apoyaron los reyes para combatir al feudalismo, recibieron de estos una plena autonomía administrativa y política. A partir del siglo XV, al organizarse definitivamente las nacionalidades, apareció el *absolutismo* (V.) real, que, lógicamente, reunió en sus manos todos los derechos, proclamando el más firme de los centralismos, especialmente en la parte política. Desde entonces hasta nuestros días, el centralismo y la descentralización han reñido grandes batallas. Los países latinos—hasta principios del siglo actual—se inclinaron por el primero. Y por la segunda, los anglosajones.

"Hay un *centralismo social* que convierte al Estado en supremo rector de la vida, idea socialista; un *centralismo político* que conduce a la organización unitaria de los Estados; un *centralismo administrativo* que absorbe en el Estado nacional toda la función ejecutiva; pudiendo, cuando, a la inversa, se trata de *descentralización,* considerarse la *social,* que supone el tipo del Estado individualista; la *política,* propia de los Estados federales; la *administrativa,* reducida a la *desconcentración* (Ducroq), a mera delegación de atribuciones de los órganos centrales en los locales o en sus delegados, y la verdadera *descentralización orgánica* a base de reconocimiento de personalidad y esfera propia de acción de las entidades territoriales y de las entidades institucionales. Puede haber combinación entre tales clases de centralismo y descentralización, pues existen Estados unitarios, forma de centralismo político, con autonomía local; y, por el contrario, pueden existir Estados federales, descentralización política, con subordinación de los organismos locales, en cada Estado particular, a sus autoridades centrales. El centralismo o la descentralización en política tienden a la organización, a la constitución del Estado u organismo a que afecten; las administrativas, al funcionamiento, al modo de actuar, a la eficacia de la actividad desarrollada por cada organismo administrativo." (Gascón y Marín.)

¿Cuáles son los caracteres del centralismo? En régimen de centralización pura, toda acción, todo impulso, parte del centro; las autoridades centrales asumen todo el poder; lo mismo el poder coactivo que el de decisión y resolución. Los que son órganos locales de los Poderes centrales son meros delegados, carecen de atribuciones propias para decidir. En resumen, toda la Política y toda la Administración son dirigidas y resueltas por los órganos del Poder central, que puede suspender, anular o reformar los actos de los órganos delegados y locales.

¿Cuáles son las ventajas del centralismo? Todas las de la unidad de acción, de las de dirección e impulsión en toda esfera de múltiples asuntos, íntimamente relacionados unos con otros; pero conviene no olvidar que tal idea de unidad hállase más estrechamente relacionada con la centralización política, siendo más característica de ella que de la administrativa.

Hauriou asigna al centralismo como ventajas: producir un Poder fuerte; ser el único medio de asegurar ciertos servicios muy generales, repartiendo las cargas sobre todo el país; asegurar una gran regularidad y una moralidad en la administración. El mismo autor distingue entre centralismo político y centralismo administrativo. El centralismo político es característico de nuestra época y sus ventajas son innegables, pudiendo combinarse con la descentralización administrativa y la de por servicios.

Frente a estas ventajas, el centralismo tiene algunos inconvenientes: 1.º Matar toda actividad local. 2.º Llevar los asuntos más sencillos a un formalismo minucioso y solemne. 3.º Lentitud en el despacho de los negocios por la injerencia en ellos del Poder central. 4.º Falta de verdadera responsabilidad para los funcionarios, pues esta responsabilidad es del ministro, y a este nunca se le exige. 5.º Engendrar el *caciquismo* (V.). 6.º Fomentar la empleomanía, por la necesidad en que se encuentra el Estado de nombrarlos para desempeñar el sinnúmero de funciones y de trámites.

Todos los tratadistas de ciencia política están conformes, por virtud de lo dicho, "en que no es posible una descentralización *en lo político,* por no poder abandonar el Estado sus funciones necesarias, diciendo en este sentido Tocqueville "que verdaderamente no se comprende cómo pueda vivir y prosperar una nación sin un fuerte centralismo político"; pero sí es posible, y necesaria en los países latinos, la descentralización administrativa—pues se refiere a funciones contingentes—, con la cual se hace posible regir los intereses de varias mónadas político-sociales, naturales y territoriales, según sus condiciones topográficas, tradicionales, industriales, morales, intelectuales, etc., etc. Esta descentralización y aquel centralismo son perfectamente compatibles hoy, sin que por ello deje el Estado de moverse como *una unidad,* y de reunir y de transportar adondequiera toda su fuerza.

"Solamente un Estado fuertemente centralizado—opina Hauriou—parece capaz de luchar con éxito contra las potencias inferiores que, nacidas de la libertad, se alzan unas tras otras para ahogarle. Corrijamos el centralismo, perfeccionémoslo, combinémoslo con descentralizaciones parciales, librémoslo de las injerencias electorales y parlamentarias que lo falsean; pero no lo destruyamos para quedar obligados a restablecerlo."

V. HAURIOU: *Droit administ.* 9.ª ed. París, 1919.—GASCÓN Y MARÍN, J.: *Tratado de Derecho administrativo.* 3.ª ed. Madrid, 1928.—ORSETTI: *La centralizzazione.* Turín, 1889, 3.ª ed.—DUPONT WHITE: *La centralisation, suite à l'individu et l'Etat.* París, 1905.

CEREMONIAL

1. Libro o tabla en el que están consignadas las ceremonias que se deben observar en los actos públicos, civiles o religiosos.

2. Libro en el que están escritas las prescripciones acerca de los ritos eclesiásticos.

El *Ceremonial litúrgico* se divide en: *Romano (Caeremoniale Romanum)* y *Episcopal (Caeremoniale Episcoporum).*

El *Ceremonial profano* se divide en: de *Corte, Diplomático y Marítimo.*

CERTAMEN

1. Acto público, función literaria en que se argumenta o disputa verbalmente o por escrito sobre algún tema literario.

2. Concurso abierto por las Academias y demás Corporaciones literarias para estimular, mediante la concesión de honores y de premios en metálico, el cultivo de las letras en relación con propuestos temas de particular interés.

CESARISMO

Nombre dado al régimen político despótico en lo civil, lo militar y lo religioso, a semejanza del que ejercieron en Roma los Césares.

Para Stuart Mill, el cesarismo es equivalente a una soberanía imperial. Pero la afirmación es inexacta, ya que han existido emperadores cuyo poder no ha sido cesarista—recuérdese el de Carlos I de España—, y, por el contrario, hay Repúblicas cesaristas, como la actual socialista soviética de Rusia.

Lo que verdaderamente caracteriza al cesarismo, según el propio Stuart Mill "es que el despotismo que representa se funda en la democracia. Los primeros Césares romanos poseyeron el poder *por concesión del pueblo,* ya que la *majestas populi* podía ser transferida por la *Lex imperii.*

Antes que los Césares, ya ejercieron el cesarismo los monarcas orientales, los cuales, sin excepción, eran nombrados por el pueblo, el cual se comprometía a obedecer absolutamente los mandatos del emperador.

Modernamente—1852—, al tomar Luis Napoleón la decisión de su poder cesarista, lo hizo "en nombre del pueblo".

Un caso indiscutible de cesarismo en la Edad Media fue el de Carlomagno. "En la Nochebuena del año 000 escribe Beneyto, vestido con ropajes de oro, revive la coronación imperial en una construcción renovada y revisada por los discípulos de Cristo. Heredaba así a la Roma antigua, incluso con la inserción de la *auctoritas,* pero también a esa nueva Roma que San Pedro había convertido en capital del Imperio cristiano. Esta coronación no es un simple episodio, sino el suceso central de la Edad Media, tan dirimente, que pertenece a aquella categoría de los que alteran el curso de su historia."

La razón por la cual el cesarismo se funda en la democracia está en que el elegido por el pueblo "se cree el pueblo mismo y mira a sus propios enemigos como enemigos del pueblo".

Llámase también cesarismo, hoy, cuando el Estado se arroga funciones que no le corresponden o que no debe ejercer. Cuando el Estado, hoy, cae en el cesarismo, y cohíbe la libertad de otros organismos, es, precisamente, para salvaguardar o reponer los intereses de la democracia.

V. BENEYTO, Juan: *Historia de las doctrinas políticas.* Madrid, Aguilar, 1948.—GETTELL, Raymond G.: *Historia de las ideas políticas.* Barcelona, Labor, 1937.

CESURA

Es la pausa que llevan en el centro algunos versos, por la cual quedan cortados en dos partes, generalmente iguales.

Atendiendo a la cesura, divídense los versos en *intercisos y no intercisos.* Los primeros tienen cesura. Los segundos, no. *Hemistiquios* se llaman las partes en que por la cesura quedan divididos los versos *intercisos.*

En el nomne del Padre, — que fizo toda cosa,
et de Don Jesu — Christo, — fijo de la Gloriosa,
et del Spiritu Sancto, — que egual dellos posa,
de un confessor Sancto — quiero fer una prosa.
Quiero fer una prosa — en roman paladino,
en el cual suele el pueblo — fablar a su vecino;
ca no só tan letrado — por fer otro latino,
bien valdrá, como creo, — un vaso de bon vino.

(GONZALO DE BERCEO.)

En la poesía griega y latina, cesura era la sílaba que, después de la formación de un pie, quedaba a la terminación del vocablo, y con la cual empieza otro pie.

A veces tal sílaba—cesura—, sin formar parte de ningún pie, tiene un valor independiente y propio.

El efecto de la cesura en los versos griegos y latinos es el de atar los pies entre sí y el hacerlos colaborar a la unidad del verso. Colabora también a la armonía del ritmo, como en estos versos de Virgilio:

At domus interi(or) gemi(tu) miseroque tumultu
Misce(tur), penit(us)que ca(vae) plangoribus aedes
Femine(is) ulul(ant); ferit aurea sidera clamor.
Tum pavi(doe) tec(tis) ma(tres) ingentibus errant
Ample(xoe)que te(nent) pos(tes), atque oscula fi-
[gurit.

La falta de cesura quita toda belleza rítmica a ciertos versos como este—todo de pies dáctilos—, citado por el gramático Marius Victorinus:

Phytse, Delie, te colo, prospice votaque firma.

Los versos hexámetros tuvieron de una a tres cesuras. Cuando llevaban una, era esta colocada después del segundo pie. Si llevaba dos, una después del primer pie y otra después del tercero. Si llevaba tres, una detrás de cada uno de los tres pies primeros.

Los griegos dieron nombres *técnicos* a la cesura según el lugar que ocupara en el verso. Llamáronla *trihemímera* si iba detrás del primer pie; *pepthemímera* si iba detrás del segundo; *hepthemímera* si iba detrás del tercero.

Los romanos llamaron a las dos últimas *semiquinaria y semiseptenaria.* Y distinguieron también la cesura *trocaica* y la *bucólica.* La cesura *trocaica* consiste en cortar el verso no por la sílaba final de una palabra, sino por la penúltima, seguida de una breve, y formando un troqueo.

Sole ca(dente), ju(vencus) a(ratra) reliquit in arvo.

La cesura bucólica—propia del género pastoril—se marca después del cuarto pie, siendo este un dáctilo.

Numque erit ille mihi semper Deus — illus aram
Saepe tener nostris ab ovilibus imbuet agnue.

(VIRGILIO.)

V. GOTTFRIED-HERMANN: *De metris graecorum et romanorum poetarum.*—QUICHERAT, L.: *Tratado de la versificación latina.* 1899—VOLTAIRE: Artículo "Hemistiquio", en su *Diccionario filosófico.*

CÍCLICOS (Poetas)

Se llamó así a los que, a imitación de Homero, cantaron en versos épicos no solo los acontecimientos de la guerra de Troya, sino también los anteriores y posteriores.

Poetas cíclicos fueron:

Cleófilo de Samos, autor de la *Ruina de la Ecalia.*

Siagro, autor de una *Guerra de Troya.*

Estasino de Chipre, autor de los *Cantos ciprios.*

Cirrops de Mileto, de las *Hazañas de Oegimio,* rey de los dorios.

Cascino de Naupacta, de las *Heroínas o semidiosas.*

Cinetón de Lacedemonia, de la *Edipodia.*

Augias de Treceno, de *Correrías de los vencedores de Troya.*

Aretino de Mileto, de la *Ekopida.*

Cimeclo de Corinto, de la *Titanomaquia* y las *Corintíacas.*

Lescos de Lesbos, de la *Pequeña Iliada.*

Pisandro de Camiros, de la *Heráclida.*

Prodico de Focea, de la *Miniada.*

Las primeras noticias que hemos tenido de estos poetas cíclicos se las debemos a Proclo, quien las refiere en su *Crestomatía.*

Las obras de tales poetas se han reunido por Fermín Didot en su edición de Homero de la *Biblioteca de autores griegos.*

CICLO

1. Ciclo épico: conjunto de poemas referentes a un determinado período de tiempo, a un grupo de sucesos relacionados entre sí o a un personaje histórico o fabuloso.

Los principales ciclos épicos son: el *Troyano,* el *Bretón,* el *Carolingio,* el del *Rey Artús o de la Tabla Redonda,* el de las *Cruzadas...*

En la literatura española se distinguen los siguientes:

a) *Ciclo antiguo o de Rodrigo, último rey godo de España.*

b) *Ciclo castellano* (Cid, Infantes de Lara, condes de Castilla).

c) *Ciclo leonés* (Cantar de Bernardo del Carpio).

d) *Ciclo carolingio* (Carlomagno y los Pares de Francia).

e) *Ciclo bretón* (rey Artús y caballeros de la Tabla Redonda).

2. Ciclo religioso-dramático: compuesto por las escenificaciones medievales de determinados temas:

a) *Ciclo de Navidad* (Paraíso, Profetas de Cristo, Nacimiento de Jesús...)

b) *Ciclo de la Pasión* (Pasión, Resurrección, Venida del Espíritu Santo, Misión de los Apóstoles...).

Lucas Fernández, uno de los más antiguos y preclaros precursores del gran teatro español, dividió su producción teatral religiosa en los dos aludidos ciclos: *de Navidad*—con dos *Farsas del Nacimiento de Nuestro Redemptor—y de la Pasión—con el Auto de la Pasión.*

V. SÁINZ DE ROBLES, F. C.: *Historia y antología del teatro español.* Madrid, M. Aguilar, 1943, tomo I.

C

CIFRA

1. Figura simbólica o enigmática.
2. Signo.
3. Signos o letras convencionales que forman una escritura ininteligible para quienes no posean *su clave.*

CINEDÓLOGOS (V. Mimos)

CINGALÉS (Dialecto)

Uno de los principales lenguajes de la India, derivado del sánscrito. Se habla principalmente en la isla de Ceilán. Es rico, armonioso, enérgico y posee una conjugación completa. Su alfabeto se compone de 48 letras y de 480 signos, que sirven para la abreviación de las sílabas.

V. CHATER, James: *A grammar of the cingalese language.* Colombo, 1896.

CINISMO

Nombre dado a la doctrina filosófica de los cínicos.

Antístenes nació en Atenas en 444, y murió en 399 antes de Cristo. Discípulo de Georgias, le abandonó por Sócrates. Fundador de la escuela de los *cínicos* en un gimnasio en la plazuela llamada del *Perro ágil;* de aquí el nombre de *cínicos*—perros—dado a sus adeptos, quienes lo aceptaron orgullosamente. Maestro de Diógenes. Estableció su escuela en Cinosargos. Profesaba la más austera moral, pero con una cierta afectación que le reprochó Sócrates. Sin embargo, Antístenes fue el primero que levantó su voz contra los acusadores de Sócrates.

Rechazó el culto de los dioses, afirmando que el Dios único no necesitaba de tales exteriorizaciones. Según él, la virtud bastaba para la felicidad.

Sus obras se han perdido. Los fragmentos que nos quedan de él—cartas que se le atribuyen—se encuentran en el tomo VIII de los *Oratores,* de Reiske; también han sido impresos por Winkelmann—Zurich, 1842—y por Mullach, en sus *Fragmenta philosophorum graec.,* tomo II, Halle, 1802.

Antístenes proclamó—e hizo de ello escuela—que una vida no puede considerarse feliz sino con el mayor placer posible y con el menor dolor posible, y saturada de placer al que no siga ningún dolor. No se crea, sin embargo, que el placer pedido por los cínicos era el placer *puramente de los sentidos,* conforme han asegurado, poco honradamente, algunos filósofos pudibundos en su ortodoxia. Sabían los cínicos que le es imposible al hombre buscar sólo el placer por sí mismo, sin seguir al propio tiempo a la razón y al conocimiento, porque ello significaría un mero vivir vegetativo, sin conciencia, sin recuerdos. Ahora bien: la mera razón, sin placer positivo, será una vida propia para los dioses, pero no para los hombres. Y como placer y razón le son necesarias a los humanos, así también hay dos clases de placeres: el de los sentidos y el estético, siendo este último resultado de la observación y de la admiración de la armonía y del orden y de la razón del cosmos. Lo cual demuestra que el cinismo convertía la razón en fuente de verdadero placer, y juez de si el placer es un placer genuino y verdadero o un placer falso e indigno de nuestra aspiración.

El cinismo estimó—con Sócrates—que el único y necesario conocimiento es el *conocimiento de uno mismo;* y en relación con el conocimiento del universo, aceptó el punto de vista de los escépticos y de Protágoras.

Antístenes, en verdad, adoptó de Sócrates el principio de que la virtud es el bien supremo para el hombre; y considerando que Dios es por esencia independiente, enseñó que la virtud consiste en una absoluta independencia de las cosas exteriores. De aquí el menosprecio hacia todo lo que pueda menoscabarla y el desdén, no solo de los placeres y la reputación, sino hasta de los usos que sanciona el trato social. Las teorías científicas las calificaba de sutilezas bajo todos conceptos.

Los cínicos no cuidaban de su aseo ni de su vestimenta, y se presentaban como verdaderos mendigos insolentes y zafios.

A Antístenes sucedió Diógenes—que aún exageró más las doctrinas de su maestro—; y a Diógenes, Crates de Tebas. Los cínicos contaron con nombres ilustres: Teombroto, Cleomeno, Demetrio, Trasilo, Sótades, Menedoro, Menipo...

El cinismo, con los años, cayó en exageraciones casi ridículas. Si para Sócrates la virtud era el *sumo bien,* para el cinismo era el *único bien,* y el vicio, el único mal. Lo demás: fortuna, amistad, enfermedad, salud, honores, pobreza..., era indiferente.

El cinismo empezó a decaer en el siglo III antes de Cristo. A principios de esta centuria el *estoicismo* empezó a medrar a expensas del cinismo, cuyas costumbres y doctrinas impudentes había moderado aquel.

V. GOMPERZ: *Les Penseurs Grecs.* Traducción franc. París, 1905.—DELAYNAY: *De Cynismo.* París, 1889, 2.ª ed.—CHAPPUIS: *Antisthene.* París, 1854.—DUMLER: *Antisthenica.* Halle, 1882.—MÜLLER: *De Antisthenis cynici vita et scriptis.* Dresde, 1860.

CÍNRICA (Lengua y literatura)

El címbrico o cínrico es, con el *gaélico* (V.), uno de los dos grandes brazos de las lenguas célticas o celtas. A su vez está dividido en tres ramas: el *welsh* o *galés* (V.), el *córnico* (V.) —que se hablaba en Cornualles—y el *armoricano* o *bretón* (V.).

El *córnico* ya no se habla. Sus monumentos escritos no son famosos. Entre ellos sobresalen: tres dramas religiosos—siglo XV—acerca de la Creación del mundo, la Pasión y la Resurrección de Nuestro Señor, publicados en 1682 y reimpresos en 1826 y en 1859. La mejor edición, esta última: *The ancient cornish drama, edited and translated,* Oxford.

Las ramas del galés y del bretón han dado magníficas obras literarias, entre las que cabe mencionar: las primeras leyendas cínricas reunidas en la *Crónica* de Nennius; las *Leyes* del rey Howell "el Bueno", del siglo x; numerosas composiciones, en verso y en prosa, de los siglos IX al XIII, reunidas en diversas colecciones manuscritas, tituladas el *Libro Negro de Coermarthen,* el *Libro Rojo de Hergerst...* Otras leyendas y otros poemas fueron recogidos en el *Mabinogión* y en la célebre *Arqueología de Gales,* de Owen Jones.

Autores importantes fueron: Meilyr, poeta excelente del siglo XII; Owen Kyvecliog, autor del más largo poema galés del siglo XII, titulado *Hirlas Horn;* Owel ab Owain, hijo de un rey del norte de Gales, cantó a las bellas mujeres de su país; Kynddelw, poeta irónico; Llywarch ab Llywelyn, lírico y épico.

Pero los tres poetas más gloriosos de esta literatura, durante la Edad Media, fueron: Geoffroy de Montmouth, Gautier Map y Gerardo "el Cambrio". Los dos primeros originaron el famoso *ciclo épico bretón,* formado por los poemas del rey Artús y de los caballeros de la Tabla Redonda, una de las grandes ramas de la poesía medieval. El tercero cantó magníficamente las costumbres de los pueblos galés e irlandés. Sin embargo, los tres escribieron en latín o en francés.

La literatura moderna del País de Gales ha producido obras de mérito, como la *Historia* (Hanes Kymru), de Price de Crickowel.

V. ZEUSS: *Gramática céltica.*—STERHENS, Thomas: *The literature of the Kymry.* 1849.

CIRCASIANA (Lengua)

Uno de los principales idiomas caucasianos o caucásicos. Lo hablan—al sur de Rusia—los circasianos o tcherkesses, los cuales forman una docena de tribus, cada una de ellas con su propio dialecto. No posee ni artículo ni género. La declinación tiene tres casos: el nominativo, el genitivo y otro—que hace oficios de dativo, acusativo y ablativo—que se forma por flexión. El plural se forma uniendo al singular el sufijo *je.* La construcción sigue el orden inverso. El circasiano tiene una pronunciación sumamente difícil. Ofrece una modificación de vocales, de diptongos y de sonidos guturales que no se encuentra en ninguna otra lengua.

Al lado de la lengua circasiana popular coexisten el *sicuxir,* que es el circasiano hablado por la nobleza y los intelectuales, y dos dialectos bárbaros—verdaderas jerigonzas—: el *chakobché,* utilizado por los soldados, y el *farchipsé.*

V. L'HUILLIER: *Russ. Tscherkess. Wörterbuch mit Gramatik.* Odessa, 1889.

CIRCUNLOCUCIÓN

Circunlocución o perífrasis es una figura retórica indirecta y, según muchos, descriptiva, que consiste en expresar por medio de un rodeo, y de un modo más enérgico, elegante y delicado, lo que podía haberse enunciado con pocas palabras o con una sola. Así: *Fuente del Eterno Bien,* por Dios; el *Rey Profeta,* por David; el *Padre del Día,* por el Sol.

La circunlocución usada en demasía o con inoportunidad quita la concisión y la claridad a los escritos.

CIRCUNLOQUIO

Rodeo de palabras que se utiliza para expresar una idea que hubiera podido explicarse más brevemente.

> Apenas la blanca aurora había dado lugar a que el luciente Febo, con el ardor de sus calientes rayos, las líquidas perlas de sus cabellos enjugase, cuando Don Quijote, sacudiendo la pereza de sus miembros, se puso en pie y llamó a su escudero Sancho. (CERVANTES.)

En la gramática latina se llamó circunloquio a la forma verbal del infinitivo en *urus, uram, urum,* seguida de *fuisse,* que es el pretérito imperfecto de subjuntivo: que *amara o hubiera amado.*

CIRCUNSTANCIA

En retórica se llama circunstancia a *un accidente del hecho.* Por las circunstancias puede demostrarse la facilidad o dificultad, la posibilidad o imposibilidad, la verosimilitud o inverosimilitud de una cosa o de un hecho.

La circunstancia—en la literatura—puede referirse a la acción, al autor, al tiempo, al lugar, a las causas, a los medios, al modo y a la forma.

CIRCUNSTANCIAS (Obras de)

Nombre dado a obras en verso y a obras dramáticas compuestas con ocasión de un acontecimiento cualquiera. Las obras de circunstancias —particularmente las teatrales—suelen tener una vida efímera, y se olvidan a medida que son olvidados los hechos que las inspiraron. Las *parodias* son las obras de circunstancias más frecuentes. Generalmente, un hecho social o político crea una pasajera situación que el teatro explota. *Las nubes,* de Aristófanes, es una de las más célebres obras de circunstancias.

CISMONTANISMO

Doctrina política de los cismontanos—"de más acá de las montañas"—, en oposición con la de los ultramontanos—"de más allá de las montañas".

Los cismontanos fueron partidarios del *regalismo* (V.) y de la influencia del poder civil en los problemas religiosos, mientras los ultramontanos defendieron siempre la supremacía del Pontificado frente los soberanos de la tierra. El cismontanismo se inició con la famosa Guerra de las Investiduras entre el Papado y el Imperio, durante los siglos XI y XII, y dio origen al regalismo, que ha llegado casi hasta nuestros días.

El cismontanismo defendió que el Primado y el Episcopado derivan del mismo excelso origen, correspondiendo al segundo atribuciones propias de gobierno, aunque sometidas a la inspección del Primado. También defendió las prerrogativas del Poder civil en determinados asuntos religiosos, y, sobre todo, su derecho absoluto sobre el culto y los sacerdotes nacionales, dentro, claro está, de la ortodoxia, afirmando que si los clérigos de un Estado dependen antes del Papa que del aludido Estado soberano, se producirá una injerencia intolerable de la Iglesia en aquel en cuanto surja una colisión de intereses y en una misma persona el sacerdote se oponga al súbdito. (V. Ultramontanismo.)

CITA o CITACIÓN

1. En literatura, cita o citación es *una nota* de ley, doctrina, autoridad u otro cualquier prestigio que el escritor alega, acompañándola en su obra, para prueba de lo que dice o refiere o comenta.

2. Llamada o aclaración que se pone al pie o en el margen de un libro relativa al texto.

Mucho se ha dicho en pro y en contra de las citas que los escritores suelen llevar a sus escritos; citas, casi siempre, pensamientos, sentencias, frases de otros escritores famosos. Para muchos, estas citas entorpecen la lectura, llevando al libro cierta confusión. Para otros, si son oportunas y felices, las citas avaloran y embellecen. El cardenal Du Perron estimaba "que la aplicación feliz de un verso de Virgilio demuestra un verdadero talento".

Las citas tienen una innegable importancia "cuando llegan a formar parte en el desarrollo del tema sustancial de un libro".

Algunas citas famosas se han hecho ya verdaderos tópicos. Así las latinas: *O tempora, o mores!; Panem et circenses; Non erat his locus; Homo sum, humani nihil a me alienum puto; Labor improbus omnia vincit; Miscuit utile dulci; Ab uno disce omnes*... Y otras como: *El estilo es el hombre; Lasciati ogni speranza; To be or not to be; That is the question.*

"CLAQUE"

Voz francesa implantada en nuestro idioma. Término de la literatura teatral. Nombre dado a un conjunto de personas encargadas, en los teatros modernos, de aplaudir las obras en los días de su estreno y aun en los siguientes. La *claque* es una perfecta organización. Tiene un jefe. Y un personal fijo, asalariado, en algunos teatros. Aun cuando en la mayoría de ellos los miembros de la *claque* son espontáneos y pagan una cantidad mucho más pequeña que la de la entrada más barata.

La *claque* ha llegado a ser imprescindible aun para aquellas obras de valor realmente excepcional, ya que los espectadores que pagan íntegras sus localidades necesitan, para aplaudir ellos, el estímulo de unos primeros aplausos.

En el teatro romano, en tiempos de Nerón, ya existió la *claque*.

En el teatro español, desde el siglo XVII, se hicieron famosos los *alabarderos* o *mosqueteros*, personajes cuya misión era defender la obra estrenada. Aun cuando no era raro que igualmente sirvieran para lo contrario, ya que, a veces, *eran pagados* por enemigos de los autores. Y aun a veces concurrían a los "corrales" de las comedias *mosqueteros* defensores y *mosqueteros* impugnadores, entre los cuales solían entablarse verdaderos combates campales.

V. ROBERT, C.: *Les mémoires d'un claqueur (Théorie et pratique de l'art des succès)*. París. Varias ediciones.

CLARIDAD

Se llama *clara* una expresión cuando ofrece un solo sentido y se entiende sin dificultad por aquellos a quienes se dirige. La expresión que ofrece dos o más sentidos se llama *equívoca, ambigua* o *anfibológica*. Hay claridad en estas frases: *el sol es brillante; el agua apaga la sed.*

CLÁSICAS (Obras)

En un sentido restringido, se entiende por *obras clásicas* aquellas reconocidas como excelentes y consideradas dignas de servir de modelo dentro de su género.

No siempre se ha entendido lo mismo. Para los escritores del Renacimiento, *obras clásicas* fueron únicamente las escritas por los más famosos autores griegos y romanos.

En un sentido más amplio, son *obras clásicas*, dentro de cada país, aquellas que tuvieron y tienen la aceptación general de los públicos y de la crítica de las sucesivas generaciones, y que son designadas como modelos dentro de sus géneros.

Nada importa, para la calificación de una obra *como clásica,* el tiempo transcurrido desde su publicación. En España son igualmente clásicas el *Libro del Buen Amor,* el *Quijote* y *Don Juan Tenorio,* obras entre las que median siglos.

CLASICISMO

El término *Clasicismo* puede ser considerado en dos sentidos: en uno, general, y en otro, particular.

En un *sentido general,* es tanto como la *persistencia* de la tradición clásica—griega y romana—. En un *sentido particular,* es la designación de aquel movimiento artístico y literario y de aquellas poética y retórica que toman como ejemplos el arte y la literatura clásicos, sometiéndose a las leyes y cánones fundamentales de la *imitación* de los modelos griegos y romanos.

Naturalmente, al referirnos con sencillez y simplicidad al *Clasicismo,* nos circunscribimos al "sentido general" del mismo, ateniéndonos al examen de la espiritualidad y del sentido y del sentimiento que *integraron* los modelos griegos y romanos. A la calidad sustancial de lo clásico. A la escuela, gusto y método de los clásicos. A la pureza y perfección de un movimiento que dintorna la belleza y la profundiza. Al carácter peculiar de una literatura. A una técnica y a un procedimiento y a una adhesión tenaz que llegan a sistematizarse en reglas inmutables. El *Clasicismo* tiene una inapelable aspiración: la forma. Y tiene una tendencia inevitable: la *exaltación* de los valores humanos realistas. Y tiene un sentido insobornable: la *inmortalidad* de lo perecedero. Griegos y romanos, un tanto escépticos de sus dioses, pretendieron, con la hermosura de su expresividad—la letra, la palabra, el mármol, los valores—, alcanzar una perenne trascendencia que los sobreviviera indefinidamente. Enamorados de la verdad—esto es, sin conceder nada a la imaginación ni a los sueños—, exaltaron cuanto veían, cuanto tocaban; únicamente, y con unidad artística, lo que gustaban a través de los sentidos. Hasta cuando se encararon con sus pasiones y con sus afanes, sentimientos e ideales, tan propicios *a sacar de quicio la realidad,* se sometieron con un radicalismo estoico a considerarlos solo propicios a ser vividos con serenidad y a ser utilizados con cordura.

Lo clásico es, pues, lo antirromántico por excelencia. El *Clasicismo* es un movimiento espiritual de conformidad con el realismo, al que se ciñe como el guante a la mano, pero siempre que tal realismo no quede afectado por nada capaz de violentar su ritmo puramente terrenal. En el *Clasicismo,* el hombre no busca sino al hombre. En el *Clasicismo,* el hombre repudia lo sobrenatural y lo quimérico. Por ello, los clásicos amaron sobre todas las cosas *la forma,* módulo y péndulo de la existencia: el cuerpo humano, la palabra humana, el carácter humano, el diálogo, el gesto, la actitud... Forma de ser y forma de existir. En las más hondas tragedias de Sófocles, lo que asombra es la forma de acción y la forma de reacción realista de los personajes, y no cuanto en ellas hay de sobrenatural o de forzado patetismo. Una estatua de Praxiteles es el triunfo de la forma. Un diálogo de Platón no es sino *la forma* con que el hombre desarrolla su esencia perdurable.

El *Clasicismo* es, pues, un movimiento estrictamente *formalista,* en el que no cuenta lo que no protagoniza el hombre como tal hombre, ser limitado y concreto, pero que se resigna a perfeccionarse o a embellecerse en sí mismo.

Al *Clasicismo* pueden asignársele estos límites: del siglo X antes de Cristo al siglo II después de Cristo. Sin embargo, dentro de tales límites, ya pueden señalarse los *ácidos* que corroen su serenidad impresionante: el Helenismo, el Epicureísmo, la Sofística, el Estoicismo, el Alejandrismo..., ácidos que acabarán por borrarlo durante algunos siglos.

1. CLASICISMO LITERARIO.

A) *Clasicismo literario griego.*—La literatura griega es la única de la que puede afirmarse la *absoluta originalidad.* Ninguna influencia oriental pesa sobre ella—como pesa sobre el arte griego—. Jamás se atuvo a modelos extraños. Son propios sus modelos, sus temas, sus designios, su técnica. Todo es en ella genuino y sorprendente. Como muy certeramente han señalado dos modernos críticos españoles, Gándara y Miranda: "Los géneros literarios griegos aparecen en el orden natural y evolucionan así con toda regularidad. Así, la *epopeya,* primera manifestación literaria, es el fruto de la imaginación y apetencias heroicas de un pueblo en la menor edad; el *lirismo,* de la sensibilidad y pasión de un pueblo joven, y, por fin, el *teatro* y la *prosa,* de la razón refinada de un pueblo maduro."

Si es realmente maravilloso que la literatura griega sea la única absolutamente original, casi maravilla más que la literatura griega haya influido *decisivamente* sobre todas las literaturas del mundo, hasta nuestros días, en cualesquiera tiempos.

Otro valor extraordinario de esta literatura griega es reflejar, de manera insuperable, el *sentido artístico* de su humanidad, para inmortalizarse en las literaturas posteriores.

El clasicismo literario griego abarca un período enorme de casi mil quinientos años: del siglo X antes de Cristo al siglo V de nuestra Era. En estos quince siglos pueden ser determinados con precisión cuatro períodos: el *Arcaico* (Jonio-Dórico), entre los siglos X y VI antes de Jesucristo; el *Clásico* (Atico), de los siglos V y VI; el *Alejandrismo,* de los siglos III, II y I antes de Jesucristo; y el *Greco-Romano,* de los siglos I al V de nuestra Era.

En el *primer período* cabe mencionar: la *tradición poética,* conservada por los aedas y rapsodas; la *epopeya* y la *poesía lírica.*

En la epopeya fulguraron los nombres de Homero (siglo X), autor de la *Odisea* y de la *Iliada;* Hesíodo (hacia el 800), con *Los Trabajos y los Días y La Teogonia;* Esopo (siglo VI), autor de fábulas inimitables.

En la poesía lírica inmortalizaron sus nombres: Tirteo (hacia el 680); Mimnermo (hacia el 625); Solón (¿640-558?); Teognis (hacia el 540); Arquíloco (hacia el 600); Alceo (hacia el 610); Safo (hacia el 600); Anacreonte

C

(hacia el 540); Píndaro (522-441); Simónides de Ceos, Baquílides...

En el *período clásico* llegaron a su apogeo el teatro, la filosofía, la historia, la oratoria...

El teatro encontró sus más ilustres cultivadores en: Esquilo (525-456), padre de la tragedia, autor de trilogía *La Orestiada, Prometeo encadenado, Los Siete contra Tebas, Los Persas, Las Suplicantes;* Sófocles (497-¿405), autor de *Edipo, rey; Edipo, en Colonna, Electra, Ayax, Filoctetes, Antígona...;* Eurípides (480-406), autor de *Medea, Hipólito, Alceste, Las Bacantes, Ion, Ifigenia en Aulis, Ifigenia en Tauris, Hércules furioso, Hécuba, Helena, Las Troyanas...*

En la comedia se distinguieron: Aristófanes (450-380) con *Las avispas, Las ranas, Las aves, Las nubes, La asamblea de las mujeres, Lysistrata...;* y Menandro (343-292).

En la filosofía son célebres: Jenófanes, Parménides, Empédocles, Anaximandro, Anaxímenes, Heráclito, Pitágoras, Demócrito, Anaxágoras; entre los sofistas; Protágoras, Pródicos y Gorgias; Sócrates (469-399), el hombre que, sin haber escrito, ha ejercido mayor influencia sobre el pensamiento humano; Platón (428-347), discípulo y divulgador de las doctrinas de Sócrates, el más "divino de los filósofos", del que se conservan 42 *diálogos,* muchos de ellos rechazados por la crítica por apócrifos, figurando entre los auténticos: *Fedón*—sobre la inmortalidad del alma—, *Critón*—sobre los deberes del ciudadano—, *El Banquete*—sobre el amor—, *El Fedro*—sobre la belleza—, *Parménides*—sobre las ideas—, *República*—sobre el Estado ideal—...; Aristóteles (384-322), discípulo de Platón y maestro de Alejandro Magno, autor del *Organon, Historia de los animales, Etica a Nicómaco, Retórica, Poética, Constitución de los atenienses...*

En la historia se inmortalizaron: Herodoto (484-425), con su *Historia,* en nueve libros dedicados a las nueve musas: Tucídides (470-398), autor de una *Historia de la guerra del Peloponeso;* Jenofonte (¿440-350?), autor de la *Anábasis,* de las *Historias griegas,* de la *Ciropedia* y de una *Vida de Sócrates.*

En la oratoria brillaron: Lisias (440-380); Isócrates (436-338), autor del famoso *Panegírico* de Atenas; Demóstenes (384-322), con sus *Filípicas,* sus *Olínticas* y el *Discurso de la Corona;* Antifonte, Andócides, Iseo, Licurgo de Atenas, Hipérides, Esquines, Dimarco...

En el *período alejandrino* destacaron: en la poesía lírica: Calímaco (310-240); en la poesía bucólica: Teócrito (305-250) con sus *Idilios;* Bion de Esmirna, Mosco de Siracusa; en la poesía épica: Apolonio de Rodas (295-230) con su poema *Los argonautas.*

En la filosofía: el escéptico Pirron y Epicuro. En la historia: Polibio (210-125). En la geografía: Eratóstenes (275-195) En la crítica y en la filología: Aristófanes de Bizancio y Aristarco.

En el cuarto *período grecorromano* merecen mención muy especial los filósofos Epicteto —autor del célebre *Manual* de filosofía estoica—, el emperador Marco Aurelio—que escribió en griego sus *Pensamientos*—y Plotino, autor de las *Enéadas.*

En la historia: Diodoro de Sicilia; el geógrafo Estrabón; Flavio Josefo, con su *Guerra de los judíos;* Arriano, con *Anábasis;* Appiano, con *Historia romana;* Pausanias, con *Descripción de Grecia;* Diógenes Laercio, con *Vidas y doctrinas de filósofos ilustres;* Plutarco (50-120), con sus *Vidas paralelas;* Luciano de Samosata, con *Historia verdadera,* los *Diálogos.*

En este cuarto período de la literatura griega es imprescindible mencionar a los escritores cristianos—apologistas, historiadores, oradores y filósofos—: San Justino (m. 165); San Clemente de Alejandría (siglo II), con su *Apología del Cristianismo;* Orígenes (siglo III), con su *Exhortación al martirio* y sus *Comentarios* a la Biblia; San Atanasio (m. en 337); San Basilio (m. en 379); San Gregorio Niseno (m. en 394); San Gregorio Nacianzeno (m. en ¿390?); San Juan Crisóstomo (m. en 407), con sus *Tratados y Discursos.*

B) *Clasicismo literario latino.*—La literatura latina no es original, sino imitación de la griega. Como nota *peculiar,* tiene la de no buscar—en conjunto, como la helénica— la expresión de la belleza y del espíritu, y sí intentar la representación *puramente humana* de su política, de su destino bélico y geográfico, de su conveniencia social, de su juridicidad portentosa. La literatura latina sustituye el valor *estético*—de la griega—por el valor *ético.*

En el clasicismo latino pueden distinguirse cuatro períodos: el *Arcaico,* hasta el siglo I antes de Cristo; el propiamente *Clásico,* del año 80 antes de Cristo al 14 de nuestra Era; el *Posclásico,* del año 14 al 117; la *Decadencia,* del año 117 al 565.

En el *período arcaico* sobresalieron los poetas Livio Andrónico (siglo III a. de C.), Nevio (n. hacia el 270) y Ennio (234-169). En el teatro: Pacuvio (n. el 220 a. de C.), con su tragedia *Paulus;* Accio (n. 170), con sus *Prometeo encadenado* y *Prometeo libertado;* Plauto (n. hacia el 254), *con Anfitrión Miles gloriosus, Aulularia, Menaechmi...;* Terencio (m. en el 159 a. de C.) con *Eunuchus, Phormio, Heautontimorouménos, Hécira, Andria, Los Adelfos...*

En la sátira: Lucilio (180-103). En la oratoria: los Gracos. En la historia: Catón "el Viejo" (n. en el 234), con *Orígenes* y *Tratado de Agricultura.*

En el *período propiamente clásico,* entre los poetas, Lucrecio, con su poema didáctico *De natura rerum;* Cátulo (87-54), con sus elegías, epitalamios, epigramas y sátiras; Publio Virgilio Marón (70-19), con las *Bucólicas, Geórgicas* y la *Eneida;* Quinto Horacio Flacco (65-68), con *Epodos,* y *Sátiras, Odas, Epístolas, Arte Poética;* Tibulo (n. 54), con sus cuatro libros de *Elegías;* Propercio (n. 46); Publio Ovidio Nasón (n. 47), con *Metamorfosis, Heroidas, Arte de amar, Fastos. Tristes, Pónticas.* En la historia: César (100-44), con sus *Comentarios*: *De bello Gallico y De bello Civile;* Salustio (n. 86), con *De coniuratione Catilinae, Bellum Iugurthinum* y las *Historiae;* Cornelio Nepote (siglo I a. de C.), con *De viriis illustribus;* Tito Livio (59 a. de C.—17 d. de C.), con su monumental *Historia romana;* Trogo Pompeyo, con *Historias Filípicas.*

En la oratoria y erudición—entreverada con la filosofía—: Hortensio, Lucinio Calvo, Catón "de Utica"; Marco Tulio Cicerón (106-43), con las *Verrinas,* las *Catilinarias,* las *Filípicas, De Oratore, De Republica, De Senectute, De Legibus, De Officiis, De Amicitia, De Natura Deorum...;* Marco Terencio Varrón (siglo II antes de C.), con *De lingua latina* y *de Agricultura.*

En el *período posclásico,* entre los poetas: Lucano (n. 39 después de C.), con *La Farsalia;* Silio Itálico (25-101), con su poema *Púnica;* Valerio Flacco (m. 82 d. de C.), con *Los Argonautas;* Estacio (40-93), con *La Tebaida, La Aquileida;* Persio, con sus *Sátiras;* Marco Valerio Marcial (40-104), con *Epigramas;* Juvenal (n. hacia el año 60), con *Sátiras;* Fedro (siglo I), fabulista.

En la historia: Veleyo Patérculo, con *Historia Romana;* Valerio Máximo, con *Dichos y hechos memorables;* Quinto Curcio Rufo, con *Historia de Alejandro;* Tácito (¿54-116?), con el *Diálogo de los oradores,* el *Agrícola,* las *Historias* y los *Anales.*

En la filosofía y en el teatro: Lucio Anneo Séneca (4-65), con sus *Tragedias—Edipo, Hécuba, Tieste, Hércules furioso, Fedra, Medea, Octavia—,* sus *Tratados filosóficos—De Clementia, De Brevitate vitae, De Vita beata—,* sus *Consolaciones—A Marcia, A Polibio, A su madre Helvia...*

En la erudición y en la crítica: Plinio "el Mayor" (23-79), con su *Historia Natural;* Plinio "el Joven" (61-113), con sus *Cartas* y el *Panegírico de Trajano;* Q. Fabio Quintiliano (¿42-117?), con la *Institución oratoria.*

En la novela: Petronio, con el *Satiricón.*

Durante el *cuarto período, de la decadencia,* destacaron: En la poesía: Ausonio (nació en 310), con epigramas, idilios y epístolas; Claudiano (fines del siglo IV), con el poema mitológico *De raptu Proserpinae;* Prudencio (348-¿406?), con *Cathemerinon*—cantos—y *Peristephanon*—acerca de los mártires.

En la historia: Cayo Suetonio Tranquilo, con la *Vida de los Césares;* Floro con el *Epítome de Historia romana;* Justino, autor de las *Historias Filípicas,* y Amiano Marcelino, con *Res gestae.*

En la erudición: Aulo Gelio (n. ¿125?), con las *Noches áticas.*

En la novela: Apuleyo (n. hacia el 125), con *El asno de oro.*

En la apología: Minucio Félix; Tertuliano (m. hacia el 222), con la *Apologética* y un tratado acerca de los *Espectáculos;* Arnobio, con el tratado *Adversus nationes;* Lactancio, autor de *Instituciones divinae, De ira Dei, De mortibus persecutorum.*

Entre los Padres de la Iglesia Latina: San Cipriano, con sus tratados *De catholicae ecclesiae unitate, De lapsis;* San Hilario (siglo IV), con *De fide adversus arrianos;* San Ambrosio, con sermones, oraciones fúnebres y tratados de moral; San Jerónimo (342-420), con su traducción de la Biblia *(Vulgata), De viris illustribus;* San Agustín (354-430), uno de los más portentosos pensadores y escritores de toda las épocas, con *La Ciudad de Dios,* las *Confesiones, Cartas, Sermones.*

2. CLASICISMO ARTÍSTICO.

A) *El arte griego.*—Se desarrolla cumplidamente entre los siglos VIII y II antes de Cristo. Sus precedentes remotos acaso hayan de buscarse en el arte egeo, desarrollado desde mediados del tercer milenario hasta el siglo XIII antes de Cristo.

Las características de la arquitectura están resumidas a la perfección en la frase de Solón: *Nihil nimis,* es decir, el equilibrio, la euritmia, la armonía y la belleza en las proporciones, la sutil modulación del plano en arquitectura. Y en la escultura: el sentido de la medida, la proporción, la belleza, la perfección lineal.

En arquitectura cabe distinguir varios períodos: *arcaico* (siglos VIII-V); el propiamente *clásico* (siglos V-IV), y el *helenístico* (siglos IV-II).

Los órdenes arquitectónicos son tres: *dórico, jónico y corintio.* Estos tres órdenes derivan *precisamente* de las columnas igualmente denominadas. La columna dórica carece de basa, tiene fuste estriado, éntasis bastante acentuado, y va disminuyendo hacia arriba.

La columna jónica tiene basa, el fuste más esbelto, con mayor número de acanaladuras y capitel, formado por dos volutas, cojinete y ábaco, ornamentado con ovas.

La columna corintia tiene basa, fuste acanalado y capitel con hojas de acanto, de las que surge un segundo orden de hojas acuáticas.

El templo es el monumento esencial del arte griego; y, según el número de columnas de su frente, se llamó *tetrástilo, hexástilo, octástilo* o *decástilo.* Cuando tiene un pórtico, es también denominado *próstilo;* si tiene dos, *díptero;* cuando las columnas están adosadas en los lados mayores, *pseudoperíptero;* si circular con columnas, *monóptero;* careciendo de columnas, *áptero;* y con dos órdenes de columnas, *hípetro.*

Del *período arcaico* son famosos los templos de *Thermas,* en Etolia; el de *Orthia,* en Esparta; el de *Hera,* en Olimpia; el de *Selinonte;* el de *Poseidon,* en Paestum; el de *Zeus,* en Olimpia. Todos ellos dóricos.

Entre los jónicos: el de *Neandria;* el del *Tesoro de Sifnos,* en Delfos; los de *Larisa* y *Lesbos;* el *Artemison,* de Efeso; el *Heraion,* de Samos; el *Didymaion,* de Mileto.

Al período *netamente clásico* corresponden: el *Parthenon* (siglo v), de los arquitectos Ictinos y Callicrates, octástilo, períptero; los *Propileos* (siglo v), de estilo dórico; el templo de *Atenea Niké,* jónico; el *Erecteion,* obra maestra del estilo jónico (siglo v); el templo de *Bassae;* el *tholos de Delfos* y el *tholos de Epidauro.*

Y entre las construcciones civiles: los *teatros* de *Epidauro, Dionisios* y *Megalópolis;* el *Telesterion,* de Eleusis; el *Thessiliop de Megalópolis.*

Al *período helenístico* corresponden: el templo de *Zeus,* en la Acrópolis ateniense; el *Didymeion;* el *Artemision,* de Magnesia, obra de Hermógenes.

En el *período arcaico,* la *escultura* comprende, entre otros modelos admirables: la *xoana de Nikandré; Cleobis,* del museo de Delfos; el *friso de Prinias;* los frontones de *Hecatómpedon,* de Atenas; del *templo de la diosa Afaia* (Egina); del *templo de Zeus* (Olimpia).

En el *período clásico* aparecen los extraordinarios escultores: Mirón de Eleutere, autor del *Discóbolo,* del grupo *Atenea y Marsyas;* Fidias (n. hacia el 490), autor del *Zeus* de Olimpia; la *Athenea Parthenos,* el *friso de las Panateneas,* los *frontones del Parthenón;* Alkamenes, autor de la *Afrodita de Frejus;* Policleto de Sicione, autor del *Doríforo,* del *Diadumeno,* del *Efebo* (Museo de Florencia), de la *Amazona herida...*; Peonios de Mendé, autor de la *Niké,* del Museo de Olimpia.

En el siglo IV: Skopas de Paros, autor de los *frontones del templo de Apolo* (Tegea), del *friso del Mausoleo de Halicarnaso,* de la cabeza de *Meleagro* (Museo Vaticano); Praxiteles, autor de *Apolo Sauróctono,* de *Afrodita de Gnido,* de *Hermes con Dionisio niño;* Lisipo, autor del *Apoxiomenos,* del Heracles Farnesio.

Al *período helenístico* corresponden: Agesandro y sus hijos Polidoro y Atanodoro, autores de *Laoconte y sus hijos;* Apolonio y Taúrico de Tralles, autores del *Toro Farnesio;* Boethos, autor del *Negro cantor* y del *Niño con el ganso.* Y figuras, de autores anónimos, tan bellas como las *Afroditas de Médicis, Milo* y *Viena,* el *Hermes sentado* (Museo de Nápoles), los relieves del *altar de Pérgamo.*

La pintura helénica cuenta con los nombres gloriosos de Apeles, Parrasios, Polignotos, Zeuxis, Meidias...

B) *El arte romano,* derivación indiscutible del arte griego, se distingue de este por el *juego de masas,* por el sistemático empleo del arco y la bóveda, por las construcciones *colosales.*

También pueden distinguirse en él tres períodos: el *de la República* (510 a 30 antes de Cristo); el *de Augusto* (30-14 a. de C.). y el *del Imperio* (14 a. de C.-315 d. de C.).

En el arte romano la arquitectura dirige las demás artes.

En los templos destacan: el dórico de *Cori;* el jónico de la *Fortuna viril,* de Roma; el de la *diosa Vesta,* en Tívoli; el de *Venus,* en Roma; el de *Baalbek* (Siria); el de Nimes.

Tumbas: Las de la *viña Codini* y las *de los libertos de Livia,* en Roma; la de *Fabara* (Zaragoza); la de los *Julios,* en Saint-Remy; la de los *Escipiones,* en Tarragona; el *mausoleo de Adriano* y la *pirámide de Caio Cestio,* en Roma.

Termas: Las de *Trajano, Caracalla y Diocleciano,* en Roma.

Teatros: Los de *Marcello* (Roma), *Pompeya, Arlés, Mérida, Sagunto...*

Arcos de triunfo: Los de *Tito, Septimio Severo y Constantino,* en Roma; el de *Bará* (Tarragona); el de *Medinaceli* (Soria); el de *Cáparra* (Cáceres); el de *Caracalla* (Tebessa).

Anfiteatros: El *Coliseo* romano o *Anfiteatro Flavio;* el de Verona; el de Mérida; el de Pola...

Columnas: Las de *Trajano y Marco Aurelio,* en Roma.

Acueductos: Los de *Segovia, Mérida, Alcántara,* en España; el de *Pont du Gard,* en Nimes (Francia).

Basílicas: Las de *Julia, Ulpia y Constantino,* en Roma.

Para muchos críticos, la escultura romana representa "la última etapa en la evolución del arte helenístico y etrusco".

Características de la escultura romana son: el *realismo*—mucho más acentuado que el griego—; la sustitución de la figura idealizada del héroe por el *retrato*—verdadero estudio psicológico del personaje—; la perfección del *relieve* histórico.

Entre los numerosos retratos romanos que se conservan destacan: *Catón y Porcia* (Museo Vaticano), el *Augusto de Primaporta* y el *Augusto de la Vía Labicana* (Roma), la *Emperatriz Livia* (Copenhague), *Agripina* (British Museum), *Mesalina* (Louvre), *Plotina* (Museo Capitolino), *Marco Aurelio* (ecuestre), en la plaza del Capitolio romana; el *Antinoo, Maximino* (Berlín), *Constantino el Grande* (Palacio de los Conservadores, Roma).

Entre los relieves artísticos: Los del *sarcófago de L. Cornelio Scipión Barbado* (Museo Vaticano), los del *Ara Pacis de Augusto* (Roma y Florencia), los del *Arco de Tito* (Roma), los de la *Columna Trajana,* en el Foro romano; los del *Arco de Constantino,* los de la *Colum-*

na de Marco Aurelio (Roma), los del *sarcófago de Elena*—madre de Constantino—(Constantinopla).

La pintura tuvo en el clasicismo romano una gran importancia, según han demostrado las maravillosas que decoraban las casas de Pompeya y de Herculano. Estas pinturas bien adoptaban dibujos arquitectónicos—nichos, columnas, entablamentos, ventanas figuradas—, bien paisajes imaginarios o figuras mitológicas, ya escenas de amor o temas de la vida real.

V. NESTLE, Wilhelm: *Historia de la literatura griega.* Barcelona, Labor, 1930.— CRISTS, Guillermo, y SCHMID, G.: *Historia de la literatura griega.* Tres tomos.—GUDEMANN, Alfred: *Historia de la literatura latina.* Barcelona, Labor, 1926.—SCHANZ: *Röm. Literaturgesch.* Siete tomos. 1907.—DIMSDALE, S.: *A History of Latin Literature.* Londres, 1915.—COLLIGNON, M.: *Histoire de la Sculpture grecque.* Dos tomos. París.—PIJOAN, J.: *Historia del arte.* Barcelona, Salvat, 1926. Tomo I.—PERROT Y CHIPIEZ: *Histoire de l'Art.* París, 1898.—WINCKHOFF, F.: *Roman art.* Londres, 1900.—CAGNAT Y CHAPOT: *Manuel d'Archéologie romaine.* París, 1917.

CLÁSICOS (Autores)

Son aquellos que sirven de modelo en el idioma de sus escritos, o de peso y autoridad en cualquier materia. Tres calidades—las de la famosa "trinidad clásica"—deben reunir los autores clásicos: la *observación,* el *gusto* y el *lenguaje.* Para el gran crítico Sainte-Beuve, a estas tres calidades había que sumar otras dos, acaso las fundamentales: el *pensamiento* y la *originalidad.*

En el siglo XVI empezó a calificarse de clásicos a los autores selectos de todas las literaturas. Pero la denominación, viciosa e impropia, no tuvo precedentes en la antigüedad, ni la utilizaron los escritores latinos para referirse a los modelos griegos, ya que la palabra *classicum* deriva de *classis*—armada—; y *canere classicum* significaba tocar la trompeta utilizada en los navíos.

CLÁUSULA

En la poesía antigua: verso breve intercalado o puesto a continuación de los versos largos de la misma especie.

En retórica (del latín *claudere,* cerrar): es el conjunto de palabras que expresan una idea completa, o varias ideas íntimamente relacionadas, formando un sentido perfecto.

Las cláusulas se dividen:

Por las oraciones de que constan: en *simples y compuestas.*

Por su mayor o menor extensión: en *breves y largas.*

Por su estructura: en *periódicas y cortadas.*

Por los miembros—pensamientos parciales—que la constituyen: en *bimembres, trimembres, cuadrimembres y plurimembres.*

Se enlazan las oraciones en la cláusula, o por yuxtaposición, o por medio de conjunciones, o por los relativos, o por los distintos modos del verbo.

Cláusula simple:

> La postrera de las tierras hacia donde el sol se pone en nuestra España. (MARIANA.)

Cláusula compuesta:

> Mira, Sancho, si tomas por medio la virtud, y te precias de hacer hechos virtuosos, no hay para qué tener envidia a los que tienen, príncipes y señores; porque la sangre se hereda y la virtud se aquista, y la virtud vale por sí sola lo que la sangre no vale. (CERVANTES.)

Cláusula breve—puede ser simple o compuesta—:

> Una conciencia segura y armada de la verdad, triunfa de sus émulos. Si se acobarda y no se opone a los casos, cae envuelta en ellos. (SAAVEDRA FAJARDO.)

Cláusula larga:

> Era [el Cardenal Cisneros] varón de espíritu resuelto, de superior capacidad, de corazón magnánimo, y en el mismo grado religioso, prudente y sufrido; juntándose en él, sin embarazarse con su diversidad, estas virtudes morales y aquellos atributos heroicos; pero tan amigo de los aciertos y tan activo en la justificación de sus dictámenes, que perdía muchas veces lo conveniente para esforzar lo mejor; y no bastaba su celo a corregir los ánimos inquietos, tanto como a irritarlos su integridad. (SOLÍS.)

Cláusula periódica:

> La virtud no teme la luz; antes desea siempre venir a ella, porque es hija de ella, y criada para resplandecer y ser vista. (FRAY LUIS DE LEÓN.)

Cláusula cortada o suelta:

> Ofrecimientos, la moneda que corre en este siglo; hojas por frutos llevan ya los árboles; palabras por obras, los hombres. (ANTONIO PÉREZ.)

Cláusula bimembre:

> Aunque muchas veces la pena es medicina que cura la culpa en que caímos, / otras es medicina que nos preserva para que no caigamos. (P. RIVADENEYRA.)

C

Cláusula trimembre:

De tal suerte están las causas segundas ordenadas y trabadas entre sí, / y tal proporción y subordinación tienen con la primera causa, / que ninguna dellas puede moverse para nada ni obrar sino en virtud de la primera. (P. RIVADENEYRA.)

Toda cláusula bien redondeada y construida, cuyas oraciones quedan enlazadas a la perfección, es denominada *período*.

V. GÓMEZ HERMOSILLA: *Arte de hablar en prosa y verso*. Madrid, 1839.

CLAVE

1. Signo, carácter, figura descifratoria de cierto modo de escribir por medio de signos extraños, sustitutivos de las letras del alfabeto.
2. Nota explicativa que se pone en algunos escritos para la mejor inteligencia de su composición artificiosa.
3. Comentario explicativo de las alegorías y de las alusiones contenidas en una obra, y que indica los verdaderos nombres de las personas aparecidas en ella con nombres supuestos.

Obras famosas que para su inteligencia precisan de *una clave* son: el *Cantar de los Cantares,* la *Apocalipsis,* el *Talmud, Gargantúa,* los *Caracteres,* de La Bruyère.

CLERICALISMO

Nombre que suele darse a la influencia excesiva del clero en los asuntos políticos. (V. Teocratismo.)

CLÉRIGOS ESCANDALOSOS (V. Goliardos)

CLÍMAX o GRADACIÓN

Es una figura retórica—y lógica—que consiste en expresar una serie de pensamientos de modo que guarden una colocación expresiva *ascendente* o *descendente.*

Si dormis, expergiscere; si stas, ingredere; si ingrederis, curre; si curris, advola. (CICERÓN A POMPEYO ATICO.)

Dios concedió al hombre una razón que distingue, infiere y concluye; un juicio que reconoce, pondera y decide. (SAAVEDRA FAJARDO.)

Porque allá llego sediento,
pido vino de lo nuevo,
mídenlo, dánmelo, bebo,
págolo y voime contento.

(B. ALCÁZAR.)

COCHINCHINO o ANNAMITA (Lenguaje)

En sus orígenes fue el lenguaje chino, introducido por una emigración enorme al principio de nuestra Era. Veinte siglos han introducido en él elementos *distintos* suficientes para darle categoría. Está lleno de vocablos tomados de cuantos pueblos han tenido relación con él.

Su acentuación se basa en la entonación de sílabas, que son idénticas en otros conceptos, habiendo en él menos aspiraciones guturales que en el chino.

Su sistema fonético es bastante extenso, ya que tiene 18 vocales simples, 31 diptongos, 21 biptongos, 26 consonantes iniciales y ocho finales. Sus palabras están desprovistas de flexión.

En la escritura, sus caracteres son los chinos, pero sin guardar el valor de estos, ya que muchos de aquellos llegan a la figuración del sonido.

V. AYMONNIER: *Etude sur l'écriture annamite...* Saigón, 1886.

CODOLADA

En la métrica catalana medieval, combinación de versos pareados de diferente número de sílabas. Alternan uno o dos versos largos con uno corto.

COFRADÍAS DRAMÁTICAS

Eran aquellas Hermandades con fines piadosos formadas exclusivamente por autores, comediantes y demás personas cuyas vidas estaban dedicadas al género dramático.

Las Cofradías dramáticas nacieron en Italia durante el siglo XVI.

En España es famosa la madrileña de *Nuestra Señora de la Novena,* que aún existe y lleva una vida próspera y eficiente.

Esta famosa *Cofradía dramática* fue organizada en 1624 en una casa de la calle *del León,* esquina a la de *Santa María,* por cinco actores famosos: Cristóbal de Avendaño, Lorenzo Hurtado, Manuel Vallejo, Tomás Fernández Cabredo y Andrés de la Vega. Podían pertenecer a ella todos los comediantes que llevaran más de dos años de ejercicio. A su sostenimiento contribuían las compañías teatrales. La fiesta de la Virgen se celebraba el 6 de agosto. En esta Cofradía encontraban los cofrades asistencia médica, beneficios y sufragios.

Hoy, la capilla de *Nuestra Señora de la Novena* está situada en la parroquia *de San Sebastián.*

COLABORACIÓN LITERARIA

1. Aportación que de sus escritos hacen los escritores a los diarios, revistas, editoriales, Ateneos, Academias, percibiendo o no retribución.
2. Cooperación de dos o más escritores en la composición de una obra.

La colaboración literaria parece haber sido desconocida por los autores antiguos, si es cierta la existencia de Homero y falsa la hipótesis de que sus poemas fueron compuestos por diferentes poetas. Aun en este segundo caso, la colaboración no existió, ya que cada poeta compuso su fragmento, y ha sido la crítica, muy posterior, la que los ha conjuntado.

La colaboración literaria aparece en el teatro de los siglos XVI y XVII.

En España, Calderón, Moreto, Vélez de Guevara, Cáncer de Velasco, Cubillo, Solís y otros muchos grandes autores colaboraron, dos a dos, tres a tres, en diversas obras.

En Francia fue famosa la colaboración de Boisrobert, l'Estoile, Colletet, Rotrou y Pierre Corneille, bajo la dirección del cardenal Richelieu. Al parecer, el cardenal era el autor de los planes—o de las ideas—que desarrollaban y poetizaban los cinco famosos comediógrafos y poetas.

Desde el siglo XIX, las colaboraciones literarias han sido numerosas, y no solo en obras escénicas, sino en novelas, poemas y otros muchos géneros.

Famosas son las colaboraciones de Alejandro Dumas (padre) y A. Maquet, de los hermanos Edmond y Jules Goncourt, de Erckmann y Chatrian, de los hermanos Rosny, de los hermanos Margueritte.

En España, la de los hermanos Alvarez Quintero.

V. GOILET, J.: *Histoire anecdotique de la collaboration au théâtre.* 1868.

COLBERTISMO

Nombre dado a la doctrina económica de Colbert, fundada en la protección de la industria nacional. En realidad, el colbertismo es la fase *más mitigada* del *mercantilismo* (V.) en Francia.

Algunos tratadistas han atribuido a Colbert el haber planteado el mercantilismo por primera vez. Error mayúsculo, ya que el citado movimiento económico precedió en más de un siglo de vida al gran ministro francés. Colbert no hizo sino modificarlo con arreglo a las condiciones en que se encontraba su patria. Pero él, ni abandonó la agricultura, ni creyó en el valor absoluto de los metales preciosos. Puede decirse que Colbert fue para la industria lo que Sully para la agricultura. Acaso la gran equivocación del colbertismo fue que para proteger la industria y el comercio de su país, evitando la concurrencia de los productos extranjeros, impuso a estos fuertes derechos de entrada o los prohibió en absoluto.

Jean Baptiste Colbert (1619-1683) nació en Reims. Desde 1651 fue secretario del cardenal Mazarino. Se apoderó de la voluntad del rey descubriéndole las malversaciones de Fouquet, y fue designado para reformar la administración económica de Francia. Su labor como ministro de Hacienda fue realmente formidable. Dio un grandioso impulso a la industria, multiplicando las manufacturas del Estado. Protegió la agricultura, dictando—1669—las ordenanzas de aguas y bosques.

Suele reprocharse al colbertismo el haber sacrificado la agricultura a la industria; pero lo cierto es que sus esfuerzos tendieron a desarrollar y equilibrar armónicamente todas las formas de la actividad económica en Francia. Precisamente para este mercantilismo, de bello ordenamiento, creó Mengotti la palabra *colbertismo.*

Se han señalado tres fases en el desarrollo del pensamiento de Colbert:

1.ª Una de liberalismo económico, antes de su ministerio.

2.ª Una fase de mercantilismo proteccionista.

3.ª Un regreso al liberalismo.

Las bases fundamentales del colbertismo pueden reducirse a dos:

1.ª Protección a la industria nacional.

2.ª Prohibición absoluta de exportación de cereales.

Para proteger decididamente la industria nacional se valió Colbert de dos medios: elevación de los derechos de Aduanas sobre la importación de productos industriales extranjeros, a fin de evitar su competencia con los nacionales; y disminución de los derechos de entrada para las materias primas necesarias a la industria nacional.

"En cuanto a la industria—escribe Gonnard—, era Colbert, evidentemente, muy reglamentarista; pero manejaba la reglamentación con la superioridad del genio, obligando a la intervención estatista a producir su máxima eficacia. Disciplinó las corporaciones y libertó las manufacturas. En el régimen dirigido por él, los productos franceses eran los mejores de Europa; las especialidades que implantó en el país siguen viviendo en su mayoría. Llamó a sí a "capitanes de industria", a individualidades hábiles y enérgicas, y los lanzó en persecución de ganancias. El interés personal animó la fábrica colbertista; faltó poco para que fuese "una administración desinteresada". Los industriales trabajaban para ganar dinero y para que entrase más dinero en el reino."

V. D'AUVIGNY: *Vie de Colbert.* Tomo V de "Les hommes illustres de France".—GOUBLEAU: *Etudes sur Colbert.*—GONNARD, René: *Historia de las doctrinas económicas.* Madrid, Aguilar, 1938.—MAZAN: *Las ideas económicas de Colbert.* Trad. cast. Madrid, sin año [¿1902?].

COLECTIVISMO

Doctrina que busca la supresión de la propiedad particular y su transferencia a la colectividad, confiando al Estado la distribución de la riqueza.

El colectivismo es un sistema económico-socialista de los tiempos modernos. Sus orígenes idealistas remotos son los mismos que los del *socialismo* (V.) y *comunismo* (V.): la *República,* de

Platón; el *Contrato social,* de Rousseau; el *Código de la Naturaleza,* de Morelly; la *New-Harmony,* de Owen...

El origen *mediato* del colectivismo es, en primer tiempo, *filosófico,* y después, *económico.* El origen filosófico del colectivismo es el *evolucionismo*—derivado de la doctrina de Hegel—, ya que a la consecuención de la propiedad común ha de llegarse pacíficamente, por evolución fatal de las ideas y de las necesidades del hombre. Y aquí radica la principal diferencia entre el colectivismo y el comunismo, pues este rechaza la evolución lenta y exige la revolución rápida.

Económicamente, el colectivismo se apoyó en las doctrinas de Calins, De Potter y Rodbertus. Pero el científico de este movimiento fue Marx, que proclamó que la única fuente de valor era el trabajo, y que la *supervalía,* que significa el trabajo del obrero, no corresponde al patrono por ningún título de justicia. Para Marx, el triunfo del colectivismo había de obtenerse por medio de la evolución, dando carácter internacional al movimiento y formando un gran partido obrero. Para ello fundó—1862—la Internacional, que fue, hasta 1870, la encarnación del colectivismo.

El colectivismo se propagó por medio de los Congresos obreros, sentándose las bases para la organización de un partido socialista obrero en Ginebra—1866.

"Sería un grave error resumir en la obra de Marx no ya todo el socialismo contemporáneo diverso y proteiforme, sino, sencillamente, el colectivismo. Marx se preocupó más de demostrar cómo y por qué era fatal el advenimiento del colectivismo, que de expresar detalladamente lo que había de ser el régimen colectivista."

"Dos formas principales del colectivismo se destacan en el análisis: la del colectivismo puro, autoritario, centralizador, y la del colectivismo descentralizador y de aspiración liberal. La primera es, lógicamente, la más coherente y, si se quiere, la más perfecta, así como la más psicológicamente irrealizable."

"El colectivismo integral se caracteriza por tres grandes rasgos: desde el punto de vista de la apropiación, proclama la socialización de los capitales; desde el de la producción, la organización autoritaria de esta, y desde el del reparto, el principio de la equivalencia en trabajo, y como consecuencia, la supresión de la *renta sin trabajo.*"

"1.º Socialización de los capitales, y solo de los capitales, pues los bienes de consumo siguen siendo susceptibles de apropiación particular.

2.º Socializados los capitales en provecho de la colectividad, también habrá de ser social la organización de la producción. Los individuos están socializados igualmente, en el sentido de que todos son utilizados por la colectividad, patrono único.

3.º El objeto de esta organización es permitir un reparto sobre la base de la *equivalencia en trabajo,* y no de la *equivalencia en utilidad.*" (Gonnard.)

Al colectivismo se le han hecho objeciones extraordinariamente serias. La dificultad de determinar los límites de la aludida expropiación. La dificultad de mantener el equilibrio entre los abastecimientos y la demanda. La suspensión del espíritu de iniciativa. La paralización del espíritu de iniciativa por parte de los directores, simples asalariados de la sociedad como los demás. La agravación de los gastos generales como contrapeso de la supresión de la plusvalía capitalista. La dificultad en la aplicación de la fórmula del reparto cuando se trata de apreciar el trabajo contenido en cada producto mismo y teniendo en cuenta los factores diferentes de la producción.

"Entre todas estas objeciones hay una que los colectivistas toman a pecho particularmente: la que se refiere a la supresión de la libertad individual, que ellos dicen que quieren garantizar sustituyendo "el gobierno de los hombres por la administración de las cosas". Pero, en realidad, esta administración de las cosas la realizarían los hombres sobre los hombres, y los directores de la sociedad colectivista estarían "investidos del poder más formidable que haya existido nunca en ninguna sociedad humana". ¿Qué libertad puede subsitir cuando toda la producción está regida por la sociedad, todos los trabajos y los productos tarifados por ella, todo el consumo dependiente de su capricho, y siendo imposible la satisfacción de las aficiones y las necesidades, si no se le considera conforme con los conceptos de la autoridad social?"

"Algunos colectivistas han hecho, no obstante, un esfuerzo doctrinal para salvar la causa de la libertad individual y las probabilidades de la producción con un sistema de colectivismo descentralizador. En este sistema, la sociedad, que seguiría siendo dueña nominal del capital colectivo, delega su propiedad efectiva en agrupaciones profesionales y bajo determinadas condiciones; la producción ya no está regida por la autoridad central." (Gonnard.)

El colectivismo, según Jaurès, es la "sustitución de los individuos por la colectividad social en la propiedad de los elementos de la producción. Resumiendo: el colectivismo integral hace que dependa la remuneración del obrero de su trabajo actual solamente; el colectivismo descentralizador la hace depender también del capital que poseen los trabajadores asociados en grupo; devuelve probabilidades a la libertad, a la iniciativa; crea primas a la economía y a la capitalización, pero con ello restablece la *renta sin trabajo,* tan combatida por el socialismo.

En el colectivismo, la producción supone, teóricamente: la propiedad colectiva de todos los medios e instrumentos del trabajo, y la organización perfecta del trabajo colectivo; la existencia de almacenes públicos, donde todo se adquiere mediante bonos de trabajo, que matarían el comercio en todo Estado colectivista; el reparto de bienes relacionado proporcionalmente con el trabajo hecho o con el servicio prestado; el consumo con una fase de libertad absoluta, en cuanto al aprovechamiento de lo recogido mediante los bonos de trabajo, y otra fase de restricción extremada, en cuanto se refiere a la libre disposición, por no admitirse la herencia.

Además del *colectivismo industrial*—defendido por Marx y Lassalle—existe el *colectivismo* agrario—defendido por Henry George—que propone, para evitar el pauperismo a que lleva la renta sobre la tierra, la propiedad colectiva del suelo.

Posiblemente, los dos errores máximos del colectivismo son: el considerar el trabajo como único elemento de la producción—ya que el trabajo, por sí solo nada produce—y el sustituir la tiranía del capital individual por la tiranía del Estado. (V. Socialismo, Comunismo, Cooperativismo.)

V. Leroy-Beaulieu, P.: *Le Collectivisme.* París, 1885.—Greef, G. de: *Le Collectivisme.* Bruselas, 1895.—Gonnard, René: *Historia de las doctrinas económicas.* Madrid, Aguilar, 1938.—Costa, Joaquín: *El colectivismo agrario en España.* Madrid, 1898.

COLEGIO

1. Asamblea de personas reunidas con un mismo objeto.

2. Conjunto de personas que asisten a un establecimiento dedicado a la enseñanza de ciencias, artes y oficios.

3. Corporación o Sociedad de personas que tienen idéntica profesión o una misma dignidad.

El *Colegio literario* más importante del mundo es el *Colegio de Francia,* fundado por Francisco I—1530—, siguiendo inspiraciones de Budé y Juan de Bellay, para la enseñanza de disciplinas de las cuales no existían cátedras en la Universidad de París. Hoy, esta institución tiene una fama e importancia similares a las de las más célebres Universidades del mundo.

COLOFÓN

1. Anotación final, impresa en la última página de un libro, que declara el nombre del impresor y el lugar y fecha de la impresión, o alguna de estas circunstancias.

2. Palabras que, a guisa de comentario de un texto, se colocan después del mismo.

Otros muchos colofones expresan más amplias noticias: el nombre del autor alguna invocación y hasta frases relativas a las circunstancias en que se escribió o por qué se escribió la obra.

COLOMBIANA (Literatura)

No puede hablarse de una literatura colombiana autóctona anterior al siglo XIX. Pero sí pueden ser destacados algunos ilustres escritores colombianos de siglos precedentes. Así: la Madre Francisca Josefa de la Concepción del Castillo y Guevara (1671-1742), mística de importancia—*Sentimientos espirituales, Vida de la Madre Francisca de la Concepción... escrita por ella misma*—. Juan Rodríguez Freyle (1556-1638), autor de la crónica picaresca y escandalosa *El Carnero de Bogotá.* El mestizo Lucas Fernández de Piedrahita (1624-1688), arzobispo de Santa Marta—*Historia general de las conquistas del Nuevo Reino de Granada*—. El mestizo Fr. Alonso de Zamora (1660-1717)—*Historia de la provincia de San Antonio*—. Francisco José de Caldas (1771-1816), enciclopedista, de prosa didascálica, fundador del *Semanario de la Nueva Granada*—*Memorias sobre la Geografía del Virreynato...*—. Antonio Nariño (1765-1823), prosista, fundador de círculos literarios. Francisco Antonio Zea (1766-1822), de sólida formación científica, poeta y prosista—*Oda a la invasión de los franceses en España, Discurso a los Gobiernos de Europa*—. Camilo Torres (1766-1816), llamado "el verbo de la revolución colombiana" y "el Mirabeau de la revolución granadina". José Mejía y Lequerica (1775-1813), orador, periodista, diputado en las famosas Cortes de Cádiz.

A principio del siglo XIX ya puede afirmarse la existencia de una peculiar literatura colombiana, desarrollada en una continuidad fecunda. Figuras excepcionales de esta primera etapa de transición entre el neoclasicismo y el romanticismo son: José Fernández Madrid (1784-1830), poeta de influencia quintanesca y autor de las tragedias *Guatimocín* y *Atala,* con que quiso iniciar el teatro hispanoamericano. Luis Vargas de Tejada (1802-1829), autor dramático—*Doraminta, Zaquesazipa, Viquindo, Catón en Utica*—. Josefa Acevedo de Gómez (1803-1861)—*Poesías de una granadina*—. Eugenio Díaz (1804-1865), autor de la novela *La Manuela,* y fundador del periódico *El Mosaico.* José María Vergara y Vergara (1831-1872), periodista y costumbrista—*Historia de la literatura de Nueva Granada*—. Ricardo Silva (1835-1889)—*Cuadros de costumbres*—. José Manuel Marroquín (1827-1908), poeta y prosista insigne, fundador de la Academia Colombiana de la Lengua, autor de la gran novela *El Moro,* y de la también excelente *La Perrilla.* José Joaquín Ortiz (1814-1892), poeta muy influido por Quintana y Cienfuegos—*Los Colonos, Canto a la bandera, La última luz*—. José Caicedo Rojas (1816-1898), autor de la novela *Don Alvaro* y de los dramas *Miguel de Cervantes y Celos, amor y ambición;* su mejor obra es *Las memorias de un abanderado.*

Con el triunfo total del Romanticismo surge una falange de importantísimos poetas. Julio Arboleda (1817-1862), lírico de mucha fuerza, autor del poema épico *Gonzalo de Oyón.* José Eusebio Caro (1817-1853), poeta excepcional—*La lágrima de la felicidad, El bautismo*—. Gregorio Gutiérrez González (1826-1872)—*El cultivo del maíz,* poema—. Epifanio Mejía—*La muerte del novillo, El canto del antioqueño*—. El poeta negro Candelario Obeso, autor feliz de cantos afrocolombianos. Ricardo Carrasquilla (1824-1896), sensual y sonoro. César Conto (1836-1891), repentista y autor de un *Diccionario de apellidos castellanos.* Lázaro María Pérez (1824-1896), autor de leyendas épicas.

Poetas importantes fueron: Rafael Núñez (1825-1894)—*Todavía, El mar muerto*—. Diego Fallón (1834-1906)—*La luna, La palma, A las rocas de Suesca*—. Rafael Pombo (1833-1912), considerado por muchos críticos de su país como el más completo de los líricos colombianos—*Hora de tinieblas, Mi amor.*

Entre los novelistas románticos y posrománticos destacan: Jorge Isaacs (1837-1895), autor de la más famosa novela hispanoamericana: *María.* Tomás Carrasquilla (1858-1940)—*Frutos de mi tierra, Marquesa de Yolombó, Blanca, El Zarco*—. Francisco de Paula Rendón—*Inocencia*—. Samuel Vázquez—*Madre.*

Ya incluidos en el posromanticismo figuran: Miguel Antonio Caro (1834-1909), poeta, traductor de Virgilio, crítico notable erudito y humanista muy elogiado por Menéndez y Pelayo, filólogo excepcional—*Tratado del participio, Del uso en sus relaciones con el lenguaje*—. Rufino José Cuervo (1844-1911), filólogo y erudito magistral—*Diccionario de construcción y régimen de la lengua castellana*—. Marco Fidel Suárez (1858-1927), filólogo, autor de la enciclopedia de arte y ciencia, en doce tomos, *Sueños de Luciano Pulgar,* y de *Estudios gramaticales.*

El modernismo se inició con la egregia figura de José Asunción Silva (1865-1896)—*Nocturnos*—. Guillermo Valencia (1872-1943)—*Poemas, Catay, Ritos*—. Ismael Enrique Arciniegas (1865-1938)—*El poeta mira el parque, A solas*—. Antonio Gómez Restrepo (1869-1947), poeta—*Ecos perdidos*—, erudito, crítico e historiador literario —*Historia de la literatura colombiana*—. Antonio José Restrepo (1863-1934), prosista y poeta —*Cancionero de Antioquia, Prosas medulares, Fuego graneado*—. Víctor M. Londoño (1868-1936), prosista y poeta parnasiano—*La vejez del sátiro*—. Cornelio Hispano (1870)—*El jardín de las Hespérides, Elegías caucanas*—. Max Grillo (1868), lírico y biógrafo.

Más tradicionalistas—con tintes románticos—que modernistas son: Julio Flórez (1863-1923)—*Idilio eterno, La gran tristeza, La araña*—. José Joaquín Casas (1863-¿?)—*Colón, Crónicas de aldea.*

Ya dentro del siglo XX, participantes de sus diversas tendencias, sobresalen: Luis Carlos López (1881), costumbrista y satírico—*De mi villorrio, Por el atajo, Posturas difíciles*—. Miguel Rasch Isla (1889), sonetista impecable—*A flor de alma, Cuando las hojas caen*—. Eduardo Castillo (1889)—*El árbol que canta*—. Ricardo Nieto, el cantor de la Cauca—*La bandera*—. Porfirio Barba-Jacob, seudónimo de Miguel Angel Osorio (1879)—*Rosas negras*—. Gregorio Castañeda Aragón (1886)—*Orquesta negra, Faro, Máscara de bronce*—. León de Greiff (1885)—*Tergiversaciones, Libro de signos, Variaciones alrededor de nada*—. Arturo Camacho Ramírez (1909) —*Espejo de naufragio*—. Luis Vidales (1904) —*Suenan timbres*—. Eduardo Carranza—*Canciones para iniciar una fiesta*—. Rafael Maya (1897), posiblemente el lírico colombiano contemporáneo de mayor interés—*Coros de melodía, La vida en la sombra*—. Germán Pardo García (1902)—*Voluntad, Júbilos ilesos, Presencia*—. Darío Achurry Valenzuela. José Umaña Bernal (1899)—*Itinerario en fuga*—. Juan Lozano Lozano (1902)—*Horario primaveral, Joyería*—. Laura Victoria—*Llamas azules, Cráter sellado*—. J. Alberto, Angel Montoya, Arturo Caparroso, Antonio Llanos, Mario Carvajal, Jorge Rojas, Tomás Vargas Osorio, Carlos Martín y los restantes componentes del interesante grupo literario denominado "Piedra y Cielo".

En el ensayo y erudición: José María Samper (1828-1888), maestro de las subsiguientes promociones—*Ensayo sobre las revoluciones de las Repúblicas colombianas*—. Carlos Arturo Torres (1867-1911)—*Idola Fori, Literatura de ideas, Estudios ingleses*—. Luis López de Mesa (1884)—*Problemas colombianos, El libro de los apólogos, Disertación sociológica*—. Baldomero Sanín Cano (1863)—*Crítica y arte, Divagaciones filológicas, La civilización manual*—. José María Vargas Vila (1863-1933), atrabiliario y absurdo, también novelista extraño, afrancesado, conculcador de la gramática—*Césares de la decadencia, La muerte del cóndor, Flor de fango, Rosas de la tarde.*

Entre los novelistas: José Eustasio Rivera (1889-1928), poeta extraordinario—*Tierra de promisión*—y autor de una novela intensa y ejemplar: *La vorágine.* César Uribe Piedrahita —*Toa, Mancha de aceite*—. Bernardo Arias Trujillo—*Risaralda*—. Eduardo Zalamea Borda —*Cuatro años a bordo de mi mismo*—. Eduardo Caballero Calderón—*Tipacoque*—. Daniel Samper Ortega—*La marquesa Alfandoque, Zoraya, En el cerezal*—. Jorge Zalamea—*El regreso de Eva*—. Osorio Lizarazo—*Garabato, La cosecha, El criminal*—. Alejandro Vallejo—*La casa de Berta Ramírez*—. Gregorio Sánchez Gómez, José Restrepo Jaramillo.

En la crónica, la biografía y el ensayo: Germán Arciniegas (1900)—*Los Comuneros, Gonzalo Jiménez de Quesada*—. Fernando González —*Mi Simón Bolivar*—. Joaquín Tamayo (1902-1941)—*José María Plata y su época, Rafael Núñez*—. Laureano García Ortiz, Enrique Otero D'Acosta, Enrique Ricaurte, Gustavo Otero Muñoz, Moisés de la Rosa, Luis Augusto Cuervo, Soledad Acosta de Samper, Cordovez Moure, García del Río, Antonio Leocadio Guzmán...

V. MIRAMÓN, Alberto: *Literatura de Colombia.* En el tomo XII de la "Historia Universal de la literatura", de Prampolini. Buenos Aires, Uteha, 1941.—VERGARA Y VERGARA, José María: *Historia de la literatura de Nueva Granada.* Bogotá, 1905. GÓMEZ RESTREPO, Antonio: *Historia de la li-*

teratura colombiana. Bogotá, 1940.—Otero Muñoz, Gustavo: *Historia de la literatura colombiana.* Bogotá, 1937, 2.ª ed.—Ortega, José J.: *Historia de la literatura colombiana.* Bogotá, 1935, 2.ª ed.—Arango Ferrer, Javier: *Historia de la literatura colombiana.* Buenos Aires, Fac. de Filosofía y Letras, 1946.

COLOMBIANAS (Lenguas)

Son numerosas. Las hablan, en la América septentrional, los pieles rojas que habitan en la región Missouri—Colombia (Británica)—. Las poblaciones tales tienden a desaparecer. Entre ellas destacan: los *Tuchepans,* los *Chapunichs,* los *Echeluts,* los *Chilluts* y los *Serpientes.* Las lenguas de la familia colombiana poseen vocabularios muy distintos entre sí y están llenas de sonidos guturales y de aspiraciones.

V. Ludewig, Herm: *The literature of american aboriginal languages.* Londres, 1858.

COLOMBINA

Famosísimo personaje femenino de la *comedia italiana de arte* (V.). Hija de Casandra o de Pantalón. Compañera revoltosa de Arlequín y de Pierrot. Su tipo sufrió diversas modificaciones, según el capricho de las actrices que lo encarnaban. Incluso cambió repetidas veces de nombre, llamándose Marinette, Violette, Coralina, Diamantina, Betta, Francisquina...

Del teatro italiano pasó Colombina al francés—fines del siglo xvi—, en el que se aclimató, ya en pantomimas, ya en comedias bufas, ya en arlequinadas.

Enamoradiza, alegre, frívola, bella, Colombina es uno de los tipos teatrales más universales.

COLON

1. En la poesía antigua, reunión de dos pies que principian un verso y se componen de una o de muchas palabras.

2. En la gramática griega, miembro de un período. Y también pausa, representada por un punto alto, que equivale a nuestros dos puntos o punto y coma.

COLOQUIO

Género de composición literaria—en verso o en prosa—con la forma dialogada. Tuvo gran boga en las literaturas europeas occidentales a partir del Renacimiento.

Famosos son los *Colloquia* de Erasmo. Y en España: los *Coloquios satíricos* de Antonio de Torquemada; los *Coloquios*—1547—de Pero Mexía, y el *Coloquio de los perros,* de Cervantes.

COMEDIA

1. Farsa. Simulación. Ficción.
2. Poema dramático de cualquier género.
3. Conjunto de palabras, gestos y acciones para divertir.

Comedia es uno de los grandes géneros de la composición dramática. Su nombre, tomado de los griegos, tiene un sentido etimológico incierto. Si se deriva de Χώμη, significa "un canto de las fiestas populares". Si de κώμος, significa "un canto de festín, de orgía", porque Comus fue un dios que presidía "las representaciones burlescas y orgiásticas".

La Comedia, en un sentido más restringido, comprende todas las obras dramáticas "que no tienen por fin principal mover a piedad o a horror", sentimientos esenciales en el drama y en la tragedia.

Lo propio de la Comedia es excitar los sentimientos agradables y poner sobre la escena una imitación—puede ser exagerada—de la vida cotidiana en sus costumbres alegres o ridículas y dignas de corrección y de burla.

Toda definición que se dé de la Comedia estará sujeta siempre a correcciones y a opiniones dignas de ser atendidas. Provisionalmente, la definiremos como "la representación bella de un suceso interesante, ocurrido entre personas de cualquier clase y condición, y presentado bajo un aspecto jocoso o ridículo". También: "la acción representativa, alegre o moralizante, que se supone acaecida entre personas comunes".

Su *objeto* debe ser exponer al criterio de los espectadores los extravíos y defectos morales del hombre.

Su *fin* es deleitar y hacer aborrecibles dichos defectos y extravíos.

Su *materia* son las acciones humanas en cuanto se prestan a ser ridiculizadas o "a servir de ejemplo, ya corregidas".

Los *personajes* no son históricos, sino ficticios, y comúnmente de las clases media y baja.

La *acción* no será ni muy complicada ni muy sencilla, pero original y verosímil.

El *estilo* será correcto, natural, sin caer jamás en la bajeza.

El *diálogo* será vivo, flexible, de un realismo absoluto. Cada personaje hablará según su condición.

La Comedia admite el verso y la prosa.

La fidelidad de la pintura es la primera regla de la Comedia. No existe teatro popular ni nacional sin esta condición. De "historia dialogada" ha sido calificada la Comedia. El moralista de gabinete puede aplicar sus análisis a una naturaleza humana ideal o convencional. Pero el autor cómico que pone a sus personajes delante del público, debe *enraizarlos* en la vida y en las costumbres de su tiempo, para que los espectadores se noten contemporáneos y semejantes a ellos.

Tres *géneros* principales se distinguen en la Comedia; tres géneros como tres peldaños escalonados de dignidad y de perfección:

a) Comedias de intriga.
b) Comedias de costumbres.
c) Comedias de carácter.

La comedia de intriga presenta un encadenamiento de aventuras y de situaciones extrañas, que nacen las unas de las otras, se complican, se oscurecen, hasta que, súbitamente, una revelación inesperada desenlaza la trama con lógica.

La comedia de costumbres refleja los usos, el género de vida, las ideas y los sentimientos normales de una sociedad, de una de sus clases, de una de sus profesiones.

La comedia de carácter *concentra* todas las observaciones de las costumbres sobre los principales personajes. Ella resume en cada uno de estos las acciones repartidas en diversos individuos y logra un *tipo general* representativo de una clase entera.

En la comedia de intriga triunfan la imaginación y las palabras.

En la comedia de costumbres, el espíritu profundo y reflexivo.

En la comedia de carácter, la abstracción creadora.

La historia de la Comedia es inseparable de la historia general de la literatura y de la historia literaria de cada pueblo. Todas las literaturas han poseído un teatro cómico, ya fuera por un esfuerzo original, ya por el influjo o la imitación.

Se ha atribuido *la invención* de la Comedia al pueblo griego. Porque otros pueblos que tuvieron un teatro anterior—como China y la India—, por la religiosidad de sus temas, más practicaron el drama o la tragedia, no admitiendo la Comedia sino varios siglos después de iniciarse la Era cristiana.

En las fiestas orgiásticas dedicadas a Baco parecen estar los orígenes de la Comedia cuyas partes eran cuatro:

1.ª *Prólogo.*

2.ª *Coro,* recitación de cierta extensión, en la que se expone la *peripecia.*

3.ª *Episodio,* o desarrollo de la peripecia.

4.ª *Exodo,* o desenlace.

Entre los griegos, la Comedia se denominó *antigua,* cuando tenía un carácter político y social; *mediana,* cuando era alegórica o puramente literaria; *nueva,* cuando trataba de costumbres y moralidades. La primera llegó hasta el siglo IV antes de Jesucristo. La segunda llenó los tres primeros cuartos de la cuarta centuria. En el último período del siglo IV aparece la nueva, que fue la más perdurable.

Autores famosos del primer período fueron: Aristófanes, Milos, Evetes, Euxénides de Tolinos, Cratinos, Mesón, Magnes, Quiónides, Ecfántides, Epicarmo, Deinólocos, Crates, Eupolis, Aristómenes, Lísipo, Metágenes, Hermipos, Leuco...

Del segundo período: Antífanes, Anaxándrido, Alexis, Arquipo, Nicóstrato, Timocles, Araso...

Del tercer período: Menandro, Filemón, Difilos, Apolodoro de Caristo, Anaxipos Arquedicos, Demófilo, Eudoso, Teoqueto...

La Comedia en Roma no tuvo el destino glorioso que en Grecia.

Acaso las primeras comedias latinas se representaron al introducirse en Roma las fiestas *atellanae,* según presume Tito Livio. Las *atelanas* eran las ya mencionadas orgías en honor de Baco.

La burda comedia satírica romana fue suplantada en seguida por la imitación de la comedia griega. Fue Livio Andrónico quien puso *de moda* esta imitación bastante feliz. Sin embargo, los autores romanos se esforzaron cumplidamente por lograr un teatro nacional. Y aun cuando reconocieron un rango superior literario a las comedias helénicas—a las que llamaban *palliatae* o *crepidae*—, intentaron crear un género cómico verdaderamente romano que reflejase la vida y las costumbres de Roma.

Tres clases hubo de comedias latinas: las *pretextae*—en las que los personajes eran nobles y vestían la túnica pretexta—; las *togatae*—en las que los personajes eran plebeyos—, y las *tabernariae*—o de las gentes del populacho.

Sin embargo, los romanos no alcanzaron con la Comedia la gloria de los griegos. Sinceramente exclamó Quintiliano—en *Inst.,* libro X, cap. 1—: *In comedie maxime claudicamus.*

Autores insignes romanos: Livio Andrónico, Nervio, Ennio, Plauto, Terencio, Lucio Lannvino, Aquilio, Licinio, Licinio Imbrex, Titinio, Afranio, Quintio Atta.

LA COMEDIA EN CHINA.—Su invención se atribuye al emperador Wen-ti, en el siglo VI de nuestra Era. La duración de una comedia excedía, a veces, de los diez días. Mezclaban los autores lo natural con lo sobrenatural. Y la música era un elemento indispensable. También alternaban los autores la prosa con el verso. Las comedias chinas tenían, pues, cierto parecido con nuestras zarzuelas. Las comedias chinas tuvieron distintas denominaciones en las diferentes dinastías. *Diversiones de las calles plácidas, Diversiones de los bosques floridos, Diversiones de las ciudades calladas, Placeres propios de los salones, Dichas de la paz asegurada*

LA COMEDIA EN EL JAPÓN.—Recibió el nombre de *Kyogen*—"palabras locas"—, y nació, hacia principios del siglo XIII de nuestra Era, como protesta contra el drama budista, lleno de sobresaltos y de angustias. En un principio no representaban las comedias sino hombres, ya que les estaba prohibido a las mujeres exhibirse sobre los escenarios.

También los japoneses llevaron la música —como *fondo* y como acompañamiento—a sus comedias, en las que, igualmente que los chinos, mezclaban el verso y la prosa.

Hasta hace muy poco tiempo, la comedia japonesa no era sino un espectáculo plebeyo, al que no podían concurrir los samurai.

En Persia, los *Famacha,* espectáculos cómicos, en los que intervenían actores ambulantes, bailarinas y animales amaestrados, datan de los siglos XIV y XV. Se representaban en las plazas públicas y tenían algo de semejantes con las *comedietas italianas de arte.*

La Comedia en Francia.—Las primeras se representaron, ante auditorios restringidos, en los monasterios y en los castillos. Al siglo xii corresponden tres autores cómicos de cierto mérito: Vital de Blois, Mathieu de Vendôme y Guillermo de Blois.

Pero es durante los siglos xiii y xiv cuando la comedia francesa inicia su interés trascendental, ya que se desprende de las églogas y de los diálogos de los tiempos bárbaros y adopta los *jeux partis,* coloquios cómicos representativos. A esta época corresponden igualmente la institución *Bazoche,* de empleados palatinos, y los llamados *Enfans-sans-souci,* jóvenes universitarios y autores y actores de extraordinario ingenio.

A estos siglos corresponden autores cómicos como Adam de la Halle, Eustaquio Deschamps, Andrieu de la Vigne, Leroux de Lancy, Clemente Marot, Janet, Michel.

Las comedias se dividieron en *farsas, sotties* —sátiras—y *moralités.* Estas tres clases de comedias duraron hasta principios del siglo xvi, en que fueron *barridas* por la influencia de los *imbroglio* y de las pastorales italianas, eliminada un siglo después por la influencia de las animadas intrigas de la magnífica comedia española. La *comedia de arte italiana* tomó carta de naturaleza en Francia el año 1645.

Los más interesantes autores cómicos de Francia fueron—en el siglo xvii—: Pedro y Tomás Corneille, Molière—genio inigualable en el género—, Scudéry, Jean Mairet, Pierre du Ryer, Gautier de Coste, Boisrobert, Rotrou, Colletet, Claveret, Donneau de Visé, Bonosault, Montfleury, De Villiers, Poirson, La Fontaine, Gaspar d'Abeille...

En el siglo xviii: Marivaux, Beaumarchais, Voltaire, Nivelle de la Chausée, Sedaine, Diderot, Piron, Grenet, Destouches, Lesage, Boisny, Lanne, Polissot, Fabre d'Englantine, Collin d'Harleville...

En el siglo xix: Dieulafoy, Alejandro Duval, Lemercier, Casimiro Delavigne, Alejandro Dumas—padre e hijo—, Picard, Scribe, Dupin, Poirson, Musset, Feuillet, Emile Augier, Eugenio Labiche, Barrière, Victoriano Sardou, Erckmann-Chatrian, Emile Girardin, Halévy, François Coppée, Edmond Rostand, los Daudet, Donnay, Capus, Tristán Bernad, los Rosny, Bernstein...

La Comedia en Italia.—Se origina con las fiestas de Carnaval, hacia fines del siglo xiv, y la representaban los caballeros en los palacios de los grandes señores—príncipes y duques—. Lorenzo de Médicis fue un decidido y eficaz propulsor del género, al que dio su máxima trascendencia Maquiavelo con *La mandrágora,* siendo esta el verdadero modelo de la comedia de costumbres. Con Maquiavelo sobresalieron en esta época autores como el Aretino, Ercole Ventivoglio, Geli, La Lasca, Angelo Beolco de Padua, Firenzuola...

A fines del siglo xv se puso de moda la *fábula pastoral,* en la que destacaron el Tasso, el príncipe Visconti, Tansillo, Castiglione, Delle Valle, Guarini, Castelletti, Groto, Pozzo, Ongari...

Casi al mismo tiempo que la *fábula pastoral* triunfa entre las clases elegantes, el pueblo italiano se apasiona por la *commedia dell' arte,* género de farsa con diálogo muy movido y lleno de ingenio un tanto picante y unos personajes que muy pronto se harían famosos en el mundo: *Colombina, Arlequín, Pierrot, Pantalón, Polichinela, Santorello, Scaramouche...*

Autores cómicos italianos del siglo xvi: Fr. Andreini, Ruzzante, Flamio Scala...

Del siglo xvii: Fiorelli—llamado *Scaramouche*—, Domenico—llamado *Arlequín*—, los Bonarelli—Guidubaldo, Pietro y Próspero—, Salviati, Barbieri, Ricci...

Del siglo xviii: Goldoni y Gozzi.

Del siglo xix: Gherardo de Rossi, Camilo Frederici, Alberto Nota, Paolo Giacometti, Gherdi di Testa, Paolo Ferrari, Muratori, Miguel Uda, Secconi, Ciampi, Torelli, Rovetta...

La Comedia en Alemania.—En el siglo x, la monja benedictina Hroswitha escribió una serie de comedias en latín, imitadas de las de Terencio. Pero hasta el siglo xv, con los *Meistersoenger—Maestros cantores*—, no se pone en boga la *comedia musical,* llena de rudeza y humor, en la que se mezclan la prosa y el verso. En el siglo xvi el género decae por haberse reducido sus autores a buscar los argumentos en vidas de santos y en costumbres profanas de escaso interés. Puede afirmarse que "el padre de la comedia alemana" de costumbres fue el fecundo Hans Sachs—muerto en 1576—, quien conoció a los autores italianos e imitó a algunos de ellos, tomando asuntos de los cuentos de Boccaccio.

Autores famosos de comedias fueron: Niclaus Manuel, Jacobo Ayrer, Enrique Julio, Kulmann, Rebhun, Meckel, en el siglo xvi; Martín Opitz, Simón Dach, Andrés Grifins, Birken de Nuremburg, Cristián Weisse, Schoock, en el xvii; Weiser, Gellert. Godofredo de Lessing, Klinger, Juan Cristóbal Brandes, Goethe, Schiller, en el xviii; Zacarías Werner, Tieck, Lenz, Iffland, Kotzebue, en el xix.

La Comedia inglesa.—Su origen lo busca la crítica en las *danzas dialogadas* de la Edad Media. Pero hasta el siglo xv no se encuentra una auténtica comedia: *El castillo de la Perseverancia,* en la que intervenían los músicos —*cytharistae*—y los actores—*interludentes*—. En el siglo xvi, las comedias—farsas y sátiras—se imponen a los públicos, aun cuando han de luchar con el entusiasmo que despiertan en las clases populares inglesas las tragedias y los dramas.

Famosos autores cómicos ingleses fueron: John Heywood, John Still, Thomas Richard, Cristóbal Marlowe, John Lyly, Jorge Peele, Roberto Greene, en el siglo xvi; Shakespeare, Webster, Fletcher, Ben Johnson, John Ford, James Shirley, Beaumont, John Dryden, Tomás Shaawell, John Crowne, Congreve, Jorge Etherege, en el siglo XVII; Farquhar, Vanbrugh, Gray, David Garrick, Sheridan, Goldsmith, Ricardo Steele, Cowley, Savage, en el XVIII; O'Keefe, Bulwer Lytton, Planché, Ayron, Robertstor, W. S. Gilbert, Phillips, Coyne, Reynolds, Boucicault, en el XIX.

LA COMEDIA EN ESPAÑA.—Aparece en el siglo XV. Sus primeras manifestaciones—escasamente teatrales—son las *Coplas de ¡Ay, panadera!, Mingo Revulgo y del Provincial* y el *Diálogo entre el Amor y un Viejo,* de Rodrigo de Cota.

A fines del mismo siglo aparecen las *Églogas,* de Juan del Enzina, verdaderas piezas cómicas, con mezcla de cantos y danzas y alguna de ellas de gran aliento y fuerza, como la titulada *Plácida y Victoriano;* y la celebérrima *Celestina,* de Fernando de Rojas, una de las más hermosas producciones de todos los tiempos.

En el siglo XVI inician con fuerza la gloria de la comedia española los *Autos pastoriles,* de Gil Vicente; las nueve comedias que integran la *Propalladia,* de Torres Naharro; los *pasos* y las comedias de Lope de Rueda; las comedias de Juan de Timoneda.

Con Juan de la Cueva y Miguel de Cervantes llega la comedia española al umbral de lo apoteótico. Porque la apoteosis la logra Lope de Vega. Una apoteosis que no alcanzará el género en ningún otro país del mundo. La maravillosa comedia española será *imitada* y *saqueada* con la mayor desaprensión por los autores franceses, italianos y portugueses. Su influencia llegará hasta Inglaterra y Alemania.

En la española, como en ninguna otra literatura, la Comedia alcanzará *la justeza* de todas sus calidades. Y será espejo de costumbres, crisol de caracteres, fragua de ingenio, calor de realismo, fervor de humanidad, manantial inagotable de gracia y de lirismo, la crónica más puntual de su época.

Entre los grandes autores cómicos del siglo XVI se cuentan—además de los mencionados—: Francisco de las Natas, Castillejo, Jaime de Huete, Díaz Tanco de Frexenal, Hernán López de Yanguas, Diego Sánchez de Badajoz, Micael de Carvajal, Perálvez de Ayllón, Pedraza, Alonso de la Vega, Sebastián de Horozco, Luis de Miranda, Cristóbal de Virués, Jerónimo Bermúdez, Rey de Artieda, Miguel Sánchez, Lupercio Leonardo de Argensola, Andrés de Prado, Juan de París...

Del siglo XVII: Tirso de Molina, Calderón de la Barca, Ruiz de Alarcón, Rojas Zorrilla, Moreto, Vélez de Guevara, Mira de Amescua, Pérez de Montalbán, Guillén de Castro, Tárrega, Boyl, Gaspar de Aguilar, Ricardo del Turia, Salucio del Poyo, Hurtado de Velarde, Jiménez de Enciso, Felipe Godínez, Monroy y Silva, Belmonte Bermúdez, Rodrigo de Herrera, Hurtado de Mendoza, José de Valdivielso, Cubillo de Aragón, Quiñones de Benavente, Hoz y Mota, Matos Fragoso, Juan B. Diamante, Coello y Ochoa, Cáncer y Velasco, Rosete Niño, Antonio de Solís, Diego y José de Figueroa, Francisco de Leyva Salazar y Torres, Jerónimo de Cuéllar, Juan Vélez de Guevara, León y Merchante, Sor Juana Inés de la Cruz, Bances Candamo, Antonio de Zamora, José de Cañizares.

En el siglo XVIII: Añorbe y Corregel, Montiano y Luyando, Nicolás y Leandro Fernández de Moratín, Cadalso, Trigueros, Sebastián y Latre, Ignacio Pérez de Ayala, Tomás de Iriarte, Vicente García de la Huerta, don Ramón de la Cruz, González del Castillo, Jovellanos, Comella, Valladares y Sotomayor, Sánchez Barbero, Dionisio Solís, Manuel José Quintana...

En el siglo XIX: Martínez de la Rosa, Larra, el duque de Rivas, Hartzenbusch, García Gutiérrez, José Zorrilla, Eulogio Florentino Sanz, Narciso Serra, Luis de Eguílaz, Gil y Zárate, Bretón de los Herreros, Ventura de la Vega, Adelardo López de Ayala, Tamayo y Baus, Echegaray, Sellés, Feliú y Codina, Novo y Colson, Leopoldo Cano, Pérez Galdós, Vital Aza, Ramos Carrión, Luceño, Ceferino Palencia, Joaquín Dicenta, Romea Parra, Camprodón, Olona...

V. DU MEDIL: *Histoire de la comédie ancienne.* París, 1833.—MEYER, M.: *Etudes sur le théâtre latin.* París, 1849.—LUCAS, H.: *Histoire du théâtre français.* París, 1848.—BOYER, A.: *Histoire universelle du théâtre.* París, 1890.—SAINZ DE ROBLES, F. C.: *Historia del teatro español.* Madrid, 1943.—CAILHAVA D'ESTENDOUX, J.: *L'art de la comédie...*—CAILHAVA D'ESTENDOUX, J.: *Traité de la comédie.*—SCHACK: *Arte dramático en España.* Madrid, 1888.

COMEDIA DE ARTE

La comedia italiana tuvo caracteres muy peculiares y una influencia decisiva sobre el teatro moderno. Se dividió en *sostenuta* y en *commedia dell' arte.* La primera era la escrita, en verso o en prosa, según las reglas de Aristóteles y los modelos de la antigüedad. La segunda era la *improvisada* en los diálogos y en las situaciones.

En la comedia de arte el diálogo cambiaba de representación en representación; inspirábanse los actores en la situación dramática, en las circunstancias de tiempo y de lugar, haciendo de la obra representada una pieza siempre rejuvenecida, incesantemente distinta.

Respecto de los tipos cómicos, eran los mismos que los de la comedia italiana: sus máscaras y sus bufones se repetían. Los cuatro tipos principales fueron: *Pantalón,* el *Doctor,* el *Capitán* y los *Criados*—con algunas variantes en estos de imbéciles, intrigantes o vagos—. A esos cuatro se añadían los *tipos amorosos,* como Isabel, Horacio, Francisquina...

La *comedia de arte,* durante mucho tiempo, dependió para triunfar de las palabras ingeniosas de los actores, de sus gestos, de sus aptitudes; porque si bien se servían para la representación *del cañamazo* urdido por el autor, ellos debían aportar—improvisadamente—los chistes, los diálogos ingeniosos de *actualidad*, la intención...

La *comedia de arte*—anterior que la *regular*, iniciada en Italia durante el siglo xv con las *rappresentazioni*—posiblemente derivó de las *fiestas atelanas*, en honor del dios Baco, en las que también "todo era poco menos que inesperado".

La difusión de la *comedia de arte* fue rápida a partir del siglo xvi. Enrique III de Francia la implantó en París el año 1576. Su apogeo en Italia y Francia coincidió con el siglo xvii, apareciendo más perfecta, paradójicamente, en el segundo país.

V. Riccoboni, Luis: *Historia del antiguo teatro italiano*. Madrid, 1807.—Magnin, Charles: "Les commencements de la comédie italienne", en *Revue des Deux-Mondes*, 15 diciembre 1847.

COMEDIANTE (V. Actor)

Persona que tiene por vocación u oficio—o por ambas cosas—la representación de piezas teatrales ante los públicos.

COMENTARIO

1. Explicación—oral o escrita—que se da de una obra para su mayor comprensión.
2. Interpretación subjetiva de una idea.
3. Título que llevan algunas breves historias o crónicas, como las de Julio César.

Comentario—literario—equivale muchas veces a glosa o adición. Las condiciones que debe reunir el comentario son: *claridad, fidelidad* y *solidez*.

Los comentarios son de varias clases, según el elemento a que se atiende para trazarlos.

Se llama *crítico* al comentario que se compone de notas sobre la constitución del texto comentado y sobre las variantes de los diversos manuscritos o textos.

Se llama *filológico* o *gramatical* cuando sus notas se refieren a las palabras, locuciones o giros propios del autor del texto en relación con su época.

Se llama *histórico* si sus notas comentan usos o hechos.

Y *literario*, si se refieren a la impropiedad o propiedad de sus términos y a la belleza o defectos del estilo.

La mayor parte de las obras literarias escritas en épocas anteriores a la nuestra necesitan el comentario, bien para aclararlas en algún punto oscuro, bien para señalar muchas bellezas y muchos valores que no se delatan a una simple lectura.

Las *Sagradas Escrituras* no deben ser leídas por los católicos sino en ediciones comentadas.

En España se han hecho famosos los comentarios de Pellicer, Cortejón, Clemencín y Rodríguez Marín a *Don Quijote de la Mancha*.

CÓMICO (V. Actor)

1. Actor que representa los personajes jocosos o burlescos de una obra teatral.
2. Persona que afecta en la vida los modales propios de la escena.
3. Quien es capaz de divertir a un auditorio.
4. Antiguamente, el que escribía comedias.

CÓMICO (Género)

Es aquel que comprende las varias especies de comedia.

El género cómico se divide en:

a) *Cómico noble.*
b) *Cómico de la clase media.*
c) *Cómico bajo.*
d) *Cómico grosero.*
e) *Cómico de situación.*
f) *Cómico de carácter.*
g) *Cómico de diálogo.*

Tales divisiones no necesitan explicación alguna.

Modernamente, se ha reducido *el campo* del género cómico, eliminando de él la *comedia psicológica* y la *comedia de pasiones*, ya que, según la crítica, lo cómico se basa exclusivamente:

a) *En una contradicción.*
b) *En un contraste.*
c) *En una degradación.*
d) *En un equívoco.*
e) *En un rasgo de humor.*

Motivos todos ellos que *excitan la risa*, aun cuando nada tengan de risibles algunos.

Los elementos primordiales del género cómico serán:

a) *La observación* minuciosa de los defectos y vicios desde un punto de crítica que afecte a su *lado risible*.
b) *La selección* de las fases y matices más eficaces de tales vicios y defectos.
c) *El ingenio* para patentizar tales fases y matices.

Dentro del género cómico pueden ser agrupados el *burlesco*, el *humorista*, el *grotesco*, el *satírico*...

V. Bergson, Henri: *Le ris et le comique*. París, 1900.—Floegel: *Histoire de la littérature comique*.

COMPARACIÓN (V. Símil)

Figura de pensamiento, que consiste en realzar un objeto expresando formalmente sus relaciones de conveniencia o discrepancia con otro.

Hay dos clases de comparación, a saber: el *símil* y la *disimilitud*.

Símil, semejanza o *similitud* es la comparación que hace notar el parecido entre dos objetos.

> Veo que las leyes son contra los flacos, como las telarañas contra las moscas. (Luis Mejía.)

Disimilitud es la comparación que hace notar las diferencias o desemejanzas entre dos objetos.

> Los cuerpos de los justos resucitarán, hermosos y resplandecientes como el sol; mas de los malos, oscuros y feos como la misma muerte. (FRAY LUIS DE GRANADA.)

La comparación es una figura muy usada y contribuye al embellecimiento de la obra literaria. Otras comparaciones sirven como medio de prueba, y se estudian en lógica.

Existen tres géneros de comparación: *de igualdad, de mayoría* y *de minoridad.*

COMPARSA

1. Acompañante o séquito de algún personaje.
2. En las obras teatrales: personaje que *no habla,* que *hace bulto,* que *forma parte del coro.*
3. Reunión de máscaras vestidas de la misma manera.

COMPENDIO

Sinónimo de *resumen, sumario y epítome* (V.).

Noción abreviada de un libro, de una materia, de una noticia.

En el compendio es imprescindible la brevedad, la claridad y la precisión. Nada de lo esencial y necesario para el conocimiento de que se trata debe faltar en el compendio.

COMPENSACIÓN

1. Compensación entre versos se da cuando existe un sílaba de sobra al principio de la medida de un verso, la cual debe quedar enlazada con el final agudo del verso precedente. Generalmente, esta compensación tiene efecto entre los versos octosílabos y sus correspondientes tetrasílabos en las poesías de pie quebrado.

> No se engañe nadie, no,
> pensando que ha de durar
> lo que espera
> más que duró lo que vio,
> pues que todo ha de pa*sar*
> *por* tal manera.
>
> (JORGE MANRIQUE.)

Sin embargo, cuando las que enlazan son las vocales final de un verso y primera del siguiente, no existe compensación, sino sinalefa.

2. Como figura de pensamiento, la composición tiene lugar cuando se ponen en juego las diferencias o semejanzas que existen entre dos objetos. El *paralelo* o la comparación entre dos hombres ilustres es una especie de compensación.

COMPILACIÓN

1. Reunión, recopilación, colección de varias noticias, materias o tratados de modo que uno solo comprenda lógicamente todos.

La compilación literaria es un arduo trabajo de erudición, ya que se requiere mucha ciencia, mucho juicio crítico y gran facilidad de sintetizar para reducir sustancialmente una materia importante sin que al reducirse pierda ninguno de sus valores fundamentales, Compilaciones famosas son: el *Fuero Juzgo,* los *Anales eclesiásticos,* de Baronio.

COMPLEXIÓN (V. Figuras de palabras)

1. Aglomeración de palabras de una misma significación.
2. Repetición de unas mismas voces.
3. Elegancia del lenguaje, que consiste en repetir una misma palabra al principio de varios miembros o incisos, y otra al fin de los mismos. Ejemplo:

> (Si) (honestidad) deseáis, ¿qué cosa más honesta que la (virtud), que es la raíz y fuente de toda (honestidad)? (Si) honra, ¿a quién se debe la (honra) y acatamiento, sino a la (virtud)? (Si) hermosura, ¿qué cosa más hermosa que la imagen de la (virtud)? (Si) utilidad, ¿qué cosa hay de mayores utilidades que la (virtud)? (FRAY LUIS DE GRANADA.)

COMPOSICIÓN

1. Obra de ingenio, en verso o en prosa.
2. Composición u obra literaria, en sentido lato, es toda una serie ordenada de pensamientos expresados por medio del lenguaje oral o escrito, y destinados a un fin determinado, que en último término no debe ser otro que el bien del hombre.

COMPRENSIÓN (V. Sinécdoque)

1. Conocimiento profundo y circunstanciado de una cosa.
2. Perspicacia. Talento. Capacidad.
3. Tropo de dicción por *conexión* o *enlace,* que consiste en designar un objeto físico o metafísico con el nombre de una de sus partes, o al contrario.

Hay nueve especies de comprensión:

De la *parte* por el *todo*: Un rebaño de *treinta* cabezas, por treinta *corderos.*

Del *todo* por la *parte*: Todo el *mundo* piensa lo mismo, por cada *persona.*

De la *materia* por la *obra*: Truena el *bronce,* por el *cañón.*

Del número *singular* por el *plural*: El *español,* por los *españoles.*

Del *género* por la *especie*: Todos los *mortales,* por todos los *hombres.*

De la *especie* por el *género*: No tiene *camisa,* por no tiene *vestido.*

Del *individuo* por la *especie*: Es un *Nerón,* por un hombre *sanguinario.*

De la *especie* por el *individuo* (antonomasia): El *Apóstol,* por *San Pablo.*

De lo *abstracto* por lo *concreto*: La *juventud* española, por los *jóvenes* españoles.

COMPRESIÓN (V. **Sinéresis**)

Consiste en contraer *dos sílabas* para que formen *una sola;* es decir, diptongar dos vocales que formaban dos sílabas. Por ejemplo: *leal, cruel.*

Le impele su (leal)tad a defenderle.

Verso suave, a pesar de la compresión cometida en la palabra *le-al-tad.*

COMTISMO (V. **Positivismo**)

COMUNICACIÓN (V. **Figuras de pensamiento**)

Figura retórica—y lógica—por la cual el orador o el escritor consulta el parecer de sus oyentes o lectores, contrarios o jueces, convencido de que no diferirá del suyo.

Decidme: la hermosura,
la gentil frescura y tez
de la cara,
la color y la blancura,
cuando viene la vejez,
¿qué se para?

(JORGE MANRIQUE.)

COMUNISMO

Nombre dado al sistema por el cual se quiere abolir el derecho de propiedad privada y establecer la comunidad de bienes.

En ocasiones se ha confundido el comunismo con el *colectivismo* (V.), con el *socialismo* del Estado (V.) y con el socialismo agrario. Sin embargo, se diferencia claramente de ellos. El colectivismo no reclama sino *la comunidad de los instrumentos de producción.* El socialismo del Estado propugna la comunidad colectiva únicamente en los casos en que lo demanda el interés general. Y el socialismo agrario se limita a pedir la supresión de la *propiedad privada de la tierra.*

Las instituciones e ideas comunistas no son, ciertamente, modernas. Los pueblos de la antigüedad tenían, con frecuencia, la propiedad en común. En Esparta persistió el comunismo hasta el final del Imperio helénico. La *República,* de Platón, siempre tiene presente un Estado comunista. Durante la Edad Media, la organización agrícola de los feudos, de las guildas en las ciudades y de las órdenes monásticas encierran aspectos y caracteres del comunismo. Toda la literatura política, hasta la Reforma, está llena de dudas acerca de la eficacia moral de la propiedad privada. La tradición medieval contiene huellas indudables de hombres y de sectas, oscuras a veces, que predicaron un decidido comunismo. Los estrictos seguidores de San Francisco, los Beguinos y los Mendicantes, John Ball y sus adeptos—1831—, son ejemplos manifiestos de un amplísimo temperamento. Aun antes, el Nuevo Testamento, los primeros Padres de la Iglesia y los escolásticos medievales consideraron difícil defender un sistema económico en el que algunos hombres pueden sufrir grandes privaciones, mientras otros prosperan y viven regaladamente.

Ya en el mundo moderno aparecen los ideales comunistas bajo forma de *utopías.* Tomás Moro, en su *Utopía*—1516—, ataca la propiedad privada, a la que considera como la causa principal de todos los delitos; y pinta una sociedad en donde trabajan todas las personas útiles, en donde no existe la moneda y en donde se tiene la propiedad en común.

Campanella, en su *Ciudad del Sol*—1623—, da como ideal un régimen comunista de mujeres y haciendas, con trabajo para todos. Gerard Winstanley y sus discípulos, en la Inglaterra de Cromwell, representan una opinión genuinamente comunista, y en *Law of Freedom in a Platform* —1652—afirman: "De cada cual según sus energías; a cada cual según sus necesidades." Y en dicha obra están todos los postulados del comunismo: producción cooperativa, abolición del comercio, idea de una cuota necesaria de trabajo que cada uno debe realizar si no quiere ser castigado... Harrington, en su *Oceana*—1656—, limita la parte de la tierra que puede poseer. Morelly, en su *Basiliade*—1753—, critica la propiedad privada y aboga por la igualdad en la posesión de los bienes. Mably, en sus *Doutes aux Economistes,* cree que Esparta y Paraguay prueban que la propiedad privada es innecesaria, y añade: "El Estado, como propietario universal, distribuirá a cada ciudadano los bienes que necesite." Godwin, en su *Political Justice*—1793—, afirma que la propiedad privada significa desigualdad, y la desigualdad destruye las posibilidades del progreso intelectual y moral.

Naturalmente, el comunismo que han defendido espíritus tan finos y sinceros es un comunismo ideal, que nada tiene que ver con el comunismo de hoy, materialista, violento, revolucionario. Esteban Cabet (1788-1856) es el caudillo del último movimiento comunista utópico. En su *Voyage en Icarie* traza las líneas a base de un sistema de colonias agrícolas y talleres nacionales.

Pero la transformación de comunismo idealista en comunismo revolucionario y materialista se inicia con el auge de la industria.

"La revolución industrial trae consigo una serie de calamidades económicas. La riqueza y la miseria alcanzan proporciones extremas; el abismo entre el capitalista y el trabajador es cada vez más profundo, y se suceden, con frecuencia, las crisis sociales. Se notan, entonces, los defectos de la teoría individualista, porque la libertad, con respecto al propietario de manufacturas y al vendedor, no se corresponde y traduce necesariamente en la libertad de los obreros. Buscando remedios para salir de esta situación, algunos hallan el alivio en el retorno romántico a las instituciones de los tiempos medievales;

otros critican la integridad del movimiento y las teorías económicas que le sirven de fundamento." (Gettell.)

Y entonces aparecen los teóricos, cuyas doctrinas forman la transición entre el utopismo comunista y el comunismo tal como se presenta hoy: Jean de Sismondi (1773-1842), Robert Owen (1771-1858), William Thompson, el conde Henri de Saint-Simon (1760-1825), Charles Fourier (1772-1837). El desarrollo de este movimiento comunista, ya nada utópico, pero aún contenido dentro de los límites de la normalidad política, desplaza el desenvolvimiento utópico del socialismo.

Y, realmente, es en el siglo XIX cuando surge potentísimo el comunismo materialista, irreligioso y violento. Y surge del seno de un socialismo mitigado que buscaba el triunfo de sus ideales en el desarrollo ordenado de una política de clases. En el período que media entre 1830 y 1848—paréntesis cerrado por dos revoluciones, más políticas que económicas—se significa el proletariado como una fuerza activa dentro del Estado. "El régimen de la industria fomenta la existencia de una enorme masa obrera desposeída, y mediante la concentración de los trabajadores se hace posible la creación de un nuevo espíritu en las masas y la posibilidad de una acción conjunta."

En Inglaterra, durante el período indicado, los trabajadores actúan en el sentido de la democracia política, forman la *Working Men's Association* y, con el apoyo de la Cámara de los Comunes, consiguen la *Carta del Pueblo,* en la que se consignan unos derechos del proletariado que recuerdan, por su espíritu, las insurrecciones de los campesinos en la Edad Media y el movimiento de los *Levellers* del siglo XVII.

En Francia, los trabajadores apoyan los esfuerzos de Luis Blanc (1813-1882), quien propone la creación de talleres nacionales, sostenidos por el Estado y dirigidos por los trabajadores, bajo la vigilancia de aquel. Según Blanc, "cada hombre tiene derecho al trabajo y a la satisfacción de sus necesidades, dedicándose a la producción con arreglo a su capacidad y a las exigencias de su vida". Blanc hace del Estado el promotor fundamental de su sistema.

Pero el fracaso de la Revolución francesa de 1848 contribuyó al descrédito del socialismo idealista y abrió el paso a las concepciones radicales de Pedro J. Proudhon (1809-1865), quien rechazó todas las formas de gobierno, concentrando su violencia contra la propiedad privada y llevando sus ideales al triunfo del *proletariado dirigente*. Proudhon afirmó que el trabajo era la única fuente productiva, ya que sin él la tierra y el capital eran inútiles.

Aún se intenta en Europa evitar la violencia de la reacción de las masas obreras. En 1850 se funda en Inglaterra—dirigida por Kingsley y F. D. Maurice—una sociedad con el fin de crear asociaciones de trabajadores, movimiento que tiene como órgano un periódico titulado *The Christian Socialist*. En Francia, Buchez y el abate Lammenais fundan asociaciones cooperativas de obreros productores y Bancos cooperativos en beneficio de los que toman dinero a préstamo. Todos los grandes escritores ingleses, franceses y alemanes conceden extraordinaria importancia a los problemas sociales, y coinciden en oponer a la anarquía del individualismo y del *laissez faire* una dirección social vinculada en el espíritu de los más aptos y la existencia de una sociedad convenientemente regida y gobernada.

Pero, desdichadamente, la violenta reacción del obrerismo se había iniciado, y ya no habría fórmulas de orden capaces de contenerla. El socialismo del Estado, que representa la fusión de dos direcciones ideológicas—la desaparición de la propiedad privada y el auge de las tendencias socialistas—, no lograría sino un mínimo retraso en el estallido de la revolución social. Estallido que provocaría, poniendo fuego a la mecha, Carlos Marx. De este escritor se ha dicho "que escribió el epitafio del nuevo capitalismo y la profecía de su definitiva desaparición".

Carlos Marx nació en 1818, siendo hijo de una familia judía de la clase media, convertida al cristianismo. Desterrado de Prusia, marchó a París en 1843, donde conoció a Proudhon y se hizo amigo fraternal de Federico Engels. En 1845 estuvo en Bruselas, trabando relación con la *Liga del Justo,* cuya transformación en la *Liga de Comunistas* acaeció en el verano de 1847. Y fue en el segundo Congreso de esta Liga, en diciembre del mismo año, cuando Marx y Engels lanzaron el documento clásico del comunismo, el famoso *Manifiesto*. En 1849, Marx tuvo que refugiarse en Inglaterra, y en Londres vivió hasta 1883, fecha de su muerte. Para Liebknecht —con palabras que pronunció ante la tumba de Marx—, "este había elevado la democracia social de la categoría de una secta o escuela a la de un partido".

"El marxismo, como filosofía social, puede ser útilmente reducido a cuatro partes distintas. Es, en primer término, y sobre todo, una filosofía de la Historia; partiendo de esta filosofía, es, en segundo término, una teoría del desarrollo social, destinada a guiar el partido de que él era jefe. Marx, en tercer lugar, trazó una táctica cuya influencia ha sido de especial significación aun en nuestros días; siendo él mismo un agitador inflexible, había reflexionado, como pocos agitadores tienen ocasión de reflexionar, acerca de la adaptación de los medios a los fines. Era, por último, un economista teórico, que sobre la base de los principios clásicos intentaba transformar sus hipótesis en argumentos que justificaran su propia filosofía de la acción. Para el mismo Marx, ninguno de estos aspectos es propiamente separable de los demás. Forman un todo lógico, cuya unidad defendía con apasionamiento. Es, sin embargo, posible rechazar la validez de su sistema económico, aceptando, en cambio, las grandes líneas de su teoría social." (Lasky.)

La filosofía marxista de la Historia insiste en que el primordial motivo de las alteraciones sociales es el sistema de producción económica de una determinada época. La sociedad se divide siempre en los que controlan y los que están controlados; por ello, en la base de la colectividad existe siempre la *división de clases.* La revolución industrial señaló el triunfo de los burgueses. El asalariado tiene que vender su trabajo o morir. El burgués, dueño del capital, puede esperar. El conflicto únicamente puede ser resuelto *mediante la abolición de la clase patronal.* ¿Cómo ha de efectuarse esta abolición? Por la fuerza. Y, lógicamente, el conflicto quedará marcado por una era sangrienta, ya que ninguna clase se resigna a su propia supresión sin protesta.

Los *hechos* que marcaron el paso decidido del comunismo fueron estos: la Primera Internacional—muy laboriosa—, iniciada en 1864 en Inglaterra, reavivada—1866—en Ginebra y culminada—1869—en el segundo Congreso de las Trade-Unions. La *Commune* de París—1871—. La Segunda Internacional—1889—. La Tercera Internacional, de Moscú—1917—, ya auténticamente comunista y desligada por entero de las dos primeras, genuinamente socialistas.

En el comunismo existen cuatro puntos esenciales de estudio:

1.° La interpretación materialista de la Historia.
2.° La economía comunista.
3.° La teoría comunista del Estado.
4.° La estrategia del comunismo.

Para su interpretación materialista de la Historia, Marx siguió casi exclusivamente las teorías de Hegel. "Es tan solo la insistencia en el hecho de que las condiciones materiales de la vida, consideradas como un todo, determinan primariamente los cambios del pensamiento humano. No es una idea innata: providencia, espíritu universal o razón natural la que realiza las alteraciones que acaecen. Son estas concepciones inventadas por el hombre e interpretadas por el hombre, en su esfuerzo para explicar el carácter del mundo acerca de ellas. El matiz y el carácter de sus ideas está siempre determinado y ajustado a la manera como los hombres ganan los medios para su sustento. La necesidad económica es, por consiguiente, el fundamento sobre el cual deben construirse todas las demás partes de la estructura social."

El sistema económico marxista está basado en dos fundamentos bien definidos: de una parte, es una ampliación de la teoría del trabajo como única fuente de valor; y de otra parte, se arguye que la supervalía realmente, debida a la energía del trabajo, es arrebatada a este último por el *capitalismo* (V.).

"Basándose, sin embargo, en esta concepción del trabajo como única fuente del valor, erige Marx su teoría de la supervalía, que es el núcleo de su sistema económico. Marx, como comunista, tendía a evidenciar una cosa: que existe un necesario e irreconciliable antagonismo entre amo y criado. La teoría de la supervalía le capacitó para intentarlo. En una cierta etapa del desarrollo de la sociedad, arguye, aparece una clase de trabajadores libres. No son siervos o esclavos, como en el pasado. No poseen los instrumentos de producción, pero tienen su capacidad del trabajo para vender. El capitalista compra dicha actividad y la aplica a los instrumentos inanimados de la producción. Los artículos resultantes son vendidos por él a un precio superior al costo de los instrumentos y al costo de la energía de trabajo invertida. Es, además, una característica de estos instrumentos, que sin aplicación del esfuerzo humano son improductivos. El valor, por consiguiente, es una función de esfuerzo humano aplicado a ellos. Esto equivale a decir que la energía activa o de trabajo produce valores superiores al costo de las herramientas, de las materias primas y a su propio costo. Marx denomina a esta diferencia *supervalía,* y afirma que la totalidad de ella es captada por el capitalista. El trabajo queda, por consiguiente, privado de la supervalía que él mismo creó." (Lasky.)

El comunismo no niega que el capitalismo en sus primeras etapas representara un avance preciso y necesario con respecto a un sistema económico anterior. Pero le interesa poner de relieve que el capitalismo contiene en sí mismo los gérmenes de su inevitable decaimiento.

¿Cuál es la teoría comunista del Estado? "El Estado—dijo Lenin—es el producto y la manifestación del carácter inconciliable de los antagonismos de clase. Dónde, cuándo y con qué extensión surge el Estado, depende directamente de dónde, cuándo y en qué extensión no puede ser objetivamente conciliado el antagonismo de una sociedad dada. Recíprocamente, la existencia del Estado prueba que los antagonismos de clase son irreconciliables." Esta opinión es esencial en la doctrina comunista. Y de ella se deduce que el Estado es una fuerza al servicio del capitalismo, y que siendo el capitalismo instrumento de la opresión obrera, reconciliar con el Estado a los trabajadores es tanto como reconciliarlos con la opresión. "No existe un solo Estado—añade Lenin—, por democrático que sea, que no contenga en su Constitución lagunas o cláusulas limitativas que garanticen a la burguesía la posibilidad legal de enviar tropas contra los trabajadores, de proclamar la ley marcial, y así sucesivamente, cuando el orden público se perturbe, es decir, cuando la clase servil proteste de la servilidad de su condición."

El comunismo preconiza y alienta la violencia. "El enemigo—escribe Trotsky—debe ser reducido a la impotencia, y en época de guerra esto significa que debe ser destruido." Y si el capitalismo se elevó hasta el poder y conservó su autoridad y mantuvo su preeminencia apoyado en la fuerza, el comunismo cree que el capitalismo debe ser vencido y aniquilado también por la fuerza o por el terror. Así, pues, el comunismo debe apoderarse del Estado por la violencia, y consolidar la posición de este modo adquirida, *sustituyendo la dictadura del capitalismo por la dictadura del proletariado.*

La gran guerra mundial de 1914-1918 dio origen a las primeras tentativas de una nueva Internacional revolucionaria, en oposición y superación de la II Internacional Socialista, fundándose la III Internacional Comunista, inspirada y controlada por Rusia. En sus Estatutos dice: "La I Internacional Comunista representa en sí la unión de los partidos comunistas de todos los países en un Partido Comunista mundial único. Lucha por la conquista de la mayoría de la clase obrera y campesina; por el establecimiento de la dictadura mundial del proletario; por la creación de una Unión Universal de Repúblicas Socialistas Soviéticas."

Resumiendo: el ideario comunista es revolucionario, ya que su objetivo no puede ser alcanzado por otro medio que el derrumbamiento trágico de los regímenes presentes; es antiparlamentario y ateo, y enemigo del capital, aunque no destruye el capital, sino que lo colectiviza; va contra la familia, por considerarla un prejuicio burgués; va contra la propiedad privada o individual, haciéndola común; es autoritario y adversario de la libertad individual, imponiendo la igualdad resurada por la colectividad.

Existen dos clases de comunismo: el *estatal* y el *libertario.* El primero implica el asalto al Poder por una clase que tiende a reorganizar la sociedad de *arriba abajo* y en beneficio de esa clase. El segundo tiende a organizarla *de abajo arriba,* respetando el derecho individual y aboliendo la propiedad y la jerarquía. Este comunismo libertario tiene sus raíces más hondas en la anarquía.

A consecuencia de la segunda gran guerra mundial de 1940-1945, el comunismo ha adquirido una importancia realmente decisiva. El mundo, hoy, se divide en comunista y anticomunista. Y la lucha entre las dos tendencias es tan implacable como oscura en consecuencias. Pero al alcanzar el comunismo su apogeo ha dilatado por completo todos sus fallos políticos, económicos y sociales, como esos globos que únicamente bien hinchados muestran todas sus características de forma, de color, de resistencia. El comunismo ya no es ni una esperanza ni una novedad. Es... *un absolutismo más.* Acaso el más absoluto, y, desde luego, el más violento, en el que el proletariado es—¡oh paradoja!—la principal víctima. (V. Socialismo, Sovietismo, Bolcheviquismo, Marxismo...)

V. PAUL, Williams: *Communism and Society.* Londres, 1925.—LASKY, Harold J.: *Comunismo.* Barcelona, Labor, 1927.—GETTELL, Raymond G.: *Historia de las ideas políticas.* Barcelona, 1937, 2.ª ed.—LENIN, N.: *Estado y Revolución.* Madrid, 1921.—RUSSELL, Bertrand: *Bolshevism in Theory and Practice.* Londres, 1921.—BEER, Max: *Vida y doctrina de Karl Marx.* Trad. cast. Madrid, 1932.

CONCATENACIÓN

Consiste en tomar progresivamente, al principio de varios incisos, una palabra del anterior, que generalmente es la última, resultando como una serie de *conduplicaciones* (V.).

Bebe la (tierra) fértil,
y a la (tierra) las plantas,
las (aguas) a los vientos,
los soles a las (aguas)...

(VILLEGAS.)

Trescientos zenetes eran
deste rebato la causa,
que los rayos de la luna
descubrieron las (adargas).
Las (adargas) avisaron
a las mudas (atalayas),
las (atalayas) los (fuegos),
los (fuegos) a las campanas.

(GÓNGORA.)

CONCEPCIÓN

1. Idea general.
2. Invención. Creación.
3. Obra o producción literaria o artística.
4. Capacidad. Comprensión. Perspicacia. Talento.
5. Producto de la inteligencia.

CONCEPCIONISMO (V. Idealismo)

CONCEPTISMO

Estilo e ideología literarios iniciados en España, y en el siglo XVI—fines—, por el segoviano Alonso de Ledesma en su obra *Conceptos espirituales.* El *conceptismo* consistía en cierto misticismo ideológico, al servicio del cual se prodigaban las metáforas más audaces, las agudezas, los juegos de palabras y hasta los equívocos y retruécanos. El *conceptismo,* por los excesos a que llegó, provocó, por parte de los cultistas—o gongoristas—una reacción, fatal para el buen gusto, ya que estos llegaron a la confusión y oscuridad en la forma y en las palabras.

El conceptismo—según Pfandl—"busca las más sorprendentes comparaciones, las más extraordinarias asociaciones de ideas, los saltos y transiciones bruscas, los contrastes violentos. Emparentado con ello en la tendencia y en el efecto está el juego de palabras basado en el sentido, en oposición a los juegos cultistas de palabras a base de su sonido o de su forma. Un laconismo deliberado acentúa el vigor de sus contornos, pero no buscando la oscuridad o el doble sentido, sino la ingeniosa concisión. Todo el restante aparato de tropos, figuras y símbolos pertenece al cultismo, incluso cuando sirve de adorno o subraya la originalidad del período conceptista.

Al referirnos al *barroquismo* (V.), dijimos que, en verdad, no era sino la *suma* del culteranismo y del conceptismo, dos tendencias que, en su origen, aparecen netamente distanciadas y distintas, y aun consideradas como contrarias en la época de su mayor auge. El culteranismo se apoderó de las *palabras*. Y el conceptismo, de las *ideas*. Aquel buscó la eficacia del juego musical, la combinación sintáctica, los neologismos y barbarismos. Este prefirió las imágenes dislocadas, las sutilezas ideológicas, las reticencias y reservas mentales, la concisión verbal exagerada. Si el culteranismo amaneró superlativamente el lenguaje, el conceptismo amaneró el concepto. Y habiéndose desarrollado coetáneamente, acabaron por identificarse, de suerte que los conceptistas acudieron a la culterana expresión, y los culteranos se enraizaron en los conceptos más laberínticos. Es de justicia aclarar que los conceptistas más admirables—Ledesma, Bonilla, Quevedo—no llegaron a expresarse jamás en absoluto culteranismo; y, sin embargo, los culteranos más insignes—Góngora, Carrillo de Sotomayor y Paravicino—se hundieron en el absoluto conceptismo.

Con gran insistencia se ha determinado cómo el culteranismo se apoderó del verso, mientras el conceptismo se adueñó de la prosa. Total, entre ambos llevaron la literatura a un barroquismo sugestivo y peculiarísimo. Según Bonilla San Martín, acabaron por identificarse. Sin embargo, esta afirmación nos parece poco exacta. Que en algunos escritores el conceptismo y el culteranismo se dieran la mano y hasta se expresaran armónicamente, no quiere decir la *fusión*, ni siquiera la *confusión* de ambos movimientos literarios. Perenne ha sido siempre la diferencia de su origen psicológico: perennes las distinciones de *tendencia* y de *finalidad estética*.

Sí, el conceptismo jamás perdió la fe en que la belleza y la gracia del arte literario residían en la *agudeza de pensamiento,* siendo "lo de menos" los juegos de palabras y aun los retruécanos para expresarlo. Pero aún queda otra distinción muy de tener en cuenta entre ambos barroquismos: el factor geográfico. El culteranismo surgió en tierras de luminosa y fácil *expresividad*: en Andalucía. El conceptismo enraizó en tierras altas, llanas y desnudas, en las que viven más de prisa las ideas que el verbo: en Castilla y Aragón.

"Lo que principalmente buscaba el conceptista al escribir—comenta Menéndez Pidal—era hacer gala de agudeza e ingenio; por eso muestra gusto especial por las metáforas forzadas, asociaciones anormales de ideas, transiciones bruscas y gusto por los contrastes violentos en que se funda todo humorismo, que humoristas son los grandes escritores de este siglo: Quevedo y Gracián. En estos autores geniales el conceptismo aparece lleno de profundidad, la frase encierra más ideas que palabras (al revés que el culteranismo, que prodiga más las palabras que las ideas); pero en los autores de orden inferior de este siglo la agudeza suele estribar únicamente en lo rebuscado del pensamiento, en equívocos triviales y en estrambóticas comparaciones. El siglo XVI fue el del esplendor de la prosa castellana; el XVII es ya la decadencia; y uno de los síntomas de esta es precisamente el buscar como principal sazón de la obra literaria el artificio y la agudeza."

¿No pueden señalársele al conceptismo antecedentes dentro de nuestra patria? Indiscutiblemente, hállanse de claro en claro, en efusión y en raigambre, "en los alardes pedantescos del mester de clerecía y en las ingeniosidades y sutilezas de la poesía trovadoresca y cortesana".

Naturalmente, el conceptismo tomó su nombre de *concepto,* que, según Pfandl, "significaba originariamente el esbozo, la idea, el aspecto intelectual, uno de los diversos puntos de vista que pueden referirse a un punto determinado. Así lo entendía aún Santa Teresa cuando expuso en prosa una parte del *Cantar de los Cantares* en sus *Conceptos del amor de Dios.* Pero a medida que aumentaba la afición a la agudeza del lenguaje, iba precisándose el sentido de la palabra *concepto* hasta significar con ella, en los círculos literarios que perseguían tales fines, la iluminación recíproca de dos ideas ingeniosamente ligadas o comparadas entre sí, y, por fin, lo que Cicerón, con concisa exactitud, denomina *facete et breviter et acute loqui*".

El conceptismo tuvo sus recursos expresivos, el principal de los cuales fue la antítesis de palabras, de frases o de ideas; las más extraordinarias asociaciones de ideas, las más sorprendentes comparaciones, los contrastes más violentos, las transiciones más bruscas. Pero conviene tener muy en cuenta que en el conceptismo el juego de palabras se basa en el *sentido* de estas, mientras en el culterismo dicho juego se basa en el *sonido* y en la *forma.* Y, sobre todo, el conceptismo no busca la oscuridad o el doble sentido, "sino cierta clara e ingeniosa concisión".

Como ejemplo de noble y magnífica prosa conceptista, copiamos un fragmento de la obra de Quevedo *El alguacil alguacilado*:

"Fue el caso que entré en San Pedro a buscar al licenciado Calabrés, hombre de bonete de tres altos, hecho a modo de medio celemín; ojos de espulgo, vivos y bulliciosos; puños de Corinto; asomo de camisa por cuello; mangas en escaramuza y calados de rasgones; los brazos en jarra, las manos en garfio; habla entre penitente y disciplinante: los ojos bajos y los pensamientos tiples; color a partes hendida y a partes quebrada; tardón en las respuestas y abreviador en la mesa; gran lanzador de espíritus, tanto, que sustentaba el cuerpo con ellos. Entendíasele de ensalmar, haciendo al bendecir unas cruces mayores que las de los malcasados. Hacía del desaliño humildad, contaba visiones; y si se descuidaban a creerle, hacía milagros, que me cansó."

"Este señor era uno de los sepulcros hermosos, por defuera blanqueados y llenos de molduras, y por de dentro podrición y gusanos; fingiendo en lo exterior honestidad, siendo en lo interior del alma disoluto y de muy ancha y rasgada conciencia. Era, en buen romance, hipócrita, embeleco vivo, mentira con alma y fábula con voz. Halléle solo con un hombre, que, atadas las manos y suelta la lengua, descompuestamente daba voces, con frenéticos movimientos. ¿Qué es esto?—le pregunté, espantado. Respondióme: —Un hombre endemoniado. Y al punto el espíritu respondió: —No es hombre, sino alguacil..."

El conceptismo, derivado de concepto, como este, busca con primor "la comparación de dos ideas que mutuamente se esclarecen, y en general, todo pensamiento agudo enunciado de una manera rápida y picante", según ha dicho Menéndez Pidal.

Para probar lo antecedente pueden espigarse en la *Vida de San Pablo,* de Quevedo, innumerables párrafos como el siguiente: "Dos caídas se leen en la Sagrada Escritura: la de Luzbel, para escarmiento; la de San Pablo, para ejemplo. Aquel subió para caer, siendo el primer inventor de las caídas en las privanzas; este cayó para subir. El serafín comunero, en el principio de la Creación; el Apóstol, en el de la Iglesia. La soberbia tropieza volando; la humildad vuela cayendo. Derriba Dios a Pablo y edifícale; quiere el lucero amotinado derribar a Dios, y arruínase; apaga en tizones los hervores de la luz a que se vio amanecido. La paciencia de Cristo, de muchos hombres que han perseguido su Iglesia, ha hecho ángeles; y su justicia, de los ángeles que le compitieron su asiento, hizo demonios. Esto sucedió a los que fueron cómplices con el lucero, que madrugó con la primera luz a borrarse con las postreras sombras; y lo otro a Pablo, que a mediodía se daba priesa para apagar los rayos del Evangelio en su Oriente."

Refiriéndose al conceptismo lírico de Quevedo, Valbuena Prat ha señalado características muy acusadas del conceptismo; así, llamándolo "estilo de los contrastes": de tonos, de formas de inspiración; su realizándolo a base de hipérboles y del contraste entre las hipérboles y la objetividad; sutilizando las ideas en lo artificioso, en lo retorcido y aun en lo grotesco.

Dos de las mejores raíces del conceptismo: el contraste sutilizado y el alegorismo los aportaron decisivamente los dos más grandes escritores conceptistas: Quevedo y Gracián. Pero este último, llevando a la práctica el principio de que *lo bueno, si breve, dos veces bueno,* eludiendo lugares comunes—en el lenguaje y en las ideas—, llevó el conceptismo a su máximo rigor de concisión. En la prosa de Gracián—de frases cortas—su pensamiento genial *apenas cabe,* haciéndose *sutil por comprensión.*

V. Pfandl, Ludwig: *Historia de la literatura nacional española en la Edad de Oro.* Barcelona, 1933.

CONCEPTO

1. Idea.
2. Sentencia. Agudeza. Dicho ingenioso.
3. Opinión. Juicio.

Concepto deriva del vocablo italiano *concetto,* y significa concepción, pensamiento; y por extensión, *pensamiento agudo o brillante.* En tiempos de María de Médicis, el *concepto* se apoderó del interés de Europa. Porque concepto, por restricción, llegó a traducirse como *idea sutil,* a manera de las *ideas difíciles,* que puso en boga el poeta italiano Marini; ideas refinadas y preciosas.

De concepto nació el *conceptismo,* movimiento literario basado en las *ideas difíciles* expresadas con una *brillantez retorcida.*

En España, Alonso de Ledesma y Góngora propagaron el *conceptismo* de la idea y de la forma. En Alemania, Jeon Klay, Hoffmanswalday. En Francia, Ronsard, Villon, Saint-Gelais, Passerat.

CONCEPTUALISMO

Para la Real Academia de la Lengua, conceptualismo es un sistema filosófico que defiende la realidad y el legítimo valor de las nociones universales y abstractas, en cuanto son conceptos de la mente, aunque no les conceda existencia positiva y separada fuera de ella. Es un medio entre el realismo y el nominalismo.

El conceptualismo fué defendido en el siglo xii por Pedro Abelardo, en oposición a Roscelino y a Guillermo de Champeaux, aquel nominalista y realista este. Modernamente, las lógicas de Port-Royal, Locke y Kant adoptaron el conceptualismo. En el *criticismo* (V.) de este último gran filósofo, el fondo es un conceptualismo *a priori* o trascendente. Nada puede concebirse en el mundo de la experiencia sensible si no está conforme con las reglas de la inteligibilidad inherentes a nuestro pensamiento. Y entre estas reglas de todo pensamiento conceptual se halla la doble trascendente de *homogeneidad* y *especificación.* Conviene señalar, sin embargo, que los principios de sistematización de la experiencia y las categorías del espíritu no tienen ni significación ni uso más allá de los límites de la experiencia.

Abelardo, discípulo del nominalista Roscelino y del realista Guillermo de Champeaux, intentó conciliar las doctrinas opuestas, con cuya mira *inventó* la teoría del conceptualismo, según la cual las nociones no eran otra cosa que puras formas de nuestro entendimiento. (V. Nominalismo y Realismo.)

En verdad, el conceptualismo fue inventado

para la explicación de los *universales,* que son objeto de la ciencia, según Aristóteles y todos los grandes filósofos.

Las *Ideas y nociones universales,* los *Principios universales,* cuyo conjunto constituye la *Razón,* son denominados así porque: 1.º, son comunes a todas las inteligencias; 2.º, se aplican a todo lo que el espíritu humano puede conocer.

Se distinguen cuatro clases de universales:

1.ª *In causando.* (La causa, una, referida a sus distintos efectos.)

2.ª *In essendo.* (La esencia en relación con los individuos en los cuales se multiplica.)

3.ª *In repraesentando.* (Los conceptos de los individuos abarcados en toda su extensión.)

4.ª *In significando* o *In praedicando.* (El atributo en relación con los varios sujetos posibles.)

Durante la Edad Media, los escolásticos admiten otros tres universales:

1.º *Ante rem.* (La idea madre que causa los efectos.)

2.º *In rebus.* (La realización en lo universal de las cosas.)

3.º *Post rem.* (Cuando la mente lo elabora para el conocimiento.)

¿Qué realidad objetiva correspondía a los conceptos generales? Mucho se discutió acerca de ello durante la Edad Media. Para los nominalistas—Roscelino de Compiègne, Guillermo de Occam—no eran sino *puros nombres,* sin realidad objetiva alguna. Para los realistas radicales—Guillermo de Champeaux, San Anselmo de Cantorbery—eran *realidades* subsistentes en la Naturaleza. Para los realistas mitigados—Santo Tomás de Aquino—existían formalmente en el entendimiento, pero se fundamentaban en la realidad.

Para los conceptualistas—Pedro Abelardo—eran *conceptos,* esto es, elaboraciones mentales.

Un término general puede ser considerado desde el punto de vista de su *extensión*—de los objetos individuales a los cuales *se hace extensivo*—y desde el punto de vista de su *comprehensión*—cualidades o atributos que comprende—. Desde el primer punto de vista se aprecian en los universales los *géneros* y las *especies;* desde el segundo, la *diferencia,* lo *propio* y el *accidente.* Son, pues, género, especie, diferencia, propiedad y accidente los *cinco universales.*

Duramente, y con razón, ha sido combatido el conceptualismo, el que afirmaba, por ejemplo, que no existía una Naturaleza universal, una en sí y capaz de ser afirmada de todos y de cada uno de los individuos humanos. Para el conceptualismo no existía, por ende, *el hombre.* Existían, sí, la *palabra hombre* y el *concepto hombre;* la palabra hombre, universal, por cuanto significa todos los hombres; el concepto hombre, universal, por cuanto se afirma en una imagen intelectual que representa a todos los hombres.

Tan absurda y burda era la creencia, que motivó que algunos filósofos medievales creyeran que el conceptualismo había sido mal interpretado. No era fácil comprender cómo podían admitirse imágenes intelectuales representantes de muchos individuos, si entre estos no había algo de común o de semejante. ¿Cómo puede una imagen misma ser la de Juan y la de Pedro, si entre estos la semejanza no existe? Y si existe alguna semejanza, instantáneamente el conceptualismo deja de serlo para convertirse en realismo moderado.

Si se define unánimemente—con unánime aprobación—a los individuos de un mismo género y especie, cabe presumir que es porque tienen algo de común y semejante. Si no lo tienen, todas las definiciones serían falsas. Si lo tienen, existe algo más que los conceptos universales, contra lo pretendido por el conceptualismo.

Si, como también pretende el conceptualismo, entre hombre y hombre, entre objeto y objeto, nada hay de común, ¿cómo se podrá sumarlos? Negada toda Naturaleza universal, admitidos únicamente palabras y conceptos universales, seres y objetos vienen a ser *cantidades heterogéneas.*

En la filosofía moderna, Kant, Hegel, Schelling, redujeron los universales a pura idea. Los filósofos católicos, luego de combatir el conceptualismo, afirman categóricamente que existe el universal *fundamentaliter* en las cosas y *formaliter* por el acto abstractivo de nuestra razón. Es decir: se vuelve al realismo moderado de Santo Tomás de Aquino.

V. MERCIER, Card.: *Critériologie générale.* Lovaina, 1900.—PEILLAUBE, P.: *Théorie des concepts.* París, 1910, 4.ª ed.—WILLEMS, C.: *Institutiones philosophicae.* Tréveris, 1906.—BALMES, Jaime: *Historia de la Filosofía.* Barcelona, 1884, 7.ª edición.

CONCESIÓN (V. Figuras de pensamiento)

Figura retórica—y lógica—, que consiste en presentar aparente y artificiosamente nuestro asentimiento a alguna cosa contraria a nuestro propósito o a nuestras convicciones, con el objeto de rebatirla después con mayor fuerza.

> Mira, Sancho, no te digo yo que parece mal un refrán traído a propósito; pero cargar y ensartar refranes a trochemoche, hace la plática desmayada y baja. (CERVANTES.)

CONCIERTO

La armonía que resulta de la metódica colocación y orden de las palabras y de las frases que componen un párrafo en una obra escrita o en un discurso.

CONCILIACIÓN

Una de las claves de la crítica literaria, por la cual se ponen *de acuerdo* dos o más proposiciones de un autor, al parecer contradictorias, haciendo que la una no destruya a la otra, sino que la complete o aclare.

CONCISIÓN

1. Brevedad. Sucintez. Laconismo. Precisión.
2. Cualidad del estilo por la cual se expresa una idea o se describe algo con muy pocas palabras y las precisas.

El estilo *conciso* es el que presenta solamente los pensamientos capitales y bajo su principal aspecto, omitiendo pormenores y cuando no añada algo esencial.

> Los príncipes, que tan superiores se hallan a los demás, desprecian la envidia. Quien no tuviere valor para ello, no tendrá para ser príncipe. Intentar vencella con los beneficios o con el rigor, es imprudente empresa. (SAAVEDRA FAJARDO.)

CONCLUSIÓN

1. Resumen, recapitulación, desenlace, epílogo, término de una obra literaria o de un discurso.
2. Consecuencia, deducción de algo escrito o dicho antes.
3. Proposición que se pretende probar.
4. Proposición que se defiende en los escritos o en los certámenes académicos y universitarios.

CONCORDANCIA

1. Acuerdo, concierto, conformidad de pareceres o dictámenes.
2. Conformidad de unas palabras con otras dentro del párrafo.

Literariamente, título dado a un repertorio de palabras o de textos destinados a poner de manifiesto las relaciones que existen entre los diversos pasajes tomados de libros diferentes. El principal objeto de la *concordancia*, así definida, es la *Biblia*.

San Antonio de Padua dejó redactadas las *Concordancias morales de las Sagradas Escrituras*, que fueron impresas en 1575 y en 1641. Pero el más admirable trabajo sobre la *Concordancia bíblica* se debe al dominico Hugo de Saint-Cher, muerto el año 1263.

Existe también una *Concordancia* del Corán. Y una *Concordancia de los cánones discordantes*.

CONCURSO

Llámase concurso literario el conjunto de esfuerzos o debates de muchas personas para obtener, por méritos, un premio, una plaza prometida por una entidad al más digno de merecerla entre los concurrentes. Así, pues, los elementos esenciales de un concurso son: un premio propuesto, rivales y un tribunal.

Los concursos fueron conocidos en Grecia y muy estimados. Plinio el *Viejo* nos cuenta de los organizados por Pericles entre la juventud cuando deseaba lograr una obra artística para la ciudad o una obra literaria para la posteridad. Concursos fueron los Juegos de Delfos, Nemea, Corinto y Olimpia. Y los rapsodas se disputaban los premios ofrecidos recitando en los banquetes, en las fiestas, en los funerales.

El gusto por los concursos literarios pasó a Roma. Durante las *augustales*—año II de nuestra Era—se celebró en Nápoles uno de ellos, dedicado a la poesía. Alcanzó el primer premio en uno de estos concursos Germánico, hermano del emperador Claudio, con una comedia. El año 60 fundó Nerón, copiados de los griegos, unos certámenes poéticos. Y el *Agon Capitolinus*, fundado por Domiciano el año 86, se celebraba cada cuatro años.

Desde entonces los certámenes literarios se siguieron celebrando en todos los países cultos y durante todas las épocas.

Hoy día, Academias, Universidades, revistas, diarios y hasta entidades particulares organizan estos concursos con importantes premios, existiendo en alguno de los mencionados centros de cultura premios que pudiéramos calificar *de fijos*, y que se conceden cada año, cada dos años, por un tribunal más o menos competente y con más o menos imparcialidad.

Por ejemplo, la Academia Española otorga todos los años el "Premio Fastenrath" a una obra literaria—ensayo, novela, poesía, investigación, crítica—y el "Premio Piquer" a una obra exclusivamente teatral.

CONDETERMINISMO

Sistema filosófico-teológico, que iniciaron los franciscanos José Nápoles de Drepano y Mostrio, que pretendía conciliar las opuestas teorías del padre Báñez y de los molinistas en orden a explicar la concordia entre el dominio supremo de Dios y la libertad humana.

El condeterminismo se apoyó en la doctrina de Juan Duns Escoto, el celebérrimo *Doctor Sutil*.

Y si los dominicos, en tan sutil materia, aludieron a los *predeterminantes*, y los jesuitas a los *indiferentes*, los franciscanos propusieron el condeterminismo, camino medio entre los anteriores, basado en los *decretos condeterminantes*.

Dios, según el condeterminismo, ve eternamente las acciones que en el tiempo realizarán todos los hombres. Y en su voluntad de cooperar en determinados actos de la voluntad humana, sin extorsionarla, ve distinta e infaliblemente las libres determinaciones del hombre. En esta voluntad humana "Dios, no antes que ella, pero sí prescindiendo de ella, aunque simultáneamente con ella, y, por ende, *condeterminando*, determina cuantos actos ha de realizar cualquier ser libre en la serie de los tiempos".

El condeterminismo ha sido duramente combatido, y, al parecer, anulado por Ludovico de San en su obra *De Deo Uno*. La más fuerte objeción que se le ha hecho es la de que no se puede hablar de condeterminismo si la voluntad humana queda libre, a pesar de él, para no determinarse. Y que si el *decreto condeterminante* arrastra a la voluntad, ya que esta sin aquel no podría obrar, deja de ser *condeterminante* para ser *predeterminante,* según defienden los dominicos. Y si el *decreto condeterminante* no es sino la expresión de la voluntad que tiene Dios desde la eternidad de dar a sus criaturas libres el concurso acomodado para que puedan obrar según su naturaleza, como en la criatura está la libertad para determinarse o no, el condeterminismo se aproxima al *decreto indiferente* y *concurso simultáneo* de los jesuitas Molina y Suárez.

V. SAN, Luis de: *De Deo Uno.* Lovaina, 1894. CASANOVA, Gabriel: *Cursus philosopicus ad mentem B. Bonav, et Scoti Theod.,* cap. III, a. 3. Madrid, 1894.

CONDICIONALISMO

Nombre dado a la doctrina filosófica—y teológica—que sujeta la inmortalidad del alma *a la condición* de los méritos individuales.

Filosóficamente, el condicionalismo fué una teoría sustentada por Lambert y Renouvier. Para dicha teoría, la vida era el premio del buen uso de la libertad; y la muerte—el aniquilamiento—, el castigo al mal obrar.

CONDUPLICACIÓN

Es una figura retórica y elegancia del lenguaje que consiste en repetir una palabra al fin de un inciso y al principio del inmediato.

Entran en tierras (del rey),
(del rey) moro de Sevilla.

Cien azotes dan (al conde)
y otros tantos (al rocín):
(al rocín) porque anduviese
y (al conde) por lo rendir.

CONFERENCIA

1. Discurso acerca de un tema literario.
2. Texto literario para ser dicho ante un auditorio.
3. Plática literaria entre dos o más personas.
4. Lección que deben aprenderse los estudiantes para recitarla.
5. Coloquio. Conversación.

CONFESIÓN

Se llama confesión literaria a las *memorias* que escribe una persona declarando todos los actos de su vida con una franqueza absoluta. La verdadera distinción entre *memorias* y *confesión* podría ser el que en aquellas basta con contar la verdad, sin llegar al fondo de los sentimientos, como se hace en esta.

Son famosas las *Confesiones* de San Agustín y de Juan Jacobo Rousseau.

Como una variante de la confesión está la *confidencia.* Con este nombre se indica que el autor intenta elegir entre los hechos de su vida y el guardar cierta reserva acerca de los no elegidos. *Confidencias* famosas son las de Lamartine; las *Memorias de ultratumba,* de Chateaubriand; la *Histoire de ma vie,* de "Jorge Sand".

V. OETTINGER: *Bibliographie biographique.*

CONFIDENCIA (V. Confesión)

CONFIDENTES

En la literatura teatral, personajes secundarios a quienes se cuenta lo que el autor desea poner en conocimiento de los espectadores.

En la tragedia griega hubo dos clases de confidentes: los *íntimos* y los *públicos* o *coro.* La tragedia moderna ha suprimido los segundos, conservando los primeros, que han adquirido mayor importancia, puesto que muchas veces no solamente toman parte activa en el drama, sino que son los encargados de desatar la intriga y contar la catástrofe.

En la actualidad, los autores tienden a prescindir también de estos confidentes íntimos, ya que no les asusta que sus personajes *transparenten sus pensamientos con palabras.*

CONFIRMACIÓN

En términos retóricos, confirmación es aquella parte del discurso en la que se presentan las pruebas y razones para convencer. Es la más importante, pues mediante ella se logra el fin que se propone el orador.

Debe cuidarse mucho del buen orden y colocación de las pruebas o razones en la confirmación y del modo de exponerlas. Nunca se mezclarán las de distinta naturaleza, y se pondrán según sus grados de fuerza probativa, ajustándose a esta ley de Quintiliano: *Ne a potentissimis ad levissima decrescat oratio.* No todas las pruebas se expondrán del mismo modo: las fuertes y convincentes se presentarán distintas y separadas; las presuntivas, reunidas; las débiles se tratarán de pasada.

La confirmación puede ser *directa*—cuando intenta el orador probar lo que desea—e *indirecta*—cuando el orador intenta rebatir las pruebas de su adversario. La indirecta lleva el nombre de *refutación* (V.).

V. LE CLERC: *Nueva Retórica.* Madrid, 1899.

CONFORMISMO

Tendencia religiosa que en Inglaterra se manifiesta de acuerdo con la religión oficial del Estado.

Los conformistas comparten las opiniones sustentadas y siguen el culto determinado por el Parlamento y los obispos.

El conformismo recibe también los nombres de *anglicanismo* y de *episcopalismo*.

En Inglaterra, el no-conformismo está representado por todas las sectas protestantes que discrepan de la religión oficial. Así: luteranos, presbiterianos, puritanos, anabaptistas...

CONFUCIONISMO

Doctrina filosófica de Kungtse, "el maestro Kung", conocido en Occidente con el nombre de Confucio (552-470).

Kong-Fu-Tseu, filósofo y ministro, reformó las costumbres y la administración de su patria. Tuvo, en vida, más de tres mil discípulos, que propagaron sus doctrinas por toda la China con el mayor entusiasmo. Confucio hizo honor a las dignidades de que estuvo revestido, valiéndose de su poder para corregir abusos; y sufrió el infortunio con ánimo sereno. Murió tributando al cielo homenajes de gratitud, "porque le había dado tiempo para cumplir su misión moral". A partir del siglo v después de Cristo, se elevaron en su honor gran número de templos, y desde el siglo VII su imagen figuró en las escuelas y él fue objeto de culto, aunque puramente formalista.

No se sabe con certeza si Confucio escribió los libros que se le atribuyen o son obras de sus primeros discípulos. Posiblemente, esta segunda opinión es la más segura. Thseng-Tseu, nacido el año 505 antes de Cristo, escribió las *respuestas* de su maestro y compuso el *Taï-Hio o Libro de la gran ciencia,* que trata de los diversos deberes del hombre. Tseu-Sse, nieto de Confucio, escribió el *Tchong-Yung* o medio invariable de vivir con rectitud, interpolando entre las reflexiones metafísicas las máximas morales. Meng-Tseu, que vivió a principio de la centuria cuarta antes de Cristo, explicó la doctrina de Confucio usando el método socrático en un libro que lleva el mismo nombre del autor.

En total, las obras de Confucio y de sus primeros discípulos quedaron divididas en dos grupos: los *King,* o libros canónicos, y los *Cuatro Maestros,* o libros morales. Entre los *King* están: el *Che-King,* o libro de las *Odas*—colección de cantos antiquísimos, escogidos por Confucio—; el *Chu-King,* o los *Anales*—documentos también coleccionades por el maestro—, y el *T'-choen-t'sieu, o Crónica de Lu.*

Entre los libros morales: el ya mencionado *Taï-Hio*—o del gobierno patriarcal—, el ya mencionado *Tchong-yung;* y el ya mencionado *Meng-Tseu.*

Posiblemente, Confucio fue más bien un reformador político que fundador de una religión nueva.

"Nada os enseño—decía Confucio—sino aquello mismo que pudierais aprender si hicieseis uso legítimo de vuestra inteligencia. Los principios de la moral que deseo inculcaros son muy sencillos. Todo se reduce a la observancia de tres leyes fundamentales de relación entre los soberanos y los súbditos, los padres y los hijos, el esposo y la esposa; y a la práctica de cinco virtudes cardinales. La humanidad, o lo que es lo mismo, la caridad con todos los individuos de nuestra especie sin distinción ninguna. La justicia, que da a cada uno lo que es suyo. La conformidad con las ceremonias del culto establecido La rectitud del entendimiento y del corazón que nos mueven a buscar en todas las cosas la verdad para amarla. La sinceridad o buena fe; es decir, la franqueza que aleja el fingimiento tanto de las obras como de las palabras.

Los deberes humanos son, en sentir de Confucio, formas variadas de los deberes domésticos. La ley de familia es la ley universal. Las virtudes todas se cifran en la piedad filial; y el origen de todos los males es la lucha entre superiores e inferiores. Los hijos han de obedecer y venerar a sus padres. Las relaciones entre padres e hijos ofrecen el modelo de las que han de existir entre el monarca y los súbditos. Sin embargo, ni el hijo ni el súbdito han de llevar su sumisión hasta el extremo de cumplir mandatos injustos."

Para el confucionismo no existía el pecado de Adán, sino que este se encontraba *en un estado de naturaleza intrego,* es decir, que no necesitó para nada la gracia; la virtud era obra del libre albedrío y se aumentaba con el buen ejemplo, el fervor, la corrección para el prójimo y la reflexión acerca de las propias acciones; las virtudes cardinales son cuatro: sinceridad, benevolencia, piedad filial y deseo de obrar el bien por el bien *penetrando y profundizando en los principios de las acciones.*

El principio luminoso de la razón—según el confucionismo—lo recibimos del cielo.

Se le han puesto importantes reparos a la doctrina de Confucio. Su falta de idealismo para satisfacer el ansia espiritual de los hombres. Su reserva del mundo invisible sobrenatural. Su silencio acerca de los pecados, sus causas y sus remedios.

Indiscutiblemente, estas deficiencias del confucionismo dieron origen a la aparición del *budismo* (V.). Aún en el siglo XIII después de Cristo se formó en China una escuela filosófica que adoptó—derivándolo del confucionismo—una especie de panteísmo material que prescindía del elemento religioso—tan esencial en Confucio—para establecer los principios morales, y que quiso explicar el mundo físico por medio de varias abstracciones.

V. WALSHE, Gilbert: *Confucius and Confucionism.* Shangai, 1910.—DOUGLAS, M.: *Confuncionism and Taoism.* Londres, 1902. 3.ª edición.—WIEGER, P.: *La religión des chinois.* En *Manuel d'Histoire des religions.* París, 1912.—REINACH, Salomón: *Orfeo. Historia de las religiones.* Madrid, Jorro, 1910.

CONFUSIONISMO

Doctrina cosmológica que defiende uno de los dogmas del panteísmo: la creencia de que la plenitud del ser divino está compuesta por la totalidad de los seres que pueblan la realidad.

CONFUTACIÓN

Es la parte del discurso en que se contestan o destruyen las objeciones que se han hecho o pudieran hacerse contra la proposición que se defiende. (V. Refutación.)

CONGLOBACIÓN (V. Figuras de pensamiento)

1. Figura retórica que consiste en reunir muchos argumentos y pruebas.
2. Unión armónica de ideas, afectos y palabras.

CONGOLESA (Lengua)

Idioma africano hablado en muchos dialectos—poco diferentes—en Yumba, Luanga, Kakongo, Angoy y en otros pequeños estados circunvecinos. La lengua congolesa tiene una gran analogía con los idiomas cafres, principalmente con el hablado en Mozambique. Y también con la lengua *bonda* o *abonda,* hablada en Angola y en Panguela, con la que algunos filólogos han llegado a identificarla. Entre los dialectos de la lengua congolesa están el *loango,* el *moluo,* el *anzico,* el *mandongo,* el *camba.*

Estas lenguas tienen una fonología fuerte. Las palabras terminan casi siempre en vocales, por lo regular en *a* y *o.* Las radicales son, por lo regular, monosilábicas, y con ayuda de ciertas partículas añadidas o insertas en los verbos, se indica si la acción es rara, difícil, frecuente, fácil, excesiva... Las declinaciones son imperfectas y difíciles, marcándose el nominativo únicamente por la inflexión del artículo. Los adjetivos son sumamente escasos. Los tiempos y los modos de los verbos son numerables y se marcan por muchos afijos y prefijos. La lengua es dulce y armoniosa.

V. CANNECATTIM, De: *Observaçoes grammaticaes sobre a lingua bunda.* Lisboa, 1805. DOUVILLE: *Voyage au Congo.* París, 1832.

CONGREGACIONALISMO

Secta religiosa protestante que acepta como esencial la doctrina de que cada Iglesia tiene en sí misma cuanto necesita para existir y para gobernarse; y, por tanto, que cada Iglesia debe ser estrictamente soberana e independiente, teniendo como única cabeza a Cristo.

El congregacionalismo *elimina, pues, toda jerarquía* y hace de cada Iglesia un cuerpo rigurosamente autónomo.

El más apasionado defensor del congregacionalismo fue Roberto Brown, nacido en Northampton hacia 1550 y muerto en 1630.

Roberto Brown predicó con apasionamiento la supresión de la jerarquía eclesiástica, la supresión de la liturgia anglicana y de todas las formas exteriores de culto, y defendió el matrimonio como mero contrato civil. Roberto Brown empezó su campaña proselitista en Norwich, donde las masas le aclamaron con frenesí, pero donde las autoridades le encarcelaron. Puesto en libertad, pasó a Middelbourg, donde fundó una Iglesia, llamada desde entonces *brownista.* Habiendo regresado a Inglaterra en 1585, fue excomulgado por el obispo de Peterborough, se sometió y recibió en recompensa el rectorado de una parroquia. Posteriormente, por haber contraído deudas, fue encarcelado nuevamente, muriendo en la prisión.

Roberto Brown, según confesó con sorna, había estado encarcelado treinta y dos veces. Y dejó escrito un *Tratado de la Reformación* —Middelbourg, 1582—, sumamente curioso y escrito en excelente estilo.

Roberto Brown definió la Iglesia "como una sociedad de creyentes, que en virtud de un contrato voluntario con su Dios, se sujetan al gobierno de Dios y de Cristo y observan sus preceptos en una santa comunión".

El éxito del congregacionalismo fue rápido y muy escandaloso. En Holanda fueron fundadas varias congregaciones, la más importante de las cuales estuvo en Leyden bajo la dirección de John Robinson. De Leyden salieron en 1620, para América del Norte, los *Pilgrim Fathers,* decididos a implantar la nueva secta, que pocos años después era poderosísima en los Estados Unidos.

En Inglaterra, la muerte de Cromwell fue un rudo golpe para el congregacionalismo. Y la supresión en las universidades de los *dissenters* terminó con su preponderancia.

V. WALKER: *A history of Congregational churches in the United States.* Nueva York, 1894.— MATHER, Richard: *Church-Government and Church-Covenant discussed.* Londres, 1643.— DEXTER: *The Congregationalism of the last 300 years, as seen in its Literature.* Nueva York, 1880.

CONGRUISMO

Nombre dado a la doctrina teológica según la cual Dios concede al hombre la gracia congrua y le deja su libertad, previendo que, vista su debilidad, ciertos hombres caerán infaliblemente en el pecado.

El principal defensor—y tal vez el *inventor*— de esta premoción física fue el gran teólogo y dominico español Domingo Báñez, de Medina del Campo (1528-1604), profesor de las Universidades de Alcalá de Henares y de Salamanca, confesor un tiempo de Santa Teresa de Jesús, comentarista máximo de la *Summa* de Santo Tomás, y que hizo famosa su enconada controversia con el jesuita Luis de Molina acerca de la armonía entre la libertad de acción y la gracia.

Partiendo de la doctrina de la Iglesia que distingue entre la gracia *suficiente* y la *eficaz,* Báñez enseñó "que Dios determina por la gracia eficaz la voluntad humana en la obra de salvación, de tal manera, que esta gracia produce por sí el bien de dentro a fuera por su naturaleza misma, independiente del libre albedrío del hombre, y antes de esta libertad, no determinada con una certeza, infalible, dejando la libertad humana en plena libertad, por lo que el hombre obra siempre infaliblemente con esta gracia que da el querer y el obrar actual; que la no cooperación del hombre estaría en contraposición con la naturaleza y poder de esta gracia, aun cuando, desde luego, pudiese el hombre, haciendo abstracción de esta gracia, y con solo la gracia suficiente, negar su cooperación; que mientras la gracia *eficaz* da al hombre el querer y obrar actuales para el bien, la gracia *suficiente* no transmite más conocimiento y poder, de tal manera que con esta sola gracia el acto del bien se cumple inicialmente, débilmente, imperfectamente, si no se acude en su auxilio con una premoción física de la gracia; y, por último, que la gracia *eficiente* se diferencia de la *eficaz,* no pudiendo aquella llegar a ser eficaz sin esta, y que nadie ha hecho el bien con solo la gracia suficiente".

En la armonía entre la gracia divina y la libertad humana de obrar, los dominicos daban mayor trascendencia a la gracia, "como si entrase en mucha mayor proporción en la aleación"; por el contrario, los jesuitas se interesaban porque quedase plenamente probada la auténtica y absoluta libertad del hombre cooperando con la gracia divina en la obra de la salvación.

Contra la doctrina de Báñez opuso la suya Luis de Molina. (V. Molinismo), cuyas principales proposiciones eran las siguientes:

"Aunque la voluntad del hombre haya sido debilitada por el pecado original, es, sin embargo, capaz por sus solas fuerzas naturales, por la asistencia natural y universal de Dios, sin gracia sobrenatural, de hacer una buena obra natural; pero una obra de tal naturaleza no merece ni una gracia ni una recompensa eterna, y no es más que una lejana, una remota disposición de la gracia. Además, el hombre, por sus solas fuerzas naturales, por la asistencia natural y universal de Dios, puede dar su asentimiento a las verdades de la fe; pero este asentimiento no es más que una opinión y una fe humanas *(opinio fidesque humana),* específicamente diferente del acto de fe operado por la gracia, que solo sirve para la salud y mérito del hombre. Asimismo, por las solas fuerzas naturales y por la asistencia natural y universal de Dios, el hombre puede hacer un acto puramente natural de amor a Dios, sobre todo cuando está lejos de las ocasiones del mal, del pecado y de la tentación; pero este acto no consiste más que en un propósito y no en el cumplimiento de los mandamientos divinos, y no es tampoco sino una disposición remota de la gracia." (V. Tomismo.)

CONJUNCIÓN (V. Figuras de palabra)

Elegancia del lenguaje que multiplica las conjunciones en una cláusula, con el fin de presentar los objetos como aislados para que hieran más vivamente la imaginación.

> Y el Santo de Israel abrió su mano
> y los dejó; y cayó en despeñadero
> el carro y el caballo y caballero.
>
> (F. DE HERRERA.)

> La diferencia que hay de un claro y cristalino espejo sin luz a cuando le ponen a los rayos del sol, cuya claridad al punto participa, y su calor, y su pureza, y su imagen, y su hermosura, esto va de carecer de la gracia a tenerla. (P. NIEREMBERG.)

CONMEMORACIÓN

Recuerdo o memoria que se hace de algo.

CONMINACIÓN (V. Figuras de pensamiento)

Figura patética que consiste en amenazar con grandes desgracias, calamidades y castigos para inspirar horror y espanto hacia algún objeto.

> Dará, huyendo del fuego, en las espadas;
> el Señor le hará guerra,
> y caerán sus maldades a la tierra
> del cielo relevadas.
> Porque del bien se apoderó inhumano
> del huérfano y viuda,
> le roerá las entrañas hambre aguda,
> huirá el pan de su mano.
> Su edad será marchita como el heno;
> su juventud florida
> caerá cual rosa de granizo herida
> en medio el valle ameno.
>
> (MELÉNDEZ VALDÉS.)

CONMORACIÓN

Es una figura retórica—llamada también *expolición*—, que consiste en presentar un mismo pensamiento repetido bajo distintas formas, para imprimirlo en el ánimo con más fuerza, o para exornarlo con las galas de la fantasía.

> ¡Anciano!, en todo la verdad dijiste;
> pero Aquiles pretende sobre todos
> los otros ser, a todos dominarlos,
> sobre todos mandar, y como jefe
> dictar leyes a todos; y su orgullo
> inflexible será.
>
> (HOMERO.)

Se diferencia la conmoración de la *amplificación* (V.) en que esta desenvuelve y expone detenidamente una idea, sin repetirla; y aquella, a manera de sinonimia, repite un mismo pensamiento, dándole cada vez nueva forma.

CONMUTACIÓN (V. Conversión)

Es una elegancia del lenguaje, que consiste, por decirlo así, en volver una frase al revés, repitiendo las palabras de que se compone, pero con orden y régimen inversos, y a veces significación contraria.

¿No ha de haber un espíritu valiente?
¿Siempre se ha de sentir lo que se dice?
¿Nunca se ha de decir lo que se siente?

(QUEVEDO.)

Marqués mío, no te asombre
ría y llore, cuando veo
tantos hombres sin empleo,
tantos empleos sin hombre.

(PALAFOX.)

CONSEJA

1. Cuento de viejas.
2. Fábula. Anécdota. Historieta. Ficción. Patraña.
3. Episodio de pura invención.
4. Hecho apócrifo mezclado con otros verdaderos.

CONSERVADORISMO (V. Conservatismo)

CONSERVATISMO

Orden de ideas y sistema que profesan los partidarios de la política conservadora.

Se llama política conservadora aquella que tiene como finalidad conservar las instituciones seculares o tradicionales del Estado, reformándolas, sin violencia, en consonancia con las necesidades de los tiempos, pero jamás destruyéndolas.

El conservatismo es, hoy, un partido político que lucha por el poder en casi todos los Estados; pero el conservatismo es también "cierta natural disposición de la mente humana que en modo alguno puede entenderse exclusiva de quienes están afiliados a aquel credo político". Aun cuando es lógico suponer que el conservatismo político tiene su origen y gran parte de sus bazas en el conservatismo natural, al que la inteligencia humana rinde un culto casi unánime.

"El conservatismo natural es aquella tendencia de la mente humana, adversa a los cambios y mudanzas, que obedece en parte al temor de lo desconocido y a la confianza en los caminos de la experiencia más bien que en los del razonamiento teórico, y en parte también a la facultad humana de adaptación al medio, por la virtud de la cual aceptamos o toleramos lo que nos es habitual mucho más fácilmente que lo que extrañamos. La desconfianza hacia lo ignorado y la predilección por lo empírico sobre lo teórico tienen profundo arraigo en casi todos los entendimientos y están consagradas por refranes de uso corriente: "Más vale pájaro en mano que ciento volando", "Más vale un toma que dos te daré". Estos y otros muchos dichos vulgares encierran un profundo y casi universal sentido conservador. Todas las novedades en su comienzo son consideradas como fútiles y peligrosas por la gran mayoría de los hombres. Sorprenden y preocupan a quienes por primera vez llegan a conocerlas, y la naturaleza humana tiende a eludirlas, porque se siente molesta ante ellas. Los hombres comprenden que su vida está rodeada de misterios; se hallan en el mundo como los niños en las habitaciones oscuras; sufren las amenazas de un mundo espiritual y suprasensible, la de las pasiones de sus semejantes, la de las fuerzas naturales, y, acosada por ellas, la inteligencia se resiste a desprenderse de lo que tiene, al menos, por seguro y soportable. Además, toda mudanza no solo resulta arriesgada, sino también molesta. El hombre que trata de estudiar una reforma, hasta adoptar un criterio sobre ella, necesita emplear una suma de atención y de esfuerzo que cansa y debilita sus facultades. ¿Quién nos obliga, además, a abandonar lo conocido y seguro por lo desconocido y tal vez peligroso? Nadie será tan insensato que se aventure a ello sin profundo cálculo. Pero esto significa perplejidad, esfuerzo, fatiga, inquietudes. ¿Por qué soportar tales molestias? ¿Qué razón hay para lanzarse al peligro cuando se puede disfrutar tranquilamente? "Estaba bien —dice el conocido epitafio de una tumba italiana—; quise estar mejor; estoy aquí"."

En las líneas precedentes ha resumido con precisión absoluta lord Hugh Cecil cuanto es conservatismo natural y cuanto es conservatismo político. Todo lo que se opone, en la vida y en la gobernación del Estado, a la brusquedad, al radicalismo, a la novedad sin contraste debido, a la audaz experiencia.

Los enemigos del conservatismo lo han acusado de oponerse a la civilización renovadora, de ser una rémora del progreso. Acusación tan injusta como grotesca. En el fondo, el conservatismo es un elemento esencial para hacer eficaz y seguro el progreso. Su parsimonia debe contrarrestar las impaciencias renovadoras, o, de lo contrario, pronto se sufrirán las consecuencias. En cualquier esfera del progreso se hace imprescindible la armonía de las dos tendencias; la ponderación no dejándose arrastrar por la audacia, pero no sumiéndose en la inanición por excesiva prudencia. La más noble misión del conservatismo es custodiar, vitalizar cuanto de eficaz, de genuino, de fecundante hubo, en épocas pasadas, en cualquier esfera de la vida.

La mayoría de los tratadistas reconocen que el conservatismo—movimiento político—nació en Inglaterra, país que siempre acusó un conservatismo natural profusamente difundido. Pero se desconoce el momento exacto de su nacimiento. El conservatismo—dijo Disraeli—, "como el Nilo, nace en un lago, cuyas orillas, extensísimas y confusas, no puede abarcar en su totalidad la mirada humana".

Pero en la historia inglesa son momentos de conservatismo decidido: la *Carta magna*—1215—, arancada por los nobles a Juan "Sin Tierra"; la política, durante la Reforma, de sir Thomas Moore y del duque de Norfolk; la reacción, durante el siglo XVII, del trono y de la Iglesia contra los excesos del puritanismo, haciendo nacer el partido llamado de los *Tories,* activo factor político en aquel momento, y que ha sido después uno de los sumandos que han aportado su influencia al actual conservatismo; la política de la reina Ana, una verdadera Tory, por su devoción a la Iglesia y por su temor a las innovaciones políticas; la lucha iniciada entre los *Tories* y los *Whigs,* deseando aquellos aumentar el poder de la Corona, y estos el del Parlamento; la política de Jorge III, verdadero jefe de partido, que hizo revivir el de los *Tories;* la aparición de un *tercer elemento,* llamado unas veces *Imperialismo* (V.) y otras *Jinjoismo,* presentado como "la encarnación del interés por los asuntos del Imperio" o como "el apoyo de una enérgica política exterior"; la Revolución francesa, que motivó una enorme reacción de los ingleses hacia el conservatismo.

El conservatismo natural, el Torysmo, el Imperialismo, ejercían sus influjos sobre determinados estadistas o sobre el espíritu colectivo del país; pero hasta 1790 no existió un partido conservador definido, ni siquiera algo que se asemejase a un cuerpo de doctrina conservadora conscientemente mantenido como tal. Dos hombres influyeron decididamente en el surgimiento y dirección del movimiento conservador: Pitt y Burke. Pitt dio la batalla a los postulados de la Revolución francesa, apoyado por el Torysmo, por la Corona y por el conservatismo natural de Burke. Y Burke, en un discurso sensacional, pronunciado en la Cámara de los Comunes el día 6 de mayo de 1790, rompiendo con sus antiguas ideas políticas y posponiendo su interés personal al de su patria, puede decirse que dio origen al conservatismo político, tal y como luego se extendió y fue aceptado por toda Europa.

En un librito del propio Burke, *Reflexiones sobre la Revolución francesa,* quedaron perfectamente subrayados todos los principios que aún hoy forman la base intelectual de la oposición de los espíritus conservadores al *jacobinismo,* esto es, a la violencia, a la audacia ideológica, a los modos subversivos de acción.

¿Cuáles son los principios sustanciales del conservatismo? En materia religiosa el conservatismo insiste en la aceptación nacional de las doctrinas cristianas, si bien desea conciliarla con la tolerancia completa para toda suerte de opiniones en materia religiosa. Se opone a la separación de la Iglesia y del Estado y a la desamortización de los bienes de aquella; posición lógica, ya que el conservatismo resulta típicamente caracterizado por el respeto simultáneo a la religión y a la propiedad.

El conservatismo defiende el régimen de gobierno tradicional en el país, y especialmente la monarquía. Defiende la propiedad privada. Defiende la actividad y la autoridad del Estado frente al individuo. Defiende la intervención del Estado en la vida del individuo cuando este falta en su misión social o política. Defiende las tendencias imperialistas del Estado. Defiende la Constitución parlamentaria.

Y lord Hugh Cecil resume así: "Se ha indicado que el conservatismo es la resultante de tres corrientes de opinión de remota ascendencia en la Historia, compenetradas en una sola fuerza orgánica bajo la acción de la revolución y del antagonismo provocada por esta. Estos tres factores son: el conservatismo natural, que consiste en el apego a lo tradicional y el temor a lo desconocido, sentimientos propios de todo ser humano; el Torysmo, o sea la defensa de la Iglesia y del rey; el partido de la religión y de la autoridad, y lo que, a falta de nombre mejor, se ha llamado imperialismo, o sea una aspiración al engrandecimiento racional y a la unidad que puede procurarlo. De estos tres elementos está influida la política del conservatismo. Este defiende la Constitución, la propiedad y el orden social existente, en parte por el natural apego conservador a lo conocido y en parte también por el temor de las injusticias con que amenazan a los individuos los partidarios de los cambios revolucionarios. Esta resistencia a la injusticia encuentra un cimiento moral en los principios religiosos heredados de la adhesión de los tories a la Iglesia, siendo esta misma la causa que impele al conservatismo a defender la religión oficial, la dotación de la Iglesia y la instrucción religiosa en los establecimientos del Estado. Mas el sentimiento religioso, que se rebela contra la injusticia, se opone igualmente a que los menesterosos sufran los rigores de su pobreza, y esto determina la adopción de las medidas de orden social dirigidas al alivio de los necesitados. Al mismo tiempo, el celo imperialista, por la grandeza del Estado, impulsa al conservatismo a propugnar una política arancelaria que, más o menos acertada, se inspira en el interés del comercio y de la industria nacionales, y al mismo tiempo en el deseo de crear vínculos de interés económico entre los Dominios y la metrópoli. El imperialismo aconseja también proveer con largueza las necesidades de la defensa nacional. Los tres mencionados elementos convergen en una política conservadora constructiva, equilibrada y prudente, en la que alientan el entusiasmo patriótico y la fe religiosa, accesible a la piedad, pero refractaria a la injusticia, respetuosa con los dictados de la experiencia y partidaria de asegurar la eficacia del progreso, fundándolo en los hechos aquilatados por la tradición y el tiempo."

No creemos que pueda quedar duda alguna acerca de lo que significa el conservatismo como movimiento político. En la práctica, el conservatismo lucha contra el *liberalismo* (V.) y contra el *socialismo* (V.), más por principios de método y de forma que por repugnancia de algunos postulados de sus respectivos idearios.

En España fue fundador del conservatismo Cánovas del Castillo, cuyo partido tomó el nombre de liberal-conservador. Muerto Cánovas, fue fundada la Unión Conservadora, cuya jefatura desempeñó Silvela. A partir de 1909, el conservatismo español tuvo varias facciones: la *conservadora histórica,* dirigida por Maura; la *conservadora liberal o idónea,* capitaneada por Dato y la llamada *conservadora toquista,* por estar inspirada por Sánchez de Toca.

Lo apuntado con relación a España no quiere decir que no existan huellas del conservatismo en otros siglos de nuestra Historia. El levantamiento de las Comunidades de Castilla y de las Germanías de Valencia contra las reformas de Carlos I representa una reacción de carácter conservador. Cuando la Casa de Austria impuso el absolutismo, el país entero resignó en la Corona todo el poder político, y el espíritu conservador del pueblo estuvo por mucho tiempo identificado en absoluto con la monarquía, que lo fomentaba. Las ideas del enciclopedismo y la Revolución francesa dan batalla al conservatismo español, y durante algunos años lo ponen en peligro. Sin embargo, resurgió más potente, dentro del ámbito constitucional, apoyado por gobernantes como Bravo Murillo, el general Narváez y González Bravo. Tras la revolución de 1868, y fracasada la República por falta de preparación, la restauración borbónica en la persona de Alfonso XII marca el retorno decidido de la política española al conservatismo, ya auténticamente organizado por Cánovas del Castillo.

V. CECIL, Lord Hugh: *Conservatismo.* Barcelona. Labor, 1929.—SANTAMARÍA DE PAREDES, V.: *Derecho político.* Madrid 1899.—AZCÁRATE, Gumersindo: *Los partidos políticos.* Madrid, 3.ª ed., ¿1918? En "Estudios filosóficos y políticos".

CONSONANCIA

1. La cadencia forzosa, la repetición de voces consonantes que coinciden, se juntan, se encadenan por medio de idénticas terminaciones.
2. La correspondencia o conformidad de unas palabras consonantes con otras.

La consonancia puede ser *aguda, llana* y *esdrújula.*

Aguda:

> Pobre Geroncio, a mi ver
> tu locura es singular.
> ¿Quién te mete a criticar
> lo que no sabes leer?

Llana:

> Soñaremos algo bello:
> que yo voy cogiendo estrellas
> y juego a engarzar con ellas
> collares para tu cuello.

Esdrújula:

> Ello es que hay animales muy científicos
> en curarse con varios específicos.

CONSONANTES

Palabras cuyas letras, desde la vocal en que carga el acento hasta el fin, son exactamente las mismas.

Para la consonancia de las palabras en castellano se consideran como letras idénticas la *b* y la *v,* la *g* fuerte y la *j.* Serán consonantes, pues, *vivo y escribo, teje y protege.*

> Mothé se llama el jefe temer(ario)
> que las provincias fértiles ag(osta);
> su ejército atrevido y sanguin(ario)
> se extiende como nube de lang(osta).
>
> (AROLAS.)

Las palabras consonantes llevadas a la poesía aparecieron como resultado de la degeneración de las lenguas griegas y latinas. La asonancia y consonancia de los versos—constitutivos de la *rima*—venían a sustituir a la *medida* en la versificación. Griegos y latinos cimentaban su poesía en la longitud y brevedad de las sílabas, por ser musicales su lenguaje y pronunciación.

En las literaturas modernas—principalmente en la inglesa y alemana—abundan las poesías en *verso suelto* y aun en verso *con medida.* Pero la consonancia y la asonancia—la rima—parecen ser fundamentales en las lenguas derivadas del latín. Según las sílabas *concertadas* en las palabras consonantes, sean una, dos, tres o cuatro, se usan igualmente las denominaciones, para ellas, de *masculina, femenina, dactílica y peónica.*

Como reglas para utilizar las consonantes, pueden establecerse:

Deben evitarse las *consonantes pobres*—gerundios, participios, tiempos verbales análogos, adverbios en *mente*—; así: *había y tenía, amado y llorado, bellamente y tristemente, teniendo y cogiendo.*

Deben evitarse las *consonantes monosílabas* o palabras insignificantes fonética y morfológicamente (preposiciones, conjunciones):

> Nunca he sospechado que
> pudieras marcharte y
> dejarme al saber que sé
> tantas desdichas de ti.

Deben evitarse las consonantes mezcladas con las asonantes en una misma estrofa.

Deben evitarse las consonantes que lo son por *partirse una palabra*:

Y mientras (miserable)-
(mente) se están los otros abrasando
en sed insaciable
del no durable mando,
tendido yo a la sombra esté cantando.

(Fray Luis de León.)

Deben evitarse que las consonantes estén muy apartadas entre sí; y los consonantes parecidos —asonantes entre sí—en una misma estrofa; y las consonantes que forman palabras iguales con significación distinta, como *mira,* verbo, y *mira,* sustantivo; y las consonantes raras.

CONSTITUCIONALISMO

Doctrina política de la Constitución. Defensa de la Constitución. Partido político cuyos ideales se adscriben a una Constitución. Tendencia al régimen político constitucional.

¿Qué es una Constitución? Según Aristóteles: "el principio según el cual aparecen ordenadas las autoridades públicas, y especialmente aquella que está sobre todas las demás, la autoridad soberana". Y añade: "la Constitución determina la organización de la autoridad del Estado, la división de los poderes del mismo, la residencia de la soberanía y el fin de toda sociedad civil".

Para Pascal, Constitución era: "Conjunto de instituciones y leyes fundamentales relativas a la adquisición, transmisión y forma del poder, y a su funcionamiento."

Para Stein: "Organismo de la personalidad del Estado, es decir, del soberano, y de la función legislativa y ejecutiva."

Para Contuzzi: "Conjunto de todas las leyes, mediante las que se establece no solo la forma de gobierno, sino las modalidades precisas para funcionar los diversos poderes públicos."

En un sentido más restringido, cuando esas relaciones se miran a través del prisma del Derecho, Constitución es, según Ahrens, "conjunto de las instituciones y de las leyes fundamentales destinadas a regular la acción de la administración y de todos los ciudadanos".

Por nuestra parte, creemos que Constitución es un freno político y jurídico impuesto por el pueblo a los gobernantes.

Aristóteles, al señalar las limitaciones a la actividad del Estado, dijo: "Cuando el Estado aparece regido por todo el pueblo y se tiene en cuenta el interés general, la forma de gobierno se denomina *constitucional* o política."

Algunos tratadistas han creído que el constitucionalismo es una defensa únicamente contra las monarquías absolutas.

Error fundamental, ya que la Constitución afecta igualmente a las repúblicas, las cuales, igualmente que las monarquías, pueden llegar al absolutismo y aun a la tiranía.

Del constitucionalismo puede afirmarse que es una doctrina política y un movimiento político encaminados a armonizar los intereses del pueblo con los derechos del Estado, sin merma de estos, pero sin permitir tampoco sus excesos en perjuicio de aquellos.

La idea constitucionalista de los pueblos es sumamente antigua. Cuando los barones ingleses arrancan a Juan "Sin Tierra", en el año 1215, la *Carta magna,* monumento expresivo de las libertades inglesas frente al poder de los monarcas, sienten, luchan y triunfan por el constitucionalismo. Cuando las Cortes españolas, a partir del año 1020, en León, arrancan al poder real fueros y concesiones, proceden constitucionalmente en purísima ortodoxia. Sin embargo, no puede hablarse de un constitucionalismo político *cuajado* hasta fines del siglo XVIII, cuando la Revolución francesa define dogmáticamente los derechos del hombre en pugna con el absolutismo estatal.

Las Constituciones pueden ser, atendiendo a su formación: *otorgadas, impuestas y pactadas;* atendiendo a su reforma: *rígidas* y *flexibles.*

Son Constituciones *otorgadas* las concedidas espontáneamente por los monarcas o los jefes del Poder ejecutivo, sin intervención alguna en su instauración de la representación nacional. Así, el *Estatuto Real Español* de 1834.

Son *impuestas* las que han sido elaboradas por las Asambleas nacionales, sin intervención del jefe del Estado, al cual no le queda otro recurso que su sanción. Así, en España, las Constituciones de 1812 y 1869.

Son *pactadas* cuando en su confección han intervenido conjuntamente las Asambleas y el Poder ejecutivo. Así, las españolas de 1837 y de 1845.

Son Constituciones *rígidas* aquellas que para su reforma exigen normas extraordinarias y difíciles, como la de ser convocada una Asamblea con carácter *de constituyente.*

Y son *flexibles* cuando pueden ser reformadas sin grandes solemnidades por Asambleas ordinarias o por el Poder ejecutivo de acuerdo con estas Asambleas.

La Constitución se compone de dos partes: una *dogmática* y otra *orgánica.* En la primera quedan establecidos no solo los derechos individuales, sino las garantías precisas para que el Poder respete aquellos derechos. En la segunda parte, *orgánica,* se estatuye sobre las *instituciones fundamentales* del país.

Algunos tratadistas han dividido también las Constituciones en *escritas*—cuando están comprendidas en un texto único—y *no escritas* —como la inglesa, cuando no están comprendidas en un texto único, sino que se derraman en varios *no constitucionales de por sí.*

El constitucionalismo tuvo una fuerza inmensa en todo el mundo hasta después de la primera gran guerra de 1914-1918, en que empezaron a triunfar los llamados *totalitarismos,* dentro de los cuales no cuenta para nada el interés privado ni se consiente al pueblo la menor intervención en la vida pública.

El constitucionalismo ha ido siempre unido a la verdadera democracia; ha llegado a ser como el ideal más humano de esta. El constitucionalismo ha sido la más noble consecución del hombre en el campo de la política.

El constitucionalismo español ha tenido numerosas manifestaciones. Empezó—1808—por el Estatuto de Bayona, otorgado por José I Bonaparte. Y continuó por la Constitución de 1812, impuesta por las Cortes de Cádiz; el Estatuto Real de 1834, dado por la reina gobernadora doña María Cristina, y las Constituciones de 1837, de 1845—*pactada*—, de 1869—*impuesta*—, de 1876—*pactada*—, de 1931—Constitución republicana.

En Inglaterra no existe un texto constitucional. Su Constitución está formada: *a)* por los tratados y los cuasi tratados; *b)* por el *Common Law* o derecho consuetudinario; *c)* por los pactos; *d)* por los estatutos y leyes.

Los tratados y los cuasi tratados se refieren a sus relaciones con Escocia y los demás países del llamado Imperio británico.

Entre los pactos de la soberanía con el pueblo sobresalen: la *Carta magna*—1215—, el *Bill de derechos*—1688—y el *Acta de establecimiento*—1701.

Francia, país donde se originó el auténtico constitucionalismo al ser proclamados *los derechos del hombre y del ciudadano,* ha tenido numerosas Constituciones: la de 1791; la de 1793; la de 1795, llamada *del año III;* la *del año VIII,* 1799; la *del año XII,* 1804; la Carta de 1814; la Carta de 1830; la Constitución de 1848; la de 1852; la de 1875...

Alemania tuvo dos Constituciones principales: la de 1867, base de la Confederación de los Estados alemanes del Norte, y la de 1871, propia del Imperio alemán.

La Constitución suiza de 1874 ha sido revisada en quince ocasiones. Bélgica tuvo las de 1831 y 1893. Holanda, las de 1814, 1848 y 1887.

Estados Unidos, la de 1787, que formó la actual Federación, a la que han sido agregadas numerosas enmiendas; las diez primeras se refieren a los derechos individuales, y aparecieron poco después de publicada la Constitución; la 11 se refiere al Poder judicial; la 12, al nombramiento de presidente y vicepresidente de la Unión; la 13, a la abolición de la esclavitud; la 14, al problema de la ciudadanía; la 15, al derecho de sufragio sin distinción de raza, color o condición anterior de esclavo. Pero hay que tener en cuenta que, además de esta Constitución de la Unión, cada uno de los Estados tiene la suya propia.

Grecia, la de 1864, modificada en 1865 y 1911. Suecia, la de 1809, muy modificada y completada. Dinamarca, la de 1849, revisada en 1866. Noruega, la de 1814, modificada y ampliada. Méjico, la de 1857. Argentina, 1860. Paraguay, 1870. Perú, 1860. Ecuador, 1906. Uruguay, 1829. Venezuela, 1904. Colombia, 1886. Guatemala, 1879. San Salvador, 1886. Honduras, 1894. Nicaragua, 1905. Costa Rica, 1871. Panamá, 1904. Chile, 1833. Bolivia, 1879.

V. GUMPLOWITCZ: *Derecho político filosófico.* Madrid, 1894.—SISMONDE DE SISMONDI: *Etudes sur les Constitutions des peuples libres.* Bruselas, 1843.—DEMOMBYNES: *Constitutions européennes.* París, 1908.—CONSTANT: *Politique constitutionnelle.* Bruselas. Varias ediciones—GRINKE: *Ciencia y Derecho constitucional.* Madrid, 1909.

C

CONTEMPLACIONISMO

Nombre dado, en filosofía, al deseo de saber de las cosas por las más altas razones, encaminadas estas, casi siempre, al logro de la virtud.

El contemplacionismo se encuentra plenamente indicado en la *Metafísica* de Platón, el cual lo estima—si se trata de contemplar la verdad o las ideas—del más supremo don concedido por los dioses. Aristóteles—en la *Moral a Nicomaco*—pone en la contemplación la máxima felicidad, ya que en contemplacionismo alcanza el hombre su natural deseo de saber. Plotino—en las *Eneadas*— designa simbólicamente la naturaleza y la unidad de las cosas como un deseo de *contemplar* su fin.

En general, los filósofos antiguos creyeron que la contemplación era una síntesis de todas las posibilidades y energías del alma para conocer. Percibida una verdad siquiera vagamente, se la puede *aclarar* con el raciocinio y *afirmar* con el jucio. Pero ya *grabada* en el conocimiento, ¿qué puede hacer el hombre, sino contemplarla, llegando, respecto a ella, hasta las últimas consecuencias del mejor conocimiento?

La contemplación, cuyo carácter es predominantemente receptivo, consiste en atender a objetos que exceden los límites de nuestro mirar y de nuestro ver: la inmensidad del mar, el ritmo de la Naturaleza en calma... Al contemplar tales objetos observamos las manifestaciones de lo suprasensible o convertimos nuestra meditación al exterior. La contemplación es puramente emocional, diferenciándose del juicio en que este opera en el entendimiento.

Y es de notar que cuanto la contemplación es más apasionada y creciente, tanta menos probabilidad tendrá de formarse el juicio normal. La contemplación es, pues, espontánea. Y a su momento de máximo entusiasmo le denominaron ya los antiguos el *silencio pitagórico,* es decir, el embelesamiento fecundo de impresiones. En la contemplación cabe que el espíritu llegue a la abstracción de sí mismo, y aun de todo cuanto le rodea, exceptuado, claro está, lo que contempla. Dicha abstracción, en un sentido místico, ha sido llamada *éxtasis, deliquio.*

CONTINGENTISMO

Nombre dado a la filosofía *de la contingencia,* teorizada por los neokantianos franceses Renouvier y Boutroux. El contingentismo intenta rehabilitar la libertad como verdad científica.

Contingente es lo opuesto a *necesario* en dos sentidos: significa, ya lo que el espíritu puede concebir como no habiendo sido o habiendo sido de otra manera, ya lo que podría realmente no ser o ser de otra manera. En el primer sentido, lo contingente es lo que está impuesto por una ley del espíritu; en el segundo sentido, es lo que no está impuesto por una ley de la Naturaleza—como lo está lo *necesario.*

El filósofo francés Carlos Renouvier (1815-1903) atacó el determinismo de los positivistas, colocando *la libertad* como centro de su filosofía. Según él, la libertad es un hecho de conciencia, y las leyes de los fenómenos dejan por su parte espacio para una actividad libre y creadora; y si es cierto que la libertad no puede demostrarse verdaderamente, la simple afirmación de ser libre que haga cualquiera ya es un acto de libertad; que como último fundamento de todo lo que es, únicamente debemos aceptar fuerzas que actúen libremente, las cuales, como los seres humanos, son centros de conciencia.

El también filósofo francés Emilio Boutroux (1845-1915) afirma la imposibilidad de abarcar toda la realidad—en sus diversas esferas biológica, matemática, lógica, sociológica, etcétera—bajo las mismas leyes, ya que estas tendrían que alcanzar diversas jerarquías. Por ello, la única ley inconmovible, universal, plenamente jerarquizada, es la libertad.

Para el contingentismo, las leyes de los fenómenos, como todas las del mundo, son contingentes, ya que podrían no darse los seres sobre los cuales actúan, ya porque no hay tal necesidad en las leyes naturales, lógicas y matemáticas. La única fórmula necesaria es la identidad: *a* es *a*. Y como dice Boutroux en *De la contingence des lois*: "Todas las leyes, so pena de ser tautológicas añaden algo al principio de identidad; los predicados de nuestros juicios no son, evidentemente, la repetición del sujeto. La ley de identidad no es sino un ideal al cual pueden acercarse nuestras apreciaciones, pero sin alcanzarlo nunca. Ahora bien: las ciencias de la observación se apoyan en las leyes lógicas y toman los elementos de estabilidad de las matemáticas; y, además, toman como puntos de partida hechos imposibles de medir exactamente. Luego, por doble motivo son contingentes cuantas leyes formulan las ciencias de la Naturaleza. Solo lo que es *a priori* es *necesario;* ahora bien: cuanto es *a priori* es abstracto, en tanto que el objeto de todo pronunciado *a posteriori* es concreto; luego, ley necesaria y el pronunciado *a posteriori* pugnan entre sí."

Al contingentismo se le han puesto algunos reparos muy importantes. Que confunde la necesidad de las leyes de la Naturaleza con las afirmaciones utópicas del determinismo mecánico. Que niega a la noción abstracta toda posibilidad de representar fielmente la realidad, ya que, aunque no la enuncia formalmente, sí afirma *lo que es,* no *lo que no es.*

V. Mercier, Card.: *Métaphysique générale.* Lovaina, 1910, 5.ª ed.—Renouvier, Ch.: *Essais de critique.* París, 1859-1864.—Archambault, Paul: *Emile Boutroux.* París, 1911.—Noel, L.: *La philosophie de la contingence.* En "Rev. Neo-Scolastique", 1902, tomo IX, Lovaina.

CONTINUIDAD

Relación mutua y continua de todos los períodos de un escrito literario, cuya narración es consecutiva y ordenada, ligando perfectamente la acción y encadenándose armoniosamente los detalles complementarios.

CONTRACCIÓN

Reducción fonética que consiste en suprimir una o más sílabas. *So* por *señor; usted* por *vuestra merced.*

Gramaticalmente, es un metaplasmo, que consiste en hacer de dos una sola palabra, cuando, de aquellas, la primera acaba y la segunda empieza en vocal, suprimiendo una de estas dos vocales: así: *al* por *a el; esotro* por *ese otro; del* por *de el.*

También consiste la contracción en reducir dos sílabas cuando en las palabras hay consonantes iguales: *idolatría* por *idololatría.*

CONTRARREFORMA

Nombre dado a la reacción de la Iglesia católica, en el siglo XVI, contra la Reforma protestante, que remedió muchos de los abusos que dieron motivo a esta.

La fase más activa de la Contrarreforma se desarrolló entre los años 1523—fecha en que inició su pontificado Clemente VII—y 1563—fecha en que terminó el Concilio de Trento.

Con motivo de la Contrarreforma, dentro de la más rigurosa ortodoxia, la Iglesia católica llevó a cabo una verdadera revisión de todos sus valores espirituales y de todas sus reglas y costumbres. Reformó algunas órdenes existentes, como la de los carmelitas; creó otras: jesuitas, capuchinos, teatinos, oratorianos. Convocó el famoso Concilio de Trento (1545-1563), en que, magistralmente, fueron revisados y definidos todos los puntos de doctrina o disciplina atacados por el protestantismo.

Posiblemente contribuyó España, como ningún otro país, al éxito y a la trascendencia de la Contrarreforma; y contribuyó con sus santos "de acción": Teresa de Jesús, Ignacio de Loyola, Francisco Javier, Juan de la Cruz...; con la maravillosa "floración" de su mística y de su ascética; con sus teólogos y escolásticos—Soto, Báñez, Melchor Cano, Vitoria, Suárez, Molina, Laínez, Salmerón...—, algunos de los cuales fueron los más firmes puntales del Concilio tridentino; con sus celebérrimos y numerosísimos *autos sacramentales,* género literario que dio su expresión más perfecta y su significación más honda a los temas de la Contrarreforma.

CONTRASTE (V. **Figuras de pensamiento**)

Es la oposición de las palabras a las palabras o de los pensamientos a los pensamientos. La *antítesis* prolongada recibe el nombre de contraste.

Yo vi del rojo sol la luz serena
turbarse, y que en un punto desfallece
su alegre faz, y en torno se oscurece
el aire con tiniebla de horror llena.

El austro proceloso airado suena,
crece su furia, y la tormenta crece,
y en los hombros de Atlante se estremece
el alto Olimpo, y con espanto truena.

Mas luego vi romperse el negro velo
deshecho en agua, y a su luz primera
restituirse alegre el claro día;

y de nuevo esplendor ornado el cielo
miré, y dije: ¿quién sabe si le espera
igual mudanza a la fortuna mía?

(ARGUIJO.)

CONTROVERSIA

1. Debate. Disputa. Discusión.
2. Interpretación contraria, distinta, de un texto o de una opinión.

La palabra controversia se aplica especialmente a las cuestiones religiosas entre los católicos y los herejes y protestantes.

Las materias religiosas han dado materia a controversias prolongadas y célebres.

CONVERSACIÓN

1. Plática. Conferencia. Coloquio.
2. En la obra literaria: el diálogo.

CONVERSIÓN (V. **Figuras de palabra**)

Es una figura retórica—o elegancia del lenguaje—que consiste en repetir una misma palabra al fin de varios períodos o incisos.

En la noche callada
una voz triste se oye, que, llorando,
cayó (Itálica) dice, y lastimosa
eco reclama (Itálica) en la hojosa
selva que se le opone resonando
(Itálica), y el claro nombre oído
de (Itálica), renuevan el gemido
mil sombras nobles de su gran ruina.

(RODRIGO CARO.)

Parece que los gitanos nacieron en el mundo para (ladrones), nacieron de padres (ladrones), críanse con (ladrones), estudian para (ladrones), y, finalmente, salen con ser (ladrones) corrientes y molientes a todo ruedo. (CERVANTES.)

CONVICCIÓN

Es una de las calidades internas necesarias en todos los géneros literarios, y principalmente en la oratoria. Va dirigida al entendimiento y trata de demostrarle la bondad o la justicia de lo que se propone el escritor o el orador, porque *nihil volitum, quim praecognitum.*

Se diferencia de la persuasión en que esta va dirigida a la voluntad.

CONVULSIONARISMO

Secta de jansenistas.

Francisco Paris, austero y penitente jansenista, fue uno de los que con mayor energía protestaron contra la célebre bula *Unigenitus,* en la que Clemente XI condenó las doctrinas de Jansenio —1723—. Al morir, en 1727, Francisco Paris, fue enterrado en el cementerio de San Medardo. Y sus partidarios, que le tuvieron por santo, de buena o de mala fe hicieron correr los rumores de prodigios y de curaciones milagrosas acaecidos en la tumba de Francisco Paris. A miles acudieron las personas al cementerio; y el fanatismo de los devotos llegó a tal extremo, que la policía hubo de intervenir y prohibir la entrada al campo santo.

Los enfermos que acudían a la tumba "experimentaban extrañas agitaciones y conmociones nerviosas, reales o fingidas; sufrían violentos arrebatos, durante los cuales prorrumpían en insultos contra el Papa y los obispos. A los tales se dio el nombre de *convulsionarios*". Y eran las mujeres quienes parecían trastornarse más, retorciéndose en tremendos espasmos y adoptando gestos y actitudes indecentes y asombrosas.

Cuando fue clausurado el cementerio de San Medardo, los convulsionarios siguieron poniéndose *en trance de curación o de profecía* en las casas particulares.

Para justificar tales extravagancias, algunos escritores jansenistas recurrieron a la teoría del *figurismo.* Según ellos, la bula *Unigenitus* era la apostasía profetizada en el Apocalipsis, y las escenas representadas por los convulsionarios simbolizaban el estado de trastorno precursor del cataclismo final.

En 1729 fue fundado un periódico, *Nouvelles Ecclesiastiques,* para defender las teorías del convulsionarismo.

Poco después surgió la discrepancia entre los mismos jansenistas. Treinta doctores, llamados *apelantes,* hicieron una distinción entre la obra y sus caracteres grotescos, que atribuían al demonio o a debilidad humana. Pero otros varios doctores afirmaron que las convulsiones y las pruebas terribles a que se sometían los convulsionarios eran obra de Dios.

El convulsionarismo se distinguió por el odio con que combatió a la Compañía de Jesús, llegando a jurar su destrucción, presionando sobre los reyes católicos de Francia, España, Portugal, Nápoles y las Dos Sicilias, para que expulsaran a los jesuitas de sus reinos y se aliaran con el enciclopedismo filosófico.

V. GAZIER, A.: *Histoire générale du mouvement janséniste depuis ses origines jusqu'à nos jours.* París, 1923.

COOPERATIVISMO

Es un sistema basado en la acción y en la extensión de las sociedades cooperativas.

"Son llamadas sociedades cooperativas aquellas cuya finalidad es fomentar y utilizar el pequeño ahorro y suprimir ciertos intermediarios en las esferas de la producción, del crédito y del consumo, para obtener beneficios comunes, que se reparten entre todos los asociados."

Otra definición, ya clásica, más restringida es esta: "Asociaciones que tienen por finalidad verificar operaciones económicas que reporten utilidad mutua, variando el capital y el número de sus socios."

El cooperativismo ha nacido de una consideración práctica y concreta de las realidades, aun cuando la ideología se haya apoderado de él más adelante.

El cooperativismo se inició durante el siglo XVIII en Inglaterra, con las primeras *cooperativas de consumo.* Luego, a principios del siglo XIX, hubo en los Estados Unidos algunas tentativas para crear las *cooperativas de producción*—cuyo desarrollo, después de 1866, había de ir unido al curioso movimiento del *greenbackismo*—. En 1831, en Francia, Buchez luchó a favor de unas cooperativas de producción, ideadas por él como asociaciones en donde los obreros, sometidos a los preceptos morales del cristianismo, aprenden a suprimir el intermediario-patrono. Estas asociaciones, sumamente igualitarias, no admitían diferencias entre los fundadores y los obreros admitidos después, ni reconocían derechos a los herederos de los asociados. La continuidad de la obra estaba asegurada merced a la constitución, por descuentos sobre los beneficios, de un fondo común indivisible.

Poco después, en Alemania, Schultze-Delitsch y Raiffeisen se convirtieron en apóstoles de las *cooperativas de crédito.*

"Sabido es que los resultados obtenidos en el terreno de la práctica fueron muy desiguales; relativamente espléndidos en lo referente a las cooperativas de primera y tercera categoría, fueron menos que medianos en la segunda, a excepción de algunas especialidades reducidas. La teoría cooperativa, en cambio, se desarrolló extensamente, y algunos de sus adeptos, los cooperativistas integrales, le suponen un vigor suficiente para contener, lo mismo que el *colectivismo* (V.) o el *sindicalismo* (V.), la fórmula de reorganización de la sociedad económica entera."

"Cierto es que otros muchos, entre los que preconizan la cooperación, no fundan en ella tan grandes esperanzas. Advierten que contiene un elemento susceptible de contribuir al mejoramiento de la suerte de determinado número de individuos, sin alterar nada esencial del mecanismo de la sociedad actual. Así es cómo las cooperativas de consumo proporcionan a sus adheridos, a precios más baratos, mercancías de mejor calidad; cómo las cooperativas de producción facilitan el ascenso social de ciertos trabajadores previsores y económicos; cómo las cooperativas de crédito lo ponen al alcance de los artesanos modestos y de los labradores pobres; que todas favorecen el ahorro y el trabajo en distintas formas. Los liberales, como Leroy-Beaulieu, las consideran como una forma legítima, laudable, y en el fondo sin gran alcance, de la asociación libre. Los socialistas buscan en ellas un procedimiento para la supresión de ciertas rentas sin trabajo; pero los primeros protestan contra la tendencia de los cooperadores a reclamar favores legales en su lucha contra las empresas corrientes, y los segundos, aun utilizando en ocasiones la cooperación, no por ello dejan de juzgar insuficiente del todo el principio cooperativo, reprochándole su tendencia *a espumar* la clase obrera." (Gonnard.)

Para Gide, el cooperativismo no debe limitarse a la creación de asociaciones aisladas, continuando "en el mismo transcurso de su existencia cooperativa las prácticas y el programa del sistema individualista: ¡cada cual para sí!" Y añade: la cooperación, lejos de limitarse a esto, debe "remover de arriba abajo el orden de las cosas existentes". Para conseguirlo es preciso lograr en una vasta organización las diversas clases de cooperativas, poniendo en la base la agrupación consumidora, como iniciadora de la pacífica revolución que se quiere emprender y como clave de bóveda de la nueva organización al mismo tiempo, porque el consumidor no es nada y debe serlo todo, y la producción debe estar a su servicio, en tanto que hoy pretende dominarle, lo cual influye en que el orden económico actual esté orientado con vista a la ganancia del productor, en vez de estarlo atendiendo a las necesidades sociales.

¿Cuáles son las funciones económico-sociales de las cooperativas?

Las cooperativas de consumo, al disminuir el coste de los productos—evitando la retribución del intermediario y asegurando la buena calidad de los productos—, aumenta indirectamente el salario de los obreros.

Las cooperativas de crédito proporcionan al obrero pequeños capitales, haciendo los propios obreros de prestamistas y evitando así los estragos de la usura.

Las cooperativas de producción, al mismo tiempo que fomentan el ahorro, convierten a los obreros en patronos.

Como clases especiales de cooperativas de producción cabe señalar: las *cooperativas de construcción,* las *cooperativas de comercio y aprovisionamiento* y las *cooperativas agrícolas.*

Gide llega a ver en el cooperativismo la transformación y la regeneración de la sociedad, la represión natural de la anarquía en la producción y el triunfo de los consumidores.

"Ciertos economistas y sociólogos, sin embargo, hallan en los progresos recientes de la cooperación motivos para confiar, y se esfuerzan en rejuvenecer y determinar la doctrina corporativa. Por ejemplo, Bernard Lavergne afirma que cualquier hombre, al ser consumidor, tiene derecho, como tal, a participar en la gestión directa o indirecta de los medios de producción necesarios para la fabricación de lo que consume. Y conforme a este supuesto doctrinal, preconiza las administraciones estancadas cooperativas, es decir, una forma de organización de los servicios públicos, basada en el principio de las cooperativas de consumo. A diferencia de las cooperativas ordinarias, estarían constituidas merced a una disposición del Poder público y podrían llevar consigo monopolios; a diferencia de los servicios públicos ordinarios, tendrían autonomía completa, por ser sus demás principios, aproximadamente, los de las cooperativas clásicas del tipo de Rochdale. Con tales administraciones cree Lavergne que sería posible evitar los distintos inconvenientes que acompañan a los monopolios privados, y, según su fórmula, *socializar sin estatizar.*"

Standiger, considerado como el más eminente teórico del cooperativismo, afirmó que la lucha de clases tiende a entablarse hoy no ya entre el obrero y el patrono, sino entre el productor y el consumidor.

El cooperativismo tuvo una fuerza enorme, social y económica, en la segunda mitad del siglo XIX y durante los primeros años de la presente centuria. Careció de la violencia radical del socialismo y del marxismo, y, sin embargo, llegó a resultados prácticos que estos no alcanzaron sino muchos años después y luego de terribles luchas de clases. El cooperativismo tuvo un desarrollo inmenso en todas las naciones. Invocó la noción moral de *solidaridad,* y puede decirse que constituye, desde el punto de vista económico, una de las formas más precisas e interesantes de cuantas han tenido las aspiraciones *solidaristas.*

Hoy, el cooperativismo lleva una existencia muy restringida y en aquellos países donde no se han impuesto el *comunismo* (V.) o el *socialismo* (V.).

V. GONNARD, René: *Historia de las doctrinas económicas.* Madrid, Aguilar, 1938.—LAVERGNE, B.: *El orden cooperativo.* 1927.—PIROU: *Doctrina cooperativa.* En "Rev. de Metafísica y Moral". Enero 1928.—MARIANI, M.: *Il fatto cooperativo nell' evoluzione sociale.* Bolonia, 1905.—PIERNAS HURTADO: *El movimiento cooperativo.* Madrid, 1890.

COPLA

Generalmente, estancia de cuatro versos octosílabos, asonantados los pares. También los versos pueden ser asonantes o consonantes de ocho, once o doce sílabas. Y aun octosílabos alternados con heptasílabos.

La copla puede constar de más de cuatro versos: cinco, siete, nueve... Y de menos: tres.

Las coplas se denominan: de villancicos, de seguidillas, quintillas, sextillas, de siete, ocho y nueve versos; coplas reales, coplas de arte mayor, coplas de pie quebrado.

Estas tres últimas coplas fueron muy usadas por los más excelsos poetas españoles de los siglos XIV al XVI.

La *copla real* consta de dos estrofas de a cinco versos, con una o dos consonancias.

La *copla de arte* mayor es una combinación métrica que consta de ocho versos de arte mayor o de doce sílabas, concertando comúnmente el primero, cuarto, quinto y octavo con un mismo consonante, casi siempre agudo; el segundo y tercero, con otro llano, y el sexto y séptimo, con otro. Caben también en estas coplas diferentes combinaciones. Suelen llevar una pausa o interrupción del sentido al final del cuarto verso. Esta clase de rima es la que siguió a los pesados alejandrinos y precedió al armonioso endecasílabo. La *copla de arte mayor* fue destinada, desde los tiempos de Juan de Mena, para cantar los asuntos nobles y graves.

Copla de pie quebrado es una combinación métrica de versos de distintas sílabas, con dos únicas consonancias de cada estrofa, la que, generalmente, tiene seis versos. Jorge Manrique y Juan del Enzina inmortalizaron las composiciones en coplas de pie quebrado.

La copla es una de las composiciones líricas más antiguas, emotivas, profundas, fecundas y bellas de la literatura española. En su brevedad tienen cabida todas las pasiones, emociones, angustias, ilusiones y todos los dolores, anhelos, delirios y melancolías. Todos los poetas famosos han compuesto coplas. Y también todos los poetas humildes y olvidados. Miles y miles de coplas hermosísimas hay cuyos autores se ignoran, pasando a ser como obra del pueblo, que las siente y que las recita o canta.

A la *copla popular* se la conoce con el nombre de *cantar* (V.).

Coplas populares:

La vi por la serranía.
¡Pintores no la pintaran
tan guapa como venía!

El demonio son los hombres,
dicen todas las mujeres,
y siempre están deseando
que el demonio se las lleve.

Desde que te ausentaste,
sol de los soles,
ni los pájaros cantan
ni el río corre.
¡Ay, amor mío!
Ni los pájaros cantan
ni corre el río.

Copla de arte mayor:

> A vos proveydo de bien e ventura,
> gentyl, noblecido, cortés e gracioso,
> fydalgo guarnido de mucha mensura,
> con todas noblesas honesto, donoso;
> a vos, señor, pido por esta escriptura
> consejo discreto, prudente, famoso,
> por cuanto confyo en vuestra cordura
> que vos lo daredes leal, provechoso.
>
> (JUAN ALONSO DE BAENA.)

Copla de pie quebrado:

> La nariz tiene polida,
> bien medida
> e muy bien proporcionada;
> derecha, todo seguida,
> bien partida,
> la trencha sin torcer nada...
>
> (JUAN DEL ENZINA.)

V. MÉNDEZ BEJARANO, M.: *La ciencia del verso.* Madrid, 1908.—MILÁ Y FONTANALS, M.: *De la literatura popular heroico-castellana.* Barcelona, 1865.

COPTA (Lengua y literatura)

Lengua hablada por los coptos, antiguos habitantes del Egipto, y que representa con una exactitud suficiente al antiguo egipcio. Es como el idioma principal de una gran familia de lenguas a la que, según Renán, podría llamársela *camítica,* y a la que integran el berberisco, el tuareg y la mayor parte de los idiomas del Africa septentrional. Barthélemy de Guignes ha comparado el copto con el hebreo, estableciendo después la identidad original de las tres familias: indoeuropea, semítica y copta.

El copto, a pesar de ser una lengua vulgar, comprende tres dialectos: el *mendaito,* hablado en Menfis, Bajo Egipto; el *saítico* o dialecto de Tebas, hablado en el Alto Egipto, y el *oasítico,* utilizado en los oasis por tribus nómadas.

El copto es una lengua monosilábica. Sus radicales sufren alteraciones de importancia, tales como los cambios de vocales en el centro de las palabras, las adiciones de articulaciones y de letras paragónicas y el empleo de partículas en los prefijos. La construcción de la frase es regular, sin ninguna inversión; el sujeto, el verbo y el régimen se suceden invariablemente.

El alfabeto copto se compone principalmente de caracteres griegos, algunos de los cuales se usan ligeramente modificados. Este alfabeto es común a los tres dialectos, si bien el empleo de sus signos difiere en la representación de las palabras por exigencias de la pronunciación.

Hacia el siglo XVII, el copto llegó a reducirse a una *lengua muerta* más.

En la Biblioteca Nacional de París se conservan numerosos textos de literatura copta, sobre los que estudiaron el idioma los filólogos especialistas. Son vidas de santos, sermones, himnos, oraciones, libros litúrgicos y versiones parciales de la Biblia, pequeños tratados geográficos, recetas medicinales...

Entre las obras impresas sobresalen: el *Missale Alexandrinum Sancti Marii*—toda la liturgia eucarística, en Egipto, en cuatro idiomas: griego, copto, árabe y siríaco—, publicado por J. A. Assemanus, basándose en los manuscritos vaticanos, en Roma, 1754; los *Psalmos,* en copto y en árabe, impresos en Londres, 1826; y los *Cuatro Evangelistas,* en copto y en árabe, Londres, 1829.

V. QUATREMERE, Et.: *Recherches sur la langue et la littérature de l'Egypte.* París, 1888. ROSSELLINI: *Elementa lingua aegyptiacae vulgo copticae.* Roma, 1837.—SCHWARTZE: *Koptische grammatik.* Berlín, 1850.

CORAICO

Verso griego y latino, compuesto de dos *coreos* (V.). (V. Trocaico.)

COREGO

Del griego *chorêgos,* de *choros,* coro, y *agein,* dirigir.

El que entre los griegos pagaba los gastos de un teatro.

COREO

1. Pie de verso griego y latino, compuesto de dos sílabas: la primera larga y la segunda breve.

2. Con este nombre designaban también los griegos cierto cántico acompañado de danzas y de músicas de crótalos y flautas. *Hyperkheme* era llamada la poesía así cantada y acompañada.

El *coreo* o *corodia* comprendía: 1.° el cántico a una voz, o *amabeo;* 2.° el cántico a dos voces; 3.°, el coro.

La danza llevó el nombre de *corostica.*

V. MAGNIN: *Los orígenes del teatro.* Traducción. Madrid, 1868.

CORIÁMBICO (Verso)

Verso griego y latino, cuya base era el *pie coriambo,* formado por dos sílabas breves entre dos sílabas largas. Este verso comprendía las variaciones siguientes:

Coriámbico monómetro hipercataléctico, compuesto de un coriambo más una sílaba, muy parecido al adónico:

> *Terruit ur / bem.* (HORACIO.)

Dímetro, formado por un coriambo y un baquio:

> *Temperet o / ra frenis.* (HORACIO.)

Trímetro cataléctico, que comprende un espondeo y un coriambo, más una sílaba:

Grato, / Pyrrha, sub an / tro. (Horacio.)

que se puede también medir como el *ferecracio,* un dáctilo entre dos espondeos:

Grato, / Pyrrha sub / antro.

Trímetro, que comprende dos coriambos, más un baquio:

Virgilius, / Mantuam quem / creavit.

Tetrámetro cataléctico, compuesto de un espondeo, dos coriambos y una sílaba:

Vise / bat gelidae / sidera bru / mae

(Boecio.)

Tetrámetro, llamado generalmente coriámbico, y formado por tres coriambos, un baquio, más una pausa o reposo:

Nolo minor / me timeat, // despiciat / que major.

(Ausonio.)

Pentámetro o gran asclepiadeo, que comprende tres coriambos, un yambo o un pirriquio. Va acompañando de dos pausas o reposos:

Nullam, / Vare, Sacra // vitae prius // severis [ar / borem. (Horacio.)

V. Hermann, Gottfr.: *De metris graecorum ac romanorum.*—Quicherat, Louis: *Traité de versification latine.*

CORIAMBO (Pie de verso)

Pie de verso griego y latino, compuesto de un coreo o troqueo y un yambo, o sea, de dos sílabas breves entre dos largas:

CORIFEO

1. Nombre dado al director del coro en las tragedias griegas y romanas.
2. El que en dichas tragedias llevaba la voz como representante del pueblo o iniciaba el diálogo con el protagonista. Daba también la señal para el comienzo de los cánticos, siendo su voz la más fuerte.
3. Modernamente, se llama corifeo al protagonista o principal actor de una ópera.

Esquilo llamó *corifeo* a una de las Furias, la que sostuvo la acusación de las Euménides contra Orestes. (V. Coro.)

CORO (El)

1. Conjunto de personas dedicadas al canto, al comentario, al regocijo, a las explosiones del dolor.
2. Poesía, con música, destinada a ser cantada por varias voces.
3. Parte de una obra dramática cantada o declamada por varios actores.

El origen del coro está en el mismo del teatro. Primitivamente, entre los griegos constituía en realidad toda la tragedia, reducida a cantos ditirámbicos en honor de Baco. Los actores tenían, fuera del coro, un papel insignificante, que se consideró como no existente hasta Esquilo. Boileau escribió:

Eschyle dans les choeurs jeta les personnages.

Poco a poco la importancia del coro disminuyó, cediendo su importancia al diálogo. El coro quedó reducido a la representación del pueblo expectante ante la acción. El coro celebraba la justicia, la moderación, la clemencia, la sobriedad, los beneficios de la paz, el respeto de los hombres, el culto de los dioses. Horacio marcó perfectamente la diferencia entre el coro y los actores:

Actoris partes chorus officiumque virile
defendat; nec quid medios intercinat actus,
quod non proposito conducat et haereat apte.

La composición de los coros era variadísima. Niños, mujeres, ancianos, en número de 12, 15 y hasta 24. El título de algunas obras traduce magníficamente la significación de los figurantes. *Los Persas, Las Euménides, Las Nubes, Las Bacantes, Las Suplicantes...*

El coro, a veces, no hacía sino *comentar* la acción. A veces, tomaba parte en ella. Su puesto estaba en la *orquesta* y se colocaba en *cuadro.* Los cantos del *coro trágico* se dividían en tres clases: el *párodos,* el primero, al entrar en escena; el *stasimón,* intercalado en el diálogo, y el *komnos,* lamentación final. El canto principal del coro llamóse *parábasis,* y se componía de siete partes: *kommatión*—canto inicial—, *parábasis*—alocución al público—, *makron*—jaculatoria—, *oda*—himno a los dioses—, *epirema*—capricho—, *antodo*—plegaria—y *antipirema.*

Entre los romanos, el coro se colocó en el escenario detrás de los actores, y su misión fue la de cantar y recitar trozos líricos muchas veces ajenos a la acción.

En la Edad Media, los coros tuvieron importancia en las representaciones religiosas y populares, de las que eran auténticos protagonistas, ya cantado, ya recitando.

En el teatro moderno los coros siguen manteniéndose en las obras musicales—óperas, pantomimas, "ballets", zarzuelas—. Su misión es, como en la antigüedad, narrativa y comentadora.

V. Ducassau: *Sur les choeurs des tragedies grecques.* París, 1813.—Magnin: *Les origines du théâtre antique.* 1839.—Heiss y Muller: *Historia de la literatura griega.* Madrid, 1887.—Aristóteles: *Poética.*—Horacio: *Epístola a los Pisones.*

CORRAL

Nombre dado por los españoles de la Edad de Oro a sus teatros.

El origen de los teatros, en Madrid, no puede ser más curioso. Poco después de que Felipe II trasladara su corte a Madrid—1561—, y con el fin de proporcionar recursos a las Hermandades de *La Sagrada Pasión* y de *La Soledad* para que los dedicasen a las obras pías, se las permitió que arrendasen *corrales,* o patios traseros de casas, y en ellos organizasen representaciones teatrales. La Hermandad de la Pasión instaló, desde luego, tres: uno en la calle *del Sol* y dos en la *del Príncipe,* los llamados de *Burguillos* y el de *Isabel Pacheco—de la Pacheca—,* origen este último del actual teatro Español. La Hermandad de la Sociedad habilitó otros tres: el de la viuda de Valdivieso, el de Cristóbal de la Puente, en la calle *del Lobo,* y el de la calle *de la Cruz;* este último, rival del *de la Pacheca* durante siglos, y los dos únicos que fueron permitidos como teatros definitivos, con los nombres de *la Cruz y el Príncipe.* Para librarse del pago de los alquileres de los solares, las Cofradías decidieron edificarlos por cuenta propia: el *de la Cruz,* en la calle de este nombre, junto al *Cerrillo,* y el *del Príncipe,* al lado del que era de la Pacheca, en casas que poseía el doctor Alava de Ibarra, médico de Felipe II, quien las vendió a las Cofradías en los términos que expresa la escritura siguiente:

> Sepan quantos como yo, el doctor Alava de Ibarra, médico de Su Majestad, residente en esta corte, otorgo e conozco por esta presente carta, e por mí mesmo, y en nombre de Juan Alava de Ibarra, mi hijo legítimo, que vendo por juro de heredad (a las Cofradías de la Pasión y la Soledad) dos casas e corrales que yo y el dicho mi hijo tenemos y poseemos en esta villa de Madrid, libres de censos..., en la calle que dicen del Príncipe, desta misma villa, que han por linderos, de la una parte, casas de Catalina Villanueva, e por la otra parte, casas de Lope de Vergara, Solicitador en esta corte de negocios de la ciudad de Sevilla, e por las espaldas, casas del Contador Pedro Calderón, e por delante la dicha calle del Príncipe, con todas sus entradas y salidas, usos y costumbres, pertenecientes a servidumbre..., por precio de ochocientos ducados... En la villa de Madrid, a 24 días del mes de febrero de 1582.

Además de las casas de la Pacheca y de Alava de Ibarra, compraron las Cofradías otra, propiedad de don Rodrigo de Herrera, la cual tenía una ventana que daba al teatro y que se conservó a modo de servidumbre como mirador.

El costo de los corrales de la Cruz y del Príncipe fue de ¡mil trescientos cincuenta ducados! El segundo, que se inauguró, aún no acabado, el 21 de septiembre de 1583, día de San Mateo, representando Vázquez y Mateo, quienes pagaron ¡sesenta reales! por el alquiler del teatro, precio irrisorio, que se *justificaba* "porque aún no estaban hechas las gradas, ni ventanas, ni corredor". El de la Cruz abrió su escena en 1584, representando Gálvez y Cisneros, quienes pagaron por el alquiler de un día ciento cincuenta reales.

Por espacio de siglo y medio estos dos indecentes corrales fueron los que glorificaron el maravilloso teatro español que inicia Cervantes y cierran Solís y Cubillo. Fueron convertidos en *coliseos*—teatros cómodos y cerrados por completo—en 1743 el de la Cruz, en 1745 el del Príncipe. La obra de este último fue dirigida por el famoso arquitecto don Juan Francisco de Sachetti—el proyectista del Palacio Real de Madrid—, de quien era delineante el que había de ser famosísimo arquitecto don Ventura Rodríguez.

Los primitivos corrales de la Cruz y del Príncipe se componían del tablado para representar, a cuyas espaldas se corrían los dos vestuarios de las cómicas y de los actores; las gradas para los hombres en las laterales del patio; los bancos portátiles, hasta noventa y cinco, que se alineaban delante de las gradas y hasta el tablado; el corredor para las mujeres; los aposentos o ventanas con rejas o celosías; las canales maestras; los tejados que cubrían las gradas, y el toldo de angeo, el cual se tendía sobre el patio "como una vela" y que defendía del sol, pero no de las aguas. Los patios estaban empedrados.

En Madrid puede afirmarse que la primera representación "en un corral" la dio el aplaudido comediante Alonso Velázquez, el miércoles 5 de mayo de 1568. Ya *hechos* y exclusivos los de la Cruz y del Príncipe, alternaron en ellos las compañías "de Granados, Salcedo, Rivas, Quirós, Gálvez, Balbín, Francisco Osorio, Cisneros, Saldaña, Velázquez y Ganasa". Este último, italiano, dirigía una compañía de mímicos, danzantes y volatineros.

Después de Madrid, fue Sevilla, la ciudad más rica de España durante el siglo XVI, la que tuvo mayor afición a las representaciones teatrales, pudiéndose vanagloriar de sus numerosos *corrales.* El más antiguo de estos fue el llamado *de las Atarazanas,* y en el que se representaron, entre 1579 y 1581, dos comedias de Juan de la Cueva: *La libertad de España por Bernardo del Carpio* y *La libertad de Roma por Mucius Scévola.* Fueron protagonistas de ellas Pedro de Saldaña y Alonso de Capilla, respectivamente. Otro de los *corrales* sevillanos fue el *de San Pedro,* mencionado por Rodrigo Caro en sus *Antigüedades de Sevilla,* y situado en la collación de San Pedro, de donde tomó el nombre. En el *corral de Don Juan,* propiedad de don Juan Ortiz de Guzmán, y en cuyo solar se levantó más tarde el convento de Menores, Pedro de Saldaña representó (1579) *El viejo enamorado,* de Juan de la Cueva.

El más famoso de todos los *corrales* sevillanos fue el *de Doña Elvira,* edificado en el barrio y casas de doña Elvira de Ayala, esposa del almirante don Alvar Pérez de Guzmán, e hija del canciller don Pero López de Ayala. Se ignora la época de su construcción, pero puede afirmarse que ya hacía años que funcionaba cuando, entre 1579 y 1581, Alfonso Rodríguez, Alonso de Cisneros y Pedro de Saldaña representaron las principales obras de Juan de la Cueva.

Descripción interior de los corrales.—"Los corrales eran patios que daban a las casas vecinas. Las ventanas de estos edificios contiguos, provistas ordinariamente de rejas y celosías, según costumbre española, hacían las veces de palcos, pues su número se aumentó mucho, comparado con el que hubo al principio. Las del último piso se llamaban *desvanes,* y las inferiores inmediatas, *aposentos,* nombre en verdad genérico, que a veces se aplicó también a las primeras. Estas ventanas, como los edificios de que formaban parte, eran propiedades de distintos dueños, y cuando no las alquilaban las Cofradías, quedaban a disposición de aquellos, aunque con la obligación anual de pagar cierta suma para disfrutar del espectáculo. Algunos de los edificios contiguos, y por lo común la mayor parte, pertenecían a las Cofradías. Debajo de los aposentos había una serie de asientos, en semicírculo, que se llamaban *gradas,* y delante de estas, el patio, espacioso y descubierto, desde donde las gentes de clase más ínfima veían en pie el espectáculo. Este linaje de espectadores, así a causa del tumulto que promovían como por sus ruidosas demostraciones en pro o en contra de comedias y actores, se denominaban *mosqueteros,* sin duda porque su alboroto se asemejaba a descargas de mosquetes. En el *patio,* y cerca del escenario, había filas de bancos, probablemente también al descubierto, como el patio, o resguardados, a lo más, por un toldo de lona, que los cubría. Una especie de cobertizo preservaba a las gradas de la intemperie; y a él se acogían los *mosqueteros* en tiempos de lluvia; pero si el teatro estaba muy lleno, no quedaba otro recurso que suspender la representación.

Al principio no se pensó en destinar un local aparte para las mujeres; más tarde, esto es, un siglo después, se construyó para las de la clase más baja un departamento, sito en el fondo del *corral,* que se llamó la *cazuela* o el *corredor de las mujeres.* Las damas principales ocupaban los *aposentos* o *desvanes.*

Además de estas divisiones principales de los teatros españoles, debemos mencionar también algunas otras, cuya situación no se puede determinar con exactitud, a saber: las *barandillas,* el *corredorcillo,* el *degolladero* y los *alojeros.* Dábase este último nombre a un lugar en donde se vendía una especie de refresco, llamado aloja, compuesto de agua, miel y especias; más tarde se agregó a él un palco, destinado al alcalde, que presidía la función, y se sospecha que el antiguo alojero ocupaba el lugar de este palco, de creación más moderna, y situado sobre la cazuela. En tiempos anteriores, los alcaldes tenían su asiento en el escenario.

Hay razones para presumir que la construcción de los teatros más importantes de las demás ciudades de España se asemejaba en lo esencial a la del de Madrid."

C

CORRECCIÓN (V. Figuras de pensamiento)

Es una figura retórica—y lógica—por la cual sustituimos una palabra o expresión por otra, por parecernos la primeramente enunciada demasiado enérgica, o débil, o inexacta.

> Traidores... Mas ¿qué digo? Castellanos,
> nobleza de este reino, ¿así la diestra
> armáis, con tanto oprobio de la fama,
> contra mi vida?
>
> (GARCÍA DE LA HUERTA.)

> Mas no se llame muerte perder la vida por Cristo, sino alegría, y gozo, y deleite, y resplandor, y luz...
>
> (FRAY LUIS DE GRANADA.)

La corrección fue llamada por los escolásticos *epanortosis.*

CORRESPONDENCIA (Literaria)

1. Comunicación por escrito entre dos o más personas.
2. Colección de cartas de una o varias personas.
3. Conversación escrita.

Con este nombre se designa la comunicación, más o menos regular, de cartas entre dos o más personas, o bien una serie de ellas escritas por un mismo sujeto durante una época de su vida y no dirigidas a nadie en particular.

La correspondencia literaria tiene una importancia enorme. En ella se recogen sucesos y se trazan retratos y se lanzan comentarios del mayor interés histórico.

Son muchísimos los escritores célebres que han dejado lo mejor de su espíritu, de su sensibilidad y de su cultura en esta correspondencia literaria. Así, Cicerón, Plinio, Santa Teresa, Quevedo, Lope de Vega, Saavedra Fajardo, Descartes, Leibniz, Voltaire, Diderot, Madame de Sévigné, Napoleón, Goethe, Pope...

CORTES DE AMOR

Eran unos singulares tribunales que se establecieron en Francia, del siglo XII al XIV, para juzgar las cuestiones de amor y de galantería que tuvieran *un origen literario* así como las disputas entre trovadores. Debieron su nacimiento a una sencilla canción: *Le tenson*—el torneo—o *jeu parti.* Este diálogo poético entre dos trovadores provocó una especie de torneo, al que acudieron curiosamente damas y caballeros. Bien pronto estos fueron reclamados como jueces, siendo elegida una dama para presidir el tribunal.

La cuestión debatida en estas Cortes era alguna sutil empresa de amor. Y los jueces fallaban ateniéndose exclusivamente a los dictados de su emoción.

La existencia—en sus orígenes—de estas Cortes de Amor no admite controversia. El maestro Andrés, capellán en la corte de Francia, en un tratado en latín—siglo XII—: *De arte amatoria et reprobationis amoris,* habla de ellas como de una institución antigua, que tuvo por autor a uno de los caballeros del rey Arturo.

Las Cortes de Amor encontraron sus mejores escenarios en la Provenza. Pero también los tuvieron en la Champagne, en Flandes y en Cataluña. Los tribunales llegaron a estar exclusivamente formados por damas jóvenes, cuyo número variaba de 14 en Avignon, 24 en Flandes y 60 en la Champagne. Laura de Noves, esposa de Hugo de Sade, y su tía Phanette, inmortalizada por el amor de Petrarca, se hicieron famosas por el ingenio con que presidieron algunas de tales Cortes. Los caballeros podían asistir a los torneos, como expertos jurisconsultos en materia galante, pero no tenían voto.

Las Cortes de Amor tuvieron la pretensión de legislar acerca del amor galante, y formaron un código de 31 artículos. Y dieron lugar a infinitas obras poéticas "de un erotismo quintaesenciado". Las sentencias eran inapelables, y quienes las incumplían quedaban "deshonrados amorosamente".

V. DÍEZ, F.: *Ensayo sobre las Cortes de Amor.* 1842.—RAYNOUARD: *Choix de poésies originales des troubadours.* Tomo II.—LALANNE, L.: *Curiosités littéraires.*

COSMOPOLITISMO

Sistema filosófico según el cual los individuos deben sacrificar la idea del patriotismo en aras de su amor al prójimo, prescindiendo, para alcanzar este amor, de las diferencias de razas, creencias, costumbres, etcétera, etc.

El cosmopolitismo, como doctrina, lo precisaron algunos filósofos griegos de la escuela estoica.

Con una precisión admirable, Julián Marías, filósofo español actual, ha dicho: "Los estoicos no se sienten tan desligados de la convivencia como los cínicos; tienen un interés mucho mayor por la comunidad. Marco Aurelio describe su Naturaleza como racional y social. Pero la ciudad es también convención, *nomos,* y no Naturaleza. El hombre no es ciudadano de esta o de aquella patria, sino del mundo: cosmopolita. El papel que representa el cosmopolitismo en el mundo antiguo es sumamente importante. Se asemeja aparentemente a la unidad de los hombres que afirma el cristianismo; pero se trata de dos cosas totalmente distintas. El cristianismo afirma que los hombres son hermanos, sin distinguir al griego del romano o del escita, ni al esclavo del libre. Pero esta fraternidad tiene un fundamento, un principio: la hermandad viene fundada en la paternidad común. Y en el cristianismo los hombres son hermanos porque son, todos, hijos de Dios. No por otra cosa; con lo cual se ve que no se trata de un hecho histórico, sino de la verdad sobrenatural del hombre; los hombres son hermanos porque Dios es su padre común; son prójimos, esto es, próximos, aunque estén separados en el mundo, porque se encuentran juntos en la paternidad divina; en Dios todos somos unos. Y por eso el vínculo cristiano entre los hombres no es el de patria, ni el de raza, ni el de convivencia, sino el de *caridad,* el amor de Dios, y, por tanto, el amor a los hombres *en Dios,* es decir, en lo que los hace prójimos nuestros, próximos a nosotros. No se trata, pues, de nada histórico, de la convivencia social de los hombres en ciudades, naciones o lo que se quiera: *Mi reino no es de este mundo.*"

"En el estoicismo falta radicalmente ese principio de unidad; no se apela más que a la naturaleza del hombre; pero esta no basta para fundar una convivencia; la mera identidad de naturaleza no supone un quehacer común que pueda agrupar a todos los hombres en una comunidad. El cosmopolitismo, si no se basa más que en eso, es simplemente falso. Pero hay otro tipo de razones—históricas—que llevan a los estoicos a esa idea: la superación de la ciudad como unidad política. La *polis* pierde vigencia en un largo proceso, se inicia desde la época de Alejandro y culmina en el Imperio romano; el hombre antiguo siente que la ciudad ya no es el límite de la convivencia; el problema está en ver cuál es ese nuevo límite; pero esto es difícil, y lo que se muestra es la insuficiencia del viejo; por esta razón se propende a exagerar y creer que el límite es solo la totalidad del mundo, cuando la verdad es que la unidad política del tiempo era solo el Imperio. Y esta falta de conciencia histórica, el brusco salto de la ciudad al mundo, que impidió pensar con suficiente precisión y hondura el carácter y las exigencias del Imperio, fue una de las causas principales de la decadencia del Imperio romano, que nunca llegó a encontrar forma plena y lograda. Los estoicos, y de modo eminente Marco Aurelio, se sintieron ciudadanos de Roma o del mundo, y no supieron ser lo que era menester entonces: ciudadanos del Imperio. Y por eso este fracasó."

Los estoicos atribuyeron a Sócrates, a quien le preguntaron de qué ciudad era ciudadano, esta respuesta: κοσμου πολιτης—Soy ciudadano del mundo.

Desde los tiempos más remotos, el cosmopolitismo—que tuvo y tiene muchos adeptos—consistió en negarse a la aceptación del contenido del concepto patria mientras esté en pugna con virtudes mucho más excelsas que el patriotismo, como son la justicia, la libertad y la fraternidad humanas.

Naturalmente, el cosmopolitismo ha caído en tremendas exageraciones, como las de estimar sobre la idea de patria ciertas cosas demasiado universalmente humanas para ser nacionales: así el arte, la ciencia, la lengua...

Los estoicos creyeron ver en esta relación del hombre con el mundo entero una conciencia de parentesco universal y una conexión de su destino con el del universo.

V. MARÍAS, Julián: *Historia de la Filosofía.* Madrid, 1943, 2.ª ed.—ARNIM, H. von: *Stoicorum veterum fragmenta.* 1903-1905.—HEINEMANN, J.: *Poseidonios.* Berlín, dos tomos, 1927-1928.

COSMOPOLITISMO (Literario)

1. Conocimiento profundo de las literaturas de todos los países.

2. Diversas influencias de distintas literaturas en la cultura y en el estilo de un escritor.

3. Apasionamiento por temas literarios universales.

COSMOTEÍSMO

Nombre dado a una de las denominaciones genéricas del panteísmo: la más radical, en la que se dan la mano todos los panteístas, ya sean *realistas,* ya *trascendentalistas.*

El cosmoteísmo tenía como principios fundamentales:

1.º Identificación de Dios con el mundo *(cosmos real).*

2.º Negación de la existencia de un Dios personal.

3.º Confundir a ese Dios con cada objeto de nuestro entendimiento.

4.º Inexistencia de todo cuanto no brota al conjuro de las ideas.

5.º Confusión de los conceptos *cosmos* y *sustancia.*

El cosmoteísmo se encuentra, más o menos disimulado o reformado, en los cuatro sistemas panteístas: el *estoico,* que inmerge a Dios en el mundo, creando así una sustancia eterna de la que han salido todos los seres; el *alejandrino,* según el cual Dios genera la mente, de la que dimana el alma universal; el *spinoziano,* en el que extensión y pensamiento son atributos de Dios; y el *hegeliano,* en el que lo absoluto, todo, es la *idea.*

El cosmoteísmo, al igual que el panteísmo, tuvo dos curiosos aspectos: el *oriental,* que inmerge a Dios en el mundo, y el *occidental,* que inmerge al mundo en Dios. (V. Panteísmo.)

COSTARRICENSE (Literatura)

La literatura autóctona costarricense se inicia en el siglo XIX, y sigue, hasta nuestros días, la misma línea que las restantes Repúblicas centroamericanas, dentro de los distintos movimientos literarios: romanticismo, realismo, modernismo, postmodernismo, superrealismo...

Y no cabe otro recurso sino mencionar a los más ilustres representantes literarios de Costa Rica.

Manuel Argüello Mora (1834-1902), primer novelista local—*Elisa Delmar, La trinchera*—. León Fernández, historiador—*Historia de Costa Rica*—. Manuel Jesús Jiménez (1854-1925), historiador. Manuel María de Peralta (1847-1930), historiador. El fabulista Juan Garita (1859-1912). El poeta religioso José María Alfaro Cooper (1861-1938). Pío Víquez (1850-1899), gran periodista, poeta excelente, crítico sagaz, autor de *La torcaz,* colección de poemas popularísimos. Aquileo Echeverría (1866-1909), gran poeta, que supo cantar como nadie el campo de su patria en *Concherías.* Los novelistas Genaro Carnoda (1863) y Claudio González Rucavado (1878-1929). El gran prosista Manuel González Zeledón (1864-1936), que popularizó el seudónimo de "Magón". Justo A. Facio (1859-1931), nacido en Panamá, que siempre vivió en Costa Rica, poeta de inspiración y refinado gusto—*Werther, Mármol griego*—. Lisímaco Chavarría (1877-1913), poeta popular de la vida tropical. Eduardo Calsamiglia (1918), dramaturgo. Carlos Gagini (1865-1929), dramaturgo y erudito—*Diccionario de costarriquenismos*—. Omar Bengo (1888-1928), ensayista muy personal. Roberto Brenes Mesén (nació en 1874), poeta y prosista brillante—*Sueño de Cádiz, Los dioses vuelven*—. Rafael Estrada (1901-1934), de ideas estéticas avanzadísimas—*Cuatro canciones*—. Rogelio Sotela (1896), lírico y prosista. Max Jiménez (nació en 1908), poeta más intelectual que inspirado—*Gleba, Sonaja*—. Ricardo Fernández Guardia, historiador del pasado colonial de Costa Rica. Carmen Lira, poetisa. Rafael Cardona, poeta.

Las letras costarricenses deben gran parte de su difusión y de su valoración al *Repertorio americano* y a su director, Joaquín García Monge.

V. HENRÍQUEZ UREÑA, Pedro: *Literatura de América Central.* En el tomo XII de la "Historia universal de la literatura", de Prampolini. Buenos Aires, Uteha, 1941.—LEGUIZAMÓN, Julio A.: *Historia de la literatura hispanoamericana.* Buenos Aires, 1945, dos tomos.

COSTUMBRES EN EL TEATRO

Son aquellos actos y detalles teatrales que, una vez originados, se han conservado a través de los siglos en casi todos los teatros del mundo.

Por ejemplo: los griegos se acostumbraron, por medio de la máscara, a que el actor que evocase a un personaje siempre se cubriera el rostro con la *misma máscara.* Si el actor cambiaba, la máscara no. También se acostumbraron los actores trágicos a usar el *coturno,* zapato alto que añadía prestancia a la estatura del actor, y largos mantos que arrastraban por el suelo. La altura del coturno llegó a ser tan esencial, que fueron los distintos calzados los que vinieron a calificar la tragedia—alto coturno—y la comedia—bajo coturno—, según el mismo Horacio proclamó:

Hunc socii cepere pedemque grandesque cothurni.

Los romanos heredaron algunas de tales costumbres y crearon otras nuevas. En las obras en que la acción transcurría en Grecia o eran griegos los personajes, se servían del *pallium* y de las *crepides.* En las obras latinas adoptaron la *toga pretexta.* Como en Grecia, en Roma, los bufones y criados llevaban los cabellos cortados al rape, se embadurnaban la cara y se cubrían con una túnica hecha de remiendos de distintos colores.

La comedia de arte italiana creó unos *tipos* que se han hecho célebres y a los que conserva la tradición "tal como fueron y aparecieron, con sus mismos rostros, sus mismos trajes y sus mismos temperamentos". Recuérdese la deliciosa comedia de Benavente *Los intereses creados.*

El anacronismo de las costumbres teatrales se ha perpetuado sobre las escenas modernas. Lope de Vega—en su *Arte nuevo de hacer comedias*—aún aconseja para los personajes romanos el calzado alto, y para los turcos, los coloretes.

Contemporáneamente, a los actores que representan en zarzuelas y sainetes a personajes madrileños de la clase baja se les hace hablar con un *dejo marchoso* y *chulángano,* que en verdad no tienen; pero que una costumbre idiota, implantada por algún escritor necio, *ha hecho dogma de fe.*

COSTUMBRISMO

Tendencia literaria y artística a reflejar en las obras las costumbres del lugar y de la época en que vive el artista creador.

En sentido más restringido, costumbrismo es una interpretación objetiva de las costumbres, de los tipos y de los paisajes que forma *obra aparte* y sin conexión con otros géneros literarios o artísticos.

En el sentido amplio, para concretar, costumbrismo existe en la mayoría de las novelas y del teatro, de los llamados "cuadros de historia", pero como *una parte,* más o menos trascendente, del *todo.*

En el sentido estricto, el *Panorama matritense,* de Mesonero Romanos—por ejemplo—, está compuesto por una colección de cuadros literarios *exclusivamente costumbristas,* con un *fin único* de costumbrismo.

El fino crítico y poeta español Evaristo Correa Calderón ha precisado—en su obra *Introducción al estudio del costumbrismo español*—los orígenes y los límites de este género: "Dentro de la gran corriente realista española, de tan extraordinaria variedad, de tal continuidad y permanencia, que invade todos los géneros literarios, que se manifiesta del mismo modo en la narración o en el teatro, en la prosa o en el verso, el costumbrismo viene a ser una modalidad menor, algo así como lo que representa el sainete, llamado con tanta exactitud *género chico,* respecto al teatro; lo que es un abigarrado apunte de color con relación al cuadro, no solo por lo que se refiere a sus propias dimensiones, sino también en cuanto a sus pretensiones y límites." "En realidad, encajaría en la denominación genérica de la palabra *costumbrismo* todo reflejo de las costumbres españolas, ya fuese un capítulo de novela, un pasaje dramático o un sainete, cualquier poema descriptivo, y aun, rebasando los linderos de lo puramente literario, un dibujo o una pintura, y en este sentido amplio cabría considerar como costumbristas la novela picaresca o cortesana, muchos de los actos de Lope o de Tirso, los pasos de Lope de Rueda, los entremeses de Cervantes o Quiñones de Benavente, los sainetes de don Ramón de la Cruz, las comedias de Moratín o Bretón de los Herreros, los cuadros de Goya o de Lucas, los dibujos de Alenza o de Lameyer, por no servirnos más que de unos cuantos ejemplos entre muchos; pero en su sentido estricto se refiere a un tipo de literatura menor, de breve extensión, que prescinde del desarrollo de la acción, o esta muy rudimentaria, limitándose a pintar un pequeño cuadro colorista, en el que se refleja con donaire y soltura el modo de vida de una época, una costumbre popular o un tipo genérico representativo."

El costumbrismo—refiriéndonos al español—, en su sentido amplio, existe, posiblemente, desde que apareció el género narrativo, formando la parte *pintoresca* de él. Con acierto señala la crítica que las costumbres del siglo XIV se conocieron mejor por el *Libro de Buen Amor,* del Arcipreste de Hita, que por las crónicas de la época. Y las obras del canciller Pero López de Ayala han sido llamadas "el espejo de la sociedad del siglo XIV". Notas costumbristas de la mejor calidad abundan en *El Corbacho,* en *La Celestina,* en *La disputa del asno...*

Magníficas escenas de la vida cortesana hállanse en *Menosprecio de corte y alabanza de aldea,* del obispo Guevara; en los *Coloquios satíricos,* de Antonio de Torquemada; en las *Cartas,* de Eugenio de Salazar...

Sin embargo, el costumbrismo como género *con vida propia* y posible de ser juzgado en *un todo,* surgió indudablemente mezclado con la novela picaresca o de costumbres, acaso porque la picaresca enraizaba fundamentalmente en ambientes, en situaciones y en tipos representativos. *El Lazarillo de Tormes,* las *Novelas ejemplares,* de Cervantes; el *Guzmán de Alfarache, Marcos de Obregón, La pícara Justina, La garduña de Sevilla* y tantos otros relatos novelescos, aparte la eficacia de la acción, apoyan su interés en el reflejo de escenarios y de criaturas de vitalidad peculiar.

Tanto gustó el lector de tales *accidentes* novelescos, entreverados de pasmoso realismo, que no resulta caprichoso señalar que las más de las veces, en las referidas narraciones, el costumbrismo relegó la acción a un segundo término. Tal éxito determinó el auge del género costumbrista—en su sentido restringido, esto es, considerado en sí—, multiplicándose desde principios del siglo XVII las obras admirables y paradigmáticas. Así, *Guía y avisos de forasteros*—1620—, de Liñán y Verdugo; *Los peligros de Madrid,* de Baptista Remiro de Navarra; *Día de fiesta por la mañana* y *Día de fiesta por la tarde,* de Juan de Zabaleta; *Día y noche en Madrid,* de Francisco Santos; *Anteojos de mejor vista* y el *Mesón del mundo,* de Rodrigo de Ribera; *El curioso y sabio Alejandro, fiscal de vidas ajenas,* de Salas Barbadillo...

En el siglo XVIII: *Recetas morales, políticas y precisas para vivir en la corte,* de Gómez Arias; *Los fantasmones de Madrid y estafermos de la corte,* de Ignacio de la Erbada; *Sueños morales, visiones y visitas...,* de Torres Villarroel; *El libro de moda en la feria...,* obra de "don Preciso", seudónimo que encubría al escribano vizcaíno Juan Antonio Zamácola...

En el siglo XIX: *Cartas de un pobrecito holgazán,* de Sebastián Miñano; *Mis ratos perdidos* o *Ligero bosquejo de Madrid en 1820 y 1821, Manual de Madrid, Memorias de un setentón, Panorama matritense,* de Mesonero Romanos; *Escenas andaluzas,* de Estébanez Calderón ("El Solitario"); los *Artículos* de Larra...

No hemos citado sino los libros fundamentales para la historia del costumbrismo hasta el siglo XX.

Sin embargo, hay que reconocer que verdaderos primores de este género aparecieron en numerosísimas revistas y colecciones, fundadas casi exclusivamente para enaltecerlo y dar gusto a los miles y miles de lectores que lo reputaban como la más amena de las relaciones, denominándola *pintura de la pluma.* Así, los innumerables *Guías y Avisos de forasteros, El Duende especulativo sobre la vida civil*—Madrid, 1771—, *El Pensador Matritense,* de Cadalso (1762-1767); *El Censor*—Madrid, 1781 a 1787—; *El Corresponsal del Censor*—1787—; el *Correo de Ciegos*—Madrid, 1786 a 1891—; *El Diario de las Musas*—Madrid, 1790 y 1791—; *El Regañón General*—1803 a 1804—; *Minerva* o *El Revisor General; El Correo Literario y Mercantil*—1828 a 1833—; *El Observador; El Semanario Pintoresco,* de Mesonero (1836); *El Siglo Pintoresco* (1845-1847).

Entre las *colecciones* de artículos costumbristas más importantes figuran: *Los españoles pintados por sí mismos*—Madrid, 1843—; *Los valencianos pintados por sí mismos*—Valencia, 1859—; *Las españolas pintadas por los españoles*—Madrid, 1871 y 1872—; *Las mujeres españolas, portuguesas y americanas*—Madrid, 1872—; *Los españoles de hogaño*—Madrid, 1872—; *Madrid por dentro y por fuera*—Madrid, 1873—; *Los hombres españoles, americanos y lusitanos pintados por sí mismos*—Barcelona, ¿1881?—; *Las mujeres españolas, americanas y lusitanas pintadas por sí mismas*—Barcelona, ¿1881?—; *Album de Galicia*—El Ferrol, 1897—; *Los españoles pintados por sí mismos*—Madrid, revista "España", 1915.

"Así, pues, y resumiendo—escribe Correa Calderón—, pudiéramos decir que el costumbrismo español aparece en el siglo XVII, referido al ambiente de Madrid de modo casi exclusivo, como una consecuencia de la desintegración de la novela, especialmente en su modalidad picaresca y cortesana."

Pero si el costumbrismo surgió de las narraciones picarescas y cortesanas, durante dos siglos creció y creció hasta adquirir un vigor y una peculiaridad extraordinarios, netamente españoles, desdeñoso de las influencias extranjeras, de las que no se libraron los demás géneros: teatro, novela, ensayos, filosofía; y a principios de la centuria diecinueve, socavando las raíces del *Romanticismo* (V.), dio el impulso inicial a la novela realista. Es muy de notar que los primeros novelistas que surgieron en el realismo—"Fernán Caballero", Pedro Antonio de Alarcón, Valera, Pereda—fueron unos portentosos *pintores de la pluma,* trazando a docenas artículos de costumbres jamás superados... y ya *desorbitados* de Madrid. "Fernán Caballero" canta a la tierra andaluza en *Cuadros de costumbres* —1862—; Pereda, a la Montaña en *Tipos y paisajes, Esbozos y rasguños, Bocetos al temple, Escenas montañesas;* Emilia Pardo Bazán, a Galicia en *Mi romería* y *De mi tierra;* Palacio Valdés, a Asturias en *Aguafuerte;* Blasco Ibáñez, a Valencia, en *Cuentos valencianos* y *La condenada...*

"No es fácil definir el costumbrismo, pues si a primera vista pudiera creerse un género fijado, sujeto a normas preconcebidas, la innumerable producción de artículos de esta índole le da una extraordinaria elasticidad y variedad. Tan solo podría intentarse una definición genérica de sus características a base de estudiar la obra de sus creadores representativos, especialmente los que viven en el siglo XIX, que siguen con mayor fijeza una línea y un propósito comunes." (Correa Calderón.)

La crítica de todas las épocas se ha resistido a conceder al costumbrismo una categoría pareja a la de otros géneros literarios, como la novela, el teatro, el ensayo. Razonan su opinión aduciendo que le falta al costumbrismo el valor máximo del arte literario: *la fuerza creadora,* limitando sus posibilidades a la copia—cuando más *pictórica,* cuando menos *fotográfica*—de lo que entra por los ojos. Arte menor, literatura menor... Nada más es el costumbrismo, literatura y arte en los que se apoyan cuantos escritores y artistas no saben mirar dentro de sí mismos, encontrando sus únicas fuentes de inspiración en cuanto les circunda: paisajes, luces, tipos, costumbres. El costumbrismo suele ser sinónimo, en el escritor y en el artista, de *insuficiencia imaginaria.*

En España, desde el siglo XVII, el costumbrismo ha contado con admirables cultivadores y con infinitos y fervorosos lectores, amén de entusiastas coleccionistas, posiblemente muchos más que los restantes géneros literarios.

Y la diversidad regional de España ha motivado un curiosísimo costumbrismo regionalista, con intérpretes de la mejor calidad.

El *matritense,* además de los grandes escritores ya mencionados: José Somoza, Modesto Lafuente, Rodríguez Rubí, Antonio Flores, Eugenio de Ochoa, Neira de Mosquera, Manuel y Eduardo del Palacio, Azcona, "Abenamar", Segovia ("El Estudiante"), Hartzenbusch, Gil de Zárate, Tomás Luceño, Ramos Carrión, Pina Domínguez, Pérez y González, Enrique y Ricardo Sepúlveda, Carlos Frontaura, Navarrete, Eusebio Blasco, Pérez Galdós, Luis Taboada, Joaquín Dicenta, Pedro de Répide, Luis Bello, Emilio Carrére, Emiliano Ramírez Angel, José Gutiérrez Solana, Andrés González-Blanco...

El costumbrismo *andaluz* cuenta con Beatriz Cienfuegos, Bécquer, Ganivet, Alcalde Valladares, Salvador Rueda, los hermanos Alvarez Quintero, Arturo Reyes, Benito Más y Prats, Montoto...

El costumbrismo *valenciano:* Vicente Boix, Peregrín García Cadena, Eduardo Escalante, Pascual Pérez y Rodríguez, Zapater y Ugeda, Bernat y Baldoví, Pardo de la Casta, el barón de Cortes, Pérez Escrich, Gabriel Miró, Vicente Nebot, Buchaca...

El costumbrismo *gallego:* conde de Pallarés, Rosalía de Castro, Curros Enríquez, Manuel Murguía, Lisardo Barreiro, Paz Novoa, Lamas Carvajal, Neira de Mosquera, Goy Prado, Romero Blanco, Jesús Muruais, Agustín Mosquera, Emilia Pardo Bazán, Filomena Dato, Carlos Valle-Inclán...

El costumbrismo *vasco:* Antonio de Trueba, el marqués de Valmar, Sabino de Goicoechea ("Argos"), Aranaz Castellanos, Dionisio de Azkue ("Dunixi"), Unamuno, José María Salaverría...

El costumbrismo *canario:* Ríos Rosas, Ramírez y Doreste, Isaac Viera, García Ortega...

El costumbrismo *asturiano:* Jovellanos, Frontaura, Rubín de Celis y Noriega...

El *aragonés:* Vicente de la Fuente, Manuel Juan Diana, Gascón...

El *catalán:* Narciso Oller, "Víctor Catalá", Santiago Rusiñol, Freixas, Manjarrés, Riera y Bertrán, Vidal y Valenciano, Francisco Anglada, Cornet y Más, Conrado Roure, Masriera, "Serafí Pitarra", Vilanova, Joaquín María Nadal, Amades...

El *balear:* Ruiz y Pablo, Santos Oliver, Pedro de Alcántara Peña, Ramón Picó y Campamar, Rusiñol...

El *leonés y extremeño*: Gil y Carrasco, Ruiz Aguilera, Maldonado de Guevara y Ocampo...

El costumbrismo español lo han cultivado con éxito—ya con más gracia y color que verdad—autores insignes extranjeros, entre los que no deben ser olvidados los escritores madame D'Aulnoy, Saint-Simon, George Borrow, Richard Ford, Edgar Quinet, Alejandro Dumas (padre), Teófilo Gautier, el barón Davillier, Washington Irving, Chateaubriand, Rehfues, Mérimée, Dembowski, Barrès, Mauclair, Schowb...; y los pintores y dibujantes David Roberts, Gustavo Doré, Delacroix, Regnault, Blanchard, Nauteuil, Desbaroes, Giraud, Bussoni, Rouargue, Prévost...

Los pintores y dibujantes costumbristas españoles suman legión, tan compacta como interesante.

En el siglo XVIII: Manuel y Juan de la Cruz, Antonio Rodríguez, Vázquez, Gamborino, Rivelles, Goya...

En el siglo XIX: Jenaro Pérez Villaamil, Lameyer, Alenza, Zarza, Miranda, Vallejo, Urrabieta, Pizarro, Gómez, Mújica, Valeriano Bécquer, Ruiz, Ortego, Perea, Avendaño, Comba, La Cerda, Martín Rico, Pradilla, Pla, Pellicer, Cilla, Polanco...

En el siglo XX: Méndez Bringas, Huertas, Regidor, Ricardo Marín, García Rodríguez, Pedrero, Diaque, Martínez de León, Ricardo Baroja, Arrúe, Hohenleiter, Suárez Couto, Tovar.

No queremos terminar estas referencias al costumbrismo sin indicar que en la actualidad, evolucionando decididamente hacia la literatura y el arte regionales, y favoreciendo los valores más populares, ha desencadenado una nueva ciencia histórico-filológica: el folklore. Folklorismo y costumbrismo se confunden hoy, a nuestro entender, engañosamente, ya que creemos que el folklorismo no pasa de ser una *faceta,* la más colorista quizá, pero la menos honda, del costumbrismo.

V. CLIFFORD MARVIN MONTGOMERY: *Early Costumbrista writers in Spain 1750-1830.* Filadelfia, 1931.—LE GENTIL, Georges: *Les Revues Littéraires de l'Espagne pendant la première moitié du XIXe siècle.* París, 1909.— HENDRIX, W. S.: *Notes of Collections of Types a form of Costumbrismo.* En "Hispanic Review", 1923, III.—BLANCO GARCÍA, P.: *La literatura española en el siglo XIX.* Madrid, 1909.—CORREA CALDERÓN, Evaristo: *Introducción al estudio del costumbrismo español,* Madrid, Aguilar, 1951. (Obra magistral, que hemos tenido muy en cuenta para redactar nuestra síntesis.)

COTEJAR

Comparar, confrontar dos o más ediciones de una misma obra, o una impresión con el manuscristo original.

CREACIANISMO

Nombre dado a la teoría según la cual cada alma humana es objeto de una especialísima creación. Esta teoría fue opuesta por Arnobio a la hipótesis del *traducianismo* (V.) insinuado por Tertuliano, según el cual el alma humana no era creada inmediatamente, sino por generación de los padres, análogamente a la generación de los cuerpos.

Arnobio fue filósofo y retórico. Vivió en el siglo III después de Cristo. Posiblemente, entre los años 240 y 295. Nació en Sicca. Fue el maestro de Lactancio. Enseñó mucho años Retórica, y las contradicciones que encontró en el politeísmo le hicieron convertirse al cristianismo, del cual publicó una apología que tituló *Adversus nationes,* que consta de siete libros y es muy estimada por los datos que contiene del paganismo greco-púnico y por la solidez de sus argumentos. Una de sus mejores ediciones es la de Orelio, Leipzig, 1816, 1817, dos tomos.

Admitido el hecho misterioso de la creación de cada alma humana, se ha querido explicar el prodigio de distintas maneras.

Unos teólogos y filósofos—Avicenna, Seleuco, Hermías—creyeron en la existencia *de una primera inteligencia intermedia* entre Dios y el hombre, capaz de sacar de la nada nuestra alma.

Otros teólogos y filósofos enseñaron que Dios había comunicado a la naturaleza humana una virtud creadora secundaria, y que los padres, al engendrar el cuerpo de sus hijos, engendraban igualmente sus espíritus.

Una tercer teoría, ya universal—y que es la católica—, declara que el alma procede inmediatamente de Dios por vía de creación.

V. PESCH, T.: *Institutiones Psychologiae.* Tomo I. Friburgo.—SUÁREZ, Francisco: *Disp. Metph.,* XX, sec. II.—WASSEMBERG: *Quaestiones arnobianae criticae.* Munich. 1877.—VOGEL: *Arnobii disputationes.* Penigae, 1841.

CREACIÓN LITERARIA

La creación literaria está formada de dos fases capitales e imprescindibles: la *intuición o concepción* del tema y la *configuración* de este por medio de la *vida sensible* que es la *expresión.* Aquella fase es vibrante, espontánea, absorbente; esta es una fase serena, de meditación, de contrastes, de exigencia.

Para muchos psicólogos, la primera fase está siempre al margen de la voluntad del artista o del escritor.

Para Guillermo Wundt, en la fantasía se halla la clave psicológica de la creación literaria, ya que la fantasía es la facultad que sirve para unir las reproducciones de la experiencia con las impresiones objetivas, siempre que los sentimientos provocados por ellas armonicen con la impresión transformada por vía de asimilación.

Otros psicólogos creen que la creación literaria es la suma de lo *real* que va forjando un contenido humano y de la *fantasía* creadora, bien "engarzados" por el eslabón de la *vivencia* "que transparece siempre en toda creación literaria auténtica", como ha dicho Dilthey. La suprema jerarquía en la creación literaria la tiene el *genio.*

CREACIONISMO

1. Nombre dado al sistema—metafísico, psicólogico, cosmológico—que defiende la creación *ex nihilo* de la nada.

Metafísicamente, el creacionismo defiende la necesidad mediata o inmediata de la creación por cuanto fuera de Dios existe.

Psicológicamente, el creacionismo defiende la creación divina del alma humana contra las diversas opiniones radicalmente anticreacionistas o que atribuye la creación del alma a espíritus superiores o a las almas de los padres. (V. Traducionismo.)

Cosmológicamente, el creacionismo prueba la creación por Dios del mundo real contra la opinión de los panteístas.

Algunos filósofos oponen el creacionismo al *transformismo* (V.). Otros creen que el creacionismo tiene dos sentidos: uno falso y otro verdadero, y llaman a este último creacianismo. (V. Creacianismo.)

V. MERCIER, Card. Desid.: *Psicología.* Traducción castellana. Madrid, 1911.—MIVART: *Origin of Human Reason.* Londres, 3.ª edición, 1904.—MAHER: *Psychologie.* Nueva York, 1920.

2. Y vamos ahora a referirnos al creacionismo literario, movimiento de subversión *exaltado* en los años de la primera gran guerra mundial de 1914-1918.

Y hemos dicho *exaltado* y no *inventado* o *creado,* porque, realmente, el creacionismo, como exacerbación de lo inventivo artístico, es conocido desde muy remotos tiempos. Aristóteles—en su *Poética*—insiste en derivar la idea de creación de la de imitación, siempre que esta imitación sea fecunda en nuevas sugerencias, y aun admite la creación de cosas extrañas o imposibles siempre que con ello se logre *la finalidad del arte.*

Horacio—en su *Arte Poética*—estimuló la creación de voces nuevas, lográndola de la unión de vocablos comunes y conocidos.

Conviene advertir que creacionismo—ya literario, ya artístico—no supone en verdad *originación* de temas o de fórmulas nuevos, uso y abuso de la imaginación antirrealista, sino, mejor, fórmulas de insurrección contra formas agotadas o desprovistas de sugerencias *de momento,* retorcimiento o vuelta del envés de los temas viejos para alcanzar nuevas impresiones de vigencia tan violenta como detonante, capaces de llevar a los espíritus a campos de experimentación jamás hollados.

El creacionismo literario, mucho más que facultad de invención, es una intromisión *de lo inventivo* de cada artista en los recintos materiales y técnicos del lenguaje. El creacionista desea que así como tiene *una imaginación propia,* pueda igualmente conseguir *un medio de expresión propio.* Ya Stefan George, en 1890, pretendía que cuantos curiosos compraran y leyeran sus libros no tuvieran la intención de entregarse a la lectura de una obra, sino de entregarse *a la lectura de Stefan George.* Y para lograr tal atracción, apeló a caprichosos juegos con el lenguaje y su gramática.

Años más tarde—hacia 1910—, el francés Apollinaire y el italiano Marinetti exigieron no solo *la libertad expresiva* para la obra de arte, sino igualmente *para cada una de las partes de la obra de arte.* Exigieron absoluta renovación, en la inspiración personal, de los elementos de fondo y de forma, de suerte que cada uno de estos elementos adquiriera una propia vitalidad, distinta de la aportada por la unión de todos al conjunto-unidad.

Pero son el francés Pierre Réverdy y el chileno Vicente Huidobro quienes se disputan la *exaltación* contemporánea del creacionismo.

Huidobro, en su artículo *Creacionismo,* declara rotundamente: "El creacionismo no es una escuela que yo haya querido imponer; es *una teoría estética general* que comencé a elaborar hacia 1912. Os diré lo que entiendo por poema creador: es un poema en el que cada parte constitutiva y el conjunto presentan un hecho nuevo, independiente del mundo externo, desligado de toda otra realidad que él mismo, pues toma lugar en el mundo como un fenómeno particular aparte y diferente de los otros fenómenos... Cuando yo escribo: *El pájaro anidado en el arco iris,* os presento un fenómeno nuevo, una cosa que nunca habéis visto, que no veréis jamás y que, sin embargo, os gustaría ver... El poema creacionista se compone de imágenes creadas, de conceptos creados; no escatima ningún elemento de la poesía tradicional, solo que, aquí, esos elementos son todos inventados, sin ninguna preocupación por lo real o por la verdad anterior al acto de realización."

En su *Manifiesto Non Serviam*—1941—, el mismo Huidobro dice: "Hasta ahora no hemos hecho otra cosa que imitar al mundo en sus aspectos, no hemos creado nada. ¿Qué ha salido de nosotros que no estuviera antes parado ante nosotros, rodeando nuestros ojos, desafiando nuestros pies o nuestras manos? Hemos cantado a la Naturaleza—cosa que a ella bien poco le importa—. Nunca hemos creado realidades propias, como ella lo hace o lo hizo en tiempos pasados, cuando ella era joven y llena de impulsos creadores... *Non serviam.* No he de ser tu esclavo, madre Natura."

Siete años después, refiriéndose a la expresión propia y original que debía adoptar el creacionismo, Huidobro, en su conferencia *Poesía*—pronunciada sobre todos los paralelos y meridianos—, añadía: "Aparte de la significación gramatical del lenguaje, hay otra, una significación mágica, que es la única que nos interesa... En todas las cosas hay una palabra interna, una palabra latente y que está debajo de la palabra que las designa. Esa es la palabra que debe descubrir el poeta... El poeta crea fuera del mundo que existe *el que debiera existir.* El lector corriente no se da cuenta de que el mundo rebasa fuera del valor de las palabras; que queda siempre un más allá fuera de la vista humana; un campo inmenso lejos de las fórmulas del tráfico diario."

"Una obra de arte—prosigue el escritor chileno—es una nueva realidad cósmica que el artista agrega a la Naturaleza, y que debe tener, como los astros, una atmósfera suya, más una fuerza centrípeta y otra centrífuga. Fuerzas que le dan un fuerte equilibrio y le arrojan fuera del centro productor. El poeta aspira a crear un poema tomando de la vida sus motivos y transformándolos para darles una vida nueva e independiente. Nada de anecdótico ni de descriptivo. La emoción debe nacer de la sola virtud creatriz. Hacer un poema como la Naturaleza hace un árbol."

Por su parte, Réverdy cree "que debe exigirse un arte que solo pida a la vida los elementos de la realidad imprescindibles, y que con la ayuda de estos y de medios nuevos puramente artísticos llegue, sin copiar ni imitar nada, a crear una obra de arte *por sí misma;* obra que deberá poseer realidad propia, utilidad artística, vida independiente, y que no evocará otra cosa que ella misma. Si la obra produce entonces una emoción, será emoción artística, y de aquellas que nos agitan cuando, en la calle, acaece un accidente violento ante nuestra vista... La poesía no es más que el resultado de una aspiración hacia la realidad absoluta."

En el creacionismo, la imagen tiene, lógicamente, una importancia trascendental.

Queremos referirnos ahora al vidrioso punto de quién fue el *reanimador* del creacionismo. ¿Huidobro el chileno? ¿El francés Réverdy?

Va a contestar por nosotros Guillermo de Torre, autor del magnífico libro *Literaturas europeas de vanguardia*—1925—y uno de los mayores críticos literarios españoles actuales.

"Esta divagación prefacial tiende únicamente a abrir la exposición de una interesante pugna polémica de la que fuimos testigos y actores indirectos en el estío de 1920. Protagonistas: el poeta chileno Vicente Huidobro y el francés Pierre Réverdy. Motivo: la vindicación de *su* modalidad creacionista, recabada por ambos y a ninguno de los dos perteneciente. Mas no anticipemos el desenlace.

"Causa promovedora: en principio, la publicación en *Grecia* de unas notas mías—1919—, y después, determinante, un artículo de Gómez Carrillo en *El Liberal,* de Madrid—30 de junio de 1920—, en que este gran cronista transcribía, a propósito de direcciones recientes, una conversación sostenida con M. Réverdy. Este decía, aproximadamente: —Sí, ya estoy enterado de que existe en lengua española un movimiento de vanguardia interesante, del que se dice importador—ignoro con qué motivos—un tal señor Huidobro, que se titula allí iniciador del movimiento cubista de acá. Ese poeta chileno, muy influenciable, tuvo la debilidad de sugestionarse ante mis obras. Y, hábilmente, publicó en París un libro antidatado, con el perverso fin de hacer creer que éramos nosotros quienes lo imitábamos a él, y no él quien imitaba a los demás.

"Como puede verse, el tono polémico utilizado por Réverdy no era el más suave y adecuado para tratar de elucidar tamaño caso polémico. Ya que el pleito del creacionismo pudiera ser, en rigor, como veremos, el pleito de toda la estética vanguardista y el núcleo de las teorías pertenecientes al arte de creación, por encima del arte de concepción—como escribía ya Apollinaire en sus *Meditations esthétiques* de 1912—. Mas, Vicente Huidobro, desde un plano rival, comenzó recíprocamente su acometida y defensiva, pretendiendo aducir pruebas en descargo. Sin embargo, todas las circunstancias—como se dice de los procesados—le acusaban. Ante todo, su condición de extranjero, de *méteque,* depresiva en los días de guerra. Después, sus antecedentes literarios. francamente disímiles del creacionismo. Y, por último, su exacerbada vanidad, su feroz egolatrismo, pretendiendo ilusamente ser el aportador de todo aquello que precisamente había ido a tomar en las letras francesas de última hora: el propósito imaginista, la técnica del verso sin rima, el sistema tipográfico, etc.. etc."

Guillermo de Torre no puede ser más terminante: ni Réverdy ni Huidobro validaron el creacionismo, ya apuntado en más antiguos horizontes; pero, además, Huidobro obró de *mala fe* en aquella polémica. Huidobro no había hecho sino "apapanatarse" ante los modos y las modas literarios de los vanguardistas franceses. Pretendiendo preparar la coartada polémica, en 1918, de regreso de Francia, en España, hizo imprimir la *segunda* edición de un folletito con seis poemas: *El espejo de agua,* cuya primera edición nadie conocía, y que Huidobro aseguraba haber aparecido—1916—en Buenos Aires. En este folletito pretendió Huidobro señalar el alba del creacionismo. En 1918 publicó su *Horizón carré,* libro en el que formulaba un arte poética propio y preliminar:

> Cuanto miren los ojos creado sea,
> y el alma del oyente quede temblando.
> Inventa nuevos mundos y cuida tu palabra.
>
> ¿Por qué cantáis la rosa? ¡Oh poetas!
> Hacedla florecer del poema...
> El poeta es un pequeño dios.

En estos versos—¡tan malos!—, en sentir de Guillermo de Torre, "ya existe un germen de anhelos creacionistas". Pero corría el año 1918... y Huidobro regresaba de París, donde había oficiado el acolitado en el gran culto vanguardista. Su creacionismo era, pues, *de reflejo.*

¿Y... Réverdy?

"La personalidad de Réverdy—escribe Guillermo de Torre en su mencionado curiosísimo libro de crítica—, prescindiendo por ahora de su valor intrínseco, se halla más sólidamente cimentada en los terrenos modernos... En realidad, toda la lírica de Réverdy posee un aire impreciso, abstracto, sonámbulo. No busca la imagen sistemáticamente, ni se encuentra la metáfora con una reiteración que autorizaría a llamarle creacionista. Como que, según tenemos entendido, no le interesa recabar este rótulo, y sí solo mostrar su primacía con respecto a Huidobro y a otros del grupo francés, en esta dirección lírica."

Réverdy es, realmente, un lírico influenciado por los simbolistas. ¿Quién puede negar los *contactos* que tienen el *simbolismo* (V.) y el creacionismo? Los temas buscados fuera de la realidad. La explosión estridente de las metáforas. La búsqueda angustiosa de las imágenes inéditas más impresionantes por su contraste con el normal juego imaginativo. Los perfiles de unos seres constantemente arrancados a un sueño penoso o a una niebla asfixiante. Solo la forma es cubista en Réverdy, pero su fondo es neosimbolista.

Por su parte, Huidobro, hasta su llegada a París, no fue sino un poeta absolutamente modernista; más aún: un discípulo disciplinado y devoto del enorme Rubén Darío. Y ahí están, para confirmar mi aseveración, sus primeras obras: *La gruta del silencio*—1913—, *Las pagodas ocultas*—1914, de reminiscencias orientalistas—y *Adán*—1916.

Pues si ni Réverdy ni Huidobro pueden atribuirse con justicia la revalorización del creacionismo, ¿cuándo fluye este con esa gracia inicial de venero? Posiblemente, entre 1910 y 1915, como derivación filial del cubismo, en las obras de Max Jacob, de Paul Dermée, de Guillermo Apollinaire, de Pierre Albert-Birot...

El creacionismo como arte autónomo y no supeditado a modelo vital, con valor propio distinto del valor de representación o trasunto, surge ya vibrante, desafiador y neto antes de 1915.

Escribe Guillermo de Torre: "Max Jacob, en el prefacio de su originalísimo *Cornet à Dés,* donde se encuentran virtualmente contenidas la mayoría de las ideas teóricas fundamentales del cubismo literario y de su filial derivación, el creacionismo, dice: "Una obra de arte vale por sí misma, y no por las contrastaciones que puedan hacerse de ella con la realidad." Síntesis aforística insuperable del pensamiento que obsesionaba a tantos cerebros jóvenes. Complementariamente, Max Jacob instaura las ideas de *estilo* y *situación*. "Estilo —dice—es la voluntad de exteriorizarse por medios escogidos. El estilo o voluntad crea, es decir, separa; la situación aleja, es decir, excita a la emoción artística. Se conoce que una obra tiene estilo en que da la sensación de lo cerrado. Se conoce que está situada en el ligero impulso que nos da, y también en el margen que le rodea, en la atmósfera especial en que se mueve..."

Para Paul Dermée, el secreto de la renovación "está en crear una obra que viva fuera de sí, de su vida propia, y que esté situada en un cielo especial, como una isla en el horizonte".

Y volvemos ahora a insistir en que el creacionismo no significa crear, sacar de la nada. Posiblemente, el vocablo creacionismo procede del gran filósofo francés Bergson, quien en su obra *Essais sur les données inmediats de la concience* identifica "creación" con "duración real", con la "continuidad indivisa", extendiendo el mismo concepto "a cada uno de los momentos de la vida cuyos artistas somos", y "a cada uno de los estados que al mismo tiempo que brotan de nosotros mismos modifican nuestra persona". Y aún llega más lejos Bergson al sostener que "la vida es invención, como es la actividad consciente, y que, como ella, es creación incesante". Así, pues, el creacionismo, intuición bergsoniana, lleva anejas las ideas de movilidad y de variación.

Huidobro—en la revista *Création*, número 2, París, 1921—explicó: "Inventar es hacer que dos cosas paralelas en el espacio se encuentren en el tiempo, o viceversa, presentando así, en su conjunción, un hecho nuevo. El conjunto de los diversos hechos nuevos, unidos por un mismo espíritu, es lo que constituye la obra creada."

Por su parte, Léonce Rosenberg, el más caracterizado *marchand* y sostenedor del cubismo, lleno de intenciones críticas, había ya afrontado este problema nominal. "Por *crear* —dice—no es preciso entender producir un "aspecto", ya que no le es posible al hombre crear todas las piezas: solo puede organizar los elementos escogidos por él en la realidad exterior, con vistas a la producción de una unidad, cuya vida está subordinada a la duración posible del espíritu que la ha animado." Y complementariamente: "El arte tiene por fin, no reconstruir un aspecto de la *Naturaleza*, sino construir sus equivalentes plásticos, y el hecho de arte así constituido deviene un aspecto creado por el *Espíritu*." Tales palabras, aunque aplicadas a la pintura cubista, pueden ampliar su alusión a toda poesía nueva, ya que entre ambas hay una identidad ideológica. Y nos revelan claramente—termina sutilmente Guillermo de Torre—cómo el quimérico propósito de la "creación pura y total" en la lírica, no obstante su altitud e interés, ha de reducirse, en su aplicación empírica, a la instauración de los equivalentes metafóricos y de las imágenes múltiples que transforman y reconstruyen los primarios e insustituibles elementos objetivos, organizándolos según una nueva ley estética, y exteriorizándolos por medio de expresiones originales. En definitiva, un método lírico, análogo al sistema pictórico de la teoría de los equivalentes—del volumen de la forma y de la perspectiva aérea—, formulado por Waldemar George."

V. TORRE, Guillermo de: *Literaturas europeas de vanguardia*. Madrid, 1925.—APOLLINAIRE, G.: *Méditations esthétiques*. París, 1912.—GÓMEZ DE LA SERNA, R.: *Ismos*. Madrid, Biblioteca Nueva, 1931.—CANSINOS-ASSÉNS, Rafael: *Poetas y prosistas del novecientos*. Madrid, 1919.

CRESTOMATÍA

1. Título de algunas obras literarias.
2. Se denomina así la colección de trozos escogidos de la obra literaria de un autor o de varios autores, de forma que los lectores tengan una idea completa del valor de un escritor, de una época, de un género literario.

Al principio, y conforme con la etimología del vocablo, de χρηστός—útil—y de μαθεῖν —aprender—, crestomatía designaba cualquier obra que tuviera alguna utilidad. Posteriormente, únicamente comprende una antología de fragmentos, de uno o de varios autores, que pueden servir como modelos.

El título fue aplicado por vez primera—siglo IV—por Helladius a un conjunto de trozos literarios griegos muy selectos. Y en el siguiente siglo, por Procopio. Desde el siglo XVI se multiplicaron las crestomatías, estando dedicadas especialmente a los estudiantes.

Son crestomatías famosas: la *Crestomatía patriótica*—Breslau, 1756—y la *Crestomatía griega*, de V. Le Clerc.

CRÉTICO (Verso)

Verso griego y latino. Consta de tres sílabas, largas la primera y tercera, y breve la segunda.

El *crético dímetro* lo empleó Plauto:

Uritur / cor mihi.

El *crético tetrámetro*, de cuatro pies, fue muy frecuente en el teatro latino. Admitía sustituidos el primer pie, el cuarto y, alguna vez, el moloso.

Vos amo, / vos volo, / vos peto at / que obsecro.
(PLAUTO.)

El *crético tetrámetro cataléctico* toma un último pie espondeo o troqueo:

Si cadas, / non cades, / quin cadam / te cum.
(PLAUTO.)

El *crético tetrámetro teliambo* toma un yambo como último pie:

Prandium ux / or mihi / perbonum / dedit.
(PLAUTO.)

V. HERMANN, G.: *De metris graecorum et romanorum.*—QUICHERAT, L.: *Traité de la versification latine.*

CRIPTOGRAFÍA

De κρυπτὸς—oculto—y γράφειν—escribir—. Escritura secreta.

El arte de escribir con caracteres convencionales, ininteligibles para el público, comprendido en los estudios de paleografía.

Desde la más remota antigüedad se utilizó la criptografía, la cual ha recibido estos otros nombres: *criptologia, esteganografia, cifra, poligrafia.*

Sus leyes principales son: 1.ª Sustituir las letras por cifras árabes, dando a cada una de estas un orden o un valor convencionales; 2.ª Sustituir unas letras por otras; 3.ª Sustituir las letras por signos musicales, taquigráficos o algebraicos; 4.ª Sustituir las letras por signos arbitrarios; 5.ª Sustituir las letras de un alfabeto por las de otro; 6.ª Sustituir cada letra por un grupo de dos o más; 7.ª Sustituir las letras por puntos y rayas...

La criptografía se utilizó mucho por los pueblos antiguos para la comunicación de órdenes secretas de guerra, de política, de diplomacia.

En la Edad Media, el sistema criptográfico más usado consistió en la *fuga de vocales,* sustituidas por puntos, hasta cinco, de colocación distinta.

Juan Tritemio, abad de San Jaime, en Wurtzburgo, escribió—a fines del siglo XV—dos tratados magníficos sobre la criptografía: *Libri Polygraphiae VI y Steganographia.*

En España, el primer tratado referente a esta materia fue el de don Cristóbal Rodríguez, *Biblioteca universal de la polygraphia española*—Madrid, 1738.

Leibniz intentó reducir a teoría el descifthe miento de todas las escrituras secretas.

V. CARLET, R. du: *La cryptographie* Toulouse, 1644.—CONRADI: *Cryptographia denudata.* Leyden, 1739.—MASSON: *La cryptographie littéraire.* Toulouse, 1869.—BURRIEL, P.: *Paleografía española.* Madrid, 1758.

CRISIS (Teatral)

La compilación de los resortes teatrales que lleva a una catástrofe.

CRISPÍN

Personaje popular de la antigua comedia italiana. Era la personificación del criado ingenioso y audaz. Vestía de negro. Calzaba botas. Y llevaba un espadín pendiente de su ancho cinturón de piel.

CRISTIANISMO

Religión cristiana. Religión que fundó Jesucristo. ¿Cuál es la esencia del cristianismo? Destruir el reino del demonio y fundar el reino de Dios; reconciliar a los hombres con su Creador, perdonándoles los pecados, haciéndoles hijos adoptivos de Dios y abriéndoles las puertas de la eterna bienaventuranza. El cristianismo es la religión de la sencillez y del amor. El cristianismo se da, pues, como una revelación, pero como una revelación cuyo principal objeto es un hecho histórico: la encarnación y la muerte redentora del Hombre-Dios. Cristo, Hijo Unigénito de Dios, nos reveló al Padre y al Espíritu Santo.

Después de la muerte y la resurrección del Salvador, en el año 33, sus doce apóstoles se reunieron en el Cenáculo con la Santísima Virgen. A eso de las nueve de la mañana del día de Pentecostés "bajó del cielo un ruido como de viento impetuoso..., y los apóstoles vieron aparecer como unas lenguas de fuego, que, separándose de entre sí, se colocaron sobre cada uno de ellos. Y fueron llenos del Espíritu Santo, y se pusieron a hablar varias lenguas, siguiendo el impulso del Espíritu Santo" *(Hechos,* II, 2-4).

El cristianismo se propagó con una rapidez inusitada. En el momento de la Ascensión, los discípulos de Cristo eran ya 600. San Pedro, en su primer sermón, *convirtió a tres mil judíos,* que recibieron el bautismo.

Inmediatamente empezaron las persecuciones contra los cristianos, avivadas por los odios del Sanedrín y de los saduceos. Y los discípulos de Cristo hubieron de separarse para ir a predicar el Evangelio a judíos y gentiles. Santiago el Menor quedó solo a la cabeza de la comunidad de Jerusalén.

San Pedro estableció comunidades de cristianos en Jerusalén, Antioquía y otras ciudades del Asia. Y, por fin, en el año 42 entró en Roma, donde fundó la Iglesia; pero no permaneció mucho tiempo en ella. Entre los años 47 y 51, con los demás cristianos, abandonó la ciudad para regresar al Asia. Es probable que no volviese a Roma hasta el año 63.

Santiago el Mayor evangelizó la Judea y, según cierta tradición, también predicó en España. San Mateo evangelizó la Persia; San Andrés, la Escitia y la Tracia; San Judas Tadeo, Siria, Mesopotamia y Persia; San Simón, la Mesopotamia y la Idumea; Santo Tomás, las Indias orientales; San Felipe, la Alta Asia y la

C

Frigia; San Bernabé, Chipre; San Matías, la Etiopía.

Más certeramente se conocen los viajes y predicaciones del apóstol San Pablo. Entre los años 44-47 ó 46-49, evangelizó Antioquía de Pisidia, Lystra, la parte meridional del Asia Menor, conocida por la *Galacia romana*. En su segundo viaje, realizado entre los años 51-53 ó 53-55, atravesó la Frigia, la Galacia y la Misia, llegando a Troas; después se dirigió a Macedonia, a Filipos—donde fundó una comunidad—, a Tesalónica, a Berea, a Atenas. En el tercer viaje, realizado entre los años 55-58, visitó Efeso, Macedonia, Grecia, Corinto, Jerusalén. En su cuarto viaje, a principios del año 61, llegó a Roma. Según el historiador Eusebio, San Pedro y San Pablo padecieron martirio en el año 67.

Los progresos maravillosos y eficacísimos del cristianismo suscitaron contra él el odio feroz de los paganos, y los fieles tuvieron que sufrir innumerables y violentísimas persecuciones. Esta era de luchas y de padecimientos para el cristianismo duró por espacio de dos siglos y medio, desde el año 64 al 313.

Los historiadores fijan en diez el número de las grandes persecuciones sufridas por el cristianismo. Si se examinan el *carácter* y las *causas* de estas diez persecuciones, pueden quedar divididas en dos series. La *primera serie* comprende las cuatro primeras, y la *segunda serie,* las seis restantes. Desde Nerón a Septimio Severo, la *causa general* de las persecuciones no fue otra que la *hostilidad de los judíos y de los paganos* contra los cristianos. Las causas que determinaron las seis últimas persecuciones tuvieron un *carácter político* y deben atribuirse a la *iniciativa* y a la *hostilidad* de los emperadores.

Las diez persecuciones tuvieron lugar:

1.ª Bajo Nerón, entre los años 64 y 68. Durante esta persecución murieron San Pedro y San Pablo, y sus carceleros, Santos Proceso y Martiniano, que se habían convertido; Basilia y Anastasia, nobles matronas romanas, y otros muchos menos conocidos. Tácito, en sus *Anales*—XV, 44—, afirma *que una multitud enorme* de cristianos fue entregada al sacrificio.

2.ª Bajo Domiciano, entre los años 94 y 96. En ella padecieron martirio el apóstol San Juan, el cónsul Flavio Clemente, primo del emperador; el cónsul Acilio Glabrión.

3.ª Bajo Trajano, entre 114 y 117. Perecieron, entre miles, San Ignacio, obispo de Antioquía; San Clemente I, Papa; San Simeón, obispo de Jerusalén. Aun cuando no dejó de considerar el cristianismo como un delito, Trajano, en su famoso *rescripto,* puso freno a las pasiones populares, prohibiendo a los gobernadores *buscar a los cristianos y aceptar las denuncias anónimas.*

4.ª Bajo Marco Aurelio, entre 177 y 180.

5.ª Bajo Septimio Severo, entre 202 y 211.

6.ª Bajo Maximino el Tracio, entre 235 y 238.

7.ª Bajo Decio, entre 249 y 251. La persecución fue tan terrible, que la Iglesia tuvo que deplorar numerosas defecciones entre *lapsi* —caídos—, *libellatici*—que mediante pago conseguían una certificación falsa de abjuración— y *fugitivos.*

8.ª Bajo Valerio, entre 257 y 260.

9.ª Bajo Aureliano, entre 274 y 275.

10. Bajo Diocleciano y sus sucesores, entre 295 y 313.

Estas diez persecuciones fueron las *organizadas* por los emperadores, y durante las cuales los cristianos murieron a miles; no quiere decir ello que durante otros reinados no hubiera persecuciones, aunque sí que fueron menos violentas.

Constantino, con el *Edicto de Milán*—313—, puso fin a la lucha sangrienta entre los cristianos y los paganos. El *Edicto* concedía la libertad de culto y ordenaba la restitución de los bienes confiscados a los cristianos.

A principios del siglo IV, el cristianismo había penetrado ya por todo el Imperio romano. Con motivo de tal expansión surgieron los ataques de los adversarios y las falsas interpretaciones de los herejes. Varios sofistas e impostores—Simón "el Mago", Apolonio de Tyanna— pretendieron igualar los milagros de la nueva religión. Gran número de herejes—judaizantes, gnósticos, maniqueos, montanistas, unitaristas, milenaristas...—trataron de corromper la pureza de la fe. Pero el cristianismo triunfó de todos estos obstáculos por la constancia de sus mártires y por la elocuencia de sus apologistas y de los padres de la Iglesia, como Lactancio, Tertuliano, San Gregorio Nacianceno, San Basilio, San Juan Crisóstomo, San Atanasio, San Ambrosio, San Jerónimo, San Agustín... Y la fe católica fue solemnemente formulada en el símbolo del Concilio de Nicea —325—. Desde esta época, el cristianismo tuvo tres grandes misiones que cumplir: combatir las herejías, convertir a los infieles y conservar y difundir las luces de la civilización.

Los godos, visigodos, vándalos, suevos borgoñones y lombardos conocieron el cristianismo desde fines del siglo IV. Los francos fueron convertidos—496—en tiempo de Clodoveo. Los irlandeses y anglosajones, a fines del siglo VI; los germanos, en el siglo VIII; los daneses, suecos y rusos abrazaron la fe desde los siglos IX al XV. En Asia, dominada por los mahometanos, brahmanistas y budistas, el cristianismo encontró mayores dificultades para divulgarse.

En el siglo IX—858—, la Iglesia cristiana sufrió un durísimo golpe por el cisma de Focio, que separó la Iglesia griega de la latina.

Las más importantes herejías que el cristianismo tuvo que combatir durante la Edad Media fueron: la del arrianismo y la de los iconoclastas, en el Imperio de Oriente, durante los siglos IV al IX; las de los valdenses y albigenses, en Francia, durante el siglo XII; las de Wicleff, Jerónimo de Praga y Juan Huss, en el siglo XV.

Además, un nuevo cisma, conocido con el nombre de *gran cisma de Occidente,* alteró la paz de la Iglesia por espacio de cuarenta años (1378-1417), oponiendo pontífices a pontífices, los de Aviñón a los de Roma.

Sin embargo, durante la Edad Media la jerarquía católica tuvo su más completo desarrollo. El poder espiritual sostuvo en aquellos tiempos largas y duras luchas con el poder temporal, y por algún tiempo mantuvo su superioridad—en las cuestiones de las *investiduras* y de las *bulas,* principalmente—; pero pronto el poder temporal cometió abusos, que los Concilios de Constanza—1414—y de Basilea —1431—trataron de cortar inútilmente.

También durante la Edad Media dieron un eterno y maravilloso prestigio al cristianismo las órdenes monásticas. Los benedictinos—siglo VI—, los bernardos—1098—, los trapenses —1140—, los maturinos—1199—, los carmelitas —1205—, los franciscanos—1208—, los dominicos—1215—, los celestinos—1244—, los agustinos —1256...

Estas órdenes monásticas ejercieron una inmensa influencia en la civilización, ya enviando sus predicadores a tierras de bárbaros, ya desmontando tierras incultas y cultivándolas con primor, ya levantando monasterios donde se guardaban las más hermosas bibliotecas con todos los conocimientos humanos—que los monjes divulgaban por medio de las copias manuscritas en códices preciosos—y se acumulaban los más preciosos objetos de arte, salvándolos de desaparecer durante las continuas guerras medievales.

El cristianismo, para combatir a los infieles y defenderse de sus ataques, organizó las llamadas órdenes militares: los Hospitalarios o Johanitas, en 1100; los Templarios, en 1118; los Teutones en Judea, en 1190; los Portaespadas, en Livonia, en 1201; los Caballeros de Alcántara, Calatrava, Santiago, Montesa, en España; los de Aviz, en Portugal.

Con el descubrimiento de América el cristianismo extendió su imperio con rapidez vertiginosa. Religiosos de todas las órdenes, y principalmente los jesuitas, difundieron en el nuevo continente las luces de la fe cristiana.

Pero en el siglo XVI, el catolicismo—nombre ya adoptado por el cristianismo—vio elevarse poderosísimas herejías, de las cuales no pudo triunfar. Lutero inició una Reforma que usurpó al imperio pontificio la mitad de las naciones cristianas. Y el protestantismo luterano se escindió en numerosas sectas: zwinglismo, calvinismo, anglicanismo, anabaptismo, puritanismo, presbiterianismo, cuaquerismo, metodismo...

El Concilio de Trento, celebrado entre 1545 y 1564, opuso una resistencia decisiva a la propagación del protestantismo, fijando las normas rigurosamente inviolables del catolicismo (V.).

Actualmente existen dos cultos cristianos:

1. Cristianos que en materia de fe reconocen, además de la autoridad de la Biblia, una autoridad superior:

a) Iglesia latina o de Occidente: católicos romanos o papistas.

b) Iglesia griega ortodoxa: melquistas, bogomiles...

c) Iglesia caldea: nestorianos, griegos unidos, cristianos de Santo Tomás...

d) Iglesia monofisita o eutiquiana: coptos, armenios, jacobitas...

e) Iglesia maronita.

2. Cristianos que no reconocen más autoridad que la de la Biblia: *unitarios o antitrinitarios y trinitarios.*

a) Unitarios: arrianos o socinianos.

b) Trinitarios:

1.º Protestantes: luteranos, zwinglianos, calvinistas o hugonotes, armenios, presbiterianos, puritanos, evangélicos...

2.º Anglicanos o episcopales, no conformistas.

3.º Místicos o entusiastas: anabaptistas, congregacionalistas, moravos, cuáqueros, metodistas, swedenborgianos...

Enemigos de la Iglesia católica, como Renán y Voltaire, reconocieron "que el cristianismo fue el salvador y el conservador celosísimo de la cultura antigua". Y, añadimos nosotros, de la cultura y del arte medievales. La moral del cristianismo ha evitado, y evitará, no pocas catástrofes de índole social y de índole personal.

El cristianismo cuenta en la actualidad con más de 300 millones de católicos.

V. BOULENGER, A.: *Historia de la Iglesia.* Traducción castellana. Barcelona, 1936. (Contiene abundante bibliografía acerca de los orígenes y desarrollo del cristianismo en todas las épocas.)

CRÍTICA (Literaria)

De κρίνειν, juzgar.

1. El arte de juzgar las obras literarias y de discernir sus méritos y sus defectos.

2. Examen luminoso y juicio equitativo de las producciones literarias de la Humanidad.

3. Apreciación del mérito de cualquier obra, y particularmente de las literarias y artísticas, según los principios de la sana razón y del buen gusto.

Reduciéndonos exclusivamente a la crítica literaria, indicaremosos primero las *dotes* que debe reunir el crítico, según los tratadistas más calificados en la materia, y que son: la *vocación,* la *probidad,* el *objetivismo,* la *cultura* y el *gusto estético.*

Pueden señalarse, por el contrario, los defectos que anulan la categoría crítica de un escritor: el *personalismo,* la *oscuridad expresiva,* la *falta de tacto,* la *facilidad a rendirse a una amistad,* el *afán de un desmedido elogio o de una furibunda diatriba,* la *obcecación por ideas e ideales propios.*

La misión de la crítica es triple: *explicar, clasificar y juzgar.*

La *explicación* de una obra puede ser: *descriptiva, bibliográfica o gramatical, filológica o analítica.*

La *clasificación*: *científica, ética y estética.*

El *juicio*: *parcial, total, relativo, definitivo.*

La crítica ha existido desde que apareció la primera obra literaria. Pero la denominación de crítica dada a la ciencia de juzgar acaso se deba al gramático Apolodoro o al geógrafo Eratóstenes. Los cimientos de la crítica universal los echó Aristóteles en su *Poética,* en sus *Didascálicas* y en sus *Problemas.*

Entre los críticos griegos más ilustres figuran: Aristarco, Zoilo y Dionisio de Halicarnaso, Plutarco, Dión Crisóstomo, Aristeo, Luciano...

Entre los latinos: Elio Estilo, Varrón, Horacio, Cicerón, Quintiliano.

La Edad Media carece de críticos, en el sentido estricto de la calificación. Época de panfletos, de diatribas, de ataques anónimos y de sátiras despiadadas, rechaza la ecuanimidad imprescindible para la auténtica y valiosa crítica literaria.

Desde el siglo XVI se multiplican los grandes críticos.

En Francia: Du Bellay, Escalígero, Chapelain, D'Aubignac, Le Moyne, Marmontel, Voltaire, La Harpe, Boileau, el abate Dubosc, Mercier, Guizot, Cousin, Villemain, Renán, Taine, Sainte-Beuve, Brunetière...

En Inglaterra: Hallam, Cornuailles, Burke, Carlyle, Jeffrey, Lamb, Hazlitt, Macaulay...

En Alemania: Opitz, Lessing, Wieland, Herder, Hegel, Goethe, Richter, Schlegel, Farinelli, Lemcke, Wulf, Lang, Keyserling...

En Italia: Boccaccio, Policiano, Sannazaro, Bembo, Pulci, Berni, Molza, Marini, Muratori, Manzoni, Sanctis, Monaci, Croce, Marino...

En España: Palmireno, "El Brocense", Ximénez Patón, "El Pinziano", Cascales, Guerra y Ribera, Feijoo, Forner, Arteaga, Luzán, Berguizas, Estala, Lampillas, Jovellanos, Sánchez Barbero, Leandro F. de Moratín, Hermosilla, Reinoso, Aribáu, Gayangos, Gallardo, Pellicer, Clemencín, Durán, Ixart, Milá y Fontanals, Amador de los Ríos, Revilla, "Clarín", Menéndez y Pelayo, Valera, Rodríguez Marín...

V. MENÉNDEZ Y PELAYO, M.: *Historia de las ideas estéticas.*

CRITICISMO

Nombre dado al sistema filosófico de Kant acerca de nuestras facultades cognoscitivas. El criticismo niega todo valor real y objetivo a nuestras ideas, concediendo únicamente al entendimiento y demás facultades cognoscitivas el conocimiento de las apariencias o fenómenos. Según lo cual, los juicios formados por los hombres acerca de las cosas no expresan lo que son en sí mismas, sino lo que nosotros pensamos obligatoriamente de ellas.

El criticismo no es un sistema absolutamente insospechado hasta Kant. En la filosofía hindú era considerado *como ilusión* cuanto aparecía distinto de Brahma. Protágoras de Abdera afirmó "que el hombre es la medida de las cosas". Locke negó el valor objetivo de la idea de sustancia. Hume negó el contenido real de casi todos nuestros conocimientos. Berkerley afirma que el mundo que percibimos con nuestros sentidos es pura ilusión. Tales consideraciones entran, sin género de duda, en el ámbito absurdo del criticismo.

Crítica significa examen de una cosa desde el punto de vista de su valor. La crítica del conocimiento tiene por objeto determinar, por medio de análisis psicológicos, si el conocimiento es posible, en qué condiciones y dentro de qué límites. La crítica de la razón pura es, pues, el examen del valor de la razón, considerada "en su uso especulativo, que tiene por objeto la verdad". La crítica de la razón práctica consiste "en hallar el valor de la razón, considerada como directriz de la acción y teniendo por objeto la moral".

El uso de la palabra crítica en filosofía fue introducido por Kant. Se llama, pues, *Criticismo* la filosofía de Kant. El criticismo consiste fundamentalmente en admitir que hay *un uso legítimo de los conceptos y principios del entendimiento puro,* que consiste en pensar sometiéndose a normas espirituales, y *un uso ilegítimo,* que consiste en dar a los conceptos valor objetivo propio, y a los principios, calidad de verdades objetivas.

Fue Manuel Kant una de las mentalidades más prodigiosas de todas las épocas. Nació —1724—y murió—1804—en Koenigsberg. Hijo de un humilde guarnicionero. Gracias a un tío suyo, zapatero acomodado, pudo terminar sus estudios en la Universidad de su ciudad natal. Desempeñó el cargo de preceptor durante algunos años en distintas ciudades alemanas. Cuando regresó a Koenigsberg, ya no salió de ella, dedicándose enteramente a la enseñanza y al estudio de las Matemáticas y de la filosofía. La historia de su vida no es otra que la historia de sus ideas y de sus obras. No salía de su gabinete de trabajo sino para explicar en su cátedra y dar cada día, cronométricamente, el mismo paseo. La influencia que ejerció con su enseñanza y con sus escritos fue inmensa, y se deja sentir aún con la misma fuerza.

Voluntad férrea, talento genial, Kant ha merecido ser contado entre los más geniales filósofos. Su filosofía se apartó por igual del dogmatismo de Wolf que del escepticismo de Hume. Kant no fue solo un filósofo tan profundo como original, sino también un sabio de gran sagacidad, que ha derramado luces muy vivas sobre cuantas materias ha tratado. Para Kant, "la *razón pura* es la facultad de conocer según los principios *a priori*. La discusión de la *posibilidad* de estos principios y la demarcación de esta facultad constituyen la *crítica de la razón pura*". Para Kant, el hombre no conoce las obras en *sí*, sino "tales como se le aparecen según los principios de su organización, como ser que siente y que piensa".

Las obras de Kant están traducidas en todos los idiomas, y han sido comentadas en libros y monografías que suman varios millares.

¿Cuáles son las obras más importantes de Kant? *El único argumento posible para una demostración de la existencia de Dios*—1763—, *De mundi sensibilis atque intelligibilis causa et principiis*—1770—, *Crítica de la razón pura* —1781—, *Prolegómenos a toda metafísica futura que quiera presentarse como ciencia* —1783—, *Fundamentación de la metafísica de las costumbres*—1785—, *Crítica de la razón práctica*—1788—, *Crítica del juicio*—1790—, *Antropología, Lecciones de Lógica* y numerosos ensayos de extraordinario interés, publicados póstumamente con el título *Kants Opus postumum.*

Julián Marías señala las fuentes del criticismo: "El origen principal del kantismo está en la filosofía cartesiana y, como consecuencia, en el racionalismo, hasta Leibniz y Wolff. Por otra parte, dice Kant que la crítica de Hume le despertó de su sueño dogmático. (Ya veremos lo que quiere decir este adjetivo.) En Descartes, la *res cogitans* y la *res extensa* tienen algo de común: el *ser*. Este ser, fundado en Dios, es el que hace que haya unidad entre las dos *res* y que sea posible el conocimiento."

"En Parménides, que es el comienzo de la metafísica, el ser es una cualidad *real* de las cosas, algo que está en *ellas*, como puede estar el color, aunque de un modo previo a toda posible cualidad. Las cosas de Parménides son, en definitiva, *reales*. En el idealismo el caso es distinto. El ser no es real, sino *trascendental*. Inmanente es lo que permanece en, *immanet, manet in*. Trascendente es lo que excede o trasciende de algo. Trascendental no es ni trascendente ni inmanente. La mesa tiene la cualidad de ser, pero todas sus demás cualidades también son; el ser las penetra y envuelve todas, y no se confunde con ninguna. Las cosas todas están en el ser, y por esto sirve de puente entre ellas. *Esto es el ser trascendental.*"

En realidad, no prentendió Kant establecer un nuevo sistema filosófico. Su labor no fue dogmática, sino crítica, y se encaminó a determinar los límites del ejercicio legítimo de la razón. Kant no consideró lícito penetrar en la investigación de lo absoluto incondicionado con la razón pura teórica. Kant no negó la existencia de Dios, del alma, de la vida ultraterrena. Quiso demostrar únicamente que el conocimiento de tales conceptos está más allá de los límites permitidos a la razón pura como facultad de conocer por principios *a priori*. Síguese de aquí que existen dos clases de conocimientos: los experimentales o *a posteriori*, y los racionales o *a priori*. En ciertos juicios el sujeto contiene el atributo: *el ser infinitamente perfecto es bueno;* por ello no cabe ya sino desarrollar una noción sin añadir idea nueva alguna. Y se comprende que tal desarrollo no amplía el campo de nuestros conocimientos.

A estos juicios los llama Kant *analíticos*. Pero existen otros en los cuales están separados sujeto y atributo: *Todo fenómeno tiene principio o causa*. Aquí, como la idea de principio no se halla en la de fenómeno, se desarrollan nuevos conocimientos al tratar de relacionarlas.

Los juicios analíticos, según Kant, son conocimientos *a priori*, ya que no hay que recurrir a la experiencia para demostrar la relación existente entre los términos de que constan.

De los juicios sintéticos, unos son *a posteriori* y otros son *a priori*. Por ejemplo, si decimos: *todos los cuerpos son graves,* el juicio es *a posteriori*, ya que la noción de gravedad no está necesariamente comprendida en la de cuerpo, y si se la atribuimos es después de mucho observar y de mucho experimentar. Pero si decimos: *todo fenómeno tiene un principio o causa,* el juicio sintético es *a priori*, ya que la experiencia no nos da sino un hecho particular y la proposición encierra una verdad general y absoluta.

Kant distingue dos elementos *en el conocer* y tres modos en *el saber*.

Los elementos en el conocer son: *lo dado* al individuo—un caos de sensaciones—y *lo puesto* por el individuo—la espaciotemporalidad, las categorías—. De la unión de los dos elementos surge el *fenómeno o cosa conocida.*

Los tres modos del saber son: la *sensibilidad,* el *entendimiento discursivo* y la *razón*.

¿Cómo concebimos la posibilidad de los juicios sintéticos *a priori?*

"Las sensaciones producen en el alma una representación de los objetos, que se denomina *intuición*. La intuición del alma para este efecto es *la receptividad*. Distínguese la materia y la forma. Los elementos que suministra la experiencia son la *materia*: todos están subordinados a las nociones de *tiempo y espacio;* porque no dejarían ambos de subsistir, aunque

C

supusiéramos anonadados los objetos de las sensaciones. Esas nociones *a priori* son, pues, las formas de la receptividad. Esta no basta para producir las ideas. Por ejemplo: cuando veo una casa recibo multitud de impresiones correspondientes a las diversas partes del objeto percibido; pero no adquiero la idea de *casa* mientras el alma no reúne esas impresiones en la unidad de la conciencia. La formación de ideas supone, por consiguiente, además de la receptividad de todo punto pasiva, una intervención activa del entendimiento, que denominaremos *espontaneidad*. Este es el primer paso hacia la adquisición de nuestros conocimientos. Después de reunidas las intuiciones para formar las ideas, el entendimiento reduce a la unidad estas mismas ideas para llegar a los juicios. Las ideas son la materia de estos; tienen también sus formas, que los constituyen, aplicándose a la materia."

Pero el entendimiento, a semejanza de la sensibilidad, tiene también sus formas *a priori,* con las cuales capta, analiza y entiende las cosas; estas formas son las *categorías*.

Según Aristóteles, las categorías estaban en el ser como modos o flexiones, y a ellas *se adaptaba la mente*. Según Kant, por el contrario, la mente lleva ya sus categorías, y son las cosas las que se conforman a ella.

Según Kant, la clasificación lógica de los juicios queda establecida en relación con la *cantidad,* la *cualidad,* la *relación* y la *modalidad*. Así:

Cantidad	Universales. Particulares. Singulares.
Cualidad	Afirmativos. Negativos. Infinitos.
Relación	Categóricos. Hipotéticos. Disyuntivos.
Modalidad	Problemáticos. Asertivos. Apodícticos.

Estos juicios—otros tantos modos de síntesis—dan origen a las categorías o *conceptos puros del entendimiento:*

Cantidad	Unidad. Pluralidad. Universalidad.
Cualidad	Realidad. Negación. Limitación.
Relación	Sustancia y accidente. Causalidad y dependencia. Comunidad; acción y reacción.
Modalidad	Posibilidad, imposibilidad. Existencia, no-existencia. Necesidad, contingencia.

Estrechísima es la relación entre las clases de juicios con las categorías. Estas son relaciones de los objetos, correspondientes a las de los juicios. Todos los juicios reciben estas formas, así como las sensaciones las de tiempo y espacio. No las suministra la experiencia, debiendo reputárselas leyes y formas del entendimiento. Y si este, por medio de las formas, tiempo y espacio, da unidad a las intuiciones, la comunica también a los juicios valiéndose de las categorías propuestas.

Conviene tener muy en cuenta que los conocimientos implican otra unidad ulterior: la del juicio. ¿Qué es lo que origina esta unidad de juicio? El *raciocinio*. Pero el raciocinio es consecuencia de una facultad denominada razón. *La razón logra la unidad de los juicios, mientras el entendimiento únicamente logra la formación de ideas y de juicios.*

Conteniendo las premisas la condición particular de la conclusión, lógicamente se desprende que, en el raciocinio, esta depende de aquellas; por ello, si las premisas contienen condiciones particulares, no son en realidad más que conclusiones, cuyas premisas habrá que buscar necesariamente hasta que se obtenga la totalidad de las condiciones, esto es, la condición absoluta. Esta condición absoluta es la que debe inquirir la razón, ya que la razón debe establecer la mayor unidad posible en los juicios.

Las formas del raciocinio son tres: *categórica, hipotética y disyuntiva*. De estas tres formas se sigue que existen tres ideas capaces de establecer para cada forma de raciocinio la condición absoluta de la unidad.

El raciocinio es categórico cuando el entendimiento suministra a la razón juicios en los cuales el atributo se reputa contenido en el sujeto. La obligación, aquí, de la razón es buscar la idea de un sujeto que no resida en otro alguno. Esta idea es la de *sustancia*.

El raciocinio es hipotético cuando el atributo está unido al sujeto en virtud de una *suposición* particular. La razón ha de buscar entonces una hipótesis absoluta; pero como esta hipótesis absoluta no puede dimanar de ningún fenómeno particular, dicho se está que dimanará de la totalidad absoluta de los fenómenos, es decir, de la idea de la serie completa de hechos que constituyen el universo.

El raciocinio es disyuntivo cuando se refiere a juicios en los que el predicado se une al sujeto como la parte al todo. Pero un todo puede ser parte de otro todo, y así sucesivamente hasta llegar a un todo absoluto que consienta practicar una división completa y absoluta de todas sus partes. La razón, para verificarlo así, ha de descubrir la idea de un ser que contenga todas las existencias, esto es: la idea del *Ser Supremo*.

El criticismo dictamina que la experiencia *es impotente* para dar origen a ninguna de esas tres ideas capitales de que depende la unidad de los juicios, objeto de la razón. Como no llega sino a los fenómenos, se le escapa la idea ontológica de sustancia. Por muchos fenómenos que pueda observar, tampoco puede llegar a la observación de la totalidad de los fenómenos, que es la vida cosmológica. Y como únicamente son sus objetos las existencias particulares, ignora la idea teológica del ser que contiene todas las existencias.

Son, pues, nociones *a priori* aquellas de que se vale la razón para formar la unidad de sus juicios; como *a priori* son de las que se vale el entendimiento para conseguirla en las ideas. Y esta razón, considerada en sus formas—que son las nociones *a priori*—, es la llamada por Kant *razón pura*. Y así, los conocimientos humanos constan de dos elementos: *empírico* o *a posteriori*, y *a priori*, que procede de la inteligencia. Las intuiciones de la sensibilidad jamás se convertirían en ideas si la inteligencia no las aplicase sus formas. Pero sin dichas intuiciones, las formas de la razón igualmente permanecerían ociosas.

Y añade un filósofo: "Las nociones de la razón pura carecen de realidad objetiva, o, al menos, no estamos nosotros en estado de atribuírsela; porque la razón no obra en las intuiciones, que son el aspecto inmediato de los objetos, sino en las formas de los juicios que el entendimiento ha producido. Hacemos, pues, uso ilegítimo de la razón, cuando, atribuyendo a esas nociones realidad objetiva, pretendemos que nos sirvan para conocer existencias que no están contenidas en la esfera del mundo sensible. Es esto querer salvar los límites de los conocimientos humanos, que son los de la experiencia misma."

"También abusamos de las leyes del entendimiento cuando, en lugar de valernos de las nociones de la razón para sistematizar nuestros juicios, queremos aplicarlas inmediatamente a los datos suministrados por la experiencia. Este abuso da origen a las *antinomias*, esto es, *a las series de juicios que van a parar a resultados contradictorios;* lo que nos da a conocer cuán vana es la tentativa de que traen principio. Las que denominamos leyes de la Naturaleza son, en realidad, las *leyes de nuestra inteligencia,* que las impone a la Naturaleza; o, en otros términos, *el orden que atribuimos a las cosas no es, en realidad, más que el de nuestras percepciones,* determinado por las formas constitutivas de la inteligencia."

"No podemos entrar en el detalle de esta crítica—opina con su normal maestría Julián Marías—, porque nos llevaría demasiado lejos. Solo interesa indicar el fundamento de la crítica kantiana del argumento ontológico, porque es la clave de toda su filosofía. Kant muestra que el argumento procedente de San Anselmo se fundaba en una idea del ser que él rechaza: la idea del ser como *predicado real*. Esto es más cierto de la forma cartesiana de la prueba. Se entiende que la existencia es una *perfección* que no puede faltarle al ente perfectísimo. Es decir, se interpreta la existencia como algo que está *en la cosa*. Pues bien: Kant afirma que el ser no es un predicado real: *Sein ist kein reales Prädikat*. La cosa existente no contiene nada más que la cosa pensada; si no fuera así, ese concepto no sería de ella. Cien escudos reales—dice Kant en su ejemplo famoso—no tiene nada que no contengan cien escudos posibles o cien escudos reales. Sin embargo, añade, no me es igual tener cien escudos posibles o cien escudos reales; ¿en qué consiste la diferencia? Los escudos efectivos están en conexión con la sensación; están aquí, como las demás cosas, en la totalidad de la experiencia. Es decir, la existencia no es una propiedad de las cosas, sino la relación de ellas con los demás, la posición *positiva* del objeto. El ser no es un predicado real, sino *trascendental*. La metafísica del siglo XVII lo tomaba como real, y por eso admitía la prueba ontológica; este es el sentido del calificativo que le aplica Kant: *dogmatismo*, ignorancia del ser como trascendental."

Para Balmes—en su *Filosofía fundamental*—, la ideología de Kant se reduce a los puntos siguientes:

1.° El origen de todos nuestros conocimientos está en los sentidos. El espacio es la forma, la condición de las intuiciones sensibles externas. El tiempo es la forma de la intuición externa.

2.° A más de la facultad sensitiva, hay la conceptiva, o el entendimiento.

3.° Las intuiciones sensibles, por sí solas, no engendran conocimiento; son ciegas.

4.° Las intuiciones sensibles son materia de conocimiento en cuanto se someten a conceptos o a la actividad intelectual.

5.° El conocimiento humano no es intuitivo, sino discursivo.

Conociendo Kant que su sistema destruía la religión—pues que en el ámbito de la experiencia fallan las ideas de Dios, de la inmortalidad y todas las que de estas se derivan—, distinguió en el hombre otra razón, que llamó *práctica*, y que suple la incapacidad de la *razón pura* para dar base sólida a las creencias.

Si la razón especulativa se propone resolver este problema: *¿qué podemos saber?;* la razón práctica pretende dar solución a este otro: *¿cómo debemos obrar?* Si de la razón teórica se deducen las leyes de la Naturaleza, de la razón práctica se deducen las de la libertad.

Para resolver su gran problema, la razón

práctica busca los principios que determinan la *voluntad,* encontrando también en esta los dos elementos: *material y formal.*

El elemento material comprende todos los motivos de la sensibilidad y todos los estímulos del placer. El elemento formal se compone de todos los motivos desinteresados, relativos, no a la sensibilidad, sino a la razón pura. Aquellos no comprenden lo universal y lo necesario; estos enseñan el *principio absoluto* de las determinaciones, traducido en esta regla: *Obra conforme a una máxima que pueda ser considerada como ley general.* A esto llama Kant *imperativo categórico.*

La razón práctica es llamada por Kant *voluntad.* ¿Cuál es el valor de la voluntad? Nada hay bueno sin restricción, a no ser una *buena voluntad.* Por buena voluntad no hay que entender el *nuevo deseo,* sino *la interior disposición que conduce a la acción.* Si en el mundo de la Naturaleza hallamos el *yo empírico,* determinado por leyes psicofísicas, en el mundo de la libertad—en el que se mueve la razón práctica—aparece el *yo puro,* determinado por las leyes de la libertad. Y en el mundo de la libertad encontramos el hecho de la *moralidad.* El yo puro tiene conciencia del deber, siente el hecho de la moralidad. Y este hecho y aquel deber suponen, postulan la libertad del yo puro.

El principio absoluto—el imperativo categórico—de la razón práctica está unido a tres principios teóricos o postulados, sin los cuales no cabe concebirlo: *libertad, inmortalidad del alma y existencia de Dios.*

El hecho de la moralidad—evidente en sí mismo—es algo que se nos impone. *Debemos* someternos a él. Mas, si debemos, *podemos.* Tenemos, pues, que ser libres. La libertad no puede ser demostrada *teóricamente,* pero sí ser postulada *prácticamente.*

En el orden moral, la perfección o imperfección exigen premio o castigo. Y como ambas no se dan en la vida presente, hay que admitir *otra vida* en la que se cumplan. Por ello, el alma es inmortal. Kant afirma que la inmortalidad del alma únicamente puede admitirse a título de postulado, exigido por el hecho de la moralidad y con validez solo en la razón práctica.

Libertad e inmortalidad nos llevan a un tercer postulado: la existencia de Dios, un Dios justiciero repartidor de premios y de castigos.

Y Kant insiste: libertad, inmortalidad y existencia de Dios no son objetos de conocimiento teórico, sino postulados de la razón práctica. No hay, pues, en esta ni una demostración ni un conocimiento de Dios. *Postular no es conocer.*

"La tercera parte de la filosofía de Kant —escribe Angel González Alvarez—es la estética. Kant trata de ella en la *Crítica del juicio.* Al lado de los juicios teóricos y de los prácticos, existen los juicios de finalidad, que se refieren a las obras de arte y a los organismos vivos. Kant examina las condiciones de validez de los juicios de finalidad en ambas dimensiones. En lo referente a los organismos, nuestra mente combina la idea de la finalidad con la de la causa eficiente, prestando así la Naturaleza el fundamento de su valor de necesidad y universalidad. Por el contrario, los juicios estéticos tienen fundamentos subjetivos. La impresión de belleza es producto de la armonía de nuestras facultades cognoscitivas. El sujeto se satisface en el placer desinteresado. De aquí la conocida definición kantiana de lo bello como *finalidad sin fin.*"

Lo bello es la conciencia que tenemos de poder referir la variedad que la imaginación nos ofrece a una idea del entendimiento. Es el sentimiento de la concordancia que existe entre estas dos facultades.

Lo sublime, por el contrario, consiste en la conciencia que tenemos de la imposibilidad de alcanzar con la imaginación las ideas que la razón nos presenta (V. Kantismo).

V. BARNI, J.: *Kant.* En el "Dic. Philos. de Franck", 1875.—STÜCKENBERG: *The Life of Kant.* Londres, 1882.—VORLANDER, K.: *Kant. Des Mann und die Werk. Leipzig,* 1924.—MENZER, P.: *Kant.* 1912.—CASSIRER: *Kants Leben und Lehre.* Berlín, 1921, 6.ª ed.—KÜLPE: *I. Kant.* Leipzig, 1908.—SIMMEL, G.: *Kant.* Leipzig, 1904.—MARÍAS, Julián: *Historia de la Filosofía.* Madrid, 1943, 2.ª edición.—GONZÁLEZ ALVAREZ, A.: *Historia de la Filosofía.* Madrid, s. a. (¿1946?).

CROATA (Lengua y literatura)

La lengua croata es uno de los dialectos ilíricos o ilirianos y pertenece a la familia de las lenguas eslavas. Se habla en Croacia y Eslavonia—hoy pertenecientes a Yugoslavia.

Participa ampliamente de las características de la lengua servia y en una menor amplitud de las de la lengua cárnica. Su alfabeto es el latino, con la adición de signos diacríticos necesarios para la figuración de sus particularidades.

La literatura croata es muy pobre. Entre sus autores sobresalen: Buchich—siglo XVI—, poeta y gran propulsor del idioma; Vitezovich, autor de una crónica y de varias obras pedagógicas; Mianovich—siglo XIX—, gran filólogo y poeta; Iván Kukaljevic—siglo XIX—, autor del drama *Juran y Sofía.*

Existe un *Vocabularium croatico-germanicum* —Buda, 1821—y una *Gramática croata,* de Kristianovich, Agram, 1837.

CRÓNICA

Historia detallada de un país, de una época, de un año, de un hombre, escrita por un testigo ocular o por un contemporáneo que ha registrado, sin comentarios, todos los pormenores que ha visto o que le han sido transmitidos.

La crónica se distingue de la historia en que en aquella falta la crítica. La crónica, además, sigue un orden cronológico para sus recuerdos. Generalmente, las crónicas suelen contraerse a los hechos de la historia política. No debe confundirse la crónica con las *historias particulares* —que suelen estar escritas por autores contemporáneos—, los *anales*—que se refieren a toda clase de sucesos—y las *memorias*—confesiones de particulares, que afectan en poco o en mucho a la historia.

La palabra crónica o cronicón empezó a usarse en los primeros siglos de nuestra Era. Sexto Juliano Africano, Eusebio, Penodoro y Amiano —siglos III al V—escribieron las crónicas que conocemos por su nombre: *Cronicon paschale.*

En todos los pueblos de Europa, entre las centurias V y XV, cierto número de escritores, monjes en su mayoría, escribieron en latín y en lenguas vulgares crónicas de diferentes géneros, que han prestado un servicio inapreciable para redactar la historia de las naciones.

España cuenta con un número considerable de excelentes crónicas: la *General de España,* de Alfonso X; las de Carbonell—1546—, Garibay —1534—, Benter—1546—, Ocampo y Morales —1554—, López de Ayala—1495—, Pérez de Guzmán—1517—, Salazar—1552—, la del *Rey Alfonso XI*—1514—, la del *Conde Fernán González*—1545—, la de *Don Alvaro de Luna* —1546—, la del *Rey Don Rodrigo*—1511.

Y, anteriores, las de Idacio, San Isidoro de Sevilla, Isidoro Pacense, Melito, Pelayo, "El Tudense", Sampiro, Jiménez de Rada, monje de Albelda.

V. FLÓREZ, P. Enrique: *España Sagrada.*— ANTONIO, Nicolás: *Bibliotheca hispana.*

CRONICÓN

Breve narración histórica ajustada a un orden cronológico.

Fue una manifestación medieval de la historiografía española.

En el cronicón, en forma seca y escueta, se apuntaban sucesos y fechas.

Entre los principales cronicones *latinos* están: *Cronicón del Pacense,* que abarca desde el año 611 al 754; el *Cronicón de Alfonso III* (672-866), obra de este monarca, atribuida a Sebastián, obispo de Salamanca; *Cronicón de Sampiro,* obispo de Astorga, continuación del anterior (866-982); *Cronicón de San Isidoro de León* o *Anales castellanos primeros* (618-939); *Cronicón Albeldense o Emilianense,* escrito por un monje de Albelda, llamado Vigilano, hacia el año 976, y que abarca desde Rómulo—año 38 de Roma— hasta el año 976; *Cronicón del Silense,* que abarca desde Pelayo hasta Fernando I (718-1054); *Cronicón Complutense* (281-1065); *Cronicón de don Pelayo,* obispo de Oviedo (982-1109); *Anales Complutenses o Castellanos segundos* (1-1126); *Cronicón Compostelano* (362-1126); *Historia Compostelana; Cronicón Lusitano* (311-1222); *Anales Compostelanos* (1-1248); *Cronicón Burgense* (1-1250); *Cronicón del Cerratense,* obra de Rodrigo Cerratense, que vivió en el siglo XIII; *Cronicón Barcinonense* (985-1308); *Cronicón Conimbricense* (281-1404).

Entre los cronicones *castellanos* están: los de *Cardeña* (856 a 1327 y 791 a 842); los tres *Anales Toledanos;* el *Cronicón de Lucas de Túy,* muerto en 1249; el *Cronicón de don Rodrigo Jiménez de Rada,* llamado *Historia Gothica* o *De rebus Hispaniae.*

CRONISTA

1. Nombre dado al que escribe los anales de la vida y de las hazañas de los reyes.

En España alcanzó un gran prestigio el título de cronista a partir del siglo XIV. En este siglo se atribuye a Sancho de Tobar la paternidad de la *Crónica de los tres reyes.* Posiblemente, fue Enrique IV de Castilla el primer monarca que concedió públicamente un título de cronista real a favor de don Diego Enríquez del Castillo. Con posterioridad también tuvieron sus cronistas algunos grandes señores, como don Alvaro de Luna.

Cronistas famosos de reyes fueron: Juan Rodríguez de Cuenca—*Sumario de los reyes de España*—; Alfonso de Palencia—*Crónica de Enrique IV*—; Diego Enríquez del Castillo—*Crónica del rey don Enrique IV de este nombre*—; Mosén Diego de Valera—*Crónica de los Reyes Católicos*—; Hernando del Pulgar—*Crónica de los señores Reyes Católicos don Fernando y doña Isabel*—; Andrés Bernáldez—*Historia de los Reyes Católicos don Fernando y doña Isabel*—; Alonso Flores—*Crónica de los Reyes Católicos*—; los cronistas generales: Ocampo, Zurita, Morales, Vaseo, Garibay y Mariana; los de Carlos I: Alonso de Santa Cruz, Pero Mexía, Juan Ginés de Sepúlveda, Francesillo de Zúñiga, fray Prudencio de Sandoval; los de Felipe II: Calvete de Estrella, Juan Ginés de Sepúlveda, Luis Cabrera de Córdoba, Antonio de Herrera.

También hubo cronistas *de Indias*—Colón, Cortés, Oviedo, Las Casas, López de Gomara, Díaz del Castillo, Herrera—; *de sucesos particulares*—Pedro de Alcocer, Luis del Mármol, Avila y Zúñiga, Carlos Coloma, Bernardino de Mendoza.

Los cronistas reales desaparecieron en el siglo XVIII. En la actualidad, las Diputaciones Provinciales y los Ayuntamientos suelen nombrar *cronistas oficiales* de la provincia y de la ciudad, respectivamente.

2. Se llama también cronista al escritor que en diarios y revistas comenta o interpreta sucesos o cosas, utilizando únicamente su cultura y sus propias fuentes de conocimiento para la redacción de sus artículos, en los que, general-

mente, se delatan la agudeza, la experiencia, el estilo del cronista.

En la Prensa moderna de todo el mundo suelen ser los cronistas quienes dan la *tónica,* el *estilo,* el *ideario* de cada publicación.

CRONOGRAFÍA (V. Figuras de pensamiento)

1. De χρόνος, tiempo, y γράφω, describir. Figura de pensamiento que consiste en la descripción de un *momento del tiempo* por la relación que guarda con el sujeto que lo ha vivido.

2. Descripción en que se mencionan todas las circunstancias propias para caracterizar la época a que pertenecen el personaje, el objeto y el hecho que interesan.

CRONOGRAMA

De χρὸνος, tiempo y γράμμα, letra.

Inscripción cuyas letras iniciales señalan la fecha del suceso a que se refiere.

Inscripción en prosa o en verso que marca la fecha de un acontecimiento por el valor numérico de las letras capitales indicadas como cifras romanas. Cuando el monograma se compone de un hexámetro y de un pentámetro, toma el nombre de *cronodístico.*

El cronograma es una de las más sutiles bagatelas literarias de la Edad Media, que nuevamente se practicó en el siglo XVIII. Se dice que ya lo conocieron los griegos.

CRONOLOGÍA

De χρὸνος, tiempo, y λὸγος, tratado.

1. Conocimiento del tiempo en que han ocurrido los hechos.

2. Ciencia que tiene por objeto señalar el orden y fecha de los sucesos históricos.

La cronología puede ser *pura* y *aplicada.* La primera se basa en principios astronómicos. La segunda se refiere a lo histórico.

Bacon llamó a la cronología y a la geografía "los ojos de la Historia".

La cronología pura se atiene al año, al mes, al día y a la hora. La aplicada, a la semana, al ciclo o período, a la era, a la edad, a la época.

CRUSCA (Academia de la)

La más célebre de las Sociedades de escritores de Italia, establecida en Florencia. Su creación data del siglo XVI, época de oro de las Academias italianas. Tardó cuarenta años en constituirse y en precisar el objeto de sus estudios y el método de sus trabajos. Sus reglamentos fueron aprobados en 1587. La docta corporación tomó como emblema un tamiz con esta divisa: *Il più bel fior ne coglie—En la cosecha, la más bella flor—.* Su objeto fue el perfeccionamiento de la lengua toscana. Todos sus miembros—en número de cincuenta—tomaron nombres relativos a los oficios de molinero y panadero. Canigiani se llamó *Gramolato—Amasado—*; Deti, *Sollo—Esponjoso—*; Zanchini, *Macerato;* Derossi, *Inferigno—Pan moreno—*; Salviati, *Infarinato...*

Napoleón—en 1811—reconstituyó esta Academia con nuevo reglamento. Se debe a la Academia de la Crusca el primer *Diccionario* crítico de la lengua italiana, como también el primer trabajo lexicográfico de importancia de las lenguas modernas.

V. ALGAROTTI: *Lettere in torno all' origine dell' Academia della Crusca.*

CRUZADAS (Ciclo de las) (V. Ciclos épicos)

CUADERNA VÍA

Cuarteto de versos alejandrinos rimados entre sí con una misma consonancia.

Su origen es latino eclesiástico; aun cuando no faltan los críticos que la creen provenzal (Menéndez y Pelayo y Menéndez Pidal, entre nosotros). En España apareció con el *Libro de Apolonio.* Berceo la utilizó con extraordinaria maestría.

> Yo, maestro Gonzalvo de Berceo, nomnado,
> yendo en romería caecí en un prado
> verde e bien sencido, de flores bien poblado,
> logar cobdiciadero para omne cansado.
>
> (BERCEO.)

En España se llamó a la *Cuaderna via Mester de clerecía.*

V. SAINZ DE ROBLES, F. C.: *Historia y antología de la poesía castellana.* Madrid, Aguilar, 1945.

CUADRIVIO

Durante la Edad Media se conoció con este nombre el estudio de las cuatro disciplinas siguientes: Aritmética, Geometría, Astronomía y Música.

CUADRO (Teatral)

Cierta subdivisión que algunos autores han introducido en los actos de sus obras dramáticas, generalmente para dar a los espectadores la noción del transcurso del tiempo o del cambio del lugar, haciendo así más viva, intensa y duradera la acción del argumento.

CUAQUERISMO

Doctrina de una secta religiosa aparecida en Inglaterra en el siglo XVII. Sus adeptos se llamaron *cuáqueros,* del inglés *to quake* = temblar, porque cuando se creían inspirados *temblaban.*

El cuaquerismo fue fundado por el zapatero escocés Jorge Fox, hijo de un tejedor. Su padre quiso dedicarle a la Iglesia, pero Jorge, habiéndose resistido, tuvo que aprender el oficio de zapatero. Pero su vocación al estudio de la religión era decidida, y hurtando ratos a su trabajo manual dedicó grandes entusiasmos a la lectura de la Biblia. En 1646, a los veintidós años de edad, abandonó a los suyos y su oficio y marchó a recorrer el país, vestido de cuero, como alma en pena: En 1647 empezó a predicar al pueblo, aconsejándole que recibiese de todo corazón las enseñanzas divinas y las tomase por norma de su conducta. En 1648 creyó haber tenido esta revelación: "El Señor le enviaba a predicar, prohibiéndole al mismo tiempo que se descubriese por respeto a nadie, chico ni grande, y mandándole tutear a todo el mundo, pobres y ricos, y que en sus viajes no diese nunca los buenos días o las buenas noches a nadie, ni hiciese nunca una inclinación ante alguno en señal de reverencia." En 1649 fundó la *Sociedad de los Amigos.* Inmediatamente empezaron las persecuciones contra el cuaquerismo. Nueve veces estuvo encarcelado Jorge Fox en terribles cárceles. Y en 1662 eran 2.200 los cuáqueros que se encontraban en calabozos ingleses.

El cuaquerismo consideró la inspiración directa de Dios como única fuente de fe y como privilegio asequible a todos los cristianos. No aceptó ni ios sacramentos ni el sacerdocio. Condenó el juramento, el lujo y las diversiones. Creyó en el misterio de la Trinidad con los católicos, coincidiendo en la exposición del mismo. Interpretó la Escritura recurriendo a sentidos anagógicos o místicos. Rechazó los templos y las capillas. Admitió la necesidad de las buenas obras para alcanzar la santificación y el verdadero mérito en las obras buenas de los que ya han sido regenerados.

Los cuáqueros se reunían en estancias desnudas, en las cuales nada podía avivar la piedad ni el sentimiento de la presencia divina. Se sentaban en duros bancos, sin respaldo, colocados frente a frente. A veces, durante más de una hora, permanecían callados, con las cabezas bajas. De pronto oíanse sollozos, gemidos. Algunos cuerpos empezaban a temblar convulsivamente... ¡El espíritu del Señor se hacía presente en la voz de alguno o de algunos de los presentes! Los demás escuchaban con el más profundo respeto.

El porte exterior de los cuáqueros era reflejo de la austeridad de sus costumbres. Los hombres y las mujeres vestían uniforme. Los hombres llevaban un traje sin botones y un sombrero grande; las mujeres, un delantal verde y un sombrero verde.

Nuevamente perseguidos en Inglaterra—1680— por no querer cumplir el servicio militar ni pagar el diezmo, los cuáqueros emigraron al norte de América. y se establecieron en un Estado que en 1681 fundó uno de sus partidarios, llamado Guillermo Penn, de quien tomó el nombre de Pensilvania.

Apenas muerto su fundador, el cuaquerismo sufrió duros quebrantos por las distintas opiniones de los más importantes discípulos de Fox: Jacobo Naylor, Roberto Barclay, Jorge Keith, Elías Hick...

El cuaquerismo, hoy, casi ha desaparecido. Sus miembros más numerosos—unos cien mil— residen en los Estados Unidos. En el resto del mundo apenas llegan a otros veinticinco mil.

V. Barclay, R.: *The inner life of the religions Societies of the Commonwealth.* Londres, 1876.—Rowntree: *Quakerism past and present.* Londres, 1859.—Penn, J.: *Hist. abrégée de l'origine et de la formation de la société dite des quakers.* Trad. fran. París, 1830.—Reinach, S.: *Orfev. Historia de las religiones.* Trad. cast. Madrid, 1910.

C

CUARTETA

Llamada también *redondilla.* Composición poética española de arte menor, en que entran cuatro versos de ocho sílabas. Los versos consonantes pueden concertar: primero y cuarto y segundo y tercero; o primero y tercero y segundo y cuarto.

En Jaén, donde resido,
vive don Lope de Sosa,
y diréte, Inés, la cosa
más brava de él que has oído.

(B. del Alcázar.)

El rey moro de Granada
más quisiera la su fin,
la su seña más preciada
entrególa a don Ozmín.

CUARTETO

Combinación métrica de arte mayor, que consta de cuatro versos, ordinariamente endecasílabos, consonantes el primero con el cuarto y el segundo con el tercero, o también el primero con el tercero y el segundo con el cuarto, y entonces se llama *serventesio.*

Aquí yacen de Carlos los despojos;
la parte principal volvióse al cielo;
con ella fue el valor; quedóle al suelo
miedo en el corazón, llanto en los ojos.

(Fray Luis de León.)

El osado en la lid prueba su arrojo
buscando con furor al enemigo;
el sabio se conoce en el enojo,
y en la necesidad el buen amigo.

(P. Arolas.)

CUBANA (Literatura)

Antes del último tercio del siglo XVIII no puede hablarse de una cultura cubana autóctona. Sí pueden ser citados algunos títulos y algunos nombres. Pero estos y aquellos nada dicen de su patria. Así, *El espejo de la Pacien-*

cia, esrito en 1608 por Silvestre de Balboa y Troyes, que pasa por ser el más antiguo poema cubano. Así, algunos mediocres versificadores: José Surí y Aguila (1696-1762), José de Alba y Monteagudo (1761-1800) y Lorenzo Martínez Avileira (1722-1782). Así, algunos mediocres historiadores: José Martín Félix de Arrate—*Llave del Nuevo Mundo y Antemural de las Indias Occidentales*—, Ignacio José de Urrutia y Montoya—*Teatro histórico-jurídico y político-militar de la Isla Fernandina...*—, Antonio José Valdés—*Historia de la Isla de Cuba y en especial de La Habana*—. Así, la primera producción dramática escrita en Cuba: *El Príncipe Jardinero y Fingido Cloridano,* mal conocida hasta 1929, en que fue recogida, impresa y comentada por Juan J. Remos y Enrique Larrondo; obra atribuida al P. José Rodríguez, dominico muy ingenioso, que tomó parte en varios vejámenes literarios con el nombre de "Padre Capacho".

La introducción de la Imprenta en La Habana—1703—y la creación de la Universidad en dicha ciudad—1728—fueron causas determinantes de la formación de una cultura netamente cubana.

Como "primer ejemplo de trabajador literario" es preciso mencionar a Manuel de Zequeira y Arango (1760-1846), orador, prosista y, sobre todo, poeta—*Batalla naval de La Laguna, Silva a los héroes de Zaragoza*—. Manuel Justo de Rubalcaba (1769-1805), poeta poco inspirado—*Oda a la piña*—. P. José Agustín Caballero, pensador, prosista y filósofo—*Curso de Filosofía Electiva*—. Francisco de Arango y Parreño—*Discurso sobre la Agricultura*—. Buenaventura Pascual Ferrer, costumbrista—*Viaje a la Isla de Cuba*—. Dr. Romay y Chacón, científico excelente, introductor de la vacuna en Cuba, y literato mediocre.

El gran crítico José María Chacón y Calvo ha denominado el período 1823-1878 como el de "un sentido nacional de la cultura". Y escribe: "La *Revista Bimembre Cubana,* fundada en 1831, publicada por la Sociedad Económica, es el esfuerzo quizá más culminante que realiza la cultura cubana antes de nuestra primera guerra de Independencia (1868)."

Entre los poetas de esta época destacan José María de Heredia (1803-1839), uno de los más excelsos líricos cubanos, que, además, fue historiador, orador, diplomático, dramaturgo—*Al Niágara, Himno del desterrado, A la libertad de Cuba, En una tempestad,* la tragedia *Los últimos romanos*—. Con un solo poeta, con Heredia, la poesía cubana "había llegado a una súbita madurez". Gertrudis Gómez de Avellaneda (1814-1873), poetisa, novelista, autora dramática. Entre sus piezas escénicas destacan: *Munio Alfonso, El príncipe de Viana, Egilona, Saúl.* Entre sus novelas: *Dos mujeres, Sab, Espatolino y Guatimozín.* Entre sus poesías: *A la Ascensión, La Cruz, Los Reales Sitios, Ley es amar, Amor y orgullo, A Dios, Paseo por el Betis.* Domingo del Monte (1804-1851), poeta, crítico, polemista, uno de los espíritus que más laboraron por la elaboración del sentimiento de cubanidad, autor de *Romances cubanos* y de muchos y excelentes estudios literarios.

El *Laud del desterrado,* compilación aparecida en Nueva York—1858—, nos da a conocer a varios poetas, mediocres, de esta época: Leopoldo Turla (1818-1877), M. Teurbe Tolón (1820-1857), Pedro Angel Castellón (1820-1860), Pedro Santacilia (1826-1910) y José Agustín Quintero (1829-1885), juzgados con excesiva benevolencia por Menéndez y Pelayo.

José Jacinto Milanés (1814-1863), dramaturgo—*El conde de Alarcos, El poeta de la corte, Una intriga paternal*—, poeta—*La madrugada*—, costumbrista—*El mirón cubano*—. Gabriel de la Concepción Valdés (1809-1844), que hizo popular el seudónimo de "Plácido", hijo de un peluquero mulato y de una bailarina española, expósito, poeta realmente admirable —*El hijo de la maldición, Rebato en Granada, Plegaria de Dios.*

En los diversos campos de la prosa sobresalieron: P. Félix Varela (1778-1853), erudito, historiador, filósofo—*Instituciones de Filosofía, Miscelánea filosófica, Lecciones de Filosofía, Autonomía de Ultramar*—. Fue uno de los espíritus que más contribuyó a la formación cultural cubana. José Antonio Saco (1797-1879), erudito, ensayista, catedrático y pensador ilustre, discípulo de Varela—*Colección de papeles, Historia de la esclavitud*—. José de la Luz y Caballero (1800-1862), pedagogo, filósofo, literato—*Una impugnación al examen de Cousin, Ensayo del entendimiento de Locke*—. Según Calvo y Chacón, "José de la Luz forma con Saco y Varela la trilogía de forjadores de la nacionalidad cubana. Varela es el iniciador filosófico; Saco, el historiador y estadista; Luz y Caballero..., el educador nacional..."

A esta misma interesante promoción pertenecen: Anselmo Suárez y Romero (1818-1878), novelista—*Francisco*—. Cirilo Villaverde (1812-1894), novelista—*Cecilia Valdés, El penitente, La joven de la flecha*—. José Antonio Echeverría (1815-1885), poeta y novelista—*Antonelli*—. Ramón de Palma (1812-1894), poeta y autor de las novelas *Una Pascua en San Marcos* y *El cólera en La Habana.* José Ramón Betancourt (1823-1890), costumbrista—*La feria de la caridad*—. Gaspar Betancourt Cisneros (1803-1866), que popularizó el seudónimo "El Lugareño", costumbrista. Francisco de Frías, el "Conde de los Pozos Dulces" (1809-1877), costumbrista. Esteban Pichardo (1799-1879), filólogo—*Diccionario de voces cubanas*—. Antonio Bachiller y Morales (1812-1889), polígrafo —*Cuba primitiva, Historia de las letras* y *La Instrucción Pública en Cuba.*

La poesía de este momento crucial de la literatura cubana tuvo poetas de un alto valor.

Rafael María Mendive (1821-1886), muy alabado por el crítico español don Manuel Cañete, que prologó las *Poesías* del vate cubano. Fue maestro muy amado del gran lírico José Martí. Joaquín Lorenzo Luaces (1826-1867)—*Oda a Varsovia, Oración de Matatis, El mendigo rojo,* drama, y *Aristodemo,* ensayo de tragedia clásica—. Juan Clemente Zenea (1832-1871)—*Nocturnos, Cantos de la tarde*—. Poetisa inferior en méritos a los tres anteriores maestros fue Luisa Pérez de Zambrana (1837-1922)—*La vuelta al bosque. Elegías.*

"Generación del autonomismo y del separatismo" denomina Chacón y Calvo a la comprendida entre los años 1878-1898.

Entre los "autonomistas" se contaron: Rafael Montoro (1852-1933), orador, pensador y filósofo—*Historiadores cubanos, Polémica del Panenteísmo*—. Eliseo Giberga (1854-1916), poeta y prosista excepcional, que dio al conjunto de sus poemas el extraño título de *Tempora Acta.* Ricardo del Monte (1830-1909), periodista y poeta—*Sonetos a Cervantes, Mi barquera.*

Al frente de los "separatistas" está la figura más amada de los cubanos: José Martí (1853-1895), político, ensayista, orador y, antes que nada, gran poeta—*Ismaelillo, Versos sencillos, Versos libres,* el drama *Abdala, La Niña de Guatemala, Nuestra América*—. Julián del Casal (1863-1893), elegíaco, romántico precursor del modernismo—*Nieve, Hojas al viento, Bustos y rimas*—. Enrique José Varona (1849-1933), erudito y filólogo, poeta y crítico—*Desde mi Belvedere, Tratado de Psicología, Poemitas en prosa, Anacreónticas*—. Manuel Sanguily (1849-1924), crítico, erudito—*Hojas literarias*—. Manuel de la Cruz (1861-1896), historiador, crítico, biógrafo—*Cromitos cubanos, Episodios de la Revolución cubana*—. Aurelio Mitjáns (1863-1889), historiador y crítico. Rafael María Merchán (1844-1905), periodista, poeta, crítico—*Estudios críticos, Variedades y Comentarios*—. Enrique Piñeyro (1839-1905), erudito y crítico magnífico—*Hombres y glorias de América, Retratos, Recuerdos, Bosquejos, El Romanticismo en España*—. Nicolás Heredia (1859-1901), crítico—*La sensibilidad de la Poesía castellana*—y novelista—*Leonela*—. Emilio Bobadilla (1862-1921), poeta, novelista, crítico, ensayista—*A fuego lento, Novelas en germen, Grafómanos de América, Muecas, Escaramuzas*—. José Silverio Jorrin (1816-1897)—*España y Cuba*—. Esteban Borrero y Echeverría (1849-1906), poeta—*Arpas amigas*—, crítico—*Alrededor del "Quijote"*—. Juana Borrero (1878-1896), hija del anterior, delicada poetisa—*Rimas*—. Diego Vicente Tejera (1848-1903) fue tenido, en su época, por el "poeta nacional de Cuba"—*El despertar de Cuba, En la hamaca, Dios*—. Aurelia Castillo de González (1842-1920), poetisa—*A la libertad del pensamiento, Expulsada, El poeta Matilde*—. Mercedes Matamoros (1858-1906), poetisa—*El último amor de Safo*—. Nieves Xenes (1857-1915), poetisa.

Con la independencia de Cuba—1898—se inicia la última etapa de su literatura; etapa que delata fuertemente las influencias de algunos de los mayores espíritus de la promoción anterior: Martí, Varona, Sanguily, Montoro, Casal...

Poetas importantes son: Federico (1873-1931) y Carlos Uhrbach (1872-1897)—*Oro*—. Bonifacio Byrne (1861-1935)—*Efigies, Excéntrica, En medio del camino*—. Enrique Hernández Miyares—*La más hermosa*—. Dulce María Borrero (1883)—*Horas de mi vida*—. Fernando Lles (1883), poeta y filósofo—*La higuera de Timón, La escudilla de Diógenes*—. Francisco Lles (1888-1921)—*Limoneros en flor*—. Manuel Poveda (1888-1928)—*Versos precursores, Grito abuelo*—. Regino E. Boti (1875)—*Arabescos mentales*—. Agustín Acosta (1887)—*Hermanita, La zafra*—. Felipe Pichardo—*El cacique*—. Dulce María Loynaz, una de las más excelsas poetisas de América—*Poesías, Juegos de agua, Jardín*—. Sus hermanos Enrique, Flor y Carlos Loynaz. Mariano Brull—*La casa del silencio, Poemas en menguante, Canto redondo*—. Eugenio Florit—*Trópico, Reino*—. Nicolás Guillén (1904), poeta mulato, gran impulsor de la poesía afrocubana—*Motivos de son, Sóngoro casongo*—. Emilio Ballagas—*Sabor eterno*—. Miguel Galiano Cancio, Federico de Ibarzábal, María Luisa Milanés, Rubén Martínez Villena, José Z. Tallet, Ciana Valdés Roig, Enrique Serpa, María Villar Buceta, Núñez Olano, Arturo Alfonso Roselló, Juan Marinello, Hilarión Catrisas, Angel Gaztelu, Angel Augier, María Luisa Muñoz del Valle, José Angel Buesa, Josefina de Cepeda, Mercedes García Tuduri, Mirta Aguirre, Rafael García Bárcena, Guillermo Villarronda, Emilia Bernal, Serafina Núñez, Félix Pita, Ramón Guirao, J. Lezama Lima...

Entre los prosistas—ensayistas, eruditos, críticos, narradores—figuran por derecho propio de excelencia: José de Armas y Cárdenas (1866-1919)—*Cervantes y el "Quijote", Estudios y retratos, Ensayos de literatura inglesa y española*—. Manuel Márquez Sterling—*La Diplomacia en nuestra Historia, Alrededor de nuestra psicología*—. Orestes Ferrara—*El Papa Borgia, Maquiavelo*—. Jesús Castellanos (1879-1912), novelista—*La conjura, La manigua sentimental*—. Carlos Loveira (1882-1929), novelista—*Los inmorales, Generales y doctores, Los ciegos*—. Miguel de Carrión, novelista—*Las honradas, Las impuras*—. Alfonso Hernández-Catá, magnífico narrador, al que los españoles le cuentan por suyo, por haber vivido casi siempre en España—*Los muertos, La voluntad de Dios, La muerte nueva, El bebedor de lágrimas, Manicomio*—. José Antonio Ramos, novelista y dramaturgo—*Caoybay, El hombre fuerte*—. Luis Felipe Rodríguez, novelista—*Marcos Antilla*—. Enrique Serpa, novelista—*Contra-*

bando—. Ciro Espinosa, didáctico y novelista—*La novela del guajiro*—. Carolina Poncet, investigadora y crítica—*El romance en Cuba*—. Enrique Labrador Ruiz, novelista—*Anteo.*

Fernando Ortiz, periodista y ensayista—*Los negros brujos, Los negros esclavos*—. Jorge Mañach, crítico y biógrafo—*Martí*—. Juan Marinello, que ha estudiado magistralmente la poesía negra. Félix Lizaso, crítico y ensayista—*Pasión de Martí, Antología de ensayistas*—. Medardo Vitier, ensayista—*Las ideas en Cuba*—. Luis Rodríguez Embil, poeta, novelista, ensayista—*El pensar de Segismundo*—. José de la Cruz León, ensayista—*Amiel o La incapacidad de amar*—. Emeterio S. Santovenia, biógrafo e historiador—*Historia de Cuba, Manual de historia de Cuba*—. Juan J. Remos, ensayista e historiador—*Doce ensayos*—. Herminio Porte: Vilá, ensayista e historiador—*Historia de Cuba en sus relaciones con los Estados Unidos y España...*

V. Chacón y Calvo, José María: *Literatura de Cuba.* En los tomos XI y XII de la "Historia universal de la literatura", de Prampolini. Buenos Aires, Uteha, 1941.—Leguizamón, Julio A.: *Historia de la literatura hispanoamericana.* Buenos Aires, 1944, dos tomos.—Mitjáns, Aurelio: *Literatura cubana.* Madrid, Biblioteca "Andrés Bello". 1918.—Remos y Rubio, Juan J.: *Historia de la literatura cubana.* La Habana, 1925.—Salazar y Roig, S.: *Historia de la literatura cubana.* La Habana, 1939.

CUBISMO

Nació en Francia en el primer tercio de este siglo, como consecuencia del *cubismo* pictórico. El *cubismo* literario, cuyo anhelo fue alcanzar "una explicación lírica pura", es absolutamente irracionalista. Sus primeros y más firmes mantenedores fueron Réverdy, Cendrars, Cocteau, Max Jacob, Guillaume Apollinaire, *náufragos o inventores* de otros movimientos subversivos.

El *cubismo* poético rechazó el sujeto exterior del poema, limitando su intento *a una explicación subjetiva de las cosas por medio de las imágenes interiores creadas por el poeta.*

Características del *cubismo* son: la falta de argumento; la falta de lógica en las dispersas anotaciones; la tendencia del automatismo; el desdén por las imágenes realizadas por la plástica.

Para Paul Dermec, uno de los teóricos del *cubismo,* la finalidad de este era "esparcir en la conciencia del lector el *flujo lírico* con la ayuda exclusiva de las imágenes hiperrealistas".

Guillermo de Torre, el gran crítico español y admirable historiador de los movimientos literarios de vanguardia, añade que el *cubismo* aún tiene otras características: la espontaneidad y la impulsividad, la influencia de la velocidad, el flujo subconsciente y la cenestesia; y, sobre todo, la preponderancia de un *intelectualismo sensorial,* descubridor de un arte y un lirismo halagadores de los *sentidos inteligentes.*

Hemos querido dar en muy pocas líneas una síntesis del movimiento literario y artístico denominado cubismo. Pero como su importancia fue tanta y aún duran sus representaciones en el arte y en la literatura, conviene que ampliemos nuestra noticia.

¿Cuál es el origen del término "cubismo" y cuándo inició el cubismo su preponderancia? Oigamos al gran crítico Guillermo de Torre, el más sutil entendedor y comentador de los movimientos denominados "subversivos":

"El vocablo cubista distiende su elasticidad nominal en planos estéticos contiguos y tiene su raíz más indudable en el sector pictórico. Pues ya es suficientemente sabido que originariamente fue aplicado a los pintores antiimpresionistas—propulsores de la pintura intelectual y abstracta, en reacción contra los excesos sensuales del impresionismo—como un adjetivo que, lanzado al modo de estigma caricatural, se transformó en título afortunado y enaltecedor. Apollinaire, Salmón, Gleizes, Raynal y después Waldemar, George, Rosenberg y Cocteau, más numerosos críticos y escoliastas, nos han recordado, siempre que ha sido oportuno, el origen del *cubismo.* Al pasar ante el Jurado del Salón de Independientes, en 1908, un cuadro de G. Braque, que representaba un paisaje del Mediodía, y, en primer término, un grupo de casas (seguramente titulado *Maisons sur la colline,* y reproducido en *L'Esprit Nouveau),* alguien lanzó la exclamación: *Encore des cubes! Assez de cubisme!* La palabra, utilizada por Henri Matisse, Picasso, Derain y otros pintores que entonces iniciaban pesquisas análogas en la forma y el color, y esgrimida por Guillermo Apollinaire, que devino el turiferario más entusiasta de los pintores cubistas, consagrándoles el primer libro: *Méditations esthétiques,* ha dado la vuelta al mundo, gozando de una irradiación asombrosa y de una significación elástica y poliédrica. De aquí que, nacida al azar, la palabra cubismo carezca de una significación exacta, como la denominación de *impresionismo*—brotada de un cuadro de Claude Monet, titulado *Impresión*—, ya posea únicamente un valor de etiqueta genérica."

"Y si esta denominación es convencional para los pintores, ¿por qué se amplía actualmente a algunos poetas de vanguardia y a la estética que defienden? No es que los literatos cubistas jueguen con cubos desde su infancia—ha dicho humorísticamente Drieu la Rochelle—. La única razón de adjudicarles tal apelativo es que los iniciadores y primogénitos de entre estos poetas tienen, a más de su tangencialidad ideológica, un nexo de coetaneidad con los pintores cubistas: son sus compañeros en las esforzadas gestas de sus albores... Por otra parte, hay una irrefragable similitud ideológica entre las bases teóricas del cubismo literario y pictórico. Fluye entre sus respectivas estéticas una simbiosis interpretativa comprobable en diversos puntos."

Los matices singularizados y las claves reveladoras del cubismo no pueden darse *en general;* deben ser buscadas en cada escritor y en cada artista, precisamente porque este movimiento no ha podido ser revelado en su integridad y explicado en su unidad. Diríase que el cubismo comprende muchos trocitos de un "puzzle" imposible de *casar* por falta de alguna parte esencial, reduciendo su interés a la visión *parcial* de cada trocito, en lo que pueda significar por sí mismo.

El mismo Guillermo de Torre declara la estructura del poema cubista así: "El poema cubista no sigue en su desarrollo la pauta argumental impuesta por el curso de la anécdota. En la mayoría de los casos no llega, no tiene por qué llegar a desarrollarse. Queda reducido a una sucesión superpuesta de anotaciones y reflejos sin enlace causal. De ahí que el rasgo que muchos miopes toman por incoherencia solo sea resultado—voluntario o necesario— de un sincero ilogismo. Y en otros casos, el poema sigue en su desarrollo las ondulaciones del libre circuito mental: trayectoria sinusoidal, yuxtaposición de sensaciones y visiones, enlazadas solamente por analogía de imágenes: simultaneidad de planos o hilo de subconscientes antenas."

Paul Dermée—en *L'Esprit Nouveau*—señala los que, a su parecer, son los caracteres que debe poseer la *expresión lírica pura,* y Torre los traduce así: "Nada de ideas. Nada de desarrollo. Nada de lógica aparente. Nada de imágenes realizables por la plástica. Dejar al lector en su yo profundo. Facilitarle representaciones transformadas por la efectividad, ligadas por la lógica aparente. No proponer más que imágenes hiperrealistas. Hablar a las tendencias. Finalidad: hacer esparcirse el flujo lírico en la conciencia del lector."

El cubismo literario, que tuvo escasa fuerza en Francia, y que no tuvo ningún extraordinario cultivador, no traspasó las fronteras ni consiguió resonancias en el extranjero. En España se malograron estrepitosamente—como auténticos abortos—los escasos intentos de cubismo poético.

El cubismo pictórico, por el contrario, alcanzó un apogeo espléndido, se difundió por todo el mundo y proliferó en cada país consecuencias genuinas del mayor interés.

El cubismo pictórico es una tendencia—más contrasentido que sentido—en franca oposición con todos los sistemas definidos, que simboliza en el *cubo* su ideal de representación de la tercera dimensión. El cubismo intenta la representación integral de figuras y paisaje aplicando a la pintura las figuras geométricas.

Según Apollinaire, vocero mayor del cubismo pictórico, este está caracterizado por no ser un arte de *imitación* y sí un arte de *concepción* que tiende a elevarse hasta la *creación.*

Para muchos críticos, el *impresionismo* (V.) fue un preámbulo del cubismo. Para Fernando Léger y Jacobo Villon, el cubismo fue una reacción contra el *expresionismo.* Para Lothe, una reacción contra toda *técnica.* El cubismo pictórico—en concreto—era un decidido afán de buscar las leyes de un nuevo orden. La *imitación* quedó rechazada como contraria a los principios del arte nuevo. Igualmente quedó arrinconado el *motivo.* Según los cubistas, *representar un motivo* era obligar al espectador a encerrarse en los estrechos límites de una imagen dada. El cubismo rechaza abiertamente toda efusión de la personalidad; la obra plástica—opina Gleizes—viene a ser una opinión particular sobre un hecho anterior a ella; no se debe hablar—con el pincel o con el cincel— al espectador de cosas que conoce, sino—opina Gino Severini—"constituir para él una combinación arbitraria de formas privadas de significación propia o más bien cuya reunión *no representa* ningún objeto determinado".

Naturalmente, iniciado el cubismo pictórico, a partir de la manifestación de los llamados *Fauves,* de 1906 a 1908, y ya *clasificado para la opinión* en 1910, los primeros cubistas—Picasso, Braque, Gleizes, Metzinger, Juan Gris, Mlle. Laurencin—determinaron el llamado por Apollinaire *cubismo puro,* o sea, "aquel arte de pintar conjuntos nuevos con elementos tomados *no de la realidad de visión, sino de la realidad de conocimientos*".

Aún distinguió el *definidor* Apollinaire otros tres cubismos: el *físico,* el *órfico* y el *instintivo.*

Consistía el cubismo *físico* "en pintar asuntos nuevos con elementos tomados, por lo general, del natural; no habiendo en este cubismo *de tal* sino la disciplina constructiva".

Consistía el cubismo *órfico* "en pintar asuntos nuevos con elementos tomados, no de la realidad visible, sino enteramente creados por el artista y dotados por él de poderosa realidad".

El cubismo *instintivo* significaba para Apollinaire una *decadencia despreciable* vecina ya al expresionismo.

Posiblemente, ha sido el genial Pablo Ruiz Picasso el que mejor ha explicado el *cubismo puro*: "El cubismo no es diferente de las demás escuelas de pintura. Los mismos principios y los mismos elementos les son comunes a todas. El cubismo no es una simiente o un arte en gestación, sino un estadio de formas primarias. Si se encuentra en un estado de transición, de él mismo saldrá una nueva forma de cubismo. Se ha explicado el cubismo por las matemáticas, la geometría, el psicoanálisis. Pura literatura. El cubismo tiene sus fines plásticos. En él no vemos más que un medio de expresar lo que nuestros ojos y espíritu perciben con toda la posibilidad que en sus cualidades propias tienen el dibujo y el color. Esto es para nosotros manantial de placeres inesperados y de descubrimientos."

Los cubismos *puro, físico* y *órfico* son, en realidad, tres concepciones diferentes de una misma tendencia—o tentativa—brillantemente expresadas.

Después de la primera gran guerra mundial (1914-1918), el cubismo evolucionó, dirigiéndose menos al objeto, al modelo, "que al conjunto de formas y colores que deben constituir el cuadro".

Este cubismo fue calificado de *expresionista,* siendo su principal representante Metzinger, al que se unieron en seguida Fernando Léger, Enrique Laurens, Andrés Lothe...

A partir de 1924, el cubismo derivó hacia una exaltación de las artes decorativas: tapices, telas, cerámica, orfebrería, herrería, carpintería, carteles, papeles pintados... Por ello, cabe afirmar que el cubismo pictórico desarrolló todas sus posibilidades entre 1907 y 1924, surgiendo entre estas dos ideas pictóricas fundamentales: la fisiología de las sensaciones coloreadas de Delacroix y sus discípulos y la ley de la subordinación de la pintura al plano del cuadro, rectángulo vertical, descubierta por Cézanne.

V. Gleizes, A.: y Metzinger, J.: *Du Cubisme.* París, 1912.—Ollendorf, M.: *Cubistes, Futuristes, Passeistes.* París, 1914.—Gleizes, Albert: *Du Cubisme et des moyens de le compendre.* 1920.—Figuiere: *Meditations esthétiques.* 1910. Gleizes, Albert: *Le Peinture et ses lois.* París, 1924.—Réverdy, Pierre: *Pablo Picasso.* En Col. "Peintres nouveaux". Severini, Gino: *Du Cubisme au Clasicisme.* Torre, Guillermo de: *Literaturas europeas de vanguardia* Madrid, 1925.

CUENTO

Cuento es la relación de un suceso. La relación, de palabra o por escrito, de un suceso falso o de pura invención.

Está en punto esta aclaración a la definición primera. Porque sin ella, en las épocas primitivas, cuando los hombres no escribían y conservaban sus recuerdos en la tradición oral, cuento hubiera sido cuanto se hablaba. Por algo, contar—fabular—es lo mismo que hablar. Contaban—hablaban—sin faltar a la verdad. Contaban—fabulaban—cuando, fallándoles la memoria, suplían con la imaginación aquellos pasajes olvidados u oscuros de la realidad.

Como es lógico, preponderando tanto el temperamento individual en la relación de los hechos, ¿tenía algo de particular que estos se fueran adulterando, deformando, a través de dos o tres generaciones de narradores, cada uno tan hijo, como de su padre y de su madre, de su apasionamiento, de su fácil inventiva, de su expedita facundia? La verdad más verdadera, luego de tamizarse por tres temperamentos sucesivamente, quedaba transformada en una mentira bella, *con ribetes de verosimilitud.* El Cuento triunfaba así de la Vida. La verdad del sentimiento religioso pasó a ser una materia épica difusa—mitología—, pura invención de la pura inventiva. La verdad de los sucesos cotidianos era recogida por los poetas andariegos, y, sujeta a palabras ortodoxas de ciertas leyes rítmicas, convertida en *decires y recitados,* en los que más se patentizaba la ilusión del anhelo que el realismo de lo desdeñado. El hombre, desde su primer yo, ya prefirió aquel *fabular,* en el que todo era asequible y con mayor emoción por añadidura, al *hablar* escuetamente de lo escueto: la verdad, que no admite trampantojos ni galimatías.

Y no se piense que esta deformación temperamental—y verbal—de lo real fue voluntaria en el cuentista. Es improbable que para guardar su *necesidad histórica,* el hombre imaginase adrede una historia para divertir, sino que los afanes íntimos eran quienes primero invalidaban la voluntariedad del sujeto. Cuando, ya inventada la escritura, se conservaron en prosa las verdades dignas de memoranza por la ejemplaridad o por la sugerencia, y la crítica sutil expulsó de la Historia todo lo falso, todo lo sospechoso de imaginativo, todo lo terne de ilusionismo..., el cuento ya fue más cuento que nunca. Y tuvo el orgullo de parecerlo. Sí, era, felizmente, lo *fabuloso.* Toda la gracia y todas las posibilidades fracasadas en la Vida, negadas a la Vida. Sí, felizmente, ya la fantasía de los cuentistas no tenía por qué sujetarse ni con leves pespuntes a la realidad. Sus alas ya no llevaban el plomo del escopetazo de lo irremediable.

Cuando lo contado se escribía, luego de muy contrastado, ya el cuento, rebozado en la sensibilidad y en la fantasía personal, no tuvo campo de experimentación "en lo histórico"; los cuentistas, con plena conciencia de lo que inventaban, libres de las trabas que les impuso hasta entonces el testimonio de lo real, se dedicaron a dar lecciones de moral, a vincular, con un estilo animado, reglas juiciosas de conducta en la vida. Sí, el cuento primitivo fue místico y heroico; entregaba a los hombres dos glorias que lo histórico no podía exigirles ni prestarles: la de la santidad y la de superación de la personalidad en el esfuerzo bélico. Sin embargo, el cuento, primitivamente, cedió sin lucha a lo histórico la expresión literaria. El cuento quedó para ser contado de viva voz. Parecían sospechar los cuentistas que tan pronto como escribieran sus narraciones, serían estas adscritas al dogma religioso o al testimonio histórico. Y esto era tanto como renunciar a la emoción vaporosa, a los resplandores rápidos y sorprendentes, a las recordaciones melancólicas no agriadas nunca. No es errónea la afirmación de muchos críticos cuando aseveran que fue el cuento el último género literario que vino a escribirse. Hubo libros religiosos, poesías, códigos, anales, crónicas, epopeyas y hasta obras filosóficas antes que aparecieran los libros de cuentos. Tal vez los primeros cuentos escritos fueran aquellas noticias exorbitantes que los críticos eliminaron de las historias reputadas como inconmovibles en su veracidad. Y, sin embargo, no existió pueblo en la antigüedad que no presumiera de sus colecciones de imaginancias. Podían este pueblo o aquel ser refractarios a las filosofías, carecer de poesía épica, desconocer el tono y el tino de la legislación; pero todos presentaban como una supuración y como una superación de sus anhelos íntimos aquellas narraciones encantadoras que iban sembrando entusiasmos. "Lo poco común que era comunicarse los hombres de unas naciones con las otras; las noticias vagas sobre la geografía y lo peligroso de las peregrinaciones por mar y por tierra, dieron origen a multitud de historias, que fueron cuentos o novelas. Gigantes enormes y descomedidos, ogros que vivían de carne humana, pigmeos que combatían contra las grullas, arimaspes y cíclopes de un solo ojo, faunos y sátiros y centauros; repúblicas y reinos que no se sabe dónde están o que se han hundido en el seno de los mares, todo esto fue apareciendo y dando asunto a mil relaciones orales, muchas de las cuales se escribieron después." (Valera.) Y, como es natural, el Amor.

En Grecia son famosos muchos cuentos que, en verso y en prosa, recitaban aquí y allá rapsodas y aedos. Cuentos milesios, chipriotas, de Efeso y de Sibaris. ¿No son una sucesión de cuentos maravillosos—aventuras religiosas, amorosas y guerreras—la *Ilíada* y la *Odisea?* Los apólogos esópicos y las fábulas *libycas,* cuentos son. Y *La Ciropedia* y las *Efesíacas,* de Jenofonte, y algunas de las invenciones cómicas—*Timón el Misántropo, El banquete de los Lapitas*—de Luciano de Samosata. Y las treinta y seis narraciones de las *Aventuras de Amor,* de Partineo de Nicea, posible maestro de Virgilio. Y las *peripecias* del libro de Corón, del que sabemos por Fosio. Egipto presenta los más antiguos cuentos—al parecer—del mundo, coleccionados por Maspero, en 1889, con el título *Les contes populaires de l'Egipte ancien.* Los árabes se glorían de sus *Mil y una noches,* muchos de cuyos cuentos son de procedencia hindú o siríaca y de una antigüedad mucho más remota de la que les atribuyó Sacy, según intuyó sutilmente Augusto Guillermo Schlegel.

El cuento—imaginancia, narración de un sucedido, anécdota, chascarrillo, respuesta aguda—es tan viejo como el hombre. Porque es el adobo de la sociabilidad y el exponente de la sapiencia. Pero el cuento literario es de procedencia oriental. Quizá porque en Oriente se percibieron—y apercibieron—las civilizaciones más complejas, y, en estas, es el cuento un revulsivo del pesimismo y una añagaza de la decadencia espiritual.

Al menos, en todo el occidente europeo, donde apuntaron las sorprendentes nacionalidades durante la Edad Media, son dos colecciones de cuentos orientales los orígenes y el paradigma de la traza imaginativa literaria en su expresión más breve: el cuento apologal. Dichas dos colecciones son: el *Pantschatantra* y el *Hitopadesa* o provechosa enseñanza. De ellas derivan, más o menos directamente, cuantos apólogos, narraciones ficticias, donaires, fantasías poéticas fueron el encanto de los occidentales europeos entre los siglos x y xv. Claro está que en cada país fueron transformados algo, enmendados un poco, adulterados bastante.

No se crea, sin embargo, que el *Pantschatantra* y el *Hitopadesa* fueron conocidos por la Europa medieval en sus expresiones más puras. De las dos famosas colecciones derivaron otras tres: el *Calila y Dimna,* el *Sendebar* y el *Barlaam y Josafat,* que fueron las tres expresiones capitales que la novelística oriental comunicó a la Edad Media.

El *Calila y Dimna* se difundió en tres versiones distintas: la siríaca, de un monje nestoriano llamado Bud—hacia el año 570—; la árabe, del siglo VII, y la hebraica—¿siglo VIII?—, estudiada con tanto esmero por Joseph Derembourg a fines de la pasada centuria. De esta tercera versión, el judío converso Juan de Capua trasladó al latín el *Calila y Dimna* con el título de *Directorium vitae humanae*—entre los años 1263 y 1305, ya que está dedicada la traducción al cardenal Mateo Orsini, que vistió la púrpura cardenalicia en aquellos años.

El *Sendebar,* obra hindú, inició su influencia en la misma época que el *Calila y Dimna.* Del *Sendebar* se conocen las versiones árabe, la siríaca, la griega, de Miguel Andreópulos—conocida con el nombre de *Syntipas*—, en el siglo XI, y la hebrea, perteneciente a la primera mitad del siglo XIII, y que lleva por título: *Parábolas de Sendebar.*

Del *Barlaam y Josafat*—calificada por nuestro Menéndez y Pelayo de especie de novela mística—, la versión más conocida es la griega de Juan, monje del convento de San Sabas—cerca de Jerusalén—, a principios del siglo VII. Del *Barlaam y Josafat* fue muy utilizada durante toda la Edad Media una traducción latina, muy deficiente, atribuida a Jorge de Trebisonda.

De estas tres colecciones nacieron cuantas occidentales alcanzaron fama imperecedera. O, cuando menos, de ellas se influenciaron de tal forma, que es facilísimo encontrar en todas aquellas cuentos o fábulas idénticos a los recogidos en estas, sin apenas casi modificaciones. Así, en el *Conde Lucanor,* en los *Cuentos de Canterbury,* en el *Decamerón.*

Por lo que a España se refiere, podemos decir que recibió la influencia novelística oriental no por las versiones más asequibles del *Calila y Dimna,* el *Sendebar* y el *Barlaam y Josafat*—las árabes y latinas—, sino por dos obras de

C

singularísimo interés: la "romançada por mandato del infante don Alfonso, fijo del muy noble rey don Fernando, en la era de mill é dosziento é noventa é nueve años—1261—", que recoge, de forma primorosa, el texto primitivo y auténtico de Abdalá ben Almocaffa—el *Calila y Dimna*—y el libro latino *Disciplina Clericalis,* obra del judío converso de Huesca Pedro Alfonso (Rabí Mosén Sephardi), nacido en 1062, bautizado en 1106 y ahijado de Alfonso I, el *Batallador.* La *Disciplina Clericalis* recoge las facetas más interesantes del *Sendebar.*

Estos dos libros, notabilísimos, removieron el interés hispánico hacia las obras de pura imaginación, en las que, no obstante, podían ser colocadas ejemplaridades y consecuencias de subidísimo valor moral.

Como nota curiosa, puede señalarse que del *Calila y Dimna,* libro de enseñanza utilitaria y egoísta, derivan casi todos los cuentos occidentales europeos debidos a las plumas de autores de cierta solvencia moral, como nuestro infante don Juan Manuel; del *Sendebar,* obra picante y maligna, los escritos por autores amorales o inmorales, como Chaucer, el Arcipreste de Hita, Boccaccio, y de *Barlaam y Josafat,* conjunto de divagaciones de índole más espiritualista que espiritual, los debidos a escritores de honda fibra cristiana, como Gonzalo de Berceo y Jacobo de Vorágine. Y aun algún *Flos Sanctorum* catalán y castellano.

De todas estas colecciones, originales o meras copias, se aprovecharon los más célebres literatos de todos los países y de todos los tiempos. Y quizá más cuanto más famosos: Shakespeare, Lope de Vega, Calderón, entre estos.

Se debe proclamar que entre todas las naciones europeas occidentales fueron Italia y España las que se dejaron ganar más y mejor por este género literario del cuento en sus diversas modalidades de chascarrillo, anécdota, imaginancia fantástica con atisbos paradigmáticos, agudezas... Y si a Italia le corresponde la gloria de haber logrado para el cuento su empaque poético, nadie podrá arrebatar a España la gloria de aportación a la novelística su glorioso ápice y la superabundancia, si no siempre igual de feliz, nunca desmentida de sal y solera.

Tal acogida recibió el género en España, que puede afirmarse que, desde el siglo XIII, apenas si existe escritor de mediana calidad en cuya obra no pueda espigarse una narración amena, por mucha que sea la seriedad de la materia a tratar. En España, a las traducciones de los libros orientales de fábulas y apólogos sucedió muy pronto la aparición de obras originales vaciadas en el mismo molde. El más antiguo es, quizá, el *Libro de los Castigos é documentos* que el rey don Sancho IV "el Bravo" compuso para su hijo don Fernando—1292—en el fragor de los cuidados del cerco de Tarifa; libro que, modernamente, don Pascual Gayangos ha publicado en la "Biblioteca de Autores Españoles", tomo referente a los escritores en prosa anteriores al siglo XV. Libro este semejante a un catecismo político-moral, en el que la gran copia de ejemplos históricos, anecdóticos y sencillamente imaginativos no tiene otra razón de ser que dejar *al aire* la sustancia de su ejemplaridad aleccionante, lo mismo que, rota la dura cáscara—graciosa a veces—, la almendrilla nutritiva.

Otro libro didáctico moral, de remarcada influencia orientalista, mas ya con solera propia, es el *Llibre del Gentil é los tres Savis,* de Raimundo Lulio, quien lo compuso, primitivamente, en árabe. El mismo iluminado doctor compuso el *Llibre de les besties—Thierepos* o epopeya animal—, que es un extenso apólogo fácilmente aislable del *Libro Félix,* del que es la parte séptima.

En idénticos modelos están calcadas las obras del infante don Juan Manuel: *Libro del caballero et del escudero,* el *Libro de los Estados,* el *Especulo de los legos,* obra de moral ascética, en cuyos noventa y un capítulos se intercalan, para confirmar la doctrina, anécdotas y parábolas seleccionadas de la Biblia, de la doctrina de los Santos Padres, de las *Vidas* de los santos y de la historia romana; el *Libro de los Exemplos o Suma de exemplos por A B C,* colección de cuatrocientos sesenta y siente cuentos morales, precedidos de una sentencia latina, realizada por Clemente Sánchez de Vercial; el *Libro de los Gatos*—traducción de las *Narraciones* del monje inglés Odón de Cheritón—, fábulas esópicas tratadas con singularidad reformadora; la *Disputa del Asno,* de fray Anselmo de Turmeda—1418—, conjunto de cuentos en los que ya tanto o más que la ejemplaridad se pretende la diversión. Cada una de estas colecciones avanza más y más en el intento de apartarse de las influencias y de alcanzar la originalidad.

Originalidad, sin embargo, que no se encontrará sino en las obras de los más afamados escritores, quienes, si utilizan algunas fuentes que les son ajenas, logran asimilárselas con tal primor, que se las diputaría por patrimoniales.

Cuentos se encuentran ya en alguna de las obras de Gonzalo de Berceo, el poeta castellano más antiguo de nombre conocido que debió de nacer en los últimos años del siglo XII. En sus *Milagros de Nuestra Señora,* colección de veinticinco casos milagrosos o leyendas devotas relativas a la Virgen, ya se consigue la amenidad con un empaque de narrador indudable. Hasta el punto de que muchos de sus cuentos piadosos en verso han influido en los grandes dramáticos de muchos siglos después. Así, en *La devoción de la Cruz*—de Calderón—, en *El condenado por desconfiado*—de Tirso—, en *Fausto*—de Goethe—, en *El Cristo de la Vega*—de Zorrilla—. Alfonso X "el Sabio"—rey de 1252 a 1284—, en sus *Cantigas,* relata leyendas y casos milagrosos referentes a la Virgen. De las cuatrocientas veinte cantigas, trescientas sesenta son de tipo narrativo, y muchas de ellas, según ha demostrado de manera concluyente el marqués de Valmar en su admirable introducción a la edición admirable que de las *Cantigas* realizó la Academia de la Lengua—1889—, han inspirado dramas, leyendas, a grandes literatos españoles y extranjeros. Así, Tomás Moore, en *El Paraíso y la Peri,* y Longfellow, en varias leyendas que pasaban por originales. Y Mira de Amescua, en su comedia *Lo que puede el oír misa.* Y Avellaneda, en el cuento de *Los felices amantes,* de su *Quijote.* Y Lope de Vega en *La buena guardia.* Y Zorrilla, en *Margarita la Tornera.*

Lo mismo Gonzalo de Berceo que Alfonso X, además de utilizar cuantas fuentes narrativas eran conocidas entonces, aportan un brillante acervo de originalidad netamente castellana. Para aquel, la fuente principal de inspiración pudo ser Gautier de Coincy, prior de Vic-sur-Aisne, y autor de unos *Miracles de la Sainte Vierge,* de los cuales, dieciocho, ampulosos, han pasado a numerarse entre los veinticinco sobrios que rima el clérigo secular de San Millán de la Cogulla. Las fuentes de las *Cantigas* fueron el *Speculum historiale,* de Vicente de Beauvais; las poesías de Gautier de Coincy y el mismo Gonzalo de Berceo.

Cuentista, y bastante original y sumamente inspirado y gracioso, es Joan Ruiz, arcipreste de Hita. Entre los elementos líricos de su famoso *Libro de buen amor* hay que señalar un conjunto copioso de apólogos, muchos de ellos procedentes de la colección esópica, pero algunos originales o tratados de manera singular. Y, desde luego, originalísimas la gracia y la agudeza con que los refiere.

Pero quien en verdad merece el calificativo de primer cuentista español es el infante don Juan Manuel. Primero, por su empaque literario. Primero, por su castellanía. Primero, por sus afanes de originalidad. *El Conde Lucanor,* colección de cincuenta cuentos de tendencia educadora, precede—no debe olvidarse este detalle—en trece años a la composición de *El Decamerón,* de Boccaccio. Obra maestra de la prosa castellana, *El Conde Lucanor* comprende fábulas esópicas y orientales, alegorías, parábolas, cuentos maravillosos y cuentos alegóricos y cuentos satíricos.

Son numerosos y famosísimos los escritores que han inspirado obras suyas en cuentos de *El Conde Lucanor.* Tirso de Molina, en *El condenado por desconfiado,* no hace sino ampliar el cuento de *El salto del rey Richarte de Inglaterra.* El cuento titulado *De lo que acaesció a un home que por pobreza et mengua de otra vianda comía atramuces,* sirve de apólogo de los dos sabios en *La vida es sueño,* de Calderón. Lope de Vega aprovechó en su comedia *La pobreza estimada* el cuento del conde de Provenza y el consejo que le dio Saladino respecto del matrimonio de su hija. El cuento "del mancebo que se casó con una mujer muy fuerte e muy brava" sirvió de argumento a Shakespeare para su *The Taming of the shrew (La fierecilla domada.)* El cuento de los tres burladores que labraron el paño mágico sirve de idea fundamental a *El retablo de las maravillas,* de Cervantes, y a otro cuento del famosísimo escritor danés Andersen. El cuento de lo que aconteció a un hombre que viajaba con su hijo y llevaban un asno, lo aprovecharon Cobin en *Les coupes ravissantes,* La Fontaine en una de sus fábulas y el poeta lusitano Ballesteros en su apólogo *As opiniós.* El cuento de la golondrina que vio sembrar el lino inspiró a La Fontaine *L'hirondelle et les petits oiseaux.* Del cuento *De lo que contesció a un Deán de Sanctiago con don Illán, el grand maestre de Toledo,* derivan, entre otras obras, *La prueba de las promesas,* de Alarcón; *Don Juan de Espina en Milán,* de Cañizares; *Le Doyen de Badajoz,* del abate Blanchel. Y hasta la moderna palabra *perillán,* aplicada a los sutiles tergiversadores de la verdad, deriva del don Illán.

"Con ser tan reducido el número de cuentos de *El Conde Lucanor*—escribe Menéndez y Pelayo—, pues no pasa de cincuenta, la mitad exactamente que los de *El Decamerón* y mucho más breves, por lo general hay en ellos variedad extraordinaria, y no sería temerario decir que esta parte aventaja al novelista florentino, si se tiene en cuenta que nuestro rígido moralista no admitió una sola historia libidinosa, y hasta prescindió sistemáticamente de las aventuras de amor... Hay muchos modos de contar una anécdota. El genio creador consiste en saber extraer de ella todo lo que verdaderamente contiene; en razonar y motivar las acciones de los personajes; en verlos como figuras vivas, no como abstracciones simbólicas; en notar el detalle pintoresco, la actitud significativa; en crear una representación total y armónica, aunque sea dentro de un cuadro estrechísimo; en acomodar los diálogos al carácter y el carácter a la intención de la fábula; en graduar con ingenioso ritmo las peripecias del cuento. Todo esto lo hizo don Juan Manuel... El que con tanta habilidad combina un plan y con tanta gracia mueve los resortes de la narración en la infancia del arte, bien merece ser acatado como el progenitor de la nutrida serie de novelistas que son una de las glorias más indiscutibles de España."

A partir del infante don Juan Manuel, en efecto, como si este hubiera sembrado el gusto para recoger el regusto del género, los escritores españoles ya no interrumpieron la cadena gloriosa de la ficción a medias y de la realidad disfrazada que es el cuento. Insistimos en la afirmación de que sería una auténtica excepción no encontrar, en la obra literaria de cualquiera de los innumerables ingenios como ensalzan y realzan y engarzan las letras españolas de los siglos XIV y XVIII, una narración novelesca. Aun en aquellos cuyas aficiones o inspiraciones se desarrollaron en campos muy alejados del de la novelística. Matemáticos, físicos, teólogos, filósofos, moralistas, críticos..., todos ellos acuden alguna vez, sin pensarlo quizá, a la anécdota, al ejemplo, a la ficción con decoro literario. Es... como una tendencia temperamental a la que hay que rendirse. El espíritu más severo se deja vencer por el prurito de manifestarse fácilmente ingenioso. Muy pocos, casi ninguno, se libran del deseo de recordar en voz alta o pluma en ristre, de pasar el espejo de su curiosidad a lo largo del camino de la vida, lo que es, en resumidas cuentas, según opinó Stendhal, contar, novelar.

El cuento, en España, desde entonces, fue una modalidad social. *A vivir del cuento* se le ha dado modernamente una interpretación despectiva y perifrástica. Sin embargo, a vivir del ingenio noble, del recuerdo amable, de la ilusión magnífica, a vivir del consejo moral, bellamente dado, pudo llamársele durante varios siglos, ¡gracias a Dios!, en España, vivir del cuento.

Por si la influencia de *El Conde Lucanor* no hubiera sido suficiente, llegó a reforzarla el conocimiento y éxito de *El Decamerón*, muy divulgado en España por las ediciones de Venecia—1471—, Mantua—1472—y las trece más que en los últimos años del siglo XV salieron de las prensas en Italia.

Cuentista y admirable es el arcipreste de Talavera Alfonso Martínez de Toledo, quien, cáustico y festivo, intentando sentar plaza de moralizador—mejor aún: de moralizante—, no logró sino inmortalizar una serie de relatos novelescos picarescos, sazonados en una buena prosa con sales y pimienta de la mejor calidad. *El Corbacho* del arcipreste de Talavera guarda los gérmenes—en sentir de Menéndez y Pelayo—de *La Celestina* y del *Lazarillo de Tormes.* Alfonso Martínez conoció *El Decamerón.* Y le conoció a fondo. Y le admiró. En *El Corbacho,* la influencia boccacciana está en los temas y en lo garrido del estilo, en el análisis psicológico, en ese *parecer* escandalizado de aquello mismo que cuenta con regocijo. En *El Corbacho* aparece esa feliz aplicación a lo anecdótico de los refranes y proverbios del más exquisito sabor castizo. Y no es poco el mérito del arcipreste conseguir la amenidad tratando de las artes cosméticas y suntuarias, tan amadas por las mujeres; de los vicios y tachas y malos métodos de vivir de mujeres y de hombres, *vistos* desde un punto indiscutiblemente de la moral ortodoxa.

Después del éxito de *El Corbacho,* recorre en triunfo España una serie de colecciones de cuentos italianos, bien en lengua original, bien traducidos con diversa fortuna. Además de *El Decamerón* da Zuca de Doni: las *Horas de recreación,* de Luis Guicciardini; las *Historia trágicas,* de Mateo Bandello; los *Hecatommithi,* de Giraldi Cinthio; las *Piacevoli Notti,* de Juan Francisco de Caravaggio, conocido por Straporla.

Fray Antonio de Guevara (¿1482-1545?), obispo de Mondoñedo, "con toda su retórica, no siempre de buena calidad, tenía excelentes condiciones de narrador y hubiera brillado en la novela corta, a juzgar por las anécdotas que suele intercalar en sus libros, y especialmente en sus *Epístolas familiares*" (M. y P.). En efecto: muy ágilmente están escritos en esta obra varios ejemplos de filósofos antiguos y modernos, y las historias de Lamia, Laida y Flora, algunos de los cuales le sirvieron a Timoneda de inspiración jocunda. Un mérito mayor tiene Guevara, tanto en su parte temática como en su estilo. Haber sido leidísimo, imitadísimo y copiadísimo por franceses e ingleses, entre los cuales fue inmensa su popularidad. En el libro de *Historias prodigiosas y maravillosas de diversos sucesos acaecidos en el mundo,* que compilaron en Francia Boaystuau, Belleforest y Claudio Tesserant, y que los tradujo y editó en castellano—1586—el impresor, vecino de Sevilla, Andrea Pescioni, se sigue y se traduce literalmente a Guevara en la historia del león de Androcles, en la de las "tres enamoradas antiquísimas": Lamia, Laida y Flora, y en el razonamiento del *Villano de Danubio.* Las dos primeras, contenidas en las *Epístolas familiares* y la última en el *Marco Aurelio.* En Inglaterra, la imitación que de su estilo y sus temas hizo el autor inglés John Lyly en su novela *Euphues, the anatomy of wit*—1580—dio origen al estilo inglés de moda en la época—y en épocas siguientes—: el *euphuismo.*

Mucho también debe el libro *Historias prodigiosas* al magnífico caballero y cronista cesáreo Pero Mexía, de amplia cultura y grandes aficiones a las letras, muy dado y muy ducho en mezclar los motivos históricos con los fantásticos y legendarios. Pero Mexía, en su *Silva de varia lección,* publicada en Sevilla, en 1540, con éxito asombroso se muestra espíritu de una diversidad amable y muy sugestiva. No era un investigador original, pero tenía una manera amenísima para exponer las curiosidades y fingir los pasatiempos en cortas narraciones. Como dato curioso, consignamos que la influencia de su obra *no fue directa* en España, sino por medio de las *Historias prodigiosas* de los franceses Pedro Boaystuau, Francisco Belleforest y Claudio Tesserant, quienes, como ya he indicado, no tuvieron empacho para podar en su ingenio, en el de Guevara y en el de otros autores españoles e italianos. El libro de Mexía, de plan mucho más vasto y también más razonable que el de la obra francesa, interesa especialmente a la novelística, tanto como por las cortas narraciones, a veces verdaderas leyendas, por ser un sugestivo y palpitante repertorio de ejemplos de vicios y virtudes, tomado—y españolizado certeramente—de autores clásicos, como Plutarco, Valerio Máximo, Plinio, Aulo Gelio. Con sus errores, con sus deleznables argumentos, la *Silva* de Mexía, tan entretenida, exponente de la cultura media de la época—y aún poco más—tuvo un éxito asombroso de lectura. En muy pocos años se hicieron de ella cerca de treinta ediciones, no solo en España sino en Francia, Bélgica, Inglaterra e Italia. En Francia, traducida por Gruget, se cuentan hasta dieciséis ediciones de *Les divers leçons de Messie.* En Inglaterra, las once novelas contenidas en *The life and death of William Longbeard,* de Lodge, son un calco de otras tantas contenidas en su *Silva.*

Uno de los primeros cuentistas españoles es, indiscutiblemente, Antonio de Torquemada—escritor que se afamó entre 1553 y 1570—, secretario del conde de Benavente, don Antonio Alfonso de Pimentel, y conocido principalmente por sus *Coloquios satíricos con un Coloquio pastoril y gracioso al cabo dellos,* impresos en Mondoñedo por Agustín de Paz en 1553. Los *Coloquios,* en total, son siete. En el primero se trata de los daños corporales del juego, "persuadiendo a los que lo tienen por vicio que se aparten dél, con razones muy suficientes y provechosas para ello"; en el segundo se trata de los médicos y boticarios; en el tercero, de las ventajas de la resignación en la pobreza y del perjuicio que se sigue no pocas veces a la abundancia de bienes terrenales; en el cuarto, de los desórdenes en el comer y en el beber; en el quinto, de los desafueros que se cometen por los afanes de lujo en el vestir; en el sexto, de la honra y de la infamia, de las salutaciones y de los títulos antiguos, y del valor y del merecimiento de las personas; en el séptimo, *Coloquio pastoral,* de los amores de varios pastores. Todos los *Coloquios* llevan abundantes ejemplos, que vienen a ser verdaderos cuentos, pletóricos de encanto y de gracia.

La *Philosophia vulgar*—1568—, del humanista sevillano Juan de Mal Lara, es un centón de proverbios castellanos, glosados con erudición, agudeza y sabiduría práctica, a imitación de los *Adagios,* de Erasmo.

Los glosa valiéndose de apólogos, facecias, cuentecillos, chascarrillos, dichos agudos y todo linaje de narraciones brevísimas, tan abundantemente, que, seleccionadas estas glosas, formarían un conjunto de una importancia similar al *Porta-cuentos,* de Timoneda. De todos estos cuentos, son unos de tradición esópica; otros están tomados de la tradición oral, y no faltan los de invención propia, que, por cierto, no son los peores ni los que tienen menos gracejo. Según Menéndez y Pelayo, "no se ha escrito programa más elocuente del folklore que aquel *Preámbulo* de la *Philosophia vulgar,* en que con tanta claridad se discierne el carácter espontáneo y precientífico del saber del vulgo, y se da por infalible su certeza, y se marcan las principales condiciones de esta primera y rápida intuición del espíritu humano".

En Valencia, y en 1569, escribió e imprimió el librero valenciano Juan Timoneda una edición completa de su *Sobremesa y alivio de caminantes.* Obra que, quizá, mucho más restringida, estaba publicada desde 1563.

Timoneda no tiene el estilo gallardo, ni la intención moral elevada, ni la cultura grande de Mal Lara. Pero, como este, Timoneda sigue el procedimiento de explicar las frases y sentidos proverbiales por medio de chascarros, anécdotas, dichos ingeniosos y facecias. El *Sobremesa* consta de dos partes: la primera, con noventa y tres cuentos, y con setenta y dos la segunda. Muy pocos de ellos son originales. Unos proceden de *El Decamerón,* como el de la mala fortuna del caballero Rugero. Otros de los *Coloquios* de Torquemada. Varios, de los cuentistas italianos Bandello y Girolano Morlini. Cincuenta y tantos que pertenecen al dominio de la *paremiología.* Algunos de Guevara; entre ellos, la consabida historieta de Lamia, Laida y Flora.

Timoneda narra muy bien. Con personalidad bizarra. Con sales gordas. Carece, sin embargo, de esa finura de matices de los cuentistas italianos y de los mismos modelos españoles. Es autor Timoneda de un libro rarísimo, llamado *El Buen Aviso y porta-cuentos*—1564—, que contiene ciento setenta y cinco cuentos del mismo género que los del *Sobremesa,* pero con la diferencia de llevar aquellos sendas moralejas en cinco o seis versos. Tampoco estos cuentos son originales, sino que derivan de las mismas fuentes apuntadas, y aun muchos son variantes de otros contenidos en la primera edición del *Sobremesa.* Todos ellos son, eso sí, como el mismo Timoneda declara: "Apacibles y graciosos cuentos, dichos muy facetos y exemplos acutísimos para saberlos contar en esta buena vida." Como cuentos—aun cuando su extensión a veces los aproxima a la novela corta—pueden considerarse las historias contenidas en *El Patrañuelo*—¿1566?—la obra más importante y conocida de Juan Timoneda. Las historias, que son veintidós, llevan el nombre de *patrañas,* de las cuales únicamente una puede ser original. Y digo *puede,* porque si se han encontrado las fuentes de las otras veintiuna, fácil pudiera ser que se hallase la de esa única el día menos pensado. De Herodo y Justino, de la *Gesta romanorum,* de Apolonio de Tiro, de Boccaccio y demás *novellieri* italianos—de los más licenciosos, como Masuccio Salernitano y Paladino degli Trienti—, de *Las mil y una noches,* del Ariosto, tomó los argumentos Timoneda sin el menor reparo. Los adaptó. Los adobó. Con cierta gracia particular de buen cocinero que conoce muy bien los paladares por los que va a pasar el guiso.

Dos colecciones de cuentos, hoy desconocidos,

desgraciadamente, conviene, sin embargo, citar aquí, a renglón seguido de los de Timoneda, por ser sus autores escritores muy notables. Se trata de los dos libros de *Cuentos varios,* citados por Tamayo de Vargas y recogida la cita por Nicolás Antonio, debidos a las plumas de dos ingenios toledanos: Alonso de Villegas—autor de la prosa picaresca de la *Comedia Selvagia* y de la pía narración hagiográfica *Flos Sanctorum*—y Sebastián de Orozco, ingenio picante, narrador fácil, investigador muy culto. De este ingenio tenemos pruebas de la amenidad con que *fabulaba* en su *Teatro universal de proverbios,* glosados en verso, en el que se encuentran "algunos cuentos graciosos y fábulas moralizadas".

Melchor de Santa Cruz, natural de la villa de Dueñas y vecino de la ciudad de Toledo, hombre de agudo entendimiento y de escasos estudios, publicó el año 1574 su *Floresta española de apotegmas y sentencias,* una de las colecciones más importantes de anécdotas y cuentos del siglo XVI, y libro curiosísimo como texto de lengua que ha dado material suficiente y jugoso a todo género de obras literarias. Los cuentos pasaron a la conversación y al teatro. Y hoy se reiteran en las hojas volanderas de los periódicos y calendarios, sin que nadie se cuide de indagar su procedencia. Todas las obras de Melchor de Santa Cruz pertenecen a la literatura vulgar y paremiológica. En el prólogo de sus *Cien Tratados* confiesa sencillamente: "Mi principal intento fue solamente escribir para los que *no saben leer más de romance, como yo,* y no para los doctos." En esta obra acumula Santa Cruz máximas, proverbios, sentencias, dichos agudos, apotegmas en tercetos y ternarios de versos octosílabos. Pero la obra maestra de nuestro autor es la *Floresta española,* cuya primera edición—1574, Toledo—fue sugerida por el *Sobremesa,* de Timoneda, aunque Santa Cruz proyecte con un plan más amplio y se sujete a un conato de clasificación, que hará más fácil y útil la lectura de su obra, que es la del impresor, librero y autor valenciano. ¿Cuál es *la base* de la *Floresta española?* Indudablemente, el cuaderno de *Cuentos de Garibay* que posee la Academia de la Historia y que publicó Paz y Meliá en el tomo II de sus *Sales españolas.* ¿Quién fue Garibay? Menéndez y Pelayo cree que pudo ser el famoso historiador guipuzcoano que pasó los últimos años de su vida en Toledo, donde pudo conocerle Santa Cruz y aun reírse con la recopilación de aquel.

Lo cierto es que la mayoría de los *Cuentos de Garibay,* copiados casi literalmente, pasaron a formar la *armazón* de la *Floresta española.* Y el mismo gran polígrafo montañés opina que, pese a la negativa de Santa Cruz de no conocer otra lengua que la propia, debió de entender la italiana y aprovecharse para su colección de las colecciones de *Fazecie, motti, buffonerie et burle* del Piovano Arlotto, de Gonella y del Barlacchia, así como de las *Hore di recreazione,* de Ludovico Guicciardini, y de las *Fazecie et motti arguti di alcuni eccellentissimi ingegni,* de Ludovico Domenichi.

La *Miscelánea,* del caballero extremeño don Luiz Zapata, publicada en 1593, "es mies abundantísima y que todavía no ha sido recogida enteramente en las trojes, a pesar de la frecuencia con que la han citado los eruditos, desde que Pellicer comenzó a utilizarla en sus notas al *Quijote,* y, sobre todo, después que la sacó íntegramente del olvido don Pascual Gayangos" (M. y P.). Cada capítulo de la *Miscelánea* tiene su historieta o anécdota correspondiente. A veces, más de una. Y no producto de la imaginación, sino fundadas en hechos reales presenciados por el autor.

La *Miscelánea,* como la *Sobremesa* o los *Cuentos de Garibay,* no está escrita sujetándose a plan alguno; parece que fue el conjunto de unos apuntes para una obra extensa, que iba a titularse *Varia Historia.* En la *Miscelánea* se narran supersticiones, milagros, burlas, motes, duelos y actos caballerescos, costumbres y rasgos de astucia y agudeza... en una forma llana y desaliñada. Su interés de entretenimiento es grande. Y mayor su valor como documento para el estudio de la época: preocupaciones, ideas, costumbres y sentimientos.

En 1587 se imprimió en París una obra rarísima: *Silva curiosa,* de Julio Iñiguez de Mediano, "dichos sentidos y motes de amor", de la que únicamente vio la luz el primero de los siete libros que su portada anuncia. *Silva curiosa* es una colección tan divertida como poco original, ya que en ella se dan como de Iñiguez retazos literarios de Cristóbal de Castillejo, Diego de Mendoza, Juan Aragonés, Francisco de Figueroa, Juan de Timoneda... De unos años antes son los doce cuentos de Juan Aragonés, de mucho carácter nacional y graciosos, publicados por Timoneda al frente de las ediciones—Medina del Campo, 1563, y Alcalá, 1576—de su *Sobremesa.*

En *Las seyscientas apotegmas* de Juan Rufo, impresas en Toledo el año 1596, para desarrollar máximas morales, a modo de las de Plutarco y Erasmo, se recurre a la anécdota, al breve cuento, al dicho agudo, mitad sal y mitad azúcar, gracia y donaire.

Condiciones de prosista y cuentista muy superiores a las de Timoneda tuvo Sebastián Mey, de una docta familia de tipógrafos y humanistas, autor de un amenísimo *Fabulario* —1613—. El propio Mey, en el prólogo de su obra, dice: "Tiene muchas fábulas y cuentos nuevos que no están en los otros [libros], y los que hay viejos están aquí por diferente estilo." Exacto. Aun las fábulas esópicas que selecciona las remoza con un estilo originalísimo y con una imaginación prodigiosa. Muy difíciles son de señalar los nexos que unen a Mey con la novelística de la Edad Media. Esopo y Ariano la influencian claramente. Pero ¿quiénes más? Del *Calila y Dimna* copia dos únicos cuentos: *El amigo desleal* y *El mentiroso burlado.* Sin embargo, no los copia de ninguna de las versiones castellanas, ni del *Directorium vitae humanae,* de Juan de Capua, sino, quizá, de alguna de sus imitaciones castellanas. Del infante don Juan Manuel no imita sino una sola narración: la del molinero, su hijo y el asno. Parafrasea en su cuento *La prueba de bien querer* la facecia 116 de Poggio: *De viro quae suae uxoris mortuum se ostendit.* Y aun en estas contadas ocasiones, Mey no se desprende de su personalidad inconfundible; procura dar a las narraciones color local, introduce nombres españoles de personas y lugares, huye siempre de lo abstracto y de lo impersonal. El *Fabulario* es una obra de extraordinaria rareza y no una colección de fábulas literalmente traducidas de Fedro, como erróneamente ha escrito Phibusque.

Gaspar Lucas Hidalgo, vecino de la villa de Madrid, publicó en el año 1605 los *Diálogos de apacible entretenimiento, que contiene unas Carnestolendas en Castilla,* conjunto de cuentos muy populares durante todo el siglo XVII, el lenguaje crudo y las sales gordas, hasta el punto que, al aprobar este libro, Tomás Gracián Dantisco tuvo que decir: "Enmendado como va el original, no tiene cosa que ofenda; antes, por su buen estilo, curiosidades y donayres permitidos para pasatiempo y recreación, se podrá dar al autor el privilegio y licencia que suplica." Y de él escribió Menéndez y Pelayo: "Su libro es de los más sucios y groseros que existen en castellano; pero lo es con gracia, con verdadera gracia, que recuerda el *Buscón,* de Quevedo, siquiera sea en los peores capítulos, más bien que la sistemática y desaliñada procacidad del *Quijote* de Avellaneda." Entre 1605 y 1618 se hicieron nueve ediciones de esta singular obra, especie de miscelánea y floresta cómica, en la que predominan extraordinariamente los cuentos. Gaspar Lucas Hidalgo atribuye la mayoría de las gracias a un *famoso decidor,* Colmenares, tabernero muy rico de Burgos, quien pensaba que con lo que mejor se combatía el frío terrible de las noches burgalesas era a fuerza de vino añejo y de acre mostaza. Y si las fuentes en que bebió Lucas Hidalgo son fáciles de señalar, lo son igualmente quienes le imitaron con mejor traza, pero con menos llaneza y más rebuscada gracia. Así, Castillo Solórzano, en su *Tiempo de regocijo*—1627—. Y Antolínez de Piedrabuena, en sus *Carnestolendas en Zaragoza*—1661—. Y Chirino Bermúdez, en sus *Carnestolendas en Cádiz* —1639.

Hemos mencionado las más importantes colecciones de cuentos castellanos conocidas entre los siglos XIII y XVII. Y conste que no nos olvidamos de otras, como las de Luis de Pinedo —*Liber faceciarum et similitudinum...*—; las glosas del sermón de Aljubarrota—atribuidas a don Diego Hurtado de Mendoza, en manuscritos de la centuria decimosexta—; el cuaderno de los *Cuentos de Garibay,* que posee la Academia de la Historia; las *Clavellinas de recreación,* de Ambrosio de Salazar; las *Noches de invierno,* de Antonio de Eslava... Pero todas estas colecciones, enumeradas un tanto rápidamente, son de mucho menos interés. Casi ni son de cuentos, sino de dicharachos y frases lapidarias. La de Antonio de Eslava tiene una honra especial: en el capítulo IV de la *Primera noche,* los mismos eruditos ingleses—el doctor Garnett entre ellos—han creído ver el germen del drama fantástico de Shakespeare *The Tempest,* representado hacia 1613, cuatro años más tarde de publicada la obra del escritor español.

Mas... los cuentos, los famosos cuentos españoles, los viejos cuentos de la vieja España, no son únicamente los contenidos en las precedentes colecciones. Los más famosos cuentos, los cuentos más ingeniosos y de traza singularísima—por la trama y por el estilo—, hay que buscarlos en los obras de los grandes ingenios. ¿Qué es el *Lazarillo de Tormes* sino una sucesión de cuentos, sin otra defensa de su género novelesco que la reiteración en ellos del mismo protagonista? En el *Guzmán de Alfarache* pueden espigarse, a docenas, los cuentos y los chascarros de la mejor calidad. Cuento, y delicioso, es la *Historia de Abindarráez y Jarifa,* que Jorge de Montemayor intercala en su *Diana.* Y los cuentos se dan casi la mano en *El escudero Marcos de Obregón,* de Espinel, y en *Los cigarrales de Toledo,* de Tirso, y en *El viaje entretenido,* de Rojas Villandrando, y en las obras festivas y picarescas debidas a la pluma portentosa de aquel portentoso narrador que se llamó don Francisco de Quevedo. Sin tanta abundancia pueden *pescarse* lindísimos cuentos en *los mares novelescos* de Cervantes y Lope de Vega. Y hasta en los hermosos pero sombríos lagos de Gracián.

En los siglos XIX y XX abundan en España los excelentísimos cuentistas, quienes, naturalmente, crean conformes con el movimiento espiritual y literario a que permanecen adscritos: ya clásicos, ya románticos, ya realistas, ya naturalistas...

En la primera centuria sobresalen: Hartzenbusch, Bécquer, "Fernán Caballero", Trueba, Valera, Emilia Pardo Bazán, Alarcón, "Clarín", Ortega y Munilla, Miguel de los Santos Alvarez, Octavio Picón, Palacio Valdés...

En el siglo XX: Blasco Ibáñez, Pío Baroja, Vicente Díez de Tejada, Hernández-Catá, Tomás Borrás, Samuel Ros, José Francés, Ramírez Angel, López Roberts, Felipe Trigo, Eduardo Zamacois, Joaquín Dicenta, Alberto Insúa, López de Haro, Martínez Olmedilla...

Cuentistas portugueses famosos: Gonzalo Fernández Troncoso, Saraiva de Sousa, Manuel Bernardes, Rodríguez Lobo... Modernamente: Herculano, Castello Branco, Teixeira de Queiroz, Eça de Queiroz, Magalhaes de Lima, Raul Brandao, Manuel Ribeiro, Ferreira de Castro...

Cuentistas italianos: Boccaccio, Mateo Bandello, Giraldi Cinthio, Morlini, Sacchetti, Sabadini degli Arienti, Cintio degli Fabritii, Firenzuoli, Campeggi, Mainardi, Parabosco...

Entre los modernos: De Amicis, Lorenzini "Collodi", De Marchi, D'Annunzio, Matilde Serao, Verga, Grazzia Deledda, Zuccoli, Panzini, Ojetti, Pirandello, Oriani, Puccini, Papini, Corrado Alvaro, Bontempelli...

Cuentistas franceses: Desperies, Nicolás de Troyes, Noel du Fail, Beroaldo de Berville, Sieur d'Ouville, Nicolás Baudoin, Brantôme, Carlos Perrault, la condesa de Aulnoy, Crebillon, Duclos, Diderot, Voltaire, madame Genlis...

Entre los modernos: Vigny, Musset, Nerval, Gauthier, "George Sand", Balzac, Daudet, Maupassant, Zola, Barbey d'Aurevilly, France, Bourget...

Cuentistas ingleses: Chaucer, Otto de Cheriton, Hoveden, Dryden, Prior, Hawkeswont...

Entre los modernos: Wilkie Collins, Dickens, Lytton, Thackeray, Stevenson, Kipling, Wells, Conrad, Wilde, Bennet, Joyce, Somerset Maugham, Conan Doyle, Catalina Mansfield...

Cuentistas alemanes: Von der Aue, Bebelins, Oton Melander, Hagedorn, Pfeffel, Wielna, Gessner, Grimm...

Entre los modernos: Hoffmann, Von Chamisso, Hauptmann, Sudermann, Ricardo Wagner, Conrado-Fernando Meyer, Mann, Wassermann...

V. Menéndez y Pelayo, M.: *Orígenes de la novela.*—Cosquin, E.: *Essai sur l'origine et la propagation des contes populaires européens.* París, s. a.—Moland, Luis: *Origine des contes.* París, 1879.

CUESTIÓN (Académica)

Proposición hecha por una Academia o por una Sociedad literaria para aclarar y desenvolver un tema o un punto de doctrina que admite controversia o que es poco conocido.

Generalmente, tal proposición toma forma de certamen libre. Y la Academia concede un premio para el autor de la mejor obra relacionada con la proposición. Premio que suele consistir en una medalla o en una cantidad en metálico.

CUEVA (Sociedad de la)

Nombre que tomaron en Francia, sucesivamente, numerosas Sociedades literarias cultivadoras de *la canción.* La primera de ellas tuvo por fundadores a Gallet, Piron, Colle y Crebillon (hijo), quienes se reunían en una bodega y bebían y cantaban en honor a Baco. A los cuatro mencionados se sumaron en seguida Fuzelier, Panard, Sallé y Saurin. En 1729 se constituyó solemnemente la Sociedad de la Cueva o de la Bodega.

La segunda Sociedad de este nombre data de 1759, y a ella pertenecieron Boissy, Marmontel, Suard, Laujon. El punto de reunión era el jardín del Palais-Royal.

La tercera fue fundada en 1806, y tomó el nombre de Caveau Moderne.

Y la cuarta, hacia 1820. En todas ellas se bebía y se cantaba frenéticamente.

Aún existieron otras dos Sociedades de la Bodega, aun cuando no llevaron propiamente este nombre. Una, fundada en 1796, bajo el nombre de Dîners de Vaudeville, tuvo como miembros a Piis, Barré, Rudet, Desfontaines, Sgur, Dupaty, Gouffé, y se disolvió en 1802.

La otra nació en 1813 y desapareció en 1828. Tuvo por título: Soupers de Momus.

V. Brazier: *Les Sociétés chantantes.* En el tomo VII de "Le Livre des Cent et Un".

CULTAS (Voces)

Son las derivadas o traídas del latín o del griego después de formada nuestra lengua, y que por no haber recibido la sanción del uso son generalmente desconocidas de las personas que no cultivan dichos idiomas. Por ejemplo: *libidinoso,* por *antojadizo; superno,* por *elevado; quirotecas,* por *guantes; vengo inerme,* por *no vengo preparado; soy poco fausta,* por *soy poco dichosa.*

CULTERANISMO

Al *culteranismo* le parece pobre la lengua. Desea enriquecerla para así utilizar en su poesía un idioma *culto,* es decir, centelleante al intelecto y sorprendente a la curiosidad. Para ello, el culteranismo se lanza a una búsqueda, tan lógica como ardiente, de vocablos nobles derivados de la lengua madre—*el latín*—. La cuestión es que quien lea u oiga quede desconcertado. Al neologismo se le añade la transposición de la frase—hipérbaton—, tan usada por los clásicos latinos de la Edad de Oro. Y para conquistar *el efecto,* la metáfora. El escritor cree necesario no utilizar en poesías nombres de cosas que no sean poéticos y sustituirlos por otros delicados, con los que se forma la *imagen.*

El confusionismo *formal* que existe en el culteranismo para los no iniciados se repite, en relación a las ideas, con el conceptismo. A la confusión de ideas se llega por la falta de ideas originales, por la carencia de móviles sentimentales y vitales. En esta confusión se echa de menos una temática amplia. En esta confusión, la falta del pensamiento profundo quiere sustituirse con el ingenio del poeta para dar apariencia de contenido sin exaltar sino lo continente. Así, el poeta conceptista *hará temas* de la alabanza de una flor, de la descripción de un paisaje o de un bodegón, de una sensación subjetiva de melancolía, de una subjetiva apetencia de soledad, del choque de dos colores, del contraste ideológico—el Amor y el Dolor, la Juventud y la Vejez—. Lo que le pasa al poeta conceptista es que, a fuerza de alambicar en *un tema sin contenido,* arañando, arañando, insistiendo, insistiendo, va encontrando *matices,* y la suma de matices alcanza la calidad de una nueva idea. Para Gracián, es el concepto un "acto del entendimiento que expresa la correspondencia que hay entre los objetos". El culteranismo y el conceptismo forman e informan al barroco; pero no se crea que el culteranismo y el conceptismo *se completan;* por el contrario, se repudian. El conceptismo elude el halago retórico; pretende que su juego mental de sustituciones y alegorías se presente desnudo. El culteranismo huye de la visibilidad tersa y no permite el alambicamiento filosófico. Los recursos del conceptismo son la antítesis de palabras, de frases o de ideas.

El culteranismo fue una corriente de *mal gusto,* de *pura decadencia,* que invadió todas las literaturas europeas a principios del siglo XVII, sin que tenga mayor importancia determinar quiénes la iniciaron, si Marini en Italia o Carrillo y Góngora en España.

Etimológicamente, culteranismo significa el *cuidado del estilo;* pero la palabra vino a convenir al *mal gusto o depravación del estilo.*

Si creyéramos a Lope de Vega, el primero en aplicar el vocablo en su sentido despectivo fue Ximénez Patón, gran humanista:

> Gente ciega, vulgar y que profana
> la que llamó Patón culteranismo.

Las características del culteranismo fueron: el desprecio de la grandilocuencia, el abuso de la metáfora, la propensión a las sentencias, la profusión en el jugar con los posibles sentidos del vocablo, el alambicamiento o conceptuidad de las formas, la singularidad extraña del epíteto, el abuso del hipérbaton, la frialdad de los apotegmas, el desleimiento de las ideas.

Puede afirmarse que el culteranismo deslumbró a todos los escritores de la época. Aun aquellos que lo combatieron sañudamente—Lope, Jáuregui, Guevara, Moreto—quedaron no pocas veces prendados y prendidos en él. Durante muchos años provocó grandes polémicas entre sus defensores y sus detractores.

En Inglaterra, el culteranismo tomó el nombre de *enfuismo* (V.) del libro *Euphues*—1580—, del poeta Lyly.

En Italia, el de *marinismo* (V.), de Marini, autor de *Adonis*—1623.

En Alemania lo introdujo—1673—Hoffmansvalden.

En Francia, Saint-Amand, Voiture, Malesherbes y Théophile.

En España, el culteranismo fue llamado también *gongorismo* (V.), por creerse a Góngora su iniciador—que no lo fue, sino Luis Carrillo de Sotomayor—y su pontífice máximo e inimitable cultivador—que sí lo fue.

La *Fábula de Polifemo* y las *Soledades* de Góngora, son los dos monumentos del culteranismo más admirables en España, y muy superiores a sus equivalentes en el extranjero.

No se piense que todo fue mal gusto y error en este movimiento literario. Tuvo también maravillosos aciertos: originalidad poética incomparable de imágenes, sentido profundo de muchos conceptos hasta entonces mal entendidos, belleza extraordinaria de muchos vocablos puestos en vigencia, giros sintácticos llenos de elegancia.

Nadie se atreverá a poner peros a esta cuarteta culterana de... ¡Calderón de la Barca!:

> ... Desde aquellos miradores,
> que hacen con belleza suma
> al mar, un jardín de espuma,
> y al jardín, un mar de flores.

Ni a estos versos del antequerano Pedro Espinosa:

> La negra noche, con mojadas plumas,
> iba volando por la turbia sombra,
> lloviendo sueño encima de la gente.

Pero conviene que precisemos aún más acerca de este importante movimiento literario español, cuya trascendencia fue tan enorme que aún perdura.

La Real Academia Española define así el culteranismo: "Sistema de los culteranos o cultos, que consiste en no expresar con naturalidad y sencillez los conceptos, sino falsa y amaneradamente, por medio de voces peregrinas, giros rebuscados y violentos y estilo oscuro y afectado."

Un escritor de la época en que surgió el movimiento, Jáuregui, escribió: "Es un adorno o vestidura de palabras, un paramento o fantasma sin alma ni cuerpo."

Karl Vossler—en su *Literatura española del Siglo de Oro*—especifica: "En lugar de una disciplina, castigo y sobrio cultivo del estilo, vinieron a afirmarse las modas del cultismo, culteranismo y conceptismo. Los literatos, por haberse descuidado en lavar la cara al idioma, le pusieron afeites y se empeñaron en adornarlo con tal emulación, que a mediados del siglo XVII el historiador fray Jerónimo de San José pudo sostener en buena razón *que ya nuestra España, tenida un tiempo por grosera y bárbara en el lenguaje, viene hoy a esceder a toda la más florida cultura de los griegos y latinos. Y aun anda tan por los estremos, que casi escede aora por sobra de lo que antes se notaba por falta... Ha subido su hablar tan de punto el artificio, que no le alcanzan ya las comunes leyes del buen decir, y cada día se las inventa nuevas al arte...*

"Y *es cosa considerable*—añade fray Jerónimo—*que la estrañeza o estravagancia del estilo, que antes era achaque de los raros o estudiosos, hoy lo sea no ya tanto de ellos cuanto de la multitud casi popular, y vulgo ignorante: que tal debe llamarse la muchedumbre de los que afectan esta manera de hablar y escribir... La elegancia de Garci-Laso, que ayer se tuvo por osadía poética, hoy es prosa vulgar.*"

Aún más duro con el culteranismo ha sido nuestro primer crítico literario, Menéndez y Pelayo. "Es—escribe en su impar obra *Ideas estéticas*—el vicio de la forma, que intentó rebajar el ingenio español a la tarea estéril y sin gloria de artífice de palabras vanas y de innovador en los vocablos." Y añade: "Fue fatalidad de nuestra literatura que al mismo tiempo que en brazos de Lope y de los poetas valencianos crecía robusta la planta del teatro nacional, comenzase a roer el tronco de nuestra poesía lírica el gusano de la afectación, unas veces conceptuosa, otras veces colorista. Confúndense generalmente dos vicios literarios distintos y aun opuestos: el vicio de la forma y el vicio del contenido; el que nace de la exuberancia de elementos pintorescos y musicales y se regocija con el lujo y pompa de la dicción, y el que vive y medra a la sombra de la sutileza escolástica y de la agudeza del ingenio, que adelgaza los conceptos hasta quebrarlos y busca relaciones ficticias y arbitrarias entre los objetos y entre las ideas. Nada más opuesto entre sí que la escuela de Góngora y la escuela de Quevedo, el culteranismo y el conceptismo. Góngora, pobre de ideas y riquísimo de imágenes, busca el triunfo en los elementos más exteriores de la forma poética, y comenzando por vestirla de insuperable lozanía e inundarla de luz, acababa por recargarla de follaje y por abrumarla de tinieblas. Al revés: el caudillo de los conceptistas no presume de dogmatizador literario, forma escuela sin buscarlo y sin quererlo. Sigue los rumbos excéntricos de su inspiración, que crea un mundo nuevo de alegorías, de sombras y de representaciones fantásticas, en las cuales el elemento intelectual, la tendencia satírica directa, si no predominan, contrapesan, a lo menos, el poder de la imaginativa... Acostumbrado a jugar con las ideas, las convierte en dócil instrumento suyo, y se pierde por lo profundo como otros por lo brillante..."

A partir del año 1927, fecha en que se celebró con general entusiasmo entre los poetas el tercer centenario de la muerte de Góngora, el culteranismo quedó reivindicado posiblemente con creces. Y los líricos gongorinos surgieron más numerosos que chinches en cama de mesón. Y la crítica estudió con fervor y con minuciosidad singularísimos la innovación del fenomenal poeta cordobés.

Por el citado año de 1927 aparecieron obras de tanto interés para la comprensión del gongorismo como las de Alfonso Reyes—*Cuestiones gongorinas*—, Dámaso Alonso—edición de *Las Soledades*—, Miguel Artigas—*Biografía y estudio crítico de don Luis de Góngora,* 1925—, José María de Cossío—edición de los *Romances*—, Gerardo Diego—*Antología poética en honor de Góngora*—, Justo García Soriano—*Don Luis Carrillo de Sotomayor y los orígenes del culteranismo.*

Dámaso Alonso, el crítico actual que mejor y más hondamente ha estudiado el gongorismo o culteranismo, señala precisamente sus características: una temática casi siempre inspirada en la mitología clásica, y el decidido afán de buscar nuevos *cauces poéticos* valiéndose audazmente de la *originalidad del vocabulario,* en la *renovación sintáctica,* en la *melodía del lenguaje* y en las *analogías y metáforas brillantes y sorprendentes.* Dámaso Alonso reconoce que el culteranismo fue un movimiento de *minorías* y, además de una reacción contra el *renacentismo* (V.), una *condensación intensificada* de su lírica.

Ya hemos insinuado con anterioridad que aun cuando se atribuye a Góngora la iniciación del culteranismo, la afirmación es inexacta. El *barroquismo* (V.) poético, uno de cuyos ingredientes más sabrosos y removedores fue el culteranismo, estaba ya en vigencia, aun cuando tímida y *descentrada,* que todo hay que señalarlo. A cualquier mediano conocedor de la lírica española le es sumamente fácil ir señalando los precedentes del culteranismo. ¿Cómo negar la condición de culto del propio Garcilaso? En *Las lágrimas de Angélica*—1586—, de Luis Barahona de Soto (1548-1595), aparecen ya las notas refinadas, tersas, elegantes que informarán más tarde las composiciones del más auténtico culteranismo. El antequerano Pedro Espinosa (1578-1650) presenta en su lírica todos los matices de lo primoroso que marca la línea de lo culto. Ejemplo de esta afirmación es el magnífico soneto a la Asunción de María:

En turquesadas nubes y celajes
están en los alcázares empirios,
con blancas hachas y con blancos cirios,
del sacro Dios los soberanos pajes.

Humean de mil suertes y linajes
entre amaranto y plateados lirios
enciensos indios y pebetes sirios
sobre alfombras de lazos y follajes...

"La parte exterior, decorativa, del barroquismo—escribe Valbuena Prat—está ya realizada, sugiriendo paralelos fáciles de la pintura y arquitectura coetáneas: *ensortijados lazos y folla-*

jes, riqueza de corales y aljófares, junto a finos claros *hilos* de agua, aparecen en esta composición."

Inmediatamente antes que Góngora Luis Carrillo de Sotomayor (1582-1610), el autentico iniciador del culteranismo, poeta de minorías, y cuyo verso, como declara Dámaso Alonso, "más sedoso, aunque complicado, que el de Góngora..., tiene a veces ecos de la suavidad y la emoción de la voz de Garcilaso". El más sencillo análisis descubre en las poesías de Carrillo de Sotomayor todas las características del culteranismo más ortodoxo, aunque, quizá, no tan confusas refinadamente las imágenes como en el Góngora de las *Soledades*.

Pero aún cabría encontrar orígenes más remotos al culteranismo. Un gran poeta medieval, Juan de Mena, acaso con un sentido confuso del renacentismo, adornó su estilo de latinismos, lo recargó con tantas alusiones y metáforas mitológicas como podía sobrellevar, desarmonizó la sintaxis. Y en *La Celestina*—publicada antes de 1500—el criado Sempronio dice a su señor Calixto que se deje de *rodeos y poesías* de su exuberancia mitológico-metafórica.

Lope de Vega comparó el cultismo con una mujer que se pintaba no solo las mejillas, sino también la frente, las orejas y la nariz. En tan maliciosa comparación cree Pfandl que se encuentran las dos principales características de aquel estilo: la pura superficialidad y la exageración.

Indudablemente, *la preocupación por lo formal desecó y debilitó en el culteranismo la parte intelectual*. Y añade Pfandl:

"La convincente explicación de este fenómeno nos la da precisamente la misma poética cultista, de la cual podemos señalar los siguientes puntos principales.

a) Vocabulario. Es modificada a capricho la significación de algunas palabras. Algunos sustantivos abstractos cambian el género gramatical. Vocablos anticuados, o fuera de uso largo tiempo, se rehabilitan. Se forman atrevidos neologismos, especialmente helenismos y latinismos. Palabras que por su sonido, significación u origen, o por su empleo entre ciertas clases sociales, eran tenidas por feas o malsonantes, son incorporadas sin escrúpulo al estilo elevado.

b) Sintaxis. Formas poco usadas han de dificultar la comprensión y velar la claridad del sentido. En primer lugar, se impone la inversión imitada del latín, la cual, a consecuencia de la falta de desinencias de caso en el español, conduce a resultados especialmente complicados. La supresión del artículo o del verbo origina sentenciosa concisión. Libertades sintácticas extraordinarias, como la sustantivación del adjetivo o del infinitivo, producen sorprendentes efectos de significación y armonía.

c) Tropos y figuras. No son muy variados, pero sí excéntricos, entre los cultistas. La metáfora domina sin limitación entre las diversas clases de tropos, bajo una forma especial. La comparación poética se convierte en metáfora en aquellos casos en que el procedimiento tiene consecuencias estéticamente atrevidas o conduce a faltas de gusto. Por ejemplo, en vez de decir: "lloraba lágrimas como derretidos cristales", el cultista concentra la imagen así: "lloraba cristales derretidos". En cuanto a las figuras, los cultistas son imitadores poco hábiles de los conceptistas. De las figuras gramaticales, el asíndeton es la que mejor corresponde a sus tendencias elípticas; de las figuras de significado, prefieren la hipérbole desmedida y las dos degeneraciones retóricas de la inversión: la hipalage y el histeronproterón.

d) El elemento intelectual degenera a menudo en exhibiciones brillantes, pero vacías, de erudición pasada de moda y de oscuridad enigmática... La erudición ya no es fin, sino medio; no es pensamiento, sino solo forma de lenguaje."

El culteranismo fue combatido sañudamente por la mayoría de los grandes escritores de su época, al frente de los cuales se puso Lope de Vega. Sin embargo, insistimos, casi ninguno de cuantos lo combatieron pudieron librarse de él en muchas ocasiones; y el mismo Lope fue cultista no pocas veces, y en su poema *La Circe* describe el palacio de la diosa con tan enigmática oscuridad, que más enigmática no se hallará en Góngora:

> Un monte que pirámide elevado
> el rostro de la Luna determina,
> verde gigante al Sol bañado en plata,
> de sus eclipses el Dragón retrata...

Como el culteranismo, merced al prodigio poético de Góngora, pasó a ser llamado *gongorismo*, ningún mejor ejemplo pudiéramos poner de tal movimiento que los primeros versos de las *Soledades* del genio cordobés:

> Era del año la estación florida
> en que el mentido robador de Europa
> (media luna las armas de su frente,
> y el sol todos los rayos de su pelo),
> luciente honor del cielo,
> en campos de zafiro pace estrellas:
> cuando el que ministrar podía la copa
> a Júpiter mejor que el garzón de Ida,
> —náufrago y desdeñado, sobre ausente—
> lagrimosas de amor dulces querellas
> da al mar, que, condolido,
> fue a las ondas, fue al viento
> el mísero gemido,
> segundo de Arión dulce instrumento.

V. García Soriano, J.: *Don Luis Carrillo de Sotomayor y los orígenes del culteranismo.* "Boletín de la Real Acad. Esp.", 1926.—Alonso, Dámaso: *Temas gongorinos.* Madrid, 1927.—BUCETA, Erasmo: *Carrillo de Sotomayor...* En "Rev. Filol. Esp.", 1919.—REYES, Alfonso: *Cuestiones gongorinas.* Madrid, 1927.—ALONSO, Dámaso: *La lengua poética de Góngora.* Madrid, 1935.—PFANDL, Ludwig: *Historia de la literatura nacional española en la Edad de Oro.* Barcelona, 1933. RETORTILLO Y TORNOS: *Examen crítico del gongorismo.* Madrid, 1890.—THOMAS, L. P.: *Etude sur Góngora et le gongorisme.* Bruselas, 1911.—ARTIGAS, M.: *Góngora y el gongorismo.* Córdoba, 1928.—ARTIGAS, M.: *Don Luis de Góngora. Biografía y estudio crítico.* Madrid, 1925.—CASTRO GUISASOLA, F.: *El culteranismo y la poesía moderna.*

CULTISMO (V. Culteranismo)

La Real Academia Española de la Lengua da como sinónimos los vocablos cultismo y culteranismo. Sin embargo, pudiera hacerse alguna distinción muy peculiar entre ellos. Culteranismo es un fenómeno literario. Cultismo es un fenómeno lingüístico. Aún más: puede decirse del cultismo—fervor por las *palabras* muy selectas y muy poco usuales—que fue la raíz más honda del culteranismo por las *formas expresivas,* sistemáticamente confusas de tan alambicadas.

Pfandl se ha referido a esta diversidad de matices de los dos vocablos: "Si intentamos, en primer lugar, buscar los orígenes de este fenómeno lingüístico, tropezamos con diversos indicios del mismo. En primer término, los esfuerzos de los filólogos españoles del Renacimiento, que, en su perdonable ignorancia del latín vulgar y de la evolución fonética, consideraban su lengua materna como un latín decadente y estropeado, y se esforzaban en reparar las más groseras faltas de aquella supuesta degeneración lingüística acudiendo a toda clase de artificios latinizantes, que después hallaremos en el cultismo actuando con nueva energía, aunque fuera con otros fines. A mediados del siglo XVI, Antonio de Guevara elevó hasta cierto grado de virtuosismo su retórica estilística, cultivada por el gusto de ella misma. Claro está que la distancia desde él a Góngora no es poca. La técnica del lenguaje retórico de Guevara se ve dominada por el ritmo. Lo esencial en él no es la comparación y la metáfora, el epíteto decorativo y la acumulación de conceptos, la pregunta y la exclamación, sino el paralelismo rítmico, la antítesis perfectamente equilibrada, por medio de los cuales los citados recursos estilísticos lograban alcanzar su debido relieve y la deseada eficacia retórica. No en balde Guevara no solo era predicador, sino predicador de la Corte; no en balde sus escritos, como todo el mundo puede comprobar, ganan extraordinariamente al ser recitados en alta voz. La idea de que los adornos del discurso prestan alas al pensamiento no logra alcanzar decisivo y profundo vigor en Guevara, demasiado apegado a las apariencias; pero, en cambio, en el criterio de cultivar por ella misma la lengua literaria y de sacrificar el pensamiento a la expresión y el sentido a la armonía, fue fatal precursor del cultismo."

La opinión de Pfandl refuerza nuestra opinión de que el cultismo no es *exactamente* igual al culteranismo, como no es igual el venero al río, aun cuando las aguas de aquel sean las mismas que originan este. El venero —cultismo—es una boca, va de lo hondo a fuera. El río—culteranismo—es un cauce que va de lado a lado. El cultismo es cuestión de locución; el culteranismo, de formalismo expresivo.

CULTURA

1. Conjunto de ideas y de sentimientos en el individuo, adquiridos por la educación y por el estudio.

2. Conjunto de ideas y de sentimientos emanados de una colectividad como consecuencia del devenir histórico. Según Spengler, son las culturas y no los pueblos ni los hombres los protagonistas de la Historia.

CUNEIFORME (Escritura)

Cuneiforme—en forma de cuña—o *ciudiforme*—en forma de clavo—. Escritura expresada con figuras de cuñas o de clavos, usada en la más remota antigüedad en Siria, Babilonia, Persia, Media, Susa, Armenia y algunos otros pueblos. Se ha conservado en numerosos ladrillos y mármoles de los palacios de Nínive, Babilonia, Korjundik...

Las inscripciones epigráficas del tiempo de los Aqueménidas contienen ordinariamente *tres textos con un mismo significado;* pero cada uno de ellos está escrito en una lengua y con un alfabeto diferentes: el *asirio,* el *medo* y *persa.* Las leyendas en caracteres persas cuneiformes ocupan, en los monumentos-vestigios, el lugar de honor: la primera columna a la izquierda del lector, cuando las inscripciones son paralelas, o la parte superior si están superpuestas. Las leyendas meda y asiria ocupan el segundo y tercer lugares.

La representación del texto asirio, correspondiente a una lengua de la familia semítica, sigue un sistema de escritura que es el más antiguo de los tres. Consta, como los jeroglíficos, de una parte de caracteres ideográficos y de otra de caracteres fonéticos. Los trazos son verticales u horizontales.

El segundo sistema, llamado medo—de la rama turania—, presenta sus textos escritos con un silabario compuesto con más de cien caracteres, que, en gran parte, son representados, a su vez, por figuras cuyo valor resulta de que estén diversamente inclinadas o combinadas entre sí. Se considera este silabario como menos antiguo que el asirio; pero, a su vez, más viejo que el persa. El alfabeto persa, puramente fonético, contiene vocales y consonantes. Y ofrece las características de una lengua derivada del *zenda,* hablada en Persia cinco siglos antes de nuestra Era. Los trazos de esta escritura son verticales y horizontales.

Las diversas escrituras cuneiformes han sido clasificadas así: 1.º *Jeroglíficos caldeos;* 2.º *Escritura escita-caldea;* 3.º *Escritura escita moderna;* 4.º *Escritura armenia arcaica;* 5.º *Escritura armenia* conservada en las piedras de Van; 6.º *Escritura susiana arcaica;* 7.º *Escritura susiana moderna;* 8.º *Escritura asiria arcaica;* 9.º *Escritura asiria de transición;* 10. *Escritura asiria moderna,* encontrada en Nínive y Khorsabad; 11. *Escritura asirio cursiva;* 12. *Escritura babilónica arcaica;* 13. *Escritura babilónica moderna;* 14. *Escritura babilónica de los Aqueménidas;* 15. *Escritura babilónica cursiva.*

Hasta el siglo XVII no se conocieron en Europa los caracteres cuneiformes. Su interpretación fue debida a Niebuhr, Münter, Rask, Rawlinson, Norris, Saulcy, Grotenfed y otros, quienes pudieron traducirlas con ayuda de las escrituras asiria y persa que los acompañaban.

No se ha descubierto manuscrito alguno trazado con escritura cuneiforme, y puede deducirse de la naturaleza de esta misma que debió de estar reservada para las inscripciones monumentales.

V. OPPERT, M. J.: *Eléments de la grammaire assyrienne.* París, 1860.—MÉNANT, J.: *Les écritures cunéiformes.* París, 1860—SAULCY, F. de: *Recherches sur l'écriture cunéiforme assyrienne.* 1848.

CUPLÉ

El cuplé es a la canción lo que la estrofa a la oda. El cuplé es un conjunto de versos —cuatro, cinco, seis—que componen *un refrán repetido* después de cada una de las estrofas de una canción. Los géneros del cuplé son, pues, tantos como los de la canción: erótico, satírico, histórico, político...

Alguien ha definido el cuplé como un epigrama cantado. Y también como "aquella parte de la canción—estribillo—que se corea".

Durante mucho tiempo, el cuplé ha sido parte muy importante en algunas obras escénicas: la zarzuela, el sainete, el "vaudeville".

Desde fines del siglo XIX se llamó cuplés a las canciones picarescas que entonaban sobre los escenarios las cupletistas y las tonadilleras.

CH

CHANZONETA

Antigua denominación de la copla festiva que era recitada o cantada en las festividades populares.

En España tienen una gran antigüedad, como lo demuestra la referencia que a ellas hace el Arcipreste de Hita:

> De quanto que me dixo é de su mala talla
> fiz' tres canticas grandes; mas non pude pyntalla:
> las dos son *chançonetas,* la otra de trotalla.

CHARADA

1. Enigma que resulta de dividir las palabras, de trastrocarlas, de formar palabras oscuras con sílabas de unas y otras, dando algún indicio vago del sentido de cada una, las cuales, combinadas normalmente, componen el *todo* o *misterio descifrado.*

2. Literariamente, la charada tuvo su auge en Francia y durante el siglo XVIII. *El Mercurio de Francia y El Mercurio Galante* se hicieron famosos por insertar tan favoritas producciones, en cuyo esclarecimiento se interesaban ingenios de la categoría de Voltaire y Diderot.

De Francia pasó *la moda* a todos los demás países. Moda *que no ha pasado* aún, puesto que en casi todos los diarios y revistas del mundo se publican charadas y se celebran certámenes, otorgando premios a los solucionistas.

> En "segunda" de "primera"
> van mil "todos" por la acera.
>
> Solución: *Tipos.* (NOVEJARQUE.)

CHASCARRILLO

1. Historieta cómica.
2. Cuentecillo picaresco.
3. Anécdota graciosa que se cuenta o se escribe para divertir.

En la literatura española se ha cultivado mucho el chascarrillo desde el siglo XV. Muchos de los llamados cuentos de famosas colecciones—como *Alivio de caminantes,* de Timoneda, y las *Florestas,* de Torquemada, Luis de Pinedo, Santa Cruz—no son sino chascarrillos. (V. Cuento.)

CHECA Y ESLOVACA (Literaturas)

Una de las lenguas eslavas. La lengua checa y sus dialectos son hablados en Bohemia, Moravia, Hungría—por los eslovacos—y Silesia prusiana. Sus dialectos son: el *hannaco* para la Moravia; el *eslovaco* para la Silesia austríaca y para la Alta Hungría.

La lengua nacional de Bohemia está cultivada, como lengua escrita, desde el siglo IX. De la época de la fundación de la Universidad de Praga—1348—por Carlos IV data el uso del latín como idioma preferido por los escritores sagrados y profanos. Y quedó el lenguaje bohemio tan preterido, que los mismos soberanos hubieron de ordenar que todos los electores tuvieran que aprenderlo.

Juan Huss, en el siglo XIV, sirviéndose de la lengua checa para traducir la Biblia, inició su renacimiento esplendoroso. Y como fue tenida como uno de los símbolos de la independencia de Bohemia, ya jamás dejó de ser cultivada con amor.

En el siglo XVII, al imponerse Austria a Bohemia, fue muy perseguido el uso del checo. Y la emperatriz María Teresa prohibió en absoluto hablarlo. El Congreso de Viena—1818—revocó la orden de la emperatriz.

La lengua checa es, entre todas las eslavas, la que ha llegado a un grado más alto de perfección. Es armoniosa, precisa. Su vocabulario es abundante. La declinación cuenta con siete casos. Carece de artículo. La distinción de los tres géneros en los nombres se refiere más a la forma material de las palabras que a la naturaleza de los objetos que especifica. El verbo puede conjugarse sin el empleo de los pronombres personales. Su alfabeto se compone de 25 letras, que, por medio de la adición de acentos fonéticos, llegan a ser 46. Hacia mediados del siglo X, el obispo Bozo aplicó el alfabeto latino a la lengua checa. Los caracteres de este alfabeto son los góticos, modificados por los acentos.

Los más antiguos textos literarios checos son

las *Leyes* (Pravodatné Deski), cuya redacción se remonta al siglo VIII. Las letras adquirieron un gran desenvolvimiento bajo el gobierno de los primeros príncipes cristianos: 871 a 1310. La antigua poesía checa está representada, en el siglo XIII, por los catorce cantos épicos y líricos contenidos en un manuscrito hallado en 1817 en Koeniginhof por Hanka, y por algunos otros escritos, entre los cuales sobresalen los debidos al caballero Smil de Pardubic; una *Crónica* en verso por Dalimil—1314—; el *Libro* escrito por Thomas Sztitny para la educación de sus hijos; otro libro de Andrés Duda sobre la organización de Bohemia en 1402; diversos cánticos históricos acerca de la batalla de Crécy. En este siglo XV, la poesía nacional pierde parte de su originalidad y aparece tributaria de las literaturas germánica y romana, y traduce *Los Nibelungos* y las *fábulas* y los *misterios religiosos* de la Europa occidental.

Tres profesores de la Universidad de Praga: Juan Huss, Jerónimo de Praga y Jacobel de Mies, iniciaron un esplendoroso retorno a la lengua nacional y al cultivo de su literatura. La traducción de la Biblia, llevada a cabo por Huss, señala el apogeo de la prosa checa. En la misma época, los himnos guerreros de los *tamboritas* perfeccionan la expresión poética. De este tiempo son numerosas obras históricas recogidas en el libro de Palacky—1829—, *Scriptores rerum bohemicarum.*

El apogeo de la literatura checa corresponde al siglo XVI, bajo el reinado de Fernando I. Escritores famosos fueron: el historiador Weleslawin y el poeta cortesano Lomnicki.

A consecuencia de la guerra de los Treinta Años, Bohemia queda sujeta al yugo de los Habsburgos, quienes aplastan cualquier intento de practicar la lengua checa y de cultivar su literatura.

El renacimiento de la literatura checa se inició en los últimos años del siglo XVIII, bajo la influencia de ideas filosóficas y científicas, pero escasamente nacionales, del *Aufklärung.* Entre los mejores escritores de esta época cuentan: el abate Josef Dobrovsky (1753-1829), erudito, llamado con justicia "el patriarca de la literatura eslava", que escribió en alemán y en latín. Josef Jungmann (1773-1847), autor de un diccionario checo-alemán y de una historia de la literatura checa. Václav Hanka (1791-1861), erudito filólogo. Frantishek Palacky (1798-1876), que escribió *Historia de la nación checa en Bohemia y Moravia.* Josef Shafarik (1795-1861), iniciador de los estudios arqueológicos con sus *Antigüedades eslavas.* Jan Kollár (1793-1852), eslovaco, que escribió en checo su poema alegórico *Slávy dcera (La hija de Eslava).* Ladislav Chelakovsky (1799-1853), lírico excelente, en *Ecos* y *La rosa de cien pétalos.* Jeromir Erben (1811-1870), poeta—*El ramillete*—y narrador. Karel Hynek Mácha (1810-1836), romántico byroniano, autor del poema dramático *Máj.* Josef Kajetán Tyl (1808-1856), comediógrafo, dramaturgo.

Por esta misma época surge vibrante un movimiento literario eslovaco, del que son primeras figuras: Jirhi Palkovich (1769-1850), poeta protestante. Antonín Bernolák, gramático católico. L'Udevit Shtur (1815-1856), poeta, autor de una gramática del eslovaco literario. Ondrej Braxatoris-Sládkovich (1820-1827), autor del poema histórico acerca de Matías Corvino *Detvan.* Samo Chalupka, compilador de baladas nacionales. Jan Botto (1829-1881), poeta épico. Jan Kalinchak (1822-1871), primer novelista eslovaco.

A partir de 1848 surgen nuevos nombres ilustres checos. Karel Havlíchek (1821-1856), satírico mordaz y patriota—*Elegías tirolesas, Bautizo de San Vladimiro*—. Bozhena Nemcová (1820-1860), cuentista y narradora, cuya novela *La abuela* está traducida a todos los idiomas. Vítezslav Hálek (1835-1874), lírico romántico y tradicional—*Canciones de la tarde*—. El admirable Juan Neruda (1834-1891), gran poeta —*Motivos sencillos, Cantos cósmicos*—, pero mucho mejor narrador, y cuyos cuentos de *Malá Strana* han sido traducidos a muchos idiomas; también fue periodista y dramaturgo. Adolf Heyouk (nació en 1835), idílico cantor de la Naturaleza, llamado "el patriarca de la poesía checa contemporánea". Karolina Svetlá (1830-1899), novelista muy influida por "George Sand". Gustav Pfleger (1833-1875), narrador y costumbrista. Jakub Arbes (1840-1914), periodista revolucionario. Frant V. Jerábek (¿1840-1894?) y Emanuel Bozdech (1841-1889), dramaturgos muy afrancesados, aquel dramático, este comediógrafo.

Una nueva época se inicia en 1875, durante la cual luchan los partidarios "del arte por el arte" contra los partidarios de la exaltación de las ideas y de los ideales. Svatopluk Chech (1846-1908), poeta patriótico—*Los cantos de un eslavo*—. Josef V. Sladek (1845-1912), de enorme cultura europea, gran impulsor de la poesía—*Con el sol y con la sombra, Canciones de la aldea, Sonetos checos*—. Julius Zeyer (1841-1901) poeta misantrópico y sensual—*De las crónicas del amor*—, dramaturgo y novelista—*Jan María Plojhar*—. Joroslav Vrchlicky, seudónimo de Emil Frida (1853-1912), llamado "el Víctor Hugo checo", poeta y novelista, autor de cerca de setenta volúmenes de poesía, novela y teatro, y traductor de Dante, Ariosto, Cervantes, Calderón, Camoens, Goethe, Byron, Pushkin, Carducci, Leopardi... Karel Chervinka, fiel pintor del paisaje natal; Joroslav Kvapil, narrador sentimental y erótico; Jaromir Borecky, autor de la novela *Rosa mystica.*

En la prosa narrativa, naturalista y realista, con influencias francesas y rusas, sobresalen: Zikmund Winter (1846-1912), novelista católico de temas históricos. Alois Jirásek (1851-1928), profesor de Historia y narrador. Josef

Holechek, cuya gran novela *Nashi (Gente nuestra)* se ha comparado con *Los campesinos,* del polaco Reymont. Teresa Nováková (n. 1851), cuyas tradiciones de *Los hermanos bohemios* han sido traducidas a distintas lenguas. Václav Kosmák (1843-1898), cura católico y costumbrista. Karel Klostermann, narrador.

En este mismo período de 1875 a 1890 se distinguen en Eslovaquia: Gabriela Preisová (n. 1862), lírica y narradora. Jan Herben y Alois Mrstík, discípulos de Iván Turgueniev, como novelistas. Svetozár Hurban-Vajansky (1847-1916), lírico y novelista de costumbres. Hviezdoslav, seudónimo de Pavel Országh (1849-1921), poeta patriótico y romántico retrasado.

Hacia 1890 se inicia en Checoslovaquia la obra reformadora de Tomash Garrigue Masaryk (1850-¿1937?), gran pensador, erudito y político, primer presidente de la República checoslovaca, cuya enorme influencia se hizo sentir hasta en la poesía. Josef Svatopluk Machar (n. 1864), rebelde y pesimista, uno de los maestros del modernismo lírico—*Tristium Vindobona, La conciencia de los siglos, Aquí deberían florecer las rosas*—. Petr Bezruch, seudónimo de Vladimir Vashek (nació en 1867), pesimista y socialista—*Cantos de Silesia, El número silesiano.*

En la prosa narrativa: Josef Merhaut (1863-1907), novelista impregnado en el naturalismo francés. Frantishek X. Svoboda (n. 1860), naturalista y costumbrista. Josef K. Shlejhar (1864-1914), afrancesado en un naturalismo violento, desposeído de toda espiritualidad. Karel M. Chapek-Chod (1860-1927), novelista de fama universal, de procedimientos tan originales como extraños—*Turbina, Los dos Jindra*—. Fueron novelistas naturalistas: Ruzhena Svobodová (1868-1920), Bozhena Beneshova (n. 1873)—*Un hombre*—, Ana María Tilschova...

En el simbolismo decadente, orientado hacia París, triunfaron: Frantishek X. Shalda (n. 1867), Arnosht Procházka (1869-1925), estético y crítico; Antonín Sova (1864-1928), lírico emotivo, nervioso, extraño—*El alma despedazada, Cosechas, Batallas y destinos*—; Jirhí Karásek de Lvovik (n. 1871), satánico y discípulo de Baudelaire, Huysmann y Wilde; Karel Hlaváchek (1874-1898), melancólico, soñador y proletario; Jan Opolsky (nació en 1875), miniaturista en prosa; Stanislav Kazimir Neumann, nietzscheano, simpatizante con el comunismo ruso; Otokar Brhezina, seudónimo de Václav Jebavy (1868-1929), religioso e intimista—*Las lontananzas misteriosas, Alba a Occidente, Los constructores del templo, Las manos, Viento de los polos.*

Entre los autores dramáticos: Jaroslav Hilbert (n. 1871), comediógrafo y dramaturgo; y los eslovacos Martín Kukuchin (1860-1928) y Josef Gregor-Tájovsky (n. 1874), de tendencias social-democráticas.

La generación de 1900, agrupada en torno a la revista *Lumir,* mantiene nombres ilustres: Víctor Dyk (1877-1931), poeta y novelista neorromántico. Josef Holy (1874-1928)—*Libro de las plegarias para mi amiga*—. Karel Toman, seudónimo de Antonín Bernáshek (n. 1877), discípulo de Villón y de Verlaine. Fránha Shrámek, cantor de la juventud y del amor. Otokar Theer (1880-1917), poeta y dramaturgo—*Faetón*—. Otokar Fischer (n. 1883), poeta y filólogo.

Entre los eslovacos de esta misma promoción: Janko Jesensky (n. 1874), revolucionario. Iván Krasko, seudónimo de Jan Botto (n. 1876), que cantó el ideario protestante. Martín Rázus (n. 1888), cantor de la liberación y de la autonomía.

Entre los críticos checos: Hanush Jelinek (n. 1878), Arne Novák (n. 1880), Max Dvorhak (1874-1921) y Edward Benesh (n. 1884).

Pertenecen a las corrientes literarias novísimas: Karel Chapek (1890-1938), de enorme fama universal, narrador originalísimo y obsesionante—*Abismos esplendorosos, Lelio, Calvario, Relatos penosos, El bribón seductor, El caso Makropulos, Adán el creador, La guerra de las salamandras, La vida de los insectos, La fábrica de lo absoluto, La krakatita, Una vida hueca, El meteoro*—. Josef Chapek (n. 1888), hermano de Karel, con quien colaboró en novelas y obras teatrales. Y el hoy famosísimo Franz Kafka (1883-1924), narrador extravagante y obsesionante, delirante y sugestivo—*El proceso, Metamorfosis*—. Miroslav Rutte, crítico y ensayista. Arnosht Dvorhák (1880-1933), gran dramaturgo—*La montaña blanca, Los husitas, Rey Wenceslao IV, Mrtvá, La nueva Orestíada, La balada de la mujer asesina*—. Frantishek Langer (n. 1882), dramaturgo superficial y maestro de la técnica. Jan Bartosh (n. 1893), cultivador del gran guiñol. Jakub Deml (n. 1878), poeta simbolista de tendencia católica. Católico igualmente, refinado poeta y narrador es Jaroslav Durych (n. 1886).

De la promoción posterior a la gran guerra (1914-1918) destacan: Rudolf Medek (n. 1890), poeta—*Corazón de león*—y novelista admirable—*La isla de la tempestad, Sueño grandioso, Las grandes jornadas, Dragón color de fuego, Anabasi*—. Josef Kopta (1894), autor de las novelas *La tercera compañía, La tercera compañía en el Transiberiano.* Jaroslav Hashek (1883-1923), novelista tan original como violento en su humor—*Bravo soldado Shvejk*—. Iván Olbracht, seudónimo de Kamil Zeman (1882), novelista revolucionario—*Nicolás Shuhaj*—. María Majerová (1882), autora de novelas delicadas y optimistas.

Entre los escritores más importantes de nuestros días figuran: Josef Horak (1891), poeta neoclásico. Jindrhich Horejshi (1889), poeta rebelde. Jirhí Wolker (1900-1924), que intentó unir la fe religiosa con la tendencia comunista.

En el grupo Devetsil (Las fuerzas nuevas)

figuran: Vitzslav Nezval (n. 1900), lírico vanguardista, extravagante y prosista Jeroslav Seifert (n. 1901), emotivo sentimental y casi libre de los "ismos" de subversión lírica. También poetas excelentes: Karel Teige; los eslovacos Emil Lukach (1900), Jan Smrek y Jozho Nizhansky; Kónstantin Biebl, Frantishek Halas, Vilém Záveda...

En la prosa narrativa: A. M. Pisha (1902), Frantishek Götz (1894), Vladislav Vanchura (1891)—*Pekarh (El panadero), Campos de trabajo y de guerra, Un verano caprichoso*—. Los eslovacos Jan Hrushovsky (1892), Milo Urban (1904)—*El látigo vivo*—e Iván Stodola (1888), además excelente autor teatral.

V. DOWROVSKY: *Literatura bohemia y eslava*. Praga, 1789.—DOWROVSKY: *Historia de la lengua y literatura bohemias*. 1792.—JAKUBEC: *Dejiny literatury ceské*. Praga, 1929.—CHUDOVA, F.: *A short survey of czech literature*. Londres, 1924.—VLCEK, J.: *Dijiny literatury slovenkej*. 1923.—PRAMPOLINI, S.: *Historia de la literatura universal*: *Las literaturas checa y eslovaca*. Buenos Aires, Uteha, 1941, tomo XIII.

CHEROQUÉS (Idioma)

Uno de los idiomas de la América septentrional, de la familia *apalache*, hablado por los cherokes o cheroqueses, que viven en la parte más inculta de Arkansas. La lengua cheroquesa tiene dos dialectos: el *ottaro*, o de los habitantes de las montañas, y el *ayrato*, o de los habitantes de la llanura.

Según el filólogo Jarwis, la cheroquesa es una de las lenguas más ricas de la América indígena. Carece del verbo *ser*, pero posee una gran cantidad de verbos, cuyo empleo está determinado por el objeto que debe servir de régimen. El plural existe en los nombres y en los verbos. En la pronunciación cheroquesa existen seis vocales y quince articulaciones. En 1823, un cheroqués llamado Segwoya inventó un silabario compuesto de ochenta y cinco signos, muchos de los cuales son letras latinas, pero con distinto valor.

En 1828 empezó a publicarse un diario en inglés y en cheroqués: *Le Cherokée Phoenix*. Al cheroqués han sido traducidos varios himnos religiosos y el *Evangelio de San Mateo*—1850.

V. LUDEWIG, H.: *The Literature of american aboriginal languages*. Londres, 1858.

CHILENA (Literatura)

La literatura chilena, como todas las literaturas hispanoamericanas, se inició bajo la égida del Romanticismo. Y sería injusto negar que la influencia del gran venezolano Andrés Bello, que durante tantos años vivió y trabajó en Chile, fue extensa y honda. Fueron precisamente los discípulos de Bello quienes enraizaron definitivamente lo autóctono literario chileno. Así, Francisco Iturrondo (1800-1868), conocido por el seudónimo de "Delio"—*Silvas americanas*—. Carlos Bello (1815-1854), hijo de Andrés, dramaturgo—*Los amores de un poeta*—. Rafael Minvielle (1800-1887), traductor de Dumas y Hugo, autor del drama *Ernesto*. Salvador Sanfuentes y Torres (1817-1860), poeta —*El campanario, El bandido, Huentemagu, Inami* o *La laguna de Rauco*—, dramaturgo —*Carolina, Cora* o *La Virgen del Sol, Juana de Nápoles*—. José Joaquín Vallejo (1811-1858), que popularizó el seudónimo de "Jotabeche", cuentista y costumbrista—*El provinciano de Santiago*—. José Victorino Lastarria (1817-1888), iniciador del cuento chileno—*Rosa, El mendigo, Don Guillermo*—. Hermógenes de Irisarri (1819-1886), poeta—*La mujer adúltera*—y crítico—*Cartas sobre el teatro moderno*—. Domingo Arteaga Alemparte (1835-1880), poeta, historiador y crítico traductor de la *Eneida*.

CH

El manifiesto del romanticismo chileno fue el discurso de José Victorino Lastarria, pronunciado—1842—al inaugurarse la Sociedad literaria.

La llamada "generación del 42" dio pocos nombres ilustres a la poesía, ya que aún pesaba sobre ella la influencia clasicista de Bello; pero dio ilustres historiadores, eruditos, filólogos...

Escritores notables de esta generación fueron: Eusebio Lillo (1826-1910), autor de *La canción nacional de Chile*, de *Recuerdos de un proscripto*, de *La violeta*, del drama *San Bruno*. Guillermo Blest Gana (1829-1904), hermano del novelista Alberto; autor dramático —*Lorenzo García, La conjuración de Almagro*—, novelista—*Las dos tumbas, El número 13*—, poeta—*Flor de la soledad. Las dos mujeres*—. Guillermo Matta (1829-1899)—*Cuentos en verso, Poesías, Nuevas poesías*—. Luis Rodríguez Velasco (n. 1839)—*La Creación*—. José Antonio Soffia (1843-1886), traductor de Hugo y de Vigny—*Hojas de otoño, Poesías líricas, Michimalonco, Bolívar y San Martín*—. Pablo Garriga (1853-1893), poeta—*Camadeva*—y dramaturgo—*La huérfana*—. Eduardo de la Barra (1839-1900)—*Rimas chilenas, Poesía subjetiva y objetiva*.

Entre los críticos, historiadores y eruditos de esta época figuran: Diego Barros Arana (1830-1907), el más alto valor de la historiografía chilena—*Historia general de Chile, Historia general de la Independencia de Chile, Biblioteca americana*—. Ramón Sotomayor Valdés (1830-1903)—*Historia de Chile desde 1831 a 1871*—. Miguel Luis Amunátegui (1828-1888), erudito y crítico admirable—*La vida de Bello, Las primeras representaciones dramáticas en Chile*—. Gregorio Víctor Amunátegui (1830-1899), admirable crítico y erudito, como su hermano —*Poesías y poetas sudamericanos, Pedro Oria, La reconquista española, Una conspiración en 1780, Apuntes para la historia de Chile, Juicio crítico de algunos poetas hispanoamericanos,* las cuatro últimas en colaboración con su hermano—. Benjamín Vicuña Mackenna (1831-1886), historiador de gran calidad—*Chile, relaciones históricas; Diego de Almagro, estudios críticos sobre el descubrimiento de Chile*—. Gonzalo Bulnes (1851-1937)—*Guerra del Pacífico, Historia de la expedición libertadora del Perú*—. José Toribio Medina (1852-1930), uno de los más fecundos polígrafos y el primero, sin duda, entre los maestros de la bibliografía hispanoamericana—*Biblioteca hispanoamericana, Biblioteca hispanochilena, Historia de la literatura colonial de Chile*—. Domingo Amunátegui Solar (n. 1860), hijo de Miguel Luis —*Las encomiendas indígenas de Chile*—. Francisco Antonio Encina (nació en 1870)—*Portales*—. Alberto Edwards (1874-1932)—*La fronda aristocrática*—. Ricardo Donoso (1896)—*Ensayos biográficos sobre Barros Arana y Vicuña Mackenna.*

Entre los narradores sobresalen: Alberto Blest Gana (1830-1920), romántico realista—*Juan Arias, Un drama en el campo, Martín Rivas, El loco Estero, La flor de la higuera, Engaños y desengaños, La fascinación*—. Alberto del Solar (n. 1860)—*Huincahual*—. Daniel Barros Grez (1834-1894)—*Pipiolos y Pelucones*—. Vicente Pérez Rosales (1807-1886), de vida bohemia y aventurera—*Recuerdos del pasado, Ensayo sobre Chile, Diccionario del entrometido*—. Rosario Orrego de Chacón (1834-1879), de acusado sentimentalismo. Federico Gana (1867-1926), fundador del criollismo chileno—*Subterra...*

Entre los autores teatrales de más interés figuran los ya mencionados en otros géneros, Salvador Sanfuentes—*Don Francisco de Meneses, El castillo de Mazini*—. Rafael Minvielle—*Ernesto*—. Carlos Bello—*Los amores de un poeta*—. Eusebio Lillo—*San Bruno*—. Daniel Barros Grez—*La colegiala, Como en Santiago*— y Guillermo Blest Gana—*La conjuración de Almagro, Lorenzo García*—. Pablo Garriga—*La huérfana*—. Luis Rodríguez de Velasco—*Por amor y por dinero*—. Manuel de Santiago Concha—*La acción de Yungay*—. José Antonio Torres Arce (1828-1864)—*La independencia de Chile, El falso honor, El sacrificio inútil, Los dos amores*—. Carlos Walker Martínez (1841-1905)—*Manuel Rodríguez*—. Daniel Caldera (1852-1896)—*Arbaces o El último Ramsés, El tribunal del honor*—. J. Francisco Ureta Rodríguez—*La caída de Marcó*—. Pedro Urzúa —*Alonso de Ercilla* o *El sello del virrey*—. Ricardo Fernández Montalva (1866-1899)—*La mendiga, Una mujer de mundo, La copa de marfil*—. Juan Rafael Allende (1850-1909), representante de la poesía y de la dramática populares—*Moro viejo, Los entierros, De la taberna al cadalso, La generala Buendía*—. Román Vial (1833-1896), autor de sainetes—*Choche Bachicha, Una votación popular...*

Un brote de la antigua epopeya tuvo en Chile dos excelentes representantes: Narciso Tondreau (1861)—*Los Balmacedonautas*—y Samuel A. Lillo (1870)—*Chile heroico.*

Ya iniciado el modernismo, se ofrecen nombres ilustres: Gustavo Valledor Sánchez (1870-1930), poeta correcto y elegante—*Cantos sencillos y poemas, En la colonia*—. Carlos Pezoa Velis (1869-1908), hondísimo y admirable lírico, que cantó la animación de las gentes y de los medios humildes—*Poesías y prosas completas*—; ha sido considerado, por sus temas y sus raíces sentimentales, como el más típicamente poeta chileno de los poetas de su tierra. Manuel Magallanes Moure (1878-1924), pintor, crítico y poeta—*Facetas, Matices, La casa junto al mar, La jornada*—. Luis Felipe Contardo (1880-1921), sacerdote, preponderante en el tema sacro—*Flor del monte, Palma y hogar, Cantos del camino*—. Max Jara (1886), reconcentrado y obsesivo—*Juventud, Asonantes*—. Pedro Prado (1886)—*Las horas, Flores de cardo, Los pájaros errantes*—. Carlos R. Mondaca (1881-1928)—*Por los caminos*—. Diego Duble Urrutia (1887)—*Veinte años, Del mar a la montaña, Fontana cándida*—. Jorge González Bastías—*Misas de primavera*—. Ernesto A. Guzmán (1877)—*El árbol ilusionado, Vida interna*—. Jerónimo Lagos Lisboa (1885)—*Yo iba solo*—. Antonio Bórquez Solar (1872-1938) —*Campo lírico*—. Carlos Préndez Saldías (1892) —*Álamos nuevos, Romances de tierras altas*—. Ángel Cruchaga Santa María (1893)—*Job, Las manos juntas*—. Juan Guzmán Cruchaga (1896) —*Junto al brasero, La pista del corazón, Agua de vida*—. Víctor Domingo Silva (1882)—*Hacia allá*—. Julio Vicuña Cifuentes (1863-1936), erudito y finísimo lírico—*La cosecha de otoño*—. Jorge Hübner Bezanilla (1892), cultivador del alejandrino. Daniel de la Vega, inclinado a los metros libres. Domingo Gómez Rojas (1896-1920)—*Extasis.*

Destacadísimo lugar ocupa en el campo lírico Gabriela Mistral (1889), Premio Nobel de Literatura, peculiarísima, honda, audaz, con tonos de patetismo o de fervor inmensos—*Desolación, Sonetos a la muerte, Interrogaciones, Ternura, Tala.*

En la generación lírica posterior a la primera guerra mundial (1914-1918), coincidiendo con la aparición de los "ismos"—ultraísmo, dadaísmo, creacionismo y superrealismo—, surgen nombres ilustres. Carlos Acuña (1886)—*Baladas criollas, Capachito, Mingaco*—. Vicente Huidobro (1893-1948), culto, cerebral y afrancesado, uno de los iniciadores del creacionismo —*Arte poética, Altazor, Horizón Carré*—. "Pablo de Rokha" (1894), seudónimo de Carlos Díaz Loyola, ególatra y funambulesco—*Los gemidos, Satanás, Gran temperatura, Sudaméri-*

ca—. "Pablo Neruda" (1904), seudónimo de Neftalí Ricardo Reyes, quizá hoy el más universal lírico de Hispanoamérica, mezcla de grandezas y de miserias, poeta enorme y mezquino, creador admirable y, en ocasiones, prosaico—*Crepusculario, Veinte poemas de amor y una canción desesperada, Tentativa del hombre infinito, Anillos, El hondero entusiasta, Residencia en la tierra, España en el corazón, Las furias y las penas, El canto general.*

Poetas dignos de mención, dentro de las últimas tendencias, son: Roberto Meza Fuentes, Joaquín Cifuentes Sepúlveda, Armando Ulloa, Juvencio Valle, Omar Cerdá, Salvador y Alejandro Reyes, Raimundo Echevarría y Larrazábal, Oscar Lanas, Víctor Barberis, Carlos Casassús, Augusto Santelices, Gerardo Seguel, Julio Barrenechea—hoy sumamente prestigiado—, Rosamel del Valle, Luis Enrique Délano, Gladys Thein, María Rosa González, Oscar Castro, Harvelo Arabena, Francisco Santana, Jorge Millas, Juan Negro, Braulio Arenas, Nicanor Parra y Antonio de Undurraga.

Entre los narradores, costumbristas y ensayistas del modernismo figuran: Luis Orrego Luco (1866), el iniciador del naturalismo en Chile—*Casa grande, Tronco herido*—. Emilio Rodríguez Mendoza (1876)—*Cuesta arriba, Vida nueva, Santa Colonia*—. Fernando Santiván (1886)—*Palpitaciones de vida*—. Rafael Maluendo (1885)—*Escenas de la vida campesina*—. Januario Espinoza (1885)—*Cecilia*—. Guillermo Labarca Hubertson (1883)—*El amor a la tierra*—. Joaquín Edwards Bello (1888)—*El inútil, El monstruo, El voto, El chileno en Madrid, La chica del Crillón, Valparaiso, la ciudad del viento*—. Juan Modesto Castro—*Aguas estancadas*—. V. Domingo Silva—*Palomilla brava, El cachorro*—. "Augusto D'Halmar" (1882), seudónimo de Augusto Goeminne Thomson, de fama universal—*Juana Lucero, La sombra del humo en el espejo, Pasión y muerte del cura Deusto, Nirvana, Capitanes sin barco*—. Inés Echeverría de Larraín—*Cuando mi tierra era niña.*

El extraordinario Eduardo Barrios, nacido en 1884 y muerto recientemente (¿1951?), acaso el mejor novelista de Chile, de fama universal y grande, impresionante realista y delicadísimo romántico—*Un perdido, El hermano asno, El niño que enloqueció de amor, Rajadiablos, La vida sigue*—. Genaro Prieto (1885-¿1947?), cuentista excepcional y autor de las hermosas novelas *El socio* y *Un muerto de mal criterio.* Mariano Latorre (1886), crítico, ensayista y novelista—*Cuentos de Maule, Zurzulita, Hombres y zorros, Mapu*—. Luis Rodríguez Gamboa—*Los sueños se disipan*—. Alberto Romero—*La tragedia de Miguel Orozco*—. Rafael Maluenda—*Armiño negro, Venidos a menos*—. Januario Espinoza—*La señorita Cortés Monroy, La vida humilde*—. Pedro Prado (1886)—*La reina de Rapa Nui, Un juez rural, La casa abandonada*—. Manuel Rojas—*Lanchas en la bahía*—. Salvador Reyes—*Tres novelas de la costa*—. Angel Custodio Espejo—*Cuentos de alcoba*—. Daniel Riquelme—*Bajo la tienda, Cuentos de guerra*—. David Rojas, Sady Zañartu, Héctor Erbetta, Ismael Párraguez, Victoriano Lillo, Román Fritis, Adolfo Valderrama, Daniel Riquelme, Gonzalo Drago, María Luisa Bombal, Marcela Paz, Enrique Bunster. Marcial Cabrera Guerra, Francisco Coloane, Franco Brzovic—*Sangre ovejera*—, Juan Marín—*Paralelo 53° Sur*—, Luis Durand—*Mercedes Urizar*—, Marta Brunet—*Montaña adentro, María Rosa, Bestia dañina*—, Senén Palacios—*Hogar chileno*—, Joaquín Díaz Garcés—*La voz del torrente*—, Manuel Guzmán Maturana—*Pancho Garuya*—, Juan Modesto Castro—*Froilán Urrutia*—, Lautaró Yankas, Francisco Hederra...

Entre los historiadores y críticos: Emilio Vaisse (1861-1935), francés de origen, que prestigió el seudónimo de "Omer Emeth", sacerdote, fundador de la crítica chilena. Armando Donoso (1887), de fama universal—*La otra América, Los nuevos, La sombra de Goethe, Nuestros poetas*—. Arturo Torres Rioseco (1887)—*Novelistas contemporáneos de América, Vida y poesía de Rubén Darío, La gran literatura iberoamericana*—. Eugenio Orrego Vicuña, académico y crítico de gran fama. Rubén Azócar, Ricardo A. Latcham, Domingo Melfi, Hernán Díaz Arrieta ("Alone"), Francisco Contreras, Hernán del Solar, Raul Silva Castro, Carlos Poblete, Misael Correa Pastene, Mariano Latorre, Aliro Carrasco...

V. MELFI, Domingo: *Literatura chilena.* En el tomo XII de la "Historia universal de la literatura", de Prampolini. Buenos Aires, Uteha, 1941.—"ALONE" (DÍAZ ARRIETA, Hernán): *Panorama de la literatura chilena durante el siglo XX.* Santiago, 1931.—AMUNÁTEGUI DEL SOLAR, Domingo: *Bosquejo histórico de la literatura chilena.* Santiago, 1920.—FIGUEROA, Pedro Pablo: *La literatura chilena.* Santiago, 1891.—LATORRE, Mariano: *La literatura de Chile.* Buenos Aires. Fac. de Filosofía y Letras, 1941.—LILLO, Samuel: *La literatura chilena.* Santiago, 1930.—SILVA CASTRO, Raul: *Curso de historia de la literatura chilena.* Santiago, 1933.

CHILENAS (Lenguas)

Lenguas indígenas de la región austral de la América meridional, habladas en diversos dialectos por los pueblos de Chile, juntamente con el castellano y más o menos alterados por este desde el siglo XVI. Los principales de dichos dialectos son: el *chileno* o *araucano,* el más antiguo y rico; el *hispanochileno,* usado en los alrededores de las grandes urbes; el *poy yus* o *peyes* y el *key yus* o *keyes,* usado en la Patagonia; y el *pulche,* hablado por los pulches, tribus orientales de Chile.

El *chileno* o *araucano* es sonoro, dulce y rico. Las reglas de su gramática son extraordinariamente sencillas y la lengua no ofrece irregularidad alguna en sus verbos. La declinación de los nombres, de los adjetivos y de los pronombres se hace por flexión, empleando los vocablos *alca*—hombre—o *domo*—mujer—para indicar el género. Existe una forma particular para el plural en la conjugación y en la declinación. Los adjetivos son invariables. No existe más que una conjugación, pero es de las más abundantes y de las más artificiales que se conocen, tanto por el nombre de los tiempos como por las modificaciones del sentido dado a su radical. Según la región donde se habla, sufre pequeñas modificaciones.

Los picunchos no tienen *s* y la reemplazan con la *r* o la *d;* y a falta de la *z,* se sirven de la *g* nasal.

Los peshuenchos, que no tienen en su alfabeto ni *r* ni *d,* las sustituyen con la *s.*

Durante muchos siglos las lenguas chilenas tuvieron por expresión lingüística los *quippos,* signos extraños "como cordelillos trenzados de distintos colores".

V. LUDEWIG, H.: *The Literature of american aboriginal languages.* Londres, 1858.

CHINA (Lengua)

Es la lengua principal del tipo de idiomas monosilábicos. Más de treinta siglos de vida literaria atestiguan su importancia como lengua escrita, porque como lengua hablada es de una pobreza tal con relación a los idiomas europeos, que se hace casi imposible su traducción. Todo el aparato de la lengua china consiste en 472 monosílabos primitivos, de los cuales 14 no pueden ser traducidos en ninguna otra escritura. Pero como muchas de tales palabras o radicales pueden pronunciarse hasta con cinco, seis, ocho entonaciones, modificándose su resultado, hace que se eleven a más de 2.000 los monosílabos. Por ejemplo: *tchu,* según se module, puede significar: señor, cerdo, cocina, columna, imprecación, bello, extender.

Los chinos carecen de las articulaciones *b, d, v,* y *z,* sustituyéndolas por *p, t, f* y *s.* Sus sílabas siempre terminan en vocal pura, o por una nasal o por una articulación media entre el sonido de la *r* y el de la *l.* Hay frecuentes diptongos, pero las únicas articulaciones dobles son *ts, tch* y *ng.* Cada monosílabo puede mudar de valor gramatical cambiando de posición, y llegar a ser, según el sentido de la frase, sustantivo, adjetivo o verbo.

El plural se expresa unas veces por una palabra colocada delante del nombre o del verbo, con la significación de *todos, muchos;* otras, por la repetición del nombre.

El adjetivo se suple a veces por un nombre de cualidad acompañado de la partícula del genitivo. Por un procedimiento similar, los pronombres personales pasan a serlo posesivos. Es muy restringido el uso de las dos primeras personas de los pronombres, sustituyéndolas ciertas expresiones de humildad y respeto. El comparativo se expresa con una partícula que precede al adjetivo; y el superlativo, unas veces por idéntico procedimiento, y otras por la repetición del positivo. Los tiempos del verbo se distinguen también por medio de partículas.

La construcción de la frase china sigue el orden que los gramáticos llaman directo, en cuanto a preceder el sujeto al verbo y seguir a este el régimen; pero se aparta de él en cuanto a que el calificativo precede siempre al calificado, es decir, que el adjetivo precede siempre al sustantivo, el adverbio al adjetivo y la proposición incidental antes que la principal.

La lengua china hablada es tan distinta de la escrita, que incluso europeos muy versados en esta no comprenden en absoluto aquella.

Según los gramáticos chinos, las palabras de su lengua se dividen en dos categorías: 1.ª, los *vocablos llenos—cheu tzeu—,* que tienen por ellos mismos, independientemente del lugar que ocupen en la frase, una significación propia, como los sustantivos, los adjetivos y los verbos; 2.ª, los *vocablos vacíos—shu tzeu—,* que no tienen signicación alguna por sí mismos, sino que la consiguen por el lugar que ocupan en la frase.

Estas dos categorías comprenden otras dos subdivisiones: los *vocablos muertos—sseu tzeu—,* que no tienen sino una significación y los *vocablos vivos,* que tienen varias y aun de las más opuestas.

Una de las particularidades de la lengua china es su división en dos lenguas: la *antigua—kou wen—*y la *moderna—cheu wen o thin hva—,* totalmente distintas. La primera, en desuso desde hace siglos, ha pasado a ser una lengua muerta. La segunda es la que hoy se habla y escribe, y comprende varios dialectos, diferenciados por la pronunciación. El *kuan hoa,* que los eropeos califican de *mandarín,* es la lengua vulgar de las provincias del Centro y del Norte. Los documentos oficiales, los decretos imperiales están escritos en *wen hoa* y en *ku wen,* dialectos difíciles de entender para las personas de poca cultura. Los libros literarios están todos ellos escritos en *wen hoa,* dialecto intermedio entre el *kuan hoa* y el *ku wen.*

Los primitivos caracteres de la escritura china fueron imitaciones o copias imperfectas de objetos naturales y artificiales. Posteriormente, han sido determinadas seis clases de escritura: *luh shuh.*

1.ª *Siang hing.* Comprende signos imitativos de objetos reales. Su número es 608.

2.ª *Chisz.* Comprende 107 caracteres simbólicos del pensamiento.

3.ª *Hwui i.* Consta de 740 caracteres, representativos de ideas *combinadas.*

4.ª *Chu en chu.* Se compone de 372 caracteres, que son un artificio de inversión de los de las otras clases, para arrancarles significados distintos. Por ejemplo: un *corazón debajo* del signo *esclavo* quiere decir *odio.*

5.ª *Kiau sihng.* Contiene 21.810 caracteres, formados con un símbolo imitativo y otro que expresa el sonido del símbolo entero.

6.ª *Kia tsié.* Se compone de 398 signos.

El número de caracteres de las seis clases es de unos 25.000; pero el lenguaje científico requiere muchos más, pues pasan de 200.000 los signos contenidos en *Los Cinco Clásicos.*

También la lengua china tiene seis diferentes modos de escribir los mismos caracteres, como nosotros tenemos la letra redonda, la gótica, la cursiva, la redondilla...

V. VARO, Fr.: *Arte de la lengua mandarina.* Cantón, 1703.—MARSHMAN, J.: *Clavis sínica.* Serampur, 1814.—BAZIN, A.: *Principes de la langue chinoise parlée.* París, 1895.—GLEMONA, Padre Basilio de: *Dictionnaire chinois-français-latin.* París.—RORNY, León de: *Dictionnaire des signes idéographiques de la Chine.*

CHINA (Literatura)

Los más antiguos monumentos literarios de China, y al mismo tiempo los más importantes, son los *King* o libros sagrados, obras compuestas dos mil años antes de Jesucristo, ordenadas y completadas por Confucio, que vivió en el siglo VI antes de nuestra Era. Inmediatamente después, los *Ssé-chú,* tratados filosóficos escritos por Confucio, y sus discípulos Lao-Tsé, Tseu-ssé y Meng-Tsé. Cuatro siglos más tarde aparecieron Ssé-ma-thsian, "el Herodoto chino", y el historiógrafo Ssé-ma-than.

Han de pasar varios siglos hasta que se encuentren otras obras y otros nombres ilustres. De los siglos VII a IX de nuestra Era, durante la dinastía de los Thang, la literatura china alcanza un gran apogeo con los poetas: Li-taï-pé, Thu-Su, Uang-ueï, Tchang-kien, Song-tchi-uên, Tchang-ti, Li-Chang-yn y Oey-yng-voé. La dinastía Song—entre el año 990 y el 1279—produjo también poetas excelentes.

La poesía china reúne tres calidades, que no se encuentran, en el mismo grado, en ninguna literatura occidental: una antigüedad incomparable, una plenitud de ciencia y de refinamiento y una originalidad desconcertante.

El teatro chino tuvo, con la protección decidida de los emperadores, una brillantísima exaltación. Durante siglos, las representaciones escénicas consistieron en danzas y pantomimas; luego las doctrinas de los *King* y las alegorías mitológicas del budismo crearon espectáculos religiosos análogos a nuestros antiguos misterios; y, por fin, bajo la dinastía de los *Yuen* —siglos XIII y XIV—, gran época literaria, la escena alcanzó su mayor trascendencia. Se conservan numerosas piezas teatrales compuestas en esta Edad de Oro de la literatura dramática china. La más rica colección lleva este título: *Los cien dramas de la dinastía Yuen.*

Las piezas del teatro chino se dividían en siete categorías: 1.ª *Dramas históricos*—composiciones las más estimadas—. 2.ª Los *Taossé,* dramas de supersticiones y aventuras maravillosas. 3.ª *Dramas judiciales* o de sucesos sangrientos y misteriosos. 4.ª *Dramas domésticos* o de costumbres. 5.ª *Comedias de carácter.* 6.ª *Comedias de intriga.* 7.ª *Dramas mitológicos.*

Fueron célebres escritores teatrales: Ki-Kiung-tsiang, autor de *Tchao-tchi-ku-eul—El huérfano abandonado—;* Yo-pé-tchuen, autor de *La transmigración de Yotchéu;* Lihing-tao, autor de *La historia del círculo de greda;* Wang-tchong-wên, de *El inocente reconocido;* Kuang-han-king, de *El resentimiento de Theungo;* Thsin-Kïen-fu, de *El avaro, El hijo pródigo y El libertino;* Ma-tchi-yuên de *Jin el fanático;* Ché-Kiun-pao, de *El matrimonio a la fuerza, La cortesana sabia y El marido que cortejó a su mujer;* Kia-tchong-ming, de *Los amores de Siao-cholan;* Taï-chen-fú, de *El académico enamorado.*

CH

Las novelas alcanzaron en seguida gran importancia en la literatura china. Las más célebres, de épocas diversas y de autores anónimos, son las calificadas como de unos *thsaï-tseu —escritores de genio—,* entre las que sobresalen las tituladas: *Historia de tres reinos, Historia de las orillas de un río, Las dos niñas sabias, Historia del templete occidental* (de Si-Siang-ki), *Historia de un loto* (de Pi-pa-ki), *El arte de amar* (de Hoa-thsien), *Memorias de un viaje a las tierras del Oeste* (de Si-yén-ki), *La mujer perfecta* (de Hao-thien-tchuen).

Modernamente, las letras chinas intentan *europeizarse,* sacudiéndose el peso de la tradición. Se intenta hablar un lenguaje popular. Se admiten la escritura fonética y las palabras polisílabas. Se multiplican los periódicos y los libros escolares que tienden a armonizar la lengua china escrita con la oral.

V. SOULIÉ, J.: *Essai sur la littérature chinoise.* París, 1922.—TSEN TSONMING: *Essai historique sur la poésie chinoise.* Lyón, 1922. CELADA, Benito: *Literaturas orientales.* En "Historia de la literatura universal". Madrid, 1946.

CHIQUITO (Lenguaje)

Uno de los idiomas de la región peruana, en la América meridional. Es hablado en Bolivia, en dos dialectos principales: el *tao,* usado por los indígenas taos, boros, tabücas, tagnepicos..., y el *pignoco,* particular de los pignocas, quimecas y guapacas. El chiquito es un lenguaje armonioso, aun cuando abunda en guturales y articulaciones nasales. Es muy rico en vocales. Carece de verbo sustantivo. Su declinación se realiza con ayuda de preposiciones. Como casi todos los dialectos indígenas de la

América del Sur, ha sido invadido por el vocabulario español.

V. LUDEWIG, Herm: *The Literature of American aboriginal languages.* 1858.

CHISTE

Sinónimo de dicho o de relato breve, agudo y gracioso. Puede ser en prosa o en verso, y tiene oportunidad lo mismo en el teatro que en la novela, en el ensayo que en la conferencia.

El chiste, actualmente, es algo "menos intelectual" que el dicho ingenioso.

Durante la Edad Media, muchos de los más célebres "cuentos" de ciertas famosísimas colecciones—*El Libro de los Gatos, El Libro de los Ejemplos, Calila y Dimna, Sendebar*—no son sino auténticos chistes. *Las tres grandes*—Zaragoza, 1544—, del doctor López de Villalobos, no es sino una colección de chistes. El *Liber facetiarum*—el *Libro de los Chistes*—, de Luis de Pinedo, es anterior a las obras de Timoneda.

Abundan los chistes en *El Patrañuelo* y en *El Sobremesa y Alivio de caminantes,* de Timoneda; en la *Silva de varia lección*—1542—, de Pero Mexía; en la *Miscelánea,* de Luis Zapata de Chaves; en la *Floresta*—1574—, de Melchor de Santa Cruz; en los *Cuentos* de Garibay y Zamalloa; en el *Guzmán,* de Mateo Alemán; en el *Marcos de Obregón,* de Vicente Espinel; en las *Noches,* de Antonio Eslava; en el *Viaje entretenido,* de Agustín de Rojas...

La *visita de los chistes* se titula una de las partes de *Los sueños,* de don Francisco de Quevedo. (V. *Cuento.)*

CHORIZONTES

Nombre dado por la crítica griega a los gramáticos que atribuían la *Iliada* y la *Odisea* a diferentes autores. Etim. del griego *chôrizein,* separar, de *chôris,* separación.

CHURRIGUERISMO

Nombre dado en España, y en el siglo XVIII, a una tendencia casi obsesiva a excederse en la ornamentación empleada en las obras de arquitectura.

Tomó el nombre de José de Churriguera, el famoso arquitecto español, a quien siguieron incontables discípulos, ninguno tan genial como él, pero muchos de ellos aún más audaces o exagerados.

El churriguerismo derramó los más extravagantes delirios de la imaginación en todos los miembros de la construcción, singularmente en los vanos y balconajes, retorciendo y dislocando columnas, frontones, frisos, arcadas y dinteles, y llenándolos, con más exuberancia que el estilo plateresco, de flores, hojas, grecas, volutas, cintas y figuras de hombres y de animales. En el churriguerismo la ornamentación domina lo constructivo; sin embargo, dentro de la suntuosidad abrumadora, y aun absurda, del adorno, la unidad de su concepción se propaga del exterior al interior de los edificios.

La mayor gloria—artística e histórica—del churriguerismo es haber sido un originalísimo estilo barroco español; algo semejante a lo que fue en las letras el *gongorismo* (V.).

Según las últimas investigaciones de la crítica, JOSÉ DE CHURRIGUERA (1665-1723) nació en Madrid, y no en Salamanca como se creyó durante muchos años. Toda su formación artística se llevó a cabo en Madrid, sin haber estado Churriguera en Italia, como ha pretendido Otto Schubert. Resulta, pues, muy difícil admitir que Churriguera conociera los trabajos o la obra del P. Guarino Guarini *Architettura civile,* ya que esta apareció catorce años después de la muerte del gran arquitecto español.

José de Churriguera, después de haber aprendido con su padre y con su tío la escultura, la talla y la ebanistería, trabajó como arquitecto y escultor. Y triunfó rápidamente, absolutamente, al ser elegido—1689—en el concurso abierto por la Corte para construir el catafalco de la reina María Luisa, primera esposa de Carlos II. A dicho concurso se habían presentado los pintores Juan Francisco de Laredo y Bartolomé Pérez, y los arquitectos José Condi, Juan de Villar, Roque de Tapia y José Campo Redondo. Después de esto, Churriguera se hizo famoso. Los encargos se multiplicaron. En 1690 fue nombrado ayudante de trazador mayor. Llamado a Salamanca, construyó la torre de la catedral y la gran sacristía.

"Los primeros trabajos de Churriguera en Salamanca—escribe Otto Schubert en su obra *El barroco en España*—le habían llevado a crear un compromiso entre el gótico y el barroco; es decir, que la reunión de los dos estilos fue la determinante de todo su arte, comprendiendo en seguida la posibilidad de crear, en el estilo plateresco, nuevas obras que sobrepujaran en riqueza a las creaciones hasta entonces conocidas. El arte peculiar de Churriguera pudo desenvolverse con toda libertad en los innumerables retablos y tabernáculos de madera tallada y dorados en su mayor parte, que, extendiéndose por toda la Península, fueron la causa de que el estilo constructivo de aquel tiempo se llamase *churriguerismo.* Caracteres comunes a todas estas obras son: el predominio de un sistema rigurosamente arquitectónico, las columnas salomónicas gigantescas, puestas con frecuencia unas delante de otras, con los entablamientos interrumpidos y quebrados en saliente correspondiéndose con los apoyos; las cornisas voladas, las figuras ricamente guarnecidas, las cartelas en relieve y el exuberante follaje que cubre toda la construcción, arrollándose a las columnas y ejecutado en escala mucho más reducida que el resto de la obra, lo

que produce un efecto de elevación de las dimensiones de conjunto y rompe los reflejos de los dorados; en suma, la exaltación de todos los motivos hasta entonces conocidos, hasta sus más ricas y últimas consecuencias, predominando siempre el sentimiento arquitectónico."

Otras obras de Churriguera fueron: las portadas de las iglesias de San Sebastián y de Santo Tomás, de la Academia de San Fernando —que ya no existen—; la iglesia madrileña de San Cayetano—terminada por Pedro de Ribera—; la Casa Ayuntamiento de Salamanca; posiblemente, la parte principal y el proyecto total del Colegio de Jesuitas, en Salamanca.

Los discípulos de José de Churriguera fueron tan numerosos como importantes, y llevaron el churriguerismo—ya mitigado, ya exacerbado— por toda España. Entre ellos cuentan: MANUEL y ALBERTO DE CHURRIGUERA—sobrino y nieto, respectivamente, del maestro—, PEDRO DE RIBERA, la familia TOMÉ, la familia FIGUEROA, FRANCISCO GÓMEZ DE SEPTIER, JOSÉ GRANADOS, SALVADOR GARCÍA, el portugués CAYETANO ACOSTA, JERÓNIMO BARBÁS, SEBASTIÁN RECUESTA, PEDRO PORTELO, IGNACIO MONCALLÁN, JOSÉ ARROYO, MIGUEL AGUAS, FRANCISCO HURTADO, JOSÉ BADA, fray MANUEL VÁZQUEZ...

MANUEL DE CHURRIGUERA construyó—1726— el Arco de la Estrella en Cáceres. ALBERTO DE CHURRIGUERA terminó—1729—la fachada principal de la catedral de Valladolid.

Mención especialísima merece el madrileño PEDRO DE RIBERA—m. en 1742—, que sobrepujó a su maestro en lo referente a la riqueza fantástica de sus creaciones y por la apariencia juguetona de sus obras, debida a sus magistrales dotes de dibujante. Fue maestro mayor de Madrid, y en Madrid realizó lo más portentoso de su obra, *creando un auténtico estilo barroco madrileño.* Entre sus obras merecen destacarse: el viejo Seminario de Nobles —desaparecido—; la ermita de Nuestra Señora del Puerto, a orillas del Manzanares; la iglesia de los Irlandeses, en la calle del Humilladero —desaparecida—; la conclusión de la iglesia de San Cayetano; la originalísima planta de la iglesia de las Escuelas Pías de San Antonio Abad, en la calle de Hortaleza; la iglesia de Nuestra Señora de Montserrat, en la calle Ancha de San Bernardo; la fachada del Hospicio de San Fernando, en la calle de Fuencarral; los palacios del marqués de Malpica, el de Miraflores, el de Torre-Hermosa, los de los duques de Montellano y de los Arcos, el de Oñate; el teatro de la Cruz, el teatro—parte—del Buen Retiro; las fuentes de la plaza de Santo Domingo, la situada delante de la cárcel de Corte, la de la Puerta del Sol, la de la plazuela de Antón Martín—hoy colocada en los jardines del antiguo Hospicio—, la primitiva puerta de San Vicente, la fuente de las Damas, en la Florida; el famosísimo puente de Toledo... Todas las obras mencionadas, en Madrid. En El Pardo: el cuartel de Guardias de Corps. En Ávila: la capilla de Nuestra Señora de la Portería, costeada por el marqués de Alcañices. En Ugena: la capilla del mismo título, costeada por el duque de Nájera. En las Batuecas: el palacio del duque de Alba. Y el puente sobre el Guadarrama en la carretera de Madrid a El Escorial.

La familia Tomé, de arquitectos y escultores, estuvo compuesta por Antonio y sus hijos Narciso y Diego. Los planos del archifamoso transparente de la catedral de Toledo fueron trazados por Antonio y Narciso, nacido este en Toro (Zamora). Sin embargo, la obra pasmosa fue realizada por Narciso, que sobrepujó a Churriguera y a Pedro de Ribera por el atrevimiento de su barroca inventiva. El transparente, en su totalidad, es un gigantesco mosaico plástico de mármoles escogidos de vivos colores, "y en ella se nos presenta uno de los casos raros en que un mismo hombre, como arquitecto, escultor y pintor, acertó a reunir, con igual maestría, las tres artes bellas, formando un todo armónico, tan ingenioso en la composición y efecto del conjunto como delicadamente acabado en el trazado y la ejecución técnica de cada una de sus partes, todo lo cual acusa, de la manera más clara, el más completo éxtasis de languidez sensual de una sociedad decadente que se extravía entre delirios del más elevado refinamiento; es, en suma, la última consecuencia de un proceso cuya evolución dura muchos siglos; la espumeante cresta de una ola de cultura, cuya fuerza impulsiva quedará siempre oculta a todas las investigaciones, pues al querer analizar la espuma, se deshace entre los dedos". Ya en el mismo año de su terminación—1732—se publicó en Toledo un libro: *Octava maravilla cantada en octavas rhimas,* de fray Francisco Rodríguez Galán, en el que se exageraba hasta la hipérbole el valor del transparente, cuyo coste ascendió a 200.000 ducados.

Narciso y Diego Tomé planearon y construyeron la fachada de la Universidad de Valladolid.

LEONARDO DE FIGUEROA, su hijo MATÍAS y su nieto ANTONIO MATÍAS son los autores del palacio de San Telmo, en Sevilla.

MIGUEL DE FIGUEROA, emparentado con aquellos, construyó la iglesia del convento de dominicos de San Pablo—hoy Santa María Magdalena—y la iglesia del noviciado de jesuitas o convento de San Luis, ambas en Sevilla.

JOSÉ GRANADOS—maestro de la catedral de Granada—, FRANCISCO GÓMEZ SEPTIER, y LEONARDO DE FIGUEROA fueron los autores, por partes, de la iglesia sevillana del Salvador, obra que marca el punto culminante del churriguerismo en la capital andaluza. En la construcción de la colegiata de Jerez de la Frontera tomaron parte Torcuato Cayón de la Vega, el portugués Cayetano Acosta y Jerónimo Barbás. El sagrario de la catedral de Granada es obra de Francisco Hurtado y José de Bada. Y Bada modificó y adornó el interior de la iglesia del hospital granadino de San Juan de Dios y el trascoro de la catedral de Granada.

La última consecuencia, el más alto final alcanzado por este movimiento artístico, que tiende a una incesante exaltación de la riqueza de líneas, lo forma la sacristía de la cartuja de Granada, "cuyos muros se pierden bajo una profusión de ornatos y juegos de líneas, y están decorados con mármol y estuco; junto a las paredes están las célebres cómodas de cedro con incrustaciones de marfil, plata y nácar, etc." Su arquitecto fue fray Manuel Vázquez.

En los inventarios de arte que son los numerosos tomos del *Catálogo monumental de España,* y de *España: sus monumentos y sus artes,* obra esta iniciada por Piferrer y Parcerisa, y en los que colaboraron insignes eruditos, pasan de 5.000 los altares churriguerescos diseminados por todas las iglesias de nuestra patria. El churriguerismo no perdió su fuerza y su importancia hasta bien entrado el siglo xix.

V. Llaguno y Amirola y Ceán-Bermúdez: *Noticias de los arquitectos y arquitectura de España...* Madrid, 1829. Tomo IV.—Schubert, Otto: *Historia del Barroco en España.* Madrid, Calleja, 1924.—Ceán-Bermúdez, J. A.: *Diccionario histórico de los más ilustres profesores de las Bellas Artes en España.* Madrid, 1800.—Caveda, José: *Ensayo sobre los diversos géneros de arquitectura empleados en España...* Madrid, 1848.—Varios: *Monumentos arquitectónicos de España...* Ochenta y nueve partes. Madrid, 1859-1876.—Tamayo, Alberto: *Templos barrocos madrileños.* Madrid, 1947.

D

DACTÍLICO

1. Lo referente o perteneciente al pie dáctilo.
2. Poema que consta de pies dáctilos.

DACTÍLICO-TROCAICO (Verso)

Verso de diez sílabas, compuesto de dos dáctilos seguidos de dos troqueos. Es el cuarto de la estrofa alcaica.

DACTÍLICOS (Versos)

Los versos derivados del *hexámetro* (V.) llevan el nombre de *dactílicos,* porque el pie dáctilo les es indispensable. Las principales especies de *versos dactílicos* son:

Adónico, compuesto de los dos últimos pies del hexámetro. Su nombre parece derivar de que se empleaba en los cánticos lúgubres de las fiestas de Adonis. También se le llama *dímetro heroico, pentasílabo, dímetro dactílico, dímetro dactílico cataléctico.* Esta última denominación, por oposición al verso *dímetro dactílico acataléctico,* el cual comprende dos dáctilos y es usado para los cánticos de himeneo; de aquí que se le llame *hymeniacum.*

El verso adónico ponía fin a la estrofa sáfica, y, en este caso, los griegos y los latinos lo unían a un verso precedente y lo hacían comenzar por el fin de una palabra, como se observa en estos versos de Safo:

Οππάτεσσι δ'σύδὲν ὄρημ' έπιρρομ—
βεῦσι δ'άκουαι

La monotonía del metro adónico, siempre compuesto de los dos mismos, ha motivado que casi nunca se emplee solo. Sin embargo, algunos ejemplos se hallan en Ennodio y en Boecio. El ejemplo siguiente está cogido de la *Consolación,* del segundo de dichos escritores:

Gaudia pelle,
Pelle timorem,
Spemque fugato,
Nec dolor adsit:
Nubila mens est
Vinctaque frenis
Haec ubi regnant.

Arquíloco, compuesto de dos dáctilos más una sílaba; este verso dímetro cataléctico no es otra cosa que la segunda mitad de un pentámetro o elegíaco.

Pulvis et / umbra su / mus.

(HORACIO.)

Glicónico dactílico es un trímetro compuesto de un espondeo y dos dáctilos. Se le llama también *trímetro dactílico, trímetro épico, trímetro acataléctico* y verso *octosílabo:*

Sic te / diva po / tens Cypri.

(HORACIO.)

Horacio no empleó el glicónico solo; lo unió al asclepiadeo. Séneca lo empleó muchas veces en un continuado intento:

Regem non faciunt opes,
Non vestis Tyriae color,
Non frontis nota regii,
Non auro nitidae trabes.

Existe otro *dactílico trímetro* compuesto de tres dáctilos:

Et fremu / it male / subdolo.

(SÉNECA.)

Ferecracio, cuyo nombre deriva del poeta Ferecrato, es también un trímetro dactílico, compuesto por un dáctilo entre dos espondeos. Algunas veces recibe el nombre de heptasílabo. Martianus Capella usó el ferecracio solo:

Temnit / noctis ho / norem;
Praefert antra subulci,
Rupe et dura quiescit;
Et post regna Tonantis
Stramen dulcius herbae est.

Horacio lo usó en el tercer lugar de una estrofa de cuatro versos, colocando antes dos asclepiadeos y después un glicónico:

O navis, referent in mare te novi
Fluctus! O quid agis? fortiter occupa
(Portum. Nonne vides ut)
Nudum remigio latus.

La reunión del glicónico y del ferecracio origina el *príapeo dactílico*:

Cui non dictus Hylas puer, / et Latonia Delos?

Tetrámetro arquiloquiano comprende los cuatro últimos pies de un hexámetro:

Ibimus, / o soci / i, comi / tesque.

Alcmánico o *alcmaniano*, que toma su nombre del poeta Alcman, es también un dáctilo tetrámetro. Comprende los cuatro primeros pies de un hexámetro, sino que el último de estos es siempre un dáctilo. Cicerón cita los siguientes versos de un antiguo trágico:

Jamque ma / ri ma / gno clas / sis cita
Texitur; exitium examen rapit;
Advenit, et fera velivolantibus
Novibu complevit manu littora.

Falisco, cuyo nombre deriva del poeta Falisco, se compone de tres dáctilos seguidos de un yambo o de un pirriquio:

Quando fla / gella li / gas, ita / juga.
(SEPT. SERENUS.)

Tetrámetro cataléctico se compone de tres dáctilos, más una sílaba:

Inquit a / micus a / ger domi / no.
(SEPT. SERENUS.)

Dactílico pentámetro se compone, como el hexámetro, de dáctilos y de espondeos. Los griegos lo emplearon algunas veces; los latinos, casi nunca.

Heu! quam / dulce ma / lum mor / talibus /
[*additum.*
(SÉNECA.)

Dactílico hexámetro, compuesto de dáctilos y espondeos, se diferencia del hexámetro en que aquel no tiene las cesuras necesarias y admite el dáctilo como último pie. Los gramáticos latinos le llamaron también *ibiciano*, del poeta griego Ibico. Se ha creído ver en Virgilio algunos dactílicos hexámetros:

Bis patri / ae ceci / dere ma / nus. Quin / pro-
[*tinus / omnia...*

Algunos tratados de versificación incluyen entre los versos dactílicos al *gran asclepiadeo* y al *gran arquíloco*. Sin embargo, nos parece más lógico colocar al primero entre los coriámbicos y al segundo entre los trocaicos.

V. HERMANN, Gottfr.: *De metris graecorum et romanorum.*—QUICHERAT, L.: *Tratado de versificación latina.* Madrid, 1901.

DADAÍSMO

Queremos resumir en muy pocas palabras lo que es dadaísmo... para pasar después a una ampliación necesaria de fenómeno tan curioso y detonante, tan coloreado y tan vacío.

Dadaísmo fue un movimiento literario y artístico iniciado—¿1916?—en un café de Zurich por un grupo de escritores y de artistas capitaneados por el poeta rumano Tristán Tzara.

¿De dónde derivaba el vocablo *dadaísmo? Al parecer,* del bisílabo *dada,* en el que se quería reconocer la primera palabra artículada por el niño.

¿Cuál era el programa del dadaísmo? Uno tejido con rotundas negativas: no existe relación alguna entre la idea y la palabra; no tiene valor alguno la significación racional; no tiene la menor importancia el público; carecen de fecundidad el realismo y la imaginación.

Basta con lo apuntado—creemos—para suscitar una vivísima curiosidad *humana* por tan subversivo, enmarañado, nihilista y caricaturesco movimiento.

Guillermo de Torre, el magnífico crítico español, antena sutilísima para captar los más extraños "ismos", escribió sibilinamente acerca del dadaísmo: "La cualidad predominante que admiramos en *Dadá* es su significación de movimiento hipervitalista, conmovido de una multiplicidad accional y expansiva que responde al latido multánime de fragorosa y cinemática apoteosis munista."

La afirmación no está *nada clara.* Más vale así, porque armoniza con este movimiento, en el que todo es confusión, perplejidad, indecisión, interrogantes... Posiblemente, su mayor interés reside precisamente en no decidir *nada de nada,* en no construir *algo de algo.*

"Los primeros indicios de *Dadá*—sus vagidos infantiles, pudiéramos decir, aludiendo ya a la significación oriunda de la palabra—los encontramos en el álbum *Cabaret Voltaire,* editado en Zurich en 1916, y conteniendo las firmas de diversos poetas, pintores y grabadores, como Apollinaire, Cendrars, Janco, Picasso, Arp. Ball, Ennings, Hodis, Huelsenbeck, Kandinsky, Van Rees, Hodky, Tzara, Marinetti, Cangiullo y Modigliani. Este álbum tomó su nombre del verdadero Cabaret Voltaire, donde, durante aquellos días de guerra, se reunían algunos de los anteriores artistas, que habían elegido el refugio de Suiza como remanso neutral. Y allí, lejos del estruendo belísono, seguían forjando sus ideaciones insurrectas. Constituían entonces, por instintiva agrupación, un conjunto de artistas que, sin poseer aún etiqueta genérica, tenían ya consciencia de su carácter marginal, disconforme e independiente. Nosotros—ha escrito posteriormente Tzara—pensábamos no tener nada de común con los futuristas y cubistas. El nombre *Dadá,* lanzado por Tzara, surgió en 1917 como título de la revista en que, con periodicidad indeterminada, recopilaban sus escritos dichos escritores. Mas en el curso de varias campañas contra todo dogmatismo y limitación de escuela, *Dadá* se transformó paradoxalmente, y contraviniendo a sus principios, en el *Movimiento Dadá*. Bajo este título se organizaron exposiciones pictóricas y conferencias, suscitando la admiración colérica del público de Zurich, que protestaba contra este ilusorio movimiento." (G. de Torre.)

En las anteriores manifestaciones ya encontramos el primero y más rotundo *no* del dadaísmo: ni dogmas ni escuelas de limitación.

El manifiesto del dadaísmo, firmado por Tristán Tzara, apareció en el tercer número —diciembre de 1918—de *Dadá*. Y la primera advertencia hecha por Tzara fue que *Dadá no significa nada.*

Posiblemente, el grupo iniciador del movimiento pretendió únicamente hallar una palabra expresiva "que por la magia de la atracción cerrase las puertas de la comprensión y no fuese un "ismo" más".

Guillermo de Torre y Ramón Gómez de la Serna han traducido diversos párrafos de los manifiestos dadaístas de Tzara, que ahora reproducimos para orientación de los lectores.

"Se lee en los periódicos—explica Tzara—que los negros Krou llaman *dadá* a la cola de la vaca santa. En cierta región de Italia, *dadá* significa las palabras cubo y madre. Y, finalmente, también se llama *dadá* a un caballo de madera—juguete infantil—y a la doble afirmación en ruso y en rumano. *Dadá* nació en 1916 de un deseo de independencia y de desconfianza hacia la comunidad. Los que pertenecen a *Dadá* guardan su libertad. Nosotros no reconocemos ninguna teoría. Ya tenemos bastantes academias cubistas y futuristas: laboratorios de ideas formales... Yo estoy frente a todos los sistemas. El más aceptable de ellos es no tener ninguno por principio... Hay una literatura que no llega hasta la masa voraz. Obra de creadores, procedente de una verdadera necesidad del autor, y para él mismo. Conocimiento de un supremo egoísmo, donde las leyes se expresan...

"Este mundo, que no está ni especificado ni definido en la obra, pertenece en sus innumerables variaciones al espectador. Para su creador, la obra no tiene ni causa ni teoría. Yo os digo: no existe el comienzo, y no temblamos, no somos sentimentales. Nosotros desgarramos, vientos furiosos, la ropa blanca de las nubes y de las oraciones, y preparamos el gran espectáculo del desastre, el incendio, la descomposición. Desposado con la lógica, el arte vivirá en el incesto, jamándose, zampándose su propia cola y su cuerpo, fornicándose él mismo, y el temperamento resultará una pesadilla embreada de protestantismo, un monumento, un montón de intestinos parduzcos y pesados. Yo proclamo la oposición de todas las facultades cósmicas a esta blenorragia de un sol pútrido que ha salido de las fábricas de la idealidad filosófica, la lucha encarnizada con los elementos del *tedio dadaísta*.

"Abolición de la memoria: *Dadá*. Abolición de la arqueología: *Dadá*. Abolición de los profetas: *Dadá*. Abolición del futuro: *Dadá*. Libertad: *Dadá, Dadá, Dadá*. Guirigay de los colores crispados, entrecruzamientos de los contrarios y de todas las contradicciones, de las cosas grotescas, de las inconsecuencias: *la Vida*."

Después de manifestaciones tan incongruentes—al parecer—, se *remacha* en el manifiesto: "Vuestro maldecir después de numerosos insultos y de hablar de la *merde* del cuervo, viene de vuestra alimentación: la prueba se verá en vuestras entrañas si de un puntapié algún curioso abre la masa. Meterá el pie en una materia blancuzca, residuo de vuestros ideales, vuestras bellezas, vuestros éxtasis abstractos, cual digeridos como la leche de una vaca enferma... No es necesario desembarazarnos de este espectáculo repugnante a nuestra gracia, nuestra suavidad, nuestra inteligencia. Eso es lo que enrarece nuestro aire y se pega a nuestras botas... Vuestra enfermedad es un libro. Es el catálogo de la comprensión universal... No hay más que una sonoridad sin principio, convertida en piedra y hierro de cartón para la construcción de vuestras catedrales y de vuestros surtidores. Idos a paseo. Las palabras os salen turbulentas fuera del ombligo... Es con el ombligo con el que habláis, los ojos vueltos hacia el cielo. Pues bien: está prohibido hablar y prohibido escribir. Y cuando vuestras palabras, los afrentosos signos de vuestra inteligencia sean vuestros, os dejaremos hablar y cantar."

Esta mezcla de humorismo y de incongruencia patentizaban para los más linces el sentido de la reacción del dadaísmo: la *burla*, el *escepticismo* y la *destrucción*, triángulo de sus principios característicos.

El 15 de mayo de 1919, en el número 4 de la *Anthologie Dadá*, publicada en Zurich, apareció un nuevo manifiesto, *aclarativo* y *complementario*, de Tzara, proclamando la necesidad de la antiliteratura: "El arte se adormece para la natividad del mundo nuevo. Arte, palabra reemplazada por *Dadá*, plesiosauro o pañuelo. El talento que puede estudiarse hace del poeta un droguero. Músicos: romped vuestros instrumentos ciegos sobre la escena. Yo escribo porque es natural, *comme je pisse*, lo mismo que me pongo enfermo. Esto no tiene importancia sino para mí, y relativamente. El *Arte necesita una operación*. Nosotros no buscamos nada: afirmamos la vitalidad de cada instante, la antifilosofía de las acrobacias espontáneas."

En el número 4 de *Dadá* aparecieron unidos a los escritores *dadás* nativos—Ribemont, Buffet, Savinio, Picabia, Tzara—los jóvenes poetas cubistas de la revista *Litterature*: Breton, Soupault, Aragon, Apollinaire, Max Jacob, Birot, Cocteau, Radiguet, Réverdy, Pérez Jorba...

Sin embargo, a fines de 1919, al trasladarse a París los iniciadores dadaístas de Zurich, se produjo la escisión con el *cubismo* (V.). La primera *soirée dadá* celebrada en París tuvo lugar el 5 de febrero de 1920 en el Salón de Independientes.

Consecuencia de esta reunión fue el número 5 de *Dadá,* que contenía un nuevo manifiesto y una lista de 77 presidentes. "¡Todos los miembros del *movimiento* son presidentes!"

Uno de los párrafos más significativos de este nuevo manifiesto es este: "No más pintores, no más literatos, no más músicos, no más escultores, republicanos, monárquicos, imperialistas, anarquistas, socialistas, bolcheviques, políticos, proletarios, demócratas, burgueses, aristócratas, ejército, policía, patria; en fin, basta de todas esas imbecilidades. No más nada, nada, nada. De esta manera esperamos que la novedad llegará a imponerse menos podrida, menos egoísta, menos mercantil, menos inmensamente grotesca... *A priori,* es decir, a cierra ojos, *Dadá* pone antes que la acción y por encima de todo la duda. *Dadá* duda de todo. Todo es *Dadá.* Desconfiad de *Dadá.*"

El dadaísmo tuvo su apogeo detonante en 1920. Contó con muchas revistas: *Dadá*—dirigida por Tzara—, *Litterature, Ipeca, M'Amenezy y Projecteur*—de Celine Arnauld, y de las que aparecieron un solo número—, *Proverbe* —de Paul Eluard—, *Cannibale*—de Picolia—, *Z*—de Paul Dermée—. En España, la revista *Cervantes*—dirigida por Cansinos-Asséns—reprodujo el manifiesto dadaísta y realizó *pinitos* a favor de este movimiento—, y en la revista *Grecia* aparecieron algunos *brotes* dadaístas, ninguno de los cuales tuvo la menor importancia.

Todavía en 1921, año en que se inició la decadencia de *Dadá,* tuvo este sus revistas importantes fuera de Francia. Así, en Colonia, *Die Schammade,* dirigida por Max Ernest y Baargeld; en Zurich, *Der Zeltweg,* dirigida por Flake, Schaad y Serner; en Mantua, *Bleu,* de Cantarelli, Fiozzi y Evola. En 1922, la descomposición del dadaísmo no tenía remedio, a pesar de las inyecciones con que pretendieron reanimarlo los poetas Ozenfant, Paulhan y Breton, los pintores Delaunay y Léger y el músico Auric, convocando un "Congreso de París"... que no llegó a celebrarse. Entonces llegó la *huida* casi en masa de los dadaístas hacia otros *campos de exploración*: cubismo, superrealismo, etc.

Soupault, uno de los más egregios escritores afiliados al *Dadá,* confesó—1922—a Guillermo de Torre: "*Dadá* no ha muerto, por la sencilla razón de que no puede morir, o, si usted lo prefiere, porque no ha existido nunca. *Dadá* no ha querido probar nada. Ha suscitado muchas cóleras y muchas risas; pero nadie ha podido definirlo. *Dadá,* en efecto, es solamente un estado de espíritu." Y por la misma época, Tzara escribía al mismo gran crítico español: "La nada de *Dadá* tomará siempre no importa qué forma, se aplicará a todo y se transformará siempre."

¡Magníficas confesiones, que caracterizan cumplidamente el dadaísmo! El movimiento no se propuso sino destruir y permitir nuevas creaciones bien distintas de los modernismos caducos; librar a los espíritus jóvenes del peso insoportable de la tradición pasada de moda, y prepararlos con nuevos alientos, con genuinos arranques, con felices improvisaciones. Y agregaba Soupault: "La pregunta que nosotros hemos dejado sin respuesta la recogerán otros más jóvenes que vienen detrás. Entre tanto, tal interrogación quedará suspendida como una espada de Damocles sobre los años 1920-1925."

No queremos terminar estas notas acerca del dadaísmo sin copiar la fórmula dada por Tzara para la composición del poema dadaísta:

"Tómese un periódico. Tómense unas tijeras. Elíjase un artículo. Recórtese después cuidadosamente cada una de las palabras que componen el artículo y échense a una bolsa. Agítese la bolsa con suavidad. Colóquese luego cada recorte en el orden con que se haya sacado de la bolsa. Cópiese concienzudamente. El poema se os aparecerá. Y tendréis un escritor altamente original y de una sensibilidad encantadora..., aún no apreciada por el vulgo."

Con finísima perspicacia, Guillermo de Torre ha señalado la línea de los precursores dadaístas: Rimbaud—*Alquimia del Verbo*—, Lautreamont—*Los cantos de Maldoror*—, Bergson —con su teoría de la unidad de la inteligencia con la materia—, Alfred Jarry—*Ubu Roi ou les polonnais*—, André Gide—*Paludes* y *Les caves du Vatican*—, Gómez de la Serna—*Las siete palabras* y *Greguerías*—y Jacques Vaché.

V. Torre, Guillermo de: *Literaturas europeas de vanguardia.* Madrid, 1925. (Obra imprescindible para el conocimiento de los "ismos" subversivos.)—Gide, André: *Dadá.* En "La Nouvelle Revue Française", 1-IV-1920. Gómez Carrillo, E.: *El dadaísmo.* Madrid, en "El Liberal", 3-IV-1920.—Massot, Pierre de: *De Mallarmé a 391.* París, ¿1921?—Riviere, Jacques: *Dadá.* En "La Nouv. Revue Française", VIII, 1920.—Braga, Dominique: *Notre temps*: *Essai critique sur le moment intellectuel présent.* En "Le Crapouillot", 1920.—Cansinos-Asséns, R.: *La nueva literatura.* Madrid, s. a.

DÁLMATA (Lengua y Literatura) **(V. Servia, Lengua y Literatura)**

DANESA (Lengua) **(V. Escandinavas, Lenguas)**

DANESA (Literatura)

En el antiguo desenvolvimiento intelectual y moral común a los pueblos escandinavos, manifestado en monumentos *casi prehistóricos,* y en la participación de cada uno de estos pueblos en el movimiento general de la civilización europea, es difícil señalar un puesto preciso a la literatura danesa propiamente dicha. Los *Eddas,* las *Runas* y los *Sagas,* desde la época gótica hasta el siglo XII, no pueden ser reclamados exclusivamente por ninguna de las tres familias escandinavas actuales.

Es difícil distinguir los períodos literarios en la historia de Dinamarca antes de la invención de la Imprenta. Establecido en el país el cristianismo—siglo IX—por San Anscario y protegido por el rey Canuto "el Grande", él introdujo las leyendas de los santos y exaltó las antiguas tradiciones nacionales en poemas y prosas. Los monasterios fundados favorecieron la cultura latina; las escuelas, las universidades creadas, tuvieron grandes relaciones con las meridionales, principalmente con la de París. Las letras latinas y la ciencia católica se desarrollan, dificultando el desenvolvimiento de la lengua romance. Las primeras obras históricas danesas están escritas en latín: *Compendiosa historia regnum Daniae,* de Svend Aagesen, y la *Historia danica,* de Saxo Grammaticus.

Los monumentos escritos en danés, en esta época, son textos de leyes, de constituciones municipales o de reglamentos de corporaciones. Hay que llegar al siglo XV para hallar un ensayo original de versificación danesa, la *Crónica rimada*—1480—, de un monje de Soroe. Por esta misma época aparecen traducciones e imitaciones en danés de poemas populares en toda Europa, como *Federico de Normandía, Flores y Blancaflor, Dideriko de Berna* y otros *Cantos de Eufemia,* así llamados por haberlos hecho traducir Eufemia, reina de Noruega. El genio popular se patentiza en los *Proverbios,* de Pedro Laale, y, sobre todo, en los *Cantos heroicos* (Kjaempeviserne), conservados durante cuatro siglos por la tradición.

La literatura danesa tiene sus períodos ya bien determinados a partir del siglo XV. Dos universidades se ponen a la cabeza del movimiento literario nacionalista: la de Upsala —fundada en 1477—y la de Copenhague—fundada en 1478—, creadas siguiendo los modelos de las mejores de Italia, de Francia y de Alemania. Las dos alcanzaron un magnífico desarrollo, protegidas por los reyes Federico II (1559 a 1588) y Cristián IV (1588 a 1648), cultivando las ciencias, la medicina, las matemáticas y la astronomía. El famoso Tycho-Brahé dejó tras sí una extraordinaria escuela de sabios.

Prosperaron los estudios clásicos, y la reforma luterana, como en Alemania, produjo una revolución en la literatura. Hacia 1550, la Biblia es traducida al danés y origina un veneno poético de inspiración y de imitación. El obispo Anders Arreboe (1587 a 1637) llevó a la poesía vulgar la de los *Salmos* y las concepciones de Du Bartas, mereciendo el nombre de "padre de la poesía danesa".

La época de plenitud de la poesía danesa la forman los siglos XVIII y XIX.

Durante el siglo XVIII ya destacaron algunos literatos de mucho interés. Johannes Ewald (1743-1781), poeta y dramaturgo—*Adán y Eva, Los viejos solterones, La muerte de Balder, Los pescadores*—. Knud Lyhne Rahbek (1760-1830), estético y autor teatral, fundador de la revista *Den Danske Tilskuer (El Espectador Danés),* y su esposa, la poetisa Karen Margrete Heger, que popularizó el seudónimo de "Kamma". Jens Baggesen (1764-1826), de vida aventurera y de cultura alemana, poeta y narrador. Peter Andreas Heiberg (1758-1841), poeta satírico. Malte Conrad Bruun, polemista y geógrafo, muy protegido por Napoleón I. El satírico Christián Falster, el lírico popularista Ambrosius Stub y el obispo y salmista Hans Adolf Brorson.

Fue heraldo del Romanticismo Henrik Steffens (1773-1845), de origen noruego, filósofo que vivió casi siempre en Alemania, y cuyos ideales estéticos fueron el credo de una juventud apasionada. Adam Dehlenschläger (1779-1850), llamado "el rey de los poetas nórdicos", dramaturgo insigne—*Los dioses del Norte, Corregio, Hakon Jarl, Baldur el dios*—. El semialemán A. W. Schack von Staffeldt (1769-1826), poeta solemne y muy apegado al ritmo. Johannes Carsten Hauch (1790-1872), autor de novelas y dramas históricos. Christian Hvid Bredahl (1784-1860)—*Escenas dramáticas*—. Steen Steensen Blicher (1782-1848), novelista lleno de humanidad y de ternura. Bernhard Severin Ingemann (1789-1862), novelista histórico y fecundo, a lo Walter Scott, y poeta—*El muerto que vive, El hombre intratable, Cantos de la mañana*—. Christian Winther (1796-1876), poeta del amor y de la Naturaleza. Poul Levin Möller (1794-1838), narrador y poeta.

De gran ingenio y fecunda obra, Nicolai Frederik Severin Grundtvig (1783-1872), ejerció enorme influencia en su época y en su patria; fue un reformador religioso, poeta y teólogo, y creó el movimiento *folkehojskole (la Universidad para el pueblo).*

Contra el romanticismo de tendencia alemana se levantaron: Thomasine Gyllenbourg (1773-1856), novelista. Johan Ludvig Heiberg (1791-1860), hegeliano, periodista—fundó el *Flyvende Post*—, dramaturgo—*La colina de los elfos, Un alma después de la muerte*—, crítico. Henrik Hertz (1795-1870), dramaturgo—*La hija del rey Renato, La casa de Svend Dyring.*

Figura excepcional de esta época fue Christian Andersen (1805-1875), célebre en todo el mundo por sus hermosísimos cuentos infantiles, novelista, dramaturgo, digno rival de Hoffmann, de Chamisso, de Grimm. Entre sus mejores obras cuentan: *Historia de mi vida, Solamente un violinista, Libro de figuras sin figuras, Viaje a pie, Improvisatoren*... Frederik Paludan-Müller (1809-1871), poeta, satírico y filósofo, autor de la epopeya en estrofas byronianas, y en tres volúmenes, *Adam Homo,* y de la novela *Ivar Lykkes Historie.* Meir Aaron Goldschmidt (1819-1897), autor de la novela *Un hebreo,* y fundador de las revistas revolucionarias *Corsaren* y *Nord og Syd.*

De mucha menor importancia fueron: los poetas Carl Ploug, Christian Hostrupp, Poul Chievitz, Hans Vilhelm Kaalud y Christian Richardt; los novelistas Carl Bagger, Hans Egede Schack, Carit Etlar, Vilhelm Bergsöe, y el fecundísimo dramaturgo Herman Frederik Evald.

Posiblemente, la figura más excepcional y sensacional de las letras danesas, por su enorme y aún actual influencia en todo el mundo de las ideas, es Sören Kierkegaard (1813-1855), pensador originalísimo y hondo, filósofo de excepción por su fuerza y por su intensidad, iniciador del *existencialismo* (V.) contemporáneo. Muchas de sus obras las publicó con diferentes seudónimos; entre ellas sobresalen—traducidas incontables veces a todas las lenguas cultas—: *Las acciones del amor, La enfermedad mortal, Ejercicio de cristianismo, Para probarse a sí mismo, El concepto de la angustia, Etapas del camino de la vida, Miedo y temblor, La repetición, Migajas filosóficas...*

Georg Brandés (1842-1927), estético, crítico de fama mundial, de gran influencia dentro y fuera de su patria, digno émulo de Carlyle y de Taine—*Corrientes fundamentales en la literatura del siglo XIX,* en seis tomos: *La literatura de los emigrados, La escuela romántica en Alemania, La reacción en Francia, El naturalismo en Inglaterra, La escuela romántica en Francia, La joven Alemania, William Shakespeare, Sören Kierkegaard, Benjamin Disraeli, El mito de Jesús*—. Harald Hoffdin (1843-1931), filósofo de fama europea. Jens Peter Jacobsen (1847-1885), poeta y novelista de fama mundial—*Mogens, Niels Lyhne, Marie Grubbe, Noveller, Poesías y esbozos*—. Holger Drachmann (1846-1908), narrador admirable y romántico, poeta apasionado—*El libro de los cantos, Dioses viejos y nuevos, El Oriente para el sol y el Occidente para la luna, Forskrevet.*

El naturalismo triunfa en Dinamarca entre 1880 y 1890. Sus más destacados representantes fueron: Herman Bang (1857-1912), novelista —*Existencias quietas, Generaciones desesperadas, Los sin patria, Bajo el yugo*—. Naturalista tímido, más bien realista, fue Karl Gjellerup (1857-1919), poeta, dramaturgo y novelista, Premio Nobel de Literatura 1917—*Minna, El molino, Brynhild, Un idealista, Herman Vandel*—. Henrik Pontoppidan (n. 1857), novelista, Premio Nobel de Literatura 1917, de fama mundial—*La tierra prometida, Imágenes de aldea, Nubes, De las cabañas, Lykkeper, El reino de los muertos, La voluntad del hombre.*

De menor importancia, dentro del naturalismo: Gustav Wied (1858-1914), Peter Nansen (1861-1918), Vilhelm Topsoe (1840-1881), Sophus Schandorph (1836-1901), Zakarias Nielsen (1844-1922) y Erna Juel-Hansen, todos ellos novelistas.

Y entre los autores dramáticos, además de Peter Nansen, Edward Brandes, hermano del famoso crítico; Otto Benzon (1856-1927) y Gustav Esmann.

El movimiento poético neorromántico tuvo su órgano en la revista *Taarnet (La Torre),* fundada por Stuckenberg, Claussen y Jörgensen.

Viggo Stuckenberg (1862-1905), poeta—*Nieve, El estío que vuela*—y novelista refinado—*Fagre Ord, Asmodaeus*—. Sophus Claussen (n. 1865), lírico, discípulo de Baudelaire, Verlaine y Mallarmé. Johannes Jörgensen (nació en 1866), de fama mundial, convertido al catolicismo, poeta, crítico, biógrafo—*Hay una fuente que mana, Flores de hielo, Santa Catalina de Siena, San Francisco de Asís, Dom Bosco, Lourdes, Como un ladrón en la noche, La tierra perdida*—. Niels Möller (nació en 1859), poeta, cantor de la belleza heroica, pindárico—*Voces*—. Sophus Michaëlis (n. 1865), sensualista, partidario del arte por el arte—*El sueño eterno, Luvia azul*—. Helge Rode (n. 1870), poeta y dramaturgo —*Hijos del rey, El mito del sol, Ariel, Todo está en su lugar.*

Entre los prosistas: Valdemar Vedel (nació en 1865), historiador, ensayista y crítico—*Ideales de la Edad Media*—. Vilhelm Andersen (n. 1864), crítico, estético y ensayista. Einar Cristiansen (n. 1861), novelista y dramaturgo. Karl Larsen (1860-1931), crítico y novelista—*Doctor X.*

A partir de 1900, dentro de las distintas tendencias literarias de este siglo, abundan los nombres ilustres en la literatura danesa.

Johannes Vilhelm Jensen (n. 1873), famoso en todo el mundo, Premio Nobel de Literatura, poeta y novelista admirable—*La caída del rey, Jörgine, El largo viaje, La nave, La tierra perdida, El ventisquero, Huésped de las nomas, La expedición de los cimbrios*—. Jakob Knudsen (1858-1917), poeta, ensayista, novelista—*Fermento, Purificación, La voluntad tenaz, Gente de Jutlandia*—. Johan Skjoldborg (n. 1861), novelista y dramaturgo—*Un combatiente, La nueva generación*—. Jeppe Aakjer (1866-1930), poeta y novelista regional y social—*Campo abierto, Cantos del centeno, Bajo la estrella de la tarde*—. Marie Bregendahl (n. 1879)—*Cuadros de la vida de la gente de Södal*—. Harry Söiberg (n. 1880)—*La tierra de los vivos*—. Thomas Olesen-Lökken (n. 1887), autor de las trilogías novelescas *Niels Hald y Povl Dam.* Thorkild Gravlud (n. 1879), novelista costumbrista—*La parroquia, Los cabildos*—. Martín Andersen Nexö (n. 1869), novelista de gran fuerza descriptiva—*Pelle el conquistador, Esta criatura humana, En una edad de hierro, Montículos de topos*—. Knud Hjortö (n. 1869), humorista, psicólogo—*Dos mundos, Polvo y estrellas, Hans Raaskov*—. Harald Kidde (1878-1918)—*El héroe, El hierro*—. Johannes Anker-Larcen (n. 1874), periodista, autor teatral, novelista—*La piedra del discreto*—. Otto Rung (n. 1874), fantástico y colorista—*El ave del Paraíso, El cortejo de las sombras.*

Narradores de menor importancia son: Svend Leopold, Lauris Bruum, Poul Levin, Johannes Buchsholtz, Emil Rasmussen, Agnes Henningsen, Thit Jensen...

Fama universal ha ganado la audaz, honda y sugestiva Karin Michaëlis (n. 1872), cuyas novelas están traducidas a todos los idiomas —*Siete hermanas, La edad peligrosa, Maridos.*

Svend Fleuron (n. 1874), narrador de las existencias de los animales. Jürgen Jürgensen (n. 1872), novelista de temas africanos. Aage Madelung (n. 1878), narrador de temas rusos. L. Mylius Herichsen (1872-1907), narrador de temas árticos. Einar Mikkelsen (n. 1880), Peter Freuchen (n. 1886), Knud Rasmussen (n. 1879).

Entre los autores teatrales: Sven Lange (1868-1930), discípulo de Ibsen. Henrik Nathansen, y el más moderno, Kaj Munk, víctima de la última gran guerra (1941-1945), famoso fuera de su patria—*Un idealista, La víspera de Cannas...*

Ludvig Holstein (n. 1864), lírico excepcional —*Musgo y suelo, Estación de las manzanas*—. Valdemar Rördam (n. 1872), de copiosa producción lírica, épica y dramática—*Canciones de pájaros, La vieja parroquia, Las campanas*—. Thöger Larsen (1875-1928), de poesía filosófica y elegíaca. L. C. Nielsen (1871-1930), intimista y elegíaco. Olaf Hansen (n. 1870), místico y crepuscular. Axel Juel (n. 1883), soñador y voluptuoso. Kai Hoffmann (n. 1874), de refinada sencillez—*Noche y día, Dinamarca azulada...*

En una actual promoción han adquirido categoría literaria indiscutible: Hans Hartvig Seedorff (n. 1892), lírico muy barroco y brillante. Emil Bonnelycke (n. 1893), cantor de la ciudad. Tom Kristensen (n. 1893), cantor de Copenhague y autor de una excelente novela: *Livets Arabesk.* Frederik Nygaard (n. 1897), Otto Gelsted (n. 1888) y Per Lange (n. 1900), poetas expresionistas.

Jacob Paludan (n. 1896), cuentista insigne —*El camino occidental, Pájaros alrededor del fuego, Los campos maduran*—. Knud Andersen (n. 1890), cuentista. Axel Sandemose (n. 1897), narrador y ensayista. Peter Tutein (n. 1902), novelista. Marcus Lauesen (n. 1907), novelista y poeta. Nis Petersen, novelista...

V. ELSTER, Christián: *Norsk Literaturhistoril.* Oslo, 1924.—MÜLLER: *Haandbog den dansk Literaturhistoril.* 1829.—MARMIER, H.: *Histoire de la littérature en Danemark.* París, 1839.—PRAMPOLINI, S.: *Literatura danesa.* En el tomo X de la "Historia universal de la literatura". Buenos Aires, Uteha, 1941.

DANTISMO

Nombre dado a la influencia ejercida por los escritos de Dante Alighieri (1265-1321) en las literaturas de todos los países.

El dantismo ha sido señalado precisamente por Asín Palacios.

En la poesía lírica castellana, los primeros *síntomas* del dantismo se hallan en algunos de los poetas alegóricos que figuran en el *Cancionero de Baena,* especialmente en Micer Francisco Imperial, tenido por el precursor de dicho movimiento.

"Dante era su modelo—escribe el docto Valbuena Prat en el tomo primero de su *Historia de la literatura española*—, al que tradujo y glosó en los momentos más inspirados de su arte. Su poesía más bella es una adaptación de diversos pasajes del *Purgatorio* y el *Paraíso,* que dejan huella en otras composiciones. Una de estas lleva la fecha de 1405, preciosa en la historia de nuestra escuela dantesca... Si Dante tuvo por guía a Virgilio, Imperial necesitaba la dirección del poeta de la *Divina Comedia,* evocado entre rosales y árboles, de aspecto suave y benigno, vestidos color ceniza, barba y cabellos blancos, portador del libro "escripto todo con oro muy fino"... El *Desir de Miçer Francisco a las siete virtudes* es su poema más conocido. En un ambiente de ensueño, el poeta, cerca de la hora del amanecer, se acerca a una fuente... Aparece el poeta florentino dispuesto a acompañarle, entre cantos de voces angelicales... Dante le ilustra sobre cada una de las siete virtudes... Amador de los Ríos señaló una a una las imitaciones y traducciones de la *Divina Comedia* en esta composición..."

El dantismo prendió en muchos y aun en los mejores poetas castellanos del siglo XV. Dantistas fueron Ruy Páez de Ribera, el marqués de Santillana, Juan de Mena... Dantismo y alegorismo rezuman composiciones tan famosas como *Coronación de Mosén Jordi, Defunsión de don Enrique de Villena, El infierno de los enamorados* y la *Comedieta de Ponça,* del marqués de Santillana; el *Labyrintho de Fortuna* y algunas poesías líricas de Juan de Mena; el *Proceso que ovieron en uno la Dolencia e la Vejez e el Destierro e la Pobreza,* de Páez de Ribera.

El dantismo, justo es señalarlo, fue una influencia que pesó bastante, pero que pasó pronto, en la poesía castellana. Del dantismo no quedó sino cuanto tenía de *alegoría* dicha influencia. Acaso como resonancia del dantismo, el alegorismo marcó una huella mucho más acusada y duradera en las distintas direcciones de posteriores movimientos literarios como el *renacentismo* o el *neoclasicismo*.

V. Sanvisenti: *I primi influssi di Dante... sulla letteratura spagnuola*. Milán, 1902.—Menéndez y Pelayo, M.: *Antología de la poesía castellana*. Tomo V.—Blecua, J. M.: *Prólogo* a la edición de *El laberinto*. "Clásicos castellanos", 1943.—Post, C. R.: *The Sources of Juan de Mena*. En "Romanic Review", 1912.

DANTONISMO

Nombre dado a las doctrinas republicanas profesadas por Danton y sus adeptos.

Georges Jacques Danton (1759-1794) fue uno de los más famosos convencionales franceses. Nació en Arcis del Aube y estudió en Troyes, en Reims y en París. Fundó el Club de los Cordeleros. Formidable orador, ejerció una gran influencia sobre las masas. Principal promotor del Tribunal revolucionario y del Comité de Salud Pública. Organizó magníficamente la defensa nacional. Su política interior fue de la máxima violencia. Combatido por los hebertistas y robespierritas y acusado de venalidad y traición, fue condenado a muerte y guillotinado el 6 de abril de 1794 en París. Fue Danton el revolucionario más amado por el pueblo, al que subyugaba con su elocuencia y con su simpatía personal. Entre sus primeros amigos estuvieron Marat, Fabre d'Englantine, Camilo Desmoulins, Legendre, Robert... Y con él fueron condenados Desmoulins, Westerman, Lacroix y Philipeaux.

El dantonismo preconizó la *revolución desde arriba*, la república parlamentaria, la colectivización de la propiedad; antepuso a la libertad la igualdad política; confundió la libertad con la democracia, y, como consecuencia, el poder absoluto de la soberanía del pueblo mediatiza, en la práctica, la libertad; pidió el sufragio para todos los varones adultos; abandonó el principio de separación de poderes por la teoría de la democracia popular y directa; defendió el veto popular, por medio de la Cámara, sobre los actos del Gobierno.

V. Aulard: *Les grands français*: *Danton*. París, 1887.—Belloc, H.: *Danton*. Londres, 1904. —Beesley: *Life of Danton*. Londres, 1899.

DANZAS

Nadie duda ya de la importancia literaria de las danzas. El ritmo de la danza es provocado en no pocas ocasiones por el ritmo musical. Y no pocos ritmos líricos son una consecuencia del ritmo musical de la danza.

En nuestra España, baste recordar la *poesía enorme* de las *seguidillas*, las *tiranas*, los *polos* y otras muchísimas coplas que *precisamente* son cantadas en armonía maravillosa con las danzas de los mismos nombres.

DATA

1. Determinación del lugar y del tiempo en que sucedió algo o fue escrita o publicada una obra.

2. Tiempo y lugar en que es firmado el instrumento o carta. La data puede ir señalada al principio o al fin de la escritura, en números romanos o arábigos, o en letras.

DEBATE

Debate o disputa, género poético nacido de los recitados o *tensones* de los trovadores. Se desarrollaba en torno a un punto de *legislación amorosa*. Y cuantos intervenían en él se manifestaban poéticamente y aun traían a cuento, testigos excelsos de la disputa, a seres abstractos y a seres inanimados.

Famosas composiciones de este género son: *La disputa de la Sinagoga y de la Santa Iglesia, La disputa del judío y del cristiano, Batalla del Infierno y del Paraíso, La disputa del vino y del agua, La batalla de Don Carnaval y Doña Cuaresma*. Estas dos últimas con mucha influencia en la literatura española.

V. Menéndez y Pelayo, M.: *Historia de la poesía castellana*.

DÉBIL (Estilo)

Aquel que carece de energía por falta de epítetos atrevidos, de expresiones gráficas, de imágenes vivas que realcen los pensamientos, dejándolos hondamente grabados en la memoria.

DÉCADA

Período de diez años que algunos historiadores toman como unidad para redactar sus crónicas. En *décadas* está dividida la famosa *Historia de Roma*, de Tito Livio. Y durante el Renacimiento, imitando a Tito Livio, no pocos historiadores españoles y extranjeros dividieron en décadas sus obras monumentales.

DECADENTISMO

Decadentismo, en un sentido amplio, significa la *degeneración* faltal de cualesquiera movimientos literarios y artísticos. Así, puede aludirse al decadentismo en el clasicismo, en el renacentismo, en el humanismo, en el barroco, en el romanticismo... Ineludiblemente a una iniciación y a un apogeo corresponde una decadencia o vejez de las letras y del arte, síntoma natural de una desaparición en la realidad.

No aludimos a este decadentismo, sino a otro de más ceñida significación, quizá porque este decadentismo poseyó peculiaridades propias y *no derivadas* de ningún momento antecesor de plenitud o de juventud inmatura; acaso porque este decadentismo, en vez de una inmediata muerte, engendró unos valores vitales de trascendencia indudable y de una *parcialidad* digna de minuciosa consideración.

Muchos críticos opinan que dentro de este decadentismo están todos los movimientos *subversivos*—artísticos y literarios—aparecidos desde 1850 hasta 1950: el *simbolismo,* el *parnasianismo,* el *expresionismo,* el *satanismo,* el *manierismo,* el *futurismo,* el *cubismo,* el *dadaísmo,* el *creacionismo,* etc., etc. Lógicamente, para opinar así, estima la crítica que en todos los mencionados movimientos, y en algunos más, existen coincidentes punto a punto las características fundamentales del decadentismo, considerado, no como acabamiento de un sistema o de una tendencia, sino como engendrador de una réplica. ¿Cuáles son tales características? El afán destructivo de lo tradicional. La rebeldía contra el dogma o contra el canon. La negativa a todo logicismo. La repulsa a toda generalización—y mucho más si es preconcebida—. La condenación exasperada del realismo fatal. El ardiente deseo de un subjetivismo logrado en la anarquía. La búsqueda incansable de lo fenomenal.

Posiblemente—no es este el momento oportuno para entrar en la controversia—existen posibles verdades en las estimaciones de la crítica.

Vamos ahora, pues, a considerar el decadentismo como uno de tales movimientos literarios y artísticos surgidos no de una plenitud finita, sino de una aptitud incipiente y autónoma.

El decadentismo literario tuvo su iniciación, a mediados del siglo XIX, en distintos países: Estados Unidos, Inglaterra, Alemania, Francia... Para Lanson, el decadentismo fue un brote extraño y degenerado del *simbolismo* (V.); sus características se redujeron al uso de la alegoría y del símbolo y a la reforma métrica y prosódica en el lenguaje. En muy poco tiempo, el decadentismo—refinado tanto en su prosa como en su sensibilidad, bañado en el agua de rosas del más exquisito impresionismo—se impuso en el mundo entero, dándole artistas geniales y obras imperecederas.

En Francia: Carlos Baudelaire (1821-1867), con *Las flores del mal* y *Paraísos artificiales;* el conde Villiers de l'Isle Adam (1838-1889), con *Histoires insolites, Contes cruells* y *L'Eve future;* Paul Verlaine (1844-1896), con *Poèmes saturniens, Les Poètes maudits, Liturgies intimes, Sagesse;* Jules Laforgue (1860-1887), introductor del verso libre, con *Complaintes* y *Le concile féerique;* Stéphane Mallarmé (1842-1898), con *L'aprésmidi d'un faune, Les dieux antiques;* Albert Samain (1858-1900), con *Tsilla, Le jardin de l'Infante* y *Le chariot d'or;* Charles Van Lerberghe (1861-1907), con *Les Flaireurs* y *Entrevisión.*

En Alemania fue Nietzsche quien, acusando a Wágner "de decadente por excelencia y maestro de todos los decadentes", fijó el problema del decadentismo, en el que se afiliaron poetas tan ilustres como: Stephan George (1868-1933), con *Hymen, Zeichnungen in Grau, Algabal, Garten;* Peter Hille (1854-1904), con *Die Hassenburg.*

En Inglaterra inició el decadentismo—posiblemente fue su precursor en Europa—John Keats (1796-1821), con *Endymion* y *The Eve of St. Agnes and other poems;* Dante Gabriel Rossetti (1828-1882), con *Ballads and sonets, Poems;* Algernon Charles Swinburne (1837-1909), con *Poems and Ballads, Song in Italy;* Thomas de Quincey (1785-1859), con *Essay on style, Confessions of an English Opium Eater, Murder considered as one of the Fine Arts;* Oscar Wilde (1856-1900), con *Intentions, The Picture of Doriam Gray.*

En los Estados Unidos, Edgar Poe; en Rusia, Valer Brjusov; en Austria-Hungría, los checos Otokar Brezina y Yiri Karasek; en Dinamarca, Johannes Jörgensen...

El decadentismo literario no tuvo influencia alguna sobre la literatura española, entregada al melodramatismo escénico de Echegaray y sus seguidores, o al realismo de los grandes novelistas de la segunda mitad del siglo.

De *barbarie pasajera* calificó Menéndez y Pelayo el decadentismo. Este término se aplicó por primera vez, quizá, a una literatura determinada y a sus adeptos en la obra *Les Deliquescences*—1885—, de Adné de Floupette.

El decadentismo tuvo sus revistas: *Nouvelle Rive Gauche*—1882—y *Le Décadent*—1886—, en la que se definieron escritores como Rimbaud, Pierre Louys y Maurice Barrés.

Se han encontrado grandes semejanzas entre el decadentismo y el *esteticismo* (V.).

D

DECASÍLABO

Verso de diez sílabas. Se divide en *simple* —cuando es de composición dactílica y lleva los acentos en las sílabas 3, 6 y 9—, y *compuesto,* cuando une dos hemistiquios pentasílabos.

Decasílabo simple:

> Del salón en el ángulo oscúro
> de su duéño tal véz olvidáda,
> silenciosa y cubiérta de pólvo...
>
> (BÉCQUER.)

Decasílabo compuesto:

> Ya los centauros — a ver alcanza
> la cazadora, — ya el dardo lanza,
> y un grito se oye — de hondo dolor.
>
> (RUBÉN DARÍO.)

DÉCIMA

Décima o *espinela*—cuya invención se atribuye al gran escritor Vicente Espinel—es una estrofa que consta de diez versos octosílabos, aconsonantando el primero con el cuarto y el quinto; el segundo con el tercero; el sexto y séptimo con el décimo, y el octavo con el noveno. En la *espinela* debe procurarse que el sentido exija punto, dos puntos, o, al menos, coma, al fin del cuarto verso. Esta artificiosa combinación es muy adecuada para los asuntos festivos por su giro y corte especial, y también para los muy reflexivos y conceptuosos.

Mi natural devoción
siempre os pidió con fe tanta
no permitieses, Cruz santa,
muriese sin confesión.
No seré el primer ladrón
que en Vos se confiese a Dios;
y pues que ya somos dos,
y yo no lo he de negar,
tampoco me ha de faltar
redención que se obró en vos.

(CALDERÓN DE LA BARCA.)

Compónense también las décimas de otros modos, *como dos quintillas enlazadas*:

Que siempre lastime y hiera
mi estilo en prosa y en verso
culpas, Lupo; mas espera:
si tú no fueras perverso,
di, ¿satírico yo fuera?
Hablar bien de la codicia,
disolución y malicia,
fuera calumnia mortal:
hablar mal del que obra mal,
Lupo, es hacerle justicia.

(FORNER.)

La décima es una de las estrofas más usadas por los grandes poetas españoles modernos. Son famosísimas las composiciones—en décimas—: *El pedernal y el eslabón,* de Iriarte; *Las moscas y la miel,* de Samaniego; *El Dos de Mayo,* de López García; *El vértigo,* de Núñez de Arce; *Al rayo,* de Melchor de Paláu.

La décima fue llevada a las obras dramáticas más célebres de Lope, Tirso, Moreto, Calderón de la Barca... Este último inmortalizó las del monólogo de Segismundo en *La vida es sueño.*

DECIR

1. Versificar. Trovar.
2. Título de algunos poemas de la Edad Media: *Decir de amores, Decir de las siete virtudes.*

DECLAMACIÓN

1. Discurso pronunciado con énfasis.
2. Arte de representar en el teatro.
3. Trozo de elocuencia que sirve para ejercitarse en la dicción.

La declamación designa el arte de hacer valer la idea por medio de la voz, del gesto, del juego de la fisonomía, de los ademanes. La declamación tiene principios relativos a la elocuencia de la tribuna—oratoria—y reglas particulares para el arte escénico.

La *declamación oratoria* exige el conocimiento de los resortes de la voz, ya que de ellos dependen la fuerza y la emoción de las ideas. Según los antiguos retóricos, el gesto debe poner el comentario al pensamiento, al sentimiento. Y el cuerpo entero debe colaborar en la obra de las palabras. Lo cual es un aparte esencial del arte del orador. Cicerón suscribía la opinión de Demóstenes en este punto: "Sin acción apropiada, el mejor orador no obtendrá el menor éxito." Las entonaciones de voz, el juego del gesto, la eficacia de los ademanes, fueron muy estudiados por los griegos y por los romanos. La preocupación por la forma y la belleza externa y la diposición de la tribuna donde el orador aparecía de cuerpo entero, les llevó a dar una capital importancia en sus tratados a los movimientos de las manos, de los pies, a los escorzos del cuerpo y de la cabeza, a las pausas en la dicción, a las inflexiones y matices de la voz. Horacio—en la *Epístola a los Pisones,* v. 105 y sigs.—se refiere a la trascendencia de la acción en el discurso:

Tristia maestum
Vultum verba decent, iratum plena minarum,
Ludentem lasciva, severum seria dictu.
Format enim natura prius nos intus ad omnem
Fortunarum habitum: juvat aut impellit ad iram,
Aut ad humum maerore gravi deducit et angit;
Post effert animi motus interprete lingua.

La declamación, tal como la entendieron los retóricos latinos, comprendía dos clases de amplificaciones: las *suassoriae* y las *controversiae.* Las primeras desenvolvían un aforismo moral, una cuestión histórica o política. Las segundas pertenecían al género judicial, y podían ser *tractatae*—cuando el plan era suministrado al alumno—y *coloratae* cuando era el sujeto quien debía formalizar su plan.

En Grecia y en Roma, la declamación llegó a ser abusiva. Los oradores llegaron a utilizar —como nuestros recitadores de hoy—para los efectos de su oratoria, los instrumentos musicales.

La *declamación teatral* no exige menos estudios que la antigua declamación oratoria. Y requiere más aptitudes naturales. En la sustitución que el actor hace de un personaje real o imaginativo, le es indispensable llevarla hasta el grado más eficaz de naturalidad, de tal suerte que los espectadores se olviden de la *persona del actor* para creerle la *persona representada.* Un actor será tanto más admirable cuanto mejor *se humanice* en el cuerpo y en el alma de aquellos seres a quienes representa.

Por tanto, el actor debe cada vez—y el orador no—estudiar con ahínco una voz, un gesto, unos ademanes, una acción nuevos. El orador *siempre es él,* aun cuando deba reflejar ideas y emociones distintas. El actor *nunca es él,* sino cada día un personaje distinto; hoy, un emperador; mañana, un mendigo; ahora, un visionario; luego, un rutinario; ya un anciano, ya un joven, un hombre alegre, un hombre triste..., etcétera.

Modernamente, la declamación teatral ha adquirido una importancia tal, que no hay país culto que no cuente con un Conservatorio o Escuela donde se dan enseñanzas a los futuros artistas escénicos, ya que estos deben reunir determinadas condiciones, *unas espirituales* y *otras formales.* Entre las primeras están: la *cultura literaria e histórica,* la *sensibilidad,* la *intuición;* entre las segundas: la *voz educada,* el *gesto bien estudiado,* la *eficacia mímica,* la *naturalidad de movimiento.*

V. ARISTÓTELES: *De Arte rhetorica.*—QUINTILIANO: *De las instituciones oratorias.*—DIDEROT: *La paradoja del comediante.*—WITTICH: *De Rhetoribus latinus eorumque scholis.* Eisenach, 1853.—MOLIERE: *De la Déclamation théàtrale des anciens.* En *Mémoires* de la "Académie des Inscriptions", tomo XXI. BRETÓN DE LOS HERREROS: *Progresos y estado actual de la declamación en España.* Madrid, 1852.

DECORACIÓN

Conjunto de telones, bambalinas, bastidores, muebles, detalles característicos y demás aparato escénico que sirve para dar a los espectadores la realidad de los lugares en los que la acción teatral se desarrolla, transformándose siempre que esta lo exige.

Entre los griegos, la decoración fue sumamente sencilla. Las *construcciones fijas* formaban la escena en gran parte, ya que siempre se representaba al aire libre. Para cada uno de los tres géneros de obras trágicas, cómicas y satíricas, la escena tenía *cinco entradas*: tres en el fondo y una a cada lado. La entrada central era la del primer actor en las tragedias. Era, generalmente, la puerta de un palacio, por lo que se le llamó *aula regia* o *puerta real.* Las dos de sus lados, a derecha e izquierda, más pequeñas, recibían el nombre de *hospitalia,* ya que por ellas entraban y salían los personajes secundarios. Las puertas laterales de la escena daban paso: una, al campo, y otra, a la plaza pública.

Ya había en aquella época algunos *detalles* que ayudaban a dar la idea del lugar de la acción; para la tragedia: pórticos, columnatas, un bosque sagrado, un templo; para la comedia: una plaza pública, alguna calle; para el drama satírico: árboles, grutas, rocas. Estos decorados sucintos fueron llamados *versatiles trigoni* y *ductiles.* Los primeros eran unos prismas triangulares, que, girando sobre un pivote, presentaban *la cara* necesaria. Los segundos se acoplaban a la escena como nuestros modernos decorados. Han llegado hasta nosotros los nombres de algunos célebres decoradores griegos: *Agatarchus,* que, según Vitrubio, realizó el templo de Esquilo; Anaxágoras y Demócrito, que perfeccionaron los primeros ensayos y publicaron obras sobre las reglas de la perspectiva; Apaturio, Metrodoro...

La escena antigua, construida sobre un terreno llano, no poesía como la nuestra plataformas escalonadas de las que facilitan las operaciones escénicas; por tanto, eran precisas numerosas máquinas—grúas, cabrias, etcétera—para realizar los trucos, como el de aparecer en las nubes los dioses y los héroes.

En los primitivos teatros orientales—chino, hindú—, el autor o un actor, antes de empezar el acto, o el cuadro, *explicaban la decoración* al auditorio, y este suplía con la imaginación la carencia absoluta de decorado. Simplicidad tan fenomenal jamás fue conocida en Europa.

Todavía en el siglo XVI, en países de tanta fuerza dramática como eran España e Inglaterra, las salas de espectáculos eran miserables; la escena carecía de decorados y de ornamentación; los espectadores quedaban a la intemperie. "Un paño mugriento indicaba al correrse —dice Mezières en sus *Contemporains de Shakespeare*—que empezaba la representación." Sin embargo, el entusiasmo y la imaginación del público transformaban estas representaciones mezquinas en éxitos extraordinarios.

A los italianos del siglo XVI se les deben las primeras magníficas consecuciones en los decorados. Su iniciador fue Balthazar Perruzzi. La escena estaba dividida por arcos, en tres partes, y cada una de estas representaba un bosque, una sala y la plaza pública. Un siglo después, algunos artistas italianos—entre ellos Torelli—fueron llamados a Francia por el cardenal Mazzarino y lograron sorprendentes adelantos: la *decoración pintada móvil,* la multiplicación de los resortes mecánicos para la realización de los trucos, la utilización del mobiliario afín. Nicolás Sabattini—en su *Manière de fabriquer las théâtres,* 1638—da una idea precisa de los recursos que existían entonces para las representaciones dramáticas. Habla de *bastidores móviles,* de un *escenario cerrado por completo,* de una *sala con techo,* de un *lugar aparte para los músicos,* de los *telones elevados* al iniciarse la representación, de los *maquillajes completos* de los actores.

En los siglos XVIII y XIX ya hay artistas —pintores decoradores—cuya única misión es el dibujo y el colorido de las decoraciones: Ciceri, Gay, Daguerre, Cambon, Philastre, Bouton, Lucini, Aranda.

V. BOUILLET: *Essai sur l'art de construire les théâtres, leurs machines et leurs mouvements.*

D

París, 1896. Varias ediciones.—GENELLI: *Le théâtre d'Athènes, son architecture, son mecanisme scénique.* Berlín, 1848.—GARNIER, Ch.: *El teatro.* París, 1871, y Madrid, 1886.—AROLA SALA: *Escenografía.* Barcelona, 1920. "Manuales Gallach".

DECRETALES

Letras de los pontífices sobre cuestiones de disciplina eclesiástica. Dionisio "el Pequeño", monje del siglo VI, fue el primero que las reunió con el título *Collectio decretorum Pontificum romanorum a Siricio ad Anastasium II.* Esta colección fue adoptada en Francia por Carlomagno.

Son cinco las más famosas colecciones de decretales: la de Gregorio IX, mandada formar en el siglo XIII; la de Bonifacio VIII, llamada *Sexto de decretales;* la de Clemente V o *Septimo de decretales;* y las dos *Extravagantes,* que comprenden veinte constituciones de Juan XXII y muchas decretales sobre Urbano IV hasta Sixto IV.

Antes de tales colecciones, en el siglo XII, Graciano, religioso italiano, formó una *tercera* colección, denominada *Decreto,* que comprendía tres partes: *Distinciones, Cuestiones* y *Cánones.* Antes aún, en el siglo IX, apareció otra colección, con el supuesto nombre de *Isidoro Mercator,* y atribuida al jurisconsulto alemán Benoit Levita.

V. WALTER, Ferd.: *Manual de Derecho eclesiástico.*—LLORCA, P.: *Manual de Historia eclesiástica.* Barcelona, 1946. Ed. Labor.

DEDICATORIA

Carta o sencilla inscripción puesta por el autor al principio o al fin de su obra, para colocar esta bajo el patronato de una persona ilustre o influyente, o para testimoniar el afecto o la amistad que le une a la persona objeto del homenaje.

El uso de las dedicatorias es antiquísimo, como se sabe por un epigrama—libro III, 2—de Marcial. Horacio dedicó a Mecenas la primera de sus odas, la primera de sus sátiras, el primero de sus épodos...

Prima dicte mihi, summa dicende camena.

Lucrecio puso su poema *De rerum natura* bajo la protección de C. Memmio Gemelo. Cicerón dedicó sus *Tópicos* a Trevasio; su *Orador,* a su hermano; sus *Paradojas* y sus *Tusculanas,* a Marco Bruto; sus *Académicas,* a Varrón; Virgilio, sus *Geórgicas,* a Mecenas.

En un principio, las dedicatorias tuvieron algo de lo que hoy llamamos vulgarmente *sablazo.* Con ellas, los autores lograban dinero o cargos de las personas elogiadas. Nuestro Lope de Vega fue *un maestro* en esta clase de recursos literarios. Cervantes dedicó, *por agradecimiento,* al conde de Lemos varias de sus obras mejores.

Antiguamente—el pueblo egipcio más que ningún otro—se acostumbró dedicar los monumentos a los dioses... o a la posteridad. Cuando era esta la afortunada, la inscripción se refería únicamente a quien la dedicaba; así consta el nombre de Tito en la del Coliseo.

Modernamente, es rarísimo el libro que no lleva una dedicatoria. *Sencillez, nobleza* y *propiedad* deben ser las cualidades de esta, ya que resulta ridículo dedicar una obra teológica a un militar o una obra táctica a un sacerdote. La admiración, el afecto o la gratitud siguen originando las dedicatorias.

V. VOLTAIRE: *Diccionario filosófico*—TACKE: *De dedicationibus librorum.* Wolfenbuttel, 1733.

DEDUCCIÓN

1. Arte de inferir una verdad de otra.
2. En el discurso, ir de lo general a lo particular.
3. Exposición amplificada y detallada de un tema literario.

DEFINICIÓN

Explicación de la naturaleza y cualidades distintivas de alguien o de algo. Según una doble regla consagrada por el tiempo, la definición debe convenir al objeto definido por entero —*toti definito*—y a él solo—*soli definito*—. Más claro aún: la definición ha de ser *exclusiva y excluyente.*

En poesía, definir es *describir;* es presentar el objeto en la vida, los detalles que le son característicos, patentizar su imagen y los sentimientos que en nosotros excita. Se puede dar el nombre de definiciones poéticas a esas *pinturas vivas y pequeñas* que resaltan la realidad natural del objeto en su aspecto particular y en las circunstancias que lo valorizan. Rousseau definió así la majestad poética de las cosas:

Le Temps, cette image mobile
De l'immobile éternité.

Y Voltaire—en su tragedia *Brutus*—pone en boca de uno de sus personajes una definición impregnada en la aversión que le inspiraba el objeto:

L'ambassadeur d'un roi n'est toujours redoutable.
Ce n'est qu'un ennemi sous un titre honorable,
qui vient, rempli d'orgueil ou de dextérité,
insulter ou trahir avec impunité.

La definición estuvo clasificada por los antiguos retóricos entre los *lugares comunes* (V.); servía, a la vez, para atacar y para responder, ya que se oponía a la *contradefinición,* a la

cual se le había dado el nombre técnico de *autorismo* (V.), de ἀντι, contra, y ὁρίζω, definir.
V. QUINTILIANO: *Instituciones oratorias.*

DEÍSMO

Sistema filosófico que admite a Dios como autor de la Naturaleza, pero que rechaza la revelación y el culto externo.

El deísmo surgió en Inglaterra como réplica al *naturalismo* (V.), al *materialismo* y al *ateísmo* (V.) de Hobbes. Para este, y aun para Bacon, el problema de la verdad de la religión ocupa un lugar muy secundario. La religión es cuestión de fe, y la fe es juzgada en último término por su finalidad, no por su verdad.

Herbert de Cherbury (1582-1642), llamado "el padre del deísmo", por haber sido el primero en sistematizar la doctrina, fue filósofo, matemático, embajador de Inglaterra en Francia. Su obra más importante es: *De veritate prout distinguitur a revelatione, a verisimili, a possibili et a falso*—1624—, en la que combina la teoría del conocimiento con una psicología parcial, una metodología para la investigación de la verdad y un esquema de la religión natural.

Para combatir el ateísmo, Herbert de Cherbury supuso la existencia de verdades apriorísticas inmanentes en el entendimiento, apoyadas en un *consensus universalis,* y aplicólas al terreno religioso, sentando así las bases de un sistema racionalista, del que surgió el deísmo inglés. Herbert de Cherbury defendió como verdades de la religión natural: la existencia de Dios; el derecho de Dios al culto; la existencia de otra vida donde los seres serían premiados o castigados. Pero como sucede y sucedió siempre, los discípulos del iniciador del sistema filosófico modificaron este hasta lograr que no pareciera el mismo. Toland, Collins Tindal, Chubb, Bolingbroke, en Inglaterra; Montesquieu, Voltaire, Rousseau, en Francia; Wolf y sus secuaces, en Alemania, consiguieron llevar el deísmo a la negación o a la duda de la providencia y de la vida futura.

Algunos críticos y comentaristas han afirmado que los vocablos *deísmo* y *teísmo* eran sinónimos, significando ambos *creencia en Dios* y llevando ambos al concepto de la *religión natural.*

Sin embargo, el deísmo es un término que se opone al teísmo. El teísmo es la creencia en un Dios religioso, sobrenatural, conocido por la revelación. Por el contrario, el deísmo, sin salirse del ámbito de lo estrictamente natural, no admite la revelación, afirmando su creencia en Dios y su conocimiento de Dios exclusivamente *por la razón,* sin la ayuda de medio sobrenatural alguno.

El deísmo, pues, es una religión racional; carece de dogmas, de culto y de iglesias. El deísmo se enseñoreó en todo el siglo XVIII, llamado "de la Ilustración".

El mejor expositor del deísmo fue el holandés Juan Toland (m. 1722), quien lo convirtió en una especie de religión, que consiste en la adoración a Dios, racionalmente concebido, despojado de toda exteriorización.

"Herbert, y con él todo el deísmo, se interesan por la única verdadera religión, que, evidente y demostrable, constituye el coronamiento y el remate de todo el edificio de los conocimientos humanos. En cuanto los deístas consideran la razón como fuente de la verdad religiosa, están en oposición con los representantes de una religión pura de la revelación, aun en el caso de que, como Cumberland o Locke, traten de demostrar que el cristianismo coincide con la religión de la razón o es el que más se acerca a ella. Por lo demás, encontramos matices muy variados de deísmo, desde los cristianos que quieren aceptar los misterios cristianos de la fe, pero hacen notar que la fe y la revelación solo pueden enseñar algo suprarracional, pero no antirracional, pasando por aquellos que quieren separar la *verdadera y sencilla* enseñanza de Cristo de las agudezas dogmáticas de una religión posterior de sacerdotes y teólogos, hasta llegar a los librepensadores enemigos del cristianismo. Característica de todas estas orientaciones es la idea de que hay una religión de la razón, que al propio tiempo es *religión natural,* y, por tanto, se encuentra al comienzo de la evolución del espíritu." (Von Aster.)

El teólogo inglés Clarke—en su obra *A discurse concerning the atributes of God,* 1704—afirma que existen cuatro clases de deísmo:

1.ª El que admite un Dios personal, inteligente y poderoso, pero *no providencial,* que después de sacar al mundo de la nada, *lo abandonó a su suerte,* no preocupándose ni mucho ni poco de los hombres.

2.ª El que admite un Dios creador de todo, pero *providencial* únicamente para los fenómenos naturales, no para el hombre como ser moral.

3.ª El que admite un Dios creador y providencial, pero niega la teoría del premio o del castigo en una vida inmortal que para él no existe.

4.ª El que admite un Dios creador y providencial, la vida futura inmortal, la teoría de los premios y castigos, pero niega la revelación.

A lo que el deísmo *no renuncia* en ninguna de sus clases es a la idea de la *religión racional.*

Kant—en la *Crítica de la Razón pura*—llama *deismo* al sistema filosófico que admite la existencia de un Absoluto, de una causa primera de todos los fenómenos de la Naturaleza, pero sin atributos morales; y llama *teísmo* al siste-

D

ma que reconoce un Dios libre, inteligente, creador y providencial en este mundo y justiciero en la vida futura.

V. BERGIEZ, A.: *Le déisme refuté par luimême.* París, 1770.—SAYOUS, M.: *Les deistes anglais et le christianisme.* París, 1882.—ASTER, Ernst von: *Historia de la Filosofía.* Barcelona, Labor, 1935.—CARRAU, L.: *La philosophie religieuse en Angleterre...* París, 1909, 6.ª edición.

DELFINÉS (Patois)

Uno de los dialectos de la lengua de *oc.* Ha sido modificado, sobre todo en las montañas, por la lengua de los Allobroges. En las partes llanas del Delfinado, el lenguaje se aproxima más al romance francés. La pronunciación del delfinés sigue los elementos constitutivos propios: en la parte baja pierde su vivacidad; en las montañas es incisivo, rápido, cadencioso. El delfinés se confunde con el provenzal en el límite de los departamentos de la Drôme y de los Hautes-Alpes.

Entre los siglos XI y XIV tuvo una rica literatura trovadoresca, y popularizó bastantes representaciones pastorales.

En 1662 fue publicada en Grenoble una obra importante: *Recueil de diverses pièces faites à l'ancien langage de Grenoble.* Y Colomb de Batines, en 1840, dio a conocer *Poésies en patois du Dauphiné.*

V. OLIVIER, J.: *Essai sur l'origine de la formation des dialectes du Dauphiné.*—SCHNAKENBURG: *Tableau synoptique des patois de la France.* Berlín, 1840.

DELIBERATIVO (Género)

Su objeto es persuadir o disuadir acerca del tema que se discute. En retórica se llama género deliberativo a uno de los tres que componen la *elocuencia* (V.) dentro de la división establecida por Aristóteles. Su nombre deriva de que el orador se propone obligar a una asamblea a que tome una resolución o deseche la contraria.

Al género deliberativo se le llama también *elocuencia de tribuna,* y, en una acepción moderna más restringida, *elocuencia parlamentaria.* Los otros dos géneros son el *demostrativo* y *judicial* (V.).

DEMAGOGISMO

Sistema político de la demagogia, *forma impura* del gobierno democrático. Ya afirmó Aristóteles que cuando se ejerce el poder del Estado en provecho de una muchedumbre indisciplinada, "la forma impura que resulta se llama demagogia". Y demagogismo, el modo de gobernar los demagogos.

Habla Montesquieu de los principios en que se fundan las distintas formas de gobierno. Hace una clasificación de los gobiernos en *despóticos,* cuando gobierna uno solo, sin sujeción a la ley; *monárquicos,* cuando gobierna uno solo con sujeción a derecho; y *republicano,* cuando retiene el pueblo todo el poder político. Este último tipo puede ser *democrático* y *aristocrático.* Cada forma de gobierno lleva aparejado un determinado principio. El despotismo se funda en el miedo; la monarquía, en el honor; la aristocracia, en la moderación; la democracia, en el patriotismo o virtud política. Montesquieu examina los peligros inherentes a cada sistema y las leyes e instituciones apropiadas a cada forma, exponiendo las concepciones políticas más importantes en relación con las condiciones peculiares de un sistema particular y determinado.

No existe, según Montesquieu, forma alguna de gobierno que encierre un valor en sí misma; su valor es siempre relativo. Cuando cambia el espíritu que informa una determinada forma de gobierno, sucede necesariamente una revolución. Las democracias declinan cuando no practican las virtudes políticas y desaparece el espíritu de igualdad. El fin de las aristocracias se determina por la ausencia de moderación entre las clases gobernantes. Cuando se debilita el imperativo del honor entre los gobernantes, es que ha llegado el fin de la monarquía. El despotismo es inestable, por su misma naturaleza. Pero las revoluciones no siguen un proceso de regularidad y previsión política.

Pero de todas las transformaciones que pueden tener las llamadas formas puras de gobierno, posiblemente la de la democracia en demagogia es la más lamentable, ya que democracia era la forma pura más humana y conveniente.

Cuando una democracia está dirigida por seres mediocres, el peligro de su degeneración es inminente. Y el demagogismo niega al mismo poder que detenta su naturaleza y sus fines sustanciales, "por lo que la anarquía es su término y el despotismo su instrumento". El demagogismo prescinde de las normas jurídicas —leyes y costumbres—, y aplica en cada caso, con aparato de prescripción legal, el propio capricho, que encubre la ambición de quien lo aplica. "Nada existe más terrible—confesó D'Alembert—que una democracia despótica; porque enraíza casi siempre en la incultura y en las bajas pasiones, no de uno—tiranía—, sino de muchos—demagogia—."

El ejemplo más famoso de democracia convertida en demagogia lo dio la Revolución francesa de 1789. Los convencionales suplantaron el absolutismo de los monarcas con su propio y rabioso despotismo. Y la voz del girondino Vergniaud dejóse oír así: "Mi voz, que ha esparcido más de una vez el terror por este palacio, de donde ha contribuido a arrojar la tiranía, la haré penetrar en el corazón de los malvados, que quieren sustituir su propio despotismo al del trono." Para Luis Blanc, uno de los socialistas más ilustres de Francia, la demagogia, en medio de su misma violencia, lleva en su entraña la más absoluta y deprimente esterilidad. El demagogismo mata todas las iniciativas individuales; llega a la más descarada centralización; cae necesariamente en la dictadura.

Gráficamente, Proudhon dijo: "Demagogismo es el poder entregado, como si fuera un juguete carísimo, a una multitud harapienta, inculta y con ansia de venganza. ¿Cuánto durará el juguete en sus manos?"

La demagogia es tan antigua como la democracia. (V. *Democratismo.)*

DEMOCRATISMO

Doctrina y sistema de la democracia.

Democracia es la tendencia política favorable a la intervención del pueblo en el gobierno. Y también el predominio del pueblo en el gobierno político de un Estado. Deriva de las palabras *demos* = pueblo y *cratos* = fuerza o poder.

El democratismo, como sentido y forma de gobierno, es tan antiguo como la noción del mismo Estado. Platón, en su *República,* concebía un ciclo imaginario, mediante el cual los gobiernos iban pasando del esplendor a las formas de decadencia política. A la cabeza del sistema platónico figuraba la *aristocracia,* o gobierno de los más sabios, inspirados en la idea de la justicia. Seguía a esta etapa la *timocracia,* o gobierno de clases, animadas, más que por la justicia, por un sentimiento de gloria y de honor. Más tarde se establece la *oligarquía,* cuando adquieren los propietarios el poder político. La emancipación de las masas acarrea el advenimiento de la *democracia,* y del abuso de la libertad nace la *anarquía.* El ideal de Platón descansaba en una aristocracia seleccionada por la inteligencia. El desprecio de Platón por la democracia fue debido, seguramente, a los desmanes de esta en Atenas.

Aristóteles—en su *Política,* lib. III, cap. V—escribió lo siguiente: "*Monarquía* es aquel Estado en que el poder dirigido al interés común no corresponde más que a uno; *aristocracia,* aquel en que se confía a más de uno; y *democracia,* aquel en que la multitud gobierna en utilidad pública." Aristóteles cree que la mejor forma de gobierno es la que corresponde con el carácter y necesidades de cada pueblo. El Estado ideal solamente es posible en el supuesto de que exista también una sociedad ideal. Si pudieran encontrarse hombres extraordinarios la monarquía y la aristocracia serían las mejores formas de gobierno. Pero, dada la naturaleza humana, hay que decidirse "por una democracia moderada". "La aptitud política del pueblo, como unidad, es preferible a la actuación de cualquiera de sus partes; siguiendo ese principio, debe residir la autoridad, en último término, en el conjunto de los ciudadanos. Por medio de las asambleas, tratan estos de las cuestiones fundamentales y eligen a sus magistrados." Pero para Aristóteles, como buen griego que es, la soberanía de la ley está por encima de la autoridad humana.

Los griegos aportaron al pensamiento político del mundo los ideales de la libertad y de la democracia, que ofrecen un formidable contraste frente a los Estados orientales anteriores, o frente al Imperio romano posterior.

Cicerón aceptó la clasificación de Polibio sobre las formas de gobierno, distinguiendo entre monarquía, aristocracia y democracia; cada una de las cuales posee ciertas ventajas y está sometida a la decadencia de una forma impura —tiranía, oligarquía y demagogia, respectivamente—, siguiendo un ciclo revolucionario. Cicerón colocó las formas simples por este orden de preferencia: monarquía, aristocracia y democracia. Sin embargo, se declaró partidario de una forma mixta, en la que se reúnan las ventajas de las demás.

Modernamente, Locke continúa la tradición aristotélica al dividir los gobiernos en monarquías, aristocracias y democracias, atendiendo a la base de las funciones legislativas. Para Locke, la democracia es la mejor forma de gobierno, representada por los delegados del pueblo que se deben a la elección. La monarquía le parece respetable "siempre que se prive al rey del poder de hacer las leyes y se reconozca la voluntad del pueblo".

Pero hay que distinguir, y posiblemente ya lo hemos apuntado, entre democracia *como forma de Estado,* en la que la soberanía pertenece a la generalidad de los individuos, y democracia *como forma de gobierno;* democracias que pueden o no coincidir. En las antiguas repúblicas griegas, la forma del Estado era aristocrática, y, en cambio, era democrática la forma de gobierno. Modernamente, cuando Estado y Gobierno coinciden en la forma democrática, se habla de *democracias directas,* y de *democracias representativas* cuando no coinciden.

Esparta, a pesar de su *civismo,* de su absorción del hombre por el Estado, tuvo su democracia en los *éforos*—magistrados defensores de la plebe—y en la *Apella*—tribunal con plenitud de atribuciones en las funciones legislativa y judicial.

Atenas tuvo su democracia en la *Ecclesia* y en la *Heliaia.* La primera estaba formada por cuantos ostentaban el título de ciudadano y pertenecían a una de las cuatro clases establecidas por Solón. La *Ecclesia* era la verdadera guardadora de la ley, y ante ella cualquier ciudadano podía acusar al magistrado que no cumplió con su deber. La *Heliaia,* instituida por Solón para cercenar las atribuciones judiciales del Areópago, sometido ya en sus fallos a la apelación ante la *Heliaia,* especie de jurado popular formado por sorteo entre los ciudadanos mayores de treinta años.

Los romanos tuvieron su democracia en el *Concilium plebis*—de los cuales, al principio, estuvieron excluidos los patricios—y en los *Tribunos de la plebe,* magistrados que llegaron a tener una fuerza enorme, casi igual a la de los cónsules.

Durante la Edad Media, muchos pueblos lograron la implantación de la democracia. Instituciones democráticas medievales son: la *Carta Magna*—1215—, arrancada por los barones ingleses a Juan Sin Tierra; las *Corporaciones* de las Repúblicas italianas; los *Gremios* de Cataluña y de Valencia.

Merced al influjo del cristianismo, la democracia moderna proclama también los principios de libertad *moral* y de igualdad humana, como fundados en la naturaleza del hombre y no como concesión del Estado. Por otra parte, aceptando los progresos de la ciencia política, ha abandonado la forma *directa* por la *representativa,* lo cual se traduce en una doble ventaja: la de poder aplicarse no solo a los pequeños Estados, como creyeron Rousseau y Montesquieu, fijándose en los ejemplos antiguos, sino también a las grandes nacionalidades modernas; y la de hacer compatible el *gobierno de los mejores* con el de la *generalidad de los ciudadanos,* mediante un buen sistema de elección, según ha resumido magistralmente Santamaría de Paredes. Y este mismo tratadista añade: "Considerando la *democracia* en su aspecto meramente científico, y prescindiendo de la significación especial que den a esta palabra los partidos en cada país, podemos establecer como inherentes a su naturaleza los siguientes principios: 1.°, el de la soberanía del Estado; 2.°, el del gobierno de las mayorías, y 3.°, el de la igualdad de los derechos civiles y políticos. Estos principios así formulados son irrefutables dentro de la ciencia política moderna; pero hay que rechazar, por erróneas e incompletas, ciertas interpretaciones que en nombre de la democracia suelen hacerse teórica y prácticamente.

"Nada habría que objetar si la democracia proclamase siempre la doctrina del *self-government* para todas las clases, dentro del Estado organizado sobre la base de la armonía entre el individuo y la sociedad. Mas no debe olvidarse que la democracia moderna se resiente a veces de ciertos defectos de origen y de educación, que la llevan a sostener conceptos equivocados respecto a la *soberanía del Estado.* Nacida con ocasión del advenimiento de la clase más numerosa a la vida activa de la política, se cuida más bien, como en los tiempos de Grecia y Roma, de afirmar la soberanía exclusiva del *demos* o pueblo (soberanía popular), que de proclamar la soberanía del Estado como expresión del espíritu de toda la sociedad sin distinción de clases; y educada bajo la influencia de la doctrina rousseauniana y del individualismo más exagerado, considera al Estado como una mera suma de individualidades, y la soberanía como creación arbitraria de la voluntad general.

"Consecuencia de tal educación y tendencia es un falso concepto, muy frecuente, por cierto, acerca del gobierno de las mayorías, que constituye el peligro más grande de la democracia. Dada la diversidad de opiniones en la sociedad humana y en la imposibilidad de determinar *a priori* de parte de quién está la razón, se ha tenido que aceptar en política como el criterio de la mayoría, presumiendo que las probabilidades de acierto se aumentan a medida que se extiende el círculo de las personas llamadas a entender en un asunto cuyo criterio, ya que no sea infalible, expresa, cuando menos, el común pensar y sentir y el más adecuado en aquel momento histórico. Tampoco habrá nada que oponer a la democracia, mientras se limite a aceptar este criterio con sus naturales defectos, que se procuran atenuar hoy con los sistemas de representación de las minorías; pero sí merece censuras la democracia cuando saca partido del número para imponer una clase a las demás, erigiendo la *voluntad* en principio de derecho, y supeditando la razón a la fuerza. El gobierno de las mayorías supone como condición indispensable la capacidad de los elementos que las constituyen, y cuando esta capacidad no existe, cuando se subordina completamente la cualidad a la cantidad del voto, la mayoría se hace despótica, sus caprichos se convierten en leyes, y la nave del Estado flota a merced de todos los vientos, sin rumbo fijo ni piloto que la rija; verdad es que cuando la arbitrariedad ha llegado a su colmo, las muchedumbres suelen entregarse en brazos de un tirano, que las maneja a su antojo, bien aparentando seguir sus inspiraciones, bien dominándolas con la fuerza de la dictadura.

"Por último, la igualdad de los derechos civiles y políticos es otro de los principios fundamentales de la democracia, íntimamente relacionado con los dos anteriores. Pero no siempre aprecia bien esta igualdad la democracia, igualdad cuya realización es acaso en la práctica el principal de sus ideales; suele estimar por igualdad social la nivelación absoluta, que no distingue el mérito personal y ciertas cualidades especiales que la misma naturaleza establece; y suele entender por igualdad política la exagerada extensión del ejercicio de ciertas funciones, sin tener para nada en cuenta las condiciones de ilustración y de capacidad, de todo punto necesarias para el buen desempeño de los cargos públicos."

Problemas muy importantes del democratismo son los de los requisitos indispensables para su vigencia y el del *freno* para evitar sus desmanes.

El democratismo es imprescindible que enraíce en la cultura, en la moralidad, en la energía operante. El *freno* del democratismo inmoderado se ha buscado con vivísimo interés. Y se ha creído encontrar: en que el poder no corresponda *a la masa,* sino al pueblo organizado y fiel guardador de la Constitución; en que el pueblo sea elector, no legislador; en que los legisladores por el pueblo elegidos ni gobiernen ni juzguen. En Norteamérica, el freno de la democracia se encuentra en el Poder judicial. Los jueces, una vez nombrados legalmente por el presidente de la República, con la aquiescencia del Senado, son inamovibles e independientes del Gobierno y del pueblo, por muy soberano que sea. "Y así, la existencia de este poder, superior a la omnipotencia del número, viene a ser la clave del arco constitucional en aquel país."

Algunos tratadistas de Derecho político, luego de referirse a la *democracia del Estado* y a la *democracia del Gobierno,* se refieren a la *democracia de la Opinión,* influencia que el pueblo puede llevar a todas las formas del Estado y del Gobierno por medio de la *Prensa de la oposición,* de los derechos de reunión y de asociación, de la radio, del libro. Sí, en la denominada *opinión pública* puede existir igualmente el sentido, el interés y el poder democráticos. (V. *Liberalismo.*)

V. Becker, C. L.: *Modern Democracy.* Nueva York, 1941.—Bourgeau, P.: *P. J. Proudhon et la critique de la démocratie.* Estrasburgo, 1933. Kelsen, H.: *Esencia y valor de la democracia.* Barcelona, 1934.—Lindsay, J.: *El Estado democrático moderno.* Méjico, 1944. Rougier, L.: *La mística democrática: sus orígenes y sus ilusiones.* Méjico, 1943.—Santamaría de Paredes, V.: *Derecho político.* Madrid, 1899.

DEMONISMO

Creencia en el demonio o en los demonios.

El demonismo ha dado origen a la *demonología,* ciencia que trata de la naturaleza, propiedades y estado de los demonios, de la ciencia y artes enseñadas al hombre por el demonio, y de la noción que del demonio han tenido los diferentes pueblos en los períodos de la Historia.

Demonio deriva de la palabra griega δαίμων, que significa *genio, especie de ser divino,* y más generalmente el nombre de los ángeles arrojados al abismo y de cada uno de ellos.

Modernamente se da el nombre de demonios exclusivamente a seres maléficos. Los antiguos tomaban la palabra en otro sentido, y algunos creían que cada hombre tenía su demonio, o genio particular, que velaba por su conservación. Así, el *demonio de Sócrates* era, según este gran filósofo, el espíritu familiar que le apartaba de sus empresas cuando podían serle dañosas. Cicerón dijo: "*Esse divinum quoddam quod Socrates daemonium appellat, cui semper ipse paruerit nunquam impellenti sepe revocanti.*" Para Rollin, el demonio de Sócrates no era otra cosa "que la precisión y viveza de su mismo genio; el cual, conducido por la prudencia y con el auxilio de una larga experiencia y de meditadas reflexiones, le hacía prever el resultado que habían de tener los negocios sobre los que era consultado, o sobre los que deliberaba por sí mismo".

Sin embargo, insistimos, el demonismo, en todas las épocas, ha sido la creencia en un genio o en unos genios maléficos. Todas las religiones han tenido, contrarios a sus dioses o a su dios benéfico, sus demonios perversos, genios del mal y de la destrucción.

Así, entre los griegos, *Até,* arrojada por Júpiter del Olimpo y siempre maquinando contra el bien de la Humanidad. Así, *Uruku* entre los asirios, y *Auró Mainyar* entre los arios, y los *Fomori* entre los celtas, y *Siva* entre los hindúes, y *Luzbel* entre los cristianos.

La Revelación nos define al demonio *como el enemigo* de Dios, cuyo intento único es el de perseguir al hombre, por Dios creado, en el orden físico-moral.

El demonismo, como ciencia, tuvo su apogeo durante la Edad Media, tiempos propicios a las supersticiones.

El demonismo se unió a la magia. Y surgieron los augurios y los aquelarres de las *misas negras.*

El demonismo tuvo sus doctores—o sacerdotes—entre los caldeos, entre los fenicios y entre los pueblos occidentales. En Mesopotamia constituyeron un solo tronco del demonismo las concepciones religiosas, las representaciones plásticas y la magia.

El demonismo invadió con su enorme fuerza expresiva todas las artes y la literatura. Los escultores románicos y góticos poblaron de demonios los frisos, los capiteles, las estelas de las catedrales y de los monasterios. Los pintores —Giotto, el Bosco, Peter Huys y tantos más—dejaron en lienzos portentosos una terrible y palpitante demonología. Y en los grandes poemas cristianos—*La Divina Comedia, El paraíso perdido*—, el demonio alcanza grandiosidad de protagonista.

Modernamente, el demonismo ha dejado de tener importancia trascendental como ciencia. Y únicamente persiste en algunos temas literarios como *Don Juan* y *Fausto.* (V. Diabolismo.)

V. *Dictionnaire de Théologie Catholique.* París, 1911. Cuatro tomos.—Urbano, R.: *El Diablo.* Madrid, "Biblioteca Nueva", 1920.—Witton Davies: *Magie, Divination and Demonology.* Londres, 1898.

DEMOSTRACIÓN (V. Figuras de pensamiento)

1. Seña. Señalamiento. Indicación. Manifestación.

2. Muestra. Señal. Testimonio.
3. Prueba, raciocinio que establece la evidencia de *algo* (verdad o hecho).
4. Comprobación de una teoría, de un principio, de una verdad, mediante hechos indudables o experimentos repetidamente exactos.

Como figura retórica, la demostración es la exposición de un hecho, la relación de un acontecimiento.

En el género teatral, la demostración es la evocación recitada de los hechos acontecidos fuera de la escena.

DEMOSTRATIVO (Género)

Los antiguos retóricos dividieron la *oratoria* (V.) en tres géneros: *demostrativo, deliberativo* y *judicial.* Al género *demostrativo* pertenecían los discursos en que se alaba o vitupera; al *deliberativo,* aquellos en que se aconseja o disuade, y al *judicial,* aquellos en que se acusa o defiende.

Tal división es inexacta, porque en la mayor parte de los discursos se mezclan elementos pertenecientes a los tres géneros dichos; es, además, incompleta, porque no comprende la oratoria sagrada.

Pueden corresponder al *género demostrativo* los discursos académicos y gran parte de los religiosos, en especial los panegíricos de los santos. En griego se llamó *epidictivo,* de ἐπιδεικτικός, que sirve para demostrar algo.

DEONTOLOGISMO

Sistema moral y filosófico basado en el concepto y en la realidad del deber con preferencia a los del derecho.

Jeremías Bentham (1748-1832), filósofo y jurisconsulto inglés, dio a su tratado de Moral el título de *Deontología o ciencia de la Moral* —1824—. El *cálculo deontológico* de Bentham es la apreciación de la cantidad de placer y de pena que debe ser la consecuencia de cada manera de obrar. Según Bentham, en cada una de las impresiones morales de cada uno y de los actos se presentan siete caracteres: intensidad, duración, certidumbre, proximidad, fecundidad, pureza y extensión.

Para muchos críticos el deontologismo de Bentham no es sino un *utilitarismo disimulado.*

Ahora bien: no cabe negar que su sistema es auténticamente ontológico: los deberes preceden a los derechos, y estos derivan de aquellos.

En una palabra, el deontologismo une los términos y los contenidos de *moral* y *de utilidad.* ¿Pueden confundirse estos dos términos? ¿Son, por el contrario, incompatibles?

Balmes—en los capítulos VI y VII de su *Ética*—dice: "Los que confunden la moralidad con la utilidad, sea que hablen de la privada o de la pública, caen en el inconveniente de reducir la moral a una cuestión de cálculo, no dando a las acciones ningún valor intrínseco y apreciándolas solo por el resultado. Esto no es explicar el orden moral, es destruirle, es convertir las acciones en actos puramente físicos, haciendo del orden moral una palabra vacía." "Al distinguir entre la utilidad y la moralidad, no entiendo separar estas dos cosas, de suerte que la una excluya a la otra; por el contrario, las considero íntimamente unidas, ya que no en cada caso particular, al menos en su resultado final. La moral es también útil... La utilidad bien entendida, no solo está hermanada con la moralidad, sino que puede también ser objeto *intentado* en la acción moral, sin que esta se afee ni pierda su carácter." (V. *Utilitarismo.*)

DEPRECACIÓN (V. Figuras de pensamiento)

Es una figura patética consistente en la manifestación de un vivo deseo con fervorosas y humildes súplicas, para mover en nuestro favor los afectos de piedad y conciliarnos la protección de algún ser cuya benevolencia nos interesa:

> Extiende, pues, Señor, sobre este miserable el palio de tu misericordia; pueda más que mi maldad la grandeza de tu bondad. Gócese el padre dulcísimo con la vuelta del hijo pródigo, el pastor con la oveja perdida y la piadosa mujer con la pieza de oro hallada. ¡Oh, cuán dichoso seré aquel día, cuando tendieres tus brazos sobre mi cuello, y me dieres beso de paz! (FRAY LUIS DE GRANADA.)

DERÍ (Dialecto)

Dialecto persa, hablado mucho tiempo en la corte de Ispahan, donde hoy ha sido reemplazado por la lengua turca. El *derí,* pese a este cambio, queda como lengua escrita y hablada por las clases altas de la sociedad. Es el dialecto más puro de la lengua *persa* (V.).

DERIVACIÓN

Elegancia del lenguaje mediante la cual llevamos a una cláusula varias palabras derivadas de una misma radical:

> La (victoria) el matador
> abrevia, y el que ha sabido
> perdonar la hace mejor,
> pues mientras vive el (vencido),
> (venciendo) está el (vencedor).
>
> (RUIZ DE ALARCÓN.)

DESCENTRALISMO (V. Centralismo)

Sistema de gobierno y de administración, opuesto al centralismo, en el cual se tiende a reconocer la autonomía administrativa y aun política de las diferentes divisiones territoriales organizadas dentro de una nación.

El descentralismo puede ser de tres clases: *político, social* y *administrativo.*

Puede hablarse de *descentralismo político* cuando se considera el Estado, con respecto a la organización de sus poderes, o a la mayor o menor integración de su soberanía. Julio César fue el modelo de *centralismo político;* todos los poderes se concentraban en él; los poderes que antes habían estado distribuidos entre las diversas magistraturas.

En cambio, en la Edad Media, el feudalismo marca el apogeo del *descentralismo político;* cada señor manda con absoluta independencia dentro de su señorío, no cohibido ni por el poder real. Y si hoy existen países constitucionales en los cuales el poder político está perfectamente centralizado, así Bélgica, Francia, Italia, Suecia, Dinamarca, otros países, como Suiza y los Estados Unidos, se presentan, con sus Gobiernos federales, como modelos de descentralización política.

Puede hablarse de *descentralismo social* cuando se considera el Estado interviniendo, más o menos directamente, en el cumplimiento de los fines sociales. Para los individualistas, el Estado debe estar por completo separado de la sociedad, teniendo esta libertad completa para cumplir sus fines, y no quedándole al Estado otro quehacer que la estricta función jurídica. Por el contrario, los socialistas confunden el Estado con la sociedad, y creen que todo cuanto interesa a esta debe ser realizado por aquel, ya que para los socialistas el Estado "es órgano de la integración social".

¿Es más conveniente el centralismo que el descentralismo, o la inversa?

Las tendencias modernas *se inclinan* así: *centralismo político, descentralismo—relativo—social, descentralismo total administrativo.* ¿Qué ventajas se hallan en estas soluciones?

La política es *dirección estatal.* La admisión de autoridades distintas en lo político lleva aparejados dos peligros, de los cuales el menor es *un retardo lógico* en las decisiones gubernamentales, y el mayor, *la posible discrepancia* en problemas vitales que no admiten componendas y que deben ser abordados con energía y unidad de criterio.

En relación con lo social, "puede hablarse de una *centralización social,* realizada por el Estado socialista, y de una *descentralización social,* que corresponde a la idea individualista del Estado. Prácticamente, la enseñanza oficial, la beneficencia pública y la tutela económica que el Estado ejerce: en beneficio del capitalista—protección arancelaria—, del obrero—seguro obligatorio—o del consumidor—policía de abastos—, son manifestaciones claras de centralización, mientras que la autonomía universitaria, la libertad "de fundación" y la libertad económica—sin ninguna clase de intervencionismo—son casos típicos de una verdadera descentralización social. El tipo más crudo del descentralismo social lo encontramos representado por las concepciones doctrinales del *anarquismo* y del *sindicalismo,* reacciones violentas contra el *socialismo,* aun sin haber llegado este a implantar sus ideas. Anarquistas y sindicalistas coinciden en suprimir el Estado y el Gobierno, sustituyendo el actual régimen político por la libre y espontánea federación de los municipios —anarquismo—, o por la federación, también libre, de los sindicatos profesionales—sindicalismo—". (ROYO VILLANOVA.)

La conveniencia de la *descentralización administrativa* es tal, que la práctica ha evitado la necesidad de los argumentos defensivos. El descentralismo administrativo determina la señera y clara *personalidad natural de las entidades locales* y su libre gestión en los intereses peculiares de las mismas, reduciendo la tutela de los órganos dependientes del Poder central a casos excepcionales. Lógicamente, admite la existencia de funcionarios no residentes en el centro, *que tienen facultades propias no delegadas.*

¿Cómo se llega a este descentralismo administrativo? Berthélemy indica los siguientes medios: *a)* Hacer independientes del Poder central, reclutándolos, sea por sistema electivo, sea por otro medio distinto del de nombramiento, los administradores encargados de la gestión de los intereses regionales y locales; *b)* Aumentado las atribuciones o poderes de decisión de las autoridades regionales o locales, a lo que se precisa adicionar, siguiendo a Ashley; *c)* La participación de los ciudadanos no funcionarios—empleados—en ciertas funciones distintas de las de la esfera del Gobierno central.

El descentralismo puede ser—según Kelsen—*total* y *parcial, perfecto* o *imperfecto,* pero siempre han de ser sus caracteres específicos: la *designación electiva* de sus miembros y la *ausencia de tutela, sustituida por la fiscalización del Poder central.* El carecer de *poderes legislativos* es lo que evita que el descentralismo administrativo se convierta en político. (V. *Regionalismo.)*

Pero el descentralismo social y el administrativo ¿no serán un peligro serio para el centralismo político? Así lo cree el gran tratadista Hauriou: "Las democracias están sumidas en la contradicción de estar trabajadas por un ardiente deseo de libertad y estar continuamente amenazadas de opresión por orzanizaciones poderosas, nacidas de la libertad. Solo un Estado fuertemente centralizado sería capaz de luchar con éxito contra las potencias interiores que, nacidas de la libertad, se alzan, una tras otra, para ahogarla. La libertad del trabajo, del comercio y de la industria, combinada con la de las sociedades y asociaciones, ha creado compañías y *trusts* que tratan de monopolizar las grandes empresas. Lo que ha venido a ser la libre concurrencia en esta atmósfera de monopolio, lo que ocurre a los pequeños negocios, ahogados por los grandes; a las nuevas empresas, estranguladas por las antiguas, lo sabemos bien por el grito de alarma lanzado por el presidente Wilson en su obra *La nueva libertad*. Allí demuestra que la democracia americana está amenazada de una nueva esclavitud por la oligarquía de los reyes del carbón, del petróleo, del acero, del trigo, del hierro, de la hacienda y del crédito, y por la coalición de estos magnates con los agentes electorales; ellos han sometido el Congreso, el cual, a su vez, ha sojuzgado al Poder ejecutivo."

El descentralismo surgió pronto en la Historia. Durante la antigüedad estuvo representado principalmente por el *municipio romano*, cuya tendencia descentralizadora fue principalmente administrativa. Durante la Edad Media, el *feudalismo* inicia, no solamente la descentralización política, sino que sobre la misma idea del municipio romano persevera en la descentralización administrativa. Ahora bien: el esplendor del descentralismo—y el de las libertades comunales que son su complemento—cuajan con el definitivo enraizamiento de las Cortes, surgiendo de aquella tendencia la representación de las ciudades y de las villas.

Para Prins, el descentralismo "garantiza la independencia local; en cada grupo hace participar a los mejores y más aptos en el manejo de los negocios y en el ejercicio de las funciones, y para hacerlo precisa que se reconozca la personalidad natural del grupo que lo lleva a feliz término".

V. LUCAY, Cte. de: *La décentralisation*. París, 1909.—LEFÉBURE: *De la décentralisation*. París, 1911.—AUCOC: *Les controverses sur la décentralisation*.—HAURIOU: *Droit public*.—ROYO VILLANOVA, A.: *Derecho administrativo*. 9.ª edición. 1926.

DESCRIPCIÓN (V. Figuras de pensamiento)

Descripción o *hipotiposis* es una figura de pensamiento, que consiste en pintar tan vivamente los objetos, que parece que los estamos viendo. La descripción puede hacerse de cinco modos: 1.º *Enumerando las partes de que consta lo que se describe*, o sea el arte oratorio, que consta de invención, disposición, elocución y pronunciación. 2.º *Por los efectos*. 3.º *Por negación o afirmación*. 4.º *Por los adjuntos*. 5.º *Por semejanzas y metáforas*.

Las reglas de la descripción son las siguientes: a) *Concisión y energía*. b) *Unidad de circunstancias*. c) *Precisión de los contrastes*.

La descripción, según el objeto descrito, recibe diversos nombres.

Se llama *topografía* cuando es la descripción pintoresca de un país:

> Del monte en la ladera
> por mi mano plantado tengo un huerto,
> que con la primavera,
> de bella flor cubierto,
> ya muestra en la esperanza el fruto cierto.
> ....
> El aire el huerto orea,
> y ofrece mil olores al sentido,
> los árboles menea
> con un manso ruïdo,
> que del oro y del cetro pone olvido...
>
> (FRAY LUIS DE LEÓN.)

Se llama *cronografía* si pinta animadamente el aspecto de los diversos tiempos y partes del tiempo:

> Ya el Héspero delicioso
> entre nubes agradables,
> cual precursor de la noche,
> por el Occidente sale;
> do con su fúlgido brillo
> deshaciendo mil celajes,
> a los ojos se presenta
> cual un hermoso diamante.
> Las sombras que le acompañan
> se apoderan de los valles...
>
> (MELÉNDEZ VALDÉS.)

Se llama *prosopografía* si describe con rasgos enérgicos el exterior de un personaje:

> Era un mancebo galán, atildado, de manos blancas y rizos cabellos, de voz meliflua y de amorosas palabras, y, finalmente, todo hecho de alfeñique, guarnecido de telas y adornado de brocados. (CERVANTES.)

Se llama *etopeya* si es vivo trasunto de costumbres:

> Era don Alvaro de Luna de ingenio vivo y de juicio agudo; su astucia y su disimulación, grandes; el atrevimiento, soberbia y ambición, no menores. (P. MARIANA.)

Se llama *carácter* si bosqueja la manera especial de obrar una persona considerada como tipo de una clase entera, o describe las costumbres y condiciones de los distintos estados y categorías sociales, pueblos, profesiones, etc.:

> Son muy amigos los españoles de justicia: los magistrados, armados de leyes y autoridad... En lo que más se señalan es en la constancia de la religión y en la creencia antigua... Los cuerpos son por naturaleza sufridores de trabajos y de hambre; virtudes con que han vencido todas las dificultades, que han sido en ocasiones muy grandes por mar y tierra. (P. MARIANA.)

Se llama *paralelo* si compara entre sí las personas u objetos descritos:

Para los aduladores, *no hay rico necio, ni pobre discreto;* la pobreza, que no es hija del espíritu, es madre del vituperio, infamia general, disposición a todo mal, enemiga del hombre, lepra congojosa, camino del infierno, piélago donde se anega la paciencia, consumen las honras, acaban las vidas y pierden las almas. Es el pobre moneda que no corre, conseja de horno, escoria del pueblo, barreduras de la plaza, asno del rico; come más tarde, lo peor y más caro; su real no vale medio; su sentencia es necedad; su discreción, locura; su voto, escarnio; su hacienda, del común; ultrajado de muchos y aborrecido de todos. Si en conversación se halla, no es oído; si lo encuentran, huyen dél; si aconseja, lo murmuran; si hace milagros, que es hechicero; si virtuoso, que engaña; su pecado venial es blasfemia; su pensamiento castigan por delito; su justicia no se guarda; de sus agravios apela para la otra vida.

¡Cuán al revés corre un rico! ¡Qué viento en popa! ¡Con qué tranquilo mar navega! ¡Qué bonanza de cuidados! ¡Qué descuido de necesidades ajenas! Sus alholíes llenos de trigo; sus cubas, de vino; sus tinajas, de aceite; sus escritorios y cofres, de moneda. ¡Qué guardado el verano del calor! ¡Qué empapelado el invierno por el frío! De todos es bien recibido; sus locuras son caballerías; sus necedades, sentencias; si es malicioso, lo llaman astuto; si pródigo, liberal; si avariento, reglado y sabio; si murmurador, gracioso; si atrevido, desenvuelto; si desvergonzado, alegre; si mordaz, cortesano; si incorregible, burlón; si hablador, conversable; si vicioso, afable; si tirano, poderoso; si porfiado, constante; si blasfemo, valiente, y si perezoso, maduro; sus yerros cubren la tierra; todos le tiemblan, que ninguno se le atreve; todos cuelgan el oído de su lengua para satisfacer a su gusto, y palabra no pronuncia que con su solemnidad no la tengan por oráculo. (M. ALEMÁN.)

Se llama *definición* cuando determina un ser cualquiera, no con todo rigor lógico, sino presentándolo con los rasgos más conformes a la situación triste o alegre de nuestro ánimo:

El sol es la hermosura del mundo, la alegría de la Naturaleza, el espejo de la limpieza, el mayor espectáculo del cielo que vemos, el rayo de la luz, y es mayor muchas veces que la tierra. (P. NIEREMBERG.)

DESCRIPTIVO (Género) (V. Descripción)

DESENLACE

1. La última parte de una obra.
2. El resultado de una trama real o de ficción.
3. El *desenredo* de la intriga que formaba el plan y argumento de una obra.
4. La tercera parte de las fundamentales en toda obra literaria: *exposición, nudo* y *desenlace,* que han de estar armónica e íntimamente ligadas entre sí.

Es, indiscutiblemente, la parte más difícil de desarrollar, porque debe estar sujeta a estas reglas: *lógica, unidad, verosimilitud* y *fuerza.*

Los griegos admitían tres clases de desenlaces: los *felices,* los *trágicos* y los *mixtos,* según el género de las obras. Los trágicos convenían a las tragedias; los felices, a las comedias; los mixtos, a los dramas.

En el teatro griego y romano se cuidó mucho de la *exposición* y del *nudo;* pero el desenlace de tantas intrigas como habían multiplicado en el nudo, siendo dificilísimo, se dejaba a la voluntad de los dioses, quienes parecían tener facilidad suma *en cortar,* y no *en desenlazar,* la acción. Horacio tuvo que protestar contra tal recurso antinatural y cómodo.

Nec Deus intersit, nisi dignus vindice nodus.

Griegos y latinos tenían como norma que en la tragedia muriese el héroe, y que se casase en la comedia. Este sistema de artificial composición se ajustaba así a los actos:

En la tragedia:

Primer acto ..... El héroe morirá.
Segundo acto ... El héroe no puede morir.
Tercer acto ..... Morirá.
Cuarto acto ..... No morirá.
Quinto acto ..... Muere.

En la comedia:

Primer acto ..... El enamorado se casará.
Segundo acto ... Quizá no se case.
Tercer acto ..... Se casará.
Cuarto acto ..... No podrá casarse.
Quinto acto ..... Se casa.

El desenlace de las obras, en nuestros días, está sujeto a reglas que no deben olvidarse. No deben intervenir en él causas sobrenaturales, ni incidentes extraños al asunto. Debe llegar hábilmente preparado y verificarse por medios probables y naturales. Debe ser sencillo y dependiente de escasos sucesos y encerrar una moralidad.

V. CORNEILLE: *Discurso acerca de la poesía dramática.*—LOPE DE VEGA: *Arte nuevo de hacer comedias.*—ARISTÓTELES, BOILEAU, HERMOSILLA, MARTÍNEZ DE LA ROSA: *Poéticas.*

DESHUMANIZACIÓN

Moderna tendencia literaria a la evasión de la realidad visible. El hombre que huye de su personalidad humana, que siente repulsión a llevar a su obra lo puramente humano.

Aludiendo a la *deshumanización* de la poesía, ha escrito Ortega y Gasset:

D

"Convenía libertar la poesía, que, cargada de materia humana, se había convertido en un grave, e iba arrastrando sobre la tierra, hiriéndose contra los árboles y las esquinas de los tejados como un globo sin gas. Mallarmé fue aquí el libertador que devolvió al poema su poder aerostático y su virtud ascendente. El mismo, tal vez, no realizó su ambición; pero fue el capitán de las nuevas exploraciones etéreas, que ordenó la maniobra decisiva: soltar lastre.

"Recuérdese cuál era el tema de la poesía en la centuria romántica. El poeta nos participaba lindamente sus emociones privadas de buen burgués; sus penas, grandes o chicas; sus nostalgias, sus preocupaciones religiosas o políticas, y, si era inglés, sus ensoñaciones tras de la pipa. Con unos y otros medios aspiraba a envolver el patetismo de su existencia cotidiana. El genio individual permitía que, en ocasiones, brotase en torno al núcleo humano del poema una fotosfera radiante, de más sutil materia—por ejemplo, un Baudelaire—. Pero este resplandor es impremeditado. El poeta quería ser siempre un hombre.

"¿Y eso parece mal a los jóvenes?—pregunta con reprimida indignación alguien que no lo es—. Pues, ¿qué quieren? ¿Que el poeta sea un pájaro, un ictiosauro, un dodecaedro?

"No sé, no sé; pero creo que el poeta joven, cuando poetiza, se propone simplemente ser poeta. Ya veremos cómo todo arte nuevo, coincidiendo en esto con la nueva ciencia, con la nueva política, con la nueva vida, en fin, repugna ante todo la confusión de fronteras. Es un síntoma de pulcritud mental querer que las fronteras entre las cosas estén bien marcadas. Vida es una cosa, poesía es otra—piensan o, al menos, sienten—. No las mezclemos. El poeta empieza donde el hombre acaba. El destino de este es vivir su itinerario humano; la misión de aquel es inventar lo que no existe. De esta manera se justifica el oficio poético. El poeta aumenta el mundo, añadiendo a lo real, que ya está ahí por sí mismo, un irreal continente."

V. ORTEGA Y GASSET, J.: *La deshumanización del arte*. Madrid, 1925.

DESINENCIA

1. Modo de cerrar o de acabar una cláusula.
2. Sílaba en que termina una palabra.

La desinencia recae sobre el último sonido de una palabra modificada por algunas articulaciones subsiguientes, pero separada de toda articulación anterior. Ejemplo: en la palabra *dominus,* declinada: *domini, domino...*, la radical es *domin* y las desinencias *us, i, o...*

La desinencia puede ser *casual* o *personal.* La primera, que indica el género y número, afecta a la declinación. La segunda, que señala la persona, la voz y el tiempo, afecta a la conjugación.

No debe confundirse *desinencia* con *terminación.* Esta es la letra o letras con que un vocablo termina, y que jamás falta. Aquella representa al *sujeto en actividad,* y hay palabras que carecen de ella.

DESPOTISMO

Nombre dado a la corrupción del poder por abuso y exceso en su ejercicio. Aristóteles proclamó el despotismo como contrario a la naturaleza social del hombre. Y es, precisamente, lo contrario a la anarquía, lo cual es una corrupción del poder por debilidad o ineficacia en el mando.

Montesquieu definió el despotismo diciendo "que es aquella forma de gobierno en que uno solo rige y gobierna, sin otra ley que su voluntad y capricho". Pero ni el despotismo puede constituir de por sí un género de gobierno, ni es cierto—aclara Santamaría de Paredes—"que únicamente se refiera al poder ejercido por uno solo, lo cual significaría que era propio de la monarquía. La historia de Venecia, en la Edad Media, y la de Francia, en la época del Terror, prueban que también cabe el despotismo en las repúblicas, sean aristocráticas o democráticas".

Para Guizot, el despotismo no es más que el poder absoluto cuando este poder se convierte de medio en fin, para el déspota.

Para Benjamín Constant, era el poder ejercido sin sujeción a regla. Es decir, el despotismo estaba calado por la *arbitrariedad.* Posiblemente, es Emilio Chédieu quien ha dado una definición más exacta del despotismo, afirmando "que es la autoridad que se ejerce quebrantando los principios del Derecho; suele ser el egoísmo secreto móvil del déspota, pero pueden serlo también la ignorancia, las preocupaciones y el fanatismo de un individuo, de una asamblea o de una muchedumbre".

Vicio o defecto de la soberanía, teniendo los mismos grados y alcances que la tiranía, de la cual suele ser instrumento, el despotismo suele transformarse en la tiranía misma.

El despotismo, en relación con la intensidad del daño causado, puede ser *grave*—cuando solo procura el provecho del déspota—o *leve*—cuando el déspota reparte sus ventajas con una clase social—. También es *grave* cuando su ejercicio es continuado, y *leve* cuando su ejercicio se circunscribe a un determinado asunto, a un determinado momento.

El despotismo afecta a la soberanía en cualquiera de sus concreciones, y su esencia consiste en que quien manda prescinda de las leyes, erigiéndose en regulador exclusivo y omnipotente de la conducta social. Un grado menor que el despotismo lo señala el *abuso de poder,* y un grado mayor, la *tiranía.*

Los caracteres del despotismo señalados por los tratadistas son: el *egoísmo,* la *violencia* y la *arbitrariedad.* La falta de uno cualquiera de estos caracteres desvirtúa el despotismo.

Hobbes—en su *Leviathan*—sentó la tesis de que el despotismo podía ser *un correctivo de la anarquía,* y que, en este sentido era necesario y legítimo. En este caso—continúa Hobbes—"importa poco saber si se salió del estado anárquico por pacto o por el poder de uno solo; lo cierto es que, desde entonces, el despotismo—que por sí es fuerza desordenada—vino a ser un elemento ordenador de la sociedad misma".

Hoy, los caracteres del despotismo, mejor que los señalados, parecen ser estos: *a)* cambio de las leyes vigentes por el arbitrio, y, en ocasiones, por la arbitrariedad del gobernante; *b)* supresión de todas las garantías de los derechos individuales y colectivos.

El despotismo es tan antiguo como la Humanidad. Déspotas fueron los monarcas teocráticos de China. Déspotas fueron los brahmanes hindúes, quienes, por proceder de la cabeza del dios Brahma, asumían toda la majestad del poder. Déspotas fueron los faraones egipcios. Despóticas fueron las leyes dadas por Licurgo a Esparta. Déspotas fueron la mayoría de los césares y emperadores romanos. Déspotas fueron muchos monarcas a partir del Renacimiento: Solimán "el Magnífico", Iván "el Terrible", Enrique VIII e Isabel de Inglaterra, Pedro "el Grande" y Catalina de Rusia, Luis XIV de Francia, Napoleón... Y en nuestros días, déspotas fueron Hitler y Mussolini.

V. GETTELL, Raymond G.: *Historia de las ideas políticas.* Barcelona, Labor, 1937, 2.ª edición.—BENEYTO, Juan: *Historia de las doctrinas políticas.* Madrid, Aguilar, 1950.—SANTAMARÍA DE PAREDES, V.: *Derecho político.* Madrid, 1899.—GIL ROBLES, J.: *El absolutismo y la democracia.* Madrid, 1921.

DESTINO

1. Suerte. Fortuna. Sino. Fatalidad. Estrella. Horóscopo. Hado.
2. Lo inevitable.
3. Providencia superior que determina y ordena inapelablemente.
4. Paradero final de cada ser.
5. Existencia. Vida.
6. "Encadenamiento que tienen las cosas entre sí, las cuales siguen necesariamente como ordenadas desde la eternidad, sin que nada pueda interrumpir la unión que hay entre ellas."

En la literatura clásica, el Destino tuvo una influencia y una participación decisivas. Como para los escritores griegos y romanos—en su mayoría—al influjo del Destino estaba irremediablemente sujeta la suerte de los hombres y aun la voluntad de los dioses, el Destino *originaba y desenlazaba* muchas de sus obras, poemas y tragedias.

El Destino fue llamado: *Moira* (Homero), *Moros* (Hesíodo), *Ananke, Sors, Fors, Casus, Fatum, Fortuna, Ciega necesidad, Fuerza ineludible.*

El Destino, con el nombre de *Fatalidad,* ha seguido interviniendo hasta hoy en numerosas obras literarias de los géneros románticos y simbólico.

DETERMINISMO

Sistema filosófico que niega la libertad de obrar, ya en Dios, ya en el hombre, afirmando que la voluntad es impulsada a obrar siempre en un sentido determinado.

Según el determinismo, todo fenómeno está determinado por las circunstancias en que se produce, de manera que, dado un estado de cosas, el estado de cosas que le sigue se deriva de él necesariamente.

Existe una muy clara distinción entre determinismo y *fatalismo* (V.), términos considerados por algunos críticos como sinónimos. Para el fatalismo, la necesidad es *trascendente,* entendiendo que la Naturaleza obedece a una fuerza más poderosa que ella—Dios o Destino—. Para el determinismo, la necesidad es *inmanente,* que se confunde con la Naturaleza.

Puede afirmarse que el determinismo no es otra cosa que el principio de la universalidad de las leyes naturales: no hay contingencia, no hay azar, no hay milagro; o aún: no hay—en la Naturaleza—causa primera ni principio absoluto. El determinismo excluye el libre arbitrio.

Se ha dicho que el determinismo no excluye, sin embargo, *cierta espontaneidad* del ser inteligente. Pero en modo alguno cabe dar a tal espontaneidad calificativo de libre arbitrio, pues este es, en sentido negativo—indeterminación y contingencia en la sucesión de los fenómenos—, *negación* del determinismo, o en sentido positivo—poder de determinarse a sí mismo, considerando la voluntad como causa primera y su acto como un comienzo absoluto—, que es lo *contrario* del determinismo.

Aun cuando en el orden moral existen causas necesarias y causas libres, el determinismo no acepta sino las primeras en sus dos modalidades: determinismo intelectual o enlace lógico, necesario, de las ideas; y determinismo de la Naturaleza o enlace causal, necesario, de los sucesos naturales.

El determinismo absoluto, al afirmar que el mundo de la Naturaleza y el de las ideas están regulados por la necesidad, niega la libertad. Pero esta negativa comprende varias fases. Así, cuando niega la libertad alegando que la libertad humana es incompatible con los principios de causalidad y de razón suficiente, se denomina *determinismo metafísico;* y *determinismo teológico* cuando niega la libertad por inconciliable con la causa primera; y *determinismo psicológico* cuando la niega por no compaginar con la necesidad lógica de la inteligencia, cuyos juicios determinan la voluntad; y *determinismo físico* cuando la niega porque no se avienen con la necesidad de las leyes natura-

D

les, que condicionan el ejercicio de la voluntad.

El determinismo no es, ciertamente, una teoría moderna. Ciertos antiguos teólogos pretendieron que Dios había reglado y determinado, por consiguiente, las voluntades de los hombres. Y los luteranos, interpretando audazmente teorías de San Agustín, negaron el libre albedrío y establecieron la predestinación.

Modernamente, son muchos los grandes filósofos que han coincidido en el determinismo, al que llegaron por muy distintos caminos. Hobbes afirmó que un determinismo natural domina en todos los acontecimientos; que los procesos psíquicos y mentales tienen un fundamento corporal y material; que el alma no puede ser inmaterial. Por todo ello niega que la voluntad sea libre. Leibniz asegura que si el juicio no determina por necesidad lógica la acción de la voluntad, esta no tendrá suficiente razón de ser. Kant admite que todo acto es precedido por otro acto que le determina. David Hume dice que la noción del libre albedrío es contradictoria; no cabe elección sin motivos, y el motivo que fije la determinación es no más que una sensación más eficaz que arrastra consigo a la voluntad. Stuart Mill sentenció que una acción libre era una acción sin causa, y Schopenhauer, que es preciso calificar de necesario a cuanto es consecuencia de la razón suficiente.

En la actualidad, únicamente el determinismo psicológico tiene aún defensores.

V. ROSSIGNOLI, L.: *El Determinismo*. Traducción castellana. Barcelona, 1905.—NOÏL, L.: *La conscience du libre arbitre*. Lovaina, 1909, 2.ª ed.—FOUILLÉE: *La Libertad y el Determinismo*. Trad. cast. Madrid, 1911.—GUTBERLET: *Der Determinismus*... Fulda, 1907, 2.ª edición.

DIABOLISMO

Conjunto de doctrinas acerca del diablo y de las artes diabólicas.

Así como, según indicamos en el *demonismo* (V.), la palabra demonio tuvo una significación de genio *maléfico* o *benéfico*, la palabra diablo se tomó siempre en un sentido único *de maldad*.

Diablo—Lucifer o Satán—, en sentido teológico católico, es el ángel del mal, de las tinieblas. Espíritu angélico, cuya soberbia le precipitó desde lo más encumbrado de la gloria hasta lo más tenebroso del infierno, cegándose su mente en pena de su rebelión.

La palabra diablo, en particular, se toma para designar al *príncipe de los demonios*. En las Sagradas Escrituras, diablo se toma:

1.° Por el demonio (Sap., XI, 24).

2.° Por el acusador en el Juicio final (Salm. CVIII, 6).

3.° Por un adversario (Eccles., XXI, 30).

4.° Por un malvado sin fe ni ley (III Reg., XXI, 13).

5.° Por un cepo, lazo, garlito o celada (Mac., I, 38).

El estudio de las diferentes religiones nos demuestra la existencia en todas ellas del diablo, fuerza del mal, en contraposición con la *idea del bien*. Entre los persas, *Ahriman* es el diablo que se opone al dios *Ormuz*.

En la mitología egipcia, el diablo es llamado *Tifón*.

En la escandinava es conocido por *Fenris*.

En el *Génesis*, la existencia del diablo va unida a la del pecado original; desde los días paradisíacos, el diablo será el perpetuo enemigo del hombre, el enemigo irreconciliable de Dios.

La cábala reconoció dos ángeles que llevaban el nombre de *Samaël*, uno blanco y otro negro. El Samaël blanco era el ángel de los castigos, el ejecutor de las grandes obras divinas. El Samaël negro era el ángel de las catástrofes *no expiatorias*, de las desgracias inexplicables.

La creencia en el diablo tomó una excepcional importancia durante los siglos de *ignorancia* de la Edad Media. En ellos se tomó como costumbre ver la acción del diablo en todo aquello que se presentaba con un carácter espantoso o que no podía explicarse de una manera simple y natural.

En *La leyenda dorada*, de Jacobo de Varaggio, arzobispo de Génova, el diablo desempeñó un importantísimo papel.

En los procesos de la magia, el diablo parodiaba las ceremonias de la Iglesia y sus misterios; y organizó en los infiernos una *antitrinidad* y una *antijerarquía*. Las letanías del diablo eran cantadas los sábados; y en el momento de la consagración, durante las *misas negras*, se voceaba tres veces el nombre de Belcebú.

Algunos herejes exageraron el poder del diablo, afirmando que era la sustancia del mal o, como un principio naturalmente malo, opuesto a Dios; error renovado por Kant, quien creía que el diablo "no significaba otra cosa que el ideal de la malicia o el mal moral".

Modernamente, el diabolismo aún se practica entre los pueblos escasamente civilizados de Africa, Asia y Oceanía, donde el diablo tiene sus sacerdotes, sus hechiceros, sus símbolos y sus conjuros. La moral de estos pueblos está enraizada más *en el miedo* al diablo que en el *amor al Bien*.

El diabolismo ha dado, siempre y en todas partes, al diablo una apariencia monstruosa y terrorífica. Desde el perro o lobo con innumerables cabezas, o el murciélago con rostro de energúmeno, hasta el ridículo y diforme ser con cuerpo de hombre y cuernos, rabo y pezuñas. Y siempre irritado, vomitando fuego y blasfemias.

El diabolismo hizo su principal ceremonia de la llamada *misa negra*, ceremonia destinada a atraerse la protección de los espíritus infernales. La misa negra, profanación caricaturesca de la santa Misa, puede considerarse como derivada del maniqueísmo mal entendido. En la misa negra, los asistentes comulgaban con hostias negras, y presidía el altar una imagen del diablo bajo las apariencias de algún animal inmundo, como el macho cabrío, el sapo o el murciélago.

V. LEVI, E.: *Rituel de la magie.* París, 1869. URBANO, R.: *El diablo.* Madrid, 1920.—COLLIN DU PLANCY: *Dictionnaire infern.* París, 1863.

DIÁFORA (V. Figuras de palabras)

De διαφορα, diferencia. Consiste en repetir una palabra, dándole distinta significación. (V. *Repetición.)*

DIAGRAFÍA (Gramática) (V. Neografía, Neógrafo...)

DIALÉCTICA

1. Arte del raciocinio.
2. Demostración de la verdad.
3. Ordenada serie de ideas que desarrollan un tema.

Aristóteles, en su libro *De los tópicos,* hablando de la dialéctica, se expresa en estos términos: "La dialéctica sirve para ejercitarse en la discusión, para disputar en materias dudosas y para el conocimiento de la filosofía. Pero siendo la investigación su principal atributo, le cumple trazar el camino que guía a la verdadera esencia de los conocimientos humanos."

Durante la Edad Media fue la ciencia principal que ocupó las inteligencias. Por haber sacrificado el fondo y muchas veces la verdad al *formulismo* y a las *argucias silogísticas,* cayó en desuso con el humanismo.

DIALECTO

Nombre que toman las *formas particulares* de una lengua en los diferentes lugares donde es hablada. Un dialecto se forma por las modificaciones primitivas o las posteriores alteraciones que la lengua sufre en un grupo de hombres más o menos separados del resto de la nación.

Para Owen Mark, es dialecto "todo conjunto de variantes gramaticales de una lengua cualquiera que no afecten a las radicales, y en especial a las de los nombres y los verbos".

Cuando las comunicaciones son raras y difíciles entre las diferentes provincias de una nación, los dialectos se marcan y se separan de la lengua madre en determinados momentos lentamente. Por el contrario, las diferencias desaparecen poco a poco y acaban por quedar eliminadas en absoluto cuando se unen grupos de pueblos que hablan un mismo idioma. Jamás se iniciaron tantos dialectos como en la época en que las invasiones bárbaras escindieron los países en numerosos pueblos aislados.

La palabra *dialecto* y la palabra *patois* responden, en el fondo, a una misma idea; designan las diferencias particulares de un idioma en distintas provincias. Y se diferencian en que el dialecto responde a *un hacer popular,* y el *patois* es el dialecto reafirmado por un *hacer literario* de importancia.

Los griegos tuvieron dos dialectos principales: el *dorio*—sonoro, pomposo, eminentemente lírico—y el *jónico*—lleno de suavidad, de delicadeza, propio para el recitado—. El *dorio* recargó los sonidos fuertes, redobló las consonantes, prodigó las vocales resplandecientes. El *jónico* descompuso los diptongos, multiplicó las vocales y suavizó los sonidos.

Otros dialectos helénicos fueron el *eoliano,* el *baconiano,* el *megariano,* el *ático,* el *alejandrino...*

El latín—*sermo urbanus*—se descompuso en un *latín popular*—*serno rusticus* o *plebeyus*—, que hablaba el pueblo bajo—soldados, mercaderes, artesanos—y en un *latín vulgar,* hablado en aquellas provincias que los romanos iban conquistando. El mismo latín clásico tuvo modificaciones de interés en distintas partes de Italia, como lo prueba la acusación hecha a Tito Livio de su *patavinidad.*

En Francia, los principales dialectos de la lengua de *oil* o del norte del Loira son: el *valón,* el *normando,* el *picardo* y el *burguiñón,* cada uno de los cuales comprende a su vez numerosos dialectos secundarios. La lengua de *oc* tiene como dialectos más importantes: el *lemosín,* el *provenzal,* el *delfinés,* el *perigordino,* el *languedociano,* igualmente subdivididos.

En Italia existen el *toscano,* el *siciliano,* el *romano...*

En Alemania: el *bajo alemán,* el *alto alemán,* el *gótico...*

V. MAITTAIRE: *Graecae linguae dialecti.* Leipzig, 1706. Dos tomos.—BAEKER, L. de: *Gramática comparada de las lenguas francesa, alemana, flamenca, celta, basca, provenzal...* etc. Barcelona, 1899.—GÉNIN: *Mélanges sur les langues, dialectes et patois.*

DIALOGISMO (V. Figuras de pensamiento)

Figura retórica—y patética—, que consiste en referir textualmente los discursos que ponemos en boca de otras personas, o que nos atribuímos a nosotros mismos en determinadas circunstancias.

> Dijo aquel insolente y desdeñoso:
> ¿No conocen mis iras estas tierras,
> y de mis padres los ilustres hechos?
>
> (F. DE HERRERA.)

DIÁLOGO

1. Coloquio. Conversación.
2. Conferencia, hablada o escrita, entre dos o más personas.

3. Título de muchas obras célebres: *Diálogos*, de Platón; *Diálogos*, de Luciano; *Diálogos de la elocuencia*, de Fenelón; *Diálogos de los dioses*, de Wieland...

Como género literario, el diálogo patentiza el paralelismo o el contraste de las opiniones de los personajes que intervienen en una obra, y conduce insensiblemente al lector a colocarse en el lugar del autor y a tomar parte en el juego de las ideas y de los sentimientos.

El diálogo es la forma favorita de los espíritus que por su carácter o por su intención no desean jamás hablar en nombre propio. En boca de otros seres pueden ponerse opiniones, sentencias e ideales que sería imprudente o inmodesto poner en lengua de quien escribe.

No se pueden establecer reglas para esta ingeniosa ficción literaria que es el diálogo, y que supone una gran delicadeza de gusto y es más propia de los espíritus amantes de la belleza que de los grandes genios. Una observación hay que hacer, y es que cada uno de los personajes de estas pequeñas escenas *sin teatro* deben expresarse, como en una escena real, en afinidad con su carácter, con su papel, con su cultura y con su idea de la fidelidad.

El diálogo en las obras teatrales es el más importante y el más conocido. Acaso porque difícilmente es concebible este género literario sin diálogo—y tenemos en cuenta los mimodramas y las pantomimas—. El diálogo *es el cuerpo de la obra teatral*. El género escénico lo necesita imprescindiblemente para llegar al público y hacerle conocer *su alma*—ideal, idea, intento moral.

Los antiguos retóricos distinguieron cuatro clases de diálogos escénicos: 1.ª Aquella en que los interlocutores se abandonan a sus pasiones sin otro objeto que el de presentar su alma; 2.ª Cuando los interlocutores conciertan un deseo común o se confían sus secretos; 3.ª Cuando uno de ellos se esfuerza por inspirar en el otro cierto sentimiento o cierta resolución; 4.ª Cuando uno y otro se combaten las pasiones.

A través de estas cuatro fases, fáciles de comprobar en las obras de los maestros del género teatral, el diálogo es, a veces, monólogo, conferencia, razonamiento, disputa. Y es él quien pone en marcha la acción y quien caracteriza a los personajes y pone de manifiesto los intereses y las intenciones de cada uno de ellos.

Se ha dicho que el diálogo debe ser distinto en la tragedia que en el drama o en la comedia. Tal manifestación es errónea. El diálogo ha de ser siempre real, verdadero, natural, vivo. La exigencia única es la de que cada personaje hable *según su condición y su circunstancia*.

El diálogo es asimismo esencial en los géneros literarios narrativos: novela, cuento, poema... Porque es el género narrativo *más apegado* a la vida corriente, el que siempre se inspira en ella y la refleja. Y en la vida es el diálogo la expresión más natural, sencilla y directa.

DIARIO

1. Apuntes o relación puntual de lo que ha ido sucediendo por días, o día a día, en la vida de una persona o en algunos hechos, como viajes, campañas, comisiones.
2. Papel impreso que aparece cada día.
3. Que ocurre todos los días; que corresponde a cada día.
4. Título de numerosas obras literarias.

El diario—periódico—desempeña un papel importantísimo en el campo de la literatura, porque comprende, además de las noticias inmediatas de interés político, económico, social, etc., numerosos ejemplos de los diversos géneros literarios, como son: ensayos, artículos de costumbres, crítica, cuentos, poesías, charadas, jeroglíficos...

Se ha querido dar un origen antiquísimo al diario. Y se ha dicho que fue el primero las *Acta diurna* del pueblo romano, especie de síntesis de las leyes y de los actos públicos.

Sin embargo, el diario es una invención rigurosamente moderna. Porque para llevar diariamente a una masa de lectores, por medio de hojas impresas, el conocimiento y la discusión de todo aquello que puede interesarles, no son suficientes un movimiento de opinión y una curiosidad sin cesar renovada en las civilizaciones, sino que son imprescindibles los medios materiales de comunicación fácil y rápida, y estos no llegaron hasta la invención de la Imprenta, en el siglo XV.

Acaso la publicación que primeramente mereció el nombre de diario fue la *Notizie scritte*, que inició en 1550 la República de Venecia, dando cuenta de sus luchas contra los turcos.

En 1588, el Gobierno inglés publicó el *English Mercury*, para dar cuenta a todos los ingleses de la realidad de aquel momento en que la Armada invencible española se dirigía contra las Islas Británicas. Y en 1603, durante el reinado de Jacobo I, circularon diariamente en Londres unas hojas de noticias tituladas *News Letters*, que daban gran importancia a los acontecimientos políticos, comerciales y literarios.

En Francia apareció en 1605—París—el *Mercure Français*. En Bélgica—Amberes—, en 1605, la gaceta titulada *Niewe Tigdinghe*.

En España, la *Gaceta de Madrid* apareció en 1660; y en 1661, en Sevilla, la *Gaceta Nueva*. Pero, realmente, ninguna de las dos era *diario*, porque la primera se publicaba una o dos veces—por épocas—a la semana, y la segunda era mensual. La *Gaceta* se hizo diario el 18 de julio de 1808. Por tanto, el primer diario español es el *Diario noticioso, curioso, erudito y comercial, público y económico*, para el que se concedió real privilegio a don Manuel Ruiz de Urive el 17 de enero de 1758. Este diario publicaba noticias políticas, económicas, literarias, anuncios y hasta sucesos acaecidos en el extranjero.

V. TEXIER, Ed.: *Historia de los periódicos y diarios.* Trad. Madrid, 1889.—PEZET, J.: *Recherches sur l'origine des journaux...* Bayeux, 1850.—GAYANGOS, Pascual: *Del origen del periodismo en España.* En "Boletín Univ. Madrid". 1899.—GONZÁLEZ-BLANCO, E.: *Historia del periodismo...* Madrid, 1919.

DIASCEVA

Se llamaba así la corrección hecha en sus obras dramáticas o poéticas por los autores griegos cuando habían sido rechazadas en algún concurso público anual.

DIASCEVASTA

Del griego διασκευάζω. Nombre dado a los críticos y gramáticos helenos a quienes Pisístrato y Alejandro encargaron de revisar y de concordar los textos homéricos de la *Ilíada* y la *Odisea.*

Los *Escolios* acerca del primero de aquellos dos poemas fueron descubiertos—1788—en Venecia por D'Ansse de Villoison, y atestiguan el trabajo singular y admirable de los diascevastas, que reunieron y coordinaron las partes dispersas e incoherentes de cada una de las epopeyas inmortales; pero no precisaron la época en que fue realizada esta enorme labor. Son conocidos los nombres de algunos diascevastas: Conchylus, Onomácrito de Atenas, Zopyro de Heraclea y Orfeo de Crotona.

V. WOLF: *Prolegomena ad Homerum.* Halle, 1795.—HEINRICH: *Diatribe de diasceuastis.* Kiel, 1807.

DIÁSTOLE

De διαστολή. Término de prosodia y de retórica, que consiste en alargar con cierta particularidad una sílaba breve; resultado que se obtiene por la adición de una consonante—larga igualmente—llamada *epéntesis* (de ἐπένθεσις). Ejemplos: *relligio,* por *religio; relliquiae,* por *reliquiae; retullit,* por *retulit,* etc.

Antiqua populum sub relligione tueri.

(VIRGILIO.)

Por oposición, se llama *sístole* (V.) a la abreviación de una sílaba larga al fin o en el medio de un vocablo, siempre que sea seguida inmediatamente por una vocal.

Cuando el alargamiento de la sílaba no proviene de una duplicación de consonantes se llama *éctasis* (de ἔκτασις). Ejemplos: el alargamiento de la *i,* breve por naturaleza, en *Diana, Priamidas.* O cuando dicho alargamiento se consigue marcando lentamente el descanso que impone la cesura.

Los antiguos llamaban también diástole a la repetición de una palabra—como aclaración—después de un corto inciso; a la dilatación en dos sílabas de la sílaba final de un verso; al signo de separación entre los elementos de un vocablo compuesto.

V. QUINCHERAT: *Tratado de la versificación latina.* Traducción.

DIATIPOSIS

Nombre dado—por contraste con la *hipotiposis* (V.)—a las descripciones extensas, incluidas en las obras literarias que carecen de energía y de colorido preciso.

DIATRIBA

Discurso o escrito violento, injurioso, expuesto en términos de gran dureza.

DICCIÓN

1. Frase.
2. Locución. Estilo del lenguaje.
3. Modo correcto o incorrecto de embellecer o de afear un idioma.
4. Cualquiera de las partes que forman la oración gramatical, hablada o escrita, de un idioma.
5. Arte de bien decir.

La dicción es de una importancia capital en el arte dramático y en la oratoria. En aquel: es la *manera y estilo* que emplean los actores para traducir el pensamiento del autor en su conjunto y en sus pormenores. En esta: el arte de pronunciar, acentuar, frasear y matizar en un discurso.

De la dicción depende casi totalmente el éxito de oradores y de actores, pues que las ideas menos originales y más pobres, si se oyen *bien dichas,* no irritan el ánimo ni le aburren. Por el contrario, la más genial de las ideas expresada con torpeza ni se entiende ni atrae y llega a originar el aburrimiento.

Los medios de modular la voz y afirmar sus inflexiones solo pueden conseguirse con una fuerza de voluntad constante y un estudio largo. Sin embargo, los profesores indican ciertos procedimientos mecánicos que pueden apresurar los resultados de este trabajo.

Los defectos de la dicción son: la torpeza en el decir, el ceceo y la precipitación con que se pronuncian las palabras, el desacuerdo entre la significación de los vocablos y las entonaciones del lenguaje, la dificultad de respirar a su tiempo, las pausas inoportunas; y los llamados *vicios de dicción*: *anfibología, cacofonía, barbarismo, solecismo, pobreza, monotonía* (V.).

Las buenas calidades de la dicción son: la dulzura y la fuerza del órgano—dones puramente físicos—, la claridad, la exactitud, la pureza de la pronunciación, la sabiduría de las pausas, la medida respiración imperceptible, los matices del tono, la concordancia de las infle-

D

xiones de voz con el significado de las palabras; y las llamadas *figuras de dicción*: *aféresis, apócope, epéntesis, contracción, metátesis, paragoge, prótesis* y *síncopa* (V.), que sirven para adornar, perfeccionar y hacer más flexibles y sonoras las palabras.

No deben ser confundidos los términos *dicción* y *elocución*. Esta tiende al empleo recto de las frases, y su estudio es esencialmente retórico. Aquella busca el buen uso de las palabras y depende de la gramática. La elocución se ciñe al género oratorio. La dicción, más general, abarca todas las producciones, habladas y escritas.

DICCIONARIO

Conjunto de las palabras de una lengua o de los términos de una ciencia, de un arte, colocados en un orden determinado, especialmente sujetándose al denominado alfabético.

El diccionario puede tener dos objetos: *explicar el sentido de las palabras*—según el idioma a que pertenecen o en relación con otras lenguas—o *resumir los conocimientos teóricos y prácticos relativos al objeto designado por la palabra*. En el primer caso, la obra, verdadero diccionario de la lengua, toma los nombres de *vocabulario, léxico, glosario, aparato, tesoro, onomasticón*. En el segundo, es un diccionario de cosas, y radica en el género *enciclopédico*. Se llama *lexicografía* la rama de los estudios a la que corresponde este linaje de obras.

Conviene, sin embargo, patentizar las diferencias halladas entre los términos *diccionario, vocabulario, léxico, glosario...*

En el *vocabulario* no quedan contenidas sino algunas de las palabras del idioma. El *glosario* suele recoger exclusivamente voces poco conocidas, desusadas o bárbaras. El *onomasticón*, los nombres propios. En el *tesoro* se mezclan los vocablos con los dichos en que estos vocablos reafirman sus valores...

Los puntos principales que han de ser considerados para la formación de un diccionario de la lengua son: 1.º *Nomenclatura de las palabras.* 2.º *Su ortografía y pronunciación.* 3.º *Su etimología.* 4.º *Su calificación.* 5.º *Su definición.* 6.º *Clasificación de las acepciones.* En este último punto hay que tener muy en cuenta *el sentido propio y figurado de las palabras,* cuya distinción sirve para explicar los sinónimos.

Fue Varrón el primer autor que, al parecer, se ocupó de lexicografía. Después aparecieron: el *Diccionario* de Valerio Flaco, gramático del tiempo de Augusto; el *Onomasticón,* de Julio Pólux, diccionario griego, que se publicó en la época de Cómodo; el *Lexicón griego,* de Helladius, gramático de Alejandría; el *Apparatus rhetoricus sive sophisticus,* de Frynico Arrhabius, dedicado a los vocablos del dialecto ático; el *Lexicón,* del retórico de Alejandría Harpocratio; el *Lexicón vocum phetonicarum,* de Timeo.

El *Lexicón* de Suidas es un diccionario de geografía e historia muy útil para el estudio de la lengua y de la literatura por los muchos trozos de los escritos de autores clásicos que recoge en él.

Durante la Edad Media se hicieron famosos algunos diccionarios latinos para uso de las escuelas, como el *Vocabularium,* de Papias.

Durante el Renacimiento, el estudio de las lenguas y de las literaturas clásicas en las obras originales llevó a que se multiplicaran los diccionarios, tesoros, léxicos, etc. Los trabajos lexicográficos hicieron famosos los nombres de Nizolius, Calepino, Rober y Henri Estienne, Vossius, Camenio, Gasselini, Forcellini, Nebrija, "El Pinciano", Covarrubias, Sánchez de la Ballesta...

En España puede ser considerada como diccionario la admirable obra *Etimologías,* de San Isidoro de Sevilla.

Ya en la época moderna, merece orden de prioridad el *Diccionario de vocablos castellanos,* de Alonso Sánchez de la Ballesta, publicado en 1587. A este siguió—1606—el famosísimo *Thesoro de la Lengua Castellana o Española,* de Sebastián de Covarrubias.

En 1740, Mayáns y Siscar imprimió sus *Apuntamientos para un Diccionario de la lengua castellana.* Trece años después de su fundación, en 1726, la Real Academia Española lanzó su *Diccionario.*

Otros diccionarios importantes españoles y de la lengua son: el de Alonso de Palencia—Sevilla, 1490—; los del P. Juan Mir—*Prontuario de hispanismos y barbarismos y Rebusco de voces castizas*—; el de don Antonio de Valbuena—*La fe de erratas al Diccionario de la Academia*—; el de Cejador—*El lenguaje*—; el de Arturo Masriera—*Diccionario de diccionarios*—, y los de Fernández Cuesta (1872), Caballero (1849), Campano (1876), Cuervo (1886), Monláu (1881), Zerolo (1886), Del Toro, Isaza (1897), Viada (1909)...

Aparte de estos diccionarios *de la lengua,* existen los *de materias*: biográficos, históricos, geográficos, mitológicos, anecdóticos, de batallas, químicos, de música, de bellas artes, de literatura, etc., etc., que siguen siempre una rigurosa ordenación alfabética. La utilidad de estos diccionarios es inmensa Son como sapientísimos consejeros siempre dispuestos a satisfacer nuestras dudas o nuestra ignorancia.

V. BRUNET, Ch.: *Manuel du libraire.* Tomo VI (Lingüística).

DICOREO (V. Ditroqueo)

DICTADO

1. Materia para tratar en un escrito.
2. Composición en verso.
3. El contenido de un manuscrito.

DICHO

1. Palabra. Locución. Frase.
2. Sinónimo de *máxima, sentencia, apotegma, aforismo, refrán, proverbio* (V.).

Dicho es también una expresión vertida por alguno en cualquier género de dicción—correcta o inculta, fina o grosera—o en cualquier sentido—bueno o malo—, según la infinidad de casos. De aquí la variedad de dichos: tristes y alegres, torpes, feos, estúpidos, picarescos, ligeros, infames, híbridos, satíricos, chistosos, oportunos, sutiles, honestos, hondos, intencionados, sabios, elegantes...

DIDÁCTICA

1. Arte de enseñar.
2. Principios de una ciencia o de un arte.
3. Exposición regular y metódica de una disciplina mental.

Se considera didáctica toda obra, en verso o en prosa, que tiene por objeto principal enseñar los principios y las leyes de una ciencia, las reglas y los preceptos de un arte.

La didáctica es una de las partes principales de la Pedagogía. El uso de tal sustantivo se atribuye al alemán Wolfango Riatke o Riatichio, quien hacia 1600 introdujo un sistema educativo para su patria con el título de *didacticus.* Lo popularizó el moravo Juan Amós Comenio hacia 1657, con su famosa obra *Didáctica magna seu omnes omnia docendi artificium.*

Dos son los objetos de la didáctica: *comunicar los conocimientos y enseñar a utilizarlos.*

En el orden teórico, la didáctica puede ser *material*—o *instrucción*—y *formal.* La primera se refiere a la categoría de conocimientos o materias que deben ser asimiladas por el hombre. La segunda marca la forma y el orden para el estudio.

También está dividida la didáctica en *general* —que enumera, define, clasifica, expone—y *particular*—que aplica las conclusiones didácticas generales a las distintas disciplinas y aun a las diversas circunstancias que concurren en los alumnos.

Entre las obras literarias didácticas más célebres están: los escritos de Aristóteles sobre gramática, poética y retórica: el *Tratado de lo sublime,* atribuido a Longino; los libros de Cicerón acerca del *orador;* las *Instituciones oratorias,* de Quintiliano.

Modernamente, todas las *retóricas* y *preceptivas* (V.) (V. *Didáctico, Género.*)

DIDÁCTICO o DIDASCÁLICO (Género)

Es aquel cuya intención principal es "enseñar deleitando".

En la poesía didáctica debe aparecer dualidad de miras, poéticas y científicas, pues el poema didáctico se propone directamente enseñar y deleitar, con la exposición de la verdad por medio de la belleza; pero deberán concertarse estas dos tendencias bajo la ley superior de la unidad, fuente de donde nace la perfección de toda obra literaria.

Los *teóricos* literarios han discutido muchas veces acerca de si el poema didáctico merecía el nombre de poema, o era este nombre que convenía exclusivamente a los temas de ficción; si había semejanzas entre los poemas didácticos y los descriptivos; si el poema filosófico era también didáctico; si lo eran las sátiras, las fábulas, las parábolas.

Como regla general, se afirma que existen dos clases de poemas didácticos: aquellos *que contienen verdades prácticas o preceptos* y aquellos *que exponen verdades especulativas o sistemas.*

Según M. H. Patin, cinco son las reglas a que debe sujetarse el poema didáctico:

1.ª Elegir un sujeto útil e interesante.

2.ª Exponer con claridad, precisión y bajo una forma animada.

3.ª Desdeñar cuanto no sea susceptible de una ordenación.

4.ª Observar un orden natural y, sin embargo, muy metódico.

5.ª Ayudarse con las descripciones, con las reflexiones, con las imágenes, con los episodios; es decir, hacer amena la enseñanza.

Entre los antiguos, la poesía didáctica fue contemporánea de la epopeya. La razón es sencilla: en una época en que la escritura era casi desconocida y utilizada por muy pocos, fue necesario confiar en el ritmo, tan grato a los oídos, la conservación de los preceptos fundamentales de la vida. Los poemas de Hesíodo, profundamente didácticos, contienen mucha más verdad que arte, comprenden todos los Πέρί φύσεως de los filósofos. Durante el gobierno de los sucesores de Alejandro, el poema épico fue tratado con pleno artificio y se consagró a *sujetos técnicos* como la medicina, la geografía, el hogar... Poemas didácticos fueron *Los Fenómenos,* de Arato, y *De Natura Rerum,* de Lucrecio. Y apenas si la exquisita sobriedad del *Arte Poética,* de Horacio, sirve para que no le califiquemos dentro del mismo género, ya que el gran poeta no pareció comprender que los preceptos pudieran ser susceptibles de otro adorno que el de la brevedad:

Quidquid praecipies, esto brevis, ut cito dicta
percipiant animi dociles tenentque fideles.

El retórico español don Francisco Sánchez dividió los poemas didácticos en tantas especies como géneros hay de verdades: en *históricos, filosóficos* y propiamente *didácticos.* Los primeros exponen acciones reales, como *La Araucana,* de Ercilla. Los segundos establecen principios de física, de metafísica, de moral; declaman contra los vicios o desenvuelven contra el

D

carácter de los hombres; así, el poema de Lucrecio mencionado *De Natura Rerum.* Los terceros contienen observaciones relativas a la práctica, y de estos es, sin disputa, el mejor modelo *Las Geórgicas,* de Virgilio, que más que ningún otro supo cumplir las reglas del arte en este género de poesía.

V. MARMONTEL: *Eléments de littérature.*—SÁNCHEZ, Francisco: *Principios de retórica y poética.*

DIDASCALIA

1. Conjunto ordenado de preceptos y reglas, de teorías doctrinarias, de apotegmas, de instrucciones.

2. De διδασκαλαι, enseñanza.

Los antiguos llamaron así a las instrucciones dadas por los poetas dramáticos a los actores acerca de la manera de interpretar las obras. Nada más minucioso que estas enseñanzas, de gran interés histórico y literario, que ocuparon rango principal en el desarrollo del teatro griego. El autor precisaba la colocación de los intérpretes sobre la escena, instruía al coro, designaba los primeros y segundos *papeles,* transmitía a los actores las emociones y el espíritu que debían encarnar...

Con el tiempo, por extensión, se llamó *didascalia* o *corodidascalia* a la representación y a la misma obra dramática. (V. *Didáctico, Género.*)

DIÉRESIS

Utilizada principalmente en poesía, es la separación de las vocales de un diptongo para formar dos sílabas métricas. Es lo contrario que la *sinéresis.*

El signo de esta división suelen ser dos puntos colocados uno al lado del otro sobre una de las letras del diptongo.

Agora que süave
nace la primavera...

¿No ves cómo las olas
del ancho mar quïetas
aflojan los furores
y amigas se serenan?

(VILLEGAS.)

Traed, cielos, huyendo
este cansado tiempo espacïoso
que oprime deteniendo
el curso glorïoso;
haced que se adelante presuroso.

(F. DE HERRERA.)

(V. *Metaplasmo.*)

DIFUSIÓN

1. Falta de trabazón, de concisión, de claridad, de orden en las ideas.

2. Prolijidad, ampliación viciosa, extensión desmedida en los escritos y en los discursos.

3. Superabundancia de palabras.

4. Propagación de las obras escritas.

DIFUSO (Estilo)

Aquel en el que la abundancia de palabras y las imágenes intenta ocultar la carencia de ideas.

DIGRESIÓN

1. Lo superfluo y ajeno al punto de que se trata en una obra o en un discurso.

2. Parte de una obra literaria o de un discurso que no guarda relación inmediata con el tema principal.

3. Vicio de elocuencia, que consiste en que el orador intenta distraer al auditorio llamando su interés hacia puntos distintos de los debatidos.

La digresión—del latín *digredi*—es cuanto en una obra, en un discurso, *se aleja* del objeto principal. Una digresión puede ser un recitado, una disertación, una reflexión más o menos prolongados.

Cada episodio, en los poemas, no es sino una digresión. Y hay obras filosóficas en que todo se desarrolla por digresiones, como en los *Ensayos,* de Montaigne. La digresión es un elemento natural en el género humorístico. La digresión en las obras de la antigua Grecia lograba dos efectos diferentes: en la historia o en la narración suspendía la unidad expresiva para colocar una disertación; en el tratado filosófico suspendía la disertación para colocar un recitado.

No pocas veces las digresiones han contribuido al éxito de obras, basta recordar el *Esprit des Lois,* de Montesquieu; el *Télémaque,* de Fenelón; *Jacques le Fataliste,* de Diderot; el *Viaje sentimental,* de Sterne; *Guzmán de Alfarache,* de Alemán; *El Criticón,* de Gracián... Pero las digresiones de valor lo son, indudablemente, por excepción. El procedimiento es sumamente peligroso; y si puede permitirse al escritor genial, conviene prohibirlo al escritor mediocre.

DILEMA

Prueba oratoria (V.). Por este argumento, el orador divide las razones que el adversario puede tener para su defensa, y opone a cada una de ellas una respuesta que es como una réplica; compone *una alternativa* con la que ataca *no directamente* al combatido.

DÍMETRO

Verso griego y latino, que consta de dos medidas y de cuatro pies, en los géneros anapéstico y yámbico (V.).

V. HERMANN: *De metris graecorum ac romanorum.*

DIMINUCIÓN (V. Figuras de pensamiento)

Es una parte de la hipérbole por la cual se exagera en lo que se quiere decir, aunque valiéndose de expresiones que parecen debilitar o disminuir la idea. Ejemplo: *esta tela no es fea,* para significar *que no es bonita.* Otro: *usted no es a propósito para el encargo,* lo que equivale a decirle *que no sirve para realizarlo.*

Cuando se pondera *en más,* se denomina la disminución *auxesis* en griego, *exceso* o *crecimiento* en castellano. Si *en menos*: *ellipsis* en griego, *defectus* en latín, *defecto* en castellano.

DINAMARQUESA (Lengua y Literatura) (Véase Danesa, Lengua y Literatura)

DINAMISMO

Teoría filosófica y movimiento artístico.

1. *Teoría filosófica.*—En realidad, teoría cosmológica que interpreta la Naturaleza física bajo su efectividad de fuerza y de energía. Esta teoría intentó contrarrestar la afirmación cartesiana de que la materia es totalmente inerte y carece de todo principio de actividad intrínseca.

Se atribuye a Leibniz—en su *Monadología,* 1714—el primer postulado o fundamento del dinamismo. Sin embargo, la *insinuación* del mismo es prodigiosamente antigua. Zenón, los pitagóricos y aun Platón, al defender las unidades corpóreas e indivisibles, ya presagiaban esta teoría, opuesta entonces al materialismo de Demócrito. El dinamismo se opuso igualmente al *atomismo* (V.), para el que no existe más que materia extensa, inerte y movimiento.

Por el contrario, el dinamismo afirma que únicamente existe la fuerza—*dynamis*—en la Naturaleza, reduciendo la extensión y el movimiento a puros fenómenos.

Para el dinamismo, toda sustancia, aun la corpórea, es *energía; lo pasivo* no constituye la esencia de la cosa; la *extensión* no es una realidad independiente del sujeto que la percibe.

Leibniz dio el nombre de *mónadas* a los últimos elementos indivisibles, dotados de fuerzas inmanentes, que forman los cuerpos. Según el propio Leibniz, si se unen varias mónadas para constituir el cuerpo, no se debe a virtud o principio propio de ellas, sino a la *armonía preestablecida,* según la cual "Dios ha colocado en cada cuerpo aquellas mónadas a las que ha preparado una serie análoga de evoluciones".

La teoría dinamista de Leibniz fue seguida por Kant y por otros muchos filósofos y físicos, todos los cuales han interpretado la materia como un resultado de *fuerzas* diversas, principalmente de atracción y de repulsión.

2. *Movimiento artístico.*—Fue iniciado, para la pintura y para la escultura, hacia 1910, en Italia, como una consecuencia del *futurismo* (V.) literario.

"En su obra *Guerra Pittura*—híbrido conjunto de interesante teoría y de propaganda un tanto ingenua—, Carrá especificó en la siguiente forma las premisas conceptuales de la estética y de la técnica del dinamismo, diciendo, entre muchas otras cosas: "La base arquitectural del cuadro—en nuestro concepto futurista de nueva expresión de la forma—responde puramente a la idea sinfónica de la masa, del peso y del volumen de un movimiento general de formas determinado por nuestra modernísima sensibilidad." "Una composición pictórica construida según un sistema de ángulos rectos no supera, en expresión, a lo que en música se llama *canto llano.* El ángulo agudo, por el contrario, es pasional y dinámico, expresa voluntad y fuerza penetrativa... Con esta manera de sentir la construcción del cuadro, los futuristas agrupamos formas abstractas puramente geométricas (simples o complejas) y planos en perspectivas vecinas o lejanas, entendiendo vecindad o lejanía como realidades emotivas y no como simple apariencia de alejamiento o proximidad al contemplador, según el método tradicional de comprender la perspectiva." "Afirmamos, en consecuencia, que nuestro concepto de la perspectiva está en absoluta antítesis con el de la perspectiva estática. Dinámico y caótico en su aplicación, produce en el espíritu del observador un superior conjunto de emociones plásticas, porque cada fragmento de perspectiva, en nuestros cuadros, responde a una vibración del alma." (J. EDUARDO CIRLOT.)

El dinamismo artístico encontró numerosos adeptos en Francia—Delaunay, Dufresne, Gleizes, Lothe—y en Italia—Carrá, Gino Severini, Boccioni.

V. 1. NYS, DR.: *Cosmologie.* Lovaina 1906. WINDELBAND, V.: *Die Geschichte der Neueren Philosophie.* Tomo I: Leibniz.—BALMES, Jaime: *Filosofía fundamental.* Tomos II y III.

DIOGENISMO

Sistema filosófico de Diógenes. (V. *Cinismo.*)

El archifamoso Diógenes nació—413 antes de Cristo—en Sínope. Murió—323—en Corinto. De esta ciudad huyó con su padre—acusado de falsificador de moneda—a Atenas, costándole no poco ser admitido en la escuela de Antístenes. Celoso propagador de la filosofía cínica, enseñó el desprecio de las penas y de las conveniencias sociales por medio del ejemplo de una vida cuya sencillez era llevada al mayor extremo. Diógenes Laercio, tan curioso en sus ejemplos, no dice nada de la vida de Diógenes. Cuentan otros escritores que fue hecho prisionero en Queroneso, pero que Filipo le puso en libertad. Dirigíase a Egina, cuando cayó en poder de unos piratas, que le vendieron al corintio Jeníades. Este le confió la educación de sus hijos, y Diógenes los formó a su manera. El cínico pasaba el invierno en Atenas y el verano en

D

Corinto. En esta ciudad fue donde—según la leyenda—le visitó Alejandro Magno y le dijo: "¿Qué solicitas de mí? ¿Qué me pides?" "Que te apartes—respondió el filósofo—, para que tu sombra no me impida gozar del sol."

En Atenas explicaba en el Cinosargo, que era el gimnasio de los niños abandonados. "Vivir ajustándose a la Naturaleza" era el principio filosófico de Diógenes. De ello dependía toda virtud, todo bien.

Aun cuando fue Antístenes el fundador de la filosofía cínica, Diógenes aportó a esta postulados fundamentales y excedió a su maestro en ciencia y en fuerza de proselitismo.

Diógenes exageró y extremó la doctrina socrática de la *eudaimonia* o felicidad, y además le dio un sentido negativo; la identificó con la autarquía o suficiencia; la creyó únicamente posible con la supresión de las necesidades.

Diógenes proclamó como únicos valores estimables la independencia, la carencia de necesidades y la tranquilidad. El bien supremo del hombre—para Diógenes—consistió en *vivir en sociedad consigo mismo.* Era indispensable despreciar cuanto fuera *convención*: patria, familia, riquezas, Estados... y amar cuanto fuera *naturaleza.*

El diogenismo rechazó los símbolos humanos de la divinidad; se burló de todos los ídolos "con más desenfado que los profetas de Israel"; aspiró a la igualdad absoluta del hombre y de la mujer y a la fraternidad universal; creyó en un Ser supremo ordenador del universo, a quien dirigía a un fin; despreció la oración vocal y los augurios, pronósticos y adivinaciones. Los puntos en que Diógenes completó o modificó el cinismo fueron los siguientes:

1.º Proclamación del Estado universal, *civitas mundi.*

2.º Extensión del estado de naturaleza a las relaciones entre ambos sexos, y la consiguiente comunidad de mujeres e hijos.

3.º Interpretación ascética del cinismo, con desprecio de toda convención social.

V. GRIMALDI, F. A.: *La vita di Diogene Cinico.* Nápoles, 1777.—ZELLER: *Die Philosophie der Griechen.* Seis tomos. Obra magistral.—WINDELBAND, G.: *Geschichte der alten Philosophie.* 4.ª edición. Munich, 1923.—ASTER, Ernst von: *Historia de la Filosofía.* Barcelona, 1935.

DIPLOMÁTICA

"Arte que enseña a conocer los diplomas y demás documentos escritos que han sido expedidos de un modo solemne, consignando en ellos una declaración formal la persona que los expide, a fin de establecer y hacer constar los derechos o hechos públicos o privados, ya políticos, ya civiles, ya canónicos, para que quede de ellos a la posteridad una prueba auténtica."

La diplomática es una rama de la paleografía (V.) y ciencia auxiliar de la historia. Juan Mabillón, monje benedictino de San Mauro, fue el primero que elevó la diplomática a categoría de ciencia literaria con su famosa obra *De re diplomatica, libri VI* (1681).

"La diplomática tiene por fin estudiar los documentos redactados con ciertas formas fijas, las cuales les dan fe histórica y fuerza probatoria." (GARCÍA VILLADA.)

La diplomática divide los documentos en *públicos* o *privados,* atendiendo a las personas de quienes emanan; y los estudia en su parte *material* o *extrínseca*—hecho histórico que en ellos se contiene—y *formal* o *intrínseca*—que es la que le da el ser y autoridad fehaciente—. En esta *parte formal,* la diplomática examina las tres partes esenciales de su estructura y composición, denominadas: *protocolo* (invocación, intitulación y saludo), el *texto* (exordio, notificación, disposición y sanción) y el *escatocólogo* (fórmulas finales, firmas y signos de autentificación).

En España sobresalieron en la ciencia diplomática: el P. José Pérez, el P. Masdéu, el P. Burriel, Nicolás Antonio, Antonio Agustín, Mayáns y Siscar, el P. Flórez, el P. Villanueva, el P. Román de la Higuera, Berganza, Torres Amat, Pérez Bayer, el P. Risco, el P. Merino, el marqués de Mondéjar, Floranes, Muñoz Romero, los Bofarull, Gayangos, Durán, Aguiló, Menéndez y Pelayo, Miret y Sans, el P. Fita, el P. García Villada, Hinojosa, Canibell, Millares Carlo...

V. GARCÍA VILLADA, P. Z.: *Metodología y crítica literaria.* Barcelona, 1931.—MILLARES CARLO, A.: *Paleografía española.* Madrid, 1933.—MUÑOZ Y RIVERO: *Manual de paleografía diplomática española...* 1890.

DIPODIA (V. Metro y Pie)

1. Unión de dos pies métricos.

2. Modo de medir un verso, tomando *dos pies a un mismo tiempo.*

V. HERMANN: *De metris graecorum ac latinorum poetarum...*

DIPTONGO

Combinación o reunión de dos vocales que se pronuncian de un solo golpe, formando *una sílaba* dentro de la misma palabra. Ejemplos: *pausa, triunfo, diócesis, deuda.*

DISCURSO

El más general de los términos retóricos para designar las distintas especies de composición consideradas como propias para ser dichas.

Comprende toda clase de palabras pronunciadas con cierto método, con una intención determinada, ante una asamblea, un grupo o una sola persona.

Se distinguen los discursos según las circunstancias de tiempo y el objeto. Hay discursos políticos, arengas, alocuciones, proclamas, elogios, oraciones fúnebres, disertaciones, conferencias, panegíricos, homilías, discursos académicos...

El discurso contiene cierto número de divisiones más o menos esenciales: *Exordio, proposición, narración, confirmación, refutación, peroración* (V.), que han sido objeto de estudio y de reglas especiales en esa parte de la retórica denominada *disposición* (V.).

Todo discurso, sea el que quiera el género a que pertenezca, está sometido a reglas bajo el triple aspecto de la *invención,* de la *disposición* y de la *elocución* (V.).

Los retóricos griegos dividieron los discursos en tres clases: de género *demostrativo,* de género *deliberativo* y de género *judicial* (V.).

DISERTACIÓN

Obra—o discurso—que tiene por objeto el examen de *una cuestión especial* o la discusión de *un punto particular* de una materia muy vasta. En esto difiere la disertación del tratado, que abarca el estudio *de toda la materia.* El fondo, en esta clase de obras, es más importante que la forma. "El estilo de la disertación —según Diderot—ha de ser sencillo, claro, cálido, y no perderse jamás en las ampulosidades de la elocuencia."

DISIMILITUD (Desemejanza)

Figura retórica, parecida a la *antítesis* (V.), que tiene lugar cuando, comparando dos objetos, hace notar las diferencias que existen entre ellos. Es decir: resulta como una comparación de orden inverso, o sea, una contrariedad en la sentencia por las calidades, accidentes y circunstancias de las cosas consideradas.

Los retóricos antiguos llamaban a esta figura *argumento a dissimili;* tal es el siguiente de Cicerón: "*Si barbarorum est in diem vivere, nostra concilia tempus spectare debent.*" (Si es propio de los insensatos no pensar sino en lo momentáneo, el hombre discreto debe pensar en el futuro.)

Disimilitud:

> Los cuerpos de los justos resucitarán hermosos y resplandecientes como el sol; mas de los malos, oscuros y feos, como la misma muerte. (Fray Luis de Granada.)

DISMINUCIÓN (V. Figuras de pensamiento)

Sinónimo de *litote* (V.).

DISPARATE

1. Composición—en verso o en prosa—en la que, por medio de procedimientos, trucos y frases disparatados, se intenta provocar un efecto cómico.
2. Nombre dado en el teatro contemporáneo a una producción cómica, de escasa categoría literaria, cuyas intenciones son provocar la risa en los espectadores por medio *de lo absurdo* en el chiste, en las situaciones, en los caracteres.

DISPONDEO

Pie de la métrica griega, que consta de cuatro sílabas largas: — — — —.

DISPOSICIÓN

Parte de la retórica que tiene por objeto ordenar las pruebas y los argumentos que han de lograr el convencimiento.

Entre los antiguos retóricos, que consideraban particularmente la elocuencia judicial, el discurso estaba dividido en cuatro partes: exordio, narración, confirmación y peroración. Los retóricos modernos han modificado tal división arbitraria. En la elocuencia de la cátedra, el discurso constará de exordio, proposición, división y peroración. En la elocuencia forense se distinguen: el exordio, la narración, la cuestión de derecho, la prueba, la réplica a las objeciones y la conclusión. Estas diferencias en la *disposición* de los discursos son más aparentes que reales; así, la prueba y la réplica constituyen lo que los antiguos llamaban confirmación; y las conclusiones, la peroración; y la cuestión de derecho o el punto moral, la narración. Todas las partes de un discurso—*disposición*—pueden ser reducidas a tres: exordio, confirmación y peroración. El orden y el encadenamiento de las ideas y de los hechos es el principal trabajo del orador o del escritor.

Actualmente, en los discursos se admiten dos clases de *disposiciones*: la *regular,* en cuya virtud puede componerse el discurso de seis partes sucesivas: exordio, proposición, división, prueba o confirmación, refutación y peroración; y la *irregular,* por la que, según las circunstancias particulares, se prescinde del rigor de los preceptos, poniendo una parte en lugar de la otra. En ocasiones, por ejemplo, se inicia el discurso por la refutación, a causa de que el adversario ha conseguido una fuerte impresión con sus pruebas en el auditorio, conviniendo, lo primero, echarlas abajo.

V. Cicerón: *Diálogo del orador.*—Fenelón: *Diálogos sobre la elocuencia*—Buffon: *Discurso sobre el estilo.*

DISPUTA

1. Debate. Controversia. Cuestión (V.).
2. Dilucidación de la materia discutida.
3. Argumentación entre varias partes.
4. Serie o concatenación de argumentos encontrados entre sí.

La disputa puede ser *vulgar, socrática* o *silogística.*

La primera es la que se da en cualquier parte, entre personas conscientes, porque *su nece-*

D

sidad reside en la naturaleza misma del entendimiento humano.

En la segunda, más pulida, una de las partes presenta superioridad espiritual.

La tercera se ajusta a las *formas silogísticas* de Aristóteles, y en los contendientes se dan calidades de ciencia, ingenio e intención moral o científica.

DÍSTICO

De δις, dos, y στίχος, hileras, líneas.

Grupo de dos versos que forman un sentido completo. Entre los griegos y romanos, el dístico se componía de un hexámetro y un pentámetro, y constituía "el modo elegíaco". Los griegos fueron más rigurosos que las latinos en guardar la regla que exigía el sentido completo a cada dístico. Sin embargo, entre unos y otros abundaron los versos colocados de dos en dos en una composición, o formando un grupo aislado, *un dístico...* que no lo era. Porque para serlo tenía que someterse a unas leyes fijas en la versificación griega y latina.

En dísticos se compusieron sátiras, elegías y epigramas. Las *Epístolas del Ponto* y *Las tristes,* de Ovidio; las *Elegías,* de Propercio y Tibulo, y muchos *Epigramas* de Marcial están escritos en dísticos.

Parve, nec invideo, sine me, liber, ibis in Urbem:
Hei mihi! quod domino non licet ire tuo.
Vade, sed incultus, qualem decet exulis esse;
Infelix. habitum temporis hujus habe.

(Ovidio: *Elegías,* I, 1.)

El dístico ha tenido máxima aceptación en la poesía moderna. Los alemanes lo han reproducido con mucha perfección, valiéndose de un sistema regular de largas y breves. Y es famoso un dístico de Schiller sobre el dístico que pretende resumir su ley de armonía:

Im Hexameter, steigt des Springquells ffüssige Saüle;
Im Pentameter drauf fällt sie melodisch herat.

(En el hexámetro, la fuente salta, la columna líquida se eleva. En el pentámetro, el agua suena con melodía.)

El dístico, modernamente, conviene principalmente a la inscripción, al epitafio, al enigma, a la charada, al proverbio.

Si quieres ser feliz como me dices,
no analices, chiquilla, no analices.

(Campoamor.)

DISTINCIÓN (V. Refutación)

Aquella parte del discurso—o de la obra—en la que se refutan las pruebas aportadas por la parte contraria.

La distinción es la antítesis de la confusión. Toda idea clara es necesariamente distinta, y viceversa.

La distinción puede ser *real* y *racional* o *formal,* según se haga acerca de hechos y de cosas o acerca de presunciones y de ideas.

DISTRIBUCIÓN (V. Figuras de pensamiento)

1. El arreglo metódico y ordenado de las partes de una obra.

2. Figura que se realiza cuando van juntas varias partes en el discurso, y *a continuación* se les aplican otras tantas que les corresponden *por el mismo orden.*

Se da también el nombre de *distribución* a la misma *enumeración,* cuando a las partes que se enumeran se las va caracterizando con los atributos y distintivos que les son propios.

Esta riqueza es de tres partes: sierra, llanura y río. La sierra da aceite, vino, leña y caza, y frutos y agua; la llanura da lanas, carne y pan, en tanta abundancia, que falta gente y sobra tierra; y el río, que es la mayor parte de esta riqueza, puso Dios por medio de las otras dos para que lo que os sobra llevase a otras gentes y las hiciese participantes de la fuente de los bienes do vivís... (Hernán Pérez de Oliva.)

DISUASIÓN

Discurso en el que, ponderando los defectos y vicios de alguna cosa, se intenta disuadir de ella a quien le importa o se propone convencer el orador o escritor.

DISYUNCIÓN (V. Figuras de palabras)

Es una figura de dicción o elegancia que suprime las conjunciones con el fin de comunicar rapidez a la enumeración y al estilo.

Llamas, dolores, guerras,
muertes, asolamientos, fieros males
entre tus brazos cierras...

(Fray Luis de León.)

La lluvia, el sol, el ondeante viento,
la nieve, el hielo, el frío,
todo embriaga en celestial contento
el tierno pecho mío.

(Meléndez Valdés.)

También existe disyunción en aquella oración que lleva sus partes necesarias, sin que dependa de las antecedentes o de las posteriores.

DITIRAMBO

Poema lírico breve, consagrado por los griegos a la alabanza y exaltación de Dionysios. Parece haber tenido un origen improvisado, bárbaro, entre los bebedores que adoraban al dios del vino. Cuando los poetas, apoderándose de esta composición, le dieron categoría artística, no la despojaron de su vivacidad, de su alegría, de su exaltación, pero la sujetaron a ciertas reglas rítmicas y musicales. Así considerada, tuvo lugar principalísimo entre los ritos obligatorios de Dionysios (Baco). Según Herodoto, fue Arión el primer poeta que hizo célebre el ditirambo. El introdujo la costumbre de hacerlo cantar por un coro de quince personas, que entonaban la cadencia bailando alrededor del dios. Este coro fue llamado por ello *cíclico;* y los poetas que compusieron ditirambos recibieron el nombre de κυκλωδιδάσκαλον

También se atribuye al poeta Arión la invención del *estilo trágico,* marcado, sin duda, por la gravedad de pensamiento y de sentimiento que él llevó a un canto de alegría; y la sustitución, en el acompañamiento musical, de la flauta por la cítara; y la introducción en el coro de unos actores que representaban a los compañeros de Baco: silenos, sátiros y faunos.

Otros eruditos atribuyen a Arquíloco las innovaciones de Arión. En cualquier caso, el ditirambo data de siete siglos antes de nuestra Era. El ditirambo fue perfeccionado por Lasos de Hermione. Y Tespis dio a este poema otra dedicación distinta que la gloria y las aventuras de Baco: lo convirtió en un espectáculo profano, origen de la tragedia lírica griega, alternando en él la música, el diálogo, la danza, los recitados.

Escribieron ditirambos: Píndaro—discípulo de Lasos—, Ión, Diágoras de Meos, Melanípedes, Filoxenes...

El ditirambo fue un género eminentemente griego, y ni los latinos lograron imitarlo con perfección.

Entre los poetas modernos lo han compuesto con cierta gracia: Policiano—en *Orfeo*—, Francesco Rodi—en *Bacco in Toscana*—, y Chénier, Lebrun y Casimiro Delavigne—en *Dithyrambes.*

Los mejores fragmentos de ditirambos griegos se conservan en la obra *Lyrici graeci,* de Bergk, Leipzig, 1843.

V. TINKOWSKY: *De Dithyrambis eorumque usu apud graecos et romanos.* En la "Antología de la Sociedad Filológica de Leipzig, 1811.—LUETKE: *Dissertatio de graecorum dithyrambis.* Berlín, 1845.

DITROQUEO

Pie de la métrica griega y latina, que consta de cuatro sílabas: largas, breve, larga, breve: — ∪ — ∪.

DIVÁN

Colección de fragmentos en prosa y en verso de la literatura árabe. Dichos fragmentos reciben el nombre de *ghazel.* (V. *Diwan.*)

DIVERBICUM

En el drama romano era llamada así la parte dialogada.

DIVERTIMIENTO

1. Distracción momentánea.

2. Diversión por entretenimiento o placer. En el género teatral reciben el nombre de divertimientos los *ballets,* los coros, las pantomimas, los mimodramas intercalados en las óperas. Molière introdujo estos divertimientos en sus últimas comedias, aun cuando justificándolos.

En España, con anterioridad, Lope y Calderón ya los habían utilizado con éxito. Pero, en general, dichos divertimientos acompañaban a la obra, *sin mezclarse con ella,* antecediéndola o siguiéndola.

A partir del siglo XVI, en toda Europa estos divertimientos alcanzaron propio interés, y principalmente ante los reyes eran representados bailes, pantomimas y mascaradas.

DIVISIÓN

1. Es una de las partes principales del discurso, que, sin embargo, puede faltar en este cuando la proposición sea simple y haya de probarse con un solo orden de pruebas.

2. División es la ordenada distribución de las partes en la proposición; la enumeración formal de los varios puntos que el asunto comprende y de los cuales trata luego el orador —o el escritor—separadamente, por el orden en que los enunció.

> Cuatro cosas debemos hacer para provecho nuestro, en retorno y recompensa de los regalos y favores que recibimos del Señor por ministerio de nuestros santos ángeles: reverencia, devoción, confianza y obediencia. La reverencia, por la presencia de los ángeles; la devoción, por la benevolencia; la confianza, por la guarda que tienen de ti, y la obediencia, oyendo sus voces interiores y saludables consejos. (P. RIBADENEIRA.)

Las divisiones deben ser claras, opuestas e íntegras. Se presentarán las partes de tal suerte que ni se hallen mezcladas entre sí las verdaderamente distintas, ni se dividan las que hayan de estar íntimamente unidas.

Las divisiones bien hechas son convenientes, porque trazan al entendimiento un camino fijo y metódico, y dan seguridad al raciocinio. Favorecen, además, la memoria del oyente, y sostienen su atención, permitiéndole formarse idea clara del conjunto del discurso.

La proposición debe colocarse, juntamente con la división, después del exordio e inmediatamente antes que la narración y la confirmación.

DIWAN o DIVÁN

Con este nombre se designa en las literaturas persa, turca e indostánica un conjunto de *gacelas* (V.) colocadas por orden alfabético de las últimas letras del único ritmo en que dichas

D

composiciones líricas están escritas. Por extensión se aplica también el nombre de diwan al conjunto de poesía de un mismo escritor; pero en este caso se emplea con preferencia la palabra *kulliyat,* que significa *obras completas.*

DIYAMBO

Verso griego y latino compuesto de dos yambos, o sea: cuatro sílabas, breves la primera y tercera y largas la segunda y cuarta. Ejemplo: *relinquerent.*

En la poesía latina se presenta en muy pocas ocasiones. Ocurre en el verso *senario yámbico,* que consta casi siempre de seis yambos seguidos.

En el verso de metro yámbico (V.), que se compone de cuatro pies, pueden ser estos todos yambos, en cuyo caso es fácil que entre alguna palabra de cuatro sílabas que constituya un yambo (V.).

DOCTRINA

1. Conjunto de principios relativos a determinada disciplina científica o a determinado concepto literario o artístico, expuestos de una manera razonada.

2. Opinión de un escritor, de un científico, de un artista, acerca de cualquier materia.

DOCTRINARISMO

Nombre dado a la concepción política que aspiraba, en Francia y a principios del siglo XIX, a la reconciliación de la monarquía y las instituciones constitucionales europeas, y que recibió su expresión más acabada en la obra de los *Doctrinaires,* con el desarrollo de una especie de transacción o compromiso, en la teoría de la soberanía.

Desde Bodin, los tratadistas franceses de Derecho político se habían preocupado de definir y de señalar el asiento de la soberanía dentro del Estado. Para los partidarios de los Borbones, la base de soberanía está en la voluntad del monarca, por el imperio del derecho divino. Para los revolucionarios franceses, la soberanía no es otra cosa que la voluntad general del pueblo.

La inmediata consecuencia de la reacción frente a tales doctrinas categóricas y antípodas fue... el doctrinarismo, "planta arquitectónica elaborada, como exactamente se ha dicho, por un selecto grupo de expertos en ciencias morales y políticas, buscando su concordia nacional entre los émulos para distribuirse función y ejercer poder. Así, los doctrinarios encuentran la vía media. Entre derecho divino y soberanía popular hacen parar mientes en la monarquía constitucional, tan rápidamente ensayada y fracasada. Se trata de resolver el problema del contraste del rey y del pueblo dentro de la ley; legalizar el orden con el instrumento constitucional. Se busca el equilibrio de los poderes y de los intereses, el gobierno representativo y el poder limitado" (J. BENEYTO).

Puesto que ni el rey ni el pueblo eran supremos y omnipotentes de por sí, el doctrinarismo pensó que la autoridad final y definitiva del Estado residía en la razón o en los principios abstractos de la justicia. "Se coloca, entonces, la soberanía por encima de todos los titulares humanos; la soberanía deriva, más bien, de la inteligencia que de la voluntad. Se evita, de este modo, la concepción absoluta de la soberanía. La soberanía de la razón es compatible, al mismo tiempo, con los derechos del rey y del pueblo, y rechaza, por igual, la autoridad exclusiva del uno y del otro."

Los doctrinaristas franceses fueron: Royer-Collard—el jefe del grupo—, Benjamín Constant, Chateaubriand, Víctor Cousin, Guizot... En lo que pudiéramos llamar *idea central* del doctrinarismo coincidieron todos los ilustres doctrinaristas señalados; no así en los matices, en los detalles...

Royer-Collard (1763-1845) insistió "en la necesidad de un compromiso o equilibrio de intereses dentro del Estado, y se manifestó opuesto a la concepción de la soberanía absoluta, mediante la fijación de determinados límites en el ejercicio de la autoridad política. Subrayó la importancia de la libertad individual y el fundamento ético del Estado".

Benjamín Constant (1767-1830) divulgó su doctrinarismo en su obra *Politique constitutionnelle.* "Parte de la soberanía del pueblo según Montesquieu y Rousseau y trata de matizarla. La monarquía constitucional que propugna ofrece cinco matices de poderes: el *real,* en manos del monarca; el *ejecutivo,* que atienden los ministros; el *judicial,* entregado a los tribunales; el *representativo de la permanencia,* con las asambleas hereditarias, y el *representativo de la opinión,* con la asamblea consultiva. El rey ocupa el centro de todo este mecanismo; su función característica consiste en regular y armonizar los movimientos de los otros cuatro poderes, cooperando a su mejor funcionamiento, evitando roces y obstrucciones."

El defensor más experto de la soberanía de la razón fue Víctor Cousin (1792-1867). "Para él, soberanía es lo mismo que derecho absoluto, y el derecho no se funda en la fuerza o en la voluntad general, sino en la razón. Y como los hombres están sujetos a error, no puede alcanzarse esa razón suprema y absoluta; de aquí que ni el rey ni el pueblo puedan aspirar a la posesión de la soberanía absoluta. No obstante, cabe llevar a efecto determinados principios racionales que se representan en el gobierno constitucional."

Francisco P. Guizot (1787-1874) "se opuso a la vez a la soberanía de derecho divino y a la doctrina de la voluntad general, y creyó que únicamente la razón y la justicia podían suministrar una base adecuada al poder absoluto del Estado. Como Cousin, atacó la doctrina de la voluntad suprema y absoluta, bien quedase vinculada en un individuo o en una multitud. Sostuvo que la concepción de la soberanía, tal como aparece en Hobbes, en Rousseau, en Bodin, conduce abiertamente a la tiranía y que la autoridad política se deriva de la verdad abstracta y no de la voluntad humana".

En general, el doctrinarismo aspiró a convertir en estable y permanente el compromiso constitucional que se establece entre el rey y el pueblo.

El doctrinarismo ha sido considerado: *a)* como *teoría histórica,* y *b)* como *teoría política.*

Como teoría histórica, se le han señalado los elementos siguientes: 1.° El elemento romano o municipal (principio democrático). 2.° El elemento germánico (independencia individual). 3.° El elemento teocrático (influencia moral). 4.° El elemento monárquico o jurídico, cuyo objeto es armonizar los demás.

Como teoría política, su principio fundamental es la *soberanía de la razón.* Y esta soberanía podía lograrse con la *representación* armonizada en el poder de la monarquía y del pueblo.

En modo alguno puede confundirse el *doctrinarismo* con el *constitucionalismo.* Para este, *el rey reina y no gobierna,* y el rey y sus ministros están supeditados al país. Para el doctrinarismo, el rey reina y *gobierna en armonía con el país.*

Para gobernar según el doctrinarismo, era imprescindible este *contacto constante* entre el monarca y los demás elementos sociales.

"El día en que el gobierno—escribió Royer-Collard—esté sometido a la voluntad de la mayoría de la Cámara; el día que se estatuya que la Cámara pueda rechazar los ministros del rey, imponer otros, que serían sus propios ministros y no los del rey, este día se habrá prescindido no solo de la Carta, sino de la monarquía, de la institución independiente que ha protegido a nuestros padres y que ha dado a Francia la libertad; este día estaremos de lleno en la República."

El doctrinarismo contiene un elemento negativo exacto: su afirmación de que la soberanía no es un derecho individual nato ni corresponde a la sociedad civil, como conjunto de individuos que prestan a la colectividad el atributo soberano de todas y de cada una de las partes de que consta la sociedad.

El doctrinarismo contiene asimismo una afirmación positiva no menos verdadera: la soberanía es un derecho adventicio—no nato—de las personas capaces de ejercerla.

El doctrinarismo tuvo una existencia efímera. La proclamación de la segunda República francesa le dio el golpe de gracia.

V. DIMIER, L.: *Les maîtres de la contrerrévolution au XIXe siècle.* París, 1907.—REMOND, D.: *Royer-Collard.* París, 1933.—CHATEAUBRIAND: *Monarchie selon la Charte.*—CONSTANT, Benjamín: *Principes politiques.* París, 1815.—CONSTANT, Benjamín: *Réflexions sur les Constitutions et les garanties.* 1818.—BARANTE: *Life or Royer-Collard.* Londres, 1858, 3.ª edición.

DODECASÍLABO

Dícese del verso que consta de doce sílabas. Se inició la importancia de este metro en el siglo XV. El tipo más frecuente de dodecasílabo es el dividido en dos hemistiquios de seis sílabas, equivalente a un doble hexasílabo, con acento en la quinta y undécima sílabas. "Cuando se acentúan también segunda y octava tendremos un verso que, en realidad, está compuesto por períodos prosódicos perfectamente definidos *(anfibráquicos),* que es el normal de cuatro golpes de arte mayor." (G. S. y G. M.)

¿A dó las ciéncias, a dó los sabéres,
a dó los maéstros de la poetría,
a dó los rimáres de grán maestría,
a dó los cantares, a dó los tañéres?

(F. SÁNCHEZ CALAVERA.)

El metro de doce son cuatro donceles,
donceles latinos de rítmica tropa;
son cuatro hijosdalgos con cuatro corceles:
el metro de doce galopa, galopa.

(AMADO NERVO.)

"Existe otro tipo de dodecasílabo con cesura después de la séptima sílaba, que equivale a un heptasílabo y pentasílabo, por lo que se llama de seguidilla." (G. S. y G. M.)

Tu cuarteta es cuadriga — de águilas bravas.

(RUBÉN DARÍO.)

DOGMA

1. Principio cierto, evidente e indudable, en una ciencia, en una teoría.
2. Principio fundamental e incontrovertible de una religión.

DOGMATISMO

Tendencia filosófica, cuyos fundamentos de certeza enraízan en la acción. Rehúye el *frío raciocinio* como prueba del valor objetivo de los conocimientos. Apoya sus juicios en las *disposiciones del yo* y en los *impulsos instintivos del alma.*

"Especulativamente hablando—han dicho Blondel y Laberthonnière—, el dogmatismo moral es la explicación de la certeza de la acción; para conocer el ser y creer en él, hay que cooperar a darse el ser a sí mismo. Prácticamente, no es sino la aplicación del método crítico y del ascético para despojarse de toda relatividad en su manera de ser y en la manera de pensar.

En ninguna manera es *escepticismo;* este nos sume en lo relativo; tampoco es el dogmatismo ilusorio, según el cual basta pensar o tener ideas para poseer lo absoluto."

Según tales aseveraciones, el *método de la inmanencia* es común al dogmatismo, al *fideísmo* (V.) y al *voluntarismo* (V.), ya que los tres, impulsados por la *fe,* la *voluntad* y el *sentimiento de la obligación,* admiten la existencia de Dios, la inmortalidad del alma, la libertad en el obrar, etc.

Se opone el dogmatismo—que afirma la posibilidad de la ciencia—al *escepticismo* (V.) —que la pone en duda—. El primero considera la ciencia como el conocimiento de la realidad tal como es, como la toma de posesión por el espíritu del objeto que está fuera de él. La lucha entre el dogmatismo y el escepticismo ha versado, ante todo, sobre los principios del conocimiento. Acerca de los datos de este, el dogmatismo afirma que percibimos las cualidades de los cuerpos llamadas *primarias*—extensión y resistencia—tales cuales son; y que son leyes de las cosas y del pensamiento las "nociones y verdades primeras".

Entre el dogmatismo y el escepticismo está el *criticismo* (V.) kantiano. "Los principios *a priori* del conocimiento son las leyes del espíritu, leyes según las cuales piensa los datos de la experiencia; el aplicarlos *a las cosas en sí* es hacer un *uso ilegítimo* de estos principios; y Kant, en la *Dialéctica trascendental,* muestra que todos los razonamientos de la metafísica dogmática son paralogismos." El dogmatismo moral afianza su certeza en la *fe moral* defendida por Kant, cuyos postulados son: el imperativo categórico, en el que se encierra la *obligación;* la *libertad* requerida por la obligación; la *perfección* como resultado del cumplimiento de la ley; la *felicidad* que sigue a la perfección; *la inmortalidad del alma* que exige la felicidad; la *existencia de Dios* que necesita la inmortalidad.

A la fe, a la *fe ciega,* llaman algunos filósofos *sentido moral,* o acto de voluntad moral.

En el dogmatismo moral pueden distinguirse tres tendencias:

1.ª Consideración de todos los fenómenos religiosos como brotes de la mencionada fe ciega. Esta tendencia es defendida por la mayoría de los teólogos protestantes y los *modernistas* condenados por Pío X en su encíclica *Pascendi.*

2.ª Consideración de *cierto impulso interno* como única raíz de las verdades religiosas; los dogmas que brotan de la subconciencia merced a él no enseñan si no se imponen prácticamente. Esta teoría, defendida por algunos católicos, también ha sido condenada por Pío X en la mencionada encíclica.

3.ª Admisión de puras conjeturas y probabilidades en la labor intelectual dentro de los límites de la metafísica. Sin embargo, creencia de que la voluntad y el corazón penetran con más firmeza en las profundidades de la verdad. Es esta la teoría de los filósofos llamados *voluntaristas.*

Hoy nadie niega a la voluntad su parte en la adquisición de la verdad y de la certeza; pero dicha voluntad ha de ir sumada a la evidencia objetiva determinada por el entendimiento. No existe, pues, criterio de verdad fuera de los límites de la acción intelectual.

Contra el dogmatismo moral se opone la naturaleza de la voluntad, que solo obra a la luz del entendimiento. Debe advertirse que en el catolicismo, cuya fe es certísima, no existe la *fe ciega.*

El dogmatismo lleva al escepticismo en el orden religioso y moral, tergiversa el funcionamiento ordinario y admitido de las facultades anímicas en el orden de los conocimientos, y confunde los conceptos—precisos, por otra parte—de conocimiento, volición, certeza, sentimiento, etc.

V. Mercier, Card.: *Criteriologie générale.* Lovaina, 1911.—Ollé-Laprune, L.: *La certitude morale.* París, 1905.—Piat, Cl.: *Insuffisance des philosophies de l'intuition.* París, 1908.

DOLORA

Composición poética breve, ligera y afectuosa, que suele contener alguna enseñanza y puede escribirse en variedad de metros y revestir toda suerte de formas de elocución.

Ramón de Campoamor fue el poeta que inició y perfeccionó esta composición, sin que después nadie le haya aventajado.

Pasan veinte años; vuelve él,
y al verse, exclaman él y ella:
—¡Santo Dios!, ¿y este es aquel?...
—¡Dios mío!, ¿y esta es aquella?...

La reina que enloquecía
por don Felipe el Hermoso,
la tumba al ver de su esposo,
"¡Todo está ahí!", se decía.
Sus restos exhumó un día,
pero nada allí vio, y así,
en vez del "todo está ahí",
desde tan triste ocasión,
señalando el corazón,
decía: "¡Todo está aquí!"

(R. de Campoamor.)

DOMINICANA (Literatura)

Se conocen muy pocas obras, pero bastantes nombres de escritores dominicanos de los siglos XVI y XVII: Fray Alonso de Espinosa; el canónigo Cristóbal de Liendo (1527-1584); Fray Alonso Pacheco, agustino; P. Cristóbal de Llerena, de quien queda un agudo entremés, representado en la catedral; doña Elvira de Mendoza y sor Leonor de Ovando, las primeras poetisas dominicanas; Tomás Rodríguez de Sosa,

Baltasar Fernández de Castro, Tomasina de Leyva y Mosquera, Fray Diego Martínez...

Durante el siglo XVIII se distinguieron: Pedro Agustín Morell de Santa Cruz (1674-1768) —*Historia de la isla y Catedral de Cuba*—. P. Antonio Sánchez Velarde (1729-1790)—*El predicador* e *Idea del valor de la isla española*—. Jacobo de Villaurrutia (1757-1833), historiador y sociólogo.

En 1821 se independizó Santo Domingo de España, pero fue invadida por los haitianos —que se habían independizado en 1804—. Y en 1844 recobró su independencia, tomando el nombre de República Dominicana. Puede decirse que en esta época se inicia la historia de la literatura genuinamente dominicana, contribuyendo a esta iniciación los muchos dominicanos que en 1821 habían emigrado a Cuba, de donde regresaron a partir de 1844 muy impuestos en los principales movimientos culturales de Europa y de Hispanoamérica.

Los escritores que promovieron con entusiasmo dicha exaltación fueron: José Francisco Heredia (1776-1820)—*Memorias sobre las revoluciones de Venezuela*—. Antonio del Monte Tejada (1783-1861)—*Historia de Santo Domingo*—. Esteban Pichardo (1799-1880), geógrafo, lexicógrafo. Francisco Muñoz del Monte (1800-1865), poeta y ensayista. Manuel de Monteverde (1795-1871), naturalista de cultura excepcional. Francisco Javier Foxá (1816-1865), autor de los dramas románticos *Don Pedro de Castilla* y *El Templario*. José María Rojas (1793-1855), periodista y economista. José Núñez de Cáceres (1772-1846), poeta y periodista.

A partir de 1880, la literatura dominicana adquiere un impulso decisivo y características peculiares, gracias al valor literario de escritores como Félix María del Monte (1819-1899), poeta y orador, autor de himnos patrióticos. Nicolás Ureña de Mendoza (1822-1875), poeta y prosista de temas criollos. José María González Santín (1830-1863), poeta y prosista costumbrista. Javier Angulo Guridi (1816-1884), autor del drama *Iguaniona* y de las novelas *La ciguapa* y *El fantasma de Higüey*. Alejandro Angulo Guridi (1818-1906), ensayista.

Entre los mejores prosistas de la época están: Ulises Francisco Espaillat (1823-1878) y Gregorio Luperón (1839-1897), periodistas y escritores políticos. Mariano Antonio Cestero (1838-1909), investigador y articulista. José Gabriel García (1834-1910), historiador. Fernando Arturo de Meriño (1833-1903), orador y presidente de la República. Emiliano Tejera (1841-1923), filólogo e historiador de la época colonial. Manuel de Jesús Galván (1834-1910), autor de la novela histórica *Enriquillo*.

Poetas excelentes fueron: Encarnación Echevarría de Del Monte (1821-1890), Josefa Antonia Perdomo y Heredia (1834-1896) y Manuel de Jesús de Peña y Reinoso (1834-1915). José Joaquín Pérez (1845-1900), muy alabado por Menéndez y Pelayo—*El junco verde, El voto de Anacaona*—. Salomé Ureña de Henríquez (1850-1897)—*La llegada del invierno, Sombras, Anacaona*—, poetisa igualmente ponderada con entusiasmo por Menéndez y Pelayo.

Poetas y prosistas: Francisco Gregorio Billini (1844-1898), autor de la novela regional *Engracia y Antoñita*. Federico Henríquez y Carvajal (1848-¿?) y Francisco Henríquez y Carvajal (1859-1939). César Nicolás Pensón (1855-1901)—*La víspera del combate*—. Federico García Godoy (1857-1924), novelista—*Rufinito, Alma dominicana*—, crítico—*La hora que pasa, Páginas efímeras*—e historiador literario—*Historia de la literatura dominicana*—. Enrique Henríquez (1859-1940), poeta. Emilio Prud'homme (1856-1933), poeta y ensayista. Apolinar Tejera (1855-1922), historiador. Casimiro Nemesio de Moya (1849-1915), historiador del pasado colonial.

Gastón Fernando Deligne (1861-1913) pasa por ser el más original de los poetas dominicanos—*Valle de lágrimas, Soledad, Aniquilamiento*—. Rafael Alfredo Deligne (1863-1902), hermano del anterior, ensayista de mérito —*Cosas que fueron y cosas que son*—y poeta —*Nupcias, Ella*—. Arturo Pellerano Castro (1865-1916), poeta—*Criollas*—. Virginia Elena Ortea (1866-1903), poetisa y cuentista. José Ramón López (1866-1922)—*Nisia, Cuentos puertoplateños*—. Eugenio Deschamps (1861-1919), orador y periodista. Bartolomé Olegario Pérez (1871-1900), poeta. Américo Lugo (1871), poeta, ensayista y periodista. Fabio Fiallo (1866), poeta, periodista y narrador. Andrejulio Aybar (1873), poeta y narrador. Tulio Manuel Cestero (1877), el escritor dominicano más conocido fuera de su patria, poeta—*El jardín de los sueños*—, novelista—*Ciudad romántica*—, crítico y ensayista—*Hombres y piedras*—. Apolinar Perdomo (1883-1918), poeta popularísimo en su patria.

V. HENRÍQUEZ UREÑA, Pedro: *Literatura de Santo Domingo*. En el tomo XII de la "Historia universal de la literatura", de Prampolini. Buenos Aires, Uteha, 1941.—LEGUIZAMÓN, Julio A.: *Historia de la literatura hispanoamericana*. Buenos Aires, 1945. Dos tomos.—ANTOLOGÍA DE LA LITERATURA DOMINICANA. Con notas bibliográficas. Edición oficial. Ciudad Trujillo, 1944. Dos tomos.—GARCÍA GODOY, Federico: *Literatura dominicana*. En "Revue Hispanique", XLIII. —MEJÍA DE FERNÁNDEZ, Abigail: *Historia de la literatura dominicana*. Santiago, 1943, 5.ª edición.—TEJERA, Apolinar: *Literatura dominicana*. Santo Domingo, 1922.

DONATISMO

Doctrina herética de los donatistas, discípulos y seguidores de Donato, llamado por aquellos "el Grande". El donatismo produjo el cisma más extendido y porfiado, el que más afligió a la Iglesia durante los primeros siglos.

El origen del donatismo fue el siguiente: Durante las persecuciones de Diocleciano contra los cristianos, el obispo de Cartago, Mensurio, y su diácono Ceciliano, condenaron el excesivo celo de algunos católicos que, sin haber sido buscados, se denunciaban a sí propios como cristianos. Entre estos se formó un grupo, a cuya cabeza estaba una rica viuda, de origen español, llamada Lucila, que combatió a Mensurio, acusándole de *traditor* y causando viva agitación en la Iglesia de Cartago. Al morir Mensurio, el pueblo eligió para sucederle al diácono Ceciliano. Los adversarios de este se negaron a reconocerle, alegando que Félix, obispo de Aptunga, que le había consagrado, era *traditor,* es decir, que había entregado las Sagradas Escrituras en la persecución, y que, por consiguiente, no era válida la consagración dada por tal ministro. Los descontentos eligieron al lector Mayorino, protegido por la viuda Lucila, y, a la muerte de este, al ambicioso Donato—año 313—, que sus partidarios titulaban "el Grande", obispo de Casenoria, en la Numidia, distinto del Donato que había dado nombre a tan lamentable cisma al acusar de *traditor* a Mensurio.

El emperador Constantino Magno, plenamente convencido de la legítima elección de Ceciliano, escribió a este una afectuosa carta, y escribió también al procónsul de Africa para que protegiese a Ceciliano. Los cismáticos pidieron entonces que su causa fuera juzgada por algunos obispos de las Galias. Accedió a ello—año 313—el Papa Melquíades, y se reunieron en Roma, en el palacio de Letrán, los obispos Materno, de Colonia; Reticio, de Autún; Marino, de Arlés, con quince obispos de Italia, asistiendo también Ceciliano y Donato. En Roma quedó confirmada la elección de Ceciliano. Los donatistas no se resignaron, y pidieron un nuevo concilio, que se celebró en Arlés el año 314, asistiendo doscientos obispos, según afirmó San Agustín. Y nuevamente fueron condenados los donatistas, los cuales pasaron fácil y naturalmente de cismáticos a herejes. Y el donatismo proclamó:

1.º Que la verdadera Iglesia se encontraba en Africa, entre los donatistas.

2.º Que el único bautismo válido era el conferido por los donatistas, los cuales podían rebautizar a cuantos abrazasen la secta.

3.º Que eran rechazables las consagraciones, unciones y ordenaciones practicadas por los católicos.

4.º Que no admitía la Eucaristía.

5.º Que se oponía a la vida monástica.

6.º Que solo los justos pertenecían al *cuerpo de la Iglesia.*

Inmediatamente los donatistas nombraron obispos propios. Y fue tal su propagación, que en el año 330 un sínodo que se celebró contó con doscientos setenta obispos donatistas.

Los emperadores Constancio, Valentiniano I y Graciano quisieron reducirles por la violencia. Pero las medidas de rigor, lejos de reducir el sectarismo, lo aumentaron y lo exasperaron. Los donatistas, convertidos en bárbaros sanguinarios, tomaron represalias en todas partes: asesinaban a los católicos, quemaban sus templos, sus casas y sus haciendas.

En el año 411 se celebró en Cartago, ante el tribuno Marcelino, una celebérrima disputa pública, que duró tres días, después de la cual, y en vista del triunfo obtenido por los católicos, cuya voz llevó con elocuencia y sabiduría insuperables San Agustín, fueron nuevamente condenados los donatistas, a los que se despojó de las iglesias que ocupaban.

Pero el donatismo no desapareció, a pesar de tales derrotas y a otras muchas que les causaron la ciencia combativa del maravilloso obispo de Hipona, y la de los elocuentes y sapientísimos Optato Milevitano y el español Osio.

Como siempre sucedió con los cismas, el donatismo dividióse más y más, conforme más y más íbase apartando de la verdadera fe. Sus caudillos Ticonio y Parmeniano se separaron a causa de la *reiteración del bautismo.* Y hubo entre los donatistas: *urbanistas, claudionistas* y *rogatistas.*

Más de un siglo perturbó el donatismo el norte de Africa. Y fue precisa la invasión de los vándalos arrianos, que perseguían por igual a católicos y donatistas, para que estos se reconciliasen en la ortodoxia anhelada.

V. San Agustín: *Post Collationem ad donatistas.*—Völter: *Der Ursprung der Donatisten.* Friburgo, 1883.—Duchesne: *Hist. anc. de l'Eglise.* Tomo II.—Leclerq: *L'Afrique chrétienne.* Tomo I.—Valentí Camp y Massaguer: *Las sectas... a través de la Historia.* Barcelona, 1913.

DORIO (Dialecto)

Uno de los principales dialectos de la lengua griega clásica. El más antiguo. (V. *Dialectos.)*

DRAMA

1. Nombre genérico de una composición literaria dialogada, en que se representa una acción por los personajes elegidos por el poeta.

2. Acción lastimosa destinada a ser representada en el teatro, en verso o en prosa.

3. Género mixto entre la tragedia y la comedia.

4. Acontecimientos complicados y desgraciados, que suelen desenlazarse en una catástrofe.

Etimológicamente, drama deriva de δράμα acción, por oposición a los recitados de la epopeya y a los cantos del género lírico.

El drama se distingue de la tragedia y de la comedia por la mezcla que hace con los elementos de una y otra. Provoca la risa y las lágrimas. Contrapone lo sublime y lo grotesco. Excita las emociones dolorosas y las agradables. Es decir, presenta a los espectadores la *misma vida,* pues que en esta no solo hay dolores ni solo gozos, ni siempre bondades, ni siempre maldades; de todo un poco; y rezumando de tal mezcla, realismo, humanidad.

Drama, en general, es la representación poética de una acción humana interesante, que se manifiesta con los caracteres de la realidad y no como la narración fría de un acontecimiento pasado.

La poesía dramática no es tan antigua ni tan universal como la lírica. No comienza en un pueblo sino cuando su cultura está bastante adelantada. Los pueblos primitivos no conocieron el drama, a excepción de la India y la China. En Grecia apareció a continuación de la tragedia. Y en Roma, en tiempos de Livio Andrónico. En Europa, hacia mediados del siglo XVI. El drama goza de una libertad de acción ilimitada. Su trama, acción, desenlace, personajes, diálogos, peripecias, situaciones, admiten tantos y tan diversos matices y tendencias, que ha podido ser calificado de *histórico,* de *costumbres, pastoril, filosófico, lírico, simbólico, social,* de *misterio, psicológico, político*... El drama tiene, pues, tantos aspectos y modalidades cuantas tiene la vida.

Modernamente se ha hecho una distinción sutil entre la tragedia y el drama. El desenlace de aquella ha de ser *sangriento.* El de este es *incruento.* Las penas y desgracias del drama corresponden a las almas.

Lope de Vega dio a gran número de sus obras el título de *tragicomedias;* género este que no es otro que el *dramático,* cuyo contenido participa de los elementos de la tragedia y de la comedia.

Un moderno crítico ha opinado: "Al pronunciar la voz *drama,* no es ya posible entender la representación de una acción cualquiera, sino la representación de una acción heroica, en la cual logren cabida así los sentimientos patéticos y elevados como los sentimientos dulces y apacibles, y aun los sentimientos jocosos. La dificultad estará siempre en la manera de presentar este maridaje; pero ello es privilegio del ingenio, y no se halla sujeto a reglas determinadas."

Sin embargo de las anteriores apreciaciones, es frecuente que la crítica moderna incluya en un mismo grupo escénico los dramas y las tragedias.

En el drama hay que considerar la *acción* o *asunto* y sus *cualidades;* los *personajes* y sus *caracteres;* el *plan* y la *forma externa* y sus diferentes *géneros.*

Respecto de la *acción,* dice Martínez de la Rosa en su *Arte poética*:

Al arte toca dar a una acción sola
la debida extensión y el propio enlace,
sin que desnuda y lánguida aparezca
ni en su oscuro artificio se embarace;
para el drama nacida
parezca que ella misma de buen grado
llena y completa la cabal medida,
y en su propia importancia, en su grandeza,
consigo lleve su mayor belleza.

Las principales *cualidades* de la acción dramática son: *verosimilitud, integridad* e *interés.*

En el curso y acción no ofrezca el drama
absurdos o portentos increíbles,
si aprobación y crédito reclama;
mire, toque engañado
el mismo espectador la ficción bella;
y por sus propios ojos
más profunda, más rápida, más viva,
su tierno pecho la impresión reciba.
Oculte, empero, de la vista el arte,
con previsión prudente,
lo que imposible o repugnante sea;
y busque en el oído,
testigo menos fiel, juez indulgente.
Contemple enternecido
el público las ansias, la congoja,
la infausta muerte de la reina Dido;
mas con horror no vea
que a sus míseros hijos despedaza,
bañada en sangre, la feroz Medea.

Habrá *unidad* en el drama si el argumento es uno solo, realzándolo todas las partes secundarias.

Los preceptistas de la escuela clásica exigen en todo drama las *tres* unidades de *acción, tiempo* y *lugar.* La de *acción* nace de que haya un tema único. La de *tiempo,* que la duración entre el principio y el fin sea, a lo más, de veinticuatro horas.

Si al ingenio y al arte dable fuere,
dure la acción del drama el tiempo mismo
que a ella presente el público estuviere;
mas el espacio y término de un día
la común indulgencia
ensanchó de los vates la licencia.

La unidad de *lugar* exige que nunca varíe la decoración escénica.

Nunca el lugar se mude de la escena.

Ninguna escuela literaria ha negado jamás la necesidad de la unidad de acción; pero respecto a las unidades de tiempo y lugar, los dramaturgos del siglo XVII y los románticos las negaron, y en sus obras, sin perder la unidad de acción, cambiaron numerosas veces—una por acto—el lugar, e hicieron transcurrir, entre jornada y jornada, horas, días, meses, e inclusive años.

La *integridad* de la acción dramática consiste en que no tenga ni más ni menos partes que las que deba tener, y exige que haya en cada drama *exposición, nudo* y *desenlace*.

La *exposición* es aquella parte del drama en la que se entera al espectador de todos los precedentes necesarios para la inteligencia del argumento.

> No menos verosímil que oportuna,
> fácil, breve, ingeniosa,
> la clara exposición del argumento
> encubra su designio cuidadosa.

Nudo o *trama* es la parte en que se desarrolla y complica la acción por la animada lucha de las pasiones y por los obstáculos que hay que vencer, conduciéndola o precipitándola con interés y movimiento, siempre crecientes, hasta llegar a su término, lo cual se logra mediante las *peripecias*.

> En su rápido curso la acción misma
> su origen y su objeto desenvuelva;
> su propia senda allane,
> y veloz, impaciente,
> por llegar a su término se afane.
> De uno en otro incidente
> lleve, arrebate, al ánimo suspenso;
> los riesgos, los obstáculos, la lucha,
> el contraste presente,
> cubran el porvenir de un velo denso,
> y de escena en escena
> crezca el terror, la agitación, la pena.
> Con oculto artificio preparada,
> la funesta catástrofe sorprenda
> rápida, singular, inesperada.

Se llaman *peripecias* a los repentinos cambios de situación que sufren los personajes.

Desenlace es la parte en que llega la acción a su complemento.

Los *personajes* del drama—limitados a los estrictamente necesarios—tendrán, aun en los segundos papeles, una importancia propia; y todos ellos *colaborarán* en la acción. Respecto de sus *caracteres*:

> Con sus propios matices y colores,
> los bellos caracteres pinte el drama,
> y nunca en sus retratos contradiga
> la fábula, la historia o común fama.
> Por único modelo y por maestra
> a la varia natura el arte elija;
> y ya retrate fiel, ya osado invente,
> a cada actor el drama dé un carácter
> propio, bello, distinto, consecuente.
> No hablen lo mismo el padre y el esposo,
> el fiero rey y el débil cortesano,
> el númida feroz y el culto griego,
> el mozo altivo y el prudente anciano.

En el plan del drama, y al darle *forma externa,* se cuidará de la distribución y orden que han de guardar entre sí los varios elementos de la obra: *actos, escenas, diálogo, estilo* y *lenguaje*. El drama podrá escribirse en *prosa* —modernamente es la *expresión normal*—; pero es preferible la *versificación,* porque esta, según los retóricos, es "el adorno natural de toda obra poética".

En España, el origen del drama está, quizá, en las representaciones litúrgicas de la Edad Media, en las llamadas *Danzas de la muerte*. Pero la obra primera con *dramatismo* fundamental es la famosísima *Tragicomedia de Calixto y Melibea;* ella abre el paso a los dramas de Díaz Tanco, Virués, Argensola, Juan de la Cueva y Miguel de Cervantes; los primeros, auténticos dramaturgos. El drama llega a su perfección con Lope de Vega, Calderón de la Barca, Tirso de Molina, Ruiz de Alarcón, Moreto, Rojas Zorrilla, Vélez de Guevara, Mira de Amescua.

Otros dramáticos famosos del siglo XVII son: Guillén de Castro, Miguel Sánchez, Jiménez Enciso, Tárrega, Ricardo del Turia, Carlos Boyl, Pérez de Montalbán, Velarde, Salustio del Poyo, Claramonte, Mejía de la Cerda, Diamante, Cuéllar, Monroy, Zárate, Solís, Cubillo de Aragón, Cáncer y Velasco, Bances Candamo, Monteser, Hurtado de Mendoza, Enrique Gómez, Matos Fragoso, Zamora, Cañizares...

En el siglo XVIII: Montiano y Luyando, Nicolás F. de Moratín, García de la Huerta, Cadalso, Jovellanos, Quintana, Cienfuegos, Gorostiza, Cornella...

En el siglo XIX: Martínez de la Rosa, Larra, Hartzenbusch, el duque de Rivas, García Gutiérrez, Zorrilla, Eguílaz, Ventura de la Vega, Eulogio Florentino Sanz, Gil y Zárate, Tamayo y Baus, López de Ayala, Rodríguez Rubí, Narciso Serra, Enrique Gaspar, Pérez Escrich, Felíu y Codina, Echegaray, Sellés, Novo y Colson, Leopoldo Cano, Núñez de Arce, Pérez Galdós, Dicenta, Balaguer, "Pitarra", Guimerá, Ignacio Iglesias.

En el siglo XX: Benavente, Linares Rivas, Jacinto Grau, Martí Orberá, Valle-Inclán, Marquina, Alvarez Quintero, Martínez Sierra, Rusiñol, Segarra, Pemán, Ardavín, López Martín, López Pinillos, Gual, Puig y Ferrater, Llanas, García Lorca...

Ya hemos dicho con anterioridad que la crítica ha unido genéricamente el drama con la tragedia. Por ello podemos ahora referirnos a dramas que hasta hace muy poco fueron considerados como tragedia.

Entre los dramas índicos cabe mencionar: *Sakuntala* y *El héroe y la ninfa*, de Calidasa; *El matrimonio por sorpresa,* de Bharaboudhti; *El carrito del niño,* del príncipe Sondroka; *El collar,* del rey de Cachemira, Sri Hascha Deva.

Del drama chino nos queda: *Cien piezas dramáticas compuestas durante la ilustre dinastía de los Fouen,* que pertenecen al siglo XIII.

En Inglaterra, Lodge, Greene y Marlowe inician el cultivo del género puramente dramático, cuya colosal figura es Shakespeare. Contemporáneos de este son: Ben Jonson, John Ford, Shirley, Middleton, Fletcher, Beaumont, Webster, Massniger...

Otros dramaturgos ingleses importantes: Lee, Otway, lord Byron, Rowe, Coleridge, Southerne, Payne, Shelley.

En Alemania sobresalen: Kotzebue, Immermann, Werner, Tieck, Lessing, Schiller, Goethe, Hebbel, Hauptmann, Sudermann Kayser...

En Francia: Corneille, Racine, Rotrou, Mairet, Quinault, Víctor Hugo, Alejandro Dumas —padre e hijo—, Soulié, Augier, Feuillet, Sardou, Rostand, Pailleron, Coppée, Lavedan, Donnay, Bécque, Drieux, Bernstein, Bataille...

En Italia: Alfieri, Manzoni, Goldoni, Niccolinni, Tedaldi, Cristoforis, Cossa, Giacossa, Rovetta, D'Annunzio...

(Para completar este artículo, V. la voz *Literatura* de cada uno de los distintos países.)

V. Schlegel: *Curso de literatura dramática.* —Schack: *Arte dramático en España.*

DRUIDISMO

Conjunto de creencias y prácticas religiosas de los druidas. Y druidas eran los sacerdotes de los antiguos galos o britanos. Para algunos críticos, el nombre de druida deriva del nombre céltico *dru, derou,* que significa *roble,* porque los druidas ejercían sus misteriosas funciones en lo más intrincado de los bosques. Para otros historiadores, deriva de la palabra griega *drus, encina,* o bien de las palabras irlandesas *rhouydd, hablando con Dios.* Los druidas se dividían en tres clases: 1.ª Los druidas propiamente dichos, o sacerdotes que fueron en su origen poseedores del supremo poder, pero que lo cedieron más adelante a los *brenns* o jefes militares. 2.ª Los *eubages,* adivinos y sacrificadores. 3.ª Los bardos, que cantaban los himnos divinos y las hazañas de los héroes.

Los druidas fueron alabados por escritores tan insignes como Posidonio, Julio César, Cicerón, Pomponio Mela, Dión Casio, Suetonio, Orígenes...

Según Pomponio Mela, los puntos fundamentales de la religión se reducían a tres: adorar a los dioses, no dañar a nadie y ser valientes.

Y el gran historiador Thierry hace una síntesis admirable del *druidismo.* "Los druidas enseñaban que espíritu y materia son eternos; que el Universo, aunque sometido a perpetuas variaciones de forma, permanece inalterable e indestructible en su sustancia; que el agua y el fuego son los poderosos agentes de tales variaciones, operando, por efecto de su predominio sucesivo, las grandes revoluciones de la Naturaleza, y, finalmente, que el alma humana, al dejar el cuerpo, va a imprimir vida y movimiento a otros seres. En su sistema de metempsicosis, consideran los grados de transmigración inferiores a la condición humana como estados de prueba o de castigo. Creían, además, en otro mundo semejante a este, pero en el cual era la existencia continuamente gozosa. Al pasar el alma a aquella mansión afortunada, conservaba su identidad, sus pasiones y costumbres, y estaban ciertos que existían relaciones entre los moradores de aquel mundo y los de este. La llama de las funerarias piras era considerada como medio seguro de darles noticias de los vivos, y así es que durante los funerales se quemaban cartas que habían de ser leídas por el difunto o que había de entregar a otros muertos. La fe íntima y profunda que tenían los galos en el dogma de la otra vida enseña que la doctrina druida no era, como la de los misterios de Grecia, secreto peculiar de un corto número de iniciados, sino que, por el contrario, era patrimonio de todo el pueblo. De este modo, la teología druida formaba, por decirlo así, un solo cuerpo con las creencias populares, y estaba estrechamente unida al politeísmo que informaba las prácticas de la religión celta. Además, la ciencia augural, muy en boga entre los etruscos, gozaba de igual favor entre los galos, y la ilimitada confianza que fundaba esta nación en sus imaginarias fórmulas para conocer lo futuro es claro testimonio de la popularidad de un arte que formaba una de las bases de la enseñanza sacerdotal."

Parece incuestionable que el druidismo no rechazaba la inmolación de víctimas humanas. Los dólmenes y los menhires que se encuentran en abundancia cerca de las costas de Bretaña son mirados como altares donde se consumaban estos sangrientos sacrificios.

El druismo estaba mezclado con porciones de varias prácticas supersticiosas; participaba de misteriosas virtudes en ciertas plantas, como el selago, el samolo, la verbena y, sobre todo, el *gui,* al que se atribuían propiedades maravillosas. Los druidas fueron a un mismo tiempo médicos, astrónomos y físicos. No escribieron nunca nada; toda su ciencia se reducía a unos himnos, fórmulas y oraciones en cadencia, que aprendían de memoria y que solían cantar a coro, en los bosques, durante los plenilunios.

La existencia de los druidas se remonta a muchos siglos antes de la Era cristiana. Su existencia, sin embargo, no fue conocida de griegos y romanos hasta doscientos años antes de Cristo. Julio César conoció durante sus campañas en las Galias que los principales centros del druidismo estaban en las islas de la Gran Bretaña, y se creía entonces que la doctrina druidista tuvo su origen entre los galos de las islas, y que desde allí se había propagado a las regiones vecinas de la Galia. Plinio, por el contrario, afirmó que el druidismo pasó de la Galia a la Bretaña.

Las invasiones sucesivas de los bárbaros y el establecimiento del cristianismo en las Galias pusieron fin al druidismo.

V. WOLGAST: *Druiden-Katechismus*. Hamburgo, 1884.—REINACH, S.: *Orfeo. Historia de las religiones*. Madrid, 1910.—JOYCE, P. W.: *Hist. of Anc Ireland*. Londres, 1903.—JULLIAN, C.: *Recherches sur la relig. gaul*. Burdeos, 1903.

DUALISMO

Doctrina teológica y filosófica que explica, ya un orden de cosas, ya todo el Universo, ya la existencia divina, por la acción combinada de dos principios opuestos e irreducibles. Antiguamente, los pueblos, sin excepción, creyeron que el Universo estaba formado y mantenido por el concurso de otros principios igualmente eternos y necesarios, y, por consiguiente, independientes uno de otro: el principio del Bien y el principio del Mal. Aun las religiones más primitivas tuvieron concepciones dualistas, nacidas de antítesis simples y naturales: la claridad y las tinieblas, el calor y el frío, la alegría y el dolor, etc., y así los principios del Bien y del Mal son fundamentales, aunque en diversas formas y con nombres distintos, en todas las religiones, inclusive en la cristiana. Puesto que el Mal no es concebible ni conciliable con la infinita bondad de Dios, es preciso creer en el principio autónomo del Mal, "sobre cuya actividad el principio del Bien no tiene un perfecto y absoluto dominio". Ormuz y Arimán, principios coeternos, causas del Bien y del Mal, lo mismo moral que físicamente, se perpetúan a través de las religiones y sectas—como las de los maniqueos, gnósticos y otras—, si bien la victoria final corresponde siempre al principio del Bien.

El dualismo religioso tuvo una excepción gloriosa en el cristianismo. En todos los sistemas, exceptuado el cristianismo, la creación no era *ex nihilo* por el Dios supremo, inteligente y libre, sino como una fusión o confusión de los principios del Bien y del Mal, que, antagónicos en la eternidad, se encontraban en el tiempo para producir el mundo cada uno de ellos en la proporción de bien o de mal que el Universo contiene.

También en filosofía, desde los más remotos tiempos, predominaron los sistemas dualísticos. Han sido llamados dualísticos: el sistema de *mónadas* y *díadas* pitagóricas; el *mundo sensible* y el *mundo inteligible*—de la *materia* y de la *idea*—, de Platón; la *potencia* y el *acto*, de Aristóteles; la *razón* y la *revelación*—razón y fe—de los escolásticos; el *nóumeno* y el *fenómeno*, de Kant...

Pero muchos grandes filósofos opinan que no constituyen doctrinas dualísticas las anteriormente mencionadas, porque en sus principios uno está *subordinado* a otro. El auténtico dualismo exige que no exista subordinación alguna entre los dos principios y sí verdaderas independencias y trascendencias.

Verdaderos dualismos filosóficos son: el de la *res extensa* o cuerpo y la *res cogitans* o espíritu de Descartes; y el del *monismo* de Spinoza, pues, aun cuando no reconoce más que una sustancia, reaparece el dualismo en su doctrina de los atributos, pues la sustancia tiene dos conocidos de nosotros: la *extensión* y el *pensamiento*, y todos los fenómenos son, o modos de la extensión, o modos del pensamiento.

Acaso fue Kant el primer filósofo que abandonó el dualismo, estableciendo lo trascendental y lo empírico, la relación entre lo puramente racional y los elementos empíricos dentro de la conciencia.

Todavía en nuestro tiempo, Bergson contrapuso la inteligencia—como valor práctico—a la intuición metafísica—órgano de la verdad teórica.

En el terreno de la metafísica existe otro dualismo—establecido por Wolf—: el de la materia y el espíritu.

V. REINACH, Salomón: *Orfeo. Historia de las religiones*. Madrid, Jorro, 1910.—BRICOUT, J.: *Où on est l'histoire des religions?* París, 1912. —CHANTEPIE DE LA SAUSSAYE: *Histoire des religions*. París, 1913, 2.ª edición. SCHWANE, P.: *Historia de los dogmas*. 1903.

DUBITACIÓN (V. Figuras de pensamiento)

Figura lógica, mediante la cual el orador se manifiesta perplejo acerca de lo que debe hacer o decir. El orador o escritor suele proponerse la duda a sí mismo, o hacerse una pregunta difícil, con lo que intenta cubrirse ante las objeciones que pudieran hacérsele.

> Para hablar de este misterio de nuestra redención, verdaderamente yo me hallo tan indigno, tan corto y tan atajado, que ni sé por dónde comience, ni dónde acabe, ni qué deje, ni qué tome para decir. (FRAY LUIS DE GRANADA.)

E

EBIONISMO

Nombre dado a la doctrina religiosa de los ebionitas, los cuales forman una secta judeocristiana caracterizada por su apego a la ley mosaica.

Según Tertuliano y San Epifanio, esta doctrina tomó el nombre de su originador, Ebión, famoso judío de Samaria, que vivió durante el siglo I de nuestra Era; y fueron los ebionitas los primeros herejes que turbaron la paz de la Iglesia primitiva.

Para Orígenes y Eusebio de Cesarea, los ebionitas tomaron su nombre de *ebionim*—los pobres—, y negaron la existencia de Ebión.

Entre los principios del ebionismo estaban:

1.° Jesucristo no fue sino un hombre, aunque poderoso en obras y en palabras.

2.° Todos los Evangelios eran falsos, a excepción del de San Mateo, al que denominaron *Evangelio según los hebreos.*

3.° Necesidad imprescindible de observar las ceremonias legales del *judaísmo* (V.), como si el cristianismo no hubiese de anunciarse a los gentiles, conforme al mandato de Jesús, sino únicamente a los judíos.

4.° Repudiación de las epístolas de San Pablo, a quien los ebionitas consideraron como un apóstata de la Ley.

El ebionismo nunca contó con numerosos seguidores, y aun en el siglo II ya estaba dividido en dos sectas: los que practicaban la ley mosaica, pero sin imponerla a los demás—nazareos—, y los que exigían de todos los cristianos la circuncisión y la observancia de la antigua Ley.

En el siglo V ya no se hablaba del ebionismo. Sus secuaces habíanse ido agregando a distintas herejías de mayor auge.

V. DUCHESNE: *Histoire ancienne de l'Eglise.* I, 124-128.—BOULENGER, A.: *Historia de la Iglesia.* Barcelona, 1936.—BAUR, F. Ch.: *De Ebionitarum origine et doctrina ab Essenis repetenda.* Tubinga, 1821.

ECLECTICISMO

Derivado de ἐκλεγειν, escoger; es un método filosófico que consiste en reunir teorías y opiniones sacadas de sistemas filosóficos diversos y aun opuestos.

El eclecticismo se funda en la opinión general de que los sistemas son defectuosos, ya restrictivos, ya por exclusivistas, y, ordinariamente, verdaderos por lo que afirman y falsos por lo que niegan.

En verdad, el eclecticismo filosófico tiene unos orígenes remotísimos, pero fue Víctor Cousin (1792-1867) quien dio su trascendencia filosófica al eclecticismo, tomando el *sentido común* "como criterio de lo que hay de verdadero y de falso en cada sistema".

El eclecticismo se muestra abierto a toda corriente doctrinal, pero se opone radicalmente a todo lo que es espíritu sistemático, personal, impermeable a sugestiones extrañas.

El eclecticismo nació, probablemente, en Alejandría, en los primeros siglos después de Cristo, y precisamente cuando se habían agotado todas las fuentes de la originalidad helénica. Al desconfiar los nuevos filósofos de cualquier sistema *hecho* y reafirmado, comentado y fecundo, optaron por *seleccionar* de cada uno de tales sistemas lo que reputaban como mejor, y así formaron una amalgama ciertamente atractiva. Y como, además, el cristianismo había propagado las excelencias de sus dogmas, los sabios se negaron a rendir pleitesía a un sistema único, ya que en todos veían y adivinaban verdades indiscutibles.

De aquí nació un sincretismo—sistema conciliador de opiniones diferentes—de todos los sistemas particulares filosóficorreligiosos y políticos conocidos.

Al parecer, fue Diógenes Laercio—en el proemio de su libro inmortal *Vidas de filósofos ilustres*—quien primero "sacó a relucir" el término eclecticismo: "...Bien que no ha mucho que Potamón de Alejandría fundó una secta llamada *ecléctica,* que escogió para sí cuanto en las demás le pareció bien..."

Insistimos, sin embargo, en que el término eclecticismo recibió su acepción más característica en la historia de la filosofía en las lecciones explicadas por Cousin en los cursos 1815-1817.

Eclecticismo es término que puede indicar: un *método* o una *escuela* filosófica particular.

Como *método,* implica una doble acepción: la de *conciliación* entre opuestas teorías y la de *método* propiamente dicho, es decir, reunión de teorías distintas con una *tendencia filosófica única.*

Como *escuela,* es la proclamación de que la filosofía ya no obtendrá nuevos progresos, por lo que hay que reunir y sistematizar los elementos más eficaces de varios sistemas.

El eclecticismo como escuela filosófica cuenta con jalones muy importantes. Escuelas eclécticas fueron: la de Alejandría, la concepción filosófica de Leibniz, el racionalismo de Cousin.

La escuela ecléctica de Alejandría apareció en el siglo II después de Cristo, y es mejor conocida con el nombre de *neoplatonismo* (V.). Entre los neoplatónicos estuvieron: Ammonio Saccas, Herennio, Plotino, Porfirio, Hierocles, Proclo, Jámblico, Edesio, Crisantio, Máximo... El eclecticismo neoplatónico mezcló teorías e ideales del fundador de la Academia con principios fundamentales del cristianismo; los judíos y los gnósticos buscaron en la Academia y en el Peripato nociones con que comentar los dogmas de los Evangelios.

El eclecticismo de Leibniz fue consecuencia de su inmenso saber, de su pasión por la armonía en todos los órdenes, de su ideal de la *característica universal*—el *optimismo* (V.)—, capaz de explicar todo y de beneficiarse con todo.

De Leibniz son las maravillosas declaraciones: "La verdad está más extendida de lo que generalmente se piensa; pero con frecuencia se halla como escondida, como disfrazada, como debilitada y corrompida por adiciones que vienen a falsearla y a inutilizarla. Haciendo notar estos vestigios de la verdad en los antiguos, o, por mejor decir, en cuantos nos precedieron, se sacaría el oro del lodo, el diamante de la mina y la luz de las tinieblas, y sería esto efectivamente *perennis quaedam Philosophia.*"

Y Víctor Cousin—en su *Manuel d'Histoire générale de la Philosophie*—escribe: "Esta pretensión mía de no rechazar ningún sistema ni aceptar ninguno en su totalidad, dejar esto y tomar aquello, escoger de todo lo que me parece más verdadero y bueno, y, por consiguiente, duradero, es, en una palabra, el eclecticismo... Las doctrinas exclusivistas son, en filosofía, lo que en la nación los partidos. El eclecticismo se propone reemplazar su acción violenta e irregular por una dirección firme y moderada, que aproveche todas las fuerzas, sin dejar ninguna, ni sacrifique a ninguna el orden e interés general... Estudiando las varias escuelas filosóficas... caí en la cuenta de que su autoridad estribaba en que tienen todas, efectivamente, algo verdadero y bueno; sospeché que en el fondo no son tan radicalmente enemigas como pretenden; no abrigué la menor duda de que, con determinadas condiciones, podrían comportarse unas con otras, y heme aquí proponiendo un tratado de paz sobre la base de recíprocas concesiones; desde este momento tomé en mis labios la palabra *eclecticismo...*"

Según Cousin, la filosofía del mundo no ha formado sino cuatro sistemas, ninguno de los cuales es, ni puede ser, verdadero; hallándose, sin embargo, la verdad completa repartida entre los cuatro:

1.º El *sensualismo*—que intenta explicarlo todo por las sensaciones.

2.º El *idealismo*—que intenta explicarlo todo por la inteligencia.

3.º El *escepticismo*—que pone en duda los dos anteriores.

4.º El *misticismo*—que quiere llegar a la verdad por inspiración.

El eclecticismo, que representa para Cousin el último grado de desarrollo de la inteligencia humana, tiene como tarea maravillosa aplicarse con reflexión a poner en armonía las *partes de verdad* que contienen los cuatro sistemas enunciados para lograr la verdad total. Y esta tarea del pensamiento alcanzará afortunado fin si logra sumar en su esfuerzo las dos formas en que hasta ahora se trabajó para alcanzar la verdad: la *oculta, virtual* y *subconsciente*—en el sentido común por todos poseído—y la *manifiesta,* dispersa y repartida en todas las épocas y en todos los idearios y los manifiestos de la filosofía.

V. COUSIN, V.: *Histoire générale de la Philosophie.* París, 1867, 8.ª edición.—BARUZI, Jean: *Leibniz.* París, 1909.—FRESNEAU, A.: *L'Eclecticisme.* París, 1890, 4.ª edición.—ALAUX, J.: *La philosophie de M. Cousin.* París, 1864.

ECO (Versos en)

Poesías en las cuales se repite la sílaba final o las dos últimas en un verso en razón de producir el efecto del eco. Griegos y latinos conocieron ya estas composiciones poéticas artificiosas y pueriles. A partir del siglo XVI fueron muy usadas por los poetas franceses. En España las escribieron Lope de Vega, Moreto, Valladares de Valdelomar... De este último poeta es el soneto siguiente:

No hay en mí inmenso desconsuelo,
suelo,
ni tiene mi mortal locura,
cura;
porque si tanta desventura,
tura,
resulta en mí si me conduelo,
duelo.

No tengo al bien, por mi recelo,
celo,
y no es mi alma, aunque se apura,
pura,
que culpa ha hecho su blandura,
dura,
sin que le quede a su repelo,
pelo,

Quien busca al mal que le despene,
pene;
pues siempre sale al que es travieso,
avieso,
y nunca el bien que le conviene,
viene.
Siento en llevar mi carne en peso,
peso,
pues menos fe a quien le mantiene,
tiene;
más por ser largo este proceso,
eso.

ECOICO

Se dice así del verso en el que se encuentra eco o repetición de una a dos sílabas finales.

ÉCTASIS

1. Figura retórica, que consiste en alargar una sílaba breve para la medida del verso.
2. Término prosódico. (V. *Diástole.*)

ECUATORIANA (Literatura)

Durante la época colonial no existió una literatura propiamente ecuatoriana. Pero sí abundaron los nombres ilustres en letras. Entre ellos merecen especial mención: el obispo Gaspar de Villarroel, nacido en Quito el año 1587, autor de *Comentarios latinos sobre los cantares, Cuestiones escolásticas y positivas, El gobierno eclesiástico pacífico.* Eugenio Francisco Javier Espejo (1747-1795), el mestizo más notable de la época colonial, director del periódico *Las Primicias de la Cultura de Quito,* satírico y erudito, cuyo verdadero nombre es un enigma, autor de *El nuevo Luciano* y *La ciencia blancardina.* El jesuita riobabeño Juan de Velasco (1727-1792), autor de una animada *Historia del Reyno de Quito.* Jacinto Evia (1620-¿?), nacido en Guayaquil, publicó un *Ramillete de varias flores poéticas*—Alcalá, 1675—, en el que insertó varias poesías suyas. José Murillo (siglo XVIII), quiteño, poeta gerundiano, inventor del metro *rima azucénica,* en el que compuso *Breve vida de la mejor azucena de Quito,* biografía gongorina de la mística quiteña del siglo XVII Mariana de Jesús. Juan Bautista Aguirre (1725-1786), gongorista acérrimo—*Carta a Lisardo, Poema heroico* sobre San Ignacio y *Tratado polémico dogmático.*

Con los neoclasicistas rezagados y con los prerrománticos se inicia la literatura autóctona del Ecuador. Durante los años de la Revolución surgió la magnífica personalidad de José Joaquín Olmedo (1780-1847), posiblemente el más vigoroso de los cantores de la libertad hispanoamericanos—y sinceramente elogiado por Menéndez y Pelayo—*La victoria de Junín, Canto a Bolívar, Ensayo sobre el hombre.* Fray Vicente Solano (1791-1865), religioso conquense, periodista audaz y muy combatido.

Entre los románticos más insignes cuentan: Juan León Mera (1832-1899), erudito—*Ojeada historicocrítica de la poesía ecuatoriana*—, poeta—*Melodías indígenas*—y novelista—*Cumandá o un drama entre salvajes*—. Julio Zaldumbide (1833-1887), traductor de Byron y Alfieri, poeta contemplativo y filosóficomoral—*La estrella de la tarde, A la soledad del campo, La tarde*—. Dolores Veintimilla de Galindo (1821-1857), llamada la "Safo ecuatoriana"—*Quejas*—. Gabriel García Moreno (1821-1875)—*Discurso sobre la poesía, Epístola a Fabio.*

En la segunda fase del romanticismo: Luis Cordero (1830-1912), de tendencia idílica—*Aplausos y quejas*—. Antonio Toledo (1868-1913)—*Brumas*—. Numa Pompilio Llona (1832-1907)—*Odisea del alma, Cien sonetos, Cantos y poemas, Clamores de Occidente*—. Remigio Crespo Toral (1860-1939), el más completo, quizá, de los líricos ecuatorianos—*Mi poema, España y América, América y España*—. M. V. Pérez Flores, sonetista excelente, cantor de la atmósfera ecuatorial.

Mención aparte merece Juan Montalvo (1833-1889), gran pensador, gran prosista, ensayista excepcional, defensor admirable de la lengua y de la cultura españolas—*El espectador, Siete tratados, Capítulos que se le olvidaron a Cervantes, Geometría moral, Catilinarias, Fortuna y felicidad, Libro de las verdades*—. Montalvo es una de las figuras más egregias de las letras hispanoamericanas.

Entre los historiadores, críticos y ensayistas: Federico González Suárez (1844-1917), historiador y literato—*Historia general de la República del Ecuador, Hermosura de la Naturaleza, Estudios literarios*—. Julio Tobar Donoso, historiador y biógrafo. Jacinto Jijón y Caamaño, historiador y arqueólogo.

El modernismo fue exaltado desde las columnas de las revistas *Letras* y *Renacimiento.* Guía máximo y admirable de esta generación ha sido Gonzalo Zaldumbide (1882), pensador, ensayista y crítico de altura, prosista castizo y riquísimo—*De Ariel, La evolución de Gabriel d'Annunzio, Frutos en agraz, Montalvo y Rodó, Egogla trágica,* ensayo de novela.

Poetas modernistas y postmodernistas: Arturo Borja (1894-1915)—*La flauta de ónix*—. Ernesto Noboa Caamaño (1892-1926)—*Romanza de las horas*—. Medardo Angel Rivas (1899-1921)—*El árbol del bien y del mal*—. Humberto Fierro (1890-1931)—*El laúd en el valle*—. Jorge Carrera Andrade (1903)—*La guirnalda del silencio, Rol de la manzana, Boletines de mar y tierra*—. Augusto Arias (1902)—*El corazón de Eva*—. José Rumazo (1904)—*Raudal*—. Adolfo Sotomayor—*Amanecer en cualquier camino*—. José María Egas (1896)—*Unción*—. Jorge Reyes (1904)—*Quito, arrabal del cielo; Treinta poemas de mi tierra*—. Gonzalo Escudero (1903)—*Parábolas olímpicas, Hélices de huracán y de*

E

sol—. Alejandro Carrión (1915)—*Luz en el nuevo paisaje*—. Humberto Matta (1904)—*Galope de volcanes*—. Manuel Agustín Aguirre (1904) —*Llamada a los proletarios*—. José Alfredo Llerena—*Agonía y paisaje del caballo*—. Pedro Jorge Vera (1915)—*Carteles para las paredes hambrientas*—. Ignacio Lazo, Hugo Mayo, Remigio Romero, Falconi Villagómez, Abel Romeo Castillo (1904)—*Nuevo descubrimiento de Guayaquil*—, Augusto Sacoto Arias...

Entre los novelistas: Joaquín Gallegos Lara, cuentista. Enrique Gil Gilbert—*Jungla*—. Demetrio Aguilera Malta—*Canalzone, Don Goyo*—. José de la Cuadra—*Los sangurimas, Horno*—. Jorge Icaza (1905), extraordinario narrador en *Huasipungo, Barro de la sierra, Cholos* y *En las calles.* Humberto Salvador—*Camarada, Taza de té, En la ciudad se ha perdido una novela*—. Fernando Chávez—*Plata y bronce*—. Pablo Palacio—*La vida del ahorcado, Un muerto a puntapiés*—. Alfredo Pareja—*Muelle, Baldomera, La Beldaca*—. Alfonso Cuesta—*Cantera*—. Jorge Fernández...

Entre los críticos y ensayistas: Benjamín Carrión, novelista—*El desencanto de Miguel García*—y gran crítico—*Mapa de América, Los creadores de la nueva América, Atahualpa*—. El ya mencionado poeta Augusto Arias, historiador y crítico insigne—*Panorama de la literatura ecuatoriana, El cristal indígena, Mariana de Jesús*—. Juan Pablo Muñoz—*Auriel*—. Isaac J. Barrera, historiador y crítico—*La literatura ecuatoriana.*

V. BARRERA, Isaac J.: *Literatura del Ecuador.* En el tomo XII de la "Historia universal de la literatura", de Prampolini. Buenos Aires, Uteha, 1941.—BARRERA, Isaac J.: *La literatura ecuatoriana.* Quito, 1926, 2.ª edición.—ARIAS, Augusto: *Panorama de la literatura ecuatoriana.* Quito, 1936.—HERRERA, Pablo: *Ensayo sobre la literatura ecuatoriana.* Quito, 1889, 2.ª edición.

EDAD MEDIA

Período de la historia literaria de los diversos pueblos.

V. *Española, Inglesa, Francesa, Italiana, Alemana, Portuguesa,* etc., etc. *(Literatura).*

V. *Gesta* (Canción), *Misterios dramáticos, Románicas (Lenguas).*

EDAD DE ORO

Nombre dado a determinados períodos de la literatura de un país, en que esta alcanzó sus máximas posibilidades de flor y de fruto, de ejemplarización, de estilo, de fecundidad, de influencia para el porvenir.

Estimamos más acertada la calificación de *Edad de Oro* que la de *Siglo de Oro,* utilizada esta más frecuentemente en la actualidad para designar a dicho período cultural, entre otras razones porque ese *Siglo de Oro* casi nunca coincide en extensión con la equivalente del mismo tiempo: cien años.

Naturalmente, en todas las grandes culturas ha existido esa *Edad de Oro.* En Grecia correspondió al también llamado *Siglo de Pericles*—y antes de Cristo—, en el que vivieron: Esquilo, Sófocles, Eurípides, Herodoto, Tucídides, Sócrates, Platón... La *Edad de Oro* latina correspondió al siglo I antes de Cristo, con Lucrecio, Catulo, Virgilio, Horacio, Tibulo, Ovidio, Julio César, Salustio, Varrón, Tito Livio, Cicerón...

La *Edad de Oro* francesa coincide con los reinados de Luis XIII y Luis XIV, durante los cuales se inmortalizaron Corneille, Racine, Molière, Scarron, Descartes, Pascal, Fenelón, La Bruyère, Bossuet, La Rochefoucauld, Madame de La Fayette, Cyrano de Bergerac, Saint-Simon, La Fontaine...

La *Edad de Oro* española comprende bastante más de un siglo: desde 1550 hasta 1680; en la poesía: San Juan de la Cruz, Fray Luis de León, Hojeda, Balbuena, Góngora, los Argensolas, Arguijo, Rioja, Jáuregui, Caro, Carrillo de Sotomayor, Lope de Vega, Quevedo... En el teatro: Lope, Tirso de Molina, Ruiz de Alarcón, Calderón, Rojas, Zorrilla, Moreto, Vélez de Guevara, Pérez de Montalbán, Quiñones de Benavente... En la novela: Cervantes, Mateo Alemán, Espinel, Quevedo, Salas Barbadillo, Castillo y Solórzano, María de Zayas... En la mística y ascética: Santa Teresa de Jesús, San Juan de la Cruz, Malón de Chaide, el beato Orozco, Fray Luis de Granada, Fray Juan de los Ángeles, Juan de Avila, Alejo Venegas del Busto, Santo Tomás de Villanueva, Fray Diego de Estella... (V. *Renacimiento* y *Barroquismo.)*

EDDAS

Con este nombre son designadas dos series de leyendas escandinavas, tenidas como los más antiguos monumentos de la literatura del norte de Europa. Edda significa como *bisabuela, cuentos y cantos de la bisabuela;* mas también significa *madre de la poesía.*

Los *Eddas* son dos: uno en verso, llamado *Edda poético,* atribuido a Saemund Sigfusson *el Sabio;* el otro, en prosa, o *Edda nuevo.*

El *Edda poético* contiene un gran número de pequeños poemas compuestos, en épocas diferentes, por los *escaldas* (V.), acerca de temas históricos y mitológicos. Algunos son anteriores al siglo VI; en su mayoría corresponden a los siglos VII y VIII. Como bastantes de estos poemas se hallan incompletos y necesitan comentarios, el colector añadió algunos párrafos en prosa, con los que intentó *reconstruir* las composiciones mutiladas. Tal recopilación se llevó a cabo en Islandia, en el siglo XI.

El manuscrito del *Edda poético* fue descubierto, en 1643, por Brynjolf Sveinsson, obispo de Skalhot, en Islandia.

Por esta época apareció también el *Edda* en prosa, que no es otra cosa que una síntesis de los cantos escandinavos que componen el *Edda poético*. Snorre Sturlesson, célebre crítico noruego, considera las síntesis en prosa como la primera redacción de los *Eddas*.

Los poemas del *Edda* pueden ser divididos en dos clases: *poemas mitológicos* y *poemas históricos*.

Entre los primeros están: 1.º La *Volupsa* o predicación de Vola *el Sabio,* poema que resume en un estilo misterioso toda la mitología escandinava. 2.º Los *Poemas de Odin,* que comprenden el canto antiguo, el canto de Lodfafner y el discurso rúnico. 3.º El *Vafthrudnis-mal,* o poema de Vafthrudnir, diálogo entre este y Odín. 4.º El *Grimnis-mal,* o canto de Grimmer, descripción de las moradas de los dioses. 5.º El *Allvis-mal,* diálogo entre el enano Allvis y el dios Thor, venciendo este. 6.º El *Hymisquida,* o canto de Himmer, en el que se describe una fiesta maravillosa en el palacio del dios marino Aeger. 7.º El *Aegis-drecka* o *Loka-glespa,* es decir, el festín de Aeger y el canto difamatorio de Loka. 8.º *Los golpes del martillo.* 9.º El *Poema de Harbard,* considerado como un canto apócrifo en el *Edda.* 10. El *Viaje de Skirner.* 11. El *Canto del cuervo de Odín.* 12. El *Poema de Vegtam.* 13. *Evocación de Groa.* 14. El *Poema de Fjolsvinnr.* 15. El *Canto de Hyndla.* 16. El *Poema de Rig.* 17. El *Canto del sol.*

Los poemas históricos forman la segunda parte del *Edda* debido a Saemund *el Sabio,* y comprenden diecinueve cantos sobre Voelund, Helge—vencedor de Hating—, los Voels, la muerte de Sinfjoetle, Sigurd—vencedor de Fafner—, Fafner, Brynhilda, Gudrun, Atle, Hamdir...

Estos cantos guardan una estrecha relación con las leyendas de los *Voelsungs* y de los *Niflungs;* y están considerados por la crítica como la versión más pura de estas leyendas.

Los poemas épicos presentan dos formas: el *metro épico—Kvidhuhattr—*y el *metro didáctico—Cjódhahttr—*. En el primero, las estrofas suman ocho versos, estando conexionadas de dos en dos por aliteración, que es su ritmo, es decir, que en cada pareado se hallan tres palabras que empiezan con la misma letra. El metro didáctico consta de seis sílabas, de las cuales la primera, segunda, cuarta y quinta son aliteradas, por pareados, mientras la tercera y la sexta contienen dos o tres letras iniciales idénticas.

Los principales manuscritos de los *Eddas* son: 1.º El *Códice regio,* que pasó de Sveinsson al rey Federico III, conservado en la Biblioteca Real de Copenhague. 2.º El *Códice Wormianus,* en la misma Biblioteca. 3.º El *Edda de Upsala,* donado en 1669 a la Biblioteca de la Universidad de Upsala por el conde de La Gardie, canciller de Suecia. Y sus manuscritos de menos valor conservados en la Biblioteca Nacional de Estocolmo.

Ediciones modernas del *Edda poético*: Berlín, 1812; Cristianía, 1847; Copenhague, 1821; Leipzig, 1860; París, 1838. Del *Edda en prosa*: Estocolmo, 1818; Reykiavik, 1848; Copenhague, 1848.

V. EICHOFF: *Tableau de la littérature du Nord au Moyen Age.* París, 1857.—LAVELEYE, Emm. de: *La Saga des Nibelungen dans les Eddas...* París, 1866.—HEIBERG: *Nordliche Mythologie, aus der Eddas.* Slesvig, 1826.

E

EDICIÓN

1. Impresión de un escrito cualquiera.
2. El mismo escrito impreso.
3. Cada una de las veces que se imprime de nuevo una misma obra.
4. Conjunto de ejemplares que se han impreso de una obra, cada vez, con el mismo molde.

La primera edición de una obra clásica es llamada *edición príncipe.* Se denomina *edición crítica* de una obra aquella, posterior a la *príncipe,* en la que el investigador, erudito o crítico, intenta fijar, reconstituir, aclarar el texto con relación al primitivo.

Se llama *edición diplomática* aquella en que se reproduce un texto manuscrito sin modificación alguna.

Antiguamente se conocieron con el nombre de ediciones *ad usum Delphini* aquellas en que el texto original se hallaba mutilado, expurgado o sintetizado. (V. *Libro, Imprenta, Bibliografía.)*

EDITOR

1. El que imprime o hace imprimir una obra por su cuenta, por cuenta del autor o de un tercero.
2. El erudito o crítico que revisa y publica las obras de otro.

En la antigüedad fueron llamados editores: 1.º, los que multiplicaban las copias de las obras clásicas; 2.º, los que fundaban bibliotecas y protegían a los escritores; 3.º, los comentadores de las obras, quienes contribuían así a extender su conocimiento.

Editores famosos han sido: los Aldo Manucio, los Estienne, Lorenzo Coster, los Plantin, los Elzevir, los Kodot, Giditis, Grannozzo, Jacobs y Rots, Niebuhr, Tauchnitz, Hase, Zimmermann, Juan de la Cuesta, los Ibarra, Sancha...

A partir del siglo XVII, el editor se ha hecho indispensable por sus conocimientos técnicos; por su labor mercantil y la organización de su industria, que le permiten dar una publicidad enorme a una obra; por contar con capitales grandes, que le permiten hacer ediciones de muchos miles de ejemplares, razón primordial del abaratamiento del libro; porque entre ellos surge la competencia, que redunda en el mejoramiento y belleza de las ediciones. (V. *Bibliografía, Biblioteca* y *Bibliofilia.)*

EDITORIAL

1. Artículo de fondo—no firmado por su autor—en un periódico.

2. Casa, establecimiento de un editor.

EFEMÉRIDES

De ἐφέμερίς, de ἐπι, bajo, y ἡμηρα, día. Nombre dado entre los antiguos a escritos destinados a registrar, día por día, los acontecimientos y los actos públicos y particulares. También se empleó para designar las memorias, las relaciones bibliográficas detalladas acerca de un personaje. Y también se llamó así al *Libro* o *Almanaque* en el que se refieren los sucesos notables que en el mismo día del año acaecieron en distintas épocas.

Entre los modernos son llamadas *Efemérides* las tablas astronómicas por las cuales se determinan, día por día, las posiciones de los planetas.

A las *Efemérides,* desde el punto de vista literario e histórico, se las ha calificado de *libros de razón,* y constituyen fuentes históricas de un valor excepcional.

El nombre de *Efemérides* ha servido como título a muchas publicaciones periódicas. Recuérdense las *Ephémérides du citogen,* del abate Baudeau, el marqués de Mirabeau y Dupont de Nemours, publicadas entre 1765 y 1772; las *Efemérides políticas, literarias y religiosas,* de Nöel y Planche; las *Allegemenier biographisch-historischer Fest-Calender,* Leipzig, 1864.

También se han dedicado muchos libros a la recopilación de *Efemérides.* En España: *Colección de efemérides,* Zaragoza, 1862; *Efemérides españolas,* Madrid, 1896; *Diccionario de efemérides,* Madrid, Ed. Aguilar, 1949.

EGIPCIA (Lengua)

El egipcio, tal como se habló desde la más remota antigüedad en Egipto y en Nubia, es una lengua monosilábica en sus elementos primitivos, y en la cual muchas palabras parecen formadas por onomatopeya.

El egipcio se dividió en dos dialectos distintos: el *sagrado,* que servía también para el arte, la literatura y la administración, *lengua muerta,* que los sabios se han esforzado por reconstituir con ayuda de los monumentos epigráficos, y el *popular,* que respondía a las exigencias de la vida social y que, bajo el nombre de copto, ha estado vigente hasta el siglo XVII. La separación de ambos dialectos tuvo lugar, según Lipsius, en los siglos transcurridos entre las dinastías vigésima y vigésima sexta. A partir de esta separación, el *popular* sufrió múltiples modificaciones, mientras el *sagrado* permaneció inmutable. Entre ellos llegó a haber esas diferencias que existen entre el latín y el italiano, o el sánscrito y las modernas lenguas de la India.

Para llegar al conocimiento de la lengua egipcia es sumamente útil el estudio de la gramática y del vocabulario coptos.

Su carácter monosilábico fue alterado sensiblemente por la formación de palabras compuestas, a las que aquella lengua se prestaba con facilidad. El sentido de un monosílabo o palabra primitiva estuvo modificado por la adición de otro monosílabo que marcaba el género, la persona, el modo, el tiempo... Poco a poco la radical pasó a la situación de nombre abstracto, de nombre de acción, de nombre de lugar, de adjetivo, de participio y de verbo.

La construcción o sintaxis seguía el orden lógico.

En cuanto a la composición del vocabulario, no ha podido ser estudiada por la comparación con otras lenguas vecinas del Africa y de Asia. En el egipcio se encuentran escasísimos vocablos hebreos y árabes. Y las palabras que del egipcio han llegado hasta nosotros las conocemos muy modificadas al pasar por el griego y el latín.

Según Lipsius, una de las principales diferencias entre el copto y la lengua egipcia sagrada consiste en que la mayor parte de las flexiones gramaticales *colocadas después* de los sustantivos y de los verbos en la *lengua sagrada* son colocados antes en la *lengua popular.*

Los egipcios emplearon simultáneamente para la transcripción de las dos lenguas muchos sistemas de escritura. La lengua sagrada no adoptó únicamente los *jeroglíficos* o *signos figurativos;* empleó también los caracteres *hieráticos* o sacerdotales, de los que el alfabeto derivado de la representación *jeroglífica* comprendía los mismos elementos, pero bajo una forma cursiva simplemente alterada. Para el dialecto vulgar fue empleado un segundo sistema, que se denominó escritura *demótica, epistolográfica* y *encórica,* y que se componía de signos fonéticos, menos numerosos y más sencillos que los del sistema primero.

En tanto que el sistema figurativo se escribe indiferentemente de izquierda a derecha, de derecha a izquierda y preferentemente de arriba abajo—en líneas verticales—, la escritura demótica va siempre de derecha a izquierda en líneas horizontales.

Los monumentos más antiguos de la escritura sagrada alcanzan hasta más allá del año 2000 antes de Jesucristo; y los últimos parecen pertenecer al tercer siglo de nuestra Era, puesto que contienen los nombres de Caracalla y Geta. Los papiros demóticos más recientes son de la misma época.

V. SCHOLTZ: *Grammatica aegyptiaca utriusque dialecti.* Oxford. Varias ediciones.—CHAM-

POLLION: *Grammaire égyptienne.* París, 1863.—UHLEMAN: *Linguae copticae grammatica...* Leipzig, 1854.—MASPERO: *Des formes de la conjugaison en égyptien antique en démotique et en copte.* En "Bib. des Hautes-Etudes", lib. VI.

EGIPCIA (Literatura)

Se debe entender por literatura egipcia únicamente la escrita en egipcio y en copto.

A la primera corresponden tres especies de escritura: *jeroglífica* o *monumental, hierática* o *cursiva antigua* y *demótica* o *cursiva degenerada.* El copto es la lengua popular, derivada del egipcio y enriquecida con numerosas palabras griegas y árabes.

Se conservan numerosos textos literarios egipcios. Los más antiguos son, acaso, los grabados en las Pirámides hacia el siglo XXV antes de nuestra Era.

El siglo XXIII—época heracleopolitana—es uno de los más ricos en manifestaciones literarias, entre las que sobresalen el *Diálogo del desesperado* y los *Avisos de un sabio egipcio.* Entre los siglos XX y XVIII: *Sinuhé, Cuento del náufrago*—origen, acaso, de *Simbad el marino*— y *El campesino elocuente.* Entre los siglos XVII y XI: los *Himnos de Amenofis IV,* los *Anales* y los cuentos *La Verdad y la Mentira, Los dos hermanos* y *El príncipe predestinado.* En el siglo X aparece la *Historia de Un-Amun.* Y entre esta última centuria y el siglo I de nuestra Era: la *Crónica demótica,* las narraciones de *Pedubast,* los *Escritos herméticos* y los *Astrológicos.*

Aun cuando fue el egipcio un pueblo pacífico, luchó algunas veces y gustó de recordar sus luchas con cierto énfasis. Así, al género de la epopeya corresponden los *Textos de las Pirámides*—que revelan las luchas titánicas del hombre con la Naturaleza y con las bestias feroces—; las *Memorias de Sinuhit*—aventuras en Palestina de un fugitivo político de los tiempos de Abraham—; el *Poema de Pentaur*—descripción de una de las batallas de Ramsés II con los hititas en Kades—; el *Viaje de Un-Amun.*

Aun cuando se han perdido gran número de textos mitológicos, en los *Textos de las Pirámides* aún pueden leerse el *Mito de Re,* la *Destrucción de los hombres, Isis y Osiris.*

El género histórico tuvo sus más felices destellos en las tumbas, ya que se grababan en las piedras—y en las estelas—verdaderas *biografías* literarias de los muertos.

En el género religioso sobresalió la recopilación titulada *Per-em-Kru* o *Libro de los muertos,* de la cual se conocen tres versiones: *tebana, heliopolitana* y *saita,* siendo esta última la mejor y definitiva en 165 artículos, y fue publicada—1842—por Lipsius. El *Libro de los muertos,* textualmente: *El libro de irse alejando en el día,* comprende una parte litúrgica y otra de fórmulas mágicas y de encantaciones. Esta obra se atribuye a Thot, escriba de los dioses.

Otros textos religiosos: *Libro de las súplicas* —también atribuido a Thot—, las *Lamentaciones de Isis y de Nefitis,* las *Letanías de Seker, Libro de la travesía de la Eternidad*—en el que se describen los goces del difunto—, el *Tuat*—"el otro mundo"—, dividido en doce secciones, correspondientes a los doce meses del año.

En el género de la fábula cabe mencionar la *Historia de Tefnut,* la diosa leona o gata; historia que es un centón de fábulas y cuentos, escritos o dibujados. Pero como el pueblo egipcio sintió un fervor supersticioso por muchos animales, posiblemente se multiplicaron los apólogos, cuyos protagonistas serían leones, cuervos, halcones, perros, cabras...

La poesía lírica egipcia fue rica en himnos, que eran recitados con acompañamiento musical. De estos himnos eran unas letanías interminables sin valor literario alguno; pero otros se pueden comparar con las más bellas poesías líricas de todos los tiempos y de todos los países. Así: el *Himno al Nilo,* el *Himno a Senuseret III,* los himnos de *Thutmel III, Ramsés II* y *Merentah.*

En el *género moral* destacan: las *Máximas de Ptahotep,* consideradas—en opinión de Lipsius y Maspero—como el más antiguo libro del mundo; la *Sabiduría de Amenemope*—libro dedicado a la juventud.

Pueden ser considerados dentro del "género filosófico": el *Diálogo de un desesperado con su alma* y el *Diálogo de la Verdad y de la Mentira.* Y dentro del "género oratorio": *El campesino elocuente,* cuyo tema es el robo de un asno con el equipaje a un fellah, el cual, para que le hagan justicia, se ve obligado a defender su causa con varios discursos.

El *copto* es el *dialecto vulgar egipcio,* que ha evolucionado con el tiempo, mezclándose con voces griegas y árabes.

A su vez, el copto se subdividió en varios dialectos, de los cuales únicamente el *saidico* —o del Alto Egipto—y el *bohahirico*—o del Bajo Egipto—tienen estimable literatura.

En copto se conservan excelentes versiones de la Biblia, textos litúrgicos, reglas monacales, vidas de santos, versiones de apocalipsis y apócrifos, obras de los Padres de la Iglesia.

El abad Senuda—muerto en el año 451—es el gran padre de la literatura copta. Se conservan de su enérgica pluma cartas y escritos parenéticos y homiléticos.

De las ideas gnósticas de los egipcios es buena prueba el *Pistis Sofia;* y de las ideas maniqueas, los numerosos escritos de la colección Chester Beatty.

El *Triadón*—poesía en tres rimas—corresponde a la decadencia del dialecto saidico; y las poesías litúrgicas, en honor de la Santísima Virgen, *Theothoia,* al dialecto bohahírico.

V. Maspero, G.: *Les contes populaires de l'Egypte ancien.* París, 1904.—Renán, E.: *Rapport sur le progrès de la littérature orientale.* París, 1868.—Spohn: *De lingua et litteris veterum Aegyptiorum.* 1825.—Pieper, Max: *Die Aegyptische literatur.* Postdam, 1928.—Erman, A.: *Die literatur der Aegypter.* Leipzig, 1923.—Peet, E.: *A comparative Study of the Literatures of Egypt, Palestine and Mesopotamia.* Londres, 1931.

ÉGLOGA

1. Este nombre, que los modernos otorgan exclusivamente al *poema pastoral,* tuvo entre los griegos y romanos el sentido de *conjunto,* de *reunión,* de *elegidas,* de *selectas* (ἐκλογή) y se aplicó a las series de pequeñas composiciones, odas, sátiras, epigramas, bucólicas... y a cada una de las piezas en particular.

2. Pequeño poema en que, imitando el lenguaje y costumbre de los pastores, y usando, tal vez, de alegorías, el poeta desarrolla el argumento.

3. Título dado, después de Virgilio, a las poesías pastoriles, cuyo carácter esencial es la sencillez.

Entre los griegos y romanos, la *égloga* significaba lo mismo que el *idilio.* La misión única era realizar los encantos de la vida campestre y describir con pasión dulce la hermosura de la Naturaleza. Cuantos personajes intervenían en la égloga habían de ser rústicos, y sentir y hablar como tales.

Algunos críticos modernos intentan diferenciar la *égloga* del *idilio,* afirmando que este poema pastoral tiene *forma descriptiva* o *de recitado,* mientras la *égloga* tiene forma dialogada.

Hay tres clases de églogas: *narrativas*—en que el poeta habla en su *propio nombre*—, *dramáticas*—en las que hace hablar a varios personajes—y *mixtas* o mezcla de las dos formas anteriores. (V. *Pastoral.*)

En Virgilio se encuentran ejemplos magníficos de las *tres clases* en sus *Églogas* IV *(Sicelides musae paulo maiora canamus),* III *(Dic mihi Dameta...)* y VIII *(Pastorum musam Damonis et Alpheisibei).*

Modernamente, han aparecido las *églogas venatorias*—exaltación de la caza, de los bosques y de las selvas—y las *églogas piscatorias*—exaltación de la pesca, de los ríos, de los lagos.

Entre los más famosos cultivadores de este género de poesía lírica sobresalen: Virgilio, en Roma, y Bión, Mosco y Teócrito, en Grecia. Y modernamente: Tasso, Guarini, Bembo, Bibienna, Polizianno, Sannazaro, en Italia; Saa de Miranda y Ribeiro, en Portugal; Fontenelle, Racan y algunos poetas del grupo "de la Pléyade", en Francia; Garcilaso de la Vega, Herrera, Francisco de la Torre, Cervantes, Lope de Vega, Figueroa, Rioja, Pedro de Espinosa, Meléndez Valdés, Moratín, en España; Gessner, en Suiza...

Los argumentos de las églogas, al ser tan limitados, llevan cierta monotonía al género.

V. Frognier, Abbé: *Dissertation sur l'égloge.* En "Mem. de l'Acad. des Inscrip." Tomo II.

EGOÍSMO

Doctrina filosófica que determina no haber nada cierto sino la propia existencia; por tanto, que cada ser humano debe limitarse a cuidar de lo relativo a su yo.

Como sistema, el egoísmo es la teoría ética que sienta como principio "que el hombre ha de buscar en todo su propio bien e interés personal, y, por consiguiente, evitar cuanto le perjudique o le cause dolor.

Filosóficamente, se defiende el egoísmo diciendo cuantos lo practican que el amor *a uno mismo* es una virtud, es el cumplimiento de una ley natural imprescindible, ya que el hombre, en virtud de una inclinación innata en él, tiende a su propia conservación, su perfeccionamiento y felicidad. Ahora bien: no cabe confundir, no deben ser confundidos el egoísmo con el "amor propio" o afán desordenado excluido de toda justificación filosófica. El egoísmo se opone al *altruismo* (V.).

El egoísmo, como término filosófico, fue empleado por vez primera por los jansenistas de Port Royal, haciéndose común su mención desde los últimos años del siglo xviii. Y tiene tres importantes acepciones: *especulativa, práctica* y *sistemática.*

El *egoísmo especulativo* comprende el *metafísico* y el *psicológico.*

El egoísmo metafísico acepta como única realidad el *yo que piensa,* rechazando radicalmente el *no yo.*

El egoísmo psicológico concentra todas las tendencias—psíquicas, intelectuales, afectivas—sobre el propio sujeto. Las teorías de Kant y de Schopenhauer pueden ser consideradas, aunque parcialmente, como egoísmos psicológicos.

El *egoísmo práctico* se da en tres distintas formas: *lógica, estética* y *moral.*

El *egoísmo práctico lógico* considera inútil e innecesario el empleo del conocimiento en la consideración de otro ser, distinto de uno mismo. Según Pitágoras, "el hombre es la medida de todas las cosas; de la existencia de las que existen y de la no-existencia de las que no existen".

El *egoísmo práctico estético* no admite otro gusto que el de cada uno, ya en la esfera de la percepción noble, ya en la grosera de los placeres materiales.

El *egoísmo práctico moral* proclama y defiende el amor exclusivo y aun excesivo de sí mismo.

El egoísmo puede ser *absoluto* y *relativo.* El primero es la *idolatría del yo,* y subordina todo, sin limitación alguna, a los propios deseos y apetitos. Es, por ende, la negación *del orden moral.* El segundo es el amor exclusivo de sí, pero únicamente en relación con los demás y con las cosas externas; es *antisocial;* su relatividad radica en que únicamente puede darse dentro de una colectividad.

El *egoísmo sistemático* reviste múltiples formas: el *utilitarismo privado,* que defendió Demócrito de Abdera y que aceptaron Epicuro, Gassendi, Hobbes, Thomasius, Spinoza, Condillac...; el *hedonismo* (V.)—el placer sensible como único objetivo—de Gorgias, Calliclés, Aristipo, Bio, Hegesias, Helvetius, Holbach, Feuerbach, Fourier, Rousseau, madame Staël, Herder, Jacobi...; el *epicureísmo* (V.)—interés personal en la evitación del dolor y en el goce de las cosas que no dañen la Naturaleza—; el *utilitarismo rectificado*—dirigido a la calidad y no a la cantidad de los placeres—de Stuart Mill.

A La Rochefoucauld se debe una teoría curiosa: la del *amor propio* sobre todos los intereses y como móvil único de las acciones humanas. Para La Rochefoucauld todas las virtudes no son sino variantes del amor propio. La *liberalidad* es la *vanidad* de dar. La *amistad* es un *negocio* del que nos prometemos alguna ganancia. La *misericordia* es una *previsión* contra los males que pueden venirnos. Y remacha: "*Touttes nos affections et nos vertus vont se perdre dans l'intérêt comme les fleuves dans la mer.*"

Algunos filósofos han acusado a la moral católica de contener egoísmo, ya que promete el máximo premio para quienes obren el bien, y ordena categóricamente: "¡Salva tu alma ante todo!" La acusación es errónea. Quienes la hacen separan en la voluntad del que obra bien la intención del cumplimiento del bien y la esperanza de una recompensa. Ambos fenómenos se dan *unidos,* y el segundo no hace sino vigorizar el primero. Además, añaden los teólogos: sería innatural la moral que descartara sistemáticamente toda idea de bien o de conveniencia propia, ya que el hombre no puede desentenderse de sí mismo en ningún acto.

V. VAN TRICHT, Víctor: *Egoïsme.* Namur, 1895.—SALVADORI, G.: *Saggio d'un studio sui sentimenti morali.* Florencia, 1913.—CATHREIN, Vict.: *Religion und Moral.* Friburgo, 1913, 2.ª edición.—SHAW, Ch. Gray: *The ego and its place inthe world.* Londres, 1913.—KUTNA, G.: *Egoismus und Altruismus...* Berlín, 1903.

EGOTISMO

Doctrina del sentimiento exagerado de la personalidad. (V. *Egoísmo.)*

Muchos filósofos, especialmente ingleses, han afirmado que egotismo y egoísmo son palabras sinónimas. Realmente, la diferencia entre las dos es sumamente sutil. El egotismo alude a un más eficaz intelectualismo para justificarse, y presenta un sentimiento vivo y eficaz en la consideración "que cada uno tiene de su propia dignidad". Pudiera, pues, declararse que el egotismo es el egoísmo más refinado. Egotismo es una tendencia a hablar de sí mismo, de sus aficiones, de su carácter, antes que procurarse, en silencio y aisladamente, el placer.

El egotismo, según proclama Addison—en el número 562 de *The Spectator*—, fue "inventado" por los filósofos pietistas de Port-Royal, quien, habiendo desterrado de su vocabulario y de sus escritos el empleo de la primera persona, por juzgarlo un efecto de la vanidad y de la egolatría, estigmatizaron tal modo de expresarse, dándole el nombre de *egotismo.*

Para el gran escritor Stendhal—en *Souvenirs d'égotisme*—, era un egotismo justicable—sin daño ni desdén para el prójimo—el estudio hecho por un autor de su propia individualidad física y mental.

En cualquier sentido que el egotismo sea estudiado, siempre se le encontrarán matices más intelectuales que prácticos, a la inversa que el egoísmo.

V. BALDWIN: *Dictionary of philosophy and psychologie.*—BRESSER, W.: *Voices of freedon and studies in the philosophy of individuality.* Londres, 1919.—BARRÉS, M.: *El hombre libre.* Trad. cast. Valencia, Sempere, s. a. ¿1923?

EJEMPLO o PARADIGMA

1. Caso o hecho que se propone o a que se refiere para que se imite o se siga, o se huya y se evite.
2. Acción o conducta de alguno, dignas de imitación o de repudio.
3. Símil o comparación que se usa para aclarar o apoyar alguna cosa.
4. Argumento oratorio que consiste en razonar casos semejantes al llevado a la discusión.
5. Caso común y frecuente que todos entienden.
6. Argumento más de la oratoria que de la dialéctica.
7. Argumentación en la cual se infiere un particular de otro particular; y de un hecho histórico, otro semejante que pretendemos probar que sucederá. (V. *Oratoria, Pruebas de la.)*

ELACIÓN

1. Grandeza. Elevación.
2. Hinchazón del estilo y del lenguaje.

ELEATISMO

Nombre dado a la filosofía de la escuela de Elea, una de las más famosas entre las griegas denominadas presocráticas. Consistió el aleatismo—en términos generales—en un criticismo que redujo las ideas a la del ser por excelencia que tiene en sí su razón de existir.

Los jefes de la escuela eleática fueron cuatro: Jenófanes, Parménides, Zenón y Meliso de Samos. Y la escuela tomó su nombre de Elea, ciudad de la Lucania, en Italia, en donde enseñaron aquellos maestros. Su existencia fue casi de cien años, entre los siglos VI y V antes de Cristo. La fundó un teólogo: Jenófanes. La llevó a su apogeo un metafísico y dialéctico: Parménides. Con su transformación prepararon su ruina dos cosmólogos o naturalistas: Zenón y Meliso.

Gomperz asegura—en *Les penseurs de la Grèce*—que la doctrina del eleatismo se redujo a un monismo absoluto, que, según los temperamentos de los lugares a los que extendió su influjo, se individualizó con manifestaciones materialistas o espiritualistas, "pero quedando en todas partes monismo".

El polo opuesto de las teorías de Heráclito sobre el origen de las cosas lo constituye el eleatismo con su teoría relativa a un ser único incambiable.

Jenófanes, nacido en Colofón (Asia Menor), vivió en la segunda mitad del siglo VI y en la primera del siglo V antes de Cristo. Se sabe que estuvo recorriendo, hasta muy viejo, la Hélade recitando poesías suyas, en las que atacaba violentamente el carácter humano, demasiado humano, de las divinidades de Homero y Hesíodo. "Hay—cantaba—un solo Dios, el mayor entre los dioses y los hombres, que ni en su figura ni en su pensar se parece a los mortales. El es todo ojos, todo oídos, todo pensamiento, y gobierna sin cansarse todas las cosas con el pensamiento de su espíritu." Jenófanes hizo la crítica de la religión griega y adelantó cierto panteísmo precursor de la doctrina *de la unidad del ser* en la escuela eleática. Según Aristóteles, Jenófanes fue el primero que *unizó*, es decir, que fue partidario del *uno*. Por esta razón ha sido considerado como el precursor de la doctrina eleática, cuyo mayor triunfo fue que el problema filosófico perdiese su carácter estrictamente físico y se orientase hacia la metafísica.

Parménides fue el filósofo más importante entre los presocráticos; dio a lo filosófico su verdadera jerarquía, constituyéndola con una forma rigurosa. Nació—hacia el 520 antes de Cristo—en Elea. Platón y Diógenes Laercio no concuerdan al señalar el año de su nacimiento. Fue discípulo de Aminias, de Diocetes pitagórico y de Jenófanes. Gozó fama de hombre severo y justo. Fue legislador de su ciudad natal. Platón habló siempre con gran respeto de él, calificándole de *venerable, grande, temible*. "Vivir como un Parménides" fue una frase de su época que aludía a quien vivía con moral y con rectitud. El idealismo de Parménides, que negaba a los sentimientos la facultad de descubrir la verdad, conducía al escepticismo de su discípulo Zenón.

Demostró sus doctrinas en su poema *De la Naturaleza*—compuesto en hexámetros—, dividido en dos partes, una consagrada *a lo que es*, al ser absoluto, uno, inmutable, eterno, que solo la razón concibe y demuestra; y la otra, *a lo que parece*, a los fenómenos que se manifiestan, a los sentidos.

"En la introducción de su poesía didáctica proclama Parménides que tiene que comunicar a los mortales dos cosas: la "verdad" cierta e incontrovertible, y lo que únicamente tiene valor de "opinión". Dos cosas que la Musa le ha revelado. Esa última verdad consiste fundamentalmente en *una* sola idea: que el "ser" es *uno*, incambiable, imperecedero y su origen. Este ser lo representó Parménides bajo la figura de una esfera; y tal vez podemos nosotros equiparar esta esfera con la divinidad de Jenófanes, que es pensamiento y espíritu puro, diferente y muy por encima de todos los seres particulares, porque también Parménides a su teoría del *único* ser agrega el axioma de que ser y pensamiento es una misma cosa. Pero precisamente esta idea es la que le conduce a la fundamentación de su tesis filosófica, con la que abre el eleático caminos enteramente nuevos, por cuanto se apoya en una argumentación puramente lógica; el ser tiene que ser forzosamente uno, imperecedero, es decir, inmutable, porque todo intento de atribuirle pluralidad o movimiento tendría que conducir al resultado contradictorio de que el *no ser sería*, existiría: lo compuesto de partes es y no es, por cuanto una parte no es precisamente la otra parte, y por lo mismo tampoco puede existir lo que cambia, lo que se espesa o lo que se enrarece. Podemos agregar que todo espesarse y todo enrarecerse, así como toda división, presupone el espacio vacío, y, por consiguiente, la nada como existente. Al tratar Parménides de excluir del ser, mediante estas reflexiones puramente racionales, la pluralidad, el movimiento y el cambio como conceptos contradictorios, y al fundar su teoría del ser mediante estos razonamientos lógicos, se convierte en el primer representante de una dialéctica filosófica y de una metafísica logislizante." (ASTER.)

Parménides atribuyó al ente los siguientes postulados:

1.° El ente siempre *es*. No fue ni será, sino que *es*. Son las cosas las que se alejan o se acercan.

2.° Todas las cosas—que son entes—*son*. Quedan reunidas, envueltas por el ser, *unas*. Por ello aseguró Parménides que el ente es una esfera *maciza*, sin huecos de no ser.

3.° El ente es *inmóvil*, homogéneo e indivisible.

4.° El ente carece de *vacios*. Es continuo y *todo*.

5.° El ente es *ingénito* e *imperecedero*.

La influencia de Parménides en la filosofía ha sido muy grande. Platón le dedicó un diálogo de su mismo nombre. Aristóteles le prestó gran atención.

Su discípulo Zenón de Elea fue un auténtico sofista. Y con él se inició la decadencia del eleatismo.

Zenón de Elea, tres o cuatro años más joven que Parménides, vivió a principios del siglo v antes de Cristo. Pasó a Atenas con su maestro Parménides, y, según parece, fue maestro de Pericles, y aun ejerció cierta influencia en el ánimo del joven Sócrates. Intervino en los asuntos públicos. Y halló su fin en una tentativa violenta de librar a su patria de los tiranos. Fue el discípulo más brillante de la escuela eleática. Merece ser considerado como el creador de la dialéctica. Sus escritos se han perdido todos; pero se conocen algunas de sus opiniones por Aristóteles y por Simplicio. Trató de probar con varios argumentos que tan posible es la explicación de los fenómenos físicos por el principio de la pluralidad como por el principio de la unidad.

Se le atribuyen las siguientes obras: *Discusiones, Contra los filósofos de la Naturaleza, De la Naturaleza, Explicación de Empédocles.* Su máximo valor lo obtuvo como dialéctico. Su manera de argumentar era sumamente ingeniosa: consistía en tomar una tesis aceptada por el adversario o comúnmente admitida, y demostrar que en ella existían contradicciones entre sí o contradicciones en relación a ella. Fue el *descubridor* de las antinomias de lo infinito. Según Zenón, "los elementos de que tiene que constar "lo múltiple", lo compuesto, o son en sí mismos inextensos o poseen alguna extensión, por muy pequeña que sea. Si son inextensos, no puede resultar de su composición ninguna extensión positiva; si poseen alguna, como todo lo extenso puede a su vez ser dividido, el compuesto resultante de esas magnitudes sobrepasa, gracias al número infinito de ellas, toda extensión finita. Asimismo, el que quiere andar un camino tiene que andar primero su mitad; después, la mitad de la otra mitad; luego, la mitad de las otras mitades restantes, y así hasta el infinito, y, consiguientemente, jamás podrá llegar al fin de la carrera".

Y comenta Julián Marías: "El sentido de estas *aporías* (dificultades) no es, naturalmente, que Zenón creyese que ocurre así. *El movimiento se demuestra andando.* Pero no se trata de esto, sino de la explicación del movimiento. Esta es, dentro de las ideas del tiempo, imposible, y Parménides tiene razón. Para que el movimiento se pueda interpretar *ontológicamente,* es menester una idea distinta del ente. Si el ente es el de Parménides, el movimiento *no es.* Las *aporías* de Zenón ponen esto de manifiesto de su forma más aguda."

Con Zenón el aleatismo concluyó haciéndose *acosmismo,* es decir, declarando todo el universo *pura apariencia* y reemplazándolo mediante el *ser absoluto.*

El último filósofo importante de la escuela eleática fue Meliso de Samos, que vivió en el siglo v antes de Cristo, y que como almirante alcanzó—442—una gran victoria naval. Meliso se proclamó discípulo de Parménides, cuyas doctrinas explicó; pero discrepó de su maestro en algunos puntos muy importantes. Negó la movilidad y la multiplicidad, y que sea la verdad el conocimiento de muchas cosas; pero mientras Parménides afirmó que el ente era finito, Meliso creyó que era infinito, "porque no tiene ni principio ni fin, que serían distintos de él". También rechazó la idea de la esfera.

V. DÖRFLER, J.: *Die Eleaten und die Orphiker.* 1911.—GLADISCH, Aug.: *Die Eleaten und die Indier.* 1899, 2.ª ed.—DEUSSEN, P.: *Die Philosophie der Griechen.* 1911.—PATIN, A.: *Parménides...* Leipzig, 1899.—SLONIMSKY, H.: *Heraklit und Parmenide.* Giessen, 1912.—LOSSACO, M.: *Eraclito e Zenone l'eleate.* Pistoya, 1914.—MARÍAS, Julián: *Historia de la Filosofía.* Madrid, 1943, 2.ª ed.—ASTER, E. von: *Historia de la Filosofía.* Barcelona, 1935.

ELEGANCIAS (V. Figuras de dicción)

Son ciertas maneras de construir las cláusulas con belleza, gracia y aun a veces con energía; o sea, ciertas modificaciones del lenguaje, consistentes en la *adición, supresión* o *repetición* de alguna palabra en una o varias cláusulas, o en la artificiosa *combinación* de palabras análogas, ya por el sonido, ya por los accidentes gramaticales, ya por el sentido.

ELEGANTE (Estilo)

Es aquel que admite los más espléndidos adornos, las figuras más atrevidas y las más pintorescas expresiones.

> Cuando con el rumor del bronco trueno,
> preñado como el mar de espuma hirviente,
> que rebosa en los diques de su seno
> y corona su salto sorprendente,
>
> se desprende el Niágara de su asiento,
> émulo del diluvio proceloso,
> rey de las cataratas turbulento,
> de masas de cristal turbio coloso;
>
> cuando, con gran sorpresa de sí mismo,
> desde el aire azotado que domina,
> derrumba a las entrañas del abismo
> que le sirve de tumba cristalina;
>
> cuando ruge feroz como tormenta,
> y al que mira embelesa, o bien espanta,
> pues vierte los furores que alimenta
> de sus raudales líquidos... él canta...

Canta, Señor, tus glorias y portentos,
canta tus alabanzas, noche y día,
y los siglos escuchan siempre atentos
su monótona y bronca sinfonía.

(P. AROLAS.)

ELEGÍA

De Ελεγγος, llanto.

La mejor definición de la índole de la elegía se encuentra en el libro II del *Art poétique,* de Boileau:

La plaintive élégie, en longs habits de deuil,
sait, les cheveux épars, pleurer sur un cercueil.

Versos que tradujo admirablemente nuestro Arriaza:

La flébil Elegía, con negro manto,
suelto el cabello, entre cipreses llora...

La *elegía—canto fúnebre, lamentación*—fue en su origen un pequeño poema dedicado a cantar la muerte de una persona querida. Después se extendió a lamentar las desgracias de las familias, los desastres nacionales y mundiales, y hasta las desdichas e infortunios del amor.

Es, pues, el asunto o materia de la *elegía* un acontecimiento triste, y son sus principales cualidades el calor de la pasión y la intensidad de los afectos.

Tal la triste Elegía,
con blanda voz y pecho enternecido,
los casos llora de la suerte impía;
en su lánguido tono, en su descuido,
descubre su dolor y su ternura,
sin humillarse nunca torpemente,
ni presumir de ingenio y hermosura.
Mísera y sola, en sus amargas quejas
alivio busca al ánimo doliente;
sus cantos son gemidos,
y sus ecos sentidos
nacen del corazón, no de la mente.
Hija de la pasión y el sentimiento,
también de amor tiernísima suspira;
no cual la osada lira,
que su triunfo celebra y su contento;
mas sensible doliéndose y suave
como tórtola bella,
que con blanda querella
en solitario bosque y noche oscura
nos inspira su amor y su ternura.

(MARTÍNEZ DE LA ROSA.)

Las *elegías* son de dos clases: *heroicas* y elegías *propiamente dichas.* En las primeras se lamentan las desgracias públicas; en las segundas, el poeta da suelta a las penas de su corazón.

Las primeras poesías griegas designadas con el nombre de elegías fueron, en general, cantos de guerra o composiciones consagradas a los grandes intereses de la patria. Y formaron la *transición* entre la epopeya y el género puramente lírico. Su ritmo—compuesto del verso heroico acoplado al verso pentámetro o elegíaco—es como la marca expresiva de dicha transición.

Al siglo VII antes de Cristo se remonta la *elegía antigua.* Y se atribuye la invención del género y del metro a Calino o a Arquíloco, sin que se haya podido aún probar a cuál de los dos corresponde la gloria, conforme expresa Horacio en la *Epístola a los Pisones,* 77:

Qui tamen exiguos elogios emiserit auctor,
Grammatici certant et adhuc sub judice lis est.

Después, Tirteo hizo famosas sus bellas elegías guerreras; y Solón su *Salamina;* y Simónides de Ceos las suyas, tan patéticas, que, según Catulo, no hubo jamás otras más tristes:

Moestius lacrymis Simonideis;

y Antímaco su *Lydia*—elegía erótica—. Otros elegíacos griegos célebres fueron: Calímaco, Filetas de Cos, Hermesianax de Colofón...

En Roma sobresalieron Gallus, Ovidio, Tibulo y Propercio, los cuatro del siglo de Augusto. Solamente se conocen algunos fragmentos de las elegías de Gallus. Tibulo es de una sensibilidad exquisita, de una blandura casi femenina. Propercio, por el contrario, en la época más orgiástica del Imperio, representa la antigua austeridad republicana. Ovidio es, quizá, el más admirable de ellos. Sus *Tristes,* sus *Heroidas* resultan inimitables.

Entre los escritores cristianos hubo grandes elegíacos: Lactancio y San Ambrosio, cantores de la Pasión de Nuestro Señor; Prudencio, que lamentó las víctimas de la fe cristiana; Victoriano, que lamentó el martirio de los macabeos... Y elegíacos son los *Salmos* de David, el *Libro de Job,* las *Lamentaciones* de Jeremías, el famoso salmo 136, *Super flumina Babilonis...*

En Italia: Petrarca—con su elegía erótica *Dimonti in monti*—, Chiabrera, Guarini, Alamani, Castaldi, Bembo, Filicaia, Prisdemonti, Metastasio, Leopardi...

En Inglaterra: William Mickle, Milton—*Lycidas*—, lord Lyttelton, Tomás Grey—autor de *El cementerio de aldea,* elegía maestra—, Young —que escribió las universalmente famosas *Las noches*—, Shelley—con *Adonais*—, Tennyson —con *In memoriam*—. Swinburne—con *Ave atque Vale*—, Moore, Arnold...

En Portugal: Camoens, Saa de Miranda, Ferreira, Andrade Caminha, Diego Bernaldes, Corterreal, Rodríguez Lobo...

En Alemania: Köerner, Jacobi, Schiller, Novalis, Heine, Goethe...

En Francia: Froissart, Carlos de Orleáns, Villón, Doublet, Jamin, Ronsard, Chénier, Hugo, Lamartine, Musset, Béranger, Baudelaire, Leconte de Lisle, Sully Prudhomme, Verlaine, Coppée.

En España poseemos una de las más hermosas elegías de todas las épocas y de todos los países: la titulada *Coplas a la muerte de mi padre,* de Jorge Manrique. Y elegíacos admirables son: Garcilaso de la Vega—con *A Boscán* y *Al duque de Alba en la muerte de su hermano*—, Herrera—*A la pérdida del rey don Sebastián*—, Rodrigo Caro—*A las ruinas de Itálica*—, Torre, Rioja, Jáuregui; Juan Nicasio Gallego—*El día dos de mayo* y *A la muerte de la duquesa de Frías*—, Martínez de la Rosa —*Epístola a la muerte de la duquesa de Frías*—, Moratín—*Elegía a las musas*—, Aribáu—*A la patria*—, Rosalía de Castro, Curros Enríquez, Pondul, Balaguer, Juan Ramón Jiménez, Antonio Machado, García Lorca...

ELEGÍACO

1. Triste. Lamentoso.
2. Que pertenece a la elegía (V.).
3. Nombre que los griegos y romanos daban al verso pentámetro, por ser el que más se usaba para las composiciones tristes y evocadoras.

ELEGIÁMBICO

Está formado por el segundo hemistiquio del pentámetro o elegíaco y un yámbico dímetro:

Fervidi / ore me / quieto / move // consule /
[pressa me / o. (HORACIO.)

(V. *Yámbico.)*

ELIPSIS

Figura de construcción que consiste en suprimir de alguna frase una o varias palabras, sin que aquella pierda su claridad y precisión, antes bien, gane en ambas.

Lógicamente, las palabras suprimidas deben ser fácilmente supuestas por la mente.

Ejemplos:

Madrid, capital de España, por *Madrid, (que) es capital de España.*

Mañana, domingo, por *Mañana, (que será) domingo.*

... hecho del morrión, celada, por *... (habiendo) hecho del morrión celada.* (CERVANTES.)

Intelligenti pauca, por *Intelligenti pauca (verba).*

ELISIÓN

Consiste en suprimir de una palabra *la vocal* con que termina cuando la palabra siguiente empieza con la misma vocal. Es una especie de sinalefa (V.), que destruye la cacofonía o mal sonido.

Entre griegos y romanos, la *elisión* en el mecanismo poético contribuía a producir bellos efectos de armonía imitativa.

En castellano, la elisión escrita cuenta con escasísimos casos: *del,* por *de el; al,* por *a el.* Hablando se comete continuamente; nadie pronuncia *porque es, leve esperanza,* sino *porqu es, lev esperanza.*

En francés y en italiano la elisión se marca con el apóstrofo (V.): *j'aime, l'homme; l' erba, all' atro.*

Los griegos suprimieron únicamente la vocal final de una palabra si era *breve*—pero no si era *v, ypsilon*—, y en los finales de preposiciones, conjunciones y adverbios bisílabos.

En el recitado de los versos se verificaba la elisión *suavizando* la vocal elidida, utilizándola a semejanza de las apoyaturas en la música, pero no suprimiéndola.

ELOCUCIÓN

Es la manifestación de las ideas por medio del lenguaje. Los latinos la definieron así: *Elocutio est idoneorum verborum et sententiarum ad res inventas accomodatio.*

La importancia de la elocución es inmensa, ya que con su estudio se aprenden las reglas que han de seguirse para la conveniente manifestación del pensamiento, aplicables a toda clase de obras literarias, científicas y artísticas.

La elocución, para los preceptistas, es la tercera parte de la Retórica: *invención, disposición* y *elocución.*

Las principales cualidades de la elocución son: la *claridad,* la *corrección* y la *elegancia.* La *claridad* depende de la propiedad y buena disposición de las palabras. La *corrección* resulta de la regularidad de las construcciones. Y la *elegancia,* del oportuno uso de las figuras y tropos.

La elocución puede presentar tres formas generales: *subjetiva* o *enunciativa, objetiva* o *narrativa* y *dialogada* o *dramática.*

La elocución es *como el traje* de las ideas; ella no hace sino darles nueva vida y presentarlas con la gracia y el adorno de que son susceptibles.

La elocución *expresa* lo que la invención *ha hallado* y la disposición *ha combinado.*

Algunos críticos han estimado que *elocución* era sinónimo de *estilo.*

ELOCUENCIA

1. Facultad de, valiéndose de la palabra, producir en el ánimo de cuantos escuchan los efectos que se desean, conmoviendo, convenciendo, persuadiendo, impresionando...
2. Fuerza de expresión—con palabras, con gestos, con ademanes y hasta con silencios— eficaz para persuadir, conmover, impresionar.

3. "El arte de hablar de manera que se consiga el fin para el que se habla." (Blair.)

En la elocuencia hay que considerar: 1.º, el *don natural* del individuo para hacer el mejor uso de ella; 2.º, *el arte* que proporciona las reglas conducentes al mejor uso del don de la palabra.

Una frase popular afirma "que el poeta nace y el orador se hace". Creemos errónea tal afirmación. El estudio, la cultura, la voluntad, la práctica harán de una persona un orador *hábil, ameno;* pero jamás un orador apasionará, subyugará, arrastrará las masas si el cielo no le otorgó el *don natural* de la elocuencia.

Cicerón dijo de la elocuencia: *Non eloquentiam ex artificio, sed artificium ex eloquentia natum.* Y nuestro Capmany la definió "como el don natural y feliz de imprimir con calor y eficacia en el ánimo de los oyentes los afectos que tienen agitado el nuestro".

Hay varios géneros de elocuencia: *sagrada, forense, política, didáctica.*

ELOGIO

1. Expresión laudatoria que se hace de una persona encareciendo sus méritos, sus virtudes, sus atractivos.

2. Discurso que se pronuncia o que se escribe en alabanza de alguien.

3. Título de algunas obras célebres: *Elogio de la locura,* de Erasmo; *Elogio de la mosca,* de Luciano; *Elogio de la embriaguez,* de Hegendorf...

La etimología de *elogio* es inexacta. Se ha hecho derivar elogio del latín *elogium*—que significa *inscripción tumular*—, y no del griego *eu-logia*—que significa *bendición, alabanza*—; aun cuando las inscripciones tumulares fueran siempre elogiosas.

Elogio es una variedad del género oratorio, que llegó a nosotros como uno de los principales ejercicios de la *literatura académica,* y que ha adquirido un decisivo carácter *político* y *religioso.* Según Diodoro, los sacerdotes egipcios pronunciaban, delante del pueblo reunido en asamblea, el elogio de los faraones fallecidos. Los griegos, en discursos solemnes, la gloria de los guerreros muertos por la patria. Pericles hizo el elogio de los primeros que perecieron al iniciarse la guerra del Peloponeso. Hipérides pronunció la alabanza de Leóstenes y de sus compañeros de armas muertos en la guerra de Lamíaco. Y ha llegado a nosotros un discurso de Demóstenes, pronunciado después de la batalla de Queronea. La solemnidad de estos elogios fúnebres colectivos, inspirados en el amor a la patria o a la libertad, debía llenarse de grandeza y de elevación.

En Roma, el elogio pasó a ser la ponderación de un personaje cualquiera—su elogio fúnebre—, pedida y pagada por la familia. Se recuerdan: el elogio de Bruto por Valerio Publícola; el de Appio Claudio, por su hijo; el de Augusto, por César; el de Antonino, por Marco Aurelio.

Elogios famosos son: *Menexenas,* de Platón: *Agesilao,* de Jenofonte; *Panegírico de Atenas,* por Isòcrates; *Demóstenes,* por Luciano; *Panegírico de Trajano,* por Plinio.

Los *elogios académicos* pueden ser de dos clases: de *bienvenida* al nuevo miembro de la Academia que acaba de leer su discurso de recepción, y *necrológico.*

ELUCIDARIO

Se da este nombre al libro compuesto con la finalidad didáctica de esclarecer, explicar o interpretar cosas oscuras o difíciles de entender.

El primer libro con este título es el *Lucidario* atribuido a Sancho IV *el Bravo* de Castilla.

EMANATISMO

Doctrina filosófica del panteísmo alejandrino. Su raíz era esta: ¿Cómo nacen del Ser uno y universal los seres individuales? Siendo estos una extensión de aquel, emanan, por decirlo así, de su seno.

El emanatismo, aun antes de teorizado por el panteísmo alejandrino, fue una doctrina común a muchas escuelas religiosofilosóficas más o menos panteístas. En efecto, el emanatismo forma la base de casi todas las creencias de la India, Persia y Egipto.

Y, más tarde, ejerció una influencia decisiva sobre la filosofía griega—Platón y Filón—, sobre la escuela de Alejandría, sobre los gnósticos. En la filosofía moderna se descubren huellas del emanatismo en Schelling y en la famosa teoría del *devenir* defendida por Henri Bergson en su obra *L'evolution créatrice.* Y, en verdad, puede hacerse la siguiente afirmación: todas las cosmogonías—exceptuadas las de Moisés y el *mazdeísmo* (V.)—envolvían más o menos el elemento emanatista.

En la religión egipcia, si la criatura procedía del dios Ammón o Ra, este, a su vez, procedía por cierta emanación desde toda la eternidad de la materia informe. En la religión hindúe, el alma emana de Brahma. Los dioses helénicos, en su mayoría, procedían de Zeus.

El emanatismo recibió su *calidad filosófica* en las obras de Filón, filósofo judío que vivió en el siglo I después de Cristo, y que fue llamado, por haber hecho una gran síntesis del *platonismo* (V.), el "Platón hebreo". Según Filón, el Verbo fue engendrado por Dios para que le sirviera de mediador; y el Verbo contiene en sí la realidad inteligible, los arquetipos de todas las cosas.

Plotino (204-270) nació en Egipto y se educó en Alejandría. Y la única enseñanza que le satisfizo fue la de Ammonio Saccas. Viajó por Oriente. Enseñó en Roma con gran éxito y tuvo numerosos discípulos. Sus doctrinas, con el nombre de *Enneádas,* fueron recogidas por su dilecto discípulo Porfirio. Caracterizan el neoplatonismo de Plotino estos dos principales rasgos: un exaltado espiritualismo y un *panteísmo emanatista.*

Para Plotino, en el *Uno* está el punto de partida, es Dios. El *Uno* no encierra composición alguna. Del *Uno* proceden por emanación todas las cosas. Del *Uno* procede el *nus,* el *espíritu,* una especie de duplicación del *Uno,* y hay en él dualidad de sujeto pensante y de objeto pensado. Del *nus* procede el *alma,* el alma cósmica, el alma del mundo. El *alma* engendra la *materia* y origina el mundo sensible. De esta manera el proceso de emanaciones sucesivas que comenzó en el *Uno,* el Bien y fuente de todo bien, terminó en la *materia,* el Mal y fuente de todo mal. Por la causalidad eficiente *venimos* de Dios, y por la causalidad final *volvemos* a Dios.

Para los gnósticos—defensores del *dualismo* (V.) entre el Bien (Dios) y el Mal (la materia)—, el ser divino produce por emanación una serie de *eones,* cuya perfección va decreciendo.

He aquí el origen del emanatismo gnóstico:

"Los gnósticos admiten la existencia de dos mundos: uno supremo, donde reinan la luz, la pureza, la felicidad y la inmortalidad; otro inferior, presa de las tinieblas, de los vicios, de la miseria, de la muerte.

"He aquí el origen de esta distinción. No pudiendo permanecer inactivo el ser infinito, se difundió en emanaciones; las primitivas, como más próximas, participaron ampliamente de los atributos de la esencia divina; las subsiguientes iban perdiendo grados de perfección a medida que se separaban de su origen. Una emanación que participaba de las perfecciones y de los defectos, a punto de tenerlos equilibrados, formó el mundo inferior con todos sus defectos y desórdenes. Entre los gnósticos, unos sostenían que la emanación autora del mundo inferior no lo había producido, limitándose a ejercer su acción sobre la materia preexistente y eterna. Otros creían que lo había producido sacándolo de su propia sustancia.

"El ser infinito, manantial de todas las emanaciones, es en todos los sistemas gnósticos una cosa invisible, oculta en una noche inmensa; es el padre desconocido, el abismo: el Brahma indeterminado de la metafísica hindúe; el Píromis de la teología egipcia; y en el lenguaje de la moderna filosofía, el fondo del ser, la sustancia impalpable en sí misma, y que solo se concibe como lo que está oculto bajo las apariencias de las cosas cuya realidad conocemos. Las emanaciones que constituyen el mundo superior son las manifestaciones de lo que está contenido en el seno del abismo: la difusión de la sustancia, sus atributos, sus formas, sus nombres. Forman con la sustancia el *pleromo* o la plenitud de las inteligencias, y se los llama *eones.* En cuanto al número de estos, hay variedad en los sistemas; algunos los hacen subir hasta trescientos sesenta y cinco. Clasifícanse en series subordinadas, que son *eptadas, ogdeadas, décadas, dodécadas.* Todas estas clasificaciones dimanaban de las antiguas teorías sobre los números, que algún fundamento deben de tener en las ideas humanas, puesto que los hallamos en casi todas las teogonías y cosmogonías de que se conservan noticias.

"Las emanaciones proceden de dos en dos, por *sizigias.* El Demiurgo, última emanación del pleromo, y primera potencia del mundo inferior que produce, o, por lo menos, organiza, es el bien de los dos mundos. Dios, el padre desconocido, no interviene en la creación; efectúase esta por el Demiurgo, mezcla de luz y de ignorancia, de fuerza y debilidad; por lo que el plan de la creación, aunque contiene cosas buenas, es radicalmente malo, y habrá de ser destruido.

"La idea de la degradación no es peculiar en las doctrinas de los gnósticos al linaje humano, sino que alcanza al mundo inferior, y en alguno de ellos empieza en el seno del mismo pleromo. Considérase esta degradación, bien como el descenso de las almas al mundo corporal donde quedan aprisionadas, ora por voluntad del Demiurgo, ora por la invasión de la materia a que no ha sabido resistir; bien como la consecuencia de un crimen primitivo que aparece bajo la forma del orgullo que no sufre superioridad de ninguna especie, o bajo la de la sensualidad que atrae a las almas y hasta a los genios mismos a los bienes sensibles. La idea de caída o degradación conduce naturalmente a la de regeneración. Consiste esta en reformar la obra del Demiurgo, por lo que él mismo es incapaz de verificarla. Una de las mayores potestades del pleromo, *el primer pensamiento divino, la inteligencia, el espíritu,* tuvo que descender personalmente hasta los grados extremos de la creación, o que comunicar sus dones a un ser humano para ilustrar al hombre y mostrarle la senda que había de restituirle al reino del pleromo. Esa virtud redentora es Cristo, el antagonista del Demiurgo, el reformador de su plan y el destructor de su creación. Cristo no se revistió de cuerpo real, sino de una apariencia corpórea... Entre los hombres, los que se dejan cautivar por el mundo inferior viven la vida *hílica,* cuyo principio es la materia. Los que aspiran a volver al seno del pleromo participan de la vida superior que en este tiene su principio: el principio espiritual o *pneumático.*" (G. LUNA.)

El emanatismo entra con gran fuerza en la Edad Media. En la cábala se explicaba la procedencia del mundo por la emanación de Dios. Nicolás de Cusa llamó emanación a toda actividad divina, tanto *ad intra* como *ad extra.* En la teoría de Avicena acerca de la materia increada, y en la de Averroes sobre el entendimiento universal se proyecta el emanatismo. Aun cuando nadie puede acusar a Leibniz de emanatista, se encuentra furtivo emanatismo "en las fulguraciones con que hace proceder las mónadas creadas de la divina".

V. RITTER, H.: *Ueber die Emanations lehre im Uebergange aus dem alterthümlichen in die christl.* Leipzig, 1867.—BERGSON, Henri: *L'evolution créatrice.* París, 1907.—GARCÍA LUNA, J.: *Manual de Historia de la Filosofía.* Madrid, 1847.

EMBLEMA (V. Alegoría)

1. Cifra o imagen, de significación misteriosa, con que se sustituye la escritura cuando se intenta ocultar el significado de esta.

2. Símbolo, empresa, jeroglífico, a continuación de los cuales se escribe un verso, una sentencia, un lema que aclaran el significado de aquellos.

3. La representación *figurada de una idea.*

4. Signos o cifras secretas que se emplean en componer las letras cuando se pretende ocultar misteriosamente el contenido.

El *emblema* deriva directamente de la *alegoría,* pero conviene distinguirle de esta, del *símbolo* y de la *divisa.*

De la *alegoría* se diferencia por su carácter, con frecuencia, moral y pedagógico. Aquella lo tiene religioso.

Del *símbolo,* en que este tiene un *sentido místico.*

De la *divisa,* en que esta es *más personal* y afecta al *sentido nobiliario* de los blasones.

El uso de los emblemas es casi tan antiguo como los primeros monumentos de la Historia. En los jeroglíficos egipcios se encuentra gran número de representaciones emblemáticas. Por Homero, Hesíodo y otros escritores griegos—poetas, historiadores y mitógrafos—sabemos que las armas de los héroes, los vasos sagrados, las naves, los templos, los muebles estaban llenos de emblemas derivados de hazañas atribuidas a los dioses.

Alciato, en el siglo XVI, reunió una colección de emblemas que se hizo famosa. Y el P. Meneticer, que ha escrito un tratado sobre la materia, dice que las imágenes emblemáticas se dividen en *matemáticas, filosóficas, teológicas* y *morales,* y que todos los objetos pertenecientes a estas divisiones son susceptibles de emblemas. El humo es el emblema del fuego que lo produce. Un torrente, el del tiempo que huye velozmente.

V. GREEN, H.: *Alciati and his book of emblems.* Londres, 1872.—BRUNET: *Manuel du libraire.*

EMBOLIARIOS

Actores y actrices que tomaban parte en los *embolios* (V.), representaciones independientes de la obra principal, y que se desarrollaban en los entreactos de esta.

En el teatro romano tuvieron mucha importancia los emboliarios, como se sabe por las referencias de escritores insignes y de algunos epitafios. Plinio cita a Galeria Copolia, que trabajó como embolaria desde los trece hasta los ciento cuatro años. Sendos epitafios nos han legado los nombres de *Febea* y de *Eucaris,* embolarias *doctas y eruditas en todas las artes.*

Hoy, en el teatro moderno, se da el nombre de *animadores* a los actores o actrices que, a telón corrido, durante los entreactos, procuran entretener al público con ingenio y arte.

EMBOLIO

Intermedio o representación independiente de la obra principal. Tuvo su origen en el teatro griego, y consistía en recitados, cantos, danzas, revistas grotescas, *pasos*... Se empleaba para prolongar el espectáculo, dando tiempo a que descansaran los actores de la obra principal.

Las *loas,* danzas y recitados del teatro español del siglo XVII no son sino *embolios,* dedicados a no molestar a los espectadores con una atención sostenida.

EMPIRIOCRITICISMO

Nombre dado a la doctrina filosófica del empirismo moderno de Ricardo Avenarius.

El filósofo alemán Ricardo Avenarius (1843-1896) nació en París. Fue catedrático de Filosofía en la Universidad de Zurich. Y en esta ciudad, a partir de 1877, publicó una revista trimestral de filosofía, en cuyas páginas expuso y defendió su doctrina o sistema, que denominaba *Empiriokritizismus.* Su obra más importante es: *Philosophie als Denken der Welt gemäss dem Prinzip des Kleinsten Kraftmasses,* 1876.

Avenarius, con su *Crítica de la pura experiencia,* quiso combatir la *Crítica de la razón pura,* de Kant.

El empiriocriticismo se basa en tres postulados:

1.º La ciencia ha de ser una pura descripción.

2.º Las diferencias de los seres son únicamente cuantitativas.

3.º Los valores—en la ciencia universal—han de poder deducirse unos de otros.

El empiriocriticismo considera que la verdad se halla únicamente en el *fenómeno* despreciado por Kant; desdeña todo cuanto no sea experiencia "a la manera empirista"; tiene como axiomas la distinción entre el *yo* y el *no yo* y que el conocimiento científico en nada se diferencia del precientífico y vulgar; admite que la conciencia es veraz en la representación del mundo, teniendo este que retroceder a un estado de *simplicidad absoluta;* y afirma que la pureza de la experiencia entraña la necesidad de que a cada elemento del acto interno corresponda un objeto apropiado en el mundo exterior.

El gran fallo del empiriocriticismo es no señalar ni criterio ni fórmulas con que, en casos concretos, pueda saberse si existe tal correspondencia entre los datos de la conciencia y los que suministra el mundo exterior.

V. VAN CAWELAERT, F.: *Empiriocriticisme*. En "Neo-Scolastique". Lovaina, 1906-1907.—EWALD, Oscar: *R. Avenarius als Begründer des Empiriokritizismus.* Berlín, 1905.—HOFFDING, H.: *Philosophes contemporains.* París, 1907.

EMPIRISMO

Sistema filosófico que afirma ser la experiencia—ya la externa de nuestros sentidos, ya la interna de nuestra conciencia—la única fuente de nuestros conocimientos.

Se distingue el empirismo, que hace derivar el conocimiento de la experiencia externa y de la experiencia interna—*sensación* y *reflexión* de Locke—, del *sensualismo* (V.) que, no descubriendo en la experiencia interna más que sensaciones brutas o sensaciones "transformadas"—Condillac—, rechaza esta división como inútil y superficial.

Aristóteles opuso al empirismo—cuando aún no se llamaba así, sino práctica basada en la experiencia—el arte, es decir, la práctica iluminada por la ciencia.

El empirismo no conoce más que el hecho, τo ὅτι, lo que basta para actuar, pues que la acción se ejerce siempre en un caso particular.

El empirismo es categórico: lo que no podemos percibir con los sentidos corporales, lo que no podemos experimentar con la conciencia, es incognoscible. Es decir: únicamente fenómenos naturales y fenómenos psicológicos —ideas, afectos, sensaciones—pueden formar la ciencia. Las cosas en sí, las sustancias, no son inaccesibles. Lógicamente, del empirismo ha sido excluido todo elemento *a priori*.

Los fundadores del empirismo fueron Francisco Bacon y Hobbes, y lo desarrollaron hasta sus últimas consecuencias Locke y Hume. Pero lo verdaderamente asombroso es que, entre los empiristas, en sus doctrinas respectivas se encuentran diferencias de mucha importancia y mayor trascendencia. Locke no admite otras facultades que la sensación y la reflexión, y ambas circunscritas al campo de la experiencia. Condillac no admite sino las sensaciones. Augusto Comte asegura que las leyes de los fenómenos se descubren con la combinación del razonamiento y de la observación.

Pasa Francisco Bacon por ser el fundador del empirismo, al par que el instaurador de la filosofía moderna. Algo exagerada nos parece la afirmación. Muchas de sus ideas ya las insinuó, tres siglos antes, su compatriota Rogerio Bacon, preparando así el camino al famoso canciller; al cual deben atribuirse dos valores: el de haber introducido el empirismo en la filosofía moderna, así como el método inductivo, opuesto al aristotélico logístico y deductivo.

Francisco Bacon, filósofo, físico y literato, nació—1560—en Londres. Murió en 1626. Abogado de la reina Isabel. Procurador general. Gran canciller de Jacobo I. Amigo de Buckingham, quien le dio los títulos de barón de Verulam y de conde de San Albano. Acusado de concusión, fue condenado por el Parlamento a pagar 40.000 libras esterlinas y ser encerrado en la Torre de Londres. Después de una corta prisión, Carlos I le indultó.

Bacon fue uno de los fundadores de los métodos rigurosos que emplea la ciencia moderna. Instituyó la *inducción*, y opuso un estudio razonado de sus hechos al empirismo irreflexivo y al dogmatismo absoluto. La Filosofía moderna reconoce en él a uno de sus maestros.

Entre sus obras están: *Ensayos de moral y política*—1597—, *Tratado del valor y del progreso de la ciencia divina y humana*—1605—, *De dignitate et augmentis scientiarum*—1623—, *Sobre la ciencia de los antiguos*—1609—, *Historia de Enrique VII*—1621—, *Novum organum scientiarum*—1620—, *Instauratio magna...*

Bacon estableció de principio necesario a la actividad intelectual las sensaciones como materiales para ejercer sus actos. Pero también creyó preciso examinar las causas que detienen los progresos y traen los errores de la ciencia. Y para él fueron cuatro las causas de tales enemigos de la verdad, a los que dio el nombre de *ídolos*.

1.ª *Idola tribûs,* preocupaciones vulgares, prejuicios inherentes a la Naturaleza, falacias de los sentidos...

2.ª *Idola specûs,* preocupaciones individuales, tendencias o predisposiciones, ya que—decía Bacon—hay en el alma de cada hombre una especie de caverna tenebrosa, donde van a perderse los rayos luminosos de la verdad.

3.ª *Idola fori,* preocupaciones que se infunden unos hombres a otros por el trato y comunicación que todos entre sí conservan.

4.ª *Idola theatri* o preocupaciones que los maestros con su autoridad siembran en el espíritu de sus discípulos, y que pueden comprometer la *visión directa y personal de las cosas y extraviar la recta visión.* Y Bacon los llama *ídolos de teatro* porque consideró a los filósofos maestros como actores que desempeñan un papel en la comedia sobre el escenario que es el mundo.

Según Bacon, es preciso empezar por la observación de los fenómenos, pero sin tratar de combinarlos ni de explicarlos, pues que, si tal se hiciera, esa tentativa prematura llevaría a tremendos errores. A estas simples observaciones las denominó Bacon *instantiae naturae.* Posteriormente han de formarse las tablas comparativas de los hechos—*comparationes instan-*

tiarum—, en las cuales se clasifiquen ordenadamente los fenómenos. Una vez constituidas con rigor dichas tablas, el entendimiento deberá elevarse por la *inducción* hasta las leyes generales. Esta inducción, llamada baconiana y también *incompleta*—por oposición a la que se funda en *todos* los casos particulares—, no da una certeza absoluta, "pero sí suficiente para la ciencia cuando es realizada con perfecta escrupulosidad".

Bacon combatió el silogismo, afirmando que la premisa mayor no era obtenida silogísticamente y que era un principio universal frecuentemente obtenido mediante una aprehensión superficial e inexacta de las cosas.

Las tablas propuestas por Bacon eran denominadas: de *presencia,* de *ausencia* y de *grado.* La primera prueba la correspondencia del hecho con la causa supuesta. La segunda, la desaparición del hecho suprimida la causa. La tercera, la variación del hecho al variarse la causa.

El segundo empirista, Tomás Hobbes, secretario de Bacon y testigo de la revolución y de la restauración inglesas, nació—1588—en Malmesbury (Wilshire). Murió—1679—en Hardwike. Era hijo de un párroco rural. Estudió en Oxford. Pero a los ocho años ya ponía en versos latinos la *Medea,* de Eurípides.

Visitó Francia e Italia, acompañando a su discípulo, el hijo del conde de Devonshire, con cuya familia vivió casi toda la vida. A su regreso a Inglaterra tomó parte activa en los acontecimientos políticos, manifestándose realista fervoroso. En Italia conoció a Galileo, y en Francia, a Descartes y a Gassendi. Desde 1645 fue profesor del príncipe de Gales, después Carlos II.

La filosofía para Hobbes "es el conocimiento razonado por sus causas y de las causas por sus efectos. Filosofar es pensar con exactitud; pensar es juntar una noción con otra, o separarlas, y pensar bien es unir lo que debe ser unido o distinguir lo que debe ser distinguido".

El pensamiento de Hobbes naufragó entre el materialismo y el ateísmo. En moral se le reprocha de hacer del interés personal el móvil de las acciones humanas.

Entre sus obras están: *De mirabilibus Pecci* —poema, 1628—, *Principios de Derecho natural y civil, De corpore político*—1650—, *Elementa philosophica sen política de cive, id es, de vita civile et política recte instituenda* —1642—, *Human Nature or the fundamental Elements of Policy, Elements of the Law, Leviatham, Elementorum Philosophiae sectio prima de corpore*—1656—y *Sectio secunda de homine*—1658—, *Compendicum of Aristotele's Rhetoric and Ramus's Logic, A Letter about Liberty and necessity and chance...*

El empirismo de Hobbes es sumamente radical. Construyó su sistema filosófico, basado en la experiencia, sujeto a tres partes fundamentales, que tratan, respectivamente, de los cuerpos naturales, del hombre y del Estado. Hobbes fue nominalista. Negó los universales—dentro y fuera de la mente, simples nombres de colecciones de cosas—y proclamó que únicamente son seres los individuos, que no existe más que la materia y que todo acontece en el mundo según las leyes mecánicas. Y tuvo del hombre la feroz idea pesimista reflejada en su frase famosa: *homo homini lupus.* Todo individuo tiene derecho a todo lo que desea; y no siendo posible que lo adquiera y lo goce sin detrimento de los demás hombres, se infiere que estos, naturalmente, han de vivir en perpetuo estado de guerra.

El empirismo llegó a su grado de madurez con el también gran filósofo y naturalista John Locke, que nació—1632—en Wrington, condado de Bristol, y murió—1704—en Oates (Essex). Su padre fue abogado y político. Estudió en el Westminster College de Londres y en el Christ-Church de Oxford. Bachiller en 1655. Maestro de Artes en 1658. Viajó por Alemania y Francia, y cuidó de la educación del hijo de su mecenas lord Ashleg, que fue después conde de Shaftesbury, interesándose de tal modo en la suerte de este personaje, que le acompañó en su destierro a Holanda—1683—. Jacobo II le despojó de su beneficio en la Universidad de Oxford y pidió su extradición. Volvió a Inglaterra con Guillermo de Orange. Rehusó varias misiones diplomáticas. Comisario de Comercio y Colonias hasta 1700. Se retiró a Oates al lado de su amigo Masham y murió con los mejores sentimientos de piedad cristiana.

Locke es el principal representante de la filosofía de la experiencia o *empirismo.* Tuvo gran influencia en la filosofía moderna; fue él quien encauzó la tendencia empírica; en él se inspiraron Berkeley y Hume, y preparó el terreno a Kant y a los positivistas del siglo XIX.

Escribió: *Ensayo sobre el entendimiento humano*—1690—, *Carta sobre la tolerancia*—1681—, *Educación de los niños*—1693, que sirvió de base al *Emilio,* de Rousseau—, *Conducta del espíritu en la investigación de la verdad, Memorias para servir a la vida del conde de Shaftesbury, Ensayo sobre el Gobierno civil, The Reasonableness of Christianity as delibered in the Scriptures*—1695—. *Elements of natural philosophy*—1751...

Locke—que cree en las limitaciones del entendimiento humano—rechazó como inexistentes las ideas innatas—concebidas por Descartes—, y afirmó que todos los conocimientos humanos tienen su origen y su fin en la experiencia, que puede ser de dos clases: *externa* o *sensación* e *interna* o *reflexión.* También las ideas pueden ser de dos clases: *simples* y *complejas.* Las primeras se originan por la suma de la sensación y de la reflexión. Las complejas son el fruto de la asociación de las ideas simples verificada por la actividad de la mente. Las ideas complejas son, a su vez, de *sustancia*, de *modo* y de *relaciones*. Y la única verdad surge de la concordancia de las ideas entre sí, y jamás de la conformidad de las ideas y las cosas.

Entre las ideas simples—que no son instantáneas—las hay que tienen validez objetiva y son inseparables de los cuerpos y les pertenecen; así, las ideas de número, figura, extensión, movimiento, solidez, etc.; y las hay que tienen validez subjetiva, porque son sensaciones de quien las percibe; así, las ideas de color, olor, sabor, temperatura, etc.

"Dando al lenguaje la debida importancia, investiga Locke detenidamente la relación que existe entre las ideas y las palabras, para preservarnos de esta manera de las ilusiones de que son origen las mismas palabras. Para demostrar la conformidad de las ideas con los objetos que representan, sería preciso comparar el objeto con la idea; mas esto no es posible, porque solo por medio de la idea conocemos el objeto. Locke enseña, no obstante, que las ideas simples son necesariamente representación de las cosas. Así, las ideas sensibles son representativas de las cualidades de los cuerpos, y las que produce la reflexión representan las operaciones del entendimiento. No conocemos, pues, más que las cualidades de las cosas y no su sustancia; y para explicar de qué modo son representativas las ideas, Locke reproduce la hipótesis de Demócrito acerca de las imágenes sensibles, que, desprendidas de los cuerpos, penetran en el organismo humano. Por las ideas representativas no es posible formemos concepto del espíritu. La de lo *infinito* se convierte en la de *número indefinido*."

David Hume, historiador y filósofo inglés, nació—1711—y murió—1776—en Edimburgo (Escocia). Después de haber estudiado Jurisprudencia durante algún tiempo y trabajado en una casa de comercio, se dedicó exclusivamente a la Filosofía y a la Historia. Vivió por Francia, Italia y Viena. Gran amigo de Rousseau, a quien invitó a su casa de campo. Secretario de Embajada—1763—en Francia. En 1766, ya Rousseau en Inglaterra, por culpa del carácter de este, quedó rota su amistad con Hume.

Durante algún tiempo fue bibliotecario de la Facultad de Derecho de Edimburgo; pero no pudo ser, pese a sus deseos, catedrático, ni en esta ciudad ni en Glasgow, porque jamás contó con el beneplácito de los universitarios. En 1767 fue nombrado subsecretario de Estado de Escocia.

Su fama fue mucha y firme. Como historiador, pertenece a la escuela de Voltaire; brilla más por su buen sentido, su claridad y su elegancia de estilo, que por la profundidad del pensamiento y la imparcialidad de la narración. Como filósofo, perteneció a la escuela de Locke, y se distingue de otros adeptos a esta escuela por la sencillez y originalidad de sus pensamientos. Profesó un escepticismo elegante, pero respetó la moralidad, que él basaba en una especie de *sentimiento moral*.

Sus obras fueron muy estimadas y traducidas en todo el mundo. Entre ellas, sobresalen: *Tratado de la naturaleza humana*—1736—, *Ensayos morales, políticos y literarios; Ensayos filosóficos, Ensayos políticos, Historia de la Revolución de Inglaterra, Principios de moral, Natural History of Religion, Historia de Inglaterra, Autobiografía, Correspondencia*...

Hume llevó el empirismo a sus últimas consecuencias, transformándole en *sensualismo* (V.). Para Hume, todos los conocimientos humanos tienen su base en la experiencia y se reducen a *impresiones*—percepciones actuales—y a *ideas* —copias de aquellas—. El conocimiento se reduce, pues, a la *sensación*. Atribuimos, por fe, valor objetivo a las impresiones. Y las leyes de la asociación explican la elaboración de los datos de la experiencia. La idea, insiste Hume, se funda necesariamente en una *impresión* intuitiva.

V. RÉMUSAT, C. de: *Bacon, su vida y su tiempo*. Madrid, 1868.—DIJON: *Biografía de Bacon*. 1861.—VAUZELLES, J. B. de: *Histoire de la vie et des ouvrages de Fr. Bacon*. París, 1883.—WALSH, M.: *Lord Bacon*. Leipzig, 1815.—FOSENGRIVE. C.: *François Bacon*. París, 1893.—BARTHÉLEMY-SAINT-HILAIRE: *Etudes sur Bacon*. París, 1890.—BROUGHAM: *Life of John Locke*. 1929. En la "Edimb. Review".—ALEXANDER: *Locke*. Londres, 1908.—MARION: *Locke, sa vie et son oeuvre*. París, 1878.—LARSEN, E.: *Thomas Hobbes*. Copenhague, 1891.—RITCHIE, T. E.: *Life and Writings of D. Hume*. Londres, 1807. —HUXLEY, T.: *Hume*. Londres, 1879.—HENDEL, Ch. W.: *Studies in the Philosophy of David Hume*. Princeton, 1925.—MARÍAS, Julián: *Historia de la Filosofía*. Madrid, 1943, 2.ª edición.

EMPRESA

Literariamente, empresa es sinónimo de *emblema*. La empresa literaria es como un tema propuesto por un autor—con alusiones alegóricas—, el cual se propone resolverlo a lo largo de un capítulo o jornada de su libro.

El más significativo autor de empresas en España fue don Diego Saavedra Fajardo, cuya obra principal titúlase *Idea de un príncipe político-cristiano, representada en cien empresas* —que son, en realidad, ciento una—, al frente de las cuales, dándoles el nombre, van unos emblemas con leyenda a modo de síntesis gráfica de las ideas que desarrolla en cada uno de los ciento un capítulos.

ENÁLAGE (V. **Figuras de palabras**)

Figura retórica—y gramatical—, que consiste en mudar las partes de la oración o sus accidentes, como cuando se pone un tiempo verbal o un caso por otro.

PRUD.—¿Harás lo que te digo?
JUANA.—Posiblemente si (volviera), sí.
(COMELLA.)

Volviera está colocado en lugar de *vuelvo*.

ENANTIOSIS (V. Antítesis)

ENARRACIÓN

En la Iglesia latina, la palabra *enarración* —"*enarratio*"—tuvo un sentido análogo al del vocablo *homilía* en la Iglesia griega. Así, las *Enarraciones* de San Agustín son discursos familiares, en los que se expone de una manera agradable y sencilla algún hondo ideal del espíritu.

El título de *enarración* subsiste hasta fines de la Edad Media. La última obra que lo lleva es una de Denys le Chartreux, *Enarrationes piae y eruditae*.

ENCABALGAMIENTO

Consiste en no marcar con la pausa acostumbrada el final de cada verso, sino que enlazan alguno o algunos de ellos con el siguiente.

... y mientras miserable-
mente se están los otros abrasando
con sed insaciable...

(FRAY LUIS DE LEÓN.)

ENCICLOPEDIA

De ἔγκυκλος, encíclica, circular, y παιδεια, instrucción.

1. Obra en que se trata de muchas ciencias y letras.
2. Conjunto de tratados sobre diversas ciencias y letras.
3. Título de obras que contienen un repertorio general de todos los conocimientos humanos, ya metódicamente, ya en forma de diccionario.
4. Por antonomasia, obra publicada en Francia, a mediados del siglo XVIII, bajo la dirección de Diderot y D'Alembert, cuyas ideas dieron origen a la Revolución de 1789. Su título exacto fue: *Dictionnaire raisonné des sciences, des arts et des métiers*, 1751.

Alfabética o sistemática, una verdadera enciclopedia es imposible. Se oponen a su existencia la enormidad de los conocimientos humanos y la limitación de quienes la redactan en un tiempo, por largo que sea, siempre escaso. Pero su importancia ha sido reconocida en todos los tiempos. Espeusipo, sobrino de Platón, había compuesto una obra de este género en diez tomos, que, desgraciadamente, se ha perdido. Los nueve libros de Varrón, titulados *Rerum humanarum et divinarum Antiquitates*, eran una especie de enciclopedia.

La *Historia Natural* de Plinio, con datos preciosos sobre diferentes conocimientos, merece igualmente el nombre de enciclopedia.

Sin embargo, el nombre de *enciclopedia* apareció por vez primera en 1541, como título de las obras de Fortius Ringelbergius: *Absolutissima Kyclopaedea*. Durante la Edad Media, las enciclopedias recibieron los nombres de *Specula, Summae, Bibliotheca, Tabla, Orbis disciplinarum*.

Enciclopedias famosas—además de las apuntadas—son: la *Luctae Philologiae et Mercurii*, del africano Mariano Minneo—año 470—; los *Etymologiarum, libri XX*, de San Isidoro de Sevilla—600 a 630—; *De Universo*, de Rabano Mauro—siglo IX—; *Didascalia pantodape*, de Prellus—siglo XI—; la *Bibliotheca mundi*, de Vicente Beauvais—siglo XIII—; la *Enciclopedia histórica*, del árabe En-Noweiri; *De expetendis et refugiendis rebus*, de Jorge Valla—1501—; *Novum organum*, de Bacon; el *Teatro crítico*, de Feijoo, y las *Enciclopedias generales*: *Británica*—1771—, *Larousse*—1864—, *Espasa*—principios del presente siglo...

ENCICLOPEDISMO

Nombre dado al conjunto de doctrinas profesadas por los autores de la *Enciclopedia* publicada en Francia durante el siglo XVIII.

El enciclopedismo—religión, filosofía, crítica—influyó decisivamente sobre las ideas europeas y aun sobre los sucesos políticos del mundo. El enciclopedismo pretendió sistematizar los hechos de la ciencia y de la historia para crear una filosofía de la vida y del mundo que reemplazase los viejos sistemas de creencias y pensamientos. De acuerdo con la doctrina de Locke, el enciclopedismo definió la libertad natural como el derecho que tienen todos los hombres para disponer de su persona y bienes en el sentido que tengan por conveniente, salvo el respeto a los principios del derecho natural. Por naturaleza, todos los hombres son iguales, y participan de la libertad civil al formarse la sociedad política.

Todos los enciclopedistas "estuvieron animados del espíritu de la *Enciclopedia* de Diderot: espíritu de independencia respecto de la autoridad, la tradición y la fe; confianza en la razón y creencia en el progreso; aspiraciones liberales; tendencias humanitarias."

Desdichadamente, imbuidos como estaban los enciclopedistas por ideas frívolas, propalaron doctrinas superficiales, que unas veces confunden al hombre con la Naturaleza, y otras divinizan el mundo, declarando superflua la creencia en Dios, y combatiendo las religiones positivas como imposturas inventadas por los sacerdotes.

La corrupción de las costumbres y el hallarse el culto reducido a un mero aparato de ceremonias fueron causas favorables que propagaron el enciclopedismo por todo el mundo, especialmente entre las clases altas de la sociedad.

El origen de la Enciclopedia es debido al editor Le Breton, cuyo primer pensamiento fue traducir al francés la famosa *Cyclopaedia* de Efraim Chambers, publicada en Londres en 1728. Le Breton encargó la dirección literaria y científica de la empresa al alemán Sellius y al inglés Mills. Pero aquel falleció y este regañó con Le Breton.

En 1745, el editor intentó nuevamente realizar su idea, encargando de la dirección a Diderot. Y Diderot asoció a D'Alembert, iniciando ambos su trabajo en 1746. Pero estos dos ingenios desistieron de traducir la obra inglesa y acordaron realizar una monumental obra de inspiración y de medios netamente franceses, cuyo modelo estuvo en el *Dictionnaire historique et critique* de Bayle—1697.

El primer volumen de la Enciclopedia apareció en 1751 con este título: *Encyclopédie, ou Dictionnaire raisonné des sciences, des arts et des métiers, par una société de gens de lettres.* En octubre del mismo año apareció el segundo tomo. Pero en 1752, un decreto del Consejo de Estado prohibió que continuara la publicación y mandó recoger los ejemplares que hubiere de los dos primeros tomos. Pocos meses después, casi clandestinamente, aparecieron cuatro tomos más. Nueva fulminante condenación del Consejo—1759—. D'Alembert se retiró de la empresa, y Diderot, con permiso tácito del Gobierno, prosiguió la publicación, apareciendo en 1765 los diez últimos volúmenes.

En la Enciclopedia colaboraron: Diderot. D'Alembert, Voltaire, Rousseau, Montesquieu, De Jancourt, Helvetius, Condillac, Morellet, Ivón, el barón D'Holbach, Daubenton, Marmontel, Dumarsais, Quesnay, Turgot...

La Enciclopedia tuvo muchas reimpresiones, entre ellas: Liorna, 1770; Lucca, 1771; Ginebra, 1777, excomulgada por el Papa a pesar de haber sido expurgada; Lausana, 1779; Berna, 1782.

El enciclopedismo marcó un período de tránsito entre el poder absoluto de los reyes y la nueva era de libertad encarnada desdichadamente en la Revolución francesa. Según los propios enciclopedistas, el movimiento significaba la lucha de la cultura e ilustración contra la tradición y los prejuicios.

Queriendo encerrar la vida en moldes intelectuales, el enciclopedismo fue el triunfo de los filósofos racionalistas, que sustituyeron la moral católica por una moral laica, lo que explica la oposición de la Iglesia a las doctrinas de los enciclopedistas, aunque el enciclopedismo reconocía paladinamente "que nada más necesario que una religión revelada, que, destinada a servir de suplemento al conocimiento natural, muestre a los hombres una parte de lo que estaba oculto para ellos". Ahora bien: el enciclopedismo limitó el papel de la revelación a cuanto nos es imprescindible conocer, quedando el resto hermético para siempre. La religión quedó reducida para el enciclopedismo en algunas verdades en que creer y en un corto número de preceptos que practicar.

D'Alembert, autor del *discurso preliminar*, especie de programa del enciclopedismo, proclamó que a la época de la religión y de la filosofía había sucedido la época de la ciencia. Y la ciencia a la que se refiere D'Alembert —matemático ilustre—es la natural, el examen de las cosas, del universo, conforme al método científico de la Naturaleza. Se trata, pues, en el fondo, del ideal de Descartes y del *cartesianismo* (V.), cuyas últimas consecuencias quiere sacar el enciclopedismo. En el "racionalismo francés, en cuanto forma de racionalismo, donde su tipo aparece más puro, se muestra al mismo tiempo con la mayor claridad cómo el racionalismo en conjunto es tan solo fruto maduro de la evolución, que se inicia con la idea de la *claridad* y *distinción* y del *método matemático*".

V. Menéndez y Pelayo, M.: *Historia de los heterodoxos españoles.*—Brunetiere, F.: *L'origines de l'Encyclopédie.* París, 1905.—Damiron, M.: *Mémoire pour servir à l'histoire de la philosophie au XVIIIe siècle.* 1902. 3.ª edición.—Groethuysen, B.: *Die Entstehung der bürgerlichen Welt und Lebensanschauung.* Halle, 1927.

ENCICLOPEDISTAS

Nombre dado a los escritores del siglo XVIII —filósofos, literatos, historiadores—que tomaron parte en la redacción y en la publicación de la famosa *Enciclopedia* francesa, cuyo título exacto era: *Dictionnaire raisonné des sciences, des arts et des métiers.*

Entre dichos escritores estuvieron: D'Alembert, Diderot, Voltaire, Buffon, Rousseau, Helvetius, Condorcet, Turgot, Nécker, Holbach, Montesquieu, Morellet, Grimm, Duclos...

V. Ducros, V. L.: *Les encyclopédistes.* 1900.

ENCUADERNACIÓN

Forro, cubierta de pergamino, cuero, tela, cartón u otra materia que se pone a los libros para su mejor conservación y lucimiento.

Las principales cualidades de una buena encuadernación son: *solidez, soltura, gracia* y *flexibilidad.*

ENDECASÍLABO

Nombre dado a los versos de once sílabas y a las composiciones escritas en esta clase de versos.

El endecasílabo es de dos especies: *propio*

y *sáfico.* En el primero, el acento recae, sin excepción, sobre la sexta sílaba.

El dulce lamen(tar) de los pastores.

En el endecasílabo propio, la *cesura*—pausa—debe ir colocada después de la *cuarta sílaba* y antes de la *novena,* y nunca mejor que a continuación de la sílaba acentuada, si es la última de una palabra aguda; o sobre la séptima, si la que lleva el acento es la penúltima de una palabra grave.

El dulce lamen(tar) / de los pastores
(después de la sexta).
Salicio junta(mente) / y Nemeroso...
(después de la séptima.)

De ello se infiere que el verso de siete sílabas—heptasílabo—entra como parte decisiva del endecasílabo.

Para la formación de los *endecasílabos sáficos,* el acento debe ir en la *cuarta* y *octava sílabas,* y puede ir también en la primera.

(Ver)de laur(el) que coron(an)do a Febo...

Para los críticos modernos, los principales endecasílabos son cuatro: el *italiano,* común o propio, con acentos en la sexta y en la décima sílabas; el *impropio,* en cuarta, octava y décima; el *sáfico,* con ritmo en las primera, cuarta, octava y décima, y el de *gaita gallega,* que lleva acentuadas las sílabas primera, cuarta, séptima y décima. Los *tipos de sáfico* y *gaita gallega* no suelen mezclarse con otros endecasílabos; los *propios* e *impropios,* sí, y con el heptasílabo en las *liras, silvas* y *estancias.*

Endecasílabo de *gaita gallega*:

(Li)bre la fr(en)te que el (cas)co re(hú)sa.

(Rubén Darío.)

Endecasílabo *sáfico*:

(Vu)ela al a(ca)so, busca otro (he)misfe(ri)o.

(Fray Diego González.)

ENDECHA

Copla de cuatro versos iguales, de seis o siete sílabas, en la que delata el poeta tristeza, melancolía, dolor... Pertenece la *endecha* al género *elegiaco* (V.). Los versos son, por lo común, asonantes los pares y libres los impares. Pero pueden ser también consonantes primero y cuarto y segundo y tercero.

Diga la memoria,
de tormentos llena,
mi presente pena,
mi pasada gloria.
Pues testigos fuisteis
de que está perdida,
acaben mi vida
mis memorias tristes...

(Bernardo de la Vega.)

Ya no hay en mi casa,
ya no hay alegría,
el silencio solo
y el dolor habitan.

Lirios y jazmines
son para mí ortigas,
y el alba noche,
y la rosa espinas.

(Ruiz Aguilera.)

Cuando el cuarto verso de la endecha es endecasílabo y los tres primeros de siete sílabas, se llama *endecha real.*

... A mayor bien del hombre,
todo está repartido;
preso el pez en su concha,
y libre por el aire el pajarillo.

(Samaniego.)

ENDÍASIS

Endíasis—antilogía o *paradoja* (V.)—es una figura lógica, según algunos retóricos, y un tropo de sentencia, según otros, que consiste en juntar con cierto enlace artificioso dos ideas al parecer inconciliables, y que encerrarían un absurdo si se tomasen al pie de la letra.

Sácame de aquesta muerte,
mi Dios, y dame la vida;
no me tengas impedida
en este lazo tan fuerte.
Mira que muero por verte,
y vivir sin Ti no puedo:
que muero porque no muero.

(Santa Teresa de Jesús.)

Las primeras buenas nuevas que tuvo el mundo y tuvieron los hombres fueron las que dieron los ángeles la noche que fue nuestro día. (Cervantes.)

ENEASÍLABO

Verso de nueve sílabas. Empezó a usarse en la Edad Media: *Vida de Santa María Egipcíaca, Auto de los Reyes Magos, Razón de amor, Elena y María, Libro de los tres Reyes de Oriente*...

Menéndez y Pelayo distinguió tres clases de eneasílabos: el *iriartino,* el *esproncedaico* y el *laverdaico* (de Iriarte, Espronceda y Laverde). El primero acentúa la tercera, la sexta y la octava sílabas; el segundo, la segunda, la quinta y la octava; el tercero, la segunda, la sexta y la octava. Modernamente, Rubén Darío hizo famosos los eneasílabos de su poesía:

> ¡Juventud, divino tesoro,
> ya te vas para no volver!
> Cuando quiero llorar, no lloro,
> y a veces lloro sin querer...

ÉNFASIS

De ἐν y φαοις, apariencia.

Figura retórica que sirve para dar a entender, acerca de alguien o de algo, más de lo que se expresa con las palabras. Es como una exageración en el pensamiento y en su exposición, que los escritores emplean para alcanzar el grado más alto de perfección en sus escritos.

El énfasis puede ser *natural* y *ficticio*.

El primero—que hasta cierto punto pudiera ser considerado como un defecto—es inseparable en la expresividad de los pueblos primitivos o sencillos. El énfasis es un elemento necesario en el uso de la palabra, porque frente a frente de las gigantescas obras de la Creación, el espíritu se dilata y engrandece por necesidad, y la metáfora degenera en hipérbole; buen ejemplo de ello son las literaturas orientales. La *Biblia* raya en lo sublime, así por la sencillez de la expresión como por una elevación de pensamientos que toca en el énfasis. Los poetas y narradores árabes se acreditan por una *exageración natural* de imágenes y de colores.

El *énfasis ficticio* aparece en la época de las decadencias literarias, cuando el artificio sucede a la sencillez, las palabras a las ideas, el énfasis declamatorio a la natural grandeza expresiva, "a Lucrecio y Virgilio, Lucano y Estacio", a Lope de Vega, Góngora.

ENFÁTICAS (Palabras)

Enfáticas o *capitales* son las palabras con que se expresan las ideas principales, o que más importancia tienen en cada cláusula. Estas palabras deberán colocarse en el lugar de la cláusula donde puedan producir mayor impresión, y desembarazadas de otras que pudieran hacerles sombra.

ENIGMA

Composición, en prosa o en verso, en la cual, sin nombrar una cosa, se la describe, enumerando sus causas, efectos y propiedades, pero de un modo ambiguo, a fin de que siempre quede algo por adivinar. Conocidísimo es el *enigma* propuesto por la Esfinge de Tebas:

> ¿Cuál es el animal que por la mañana camina en cuatro patas, al mediodía en dos y por la noche en tres?

Edipo descifró el enigma. Tal animal era el *hombre,* quien en la mañana de su vida—*infancia*—se vale de los pies y de las manos para caminar, y al mediodía—*juventud*—utiliza sus piernas, y en la noche—*vejez*—se apoya en un báculo.

En el enigma desempeñan un papel importantísimo las metáforas y las palabras de doble sentido.

Conviene no confundir el *enigma* con la *charada* y el *logogrifo,* aun cuando los tres tengan como fin la adivinación de una palabra.

El *enigma* define el objeto del vocablo propuesto en términos oscuros, que, *reunidos,* no convienen sino *a un solo objeto,* pero que, *separados,* cada término conviene *a un objeto distinto.*

La *charada* descompone el vocablo en sílabas o partes, a las que da los nombres de *primera, segunda, tercera;* dichas partes entran a formar en otros vocablos con sentido propio. Cuando en estos se halla la sílaba o parte que corresponde al vocablo principal y se coloca en el lugar que le corresponde, al *encajar* primera, segunda, tercera, cuarta, etc., aparece de pronto el vocablo propuesto.

El *logogrifo* considera, en el vocablo del enigma, las letras que lo componen, e indica los diversos sentidos obtenidos por las combinaciones de un cierto número de tales letras. A estas se las denomina *pies;* al nombre entero, *cuerpo,* al inicio, *cabeza;* a la mitad, *corazón.*

El *enigma,* como composición literaria, ha sido conocido y practicado en todos los tiempos con verdadero entusiasmo.

Famosos son los enigmas cruzados entre el rey de Babilonia, Licero, y el de Egipto, Nectanebo. En el *Libro de los jueces* se afirma que Sansón propuso enigmas a los filisteos para demostrarles que la fuerza de su ingenio era tanta como la de sus brazos.

A Ciro, rey de Persia, los escitas le enviaron con un mensajero *una flecha, una rata y una rana,* queriéndole decir que para librarse de las flechas escitas tendría que sumegirse en el agua, como la rana, o meterse bajo tierra, como la rata. Es Quintiliano quien cuenta la afición a los enigmas que tuvo Virgilio, y cómo Cicerón llegó a reunir una colección de ellos.

Los *Libros sibilinos,* obra alejandrina, escrita en los primeros siglos de nuestra Era cristiana, están llenos de enigmas, muchos de los cuales nadie ha podido resolver aún. Schiller compuso en versos enigmas muy sutiles. El sabio La Condamine pasa por ser el autor de una *Poética* del logogrifo, publicada—1758—en un número del *Mercure de France.* Famoso es el logogrifo—en verso virgiliano—conteniendo la palabra SILEX, en la que están contenidas estas otras: ILEX, LEX, EX, X y SILE.

(V. *Acertijo, Adivinanza...*)

V. COTIN, Abate: *Recueil des énigmes de ce temps.* París, 1646.—MÉNÉTRIER, P.: *Traité des énigmes.* 1694.—DUCHESNE: *Magasin énigmati-*

E

que.—Mézieres, L.: *Las charadas y los homónimos.* Traducción, Madrid, 1887.

ENSALADA

Composición poética formada con *coplas* y *redondillas,* en la que se mezclan diferentes géneros—religioso, profano, serio, jocoso—y distintos metros, españoles o no, siguiendo variedad de ideas, sin orden determinado, a capricho del poeta. Esta composición está destinada a ser cantada con acompañamiento de música.

....
Un cantar sin disparate,
que solamente trate
del infante deseado,
del Sacro-Verbo incarnado,
Dios y Hombre verdadero,
"nunca fuera caballero
a tierras tan bien venido".
Asomó por este exido
hecho pastor el Mexía,
y la humanidad le decía,
viéndose de fuerzas flacas:
Guárdame las vacas,
carillo,
y besarte he.
Custodi nos, Domine,
ut pupillam oculi
sub umbra alarum tuarum
protege nos.

(Mateo Flecha.)

Conforme las ideas cambian en la composición, la música cambia igualmente. De aquí el nombre de *ensalada.*

La *ensalada* empezó a cultivarse, a fines de la Edad Media, por poetas y danzantes que iban de lugar en lugar entreteniendo a los públicos ingenuos, de los que luego sacaban algunas monedas.

ENSAYO

1. Escrito, generalmente breve, en el que se expone, analiza y comenta un tema sin la extensión ni profundidad que exigen el tratado o el manual.

2. Título de numerosas obras—elementales o no—en que se trata una cuestión "desde un punto de vista restringido". Ejemplos: *Ensayos,* de Montaigne; *Ensayos sobre el entendimiento humano,* de Locke; *Ensayo sobre la indiferencia,* de Lamennais; *Ensayos de Teodicea,* de Leibniz.

3. En la nomenclatura teatral: estudio que sobre la escena hacen los actores de la producción dramática que van a representar.

Se da el nombre de *paso de papeles* al primer ensayo, que consiste en que el autor, traductor o un actor lea la obra que se intenta *ensayar.* Al segundo y tercer ensayo se los llama *a la mesa,* porque los actores recitan *sus papeles* alrededor de una a la que está sentado el apuntador. Los demás ensayos, *al agujero,* porque ya el apuntador está *en la concha* y los actores se han aprendido sus papeles. *Ensayo general* se llama al que se hace con decoraciones, trastos y demás enseres que la obra reclame, así como hechas las caracterizaciones de los actores, el día—o unas horas—antes del estreno.

ENTEÍSMO

Doctrina filosófica que no otorga a Dios otra existencia que la que le da el pensamiento del hombre. Según el enteísmo, la idea de la divinidad es intrínseca e inmanente en los seres. (V. *Inmanentismo.)*

El enteísmo no es una doctrina moderna; ya la discutieron y defendieron filósofos materialistas, idealistas y panteístas. Pero como nueva la reanimó el alemán Pablo Carus, a fines del siglo XIX, desde su cátedra de Chicago y en las obras *The Soul of Man*—1891—, *Philosophy as a Science*—1909—y *Pragmatism*—1908.

ENTIMEMA (Prueba oratoria)

Especie de silogismo imperfecto, truncado, que consta solamente de dos proposiciones: *antecedente* y *consecuente.* El entimema es una argumentación incompleta en la forma, pero completa en su fondo y espíritu. Ejemplo: *Todo hombre es mortal; luego Pedro es mortal.*

Se sobrentiende, entre las dos proposiciones: *es así que Pedro es hombre.*

El entimema implica *rapidez* en la oratoria; cuando *la premisa mayor del silogismo* suprimida—"es así que Pedro es hombre"—es obvia y fácilmente subsanable, no existe peligro en el razonamiento; pero sí cuando dicha supresión puede llevar el espíritu a una dificultad compresiva, o cuando la premisa suprimida es falsa.

ENTONACIÓN

Clase de inflexión que se da a la voz para que exprese con más propiedad las ideas que quieren enunciarse.

La entonación es uno de los medios o recursos más eficaces en el teatro y en la oratoria. "Así que el orador ha coordinado y compuesto su discurso; así que el actor ha aprendido su papel, ha estudiado el carácter general, se ha apoderado, por decirlo así, de las circunstancias particulares y de los detalles, fijando, además, las frases en la memoria, necesitan estudiar profundamente la ejecución y plegar su órgano a las distintas inflexiones por medio de las cuales uno y otro han de hacer comprender a sus oyentes lo que ellos mismos han comprendido; necesitan escoger las entonaciones más propias para poner el pensamiento en relieve, para darle, según su clase y naturaleza, fuerza o dulzura, pasión o jovialidad, de referencia o de sentimiento."

ENTREACTO

Intervalo que media entre los actos o jornadas de una obra teatral.

Entre los griegos no existió el entreacto. Las danzas, los cánticos, los coros daban tiempo a que los actores descansaran, y servían para que el público distrajera su atención de las incidencias dramáticas de la acción principal.

Los romanos fueron los primeros que llevaron a los espectáculos teatrales la *pausa* del entreacto, durante el cual actuaban músicos o los histriones ejecutaban pantomimas.

En el teatro moderno, el entreacto es "un nuevo recurso de interés", una excitación que se ejerce por los autores sobre la curiosidad pública, obligándola a meditar y a comentar mientras la acción está en suspenso.

ENTREMÉS

1. Pieza teatral jocosa, de costumbres y de un solo acto.
2. Máscara o mojiganga.
3. Suceso chistoso o ridículo dialogado.

Antiguamente se llamaron entremeses las mojigangas que recorrían las calles y plazas durante las festividades públicas. Algo así como nuestros gigantes y cabezudos, títeres o guiñoles.

En sentido más estricto, se llama entremés a una composición dramática semejante al *sainete,* y del cual solo se distinguía en que el *sainete* se representaba después de terminada la obra principal, y el *entremés* solía colocarse en medio de dos actos de la comedia o del drama. Hoy, tal distinción ha desaparecido, y se diferencian en que el *sainete* suele representarse con partitura musical y el *entremés* no; este es más breve que aquel y mueve muchos menos personajes—dos o tres cuando más—; el sainete *siempre* es de costumbres, y el *entremés* es *como una ingeniosidad.*

El teatro español es el más fecundo y glorioso en este género escénico. El *entremés* es como una ampliación del *paso,* de Lope de Rueda, y de la *loa,* y como un antecedente del *sainete,* de don Ramón de la Cruz.

Entremesistas famosos fueron: Cervantes, Quiñones de Benavente, Calderón de la Barca, Moreto, Hoz y Mota, Cáncer y Velasco, Monteser, Rodríguez de Villaviciosa, Juan Vélez de Guevara, Antonio de Zamora...

V. SAINZ DE ROBLES, F. C.: *Historia del teatro español.* Tomo VII. 1943.

ENUMERACIÓN (V. Figuras de pensamiento)

Es una figura retórica que consiste en reseñar de un modo breve una serie de ideas que se refieran todas a un mismo asunto, o en enunciar las diversas partes de un todo; pero no a manera de inventario, sino con rapidez y elegancia.

La enumeración puede ser *simple* o *de partes* y *con distribución.* En el primer caso se limita a enumerar las partes, cualidades y circunstancias del objeto; la segunda, además de enumerarlas, *dice algo* afirmativo o negativo de cada una de ellas.

> Hechas, pues, estas prevenciones, no quiso [Don Quijote] aguardar más tiempo a poner en efecto su pensamiento, apretándole a ello la falta que él pensaba que hacía en el mundo su tardanza, según eran los agravios que pensaba deshacer, tuertos que enderezar, sinrazones que enmendar, abusos que mejorar y deudas que satisfacer. (CERVANTES.)

> Aquí, en fin, la cortesía,
> el buen trato, la verdad,
> la fineza, la lealtad,
> el honor, la bizarría,
> el crédito, la opinión,
> la constancia, la paciencia,
> fama, honor y vida son,
> caudal de pobres soldados,
> que en buena o mala fortuna,
> la milicia no es más que una
> religión de hombres honrados.
>
> (CALDERÓN DE LA BARCA.)

ENVÍO

Estrofa o copla final de una composición poética, homenaje a la persona a quien va dedicada la composición.

Esta estrofa puede comprender versos de menos sílabas que los empleados en el resto de la poesía.

EOLIANO (Dialecto) (V. Dialecto)

EPANADIPLOSIS

Es una elegancia que consiste en terminar una frase con la misma palabra con que empezó.

> Enviando con el nombre de embajada
> (doblada) gente y prevención (doblada).
> El austro proceloso airado suena
> (crece) su furia, y tormenta (crece).
>
> (ARGUIJO.)

EPANALEPSIS

Consiste en repetir como final de un verso el mismo vocablo con que empieza un verso anterior.

> Cuántas veces el ángel me decía:
> Alma, asómate ahora a la ventana.
> Verás con cuánto amor llamar porfía.
> Y cuántas, hermosura soberana:
> "Mañana" le abriremos, respondía,
> para lo mismo responder "mañana".
>
> (LOPE DE VEGA.)

EPANORTOSIS (V. Figuras de pensamiento)

De ἐπανόρθωσις, corrección, enderezamiento. Es una retractación o una explicación de lo que se ha dicho.

Traidores... Mas ¿qué digo? Castellanos,
nobleza de este reino, ¿así la diestra
armáis, con tanto oprobio de la fama,
contra mi vida?

(GARCÍA DE LA HUERTA.)

EPÉNTESIS

Figura que consiste en añadir una letra o una sílaba en medio de un vocablo o de una dicción para hacerlos más largos.

Ejemplos: *Coronica,* por *crónica; Ingalaterra,* por *Inglaterra.* (V. *Metaplasmo.)*

EPENTÉTICO

Se da este nombre *a lo añadido* por *epéntesis* (V.) a una palabra o dicción.

EPIAULIA

Canción de trabajo de la antigua Grecia. Era, a veces, recitada sin acompañamiento musical.

ÉPICA (Poesía)

Propia de la epopeya, o relativa a la poesía heroica, a los poemas como *La Araucana,* de Ercilla; *Os Lusiadas,* de Camoens. (V. *Epopeya, Poesía épica.)*

EPICEDIO

1. Composición poética muy breve, dedicada a lamentar la muerte o desgracia de alguna persona.

2. Composición elegíaca muy breve, que los griegos anteriores al siglo IV antes de nuestra Era acostumbraban recitar delante de un cadáver y a presencia de los familiares enlutados.

EPICUREÍSMO

Nombre dado al sistema filosófico enseñado por Epicuro, famoso filósofo griego. 337-270 antes de Cristo. Nació en Gargetta, cerca de Samos. Fundador de la secta que lleva su nombre. Se hizo filósofo leyendo los libros de Demócrito y los versos de Hesíodo sobre el caos. Fue discípulo de Jenócrates, y abrió él mismo escuela en Mitilene, después en Lampsaco y, en fin, en Atenas. Epicuro fue muy maltratado por los escritores sus contemporáneos. Cimón el silógrafo le llamó "miserable y desvergonzado". Dionisio de Halicarnaso le calificó de "plagiario de Demócrito y de Aristipo".

Quedan de Epicuro las *Máximas ciertas;* tres *cartas* sobre la física, los fenómenos celestes y la moral; algunas partes del *Tratado de la Naturaleza*—encontradas en las ruinas de Herculano.

Fundó su moral en el interés bien entendido. Para él, el bienestar no consiste en los placeres carnales y en la gula, sino en la salud del cuerpo y en la tranquilidad del alma. Por ello, su moral fue más elevada que la de Aristipo. Sin justicia alguna, el morigerado Epicuro ha quedado como dechado de las mesas bien servidas y como corifeo de las voluptuosidades sin freno. El *placer,* para Epicuro, significó tranquilidad y salud, pero no desenfreno.

El epicureísmo adquirió pronto una gran influencia y un sentido casi religioso. Y se mantuvo floreciente hasta el siglo IV después de Cristo. Acaso la más importante exposición del epicureísmo sea el poema de Tito Lucrecio Caro (97-55), titulado *De rerum natura.*

El fin de la filosofía—fin único y absoluto—es, para el epicureísmo, la felicidad. No el *bien absoluto* preconizado por Platón, sino el *bien individual.* Para alcanzar este bien, el hombre tiene la razón, y con la razón sabrá libertarse de los males de la vida, y con la razón llegará a conseguir los placeres que le hagan agradable la existencia.

Según Epicuro, en la inteligencia humana existen *sensaciones* y *anticipaciones.* Las primeras son originadas por las emanaciones de los cuerpos que se combinan con los órganos de los sentidos. Las segundas son las sensaciones generalizadas; estas, haciendo al hombre capaz de raciocinar, constituyen la diferencia esencial que le distingue de los animales. Las sensaciones constituyen el origen de todos los conocimientos; y de las anticipaciones parte el raciocinio. Los errores, pues, no están en las sensaciones, ya que estas nacen de la acción de la Naturaleza; están en las anticipaciones, obras exclusivas de la inteligencia humana.

Las causas del dolor, según Epicuro, pueden ser *externas* e *internas.* Las primeras derivan de la sociedad y del mundo material. La filosofía enseña al hombre a conocerse a sí mismo y a conocer los principios constitutivos de las cosas para conseguir adaptarlos a la propia conservación. Pero el hombre ha de procurar no entregarse a los excesos que pudieran quebrantar su salud o privarle de la tranquilidad de ánimo.

La filosofía epicúrea es materialista y adopta la hipótesis de Demócrito, sustentando que los cuerpos constan de átomos invisibles y eternos; "pero, además del movimiento en línea recta que el primero les atribuyó, supuso otro movimiento en línea oblicua, por medio del cual, agitándose en todos sentidos, y uniéndose unas veces y separándose otras, habían llegado a formar los cuerpos y a producir los fenómenos del universo".

El alma es de materia más sutil que el cuerpo, pero están ambos unidos tan estrecha y armónicamente, que la muerte y disolución del cuerpo lleva consigo la muerte y disolución del alma.

Para Epicuro—que luchó contra la superstición religiosa—, todo sucede *naturalmente;* no existen seres sobrenaturales que intervengan en el mundo y en su destino; no niega la existencia de los dioses—a los que otorga la figura humana—, pero cree que son tan felices, "que no se preocupan lo más mínimo ni del mundo ni de los mortales"; afirma que uno de los más importantes servicios que nos hace la ciencia es el de libertarnos del temor a poderes sobrenaturales; aconseja que no tenemos por qué temer un *más allá* que no conocemos, y que a la muerte debemos darle la bienvenida, "ya que es la consunción natural de la línea del destino que nos es propio, en el destino del universo"; "en la muerte no nos va ningún interés", enseña Epicuro; ella es indiferente, "como en el fondo es indiferente para el sabio el mundo, lluvia de átomos"; aconseja apartarse de las pasiones violentas, porque arrebatan al hombre, haciéndole *desequilibrarse.*

Pero insistimos en que no debe considerarse al epicureísmo como la exaltación de los placeres groseros. Epicuro exige muy determinadas condiciones al placer: ha de ser puro, estable; ha de dejar libre, imperturbable, el alma de quien lo goza. Por ello, Epicuro eliminó casi todos los placeres sensuales para dar paso a los más sutiles y espirituales. Para él eran placeres lo mismo la *satisfacción* de una necesidad que la *eliminación* de la necesidad; y aún llegó a colocar—en un primer principio de la valoración de los placeres—los negativos por encima de los positivos. Fuentes inagotables de placeres denominó Epicuro a la memoria y a la imaginación; esta nos anticipa futuros placeres, y aquella *nos reaviva* placenteras situaciones.

V. DIÓGENES LAERCIO: *Vidas y doctrinas de los filósofos ilustres.*—JOYAU, E.: *Epicure.* En la colección "Les grands philosophes". París, 1910.—CARRAU: *Epicure, son époque, sa religion...* En "Revue des Deux Mondes". 1888.—GÖDECKEMEYER: *Epikur...* 1897.—HICKS, R. D.: *Stoics and Epicuream.* Nueva York, 1910.—KREIBIG: *Epikurs Personlichkeit und seine Lehren.* 1886.—GOMPERZ, Th.: *Griech. Denker.* 3.ª edición, 1912.

EPIFONEMA (V. Figuras de pensamiento)

De ἐπί, sobre, y φονέω, gritar, ἐπίφώνημα.

Es una figura retórica y lógica, que consiste en la reflexión profunda o exclamación que se hace después de narrada, descrita o probada alguna cosa. Debe ser precisa, natural y oportuna; y aparecerá como consecuencia espontánea, resumiendo en términos generales lo que se ha dicho.

Es norma corriente que el epifonema vaya siempre al final de la narración, discurso o poema, pero puede ocupar otro lugar, sin que por ello se destruya la figura. También creen los retóricos que el epifonema debe tener un carácter sentencioso y moral.

Porque ese cielo azul que todos vemos,
ni es cielo ni es azul. Lástima grande
que no sea verdad tanta belleza.

(LUP. LEONARDO DE ARGENSOLA.)

¿Piensas acaso tú que fue criado
el varón para el rayo de la guerra,
para surcar el piélago salado,
para medir el orbe de la tierra,
o el cerco por do el sol siempre camina?
¡Oh, quien así lo entiende, cuánto yerra!

(RIOJA.)

¿No era este el cuerpo a quien servía el mar y la tierra para tenerle la mesa delicada, la cama blanda y la vestidura preciosa? Cata aquí, pues, hermano, en qué para la gloria del mundo con todos los deleites y regalos del cuerpo. (FRAY LUIS DE GRANADA.)

EPIGONO

Nombre dado a los sucesores o primeros descendientes de un autor o del fundador de un movimiento literario.

También se llama epigono al literato que *cierra* ese mismo movimiento. Epigonos del *Romanticismo* en España fueron el duque de Rivas, Espronceda, Zorrilla... Y *epigono último* del propio *Romanticismo,* Bécquer.

EPÍGRAFE

De ἐπί, sobre, y γράφειν, escribir.

1. Resumen que precede a un capítulo, párrafo o discurso.

2. Sentencia o máxima que suelen poner los escritores a la cabeza de sus obras.

3. Pasajes de libros sagrados que los oradores eclesiásticos emplean como lemas de sus oraciones o sermones; en este caso, el epígrafe es llamado también *texto.*

El epígrafe, colocado a la cabeza de un libro o de una de sus partes, indica la intención del autor, el espíritu de la obra o el deseo de colocar lo escrito bajo la protección de una autoridad en la materia.

El epígrafe es como "una especie de divisa". En ocasiones no es sino un exponente de la pedantería de quien lo adopta, singularmente cuando el epígrafe está en lengua extranjera o *nada dice* en relación con el libro a cuyo frente va.

Muchos grandes escritores modernos adoptaron como epígrafes célebres frases griegas o romanas. Así, Rousseau: *Vitam impedere vero.* Así, Montesquieu, en el *Espíritu de las leyes*: *Prolem sine matre creatam.* Y Buffon, en su *Historia Natural*: *Naturam amplectimur omnem.*

EPIGRAFÍA

De ἐπί, sobre, y γράφω, escribir.

Es la ciencia que trata de las *inscripciones* (V.).

La epigrafía tiene por objeto: traducir, leer y explicar una inscripción, deduciendo de esta todas las consecuencias históricas y filológicas que encierra.

Faltos de medios expresivos gráficos, los antiguos, para dar publicidad a sucesos excepcionales y trascendentales, se valieron de grabar sobre piedras y planchas de metal el recuerdo de tales hechos, así como los nombres, títulos y hazañas de determinados personajes.

La importancia de la epigrafía queda patente al afirmar que existen pueblos que no han dejado más monumentos de su lengua y de su literatura de los *documentos epigráficos;* pueblos como Babilonia, Media, Persia—inscripciones cuneiformes—, Egipto—jeroglíficos—, Fenicia, Libia, Etruria...

Ciertos rasgos encontrados en los dólmenes y cavernas de la edad prehistórica son verdaderas inscripciones, aun cuando aún no se ha podido llegar a su interpretación segura.

La epigrafía auxilia extraordinariamente a la *geografía histórica,* determinando el lugar topográfico de los monumentos, vías públicas, batallas, etc... Auxilia igualmente a la *cronología,* ya que—por ejemplo—los *Mármoles de Paros* han precisado la historia helénica desde la fundación de Atenas hasta el arcontado de Diognetes; y los *Fastos consulares* han aclarado la serie cronológica de los cónsules, dictadores, tribunos, militares y conquistadores romanos hasta Tiberio.

También la ciencia jurídica debe importantes beneficios a la epigrafía, ya que esta ha puesto de manifiesto obras tan importantes como el *Código de Hamurabi,* con 280 leyes; la *Ley de Gortyna,* compendio de Derecho civil y criminal de Grecia; la *Ley municipal* de Julio César, promulgada el año 45 antes de Cristo.

Las inscripciones pueden ser: *históricas, religiosas, funerarias, monumentales, miliarias* y *honoríficas.*

Para muchos críticos, la epigrafía ha modificado y completado los conocimientos de la historia antigua, revelándola casi.

Desde luego, es una de las fuentes más seguras de lo histórico, ya que las inscripciones son contemporáneas de los hechos y de los personajes a los que se refieren.

Sin embargo, es ciencia la epigrafía que ofrece muchísimas dificultades. Una falsa interpretación puede dar origen a innumerables errores. Hay que tener un cuidado exquisito en no hacer hipótesis fantásticas. Para ser un buen epigrafista se requieren cualidades excepcionales de cultura, dominio de las lenguas muertas y una práctica constante de estudio y de lectura. (V. *Escritura, Jeroglífico, Inscripción...)*

V. García Villada, Z.: *Metodología y crítica históricas.* Barcelona, 1921.—Hübner, E.: *Epigraphik,* 1892.—Cagnat, R.: *Cours d'épigraphie latine.* París, 1914.

EPIGRAMA

El Diccionario de la Real Academia Española define el epigrama—en una segunda acepción—como: "Composición poética breve, en que con precisión y agudeza se expresa un solo pensamiento, por lo común, festivo o satírico."

Y bien definido queda. Con brevedad ejemplar y laudatoria. Etimológicamente, deriva del latín *epigramma.* Y este se remonta a lo más alto de su árbol genealógico: al colmo y a la cúspide griega: ἐπιγραφω = *sobre escribir.* Todo epigrama, por ende, fue en la antigüedad una inscripción.

En el frontis de un arco de triunfo—macizo y poblado de figurillas como un libro de estampas—, sobre la fría ceguera de un laude funerario, en el dintel de un mausoleo, en el hito jalonado de una vía, en la base de una estatua, en el quicio de un edificio, para evocar a una persona, para conmemorar un hecho, para recordar un sucedido, para perennizar una obra... se redactaba un epigrama, brevísima—breve en ocasiones y aun lata a veces—alusión literaria, en grandes letras capitales, con mucho hipérbaton, con mucha síncopa, con mucho apócope, sin otro fin que excitar la memoria, que hacerla revolverse hacia todo lo digno de inmortalidad.

¿Por qué entonces, en sus orígenes—veneros mejor que fuentes—se confunden, sin fundirse, el epigrama inscripción y el epigrama rasgo de ingenio hiriente versificado? Quizá porque el rasgo—de *desprenderse* y de *rasgar*—de fina burla se ajustó a la brevedad *lapidaria* de la inscripción recordatoria. Acaso porque la inscripción, con su prosa medida—ajustada, por mejor decir—, que parecía verso en el oído por el ritmo y verso a los ojos, por la colocación de las palabras, inspirase a los poetas el deseo de medir y rimar en auténtica preceptiva poética la alusión graciosamente maligna o sutilmente perversa.

Fuera lo más natural—y, por esta vez, lo más lógico—que la inscripción, en cualquiera de sus fines: funerario, laudatorio, votivo, emotivo, deprecador... se hubiera fundido—confundiéndose—con el epitafio: inscripción que se pone sobre un sepulcro para mover el recuerdo.

El genio helénico, enamorado de la sencillez y de la concisión, eterno pretendiente de lo enjuto, perpetuo denigrador de lo linfático, celebró el hallazgo de la armonía—¿y por qué no, también, de la harmonía?—corta para llevarla al dicho sutil. La primera impresión que tuvieron los helenos del epigrama debió de ser la de un Arquíloco armado, lo mismo que un Sagitario, de su yambo agudo. Y esto en tiempos en los que la leche de la Retórica estaba aún en los labios de los más audaces vates. Lo cierto es que en Grecia—Olimpo fogoso, islas doradas—, desde el siglo v antes de la Era de Cristo, el epigrama deja de ser una inscripción meramente excitadora de la memoria para transformarse en algo más que una estricta concordancia con su etimología.

Epigrama es, ya, un pensamiento poético no salido aún del formulario prosaico epigramático. Epigrama es, ya, un poemita, finido en una agudeza satírica, no liberado aún de las contracciones literarias epigramáticas. Epigrama pasa a ser cualquier poesía sumamente breve y de una intención ambigua o de una atención *doble*. Epigrama llega a resultar cualquier frase punzadora agridulce, aciamarga, que ni siquiera se sujeta a rima o a ritmo.

A Roma el epigrama llega ya con punta, filo y contrafilo. Corta. Pica. Hiere. Los ojos sensibleros lo ven como una abeja ática, rumorosa, que levanta ampollas. Es algo sutil que pasa y se posa cuando menos se espera, donde menos se piensa. Los espíritus prosaicos lo ven como una viborilla iracunda y envarada. Es algo serpenteante que repta y emponzoña. Los romanos se aficionaron en demasía al epigrama. Fue la suya una borrachera de pequeñas sutilezas mortificantes incluidas en las oraciones forenses, en las catilinarias destempladas senatoriales, en los certámenes poéticos, en el pirapatetismo académico, en las parrafadas familiares, en las arengas tribunicias o consulares. El *Veni, vidi, vici* de César, ¿no es perfecto epigrama? Brevedad. Irrisión hacia el enemigo. Quizá César preparó más la frase que la campaña. El *¡He aquí mis joyas!*, de la madre de los Gracos, presentando estos, niños, a sus amigas frívolas, ¿no es un perfecto epigrama? Brevedad. Herida mortal a la vanidad femenina de sus interlocutoras. Tal vez la matrona austera se jactó más de su austeridad que de sus hijos. En Roma, las togas de los oradores más conspicuos y de los poetas mejor enmecenados llegaron a estar corcusidas de los pequeños trozos de tejidos distintos que eran los epigramas. Se envolvían en ella lo mismo que en túnicas impermeables.

Del epigrama—epigramáticamente—se han dado muchas definiciones. Y exactas. Y felices. Una, latina, *lapidaria:*

> *Omne epigramma sit instar apis, sit aculeus illi sint sua mella; sit et corporis exigui.*

Otra, castellana, interpretada por Juan de Iriarte:

> A la abeja semejante,
> para que cause placer,
> el epigrama ha de ser
> pequeño, dulce y punzante.

Por cierto que es curioso leer cómo muchos críticos reputados—y repetidos—atribuyen esta cuarteta a Iglesias de la Casa. Y más curioso entender que, definiendo el epigrama, nadie se ha acordado sino de su punzadura dulce *que puede causar gozo*. ¿Y cuando punza y escuece? ¿Y cuando punza y levanta ampolla? ¿Y cuando hiere, buido? ¿Y cuando rasga? Un epigrama puede ser una broma. Y puede ser una puñalada. Un epigrama puede poner en ridículo un carácter o en evidencia unas características. Lo cual nada tiene de trágico. Pero un epigrama puede, igualmente, poner en tela de juicio la buena fama, cubrir de nubes el cielo del honor más despejado, hincar el diente y mellar en la más reputada sociabilidad, sembrar la inquietud, cosechar las efervescencias patéticas.

Es Coll y Vehí quien, modernamente, ha marcado la diferencia entre la inscripción y el epigrama. El objeto—¿el único?, ¿el primordial?—de este es la expresión de una ingeniosidad. La inscripción no tiene otro fin que conservar la memoria de algún hecho o declarar el porqué de alguna cosa pasada. Unas veces, con rapidez, sin finta alguna—pareado o cuarteta—, el epigrama se tira a fondo para herir. De una estocada más o menos hidalga, cara a cara. De una puñalada trapera, a vuelacapa, a penisombra, a recoveco. Desde el primer verso, el lector presume la intención del poeta. En la rapidez, en la brevedad está el éxito. La cuestión es que quienes escuchan el epigrama lo retengan en seguida, lo rían, *lo pongan en circulación* con un murmullo avispado, con una malicia en sordina. Otras veces, con más lentitud —una octavilla, una décima, varias quintetas, un romance—, el poeta oculta la peripecia, o la disimula, en los primeros versos para sorprender la curiosidad desvelada con un golpe final de efecto que violenta a un mismo tiempo la risa y la malicia y el refocilamiento de la envidia latente. En ocasiones, la primera estrofa hasta tiene una dulce emotividad ingenua, que, con la acidez de la estrofa última, conseguirá ese agridulce exigible siempre al epigrama en regla de buena retórica. Contraste. Detonación. Revulsión.

Envueltos en—y revueltos con—cuatro, ocho, dieciséis versos—y ello es la mejor alabanza y la gloria y el destino del epigrama—pueden ir todos los pensamientos bellos, que, por ser astillas saltadas y volutas lanzadas de belleza, no pueden ser sino leves, fugaces, imprevistos. Por todo lo indicado, no era raro encontrar en todas las literaturas cultas muchas poesías calificadas de epigramas, que no son en puridad, a todo riesgo y con la mejor fortuna, sino madrigales, requiebros, donaires de galanura, decires de sabiduría, juegos de palabras.

El epigrama, añado por mi parte, es un fruto serondo de las civilizaciones decadentes. Su zumo es de mil injertos muy estudiados. Los pueblos jóvenes, los pueblos en formación, llenos de bríos, pletóricos de franqueza combativa, no saben cómo se puede herir sin armas con heridas incurables, ignoran cómo se puede herir sin riesgo para quien hiere. La juventud repugna de todas las añagazas. El ímpetu no confía sino en los propios recursos naturales. Por ello, el epigrama es fruto serondo de Grecia supercivilizada. Y de Roma archicivilizada. Y de los imperios occidentales agrietados de los siglos XVII y XVIII. Un guerrero poeta logra un canto épico o una égloga. Un cortesano poeta no consigue sino un madrigal o un epigrama. Aquellas poesías son de efervescencia. Estas últimas son de heces.

Durante la Edad Media no se escribieron ni se esgrimieron los epigramas. El hombre medieval tenía demasiado que hacer y no le quedaba tiempo para cultivar su bilis. Había cruzadas religiosas en las que alistarse. Había mundos incógnitos que buscar. Había tierras patrias que limpiar de adversarios. Había recursos prodigiosos que traer a la invención. Había libros insignes que copiar, con paciencia benedictina, en los escritorios ojivales de los monasterios. Había luchas religiosas de güelfos y gibelinos en las que echar un cuarto a espadas y en las que coleccionar excomuniones papales. Y cismas en los que entremeterse. Y castillos para enfeudar. Y conspiraciones que poetizar. Y rencillas familiares de Capuletos y Montescos que inmortalizar a prueba de sutiles venenos, entre los cuales el más benigno era el agua tofana. Y esgrima de estilete—estilo Benvenuto Cellini—que practicar como un deporte. ¡Cuántas cosas por hacer, que hacer! ¡Qué existencias tan intensas! ¿Cómo iban a tener tiempo los hombres medievales para cultivar la bilis propia, oficio de compás de espera, de agazapamiento, de aburrimiento, de ahitez, de falta de fe y de moral en uno mismo? Logradas, delimitadas, definidas las grandes nacionalidades, inventadas casi todas las cosas más urgentes que inventar, creído el sistema heliocéntrico, sin interés ya las contiendas religiosas, circunvalada la esfera y dibujados—ceñidos—todos sus paralelos y meridianos, redactados de modo concreto los códigos, desalmenados los castillos, desacreditados los métodos expeditivos de Borgias y Médicis..., ¿a qué podía dedicarse el diablo sino a matar moscas con el rabo? Con la decadencia cultural de Europa se reafirma como epidemia la endemia medieval del epigrama. El hombre supercivilizado que no estima la vivencia gloriosa—larga o corta—, sino la pervivencia como sea: honorable o desprestigiada, prefiere esgrimir la intención que el ímpetu físico. Le es mucho más cómodo. Y le resulta mucho menos expuesto. El esfuerzo juvenil y noble es la espada, es el corcel, es el ¡voto a Dios! y es el mesarse las barbas moteadas por el polvo y por la sangre, es el despedirse de una dama encaramada en algún balcón volado, es el hincar la rodilla ante una paterna bendición. La intención decadente y mefítica es la pluma movida con parsimonia, es la sonrisa fracasada, el binóculo ennarizado al desgaire, la frase untuosa, la ceremoniosa actitud, cuanto encubre, cuanto ensolapa, es el *se dice* y el *según me contaron* y el *parece ser que*...

Toda la poesía es recitable. Con viva voz. Con franco ademán. Con actitudes gallardas. Ante una gregaria expectación. Menos el epigrama. El epigrama se musita, se murmura de oído en oído; va buscando la conformidad y la risa entre quienes lo escuchan, de uno en uno; cuando más, del corrillo, de la camarilla, de la tertulia.

Brevedad. Soltura de estilo. Agudeza. Originalidad. En señalar canónicamente las características del epigrama han estado de acuerdo, siempre, los críticos de ahora y los preceptistas de antes. Y algunos de estos y de aquellos han señalado la conveniencia de que en poemas tan cortos se busque la consonancia. Verdaderamente, en ocho, en cuatro, en dos versos, la asonancia presenta su recurso pobre. La consonancia, con su música mejor coreada, aporta una mayor gracia, se aferra mejor a la retentiva. Para probarlo, basta escribir a continuación un mismo epigrama asonantado y consonantado:

—¿No es verdad—dijo Teodora—
que tiene chispa este chico?
—¡Sí, señora!—yo le dije—.
¡Casi siempre está bebido!

Existe la agudeza. Existe la rapidez. Existe la soltura versificadora. Y, sin embargo... ¿Qué le falta?

Le falta cierta rotundidad; le falta, ya que se ha clavado, remacharse en el oído; le falta esa música más marcada que le dará aún mayor ligereza y marcialidad, como los pasodobles a los desfiles militares... ¡Le falta la consonancia! Y si no, probémoslo:

—Tiene chispa este muchacho,
¿no es verdad?—dijo Teodora.
Y yo dije: —Sí, señora,
¡casi siempre está borracho!

Para Lessing, se distinguen dos partes en cada epigrama: una, en la que se despierta la curiosidad del lector o del auditor; otra, en la que se satisface esta de una manera sorprendente. A la primera parte puede llamársela *nudo,* y a la segunda, *desenlace*. Quizá el secreto de este dificilísimo género poético resida, más que en la agudeza—esperada siempre—, en la inesperada *cara* de la misma. Que el auditor, que el lector, alertas en lo de ir al encuentro de una malicia o de una gracia, deban reconocer que no *era por ahí* por donde ellos se encaminaban.

"Unas veces el epigrama va directamente al fin—escribe Coll y Vehí—; otras encierra cierta especie de peripecia, para que de este modo sea la sorpresa mayor; ya empezando por la alabanza y concluyendo por un rasgo satírico, ya representando al principio caridad, candor, bondad, dulzura, para convertirse de repente en risa, en malicia o en mordacidad."

En diversos momentos, la crítica ha intentado agrupar los epigramas por *clases.* Vicente Callus—en su *Opusculum de epigrammate*—enumera: satíricos, vejatorios, burlescos, recriminatorios y laudatorios encubiertos. Fayolle—en su *Anthologie ou dictionnaires des épigrammes*—señala: contra los vicios, contra las costumbres, contra los caracteres, contra los defectos físicos. Escalígero—en su tratado de *Poetics*—divide los epigramas en melosos, biliosos—de *feld,* hiel o hieles—, ácidos—de *acetum*—, salados y los múltiples o que reúnen en sí dos o más características de las enumeradas con anterioridad. Nicolás Mercerius—en *De conscribendo epigrammate*—hace su división basándose en las figuras de los antiguos retóricos: expositivos, ejemplares, pictóricos, patéticos, fantásticos, ligeros y artificiales. Tomás Corraceus —en *De toto eo poematis genere quod epigramma diatur*—enuncia los epigramas así: originales, derivativos, imitativos.

Creo todas estas divisiones demasiado vagas y bastante caprichosas, sin valor ni finalidad alguna. Afanes exclusivos de sistematizar lo que, como poesía que es, se salta todas las fronteras, invade todos los ámbitos, y, como Argos, tiene los ojos a miles para contemplar las formas de belleza, y como Proteo, los miles afanes cotidianos de cambiar de defectos y de afectos. ¿Quién pone puertas al campo? Si acaso, la de Corraceus puede ser útil para estudiar el desarrollo—en el tiempo y en la literatura universal—de un mismo tema epigramático. Algo que ya hizo afortunadamente el anónimo autor de *Lucubrations on the Epigram,* obra publicada en Edimburgo el año 1808.

¿Cómo y cuándo derivó la inscripción memorativa en el epigrama? Creo atinente a la primera pregunta la afirmación de que, tan pronto como las inscripciones fueron redactadas con medida, abrieron paso al epigrama. Y las inscripciones sujetas a medida son muy antiguas. Tal vez se remontan al siglo IX antes de Jesucristo. Pero desde el VI se multiplican y resulta ya sumamente fácil señalar ejemplos. Plauto cita las inscripciones de la tumba de Midas, compuestas en versos hexámetros. Se conocen las del templo de Apolo, en Tebas. Tres inscripciones se deben a Arquíloco, y las tres en dístico y en metro elegíaco; una votiva, otra funeraria y la última, propiamente satírica, ya un epigrama auténtico. Y epigramas escribieron Anacreonte, Safo, Erina, Alceo, Alcmán, Simónides, Baquílides, Alfeo y Menalípides. Epigramas, es cierto, sencillos y suaves, sin acrimonia, sin malicias, sin trucos.

Praxídice ha hecho esta túnica,
mas la dirigió Diseris.
Así, al hacerla, juntaron
su habilidad dos mujeres.

(ANACREONTE.)

Esta imagen, Prometeo,
tierna mano la pintó,
y excediéndose al deseo,
la hizo tal, que, para estar
en ella Agazarchis, no
le falta ya más que hablar.

(ERINA.)

En mucho, a la verdad, son parecidos
la meretriz infame y el bañero,
pues lavan en un baño juntamente
al malo, confundido con el bueno.

(ALCEO.)

¿Cabe mayor ingenuidad epigramática?

Mención aparte merece Meleagro, versificador fácil, espíritu culto, carácter atrabiliario, auténtico epigramático, que cultivó todos los temas del espíritu y de la pasión *con intención* siempre aguda y voluntariamente *desenfocada.* Como quien caricaturiza en vez de retratar. En las disputas académicas, en los enconos de las escuelas, el epigrama sirvió de arma de combate. Celebérrimas son las *luchas satíricas* de los discípulos de Calímaco y de Apolonio de Rodas.

El epigrama latino conserva la estructura —la obra de Marcial aparte—del epigrama griego. Pero se ciñe más a la intención. Se aproxima a lo que será el epigrama moderno. Ennio cultiva—en hexámetro—el tema funerario. Varrón, la dedicatoria. Catulo, el erotismo. Todos ellos derrochan la sal ática, la gracia un poco cínica, el sentimiento supurado, el bilioso sarcasmo. Roma decadente, que ya no puede conseguir más, que ya no sabe apetecer más, es escenario magnífico de esos personajes secundarios—pero decisivos, a veces—que son los murmuradores, los malhablados, los encismadores, los envidiosos y carcomas de honras. Y las armas de estos ya se sabe cuáles son: la insidia, la reticencia, los puntos suspensivos, la sonrisita trasconejada, la tosecita, el gestecito... Todo ello literatura corrosiva.

Marco Valerio Marcial es una figura aparte. El epigrama parece solo balbucir hasta encontrarse con él. El epigrama se manumite de la retórica y adquiere categoría de género literario gracias a Marcial. Marcial es quien mejor se sabe servir del epigrama. Lo maneja como herencia suya indiscutible. Se lo ciñe, impecable, como el guante mejor cortado, a su mano. Marcial es el prestímano del epigrama. Ante la curiosidad del mundo, él toma los elementos más puros de la poesía: el estilo delicado, la sonoridad exquisita, la corrección de la frase..., y, manipulando con ellos dentro del hatijo de su temperamento, saca a la vista un epigrama sorprendente, lo mismo que esos conejos que los malabaristas extraen de las chisteras en las que fueron arrojando los más diversos objetos inanimados que les prestó el público expectante.

Ha escrito nuestro Menéndez y Pelayo: "De Marcial puede decirse tanto bueno como malo, y para todo habría textos en el inmenso fárrago de sus epigramas, elegantes y donosos muchas veces; brutales, hasta el último grado de cinismo; interesantes todos para el historiador, deliciosos algunos para el crítico de buen gusto. Es cierto que no hay inclinación perversa de la naturaleza caída y degradada, no hay bestialidad de la carne que el poeta bilbilitano no haya convertido en materia de chiste, sin intención de justificarlas, es verdad, sin tratar de hermosearlas tampoco, pero con la curiosidad malsana de quien reúne piezas raras para un museo secreto. En esta exhibición de torpezas, que podemos considerar como un inmenso periódico satírico o como un álbum de caricaturas de la Roma de Domiciano, lo que sobra es ingenio y agudeza; lo que se echa de menos es el respeto del poeta a sí mismo, a su arte y a la posteridad... Copia con exactitud fotográfica lo que sus ojos ven y condimenta con romana sal sus libelos, para que Roma se regocije con su propio retrato. No alcanza la verdad humana, universal y profunda, pero sí la verdad histórica, del lugar y del momento, el rasgo fugaz de las costumbres."

Marcial es el modelo inigualable. Todos le imitarán. Todos le copiarán. Todos le traducirán. En todo el mundo. Todos los temperamentos. El flemático sajón. El melifluo italiano. El hábil francés. El pasional español. Este más que ninguno. Quizá porque bien parece quien a lo suyo se parece.

Discípulos de Marcial fueron Ausonio y Luxorio. Pero ¡tan fríos, tan desaliñados! Marcial no tendrá famosos herederos hasta el siglo XVI. Y nacerán en su España. Y sentirán por él una devoción inmensa. Y se servirán de él como de una falsilla.

En todas las literaturas europeas se encuentra el epigrama, cultivado con mayor o menor acierto. Inglaterra se gloría de Ben Jonson, Switf, Addisson, Young y Pope. Francia, de Clemente Marot, Boileau, Juan Bautista Rousseau y Pirron. Italia, de Barchiello y Bembo. Alemania, de Logan, Kleits, Schlegel...

Marcial fue español. Sí, sí, ya sé cómo me van a argüir muchos. Español latino. Español viviente y vividor en Roma. ¿Y qué? La tierra da el zumo de que se ha de presumir siempre. La casta—que es nervio, sentimiento y sentido—no se desmiente nunca. Sin querer del sujeto. Por *querencia* precisamente. El uso y el abuso de una civilización trastruecan el carácter, pero no las características. Y son estas, en definitiva, las que caracterizan la obra del hombre. Marcial fue un español. Como Séneca. El senequismo, fuerza desesperada y serena de contemplar y de desdeñar; el marcialismo, intención mórbida de ir perdiendo la fe en cuanto no es la fe misma, son características esencialmente españolas, genuinamente españolas. Por ello no es de extrañar que sea España la nación cuya literatura presente los más admirables, los más numerosos ejemplos de epigramas; que sean sus literatos afamados quienes cultiven el género sin rivalidad posible fuera de los límites *de la vieja piel de toro* ibérica. El ingenio español —agudo, agresivo, burlón—fue siempre enemigo de consagraciones por la fama y de famas consagradas por el oficio. "Siéntate a tu puerta y verás pasar el cadáver de tu enemigo", dice un viejo dicho musulmán. El español, que tiene de musulmán no poco, modifica este dicho así: "Si me siento a mi puerta y me pasan el cadáver de mi enemigo..., que me dejen cantarle *una copla* a gusto..." Esta copla sería el epigrama. El respingo de don Juan, mofador de la muerte. La malicia de la Celestina buscándole la *cara naturalista* a los sueños románticos de la juventud.

El cantar y el epigrama responden a la impaciencia del español, que pretende—impulsivo—*volcarse,* y cree que no le van a dar tiempo, que no va a tener tiempo. Por ende, son los géneros literarios que más arraigo tienen y más entusiasmo provocan en España.

Sería muy difícil encontrar uno solo de nuestros clásicos de los siglos XVI al XVIII que no haya compuesto algún delicioso epigrama. Hurtado de Mendoza, Juan Rufo, Cristóbal de Castillejo, Baltasar del Alcázar, los Argensolas, Polo de Medina, Juan de Jáuregui, Juan de Arguijo, Pedro de Quirós, Miguel Moreno, Gabriel del Corral, el conde de Rebolledo, Juan y Manuel de Salinas... Y los otros, los magníficos, los impares... Lope de Vega, Quevedo, Góngora, Calderón, Rojas, Moreto, Ruiz de Alarcón, Tirso de Molina... Espigando en los campos ubérrimos de estos ingenios—aun cuando el grano lírico ya haya sido llevado a la troje—, ¡cuántos epigramas se recogen aquí y allá, lozanos, escapados a la gavilla meticulosa!

Sin embargo, el que pudiéramos llamar siglo español del epigrama es el XVIII. Centuria esta de la erudición, del estreñimiento creador, de la réplica destemplada, de la desconfianza social, de las pretensas síntesis filosóficas en una cuarteta. Los modelos más perfectos del género epigramático los dan los Iriarte, los Jérica, los Salas, los Moratines, los Cadalsos, los Iglesias de la Casa... Gente de peluca, de tabaquera con rapé, de zapato con hebilla, de dijes colgantes, de casaquín y peto de encaje, de sonrisa suficiente y de voces engoladas, de altos bastones y pasos y compases de minué. Estos ingenios del siglo XVIII tenían una habilidad especial para encontrar la caricatura moral y representarla con cuatro trazos. Y eso que alguno de ellos, bajo su disfraz neoclásico, ocultaba una fogosidad precursora del romanticismo.

Muchos y buenos epigramáticos presenta el siglo XIX. Y entre los mismos, poetas fervientemente románticos. Lo cual parece una paradoja. El grave Martínez de la Rosa—ministro y conspirador, autor de candilejas y prosista de campanillas—, sintiéndose preceptista, nos da su definición del epigrama:

Mas al festivo ingenio debe solo
el sutil epigrama su agudeza;
un leve pensamiento,
una voz, un equívoco, le bastan,
y cual rápida abeja vuela, hiere,
clava el fino aguijón, y al punto muere.

Y respondiendo al reconcomio de su piadoso espíritu, otro gran epigramático, Hartzenbusch, proclama:

Si al prójimo ha de ofender,
tilde poniendo a su fama,
solo es bueno el epigrama
que se queda por hacer.

Con los dos mencionados destacan el altisonante Arriaza—siempre envueltos sus humos en la bandera bicolor—, el circunspecto Lista, el desenfadado Martínez Villergas, el erudito Miguel Agustín Príncipe, el tierno Florentino Sanz, el saladísimo Bretón de los Herreros, el escatalógico Bernat y Baldoví, el moralizante—gran polizón de la mojigatería—Bartrina... No todos estos epigramáticos de los siglos XVI al XIX tienen un mismo valor. Los hay simples traductores o imitadores de Marcial. Así, Manuel Salinas, los Argensolas, Jáuregui, Pedro Quirós. Por ello es fácil que el lector encuentre un mismo epigrama expresado con parecidas palabras y firmado por distintos autores. Otros, más ingeniosos, dan a sus epigramas una originalidad indiscutible. Así, Góngora, Villamediana, Moreto, Villarroel, los Moratines, Bretón de los Herreros. Tampoco faltan las *ideas geniales* del pueblo—*de nadie*—, las que corren de boca en boca, puestas en versos fáciles por quienes no tienen otro mérito que el ser buenos sastres, de los que saben volver las prendas y dejarlas como nuevas.

No siempre, en mi búsqueda rigurosa, encontré los epigramas *sueltos*. Para espigarlos de los campos ubérrimos de los clásicos, hube de leer sus obras más afortunadas. Y en ellas, engarzados sutilmente, al aire y como al desgaire, en las joyas de los romances, de las octavas reales, de las quintillas, encontré no pocos, piedras maravillosas de luces y de precio, quizá los mejores por su originalidad y por su espontaneidad. Así, en Lope, en Calderón, en Tirso, en Rojas Zorrilla, en Moreto, en Ruiz de Alarcón; autores a quienes, en las antologías, apenas si se los incluía con algún versito intencionado, por creerse que no habían escrito sino contados epigramas.

Actualmente, muy raro es el escritor que no ha lanzado sus epigramas al torbellino de la malicia social. Muchas veces, escudado en un seudónimo, curándose en salud de alguna respuesta contundente por parte de los agraviados. Es decir, como quien lanza una puñaladita—en ocasiones alfilerazo y gracias—al revuelo de un capote, en la complicidad de las medias tintas, trasconejándose en las penumbras. Menos mal que las heridas literarias no profundizan mucho y cicatrizan en seguida. Quizá debido al callo que resguarda la epidermis de todos cuantos literaturizan.

Para hacer un buen epigrama hace falta ser un buen poeta, un buen versificador al menos. Precisamente por su brevedad han creído muchos—agudos de intención y romos de expresión—que tales poemitas *los hacía cualquiera...*, según flamenco respingo. Precisamente por este falso presumir, en ningún otro género poético abundan más los prosaísmos y los ripios disparatados.

Insisto en que durante la Edad Media el epigrama no se cultiva apenas en el mundo. Y menos en España, donde la vida caballeresca y caballerosa era aún más intensa y compleja que en cualquier otro trozo de Europa. Dicha vida ajetreada era la antítesis de la cortesanía. Aquella es la que compone el poema épico y el romance, pletóricos de sueños y de buena fe. Esta es la que mata sus ocios con el madrigal repulido y con el epigrama intencionado. Durante la Edad Media, España no tiene tiempo para las minucias, para las cicaterías, para las rencillas, para las discordias *familiares*. Le sobra, pues, el epigrama. España tiene que librar su tierra y pare Cides y condes esforzados e intonsos que cabalgan con el compás largo de los versos tetrástrofos. España tiene que asomarse a Europa dominando el lago de sirenas que es el Mediterráneo, y marcando en él sus armas de barras y de gules sobre el lomo fugitivamente fulgurante de los peces. España tiene que inventar el estilo románico en la falsilla del estilo asturiense; que levantar sus catedrales, sus monasterios, sus castillos, sus casones; que ir jalonando sus romances fronterizos y moriscos; que ir copiando en el libro mayor de la hispanidad los milagros de sus tradiciones y los ensueños de sus leyendas; que ir fortaleciendo y acrecentando y personalizando su lengua... ¡Tantas cosas en tantos siglos tuvo que hacer España! Y, claro está, le sobra el epigrama. Lo desconoce. Y cuando alguno, instintivo, salta con corveta de bestezuela campestre o corraliza.

apenas si produce efecto alguno. Y al no darle comento y bulla se le condena a morir.

Ni siquiera entre los españoles *de allá* o de *más abajo,* los musulmanes, el epigrama presenta ley de continuidad entre el siglo I y el XIV. Ninguno de los más grandes líricos musulmanes españoles es, propiamente, un epigramático. Ni Almotamid, de Sevilla; ni Azzobaidi, maestro de Hixen II; ni Abenzaidún, el legendario; ni Abensaid, de Granada; ni el elegíaco Abulbeca; ni Abenabdún, el exquisito de las casidas; ni la poetisa Racunia; ni el erótico autor del *Libro del collar,* Abenabderrabihi, ni otro alguno de tantos como cultivaron una lírica con más imágenes que ideas, plena de antítesis, metáforas e hipérboles raras, bellamente artificial a fuerza de dar importancia a la parte técnica y al primor del lenguaje. Como ejemplo de lo que pudiera parecer un epigrama árabe, copiamos el epitafio que se redactó el célebre médico Avenzoar, y que citan el doctísimo arabista y crítico González de Palencia y el catedrático insigne don José Hurtado:

Párate y considera
esta mansión postrera,
donde todos vendrán a reposar.
Mi rostro cubre el polvo que he pisado;
a muchos de la muerte he libertado,
pero yo no me pude libertar.

V. ANÓNIMO: *Lucubrations on the Epigram.* Edimburgo, 1808.—ANÓNIMO: *Rasgos de agudeza.* Madrid, s. a. Tres cuadernos en un tomo. —BIBLIOTECA DE AUTORES ESPAÑOLES: Tomos 32, 41, 42, 63 y 67.—BOOTH, E.: *Epigrams, Ancient and modern.* London, 1863.—BUSTILLO Y LUSTONÓ: *Galas del ingenio.* Madrid, San Martín, s. a. Tres tomos.—CALLUS, Vicente: *Opusculum de epigrammate.* Milán, 1641.—CASTRO, Ramón: *Epigramas amorosos.* Madrid, s. a.— CEIJS BERK: *Epigrammatische Anthologie.* Berlín, 1889.—COLL Y VEHÍ, J.: *Modelos de poesía castellana.* Madrid, 1871.—CORRACEUS, Tomás: *De toto eo poëmatis genere quod epigramma diatur.* Bolonia, 1590.—COTTUNIUS: *De conficiendo epigrammata.* Bolonia, 1632.—DODD, L.: *The epigrammatische.* 1870.—FAYOLLE: *Anthologie ou dictionnaire des épigrammes.* París 1817.—GARCÍA PEDROSA, Miguel: *Poesía jocosa española.* Sevilla, 1899.—HAUG UND WEISSEN: *Epigrammatische Anthologie.* 1804.—LLOMBART, Constantino: *Niu d'abelles.* Valencia, 1879.— MERCERIUS, Nicolás: *De conscribendo epigrammate.—Mil y un epigramas catalans.* Barcelona, 1879.—NAVARRO, Luis María: *Epitafios, epigramas y cuentos españoles,* Madrid, 1914.—RUIZ DE LA CASA, Joaquín: *Epigramas españoles.* Madrid, 1858.—SISARD M.: *Martial.* París, 1860.— *Tesoro epigramático.* Barcelona, Tasso, 1894. —VAVASSOR: *De Epigrammate liber.* París, 1669. —WERNICKE: *Ueber Schriften oder Epigrammata.* 1697.

EPÍLOGO

De ἐπι, sobre, y λόγος, discurso.

1. Conclusión del discurso, oración, razonamiento y de toda obra literaria.

2. Recapitulación de cuanto se ha dicho, perorado o escrito.

3. Composición poética o discurso que el autor dirigía al público al final de una comedia o tragedia, y cuyo objeto era el de borrar en el ánimo de los espectadores las impresiones desagradables que hubiera podido excitarles la obra.

Es, en la obra literaria, la parte opuesta al *prólogo.* Y si este sirve para presentar al espectador o al lector los personajes que intervendrán en la acción, el *epílogo* se emplea para resumir *los efectos* de la acción cumplida.

El epílogo no es una parte esencial de la obra—discurso, novela, drama—, ni puede confundirse con la peroración, la conclusión o el desenlace, partes integrantes de la producción literaria.

En el teatro antiguo romano se llamó epílogo a la frase consagrada con la que un actor se despedía del público implorando su aplauso:

Vos valete, et plaudite, cives.

Esta fórmula se ha conservado hasta nuestros días en numerosas obras teatrales.

Y aquí el cuento se acabó.
Acaba como terminan
los que al niño gratos son:
con el triunfo de los buenos,
de la virtud, del amor;
con un rayo de alegría
y una sonrisa de Dios.

(M. SECA: *La muerte del dragón.)*

Sin embargo, modernamente los escritores suelen llamar epílogo al último acto o al capítulo de una obra, precisamente en el que la acción se desenlaza.

EPÍMONE

De ἐπι, sobre, y μενω, insistir.

Figura que consiste en repetir sin intervalo una misma palabra para lograr un mayor efecto enfático, o en intercalar en una composición poética un mismo verso o una misma expresión.

... figura *epímone* o continuación cuando el mismo verso o la sentencia se injiere muchas veces. (F. DE HERRERA.)

Quisiera dar un tono de optimismo a mi vida.
Y no sé. ¡Y no sé! Siempre dejo el alarde
para mañana. Pero me reprocha la Vida:
—¡Mañana será tarde!
—¡Mañana será tarde! ¿Sabes tú si mañana
vivirás todavía, joven loco y complejo?

Y aunque vivas mañana, tu intención será vana.
¡Mañana serás viejo!

(F. C. SAINZ DE ROBLES.)

EPINICIO

De ἐπί, sobre, y νίκη, victoria.

1. Himno triunfal. Canto de victoria.
2. Composición poética para celebrar un suceso victorioso o afortunado.
3. Poema lírico griego dedicado al vencedor de los grandes juegos olímpicos, píticos, ístmicos o nemeos.
4. Cualquier canción en la que se muestre regocijo por algo.

Las *odas* de Píndaro fueron denominadas *epinicias,* por estar dedicadas a ensalzar a los héroes vencedores de los grandes juegos.

EPIQUEREMA (Prueba oratoria)

De ἐπί, sobre, y χείρ, mano.

Es un silogismo forzado o irregular en su forma, en el que una o varias premisas van reforzadas por la prueba, ampliando así la simple expresión silogística.

El epiquerema se contrapone al *entimema.* El entimema *suprime* las premisas evidentes. El epiquerema refuerza las dudosas.

El epiquerema evita el encadenamiento de los silogismos, haciendo más florido el razonamiento.

EPIRREMA

Era una de las partes de la *parabasis* en la comedia griega. Venía a ser como una estrofa satírica compuesta de dieciséis versos trocaicos tetrámetros, que recitaba una parte del coro a continuación de cada estrofa lírica.

EPISCENIO (V. Teatro)

De ἐπί sobre y σκηνή, escena.

Se daba este nombre al piso superior que decoraba el fondo del teatro, llamado propiamente escena.

EPISODIO

De ἐπεισόδιος, intervención, ingreso.

1. Acción secundaria de la principal o no integrante en ella.
2. Acción secundaria que sirve para enlazar varios momentos de la principal.
3. Digresión en un escrito o discurso.
4. Cada una de las acciones parciales en un argumento.
5. Incidente enlazado con otros, formando todos la acción.

Los episodios son necesarios en las obras literarias, siempre que tiendan a desarrollar, enriquecer y amenizar la acción principal. Muchas obras famosas son más conocidas y apreciadas por sus episodios que por el argumento. Muchas personas recuerdan la *Ilíada* por la despedida de Andrómaca o por los funerales de Patroclo; la *Eneida,* por el caballo de Troya; las *Geórgicas,* por la exaltación de la vida del campo o por la muerte de Eurídice; la *Farsalia,* por el paso del Rubicón; el *Quijote,* por el gobierno de Sancho, el retablo de Maese Pedro o las aventuras de los galeotes; la *Divina Comedia,* por los episodios de Francisca de Rímini o del conde Ugolino; la *Jerusalén libertada,* por los amores de Reinaldo y Armida.

Naturalmente, para que los episodios adquieran el máximo valor y eficacia han de reunir varios requisitos: 1.° Que aparezcan más o menos unidos a la acción principal; 2.° Que sean oportunos; 3.° Que sean breves o proporcionados; 4.° Que ofrezcan objetos diferentes a los que anteceden o siguen; 5.° Que domine en ellos la expresión de los afectos; 6.° Que no se desprendan fácilmente del argumento; 7.° Que no hagan olvidar al lector o espectador el tema fundamental propuesto en la obra.

En varias novelas españolas—*Guzmán de Alfarache, Marcos de Obregón, La pícara Justina...* y en el mismo *Quijote*—historias del *Curioso impertinente* y el *Cautivo*—los episodios, que nada tienen que ver con la acción principal, entorpecen el desarrollo armónico de esta.

EPÍSTOLA

1. Escrito, más o menos breve, dirigido a los ausentes.
2. Escrito literario, en prosa, con el que el autor, dirigiéndose a una persona, real o imaginaria, comunica al público en general sus ideas, sentimientos, opiniones y afectos.
3. Composición poética de alguna extensión, en la que el autor se dirige o finge dirigirse a una persona, real o imaginaria, intentando moralizar, enseñar, satirizar, conmover.

Carta poética en su fondo y en su forma es la epístola. Pueden ser asuntos en ella las reflexiones morales, el elogio, la censura, la pena, el placer y otras ideas y sentimientos de quien la escribe. Respecto a la forma o versificación, las epístolas se escribieron entre los latinos en hexámetros, y entre los modernos, en tercetos, silvas, romance endecasílabo o verso suelto.

Las epístolas poéticas reciben diversos nombres: elegíacas, morales, filosóficas, políticas, religiosas, descriptivas, satíricas, etc.

El modelo en el género epistolar poético es Horacio. Todas sus epístolas corresponden al género moral, a excepción de la famosa *A los Pisones* y la primera del libro II, dirigida a Augusto, en las que habla de cuestiones retóricas y poéticas *en forma didáctica.* Las cartas *del Ponto,* las *Tristes,* de Ovidio, forman una larga correspondencia elegíaca. Ausonio y Claudiano escribieron admirables epístolas.

En España son célebres: la *Epístola moral a Fabio,* atribuida a Rioja; las de los Argensolas,

Meléndez Valdés, Cienfuegos, Jovellanos, Leandro F. de Moratín...

En Inglaterra, Pope dio al género una de sus más felices muestras con las epístolas de *Eloísa a Abelardo* y *El ensayo sobre el hombre.* Y Young cuenta con algunas bellísimas.

La epístola en prosa, género sumamente agradable a los ingenios más excelsos, con un tono, un lenguaje y un estilo propios, se ha utilizado para conseguir los más diversos géneros literarios: el descriptivo, el filosófico, el crítico y hasta el narrativo. *Las amistades peligrosas,* de Chordelos de Laclos, es una novela universalmente admirada. En España, la famosísima novela de don Juan Valera *Pepita Jiménez* presenta su parte más hermosa en forma epistolar.

Muchas cartas dirigidas por espíritus selectos de todos los tiempos a personas distintas, sin intención literaria alguna, posteriormente han alcanzado una categoría excepcional al ser publicadas, por el valor de sus ideas, por su ingenio, por su intención didáctica, por su moral sutileza.

El contenido de las cartas es tan vario como diversas son las relaciones que pueden establecerse entre los hombres.

Son requisitos de las cartas: la naturalidad, la sencillez, la sinceridad, aun cuando no queden excluidos de ellas los pensamientos agudos y las sentencias profundas.

Entre los autores más famosos de cartas ejemplares están: Plinio, Cicerón, Séneca, San Pablo, San Jerónimo, Santa Teresa de Jesús, el Beato Juan de Avila, Fray Luis de Granada, Aretino, Pascal, madame de Sévigné, Pope, Addisson, Swift, Sterne, Rousseau, Foscolo, Eça de Queiroz, Balmes, Benavente...

EPISTOLAR (Género)

Esta denominación, en su sentido más general, comprende, bajo los nombres de misivas, letras, recados, epístolas, etc., los escritos de carácter más o menos íntimo dirigidos por una persona a otra y que no están destinados a la publicidad. Como una *conversación escrita* han sido calificadas.

Las reglas del género epistolar pueden reducirse a esta: *escribir como se habla.* (Véase *Epístola.*)

EPÍSTROFA

De ἐπὶ, sobre, y στροφή vuelta.

Figura retórica que consiste en repetir una palabra al fin de dos o más cláusulas o miembros de un período.

> Inútilmente volverás (mañana), inútilmente intentarás realizar (mañana) lo que debiste y pudiste hacer hoy.

EPITAFIO

1. Inscripción o letrero.
2. Composición poética muy breve, dedicada a la memoria de un muerto, en su elogio o en su desprestigio.

Los epitafios—no literarios—son tan antiguos como el hombre. El deseo de marcar sobre las tumbas inscripciones alusivas al finado es de todos los tiempos y de todos los países.

Fueron los romanos los primeros que dieron al epitafio categoría literaria, ya escribiéndolo sobre las landas, ya leyéndolo en el momento del entierro.

Modernamente, los epitafios suelen ser escritos en los monumentos conmemorativos. Así, en una de las lápidas del plinto sobre el que se eleva la estatua de don Alvaro de Bazán, marqués de Santa Cruz, en la plaza de la Villa, de Madrid, puede leerse este epitafio:

> El fiero turco en Lepanto,
> en la Tercera el francés,
> y en todo el mar el inglés,
> tuvieron de verme espanto.
> Rey servido y patria honrada,
> dirán mejor quién he sido,
> por la cruz de mi apellido
> y por la cruz de mi espada.

EPITALAMIO

ἐπιθαγάμιον, de ἐπὶ, sobre, y θάλαμος, lecho conyugal.

1. Breve poema compuesto con ocasión de un matrimonio y en honor de los esposos.
2. Canto o himno compuesto para exaltar alguna boda.

Este género de poesía apareció en Grecia, aun cuando no lo inventara Estesicoro, como equivocadamente se ha dicho. Desde tiempo inmemorial ante la alcoba de los novios se cantaba un poema, cuyo estribillo era: *¡Oh hymen! ¡Oh himeneo!* Tal poema era llamado κατακοιμη-τικος *(canción para hacer dormir).* De la canción citada derivó el *epitalamio,* poema lírico regular, escrito especialmente para la solemnidad de la boda. Se componía de un recitado y de varios coros. Las divinidades de aquellos tiempos, Venus, los Amores, las Gracias, eran los actores de aquellas alegres y encantadoras escenas. Los coros llevaban antorchas, coronas de flores, instrumentos musicales. Entre los griegos, los epitalamios, pese a lo escabroso del tema, fueron siempre de una delicadeza extremada. Safo y Estesicoro los escribieron bellísimos. Y el *idilio* de Teócrito en honor de Menelao y Helena es un verdadero epitalamio.

El epitalamio romano fue un calco del helénico. Y también estuvo precedido de una canción popular cuyo estribillo era *Talassius!* (Talassius fue un arrogante romano, raptor de una hermosa Sabina, con quien se casó, siendo felicísimos. El nombre de Talassius quedó en el pueblo romano como prototipo del varón hermoso, audaz, fiel y delicado.) El epitalamio romano cayó en la obscenidad. Y fue Catulo quien lo dignificó, componiendo uno en honor de Manlio y otro en honor de Thetis y Peleo. Estacio escribió el dedicado a Violentillo y Stella. También Claudiano hizo célebre el de Honorio y María. Claudiano compuso numerosos epitalamios francamente licenciosos.

Epitalamio hermosísimo es el *Cantar de los Cantares,* bíblico, que celebra los desposorios de Cristo con la Iglesia.

En España, Nicolás Fernández de Moratín escribió uno a la infanta doña María Luisa de Borbón; Martínez de la Rosa, el *Himno epitalámico* y *La boda de Portici;* Gaspar Melchor de Jovellanos, el de su amigo don Felipe Rivero...

V. SOUCHAY, Abbé: *Sur l'origine et le caractère de l'éphitalame.* En "Mem. Acad. Inscriptions", tomo IX.

EPÍTASIS

De ἐπί, sobre, y θασις, extensión.

Es la parte del poema dramático que sigue a la *prótasis* (V.) y que antecede a la *catástasis* (V.). Es decir, aquella parte en que se inicia el nudo, el enredo de la intriga, la complicación del argumento.

EPITETISMO

Figura que se logra cuando con una idea secundaria se consigue modificar la expresión de la principal.

> Aquel hombre indomable, curtido en las guerras más violentas, mil veces burlador de la muerte, quedó preocupado con su tos...

EPÍTETO

Aun cuando gramaticalmente *adjetivo* y epíteto son voces sinónimas, literariamente se diferencian bastante, porque *epíteto,* literariamente, trata de expresar una calidad *separada* del objeto o del sujeto a quienes se refiere. El adjetivo liga la calidad al sustantivo que acompaña. El epíteto puede ser un *adjetivo,* o un *adjetivo acompañado de una modificación más o menos larga,* u *otro sustantivo* llamado *de oposición,* o un *complemento indirecto,* o una *proposición incidental entera.*

El adjetivo pertenece a la gramática y a la lógica; el epíteto, a la poesía y a la literatura en general. El adjetivo debe emplearse en el sentido recto; el epíteto, en el sentido figurado. Tan no son lo mismo adjetivo y epíteto, que en muchas frases existe el segundo sin que exista el primero. Así: *César, rayo de la guerra; Atila, azote de Dios; Cervantes, el manco de Lepanto; Lope de Vega, monstruo de la Naturaleza.*

Literariamente, epíteto es una elegancia del lenguaje que se junta al sustantivo, no para determinarlo, sino para caracterizarlo, dando más gracia y energía a la frase.

Según Hermosilla, los epítetos han de ser: 1.° Oportunos e interesantes. *Juno, la de los blancos brazos* (Homero). 2.° Propios. *La caduca avaricia* (Lope de Vega). 3.° No han de ser vagos. 4.° No han de ser repugnantes. *Tétrica muerte.* 5.° No han de ser inútiles. *La blanca nieve.* 6.° No deben acumularse. 7.° Deben evitarse los epítetos comunes. 8.° No deben multiplicarse, principalmente en la prosa.

Y el propio Hermosilla señala un famoso soneto de Lupercio de Argensola como ejemplo de todas las calidades exigidas al epíteto:

> Imagen espantosa de la muerte,
> ¡sueño cruel!, no turbes más mi pecho,
> mostrándome cortado el nudo estrecho,
> consuelo solo de mi adversa suerte.
> Busca de algún tirano el muro fuerte,
> de jaspe las paredes, de oro el techo,
> o el rico avaro en el angosto lecho,
> haz que, temblando, con sudor, despierte.
> El uno vea el popular tumulto
> romper con furia las herradas puertas,
> o al sobornado siervo el hierro oculto.
> Y el otro, sus riquezas descubiertas
> con llave falsa o con violento insulto;
> y déjale al amor sus glorias ciertas.

EPÍTOME

De ἐπιτέμνω, cortar.

1. Uno de los sinónimos de *abreviado* (V.).
2. Resumen lo más sucinto posible de una materia determinada, sin perder la principal y la mayor sustancia de ella.

Epítome es una figura que consiste en repetir los primeros vocablos en una relación numerosa, a fin de que la claridad de la frase no se pierda.

EPÍTRITO

Pie de verso griego y latino, compuesto de cuatro sílabas, cualquiera de ellas breve y las otras tres largas. *(V. Pie.)*

EPÍTROPE (V. Figuras de pensamiento)

Figura retórica de pensamiento que se logra cuando denotamos permitir o dejar al arbitrio de otro que haga, contra nuestro dictamen, lo que desee, haciéndole esta concesión para demostrar lo seguros que estamos de cuanto queremos demostrar. *(V. Permisión, Concesión.)*

ÉPODO

Tercera parte del canto lírico, que se componía de *estrofa, antiestrofa* y *épodo.* En Grecia y Roma se llamó épodo a todo poema lírico compuesto de versos alternativamente largos y cortos. Los largos eran, generalmente, yambos trímetros, y los cortos, yambos dímetros. No ha llegado hasta nosotros ningún ejemplo griego de épodo. Horacio imitó este ritmo en las *odas* que integran el libro V y que llevan el

E

nombre de *Epodos.* Todavía se llama *verso épodo* al pequeño verso adónico que sirve de cláusula a la estrofa sáfica.

Al parecer, el épodo lo inventó Estesicoro, añadiéndolo a la *estrofa y antiestrofa* de las poesías corales.

EPOPEYA

De ἔπος, discurso, recitado.

Esta palabra tiene una acepción muy amplia, pero un muy restringido sentido. Significó para los griegos *toda poesía no cantada;* designó únicamente las extensas composiciones poéticas cuyo tema era una acción grande, heroica, popular, ya nacional, ya religiosa. Voltaire definió la epopeya como "un recitado en verso de aventuras heroicas". Y Marmontel: "La imitación, en recitado, de una acción memorable e interesante."

Epopeya es el poema más importante que puede concebir el ingenio humano. Es la narración poética de una acción grande, memorable y extraordinaria, capaz de interesar a un pueblo y a veces a la Humanidad entera.

Nuestro Martínez de la Rosa ha dicho de ella:

Con noble majestad la épica Musa
canta una acción heroica, extraordinaria,
simple en el plan, en los adornos varia.
Así, Homero divino
a la atónita Grecia narró un día
de la gran Troya el mísero destino.
De cien pueblos y reyes belicosos
en sus cantos fundó la eterna gloria;
y del mayor imperio que vio el Asia
solo dura en sus versos la memoria.

Como el águila audaz, que en libre vuelo
de la vaga región se enseñorea,
cruza el inmenso cielo,
y en su altísima cumbre suspendida
contempla desde el sol el bajo suelo;
tal el divino vate,
en alas del ingenio remontado,
abraza con su vista cuanto encierra
en sus inmensos términos la tierra...

La crítica moderna ha establecido una radical diferencia entre las *epopeyas naturales,* las verdaderas epopeyas, y las *epopeyas artificiales* o *de imitación.* Estas últimas constituyen un género que se produce en todas las literaturas y que se sujeta a reglas especiales y minuciosas. La verdadera epopeya, la natural, ha sido concebida fuera de toda intención literaria; su carácter es la espontaneidad, una especie de impersonalidad tal en la creación de la obra, que ha dado origen a dudar de la existencia de los poetas hoy creídos autores de las mismas; así, Homero y Viasa.

Epopeyas naturales son la *Ilíada,* la *Odisea,* el *Mahabharata,* el *Ramayana, Los Nibelungos,* el *Poema del Cid...*

Epopeyas de imitación: la *Farsalia,* la *Tebaida,* la *Divina Comedia, Orlando furioso, La Araucana, Los Lusiadas...*

Son elementos principales de la epopeya: la *acción,* los *personajes,* el *plan,* el *estilo* y la *versificación.*

"Acción en literatura es una serie, más o menos extensa, de actos humanos o imitados del hombre, tanto internos como externos, enlazados entre sí de tal suerte, que como medios u obstáculos concurran todos a un mismo y determinado fin o empresa. A esta empresa se llama *asunto o argumento épico.* El asunto de la *Eneida* es la fundación de Roma. El de *La Cristiada,* la redención del hombre por la sangre de Jesús. Al tratar estos asuntos la epopeya, sin oponerse a las verdades históricas, embellece con los encantos de la poesía cuanto refiere y describe, dejando que la fantasía, dirigida por la razón, imagine los hechos enlazando lo real con lo verosímil, como si un ser sobrenatural inspirase al poeta y le instruyese en los acontecimientos olvidados y perdidos para los hombres; y en esto se distingue de la Historia, que es la narración fiel y verídica de los sucesos, tales como constan y nos han sido trasmitidos por la tradición segura, oral o escrita."

Las cualidades de la acción épica son: *unidad, integridad, grandeza* e *interés.*

La *unidad épica* consiste en que haya una sola acción principal. A ella no se oponen los *episodios* o acciones secundarias, relacionados siempre con equella, que deben ser: *breves, oportunos y bellos.* La epopeya no se sujeta tan rigurosamente como el drama a las *unidades de tiempo y lugar,* ya que la epopeya, abarcando una acción más complicada, importante y extensa que el drama, exige para su completo desarrollo mayor tiempo y espacio. La acción de la *Ilíada* dura unos cincuenta días. Dos meses la de la *Odisea.* Poco más de un año la de la *Eneida.*

La *integridad épica* consiste en que no comprenda, ni más ni menos, hechos de los que por su naturaleza debe abarcar.

La *grandeza épica* resulta no solamente de que la acción, sino también los medios de verificarla, exciten por su importancia y esplendor el entusiasmo y el asombro, lo que se logrará si se desenvuelve una acción heroica que haya influido en la civilización y en los destinos del mundo. Tienen grandeza épica la *Eneida* la *Divina Comedia, El paraíso perdido, La Cristiada...* No la tienen: *La Farsalia, La Araucana, La Austriada, La Henriada...*

Para el *interés épico* no es suficiente que la acción de la epopeya resulte heroica, difícil y grande. Se precisa que constituya de por sí un glorioso monumento donde todo un pueblo pueda contemplar, como en cifra, su importancia y valor histórico, sus costumbres, creencias y afectos.

Casi todos los preceptistas consideran *lo maravilloso* como necesario para la grandeza de la epopeya; y para ello se fundan *en la razón y en el ejemplo*. En la *razón*, porque esta demuestra evidentemente que es real la intervención de Dios en todos los hechos humanos. El *ejemplo* de los más eximios poetas prueba que es necesario lo maravilloso en la epopeya; así es que lo hallamos en Homero, en Virgilio, en Dante, en Ariosto, en Tasso, en Milton, en Camoens.

Cuando algunos poetas—Voltaire, en su *Henríada*, por ejemplo—han privado a sus epopeyas *de lo maravilloso*, las han privado igualmente de *la grandeza*, convirtiéndolas en *relatos históricos en verso*.

Serán, por tanto, condiciones y requisitos indispensables de la epopeya: que refleje y reproduzca como en cifra los rasgos más profundos y distintivos de la nacionalidad cuyas glorias canta; que presente un héroe superior, claro, definido y de grato recuerdo, y que sean hechos gloriosísimos, singulares y poéticos por su propia naturaleza.

La epopeya, por la grandeza de la empresa que desarrolla, es el poema de mayor extensión, formado por miles de versos, divididos en *cantos* o *libros*. La *Ilíada* y la *Odisea* constan de 24 rapsodias; la *Eneida*, de 12 libros; la *Divina Comedia*, de tres partes, la primera con 34 cantos, y la segunda y tercera, con 33 cada una; la *Jerusalén libertada* tiene 20 cantos...

Las partes—*formales*—en que se divide la epopeya son: *proposición, invocación, exposición y narración*.

Proposición es la breve enunciación del asunto del poema; suele colocarse en los primeros versos.

Invocación es la parte en que el poeta se dirige a un ser superior o divino, para que le inspire y le instruya acerca de los hechos objeto de la acción. También se pone al principio de la obra.

Narración es la parte que abarca el relato de la empresa hasta su fin. En ella va comprendida la *exposición*.

Las *descripciones*, los *discursos* y las *comparaciones* contribuyen mucho al embellecimiento del poema. Las *descripciones* versan sobre los personajes, costumbres, vestidos, armas, monumentos, paisajes, etc, y deben tener *un fin propio*. No se describirá por describir. Los *discursos* se emplean como medio de narración y aun de descripción, y deben estar en armonía con las circunstancias y con el carácter del personaje en cuya boca se pongan. Las *comparaciones* extensas y pomposas son frecuentes y habrán de hacerse de manera que comuniquen al estilo dignidad y magnificencia.

El *estilo* de la epopeya ha de ser rico, elevado, suntuoso.

Homero y Virgilio escribieron sus poemas en verso hexámetro. Dante, en tercetos endecasílabos. Milton, en verso libre. Ercilla, Zapata, Rufo, Lope de Vega y otros poetas españoles, en octavas reales. Para evitar la monotonía de unas mismas estrofas, de unos versos de igual medida, sería conveniente *mezclar*, según la conveniencia del episodio épico, distintos metros en distintas estrofas. Deberá, pues, la narración irse acomodando a la diversa naturaleza de las cosas narradas, resultando, por tanto, diversos estilos.

Como regia matrona,
en el solio magnífico sentada,
muestra el manto de púrpura esplendente,
y a la elevada frente
ciñe con majestad áurea corona;
así, la Epica Musa
ostenta en pompa, en gala y en riqueza
de su celeste origen la grandeza;
desdeña audaz los tímidos acentos,
y con vivas imágenes procura
ennoblecer sus altos pensamientos.

(M. DE LA ROSA.)

Epopeyas famosas latinas: La *Eneida*, de Virgilio; *La Farsalia*, de Lucano; *La Aquileya*, de Estacio; la *Segunda guerra púnica*, de Libio Itálico; *El rapto de Proserpina*, de Claudiano.

Francesas: la *Canción de Rolando; La Franciada*, de Ronsard; *Moisés, salvado*, de Saint-Amant; *El caballero sin tacha*, de La Lain; *Alarico*, de Scudery; *San Luis*, de P. Le Moyne; *Cloris*, de Desmarest; *San Pablo*, de Godeau; *La doncella*, de Chapelain; *David*, de Les Fargues; *Carlomagno*, de Louis de Laboureur; *Jonás*, de Coras; *Childebrando*, de Carel de Saint-Garde; la *Divina epopeya*, de Soumet; *La Franciada*, de Viennet; *La Henríada*, de Voltaire...

Italianas: la *Divina Comedia*, de Dante; *Angélica, enamorada*, de Brusantini; *Orlando furioso*, de Ariosto; *La Jerusalén libertada*, de Tasso; *Girón el cortés*, de Luigi Alamanni; las *Primeras aventuras de Rolando*, de Luigi Dolce; *Amadís de Gaula*, de Bernardo Tasso; *Italia liberada*, de Trissin; *Fidamanto*, de Curzio Gonzaga; *La Malteida*, de Giovanni Fratta; *Cleopatra* y *La conquista de Granada*, de Graziani...

Portuguesas: *Los Lusíadas*, de Camoens; *El naufragio de Sepúlveda, La Austríada* y *El segundo sitio de Dios*, de Corte Real; *El primer cerco de Dios*, de Francisco de Andrade; *Elegíada* y *La Ulisea*, de Luis Pereyra; *Alfonso "el Africano"*, de Mauzinho-Quebedo; la *Conquista de Malaca*, de Saa y Menezes; *Ulysippo*, de Sousa Macedo; *Alfonso*, de Francisco Botelho; *Hespanha destruida*, de Nunnes de Silva; *Hespanha liberada*, de Ferreira; la *Henriqueida*, del conde de Ericeira; la *Braganceida* de Carvallo Moreira; *Camoens*, de Almeida Garret...

Alemanas: la *Mesíada*, de Klopstock; la *Enei-*

E

da, de Henri de Veldeck; la *Guerra de Troya,* de Conrad de Wuzburgo; *Alejandro el Grande,* de Lambrecht...

Rusas: la *Petreida,* de Lomonosoff; la *Rusiada,* de Kheraskoff; la *Taurida,* de Broboff; *El nacimiento de Homero,* de Gueditsch; *La Creación,* de Sokolofski...

Inglesas: *Poema de Beowulf; El paraíso perdido,* de Milton...

Españolas: *Poema del Cid; Carlo famoso,* de Zapata; *La Austriada,* de Juan Rufo; *Conquista de la Bética,* de Juan de la Cueva; *La Araucana,* de Ercilla; *El Monserrate,* de Virués; *Bernardo el Carpio,* de Balbuena; *La Cristiada,* de Hojeda; la *Jerusalén conquistada,* de Lope de Vega; *La Tebaida,* de Arjona...

V. LE BOSSU, P.: *Traité du poéme épique.* VOLTAIRE: *Ensayo sobre la poesía épica.* Madrid, [1933].—QUINEI, E.: *Estudios sobre la epopeya.* Madrid, 1903.—MENÉNDEZ PIDAL, R.: *La epopeya castellana.* Buenos Aires. Espasa-Calpe, 1944.—BERDIER, J.: *Les légendes épiques.* París, 1908.

EQUÍVOCAS (Rimas)

Son aquellas que pueden tomarse en dos o más acepciones diversas.

Los diez años de mi vida
los he vivido hacia (atrás),
con más (grillos) que el verano,
(cadenas) que El Escorial.
Más (alcaides) he tenido
que el castillo de Milán,
más (guardas) que el monumento,
más (hierros) que el Alcorán,
más (sentencias) que el Derecho,
más (causas) que el no pagar,
más (autos) que el día del Corpus,
más (registros) que el misal.

(QUEVEDO.)

(V. *Rima.*)

EQUÍVOCO

1. Lo que se puede entender de diversas maneras.
2. Lo que envuelve dos o más sentidos.
3. Voz o frase con dos o más distintas significaciones: *sierra, cabo, regla, grillo, hierro...*

Equívoco es una elegancia que resulta de tomar en dos o más acepciones distintas una palabra equívoca u homónima.

Cúpome de partición
de (molinos) de agua y viento
el (molino) de mis dientes,
que no muele a todos tiempos.

(GÓNGORA.)

ERASMISMO

Posición ideológica y religiosa derivada de las doctrinas y sistemas de Erasmo de Rotterdam.

Desiderio Erasmo nació—1466—en Rotterdam (Holanda) y murió—1536—en Basilea. Fue monaguillo en la catedral de Utrecht. Huérfano a los catorce años, entró en el convento de Stein, cerca de Guda. Profesó en 1486 y fue ordenado en 1492. Terminó sus estudios en el colegio de Montaign (París). En 1498 hizo su primer viaje a Inglaterra, trabando amistad con Tomás Moro, Guillermo Grocyn, Juan Cotet y Latimer. Estudió con gran entusiasmo lenguas orientales, y volvió al continente en 1499. Vivió, enseñando y escribiendo, en París, en Orleáns, en Lovaina, en Rotterdam, en Bruselas. En 1506 recibió en la Universidad de Turín el grado de doctor en Teología. De regreso a Inglaterra, enseñó el griego en Cambridge. Carlos I de España le señaló una pensión de 400 florines y le dio el título de consejero real. Residió algún tiempo en Basilea, cerca de su amigo el impresor Froben. Se retiró a Friburgo en Brisgau—1529—, huyendo de las persecuciones de los reformadores, tanto más encarnizadas contra él cuanto habían al principio esperado su apoyo.

Aun cuando los teólogos católicos le acusaron de ignorancia, los frailes de herejía, los protestantes de idolatría, Erasmo fue un magnífico hombre y un extraordinario talento. Fue comprensivo humanamente en una época de incomprensiones feroces. Fue sencillo, erudito, gran estilista, pensador profundo.

Escribio: *De Contemptu mundi*—sátira—, *Oratio de virtute amplectenda, Adagios* con el título de *Adagiorum Collactanea* o *Chiliades, Coloquios*—Basilea, 1516, su obra cumbre—, *Parabolae seu similiae*—1514—, *Apophtehegmata*—1531—, *Elogio de la locura, Encomium Moriae, De libero arbitrio, De Amabili ecclesiae concordia*—1535—, *Lingua, De conscribendis Epistolis*—1521—, *Enchiridium militis Christiani...*

La influencia de Erasmo en Europa fue sencillamente fenomenal. Pontífices, reyes, nobles, grandes filósofos y pensadores le tuvieron por maestro. El erasmismo fue la *posición* religiosa, filosófica y literaria más representativa del Renacimiento. En España, su nombre y sus obras alcanzaron un culto casi idolátrico. Erasmistas fueron el césar Carlos I, los hermanos Alfonso y Juan de Valdés, Luis Vives, el toledano Juan de Vergara, Luis Núñez Coronel, Sancho Carranza, el teólogo Vitoria, Alfonso de Virués, el abad Pedro de Lerma y muchos profesores de la Universidad de Alcalá.

"Erasmo—proclama Julián Marías—, a pesar de su contacto con los reformadores, se mantuvo dentro del dogma, aunque su catolicismo era tibio y mezclado siempre con irónica crítica eclesiástica. Erasmo, canónigo y próximo al cardenalato, no dejó de ser un cristiano, acaso de fe menos honda que la del hombre medieval, pero de espíritu abierto y comprensivo. Con todas sus limitaciones y sus innegables riesgos,

Erasmo, que representa, en una época durísima y violenta, el espíritu de concordia, es el tipo más acabado del hombre renacentista."

Según Menéndez y Pelayo, Erasmo fue benemérito en la erudición sagrada y profana, docto helenista y el prosista más variado y profundo de aquella época. Durante algún tiempo San Ignacio de Loyola fue lector asiduo y admirador de Erasmo.

Menéndez y Pelayo, después de afirmar que Erasmo alcanzó mucha más fama que la que merecía por sus auténticos valores, y de que era muy inferior a Bembo, Sadoleto, Poliziano, Luis Vives, Juan de Valdés, Pontano, Sannazaro y otros varios, escribe:

"Aparte sus méritos reales, que nadie niega, el dominio de Erasmo, aquella especie de *heguemonia* que ejerció en las inteligencias, solo comparable a la de Voltaire en el siglo pasado, se funda:

1.º En la universalidad de materias que trató y en lo flexible de su ingenio, que, con no llegar a la perfección en nada, alcanzaba en todo una medianía más que tolerable.

2.º En haber unido el amor a las dos antigüedades, la pagana y la cristiana, contribuyendo, como uno de los artífices más laboriosos e infatigables, a la restauración de una y otra. Con la misma mano con que traducía a Eurípides y a Luciano, interpretaba el Nuevo Testamento y corregía las obras de San Agustín y San Hilario. Sus servicios a la ciencia escrituraria y a la patrística son indudables; y mucho mayores los que prestó a las humanidades.

3.º El carácter moderno (digámoslo así) de su talento y del estilo de sus opúsculos, que es burlón, incisivo y mordaz, con mucho de la sátira francesa, más que de la pesadez alemana...

4.º En su destreza y habilidad polémicas...

5.º En lo excesivo de su amor propio y en aquel continuo hablar de sí mismo con soberbia modestia: eficacísimo medio para imponerse al vulgo de los doctos, pues (aunque parezca paradoja) ya notó Macaulay que no son los menos populares los escritores que, a fuerza de ponerse en escena, llegan a persuadir a la Humanidad de lo peregrino y excepcional de su ingenio; lo cual él comprueba con el ejemplo del Petrarca.

6.º Y, sobre todo, en haber atacado con todo linaje de armas satíricas y envenenadas los que él llamaba abusos, vicios y relajaciones de la Iglesia..." *(Heterodoxos,* tomo II, 1.ª edición.)

El erasmismo, como han reconocido los más ilustres críticos, no fue *en absoluto* una doctrina reformista, *pero hizo posible* la inmediata Reforma. El erasmismo inició, aunque tímidamente, el triunfó *de la razón* en los problemas de conciencia.

V. Stichart: *Erasmus.* Leipzig, 1870.—Huizinga: *Erasmo.* Traducción castellana. Barcelona, 1944.—Kan: *Erasmasia.* Rotterdam, 1881. —Merula: *Vita Des. Erasmi.* Leyden, 1615.— Knight: *Life of Erasmus.* 1728.

ERGOTIZAR

Abusar de la argumentación silogística.

EROTEMA

La palabra erotema—de ἐρωτάω, interrogar —corresponde a la *quaestio* o *interrogatio* latinas y a la *pregunta* y *cuestión* castellanas.

Es una figura que consiste en interrogar, no para pedir respuesta o para manifestar duda, sino para expresar indirectamente la afirmación, o dar más fuerza y eficacia a lo que se dice.

> ¿Creéis que puedo renunciar a mis decisiones
> porque lea en vuestros rostros el desasosiego?

(V. *Interrogación.*)

ERÓTICA (Poesía)

ἐροτικος, de ἔρως, amor.

1. La que pertenece, la relativa al amor.
2. La que exalta y describe el amor.

El género erótico comprende todas aquellas poesías que encierran un sentimiento amoroso o que tratan de personas enamoradas. Pero dentro de este género erótico se hallan distinciones y matices. La poesía que trata del amor de una manera más delicada y graciosa que sensual, ha sido designada con el nombre de *anacreóntica* (V.). Poesía erótica propiamente es aquella que exalta el ardor de los sentidos y el desbordamiento de la pasión. Excede ya de este género aquella poesía dedicada a describir *la física del amor,* y que, frecuentemente, cae en la licencia y en la obscenidad. (V. *Poesía.)*

EROTISMO

Tendencia literaria y artística hacia la exaltación de los temas amorosos en su trascendencia más humana y materialista, más pasionalmente afectiva y más fatalmente creadora.

Cuantos grandes poetas y artistas cultivaron el erotismo, lo creyeron "la trascendencia más perdurable del sexualismo y el origen más fecundo del sensualismo". El erotismo, fórmula *instintiva*—valga la paradoja— de poesía y de arte, intentó redimir al sexualismo de su servidumbre con relación a los afectos del alma.

Antiguamente, erotismo fue sinónimo de amor; la *caridad evangélica* vino a determinar cómo el erotismo no era sino la porción materialista del amor. El amor total fue desde entonces la suma de Eros materialista y de Psiquis espiritualista.

Naturalmente, el erotismo derivó de la exaltación en el culto a Eros, dios helénico del Amor.

Pero hay que distinguir tres dioses diferentes que llevaban este nombre. El primero es el dios-naturaleza de las más antiguas cosmogonías; el segundo es el tipo primitivo, alterado por las modificaciones de los filósofos y de los místicos; el tercero, en fin, es el dios Amor, cantado por los poetas eróticos y epigramáticos. Homero no menciona a Eros. Es Hesíodo quien primero habla de él como de una de las divinidades antiguas. "Primero—escribe—, existía el Caos; después, la Tierra, el Tártaro y el Amor, el más bello de todos los dioses, y que así entre estos, como entre los hombres, se burla del buen sentido y de las resoluciones sagaces." Esta prioridad de existencia sobre los otros dioses le es también concedida a Eros por Parménides y por Acusilao en el *Fedro,* de Platón, para quienes Eros significaba la armonía más bella entre todas las cosas.

Los poetas eróticos nos presentan a Eros como un efebo maravilloso de belleza, y reconocen que se valía de mil estratagemas y que era dueño de sutiles recursos para vencer, no solamente a los hombres, sino a los dioses mismos y hasta a su propia madre. Como el Amor llega a los corazones por caminos desconocidos, los poetas aseguraban que son igualmente desconocidos sus antepasados. "¡Amor!—exclama Sófocles en su *Antígona*—. ¡Invencible Amor! ¡Tú subyugas los pensamientos y lates en las sensaciones delicadas de la muchachita; tú reinas sobre los mares y en la cabaña del pastor! Nadie, ni los dioses inmortales, ni los efímeros hombres, se escapa a tu dominio."

A este Eros, invencible e irresistible, carne luminosa de sensaciones, prodigaron sus versos los poetas y sus imágenes los artistas. El erotismo fue en Grecia—país exaltador de la humanidad más apremiante—un culto entre religioso y lírico. Porque conviene advertir que, aunque en todas las mitologías existe un dios de los amores, únicamente el Eros helénico origina un arte y una literatura exclusivamente suyos. En todas las religiones de la antigüedad el dios-amor lleva en sí, con la idea del placer *efímero,* una recóndita trascendencia de angustia—que pasados siglos presentará igualmente el *amor cristiano*—, desechada enteramente por Eros.

El erotismo literario y artístico surge radiante y avasallador en Grecia. Y desde entonces encuéntranse sus huellas magníficas en la literatura y en el arte de todos los países, en cualquiera época.

Pero interesa señalar que los poetas griegos distinguieron dos matices de erotismo. Uno de ellos inspiraba la poesía graciosa, delicada, más *cerebral que sensual,* a la que se dio el nombre de *género anacreóntico.* Otro, el auténticamente apasionado por los afectos y por los efectos de la materia humana.

Indiscutiblemente fue Anacreonte un poeta erótico; pero ¡qué lejos su erotismo del que inspiró, por ejemplo, a Safo!

Entre los romanos, el erotismo está representado por Catulo, Propercio, Tibulo, Horacio, Ovidio, todos los cuales pasaron de las gracias anacreónticas a la más licenciosa sensualidad.

El erotismo no desapareció durante la Edad Media y volvió a manifestarse brillantemente durante el Renacimiento. Muchos de los *fabliaux,* de los *exemplos* medievales enraizan en el más auténtico erotismo.

Los *Cuentos* de Boccaccio, *La mandrágora* de Maquiavelo, los *Diálogos* de Aretino, trozos del *Gargantúa* de Rabelais, el *Heptamerón* de Margot de Navarra, las *Vidas de las damas galantes,* del señor y abate de Brantôme, son buenos ejemplos del erotismo literario renacentista.

La poesía erótica fue cultivada durante el siglo XVIII, con tanta audacia como refinamiento, por Parny, Piron, Grécourt, Dorat, Voltaire, Gentil-Bernard...

También en España contó el erotismo con cultivadores desde la Edad Media. Así, el Arcipreste de Hita en el *Libro del Buen Amor,* y el Arcipreste de Talavera en el *Corbacho,* y fray Anselmo de Turmeda en la *Disputa del asno,* y Diego de San Pedro en *Cárcel de amor,* y Fernando de Rojas en *La Celestina,* y Salas Barbadillo en *La hija de Celestina,* y Francisco Delicado en *La lozana andaluza...* Y muchos más en obras de menor importancia. Y que nadie se escandalice si afirmamos que erotismo hay—aun cuando del más delicado y pudoroso—en algunos versos de Garcilaso, de Gutierre de Cetina, de Francisco de Figueroa, de Lope de Vega, de Quevedo...

Entre 1896 y 1915, al llegar el naturalismo español a su límite de descomposición, surgió un apogeo de erotismo en la novela, cuyo iniciador fue Eduardo Zamacois con sus obras *Consuelo, La enferma, Loca de amor, Incesto, El otro, Punto negro...*

Se tiene como dogma por la crítica literaria española que fue Felipe Trigo (1864-1916) el iniciador del erotismo novelesco. Insistimos en que fue Eduardo Zamacois (nació en 1876). En error parecido ha caído la crítica señalando a Rubén Darío como "el padre del modernismo lírico", siendo la verdad que el título corresponde al malagueño Salvador Rueda, *ya modernista* cinco o seis años antes que Rubén lanzara sus *Prosas profanas.*

El erotismo novelesco, entre 1896 y 1915, alcanzó un éxito enorme en nuestra patria, hasta el punto de no escapar de sus dictados casi ninguno de los muchos ilustres novelistas que se afamaron entre 1896 y 1915. Así, el ya mencionado Felipe Trigo, el más intenso, el maestro de todos, con *Las ingenuas, La sed de amar, Sor Demonio, El alma en los labios, La Altísima, La Bruta, El médico rural, Jarrapellejos, Las Evas del Paraíso...*; Ramón del Valle-Inclán (1869-1936), con las *Sonatas, Los cuernos de don Friolera...*; Ramón Pérez de Ayala (n. en 1880), con *Troteras y danzaderas* y *Tinieblas en las cumbres;* Rafael López de Haro, con *Dominadoras, El salto de la novia, Las sensaciones de Julia, La Imposible;* José López Pinillos, "Parmeno" (1875-1922), con *Doña Mesalina;* Alberto Insúa (n. 1885), con *La mujer fácil, Las neuróticas, El demonio de la voluptuosidad, Las flechas del amor;* Augusto Martínez Olmedilla (n. 1880), con *Donde hubo fuego..., El templo de Talía;* Andrés González-Blanco (1888-1924), con *Matilde Rey* y *Doña Violante;* Emiliano Ramírez Ángel (1883-1928), con *Los ojos abiertos;* Pedro Mata (1875-1946), con *La Catorce, Los cigarrillos del duque;* Antonio de Hoyos y Vinent (1886-¿1940?), con *El caso clínico, El crimen del fauno, La vejez de Heliogábalo, Las lobas del arrabal, El árbol genealógico;* José Francés (n. 1883), con *La guarida, La mujer de nadie, Como los pájaros de bronce;* y otros muchos narradores prestigiosos, como Joaquín Dicenta, José Más, Joaquín Belda, Leopoldo López de Saa, Guillermo Díaz Caneja, Alejandro Larrubiera...

El erotismo en el arte no puede tener una *significación aislada,* ya que no cabe considerar como tal la exaltación del desnudo. El erotismo artístico ha ido casi siempre unido al literario como ilustración de poemas o de novelas. No cabe olvidar, sin embargo, la pintura erótica de la cerámica helénica o las esculturas eróticas de los capiteles románicos en los claustros de los monasterios o de las catedrales.

V. C. D'I. M. le: *Bibliographie des principaux ouvrages relatifs a l'amour, aux femmes...* París, 1861.—QUITARD: *Antologie de l'amour.* París, 1861, 1898, 1903.—BRUNET: *Manuel du libraire.* Tomo VI (obras eróticas).

ERRATA

1. Error cometido en la escritura o en la impresión de una obra.

2. Equivocación material—letra cambiada, falta o sobra de letras, etc.—cometida en el manuscrito o en el libro impreso.

3. Equivocación sufrida al componer un texto y anotada luego por el corrector.

ERRATAS (Fe de)

Indicación de las faltas cometidas en la impresión de un libro, así como de las correcciones con que deben aquellas ser subsanadas. Este índice se coloca generalmente al fin del libro, o en una hojilla suelta al principio del mismo.

ERRORES (Literarios) (V. Errata, Fallos de copias, Fallos de impresión...)

ERSA (Lengua)

Uno de los nombres de la lengua celta, aplicado especialmente al antiguo idioma de Islandia y de las montañas de Escocia. (Véase *Gaélicas, Lenguas.)*

ERUDICIÓN

1. Conocimiento profundo en ciencias, artes y otras materias.

2. Lectura variadísima con gran aprovechamiento.

3. Gran memoria y aplicación sin límites al estudio.

La erudición, para no caer en la pedantería ni en el enfado, debe reunir los requisitos siguientes: *buen sentido, buen gusto, utilidad, prudencia, gran discreción.*

ESCALDAS

Nombre dado a sus poetas por los antiguos pueblos del Norte.

Los escaldas estaban pagados por los reyes, a quienes seguían en sus campañas guerreras para exaltarlas poéticamente.

Se conservan fragmentos de algunos poemas de estos escaldas en los *Sagas* (V.) y en la *Younger Edda* (V.).

Alguien ha dicho que los escaldas eran semejantes a los *minnensinger* alemanes, a los *bardos* celtas, a los *trovadores* provenzales, a los *juglares* castellanos.

ESCANDINAVAS (Lenguas)

Pertenecen al grupo gótico septentrional, y son: el sueco, el danés, el noruego, el islandés y los dialectos de Gotland y Feroe. Hasta el siglo XIV no empezaron a separarse estas lenguas con modificaciones cada vez más profundas, originadas principalmente por el alemán. (V. *Danesa, Noruega* y *Sueca, Lenguas* y *Literaturas.)*

ESCENA

1. En la composición dramática, escenas son los diálogos sostenidos por unos mismos interlocutores. Cada vez que se retira cualquiera de estos y aparece algún otro, acaba una escena y comienza otra.

2. Sitio en el teatro donde representan los actores (escenario).

3. Suceso de la vida real notable o extraordinario por algún concepto.

ESCENARIO

Parte del teatro—local—reservada para la representación.

ESCEPTICISMO

Doctrina—mejor aún: *actitud*—filosófica, que consiste en no concluir nunca el examen con una afirmación ni una negación; en mantenerse en la duda, no solo acerca de una cuestión determinada, sino en todas las cosas.

Aclaró Descartes que no debía confundirse la

duda metódica con la de los escépticos, "que no dudan sino por dudar y simulan permanecer irresolutos".

Naturalmente, el escepticismo pone en duda la posibilidad del conocimiento absoluto y de la ciencia. Hoy, la doctrina de la relatividad del conocimiento—pues que la ciencia no exige la idea absoluta—ha suprimido el problema del escepticismo.

El escepticismo como *actitud* o tendencia a complacerse en la duda, todavía se da hoy en bastantes filósofos.

El escepticismo fue uno de los fenómenos más curiosos y característicos de la filosofía posaristotélica. El primer filósofo escéptico fue Pirrón de Elis, del cual la filosofía escéptica recibe después también la designación de *pirronismo.* Otros grandes escépticos fueron: Timón de Flius, Arquesilao de Pitane, Carnéades, Enesidemo, Sexto Empírico.

Pirrón (365-275 antes de Cristo) nació en Elis del Peloponeso. Discípulo de Anaxarco de Abdera, recorrió el Asia con él, siguiendo a Alejandro Magno. A su regreso, fue nombrado pontífice de Elis—322—, y aquí fundó la escuela de los escépticos. No escribió nada, pero en Diógenes Laercio y en Sexto Empírico se hallan los *diez motivos* de duda que, según él, son la base del escepticismo. La consecuencia de sus principios es ἐποχή, abstención de todo juicio que conduce a un fin práctico, ἀπαθεια, esto es, la impasibilidad y la calma inalterable del espíritu.

La raíz del escepticismo hállase en dos máximas de Sócrates: 1.ª *La virtud es el supremo bien;* 2.ª *Solo sé que no sé nada.*

Pero Pirrón, que encomió la virtud, exageró la segunda máxima, trató de apoyarla con su dialéctica, no advirtiendo que al minar la verdad minaba la virtud, ya que esta es la primera de las verdades morales.

El escepticismo adquirió una gran influencia y gozó de larga vida en la antigüedad. En Alejandría adquirió su máximo valor. Y hacia el año 200 después de Cristo, Sexto Empírico escribió sus *Hipotiposis pirrónicas.*

El que pudiéramos denominar *escepticismo antiguo* tuvo como finalidad esencial la conquista de la felicidad; pero el camino que conducía a esta, el camino a la *ataraxia*..., pasaba fatalmente por una encrucijada: la convicción de la incognoscibilidad de las cosas, cuya consecuencia lógica era una consiguiente abstención de juicio.

Algunos filósofos y críticos han afirmado que es preciso distinguir el escepticismo "como tesis filosófica" y "como actitud vital". Como tesis, el escepticismo es contradictorio, ya que al afirmar la imposibilidad de conocer la verdad, *afirma su teoría como verdadera.* Más digno de considerar es el escepticismo como actitud vital: abstención de todo juicio.

"Del escepticismo de la época posterior—escribe Aster—proceden los diez *tropos,* proposiciones en que se condensan brevemente los fundamentos de la concepción escéptica del universo. Estos argumentos se fundan en la diversidad de los órganos de los sentidos—diversidad entre el hombre y el animal, de los hombres entre sí y en cada hombre—. Estas diferencias condicionan imágenes diferentes del universo, de las cuales ninguna puede demostrarse como verdadera o contradecirse como falsa, y además nos muestran cómo todas las percepciones de los sentidos son relativas, y cómo el mismo objeto se nos puede presentar como enteramente diferente: estos tropos combaten la veracidad de los sentidos—. Los posteriores se dirigen contra el pensamiento y la razón: toda conclusión necesita hipótesis en que apoyarse, que, o tienen que aceptarse sin demostración, o tienen que derivarse de otras hipótesis. Por consiguiente, el razonar conduce, en último término, o a un punto de partida arbitrariamente puesto, o a un regreso al infinito, o a un círculo vicioso. Las escuelas médicas empíricas o metódicas, de donde procede Sexto Empírico, defienden el punto de vista de una ciencia experimental consecuente, que se limita a coleccionar hechos, y de estos hechos, por vía de ensayos, saca conclusiones provisionales respecto al proceso de ulteriores hechos de experiencia; pero, en cambio, se abstienen de toda hipótesis sobre lo *en sí,* sobre la esencia de las cosas."

El escepticismo invadió la misma Academia —que, muerto Platón, había ido perdiendo su carácter metafísico—, y en ella perduró hasta que Justiniano—año 529 después de Cristo—la clausuró.

Tratando de resumir: el escepticismo absoluto se funda en la *duda universal.* Antes de tener fe—afirma—, es preciso justificar el valor de la fe, y para ello no cabe otro método que el de la razón. Pero como la razón falla, el medio mejor para no errar es la abstención del *no* o del *sí.*

El escepticismo relativo se refiere a las diversas facultades de conocer—y se denomina: *empirismo* (V.), *agnosticismo* (V.), *pragmatismo* (V.)—, o también a los diversos órdenes de verdades—y se denomina: escepticismo científico, histórico, religioso, moral, metafísico, etc.

Modernamente, el escepticismo ha sido revalorizado por David Hume y Kant. El *criticismo* (V.) kantiano desembocó en la duda universal. En el terreno religioso, modernamente, el escepticismo equivale al *ateísmo* (V.) o al *indiferentismo* (V.).

V. Crousaz, J. P. de: *Examen du Pyrrhonisme*... La Haya, 1860, 2.ª edición.—Waddington, C.: *Pyrrhon*... París, 1877.—Aster, Ernst von: *Historia de la Filosofía.* Traducción castellana. Barcelona, 1935.—Ritter: *Histoire de la Philos.* Traducción francesa. Tomo I, 1886.—Brochard,

Víctor: *Los escépticos griegos.* Buenos Aires. Ed. Losada, 1945.

ESCITAS (Lenguas) (V. Uralo-altaicas, Lenguas)

ESCOCESA (Lengua y Literatura)

Tres son los idiomas principales que hoy se hablan en Escocia: el *inglés,* el *ersa* o *gaélico* y el *escocés.* El más antiguo es el *ersa,* hablado en las montañas. El escocés es hablado por los habitantes de las llanuras, en los lowlands; pero desde que la corona escocesa fue unida a la de Inglaterra, la lengua inglesa ha invadido rápidamente a Escocia, extendiéndose por todas sus partes y extinguiendo los idiomas nacionales.

El escocés apenas si se emplea ya en la poesía. No es un dialecto corrompido del inglés, como han creído muchos, sino un idioma distinto, compuesto de una mezcla de celta, danés, francés, italiano, español, anglosajón...

La lengua escocesa es rica y expresiva y abunda en giros familiares muy pintorescos. Tiene terminaciones variadas; suprime con frecuencia las consonantes finales; multiplica las vocales. Su sencillez la haría comparable al dialecto dorio, si no fuera por su pronunciación nasal, que la hace perder parte del encanto que le da el uso frecuente de las vocales.

La lengua nacional escocesa ha producido una literatura justamente estimada. Famosos son en ella los nombres del fabuloso Ossian; de Tomás de Erceldone—autor del poema *Sir Tristram*—; John Barbour—autor del romance épico *Las aventuras de Roberto Brucio,* en el siglo XIV—; en el siglo XV, poetas como Henryson, William Dumbar, Jorge Douglas, David Lindsay, Roberto "el Ciego", y prosistas como Andrés de Wyntown, autor de la *Crónica de Escocia;* poetas fueron los reyes Jacobo V, Jacobo VI—autor de un *Arte poética*—y María Estuardo. En los siglos XVIII y XIX: Allan Ramsay, Roberto Burns, Robertson, Hume, Smollet, Campbell, Walter Scott, Markintosh, Dugal Steward, Blair, Adam Smith... (V. *Inglesa, Literatura.*)

ESCOLÁSTICA

1. Escolástica o Escolasticismo fue el nombre dado al sistema filosófico-teológico de la Edad Media, que tuvo su origen en las escuelas eclesiásticas fundadas por Carlomagno, y por base la enseñanza de los libros de Aristóteles.

Los gérmenes de la Escolástica se hallan ya en el tiempo de los Santos Padres y en las doctrinas de San Agustín, San Juan Damasceno, Boecio, Tajón, San Isidoro de Sevilla.

2. Espíritu exclusivo y excluyente de escuela, lo mismo en las ideas, que en los métodos, que en el tecnicismo.

ESCOLASTICISMO

Nombre dado vulgarmente a la filosofía de la Edad Media—cristiana, arábiga y judía—dominada por las doctrinas de Aristóteles y *concertada* con las respectivas doctrinas religiosas.

El escolasticismo absorbe con exclusividad todos los caminos de la filosofía durante el medievo y pesa irresistiblemente sobre los espíritus y sobre las conciencias. Posiblemente, no ha existido en el mundo otro movimiento—intelectual y espiritual—tan duradero, tan influyente, tan variado, tan removedor y sugestivo.

En el escolasticismo cabe señalar tres períodos:

1.º De lenta y laboriosa formación, entre los siglos VIII y XIII, iniciado por las escuelas fundadas en tiempo de Carlomagno y afirmado por sus fundaciones de la Universidad de París—1200—y de la Universidad de Oxford—1258.

2.º El siglo XIII: apogeo: Alberto Magno, Santo Tomás, Duns Escoto.

3.º Siglos XIV y XV: *decadencia.* (V. *Neoescolasticismo.*)

Ahora bien, los albores imprecisos del escolasticismo hay que buscarlos más allá del siglo VIII: en las enseñanzas monacales, catedralicias y palatinas; en las obras de Boecio, Casiodoro, Beda "el Venerable", San Isidoro... Es decir, que *antes* del período de *formación* señalado, podría señalarse un período de *transición*—del siglo V a VIII—entre la antigua filosofía alejandrina y la futura poderosísima filosofía escolástica, la cual había de surgir "en función de elaboración teológica y como resultado del cultivo de la dialéctica". Por tanto, no cabe decir que el escolasticismo surge desvinculado de la tradición.

Para algunos filósofos modernos, el escolasticismo no es, en rigor, filosofía, y sí dialéctica estéril, silogística servil y huera, rutina de un pensamiento viejo decadente. Para otros filósofos, el escolasticismo es, por el contrario, un sistema filosófico perfecto, acabado, dueño de la única verdad y sin posibilidad de error alguno, que dispone de la solución adecuada de todos los problemas de todo tiempo y lugar.

Ninguna de las dos afirmaciones es buena. Las dos pecan de exageradas. Ni lo es todo el escolasticismo, ni puede negarse su espléndida realidad. Entre sus caracteres fundamentales cuentan:

1.º Ser *tradicional,* pues que nace vinculado a la tradición patrística y griega.

2.º Ser *progresivo,* pues que no *se cierra* como sistema concluso, sino que rotura campos y los deja abiertos a la siembra de nuevas verdades.

3.º Ser *común,* pues que, sin ahogar las personalidades, considera la verdad como patrimonio de todos y no como propiedad de ningún pensador.

E

4.º Ser *metódico,* pues que sus enseñanzas se hicieron por *lectiones y commentaria.*

¿De dónde recogió su nombre el *escolasticismo?*

Escolásticos se llamaron originariamente los maestros de las siete artes liberales: Gramática, Dialéctica, Retórica *(Trivium),* Aritmética, Geometría, Música y Astronomía *(Quadrium),* tomadas del antiguo plan escolar, y, además, los maestros de la Teología.

¿Cuáles fueron las fuentes filosóficas del escolasticismo? Los escritos menores de Aristóteles, traducidos y comentados por Boecio; Euclides, también traducido por Boecio; los *Manuales* del Cuadrivio de Marciano Capela, Casiodoro, etc.; el *Timeo* de Platón; los escritos de Cicerón y de Séneca; y las obras de los Santos Padres, especialmente de San Agustín.

¿Cuál es el método escolástico? Grabmann, uno de sus mejores conocedores, lo caracteriza con las siguientes frases: "El método escolástico, mediante la aplicación de la razón y de la filosofía a las verdades de la revelación, aspira a obtener el mayor conocimiento posible del contenido de la fe, para de este modo acercar más el contenido de la verdad sobrenatural al espíritu reflexivo del hombre, para *posibilitar* una exposición sistemática orgánica y de conjunto de las verdades del cristianismo y para poder resolver las objeciones que desde el punto de vista de la razón se suscitan contra el contenido de la revelación."

Y completa Aster: "Por consiguiente, el escolasticismo quiere *fundar* y *refutar,* no *descubrir.* Por aquí comprendemos la importancia que de antemano tiene para la Escolástica la lógica aristotélica, así como también el modelo de la Geometría euclidiana. La verdad de lo que hay que fundamentar y reducir a conjunto sistemático de unidad está de antemano fijamente expresada en sentencias determinadas, fijamente también formuladas, de autoridad dogmática: *Credo ut intelligam—creo para entender—.* Obsérvese que no solo se considera como *verdadero* el *contenido* de la fe, sino también su *expresión verbal:* con esto queda fijamente asentada la teoría fundamental del realismo, incluso el fundamento ontológico-realista de la Lógica. *Conocer* quiere decir reflejar en proposiciones y series de conclusiones la realidad gobernada por Dios; las formas y estructuras de esas proposiciones y conclusiones son, a su vez, una reproducción adecuada de la realidad; más aún, Dios mismo habla en su *palabra* revelada en tales estructuras. Con esto el escolasticismo adopta una actitud de impugnación no solo del escepticismo, sino también de toda relativación y subjetivación de la "forma de conocimiento". Más exactamente: la invasión de teorías nominalistas y psicologistas significa la destrucción de la Escolástica. Solo existe una verdad válida, solo un sistema verdadero de conocimientos, que abarca en sí todas las disciplinas y todos los conocimientos parciales; el filósofo medieval no se siente *creador* de una concepción del universo, sino *obrero* de ese sistema; su persona desaparece detrás de su trabajo, a la manera que la persona del arquitecto medieval desapareció tras las obras gigantescas de las catedrales góticas, en las cuales trabajaban generaciones para mayor gloria de Dios."

En el período de *formación* del escolasticismo destacaron: Escoto Erígena, San Anselmo, Abelardo, Pedro Lombardo, Hugo y Ricardo de San Víctor, y los llamados filósofos de la escuela de Chartres: Bernardo de Chartres, Gilberto de La Porrée, Thierry de Chartres, Adelardo de Bath, Guillermo de Conches, Juan de Salisbury...

Juan Escoto Erígena—vivió durante el siglo IX, muriendo en el año 877—fue natural de Irlanda, en cuyos monasterios se formó. En 840 fue llamado por Carlos "el Calvo" para la escuela palatina de París. Sus obras principales son: *De praedestinatione, De divisione naturae* y diversas traducciones de los escritos de Dionisio Areopagita, de cuya mística sufrió Erígena la más fuerte influencia.

Juan Escoto basó su doctrina partiendo del único ente verdadero: Dios. Y explicó la creación como un proceso necesario y eterno, que sale de Dios y a Dios vuelve, distinguiendo en él cuatro etapas:

1.ª *La naturaleza creadora y no creada,* es decir, Dios.

2.ª *La naturaleza creada y creadora,* es decir, Dios, cuyo espíritu se derrama en los grados inferiores de las ideas divinas, de las ideas universales y modelos de las cosas.

3.ª *La naturaleza creada y no creadora,* es decir, seres particulares procedentes de aquellos modelos, simples manifestaciones de Dios.

4.ª *La naturaleza ni creada ni creadora,* es decir, de nuevo Dios como fin de todas las cosas.

Las cosas nos sirven únicamente para adquirir un conocimiento *analógico* de Dios; pero únicamente analógico, porque todo predicado que atribuimos a Dios es más bien impropio que propio, por cuanto todo predicado implica oposición, y Dios no tiene oposición.

Directamente nos es imposible conocer a Dios. Le conocemos en cuanto *ser,* como *Padre,* en lo existente; en cuanto *sabiduría,* como *Hijo,* en el orden; en cuanto *vida,* como *Espíritu Santo,* en el movimiento de las cosas.

San Anselmo de Cantorbery (1033-1109) nació en Aosta, fue abad de Normandía, y desde 1093 hasta su muerte, arzobispo de Cantorbery. Sus obras fundamentales son: *Monologium, Proslogium, De veritate y Cur Deus homo.*

Fue San Anselmo quien dio su sentido estricto a la sentencia *Credo ut intelligam,* creo para entender con mi razón lo creído, tomada de San Agustín, que fue su gran maestro.

"Poniendo en práctica dicha sentencia, trata de fundamentar de manera dialéctica y precisa los más altos misterios de la fe. Todo conocimiento se realiza en juicios verdaderos, cuya verdad se ve en la conclusión; un juicio es verdadero en cuanto lo en él afirmado existe, es decir, en cuanto coincide con la realidad: la verdad presupone al ser. Pero todo *ser* presupone que existe el *Ser,* un ser absoluto, del cual participa. Por consiguiente, no puede existir nada que *es* si no existe el *Ser,* así como no puede existir ningún bien o nada comparativamente valioso si no existe un valor absoluto, algo absolutamente bueno. Por consiguiente, tiene que existir un Ser Absoluto y un Bien Absoluto, que es Dios." *(Monologium.)*

"Además de esta demostración de Dios, ideada por completo dentro del realismo conceptual platónico, encontramos en el *Proslogium* el argumento ontológico, que alcanzó especial celebridad: Dios *es lo más perfecto,* pero lo más perfecto no puede existir únicamente en el espíritu del que lo piensa, sino que tiene que existir en sí, por cuanto lo en sí existente es o tiene que ser *más perfecto* que lo existente en el entendimiento."

Demostrada la existencia de Dios, se aplica San Anselmo a deducir sus principales atributos. Dios existe por Sí mismo, mientras todo lo demás existe por Él. En Dios se confunden la esencia y la existencia. Dios es creador del universo *ex nihilo.* Dios crea y *conserva* las cosas. Las criaturas son huellas de Dios. El hombre es, además, imagen y semejanza de la Trinidad.

Pedro Abelardo (1079-1142) nació en Pallet (Francia). Fue discípulo de Guillermo de Champeaux, de Roscelino, de Anselmo de Laón. Abrió una escuela en Melún, y, más tarde, otra en Corbeil. En París explicó Teología y Filosofía. Tanto—o más—que sus obras, le han hecho inmortal sus amores con Eloísa y su vida desgraciadísima. Sus obras principales son: *Sic et non, Introductio ad Theologiam, Scitote ipsum seu ethica y Dialectica.*

Su *Sic et non* es, si no la primera, sí la más impresionante exposición y aplicación del método escolástico, consistente en la contraposición y conciliación de autoridades, y que llevaría a feliz desarrollo Santo Tomás de Aquino. Su *Scitote ipsum* desarrolló una concepción de la ética con más carácter antropocéntrico que teocéntrico.

Para Abelardo, los conceptos universales no son meras palabras—*voces*—, sino palabras *con sentido—sermones*—. A estas palabras corresponde, en sus respectivos objetos, el mismo *status,* es decir, la igualdad de esencia. Con tal opinión preparó Abelardo una conocida fórmula, según la cual resuelve la cuestión de los universales en la dirección dominante de la alta Escolástica:

1.° *Universalia ante rem,* universales ante las cosas, "en cuanto arquetipos en el espíritu divino".

2.° *Universalia in re,* universales en la cosa, "en cuanto esencias a diferencia de lo accidental y fuera de la esencia".

3.° *Universalia post rem,* universales después de las cosas, "en cuanto esquemas de conceptos en nosotros".

¿Cómo formamos los conceptos universales y cómo llegan a entrar en nuestra conciencia? Abelardo siguió a San Agustín. Contemplamos las ideas en Dios mediante una iluminación que proviene de Dios mismo, y luego las encontramos en las cosas.

Durante el siglo XII, la abadía de San Víctor constituyó un gran centro intelectual, del que fueron figuras principales: Hugo y Ricardo de San Víctor.

Hugo de San Víctor (1096-1141) escribió *De Sacramentis y Didascalion.* Señaló el origen del conocimiento en la *abstracción* aristotélica. Para él el hombre posee tres facultades, tres ojos: *oculus carnis*—la sensibilidad—, *oculus rationis* —la razón—y *oculus contemplationis*—la contemplación.

Según Hugo, el primer conocimiento que tenemos es el de nuestra propia existencia, cuyo desconocimiento es imposible. Sabemos, pues, que no somos solo cuerpo, y que no hemos sido siempre, en lo cual tenemos una base para demostrar la existencia de Dios.

Ricardo de San Víctor (1118-1173), discípulo y sucesor de Hugo, escribió *Liber excerptionum* y *De Trinitate.* Se ocupó con gran sutileza de las pruebas de la existencia de Dios, rechazando las apriorísticas, e insistiendo, contrariamente a San Anselmo, en la base sensible de las pruebas. Utilizó tres: la primera, basada en la contraposición del ser eterno y del ser corporal; la segunda, de base agustiniana, la basada en los grados de perfección; y la tercera, fundada en la idea de la posibilidad, más apriorística que las anteriores.

Pedro Lombardo—muerto en 1164—fue obispo de París y el más importante de los discípulos de Abelardo. Se hizo famoso con el título de *magister sententiarum.* El "método escolástico" del *sic et non,* de la contraposición y conciliación de autoridades, expuesto por Abelardo y extendido luego a todas las esferas de la Filosofía, encontró su expresión más importante en los libros de sentencias, precursores y preparadores de las grandes *Sumas* de conjunto de la Alta Escolástica, sobre todo en el más usado y famoso de ellos, en el titulado *Sententiarum libri IV,* de Pedro Lombardo—compilación excelente de la tradición patrística y la conciliación de las oposiciones en ella existentes—, y que sirvió de texto de comentario en casi todas las escuelas y universidades de la Edad Media.

El apogeo del escolasticismo—siglo XII—contó con teólogos y filósofos de admirable genialidad y trascendencia: Alejandro de Hales, San Buenaventura, San Alberto Magno, Santo Tomás de Aquino, Raimundo Lulio, Duns Escoto, Rogerio Bacon, Eckhart...

Alejandro de Hales (1180-1245), siendo ya maestro en la Universidad de París, ingresó en la Orden de San Francisco. Fue maestro de San Buenaventura; estableció entre los franciscanos el estudio de la Teología y de las ciencias profanas. Su obra principal es la *Summa Theologiae,* el primer ejemplar de las *Summae* —síntesis teológico-filosóficas—que se sucedieron durante el siglo XIII.

Inmerso en la corriente platónico-agustiniana, su doctrina principal se manifiesta acerca de la teoría del conocimiento, "especie de fusión de la teoría de la abstracción con la de la iluminación".

San Buenaventura (1221-1274), llamado en el mundo Juan de Fidanza y conocido también como el "Doctor Seráfico", nació en Bagnorca (Italia). Ingresó muy joven en la Orden franciscana. En París fue alumno de Alejandro de Hales, a quien sucedió en la cátedra de Teología de la Universidad parisiense. En 1257 fue nombrado general de su Orden, teniendo que abandonar la enseñanza. Murió mientras tomaba parte en el Concilio de Lyón—1274.

Sus obras principales son: *Comentarios a las sentencias, Questiones disputatae, De reductione artium ad theologiam* y, sobre todo, el *Itinerarium mentis in Deum.*

Bruckero hizo una síntesis de la filosofía de San Buenaventura:

"Todo don perfecto desciende del padre de las luces; pero la luz que emana de esa fuente es múltiple. Aunque toda iluminación sea interna, pueden distinguirse cuatro grados, cuatro modos de comunicación de la luz: la luz exterior, que ilumina las artes mecánicas; la luz inferior, que produce los conocimientos sensitivos; la luz interior o conocimiento filosófico; la luz superior, que procede de la gracia y de la Escritura santa.

"La luz que ilumina las artes mecánicas tiene por objeto satisfacer las necesidades físicas; divídense en siete artes, que son relativas a la caza, agricultura, fábrica de armas, tejidos, navegación, al teatro y a la medicina.

"La luz que produce los conocimientos sensitivos ilumina las formas exteriores. El espíritu sensitivo es de naturaleza luminosa y reside en los nervios, cuya esencia se multiplica en los cinco sentidos.

"La luz de los conocimientos filosóficos deja percibir las verdades inteligibles. Llámasela luz interior, porque busca las causas secretas y ocultas por medio de los principios de verdad contenidos en la naturaleza humana. Las verdades conocidas naturalmente son de tres especies: 1.ª, las relativas a las palabras; 2.ª, las que dicen relación a las cosas; 3.ª, las que corresponden a las costumbres. La filosofía, pues, ha de dividirse en tres partes: *racional, natural y moral.*

"La filosofía racional, cuando se refiere a la expresión de las ideas, es la gramática, que corresponde a la razón, en cuanto esta tiene la facultad de aprender las cosas; cuando se considera con respecto a la enseñanza, es la lógica, que se refiere a la razón, en cuanto esta es indicativa; en fin, cuando tiene por objeto producir emociones, es la retórica, que se refiere a la razón, en cuanto principio motor.

"La filosofía natural comprende la física, que trata de la generación y de la corrupción de las cosas producidas por las fuerzas naturales; la matemática, que trata de las formas abstractas según las razones inteligibles; la metafísica, que comprendiendo todos los seres, los restituye, según las ideas típicas, a la fuente de que provienen, esto es, a Dios, cuanto es principio, fin y modelo de todas las cosas.

"La filosofía moral se divide en monástica, económica y política, según se refiera al individuo, a la familia o al Estado.

"La luz de la Gracia y de la Escritura santa dan a conocer las verdades que santifican; por eso se las llama *luz superior,* por la virtud que tienen de elevar al hombre, manifestándole lo que es superior a la razón. Esta luz, en cuanto da a conocer el sentido de la revelación, es una y triple en cuanto explica el sentido espiritual, alegórico y moral o anagógico. Toda la doctrina de la santa Escritura se cifra en estos tres puntos: la generación eterna y la encarnación del Verbo; la regla de la vida; la unión de Dios y el alma. El primero ha sido tratado por los doctores; el segundo, por los predicadores; el tercero, por los contemplativos.

"Todas las iluminaciones de la ciencia, que son otros tantos días para el alma, correspondientes a los seis días de la creación, serán seguidos del día séptimo de descanso, que carece de noche, porque es la eterna iluminación. Y del mismo modo que todos estos conocimientos derivan de una misma luz, están subordinados a la ciencia de las verdades santas contenidas en la Escritura y comprendidas en esa ciencia, y por ella perfeccionadas y acabadas, refiriéndose este medio a la iluminación eterna.

"San Buenaventura presenta imágenes sacadas de las artes mecánicas y de los conocimientos sensibles, para explicar la generación del Verbo, la regla de la vida y la alianza de Dios con el alma.

"Representa los misterios del Verbo en la filosofía racional, por la palabra interior, expresión de la idea que toma la forma de la voz. En la filosofía natural, por las razones seminales de las cosas materiales, y las razones inteligibles que residen en las almas, que son las unas y las otras una sombra, una imagen de la razón ideal que reside en Dios. En la filosofía moral, por la teoría de la unión de los extremos, concluye que la de Dios y el hombre ha de verificarse por medio del Hombre-Dios."

Fue San Alberto Magno uno de los escritores más fecundos y sabios más universales que produjo la Edad Media. Nació—1193—en Lauingen (Suabia) y murió—1280—en Colonia. Estudió en la Universidad de París y después en Padua, Estrasburgo y Colonia. Se familiarizó con los escritos de Aristóteles, y en 1222, a incitación del P. Jordán, ingresó en la Orden dominicana. Matemático, médico, teólogo. Explicó Filosofía y Teología en Friburgo, Estrasburgo, Ratisbona y París, donde fue tal el número de sus alumnos, que hubo de explicar sus lecciones en la plaza de Maubert. Rector—1249—de la Universidad de Colonia. Provincial—1254—de su Orden en Alemania. El Pontífice Alejandro IV le nombró mayordomo del Vaticano, y Urbano IV le confió la sede episcopal de Ratisbona, a la que renunció dos años después. En 1274, por deseo expreso de Gregorio X, predicó la cruzada en Alemania y Bohemia. Fue maestro de Santo Tomás de Aquino. El papa Urbano VIII le beatificó en 1652, y Pío XI le canonizó en 1931.

La plaza Maubert, donde explicó San Alberto, se llamó así en abreviatura de *Magister Albertus*.

Sus obras son, principalmente, paráfrasis de la mayoría de los libros aristotélicos, riquísimas y amplias, mezclando con las del Estagirita las ideas de los neoplatónicos. Sus obras dieron origen a sutiles controversias acerca de la materia y de la forma, la esencia y el ser—*essentia* o *quidditas* y *existentia;* y en adelante, la distinción *esse esentiae* y *existentia*.

Alberto Magno determinó los límites de nuestra razón para adquirir la idea de Dios, creyendo que el intelecto humano es capaz de concebir a Dios, pero no la Trinidad. En relación con la idea metafísica de la divinidad, San Alberto Magno considera a Dios como un ser necesario, en quien son idénticos la esencia y el ser; y deduce después los atributos. Sostiene que el alma es un *totum potestativum,* en el que la conciencia es la ley primera de la razón. La virtud teológica, que procede del mismo Dios, es infundida en las almas—*virtus infusa*—por Él.

Alberto Magno supo distinguir perfectamente entre la teología y la filosofía, entre la razón y la fe. Admitió que los conocimientos humanos se fundan en la experiencia, pero *que no acaban en esta,* ya que el intelecto elabora, mediante la abstracción y a base de las experiencias, el conocimiento intelectual. Afirmó que la existencia de Dios no nos es evidente, pero que puede y debe demostrarse; por tanto, que serán *a posteriori* todas las vías que nos conduzcan a Dios.

Santo Tomás de Aquino, famoso teólogo y uno de los más eximios doctores de la Iglesia. 1225-1274. Nació en Roca Seca, cerca de Aquino, y murió en el cenobio de Fossanuova, al sur de Nápoles. De la noble familia de los condes de Aquino, era nieto de una hermana de Federico Barbarroja. Empezó sus estudios con los benedictinos de Monte Casino y los siguió en la Universidad de Nápoles. Contra la voluntad de su familia, ingresó en la Orden de Santo Domingo—1243—. Estudió Teología en París y luego en Colonia, siendo discípulo de Alberto Magno. Era de carácter melancólico y sus camaradas le apodaron "el buey gordo" y el "mudo de Sicilia". Ocupó la cátedra de Teología en París el año 1253. Doctor en 1257. Abrió una cátedra en el colegio de la calle de Saint-Jacques. Su fama se extendió por toda Europa. Consejero de San Luis, rey de Francia. Llamado a Italia por Urbano IV, enseñó Teología en Roma, en Orbieto, en Viterbo y en Perusa. Renunció al arzobispado de Nápoles. Volvió a París en 1269; regresó a Nápoles y falleció al dirigirse al Concilio de Lyón. Juan XXII le canonizó en 1323. Pío V le declaró doctor de la Iglesia en 1567. En 1880 fue declarado patrono de todas las escuelas cristianas.

Ya en vida gozó del mayor prestigio en la Iglesia; pero su inmensa utilización de la Filosofía aristotélica en cuestiones teológicas le granjeó gran oposición. Fue llamado *Doctor Angelicus* y *Doctor communis* por los muchos que aceptaron sus doctrinas. Santo Tomás de Aquino organizó y sistematizó en forma tal la Teología católica, basándose en la tradición patrística, pero interpretándola con una originalidad propia de su gran talento. "Santo Tomás cristianizó la Filosofía aristotélica en tiempos en que el averroísmo hacía cada vez más peligrosa y tentadora la infiltración de la interpretación racionalista de la doctrina peripatética."

Escribió, entre otras obras: *Summa contra gentiles*—1261 a 1264—, *Quaestiones disputatae*—1256 a 1273—, *Summa Theologica*—1267 a 1273—, *Contra errores graecorum, De rationibus fidei contra sarracenos, Comentarios a Aristóteles, Opúsculos filosóficos, Comentarios a distintos libros de la Biblia...*

El gran éxito de Santo Tomás—o, mejor, uno de sus muchos grandes éxitos—fue adaptar la filosofía aristotélica al pensamiento cristiano de la Escolástica.

Santo Tomás distinguió clarísimamente la teología de la filosofía; aquella se funda en la revelación divina; esta, en el ejercicio de la razón humana. Pero entre ellas no puede haber conflicto, ya que la teología, como obra de Dios, es la *misma verdad;* y la razón, usada rectamente, lleva a la verdad. Son, pues, dos ciencias independientes, pero con un campo común: la verdad. Claro es que la filosofía, en cierto sentido, quedará subordinada a la teología, ya que un dogma revelado es infinitamente superior a un conocimiento de la humana razón.

Para Santo Tomás, como para los griegos, el origen de la filosofía es el asombro; el afán de conocer únicamente se aquieta con el conocimiento de las causas de lo que asombra. Y siendo la primera causa Dios, solo el conocimiento de Dios puede satisfacer a la mente humana, esto es, a la filosofía. El alma humana envuelve con su saber la totalidad del universo, cuyo orden es triple: el *orden de las cosas, de la naturaleza y del ser real*—al que atiende la filosofía natural—; el *orden del pensamiento*—al que atiende la lógica—; y el *orden de la voluntad*—al que atiende la ética.

Para Santo Tomás, el ser es el concepto más universal de todos, no en el género, sino en la trascendencia; y el ser tiene dos sentidos capitales: *esencia* y *existencia*. Únicamente en Dios no alcanzan distinción esencia y existencia, y aun de aquella se sigue necesariamente esta.

Santo Tomás demuestra la existencia de cinco maneras, que son las famosas cinco *vías:*

1.ª *Por el movimiento.* El movimiento existe. Pero todo lo que se mueve necesita un motor. Y este motor, otro... Existirá un motor primero que no necesitará de impulso... Este primer motor es Dios.

2.ª *Por la causa eficiente.* Causas eficientes hay muchas. Pero ha de haber una primera causa, ya que sin esta faltarían los efectos. Dicha primera causa es Dios.

3.ª *Por lo posible y lo necesario.* Los entes pueden ser o no ser. En un tiempo no hubo nada. Luego se precisó un ente *necesario* por sí mismo. Este ente es Dios.

4.ª *Por los grados de perfección.* Hay entes, más o menos perfectos, que tienden a la perfección absoluta. Esta perfección absoluta es Dios.

5.ª *Por el gobierno del mundo.* Los seres tienden a un fin y a un orden, y son dirigidos a ellos por la inteligencia. El ente que ordena y que impulsa al fin es Dios.

Santo Tomás afirma que los universales existen, pero no como tales, sino en forma abstracta; la especie se individualiza.

Para Santo Tomás, el alma es la *forma sustancial* del cuerpo; por ella, y únicamente por ella, el cuerpo es *cuerpo viviente.* Pero ni el alma ni el cuerpo son sustancias completas; el alma da al cuerpo la vida, pero no la corporeidad; la unión de alma y cuerpo es una *unión sustancial.* El alma humana es incorruptible e inmortal; y una *forma subsistente,* es decir, separada del cuerpo puede realizar sus fines.

La moral, según Santo Tomás, "es un movimiento de la criatura racional hacia Dios". Dicho movimiento tiene un fin: la bienaventuranza, la visión inmediata de Dios. (V. *Tomismo* y *Neotomismo.)*

Las ideas políticas de Santo Tomás son la combinación de dos principios. Como medio necesario de orden, el poder representa a Dios; cuando se le considera en ciertos individuos determinados, representa la comunidad.

Rogerio Bacon, filósofo y sabio inglés, llamado el Doctor admirable. Nació—1214—en Ilchister, condado de Somerset. Murió en 1294. Estudió en Oxford y en París. Monje franciscano. De extraordinaria cultura. En 1264 propuso a Clemente IV la rectificación de los errores del calendario Juliano. Inventó los anteojos para présbitas; dio la teoría de los telescopios. Y fue acusado de mágico. En óptica se le considera como el precursor de Galileo y de Newton. En tiempos del Pontífice Nicolás III —1278—fue acusado por sus enemigos de haber hecho un pacto con el diablo, siendo condenadas sus obras al fuego, y él, a largos años de prisión, de la que no salió sino meses antes de morir.

Entre sus obras principales están: *Speculum alchimiae, De secretis operibus artis et naturae, et de nulitate magiae; De retardandis senectutis accidentibus et sensibus confirmandis, Opus maius ad Clementen pontificem romanorum, Opus minus, Opus tertuim, Speculum secretorum...*

Bacon llamó las *raices de la ciencia* a cuatro puntos defendidos por él: la *gramática* o estudio de las lenguas sabias; la *aplicación* de las ciencias matemáticas; la *perspectiva,* o tratado de la óptica y fenómenos de la visión; y la *experiencia.* Sin esta, afirma, no es posible conocimiento cabal de cosa alguna. El raciocinio concluye, pero no establece.

Como San Buenaventura, Bacon intentó una reducción de todos los conocimientos a la teología. Solo hay una sabiduría, la que procede de Dios, y está contenida *totaliter* en la Sagrada Escritura.

Para Bacon, el conocimiento procede de la autoridad, de la razón y de la experiencia. Autoridad, para Bacon, únicamente reside, como fuente de saber, en los filósofos antiguos y, en último término, en Dios. La autoridad, por sí sola, no basta. Se ha de hacer uso del razonamiento. Pero tampoco el razonamiento es suficiente. Hay que unir al razonamiento y a la autoridad toda la experiencia posible. La experiencia es de dos clases: *interna* y *externa.* La interna es espiritual y está fundada en la iluminación divina. La externa es la adquirida mediante los sentidos, está a la base de todos los conocimientos y da origen a la ciencia experimental.

Raimundo Lulio, famoso filósofo, poeta, novelista, teólogo, místico, controversista y apóstol de la fe española, Ramón Llull nació

—1235—en Palma de Mallorca. Murió en 1315. Pasó livianamente su juventud de hombre noble y rico, senescal del rey de Mallorca. Por orden de su monarca, hubo de casarse contra su gusto, entregándose inmediatamente a lascivos amores. Según la tradición, se convirtió un día en que penetró a caballo en la iglesia de Santa Eulalia, durante los oficios, tras la hermosa genovesa Ambrosia del Castello, cuando le descubrió ella su seno devorado por un cáncer. Su conversión fue radical y ejemplar. Abandonó a su mujer, su casa, sus honores y riquezas para llevar una vida de penitencia y de estudio. Tuvo desde entonces tres únicos deseos: la cruzada a Tierra Santa, la predicación del Evangelio a judíos y musulmanes y hallar un método o ciencia nueva con que demostrar racionalmente las verdades de la religión a sus opugnadores. Aprendió el árabe. En el monte Randa imaginó el *Arte universal* y logró del rey don Jaime II de Mallorca, en 1275, la creación de un colegio de lenguas orientales en Miramar, para que los religiosos menores salieran de él preparados para convertir a los sarracenos. Poco después marchó a Roma, consiguiendo que el Pontífice Nicolás III enviara franciscanos a la Tartaria y le dejase ir a predicar a los mahometanos. Peregrinó Lulio por Siria, Palestina, Egipto, Etiopía, Mauritania... De regreso a Europa, enseñó en Montpellier su *Arte universal*. Durante dos años vivió en París, aprendiendo gramática y enseñando filosofía. Instó a Nicolás IV para que predicase una cruzada. Marchó a Túnez, donde evangelizó con denuedo y se salvó por milagro del martirio. Vuelta a Roma para suplicar a Bonifacio VIII nuevos proyectos de cruzada. Nuevas evangelizaciones en Chipre, Armenia, Rodas y Malta. Nuevos viajes a Italia y a Provenza. Otra misión a Africa, donde nuevamente se salva de milagro. En 1309 enseña en la Universidad de París su doctrina contra los averroístas. En 1311 se presenta en el Congreso de Viena con muchos sorprendentes proyectos. Fue otra vez a Bujía, en 1314, y allí logró la palma del martirio, siendo lapidado.

Raimundo Lulio escribió en latín y en su lengua nativa numerosa obras. Entre estas sobresalen: el *Ars magna*, el *Arbor scientiae* —filosofía con apólogos—, *Plan de nostra dama* y *Lo cant de Ramón*—poesías líricas—; *Libre del gentil e los tres sabis, Libre del Orde de Cavayleria*—imitado por el infante don Juan Manuel y por el autor del *Tirant*—, *Libro felix de les maravelles del mon*—1286, enciclopedia de gran interés para la novelística—*Blanquerna*—1283, novela utópica, que lleva intercalado el *Cántico del amigo y del amado*, "joya de nuestra literatura mística, digna de ponerse al lado de los angélicos cantos de San Juan de la Cruz" (Menéndez y Pelayo)—, el *Libre de les besties*—apólogos—, *Libro de las contemplaciones*...

Raimundo Lulio recibió el sobrenombre de Doctor iluminado.

Aun cuando el espíritu de Lulio se recoge principalmente en la mística, cabe señalar que su *Ars magna* intentó construir un sistema de filosofía con un método rigurosamente deductivo, haciendo una *filosofía matemática*. Su intento tuvo posteriores repercusiones a lo largo del *racionalismo* (V.), culminando en el esfuerzo de Leibniz para crear una combinación universal.

Duns Escoto nació—¿1268?—en un lugar desconocido de las Islas Británicas. Muy joven ingresó en la Orden franciscana. Estudió y enseñó en Oxford. Marchó a París—1304—, donde se doctoró en Teología. Fue catedrático en París y en Colonia. En esta última ciudad murió—1308—en incipiente madurez.

Duns Escoto, precocidad genial, fue llamado el *Doctor subtilis*. Defendió con gran entusiasmo el actual dogma de la Inmaculada Concepción.

Duns Escoto se aparta grandemente de Santo Tomás. Este pretendió *equilibrar* armónicamente teología y filosofía. Escoto vuelve a desequilibrarlas. Para Escoto, la teología se reduce a la *revelación*, a cuanto es sabido de un modo *sobrenatural*. La filosofía tiene como asunto todo cuanto la razón alcanza *naturalmente*. Creyó Escoto que debían estar separados el mundo de la gracia y el mundo de la naturaleza; que la *theologia rationis* debía quedar reducida a *theologia fidei*.

Metafísicamente, Duns Escoto distingue tres clases de materia prima: la *materia primo prima*, indeterminada, pero con realidad; la *materia secundo prima*, con forma corporal y con los atributos de la cantidad; la *materia tertio prima*, que sirve para las modificaciones de los entes ya corporales. También distingue varias *formas*.

Escoto admite el argumento ontológico de San Anselmo para demostrar la existencia de Dios: *Si Dios es posible, existe*. Hay, pues, que probar la posibilidad, y esta se prueba "por su imposibilidad de contradicción, ya que en Dios nada hay negativo; Dios, como *ens a se*, es necesario, y su esencia coincide con su existencia; por ende, su posibilidad determina su realidad".

Escoto, también a diferencia de Santo Tomás, es partidario—rasgo especial franciscano—del *voluntarismo*. El hombre, en principio, no es un ser cognoscitivo, sino un ser *volitivo*. La voluntad es la que lleva al hombre al conocimiento, y en la voluntad y no en la razón está la felicidad. En Dios está el primado de la voluntad; lo bueno es bueno *porque Dios lo quiere;* y lo malo, malo, porque Él lo prohíbe, y no a la inversa. Y en un acto de la voluntad de Dios se fundan algunos dogmas—la Encarnación, la Redención—indemostrables por la razón. (V. *Escotismo.*)

El maestro Eckhart nació—¿1260?—en Hockheim, junto a Gotha. Dominico. En 1304 fue nombrado provincial de la Orden dominicana en Sajonia. En 1307, vicario general. Enseñó en París, Estrasburgo y Colonia. Acusado de averroísmo y de panteísmo por los franciscanos, fue sometido a un proceso que duró hasta dos años después de su muerte—1327—. Su mística especulativa influyó enormemente en todos los místicos alemanes. Para Eckhart, Dios está allende el ser, y para marcar su radical infinitud y superioridad sobre todas las esencias, llega a decir de Él *que es una pura nada.*

El gran filósofo español actual Zubiri ha escrito: "Sin Eckhart sería totalmente inexplicable el origen de la filosofía moderna. Hacer arrancar a esta de Cusa o de Ockam es una fácil inexactitud. Contra todas las apariencias, el nominalismo de Ockam sería incapaz de haber gestado en su dominante negatividad el principio positivo que hubo de extraer Nicolás de Cusa." "Y la dificultad de entender a Eckhart es más grave de lo que a primera vista pudiera parecer, no solo porque aún no se conocen todos sus escritos latinos, sino porque una visión leal del problema nos obligaría a retrotraernos a una interpretación total de la metafísica medieval." "Veríamos entonces en Eckhart un pensamiento genial que no acierta a expresar en conceptos y términos de escuela nuevas intuiciones metafísicas, antípodas, en muchos sentidos, del augustinismo y de la Reforma. Para San Agustín, es problema el mundo, porque llegó a creer saber quién es Dios. Para Eckhart, es problema Dios, tal vez porque creyó saber ya qué es el mundo. Por otra parte, mientras la Reforma apela al individuo, Eckhart recurre al retiro de la vida interior, algo que probablemente se halla a doscientas leguas de todo movimiento luterano. Solo de esta manera sabremos qué es especulación y qué es mística en Eckhart, y en qué consiste su radical unidad."

Eckhart, como Santo Tomás, es intelectualista. Solo en el entendimiento se completa la esencia del hombre y este alcanza la felicidad. Pero mientras para el Doctor Angélico la felicidad solo es posible en la *otra vida* y en la intuición de Dios, al convertirse la fe de *esta vida* en conocimiento de visión, para Eckhart *esta vida* es ya un peldaño de la escala de la unidad con Dios en el conocimiento supraterrenal.

El escolasticismo decadente del siglo XIV cuenta también con algunos exaltadores e intérpretes de mucho interés: Guillermo de Ockam, Nicolás de Autrecourt, Juan Gerson, Juan Buridán, Nicolás de Oresme, Juan Taulero, Enrique Suso...

El más importante de ellos, Guillermo de Ockam, filósofo inglés. Nació—¿1270?—en Ockam, condado de Surrey. Murió en ¿1349? De la Orden de San Francisco. Arcediano de Stowe (Lincolushire). En París fue discípulo de Duns Escoto. Enseñó Filosofía en Stowe. En los conflictos entre Bonifacio VIII y Felipe "el Hermoso" de Francia, se puso de parte del monarca. En 1322 asistió al Capítulo general de los franciscanos, celebrado en Perusa. Profesor de Filosofía en Bolonia. Como el Pontífice Juan XXII condenase la opinión de los franciscanos, sustentada por Ockam, este replicó con la obra *Defensorium adversus errores papae.* El Pontífice le citó en Aviñón, pero Ockam se refugió en la corte de Luis de Baviera. Con Miguel de Cesena, general de la Orden franciscana, publicó un manifiesto contra Juan XXII, calificándole de hereje, y reconocían a Nicolás V. Después trabajó Ockam con Marsilio de Padua y Juan de Jandun, contribuyendo a la lucha entre güelfos y gibelinos. Pero antes de morir se reconcilió con el Pontífice y fue absuelto de las censuras eclesiásticas que pesaban sobre él.

Como escolástico, reprodujo en París la controversia del nominalismo, y adquirió tal fama impugnando a sus adversarios, que le apellidaron el Doctor invencible. Como moralista, sostuvo que el bien y el mal dependían de la voluntad arbitraria de Dios. Su vigorosa lógica está resumida en sus *Expositio aurea et admodum utilis super totam artem veterem, Summa Logices ad Adamum, Super quator libros sententiarum, Quodlibeta septem, Super potestatem summi pontificis...* Obras que se publicaron en París y en Lyón, de 1487 a 1496.

No es posible prescindir en el escolasticismo de la importancia que tuvieron dos escuelas: la *filosofía judía* y la *filosofía árabe,* basadas igualmente en el aristotelismo.

La filosofía árabe tuvo sus más eximios representantes en Alfarabi, Avicena, Algazel y en los españoles Avempace, Aben Tofail y Averroes.

Alfarabi (m. en 950) se ocupó de la causa primera y de la emanación del mundo; afirmó que la felicidad únicamente se encuentra en la vida ultraterrena y que la sociedad no tiene su fin en sí misma; y expuso la originalísima teoría del *intelecto agente,* que tanto había de influir en la filosofía musulmana.

Avicena (980-1037) fue médico, filósofo, matemático, jurisperito; su principal obra lleva por título *La curación (Al-Schefâ),* y es una suma filosófica en dieciocho volúmenes. Avicena proclamó: que el mundo es un efecto emanado de Dios, no temporal, sino eterno; que Dios es absolutamente Uno, emanado de la primera inteligencia; que el alma humana dispone de cinco sentidos externos y de otros cinco internos.

Algazel (m. en 1111) fue un filósofo místico.

Combatió las doctrinas de Alfarabi y de Avicena y las de Aristóteles en sus obras *Las tendencias de los filósofos* y *La destrucción de los filósofos*. Su escepticismo le llevó a la afirmación de que la filosofía era impotente para demostrar la existencia de Dios—Uno—y para determinar sus atributos.

Avempace (m. en 1138), Ibn Badja, zaragozano, defendió con ardor las doctrinas aristotélicas. Y afirmó que el hombre "por las solas luces de la razón y por su propio esfuerzo, partiendo de las cosas sensibles y pasando por la realidad inteligible, llegará al conocimiento de la divinidad".

Aben Tofail (m. en 1185) nació en Guadix y escribió una novela filosófica titulada *El filósofo autodidacto,* en la que inició sus especulaciones partiendo del conocimiento de las cosas sensibles, ascendiendo a la contemplación de las esferas celestes y concluyendo en la existencia de Dios. Como auténtico místico, creyó que la *vía mística* era la única capaz de llevarnos a la unidad con Dios.

Averroes (1126-1198), Ibn Rochd, nacido en Córdoba y muerto en Marruecos, fue jurisperito, matemático, médico, teólogo, filósofo... y el mejor comentarista árabe de Aristóteles. (V. *Averroísmo.)*

La escuela filosófica judía—sobre la que influyó mucho y decisivamente la filosofía árabe—tuvo sus principales representantes en los españoles Avicebrón y Maimónides.

Avicebrón (1021-1058), Salomón Ibn Gabirol, es autor de un originalísimo libro: *Fons vitae.* Proclamó la universalidad de la materia; afirmó que, Dios exceptuado, todo está compuesto de materia, inclusive el alma, aunque la materia anímica *no es corporal;* equiparó los términos materia y potencia.

Maimónides (1135-1204), Moisés Ben Maimón, natural de Córdoba, es autor de la famosísima *Guía de los perplejos.* Afirmó que la inteligencia es una forma pura desprovista de toda materia; que el hombre se compone de materia y de forma, es decir, de cuerpo y alma; que la existencia de Dios se prueba por los argumentos del motor, del ser necesario y de la causa primera; que de Dios solo nos es dado conocer *lo que no es,* y en modo alguno *lo que es;* que existe un intelecto agente único para todos los hombres, pero que cada hombre tiene su intelecto pasivo; que cabe una inmortalidad personal.

V. Grabmann, M.: *Die Geschichte der scholastichen Methode.* Dos tomos, Friburgo de Brisgovia, 1909-1911.—Grabmann, M.: *Mittelalt. Geistesleben.* Friburgo de Brisgovia, 1926.—Dempf, A.: *Die Hauptform mittelalt. Weltanschaung.* Friburgo, 1925.—Heimsoeth, H.: *Los seis grandes temas de la metafísica occidental.* Traducción castellana. Madrid, "Rev. de Occidente".—Menéndez y Pelayo, M.: *La ciencia española.* Madrid, 1887.—Rickaby, S. J.: *Scholasticism.* 1911.—Hauréau, B.: *Hist. de la Phil. scolast.* París, 1872.—Marías, Julián: *Historia de la Filosofía.* Madrid, 1943, 2.ª edición.—Aster, E. von: *Historia de la Filosofía* Barcelona, Labor, 1935.

ESCOLIO

De σχόλιον, observación docta.

1. Nota que acompaña a un texto para explicarlo.
2. Exposición aclaratoria, interpretación y declaración breve de algún texto antiguo, sentencia oscura, párrafo equívoco.
3. Observación, comentario ilustrador para contribuir a la máxima claridad de un escrito.
4. Cualquier adición suplementaria, especie de clave o buscapié, hecha a una obra para descifrar todos sus puntos difíciles de entendimiento o apreciación.

E

Se llaman en general *escolios* las notas de gramática y de crítica que sirven para la comprensión de los autores clásicos. Según algunos filólogos, la palabra escolio designa especialmente las notas puestas en los antiguos manuscritos por sus poseedores como fruto de un estudio prolongado.

ESCOLIO

Nombre dado a la canción que improvisaban los griegos durante las comidas y las orgías. Terminado el banquete, de mano en mano pasaba una lira o una rama de mirto, y quien la recibía, antes de pasarla a otro comensal, debía repentizar una canción.

Se le llamó σκολιόν ἀδλα, *canto torcido,* bien de la irregularidad de sus formas y licencias—como nacido de la improvisación—, bien de la irregularidad de su curso en torno de la mesa.

En Grecia fueron famosos los escolios de Terprando, Alceo, Safo y Píndaro.

V. Engelbrecht: *De scoliorum poesi.* Viena, 1882.—Groisset, A. y M.: *Historia de la literatura griega.* Madrid, [¿1899?].

ESCOTISMO

Doctrina filosófica de Duns Escoto.

Juan Duns Scot o Scotus (1274-1308) nació en Dunston (Northumberland). Sumamente joven ingresó en la Orden franciscana. Estudió en el Merton College, de Oxford, sustituyendo poco después a su maestro Guillermo de Warre en la cátedra de Filosofía. En 1304 se doctoró en la Universidad de París, cuando ya contaba con numerosísimos discípulos. En la misma Universidad, su defensa ardorosa y sutilísima de la Inmaculada Concepción de María le valió el título de *Doctor subtilis.* Muchos años después de muerto Escoto, en 1387, la Universidad de París condenó la doctrina tomista acerca de la Inmaculada Concepción, afirmando como la única válida la de Duns Escoto. En 1308, Escoto marchó a Colonia para asistir a la inauguración de una Universidad, muriendo súbitamente. Fue un caso portentoso de precocidad erudita y filosófica, y una de las inteli gencias más profundas del *escolasticismo* (V.) medieval. Escoto, al frente de los franciscanos, se opuso resueltamente a las doctrinas tomistas de los dominicos.

La copiosísima labor filosófica de Escoto ha sido recogida en doce grandes volúmenes: I. *Grammatica speculativa: in universam logicam quaestiones;* II. *Comment, in libros physicos: quaestiones in libros de anima imperfecta;* III. *Tractatus de rerum principio; Tractatus de primo principio; Theoremata subtilissima;* IV. *Expositio in metaphysicam: conclusiones metaphysicae;* V, VI. VII, VIII, IX y X. *Distinctiones in quatuor libros;* XI. *Reportatorum Parisiensium libri quatuor;* XII. *Quaestiones quodlibetales.*

El escotismo se apartó del *tomismo* (V.) en cuestiones fundamentales. Santo Tomás afirmó que las fuentes del conocimiento son dos: revelación y razón. Duns Escoto afirmó que no existe el verdadero conocimiento fuera de la teología basada en la revelación. Santo Tomás sostuvo la influencia de la gracia divina en los actos humanos. Escoto profesó ampliamente la doctrina del libre albedrío, y considerando el alma como una fuerza, reivindicó la parte de la libertad en la vida moral. Santo Tomás se inclinó al misticismo. Escoto, a la lógica. Teológicamente, el tomismo se inclinó al *panteísmo* (V.), y el escotismo, al *pelagianismo* (V.). Santo Tomás defendió la primacía del conocimiento sobre la voluntad; Escoto fue *voluntarista* y defendió la prelación de la voluntad sobre el conocimiento. Escoto admitió el argumento ontológico de San Anselmo para probar la existencia de Dios.

En la cuestión del nominalismo y del realismo, el escotismo enseñó que la inteligencia no tiene parte ninguna en la formación de los universales, que considera como entidades determinadas que subsisten en realidad fuera de la mente. El escotismo admitió que en la formación de los seres particulares interviene otra identidad, que es el principio por cuyo medio los universales se individualizan.

"Escoto—sintetiza Aster—no es nominalista; para él, como para Santo Tomás, los conceptos no son creaciones subjetivas, sino que reproducen la estructura real del mundo de los objetos. Pero en cierto sentido es individualista: cada cosa es un *algo,* es *esto,* tiene rasgos universales e individuales; pero también estos rasgos individuales, su *esto,* su *hic et nunc,* su *haecceitas,* es algo pensable, conceptualmente aprehensible, una forma individual. Toda cosa finita, aun la misma alma, está revestida de materia. Pero la materia no es el fundamento de la individualidad, sino precisamente la forma específica del objeto. Tras esta enseñanza se oculta una *valoración de lo individual,* de lo específico, diferente del modo de pensar tomista."

Entre los primeros y más ilustres defensores del escotismo están: Francisco Mayronis—muerto en Plasencia, 1325—, llamado el *Doctor illuminatus et acutus* y el *Magister abstractionorum,* profesor y polemista en la Sorbona, comentarista de Aristóteles. San Agustín, San Anselmo y Pedro Lombardo. Antonio Andrea, el *Doctor dulcifluus*—muerto en 1320—, natural de Aragón. El obispo Guillermo Durand de Pourcain, llamado el *Doctor Resolutissimus,* muerto en 1322, natural de la Auvernia, que preparó la caída del realismo descubriendo una distinción más exacta entre lo subjetivo y lo objetivo de los conocimientos. Según él: "Lo general y lo individual solo se distinguen en el dominio de la existencia; todo lo que existe es individual; lo que no reside más que en la mente es general. Lo general se individualiza, recibiendo una determinación por la existencia fuera de la mente. El principio de la individualización no es más que el fundamento de la existencia de un ser, esto es, la actividad de un ser presente en la Naturaleza, la cual únicamente produce individuos." Jerónimo de Ferrariis, Walter Burleig...

V. WADING: *Vita Johannis Dunsii Scoti.* Al frente de *Obras completas.* Lyón, 1639.—PLUANSKY: *Thése sur Duns Scot.* París, 1887.—WEBER: *Histoire de la philosophie européenne.* París, 1910.—URRÁBURU, P.: *Institutiones philosophicae.* Madrid, 1887-1889.—MERCIER Y NYS: *Historia de la Filosofía.* Barcelona, 1909.—PARDO BAZÁN, Condesa de: *San Francisco de Asís.* Madrid, 1922, 2.ª edición.

ESCRITO

1. Manuscrito.
2. Carta. Documento. Papel.
3. Obra impresa, científica o literaria o artística.
4. Dictamen. Escritura.

ESCRITOR

1. Antiguamente: *secretario, amanuense, escriba.*
2. Persona que escribe.
3. Persona que escribe, con imaginación y con talento, libros, folletos, artículos.
4. Autor de obras escritas e impresas.
5. Profesión. El que vive de lo que escribe.

El escritor puede ser considerado: desde el punto de vista de su misión o de las funciones que ejerce en la sociedad; en sus deberes morales y literarios; en su condición de miembro de una clase.

Al escritor le llamó Lamennais "rey sin corona", porque, verdaderamente, reina con su talento e influye en la posteridad con sus escritos.

Fichte—en su obra *Deberes del sabio y del hombre de letras*—determinó los graves deberes que impone la misión de escritor: amor a la verdad, integridad de carácter, culto invariable a lo bueno, recto y bello.

Las condiciones y cualidades intelectuales de aquel que hace profesión de escritor son harto obvias. Horacio dijo:

Scribendi recte sapere est et principium, et fons.

También es imprescindible que la Naturaleza haya adornado al escritor con dotes especiales: imaginación, sensibilidad, facultad de abstraer y generalizar, espíritu de observación y de análisis, gusto por lo selecto y por lo original, fertilidad de ideas, facilidad expresiva.

ESCRITURA

1. La representación de las ideas por medio de signos convencionales.
2. El arte de representar las ideas trazando dichos signos.
3. Cualquier papel manuscrito
4. Libro escrito o impreso.
5. Acción o efecto de escribir.

Pintura del pensamiento ha sido llamada la escritura, invento el más milagroso del hombre, ya que, limitado en el espacio y en el tiempo, sintió la necesidad de comunicarse con otros hombres que estaban lejos de él y con las generaciones humanas que le habían de suceder.

"Filológicamente considerada, la palabra *escritura* admite dos sentidos, uno lato y otro circunscrito. En el primero, la escritura abarca la consignación del pensamiento humano con cierta determinación y precisión mediante signos y figuras trazadas sobre una superficie o cuerpo dado. En el sentido más limitado, es la transcripción o consignación del lenguaje oral sobre una superficie o cuerpo dado, mediante signos que representan con toda determinación y precisión las articulaciones y sonidos orales que forman los grupos naturales que constituyen las palabras y las pausas, entonaciones y demás notas susceptibles de este género de convención figurada, y que reciben el nombre de *notación ortográfica* del idioma respectivo."

Los filólogos dividen la escritura en *ideográfica y fonética*. División demasiado simple, ya que la *ideográfica* comprende la *simbólica,* y la *fonética,* la *jeroglífica.*

La primera idea que se le ocurrió al hombre para expresar su idea fue *pintar, dibujar* la figura del objeto; pero esta invención no sería sino para las referencias a objetos materiales. Más tarde, para expresar *las ideas abstractas,* el hombre acudió al *símbolo,* representándolas mediante un objeto material con el que tuvieran relación: *el mar era la inmensidad; el firmamento, lo imposible.* Al observar que unas y otras ideas se indicaban en el lenguaje hablado por medio de sonidos articulados, procuró que los signos *gráficos* representasen tales sonidos, y admitió elementos *fonográficos.* De la combinación de estas tres clases de caracteres, *representativos, simbólicos* y *fonéticos,* surgió el *jeroglífico,* forma la más antigua de las escrituras conocidas.

Cinco son los orígenes o las fuentes de los sistemas de escritura conocidos hasta hoy: el *egipcio,* el *chino,* el *cuneiforme,* el *azteca* y el *maya.*

La *escritura egipcia* comprende tres formas: la *jeroglífica,* la *hierática* y la *demótica.* La primera se utilizó en los monumentos; la segunda, en los manuscritos; la tercera, en los usos populares: misivas, actas, contratos.

Los fenicios adoptaron la forma hierática egipcia para su alfabeto, prescindiendo de los elementos representativos, simbólicos y fonográficos. Y del alfabeto fenicio derivan sus escrituras *hebrea, aramea, indo-homerita, griega, rúnica, etrusca, osca, sabética, ombria, ibérica, turdetana* y la *latina.* Esta última ha dado origen a todas las letras usadas en Alemania, Italia, Francia, España, Inglaterra desde la caída del Imperio romano de Occidente hasta nuestros días.

La escritura ideográfica china tuvo seis reglas, que estableció Fo-Hi. Los signos gráficos debían representar las figuras: 1.ª Directamente y en sentido propio. 2.ª En sentido figurado. 3.ª Indicando gráficamente los objetos. 4.ª Indicándolos de una manera combinada. 5.ª A la inversa. 6.ª Por la forma y por el sonido.

Los signos fueron, en un principio, puramente representativos. Con el tiempo, sin dejar de ser ideogramas, las figuras adquirieron un *carácter convencional* y fueron perdiendo su primitivo dibujo. Es decir, a la *representación* se unió, como en Egipto, el *simbolismo.* La escritura china mezcla el ideografismo con el *fonetismo* en un *sistema de claves* análogo al *determinativo* en los jeroglíficos egipcios.

La escritura cuneiforme se forma con combinaciones de un mismo signo en forma de cuña o clavo, dispuesto ya horizontal, ya vertical, ya duplicado... Tres pueblos adoptaron esta escritura: Asiria, Media y Persia.

Pero mientras los dos primeros se conformaron con su escritura silábica e ideográfica, Persia, eligiendo unos signos para representar las vocales y otros para las consonantes, logró la escritura alfabética.

La escritura azteca fue *jeroglífica,* y aún hoy no está suficientemente estudiada.

La escritura maya comprende signos *figurativos, ideográficos* y *simbólicos* y *fonéticos.* Tampoco está suficientemente estudiada su clave.

En España han sido usadas las escrituras siguientes: la *ibérica;* la *fenicia* y la *griega* en el litoral del Mediterráneo; la *romana* en sus cuatro formas: capital, inicial, minúscula y cursiva; la *ulfilana* de los visigodos; la *carolingia,* en Cataluña, desde finales del siglo VIII; la *árabe,* en la España sometida a estos; la *latino-visigoda,* en los pueblos castellanos y leoneses desde la Reconquista; la *francesa,* en Castilla, León, Aragón y Navarra en los siglos XII y XIII; la letra *gótica;* la letra de *privilegios* y de *albalaes;* la *alemana,* la *redonda o de juros* y la *cortesana;* la *itálica;* la *bastardilla;* la *procesal;* la *bastarda española,* a partir del siglo XVIII...

(Para otros detalles y apectos de la *Escritura,* V. *Alfabeto, Manuscrito, Paleografía.)*

V. LENORMANT: *Essai sur la propagation de l'alphabet phénicien.* 2.ª ed., París, 1875. BERGER: *Histoire de l'écriture dans l'antiquité.* París, 1892.—TAYLOR, J.: *The Alphabet, an account of the origin and development of letters.* Londres, 1883—MILLARES CARLO, A.: *Paleografía.* Varias ediciones.

ESCUELAS (Literarias)

Nombre dado a un grupo de escritores o de artistas unidos por una misma tendencia, por una misma finalidad, por una misma técnica, por unos mismos antecedentes ideológicos, por idénticos afanes de proselitismo.

En la historia de la poesía castellana abundan estas escuelas.

Recordemos la *Escuela galaico-portuguesa* de los siglos XIV y XV (Ferrús, Villasandino, Jerena, Macías, Sánchez de Talavera...); la *Escuela alegoricodantesca y petrarquista* (Imperial, Páez de Ribera, Martínez de Medina, Manuel de Lando, Juan Alfonso de Baena...); la *Escuela italianizante* del siglo XVI (Boscán, Garcilaso de la Vega, Hernando de Acuña, Gutierre de Cetina, Francisco de Figueroa, Lomas Cantoral, Sa de Miranda...); la *Escuela tradicional* del siglo XVI (Cristóbal de Castillejo, Antonio de Villegas, Gregorio Silvestre, Gálvez de Montalvo, Jorge de Montemayor); la *Escuela salmantina* del siglo XVI (Fray Luis de León, Malón de Chaide, Francisco de Torre, Francisco Medrano); la *Escuela sevillana* del siglo XVI (Fernando de Herrera, Francisco de Medina, Baltasar del Alcázar, Pablo de Céspedes, Francisco Pacheco, Juan de Arguijo, Juan de Jáuregui, Francisco de Rioja...); la *Escuela culterana* (Carrillo de Sotomayor, Góngora, Villamediana, Trillo y Figueroa, Paravicino...); la *Escuela salmantina* del siglo XVIII (Diego Tadeo González, Juan Fernández Rojas, Cadalso, Jovellanos, Forner, Meléndez Valdés, Cienfuegos, Quintana Juan Nicasio Gallego, Sánchez Barbero, González Carvajal...); la *Escuela sevillana* del siglo XVIII (Arjona, Lista, Roldán, Hidalgo, Manuel María del Mármol, Marchena...)

ESLAVAS (Lenguas)

Grupo de lenguas pertenecientes al tronco indoeuropeo. Son habladas en los pueblos de raza eslava: Rusia, Polonia, Bohemia, Silesia, Checoslovaquia, Iliria, Dalmacia, Croacia, Yugoslavia, Bulgaria, Albania... Pueblos que suman más de la cuarta parte de la población de Europa.

Las lenguas eslavas, para su estudio, han sido divididas en *eslavas del Este, del Oeste y del Centro.* Las del Este se afirman en el *eslavón* —limitado a los libros eclesiásticos—, el ruso y sus dialectos, el servio y el croata y sus ramificaciones. A las eslavas del Centro corresponden: el letón, el lituano, el neerlandés y el viejo prusiano o borusiano. A las del Oeste: el polaco, el checo, el bohemio y el venedo.

Todas estas lenguas llevan la marca de su parentesco indudable con la lengua en que están escritos los *Vedas.* Tal derivación se delata en las etimologías, en las declinaciones, en la conjugación de los verbos auxiliares.

La mayor parte de estas lenguas tienen una antigüedad similar a la de sus hermanas: sánscrita, zenda, griega y latina.

Las lenguas eslavas tienen entre ellas una gran afinidad: abundancia de raíces, riqueza de palabras, variedad de sonidos, dulces o brillantes. Las reglas de sus gramáticas son poco menos que idénticas: comúnmente, siete casos en la declinación; tres géneros para el sustantivo; conjugación sin el uso de los pronombres; empleo restringido de las preposiciones.

Los alfabetos utilizados para las escrituras de estas lenguas son diversos. El latino, con la adición de algunos signos diacríticos, empleado por los polacos, lituanos, bohemios y yugoslavos. El alfabeto griego reformado, adoptado por los dusos; el glogolítico y el cirílico, este último modificación del griego, usado por los servios. Esta diversidad de alfabetos responde, más que a una necesidad lingüística y literaria, a diferencias políticas y religiosas.

V. WENZIG, J.: *Slavische Volkslieder.* Halle, 1830.—MICKIEWICZ: *Cour de littérature slave.* París, 1861.—EICHHOFF: *Histoire de la langue... des slaves.* París, 1839.—ROBINSON, Mrs.: *Historical view of slavic languages.* Nueva York, 1890.—BOPP, Fr.: *Grammaire comparée.* Trad. de l'allem. París, 1857.

ESLAVISMO

Nombre dado a la tendencia política que tiene como ideal la agrupación de todos los pueblos eslavos en una sola nación.

¿Cuáles pueblos son conocidos genéricamente con el nombre de eslavos? Principalmente: rusos, checos, polacos, croatas, eslovenos, servios, búlgaros, moravos, rutenios.

Durante el siglo IX, habiéndose convertido al cristianismo los checos, croatas, eslovenos y polacos de Roma, y los servios, búlgaros y rusos de Constantinopla, se produjo en el mundo eslavo una profunda escisión, tanto en el campo político como en el religioso y cultural; división que aún subsiste no obstante las reiteradas tentativas del eslavismo.

A la afinidad, entre los distintos pueblos eslavos, de costumbres agrícolas y pastoriles, de aficiones musicales y poéticas, de régimen interior de la familia y de la comunidad, hizo surgir, en el pasado siglo, la idea del *paneslavismo*, o unión de todos los pueblos eslavos por medio de una federación.

ESLAVÓN (Lenguaje)

También llamado *esclavón, eslavo eclesiástico* y *lengua cirílica.*

Es el más antiguo de los idiomas eslavos. Hoy día apenas se usa; y se conserva gracias a la liturgia de las naciones eslavas de religión griega. A este lenguaje fueron traducidas del griego las Sagradas Escrituras.

El ruso, que se separó del eslavón a partir del siglo XVI, puede ser considerado como una variedad, como uno de los dialectos de este idioma.

Los apóstoles Cirilo y Metodio, autores de la traducción de los libros de iglesia en el siglo IX, con su versión casi literal, imprimieron en el eslavón todas las propiedades de la lengua griega en la composición y en la disposición de los vocablos, en los giros de las frases y hasta en algunas formas gramaticales. Conservaron en su traducción las palabras griegas que no tenían equivalentes en el eslavón. Gracias a lo cual, la lengua helénica inició su gran influencia en los idiomas eslavos del Sur. Sin embargo, la base del antiguo eslavón es una lengua cuyo carácter nos es aún poco conocido. En el eslavón se hallan la simetría y las desinencias sonoras del sánscrito.

He aquí algunos caracteres gramaticales del eslavón: su declinación consta de siete casos, los del latín más el locativo; tiene tres géneros y tres nombres; el verbo ofrece la particularidad de poder alcanzar, mediante ciertas adiciones a la raíz, las gradaciones más delicadas, los modos, los tiempos y las diferentes condiciones de la acción, su actualidad, su frecuencia, su extensión; los prefijos y afijos contribuyen a la abundancia del lenguaje y dan al estilo concisión y precisión.

El antiguo alfabeto eslavón tenía más de cuarenta letras, correspondientes, como en el sánscrito, a todos los sonidos de la voz humana.

V. JOANNOVICS: *Grammatica linguae eclesiasticae slavicae.* Viena, 1851.—MIKLOSICH, F. R.: *Lexicon linguae slabonicae veteris dialecti.* Viena, 1850.—DOBROWSKI: *Institutiones linguae slavicae dialecti veteris.* Viena, 1822.

ESLOKA

Metro heroico de la poesía india. (V. *Sánscrito.*)

ESLOVACA (Lengua)

Lengua hablada por los esclavos del norte de Hungría. Siendo como un dialecto de la lengua checa, comprende, a su vez, diferentes dialectos: el moravo, el eslovaco de Silesia, el eslovaco de Hungría.

La lengua eslovaca tiene una importante manifestación literaria. Las primeras producciones datan del siglo XVIII, y se deben al sacerdote católico Antón Bernolack.

Otros escritores: Juan Holly—poeta—, Ludevit Stúr—prosista y periodista, redactor de la revista *Slovenske Noviny*—, Miroslav Hurbán —editor del Almanaque Nitra (1842-1877)—, Karel Kuzmany—poeta y prosista—, Miloslav Hodza, Samo Chalupka—poeta—, Andrés Sladkovic—poeta—, I. Kalincak—novelista, muerto en 1872—, los novelistas Vajansky y Kukucin, el lírico Hvezdoslav...

V. BERNOLACK: *Grammatica slavica.* Pressburgo. Varias ediciones.—HATTALA: *Grammatica linguae slovenicae.* Schemnitz, 1850.—VICEK, J.: *Dejiny literatury slovenkej.* 1923.

ESLOVACA (Literatura) (V. Checa y Eslovaca, Literaturas)

ESLOVENO (Lenguaje)

Llamado también *wenda* o *windo,* es uno de los lenguajes eslavos hablado en el territorio comprendido entre la Croacia, el mar Adriático, el Isonzo y la Drave. Comprende tres dialectos principales: el *carniolo,* el *carintio* y el *estirio.* El wenda o esloveno es el más pobre de los idiomas eslavos. El gran número de locuciones alemanas, el uso del artículo y algunas particularidades gramaticales, han motivado que algunos filólogos le hayan buscado lugar en los idiomas del tronco germano-eslavo. Su alfabeto primitivo fue el glagolítico, largo tiempo usado para la escritura wendica; pero ha sido sustituido por el de letras latinas.

V. KOPITAR: *Grammaire de la langue slave en Carintia et en Styria.* Laybach, 1808.—MURKO: *Grammaire wende.* Gratz. 2.ª edición. 1843.—JARNIK: *Essay étymologique sur l'idiome slovène.* Klagenfurt, 1832.

ESOTERISMO

Doctrina filosófica de Pitágoras. El esoterismo envuelve una idea contraria a la de *exoterismo* (V.). Esoterismo hace relación a lo *interno;* el exoterismo, a lo *externo.* El esoterismo era, pues, una doctrina, casi misteriosa, reservada a los iniciados, fuera del alcance de los profanos. Entre los pitagóricos, los discípulos eran llamados *esotéricos,* y los pretendientes, *exotéricos.* Platón explicó dos cuerpos de doctrina; uno, más difícil, *esotérico,* expuesto ante los discípulos más inteligentes y fieles; otro, más vulgar, *exotérico,* que comunicaba por libros a los no iniciados.

Entre los antiguos dábase también el nombre de esoterismo al conjunto de las cosas más íntimas y secretas de un rito o doctrina.

Aristóteles sustituyó la palabra esoterismo por acroamatismo, y dividió sus obras en acroamáticas y exotéricas. Las primeras estaban dedicadas a los filósofos, y las segundas, al vulgo.

Es decir, en la antigüedad griega, esoterismo siempre significó el conjunto de las enseñanzas más difíciles y trascendentales, aun cuando no doctrinas *misteriosas* a las que habían aludido con el vocablo *esotérico* los pitagóricos. (V. *Pitagorismo.*)

V. RITTER, H.: *Histoire de la Philosophie.* Traducción francesa. París, 1885.—REINACH, S.: *Orfeo. Historia de las Religiones.* Madrid, 1910. —FRANCK: *Dictionnaire des sciences philosophiques.*—EISLER: *Wörterbuch der Philosophischem Begriffe.* Berlín. 1910.

ESPAÑOLA (Lengua)

La lengua castellana o española es hoy una de las más hermosas y perfectas que se hablan en el mundo. "La lengua de Dios y de los ángeles", la proclamó Carlos I. "Brillante como el oro, sonora como la plata", dijo de ella el abate Raynal. Y el famoso filólogo Wulff: "El lenguaje castellano es, acaso, a mi parecer, el más sonoro, el más armonioso, el más elegante, el más expresivo de todos los dialectos románicos, y no cede ni aun al mismo italiano." (En *Recueil présenté à G. Paris.* 1889.) Hablan hoy el español ciento cincuenta millones de personas. Y su literatura es, en algunos aspectos, la más rica y sólida de las literaturas mundiales.

El castellano, por su origen, corresponde al grupo denominado *Romance, Románico* o *Neolatino.* Está formado por la corrupción del latín. Deriva directamente del llamado *latín vulgar* o *bajo latín.* Este latín, a su vez, era la modificación del *latín alto* o *literario,* hablado y escrito por las personas selectas, que fue impurificándose con la conversación y el trato vulgar al ponerse en contacto de la cultura romana con otros pueblos conquistados.

El *latín vulgar* fue el que, por corrupción, dio origen a las llamadas *lenguas neolatinas*: *castellano, francés, italiano, rumano, ladino o reto-rumano, catalán, gallego-portugués.*

El romance castellano empezó a tener vitalidad propia en los siglos X y XI, como se demuestra en varias glosas y distintos documentos notariales conservados de tales centurias. Pero aun antes debió de vivir el romance en la boca de los poetas andariegos, que recitaban sus composiciones acompañados por algún instrumento musical. En el *Poema de la conquista de Almería*—año 1150—se aludía a quienes hablaban el castellano con esta significativa frase: *Illorum linguae resonat quasi tympano tuba.*

El primer monumento literario del castellano es el *Cantar de Mio Cid,* escrito, probablemente, hacia el año 1140, poema épico de un valor excepcional. Fue Alfonso X "el Sabio" quien dio un impulso extraordinario al idioma, dotando a la naciente lengua romance de una enciclopedia, de que carecían los restantes romances neolatinos, y obligando a expresarse en castellano las ciencias, las artes, la política, las relaciones vulgares y cotidianas.

En el siglo XIV, el infante don Juan Manuel, con su *Conde de Lucanor,* llevó la prosa a una maravillosa plenitud. En el mismo siglo, el arcipreste de Hita, en el *Libro del Buen Amor,* exaltaba la poesía a un apogeo asombroso. Un siglo después, el castellano tenía una obra maestra: *La Celestina,* en la cual se muestran todas las riquezas, todas las perfecciones, todas las posibilidades de un idioma. En 1492, Nebrija publicó la primera *Gramática de la lengua castellana,* el texto anterior y más completo que ha tenido idioma alguno europeo, con posterioridad al latín.

Hablado primeramente en Castilla, el castellano, con el nombre de español, se impuso como lengua oficial de España. "Se distingue de los dialectos peninsulares por la palatalización de los grupos de letras, y principalmente por su fuerza innovadora, por haber pasado rápidamente por estados en que se han paralizado los dialectos... y por la gran transformación fonética del siglo XVI en la pronunciación de *b, v, s, ç, z, j, x* y *h,* revolución iniciada principalmente en Castilla la Vieja, que es la que acabó por diferenciarla de fenómenos que antes eran comunes." (GARCÍA DE DIEGO.) Habiéndose formado el castellano en medio de inmensas revoluciones políticas, en contacto con pueblos diversos, de idiomas distintos, nada tiene de particular que hayan quedado en él *influencias* y *vocablos* de cada uno de estos idiomas. No resulta un cálculo exagerado el siguiente: considerado el castellano dividido en *cien partes,* sesenta corresponden al latín, diez al griego, diez al árabe y al hebreo, diez a la lengua visigoda y diez al francés, alemán, italiano...

Entre los elementos que entran en la composición del idioma castellano pueden considerarse:

Iberos y celtas: Las palabras terminadas en los sufijos *rro—cerro, corro—, rra—pizarra—, cho,* y algunos voces como *urraca, mogote.*

Griegos (helenismos): Son palabras principalmente *técnicas: drama, monarquía;* las que se forman con los vocablos *grafo, fono, metro.*

Árabes: Vocablos principalmente de *objetos y cosas de guerra (alcázar, fortaleza, algara, zambra),* de *oficios (alcaide, alférez),* de *botánica (jazmín, azafrán),* de *obras rústicas* y *urbanas (mezquita, alfoz, almunia),* de *colores (zumaque, azul).* Y otros más, como *aljafería, almacén, alacena...* Don Juan Valera llegó a contar 1.500 palabras árabes en nuestro diccionario.

Franceses (galicismos): Unos ya aceptados por nuestros clásicos, como *trocha, manjar, bajel, sargento;* otros, numerosísimos, utilizados en épocas modernas, merced a la influencia literaria francesa en nuestra literatura de los siglos XVIII, XIX y XX, como *hotel, ambigú, cliché, debutar, revancha, etiqueta, aprovisionar, avalancha, remarcable, rango...*

Italianismos: Se multiplicaron con las relaciones entre Italia y España durante el reinado del aragonés Alfonso V y con las conquistas del Gran Capitán en suelo italiano. Los italianismos son casi tan numerosos como los galicismos. *Escopeta, charlatán, gaceta, emboscada, infantería, bisoño, parapeto, soneto, terceto, novela, piano, cabalgata, máscara, truco...*

Anglicanismos: Las relaciones comerciales estrechas mantenidas siempre con Inglaterra han dado origen a que el castellano admita numerosos vocablos ingleses: *rail, futbol, lunch, tranvía, bar, revólver, clown, water, biftec, trust, túnel, entrenar, record, mitin, flirtear...*

Germanismos: El filólogo alemán Faenster halló hasta 400 palabras de raíz alemana en nuestro léxico; apreciación exagerada, ya que muchas de ellas son raíces comunes a todos los lenguajes neolatinos. Acaso no lleguen a ciento. Entre ellas: *guerra, guardar, yelmo, espuela, robar, rocín, rueca, brusco, franco, danzar, blanco, tomar, agasajar, escanciar.*

El idioma español ha tomado vocablos a otros varios idiomas. Al hebreo: *aleluya, Jehovah, babel, cábala, edén...* Al portugués: *chubasco, morriña, macho...* A los pueblos hispanoamericanos: *jaguar, cóndor, sabana, petaca, cacique, hamaca, huracán, maíz, tuna...*

"Esta multitud de elementos heterogéneos que forman la lengua española parecen que han de influir en el mismo carácter de nuestra raza y de nuestra literatura, y así es. Diríase que hemos tomado de los griegos la percepción exquisita de la belleza; de los romanos, la arrogancia, a veces tal vez desmedida; del godo, el espíritu caballeresco y el amor al hogar; finalmente, de los árabes, la imaginación y la fantasía oriental. Son las notas que forman la armonía de nuestra rica literatura." (P. RISCO.)

Los dialectos del castellano son: los *leoneses,* el *andaluz,* el *extremeño,* el *aragonés* y *navarro* y el *español americano.*

V. MENÉNDEZ PIDAL, Ramón: *Gramática histórica española.* Madrid. Varias ediciones. ALEMANY, José: *Gramática histórica castellana.* Madrid, 1903

ESPAÑOLA (Literatura)

La literatura española puede ser estudiada, según González Palencia y Hurtado, en los siguientes períodos:

1.° *Literatura hispanolatina: a)* período pagano, y *b)* período cristiano.
2.° *Literatura hispanojudía.*
3.° *Literatura hispanoarábiga.*
4.° *Literatura castellana de los siglos XII y XIII.*
5.° *Literatura castellana del siglo XIV.*
6.° *Literatura castellana del siglo XV.*
7.° *Literatura castellana de los siglos XVI y XVII.*
8.° *Literatura castellana del siglo XVIII.*
9.° *Literatura castellana del siglo XIX.*
10. *Literatura castellana del siglo XX.*

Otros autores dividen nuestra literatura en cuatro épocas bien definidas: FORMACIÓN (hasta el siglo XV), APOGEO (siglos XVI y XVII), DECADENCIA (siglo XVIII) y ROMANTICISMO y MODERNISMO (hasta nuestros días).

El gran crítico Valbuena Prat hace así la división: I. *Época medieval* (hasta el siglo XV). II. *Los Siglos de Oro* (XVI y XVII). III. *Época moderna:* a) *criticismo* (siglo XVIII); b) *romanticismo* y *realismo* (siglo XIX); c) *período contemporáneo* (siglo XX).

Escribe Hurtado y Palencia: "En el cuadro general de la literatura del Imperio ocupa honroso lugar España, cuyos escritores fueron de los primeros ingenios en Roma. Séneca crea un nuevo estilo: el estilo de frases breves y cortadas, frente al estilo oratorio del Siglo de Oro. Lucano compone uno de los últimos poemas históricos notables de la lengua latina. Marcial inmortaliza su nombre por medio de epigramas picantes e intencionados. Quintiliano trató de reaccionar contra el nuevo estilo, para volver a los modelos de Cicerón, aunque sin lograrlo. Pomponio Mela y Columela se especializan en una clase de conocimientos. Los escritores españoles tienen el mismo carácter general de la literatura latina de la Edad de Plata: profundidad de pensamiento, tendencia a lo artificioso, deseo insaciable de inmortalidad, estilo en que se busca lo brillante, lo picante, el interés, la retórica, las citas eruditas, la perfección en la forma poética, la corrección en la construcción y en el vocabulario."

En el *período pagano* de la literatura hispanolatina sobresalen:

M. ANNEO SÉNECA (54 a. de J. a 39 d. de J.). Cordobés. Padre de Lucano. Retórico. Autor de *Controversiae* y *Suasoriae.*

LUCIO ANNEO SÉNECA (4 a. de C. y 65 después de C.). Sobrino del anterior. Cordobés. Educado en Roma. Maestro de Nerón. Filósofo, poeta, trágico... Escribió: *Nueve tragedias (Medea, Edipo, Hipólito, Hércules furioso, Hércules Oeteo, Hécuba, Agamenón, Troyanas, Fenicias); Epístolas morales a Lucilio, De Provi-*

dencia, De Ira, De consolatione ad Helviam matrem, De consolatione ad Marciam...

M. ANNEO LUCANO (39-65). Cordobés. Hijo de M. Anneo y sobrino de Lucio Anneo. Educado en Roma. Amigo de Nerón. Poeta épico y lírico. Solo nos queda de él *La Farsalia,* poema heroico.

M. VALERO MARCIAL. (42-104). De Bíbilis (Calatayud). Vivió muchos años en Roma. Satírico genial, poeta excelente. Escribió: *Liber spectaculorum* y los llamados *Xenia* y *Apophoreta,* más doce libros de epigramas.

M. FABIO QUINTILIANO (35-96). De Calahorra. Educado en Roma. Primer maestro público de Retórica. Obra: *Institutionis oratoriae, libri XII.*

En el período cristiano de la literatura hispanolatina destacan:

C. VETTIO AQUILINO JUVENCO (siglo IV). Presbítero español. Escribió una *Historia evangélica* en cuatro libros y más de tres mil hexámetros.

PRUDENCIO (348-?). De Zaragoza, probablemente. Retórico. Abogado. Gobernador de una provincia española. Sus composiciones poéticas están distribuidas en los libros *Cathemerinon, Hamartigenia. Psychomachia, Apotheosis, Dittochaeon.* Escribió, además, *Dos libros contra Simmaco.*

PAULO OROSIO (siglo V). De la Lusitania. Por consejo de San Agustín, compuso *Historiarum libri VII contra paganos.*

IDACIO (¿395-470?). Gallego. Amigo de San Jerónimo y del Pontífice San León. Autor de un *Chronicón,* donde se narran sucesos mundiales acaecidos entre los años 379 y 469.

SAN ISIDORO DE SEVILLA (¿570?-636), Natural de la provincia de Cartagena. Arzobispo de Sevilla. Polígrafo genial. De una cultura inmensa. Obras: *Etimologías, Sinónimos, Liber de natura rerum, Sentencias...*

TAJÓN (siglo VII). Obispo de Zaragoza. Autor de cinco libros de *Sentencias.*

SAN EULOGIO (siglo IX). De Córdoba. Obispo de Toledo. Obras: *Memoriales sanctorum, Documentum martyriale, Apologético de los mártires.*

ALVARO CORDOBÉS (siglo IX). El más erudito de los mozárabes españoles. Poeta, historiador, entre cuyas obras se han hecho famosas: *Indiculus liminosus, Libro de cartas, Vida de San Eulogio...*

Entre los *Cronicones latinos* son de excepcional interés: el *Pacense*—que abarca los años 611 a 754—; el de *Sampiro* (960-1041); el *Albeldense;* el *Silense* (del 718 al 1054); el *Complutense* (281-1065); el de *Don Pelayo,* obispo de Oviedo (982 a 1109)...

En la literatura hispanojudía son célebres los nombres de:

SALOMÓN BEN JEHUDA BEN GABIROL (1021-1070), llamado AVICEBRÓN. Nacido en Málaga. Gran poeta, restaurador de la poesía hebraica. Su principal obra es la titulada *Corona real.* También escribió *Fuente de la vida.*

MOISÉS BEN EZRA (¿1090-1138?). Gran poeta. Autor del *Collar de perlas*—poesías—y *Diálogos y recuerdos.*

ABULHASÁN JEHUDA HALEVI (¿1085?-1143). De Toledo. Poeta y filósofo religioso. Se conservan de él 827 composiciones, entre las que sobresalen las *Siónidas,* cantos similares a los de David, y el *Himno a la Creación.*

ABRAHAM BEN DAVID DE TOLEDO (1110-1180). Médico, filósofo y poeta. Autor de *La fe sublime.*

ABRAHAM BEN MAIR BEN EZRA (1092-1167). Erudito, astrónomo, astrólogo, bohemio y vagabundo. Obra: *Comentario al Pentateuco.*

SALOMÓN ALJARIZI (¿1170-1230?). Se le llamó "el Ovidio de la poesía neohebraica" Se conocen de él más de cien composiciones y una novela dramática titulada *Tachkemoni.*

MOISÉS BEN MAIMÓN, MAIMÓNIDES (1135-1204). De Córdoba. El más genial pensador del judaísmo español, admirado en todo el mundo, inclusive por santos como Alberto Magno y Tomás de Aquino. Obras: *Guía de los descarriados, Aforismos de Medicina...*

En la literatura hispanoarábiga se hicieron famosos:

ABENALCUTIA (siglo X), autor de la *Historia de la conquista de España.*

ABENBASSÁN (1084-1147). De Santarem. Poeta e historiador. Obra: *Adhahira* (Tesoro de las bellas cualidades de los españoles).

ABENALJATABIB (¿1310-1374?). De Granada. Biógrafo e historiador. Su obra más famosa es la titulada *Ihata (Círculo),* colección de biografías de personajes granadinos importantes.

BECRI. Geógrafo sevillano. Obra: *Los caminos y las provincias.*

ABENHAZAM (994-1064). De Córdoba. Erudito, historiador y poeta. Obras: *Tratado del amor, Los caracteres y la conducta, Historia crítica de las religiones, herejías y escuelas.*

AVEMPACE (¿1085?-1138). De Zaragoza. Erudito y filósofo. Autor de *Régimen del solitario* y *Libro de la unión del entendimiento con el hombre.*

ABENTOFAIL (siglo XII). De Guadix (Granada). Médico y privado del rey de los almohades Abu-Yacub-Yusuf. Prosista. Autor de la novela filosófica *El filósofo autodidacto.*

ABULWALID MOHAMED BEN ROXD, conocido por *Averroes* (1126-1198). Jurista, médico, filósofo, historiador conocido universalmente. Sus obras filosóficas son: *Comentarios* a las de Aristóteles; *Armonía entre la ciencia y la religión.*

MOHIDIN ABENARABI (1164-1240). De Murcia. Filósofo, ascético, prosista. Su obra principal: *Fotuhat almekia (Revelaciones de la Meca).*

Célebres poetas líricos fueron: el sevillano AZZOBAIDÍ (siglo X); el cordobés ABENZAIDÚN (1003-1071); ABENABDERRÁBIHI (860-939), autor del *Libro del collar* y de la colección de poesías *Almahasat;* ALMOTAMID (1040-1095), rey de Sevilla; ABENSAID, de Granada (1214-1286), autor de *Almogrib,* recuerdos poéticos de ciudades españolas; ABUBEQUER MOHAMED AVENZOAR (1113-1199), epigramático; ALWACASI (siglo XI), de Huescas (Toledo); ABENABDÚN (siglo XII), notabilísimo autor de *casidas...*

I. SIGLOS X-XV.

1. ORÍGENES DE LA POESÍA LÍRICA: LAS JARCHAS.—Hasta hace pocos años, el origen de la literatura castellana estaba ligado a la aparición de los primeros cantares de gesta, ya como tales poemas épicos, ya como sumas de poemas cortos recitables, denominados, según los países europeos occidentales: *cantilenas, baladas, romances.*

Pero poco después de terminada la segunda gran guerra mundial, hacia 1948, el erudito S. M. Stern—con su libro *Les chansons mozárabes,* Collezioni di Testi, Universitá de Palermo—sorprendió al mundo de la filología con el descubrimiento de una lírica hispana más antigua que los Cantares de gesta, escrita en *dialecto romance,* mezcladas sus palabras con otras árabes o hebreas. Stern publicó veinte de estas composiciones mozárabes conservadas en *muwasshas* hispano - hebraicas. Poco después, el gran arabista español Emilio García Gómez daba a conocer veinticuatro poemitas más en *muwasshas* arábigas recogidas en un manuscrito del profesor Colin. A estos poemitas se los denominó *jaryas, kharjas* y *jarchas,* voz que significa *salida.* En verdad, las jarchas—las estrofillas en romance castellano—servían de resolución a las *muwasshas* árabes o hebreas. Era, pues, en las últimas estrofas de estas composiciones donde se entreveraban las palabras o los versos en el castellano naciente. Ejemplos de jarchas:

Aman, ya habibi!
Al-wahs me no faras.
Bon, besa ma bokella;
Eo se que te no iras.

(¡Gracias, amigo mío!—No me dejes solo.—Hermoso, besa mi boquita;—ya sé que no te irás.) Solo el primer verso está escrito en árabe. En el segundo hay palabras árabes y castellanas. Los dos últimos solo llevan palabras castellanas.

Y también alternan las castellanas y las árabes, y aun alguna hebrea, las jarchas siguientes:

Des cuand mio Cidiello viénid
¡tan buona albischara!
com rayo de sol éxid
en Wadalachyara.

(Cuando mi señor viene,—¡qué buenas albricias!,—como un rayo de sol sale—en Guadalajara.)

Al-sabah bon!
garme d'on venis:
ya l'i sé que otri amas,
a mibi no quieris.

(¡Oh, Aurora buena!—Cuídame de donde vienes;—ya sé que amas a otro—y a mí no me quieres.)

El contenido temático de las jarchas lo resume Stern en muy pocas palabras: "Su asunto depende del tema principal del poema. Si el tema es de amor, la jarcha es una quintaesencia amorosa. Si es un panegírico, la jarcha hace en una frase el supremo elogio del personaje. Y siempre los versos de la jarcha se ponen en labios de un personaje que no es el poeta."

2. ORÍGENES DE LA ÉPICA CASTELLANA.—Nació entre el fragor de los combates por la patria y por la fe; por ello tuvo un doble carácter *nacional* y *religioso.*

Tres son las teorías que intentan explicar el origen de la epopeya castellana: la teoría del *origen francés,* la teoría del *origen germánico* y la teoría del *origen musulmán andaluz.*

La teoría del *origen germánico* la ha defendido en España don Ramón Menéndez Pidal, basándose en la opinión autorizada de un erudito francés, León Gautier, quien, en 1878 y en su libro *Les épopées françaises. Étude sur les origines et l'histoire de la littérature nationale,* afirmó la influencia tudesca en los orígenes de la épica de su nación. Los godos dejaron en Francia y trajeron a España sus cantos—formas de poesía épica—. En Francia tuvieron una evolución más rápida y un desarrollo más firme, pero *menos nacional* que en España. En el siglo X ya tenía vida independiente nuestra épica, y pleno desarrollo en la segunda mitad del siguiente siglo. Y, en efecto, en esta épica se delatan rasgos que guardan coincidencias con ritos y costumbres germánicos; así, por ejemplo, el desafío entre los campeones, la consulta del rey a sus vasallos, la venganza con motivo de la violación del sagrado del manto de la dama, la fidelidad con que las huestes siguen el albur de su señor. Por tanto, cuando, con motivo de las peregrinaciones a Compostela y del afrancesamiento de la corte de Alfonso VI, la épica castellana se pone en contacto con la francesa, si es cierto que esta influye en aquella, no lo es menos que influye *para modificarla,* no *para crearla,* como ha sostenido Gastón Paris.

Las pruebas que aporta este erudito para sostener el *origen francés* de la épica castellana no son decisivas ni mucho menos. Se refiere a una de las semejanzas de la métrica en ambas epopeyas; otra alude a que la epopeya castellana comenzó cuando ya estaba desarrollada enteramente la francesa. Los dos argumentos fueron rechazados por Menéndez Pidal, ya que

E

para ser imitación discrepaba no poco la castellana de su original, y aun utilizaba aquella la *e* paragógica, desconocida en la métrica francesa. Y respecto del segundo argumento, era más que sospechable que los *Cantares de Fernán González* y *de los Infantes de Lara* fueran compuestos a raíz de los sucesos, en el siglo x, siendo incuestionable que las *chansons* francesas no habían cruzado la frontera a finales del siglo XI o principios del XII. Con las teorías de Gautier y Paris puede *admitirse* que las *chansons* sirvieron de modelo a la epopeya castellana, no en sus principios, "sino en un período adelantado de su desarrollo."

El *origen musulmán andaluz* de la epopeya castellana lo defendió el gran arabista español don Julián Ribera; teoría que, como atinadamente ha dicho un crítico moderno, es muy racional, muy "de sentido común", animadamente poética, pero que carece de pruebas suficientes para calificarse de *científica*. Se basa en la sospecha de existencia, en los siglos IX y X, de una epopeya andaluza, algunos de cuyos restos más verosímiles se encuentran en la narración prosificada de Benalcutia, en los nombres y alusiones árabes; y a que, en la *Chanson de Roland,* se trata de una victoria árabe, y no francesa, e interviene el rey moro de Zaragoza.

3. ORÍGENES DE LA POESÍA LÍRICA EN ROMANCE.— La poesía castellana, que se manifestó *épicamente* tan pronto y con fuerza tal, ¿era lógico que *líricamente* tardara tanto en aparecer con originalidad, pujanza y expresión propia? Para muchos críticos, la poesía lírica en Castilla coexistió con la épica, habiendo nacido de un mismo parto de la lengua romance; sino que la lírica *no se recitó ni se escribió en castellano,* sino en otra lengua tenida entonces por de superiores condiciones musicales y preferida por ello para todas aquellas poesías sagradas o profanas que se destinaban a la recitación o al cántico: la *gallego-portuguesa*. Esta lengua se amoldó de tal suerte a la imitación de la trovadoresca provenzal, que adoptó gran parte de su vocabulario y, por de contado, toda su variedad y riqueza métrica. No puede negarse, en efecto, la importancia del influjo en nuestra lírica medieval de la escuela poética de allende los Pirineos, que formaban e informaban los trovadores provenzales; los cuales, favorecidos por las peregrinaciones copiosas que se dirigían a Santiago de Compostela y por la acogida favorable que hallaron en la corte de algunos monarcas—Alfonso VI, Alfonso VII, Alfonso X y Alfonso XI—, comenzaron a influir en la región gallegoportuguesa y se extendieron poco a poco por toda la Península. La lengua de *oc*—la de Provenza—se transformó en lengua literaria en todos los países comprendidos entre el Loira y el Ebro; fue, hay que admitirlo, la lengua maestra de todas las lenguas vulgares por haber logrado antes que ninguna de ellas un verdadero *cultivo artístico;* por haberles impuesto su técnica, su metro, sus modelos de versificación y su peculiar artificioso vocabulario. El éxito de los trovadores provenzales quizá fuera debido a que representaban un *contraste* con la poesía épica, dura, sencilla, vibrante; un *contraste* en los temas, en la técnica, en la recitación, en los reflejos de la vida.

Menéndez Pidal no cree que fuera única la lírica con influencia provenzal y expresión galaicoportuguesa; y llega a la conclusión siguiente: "La primitiva lírica peninsular tuvo dos formas principales. Una, más propia de la lírica galaicoportuguesa, y otra más propia de la castellana. La forma gallega es la de estrofas paralelísticas completadas por un estribillo. La forma castellana es la de un villancico inicial, glosado en las estrofas, al fin de las cuales se suele repetir todo o parte del villancico a modo de estribillo. En la gallega, el movimiento lírico parte de la estrofa, respecto de la cual el estribillo no es más que una prolongación; en la forma castellana, el punto de partida está en el villancico o estribillo, y las estrofas son su desarrollo. La forma gallega es de un hondo lirismo, afectiva y musical. La forma castellana llega a ser narrativa, propia para el canto colectivo, en que perfectamente se pueden unir lo tradicional y lo popular... La forma castellana fue usada en las demás literaturas románicas, sobre todo en época primitiva; pero en el centro de España tuvo más arraigo desde una época remotísima preliteraria, hasta el punto de haberse introducido en la poesía arábigoandaluza desde el siglo XI, y ser en el XII la forma propia de las canciones del cordobés Abencuzmán."

Y no ha faltado, claro está, la insinuación crítica de que influyera en la lírica medieval castellana la escuela *hebraicohispana*. Esta opinión pudiera ser más justa que la referente a la influencia árabe. Al menos, la poesía hebraicohispana es grave, solemne, religiosa, *más afín* a la sencilla, grave y religiosa de Castilla, que la frívola y cortesana de los árabes. Al menos, desde Prudencio a Dante, los dos más grandes líricos medievales, Salomón-ben-Gabirol y Judá Leví, son hebreos. Pero, en verdad, debemos llegar a los versos gnómicos del rabí Sem Tob —siglo XIV—para hallar algún influjo de dicha poesía hebraicohispana en la lírica de Castilla. Y desde esta fecha, los poetas de estirpe judaica cultivaron la lengua vulgar; por lo que, lejos de influir, fueron influidos.

Los trovadores y juglares fueron, pues, quienes en su *mester de juglaría,* paulatinamente menos rígido, más entreverado de ritmos cortos y ágiles, de metros variados, lanzaron por el mundo occidental los temas vitales cortesanos frívolos y aun paganos. Mientras el *mester de clerecía,* más pesado, rígido, solemne, quedó

ESPAÑOLA

dedicado por sus "autores o ejercitantes" los monjes y clérigos a contener los temas solemnes, largos y graves de las epopeyas.

4. POESÍA ÉPICA Y LÍRICA PRIMITIVAS.—Entre los siglos XII y XIV, los principales monumentos de la *épica* castellana son:

Cantar de Mio Cid (¿1140?).
Gesta de los siete Infantes de Lara (¿1180?).
Gesta de don Sancho II de Castilla (¿finales del siglo XI, principios del XII?).
Roncesvalles (siglo XIII).
Gesta del Abad de Montemayor (siglo XIII).
Cantar de Rodrigo (1344).
Poema de Alfonso XI (siglo XIV).

Poemas de origen francés o provenzal que participan de los dos caracteres, épico y lírico:

Vida de Santa María Egipcíaca (finales del siglo XII).
Libro dels tres Reys d'Oriente (finales del siglo XII).
Libro de Apolonio (siglo XIII).

Y dentro de la poesía lírica, ya del *mester de clerecía,* ya del *mester de juglaría,* pueden ser considerados los autores y las obras siguientes:

Mester de clerecía:
Gonzalo de Berceo.
Libro de Alexandre.
Poema de Fernán González.
Vida de San Ildefonso.
Proverbios del sabio Salomón.
Poema de Yúsuf.
Arcipreste de Hita. (Sin que le falten las partes del *mester de juglaría).*
Pero López de Ayala.
Libro de miseria de homne.

Mester de juglaría:
Razón de amor.
Elena y María.
Las Cantigas de Alfonso X.
Cancioneros gallego-portugueses.
Sem Tob.
Pedro de Veragüe.

Cantar (o Poema) del Cid. Es el primer monumento conservado—y el más venerable y glorioso—de la poesía épica castellana. Ha llegado a nosotros en un códice único. Debió de escribirse hacia 1140; pero el aludido códice es una copia hecha en 1307 por un tal Per Abbat. Consta de 3.730 versos, y al códice le faltan una hoja al principio y dos en el interior; mutilaciones subsanadas sutilmente por Menéndez Pidal, quien se valió para ello de la refundición del Cantar que aparece en la *Crónica de veinte reyes,* sin duda la más cercana a la copia de Per Abbat. El poema está dividido en tres partes o rapsodias: *El destierro del héroe, Las bodas de sus hijas* y *La afrenta de Corpes.* El fondo del poema es rigurosamente histórico; y la descripción de lugares responde a una absoluta rigurosidad geográfica. Conciso y enérgico, tiene un lenguaje rudo, pero preciso. Su métrica es irregular, y se desarrolla en series desiguales de versos asonantados y muy variables en cuanto al número de sílabas.

Gesta de los siete Infantes de Lara. Debió de componerse en la centuria XI; fue refundido en la primera *Crónica general* de Alfonso el Sabio; y ha sido reconstituido en parte—1896—por don Ramón Menéndez Pidal. Es mucha su exactitud histórica, y no menos su fidelidad geográfica. Su tema es el cuento de las trágicas rivalidades entre nobles familias castellanas, cuyo fin es la muerte bárbara de los siete infantes. Este poema ha sido calificado como la *sombría epopeya de la venganza,* y ha dado origen a incontables obras literarias, tanto teatrales como novelescas.

Gesta de don Sancho II de Castilla. Fue reconstruida por don Julio Puyol, quien opinó debió de escribirse a finales del siglo XI o principios del XII. Para su reconstrucción se valió de la *Crónica particular del Cid* y de la *Crónica general.* Su argumento recoge las luchas del rey don Sancho contra sus hermanos, el sitio de Zamora, la muerte del rey a manos traidoras de Bellido Dolfos y el reto de Diego Ordóñez a los zamoranos, a quienes acusa de traidores. La *Gesta* tiene un admirable sentido realista.

Cantar de Rodrigo. Tuvo dos redacciones. La más antigua, en prosa, en la *Crónica de 1344.* La segunda, en verso, a principios del siglo XV, en la *Crónica rimada de las cosas de España desde la muerte del rey don Pelayo hasta don Fernando el Magno, y más particularmente de las aventuras del Cid,* que otros titulan *Las mocedades de Rodrigo.* El códice fue descubierto y publicado—1846—por Francisco Michel, jefe de la Biblioteca Imperial de Viena. El *Cantar* comprende más de dos mil versos, la mayoría de ellos de dieciséis sílabas, en romance, con huellas de la cuaderna vía.

Poema de Alfonso Onceno. Comprende 2.455 estrofas, de a cuatro versos consonantes cada una. Fue descubierto—1573—en Granada por don Diego Hurtado de Mendoza y publicado, en extracto—1588—por Argote de Molina en su *Nobleza de Andalucía.* El manuscrito pasó a la Biblioteca de El Escorial, y en ella permaneció olvidado hasta que en 1863 lo publicó íntegro don Florencio Janer. El supremo interés de este poema está en que hallamos en él una transición de poesía épico-popular.

Roncesvalles. Poema con tema francés, una de las variantes de la *Chanson de Roland.* Se conserva de él un fragmento de 100 versos, encontrado en Pamplona y estudiado por Menéndez Pidal. Sin embargo del tema, el poema español no es copia ni imitación acentuada del poema francés. Sus semejanzas son harto imprecisas.

Gesta del Abad don Juan de Montemayor. Era original de Alfonso Giraldes. Siglo y medio más tarde, Diego Rodríguez de Almela le dedicó un largo capítulo en su *Compendio historial.* Tiene como tema los milagros obrados por don Juan de Montemayor, gran hidalgo y señor de todos los abades de Portugal, en su lucha contra los mahometanos. En opinión de Menéndez Pidal, este poema responde a los usos y estilos de la épica castellana.

Vida de Santa María Egipcíaca (siglo XIII). En 1856 publicó el marqués de Pidal este texto, contenido en un códice de El Escorial. Consta de 1.451 versos de nueve sílabas en pareados consonantes. Su argumento es la vida placentera al principio y de rigurosa y terrible penitencia en los últimos cuarenta años de la que fue hermosísima mujer y es hoy gloriosa santa. Las fuentes de este poema se encuentran en las *Acta Sanctorum* y tal vez más directamente en la *Vie de Sainte Marie Egyptienne,* atribuida al obispo de Lincoln Roberto Grosseteste, ya que ciertos caracteres morfológicos y sintácticos delatan su origen provenzal, aun cuando el autor anónimo utilizase a veces el octosílabo castellano. Es poema de amena facilidad narrativa y de un sentido muy claro de los contrastes y detalles, superior a sus modelos.

Libro dels tres Reis d'Orient. Figura en el mismo códice escurialense, donde se halla la *Vida de Santa María Egipcíaca* y fue publicado, como este, por el marqués de Pidal, en 1856. Consta de 256 versos pareados, de ocho o nueve sílabas. Y su texto, contra lo que hace suponer el título, se refiere a varios episodios de la infancia de Cristo; solo unos versos iniciales aluden a la adoración de los Reyes. Los episodios están basados en los Evangelios apócrifos.

Libro de Apolonio (siglo XIII). Está contenido en el mismo códice escurialense que guarda los textos del *Libro dels tres Reis d'Orient* y la *Vida de Santa María Egipcíaca.* Los tres textos fueron publicados—1856—por don Pedro José Pidal. El *Libro de Apolonio* es el más importante de los tres. Es un poema de 2.624 versos en cuartetas monorrimas de catorce sílabas, con excepciones de estrofas de cinco versos. Determinadas formas dialécticas indican que su autor debió de ser aragonés y, desde luego, uno de los primeros en usar la cuaderna vía. El origen del poema es una novela griega conocida por la versión latina de Antiochus—siglo VI—, que consta con el nombre de *Historia Apolonii regis Tyri* en la *Gesta Romanorum;* aun cuando tal vez entre esta versión y la castellana pudo haber una provenzal desaparecida hoy. El asunto se repite en la *Confessio amantis* de Gower, contemporáneo de Chaucer, y es el antecedente de la llamada en Castilla *novela bizantina.*

5. El mester de clerecía.—*Gonzalo de Berceo.* Es el primer gran poeta castellano de nombre conocido. Nació en Berceo. Vivió entre los años, aproximadamente, 1195 y 1270. En 1220 firma como testigo en escrituras de San Millán de la Cogulla. En 1221 es ya diácono. En 1237 firma como preste y era ya sacerdote. En 1264 suscribe, como confesor, en el testamento de Garci Gil. No debió de ser monje benedictino, sino que debió de estar agregado a la famosa abadía como eclesiástico.

Escribió las *Vidas* de Santo Domingo de Silos (1230), San Millán de la Cogulla (1234) y Santa Oria (1265); los *Loores de Nuestra Señora,* los *Miracles de Nuestra Señora* (1255) y el *Duelo de la Virgen* (1258); el *Martirio de San Lorenzo* (1250), *El sacrificio de la Misa* (1237) y *Los signos que aparecerán antes del Juicio,* más tres himnos. Berceo es un poeta ingenuo, sencillo, algo erudito y con bastante inspiración. De su obra podríamos decir que es como un delicioso retablo primitivo. Por su colorido suave. Por sus formas escuetas. Por sus temas exclusivamente religiosos. Por sus detalles encantadores en los que el buen arte palpita. Por la gracia *patinada* que la recubre. Olvidado durante varios siglos, en la actualidad es admirado sin restricciones. Y tiene dos grandes títulos, de valor imperecedero: haber sido el mayor innovador de la poesía en su siglo y haber contribuido decisivamente a dar al castellano la forma y el carácter de lengua poética.

Libro de Alexandre (siglo XIII). De autor anónimo. En la inscripción paleográfica de cada uno de los dos códices en que este poema se conserva—el de la Biblioteca Nacional de Madrid y el de la Biblioteca de París—constan los nombres de Juan Lorenzo Segura, de Astorga, y de Berceo. Pero aquel fue seguramente un copista. Y la crítica ha desestimado en rotundo la atribución a Berceo. El poema comprende 10.000 versos en 2.511 estrofas y cuaderna vía, y cuenta la vida y proezas de Alejandro Magno. Las fuentes del poema son: el *Alexandreis,* de Gualterio de Chatillon—que deriva a su vez de Quinto Curcio—, otro poema francés de Alejandro de Bernay, otro francés atribuido al clérigo Simón y escrito en versos de nueve sílabas, el *Epitome* de Julio Valerio y la supuesta carta de Aristóteles a Alejandro *De situ Indiae.* El *Libro de Alexandre* es ameno y sencillo, y tiene paridad de chistosos anacronismos, de léxico y de construcción, con los poemas de Berceo; su autor, clérigo erudito, lo llenó de brillantes descripciones y de muy curiosas notas. Alcanzó gran fama en su tiempo, y en él se inspiraron los autores del *Poema de Fernán González,* el de la *Crónica de don Pero Niño* y el arcipreste de Hita.

Poema de Fernán González (1250 a 1270). Fue escrito por un monje del monasterio de Arlanza, que se cree fundación del héroe. Rebosa el poema las acciones bélicas y de profundo amor a Castilla. El autor conoció las obras de Berceo, el *Libro de Alexandre*—del que toma versos enteros—, el *Chronicon mundi* del Tudense y acaso el tratado *De laude His-*

paniae y la *Crónica* de Turpín. A su vez, el poema fue utilizado en la *Crónica General.* Fue impreso—1863—por Sancho Rayón y Zarco del Valle en el tomo primero del *Ensayo de una biblioteca de libros raros y curiosos.*

Vida de San Ildefonso. Obra compuesta por un beneficiado de Ubeda con el tema de la vida del santo arzobispo de Toledo, en imitación infelicísima de los poemas de Berceo. Su texto ha llegado a nosotros muy adulterado, con muchos versos mutilados o cambiados a capricho del copista.

Proverbios en rimo del sabio Salomón. Poema que comprende cincuenta y seis estrofas en metro alejandrino, de tres, cuatro y seis versos cada una. Su códice más antiguo da como autor a Pedro Gómez; pero la crítica estima que no fue su autor, sino su copista. Poema encaminado a demostrar la vanidad de las cosas humanas y la inconstancia de la fortuna.

Poema de Yúsuf. Principal modelo que tenemos de literatura *aljamiada,* es decir, escrita en castellano con caracteres arábigos. Recoge la historia del casto José, pero no basándose en la Biblia, sino en el Corán. Se conserva en dos manuscritos, incompletos, que guardan la Biblioteca Nacional y la Real Academia de la Historia. Debió de escribirse a finales del siglo XIII o principios del XIV. Particularidades dialectales hacen sospechar la naturaleza aragonesa de su autor.

Juan Ruiz, arcipreste de Hita (¿1283-1350?). Pocas noticias tenemos de él, y estas porque él nos las cuenta. Que era de Alcalá de Henares. Que fue arcipreste de Hita. Que era velloso, pescozudo, de andar "infiesto", de nariz luenga, de grandes espaldas. Entre 1337 y 1350 sufrió varios años de prisión por mandato del famoso arzobispo de Toledo don Gil Carrillo de Albornoz. En 1351 ya no era arcipreste de Hita, cargo que ocupaba un tal Pedro Fernández. Estando en prisión debió de escribir su *Libro de Buen Amor,* monumento encantador, imperecedero, de la lengua castellana, compuesto en 1.728 estrofas.

Tres códices existen de este prodigioso poema: el de Salamanca—hoy en la Real Biblioteca—y el mejor, el de la Real Academia de la Lengua y el de Toledo. Su primera edición crítica se debe a Ducamin. De "comedia humana española de la Edad Media" lo calificó Menéndez y González. Juan Ruiz fue un portentoso vividor y poeta. Su cultura era vasta. Su inspiración, mayor. Tiene brío, audacia, delicadeza, desvergüenza que sugestionan y admiran. Tiene un hondo conocimiento de las pasiones humanas. Si don Juan Manuel fue el primer prosista de la Edad Media, Juan Ruiz fue, sin disputa, el primer lírico. Su obra, como el *Quijote,* como *La Celestina,* es una cumbre de la literatura española. El *Libro de Buen Amor* es una miscelánea llena de variedad. "Las aventuras del arcipreste, relatadas del modo más picaresco que imaginarse puede, constituyen el hilo novelesco. Pero este se halla constantemente interrumpido con episodios, digresiones morales y ascéticas, con anécdotas, con gran número de apólogos, con cantigas y loores de la Virgen, con sátiras, con poemas burlescos, con descripciones. Alrededor de su autobiografía el poeta ha entretejido los más variados temas, unos de su propia invención y otros tomados de cuantas fuentes le han parecido bien: apólogos de procedencia oriental o de Esopo, cuentos o episodios de la literatura clásica, latino-medieval y francesa... El arcipreste fundió con genio potente los materiales propios y ajenos, y los viejos cobraron nueva vida al toque de su pluma; residuos de bajo metal los convirtió en oro puro; tal es la originalidad de su tratamiento y tales los detalles que añade tomados de las costumbres de su tiempo, que en ocasiones hace perder hasta el rastro de los XX originales."

"Es el *Libro de Buen Amor* un vasto panorama satírico de la sociedad medieval, de la farsa del mundo con todos sus devaneos y locuras; farsa en la cual desempeña el arcipreste de Hita un papel muy a su gusto. En torno a los dos personajes principales del poema, se mueve y vive la muchedumbre española del siglo XIV. Literariamente, todos los elementos de la poesía medieval, todos los géneros poéticos, desde el devoto hasta el erótico, desde el aristofanesco hasta el sublime, y casi todas las formas métricas hasta entonces conocidas: todo ello se encuentra en la obra de aquel arcipreste de Hita que, como solitario gigante de la poesía, se destaca en la perspectiva literaria de la Edad Media" (Romera Navarro) Y según el gran crítico alemán Guillermo Volk, "la ingeniosa fantasía, la viveza de los pensamientos, la notable exactitud en la pintura de caracteres y costumbres, la movilidad encantadora, el interés que comunica al desarrollo de la acción, el justo colorido, el poderoso tratamiento del apólogo y la ironía profunda e incomparable, que a nadie perdona, incluso a sí mismo, elévanle no solo del infante don Juan Manuel y otros primitivos poetas españoles, sino en general de todos los poetas medievales."

Aun cuando incluyo al arcipreste de Hita en el mester de clerecía, debo insistir en que en el *Libro de Buen Amor* abundan los elementos propios del mester de juglaría.

Pero López de Ayala (1332-1407). Natural de Vitoria. Hijo de Fernán Pérez de Ayala y de doña Elvira de Cevallos. Político. Guerrero. Diplomático. Gran carácter y gran ingenio. Sirvió en cargos preeminentes a cuatro monarcas: Pedro I, Enrique II, Juan I y Enrique III, y cronicó con suprema elegancia sus reinados. Estuvo preso, después de la derrota de Aljubarrota, en Oviedes (Portugal), siendo rescatado por treinta mil doblas de oro. Alcalde mayor de Toledo y canciller mayor de Castilla. Como poeta su obra fundamental es el *Rimado de Palacio,* poema escrito en cuaderna vía y en 8.000 versos, y de gran variedad temática, doctrinal, moralizante, satírico.

Libro de Miseria del Omne. Poema anónimo en 502 estrofas en versos de dieciséis sílabas, repartidos en dos hemistiquios, y que representa la última evolución del mester de clerecía. Su autor debió de ser algún clérigo no demasiado erudito. Tiene como tema la paráfrasis del tratado *De contemptu mundi* del Papa Inocencio III, con anécdotas sacadas del *Flos Sanctorum.* Tétrico y pesimista, el autor se recrea en la descripción de las más repugnantes bajezas de los humanos.

6. Mester de juglaría.—*Razón de Amor.* Poema que figura en un códice de la Biblioteca Nacional de París y que fue publicado—1887—por Morel-Fatio. Está considerado como la composición lírica más antigua que tenemos en lengua castellana. En el mismo códice se halla otro poemita: *Denuestos del agua y el vino.* Si el primero es una exposición de la razones en que se basa el amor, el segundo agrupa una serie de alabanzas y denuestos que se lanzan, en disputa, el agua y el vino.

Disputa de Elena y María. Poemita compuesto hacia 1280, según Menéndez Pidal, que es quien lo dio a conocer en 1914. Consta de 402 versos pareados y de medida muy irregular, predominando los de siete y ocho sílabas. Su tema plantea, por boca de las dos mujeres, y en el terreno amoroso, la preponderancia del hombre guerrero sobre el hombre religioso, o al revés.

Las Cantigas. La producción más notable de autor castellano en lengua gallega. Las *Cantigas de Santa María* fueron escritas por el rey Alfonso X el *Sabio.* Son cuatrocientas composiciones. Al final de cada grupo de nueve poemas narrativos sobre milagros marianos, hay una verdadera cantiga o canto lírico en loor de Nuestra Señora. La mayoría de los temas de las narraciones proceden de compilaciones medievales de varios países. La colección, curiosísima por su arte de concepción y de expresión, utiliza muy diversas formas. Su métrica y estructura encierran todo el caudal rico de las escuelas gallega y portuguesa. Bastarían las *Cantigas* para consagrar a perpetuidad el nombre de Alfonso X.

Los Cancioneros. Muchos poetas han salvado sus nombres gracias a los Cancioneros, antologías en verdad preciosas que recogieron obras que fuera de ellas hubiéranse perdido. Aun cuando estos Cancioneros se publicaron a principios del siglo xvi, por contener poesías de centurias anteriores—muchas para el canto o la recitación—, preferimos hacer su mención ahora.

El primer cancionero publicado fue el *Cancionero General* de Hernando del Castillo: Valencia, 1511. Comprende 964 composiciones y es el cuerpo o colección de las obras de los poetas menores de la época de Enrique IV y de los Reyes Católicos. Los autores son 138, sin contar los anónimos. Por vez primera en una obra de tal índole se encuentra un conato de clasificación: poesías *de devoción;* obras agrupadas de ciertos poetas de mayor importancia—Mena, Santillana, Montoro, Guillén de Segovia...—; *canciones, romances, décimas, letrillas.* El *Cancionero de Alonso de Baena,* recopilado por este, hacia 1445, contiene 576 composiciones de 54 poetas y unas 35 anónimas; todas ellas correspondientes a la segunda mitad del siglo xiv y a la primera del siglo xv. El *Cancionero de Stúñiga* fue denominado así por pertenecer a Lope de Stúñiga las dos primeras composiciones de la colección. El Cancionero debió de prepararse hacia 1458 en la ciudad de Nápoles, y suma poemas de los poetas del séquito de Alfonso V de Aragón.

La mayoría de los críticos—Pidal, Menéndez Pelayo, Cejador—creen que son anteriores al *Cancionero General* otros como los titulados *Cancionero de Fray Iñigo de Mendoza, Cancionero de Ramón de Llavía,* el de *Herberay des Essarts,* el de *Hijar,* el de *Juan Fernández de Constantina,* titulado también *Guirnalda esmaltada de galanes y eloquentes dezires de diversos autores.* Y añaden que este último no solo sirvió de modelo al de Hernando del Castillo, sino que entró íntegramente en él. Ampliando el *Cancionero General,* en la edición valenciana de 1519 se le añadió el *Cancionero de obras de burlas provocantes a risa;* del que escribe Menéndez Pelayo: "La mayor parte de las poesías que encierra, aunque muy libres y desaforadas en el lenguaje, son más bien sucias e injuriosas que deshonestas, y algunas, especialmente de las del "Ropero", que es el poeta mayor del grupo, podrían pasar, aun en época más culta, por chistosas, sin daño ni peligro de barras."

En Lisboa, 1516, se publicó el *Cancionero General* de García de Ressende, que contiene poesías de 150 poetas portugueses, 41 de los cuales escribieron en castellano. Además, figuran en él poetas españoles: Juan de Mena, Juan Rodríguez de la Cámara.

Sem Tob (¿1290-1369?) El rabí Sem Tob dedicó al rey don Pedro I de Castilla sus *Proverbios morales* o *Consejos e documentos,* 686 estrofas—cuartetas de versos heptasílabos—llenas de poesía sentenciosa o gnómica. Sem Tob fue el primer judío que escribió en castellano. Se cree nació en Carrión de los Condes. Sus doctrinas están tomadas de la Biblia, del Talmud, de Avicebrón, de Pedro Alfonso. Como "gran trovador" fue considerado por el marqués de Santillana. Los *Proverbios* se conocen por dos códices: el de El Escorial, el mejor—editado por Janer—y el de la Biblioteca Nacional, editado por Ticknor.

Pedro de Veragüe. Se le tiene por autor de la *Doctrina cristiana* o *Doctrina de la discrición,* el primer catecismo español en verso y 154 estrofas de tercetos octosílabos monorrimos seguidos de su quebrado tetrasílabo.

7. La prosa en los siglos xiii y xiv.—Los primeros monumentos de la prosa castellana son: el *Fuero de Avilés,* la *Conquista de Almería, Estoria de Conca,* la *Historia Gótica* del arzobispo don Rodrigo de Rada—1256—, el *Fuero Juzgo*—1241—, los *Libros de los Doce Sabios* y las *Flores de la Filosofía.* Casi todas ellas traducidas del latín por disposición del rey don Fernando III, el *Santo.* Ello quiere decir que hasta esta época no empezó a tener la prosa un verdadero cultivo literario.

Alfonso X, el "Sabio" (1221-1284). Este monarca imprimió vital desarrollo a la prosa literaria por medio de su obras—originales o dirigidas—: *Crónica General,* la *General Estoria,* las *Siete Partidas* y los *Libros del saber de astronomía.*

Calila e Dimna (versión castellana: 1251). Es una de las más extensas y originales colecciones de apólogos orientales. Su fuente principal es el *Pantchatantra,* la más vieja colección de apólogos que se conoce. Las fábulas de *Calila e Dimna* las recogió Barzuyeh, médico de Cosroes I, rey de Persia, entre los años 531 y 570. De esta versión deriva la castellana, llevada a cabo por mandato de Alfonso X. Su influencia en la literatura castellana fue muy grande. Muchos de sus apólogos fueron aprovechados por el infante don Juan Manuel y Raimundo Lulio. En su estilo, forma y carácter se inspiraron las primeras obras originales castellanas de tendencia ejemplar y recreativa.

Sendebar (siglo xiii). Su origen es indio. Por dos caminos distintos llegó España a su conocimiento. Uno, occidental: el *Syntipas,* desdoblado a su vez en dos: la *Historia de los diez visires* y la *Historia de los siete sabios de Roma.* Otro, el oriental, en versiones sucesivas pehlvi, persa, siríaca, árabe y castellana. Hacia 1253, el hermano de don Alfonso X, don Fadrique, lo mandó traducir del árabe con el título de *Libro de los engannos et los asayamientos de las mujeres.* En su primitiva forma hispanoarábiga se compone de 26 cuentos, de forma grave y doctrinal, livianos en el fondo, enlazados por una ficción similar a las de *Las mil y una noches.*

Barlaam y Josafat, con el *Sendebar* y el *Calila e Dimna,* forman la trilogía de libros capitales de la novelística oriental traducidos al castellano.

Libro de los gatos o *Libro de los cuentos* es una traducción llevada a cabo por un desconocido, a finales del siglo xiii o principios del xiv, de las *Fabulae* o *Narrationes* del fraile inglés Odón de Cheritón, muerto en 1247. Su estilo es claro, limpio y prolijo. Sus pretensiones son didáctico-morales. Comprende 69 cuentos.

Infante don Juan Manuel (1282-1348). Nieto de San Fernando. Gran político y muy turbulento. De mucha y buena cultura. Representa en la prosa castellana lo que en la poesía el Arcipreste de Hita: la llegada de aquella a su grado de lengua literaria noble y rica. Es, pues, el primer admirable artífice de la prosa. Sus obras son: *El Libro de los Estados*—cuadro completo de los estados y clases de la sociedad del siglo xiv—, la *Crónica cumplida,* el *Libro de la caza, El libro del caballero y del escudero,* el *Libro de los castigos y consejos;* y sobre todas ellas el famosísimo *Conde de Lucanor* o *Libro de Patronio,* colección de 50 cuentos o apólogos llenos de interés, gracia, sabiduría, publicada varios años antes que lo fuera el *Decamerón* de Boccaccio. En cada cuento el conde de Lucanor propone a Patronio, su consejero, un problema de relaciones humanas, de moral social; y, a continuación, Patronio lo resuelve de un modo alegórico. Entre los cuentos hay fábulas, parábolas, narraciones maravillosas, sátiras... Las fuentes de estos inolvidables cuentos son las colecciones orientales. Pero en *El conde de Lucanor,* a su vez, encontraron inspiración para sus obras autores de la talla de Cervantes, Calderón, Quiñones de Benavente, Shakespeare...

Pero López de Ayala (1332-1407) escribió las *Crónicas* de los reinados de Pedro I, Enrique II, Juan I y Enrique III con gran rigor, con gran imparcialidad, con notable sentido dramático y en una prosa ya muy formada.

Historia del Caballero Cifar. Esta novela, la primera original en lengua castellana, debió de escribirse entre 1299 y 1305. De autor anónimo, que se supone clérigo por la familiaridad que delata con las Sagradas Escrituras e insistente nota moralizadora. Fue traducido del latín y resulta obra miscelánea de aventuras, apólogos y ejemplos didácticos. Estos elementos, en su mayoría, fueron sacados de las fuentes más diversas popularizadas casi todas ellas en la literatura medieval. Pero es creación netamente castellana la de *Ribaldo,* escudero del caballero Cifar, que servirá de modelo imprescindible a las restantes novelas de caballerías, incluido el tipo genial de Sancho Panza.

8. Los orígenes del teatro en España.—Los romanos introdujeron en España sus *mimos* y *saltaciones.* A partir del siglo ix, las instituciones monásticas originan las *representaciones litúrgicas: prosas, secuencias* y *tropos dialogados,* que fueron el germen del drama religioso. Los tropos de la Navidad y de Pascua se transformaron en oficios dramáticos. En la evolución del teatro religioso medieval pueden ser señala-

das tres fases fundamentales: el *drama litúrgico,* los *juegos* o *representaciones escolares,* y las piezas totalmente escritas en lengua vulgar. Tales representaciones empezaron a desarrollarse en el interior de los templos; después, en los claustros y aun en los atrios. El teatro religioso tenía sus ciclos: *Navidad, Reyes Magos* y el *de la Pasión.*

Pero también hubo un *teatro profano medieval,* que se desarrollaba en las plazas públicas por medio de los histriones, juglares, remedadores y *facedores de los zaharrones.* Este teatro consistía en diálogos rápidos, *disputas,* controversias de índole moral y satírica, danzas y canciones, monólogos, pastorelas... De este teatro profano tenemos obras tan interesantes como *La razón de amor, con los denuestos del agua y del vino,* la *Disputa del alma y del cuerpo,* la *Revelación de un ermitaño, Disputa de Elena y María, Disputa entre un cristiano y un judío.*

La más antigua pieza teatral que se conoce en nuestra literatura es *El auto de los tres Reyes Magos,* posiblemente escrito en el siglo XIII. Consta de 147 versos distribuidos en cinco escenas, que componían acaso la mitad de la obra total. El autor empleó tres clases de versos, todos en pareados: de siete, de nueve, de diez sílabas. El asunto sigue el Evangelio de San Mateo con muy escasas modificaciones.

También es un excelente ejemplo teatral la *Danza de la Muerte,* 79 coplas de arte mayor dialogadas con un rudimentario sentido de la acción dramática. De autor anónimo. Posiblemente fue escrita a finales del siglo XIV. Se conserva en un códice de El Escorial.

9. La poesía en el siglo XV.—*Los Romances.* Para Milá y Fontanals y Menéndez Pelayo, los romances son los restos de los cantares de gesta. Se escribieron para que los recitasen los juglares. Por el contrario, para Durán y Cejador fueron los romances la primera manifestación de la epopeya castellana, recitada, mas no escrita, por los juglares, prosificados más tarde en la *Crónica General*—que ofrece restos del pie de romance—, causa de que algunos poetas, reuniendo los romances relativos a un mismo tema, compusieran las gestas. El origen de los romances coincidió, sin duda alguna, con la época en que los castellanos, ya firmes en su nacionalidad, en su lenguaje y en su cultura, sintieron el impulso irresistible de pregonar poéticamente sus hechos memorables. Romance es, en una acepción amplia, la lengua vulgar contrapuesta al latín. En sentido más estricto y poético, "la combinación métrica singular de un género lírico español". ¿En qué consiste esta combinación? Ocho sílabas tienen los romances. Excepciones: el romancillo, que tiene menos, y el romance heroico, que tiene más.

Los versos de ocho sílabas suelen ir en grupos de cuatro, y—esto es lo esencial—los impares *son libres, carecen de rima, y los pares son asonantes.*

Menéndez Pelayo dividió los *Romances* así:

I.—*Romances históricos:* a) El rey don Rodrigo y la pérdida de España. b) Bernardo el Carpio. c) El conde Fernán González y sus sucesores. d) Los Infantes de Lara. e) El Cid. f) Romances históricos varios. g) El rey don Pedro. h) Romances fronterizos. i) Romances históricos de tipo no castellano.

II.—*Romances del ciclo carolingio.*

III.—*Romances del ciclo bretón.*

IV.—*Romances novelescos sueltos.*

V.—*Romances líricos.*

"El *Romancero* es un monumento histórico maravillosamente rico de la vida interna, de las costumbres del alma española, con las mudanzas que en ella han ido poniendo los tiempos y con lo sustancial e inmutable de sus cualidades de raza, de sus vicios como de sus virtudes. Ninguna otra literatura nos ofrece obra tan trascendental, por los siglos que abraza y la variedad que muestra en todo linaje de acontecimientos, sentimientos, tonos y colores, y por lo que ha influido en las demás obras literarias de España y de fuera de España. Las *Crónicas,* las *Historias,* llenas están de sus ecos. La novela y el teatro se han alimentado de él desde que nacieron en toda Europa, y, sobre todo, en España. A su importancia responde el sinfín de trabajos que sobre él se han hecho en todas las naciones de Europa." (J. Cejador).

Los romances empezaron a escribirse, posiblemente, hacia el siglo X. Pero fueron mencionados por vez primera en el proemio del marqués de Santillana, donde se alude a los que "sin ningún orden, regla ni cuento, façen estos *romances* e cantares, de que las gentes de baxa e servil condición se alegra". Según Romera Navarro, "el romance es el metro y género más castizo de la poesía española; y por su gran riqueza y mérito, figura entre los más importantes". Y el gran estético alemán Hegel dijo del *Romancero:* "bella y seductora corona poética, que nosotros los modernos podemos poner junto a lo más maravilloso que produjo la clásica antigüedad".

Iñigo López de Mendoza, marqués de Santillana (1398-1458). Nació en Carrión de los Condes. Fue hijo de don Diego Hurtado de Mendoza, señor de Hita y de Buitrago, y de doña Leonor de la Vega, dama de tanto ingenio como energía. Huérfano de padre desde los siete años, su educación quedó a cargo de su madre y de su abuela, doña Mencía de Cisneros. Muy joven aún casó con doña Catalina de Figueroa. Tomó parte en las luchas políticas de su tiempo, unas veces a favor de don Juan II de Castilla y otras en contra. Ganó Huelva a los moros. Asistió a la batalla de Olmedo con el monarca castellano, quien para recompensar su valor y experiencia le concedió los títulos de marqués de Santillana y conde del Real de Manzanares. Se retiró a su palacio de Guadalajara para dedicarse al estudio, y allí murió. Hombre muy sensible, ingenioso y culto, poseyó una de las bibliotecas particulares más famosas de la Edad Media. Es Santillana el primer poeta castellano del siglo XV. Sus *serranillas, canciones y decires*—parte principal de su poesía—son inimitables por su sencillez, verdad y colorido, y solo ceden en valor a los poemas del arcipreste de Hita, más vigoroso e inspirado. También gustó mucho de introducir en sus versos visiones alegóricas.

Otras obras suyas muy importantes son: *La comedieta de Ponza, El infierno de los enamorados, La defunción de don Enrique de Villena, Diálogo de Bías contra Fortuna, Doctrinal de privados, Proverbios, Sonetos fechos al itálico modo...*

Juan de Mena (1411-1456). Cordobés. Huérfano desde niño, no tuvo medios económicos para empezar sus estudios hasta los veintitrés años. En Córdoba estudió Humanidades. Estuvo en Salamanca y en Roma. Don Juan II le nombró su secretario de cartas, veinticuatro de Córdoba y cronista real, aunque no llegó a escribir crónica alguna. Permaneció invariablemente fiel a su rey y al privado real don Alvaro de Luna, de quienes fue poeta dilecto y predilecto. Falleció en Torrelaguna a consecuencia de un *rabioso* dolor de costado: la genuina, la imponente pulmonía doble guadarrameña, que es como "una estocada en las agujas", que deja para el arrastre.

Mena forma, con Santillana y Jorge Manrique, el trío de los grandes poetas del siglo XV. Versificador fácil y estilista muy personal, fue el precursor indiscutible del culteranismo y del conceptismo poéticos. Acaso si no se hubiese dejado ganar por el simbolismo italiano, hubieran resaltado más sus indiscutibles dotes de gran poeta.

Obras suyas muy importantes son: *Lo claroescuro, Iliada en romance, Coplas contra los pecados capitales* y *El laberinto* o *Las Trezientas.* Esta, su obra más famosa, poema alegórico, inspirado en el *Paraíso,* de Dante, tiene el gran valor de ser una visión de la unidad nacional y demostrar un sentimiento patriótico reflexivo. Escrito en 1444, pese a su título solo presentó en su primera redacción 297 octavas reales en versos dodecasílabos, con cesura después de la sexta sílaba.

Gómez Manrique (¿1412-1490?). Nació en Amusco, tierra de Campos, y fue hijo del Adelantado de León don Pedro Manrique y de doña Leonor de Castilla. Tomó parte activísima en las guerras y luchas políticas de su época, siempre en contra de don Alvaro de Luna, fiel siempre al infante don Enrique, al infante don Alfonso y a la futura doña Isabel I. Asistió al Pacto de los Toros de Guisando y a las bodas secretas de doña Isabel de Castilla con don Fernando de Aragón. Gobernó Toledo de modo magnífico, tolerante con los judíos, magnánimo con todos, siempre señor ejemplar. Y en Toledo murió.

Él mismo se tenía en poco como poeta. Lo es, sin embargo, excelentísimo, hasta el punto de que Menéndez Pelayo lo considera a continuación de Santillana y Mena, y superior *en conjunto* a su sobrino Jorge, el autor de las celebérrimas *Coplas.* Sus obras se dividen en *eróticas, requestas a estilo trovadoresco, coplas a estilo galaico-provenzal,* de carácter doméstico—felicitaciones, aguinaldos, estrenas—, de carácter burlesco, de carácter moral. Se conservan de él unas ciento ocho composiciones. Las más delicadas son las familiares. Además de los versos líricos y didácticos, escribió un pequeño drama litúrgico, *La representación del Nacimiento de Nuestro Señor,* representado a mediados del siglo XV en el monasterio de Calabazanos.

Jorge Manrique (¿1440?-1478). Nació en Paredes de Nava. Fue hijo del conde de Paredes, don Rodrigo, y de su primera mujer doña Mencía de Figueroa. Señor de Belmontejo, apasionado por las armas, obtuvo los trecenazgos de la Orden de Santiago, batalló en Ajofrín y en Uclés, siempre leal a la reina doña Isabel I, de quien pareció un paladín iluminado. Luchando ante el castillo de Garci Muñoz, su indómita bravura le hizo adelantar a pecho descubierto, siendo herido mortalmente. Se le enterró en la iglesia de Uclés.

Se conservan de él—entre el *Cancionero* de Hernando del Castillo (1511) y el *de Sevilla* (1535)—como unas cincuenta poesías de la pura escuela castellana, pero de un interés secundario. Su gloria imperecedera está unida a las *Coplas de Jorge Manrique a la muerte de su padre,* elegía incomparable, pasmo de todas las literaturas. Las *Coplas* son cuarenta y tres, y de ellas diecisiete se refieren al elogio fúnebre de su padre, el valeroso maestre don Rodrigo. En las restantes reprime su propia pena ante el dolor universal, y esto es "lo que da eternidad a estas coplas y las convierte en un doctrinal de cristiana filosofía", según Menéndez Pelayo. "El dominio del metro en las *Coplas* es tan absoluto, que sin temor podría firmarlas un poeta romántico: Zorrilla, Espronceda, Arolas, entre quienes el verso de pie quebrado alcanzó tanta fortuna. Su léxico es el mismo de hoy y de todos los tiempos. Su sintaxis parece adelantarse en varios siglos y, dentro de ella, la cláusula se mueve sin el menor tropiezo. En pocas palabras, la lengua se actualiza, como en un milagroso anticipo de cualquiera de los siglos siguientes." (Díez-Echarri y Roca Franquesa). Las *Coplas* es, tal vez, la más célebre poesía de la lengua castellana.

Coplas del Provincial. De autor anónimo. Sátira implacable y feroz contra los principales personajes de la corte del rey don Enrique IV de Castilla. Debieron de ser escritas entre 1465 y 1473, ya que se llama en ellas duque de Alburquerque a don Beltrán de la Cueva, que lo fue desde el primero de dichos años, y se señala como persona viva a Miguel Lucas de Iranzo, que fue asesinado en la iglesia mayor de Jaén en 1473. Las *Coplas* son 149 y fueron muy perseguidas por la Inquisición; acaso por ello corrieron en incontables manuscritos. Se ha atribuido su paternidad al cronista Alonso de Palencia, a Rodrigo de Cota, a Diego de Acuña, a Hernando del Pulgar, a Antón Monto. El manuscrito que se conserva en la Real Academia de la Historia se le achaca a varios "en comandita". Y tal vez acierte.

Coplas del "¡Ay Panadera!". Sátira feroz contra muchos personajes de la corte de don Juan II de Castilla. Cada copla consta de dos redondillas octosílabas enlazadas y un estribillo.

Coplas del Mingo Revulgo. Sátira política, en forma alegórica y dialogada, contra don Enrique IV de Castilla y su corte. Son anónimas. El P. Mariana las atribuyó a Hernando del Pulgar. Moderadas de expresión, su intento de ridiculizar es clarísimo.

Rodrigo de Cota. Toledano de sangre judía, delicado poeta, persona nada grata ni a los hebreos ni a los cristianos de su tiempo. Además de las poesías de él recogidas en los diversos cancioneros, compuso antes de 1495 el *Diálogo entre el amor y un viejo,* de enormes naturalidad y vivacidad, con estructura dramática, acción muy movida y fondo muy humano. De versificación fluida y fácil, anuncia ya las églogas de Juan del Enzina.

Danza de la Muerte. Con un tema muy difundido por Europa durante la Edad Media: el tránsito de esta vida mortal a la eterna, por medio de símbolos. Consta de 79 coplas de arte mayor. Dialogan la Muerte y varios personajes que se suceden en la presencia de aquella. Por figurar en el mismo códice escurialense que contiene la *Revelación de un ermitaño* y los *Proverbios morales* de Sem Tob, algunos críticos afirman que este fue el autor de *Danza de la muerte;* atribución que no convence, pues que en la copla 6.ª se recomienda la confesión.

Aun cuando sea mencionándoles por lo muy breve, no podemos pasar por alto a numerosos y excelentes poetas que se hicieron famosos durante el siglo XV: FERNÁN SANCHE DE CALAVERA, ALVAREZ DE VILLASANDINO, FERNÁNDEZ DE YERENA, MICER FRANCISCO IMPERIAL—introductor en España del endecasílabo italiano—, RODRÍGUEZ DEL PADRÓN, MACÍAS "EL ENAMORADO", ANTÓN DE MONTORO, JUAN ALFONSO DE BAENA, GUILLÉN DE SEGOVIA, LOPE DE STÚÑIGA, ALVAREZ GATO, TORROELLAS, FRAY IÑIGO DE MENDOZA, FRAY AMBROSIO DE MONTESINOS, SÁNCHEZ DE BADAJOZ, ESCRIVÁ, PADILLA "EL CARTUJANO"...

10. LA PROSA EN EL SIGLO XV.—Enrique de Villena (1384-1436). Maestre de Calatrava. De una gran cultura y el personaje más pintoresco y fantástico de nuestra historia literaria. Tuvo reputación de sabio y brujo. Al morir, su biblioteca fue quemada en la plaza pública por orden del rey. Más inclinado a las ciencias que a los negocios del mundo, maravillosamente inhábil en el manejo de sus casa y hacienda, sutil poeta, gran historiador y muy sabio, al par que entregado a las viles artes de adivinar e interpretar los sueños. "Entre sus mejores obras figuran: *Los trabajos de Hércules*—tentativa de novela mitológica, con fin didáctico—, el *Arte cisoria,* manual en veinte capítulos acerca de la manera de servir la mesa de los príncipes y grandes señores, y de comer y comportarse en ella.

Alfonso Martínez de Toledo (¿1398-1407?). De Toledo, probablemente. Bachiller en Decretos. Racionero de la catedral toledana y capellán de los Reyes Viejos. Arcipreste de Talavera antes de 1436. Obras: *Atalaya de las crónicas, Vidas de San Isidoro y San Ildefonso.* Pero su fama universal la debe al que dejó sin título, en el que "fabla de las malas mujeres y complexiones de los hombres"; libro al que se le dio el título de *Corbacho* o *Reprobación del amor mundano* en la edición de 1498. Obra agudísima, amena, rica en dicción, fuerza cómica y plasticidad descriptiva, con facultad poderosa de creación y lenguaje maestro. Del arcipreste de Talavera dijo Menéndez Pelayo: "Es el único moralista satírico, el único prosista popular, el único pintor de costumbres domésticas en tiempo de Juan II. Su libro, inapreciable para la Historia, es, además, un monumento para la lengua." El *Corbacho* es el puente hermoso y rico que une el *Libro de Buen Amor,* del arcipreste de Hita, con *La Celestina.* Al arcipreste de Talavera se le debe el casi "milagro" de haber introducido el habla popular en la prosa literaria.

Diego de San Pedro. De origen judío. Teniente en la villa de Peñafiel en 1466. Oidor de don Enrique IV y de su Consejo. Autor de dos interesantes novelas: *Tratado de los amores de Arnalte y Lucena* y *Cárcel de amor.* Esta última es un modelo de análisis de pasión, de combinación de motivos emocionales, de fina observación psicológica y de elegante estilo. Según el crítico Usoz, "la *Cárcel de amor* fue el *Werther's Leiden* de aquellos tiempos".

Fernán Pérez de Guzmán (¿1376-1460?). Señor magnífico de Batres. Sobrino del canciller Ayala y tío del marqués de Santillana. Tomó parte en las luchas políticas de su época a favor de don Juan II; pero disgustado con este después de la batalla de la Higueruela, se enemistó también con don Alvaro de Luna, quien lo apresó sin miramiento a su jerarquía y a su talento. Libre ya, perdido todo el favor de la corte, se retiró a su señorío, donde vivió muchos años en paz y gracia de Dios, dedicado a la lectura y a la composición de sus libros. Como prosista no tiene rival durante el siglo XV. Como poeta su importancia es bastante menor. Sus dos principales obras son *Mar de istorias* y *Generaciones y semblanzas,* en la que se relatan en hermoso castellano hazañas de personajes reales, viniendo a ser la primera colección de biografías que tuvo la literatura castellana...

Bachiller Alfonso de la Torre. Muy poco se sabe de él; apenas su título y sus continuadas andanzas por tierras de España. Hacia 1440, a ruegos de Juan de Beamonte, preceptor del príncipe de Viana, compuso la *Visión delectable de la Filosofía y artes liberales,* dedicándosela a Beamonte. Es un libro escrito en noble y rica prosa y modelo de exposición científica. En la primera parte se refiere a las artes liberales, y en la segunda, a las virtudes cardinales y su influencia en el dominio de las pasiones. Entre sus principales fuentes están: Algazel, Avempace, Maimónides y, sobre todas, el *De nupciis Mercurii et Philologiae,* de Marciano Capella.

Otros prosistas de mérito fueron: CLEMENTE SÁNCHEZ DE VERCIAL—*Libro de los exemplos* o *Suma de exemplos por A. B. C.*—; PEDRO DEL CORRAL—*Crónica sarracina*—; JUAN DE FLORES, autor de dos novelas: *Grimalte y Gradissa* (1495) e *Historia de Grisel y Mirabella* (1495)—; DON ALVARO DE LUNA—*Libro de las claras e virtuosas mujeres*—; ALFONSO DE CARTAGENA—*Doctrinal de caballeros, Oracional* y *Memorial de virtudes*—; JUAN DE LUCENA: *Tratado de la vida beata.*

Entre los autores de *Crónicas* merecen ser mencionados: PABLO DE SANTA MARÍA: *Las siete edades del mundo;* RODRÍGUEZ DE CUENCA: *Sumario de los Reyes de España;* ALFONSO DE PALENCIA: *Décadas;* DIEGO ENRÍQUEZ DEL CASTILLO: *Crónica del rey don Enrique IV de este nombre;* MOSÉN DIEGO DE VALERA: *Crónica de los Reyes Católicos, Arbol de las batallas;* DIEGO RODRÍGUEZ DE ALMELLA: *Valerio de las historias eclesiástica y de España;* ANDRÉS BELNÁLDEZ: *y doña Isabel;* ALONSO FLORES: *Crónica de los Reyes Católicos;* RUY GONZÁLEZ DE CLAVIJO: *Historia de los Reyes Católicos don Fernando Historia del gran Tamorlán;* PERO TAFUR: *Andanzas e viajes;* HERNANDO DEL PULGAR: *Libro de los claros varones de Castilla...*

La Celestina. Pero la obra maestra del siglo XV es la *Celestina,* cuya primera edición conocida data de 1499. También llevó como título *Tragicomedia de Calixto y Melibea.* Está escrita en forma dialogada, y por entonces y aun durante varios siglos no se llevó a la escena debido a su gran extensión. Obra que excede con mucho del primitivo teatro castellano.

El primer problema de *La Celestina* no creo sea el de quién fue su autor. Problema urgente—por su interés, por su enorme sugestión—es este: ¿Cómo una obra de tal perfección en una tal época de balbuceos y de tanteos? ¿No habíamos quedado en que para el logro de una obra genial era precisa una elaboración lenta, trabajosa, refinada, de obras *precursoras,* de obras *maquetas,* de obras de *primeras experiencias?* ¿Cómo *La Celestina* surge fuera de clase y fuera de tono, tan acabada, tan refinada, tan paradigmática? No le busquemos antecedentes demasiado acusados. No los tiene. Con excepción del tipo central, que recuerda—o que es el mismo, nacido sin antecedentes castellanos—el de la Trotaconventos del *Libro de Buen Amor,* del arcipreste de Hita. Amplia, humana, suprema, *La Celestina* nada tiene de borrosos caracteres, ni de pasiones esbozadas, ni de descripciones pálidas, ni de lenguaje de algo retórico y cohibido. Que es lo que encontramos en Enzina, en Lucas Fernández, en Gil Vicente, en Torres Naharro. En *La Celestina* encontramos las pasiones vivas a flor de piel, hirvientes; y los caracteres maravillosamente acabados, sin soldaduras ni intersticios; y los paisajes enteros con esa valentía de color y sagacidad de detalles que habrán de buscarse en la pintura realista de Velázquez más de un siglo después; y un idioma fluido, terso, respingón, jugado con la más deliciosa osadía, sin huirle las aristas. La *Celestina* es una obra cumbre, definitiva. Ningún otro teatro europeo puede presentar otra obra de esta época ni que se le aproxime.

La universalidad y eternidad de *La Celestina* son sus caracteres esenciales. Con ella se apunta España la gloria de haber engendrado el primer drama del teatro moderno, de mérito no superado jamás. Y su éxito fue tal que en menos de un siglo fue reimpresa más de sesenta veces y traducida a todos los idiomas cultos de entonces. En unos versos acrósticos que van al principio de la obra se lee que "el Bachiller Fernando de Rojas natural de La Puebla de Montalbán, es el autor..." Al principio tuvo dieciséis actos. La edición de Sevilla—1501—añade cinco actos más. Según algunos críticos, estos cinco actos fueron añadidos por el mismo autor; a juicio de otros, son "de diferente mano". Tiene por argumento los amores de Calixto y Melibea, dos nobles jóvenes a quienes enlaza patéticamente la Celestina, con sus malas artes, hasta llevarlos a un desenlace catastrófico. Por ello resulta la fusión del más puro idealismo y del más crudo y bajo naturalismo que encierra la Vida. Fuera del *Quijote,* no hay en toda la literatura española una novela que la aventaje ni siquiera la iguale. Fue el primer libro español traducido al inglés. En la *Celestina* se observan influencias de Plauto y Terencio, de Petrarca, Boccaccio, Diego de San Pedro, los arciprestes de Hita y de Talavera.

II. LOS SIGLOS XVI Y XVII.—1. *Humanismo y Renacimiento.* Movimientos espirituales: filosóficos, literarios y artísticos. El Clasicismo, como el río Guadiana, avanzó muchos siglos bajo tierra. Entre los siglos V y XIV, sobre él medraron el bizantinismo, el escolasticismo, las literaturas románicas. Pero el Clasicismo resurgió, fuerte y ancho y sereno, de la centuria catorce a la dieciséis; pero al resurgir tomó otros nombres... Realmente, Humanismo y Renacimiento suman un mismo afán espiritual y un idéntico fervor formal. Sino que el Humanismo tiende *a la idea,* y el Renacimiento, *a la forma.* Los dos sumandos buscan apartarse de los ideales y de las costumbres dominantes durante la Edad Media. Los dos tratan de sustituir la preocupación religiosa y la deshumanización del sentido realista de la vida medieval por una concepción *más humana* del mundo. Y verdad que nadie como griegos y romanos supieron hacer del hombre un universo y polarizar los aspectos literario, político y social en una orientación obstinada en la glorificación del protagonista de la vida mortal. Para alcanzar su pretensión, el Humanismo y el Renacimiento dieron nueva vigencia a la antigüedad clásica. Si las concepciones filosóficas de la Edad Media valoraron el conocimiento en función de la realidad, el Humanismo—como el Clasicismo—lo hizo por su utilidad y aplicaciones. Para el Humanismo, el valor apreciable era *el práctico.* El Renacimiento—como el Clasicismo—se sometió a la forma, *pero no como fin,* sino como *un medio interpretativo* de tendencias estéticas y morales.

No se crea, sin embargo, que el siglo XV resucitó el Clasicismo, con los nombres de Humanismo y Renacimiento, en su natural apogeo. No en balde, durante siglos, otras inquietudes espirituales y otros modos y maneras habíanse aposado en el alma del hombre que se evadía del medievalismo. Quizá contra la voluntad y aun contra el conocimiento de los primeros genios humanistas y renacentistas, Aristóteles *sabía demasiado* a Santo Tomás, y Apeles a las tablas ojivales, y Sófocles y Terencio a las Danzas de la Muerte, y el Partenón al Pórtico de la Gloria, y las bacanales a los ritos benedictinos o cistercienses.

El clasicismo que pusieron en pie humanistas y renacentistas conserva las esencias y las formas genuinas, pero no puras, sino mezcladas con los resabios de las más decisivas conmociones espirituales y literarias medievales. Resabios que, si no lo desvirtúan, sí lo remueven. Los *únicos* ideales de utilidad y de belleza del Clasicismo *comparten* en el Humanismo y en el Renacimiento su tiranía con una invencible *propensión religiosa.* Precisamente esta preocupación espiritual, actuando en tan propicios ideales de egolatría subjetiva, dan origen a la Reforma o le allanan el camino.

El Humanismo, concretado en el ámbito que hemos marcado, puede ser definido como "un movimiento *intelectual* que se apartó de las tradiciones y postulados del escolasticismo, y exhumó y estudió a los autores griegos y romanos". Y posiblemente se le llamó Humanismo porque ensalzaba con preferencia las cualidades propias de la naturaleza humana y porque su *gran finalidad* era el *descubrimiento perfecto del hombre* y la consecución de la racionalidad de la vida, desligada de todos los augurios *sobrenaturales.*

El Renacimiento se convierte, pues, en la *expresión adecuada*—por la palabra hablada o escrita, por los recursos artísticos—del Humanismo.

2. LOS HUMANISTAS.—*Juan Luis Vives* (1492-1540). Nació en Valencia y murió en Brujas (Bélgica) El prototipo del pensador y del escritor del Renacimiento. De talla no inferior a la de Erasmo. Uno de los más grandes pensadores de la Humanidad. En muchas de sus doctrinas es precursor de Descartes, Bacon, Locke y Kant. Profesor egregio en España, Bélgica e Inglaterra. Asombra su labor realizada en una vida relativamente breve. Sus obras pueden dividirse en filosóficas, didácticas, morales, políticas-sociales, religiosas y varias. Y entre ellas sobresalen: *Exercitatio linguae latinae, De Institutione feminae christianae, De veritate fidei Christianae, Meditaciones sobre los siete salmos penitenciales, Introductio ad Sapientiam, De causis corruptarum artium...* En filosofía fue empírico y racionalista. Watson le ha llamado "el padre de la psicología moderna" Ejerció una decisiva influencia en los ensayos de Montaigne.

Elio Antonio de Nebrija (1441-1522). Su verdadero nombre fue Antonio Martínez de la Cala. Nació, probablemente, en Lebrija (Sevilla). Catedrático en las Universidades de Sevilla, Alcalá y Salamanca. El primer gramático no solo de España, sino de Europa. Su famosa *Gramática castellana*—1492—apareció en el mismo año del descubrimiento de América, y en su prólogo hay esta frase reveladora de su concepción de unidad política y lingüística: "Siempre la lengua fue la compañera del Imperio." Fue, además, el primer motor sensacional de la afición en España por los estudios clásicos. Otras obras suyas admirables son: *Orthografía castellana, Institutiones latinae, De liberis educandis.*

Benito Arias Montano (1527-1598). Nació en Fregenal de la Sierra (Badajoz) y murió en la Cartuja de Sevilla. De un poderoso saber enciclopédico. Dominaba el latín, el griego y el hebreo. Su cultura fue inmensa. Enseñó en Salamanca y en Alcalá. Dirigió la famosa Biblia políglota de Amberes. Escribió hermoso versos en hexámetros latinos impecables.

Otros humanistas notables fueron: FRANCISCO

SÁNCHEZ DE LAS BROZAS, el "Brocense" (1523-1601)—*Minerva o De causis linguae latinae.* JUAN GINÉS DE SEPÚLVEDA (¿1490?-1573), cronista de Carlos I y de Felipe II. HERNÁN NÚÑEZ (1475-1553), llamado también "el Pinciano" y "El Comendador Griego", catedrático en Alcalá y en Salamanca, que tomó parte principal en la edición de la famosa Biblia *Poliglota Complutense.* FRANCISCO DE VERGARA (m. 1545), catedrático de griego en Alcalá, muy elogiado por Erasmo y autor de la primera gramática griega. ALVAR NÚÑEZ DE CASTRO (m. 1550), toledano y profesor de griego, biógrafo del Cardenal Cisneros. ALFONSO GARCÍA MATAMOROS (¿1490?-1572), catedrático de Humanidades en Alcalá, autor del famoso libro *De adserenda Hispanorum eruditione,* del que dijo Menéndez Pelayo que era "el himno triunfal del Renacimiento español". JUAN LORENZO PALMIRENO (1514-1579), gran pedagogo y latinista. El jesuita JUAN BONIFACIO (1538-1606), autor de *Christiani pueri institutio.*

3. LA POESÍA EN LOS SIGLOS XVI Y XVII. Dentro de la *tendencia italianizante: Juan Boscán Almogáver* (¿1490?-1542). Nació en Barcelona, pero vivió casi siempre en Castilla, habiendo servido a los duques de Alba y al rey don Fernando el Católico. Su principal mérito fue el haber implantado en España, para la poesía, la influencia italiana en temas y metros. Sin embargo, sus poemas tienen el mérito suficiente para colocarle entre los poetas más importantes de su tiempo. Estuvo casado con la erudita dama doña Isabel Girón de Rebolledo, que fue la que, muerto su esposo, editó las obras de este, juntamente con las de su gran amigo Garcilaso de la Vega—Barcelona, 1543—. Boscán escribió sonetos, canciones, tercetos, octavas. Y tradujo admirablemente *El Cortesano,* de Baltasar Castiglione.

GARCILASO DE LA VEGA (1503-1536). Nació en Toledo. Magnífico caballero y magnífico poeta. Capitán legendario de todo idealismo amoroso y caballeresco. De cultura excepcional. Dominaba el francés, el griego, el latín, el italiano. Combatió contra los sarracenos en defensa de Rodas, y contra los franceses en Fuenterrabía. Se casó—1526—con doña Elena de Zúñiga. Pasó a Italia, donde, por un conflicto privado, sufrió destierro en una isla del Danubio, de orden de Carlos I. Vivió en Nápoles, donde amistó fraternalmente con Boscán, dedicado al cultivo de la poesía y de los sentimientos amorosos. Asistió—1535—a la jornada gloriosa de Túnez, combatiendo heroicamente. Y heroicamente luchando fue herido en Muy, cerca de Frejus (Francia), al intentar asaltar la fortaleza, el primero, sin escudo ni casco, muriendo en Niza dieciocho días después, en brazos de su compañero de armas y futuro santo Francisco de Borja. Garcilaso de la Vega es uno de los mas gloriosos poetas de España. Influido decisivamente por el gusto italiano, sus églogas, elegías, sonetos y canciones alcanzan un grado de perfección renacentista insuperable. De imágenes sugestivas, de inmensa delicadeza, apasionado hasta un grado inverosímil, dominador del ritmo, sus poesías tienen una musicalidad y un colorido por ningún otro poeta superados. "La lengua de Castilla fue en sus versos un instrumento maravillosamente flexible y musical. Y los poemas de Garcilaso poseen hoy la misma juventud y encanto que tanto celebraron sus contemporáneos y sucesores, la eterna juventud y encanto de la belleza. En la suprema magia del estilo, solo Góngora le iguala." (Romera Navarro) Sus obras—publicadas por doña Isabel Girón de Rebolledo (Barcelona, 1543), juntamente con las de su amigo Boscán, esposo de aquella—se reducen a una epístola, dos elegías, tres églogas, cinco canciones, treinta y ocho sonetos y ocho composiciones muy breves, de corte tradicional.

HERNANDO DE ACUÑA (¿1520-1580?), de noble familia de soldados, y magnífico soldado él. Escribió canciones, madrigales, sonetos y la *Fábula de Narciso* y la *Contienda de Ayax Telamonio.* FRANCISCO DE FIGUEROA (1536-1617), de Alcalá de Henares; guerrero en Italia y en Flandes, diplomático en Roma. Poeta delicado y entusiasta de los metros italianos. Compuso canciones—*Los amores de Damón y Galatea*—, sonetos, epístolas. GUTIERRE DE CETINA (1520-¿1557?), sevillano y doctísimo en Humanidades, militar insigne en Italia y Alemania. Estuvo en las Indias, donde fue herido cuando se hallaba al pie de los balcones de una noble dama: doña Leonor de Osma. Fue el poeta del amor: canciones, letrillas, sonetos y madrigales. Entre estos el que comienza: *Ojos claros, serenos...* FRANCISCO DE ALDANA (¿1528?-1575), militar insigne, general en Flandes y alcaide de la fortaleza de Fuenterrabía; habiendo sido comisionado por don Felipe II para acompañar al rey de Portugal don Sebastián en su expedición al Africa, encontró la muerte, como el desdichado don Sebastián, en la trágica jornada de Alcazarquivir; entre sus refinados poemas sobresale el titulado *Carta del capitán don Francisco de Aldana para Arias Montano.* JERÓNIMO DE LAMAS CANTORAL (m. 1578), de Valladolid, muy elogiado por Cervantes en su *Canto a Calíope,* escribió epigramas, sonetos, elegías, epístolas y el poema *Amores y muerte de Adonis.*

De los poetas que *fluctuaron entre la influencia italiana y la fidelidad a la escuela tradicional,* están: DIEGO HURTADO DE MENDOZA (1503-1575), nacido y muerto en Madrid, de nobilísima familia, militar y diplomático insigne; asistió al Concilio de Trento, donde dio muestras de su sagacidad y de su talento; dominaba el latín, el griego y el árabe; sus poemas, casi todos amorosos, están llenos de pen-

E

samientos delicados. Lope de Vega exclamó: "¿Qué cosa aventaja a una redondilla de don Diego Hurtado de Mendoza?" Su *Fábula de Adonis, Hipomenes y Atalante,* en octavas reales, está inspirada en Ovidio. GREGORIO SILVESTRE (1520-1569), maestro de Capilla y organista en Granada, poeta muy delicado y profundo; entre sus mejores poemas están: *Lamentaciones, Fábula de Dafne y Apolo, Píramo y Tisbe, Residencia de amor.*

Entre los poetas que *se mantuvieron fieles a la tradición:* CRISTÓBAL DE CASTILLEJO (¿1490?-1550), de Ciudad Rodrigo, y monje en el convento de San Martín de Valdeiglesias, de donde se salió para ocupar el cargo de secretario del rey de Bohemia don Fernando, hermano de Carlos I de España; en Viena hizo vida poco ejemplar. Castillejo es uno de los paladines de la tradición poética castellana en lucha contra la influencia de los metros y temas italianos; lleno de agudeza y de gracia, de sencillez picaresca y de inspiración netamente castellana, fue el corifeo de la escuela; sus obras se dividen en: *de amores*—las más inspiradas—, *de conversación* y *pasatiempo* y *morales y de devoción.* ANTONIO DE VILLEGAS (m. hacia 1551), más famoso que por sus poesías, por atribuírsele la deliciosa novelita morisca relativa a los amores de Abindarráez y Jarifa, a la que me referiré en el apartado correspondiente.

Dentro de la *poesía renacentista postgarcilasista,* debemos considerar por separado dos grupos perfectamente diferenciables: *el salmantino* y *el sevillano.*

Al *salmantino* pertenecen: FRAY LUIS DE LEÓN (1527-1591), nacido en Belmonte de Cuenca; estudió en Alcalá y en Valladolid; a los catorce años ingresó en el convento de San Agustín, en Salamanca, profesando en 1544; bachiller en Toledo; maestro de Sagrada Teología en Salamanca; en 1561 obtuvo la famosa "Cátedra de Santo Tomás". Por discordias entre las Órdenes Religiosas, fray Luis permaneció en la Cárcel de la Inquisición, en Valladolid, entre 1572 y 1576. Absuelto con todos los pronunciamientos favorables, se reintegró a su cátedra con el famoso *Decíamos ayer...* En 1577 ganó la de Teología Eclesiástica; un año después, la de Filosofía Moral; en 1579, la de Biblia, que desempeñó hasta su muerte. Pocos meses antes de fallecer había sido nombrado maestro provincial de su Orden. Fue fray Luis de León el jefe de la llamada *Escuela salmantina,* y es, en opinión de gran parte de la crítica moderna, "el más excelso lírico español". Cultura y sensibilidad prodigiosas, sus versos son el triunfo del *equilibrio* y de la majestuosa delicadeza. Realizó él como nadie el milagro de expresar con una armonía inigualada los pensamientos más profundos. La obra poética de fray Luis se divide en tres partes: traducciones de clásicos latinos; versiones y adaptaciones bíblicas; y poesías originales. Siendo maravillosas las tres partes, es en la tercera donde se encuentra el fray Luis de León "poeta cumbre".

Recordemos estos títulos: *A Felipe Ruiz, En la Ascensión, A Francisco Salinas, A la noche serena, Qué descansada vida, La profecía del Tajo...* Pero fue fray Luis de León, además de genial lírico, uno de los pensadores más profundos y de los más admirables prosistas de las letras españolas. De sus libros *no poéticos* tienen perdurabilidad ejemplar: *Cantar de los Cantares*—comentario del famoso libro del rey Salomón—; *La perfecta casada,* cuyos veinte capítulos encierran la doctrina cristiana de la mujer en su hogar; *Los nombres de Cristo,* donde quedan recogidos y comentados con enorme sabiduría los conceptos fundamentales, tanto escriturarios como patrísticos, en torno a la onomástica de Cristo. Menéndez Pelayo dijo de esta obra que era parigual a los Diálogos platónicos; Fitzmaurice Kelly, que "era el mejor monumento de la mística española"; y para muchos otros críticos, "es el libro mejor escrito de la literatura española". *El Libro de Job,* sutilísimo comentario del libro del Antiguo Testamento... FRAY PEDRO MALÓN DE CHAIDE (¿1530?-1596) agustino, autor de pocas poesías y de su célebre *Tratado de la Conversión de la Magdalena* (1588), en el que se revela prosista excepcional y también excepcional lírico. FRANCISCO DE LA TORRE (¿1534?-1594), natural de Torrelaguna (Madrid), militar insigne, posiblemente acabó su vida como fraile; sus poesías las publicó—1631—Quevedo, para oponerlas a la invasión del culteranismo; Torre fue, en efecto, poeta delicado, sencillo, claro, de buen gusto y cierto tinte melancólico; su fantasía siempre resulta lozana; y fue de los primeros en usar la estrofa sáfica; escribió sonetos, odas, canciones, *endechas,* églogas y octavas reales; sus poemillas *La cierva herida* y *Tórtola solitaria* son de los más bellos de nuestra lírica. FRANCISCO DE MEDRANO (¿1570?-1607), de ascendencia sevillana, autor de 34 odas, 52 sonetos, un dístico latino; poeta puro, sobrio, elegante; traductor de Horacio no inferior a fray Luis de León.

Pertenecen a la *Escuela sevillana:* JUAN DE MAL-LARA (¿1527?-1571), de Sevilla, estudiante en Salamanca y Barcelona; de regreso a su ciudad natal fundó en la Alameda de Hércules una Escuela de Latín y Humanidades, de la que salieron ilustres poetas y artistas; de gran erudición, escribió algunos poemas, pero debe su fama a una obra en prosa: *Filosofía vulgar,* de carácter paremiológico, en la que se recogen y comentan un millar de adagios castellanos. FRANCISCO DE MEDINA (1544-1615), sevillano y discípulo de Mal-Lara, autor del verdadero *manifiesto* de la Escuela sevillana, publicado en las *Anotaciones a Garcilaso* de Herrera.

FERNANDO DE HERRERA (1534-1597), sevillano,

hijo de un humilde cerero, estudió letras humanas en el estudio de San Miguel; vistió hábito eclesiástico y gozó de un beneficio en la iglesia parroquial de San Andrés, "pero no obtuvo orden sacro". Asistente asiduo a la tertulia del conde de Gelves, se enamoró profundamente de la esposa de este, pero con un noble amor platónico que fue toda su vida y... "casi toda su poesía". Jefe indiscutible de la llamada Escuela Sevillana, fue el poeta que para cantar lo humano encontró acentos más divinos. Todo lo supo expresar con sin igual hermosura. En prosa escribió las *Anotaciones a Garcilaso,* de gran valor histórico y doctrinal. Se han perdido de él muchas obras en prosa y cerca de quinientos poemas; y nos quedan, aproximadamente, otro medio millar, entre los que sobresalen: *Canción por la pérdida del rey don Sebastián, Canción por la victoria de Lepanto, Canción a don Juan de Austria, Canción al santo rey San Fernando.* La mayor parte de los sonetos de Herrera—apasionados hasta tocar en lo erótico—son de una absoluta perfección formal.

BALTASAR DEL ALCÁZAR (1530-1606), de Sevilla, sexto hijo del caballero jurado Luis del Alcázar y de doña Leonor de León; estudió Humanidades en su ciudad natal; militó en las galeras del famoso marqués de Santa Cruz; alcalde y alcaide mayor de los Molares y administrador de los condes de Gelves. Según Rodríguez Marín, su mejor biógrafo, Baltasar del Alcázar fue "un desdeñador de la fama y de la gloria, que solo tuvo la poesía por agradable recreación y deleite: bebió en su vaso sin anhelar otro más grande o de mejor cristal". Alcázar cultivó, principalmente, el género festivo: letrillas, epigramas, chascarrillos, con una sal ática y un donaire sin precedentes. Imitó a Horacio y Marcial; su soltura y su flexibilidad poéticas son ejemplares; pero también es autor de poesías amatorias muy delicadas de forma y profundas de pensamiento. PABLO DE CÉSPEDES (1548-1608), cordobés de nacimiento, pero casi siempre vecino de Sevilla, asiduo asistente al taller del pintor Francisco de Pacheco, y autor de uno de los mejores poemas didácticos que nos quedan: *Arte de la pintura,* escrito en magníficas octavas reales.

4. POESÍA ÉPICA. La poesía épica española de los siglos XVI y XVII corresponde, como la lírica, a dos períodos: el renacentista y el barroco. Por sus temas se agrupa en dos series: la *histórica* y la *imaginativa.* Pero dentro de estas dos series—acaso demasiado generales—cabe distinguir: poemas *históricos,* poemas *religiosos,* poemas *imaginativos* y poemas de *temas y ambiente americano.*

Corresponden a los poemas históricos: JERÓNIMO DE URREA, con su *Carlos virtuoso.* LUIS ZAPATA (1526-1595), con su *Carlo famoso,* en 22.000 versos repartidos en 50 cantos; también es autor de *Miscelánea,* colección de anécdotas, historias y sentencias. JUAN RUFO (¿1547-1620?), autor de *La Austríada,* poema épico de los mejor logrados con el tema de la hazañas bélicas de don Juan de Austria; también escribió *Seiscientos apotegmas,* la primera colección de sentencias morales publicadas en España.

Corresponden a los poemas religiosos: JUAN COLOMA, con su *Década de la Pasión de Jesucristo.* CRISTÓBAL DE VIRUÉS (1550-1609), poeta lírico, dramaturgo y poeta épico, autor de *El Montserrate,* estimable poema épico en octavas reales y en 24 cantos con el tema montserratino de la leyenda del ermitaño fray Juan Garín. Según Cervantes, solo tres poemas épicos españoles tenían valor: *La Araucana, La Austríada* y *El Montserrate.* Corresponden a los poemas imaginativos o fabulosos: LUIS BARAHONA DE SOTO (1548-1595), gran poeta lírico, gran prosista y autor de *Las lágrimas de Angélica,* con mucha influencia de Ariosto; de su valor ponemos por juez al Cura del *Quijote,* quien, durante el riguroso expurgo de la biblioteca del caballero, exclamó: "Llorara yo si tal libro *(Las lágrimas de Angélica)* hubiera mandado quemar, porque su autor fue uno de los más famosos poetas del mundo, no solo de España". Su tema son los amores de Angélica por Medoro, complicados en magias y desventuras. AGUSTÍN ALONSO, autor del fantástico *El verdadero suceso de la famosa batalla de Roncesvalles.* FRANCISCO DE VILLENA, autor de un poema épico no menos fabuloso: *Hazañas de Bernardo el Carpio.*

Corresponden a los poemas de tema y ambiente americanos: ALONSO DE ERCILLA Y ZÚÑIGA (1533-1594), nacido en Madrid, de padres nobilísimos; paje del rey don Felipe II, a quien acompañó en sus viajes por Flandes e Inglaterra. Pasó a Indias—1555—con el adelantado Alderete, y tomó parte en siete batallas terribles e innumerables sucesos. Por su bravura concedióle el rey un repartimiento de indios y una lanza "de a caballo", con mil pesos de salario anual. Regresó a España en 1563; estuvo en Alemania; se casó—1570—con doña María de Bazán, hermosa y rica hembra. Caballero de Santiago. Tuvo un hijo, y natural: Juan de Ercilla, que murió en el desastre de la Armada Invencible. Ercilla está considerado como el primer poeta épico de España. *La Araucana* es un poema lleno de aciertos: descripciones brillantes, evocaciones llenas de sabor, conocimientos excelentes de la naturaleza americana, acierto rotundo en las calificaciones, dibujo y colorido magistrales en los retrasos, versificación fluida. Consta de 37 cantos en octavas reales, distribuidos en tres partes publicadas en 1569, 1578 y 1589. Su tema es la lucha entre los españoles y los araucanos; pero van intercalados entre los episodios bélicos otros que recogen las costumbres de los naturales. Según Menéndez Pelayo,

"Tres cosas hay, capitales todas, en que Ercilla no cede a ningún otro narrador poético de los tiempos modernos: la creación de los caracteres..., las descripciones de batallas y encuentros personales en que probablemente no ha tenido rival después de Homero, las cuales se admiran una tras otra y no son idénticas nunca, a pesar de su extraordinario número; las comparaciones tan felices, tan expresivas, tan varias y ricas, tomadas con predilección del orden zoológico, como en la epopeya primitiva..."

Tal fue el éxito de *La Araucana* que con gran rapidez se sucedieron los imitadores: DIEGO SANTISTEBAN OSORIO: *La cuarta y quinta parte de La Araucana;* JUAN DE MENDOZA: *Las guerras de Chile;* HERNANDO ALVAREZ DE MENDOZA: *El Purén indómito;* MELCHOR XUFRE DEL ÁGUILA: *El Compendio historial.*

PEDRO DE OÑA (1570-1643), chileno de nacimiento, hijo de un capitán español, autor de *El Arauco domado,* poema con muchos aciertos y la imitación más considerable del poema de Ercilla, elogiada por Lope de Vega en su *Laurel de Apolo.* JUAN DE CASTELLANOS (1522-1607), nacido en España, pero considerado como poeta colombiano, autor de las *Elegías de varones ilustres,* poema en el que se canta el descubrimiento y la conquista de América en 150.000 endecasílabos.

5. LA NOVELA EN EL RENACIMIENTO Y EN EL BARROCO.—En tan extenso período, la novela tuvo *siete tipos* perfectamente diferenciables: *de caballerías, pastoril, picaresca, histórico-morisca, bizantina, cortesana* y de "formas no bien definidas".

Libros de caballerías. La aparición de este género es una consecuencia de la desaparición de los cantares de gesta, de los cuales deriva, pues el culto a los hechos bélicos y a sus héroes era *necesidad espiritual* de los poetas y de las muchedumbres. Aunque se ha dicho que el *Amadís de Gaula* fue, en orden cronológico, nuestro primer libro de caballerías, ello es inexacto, pues tal honor le correspondió al titulado *Historia del caballero de Dios que havia por nombre Cifar,* que debió de escribirse entre 1299 y 1305, y al que ya me he referido; libro atribuido a Ferrant Martínez, traducido quizá del árabe al latín, y cuyo tema es el mismo del cuento de *Las mil y una noches* "El rey que lo perdió todo".

Amadís de Gaula. El libro de caballerías más famoso e importante. "Obra capital—escribe Menéndez Pelayo—en los anales de la ficción española y una de las que por más tiempo y más hondamente imprimieron su sello no solo en el dominio de la fantasía, sino en el de los hábitos sociales." Aun cuando se le atribuyó su paternidad a GARCI ORDÓÑEZ DE MONTALVO, hoy se cree que solo fue su *corrector* y, tal vez, *ampliador.* El propio Montalvo confesó haber corregido sus tres primeros libros, enmendado el cuarto e *inventado* el quinto. Los portugueses se atribuyen el honor del *Amadís;* pero lo cierto es que la obra fue conocida en España un siglo antes que en Portugal, y que la primera redacción conocida de él está en castellano. La primera edición apareció—1508—en Zaragoza, "que por cierto no contiene ni un solo lusitanismo". El *Amadís* es una imitación libérrima de las novelas del ciclo bretón, y particularmente de las tituladas *Lanzarote* y *Tristán.* Y está considerado como el mejor de todos los libros de caballerías, tanto españoles como extranjeros. Su éxito fue sensacional en toda Europa, multiplicándose las imitaciones y las continuaciones. De estas últimas: *Quinto libro de Amadís* o *Sergas de Esplandian*—Sevilla, 1510—, del mentado GARCI ORDÓÑEZ DE MONTALVO; *Sexto libro de Amadís de Gaula* o *Don Florisando*—Salamanca, 1510—, de PÁEZ DE LA RIVERA; *Séptimo libro,* con las hazañas de *Lisuarte*—Sevilla, 1514—, de autor desconocido; *Octavo libro* o *Segundo Lisuarte*—Sevilla, 1526—, de JUAN DÍAZ; *Noveno libro,* llamado *Amadís de Grecia*—Sevilla, ¿1530?—, atribuido a Feliciano de Silva; Libros *décimo y undécimo, Don Florisel de Niquea*—Valladolid, 1532—y *Don Rogel de Grecia*—(Medina del Campo, 1535), de FELICIANO DE SILVA, y *Duodécimo libro, Don Silves de la Selva*—(Sevilla, 1546), de PEDRO DE LUJÁN.

A imitación del *Amadís* y de sus continuaciones, fueron surgiendo otras series menos importantes, pero que tuvieron gran aceptación. Entre ellas, la de los *Palmerines. Palmerín de Oliva*—Salamanca, 1511—. *Primaleón*—Salamanca, 1512—, de autor desconocido, como el anterior. *Palmerín de Inglaterra*—Toledo, 1547—, del portugués FRANCISCO DE MORAES.

Otras novelas de caballerías: FERNANDO BASURTO: *Don Florindo,* Zaragoza, 1526. JERÓNIMO FERNÁNDEZ: *Don Belianís de Grecia,* Burgos, 1547.

Novela pastoril. Así llamada por ser sus temas las descripciones del campo y los sucesos y hechos acaecidos entre los pastores; unos pastores con excesivo refinamiento de cultura y muy complicados con la mitología clásica.

JORGE DE MONTEMAYOR (¿1520?-1561), nacido en Montemor, cerca de Coimbra, donde se educó. Pasó a España con el séquito de la infanta portuguesa doña María, primera mujer de don Felipe II. Desde entonces residió en España y escribió en castellano sus poesías y sus obras en prosa. Se hizo famoso por su obra *Los siete libros de la Diana,* imitación de la *Arcadia* de Sannazaro, a la que aventaja en interés narrativo, pero a la que cede mucho en inspiración y en sentimiento de la naturaleza. Montemayor, músico de profesión, combinó la prosa y los versos en su obra, que obtuvo un éxito enorme en toda Europa. Su primera edición data de 1559, y se publicó en Valencia. Como el *Amadís,* la *Diana* tuvo incontables continuaciones e imitaciones. GASPAR GIL POLO (m. 1591), valenciano, excelente poeta lírico y autor de la *Diana enamorada*—1564—, la más famosa y mejor imitación del libro de Montemayor, al que cede en fuerza inventiva y en armonía de composición, pero al que gana en la belleza e inspiración de los versos. LUIS GÁLVEZ DE MONTALVO (¿1549-1591?), quien publicó en 1582 *El pastor de Fílida,* que gustó mucho a los cortesanos, precisamente porque los pastores por él retratados eran unos *falsos pastores:* cortesanos disfrazados de pastores. CRISTÓBAL SUÁREZ DE FIGUEROA (1571-¿1639?), autor de la excelente pastoral *La constante Amarilis,* en la que igualmente tienen los pastores un tufillo excesivo a cortesanía exquisita. BERNARDO DE BALBUENA (1568-1627), además de gran poeta épico—de quien me ocuparé después—escribió la bucólica obra *Siglo de Oro en las selvas de Erífile,* 1608. GABRIEL DEL CORRAL publicó en 1629 la *Cintia de Aranjuez,* punto final de las novelas pastoriles. (En su oportuno momento aludiré a las novelas pastoriles de Cervantes y Lope).

LA NOVELA PICARESCA. Significó la reacción realista, hasta la crudeza, contra los idealismos exagerados de los géneros caballeresco y pastoril.

LAZARILLO DE TORMES. El primer modelo de la novela picaresca y origen de la moderna novela de costumbres. Las tres primeras ediciones conocidas datan del mismo año: 1554, respectivamente, en Alcalá de Henares, Burgos y Amberes. Su redacción no debió de ser anterior a 1539. En dichas tres ediciones no aparece el nombre del autor. Se ha atribuido tan excepcional novela a don Diego Hurtado de Mendoza, a Sebastián de Orozco, a otros varios escritores. Por su extensión es más bien cuento largo que novela, y se halla dividido en siete tratados o capítulos, estando escrito en forma autobiográfica y en un lenguaje popular muy expresivo y vigoroso. El protagonista es Lázaro, muchacho nacido en cierto molino del río Tormes, quien va sirviendo sucesivamente a un ciego, a un clérigo, a un escudero, a un fraile de la Merced, a un buldero, a un maestro de pintar panderos, a un alguacil... Su éxito fue tan inmediato como universal. Se tradujo al francés en 1561, al holandés en 1579, al inglés en 1586, al alemán en 1617, al italiano en 1622, y hasta al latín en 1623. "Sorprendió y encantó a los lectores, dentro y fuera de España, por su novedad: en asunto, caracteres, lenguaje, era la realidad humana que entraba en la literatura." Se popularizaron sus anécdotas, y algunas de sus frases se convirtieron en proverbios; el mismo nombre de Lazarillo vino a emplearse como apelativo del muchacho que guía a un ciego (R. Navarro). MATEO ALEMÁN (1547-1614), sevillano, bachiller en Artes y en Filosofía. Estudió en Alcalá. Contador de Resultas. Estuvo preso "por cuentas confusas" en la Cárcel Real. Vivió en Madrid y en Lisboa. En 1608 marchó a Méjico. Entre sus obras figuran: *Vida de San Antonio de Padua*—1603—, *Ortografía castellana*—1609—y *Vida de Guzmán de Alfarache,* la obra que le ha otorgado la inmortalidad por ser un modelo de la novela picaresca. Su primera parte se publicó en 1599, y la segunda en 1604. La novela está escrita en forma autobiográfica por un redomado pícaro cuyas incontables aventuras y desventuras son de lo más ameno, pues que con ellas se intercalan anécdotas, lucubracioness sutilísimas sobre usos y costumbres, máximas, estudios psicológicos, disertaciones morales. Contra lo que pudiera parecer de tema tan estridente, el *Guzmán* es obra llena de amargura, e infinitamente triste, reflejo de la vida de su autor.

FRANCISCO LÓPEZ DE UBEDA, médico toledano, publicó en 1605 el *Libro de entretenimiento de la Pícara Justina,* en el que la sátira feroz puede más que la picaresca divertida. Se caracteriza su estilo por los abundantes juegos de palabras, conceptos extravagantes y afectación erudita. Aun así es obra que entretiene. Ha sido considerada como una de las primeras muestras de culteranismo y conceptismo en la prosa castellana.

VICENTE ESPINEL (1550-1624), de Ronda. Estudió en Salamanca. Escudero del conde de Lemos. Militó en Italia. Recibió órdenes sagradas en Málaga y obtuvo un beneficio en Roma. Capellán del Hospital de Ronda y de la Capilla del obispo de Plasencia en Madrid. Maestro de música. Inventor de la *décima espinela* y de la quinta cuerda de la guitarra. En 1618 publicó en Madrid la obra que le ha otorgado la inmortalidad: *La vida del escudero Marcos de Obregón.* Marcos es "un escudero pobre, ya viejo y cansado, que desea relatarnos su vida con brevedad y honestidad: mostrar en sus infortunios y adversidades cuánto importa a los escuderos pobres o poco hacendados saber romper por las dificultades del mundo, y oponer el pecho a los peligros del tiempo y de la fortuna..." La obra es en verdad magnífica, y tiene mucho de autobiográfica. Tiene menos digresiones que el *Guzmán,* y delata la enorme psicología y el poder descriptivo de su autor. Más de su mitad la aprovechó desvergonzadamente Le Sage en su *Gil Blas de Santillana.*

JERÓNIMO DE ALCALÁ YÁÑEZ (1563-1632), médico segoviano, autor de la novela autobiográfica y en forma dialogada *El donado hablador,* cuyas dos partes aparecieron en 1624 y 1626. AGUSTÍN DE ROJAS (1572-¿1612?), cómico y aventurero, en cuyo curiosísimo *Viaje entretenido* —1603—se cuentan divertidas anécdotas de la vida teatral. ALONSO DE SALAS BARBADILLO (1581-1635), autor de *La hija de Celestina o La ingeniosa Elena,* "cuyas buenas prendas" aprovecharon los franceses Scarron y Molière. ALONSO DE CASTILLO SOLÓRZANO—¿1584?—, gran dramaturgo y autor de *La Garduña de Sevilla y anzuelo de bolsas,* una de las novelas de mayor ingenio, justa observación y esmerado arte, en la que entraron a saco ingenios españoles y extranjeros. CARLOS GARCÍA, médico, que debió de vivir entre 1575 y 1630, autor de *La desordenada codicia de los bienes ajenos,* novela llena de interés, sátira, desparpajo. ANTONIO ENRÍQUEZ GÓMEZ (1600-1660), estimable dramaturgo de la escuela calderoniana y autor de la novela picaresca *Vida de don Gregorio Guadaña.*

Se ignora el autor de la famosa novela *Vida y hechos de Estebanillo González, hombre de buen humor, compuesta por él mismo,* aparecida—1646—en Amberes, en la que se funden a la perfección la crónica y el relato novelesco a lo largo de las estupendas aventuras de un pícaro amoral que sucesivamente es barbero, soldado, ladrón, practicante, criado de una comedianta, romero en Santiago...

LA NOVELA HISTÓRICO-MORISCA. Llamada así porque en ella se entreveran las aventuras y escenarios de la España musulmana.

La primera novela de este género es la titulada *Historia del Abencerraje y de la hermosa Jarifa,* atribuida a ANTONIO DE VILLEGAS porque se publicó en un *Inventario* a él debido y aparecido en Medina del Campo el año 1565. De ella dijo Gallardo que parece "escrita con pluma del ala de algún ángel". Es un primoroso cuento de amores y guerra, en que "el alcaide de una fortaleza cristiana—Rodrigo de Narváez, personaje histórico—y el ilustre caballero moro que aquel había hecho prisionero (Abindarráez) rivalizan en lealtad, caballerosidad y gentileza; el alcaide, permitiendo a Abindarráez abandonar la prisión para visitar en tierra mora a su dama y desposarse con ella secretamente; Abindarráez, cumpliendo su palabra de regresar a los tres días a su prisión".

GINÉS PÉREZ DE HITA (¿1544-1619?) es el autor de la mejor novela de este género, aparecida —1595—en Zaragoza: *Historia de los bandos de Zegries y Abencerrajes...,* animadísimo cuadro de la vida granadina durante los últimos meses que precedieron al de enero de 1492: esplendor de la corte mora, galas y torneos, rebeldías de la nobleza, tumultos del pueblo, poéticos amores, encuentros entre caballeros moros y cristianos. Las descripciones están llenas de vida, colorido y encanto.

Otras notables novelas histórico-moriscas son: *Experiencias de amor y fortuna,* de FRANCISCO DE LAS CUEVAS; *La esclava de su amante,* de MARÍA DE ZAYAS; *Historia del cautivo,* intercalada en el *Quijote; Historia de los amores de Ozmín y Daraja,* intercalada en el *Guzmán de Alfarache.*

LA NOVELA BIZANTINA. Así denominada por tomar sus argumentos en aventuras y hechos cuyos personajes corresponden al mundo europeo oriental, con más de fantasía que de realidad. En este género alcanzaron fama: *Historia de los amores de Clareo y Florisea*—Venecia, 1552—, del poeta alcarreño ALONSO NÚÑEZ DE REINOSO; *Selva de aventuras*—Barcelona, 1565—, de JERÓNIMO DE CONTRERAS, antecedente de *El peregrino en su patria,* de Lope de Vega.

LA TENDENCIA NOVELESCA ITALIANIZANTE toma dos direcciones: el cuento y la novela. El cuento, a su vez, presenta múltiples variedades: rasgo de ingenio, anécdota, máxima moral, chiste. Colecciones de cuentos famosos son: *Apotegmas,* de JUAN RUFO; *Miscelánea,* de ZAPATA; *Floresta,* de MELCHOR DE SANTA CRUZ. Pero sobre las mencionadas sobresalen las del dramaturgo y colector de romances JUAN DE TIMONEDA (m. en 1583), tituladas: *Sobremesa y alivio de caminantes*—Zaragoza, 1563—, *Buen aviso y portacuentos*—Valencia, 1564—y el *Patrañuelo*—Barcelona, 1578—. En esta última estima Menéndez Pelayo: "la primera colección de novelas escritas a imitación de las de Italia, tomando de ellas el argumento y los principales pormenores, pero volviendo a contarlas en prosa familiar, sencilla, animada y no desagradable". En 1553 aparecieron los *Coloquios satíricos* de ANTONIO DE TORQUEMADA, también autor de otra colección: *Jardín de flores curiosas,* publicada—1570—en Salamanca. También alcanzaron gran suceso las *Noches de invierno,* del navarro ANTONIO DE ESLAVA.

LA NOVELA CORTESANA. Así llamada por tomar como argumentos los enredos, costumbres, amores y aventuras de los cortesanos. El iniciador de este género fue Cervantes. El éxito alcanzado por este motivó la aparición de muchos continuadores e imitadores de singular relieve.

CÉSPEDES Y MENESES: *Historias peregrinas y ejemplares*—Zaragoza, 1623—; PÉREZ DE MONTALBÁN: *Sucesos y prodigios de amor en ocho novelas ejemplares*—1624—; DIEGO DE AGREDA Y VARGAS: *Novelas morales, útiles por sus documentos*—Madrid, 1620—; ALONSO DE CASTILLO SOLÓRZANO (1584-¿1648?), ya aludido en la novela picaresca, autor de las colecciones de novelas cortesanas: *Tardes entretenidas*—Madrid, 1625—, *Jornadas alegres*—Madrid, 1626—, *Tiempos de regocijo*—Madrid, 1627—, *Huerta de Valencia*—Valencia, 1629—; *Noches de placer*—Valencia, 1631—y *Fiesta del jardín*—Valencia, 1634.

MARÍA DE ZAYAS SOTOMAYOR (1590-1661), madrileña, de acomodada y noble familia, novelista insigne de costumbres dentro de un fuerte realismo: *Novelas amorosas y ejemplares*—Zaragoza, 1637—y *Novelas y saraos*—Zaragoza, 1647—, que obtuvieron gran éxito, numerosas ediciones y siendo traducidas al francés. FRAN-

CISCO DE LUGO DÁVILA: *Teatro popular, novelas morales*—Madrid, 1622—; MARIANA DE CARVAJAL: *Navidades de Madrid y novelas entretenidas*—Madrid, 1663—; ANDRÉS DE PRADO: *Meriendas del ingenio y entretenimientos del gusto* —Zaragoza, 1663.

6. TEATRO RENACENTISTA.—Los primeros esbozos de este teatro mantienen reminiscencias del teatro medieval: *Danzas de la Muerte,* farsas alegóricas y las piezas contenidas en el *Códice de Autos viejos,* integrado por las más antiguas muestras del teatro español, que se conserva manuscrito de la Biblioteca Nacional correspondiente a la primera mitad del siglo XVI. Nutrida recopilación—96 piezas con unos 50.000 versos—de teatro religioso, de teatro alegórico, con algunos coloquios y farsas.

Durante esta época el teatro español tuvo dos direcciones fundamentales: una pastoril, caracterizada por Juan del Enzina y sus imitadores, y otra realista que enfoca *La Celestina* y revela Torres Naharro. Pero paralela a estas direcciones conviene acreditar una tercera mucho menos importante, pero altamente curiosa, que habla muy alto acerca de algo que a los españoles nos han negado críticos extranjeros: la *preocupación europea.* Con gran tesón y mucha ciencia incontables eruditos españoles se dedicaron al estudio de las literaturas clásicas y a la traducción del teatro más admirable del mundo griego y latino. Así, FRANCISCO LÓPEZ DE VILLALOBOS tradujo el *Amphytrion* de Plauto; FERNÁN PÉREZ DE OLIVA, *Electra,* de Sófocles, y *Hécuba,* de Eurípides; PEDRO SIMÓN ABRIL: *Medea,* de Eurípides, *Plauto,* de Aristófanes, y las comedias de Terencio: *Andria, Los adelfos, El Formión, La Hecira, El Heantontimorúmenos.*

Como precursores de nuestro teatro nacional cabe mencionar a: DIEGO SÁNCHEZ DE BADAJOZ, autor de varias alegorías, moralidades y farsas: *Farsa de la muerte, Farsa del matrimonio, Farsa de la hechicera, Farsa de Tamar.* MICAEL DE CARVAJAL (1480-1530), autor de la farsa *Las Cortes de la Muerte,* de gran mérito. SEBASTIÁN DE HOROZCO (¿1510?-1580), autor del *Coloquio de la Muerte con todas las edades y estados.*

Pero se tiene "por padre o patriarca del teatro español" a JUAN DEL ENZINA (1469-1529), natural de Encina de San Silvestre (Salamanca) Estuvo al servicio del duque de Alba. Cantor de Capilla del Papa León X. Arcediano de Málaga. Autor de las églogas *Plácida y Victoriano, Cristino y Febea, Auto del Repelón, Fileno, Zambardo y Cardonio,* tres églogas o autos de Navidad y dos de la Pasión y Resurrección, dos églogas de Carnaval o antruejo y dos églogas amorosas. Todas ellas escritas en verso y casi todas terminadas con un villancico o cantarcillo de amores, cuya música él compuso, acompañados de danza. De gran inspiración popular y realista, Encina secularizó el drama y acertó a bosquejar en todo su teatro los principales géneros dramáticos que después se han cultivado.

LUCAS FERNÁNDEZ (¿1474?-1542), salmantino, mozo de coro en la catedral de Salamanca, beneficiado en Alaraz, profesor de música en aquella catedral y en la Universidad salmantina, autor de seis *Farsas y Églogas a modo pastoral y castellano para cantar,* publicadas en 1514, tres de ellas con temas religiosos y otras tres con temas profanos; la más importante la que lleva el título *Auto de la Pasión.* BARTOLOMÉ TORRES NAHARRO (m. hacia 1531), natural de Torre de Miguel Sesmero, cerca de Badajoz; soldado, cautivo en Argel, sacerdote; vivió mucho tiempo en Italia y fue un gran humanista. En Nápoles se imprimió—1517—un tomo suyo de comedias y poesías líricas, titulado *Propaladia.* Dividió sus comedias en *a noticia* (las de costumbres) y *a fantasía* (las de intriga novelesca), entre las que están: *Comedia Trofea, Comedia Serafina, Comedia Aquilana, Comedia Jacinta, Comedia Tinelaria, Comedia Soldadesca, Comedia Himenea, Comedia Calamita.* GIL VICENTE (¿1470?-¿1539?), portugués, pero vivió mucho tiempo en España y escribió más en castellano que en su idioma natal; licenciado en Derecho; empleado en el palacio de los monarcas lusitanos; músico. Fue, acaso, la figura más relevante del teatro peninsular en el siglo XV, y la más destacada de todos los tiempos del teatro portugués. Escribió 42 piezas de varia extensión y muy diversos temas: autos, farsas, comedias, tragicomedias; siendo las más importantes: *Auto da Sibila Casandra, Auto dos Reis Magos, Farça dos físicos, Comedia del viudo, Trilogía de las Barcas: Infierno, Purgatorio y Gloria, Comedia Rubena, Don Duardos, Amadís de Gaula* y *Floresta de engaños.* El gran acierto de Gil Vicente es haber sido el primer dramaturgo que se preocupó de señalar los caracteres humanos. Fue, además, un notable poeta lírico.

LOPE DE RUEDA, nació—¿1508?—en Sevilla y murió—1565—en Córdoba; batihoja, cómico ambulante, magnífico precursor del más extraordinario teatro español. Escribió cinco comedias, tres coloquios pastoriles, diez pasos, un auto, un diálogo, entre los que sobresalen: *Comedia Ermelina, Medora, Eufemia, Prendas de amor, La carátula, Los criados, Las aceitunas, Los lacayos ladrones, Diálogo sobre la invención de las calzas, Auto de Naval y Abigail.* La enorme y justa celebridad de Rueda se debe a sus *pasos,* breves piececillas llenas de gracia, de humor, de sátira y modelos de naturalidad.

También escribieron teatro en esta época: JUAN DE TIMONEDA: *Ternarios sacramentales: Auto de la oveja perdida, Auto del castillo de Emaús, Auto de los desposorios de Cristo; Tragicomedia llamada Filomena;* y las traducciones del *Anfitrión* y los *Menemnos* de Plauto.

E

ALONSO DE LA VEGA (m. hacia 1565): *Comedia Tholomea, Tragedia Serafina* y *La duquesa de la Rosa.*

Inician las tendencias clasicistas, en gran parte desligados de toda relación medieval: FRAY JERÓNIMO BERMÚDEZ (¿1530?-1599), dominico gallego, autor de dos tragedias de cierto mérito: *Nise lastimosa* y *Nise laureada,* escritas en un endecasílabo que se convertirá en metro típico de la tragedia clásica y neoclásica. ANDRÉS REY DE ARTIEDA (1544-1613), excelente poeta valenciano, de quien solo se conserva un drama —aun cuando escribió varios, cuyos títulos conocemos—: *Los amantes,* con el tema de los famosos enamorados de Teruel, impreso—1581— en Valencia.

CRISTÓBAL DE VIRUÉS (1550-1609), valenciano, poeta lírico y épico de consideración, autor de cinco tragedias bastante estimables: *La gran Semíramis, La cruel Casandra, Atila furioso, La infelice Marcela* y *Elisa Dido,* publicadas —1609—en Madrid precedidas de un prólogo en el que declara la ideología dramática del autor: sujeción a las reglas grecolatinas con cierto "acomodamiento" a la épica.

Pero el teatro típicamente español se inicia con JUAN DE LA CUEVA (1543-1610). Nacido en Sevilla pasó algunos años en Méjico, donde no logró fortuna; de regreso a su ciudad natal se dedicó al teatro, estrenando su primera comedia en 1579. Conocemos de él catorce comedias y tragedias, publicadas en 1583; unas con temas clásicos: *Tragedia de Ayax Telamón, Tragedia de la muerte de Virginia* y *Comedia de la libertad de Roma por Mucius Scévola;* otras con temas nacionales: *Tragedia de los siete infantes de Lara, Comedia de la libertad de España por Bernardo del Carpio, Tragedia de la muerte del rey don Sancho, Comedia del saco de Roma;* otras, con temas novelescos: *Comedia del infamador, La constancia de Arcelina, El viejo enamorado.* Juan de la Cueva tuvo el honor y el gran mérito de ser el primer dramaturgo que introdujo la materia épica nacional en el teatro. Versificó correctamente y compuso con animación y brillantez. También fue el primer dramaturgo que aconsejó el abandono de las unidades clásicas de tiempo y lugar, la fusión de lo cómico y lo trágico y el empleo de variedad de metros en las comedias.

7. ASCÉTICA Y MÍSTICA.—Uno de los géneros más ricos y fecundos de la literatura y del pensamiento filosófico de España fue el de la mística y ascética. La primera se refiere a las *relaciones del alma con Dios.* La segunda ayuda al hombre *a encontrar el camino de la virtud* por medio de la abnegación, del sacrificio y del amor. En muchos de los libros de ascéticos y místicos es sumamente difícil separar qué es místico y qué ascético.

Los primeros "avisos" de una y otra se encuentra en las obras de HERNANDO DE TALAVERA—*Doctrina de lo que debe saber todo cristiano*—, ALONSO DE MADRID—*Arte para servir a Dios*—y PABLO DE LEÓN—*Guía del cielo.*

FRANCISCO DE OSUNA (1497-¿1542?), religioso franciscano, autor de los *Abecedarios espirituales*—el primero aparecido en 1525—, libros que influyeron decisivamente en todos los místicos y ascéticos posteriores. El BEATO JUAN DE ÁVILA (1500-1569), cuyo *Epistolario espiritual*—140 cartas dirigidas a personajes famosos: Juan de Dios, Ignacio de Loyola, Francisco de Borja, duquesa de Arcos, condesa de Feria...—ocasionó una larga y honda conmoción en las almas más excelsas de la época. Juan de Ávila nació en Almodóvar del Campo, fue sacerdote ejemplar hasta el punto de merecer el dictado de *Apóstol de Andalucía.*

FRAY LUIS DE GRANADA (1504-1588) Nació en Granada y murió en Lisboa. Su nombre en el mundo fue Luis de Sarriá. Paje de los hijos del conde de Tendilla. Dominico. Capellán del duque de Medina Sidonia. Confesor y amigo del gran duque de Alba. Famosísimo orador sagrado. Uno de los más excelsos talentos que ha tenido España y de los prosistas más admirables. Provincial de su Orden en Portugal. Entre sus mejores obras cuentan: *Libro de la oración y meditación, Introducción al símbolo de la fe, Guía de pecadores, Memorial de la vida cristiana, Meditaciones muy devotas.* En ellas entreveró magistralmente, con inspiración y hondura inagotables, los conceptos místicos, las reglas ascéticas y la poesía eterna en prosa. (De FRAY LUIS DE LEÓN y de MALÓN DE CHAIDE, ya nos hemos ocupado en el apartado relativo a la *Poesía en los siglos XVI y XVII.*)

SAN PEDRO DE ALCÁNTARA (1499-1562), franciscano, autor de un *Tratado de la oración y meditación*—1540—, y cuya maravillosa vida fue ejemplo de otros admirables místicos, como Fray Luis de Granada y Teresa de Jesús.

FRAY JUAN DE LOS ÁNGELES (¿1536?-1609), franciscano, confesor de las Descalzas Reales, en Madrid, de cuya pluma salieron los más bellos libros sobre el Amor divino: *Triunfos de amor de Dios*—1590—, *Lucha espiritual y amorosa entre Dios y el alma*—1600—, *Diálogos de la conquista del espiritual y secreto reino de Dios* —1595—, *Manual de la vida perfecta*—1608—, *Tratado de los soberanos misterios de la Misa* —1604—. SOR MARÍA DE JESÚS DE ÁGREDA (1602-1665), franciscana, consejera del rey don Felipe IV, autora de tres libros muy importantes: *Mística ciudad de Dios, Escala* y *Cartas a Felipe IV.*

TERESA DE JESÚS (1515-1582) Nació en Ávila y murió en Alba de Tormes. Sus nombres en el mundo fueron Teresa de Cepeda y Ahumada. Carmelita y reformadora de esta Orden. Fundadora de incontables conventos. La cumbre más alta de la mística española, que compartió con otro carmelita: San Juan de la Cruz. Sus trabajos y sus días fueron luminosos, seductores. Tuvo el don de lágrimas y el don de éxtasis; estos alcanzaron a veces la sublimación de las *cristofanías.* Escribió, en hermosísimo castellano siempre de subidísimo lirismo: *Camino de perfección*—1585—, *Castillo interior o Las Moradas*—1588—, *Conceptos del amor de Dios* —1612—, *Libro de las fundaciones*—1613—, *Avisos espirituales, Siete meditaciones sobre la oración del Padrenuestro, Suma y compendio de los grados de oración, Libro de su vida, Libro de las relaciones* y algunas poesías llenas de inspiración y de gracia espiritual. Doctora de la Iglesia y doctora del lenguaje de Castilla. Solía escribir después de haber comulgado, "y el calor interno que penetraba entonces en sus entrañas era el que movía su mente y encendía su corazón y guiaba su pluma." Solía decir fray Luis de León, que siempre que leía los escritos de la santa se admiraba de nuevo porque "en muchas partes de ellos, me parece que no es ingenio de hombre el que oigo; y no dudo sino que habla el Espíritu Santo en ella, en muchos lugares, y que le regía la pluma y la mano, que así lo manifiesta la luz que pone en las cosas oscuras, y el fuego que enciende con sus palabras en el corazón que las lee." Teresa de Jesús ha sido el genio más original, claro y sublime que ha hablado de Dios y del alma.

Fray Juan de la Cruz (Juan de Yepes y Álvarez: (1542-1591). Nació en Fontiveros (Ávila) y murió en Úbeda (Jaén) Hijo de un tejedor. Débil de cuerpo y enfermizo. Por no poder aprender un oficio ingresó de enfermero en el Hospital de Medina del Campo. Poco después profesó en los Carmelitas de Salamanca —1567—. Al año siguiente, su encuentro con Teresa de Jesús fue decisivo para su vida, ya que la adorable Madre le convenció para que emprendiese la reforma de los carmelitas. En Duruel fundó el primer convento y tomó el nombre de Juan de la Cruz. Estuvo preso en Toledo, por calumnias. Fue definidor general de su Orden—1581—, prior de Granada—1583—, vicario de Andalucía—1585—. Toda su existencia gloriosa estuvo llena de arrobos, éxtasis y milagros. Sus poesías son el exponente más alto y complejo del soberano misticismo español; y fueron calificadas por Menéndez Pelayo de "angélicas, celestiales y divinas." Las obras de San Juan de la Cruz, publicadas treinta años después de su muerte, comprenden los siguientes tratados: *Subida al Monte Carmelo, Noche oscura del alma* y *Llama de amor viva.* Posteriormente apareció el *Cántico espiritual.* Cada uno de sus libros es un extenso y profundo comentario en prosa de las poesías que encabezan cada capítulo.

Otros místicos y ascéticos de importancia son: Santo Tomás de Villanueva (1488-1555), agustino, autor de *Opúsculos, Soliloquios entre Dios y el alma para después de la comunión, Sermón del amor de Dios.* El agustino Beato Alonso de Horozco (1500-1591), autor de *Las siete palabras de la Virgen, De nueve nombres de Cristo.* El jesuita Alonso Rodríguez (1538-1616), autor de *Ejercicio de perfección y virtudes cristianas.* El jesuita Luis de la Puente (1554-1624), autor de *Meditaciones de los misterios de nuestra santa fe, Guía espiritual, Tratamiento de la perfección del cristiano en todos sus estados.* El jesuita Juan Eusebio Nieremberg (¿1595?-1658): *Diferencia entre lo temporal y lo eterno, Vida divina y camino real para la perfección.* Tradujo prodigiosamente la *Imitación de Cristo* o *Kempis.* El jesuita Luis de la Palma: *Historia de la Sagrada Pasión.* El jesuita Pedro de Rivadeneira (1527-1611); *Tratado de la tribulación.* El franciscano Fray Diego de Estella (1523-1578): *Meditaciones devotísimas del amor de Dios.* Sor Juana Inés de la Cruz (Juana de Asbaje: 1651-1695) Nacida en San Miguel de Nepantla (Méjico), jerónima, autora de comedias y poesías admirables. La mayor parte de estas corresponden al género ascético, y también el auto *El divino Narciso.* Entre sus obras teatrales: *Los empeños de una casa, Amor es más laberinto, San Hermenegildo.*

Dentro de este género hay que incluir el famoso *Soneto a Cristo crucificado,* que empieza: "No me mueve, mi Dios, para quererte", de autor anónimo, aun cuando ha sido atribuido a Santa Teresa de Jesús, a San Francisco Javier, al agustino fray Miguel de Guevara y a otros muchos.

Dentro de este apartado—o capítulo—cabe incluir a otros escritores ascéticos o místicos, pero... *heterodoxos.* Juan de Valdés (m. 1541), conquense, gran humanista, magnífico prosista, fue uno de los primeros españoles que aceptó la Reforma; en su casa de Nápoles explicaba sus doctrinas ascéticas a numerosos discípulos. Autor de *Ciento diez consideraciones divinas, Diálogo de la lengua* y *Diálogo de Mercurio y Carón.* Introdujo el protestantismo en Italia con una doctrina avalada por una conducta irreprochable. Miguel de Molinos (1627-1696), aragonés, sacerdote y confesor de monjas en Roma; llegó a ejercer una influencia decisiva en miles de criaturas de ambos sexos. Su doctrina, el *quietismo,* quedó expuesta en un tratado titulado *Guía espiritual que desembaraza al alma y la conduce al interior camino para alcanzar la perfecta contemplación*—Roma, 1675—. Su doctrina fue condenada por el Papa, pero alcanzó una fuerza enorme en Italia, Francia e Inglaterra. Cipriano de Valera (¿1532?-¿1604?), sevillano y fraile; convertido al protestantismo tuvo que huir a Inglaterra, donde llegó a ser profesor en la Universidad de Oxford. Se hizo famoso con su traducción de la Biblia. Francisco de Encinas (1520-1552), de vida aventurera y desgraciada, discípulo de Melanchton, traductor del Nuevo Testamento y autor de varios tratados heterodoxos y de traducciones magníficas de Luciano, Mosco, Plutarco y Tito Livio.

8. La Historia (siglo xvi).—Florián de Ocampo (¿1495?-1558), zamorano: *Crónica general de España,* incompleta, pues de los ochenta libros en que iba a dividirse, solo terminó cinco, no llegando sino hasta los Escipiones. Ambrosio de Morales (1513-1591), continuador de la Crónica de Ocampo y autor de una mejor obra: *Las antigüedades de las ciudades de España,* verídica, imparcial y bien ordenada. Jerónimo de Zurita (1512-1580), aragonés, secretario de don Felipe II, cronista real: *Anales de la Corona de Aragón,* que abarcan desde el origen del reino hasta la muerte de Fernando el Católico; escrita con gran rigor científico y absoluta objetividad.

Juan de Mariana (1535-1624), de Talavera de la Reina (Toledo), jesuita, estudió en Alcalá, en Salamanca y en Roma; en esta última ciudad fue profesor de Teología durante trece años. Escribió: *Historiae de rebus Hispaniae libri XXV*—1592—, *De ponderibus et mensuris* —1593—; *Tractatus septem: De monetae mutatione, De spectaculis, De morte et inmortalitate, De adventu Jacobi minoris, Pro editione Vulgatae, De annis arabum* y *De die mortis Christi*—1609—; *De Rege et Regis institutione* —1599—; *Discurso de los grandes defectos que hay en la forma de gobierno de los jesuitas.* Su libro más importante es la *Historia de España,* en edición definitiva de XXX libros y traducida al castellano por su autor: Toledo, 1601. Su éxito fue enorme. Está escrita en admirable castellano. Y aun cuando Mariana utilizó las mejores fuentes, con la irreprochable erudición y la composición irreprochable van mezcladas algunas leyendas francamente inadmisibles.

Prudencio de Sandoval, benedictino, autor de la *Historia de los cinco reyes* (Fernando I, Sancho II, Alfonso VI, doña Urraca y Alfonso VII) y de *Historia de la vida y hechos del emperador Carlos V.* Francesillo de Zúñiga (m. 1532), bufón de Carlos I: *Coronica historia,* con más sátira que probidad. Diego Hurtado de Mendoza (1503-1575), de nobilísima familia, militar, diplomático, poeta y gran prosista. Entre sus obras en prosa sobresale la *Guerra de Granada,* erudita, animada, amenísima, pletórica de descripciones admirables y de retratos insuperables. Luis de Mármol Carvajal (¿1520?-1600), granadino, militar ilustre, arabista excepcional, autor de *Descripción general de Africa* e *Historia de la rebelión y castigo de los moriscos de Granada.* Luis de Zúñiga y Ávila, militar y embajador y compañero y amigo de Carlos I: *Comentario de lo sucedido en las guerras de los Paises Bajos desde 1567 hasta 1577.*

Entre los historiadores de Indias alcanzaron fama perdurable: Cristóbal Colón (¿1451?-1506), precursor y maestro de todos los historiadores de América con sus *Cartas,* de gran exactitud y de gran imparcialidad, publicadas en 1493, de las que dijo Menéndez Pelayo que delataban "la espontánea elocuencia de un alma inculta a quien grandes cosas dictan grandes palabras." Gonzalo Fernández de Oviedo (1478-1557), vivió mucho tiempo en las Indias y debe ser considerado como el primer gran cronista de ellas: *Historia general y natural de las Indias, Islas y Tierra firme del mar Océano* —1526—; obra de valor incalculable por su precisión, objetividad, innumerables testimonios de hechos y personas, maestría de composición y prosa noble. Bartolomé de las Casas (1470-1566), dominico que vivió muchos años en América, y que "pretendiendo prestar servicios a los indios logró causar males sin cuento a su patria" con sus obras *Brevísima relación de la destrucción de las Indias* e *Historia de las Indias;* dos libros cuya fama se mantiene por su escándalo, pero que carecen de valores eruditos y literarios. Hernán Cortés (1485-1547), el gran conquistador de Méjico: *Cartas y Relaciones,* dirigidas a Carlos I, bien escritas y llenas de noticias sensacionales generalmente bien recogidas y enjuiciadas.

Francisco Cervantes de Salazar (¿1514?-1575), gran humanista y polígrafo: *Crónica de la Nueva España,* abundantísima en noticias del mayor interés.

Fray Bernardino de Sahagún (1530-1590): *Historia general de las cosas de Nueva España.* Francisco López de Gómara (1512-¿1572?), soriano y capellán de Hernán Cortés, testigo excepcional de la conquista de Méjico, de mucha cultura y noble estilo: *Historia de las Indias y Conquista de Méjico,* modelo en su género. Bernal Díaz del Castillo (1492-1581), uno de los más insignes historiadores españoles de todos los tiempos: erudito, serio, simpático y sincero: *Verdadera historia de los sucesos de la conquista de Nueva España*—1632.

Francisco López de Jerez (1504-1539), sevillano, secretario de Francisco Pizarro; por deseo de este escribió la *Verdadera relación de la conquista del Perú*—Sevilla, 1534—. Pedro Cieza de León (1518-1560), sevillano y militar ilustre: *Crónica del Perú*—Sevilla, 1553—. Garcilaso de la Vega "El Inca" (1539-1616), hijo de una princesa peruana y de un ilustre militar español; nació en el Cuzco y murió en Córdoba. Su inmortal obra *Comentarios reales* es un delicioso libro en el que se entreveran la historia y la geografía, la novela y el folklore, lo legendario y el pintoresquismo.

9. La prosa (siglo xvi: didáctica, histórica, pedagógica, moral).—Fray José de Sigüenza (¿1544?-1606), agustino, sucesor de Arias Montino como director de la biblioteca del monasterio de El Escorial: *Historia de la Orden de*

San Jerónimo, escrita en excelentísima prosa y pletórica de cosas y de sucesos curiosísimos, muchos de ellos con poco que ver en relación al título del libro. FRAY ANTONIO DE GUEVARA (¿1480?-1545), obispo, inquisidor, pulido cortesano, predicador real, soberano humanista, prosista y estilista excepcional, cuyos libros fueron traducidos en seguida de ser publicados a todas las lenguas de Europa; gozó de universal fama. Sus tres libros más importantes son: *Relox de príncipes o Libro del emperador Marco Aurelio*—1529—, *Epístolas familiares* y *Menosprecio de corte y alabanza de aldea*—1539—. PEDRO MEXÍA, a quien ya me he referido al aludir a los humanistas y prosistas, escribió *Historia imperial y cesárea, Historia del emperador Carlos V,* obras con más anécdotas que historia erudita.

JUDÁ ABRABANEL O "LEÓN HEBREO" (¿1460?-1526), nacido en Lisboa, servidor fiel de don Fernando el Católico, médico ilustre, autor de un famosísimo libro—imitado, copiado, aprovechado por cien autores—: *Diálogos de amor,* especie curiosísima de tratado filosófico, tratado de estética y tratado de erótica. Cervantes alabó este libro en el prólogo de su *Quijote*: "Si tratáredes de amores, con dos onzas que sepáis de lengua toscana, toparéis con León Hebreo, que os hincha las medidas". Como ya me he referido a JUAN DE VALDÉS en el apartado correspondiente a los ascéticos heterodoxos, aquí he de señalar a su hermano ALFONSO DE VALDÉS (¿1490?-1532), nacido en Cuenca y muerto en Viena, soberano humanista, redactor de cartas de Carlos I y autor de *Diálogo de Lactancio* y *Diálogo de Mercurio y Carón,* de concepción típicamente lucianesca, llenos de dinamismo y amenidad, escritos en un lenguaje rico y noble. CRISTÓBAL DE VILLALÓN (¿1505-1581?), natural de Alcalá de Henares, humanista insigne de gran cultura y de enorme fuerza satírica, sumamente influido por las doctrinas de Luciano y Erasmo, autor de *El viaje a Turquía, Diálogo de las transformaciones de Pitágoras* y *El Crotalón.* JUAN HUARTE DE SAN JUAN (¿1530-1591?), de Baeza, autor del famosísimo libro *Examen de ingenios para las ciencias,* centón curioso de noticias y críticas acerca de la medicina, de la jurisprudencia, de la filosofía, de la historia, de la moral, de las bellas artes, de la antropología, de la eugenesia, de la patología. Huarte de San Juan fue el precursor de la psicología experimental. FERNÁN PÉREZ DE OLIVA (1494-¿1531?), humanista, introductor en España de la tragedia griega, adaptador de Plauto y autor del *Diálogo de la dignidad del hombre,* sujeto al escolasticismo y lleno de ideas originales. FRANCISCO LÓPEZ DE VILLALOBOS (¿1473?-1549), médico de Fernando el Católico y de Carlos I, escribió *Los ocho problemas* y las *Tres Grandes* (gran parlería, gran porfía y gran risa), obras de terrible sátira y de desenfado rabelesiano.

10. MIGUEL DE CERVANTES SAAVEDRA (1547-1616). Nació en Alcalá de Henares y fue bautizado el domingo 9 de octubre en la parroquia de Santa María la Mayor, de dicha villa. Hijo cuarto del cirujano (¿?) Rodrigo de Cervantes y de doña Leonor Cortinas. Estudió Humanidades en Madrid con el licenciado López de Hoyos. Pasó a Italia, de camarero del cardenal Acquaviva. Tomó parte en la batalla de Lepanto, donde recibió una herida que le dejó seco el brazo izquierdo. Cinco años permaneció cautivo en Argel, siendo rescatado por los trinitarios Antonio de la Bella y Juan Gil, quienes pagaron por él doscientos ochenta escudos. Obtuvo algunos cargos no muy importantes: proveedor de la Armada Invencible, transacionista en granos... Padeció prisiones en 1597 y 1602. Viviendo en Valladolid se encontró envuelto en sucesos raros de juego y prostitución, y en la misteriosa muerte del caballero navarro don Gaspar de Ezpeleta. Se casó con doña Catalina de Salazar y Palacios en 1584. Perteneció a la Hermandad de Esclavos del Santísimo Sacramento—1609—, a la Academia Selvaje—1612—, a la Orden Tercera de San Francisco—1616—. Murió en Madrid el 23—quizá el 22—de abril y fue enterrado en el convento de las Trinitarias de la calle de Cantarranas, actual de Lope de Vega.

Cervantes, príncipe de los ingenios de España, con Homero y Shakespeare forma la trinidad maravillosa de las letras universales. Fue poeta delicado y dramaturgo excepcional. Obras: *La Galatea*—poema pastoril, 1585—; *Ocho comedias y ocho entremeses nuevos (El trato de Argel, La Numancia, Los baños de Argel, El laberinto de amor, La Entretenida, El rufián dichoso, La casa de los celos, El juez de los divorcios. La guarda cuidadosa, La elección de los alcaldes de Daganzo, El retablo de las maravillas...) Poesías* y *El Viaje del Parnaso; Don Quijote de la Mancha*—parte primera 1605 y parte segunda 1615—; *Las Novelas Ejemplares (La gitanilla, El celoso extremeño, La española inglesa, Rinconete y Cortadillo, El licenciado Vidriera, La ilustre fregona, La fuerza de la sangre, El coloquio de los perros, Las dos doncellas, La señora Cornelia, El casamiento engañoso...)*; *Los trabajos de Persiles y Sigismunda*—1616.

El *Quijote,* es, después de la Biblia, el libro más traducido y más veces impreso del mundo; y su bibliografía resulta abrumadora en todos los idiomas cultos. No es esta ocasión de intentar un alarde crítico y noticiero de la obra genial de Cervantes, sino de indicar que el glorioso alcalaíno es una de las cumbres más altas de la literatura universal.

11. EL BARROCO ESPAÑOL (SIGLO XVII).—*Conceptismo y culteranismo.* El Barroco fue un movimiento espiritual y literario *revolucionario,* pero no *subversivo,* que surgió para opo-

nerse y aun acabar con el Renacimiento. El término barroco no se aplicó en un principio sino a la revolución artística. En el sentido más estricto, barroco significó todo monumento arquitectónico, escultura, pintura y demás obras de arte *exagerados*, recargados de detalles, sorprendentes de minucias, originados por una audacia sin límites y por una imaginación sin freno. Pero posteriormente se extendió su influencia a lo espiritual y literario. Y con exactitud innegable. El Renacimiento tenía al mundo rigurosamente *ordenado* tanto en la inspiración como en la forma. El Renacimiento era un cauce amplio, canalizado, navegable a placer y *a medida*. El Barroco puso una bomba formidable bajo tal serenidad, ya un tanto demasiado preceptiva. Estalló el artefacto. Y la revolución barroca irrumpió en aludes los campos irrigados antes con un arte casi mecánico. El Barroco fue un puro nervio desatado, una excitación creciente. No sabía bien adónde iba ni qué pretendía—si es que el anhelo de vibrar porque sí y de consumirse sin por qué no era ambiciosa pretensión—. El barroco literario, como el artístico, traían en brazos una cosecha ubérrima y detonante de pasiones, de libertades aún no bien definidas, de confusiones con vitola de caprichos sorprendentes, de graciosos y recalcados detalles, de voluntariosos respingos, de estridentes ideales.

Naturalmente, tales exageraciones, para no caer en lo subversivo, hubieron de tener *un sentido*—más o menos concreto—de creación. Dicho sentido fue el nobilísimo afán de restaurar el valor humano en su auténtico paroxismo de diversidad. El barroco revaloró la maravillosa finitud del hombre, sacando provecho de sus calidades y de sus fallos. Y sin sentir rubores por estos. El barroco hizo alarde de las limitaciones y hasta de las impotencias de la creación en el hombre artista. El barroco no ocultó ni su audacia—en desproporción con los medios—, ni su tendencia a fiar más en la rebeldía de cada momento que en lo magistralmente normativo de antemano. Confió más en el hombre *a capricho* que en la tradición paradigmática. El Barroco, por ende, careció de sistema, de medida, de pulso, de justicia crítica. Como cualquier revolución política.

Literariamente el barroco significó el triunfo de la *complejidad* y de la *complicación*, ya que la temática, y aun la ideología y la intención, quedaron recubiertas por los elementos expresivos—decorativos—: ingeniosidades, juegos de palabras, imágenes, paradojas, enumeraciones.

En España el barroco estuvo compuesto por dos fenómenos de rigor *externo* o *interno: culteranismo* o *conceptismo;* fenómenos que no se excluyen, sino que, en múltiples ocasiones, se completan.

El *culteranismo* es, primordialmente, una *provocación de la forma;* y el *conceptismo* es una *insinuación, casi jeroglífica, de la idea.* Pero el conceptismo supo valerse de la forma culterana, y el culteranismo de la ideología conceptuosa.

El Barroco estalló en España con más fuerza que en ningún otro país, acaso por ser España pueblo de rebeldía sistemática, del *porque no* opuesto instintivamente al *porque sí;* pueblo de afanes siempre inconcretos, de incongruencias geniales, de amor desmedido por lo exorbitante, de absurdo desprendimiento de todo cuanto solemniza y mediatiza lo vital. Innumerables son los puntos de contacto entre el Barroco y el Romanticismo: el ímpetu, el desorden, la exorbitancia, la pasión, la tendencia a la melancolía y a las postrimerías del hombre. Por todo ello no yerran filósofos y estéticos al calificar al Barroco como *un primer Romanticismo.*

12. POESÍA ÉPICA BARROCA.—Por lo general, el temario de esta poesía fue el *histórico.*

FRANCISCO DE TRILLO Y FIGUEROA (¿1615-1665?), gallego, afamado poeta lírico muy ganado por el culteranismo, escribió el poema *Neapolisea*—1651—, en octavas reales, con el tema de las hazañas de Gonzalo Fernández de Córdoba. LUIS DE ULLOA Y PEREIRA (1584-1674), poeta lírico importante, autor del poema *La Raquel*, en setenta y seis octavas reales, con el tema de la hermosa judía toledana muy amada por don Alfonso VIII. CRISTÓBAL DE MESA (1561-1633), nacido en Zafra, poeta de una fecundidad asombrosa, autor de los poemas *Las Navas de Tolosa, El Patrón de España* y *La Restauración de España.*

DIEGO DE HOJEDA (¿1570?-1615). Sevillano y dominico. Muy joven marchó al Perú, y en Lima desempeñó el cargo de regente de estudios en el noviciado de su Orden. En 1606 le fue conferido el título de maestro en Teología, y en 1608 el de lector de Sagrada Escritura. De vida ejemplar colmada de grandes penitencias. Su obra perdurable es el poema *La Cristiada,* publicada—1611—en Sevilla, cuadro de enormes proporciones en doce cantos y octavas reales, con el tema de la Pasión de Cristo. JOSÉ DE VALDIVIELSO (¿1560?-1638) Toledano y sacerdote, amigo de Cervantes y entrañable de Lope de Vega. Capellán del Cardenal Sandoval y Rojas y del Cardenal Infante don Fernando de Austria. Poeta lírico de inspiración delicada y emotiva musicalidad. Autor del poema *Vida, excelencias y muerte del gloriosísimo patriarca San José*—Toledo, 1604—, sumamente pío y con más valores parciales que de conjunto. BERNARDO DE BALBUENA (1568-1627), de Valdepeñas (Ciudad Real), muy joven marchó a Méjico, donde fue cura párroco; abad de Jamaica y Obispo de Puerto Rico. Su obra magistral es el poema heroico *Bernardo* o *Victoria de Roncesvalles*—Madrid, 1624—en cinco mil octavas reales, con abundantes motivos de literatura caballeresca. En su conjunto *pesa;* pero contienen fragmentos de soberana grandeza en episodios entreverados de realidad y de leyendas.

JOSÉ DE VILLAVICIOSA (1589-1658) de Sigüenza (Guadalajara), autor del poema burlesco *La Mosquea,* en doce cantos y octavas reales, con el tema de la lucha entre las moscas y las hormigas.

13. POESÍA LÍRICA BARROCA.—ALONSO DE LEDESMA BUITRAGO (1562-1623), segoviano, considerado como el iniciador del conceptismo en la poesía: *Conceptos espirituales, Juegos de Nochebuena con cien enigmas, Romancero y monstruo imaginado.* ALONSO DE BONILLA, de Baeza y que comparte con el anterior la "paternidad" del conceptismo lírico: *Peregrinos pensamientos de misterios divinos.* LUIS CARRILLO DE SOTOMAYOR (1583-1610), de Córdoba y de noble y rica familia. De gran belleza varonil y poderoso atractivo. Siguió la carrera de las armas. Un año después de su muerte publicó sus obras —Madrid, 1611—un hermano suyo. La crítica moderna considera a Carrillo como el verdadero *creador del cultismo,* y hasta cree si leyendo sus poesías sintió Góngora la inclinación a desorbitar la tendencia. Su más interesante composición es la *Fábula de Acis y Galatea,* antecedente de la de Góngora *Fábula de Polifemo y Galatea.* En su *Libro de la erudición poética,* defendió Carrillo la latinización del vocabulario y sintaxis castellanos, el alarde de la erudición, la oscuridad discreta de la intención y del tema; y condenó como vicio la sencilla claridad.

LUIS DE GÓNGORA Y ARGOTE (1561-1627) Nació y murió en Córdoba. Estudió en esta ciudad y en Salamanca. Llevó una mocedad tumultuosa y pendenciera. En 1585 debía de estar ya ordenado, pues que asistía al Cabildo de la catedral cordobesa y disfrutaba un beneficio. Le acusaron de murmurador, de asistir poco a coro y mucho a públicos festejos, de vivir alegremente y componer poesías ligeras. Varias veces estuvo en Granada, en Toledo, en Cuenca, en Salamanca. En 1617 se trasladó a Madrid definitivamente, por haber sido nombrado capellán de Felipe III. Concurrió a Mentideros y Academias literarios y se peleó a lo villanesco con los más insignes poetas de su época. Pasados los cincuenta años se ordenó de sacerdote. Ya muy enfermo regresó a Córdoba, donde murió de apoplejía, luego de unos años de cierta perturbación mental. Para muchos críticos Góngora es la cumbre de la poesía lírica. En su producción se señalan dos períodos: hasta 1611 y desde 1611. En el primero, Góngora fue un portentoso y delicioso poeta *claro* de romances, letrillas, canciones, sonetos; poeta puramente tradicional. El segundo período marca la aparición del *culteranismo* o *gongorismo* explosión de las metáforas, de las imágenes, de las paradojas, del simbolismo mitológico, del hipérbaton, de los neologismos más audaces.

La primera edición de sus obras líricas—Madrid, 1627—la llevó a cabo Juan López Vicuña. Escribió dos comedias muy medianas: *Las finezas de Isabela* y *El doctor Carlino.* Entre sus poesías de la primera época sobresalen: *Angélica y Medoro, Al nacimiento de Cristo,* incontables romances y letrillas y canciones. El poema *Panegírico al duque de Lerma*—1609—y la oda *A la toma de Larache*—1610—marcan el inicio de su culteranismo, que llegará a su apogeo en la *Fábula de Polifemo y Galatea* —1612—y en las *Soledades*—1613—; poemas en los que, en medio de oscuridades de pensamiento y de expresión, hállanse incontables seducciones. "Veían en Góngora sus coetáneos al supremo maestro de la lírica, como en Lope al maestro del drama, y en Cervantes al maestro de la novela. Y su grandísima autoridad, y la melodiosa magia de su estilo (esta magia lírica de Góngora que le hace el más admirado de nuestros clásicos entre los poetas de hoy), contribuyen a extender el culteranismo, no solo en la lírica, sino también en la prosa y en la oratoria sagrada. *Polifemo* y *Soledades* fueron acogidas como obras maestras del nuevo estilo. Sus adictos se aplicaron con religiosa devoción a comentarlas, frase por frase, palabra por palabra. Y por ser Góngora el gran representante del culteranismo, se le llamó asimismo *gongorismo*". (Romera Navarro).

JUAN DE TASSIS Y PERALTA (1582-1622), conde de Villamediana, de noble familia y vida tumultuosa y aventurera; murió asesinado *misteriosamente* y, según se malició, por haber tenido amoríos con la reina esposa de Felipe IV. Sus obras—Zaragoza, 1629—fueron cultistas sin exageración. Escribió terribles epigramas, la comedia *La gloria de Niquea, Fábula de Faetón, Fábula de Dafne y Apolo, Fábula de Venus y Adonis.* PEDRO SOTO DE ROJAS, granadino y culterano, sensual y brillantísimo: *Desengaño de amor en rimas, Los rayos de Faetón.* SALVADOR JACINTO POLO DE MEDINA (1603-1676) murciano, sacerdote, apasionado admirador de Góngora y Quevedo; *Fábula de Apolo y Dafne.* Sus obras en prosa y verso fueron publicadas en 1664.

GABRIEL BOCÁNGEL UNZUETA (1608-1658), bibliotecario del cardenal infante don Fernando y elogiado por Lope en *Laurel de Apolo: Lira de musas* (1635) AGUSTÍN DE SALAZAR Y TORRES (1642-1675), culteranismo: *Cítara de Apolo* y *Soledad.* ANTONIO ENRIQUEZ GÓMEZ (1600-1660), judío converso segoviano, capitán de los Tercios: *Academias morales de las musas.* ANASTASIO PANTALEÓN DE LA RIVERA (1600-1629), lírico muy perturbado por el gongorismo.

MIGUEL DE BARRIOS (¿1625-1675?), cuyo verdadero nombre era Daniel Leví, nacido en Montilla, y que vivió muchos años en Bruselas y Amsterdam: *Flor de Apolo, Coro de las musas.* FRAY HORTENSIO FÉLIX PARAVICINIO (1580-

1633), madrileño, trinitario, famoso orador sagrado; en sus *Obras póstumas, divinas y humanas*—Madrid, 1641—quedaron recogidas la mayor parte de sus poesías gongorinas y conceptistas hasta la exageración.

Entre los poetas poco a nada afectados por el gongorismo figuran: JUAN DE ARGUIJO (1560-1623), sevillano y de rica familia, Veinticuatro de su ciudad natal, gran mecenas de poetas y artistas, famoso por sus sonetos, epigramas y otras breves composiciones "trabajadas con el esmero con que los orfebres labran sus obras". JUAN MARTÍNEZ DE JÁUREGUI Y HURTADO (1583-1641), sevillano, pintor, enemigo acérrimo del culteranismo y del conceptismo. Sus mejores poesías son las tituladas *Al desposorio de Cristo con santa Teresa* y la paráfrasis del salmo 136 *Super flumina Babylonis sedimus,* y el poema *Orfeo.* Tradujo irreprochablemente la *Farsalia,* de Lucano, y la *Aminta,* de Tasso. En su *Discurso poético* y *Antídoto contra las "Soledades"* cerró sus razones muy ecuánimes contra Góngora. FRANCISCO DE RIOJA (1583-1659), erudito y poeta sevillano, teólogo, canónigo en su ciudad natal, consejero de la Inquisición: *A la rosa, Al clavel, Al jazmín,* poesías de excepcional delicadeza. RODRIGO CARO (1573-1647), de Utrera (Sevilla), visitador del Obispado y consultor del Santo Oficio; muy aficionado a libros y tertulias literarias; le han ganado la gloria su canción *A las ruinas de Itálica*—una de las más hermosas y perfectas poesías de la lengua española—y otras varias poesías llenas de elegancia y buen gusto.

Epístola moral a Fabio, de autor anónimo, consta de doscientos cinco versos en tercetos encadenados con su serventesio final; poema de gran belleza formal y de noble idealismo filosófico. PEDRO DE QUIRÓS (¿1617-1667?), de la escuela sevillana, excelente poeta "de tono menor": *Al nacimiento de Cristo,* el madrigal *La tórtola, A Itálica.* PEDRO DE ESPINOSA (1578-1650), antequerano, desdeñado por la mujer amada se retiró como penitente a la ermita de la Magdalena, próxima a su ciudad natal; en su famosa antología *Flores de poetas ilustres de España* recogió incontables y hermosísimas poesías. Entre las suyas originales: *Fábula del Genil, A la Asunción, A la navegación de San Raimundo, desde Mallorca a Barcelona,* en verdad primorosas por la impecable pureza y brillantez de sus versos.

CRISTOBALINA FERNÁNDEZ DE ALARCÓN, llamada la "musa antequerana" y que dos veces desdeñó los amores de Pedro de Espinosa.

FRANCISCO DE AGUSTÍN TÁRREGA (¿1554?-1602), valenciano, dramaturgo notable y uno de los fundadores de la famosa Academia valenciana *de los Nocturnos.* GASPAR DE AGUILAR (1561-1623), valenciano, dramaturgo, autor de muy admirables composiciones líricas: *Fábula de Júpiter y Europa, Fábula de Endimión y la Luna.*

LUPERCIO LEONARDO DE ARGENSOLA (1559-1613), de Barbastro, estudió en Huesca y Zaragoza; secretario del duque de Villahermosa y de la emperatriz María, cronista de la Corona de Aragón; vivió en Nápoles al servicio del conde de Lemos, y en esta ciudad murió. Gran espíritu y gran señor, maestro en serenidad y en comprensión, con su hermano Bartolomé, fue Lupercio jefe de la llamada "escuela aragonesa", noble y fuerte reacción de la poesía tradicional contra los excesos del culteranismo y del conceptismo. Algunos de sus sonetos—*Imagen espantosa de la muerte...*—pasan por ser de las poesías más perfectas, hondas y bellas de las letras españolas. Escribió las tragedias *La Isabela, La Alejandra* y *La Filis,* y una *Información de los sucesos de Aragón en 1590.*

BARTOLOMÉ LEONARDO DE ARGENSOLA (1562-1631), de Barbastro, estudió en Huesca, Zaragoza y Salamanca; sacerdote capellán del ducado de Villahermosa; estuvo en Italia con el conde de Lemos y su hermano Lupercio, y sucedió a este como cronista de Aragón; canónigo en Zaragoza. De estilo señor y correctísimo, de espíritu y de inspiración equilibrados, sus poesías son unas nobles lecciones contra el culteranismo. Como en su hermano, predominó en él la razón sobre la fantasía, y el intelecto sobre la sentimentalidad. Los "Horacios españoles", se les llamó a los Argensola. Sus sonetos pasan por ser los más pulidos y perfectos que se han escrito en castellano. Obras: *Anales de Aragón, Conquista de las Islas Molucas, Alteraciones populares en Zaragoza en 1591.*

ESTEBAN MANUEL VILLEGAS (1589-1669), logroñés, aventurero, tesorero de rentas en Nájera, *sablista* profesional, procesado por la Inquisición por haber mezclado con sus apreciaciones sobre el libre albedrío nada menos que a San Agustín y a San Anselmo. Tradujo maravillosamente a Horacio, Tibulo, Anacreonte; introdujo feliz e inimitablemente los metros latinos en el Parnaso castellano; su más famoso libro es *Las Eróticas.* FRANCISCO DE BORJA Y ARAGÓN, príncipe de Esquilache (1581-1658), virrey del Perú, autor del poema *Nápoles recuperada* —1651—. PEDRO LIÑÁN DE RIAZA (m. 1607): *La Noche, Sátira contra el amor.* BERNARDINO DE REBOLLEDO (1597-1676), conde de Rebolledo y señor de Irián; sus poesías fueron publicadas —Amberes, 1650—con el título de *Ocios poéticos.* Pero mejor prosista que poeta, su *Discurso sobre la hermosura y el amor* fue calificado por Menéndez Pelayo de "canto del cisne de la escuela platónica en España".

14. EL TEATRO BARROCO.—LOPE FÉLIX DE VEGA CARPIO (1562-1635) Nació en Madrid el 25 de noviembre. Hijo de Félix de Vega y de Francisca Hernández. Estudió en los Teatinos, con los Jesuitas, en Alcalá. A los doce años tradujo el poema de Claudiano *De raptu Proserpinae* y se fugó a Segovia. A los diecisiete años tuvo

amores con María de Aragón *(Marfisa)* y con Elena Ossorio *(Filis)*. Fue paje del obispo de Ávila don Jerónimo Manrique. Tomó parte en las expediciones navales a las Islas Terceras y a Inglaterra (Armada Invencible) Fue secretario del duque de Alba—1590—, del marqués de Malpica—1596—, del conde de Lemos—1598— y del duque de Sessa, a quien sirvió de redactor de cartas amorosas y hasta de alcahuete. Familiar del Santo Oficio en 1609; cofrade de la Congregación del Caballero de Gracia en el mismo año; de la del Oratorio del Olivar en 1610; de la Orden Tercera en 1611. En 1614 se ordenó de sacerdote. Estuvo casado dos veces: con doña Isabel de Urbina—1588—y con doña Juana Guardo—1598—. Famosos fueron sus amores con Antonia Trillo, Micaela de Luján *(Camila Lucinda)*, Lucía Salcedo, Jerónima de Burgos y Marta de Nevares *(Amarilis)*. Tuvo varios hijos legítimos e ilegítimos; entre ellos, Marcela y Lope Félix, de Micaela de Luján; Feliciana, de Juana Guardo; Antonia Clara, de Marta de Nevares. Lope murió el 27 de agosto de 1635. Fue enterrado en la parroquia de San Sebastián.

Lope, el llamado por Cervantes "monstruo de Naturaleza", el caso más prodigioso que han dado las letras españolas, fue un poeta maravilloso. Ni Luis de León, ni Góngora, ni Quevedo le superan. Y escribió más poesías que los tres juntos. Como dramaturgo es una cumbre universal. Por derecho indubitable "Padre del teatro español", y su renovador, innovador y modelo insuperable, mil veces imitado y plagiado. El solo creó el teatro más fecundo, original y limpio que se conoce en nuestra literatura. Su inspiración fue inagotable. En ella entraron *a saco* poetas españoles y extranjeros. Nadie como él dominó los recursos escénicos, ni pasmó a las masas. Después de siglos, muchas de sus obras permanecen lozanas, con juventud y mensaje inmarchitables. No admite otro parangón que el de los trágicos griegos y Shakespeare, a quienes vence en poesía y fecundidad, e iguala—a veces—en fuerza creadora.

Entre sus obras *no dramáticas* sobresalen: *La Dorotea, Novelas a Marcia Leonarda, Soliloquios espirituales, La Jerusalén conquistada, La hermosura de Angélica, La Dragontea, El Isidro, La corona trágica, La Gatomaquia, Arte nuevo de hacer comedias, Laurel de Apolo, Rimas sacras, Triunfos divinos, La arcadia, Los pastores de Belén...*

Aun cuando se asegura—por sus contemporáneos—que escribió 1.800 obras escénicas, solo han llegado a nosotros alrededor de 500, con los más diversos temas: autos sacramentales, comedias mitológicas, simbólicas, de historia extranjera, de historia española, de santos, de costumbres... Entre ellas: *Fuenteovejuna, Peribáñez* o *El comendador de Ocaña, La Estrella de Sevilla, El caballero de Olmedo, Porfiar hasta morir, El mejor alcalde, el rey, El castigo sin venganza, La dama boba, Santiago el Verde, El villano en su rincón, El acero de Madrid, El rey don Pedro en Madrid, El perro del hortelano, El anzuelo de Fenisa, La discreta enamorada, La bella malmaridada, El sembrar en buena tierra, Los milagros del desprecio, Lo cierto por lo dudoso, La moza de cántaro, El remedio en la desdicha, La villana de Getafe, Los melindres de Belisa, La esclava de su galán, La niña de plata, El médico de su honra, La serrana de la Vera, El marqués de las Navas...*

Guillén de Castro (1569-1631), valenciano, capitán de caballos en la costa del Reino de Valencia, fundador de la Academia literaria de los Nocturnos y gobernador de Seyano. Con Vélez, Mira de Amescua y Montalbán formó el gran cuarteto de dramaturgos de segundo orden. Admirador y discípulo de Lope, y en alguna de sus obras—*Las mocedades del Cid*—parigual a su maestro. Otras obras suyas: *El conde de Alarcos, El Narciso en su opinión, Los malcasados de Valencia.* Juan Pérez de Montalbán (1602-1638), madrileño, hijo de un librero y el mejor y más apasionado discípulo y amigo de Lope, de quien escribió la primera biografía; sacerdote, doctor en Teología. Entre sus obras escénicas están: *Los amantes de Teruel, La toquera vizcaína, El gran Séneca de España, Felipe II.* Escribió un curioso poema, *Orfeo en lengua castellana* y *Vida y purgatorio de San Patricio.* Antonio Mira de Amescua (¿1574?-1644), de Guadix, capellán real en la misma ciudad y capellán del Cardenal-Infante, arcediano de Guadix, gran amigo y admirador de Lope y uno de sus mejores discípulos. Fue poeta delicado y poseyó tan gran inventiva que por ello fue de los dramaturgos más plagiados. Algunas de sus obras no desmerecen en nada de las de su gran maestro: *El esclavo del demonio, Pedro Telonario, El ermitaño galán y mesonera del cielo, El ejemplo mayor de la desdicha y Capitán Belisario, El conde de Alarcos, Galán valiente y discreto.* Luis Vélez de Guevara (1579-1644), de Ecija, bachiller en Artes, soldado en Italia, aventurero y enamoradizo sin remedio, ujier de Cámara en 1625, amigo y discípulo de Lope, de quien fue llamado *nuevo Apolo.* Poseyó originalidad, energía, maestría de composición, gracia expresiva, poderosa fuerza dramática. Entre sus mejores obras teatrales están: *Reinar después de morir*—imitada y copiada incontables veces dentro y fuera de España, y hasta en nuestros días—, *El diablo está en Cantillana, La serrana de la Vera*—superior a la del mismo título de Lope, de la que es casi plagio—, *La luna de la sierra.* Vélez es autor de una deliciosa novela breve, *El Diablo Cojuelo,* famosa en todo el mundo y plagiada varias veces en el extranjero.

"Tirso de Molina", Fray Gabriel Téllez (1584-1648), madrileño, estudiante en Alcalá, profeso en Guadalajara, mercedario insigne. Vivió algún tiempo en la isla de Santo Domingo y en Sevilla. Cronista de su Orden y su definidor en Castilla; comendador del convento de Soria, ciudad donde murió. Uno de los más admirables genios de España, y uno de sus seis más grandes dramaturgos, con Lope, Alarcón, Calderón, Rojas Zorrilla y Moreto. Su temperamento ardiente y complejo debió de luchar mucho contra su hábito de sencillez y de pobreza. Ningún genio español más temperamental que él, creador de temperamentos singulares sobre la escena. Su fecundidad fue prodigiosa, la más próxima a la "monstruosa" de Lope, a cuya escuela perteneció. Escribió cerca de cuatrocientas comedias, y de ellas surgen seres de tan poderosa e inmortal humanidad como Don Juan, Paulo, doña María de Molina, Marta "la piadosa", que no ceden a los más célebres creados por Shakespeare. Entre sus obras teatrales sobresalen: *El burlador de Sevilla y Convidado de piedra, Marta la piadosa, El condenado por desconfiado, La prudencia en la mujer, Don Gil de las calzas verdes, El vergonzoso en Palacio, Santa Juana, La venganza de Thamar, La villana de Vallecas.* Además de dramaturgo, "Tirso" escribió otras obras admirables no dramáticas. *Los cigarrales de Toledo*—libro misceláneo con novelas cortas—, *Deleitar aprovechando*—miscelánea de leyendas piadosas, autos y versos devotos—, *Genealógica de la Casa de Sástago, Historia general de la Orden de la Merced, Vida de la santa madre doña María de Cervellón.*

JUAN RUIZ DE ALARCÓN (¿1581?-1639), nacido en Méjico de padres españoles; vivió casi siempre en Madrid; bachiller en Cánones por Salamanca, abogado, relator del Consejo de Indias; era jorobado y sufría de complejos. Su estilo resulta perfecto de tan trabajado, y su versificación no presenta sino escasísimos descuidos y siempre una admirable tersura. Pasa por ser el creador del teatro *ético* en España. Toda su producción refleja la melancolía, la honradez, el buen gusto y la ponderación. La tendencia ética de Alarcón, contra lo que pudiera esperarse de su aridez en la exposición, no pesa y sí subyuga. De gran originalidad en los temas, muchos de estos fueron plagiados en España y en el extranjero, y por ingenios de la talla de Molière. Casi todos los géneros escénicos están representados en el escaso, pero firme repertorio de Alarcón; entre cuyas obras destacan: *El tejedor de Segovia, Quien mal anda mal acaba, El semejante a sí mismo, La verdad sospechosa, Las paredes oyen, Ganar amigos, Los pechos privilegiados, El Anticristo, Los empeños de un engaño, La prueba de las promesas, El examen de maridos, La cueva de Salamanca, El desdichado en fingir, Mudarse por mejorarse, Los favores del mundo.*

DIEGO JIMÉNEZ DE ENCISO (1585-1634), sevillano, gran amigo de Lope, a cuya escuela perteneció: *El príncipe don Carlos, La mayor hazaña de Carlos V, Los Médicis de Florencia.* FELIPE GODÍNEZ (1588-1639), sevillano y doctor en Teología, amigo y de la escuela de Lope: *Judit y Holofernes, La mejor espigadera, Amán y Mardoqueo.* LUIS BELMONTE Y BERMÚDEZ (1587-1650), sevillano, protagonista de curiosas aventuras en Méjico y en Perú: *El diablo predicador, La renegada de Valladolid.* RODRIGO DE HERRERA (1592-1657), madrileño, que sobresalió en el género burlesco y que en su obra *Del cielo viene el buen rey* dio un paso decisivo hacia la alegoría que luego sería panacea en los autos calderonianos.

Otros dramaturgos menores que siquiera merecen mención fueron: CARLOS BOYL (1577-1617); JULIÁN DE ARMENDÁRIZ (1585-1614), salmantino; el santanderino ANTONIO HURTADO DE MENDOZA Y LARREA (1586-1644); ALONSO HURTADO DE VELARDE (m. 1638); CRISTÓBAL DE MONROY Y SILVA (1614-1649), de Alcalá de Guadaira; el madrileño MATÍAS DE LOS REYES (1588-1642); el valenciano RICARDO DEL TURIA (1578-1639), seudónimo de Pedro Juan Rejaule; FRANCISCO TÁRREGA (1556-1602), valenciano y canónigo de la catedral; JERÓNIMO DE VILLAYZÁN (1604-1633), madrileño; DAMIÁN SALUSTIO DEL POYO (1547-1614), murciano.

PEDRO CALDERÓN DE LA BARCA (1600-1681) Madrileño. Estudió en el Colegio Imperial de los Jesuitas, y estuvo matriculado en Alcalá. En Salamanca estudió Cánones hasta 1620. Concurrió, sin que le premiaran, al concurso literario organizado con motivo de las fiestas en honor de San Isidro—1622—. Entre 1623 y 1626 realizó algunos viajes por Flandes. El teatro del Buen Retiro se inauguró—1635—con su obra *El mayor encanto, amor.* Sirvió al duque del Infantado y asistió al socorro de Fuenterrabía —1638—y a la guerra de Cataluña—1640—, "comportándose como muy valiente y honrado caballero". Felipe IV le concedió el hábito de Santiago. Tuvo un hijo natural. En 1651 se ordenó de sacerdote y fue capellán de los Reyes Nuevos de Toledo. Ingresó en la Hermandad del Refugio y en la Congregación de Presbíteros Naturales de Madrid, de la que fue—1660—capellán. Su última comedia, *Hado y Divisa de Leonido y Marfisa,* la escribió a los ochenta años. Murió el 25 de mayo. Siempre presumió mucho, y tal vez con razón, de sus pergaminos.

Las poesías líricas de Calderón hay que buscarlas entreveradas en sus obras teatrales. Muchas están tocadas de conceptismo y de culteranismo. Como dramaturgo es Calderón la figura más ingente del teatro español, solo cediendo a Lope en categoría. Algunas de sus obras—*El alcalde de Zalamea, La vida es sueño, El mágico prodigioso*—no son inferiores a las mejores de Shakespeare. Tras algunos tanteos, que ya delatan su próximo triunfo, Calderón se lanza por un camino no hollado antes, que irá jalonando de pasmosas consecuciones. Hasta que él lo consiguió, nadie creyó posible que en el arte escénico, representación de la vida en acción, y en el que son fundamentales, o punto menos, las pasiones, tuvieran cabida las puras ideas, las abstracciones y hasta lo invisible, como *auténticos personajes,* a los que si se da carne mortal y maneras y modos es, exclusivamente, para llegar antes al interés del espectador y para conseguir líricamente la plasticidad. Si Lope le excedió en inventiva, y "Tirso" en la creación de caracteres, y Alarcón en el estudio psicológico, Calderón les excedió a los tres en simbolismo católico, en la grandeza y profundidad de las concepciones, en la elegancia de *enmarcar* los temas con una suntuosidad que ya no tendrá par hasta las grandes representaciones líricas de la segunda mitad del siglo XIX. Y por sus Autos fue el gran poeta del Catolicismo. Entre sus mejores Autos están: *El gran teatro del mundo, La cena del rey Baltasar, La devoción de la Misa, La hidalga del Valle, El veneno y la triaca.* Y entre sus dramas y comedias: *La devoción de la cruz, El príncipe constante, La niña de Gómez Arias, Mañanas de abril y mayo, Casa con dos puertas..., La dama duende, El médico de su honra, A secreto agravio, secreta venganza, El mayor monstruo, los celos, El pintor de su deshonra, Eco y Narciso, Guárdate del agua mansa...*

FRANCISCO ROJAS ZORRILLA (1607-1648) De Toledo. Estudió en Salamanca. De vida aventurera y amorosa. Caballero del hábito de Santiago. Por burlas que hizo de algunos poetas en el certamen organizado en Madrid en honor de la duquesa de Chevreuse, recibió graves heridas. Tuvo una hija natural, la famosa actriz Francisca Bezón "la Bezona". Más que discípulo —o seguidor—de Calderón, podría afirmarse que es *el enlace* del ciclo de este y el de Lope. Enlace firme y admirable que participa de las dos modalidades. Como "Tirso" tiene Rojas Zorrilla picardía sutilísima, crea caracteres definitivos, utiliza una fraseología correctísima, pero cruda, y espolvorea sus guisos con sal y pimienta. En su producción deben considerarse dos mundos diversos, intensamente caracterizados, en los que domina con maestría semejante: el trágico y el cómico. De los seis grandes dramáticos del Siglo de Oro, quizá ninguno ha llegado más allá que Rojas en la expresión angustiosa de un tema. Y, sin quizá, ninguno de los otros cinco ha llegado como Rojas a extremos tales de jocosidad y de burla. Espíritu de vehemencias, no sabía detenerse en los términos medios. "¡Hasta lo más!", parecía ser su divisa. Fue un magnífico versificador y un maestro en el desarrollo de los temas. Entre sus mejores obras figuran: *Del rey abajo, ninguno o El labrador más honrado García del Castañar, Don Diego de Noche, Donde hay agravios no hay celos, Lo que son las mujeres, Entre bobos anda el juego, Casarse por vengarse, Cada cual lo que le toca, El catalán Serrallonga, Obligados y ofendidos, El Caín de Cataluña, No hay ser padre siendo rey...*

AGUSTÍN MORETO Y CAVANA (1618-1669) De Madrid. Estudió en Alcalá de Henares. Sacerdote con un modesto beneficio en Toledo y al servicio del arzobispo don Baltasar de Moscoso. No obstante casi siempre vivió en Madrid, donde falleció el 26 de octubre. Sí, la armonía y la harmonía son las dos alas de Moreto. De los seis grandes dramáticos de nuestro siglo áureo, es Moreto quien mejor las maneja y las hace lírica a una y sonora a la otra. Es un verdadero precursor de la comedia musical y de la ópera de cámara, géneros en los que las resoluciones se encomiendan a la melodía. Fue, por el contrario, el de menor inventiva de los seis. Por ello se dedicó a tomar temas ajenos para reformarlos y, por lo general, mejorarlos. Sí, cuando Moreto *plagia,* su obra *es muy superior al modelo.* Pero en su teatro todo es medida, y orden, y elegancia, y garbo. A su vez, en su teatro entraron a saco no pocos grandes dramáticos españoles y franceses. De *El Narciso en su opinión,* de Guillén, y de *La vengadora de las mujeres,* de Lope, dos comedias *medianas,* Moreto sacó dos comedias *perfectas: El lindo don Diego* y *El desdén con el desdén.* No acertó con el drama; donde triunfó como gran maestro fue en los asuntos apacibles y en la pintura de los afectos naturales. Como psicólogo, no cede ante Alarcón o Rojas; y los excede en sencillez y claridad. Otras obras: *De fuera vendrá quien de casa nos echará, El parecido en la Corte, El poder de la amistad, No puede ser..., La traición vengada, La fortuna merecida, La cautela en la amistad, La confusión en el jardín La vida de San Alejo, San Franco de Sena, La adúltera penitente, La ocasión hace al ladrón...*

JERÓNIMO CÁNCER Y VELASCO (1601-1655), de Barbastro, contador de la casa del conde de Luna, lleno de ingenio burlesco, de poder satírico. Colaboró con Moreto, Rojas Zorrilla, Vélez de Guevara, Rosete Niño y Matos Fragoso. Obras: *La muerte de Valdovinos*—primer modelo de la parodia histórica—, *Las Mocedades del Cid.* ALVARO CUBILLO DE ARAGÓN (1596-1661), granadino, escribano en Granada y en Madrid, casado y con muchos hijos, y lleno de necesidades perentorias; y quizá la principal figura entre los dramaturgos de segundo orden del ciclo de Calderón. Obras: *El señor de Buenas-Noches, Las muñecas de Marcela.* JUAN BAUTISTA DIAMANTE (1625-1687), de Madrid y de vida aventurera y bravucona, siempre a cuchilladas con los hombres y con el hambre; para sus obras se valió de argumentos tomados a otros dramaturgos y que algunas veces acertó a mejorar: *El honrador de su padre, La judía*

E

de Toledo, La devoción del Rosario. ANTONIO SOLÍS Y RIVADENEYRA (1610-1686), alcalaíno, doctor por Salamanca en ambos Derechos, cronista mayor de Indias, sacerdote y uno de los más fieles discípulos de Calderón, con quien llegó a colaborar: *La gitanilla de Madrid, El doctor Carlino, Alcázar secreto...* Pero su gran y justa fama la debe a su *Historia de la conquista de Méjico,* modelo de buena erudición y de riquísima prosa castellana. FRANCISCO ANTONIO DE BANCES CANDAMO (1662-1704), asturiano, doctor en Leyes, incontables veces beneficiado por Carlos II, escritor de acusado barroquismo, muy sabio de la técnica teatral, pero de escasa inventiva: *El esclavo en grillos de oro, Cómo se curan los celos. Por su rey y por su dama.* ANTONIO DE ZAMORA (1660-1728), madrileño, bachiller, gentilhombre de Cámara y oficial de la Secretaría del Consejo de Indias. El último de los dramaturgos del ciclo de Calderón, a quien imitó servilmente. Su más famosa comedia, *No hay plazo que no se cumpla ni deuda que no se pague y convidado de piedra,* es una nueva versión del tema *Don Juan* que marca la transición entre el de "Tirso" y el de Zorrilla. JOSÉ DE CAÑIZARES (1676-1750), madrileño, con Zamora los últimos eslabones del ciclo de Calderón, bravo militar, censor de comedias en Madrid, empleado en la Casa de Osuna; escribió comedias de figurón, históricas y de magia; y para Menéndez Pelayo, muy superior a Zamora: *El dómine Lucas, El anillo de Giges, El picarillo de España, Las cuentas del Gran Capitán...* De mucho menor mérito, pero dignos de mención son los siguientes dramaturgos, todos ellos del ciclo de Calderón: el burgalés FERNANDO DE AVELLANEDA (1622-1675); el madrileño ANTONIO COELLO Y OCHOA (1611-1682), bizarro militar, colaborador de Calderón, Rojas, Montalbán y Vélez de Guevara, y muy alabado por Lope; el madrileño JERÓNIMO DE CUÉLLAR (1622-1669), de familia hidalga y caballero del hábito de Santiago; el judío converso segoviano ANTONIO ENRÍQUEZ GÓMEZ (1600-1663), que huido de España sirvió como secretario a Luis XIII de Francia; DIEGO FIGUEROA Y CÓRDOBA (1619-1673) y su hermano JOSÉ (1625-1678), ambos sevillanos y de noble linaje; JUAN DE LA HOZ Y MOTA (1622-1714), madrileño, hidalgo y caballero de Santiago; MANUEL LEÓN Y MERCHANTE (1631-1680), de Pastrana (Guadalajara); FRANCISCO DE LEYVA Y RAMÍREZ DE ARELLANO (1630-1676), malagueño; JUAN MATOS FRAGOSO (1618-1689), portugués que vivió siempre en Madrid y siempre escribió en castellano; colaborador de Diamante, Moreto, Cáncer, Montalbán y otros; el sevillano FRANCISCO ANTONIO DE MONTESER (1620-1668), pendenciero impenitente que murió en una encrucijada madrileña de resultas de una estocada; el madrileño PEDRO ROSETE Y NIÑO (1608-1659), bachiller por Alcalá, bravucón y pendenciero; el soriano AGUSTÍN DE SALAZAR TORRES (1642-1675), jurista y teólogo por la Universidad de Méjico, capitán de armas en Alemania y Sicilia; el madrileño JUAN VÉLEZ DE GUEVARA (1611-1675), hijo del famosísimo Luis, ujier de Cámara como su padre y gran amigo de Velázquez; SEBASTIÁN RODRÍGUEZ DE VILLAVICIOSA (1618-1672), de Tordesillas, clérigo, caballero de la Orden de San Juan y amicísimo de cómicas y danzantes, colaborador de Moreto, Cáncer, Matos y Avellaneda; el sevillano FERNANDO DE ZÁRATE Y CASTRONOVO (1612-1660).

Mención aparte merece el toledano LUIS QUIÑONES DE BENAVENTE (¿?-1651), toledano, licenciado en Derecho, gran amigo de Lope de Vega, portentoso entremesista, a quien, en este género, solo excede Cervantes. Sus modelos fueron Lope de Rueda y el inmortal manco. De fecundidad asombrosa, de inventiva sorprendente y siempre lozana, de fina sensibilidad, fue la gracia perenne, la sátira que muele sin ofender, las frases hechas afortunadas, el regocijo y la hilaridad inagotables. Nadie como él creó tantas *situaciones escénicas* más ricas en ritmos populares y en viveza musical, en caricaturas dignificadas por el sentido de humanidad. Entre sus mejores obras están: *El retablo de las maravillas, El murmurador, Los cuatro galanes, La maya, El guardainfante, El borracho, La muestra de los carros, Los coches, Don Gaiferos y las busconas de Madrid...*

15. LA PROSA BARROCA.—FRANCISCO DE QUEVEDO Y VILLEGAS (1580-1645) Madrileño. Estudió las primeras letras con los Jesuitas; en Alcalá, lenguas clásicas, francés, italiano y filosofía; en Valladolid, Teología. De 1606 a 1611 residió en Madrid, bien mirado del rey, de la nobleza y de los literatos. Por haber matado a un hombre en defensa de una dama, en el atrio de la iglesia de San Martín, hubo de huir a Italia. Secretario inapreciable y leal del gran duque de Osuna, a punto estuvo de ser asesinado dos veces, en Nápoles y Venecia, por haber conspirado a favor de España. Llegado—1620—a Madrid para defender la gestión del duque de Osuna, fue desterrado a la Torre de Juan Abad. Casó con doña Esperanza de Aragón y Cabra, señora de Cetina, viuda con varios hijos, de la que se separó al poco tiempo. A causa de un memorial que Felipe IV encontró debajo de su servilleta, Quevedo, delatado por un amigo suyo, fue encarcelado en San Marcos de León, donde permaneció cuatro años en una mazmorra inmunda. Libre por oficios de don Juan de Chumacero, presidente del Consejo de Castilla, Quevedo, muy achacoso, se retiró a la Torre de Juan Abad. Murió en Villanueva de los Infantes el 8 de septiembre. Su implacable enemigo fue el poderoso conde-duque de Olivares. Fue de nobilísima alcurnia, caballero de Santiago.

Quevedo es la cumbre del conceptismo. Como

poeta, Quevedo no cede a los más grandes de su época: Lope, Góngora, Fray Luis de León, a quienes excede muchas veces en perfección formal y en riqueza de léxico. Pasan de ochocientas las poesías que de él conocemos, "desde el breve epigrama, rápida centella, hasta el largo poema heroico, desde la letrilla licenciosa hasta la silva llena de elevación, desde la gráfica y pintoresca jácara hasta la canción de tema mitológico." Escribió obras ascéticas: *Vida de Santo Tomás de Villanueva, Vida de San Pablo, La cuna y la sepultura, Providencia de Dios;* obras filosóficas: *Las cuatro pestes del mundo, De los remedios de cualquier fortuna;* obras políticas: *Política de Dios y gobierno de Cristo y tiranía de Satanás, Grandes anales de quince días, Marco Bruto;* obras de crítica: *La Perinola, La culta latiniparla, Cuento de cuentos;* obras satiricomorales; *Los sueños;* obras picarescas: *Historia de la vida del Buscón;* obras festivas: *Cartas del caballero de la Tenaza. Premáticas contra las cotorreras;* obras poéticas: *El Parnaso Español, Las tres últimas musas castellanas, Entremeses.*

Su genio era colosal. Verdadero polígrafo, cuantas obras salieron de su numen son admirables e inmarchitables. De portentosa sutileza, mucho chiste, ironía honda, ideas originales, estilo inimitable y dominio absoluto del idioma, Quevedo es uno de los pilares más firmes de nuestras letras. Fue el literato más sabio de la época clásica. En la variedad de dotes geniales, solo le iguala Lope. En la variedad de estilos y maneras para adaptarse a los diferentes géneros, no le ha llegado ningún escritor de España: "Puede escribir como un sabio o como un santo, con austeridad que impresiona, y puede escribir con primor y delicadeza, y también con la procacidad de la canalla rufianesca. Su pensamiento es en todos casos viril, denso y original. Lo tiene todo menos la moderación; su genio inflexible e impetuoso arrastrale siempre a los extremos. La riqueza de su lenguaje solo admite comparación con la de Cervantes, "Tirso" o Gracián; todo el castellano parece vertido en las obras de Quevedo, desde los vocablos más exquisitos y señoriles hasta los ásperos y soeces. Su influencia ha sido inmensa en las letras castellanas y en algunos autores extranjeros (Scarrón, Moscherosch, Smollett, etc.)" (Romera Navarro).

BALTASAR GRACIÁN (1601-1658), de Belmonte (Zaragoza), jesuita; estudió la Teología en Zaragoza; gran predicador y rector del Colegio de Tarragona. Profesor en Huesca. Capellán del ejército del marqués de Leganés que liberó Lérida, ocupada por los franceses. Lector de Sagrada Escritura en el Colegio de Zaragoza. Denunciado por un canónigo a los superiores de su Instituto, estos le prohíben publicar sus libros. Gracián les desobedece y los publica con seudónimo, en complicidad con su gran amigo Lastanosa. Se le amonesta públicamente, se le priva de sus cargos, se le destierra a Graus a pan y agua. Solicita pasar a otra Orden, y no se le permite. Murió en Tarazona el 6 de diciembre.

Gracián es uno de los más grandes pensadores españoles y europeos, y de los que más han influido en las ideas filosóficas contemporáneas. Sus obras han sido traducidas incontables veces a todos los idiomas, imitadas y plagiadas. Su prosa barroca es un pasmo de precisión y de riqueza. Sus ideas rezuman constante y densa originalidad. Su estilo resulta difícil, pero deslumbrante. Pesimista, frío, razonador implacable y lógico, resulta de una concisión ejemplar, y sabe eludir los lugares comunes, y condensa sus ideas en frases cortas, aforísticas, como centellas del pensamiento. *El criticón*—1651—"es una de las grandes obras de la literatura castellana, y desde luego nuestra mejor novela alegórica. En aquel vastísimo panorama del mundo físico y moral, de paisajes de la naturaleza y de lugares imaginarios, de hechos reales y de ficciones de la mente, se pasa revista a los hombres y a la civilización moderna con intensidad y brillantez insuperable. En el vigor de las alegorías, solo le llegan a Gracián, en la prosa Quevedo, y Calderón en la poesía dramática. Y como el autor de *Los Sueños,* Gracián ha logrado su propósito de juntar en un mismo cuerpo lo grave de la filosofía con lo ameno de la ficción, lo picante de la sátira con lo dulce de la épica." (Romera Navarro) Filósofos como Schopenhauer—que tradujo al alemán *El Oráculo*—, Nietzsche, Hartmann, sintieron verdadera adoración por Gracián. Otras obras: *El héroe*—1637—, *El político Fernando* —1640—, *Arte y agudeza del ingenio*—1642—, *El discreto*—1646—, *El Comulgatorio*—1655.

DIEGO DE SAAVEDRA FAJARDO (1584-1648). De Algezares (Murcia) Estudió Jurisprudencia en Salamanca. Del hábito de Santiago. Embajador de España en Roma, en Nápoles, en Alemania. Consejero de Indias. Admirable prosista de ideas originales y profundas. Sus *Empresas políticas (Idea de un príncipe político cristiano representada en cien empresas)* es nuestro mejor tratado político: sólida la interpretación filosófica, conocimiento pleno de la vida pública, orden y precisión expositivas, estilo esmerado y conciso. Artística y literariamente la supera *República literaria*—1655—, libro breve, gozoso, entre serio y satírico, en el que se pasa revista sutil a los más grandes escritores del mundo antiguo y moderno. Otras obras: *Corona gótica, castellana y austriaca*—1646—, *Locuras de Europa*—1748...

Entre los cronistas e historiadores: LUIS CABRERA DE CÓRDOBA (1559-1623), madrileño, secretario de don Felipe II: *Historia de Felipe II.* ANTONIO DE HERRERA (1549-1625): *Historia general del mundo en tiempo de Felipe II.* (A

E

SOLÍS Y RIVADENEYRA ya me he referido al aludir el teatro barroco) FRANCISCO DE MONCADA (1586-1635), conde de Osona y marqués de Aytona, de origen aragonés, avisado político y militar admirable: *Expedición de los catalanes y aragoneses contra turcos y griegos*—1623—, escrita con gran erudición, plena objetividad y noble prosa. FRANCISCO MANUEL DE MELO (1608-1666), de noble familia portuguesa, excelente militar; escribió indistintamente en portugués o castellano; su *Historia de los movimientos, separación y guerra de Cataluña*—1645—es un modelo de precisión, de verdad y de amenidad. FRAY JERÓNIMO DE SAN JOSÉ (1587-1654), carmelita descalzo, discípulo de Bartolomé L. de Argensola, biógrafo de San Juan de la Cruz: *Genio de la Historia,* ANTONIO PÉREZ (1534-1611), estudió en Alcalá y en Salamanca, hijo natural de Gonzalo Pérez, secretario de Carlos I, lo fue él de Felipe II, con poderes excepcionales; caído en desgracia tras el asesinato de Escobedo, huyó a Francia, donde se dedicó a escribir sus memorias y a dar abundante pasto a la leyenda negra antiespañola: *Relaciones*—París, 1598—, más que memorias propias ataques contra Felipe II, pero escritas con amenidad y en prosa excelente; también escribió *Norte de príncipes,* especie de doctrinal de privados, lleno de sabios consejos. GIL GONZÁLEZ DÁVILA (1578-1658), madrileño, excelente historiador de su ciudad natal. GONZALO ARGOTE DE MOLINA, sevillano: *Nobleza de Andalucía.* CARLOS COLOMA (1567-1637), alicantino, de noble familia y militar ilustre; caballero de Santiago y gobernador de Perpiñán; traductor excelente de Tácito. Su obra *Guerras de los Países Bajos*—Amberes, 1625—es una de las mejores crónicas de su época.

Entre los autores de obras oratorias, didácticas y "emblemas" merecen referencia: el trinitario FÉLIX PARAVICINO Y ARTEGA (1580-1633), que implantó descaradamente el más tremendo culteranismo en el púlpito, celebrado por todos los grandes escritores de su tiempo: *Oraciones evangélicas o discursos panegíricos y morales* —1638—, *Obras póstumas, divinas y humanas* —1641—. El mercedario ALONSO REMÓN (1565-1635), cronista general de su Orden y orador brillantísimo: *Vida del Caballero de Gracia.* SEBASTIÁN DE COVARRUBIAS Y OROZCO, eminente lexicógrafo (m. 1613) cuya gloria se debe a su *Tesoro de la lengua castellana o española* —1611—, el mejor diccionario de nuestro idioma.

Según Menéndez Pelayo, "forman la luminosa triada de nuestros preceptistas del buen siglo "el Pinciano", Francisco de Cascales y González de Salas. El más profundo, el primero; Cascales, el más elegante y literato; y el más difícil y oscuro, González de Salas."

ALONSO LÓPEZ PINCIANO (m. después de 1627), de Valladolid, tomó su segundo apellido de su ciudad natal, doctor en Medicina, médico de cámara de la emperatriz doña María, viuda del emperador Maximiliano; supo presentar un sistema literario completo en su muy interesante obra *Filosofía antigua poética*—Madrid, 1596—. FRANCISCO DE CASCALES (1564-1642), gran humanista murciano, profesor de Humanidades en Cartagena, ejerció gran influencia entre los escritores de su tiempo como legislador literario; latinista consumado, atacó a Góngora y a los culteranistas; en 1617 publicó las *Tablas poéticas,* libro que le colocó a la cabeza de nuestros tratadistas literarios; pero su fama perdurable la debe a sus *Cartas filológicas,* monumento de erudición sólida y amena. JOSÉ ANTONIO GONZÁLEZ DE SALAS (1588-1654), madrileño, discípulo dilecto de Lupercio L. de Argensola, conocedor absoluto del latín. del griego y del hebreo, maestro en arte y en filología; tradujo obras de Petronio, Pomponio Mela, Plinio y Séneca; como preceptista alcanzó gran fama con su libro *Nueva idea de la tragedia antigua, o ilustración a la "Poética" de Aristóteles.*

Entre los escritores costumbristas del período barroco merecen mención concreta: AGUSTÍN DE ROJAS VILLANDRANDO (1572-1619), madrileño, gran amigo de Lope, autor y actor de comedias, que llevó una vida aventurera muy intensa; su famosa obra *Viaje entretenido,* de amenidad sorprendente, es importantísima para el conocimiento de la vida teatral de su época.

ALONSO DE CONTRERAS (1582-después de 1641), madrileño, uno de los mejores amigos de Lope, en cuya casa de la calle de los Francos fue huésped muy agasajado no pocas veces; capitán bizarrísimo que se desvivió con ardor en aventuras de amor y de guerra. Toda su existencia quedó reflejada con sinceridad, con enorme colorido, sin pretensiones literarias, en su libro *Vida.* CRISTÓBAL SUÁREZ DE FIGUEROA (1571-1639), ya aludido al referirme a la novela pastoril; pero con mayor importancia como escritor costumbrista, ya que su obra más universal es *El Pasajero*—1617—, en la que dialogando un militar, un orífice, un maestro en artes y un doctor, aluden a todo lo humano y hasta casi a todo lo divino, con gran amenidad, con mucho garbo y no poca intención satírica. ANTONIO LIÑÁN Y VERDUGO (¿1580-1636?), para muchos eruditos es el seudónimo que utilizó el mercedario ALONSO REMÓN, al que ya me he referido al mencionar a los cronistas del Barroco; pero el gran erudito Fernández Guerra, en su magnífico libro sobre Ruiz de Alarcón, afirma que Liñán y Verdugo nació en Vara del Rey (Cuenca), y que nada tiene que ver con Remón. Liñán publicó en 1620 su *Guía y avisos de forasteros,* mezcla de miscelánea novelesca y de sátira costumbrista, y de tanto mérito que, según Menéndez Pelayo, le ha ganado un puesto de honor entre los mejores novelistas de segundo orden. JUAN DE ZABALETA (¿1610-1670?), madrileño, perteneció a la Academia Castellana y fue cronista de Felipe IV; con garbo, gracia y verdad singulares recogió toda la vida madrileña en dos libros seductores: *Día de fiesta por la mañana*—1654—y *Día de fiesta por la tarde*—1659—, colección de cuadros animadísimos y llenos de colorido. También escribió Zabaleta comedias muy interesantes y aplaudidas, la mejor de las cuales es *El ermitaño galán*. FULGENCIO AFÁN DE LA RIVERA, de cuya vida se desconocen detalles, publicó en Madrid y en 1674 una breve obra, *Virtud y mística a la moda*, sátira muy amena contra las hipócritas costumbres y falsa piedad de su tiempo en Madrid.

CRISTÓBAL LOZANO (1609-1667), de Hellín (Albacete), sacerdote, comisario de la Santa Cruzada en su pueblo natal, comisario del Santo Oficio, promotor fiscal de la Cámara Apostólica, capellán de Su Majestad en la capilla de los Reyes Nuevos de la catedral toledana; de gran cultura y de enorme simpatía personal, escribió varias narraciones de mucho éxito en su época, de carácter histórico, religioso y legendario: *David perseguido, David penitente, El gran hijo de David, Reyes Nuevos de Toledo, Persecuciones de Lucinda, Soledades de la vida y desengaños del mundo*—la mejor, 1658—y *Las Serafinas*. De Lozano tomaron Espronceda su *Estudiante de Salamanca* y Zorilla varias leyendas. FRANCISCO SANTOS (m. hacia 1700), madrileño, soldado de la Guardia Real de Felipe IV y Carlos II, fecundísimo y muy notable costumbrista: *Las Tarascas de Madrid, Periquillo el de las gallineras, Día y noche en Madrid, El diablo anda suelto, Los Gigantones de Madrid*. En todas estas obras hay amenidad, verdad, sátira de la buena, cierto pesimismo con "tufillo a Gracián", lenguaje barroquísimo. Es el último representante de la novela picaresca del Siglo de Oro.

III. EL SIGLO XVIII

1. EL NEOCLASICISMO.—El neoclasicismo busca su equilibrio exclusivamente entre la razón y la verdad. Y desdeña en absoluto tanto el sentimiento como la imaginación. Y como la razón es fría—y deriva fatalmente hacia el racionalismo y como la verdad no admite adornos—y deriva fatalmente en una sequedad expresiva—el neoclasicismo fue seco—o escueto—y gélido.

No cabe discutir que para que España cayera en el neoclasicismo hubieron de concurrir varios factores de mucha fuerza: establecimiento de la monarquía francesa en su territorio; hegemonía política europea ejercida por Luis XIV, frecuentes traducciones de escritores franceses en boga: Corneille, Racine, Molière, Le Sage, La Fontaine, Scarrón; fundación de algunas instituciones oficiales, por influencia francesa, como la Biblioteca Real y las Reales Academias; el gusto por los salones eruditos, importado también de Francia; la carencia de verdaderos genios literarios—como Lope, Quevedo, Góngora, Calderón—que se opusieran a la restauración del nuevo clasicismo.

En efecto, Felipe V trae al trono de España todos los gustos y las preocupaciones franceses, *aún sin traducir*, y, por ende, difíciles de adaptación en la vieja piel de toro ibérica. Y, naturalmente, los gustos y preocupaciones del monarca pasan en seguida a ser los de su Corte. Se habla mucho en francés. Se lee mucho en francés. Parece como si lo francés fuera un nuevo mundo descubierto de pronto y cuando los españoles iban, por ir, a ninguna parte. En 1712 quedó fundada la Biblioteca Real—Nacional—, cuyo fondo más nutrido fue traído de Francia por Felipe V. La Real Academia Española nació en 1714, y su primer director, don Juan Manuel Fernández Pacheco, marqués de Villena, y sus primeros académicos fueron afrancesados empedernidos. En 1737 nació la Real Academia de la Historia, y fue amamantada por los literatos redactores del *Diario de los Literatos*, "sucursal" del francés *Journal des Savants*. Todo, todo francés; cuando todo lo francés era orden, medida, énfasis, repudio imaginativo, sometimiento incondicional a la retórica. No tuvo Felipe V que intentar españolizarse. Porque los buenos españoles *habían descubierto el Mediterráneo* al otro lado de los Pirineos. Descubrimiento que simplificaba y explicaba mucho y bien bastantes "fenómenos". En España se decidió, por consenso unánime de las clases alta y media, y con el visto bueno de la Iglesia, que todo cuanto no viniera de Francia no valía nada, porque no era nada. Así se comprende que el teatro de don Ramón de la Cruz, airada protesta contra el afrancesamiento, solo tuviera buena acogida entre el populacho y la chulanganería hastiados de los "franchutes"; porque era el honrado y sentimental pueblo bajo el que permanecía fiel a su gloriosa tradición, el que repudiaba los modos y las modas extranjeros, el que, cuando llegaba el caso, levantaría una marimorena de Dos de Mayo, precisamente contra los franceses. Porque lo curioso del caso histórico está en que se llamaba *patriotas* en 1700 a los que seguían las banderas de un monarca francés, y *antipatriotas* a quienes en 1808 veían con buenos ojos la monarquía de otro monarca francés. Claro está que el instinto del pueblo es el que nunca falla y sentencia en definitiva.

La influencia neoclasicista francesa queda explicada. ¿Cómo explicar la influencia neoclasicista italiana que, para Menéndez Pelayo, fue superior en España a la francesa? Pensemos en Isabel de Farnesio, segunda esposa de Felipe V, dama muy culta y muy absorbente. Pensemos en su hijo Carlos III, rey de Nápoles durante algún tiempo, y que se trajo a España costumbres y gustos italianos.

E

Atendiendo a las consideraciones precedentes, pueden ser reunidos en tres grupos los escritores españoles del siglo XVIII, aparte la consideración de que unos hayan nacido en el XVII y otros hayan muerto avanzado el XIX. Forman el primero los que aún mantienen como *rescoldos* del Barroco, aun cuando ya pugnan—tal vez involuntariamente—por moverse en otro ambiente menos enrarecido y decadente; entre ellos: Torres Villarroel, Lobo, Álvarez de Toledo, conde Torrepalma. El segundo grupo lo integran aquellos escritores totalmente desligados del Barroco y que ya representan la nueva tendencia en su máxima espectacularidad: Luzán, Samaniego, los Iriarte, Iglesias de la Casa, Vaca de Guzmán, Nicolás Fernández de Moratín, Forner, Hermosilla... En el tercer grupo pueden quedar incluidos los que *promiscuan* con el regusto—ya con heces—neoclásico y con el afán por una revaloración de los siglos precedentes, más del Renacimiento que del Barroco; y, sí también con un *como azoguillo* que sufren sin saber qué es, pero que ya nosotros sabemos es "un prurito de romanticismo larvado": Leandro Fernández de Moratín, Meléndez Valdés, Cadalso, Cienfuegos, Gallego, Mármol, Martínez de la Rosa, Marchena, el duque de Frías... Y aún podría añadirse un cuarto grupo: el formado por quienes, sirviéndose de la *expresividad neoclásica,* por ser la en boga, permanecieron fieles a una tradición en decadencia: García de la Huerta, don Ramón de la Cruz...

Conviene señalar un detalle muy significativo: el neoclasicismo español no fue exclusivamente francés o italiano; buscó también su gusto, y aun su regusto, en la savia del renacentismo español; porque combatió lo barroco, pero admiró con fervor las escuelas poéticas del Quinientos. Luis José Velázquez reimprimió —1753—las poesías de Francisco de la Torre. José Nicolás de Azara publicó—1765—las obras de Garcilaso en un texto muy discreto, siendo reimpresas tres veces antes de acabar el siglo. Gregorio Mayáns dio nuevamente a luz—1761—las un tanto olvidadas poesías de fray Luis de León. No resulta, pues, ningún disparate afirmar cierta continuidad entre el Renacentismo y el neoclasicismo en España.

2. LA ERUDICIÓN Y LA CRÍTICA EN EL SIGLO XVIII.—FRAY BENITO JERÓNIMO FEIJOO Y MONTENEGRO (1676-1764) Nació en Casdemiro (Orense) y murió en Oviedo. Benedictino. Profesor de Filosofía. Catedrático de Teología en la Universidad de Oviedo. De saber enciclopédico y de agudísimo espíritu crítico, representó —en ideas políticas y sociales, en filosofía, en literatura—el pensamiento europeo más avanzado en su tiempo. Debelador formidable de la ignorancia y del error. Combatió sin descanso, y con las poderosas armas de su cultura y de su juicio, todo linaje de rutinas, abusos, preocupaciones y prejuicios, desde el método escolástico de la enseñanza universitaria hasta las supersticiones del vulgo. Los ocho tomos de su *Teatro crítico universal*—1726-1739—componen una vasta enciclopedia del saber y de las actividades de la vida en aquella época, continuación y complemento de semejante monumento—imperecedero—son los cinco tomos de *Cartas eruditas y curiosas* (1742-1760) "Feijoo parece haberlo leído todo—escribe Romera Navarro—, y todo recordarlo. Es sólido en los principios, pero a menudo nada más que ingenioso en las especulaciones. El lenguaje es llano, conciso, y tan rigurosamente gramatical en la sintaxis, que pierde en soltura y gracia lo que gana en regularidad y orden."

FRAY MARTÍN SARMIENTO (1695-1771), benedictino, amigo, discípulo y colaborador de Feijoo; autor de *Demostración crítico-apologética en defensa del teatro crítico universal, Memorias para la historia de la poesía y poetas españoles* y *Tentativas para una lengua general.* IGNACIO LUZÁN Y CLARAMUNT (1702-1754), de Zaragoza y familia noble, doctor en Leyes por la Universidad italiana de Catania, secretario de embajada en París, consejero de Hacienda y tesorero de la Biblioteca Real; es el teórico del neoclasicismo con su *Poética, o reglas de la poesía en general y de sus principales especies* (1737), tratado intransigente "para los desmanes de la literatura barroca". ESTEBAN DE ARTEAGA (1747-1799): *La belleza ideal,* sistema de estética neoclásica rigurosa, que en muchos puntos se adelantó a las teorías de madame Staël y de Hipólito Taine. FRANCISCO JAVIER LAMPILLAS (1731-1810), nacido en Mataró (Barcelona) jesuita, profesor de filosofía en Barcelona; al ser expulsados de España los jesuitas, Lampillas emigró a Italia; entre sus obras están: *Saggio storico-apologético della letteratura spagnuola* (Génova, 1778-1781, seis tomos), obra de polémica y en defensa de las letras españolas, que tradujo al castellano doña Josefa Amor de Borbón. JUAN ANDRÉS (1740-1817), nacido en Planes y muerto en Roma; jesuita, expulsado de España y nombrado su bibliotecario por el rey de Nápoles; su obra *Origen, progreso y estado actual de toda la literatura,* en siete volúmenes (1782-1795) fue el primer ensayo de historia literaria universal de que se tiene conocimiento. LORENZO HERVÁS Y PANDURO (1735-1809), nacido en Horcajo de Santiago (Cuenca), jesuita expulsado de España en 1767, vivió muchos años en Italia; en 1798 ya estaba de nuevo en España; uno de los más grandes eruditos de su tiempo, creador de la moderna filología comparada con su obra *Catálogo de las lenguas de las naciones conocidas* (Madrid, 1800-1805) FRANCISCO CERDÁ Y RICO (1739-1800), valenciano, oficial de la Real Biblioteca, erudito insigne que dedicó sus actividades al estudio de las crónicas y de algunas obras clásicas escritas por Moncada, Cervantes de Salazar, Calvete de la Estrella, Sánchez de las Brozas... ANTONIO CAPMANY (1742-1813), barcelonés, censor y secretario perpetuo de la Real Academia de la Historia, diputado en las Cortes de Cádiz: *Filosofía de la elocuencia* —1771—, *Memorias históricas sobre la marina, comercio y artes de Barcelona*—1779—, *Teatro histórico - crítico de la elocuencia española* —1780—. GREGORIO MAYÁNS Y SISCAR (1699-1781), valenciano, profesor de la Universidad de Valencia, oficial de la Real Biblioteca; solo preocupado por la erudición se retiró a su pueblo natal: Oliva; escribió *Vida de Cervantes,* la primera biografía del autor del *Quijote, Ensayos oratorios, Orígenes de la lengua española* —1737—, *Retórica, Vida de Virgilio.* PEDRO ESTALA (¿1740-1820?) madrileño, religioso escolapio, gran humanista, traductor de *Edipo* y *Pluto,* a cuyas traducciones antepuso discursos acerca de la tragedia y de la comedia; autor de *Colección de poetas españoles* (1789-1798, seis tomos). TOMÁS ANTONIO SÁNCHEZ (1723-1802) de Ruiseñada (Santander), director de la Biblioteca Real, académico de la Real de la Lengua y de la Real de la Historia, erudito y polemista de primer orden: *Colección de poesías castellanas anteriores al siglo XV,* ediciones críticas de las obras de Berceo, Arcipreste de Hita, *Cantar de Mio Cid, Poemas de Alexandre.* Eruditos de muy inferior categoría fueron: JOSÉ LUIS VELÁZQUEZ DE VELASCO (1722-1772), marqués de Valdeflores, malagueño y académico de la Real de la Historia: *Orígenes de la poesía castellana*—1754—; los hermanos franciscanos MOHEDANO, Rafael y Pedro, autores de una fantástica y abrumadora *Historia literaria de España* en diez tomos; BLAS ANTONIO DE NASARRE (1689-1751), comentarista disparatado del *Quijote* de Avellaneda.

3. LA HISTORIOGRAFÍA. JUAN DE FERRERAS (1652-1735), de La Bañeza (León), presbítero, director de la Real Biblioteca, redactor de los primeros estatutos de la Real Academia de la Lengua: *Sinopsis histórico-cronológica de España* (en 17 tomos, cuya publicación se inició en 1700) ANDRÉS MARCOS BURRIEL (1719-1762), de Buenache de Alarcón (Cuenca), jesuita, archivero de la metropolitana de Toledo; con varios colaboradores copió más de 2.000 documentos de la mayor importancia para la historia medieval española; autor de *Noticia de la California y de su conquista espiritual y temporal.* JUAN BAUTISTA MUÑOZ (1745-1802), valenciano: *Historia del Nuevo Mundo*—1793—apoyada en muchos documentos inéditos hasta entonces. JOSÉ ANTONIO CONDE (1765-1820), conquense, de la Real Academia de la Historia, conservador de la Real Biblioteca de El Escorial, traductor de poetas griegos: *Historia de la dominación de los árabes en España.* JUAN FRANCISCO MASDEU (1744-1817), jesuita, de asombrosa erudición, restaurador de la verdad histórica en muchos puntos falseados hasta entonces por la leyenda, en su *Historia crítica de España y de la cultura española*—1783 a 1805—en veinte tomos, aun cuando no pasa del siglo XI; obra, según Menéndez Pelayo, "monumento insigne de ciencia y de paciencia".

ENRIQUE FLÓREZ (1702-1773), de Villadiego (Burgos), religioso agustino, catedrático en Alcalá; renunció su cátedra y otros muchos cargos para dedicarse a recorrer los archivos y bibliotecas de España, obsesionado por la composición de su *España Sagrada,* el monumento más ilustre de la historiografía española en el siglo XVIII, empezado a publicar en 1747; al morir el P. Flórez su obra alcanzaba los 29 tomos, que luego incrementaron hasta los 51 otros historiadores: MANUEL RISCO, ANTOLÍN MERINO, JOSÉ DE LA CANAL—los tres agustinos, que la continuaron hasta el tomo 46—; PEDRO SAINZ DE BARANDA, que añadió los tomos 47, 48 y 49—; siendo la Real Academia de la Historia la redactora de los tomos 50 y 51. El P. FLÓREZ es autor de otras importantes obras: *Clave historial, Memorias de las reinas católicas de Castilla y León*—1761—, *Medallas de las colonias, municipios y pueblos antiguos de España.*

PEDRO RODRÍGUEZ DE CAMPOMANES (1723-1802), asturiano, estadista, presidente de la Real Academia de la Historia, ministro: *Disertaciones sobre los templarios, Antigüedad marítima de la república de Cartago.* RAFAEL DE FLORANES (1743-1801), santanderino, señor de Tavaneros, doctor en Derecho y en Historia: *Vida del Canciller Pero López de Ayala.* FRANCISCO MARTÍNEZ MARINA (1754-1833), asturiano, canónigo en la catedral de Madrid, presidente de la Real Academia de la Historia, rector de la Universidad de Alcalá: *Teoría de las Cortes de León y de Castilla, Ensayo histórico-crítico sobre el origen y progreso de las lenguas, señaladamente el romance castellano.* MARTÍN FERNÁNDEZ DE NAVARRETE (1765-1844), autor de una *Vida de Miguel de Cervantes* que todavía utilizan los cervantistas. FRANCISCO BERGANZA Y ARCE: *Antigüedades de España*—1719.

4. LA PROSA NEOCLÁSICA.—JOSÉ CADALSO Y VÁZQUEZ (1741-1782), melancólico gaditano, bravo militar, de romántica vida de viajero triste; gran enamorado de la actriz María Ignacia Ibañez; murió, al frente de un regimiento de Caballería, ante los muros de Gibraltar. Su existencia fue "puro romanticismo", aun cuando la mayor parte de su obra corresponda al neoclásico, sorprendente contradicción. Dominó a la perfección inglés, francés, alemán e italiano; obtuvo el hábito de Santiago. Sus poesías están contenidas en el volumen *Ocios de mi juventud*—1773—, y son muchas las admirables. Pero la importancia de Cadalso está en sus libros de prosa: *Cartas marruecas*—1793—, *Los eruditos a la violeta*—1772—y *Noches lúgubres*—1790—;

los tres bien pensados y bien escritos; el primero "sobre los usos y costumbres de los españoles antiguos y modernos"; el segundo, curso completo de la sátira literaria; y el tercero, lucubraciones acerca de la "desesperación de amor".

GASPAR MELCHOR DE JOVELLANOS (1744-1811), de Gijón, estudió en Alcalá, alcalde de la Sala del Crimen y Oidor en la Audiencia de Sevilla, alcalde de Casa y Corte en Madrid, fundador del Instituto de Gijón, secretario de Gracia y Justicia, Académico de las Reales de la Lengua y de la Historia, representante de Asturias en la Junta Central del Reino, gran patriota durante la invasión napoleónica, preso durante siete años en el castillo de Bellver (Palma de Mallorca) por sus ideas liberales; de mucha cultura, excelente poeta, pero mejor prosista. En la Academia Poética salmantina recibió el nombre de *Jovino*. Escribió dos obras teatrales: *Munuza* o *Pelayo* y *El delincuente honrado;* Epístolas, poesías patrióticas y filosófico-morales, sonetos, letrillas y romances; y en prosa: *Informe sobre la Ley Agraria, Memorias del castillo de Bellver, Elogios* (de Carlos III, de Ventura Rodríguez, etc), *Tratado teórico-práctico de la enseñanza, Memoria en defensa de la Junta Central del Reino.* La prosa de Jovellanos es la más noble, limpia y rica de su siglo.

JUAN PABLO FORNER (1756-1797) Nació en Mérida (Badajoz) y murió en Madrid. Doctor en Filosofía y en Jurisprudencia. Abogado e historiador de la Casa de Altamira. Censor general de obras de Historia y Crítica. Fiscal del Consejo Supremo de Madrid. Su cultura fue enorme; su patriotismo, conmovedor; su estilo, nervioso, lleno de pasión y de tersura; su prosa, acerada y contundente; buida y pasmosa su agudeza crítica. Fue también un formidable polemista contra Iriarte, Trigueros, Valladares, García de la Huerta, Moncín... Obras: *Discursos filosóficos sobre el hombre, Oración apologética por las glorias de España*—1786—, *Exequias de la lengua castellana*—1782—, de gran riqueza doctrinal, defensa de nuestra literatura del Siglo de Oro. Poco valen sus poesías; y no más su tragedia *Las vestales* y su comedia *La cautiva.* Y tales escándalos "armó" con sus sátiras, que le fue prohibido por real decreto de 1785 publicar nada sin expresa autorización real.

5. POESÍA NEOCLÁSICA.—GABRIEL ALVAREZ DE TOLEDO Y PELLICER (1662-1714): *La Burromaquia,* poema burlesco dividido en "rebuznos"; *Obras póstumas poéticas,* publicadas en 1744 por Torres Villarroel. EUGENIO GERARDO LOBO (1679-1750), de Cuerva (Toledo), bravo militar a quien se le llamó el *Capitán coplero;* tomó parte en la guerra de Sucesión a favor de Felipe V, y fue gobernador militar de Barcelona; poeta inspirado en *Selva de las Musas*—1717—. (De TORRES VILLARROEL, poeta nada más que mediano, me ocuparé en el apartado de prosa narrativa) ALFONSO VERDUGO Y CASTILLA (1706-1767), conde de Torrepalma, y llamado *El Difícil* en la Academia del Buen Gusto: *El Juicio Final, El Deucalión,* y buen número de romances, sonetos, letrillas, décimas y estancias. ANTONIO PORCEL Y SALABLANCA (1720-¿1778?), llamado *El Aventurero* en la Academia del Buen Gusto: *Adonis, Alfeo y Aretusa,* poemas, y la tragedia *Mérope.*

NICOLÁS FERNÁNDEZ DE MORATÍN (1737-1780), madrileño, ayudante del guardajoyas real. Figuró entre los Arcades de Roma con el nombre de *Flumisbo Thermodonciaco.* Formó con otros varios escritores la famosa tertulia literaria de la Fonda de San Sebastián, opuesta a la Academia del Buen Gusto. Arremetió contra todo el glorioso teatro español, logrando que fueran prohibidas las representaciones de los Autos Sacramentales. Su poema *Las naves de Cortés destruidas,* fue pospuesto por la Academia Española al muy inferior, con el mismo título, de Vaca de Guzmán. Excelente versificador, de oído fino y delicado, de gran talento descriptivo, pasa por ser uno de los grandes poetas de su época. *La fiesta de toros en Madrid*—quintillas brillantes—, algunos trozos de su poema didáctico *La Diana;* los romances de *Don Sancho en Zamora* y de *Abdelcadiry Galiana,* las odas *A Pedro Romero* y *Al Conde de Aranda,* son dignos de la mejor antología lírica. Escribió algunas obras teatrales, muy neoclásicas y bastante aburridas: *Lucrecia, Guzmán el Bueno* y *Hormesinda.* Vale más su comedia *La petimetra.*

JOSÉ GERARDO DE HERVÁS más conocido por "JORGE PITILLAS" (1742-¿?): autor de *Sátira primera contra los malos escritores de este siglo,* en 301 versos puestos en tercetos encadenados. AGUSTÍN DE MONTIANO LUYANDO (1697-1764), miembro de la Real Academia de la Lengua y fundador y director de la Real de la Historia: *Églogas, Discursos sobre las tragedias españolas.* JOSÉ MARÍA VACA DE GUZMÁN Y MANRIQUE (1744-1803): el poema *Granada rendida* y *Las naves de Cortés destruidas,* canto épico premiado por la Real Academia Española.

TOMÁS DE IRIARTE (1750-1791), de la Oratava (Canarias), educado, y bien, por su tío el erudito don Juan de Iriarte; por sus ideas volterianas fue procesado por la Inquisición. Fueron feroces sus polémicas con Forner, Samaniego, Sedano y don Ramón de la Cruz. Sus *Fábulas literarias*—1782—son setenta y seis, y le alcanzaron gran fama; y son, en efecto, magistrales. Muy interesante es su poema didáctico en cinco cantos *La Música;* y su ingenioso opúsculo *Los literatos en Cuaresma;* tradujo los cuatro libros primeros de la *Eneida,* varias fábulas de Fedro, y la *Epístola a los Pisones* de Horacio. FÉLIX MARÍA DE SAMANIEGO (1741-1801), de La Guardia (Álava), de muy noble familia, señor de cinco mayorazgos, muy aficionado a Francia y a sus enciclopedistas. Presidente y uno de los primeros miembros de la Sociedad Vascongada. A ruegos de su tío el conde de Peñalver escribió las *Fábulas,* para los seminaristas de Vergara. Por una sátira, la Inquisición de Logroño le encerró en el convento de carmelitas de El Desierto. Menos variado que Iriarte en los metros, le superó en animación e intención moralizadora. AGUSTÍN IBAÑEZ DE LA RENTERIA (1750-1826), bilbaíno, imitador de Iriarte y Samaniego en sus *Fábulas en verso castellano.* CRISTÓBAL DE BEÑA, extremeño, también imitador, algunas veces feliz, de Iriarte y Samaniego, en sus *Fábulas.* PABLO DE JÉRICA (1781-1831), alavés, y el mejor fabulista de su tiempo después de Iriarte y Samaniego.

Pertenecen al llamado *grupo salmantino* los siguientes poetas: FRAY DIEGO TADEO GONZÁLEZ (1733-1794), agustino, imitador, en ocasiones feliz, de fray Luis de León: *Poesías*—1796—; entre ellas, *El murciélago alevoso,* la égloga *Llanto de Delio y profecía del Tajo.* FRAY JUAN FERNÁNDEZ DE ROJAS (1750-1819), agustino, discípulo y editor de las poesías de Fray Diego Tadeo González; autor del ingenioso libro en prosa *Crotología o arte de tocar las castañuelas.* JOSÉ IGLESIAS DE LA CASA (1748-1791), salmantino, de mucho ingenio y sales, magistral en las letrillas, endechas, romances, apólogos, anacreónticas, silvas y elegías; su vena festiva es tan delicada como graciosa.

Pertenecen al "grupo sevillano": MANUEL MARÍA DE ARJONA (1771-1820), jefe y motor de esta escuela: *Ruinas de Roma, La diosa del bosque, A la memoria, España restaurada en Cádiz.* JOSÉ MARÍA BLANCO CRESPO (1775-1841), más conocido por "Blanco-White", sevillano, sacerdote apóstata, hubo de huir a Londres, donde vivió hasta su muerte y publicó la revista mensual *El Español;* natural e inspirado poeta en *A la Inmaculada, Corila, A Carlos III Una tormenta en alta mar,* el conocidísimo soneto *Mysterious night*—escrito en inglés, lengua que dominó a la perfección—; de sus *Letters from Spain* dijo Menéndez Pelayo que "es obra tal que no hay elogio digno de ella". FÉLIX JOSÉ REINOSO (1772-1841), sacerdote piadosísimo: *La inocencia perdida* e innumerables epístolas, odas, silvas y elegías.

Mucho más que los precedentes valió ALBERTO LISTA Y ARAGÓN (1775-1848), sacerdote, maestro de una admirable pléyade de escritores: Espronceda, Escosura, Ferrer del Río, Fernández Espino, Ochoa... Llamado *Anfriso.* Clásico por decidida voluntad, tuvo como lema ideal "pensar como Rioja y escribir como Calderón". Poeta, humanista, matemático, influyó grandemente en la dirección de las ideas estéticas con sus numerosos trabajos de crítica: *Del sentimiento de la belleza, De la influencia del cristianismo en la literatura, Reflexiones sobre la dramática española en los siglos XVI y XVII.* Algunos de sus poemas son dignos de las más exigentes antologías: *La beneficencia, A la victoria de Bailén, El triunfo de la tolerancia, A la mañana, Al sueño, La muerte de Jesús...*

JOSÉ MARÍA ROLDÁN (1771-1828): *A la resurrección del Señor, A la venida del Espíritu Santo.* JOSÉ GONZÁLEZ CARVAJAL (1753-1834): *Al Santísimo Sacramento, Al Espíritu Santo, A Santiago, A San Francisco.* MANUEL MARÍA MÁRMOL (1776-1849), capellán real: *Romancero, Colección de epigramas.* JOSÉ MARCHENA RUIZ DE CUETO (1768-1821), más conocido por "el Abate Marchena", de ideas heterodoxas vivió casi siempre en Francia; su talento y su cultura fueron grandes, y su dominio del latín y del griego, perfectos; Chateaubriand le llegó a calificar "de sabio inmundo y aborto lleno de talento"; tradujo a Molière, a Voltaire, a Montesquieu, el *Satiricón* de Petronio y fue autor de muchas poesías correctas y bastante inspiradas: *A Cristo crucificado, A Licoris, A la Libertad.*

Participaron de la lírica tradicional y de la neoclásica: BARTOLOMÉ JOSÉ GALLARDO (1776-1852) autor de alguna bella poesía como *Blanca flor;* fue erudito y crítico de gran talla, polemista formidable, bibliófilo bibliopirata, satírico excepcional, y autor de la famosa obra *Ensayo de una biblioteca española de libros raros y curiosos,* de indispensable consulta aún hoy.

FRANCISCO JAVIER DE BURGOS (1778-1848), gran traductor de Horacio, y autor de estimables poesías: *La Constancia, El porvenir, La primavera, A fray Luis de León.* JOSÉ MOR DE FUENTES (1762-1848), erudito, polígrafo, productor incansable de poemas. BERNARDINO DE VELASCO Y PIMENTEL, DUQUE DE FRÍAS (1783-1851), académico, poeta excelente: *A las nobles artes, A Pestalozzi;* sus *Obras poéticas* las publicó —1857—la Real Academia Española. JUAN MARÍA MAURY (1782-1845): *La ramilletera ciega, Eloísa y Abelardo, Esvero y Almedora;* Maury publicó —1826—en París una magnífica antología de poesías españolas: *L'Espagne poétique,* que atrajo la atención de Francia sobre la literatura española. El gaditano JOSÉ JOAQUÍN DE MORA (1781-1864), muy erudito y buen polemista: *Leyendas españolas, Meditaciones poéticas.* JOSÉ VARGAS PONCE (1760-1821), gaditano, crítico, filólogo: *Proclama de un solterón.* JUAN BAUTISTA ARRIAZA Y SUPERVIELA (1770-1837), madrileño, funcionario público muy protegido siempre por los monarcas se convirtió en el "poeta oficial de la Corte", y a él se le encomendaron todas las poesías para bautizos, bodas y defunciones reales: *Ensayos poéticos*—1799—, *Poesías patrióticas*—1810—y *Poesías líricas*—1829—. JOSÉ SOMOZA (1781-1852), autor de notables cuadros costumbristas y de varias poesías entre las que sobresale *A la laguna de Gredos.* GASPAR MARÍA DE NAVA ALVAREZ, CONDE NOREÑA (1760-1815), autor de excelentes poesías originales, pero cuya fama se debe a su libro *Poesías asiáticas puestas en verso,* origen de la tendencia *orientalista* de algunos románticos, como Arolas y Zorrilla. El catalán MANUEL DE CABANYES (1808-1833), cuyas poesías preludian el romanticismo lírico.

Mención destacada merecen cuatro grandes poetas: Cienfuegos, Meléndez Valdés, Nicasio Gallego y Quintana. NICASIO ALVÁREZ DE CIENFUEGOS (1764-1809), madrileño, estudió en Salamanca, donde se hizo amigo inseparable de Meléndez Valdés. Oficial de la Secretaría de Estado y redactor de la *Gaceta* y del *Mercurio.* Apasionado patriota, se alzó, conspiró y luchó contra los franceses. Murat le condenó a muerte. Indultado cuando ya estaba en capilla, marchó en rehenes a Francia, donde murió de melancolía. Poeta de acusadísima personalidad sentimental, puede ser considerado como un verdadero precursor del movimiento romántico. En su obra lírica se entreveran, con grandeza, el pensamiento filosófico, el sentimiento de la naturaleza y los arrebatos líricos fogosos y desordenados. Para el marqués de Valmar "el verdadero valor de Cienfuegos consiste en que, en medio de aquella glacial atmósfera de amaneramiento y artificio que habían creado los poetas reformadores, escribe lo que siente, y siente con ímpetu y firmeza. Entre sus mejores poemas están: *La escuela del sepulcro, La rosa del desierto, El fin del otoño, Al otoño, A un amante al partir su amada.* Escribió algunas tragedias: *Pítaco, Zoraida, Idomeneo, La condesa de Castilla,* de corte neoclásico. JUAN MELÉNDEZ VALDÉS (1756-1817) nació en Ribera del Fresno (Badajoz) Perteneció a la escuela salmantina de fray Diego Tadeo González con el melifluo nombre de *Batilo.* Dominó el inglés y el francés, y sus respectivas literaturas. Fue catedrático de Humanidades en Salamanca, magistrado en Zaragoza y Valladolid, fiscal de la Sala de Alcaldes de Casa y Corte, presidente de Instrucción Pública, partidario de José Bonaparte. Al huir de España este, Meléndez hubo de refugiarse en Montpellier, donde murió. Meléndez es acaso el mejor lírico español del siglo XVIII. En su obra poética se acusan dos maneras. En la primera cultivó las églogas, las odas, las anacreónticas, al modo de la escuela salmantina. En la segunda, las epístolas, los romances, remedo del tono de fray Luis de León, de las ideas de Jovellanos y del prerromanticismo. De él escribió el marqués de Valmar: "No una sola, varias son sus facultades seductoras, a saber: la amenidad de su imaginación vivísima; la cultura de su lenguaje; la facilidad de su versificación; la soltura artística, que entretiene y halaga, y más que todo, el primor descriptivo, donde todo es color, abundancia y gentileza." Sus *Poesías* se publicaron en 1785, 1797 y 1820. Odas, anacreónticas, epístolas, letrillas, romances, elegías, idilios... Entre ellas sobresalen: *La flor del Zurguén, A la presencia de Dios, A Lise, A unos lindos ojos, La gloria de las artes, La paloma de Filis, Rosana en los fuegos, La mañana de San Juan, Doña Elvira, Los segadores...* Aun cuando premiada por la Real Academia Española, ni es buena, ni tuvo éxito su comedia *Las bodas de Camacho.*

MANUEL JOSÉ QUINTANA (1772-1857), nació y murió en Madrid. Estudió en Salamanca, donde fue discípulo de Meléndez Valdés y de Estala. Durante la invasión francesa fue fervoroso patriota y secretario de la Junta Central de Resistencia. Liberal y constitucionalista, Fernando VII le mandó encerrar en la ciudadela de Pamplona, donde permaneció desde 1814 hasta 1820. Director de Instrucción Pública y secretario de Interpretación de Lenguas. Ayo instructor de Isabel II y de su hermana Luisa Fernanda. En 1855 y en solemne velada que se celebró en el palacio del Senado, su regia discípula le coronó públicamente. Quintana hombre sobrevió a Quintana poeta; y habiendo asistido al triunfo apoteótico del Romanticismo, no cedió un punto la gallardía de su neoclasicismo. Viviendo aún, era ya, entre el general respeto, considerado como un clásico. Escribió las tragedias *Pelayo* y *El duque de Viseo;* las *Vidas de españoles ilustres* y unas deliciosas *Cartas a lord Holland.* Como poeta compuso odas de estilo enfático y de temas patrióticos: *Al combate de Trafalgar, A España después de la revolución de marzo, A Juan de Padilla, A la imprenta, Al mar, A Jovellanos, Al armamento de las provincias españolas contra los franceses, El Panteón de El Escorial...*

JUAN NICASIO GALLEGO (1777-1853), zamorano, estudió y recibió órdenes sagradas en Salamanca. Amigo de Meléndez Valdós, Cienfuegos, Quintana. Director—1805—de la Real Casa de Pajes. Patriota enardecido contra los franceses. Diputado a Cortes en 1810 y 1814. Estuvo encarcelado por sus ideas liberales. Fue secretario perpetuo de la Real Academia Española. Gallego, como Quintana, pese a haber asistido al triunfo del Romanticismo jamás transigió con él. Fue también senador del Reino. Su obra lírica comprende treinta y siete sonetos, dos epístolas, cuatro elegías, siete odas y quince poemas breves. Entre los cuales sobresalen: *A Corina, A la muerte de la duquesa de Frías, El Dos de Mayo, A la defensa de Buenos Aires...* Gallego fue muy admirado y respetado en su tiempo, y con justicia, pues posee inspiración, gran aliento lírico y nobleza temática.

6. EL TEATRO NEOCLÁSICO.—Mencionado ya, en el anterior apartado dedicado a los poetas, NICOLÁS FERNÁNDEZ DE MORATÍN, autor de la tragedia—mediocre—*Hormesinda,* corresponde la primera mención en el género escénico a VICENTE GARCÍA DE LA HUERTA (1734-1787), nacido en Zafra (Badajoz), estudiante en Salamanca. Ape-

nas llegado a Madrid le protegió el duque de Alba, nombrándole su archivero. Después fue oficial primero de la Real Biblioteca. Por enemistad con el conde de Aranda, estuvo huido en Francia, y desterrado en Granada y Orán. Defensor acérrimo de la tradición española, sostuvo tremendas polémicas con Iriarte, Montiano, Forner y Samaniego. Las obras líricas de García de la Huerta, publicadas en 1779, no son muy interesantes. Más aún: si como autor teatral se mostró discípulo fiel de los grandes dramaturgos del siglo XVII, como lírico se contradice al seguir los dictados inflexibles del neoclasicismo. Su fama la debe a su gran tragedia *La Raquel,* considerada como la mejor de su siglo, inspirada en *La judía de Toledo* de Mira de Amescua; y si en ella se observan las unidades—de tiempo y de lugar—rigurosamente neoclásicas, y no se mezcla lo cómico a lo trágico, en su esencia y carácter no difiere de los dramas del Siglo de Oro. *La Raquel* está escrita en poesía genuinamente *poética* y genuinamente *española,* y contiene emoción, nobleza, versificación noble, interés creciente y arte genérico de primerísima calidad.

También me he referido, en el apartado dedicado a los poetas, a TOMÁS DE IRIARTE, autor de las comedias *Hacer que hacemos, El señorito mimado* y *La señorita malcriada,* que contienen indudables valores; y JOSÉ CADALSO, autor del discreto drama *Sancho García* y de la mediocre comedia *Las circasianas;* y a LUCIANO FRANCISCO COMELLA, autor de muchas tragedias y comedias, de escasísimo valor: *La familia indigente, El menestral sofocado, El alcalde proyectista, Federico II en el campo de Torgau.*

DON RAMÓN DE LA CRUZ CANO Y OLMEDILLA (1731-1794), madrileño, protegido desde muy niño por el duque de Alba y por la duquesa-condesa de Benavente. Desempeñó durante toda su vida un cargo de escribiente en la Contaduría de Penas de la Cámara. Perteneció a la Academia de Buenas Letras de Sevilla, y a la de los Arcades, de Roma, con el nombre de *Larisio Dianeo.* Toda su vida la vivió a trancos de penuria y pinitos de abundancia. Don Ramón de la Cruz empezó traduciendo o adaptando obras extranjeras de Molière, Racine, Shakespeare, Voltaire, Beaumarchais, Metastasio; y escribiendo comedias y zarzuelas originales: *Quin complace a la deidad, Las segadoras de Vallecas, El licenciado Farfulla, Marta abandonada...* Pero su inmensa fama se la ganaron sus incontables sainetes, verdaderas joyas del teatro español. "Fue el único—escribe Menéndez Pelayo—que se atrevió a dar en cuadros breves, pero de singular poder y eficacia realista, un trasunto fiel y poético de los únicos elementos nacionales que quedaban en aquella sociedad confusa y abigarrada." Madrid es el escenario obligado de todos sus sainetes; cuyo valor histórico es muy superior al literario con ser este muy grande; hasta el punto de que se ha dicho por incontables críticos y eruditos "que el teatro de don Ramón de la Cruz, los aguafuertes de Goya y las *Letters from Spain* de Blanco-White, constituyen las mejores fuentes y los documentos más calificados para el estudio de la historia de la España de la segunda mitad del siglo XVIII". Y no faltan los historiadores de nuestra literatura que afirman que los sainetes de don Ramón emparejan, y aun exceden a veces, a los mejores de Cervantes, Lope de Rueda y Quiñones de Benavente. Todos ellos son cuadros realistas y graciosos de las costumbres de la época, bocetos satíricos de las manías y prejuicios de la sociedad española, y de los tipos de las clases media y baja, con sus propias ideas, actitudes y lenguaje. Entre estos sainetes sobresalen: *El mesón de Villaverde, El careo de los majos, El fandango del candil, La pradera de San Isidro, La presumida burlada, El Rastro por la mañana, El Prado por la noche, La maja majada, Las tertulias de Madrid, El Manolo, El muñuelo, Inesilla la de Pinto, La Petra y la Juana o La Casa de Tócame-Roque, Los payos en la Corte, Las majas del Avapiés, Las castañeras picadas, Los bandos del Avapiés, El petimetre, El casero burlado, El teatro por dentro, La audiencia encantada...* Casi todos estos sainetes llevan canciones y bailes populares. La invención, la gracia, el garbo, la fidelidad realista, el ingenio del lenguaje y de las situaciones fueron inagotables en don Ramón de la Cruz.

JUAN IGNACIO GONZÁLEZ DEL CASTILLO (1763-1800), gaditano, fue el maestro de castellano del famoso erudito hispanófilo alemán Nicolás Böhl de Faber, y sainetero muy notable, espontáneo, realista, brillante, aun cuando muy inferior a don Ramón de la Cruz; entre sus mejores obras están: *El café de Cádiz, El día de toros en Cádiz, El soldado fanfarrón, El desafío de la Vicenta, Los majos envidiosos, La casa de vecindad.*

LEANDRO FERNÁNDEZ DE MORATÍN (1760-1828), madrileño, hijo de Nicolás. De pocos años fue oficial de joyería. Asistió con su padre a la tertulia de la Fonda de San Sebastián. Muchacho aún, la Real Academia Española le premió, en dos concursos consecutivos, dos poesías: *La toma de Granada* y *Lección poética sobre los vicios* introducidos en la poesía castellana. Fue secretario del banquero y político Cabarrús, siendo testigo de algunos impresionantes episodios de la Revolución Francesa. Estuvo en Londres y tradujo bien y libremente el *Hamlet* de Shakespeare. Viajó por Italia. El rey José Bonaparte le nombró su bibliotecario. Antes, entre 1800 y 1808, desempeñó los cargos de secretario de la Interpretación de Lenguas y director y censor de teatros. Huido el monarca francés, Moratín se refugió en Montpellier y en Burdeos, donde tuvo un colegio particular con su amigo don Manuel Silvela. Murió en París.

E

Pocos escritores como Leandro Moratín representan de una manera tan perfecta el sentido del equilibrio y de la armonía. Su forma de expresión es impecable. Su verso, fluido y clásico. Su cultura, muy vasta y muy bien asimilada. Por todo ello, su influencia en la literatura de su tiempo resultó grande. Todo lo hizo bien: la crítica, el teatro, la poesía, la traducción. Lleno de buen gusto, de elegancia espiritual. Pasa, con justicia, por ser el "padre del teatro español contemporáneo". Sus obras escénicas originales son: *El viejo y la niña, El barón, La mojigata, El café o la comedia nueva* y *El sí de las niñas;* todas ellas excelentes, y la mejor la última, en verdad modelo genérico. Tradujo: *El médico a palos* y *La escuela de los maridos,* de Molière, de modo magistral. En prosa escribió: *La derrota de los pedantes* y *Orígenes del teatro español.* Y en verso: sátiras, epístolas, sonetos, romances, odas, elegías...

7. La prosa narrativa.—Diego de Torres Villarroel (1693-1770), salmantino, hijo de un librero, estudiante "de cuantas ciencias y letras eran conocidas entonces", de existencia bohemia y llena de aventuras y riesgos fenomenales, metido en amoríos, en magias y gatuperios, espadachín, pronosticador del futuro, maestro de danzas, conspirador político. Desempeñó una cátedra en Salamanca y acabó ordenándose sacerdote en 1745. Su curiosidad intelectual fue inagotable, siendo escritor fecundo y raro. En 1752 publicó sus obras completas en catorce tomos; varias de ellas tienen asuntos extravagantes, como las que versan sobre el problema de la piedra filosofal, y los *Almanaques* y *Pronósticos,* algunos de los cuales se cumplieron, como el de la Revolución Francesa (1789), que él había anunciado en 1756. Escribió obras serias, como la *Vida de la venerable madre Gregoria de Santa Teresa*—1738—, de mucho valor por su documentación y la gran pureza y riqueza de su léxico. Compuso también comedias burlescas, sainetes, zarzuelas, buen número de poesías líricas; todo ello de mucho ingenio y admirable lenguaje. Pero su gran y justa fama se la debe a su prosa satírica y narrativa: *Vida, ascendencia, nacimiento, crianza y aventuras del doctor don Diego de Torres Villarroel*—1743—, *Sueños morales, Visiones y visitas con don Francisco de Quevedo* —1743—, valiosa colección de cuadros satíricos de la vida madrileña; *Anatomía de lo visible e invisible;* y los *Pronósticos,* que publicó anualmente con el seudónimo de *El Gran Piscator de Salamanca.*

Juan Francisco de Isla (1703-1781), de Vidanes (León), jesuita. Cuando la expulsión de España de la Compañía de Jesús, marchó a Italia, residiendo en Bolonia, donde murió. Su fama la debe a su novela *Historia del famoso predicador fray Gerundio de Campazas, alias Zotes,* publicada en 1758 con nombre falso y que alcanzó un éxito extraordinario, levantando ásperas polémicas y siendo recogidos sus ejemplares por orden del Santo Oficio. Es la única novela notable de todo el siglo xviii, mezcla de narración satírica y de tratado de oratoria, escrita para burlarse del aluvión de predicadores enfáticos, vacuos y conceptuosos. Por el estilo y el ingenio es de los libros más castizos de su tiempo. Su lenguaje es de grandísima abundancia y colorido; y por su desenfado y mordacidad y rebosante gracia natural entronca con las novelas picarescas. El P. Isla escribió algunos otros libros notables: *Cartas familiares*—1786 a 1789, en seis tomos—: *Sermones,* reunidos en seis volúmenes; *La juventud triunfante, Las cartas de Juan de la Encina, Triunfo del amor y de la lealtad o Día grande en Navarra.* Tradujo portentosamente el *Gil Blas de Santillana,* de Le Sage, con este título harto significativo: *Aventuras de Gil Blas de Santillana, robadas a España y adaptadas a Francia por Lesage, restituidas a su patria y a su lengua por un español celoso que no sufre se burlen de su nación.*

Pedro Montengón (1745-1824) alicantino, catedrático de gramática en Onteniente, jesuita, autor de muchas poesías mediocres y de una novela seudofilosófica, *Eusebio*—1786—, a imitación del *Emilio* de Rousseau. Diego Rejón y Lucas (1735-1796), autor de una pesadísima novela picaresca: *Aventuras de Juan Luis.* José Mor de Fuentes (1762-1848), poeta, autor dramático, erudito, autor de la novela *Serafina* —1797—, a imitación de la de Rousseau *Julia o la nueva Eloísa.*

IV. EL SIGLO XIX

1. El Romanticismo.—¿Qué es el Romanticismo? Lo va a definir el Diccionario de la Real Academia de la Lengua: "Escuela literaria de la primera mitad del siglo xix, extremadamente individualista y que prescindía de las reglas o preceptos tenidos por clásicos; en muchas de sus obras se conforma al espíritu y gustos de la civilización cristiana (medieval), a diferencia del de la literatura grecorromana en la antigüedad gentilicia." El Romanticismo fue una revolución violentísima contra la frialdad y el empacho formal del Neoclásico. Otras muchas definiciones pueden darse del Romanticismo: La lucha de la pasión contra la razón. El gusto y regusto por lo imprevisto y sentimental. Una alianza del espíritu con la fantasía para no detenerse nunca. La anarquía en la inventiva y en los procedimientos. La íntima conexión entre el arte y la vida. La emancipación entera y absoluta del Yo. Pero ya he dicho en otro lugar, que el Romanticismo tuvo, dos siglos antes, otro nombre; Barroco. Y que esta tendencia y escuela fue invento y glorificación de España; aun cuando,

dos siglos después, pretendieran proclamarse *inventores* del Romanticismo alemanes, ingleses y franceses. Por ello, quizá lo único verdaderamente nuevo del nuevo movimiento—literario, artístico y hasta social—fuera el nombre: Romanticismo, palabra derivada, al parecer, del *romantik aspec* con que aludió a la isla de Córcega el viajero inglés Browell en 1765. Del *romantik* derivaron los franceses *romanesque* —novelesco—y *romantique;* y de los vocablos franceses, los españoles *romántico* y *romantismo.* Pero que el Romanticismo procedía del barroco español lo demuestra Romera y Navarro en este breve y preciso comentario: "Veamos, ante todo, suscintamente, los principales factores que dan nacimiento al romanticismo en España. El teatro clásico (barroco) español, y en especial el de Calderón, había empezado a atraer la atención de los románticos alemanes. Augusto Guillermo Schlégel, en sus famosas *Lecciones de literatura dramática* (1808), y su hermano Federico, en la monumental *Historia de la literatura antigua y moderna*—1815—, al par que renovaban la crítica literaria, examinando ias obras neoclásicas a la luz de la nueva estética romántica, ensalzaron aquellas manifestaciones de la tradición nacional, del espíritu cristiano y caballeresco de la Edad Media (el *Poema del Cid,* v. gr., respecto de España) y el teatro poético, simbólico y profundo de Calderón, que ofrecían como supremo modelo del arte romántico. Los libros de los hermanos Schlegel, traducidos inmediatamente al francés, fueron pronto conocidos en España. Otros eruditos alemanes fomentaron este renacimiento del gusto por la vieja literatura castellana: Hérder popularizaba en su patria el *Romancero del Cid,* y Jacobo Grimm inauguraba el estudio científico de nuestros romances y los daba a conocer con la publicación de la *Silva de romances viejos españoles*—1815—. La defensa que Nicolás Böhl de Faber hizo del teatro castellano en su larga polémica con los redactores de la *Crónica científica y literaria* de Madrid—1814 a 1819—, contribuyó a levantar a un tiempo el prestigio de aquel y a despertar un curioso interés por los grandes románticos extranjeros (Walter Scott, Byron, Chateaubriand, Manzoni) a la sazón en la plenitud de su gloria. Böhl de Faber secundó su defensa con la publicación de la *Floresta de rimas antiguas castellanas* (1821-1825) y el *Teatro español anterior a Lope de Vega*—1832.

"Desde 1801 se venía traduciendo obras de los románticos extranjeros, especialmente de Chateaubriand; y a partir de 1824 es grande el número de versiones, sobre todo de las novelas de Walter Scott, sueltas y en colecciones. En 1827, el librero valenciano Cabrerizo inaugura nueva serie de traducciones románticas, y su ejemplo es imitado por los libreros de Madrid y Barcelona. Al mismo tiempo, críticos y literatos, como Durán, Donoso Cortés, Alcalá Galiano, defienden juntamente el teatro español clásico y el romanticismo. Finalmente, los muchos emigrados políticos (duque de Rivas, Martínez de la Rosa, Alcalá Galiano, Espronceda, etc.), familiarizados con el romanticismo europeo, y entusiastas de él, constituyeron al regresar a España—1833—una poderosa falange para el triunfo decisivo de las nuevas doctrinas."

Pero en España, mucho antes de todo lo apuntado, y como ya he señalado, entre 1780 y 1830 existió una *zona fronteriza y de transición* en la que vibraron ya algunas notas absolutamente prerrománticas, muy marcadas en escritores como Cadalso, Meléndez Valdés, Gallego, Gallardo, Cienfuegos. Pero, en frase feliz de Menéndez Pidal. "El Romanticismo había vuelto a España." El 8 de octubre de 1823 apareció, como órgano de la escuela románticoespiritualista, *El Europeo,* periódico fundado por Buenaventura Carlos Aribáu y Ramón López Soler. En este periódico se recogía cuanto con sabor romántico circulaba por Europa. Y fue Ramón López Soler quien, al frente de su novela histórica *Los bandos de Castilla* lanzaría el auténtico e interesantísimo *manifiesto romántico.* Desde entonces los románticos españoles no se hartaron en jurar que preferían Jimena a Dido, el Cid a Eneas, Calderón a Voltaire, Cervantes a Boileau.

2. El teatro romántico.—Francisco Martínez de la Rosa (1787-1862), granadino, catedrático de filosofía antes de cumplir los veinticinco años. Durante la invasión francesa estuvo en Londres, para buscar la alianza inglesa. Diputado—1812—con dispensa de la edad. Por su liberalismo sufrió confinamiento en el Peñón de la Gomera hasta 1820. Restablecido el absolutismo en 1823, huyó a Francia, donde permaneció hasta la muerte de Fernando VII —1833—. Presidente del Consejo de Ministros. Presidente del Congreso y del Consejo de Estado. Embajador en París y Roma. Promulgador del Estatuto Real. De la Real Academia Española de la Lengua. En sus dramas—*La viuda de Padilla, Edipo, Moraima, La conjuración de Venecia, Aben Humeya*—y en su novela *Doña Isabel de Solís, reina de Granada,* se muestra como un muy acusado precursor del romanticismo. También escribió poesías muy correctas, algunas comedias—*La niña en la casa y la madre en la máscara, La boda y el duelo, Los celos infundados*—y *El cementerio de Momo,* serie de curiosos epigramas; *Apuntes sobre el drama histórico* y una *Poética.*

Ángel de Saavedra, Duque de Rivas (1791-1865), de Córdoba e ilustre familia. Se educó en el Colegio de Nobles de Madrid. Guardia de Corps. Luchó contra los franceses con tal bravura que recibió once heridas. Diputado a Cortes en 1822. Durante diez años, hasta 1834, vivió emigrado en Malta, Francia e Inglaterra.

En Francia vivió de la venta de los cuadros por él pintados con singular maestría. Nuevamente diputado incontables veces, embajador, ministro, presidente del Consejo de Ministros, de la Real Academia Española. Autor teatral "de moda" y corifeo del romanticismo. Hasta 1824 el duque de Rivas había sido un poeta neoclásico. Su poema *El moro expósito*—1834— y su grandioso drama *Don Alvaro o La fuerza del sino*—1835—, el mejor y más célebre del romanticismo, marcan el deslumbrante inicio de este movimiento. El duque de Rivas escribió otras obras escénicas muy notables: *Ataúlfo, Aliatar, El duque de Aquitania, Doña Blanca, Lanuza, Arias Gonzalo* (todas ellas de corte neoclásico) y las románticas: *Solaces de un prisionero, El crisol de la lealtad, El parador de Bailén, El desengaño de un sueño, La morisca de Alajuar.* Escribió también un volumen de *Leyendas,* muchos romances históricos y varios novelescos; y entre sus mejores poemas están: *El faro de Malta, El desterrado, El sueño del proscrito, A Olimpia, A la victoria de Bailén...* Entre sus notables obras en prosa figuran: *Sublevación de Nápoles capitaneada por Masianelo y Breve reseña de la historia del reino de las Dos Sicilias.*

ANTONIO GARCÍA GUTIÉRREZ (1813-1884), de Chiclana (Cádiz). Inició la carrera de Medicina, que no llegó a terminar. Para poder vivir, hubo de sentar plaza en Madrid. Durante algún tiempo se dedicó al periodismo en América. De regreso en España fue nombrado interventor de la Comisión de Hacienda en Londres. De la Real Academia Española en 1865. Cónsul en Bayona y en Génova. Director del Museo Arqueológico Nacional desde 1872 hasta su muerte. En 1836, siendo aún soldado, estrenó en el Teatro del Príncipe su drama *El trovador,* que obtuvo un éxito apoteótico. Sus poesías líricas no ofrecen gran interés. Su enorme popularidad la debe a sus dramas *Venganza catalana, El encubierto de Valencia, El rey monje, Simón Bocanegra, Doña Urraca de Castilla, El bastardo, El tesorero del rey, Las bodas de doña Sancha...*

JUAN EUGENIO DE HARTZENBUSCH (1806-1880), madrileño, hijo de un notable ebanista alemán y de una dama española. Cursó Humanidades, con los Jesuitas, en el Colegio de San Isidro. Taquígrafo de la *Gaceta*—1835—; oficial primero de la Biblioteca Nacional—1844—; de la Real Academia Española—1847—; director de la Escuela Normal—1854—; director de la Biblioteca Nacional. Y siempre erudito notable, dramaturgo excepcional, consejero admirable y bonísima persona. Menéndez Pelayo le reputó como uno de los precursores de la moderna investigación literaria. Su verso era fácil. Su prosa, correctísima. Su fama enorme y súbita la obtuvo al estrenar—1837—en el Teatro del Príncipe su tragedia romantiquísima *Los amantes de Teruel.* Otros dramas suyos: *Las hijas de Gracián Ramírez, Alfonso el Casto, La jura de Santa Gadea, El infante don Fernando el de Antequera, Doña Mencía...* Escribió comedias de magia: *La redoma encantada, Los polvos de la Madre Celestina* y *Las Batuecas.* Es también autor de una admirable colección de *Fábulas,* de algunas narraciones y novelitas muy interesantes. Y estudió y comentó, para la famosa Biblioteca de Autores Españoles, de Rivadeneyra, a Calderón, Ruiz de Alarcón, Lope de Vega y "Tirso de Molina".

Son dramaturgos románticos de segundo orden: ANTONIO GIL Y ZÁRATE (1796-1861), de San Lorenzo de El Escorial (Madrid): *Carlos II el Hechizado, Guzmán el Bueno.* PATRICIO DE LA ESCOSURA (1807-1878): *La Corte del Buen Retiro* y *También los muertos se vengan.* PEDRO CALVO Y ASENSIO (1821-1863): *La acción de Villalar* y *Felipe el Prudente.* ANTONIO HURTADO (1824-1878): *Herir en la sombra* y *La voz del corazón.* Hurtado es autor, además, de una muy bella colección de *Leyendas: Madrid dramático,* lo mejor que salió de su pluma.

JOSÉ MARÍA DÍAZ (1800 1888) colaboró con José Zorrilla *en Traidor, inconfeso y mártir;* obras suyas son: *Julio César, Catilina, Juan sin tierra.* JUAN ARIZA (1818-1876), de Motril (Granada): *Don Alonso de Ercilla, Remismunda, El primer Girón, Don Juan de Austria.* MIGUEL AGUSTÍN PRÍNCIPE (1811-1866), aragonés, excelente fabulista y satírico; entre sus obras dramáticas: *El conde don Julián* y *Mauregato o El feudo de las cien doncellas.* HERIBERTO GARCÍA DE QUEVEDO (1819-1871), venezolano de nacimiento, pero español por su formación y su producción literaria: *Patria y amor en porfía, Isabel de Médicis.* RAMÓN NAVARRETE FERNÁNDEZ (1818-1897), madrileño, periodista: *Reinar contra su gusto, Don Rodrigo Calderón o la caída de un ministro, La pena del talión.* EUGENIO OCHOA (1815-1872), editor y crítico, traductor de Dumas y Víctor Hugo, autor de los dramas: *Incertidumbre y amor* y *Un día del año 1823.* GREGORIO ROMERO LARRAÑAGA (1814-1872), periodista, cronista, excelente poeta lírico; aun cuando su fama la debió a sus *Historias caballerescas de España,* escribió algunas escénicas de cierta calidad: *Garcilaso de la Vega, Felipe el Hermoso, Juan Bravo el comunero.* EUSEBIO ASQUERINO (1822-1892), poeta lírico, cronista notable, autor de los dramas: *Doña Urraca, Blasco Jimeno, La Princesa de los Ursinos.* EDUARDO ASQUERINO (1826-1892), hermano del anterior y como él cronista y poeta lírico, y autor de dramas: *Por amar perder un trono, Sancho el Bravo.*

Pero la gran figura del teatro romántico español es JOSÉ ZORRILLA Y MORAL (1817-1893), que nació en Valladolid y murió en Madrid. Se educó en el Colegio de Nobles de la capital de España. Estudió Leyes en Toledo y Valencia, pero no llegó a licenciarse. Se dio a conocer como poeta leyendo un mediocre poema de circunstancias en el sepelio de "Fígaro". Para librarse de su primera mujer huyó a Méjico, donde protegido por el emperador Maximiliano desempeñó el cargo de director del Teatro Nacional. Durante algún tiempo residió en Francia. Para ayudarse a vivir, dio lecturas poéticas por toda España. En 1848 ingresó en la Real Academia Española, leyendo su discurso en verso. Cronista de Valladolid. Las Cortes le concedieron una pensión. Fue coronado —1889—solemnemente en Granada dándosele el título de *poeta nacional*. Derrochador, alegre, lleno de simpatía personal, enamorado de la imagen y de la musicalidad, apasionado español, Zorrilla, como dramaturgo, entronca con los mejores del siglo XVII, a muchos de los cuales supera en invención, en aliento dramático y en fluidez versificadora.

Su obra es fecundísima, y abunda en aciertos definitivos. Extraordinarias son sus *Leyendas*, aparecidas en varias colecciones: *Cantos del trovador*—1840—, *Vigilias de estío*—1842—, *Recuerdos y fantasías*—1844—, entre las que sobresalen, siendo buenas todas: *Para verdades el tiempo, y para justicias Dios, Las dos rosas, El caballero de la buena memoria, El talismán La pasionaria, Los borceguíes del rey don Enrique II, El desafío del diablo, A buen juez, mejor testigo, Margarita la tornera...* Muchos también fueron sus bellos poemas: *Granada, María, Alhamar el Nazarita...* Entre sus mejores dramas cuentan: *El rey loco, El puñal del godo, La calentura, El eco del torrente, Sancho García, El caballo del rey don Sancho, El excomulgado, El zapatero y el rey, Don Juan Tenorio, Traidor, inconfeso y mártir, El alcalde Ronquillo...* Sin ser ni mucho menos su mejor obra *Don Juan Tenorio*—cuya propiedad vendió por doscientas pesetas—, fue tal su éxito que hizo olvidar la obra de "Tirso de Molina" *El burlador de Sevilla*—su origen, y muy superior a la de Zorrilla—y todavía sigue representándose en incontables teatros de España y América, principalmente durante los días antecedentes y posteriores al de difuntos. El *Don Juan Tenorio* es obra brillante, irresistible captadora de masas, pero está llena de situaciones falsas, de trucos y de ripios chistosísimos. Fecundo, vehemente, patético, imaginativo sin límites, de una asombrosa facilidad versificadora, Zorrilla mejor parece un rezagadísimo autor del glorioso Siglo de Oro. Dejó escritos en prosa unos interesantísimos *Recuerdos del tiempo viejo*.

Paralelamente al gran teatro romántico se desarrolla el *teatro costumbrista* y la llamada *comedia moratiniana,* cuyos dos principales representantes son Bretón de los Herreros y Ventura de la Vega.

MANUEL BRETÓN DE LOS HERREROS (1796-1873) nació en Quel (Logroño); estudió en Madrid; durante la guerra de la Independencia se alistó como soldado voluntario y combatió valerosamente, cuando aún era casi un niño. En un lance personal perdió el ojo izquierdo. Figuró en la tertulia de El Parnasillo. Escribió en numerosos periódicos. Estrenó un centenar de obras teatrales, propias y traducidas del francés. Fue director de la Biblioteca Nacional y secretario perpetuo de la Real Academia Española. Sus letrillas y anacreónticas no desmerecen de las de Meléndez Valdés e Iglesias de la Casa. Y obtuvo un gran éxito su poema *La desvergüenza*. Su teatro costumbrista ofrece obras magistrales: *Marcela, o ¿cuál de los tres?, El pelo de la dehesa, A la vejez, viruelas, Muérete y verás, La escuela del matrimonio.*

VENTURA DE LA VEGA (1807-1865), nació en Buenos Aires de padres españoles. A los once años llegó a Madrid y se educó en el Colegio de San Mateo que dirigía don Alberto Lista, siendo condiscípulo y gran amigo de Espronceda, Escosura, Ros de Olano y de varios otros románticos, de los cuales *no se le contagió* la tendencia. Perteneció a la Academia del Mirto y a la sociedad secreta liberal de los Numantinos. Pero habiéndose casado se volvió *muy formalito*. Director del Teatro Español y miembro de la Real Academia Española. Y aun cuando escribió magníficas tragedias de corte neoclásico—*Don Fernando de Antequera, La muerte del César*—, su gran fama la debe a su magistral comedia *El hombre de mundo,* su mejor obra, naturalísima en la composición y en la realidad del tema, de honda observación psicológica, y que es tenida por "el origen de la comedia moderna". Fue también un excelente poeta lírico, un discreto erudito.

3. LA POESÍA ROMÁNTICA.—JOSÉ ESPRONCEDA Y DELGADO (1808-1842) nació en Almendralejo (Badajoz) y murió en Madrid. Estudió en el madrileño Colegio de San Mateo que dirigía don Alberto Lista. Perteneció a la Academia del Mirto y a la Sociedad—secreta—de los Numantinos. De ideas avanzadas y manifestadas ardorosamente, estuvo encerrado algún tiempo en un convento de Guadalajara. Huyó a Lisboa, donde conoció a Teresa Mancha, hija de un coronel emigrado igualmente, de la que se enamoró con pasión frenética. Marchó a Londres, donde encontró a Teresa ya casada, y huyó con ella a Francia. En París tomó parte activa en la revolución de 1830. A España regresó con Teresa. Nuevo destierro en 1833. Secretario de Legación en La Haya. Diputado por Almería. Tribuno fogoso, conspirador impenitente. Le abandonó Teresa dejándole una hijita de ambos. Formalizó sus relaciones con una honesta dama, Bernarda de Beruete, pero estando próxima la boda, falleció Espronceda de una afección a la laringe. Para muchos críticos Espronceda es el mayor poeta lírico del siglo XIX. Su tragedia *Blanca de Borbón* y su

novela *Sancho Saldaña o El castellano de Cuéllar* son muy endebles. Su gloria perdurable está en sus poemas largos y en sus poesías: *El mendigo, El reo de muerte, El verdugo, La canción del pirata, A la muerte de Torrijo, A Jarifa, en una orgía, Al Dos de Mayo, Himno al sol, Canto del cosaco, A la patria, A una rosa*... Tres son los poemas extensos de Espronceda: *El Pelayo, El estudiante de Salamanca* y *El diablo mundo*. El primero, inconcluso, suma más de mil versos, y tiene como tema la historia del último rey godo don Rodrigo, la invasión árabe y el inicio de la reconquista por Pelayo de Asturias. *El estudiante de Salamanca,* tradición popular y fantástica, dividido en cuatro partes y en cerca de 800 versos, es una variante del tipo "Don Juan", encarnado en el disoluto estudiante don Félix de Montemar. *El diablo mundo* es como un compendio de su mundo y de su sociedad; consta de siete cantos y de cerca de seis mil versos; el segundo de los cantos es el famoso *Canto a Teresa,* cuarenta y cuatro octavas pletóricas de pasión, de fuerza, de melancolía; y del que ha escrito Menéndez Pelayo: "Tan mágicamente construídas las estrofas, tan poderosamente lanzadas una tras otra en impetuoso movimiento, que es difícil recordar algo en castellano que se le pueda comparar."

Juan de Arolas (1805-1849), nacido en Barcelona, escolapio. Estudió con ardor los clásicos religiosos y profanos. Fundó—1833—*El Diario Mercantil*. Publicó sus primeras poesías en *La Psiquis* y *El Fénix* de Valencia, y en *El Constitucional* de Barcelona. Poeta exuberante y facilísimo, de arrebatada imaginación y gran sensualismo, empalagoso y conceptuoso a veces. Sus obras más importantes son: *Poesías pastoriles, Cartas amatorias, Poesías caballerescas y orientales, Poesías amatorias, La silfide*... Mariano Roca de Togores (1812-1889), marqués de Molíns, académico, inspirado en sus *Romances* de carácter histórico y autor dramático. Salvador Bermúdez de Castro (1814-1883), duque de Ripalda: *Ensayos poéticos;* alcanzó éxito con su inventada estrofa la *bermudina,* que es una octava real con los versos cuarto y octavo agudos. Jacinto Salas Quiroga (1813-1849), coruñés, fundador de la famosa revista lírica *No me olvides,* de gran importancia para la historia del romanticismo español, y autor de los libros: *Poesías* y *Mis consuelos*. Carolina Coronado (1823-1911), extremeña, de sensacional belleza, casada con un noble y rico norteamericano, y organizadora en su casa de famosas tertulias literarias y poéticas; fue elogiada con entusiasmo por Espronceda, Hartzenbusch, Donoso Cortés, Castelar. Poetisa llena de delicadeza, gracia, ternura y musicalidad: *La rosa blanca, El amor de los amores, La palma, A una niña ahogada*.

En otros apartados me he referido o me referiré a poetas románticos cuya fama fue alcanzada más en otros géneros: Romero Larrañaga, Gil y Carrasco, Patricio de la Escosura, Nicomedes Pastor Díaz, Heriberto García de Quevedo, Gabriel García Tassara.

4. La novela y el folletín.—Enrique Gil y Carrasco (1815-1846), leonés, de Villafranca del Bierzo; estudió en Ponferrada y en Astorga Humanidades y Filosofía, respectivamente. Cursó Jurisprudencia en Valladolid. En el Liceo de Madrid alcanzó gran éxito leyendo su composición *A Polonia*. Protegido por González Bravo marchó a Berlín para estudiar el sistema prusiano de aranceles y aduanas; y en Berlín murió. Sus primeras poesías fueron publicadas en *El Pensamiento,* periódico que dirigían Ros de Olano y Miguel de los Santos Alvarez. Su obra famosísima es la novela histórica *El señor de Bembibre*—1844—considerada como la mejor novela histórica de nuestra literatura.

Francisco Navarro Villoslada (1818-1895), periodista católico y tradicionalista, poeta, autor de tres novelas históricas de mucha importancia: *Amaya o Los vascos del siglo VIII* —1877—, *Doña Blanca de Navarra*—1847—y *Doña Urraca de Castilla*—1849—. Para muchos críticos, la primera de ellas es muy superior a *El señor de Bembibre,* de Gil y Carrasco. Telesforo de Trueba y Cossio (1799-1835), emigrado a Inglaterra en 1823, se dedicó a popularizar nuestro Romancero en su célebre libro *The romance of history of Spain (La España romántica);* autor de narraciones y leyendas históricas: *Gómez Arias o Los moriscos de las Alpujarras, El castellano o El príncipe Negro, Los hermanos Carvajales, Aben Humeya*. Ramón López Soler (1806-1836), barcelonés director e impulsor de la revista *El Europeo,* la primera tribuna que tuvo el romanticismo español. En su novela *Los bandos de Castilla* incluyó un prólogo que está considerado como el *manifiesto* del movimiento romántico. Patricio de la Escosura (1807-1878), ya estudiado como dramaturgo y poeta en otro lugar, autor de las novelas *El conde de Candespina, El patriarca del valle, Ni rey ni Roque*. Tienen indudable interés para el estudio de la novela histórica y el folletín, novelas como *La dama del Conde-duque,* de Diego Luque de Beas; *La campana de Huesca,* de Antonio Cánovas del Castillo; *Los hidalgos de Monforte,* de Benito Vicetto Pérez; *Ave Maris Stellae,* de Amós Escalante; *La espada del muerto,* de Víctor Balaguer: *La espada de San Fernando,* de Luis de Eguílaz; *Las hijas del Cid,* de Antonio de Trueba... Lugar más destacado merece Manuel Fernández y González (1821-1888), de Sevilla, Estudió en Granada, donde fue miembro de la famosa tertulia literaria *La Cuerda*. En Madrid hizo una vida bohemia, gastando alegre lo que ganaba, que no era poco. De poderosa fantasía, de fecundidad inagotable, mereció que se le comparara, por esta, a Lope de Vega. Escribió o dictó—pues tenía varios secretarios—más de trescientas novelas, comprendidas en quinientos volúmenes, además de algunos dramas y bastantes poesías. Apasionado por la historia española, no buscó otra fuente para sus novelas. Se dice de él que, para cumplir con los muchos diarios y revistas que solicitaron su colaboración "en folletín", escribía seis y ocho novelas al mismo tiempo. Fecundidad tan pasmosa perjudicó mucho al valor literario de su producción total. Sin embargo, escribió algunas novelas realmente interesantes: *El pastelero de Madrigal, El cocinero de Su Majestad, El alcalde Ronquillo, Men Rodrigo de Sanabria, El condestable don Alvaro de Luna, La princesa de los Ursinos...*

ANTONIO FLORES (1821-1866), autor de una importante obra con cuadros de costumbres: *Ayer, hoy mañana;* y de novelas como *Fe, Esperanza y Caridad.* WENCESLAO AYGUALS DE IZCO (1801-1873), periodista, fecundo autor de novelones cuyos títulos son harto significativos: *Los verdugos de la Humanidad, La marquesa de Bella-Flor o El niño de la Inclusa, María o la hija de un jornalero.* ENRIQUE PÉREZ ESCRICH (1829-1897), valenciano, periodista, poeta y autor fecundísimo de novelas que alcanzaron éxitos enormes entre las clases media y baja: *El cura de aldea, La caridad cristiana, La mujer adúltera, El mártir del Golgota, Las obras de misericordia...* El granadino RAMÓN ORTEGA Y FRÍAS (1825-1883), el más aventajado discípulo de Fernández y González; fecundísimo como él y como él apasionado por los temas de la historia de España: *El tribunal de la sangre, La casa de Tócame-Roque, El diablo en Palacio...* TORCUATO TÁRRAGO MATEOS (1822-1889), granadino y periodista católico: *Carlos II "el Hechizado", Lisardo el estudiante, El ermitaño de Montserrate.* JULIO NOMBELA (1836-1919), gran amigo y primer biógrafo de Bécquer, muy estimable escritor de cuadros de costumbres, y fecundo autor de novelas "por entregas": *La mujer de los siete maridos, La villana de Alcalá, La pasión de una reina.* FLORENCIO LUIS PARREÑO (¿1832-1896?): *La Inquisición y el rey, El héroe y el César.*

Durante el auge de la novela histórica y el folletín, fueron publicadas algunas novelas románticas, pero con tendencia psicológica—social. NICOMEDES PASTOR DÍAZ (1811-1863), ya estudiado como lírico, autor de una obra que obtuvo mucho éxito: *De Villahermosa a la China,* curiosa amalgama de episodios íntimos, lucubraciones filosóficas y análisis de pasiones.

FERNANDO DE PATXOT (1812-1859), nacido en Mahón y muerto en Barcelona, autor de *Las ruinas de mi convento,* mezcla de amoríos morosos y de episodios históricos, como la famosa matanza de frailes de 1836.

5. LA PROSA ROMÁNTICA. *Costumbrismo y novelas de transición.*—SEBASTIÁN MIÑANO (1779-1845), clérigo de ideas muy avanzadas que ejerció el periodismo y dirigió la revista *El Censor.* Sus sátiras de las costumbres españolas quedaron recogidas en tres libros: *Cartas del pobrecito holgazán, Cartas del madrileño* y *Cartas de don Justo Balanza.* SERAFÍN ESTÉBANEZ CALDERÓN (1799-1867), popularizó el seudónimo *El Solitario.* Malagueño, erudito, novelista, poeta, alcanzó la fama con sus deliciosas *Escenas andaluzas*—1847—, modelo de realismo, de colorido local, de gracia expresiva. RAMÓN DE MESONERO ROMANOS (1803-1882), madrileño, hizo popular el seudónimo *El Curioso Parlante.* Fundó el *Semanario Pintoresco Español.* Cronista de la Villa y Corte. Erudito notable y exaltador de nuestros clásicos. Conocedor como pocos de la historia y de las costumbres de su patria chica, las divulgó con gran donosura y amenidad inagotable en sus famosos libros: *Panorama matritense*—1832—, *Escenas matritenses*—1836—, *Tipos y caracteres*—1843—, *Manual de Madrid*—1831—, *El antiguo Madrid, Memorias de un setentón...* Mesonero Romanos fue el más renombrado costumbrista después de Larra. Sus escenas no constituyen meras descripciones, sino cuadros animados, con su pequeño argumento, con diálogos chispeantes y graciosos en torno, algunas veces, a una almendrilla moralizante. JOSÉ SOMOZA (1781-1852), ya citado en otro lugar, pero que también escribió algunos notables cuadros de costumbres: *La vida de un diputado a Cortes, El risco de la Pesqueruela.* MODESTO LAFUENTE (1806-1866), con el seudónimo de *Fray Gerundio,* ANTONIO MARÍA SEGOVIA (1808-1874), con el de *El Estudiante* y SANTOS LÓPEZ PELEGRÍN (1801-1846) con el de *Abenámar,* se hicieron populares en la prensa con sus crónicas de costumbres.

Pero el costumbrista genial del siglo y una mente privilegiada fue MARIANO JOSÉ DE LARRA, *Fígaro* (1809-1837), madrileño. Vivió su niñez en Francia, donde se refugiaron su abuelo y su padre, afrancesados. Estudió con los jesuitas en Madrid y en las Universidades de Valladolid y Valencia. Abandonó los estudios para dedicarse al periodismo, publicando sus primeras crónicas en *El Duende Satírico del Día*—1828—. Contrajo matrimonio con Pepita Wetoret, no congeniando con ella y buscando el amor fuera del hogar. En 1832 volvió al periodismo con *El Pobrecito Hablador.* Vivió en París y Londres como corresponsal de *El Redactor General* y *El Mundo.* Diputado por Ávila. El 13 de febrero de 1837, tras una entrevista borrascosa con su amante Dolores Armijo, al huir esta, Larra, frente a un espejo, se suicidó de un pistoletazo. Su fama fue tan rápida como absoluta. Sus opiniones, sus definiciones, sus consejos pesaron sobre sus contemporáneos más insignes. Muchos años después se convirtió en uno de los mentores más seguros de la llamada "generación de 1898". Indiscutiblemente fue el primer periodista, el primer costumbrista y el primer crítico de su siglo. Poseyó cultura europea y supo trasmitirla con señorío. Representó el espíritu de rebeldía, el desasosiego de los escépticos, y el pesimismo que habría de caracterizar a todo el siglo XIX. Como satírico y polemista tampoco tuvo par. Escribió una novela histórica—*El doncel de don Enrique el Doliente* varias obras escénicas—*No más mostrador, Macías, El conde Fernán González, Un desafío*—y algunos poemas. Nada de ello de grado superior. Su talento enorme lo derramó en sus críticas literarias y en sus artículos de costumbres, entre los que sobresalen: *Casarse pronto y mal, Un castellano viejo, La Nochebuena de 1836, Cartas de Andrés Niporesas, La fonda nueva, ¿Quien es el público y dónde se encuentra?, Vuelva usted mañana, Yo quiero ser cómico, De las traducciones, De la sátira y de los satíricos, Manía de citas y epígrafes, Las circunstancias, Nadie pase sin hablar al portero, Cartas de un liberal de acá, La planta nueva o el faccioso, Fígaro de vuelta, Dios nos asista, Buenas noches...*

CECILIA BÖHL DE FABER, "FERNÁN CABALLERO" (1796-1877), nacida en Morges (Suiza), hija del gran hispanista alemán don Nicolás y de una gran dama gaditana. Se educó en Alemania, pero desde antes de cumplir los veinte años vivió en España hasta su muerte, profundamente compenetrada con todo lo español: idioma, cultura, religión, costumbres. Casó tres veces con españoles, no siendo feliz en ninguno de sus tres matrimonios. Desde 1860 vivió muy recogida, muy modestamente en una casa del Alcázar de Sevilla. La protegió mucho doña Isabel II. Fue, además de una admirable costumbrista, una gran novelista. Como novelista le corresponde la gloria de haber iniciado el triunfo del realismo genérico con su obra *La Gaviota*—1849—. Otras novelas suyas: *La familia de Alvareda, Un verano en Bornos, Lágrimas, Clemencia, Elía, Un servilón y un liberalito.* Otras obras suyas son: *Cuadros de costumbres populares de Andalucía*—1852—y varios tomos de cuentos, algunos realmente admirables: *Doña Fortuna y don Dinero, Sola, Callar en vida y perdonar en muerte, La oreja de Lucifer, Simón Verde, Vulgaridad y nobleza...* Fue la primera escritora que cultivó la novela regional: la andaluza, y asimismo la primera en introducir en ella el folklorismo, esto es, los cuentos, cantares y tradiciones populares.

6. ÚLTIMA FASE DE LA POESÍA ROMÁNTICA.—GUSTAVO ADOLFO BÉCQUER (1836-1870), sevillano. Estudió en las Escuelas para pilotos de San Telmo. En Madrid vivió una existencia de periodista bohemio. Viajó algún tiempo por Castilla, hospedándose en el Monasterio de Veruela. De niño había estudiado dibujo, juntamente con su hermano Valeriano, con su tío don Joaquín Domínguez. En realidad Gustavo Adolfo tenía como apellidos Domínguez Bastida Bécquer. En 1856 conoció a Julia Espín, hija de un profesor del Real Conservatorio de Música y organista de la Real Capilla, de la que se enamoró obsesivamente; mujer bellísima a la que Bécquer convirtió en musa inspiradora de algunas de sus mejores rimas, pero con la que no pudo contraer matrimonio. Ya por entonces se le había declarado la enfermedad que habría de llevarle al sepulcro en pocos años: la tisis. El 19 de marzo de 1861 contrajo matrimonio con Casta Esteban Navarro, hija del médico que le asistía. Después de haber tenido con ella tres hijos, se separaron por incompatibilidad de caracteres. Y Gustavo Adolfo viajó con su hermano el gran pintor Valeriano. El político González Bravo, gran protector del poeta, le concedió el cargo de censor de novelas con 24.000 reales. En 1868 pasó una larga temporada en Toledo y dirigió *La Ilustración de Madrid.* Pero la muerte—septiembre de 1870—de su idolatrado hermano Valeriano, precipitó la de Gustavo Adolfo, acaecida el 22 de diciembre del mismo año. Fue Bécquer el único gran poeta romántico que murió sin haber saboreado la gloria. Sus obras las publicaron póstumamente sus grandes amigos Correa y Augusto Ferrán. Sin embargo, es sin discusión el más grande de los poetas románticos, aquel cuya gloria permanece lozana en nuestros días, siendo admirado por igual por los poetas que por los científicos, por las clases altas que por las bajas, por las personas de edad que por los jóvenes. La gloria de Bécquer crece y crece cada día.

Sus obras se reducen a las *Rimas,* las *Leyendas, Cartas desde mi celda* y bastantes artículos de prensa, algunos de carácter erudito en relación con el arte. "Bécquer es el artista puro. No pisa el campo de las luchas políticas, sociales o religiosas. En sus versos no da tampoco expresión a la historia, tradición a los sentimientos nacionales. Es el más subjetivo de nuestros poetas. Tuvo siempre la mirada fija en su corazón, como si el mundo exterior no existiera para él. Su lira es la lira de amor no correspondido, y del dolor resignado. Sus sentimientos no tienen patria, no tienen historia, son universales; los sentimientos eternos en el corazón de los hombres; el amor, el dolor y la muerte" (Romera Navarro). Las *Rimas* son sin duda "el producto más depurado de nuestra lírica moderna; y, al decir moderna, abarcamos nada menos que desde Góngora hasta nuestros días" (Díez-Echarri, Roca Franquesa) Bécquer es de los pocos líricos que sigue gustando *a todos* y que es glorificado *por todos.* Acaso porque reunió los cuatro valores supremos de la poesía: sencillez, naturalidad, autenticidad y contención.

ROSALÍA DE CASTRO (1837-1885), de Santiago de Compostela, esposa del historiador Manuel Murguía; "la voz que por su ternura recóndita y su impresionante sencillez más se aproximó a la de Bécquer"; para los gallegos representa "el alma misma de la raza". Escribió en prosa y en verso, y en gallego y en castellano. Entre sus obras en prosa están: *Ruinas, El primer loco, El caballero de las botas azules*—narraciones "extrañas"—. Sus obras poéticas: *La flor* —Madrid, 1857, muy mediocre—; *Cantares gallegos*—1863—, *Follas novas*—1880—y *En las orillas del Sar*—1884—. Este último volumen contiene sus composiciones en castellano. Rosalía es, en efecto, una muy delicada, y muy honda, y muy sencilla poetisa; pero su valor es muy inferior al de su modelo Bécquer. Aquella es eminentemente *local;* y este sensacionalmente universal.

7. LA POESÍA POSTROMÁNTICA.—RAMÓN DE CAMPOAMOR Y CAMPOSORIO (1817-1901), de Navia (Asturias), vivió siempre en Madrid, donde murió. Estudió latín en Puerto de la Vega y Filosofía en Santiago de Compostela. En Madrid inició la carrera de medicina que no llegó a terminar. Auxiliar del Consejo Real. Gobernador civil de Alicante y Valencia. Director General de Beneficiencia. Consejero de Estado. De la Real Academia Española. Senador, monárquico lealísimo. Gozó ya en vida de una popularidad inmensa. Por el contrario, en nuestro tiempo Campoamor ha caído casi en completo olvido, y la crítica le juzga con desdén. Crítica y olvido injustísimos, pues que Campoamor encarnó del modo más fiel una época difícil de nuestra poesía: la transición del romanticismo exasperado al melodramatismo realista. Campoamor doró su lirismo—en ocasiones de bajo vuelo—con cierto escepticismo y respingos de filosofía "casera". Inventó la palabra *dolora* para designar "un poema breve en el cual debe hallarse unida la ligereza con el sentimiento, y la concisión con la importancia filosófica". En verdad, nombre nuevo para una cosa vieja. Fue fecundísimo tanto en prosa como en verso. Entre sus obras en prosa: *Filosofía de las Leyes, El Personalismo, Lo Absoluto, el deísmo, La Poética.* Entre sus obras en verso: los poemas *El drama universal, El licenciado Torralba, Colón;* los libros: *Ayes del alma, Ternezas y flores, Cantares, Doloras, Pequeños poemas.* Entre estos pequeños poemas: *¡Quién supiera escribir!, El tren expreso, El gaitero de Gijón...*

GASPAR NÚÑEZ DE ARCE (1834-1903), de Valladolid, estudió en Toledo y en Madrid. Periodista polemista y político. Gobernador de varias provincias españolas. Académico de la Real Española de la Lengua. Consejero de Estado. Subsecretario de la Presidencia. Diputado a Cortes muchas veces. Gobernador del Banco Hipotecario y ministro de Ultramar en 1883. De carácter atrabiliario y pesimista, facilísimo versificador, tuvo gran fecundidad y una musicalidad y un énfasis que le ganaron gran popularidad. Entre sus obras líricas—algunas narrativas—están: *Gritos de combate*—1875—, *Versos perdidos*—1886—, *Poemas cortos*—1895—: *Raimundo Lulio, La selva oscura, La última lamentación de Lord Byron, El idilio, La pesca, El vértigo, La visión de Fray Martín, Maruja...* Escribió algunas obras escénicas: *El haz de leña, Deudas de honra, Quien debe, paga, Justicia providencial...*

JOAQUÍN MARÍA BARTRINA (1850-1888), catalán, poeta de la escuela de Campoamor, pero más prosaico y menos filósofo que este: *Algo* —1874—. MANUEL DEL PALACIO (1831-1906), poeta muy notable tanto en serio como en broma; sus epigramas rivalizaron con los de Campoamor; fue gran periodista; entre sus obras: *Cien sonetos políticos, Chispas, Melodías íntimas, Veladas de otoño, Cabezas y calabazas.* GABRIEL GARCÍA TASSARA (1817-1875), poeta sumamente intenso y delicado, tan cuidado y robusto en la forma como Núñez de Arce, pero al que excede en variedad temática y en inspiración. Sus *Poesías* aparecieron en 1873. Tassara nació en Sevilla. Y en Valladolid nació EMILIO PÉREZ FERRARI (1850-1907), académico, muy amigo de su paisano Núñez de Arce, con inspiración y acento propios en *Dos cetros y dos almas, Pedro Abelardo, La muerte de Hipatia, Las tierras llanas.* JOSÉ VELARDE (1849-1892), gaditano, gran versificador y delicado en inspiración y en musicalidad: *Fray Juan, Alegría.* VENTURA RUIZ AGUILERA (1820-1881), salmantino, periodista, de segura personalidad en *Ecos nacionales, Elegías, Cantares, Las estaciones del año, Armonías.*

AUGUSTO FERRÁN (1830-1880), gran amigo de Bécquer y su primer prologuista. Sus mejores composiciones están en su libro *Cantares,* muchos de los cuales podría estar firmados por su inmortal amigo. TEODORO LLORENTE (1826-1911), de Valencia, traductor de grandes poetas, y poeta él muy noble, tanto en castellano como en valenciano. VICENTE WENCESLAO QUEROL (1836-1889), valenciano, y uno de los iniciadores en Valencia de los Juegos Florales. Obtuvo singular relieve su libro *Rimas*—1877—de gran corrección formal e inspiración muy delicada. FEDERICO BALART (1836-1905), murciano, excelente crítico literario y artístico, cronista notable; como lírico cultivó una poesía íntima—con fondo social o filosófico—en estrofas cinceladas con gran esmero: *Dolores*—1889—y *Horizontes* —1897—. ANTONIO FERNÁNDEZ GRILLO (1845-1906), cordobés, poeta muy espontáneo y brillante: *El invierno, Las ermitas de Córdoba.* MELCHOR DE PALÁU (1843-1912), de Mataró, de íntima y fecunda inspiración, cuyo lirismo es siempre entrañable para el pueblo: *El libro de los cantares.* MANUEL REINA (1856-1905), de Puente Genil, se le ha llamado "el pintor de Andalucía" y se le considera como uno de los precursores del Modernismo. Su poesía es brillante, elegante, luminosa, de rica fantasía: *La vida inquieta, El Jardín de los poetas, Robles de la selva sagrada.* JOSÉ SELGAS Y CARRASCO (1822-1882), murciano; aun cuando su fama la debe a sus narraciones y críticas, es autor lírico sumamente delicado y emotivo: *La primavera, El Estío, Flores y espinas.*

Con los anteriores poetas, que marcan la evolución del romanticismo hacia el modernismo, convivieron otros poetas perfectamente románticos: BERNARDO LÓPEZ GARCÍA (1838-1870), jiennense, que se hizo famoso con sus décimas al *¡Dos de Mayo!* ENRIQUE RAMÍREZ DE SAAVEDRA Y CUETO (1828-1914), hijo del Duque de Rivas, poeta muy estimable, cuyo libro *Sentir y soñar* —1856—alcanzó un gran éxito en su época. VICENTE BARRANTES (1829-1898), de Badajoz, erudito y polígrafo, lírico de hondo apasionamiento. ANTONIO HURTADO Y VALHONDO (1825-1878), ya citado como autor de excelentes leyendas en prosa y excelentes cuadros de costumbres. VÍCTOR BALAGUER (1824-1901), catalán, fecundísimo, ejerció altos cargos políticos, académico; la mayor parte de su obra la escribió en castellano: poesías y tragedias en verso.

8. EL TEATRO POSTROMÁNTICO.—ADELARDO LÓPEZ DE AYALA (1828-1879), de Guadalcanal (Sevilla) Universitario hispalense. Protegido en Madrid por el conde de San Luis. Político moderado, periodista, diputado a Cortes varias veces, varias veces ministro, dos presidente del Congreso, de la Real Academia Española. Para poder sacar fruto óptimo de su audaz mezcla de procedimientos románticos y melodramáticos, estructura tradicional, ideas y moralejas realistas, tuvo que conocer al detalle el mejor teatro español del siglo XVII, el neoclásico más depurado, y no prescindir de sus propios impulsos hacia la realidad insobornable. Con profundidad de pensamiento y elevación de propósito, llevó a la escena la verdad de su tiempo, pero embelleciéndola y poetizándola. Supo unir—sin que se advierta la soldadura—la tradición y la modernidad. Con todos estos valores "podía contenerse—escribe Valbuena Prat—, limitarse en una forma clásica, sin perder el entronque con los procedimientos románticos—sobre todo en el género histórico—y dentro de la mejor tradición española; así vino a ser el intérprete de un arte sintético y el compositor de una clase de comedia de salón propia de su tiempo". Entre sus mejores obras cuentan: *Un hombre de Estado, El tanto por ciento, Consuelo, El nuevo don Juan, El tejado de vidrio...*

MANUEL TAMAYO Y BAUS (1829-1898), madrileño, hijo de dos excelentes actores. Secretario perpetuo de la Real Academia Española. Director de la Biblioteca Nacional. Con sus ribetes de filósofo, buen elector de ideas dramáticas, que desarrolla artísticamente, Tamayo se muestra dominador de todos los efectos, patentiza un agudo tino al combinar los elementos que acumula y enreda para su propósito, y admira por el modo natural con que deshace el embrollo y realiza el desenlace. Es, pues, uno de los mayores dramaturgos de su siglo y el autor del drama más perfecto durante él representado: *Un drama nuevo*—1867—. Tamayo, que pasó su niñez y su juventud entre bastidores y gentes de teatro, dominó la técnica escénica de modo prodigioso; por lo cual cada una de sus obras resulta un modelo de precisión, de sobriedad y de creciente intensidad. Otras obras suyas: *Hija y madre, La bola de nieve, Lo positivo, Lances de honor, Locura de amor, La ricahembra, Virginia, No hay mal que por bien no venga, Los hombres de bien.*

Otros dramaturgos de mérito fueron: TOMÁS RODRÍGUEZ Y DÍAZ RUBÍ (1817-1890), andaluz, gozó de gran fama durante más de treinta años: *Del mal el menos, La Corte de Carlos II, Isabel la Católica.* MARCOS ZAPATA (1845-1914), zaragozano, de vida aventurera y bohemia: *El solitario de Yuste, La capilla de Lanuza, El castillo de Simancas;* también escribió libretos para zarzuelas famosas: *El anillo de hierro, El reloj de Lucerna.* LUIS DE EGUÍLAZ (1830-1874), andaluz que cultivó con éxito el drama histórico: *Las querellas del rey Sabio, El caballero del Milagro;* y escribió libretos para zarzuelas: *El molinero de Subiza, El salto del pasiego.* NARCISO SERRA (1830-1877), madrileño, de vida azarosa y bohemia, prodigioso repentizando poesías y poniendo en verso cuanto salía de su boca; fecundo y de gran fuerza dramática en: *La calle de la Montera, El reloj de San Plácido, Con el diablo a cuchilladas, Don Tomás.* EULOGIO FLORENTINO SANZ (1825-1881), ya aludido como poeta, escribió un magnífico drama histórico: *Don Francisco de Quevedo.* FRANCISCO CAMPRODÓN (1816-1870), catalán, escritor costumbrista, que alzó renombre con sus obras escénicas: *Flor de un día, Espinas en flor* y el libreto de la archifamosa zarzuela-ópera *Marina.* LUIS MARIANO DE LARRA WETTORET (1820-1901), hijo del famoso *Fígaro,* gran periodista y costumbrista, fecundo autor teatral: *La oración de la tarde, Una nube de verano, El caballero de Gracia* y el libreto de la famosa zarzuela de Asenjo Barbieri *El barberillo de Lavapiés.*

El decidido paso del teatro romántico al teatro realista melodramático lo marcó JOSÉ ECHEGARAY Y EIZAGUIRRE (1832-1916), madrileño, gran matemático, ingeniero y economista. De la Real Academia de la Lengua. En 1905 le fue concedido el "Premio Nobel" de Literatura compartido con el poeta provenzal Mistral. Varias veces ministro. Director del Banco de España. De la Real Academia de Ciencias. Ya muy famoso y *talludo,* en 1874 estrenó su primera obra teatral *El libro talonario.* Poseyó gran fuerza dramática, dominio absoluto "del oficio", inagotable surtido de imágenes enfáticas y conmovedoras, innegable talento para dosificar el interés y los sentimientos en trance dramático. Fue "el rey del teatro español durante el último tercio del pasado siglo", apoderándose de los públicos y haciéndose respetar de la crítica más severa y de los actores más célebres. La mitad de su obra teatral está escrita en prosa declamatoria y la otra mitad en versos pletóricos de imágenes deslumbrantes, de "latiguillos" de mucho efecto y hasta de ripios. Y en ella tienen representación los más variados elementos, y aun los que parecen más contradictorios: desde la sátira sutil y realista hasta la leyenda trágica. Casi siempre basó Echegaray sus obras en los conflictos del hogar y de la sociedad moderna, desenlazándolos, por lo general, con pavoroso dramatismo. Entre sus obras destacaron: *El gran galeoto, O locura o santidad, Mancha que limpia, Mariana, Mar sin orillas, Conflicto entre dos deberes, La muerte en los labios, A fuerza de arrastrarse, El poder de la impotencia. En el puño de la espada, De mala raza, El loco Dios...*

Se consideran seguidores del teatro de Echegaray a EUGENIO SELLÉS (1844-1926), granadino, de la Real Academia Española, cronista y narrador excelente, y autor de las obras escénicas: *La torre de Talavera, El nudo gordiano, Las vengadoras, La vida pública.* LEOPOLDO CANO Y MASAS (1844-1936), de Valladolid, académico de la Real Española: *La mariposa, El código del honor, La Pasionaria, Mater Dolorosa.* JOSÉ FELÍU Y CODINA (1847-1897), barcelonés: *María del Carmen, Miel de la Alcarria, La Dolores.* PEDRO NOVO Y COLSON (1846-1931), gaditano, marino, académico: *Vasco Núñez de Balboa, La manta del caballo, La bofetada.* JOAQUÍN DICENTA BENEDICTO (1863-1917), alicantino, de vida bohemia e ideas avanzadas; gran cronista y narrador excepcional; y uno de los implantadores del teatro social *socialista* en su famoso drama *Juan José.* Otras obras: *El suicidio de Werther, Daniel, El señor feudal, Curro Vargas, El duque de Gandía, Aurora, El lobo, Luciano, Sobrevivirse...* Aun cuando pueda quedar incluido en la escuela de Echegaray, por su teatro un tanto declamatorio, significa algo de mayor importancia en nuestra historia del teatro ENRIQUE GASPAR (1842-1902), valenciano, de la carrera consular, de mucha cultura; en realidad Enrique Gaspar significa el implantador de la *comedia moderna* con tesis, de la que sería cumbre Jacinto Benavente; Enrique Gaspar acertó a medularla y a darle la expresividad lógica; y cuantas tesis defiende tuvieron gran importancia en su tiempo: *Candidito, Corregir al que yerra, Huelga de hijos, Las personas decentes, La levita, El estómago, La lengua, Las circunstancias, El jugador de manos...* El interés mayor del teatro de Gaspar está en ser el eslabón que une la comedia bretoniana con la comedia benaventina.

9. LA ZARZUELA. EL GÉNERO CHICO.—"Se viene definiendo la zarzuela como obra escénica intermedia entre la ópera y el drama. En ella alternan canto y declamación; y constituye en nuestro país un género teatral similar a la ópera cómica francesa, a la opereta italiana, al *singspiel* alemán y al *musical play* inglés" (Díez Echarri y Roca Franquesa) La zarzuela nació en el siglo XVII, y sus primeras representaciones tuvieron escenario en las afueras de Madrid, precisamente en una posesión real que tomó el nombre de La Zarzuela. Los antecedentes de la zarzuela están en las églogas de Juan del Enzina y Lucas Fernández. La primera zarzuela tuvo letra de Calderón de la Barca y música de Juan Risco, y se llamó *El Jardín de Falerina,* representándose en aquel Real Sitio. Su éxito fue tal, que desde 1629 hasta 1659 se estrenaron más de cien, cuyas letras eran originales de "Tirso", Vélez, Luis de Alarcón, Moreto, Rojas, Solís, Salazar y Torres—y cuyas melodías compusieron Juan Hidalgo, Carlos Patiño, Juan Losada, Juan Risco, Mateo Romero, Juan de Palomares, Blas de Castro, Cristóbal Galán...

Caída en desuso entre 1680 y 1831, la zarzuela sufrió un marasmo. En este último año, para celebrar el nacimiento de la princesa Luisa Fernanda, se cantó en el Real Conservatorio la zarzuela *Los enredos de un curioso* con letra de Enciso Castrillón y música de Carnicer, Ramón Albéniz, Saldoni y Piermarine. La representación estimuló al gran erudito y músico Asenjo Barbieri para iniciar la restauración de género teatral tan genuinamente español.

El llamado *género chico* nació en los días de la llamada Revolución de 1868, y era un teatro "por horas" con temas costumbristas y tipos populares, que podía o no llevar intercalado algún número musical. Entre los autores de libretos de zarzuelas, comedias y sainetes de costumbres, merecen recuerdo: RICARDO DE LA VEGA Y OREIRO (1839-1910), madrileño, hijo de Ventura de la Vega, maestro "en hacer sainetes", plétorico de garbo y de gracia, conocedor como pocos del pueblo bajo madrileño; para muchos críticos inclusive superior a don Ramón de la Cruz, pues mientras este solo acertó a darnos *tipos,* aquel consiguió verdaderos *caracteres* en incontables obras que se hicieron centenarias en los carteles: *La canción de la Lola, Pepa la Frescachona o El colegial desenvuelto, El año pasado por agua, La Verbena de la Palona, o el boticario y las chulapas, El señor Luis el Tumbón, Al fin se casa la Nieves, De Getafe al Paraíso o La familia del tío Maroma...* JAVIER DE BURGOS (1842-1902), gaditano: *La boda de Luis Alonso, El mundo comedia es o el baile de Luis Alonso, Cádiz a vista de pájaro, Las cursis burladas, Los valientes...* TOMÁS

E

LUCEÑO (1844-1931), madrileño, taquígrafo de las Cortes, cronista y poeta excepcional: *Cuadros al fresco, El arte por las nubes, Viva el difunto...* JOSÉ LÓPEZ SILVA (1860-1910), madrileño, popularísimo autor de poesías madrileñas recopiladas en algunos tomos: *Los barrios bajos, Migajas, Gentes de tufos, La gente del pueblo, Los hijos de Madrid, La musa del arroyo;* y escribió sainetes inolvidables que aún se representan: *La revoltosa, Las bravías, La chavala, Los buenos mozos.* MIGUEL ECHEGARAY (1848-1927), hermano de José, y autor de obritas que alcanzaron éxitos que aún perduran: *Gigantes y cabezudos, El dúo de "La Africana", La viejecita.*

Autor escénico de mucha mayor calidad literaria fue VITAL AZA (1851-1812) asturiano, médico, periodista notabilísimo, poeta humorista de gran calidad, uno de los fundadores de *Madrid Cómico,* quien, además de zarzuelas y sainetes admirables, escribió comedias de costumbres que son el enlace entre Moratín y Carlos Arniches: *Ciencias exactas, Aprobados y suspensos, ¡Basta de matemáticas!, La Rebotica, El sombrero de copa;* en colaboración con MIGUEL RAMOS CARRIÓN (1845-1915), escribió Vital Aza *El señor gobernador, Zaragüeta, El rey que rabió.* Ramos Carrión es autor de otras piezas muy notables: *La tempestad, La bruja, Agua, azucarillos y aguardiente, Los sobrinos del capitán Grant.* CARLOS FERNÁNDEZ SHAW (1865-1911), gaditano; como poeta lírico-profundo, musical, cantor exaltado de la Naturaleza en la Sierra del Guadarrama—fue uno de los precursores del Modernismo; y escribió muchas obras teatrales: *La revoltosa, Margarita la tornera, La muerte de don Quijote, Las bravías, La vida breve, Don Lucas del Cigarral, La maja de rumbo, El cortejo de la Irene...*

10. LA NOVELA REALISTA.—Decaída la novela romántica, entronizado el realismo, "vemos levantarse la novela española a gran altura; es que entra entonces en su propio cauce: la observación exacta y pintoresca de las costumbres, en la cual ha descollado siempre y dado sus mejores frutos el genio literario de la raza. Se inaugura el verdadero Siglo de Oro de la novela nacional. Los modernos podemos oponer con orgullo a los clásicos del XVI y del XVII una larga serie de obras maestras. Descuéntense el *Quijote*—si es posible descontar un libro que vale por toda una literatura—y una docena más de novelas de aquellos siglos, y la producción novelística contemporánea aventajará en calidad, como desde luego en número, a la época clásica." (Romera Navarro).

El "padre y la cumbre" de esta novela contemporánea fue BENITO PÉREZ GALDÓS (1843-1920), nació en Las Palmas (Canarias) y murió en Madrid. Cursó aquí la carrera de Leyes. Diputado a Cortes varias veces. De la Real Academia de la Lengua. Y tan a gusto y tantos años vivió en Madrid que "hace raro" asegurar que no nació en la Villa y Corte. Porque ningún otro escritor genial se ha sentido *tan madrileño.* Galdós es el novelista español que sigue a Cervantes en el inmediato puesto del escalafón. Con ello está dicho todo. Su fuerza creadora y su fecundidad pasman. Es el cronista más puntual y sugestivo y sugerente de la sociedad española—madrileña principalmente—del siglo XIX, y también el genio indiscutible de esta centuria. Su talla en nada cede a la de Balzac, Dostoyewski, Tolstoi o Dickens, a quienes supera en esa impasibilidad objetiva que es uno de los valores máximos de los creadores. Su prosa es la misma naturalidad. Su pintura de caracteres, de fisonomías y de *fondos* la heredó directamente de Velázquez. Cada obra de Galdós es un monumento a la verdad, a la pasión, a la humanidad y a la justicia social. Los miles de personajes que interpretan sus novelas y teatro son prodigioso trasunto de la realidad, y sobre ninguno de ellos pesa la voluntad tirana del creador, sino que este se limita a dejarles seguir sus sino y destino, ni menos ni más de lo que hace Dios con sus criaturas. En su vastísima producción Galdós ha logrado darnos a conocer la historia interna y externa del pueblo español. En sus *Episodios Nacionales* la acción novelesca y la histórica van fundidas con tal maestría que solo vemos una acción, y no una acción *referida*—por pasada—, sino *acción actual* en la que los lectores hubiesen podido tomar parte. "Por su completa y profunda visión, es el mayor novelista hispano de los tiempos modernos. Lo es, asimismo, desde el punto de vista meramente artístico: reúne ese conjunto de cualidades en que estriba la eminencia de los grandes maestros: de un lado, conocimiento de la vida, observación penetrante, riqueza de ideas, energía creadora; de otro, imaginación, humorismo, vena poética; y, finalmente, manejo de la lengua para dar a cada una de estas esencias del intelecto y del corazón su apropiada y expresiva vestidura." (Romera Navarro). Además de setenta y seis novelas, compuso Galdós veintidós obras dramáticas. Benavente consideró a Galdós como uno de los mayores dramaturgos de los tiempos modernos. Logró Galdós la perfecta fusión del teatro realista y del teatro de ideas. Obras: *Episodios Nacionales*—46 volúmenes en cinco series de a diez, la última incompleta—que se inicia en *Trafalgar*—1805—y termina en *Cánovas*—1897—; es decir, la plena historia del siglo XIX. Entre los *Episodios* sobresalen: *La Corte de Carlos IV, Zaragoza, Juan Martín el Empecinado, El equipaje del rey José, Memorias de un cortesano de 1815, El Terror en 1824, El Grande Oriente, Un voluntario realista...* En realidad habría que citar los 46, pues ni uno de ellos deja de ser notable.

Novelas españolas de la primera época: *La Fontana de Oro, El Audaz, Doña Perfecta, Gloria, La familia de León Roch, Marianela.* Entre las calificadas como novelas españolas contemporáneas: *El amigo Manso, Miau, Las de Bringas, Tormento, Lo prohibido, Fortunata y Jacinta, Angel Guerra, Misericordia, Torquemada en la hoguera, Torquemada en la cruz, Torquemada en el Purgatorio, Torquemada y San Pedro, Nazarín...* Entre las obras teatrales: *El abuelo, La loca de la casa, Casandra, Electra, Celia en los Infiernos, Realidad, La de San Quintín, Los condenados...*

PEDRO ANTONIO DE ALARCÓN (1833-1891), nació en Guadix (Granada) y murió en Madrid. Estudió Leyes en su ciudad natal. Miembro de la famosa Tertulia literaria La Cuerda. Periodista. Soldado voluntario y corresponsal de guerra durante la campaña de Africa (1859-1860) Diputado a Cortes. Consejero de Estado. Académico de la Real Española de la Lengua. Poeta y autor dramático mediocre; pero cronista admirable y uno de los más insignes maestros de la novela española contemporánea, género en el que alcanzó inmensa popularidad, que aún persiste. Pintor incomparable de caracteres. Entre sus obras sobresalen: *El escándalo, El sombrero de tres picos, La pródiga, El capitán veneno, El final de Norma, El niño de la Bola, Diario de un testigo en la guerra de África, De Madrid a Nápoles...* Se tiene a *El sombrero de tres picos* por la novela breve más bella de las letras españolas.

JUAN VALERA Y ALCALÁ-GALIANO (1824-1905), nació en Cabra de Córdoba y murió en Madrid. Estudió en Málaga y en el Sacro Monte de Granada. Diplomático ilustre en Viena, Lisboa, San Petersburgo, Nápoles. Fundador de la *Revista de España.* De la Real Academia de la Lengua. Diputado a Cortes. Director General de Agricultura. Industria y Comercio. Ministro de España en Lisboa, Washington, Bruselas, Río de Janeiro y Viena. De enorme cultura, de más ingenio y prosista ejemplar verdadero clásico; crítico literario el más afamado de su tiempo. Mediano poeta. Pero gran novelista y espíritu seductor. Entre sus mejores obras están: *Juanita la Larga, Doña Luz, El comendador Mendoza, Pepita Jiménez, Las ilusiones del doctor Faustino, Cartas americanas, Discursos académicos,* diez tomos de *Crítica literaria* y otros varios de ensayos filosóficos, políticos y literarios.

JOSÉ MARÍA DE PEREDA (1833-1905). De Polanco (Santander). Empezó a estudiar la carrera militar, que no llegó a terminar. Regresó a su tierra para vivir como un hidalgo. Diputado carlista. De la Real Academia de la Lengua. De ideas tradicionalistas en política y en religión defendidas con verdadera intransigencia. Extraordinario novelista, de un realismo intenso y sano. No tuvo rival en su siglo como *pintor* de paisajes ni como purista del lenguaje. Su prosa es una maravilla de casticismo y propiedad, de naturalidad y de sonoridad. Además de novelas prodigiosas, escribió innumerables cuadros de costumbres santanderinas en verdad asombrosas de colorido, emoción y poesía. Entre sus mejores obras cuentan: *Peñas arriba*—la novela de la Montaña—, *Sotileza*—la novela del Mar—, novelas epopeyas; *El sabor de la tierruca, Don Gonzalo González de la Gonzalera, Pedro Sánchez, La Montálvez, De tal palo tal astilla, El buey suelto... Nubes de estío. La Puchera, Escenas montañesas, Tipos y paisajes, Bocetos al temple.*

ARMANDO PALACIO VALDÉS (1853-1938). Este excelente novelista nació en Entralgo (Asturias) y murió en Madrid. Educado en Oviedo. Doctor en Derecho por la Universidad de Madrid. Ateneísta muy famoso. De la Real Academia de la Lengua. Empezó escribiendo crítica y ensayos literarios y filosóficos. Es, quizá, el novelista español contemporáneo que más renombre alcanzó en el extranjero. Realista sin excesivas crudezas. Natural y con pronunciado humorismo. Gran creador de caracteres. De prosa cálida, limpia y fácil. Habilísimo en el desarrollo de la trama novelesca. Incomparable retratista de mujeres. Entre sus mejores obras están: *Maximina, Riverita, La alegría del capitán Ribot, La aldea perdida, Marta y María, La Hermana San Sulpicio, El Maestrante, Los majos de Cádiz, José, El cuarto poder, La espuma, La Fe, Papeles del doctor Angélico, Santa Rogelia, Los Cármenes de Granada, El señorito Octavio...*

EMILIA PARDO BAZÁN (1852-1921) De La Coruña y de familia noble. Hija única de los condes de Pardo Bazán. Viajó por toda Europa. Consejera de Instrucción Pública. Catedrático, en Madrid, de Literaturas neolatinas. De fama mundial como crítico literario. Fundadora y redactora única de la revista *Nuevo Teatro Crítico.* De enorme cultura. Defendió con tesón el *Naturalismo* en la novela, en su obra *La cuestión palpitante,* pero ella no llegó a ser naturalista. Novelista admirable de tenso realismo. Y cuentista tan extraordinaria, que nadie le excede, en el género, en España y en cualquier época. Prosista excepcional y excepcional dominadora del lenguaje. Entre sus mejores novelas cuentan: *La Tribuna, El Cisne de Vilamorta, Insolación, Morriña, Viaje de novios, Los Pazos de Ulloa, La Madre Naturaleza, Dulce dueño, La Quimera, El saludo de las brujas, La sirena negra, Una cristiana, La prueba...* Entre sus libros de cuentos: *Cuentos trágicos, Cuentos de Navidad y de Reyes, Un destripador de antaño, Cuentos de Marineda, Cuentos de amor, Cuentos dramáticos...* Otros libros: *San Francisco de Asís, Polémicas y estudios literarios, La literatura francesa moderna* —cuatro tomos—, *La Revolución y la novela en Rusia, Retratos y apuntes literarios, Los poetas épicos cristianos...*

LEOPOLDO ALAS "CLARÍN" (1825-1901), nació en Zamora y murió en Oviedo. Estudió con los Jesuitas en San Marcos de León. Doctor en Leyes. En 1882 es nombrado catedrático de la Universidad de Zaragoza, trasladándose poco después a la de Oviedo, explicando la disciplina de Economía Política. Solo durante cortas temporadas residió en Madrid. Se le considera como el crítico literario más prestigioso de su siglo, y el más imparcial y temido. Es el único gran novelista naturalista español del siglo XIX, con sus obras *La Regenta* y *Su único hijo*, prodigios de observación morosa, de crudeza expresiva, de patetismo desnudo, de intención social. Como cuentista, en la literatura española, no tiene otro rival que la condesa de Pardo Bazán. Entre sus libros de cuentos y novelas breves sobresalen: *Doña Berta, Cuervo, Superchería, El gallo de Sócrates, Doctor Sutilis, ¡Adiós, Cordera!, Zurita, Pipá...* Entre sus libros de ensayos y críticas: *Ensayos y revistas, Palique, Folletos literarios, Solos de "Clarín", Mezclilla, Galdós...*

VICENTE BLASCO IBÁÑEZ (1867-1928) nació en Valencia y murió en Mentón (Francia). Periodista, fundador y director de periódicos en su ciudad natal de ideas muy avanzadas y político republicano. Diputado a Cortes. Sufrió prisiones y destierros. En la Argentina—1909—fundó una colonia que bautizó con el nombre de "Cervantes". Durante la primera gran guerra mundial 1914-1918 trabajó ardientemente a favor de los aliados, y Francia le nombró caballero de la Legión de Honor y Estados Unidos doctor *honoris causa* por la Universidad de Washington. Contrajo su último matrimonio con una viuda inmensamente rica, y se dedicó a vivir espléndidamente, a viajar como un multimillonario. Pero su producción novelesca alcanzó su mayor valor en los años de su vida inquieta: *Cañas y barro, La barraca, Arroz y tartana, Flor de mayo, Entre naranjos, La condenada, Cuentos valencianos*, con temas eternos de su tierra natal, escritas con fuerza terrible y realismo sobrecogedor. Menos valen sus novelas de *tesis: La catedral, El intruso, La horda* y *La bodega*. Suben algo en valor literario respecto de las anteriores, las psicológicas: *La maja desnuda, Sangre y arena, Los muertos mandan, Luna Benamor*. Y resultan las más *flojas* las de temas cosmopolitas o históricos: *Los cuatro jinetes del Apocalipsis, Mare Nostrum, Los enemigos de la mujer. El Papa del Mar, A los pies de Venus, En busca del Gran Khan, El fantasma de las alas de oro, La reina Calafia, La tierra de todos, El préstamo de la difunta, Los Argonautas...*

Son excelentes novelistas de *segundo orden:* LUIS COLOMA (1851-1915), nacido en Jerez de la Frontera (Cádiz), de familia aristocrática. Estudió algún tiempo en la Escuela Naval, y más tard. Leyes en la Universidad de Sevilla. En Madrid ejerció de periodista y de político a favor de la restauración de los Borbones. Cuando contaba veintitrés años ingresó en la Compañía de Jesús. De la Real Academia de la Lengua. Alcanzó fama inmensa y escandalosa con su novela *Pequeñeces*, cuadro fidelísimo de la aristocracia de su tiempo. Otras obras: *Boy, Jeromín, Retratos de antaño, La reina mártir, Fray Francisco, Lecturas recreativas...* JOSÉ ORTEGA Y MUNILLA (1856-1922), nacido en Cárdenas (Cuba) y muerto en Madrid; maestro de periodistas y notabilísimo crítico literario; director durante muchos años de los famosos *Los Lunes de "El Imparcial"*; de la Real Academia de la Lengua. Obras; *La cigarra, Sor Lucila, Lucio Tréllez, Cleopatra Pérez, el tren directo, La señorita de Cisniega, Orgía de hambre...* JACINTO OCTAVIO PICÓN (1852-1924), madrileño, crítico de arte, doctor en Derecho por la Universidad Central, diputado a Cortes, de la Real Academia de la Lengua; gran novelista realista "con gotas" de naturalismo, y cuentista excepcional. Obras: *Dulce y sabrosa, Juanita Tenorio, Sacramento, Lázaro, Juan vulgar, Drama de familia, La honrada, El enemigo, Mujeres Cuentos de mi tierra, Desencanto, Vida y obras de don Diego Velázquez, El desnudo en el arte...* Y con menor categoría que los anteriores, pero dignos de mención: el aragonés JOSÉ MARÍA MATHEU: *Jaque a la reina, El Pedroso y el Templao;* ALFONSO PÉREZ NIEVA, periodista y cuentista: *La Savia, Esperanza y Caridad.* JOSÉ FERNÁNDEZ BREMÓN, gran periodista, autor de unos deliciosos *Cuentos;* ALEJANDRO SAWA MARTÍNEZ, de estilo repujado, con tendencia erótica: *La mujer de todo el mundo, Iluminaciones en la sombra;* el gallego LUIS TABOADA (m. 1906), que siempre vivió en Madrid, convirtiéndose en uno de sus mejores costumbristas; escritor de gran humorismo, de mucha sal, en *Madrid alegre, La viuda del Chaparro, Pescadero, a tus besugos, La vida cursi;* ISIDORO FERNÁNDEZ FLÓREZ, "FERNANFLOR", gran periodista y crítico teatral: *Cuentos rápidos.*

11. LA ERUDICIÓN Y LA CRÍTICA, EL ENSAYO Y LA HISTORIA. JAIME BALMES (1810-1848), de Vich (Barcelona), sacerdote ejemplar, extraordinario polemista y periodista, magnífico divulgador de la Filosofía y precursor notable de los grandes ensayistas de la España contemporánea: *El protestantismo comparado con el catolicismo, El criterio, Filosofía fundamental, Cartas a un escéptico en materia de religión.* JUAN DONOSO CORTÉS (1809-1853), marqués de Valdegamas, extremeño, diplomático, diputado, de la Real Academia de la Lengua, polemista y pensador de primer orden defensor del catolicismo y de la monarquía, orador admirable: *Ensayo sobre el catolicismo, el liberalismo y el socialismo.*

Entre los bibliógrafos y eruditos: CAYETANO ALBERTO DE LA BARRERA (1815-1872): *Nueva biografía de Lope de Vega, Catálogo bibliográ-*

fico y biográfico del teatro antiguo español. AURELIANO FERNÁNDEZ GUERRA (1816-1891), que publicó trabajos meritísimos sobre Quevedo, Moreto, Ruiz de Alarcón... CRISTÓBAL PÉREZ PASTOR (1842-1908): *Bibliografía madrileña, Documentos cervantinos, Nuevos datos acerca del histrionismo español durante los siglos XVI y XVII.* PASCUAL GAYANGOS (1809-1897), que sirvió de seguro guía a los principales hispanistas extranjeros de su tiempo, y publicó interesantes trabajos acerca de los Libros de Caballerías y de los escritores anteriores al siglo XV. JOSÉ AMADOR DE LOS RÍOS (1818-1878): *Historia crítica de la literatura española, Estudios sobre los judíos en España, Obra del Marqués de Santillana, Historia de la Villa de Madrid.* LEOPOLDO AUGUSTO DE CUETO, Marqués de Valmar (1815-1901): *Historia crítica de la poesía castellana en el siglo XVIII, Estudio sobre las "Cantigas" del Rey Sabio.* ADOLFO DE CASTRO (1823-1898): *Poetas líricos de los siglos XVI y XVII;* y publicó un *Buscapié,* atribuyéndoselo a Cervantes, logrando que aceptaran la superchería no pocos e ilustres críticos. CAYETANO ROSSELL (1817-1883) *Crónicas de los reyes de Castilla, Novelistas posteriores a Cervantes, Poemas épicos, Obras no dramáticas de Lope de Vega.* MANUEL MILÁ Y FONTANALS (1818-1884), de Villafranca del Panadés (Barcelona), el restaurador en Cataluña de los estudios clásicos, catedrático insigne, maestro de legión de investigadores, entre ellos Menéndez Pelayo: *Los trovadores en España poesía heroico-popular castellana, Observaciones sobre la poesía popular, Estética.* JOSÉ COLL Y VEHÍ (1823-1876): *La sátira provenzal, Diálogos literarios, Elementos de literatura.* JOAQUÍN RUBIO Y ORS (1818-1899), catedrático de la Universidad de Barcelona: *Apuntes para la historia de la sátira, Auxias March.* ANTONIO RUBIO Y LLUCH (1856-1936), catedrático de la Universidad de Barcelona, fecundísimo divulgador e investigador de la literatura catalana, y muy considerablemente de la castellana: *Memoria sobre el sentimiento del honor en el teatro de Calderón.*

MARCELINO MENÉNDEZ PELAYO (1856-1912) Nació en Santander. Estudió en la Universidad de Barcelona. A los diecisiete años tradujo las tragedias de Séneca. Continuó sus estudios en Madrid y Valladolid, en cuya Universidad obtiene la licenciatura. Pensionado por la Diputación de Santander recorre las bibliotecas de Portugal, Italia y Francia. A los veintiún años—con dispensa de edad—obtiene la cátedra de Historia de la Literatura en la Universidad de Madrid. De la Real Academia Española en 1881. Diputado a Cortes—1891—por Zaragoza. Director de la Real Academia de la Historia. Director de la Biblioteca Nacional. Fundador, en Santander de la famosa Biblioteca que lleva su nombre. Falleció el 19 de mayo de 1912 en su ciudad natal. Menéndez Pelayo fue el rehabilitador de la Historia y de la Filosofía españolas. El renovador de la crítica y de la erudición literarias. Su influencia en la moderna investigación ha sido tan grande como decisiva. De fecundidad que pasma, combinábanse en su espíritu el pensamiento filosófico y la sensibilidad del artista. Tuvo "la serenidad, el genio claro y armonioso" heredado de su admirado Horacio. De ideas francamente conservadoras y absolutamente católicas, poseyó sin embargo la flexibilidad suficiente para buscar la verdad y la belleza donde estuviesen. Obras: *Historia de las ideas estéticas en España, Estudios y discursos de crítica histórica y literaria, Orígenes de la novela, Antología de poetas líricos castellanos, Historia de la poesía hispanoamericana, Estudios sobre el teatro de Lope de Vega, Historia de los heterodoxos españoles, Estudios filosóficos, Bibliografía hispanolatina, Biblioteca de traductores españoles, Ciencia española...* En total, sesenta y tantos nutridísimos volúmenes.

Entre los eruditos cervantistas: JOSÉ MARÍA ASENSIO (1829-1905), que publicó incontables libros y opúsculos sobre Cervantes. LUIS J. VIDART (1835-1897): *Los biógrafos de Cervantes en los siglos XVIII y XIX.* DIEGO CLEMENCÍN (1765-1834), autor de las primeras doctísimas anotaciones del *Quijote.* CLEMENTE CORTEJÓN (1842-1911), autor de la primera edición crítica del *Quijote.*

Entre los críticos literarios: AGUSTÍN DURÁN (1793-1862), bibliófilo excepcional, gran defensor de nuestro gran teatro del Siglo de Oro, que con su *Romancero* nos dejó la mejor colección de nuestra poesía popular de los siglos XIV y XV; pero su obra más importante fue *Discurso sobre el influjo que ha tenido la crítica moderna en la decadencia del antiguo teatro español*—1828—, defensa magnífica de este teatro. MANUEL CAÑETE (1822-1891): *El drama religioso español antes y después de Lope de Vega* y *El teatro español del siglo XVI.* MANUEL DE LA REVILLA (1846-1881): *El naturalismo en el arte, La interpretación simbólica del Quijote, El tipo legendario del Tenorio y sus manifestaciones en las modernas literaturas.*

Eruditos, críticos e historiadores de importancia fueron: EMILIO CASTELAR (1832-1899), gaditano, catedrático, político republicano, diputado, llegó a presidente del Poder Ejecutivo durante la primera república española, y el tribuno más elocuente de la España contemporánea: *Historia del movimiento republicano en Europa, Estudios históricos sobre la Edad Media, La civilización en los cinco primeros siglos del cristianismo, Recuerdos de Italia, Galería histórica de mujeres célebres.* Escribió también algunas novelas solo medianas: *Ricardo, La hermana de la caridad, Historia de un corazón...* VICENTE DE LA FUENTE (1817-1889): *Historia de las sociedades secretas en España, Historia ecle-*

siástica de España. MODESTO LAFUENTE (1806-1866), muy popular, aún hoy, por su *Historia General de España,* muy documentada, con rigor científico desarrollada y comentada. ANTONIO CÁNOVAS DEL CASTILLO (1828-1897), malagueño, académico, de gran cultura, famoso político restaurador de la monarquía, varias veces presidente del Consejo de Ministros, fundador del partido conservador, que murió asesinado en el Balneario de Santa Águeda (Guipuzcoa) por el anarquista Angiolillo. Obras: *Estudios del reinado de Felipe IV, Problemas contemporáneos, El Solitario y su tiempo,* y la novela *La Campana de Huesca.* FRANCISCO PI Y MARGALL (1824-1901), famoso hombre público, presidente de la primera República Española: *Observaciones sobre el carácter de don Juan Tenorio, Estudios sobre la Edad Media.*

V. EL SIGLO XX

1. LA "GENERACIÓN DEL 98" Y EL MODERNISMO.— La literatura española del siglo XX se inició bajo las decisivas influencias—contradictorias—impuestas por la llamada "generación del 98" y la aparición del Modernismo. Ambas influencias encaminadas a *liquidar* los decadentismos finiseculares: melodramatismo, folletinismo, romanticismo agonioso, énfasis. Un muy fino crítico español, Miguel Romera Navarro, ha sintetizado magistralmente lo relativo a la "generación del 98", en estos párrafos: "No faltaron, en las postrimerías del siglo XIX, voces austeras que pidiesen la renovación de la política española; gritos aislados de rebeldía y protesta contra el peso muerto de la tradición; escritores progresivos que aspiraban a orientar con un sentido moderno el espíritu nacional. En 1898, a consecuencia de la guerra contra los Estados Unidos, España pierde las últimas colonias ultramarinas. La juventud intelectual que entonces surgía a la vida literaria, la llamada *generación del 98,* presenció con dolor y cólera, como todo el país, el final derrumbamiento del antiguo poderío español. Y los gritos aislados de protesta que antes habían sonado, se hacen ahora generales. La España tradicional había fracasado. Era imprescindible un nuevo espíritu nacional." Es decir, que la "generación del 98" buscó en las letras—con prosa desnuda y expresión sin blandenguerías, por lo directo y cruel si preciso fuera—la renovación *del alma y de la voluntad españolas;* pero sin renunciar—y esto es muy importante—a los eternos valores de la patria.

Con los primeros violentos ataques de la "generación del 98" coincide la aparición del Modernismo. ¿Qué fue el Modernismo? Una revolución literaria y espiritual contra las anteriores escuelas ochocentistas. Generalizando más—porque es preciso—, no fue solo *una tendencia,* sino *una inclinación radical.* Que alcanzó a todo: literatura, música, política, modas, costumbres, artes plásticas, pedagogía... ¡Revisar! ¡Destruir! Eran estos los primeros credos del Modernismo. Pero debemos añadir: *movimiento más apegado a lo externo que a lo interno, a lo formal que a lo ideológico.* Lo contrario precisamente que defendía la "generación del 98" ¡Conviene tener muy presente esta *esencial diferencia!*

Indiscutiblemente, los antecedentes del Modernismo literario—el único que ahora nos interesa, impuesto en España por el nicaragüense Rubén Darío—se halla en ciertos grupos literarios de Francia, de la segunda mitad del siglo XIX: *parnasianos, simbolistas* y *decadentes;* los primeros, con aspiraciones a la maestría técnica y a la objetividad; los segundos, reaccionando contra el materialismo de los escritores naturalistas; los terceros, buscando sus temas en las sensaciones mórbidas, en las fantasías febriles. El Modernismo trajo a la literatura la sensualidad refinada, el culto supremo de la forma, la audacia de las ideas, la negación de los valores clásicos, la completa libertad métrica. Coinciden la "generación del 98" y el Modernismo en ser negaciones y reacciones contra todo lo anterior. Pero entre sí discrepan en valores fundamentales. Los "del 98" solo se preocupan por el *fondo* de los temas y de las almas. Los modernistas solo buscan la novedad de la expresión y la audacia de las imágenes y paradojas.

2. LA "GENERACIÓN DEL 98" Y SUS PRECURSORES.—El "más remoto" de los precursores, como ya apunté, fue Mariano José de Larra, *Fígaro,* quien reunía en sí todas las *preocupaciones* que hicieron suyas los "noventaiochistas": pesimismo, inconformidad, búsqueda ansiosa de renovación, amor frenético por el paisaje nacional. Pero los precursores "inmediatos" fueron Costa, Picavea, *Silverio Lanza* y Ganivet.

JOAQUÍN COSTA MARTÍNEZ (1844-1911), nacido en Graus (Huesca), catedrático, político, de genio indomable y fiero, notario siempre en contacto con los problemas de la pobre y triste tierra española, español apasionado, que se pasó la existencia gritando o escribiendo "a gritos" la necesidad de "cerrar con siete llaves el sepulcro del Cid", de bajar "de los sueños", de "dejarse de recuerdos gloriosos", para aplicarse a la reconstrucción de nuestra España depauperada y triste. De enorme cultura, sin dengues por el estilo, escribió libros hermosísimos de diversas materias, en todos los cuales trasciende su pasión española y ansias de proselitismos: *Poesía popular española, Colectivismo agrario, Mitología y literatura celtohispana, Teoría del hecho jurídico, individual y social, Crisis política de España...*

RICARDO MACÍAS PICAVEA (1847-1899), de Santoña (Santander), catedrático en Valladolid, y un poco Pigmalión de las conciencias de muchísimos de sus discípulos. De verbo irresistible y de nobilísima y seductora pluma. En su libro

El problema nacional: hechos, causas y remedios—1891—deja examinados sutilmente cuantos problemas se plantearán más tarde los "del 98"; y en su deliciosa obra *Tierra de Campos,* de plasticidad descriptiva enorme, está la visión paisajista ya propia de los noventayochistas.

JUAN BAUTISTA AMORÓS (1856-1912), más conocido por *Silverio Lanza,* nació en Madrid e ingresó en la Escuela Naval de Guerra. Dejó, sin explicar el porqué, su carrera y se recluyó en una casita de Getafe, como huyendo de la soledad, hasta su muerte. Pesimista, excéntrico, paradójico, de muy difícil clasificación literaria. No obstante, en sus libros—inencontrables hoy, incomprensiblemente—se hallan todos los valores abanderados por los "del 98": amor al paisaje, pesimismo, crudeza expresiva, pasión por una constante revisión del alma. Fue colaborador de cuantas revistas aparecieron en su época: *Alma Española, Revista Nueva, Prometeo.* Obras: *El año triste, Artuña, Cuentecillos políticos, Cuentecillos sin importancia...*

Pero quizá, el más auténtico precursor "del 98" fuera ÁNGEL GANIVET GARCÍA (1862-1898), granadino; deliberadamente buscó la muerte, en las aguas del mar finés—era cónsul en Helsingsfors—el *año decisivo:* 1898. Según algunos críticos modernos, Ganivet "tenía algo de Baroja—como narrador—, de Unamuno—como pensador ensayista—y de *Azorín*—como sensibilidad exquisita ante el paisaje—". En Ganivet se dieron" grande y muy sentido amor a España; fe decidida en el espíritu español; extraordinaria admiración por Séneca, cuyas tendencias renueva y armoniza con lo moderno: hondo sentido de la Naturaleza; la idea tomada como fuerza creadora; perpetua inclinación al estudio del espíritu..., todo ello expresado con profundidad e ingenio, con naturalidad y, a veces, entre rasgos de humorismo y de gracia andaluza." (Hurtado y G. Palencia) Ganivet defendió la personalidad de su raza frente al influjo extranjero, pero orientándola en sentido moderno, constituyendo la entraña de su doctrina esta afirmación: "Cuanto se construya en España con carácter nacional, debe estar sustentado sobre los sillares de la tradición, procurando adaptar los elementos—intelectuales, sociales y políticos—que se reciban del extranjero al carácter y a las tradiciones de la raza española:" Según Fernández Almagro, la obra de Ganivet se proyecta en tres direcciones: preocupación estética, referida a su ciudad natal: *Granada la bella*—1896—; preocupación política, referida a España: *Idearium español* —1897—; y preocupación moral, referida a sí mismo: *Los trabajos del infatigable creador Pío Cid*—1898—. Otras obras: *La conquista del reino de Maya por el último conquistador español Pío Cid*—1897—, *El escultor de su alma* —drama místico de sutil simbolismo—, *Cartas finlandesas, Hombres del Norte, La España filosófica contemporánea.*

Pertenecen plenamente a la "generación del 98": *Azorín,* Unamuno, Baroja, Maeztu, Antonio Machado; y con "ciertas reservas": Benavente, Valle-Inclán, Manuel Bueno, José María Salaverría, Ciro Bayo...

JOSÉ MARTÍNEZ RUIZ (1873), de Monóvar (Alicante). Estudió con los escolapios de Yecla y en las Universidades de Valencia y Granada y Salamanca. Desde 1896, ya en Madrid, ateneísta de arraigo y polémica y periodista ilustre. Colaborador en los principales diarios de España e Hispanoamérica. Varias veces diputado a Cortes, dos veces subsecretario de Instrucción Pública, en 1924 miembro de la Real Academia Española, viajero incansable tanto por tierras de España como por el extranjero. De ideas políticas muy versátiles, y casi siempre "de acuerdo con quienes gobiernan". Hombre sencillo, mesurado, frío. Como crítico empezó siendo feroz iconoclasta para terminar en ponderado y jamás entusiasmado con exceso. De estilo absolutamente personal: frases muy breves, raro empleo de las metáforas, cierto conceptismo graciano, con el pleonástico e insistente *yo,* con la enumeración de objetos y nombre trivialmente repetidos. Pero sabiendo dar delicado colorido, insinuante dibujo, exquisita "sensación lírica" a cuanto describe. El resultado de tanta medida, de tan sutil esmero es una expresión clara y nítida, en muchas ocasiones bellísima, y el estilo de singular rapidez que, también a veces, acaba por cansar. De su producción nutridísima sobresalen: *Alma Española, La voluntad, Antonio Azorín, La ruta de Don Quijote, España, Las confesiones de un pequeño filósofo, Castilla, Al margen de los clásicos, Los valores literarios, Don Juan, Clásicos y modernos, Pensando en España, El escritor, Sintiendo a España... Azorín* ha escrito algunas obras teatrales que indiscutiblemente se adelantan a muchas de las tendencias europeas de innovación o de reacción: *Lo invisible, Old Spain, Brandy, mucho brandy, Angelita, Comedia de arte, Cervantes o la casa encantada.* También ha escrito novelas y cuentos que, en verdad, son solo narraciones con escasa acción, con tema insignificante, pero llenas de deliciosas observaciones y descripciones: *María Fontán, Salvadora de Olbena, Doña Inés, Pueblo, Félix Vargas, Blanco en Azul, Superrealismo, El enfermo, Capricho...*

MIGUEL DE UNAMUNO JUGO (1864-1936), nació en Bilbao y murió en Salamanca. Catedrático y rector de la Universidad salmantina. En mi opinión, la personalidad literaria española más grande, recia y completa de lo que va de siglo. Novelista agudo, original y denso. Poeta incomparable, lleno de íntimas y hermosas preocupaciones. Ensayista impar. Dramaturgo brioso y original. Pensador de hondura y belleza incomparables. Cuando filosofa, "no con la razón solo, sino con la voluntad, con el sentimiento, con la carne y con los huesos, con el alma toda y con todo el cuerpo: filosofa el hombre." Y así exclama en uno de sus ensayos, con esa fiereza pasional que anima sus ideas y su voluntad: "Yo necesito la inmortalidad de mi alma, la persistencia indefinida de mi conciencia individual. Sin la fe en ello no puedo vivir, y la duda de lograrla me atormenta. Y como la necesito, mi pasión me lleva a afirmarla, aun contra lógica". Una savia mística, independiente de toda fórmula religiosa, circula por sus escritos, oreándolos maravillosamente. "Es una preocupación vital y constante la que siente este noble pensador por los conflictos entre la vida y el pensamiento, entre las necesidades intelectuales y las necesidades volitivas y afectivas. Preocupación espiritual, curiosidad intelectual, sutilísima y original visión son las características dominantes en todo cuanto sale de su pluma admirable. El estilo, como el del inglés Sterne, no es de esmerado literato, pero sí de incomparable conversador" (Romera Navarro). Unamuno fue "la voz más fuerte, más sincera, más exigente, de la conciencia española." Por ello, durante la dictadura del general Primo de Rivera, estuvo desterrado en Fuerteventura y en Francia. En su fecundísimo y original ideario hay indiscutibles contradicciones; pero él mismo, con respingo soberbio, se proclamó "especie única" y recabó el derecho, para sí, de desdecirse, de contradecirse. Su producción es muy extensa y multiforme: ensayo, poesía, teatro, crítica, filología, novela, política... Entre sus ensayos: *Vida de Don Quijote y Sancho, El sentimiento trágico de la vida, La agonía del cristianismo, Contra esto y aquello, Mi religión y otros ensayos, En torno al casticismo, Paisajes del alma, Andanzas y visiones españolas, Recuerdos de niñez y de mocedad...* Entre sus obras teatrales: *Fedra, Sombras de sueño, El otro, El hermano Juan o El mundo es teatro, Soledad, Raquel, La esfinge, Nada menos que todo un hombre...* Entre los libros poéticos: *Poesías, Rosario de sonetos líricos, El Cristo de Velázquez Rimas de dentro, Teresa, De Fuerteventura a París, Cancionero...* Entre sus novelas, cuentos y narraciones: *Paz en la guerra, Amor y pedagogía, El espejo de la muerte, Niebla, Tres novelas ejemplares y un prólogo, Abel Sánchez, La tía Tula, San Manuel Bueno mártir y tres historias...* Entre sus obras de miscelánea: *Soliloquios y conversaciones, Por tierras de España y Portugal, De mi país, Paisajes...*

Ramiro de Maeztu y Whitney (1874-1936), nació en Vitoria y murió asesinado por los marxistas en las afueras de Madrid. Terminado el bachillerato marchó a París, a Cuba, a Inglaterra, estando muchos años ausente de España. Cultivó asiduamente el periodismo en Bilbao y Madrid, colaborando en las revistas representativas "del 98". En 1928, el general Primo de Rivera le nombró embajador de España en la República Argentina. Diputado monárquico y fundador y sustentador máximo de la revista de polémica *Acción Española.* Perteneció a las Reales Academias de la Lengua y de Ciencias Morales y Políticas. Aun cuando en su juventud sostuvo ideas de radicalismo liberal, su contacto en Inglaterra con los famosos escritores católicos Chesterton e Hilaire Belloc le llevó a una radical transformación de ideología, uniéndose a la monarquía, al conservatismo y a la religión católica. Maeztu no es un auténtico literato, ni él se preocupó por serlo; es un ideólogo que procura predicar su doctrina y dejarla clavada en la mente y en el corazón de sus oyentes o lectores. No le atraen otros temas que los políticos o sociales; y si por excepción acepta un tema literario, es para extraerle su significación social o política. Maeztu defendió con ardor todos los valores del espíritu y de la España eterna. Obras: *Hacia otra España, Crisis del Humanismo, Don Quijote, Don Juan y la Celestina, La brevedad de la vida en nuestra poesía lírica, Defensa de la Hispanidad.*

Antonio Machado y Ruiz (1875-1939), nació en Sevilla y murió en Colliure (Francia) Estudió en la Institución Libre de Enseñanza, en Madrid. Licenciado en Filosofía y Letras por la Universidad Central. Como catedrático de francés estuvo en los Institutos de Soria, Baeza, Segovia y Calderón de Madrid. Estuvo en América; y mucho tiempo en París, donde tradujo para la Casa Garnier y asistió a cursos de conferencias dadas por Bergson y Bédier. Gran amigo de Rubén Darío, aun cuando poéticamente vivieran en mundos muy distantes. En 1927 fue nombrado académico de la Real Española de la Lengua. Para Antonio Machado "el elemento poético no es la música de la frase, ni el color, ni la línea, ni un complejo de sensaciones, sino una honda sensación del espíritu; lo que pone el alma, si es algo lo que pone, o lo que dice, si es algo lo que dice, con voz propia, en respuesta animada al contacto del mundo." Antonio Machado es un portentoso poeta: grave, hondo, intenso, sugeridor sin límites, constante sembrador de inquietudes nobles; sus estrofas poseen firmeza de escultura miguelangelina; su curiosidad ante la vida, y hasta cierto "sentido del misterio", marcan aún más el tono de recogimiento y de meditación de toda su producción lírica. La cual, a veces, tiene suavidades de ensueño, y en ocasiones energía casi tempestuosa. Sus preferentes temas son cuatro: la tierra, el paisaje, la patria y el yo intricando por galerías interiores. "Misterioso y silencioso", le llamó Rubén Darío. Insisto en que es tal la grandeza poética de Antonio Machado que su nombre ha quedado entre los doce más grandes poetas españoles de todas las épocas; y desde luego, ninguno entre sus contemporáneos le iguala. Toda su ideología y toda su estética están contenidas en dos de sus más preciosos libros—entreverados de prosa y verso—: *Abel Martín* y *Juan de Mairena*, personajes imaginarios a quienes hace intérpretes de sus propios pensamiento y estética. Obras líricas: *Soledades*—1903—, *Soledades, galerías y otros poemas*—1907—, *Campos de Castilla* —1912—, *Nuevas canciones*—1925—, *Cancionero apócrifo, Cancionero del pueblo*. En colaboración con su hermano Manuel escribió algunas obras escénicas: *Julianillo Valcárcel, Las Adelfas, Juan de Mañara, La Lola se va a los puertos, La prima Fernanda, La duquesa de Benamejí*.

Pío Baroja y Nessi (1872-1956) Nació en San Sebastián y murió en Madrid. Doctor en Medicina, ejerció su profesión algún tiempo en el balneario de Cestona. Pero habiendo fijado su residencia en Madrid se dedicó completamente a la literatura, colaborando en las nacientes revistas *Arte Joven, Germinal, El País*. De ideas radicales y avanzadas, pero sinceras y noblemente sentidas. En 1934 fue elegido miembro de número de la Real Academia Española. Por muchos críticos está considerado como el mejor novelista español que se ha dado a conocer dentro del siglo XX. Pero en verdad, la mayor parte de sus novelas son más propiamente largas crónicas impresionistas con hechos menudos y dispersos, con personajes y ambientes fielmente reproducidos. En Baroja son grandes valores sus facultades de muy perspicaz observador, su lenguaje vulgar, pero muy atractivo, sus lucubraciones muy sugestivas. "Baroja es ante todo un pensador de una originalidad y de una independencia salvajes, que están más allá del bien y del mal, de las ideas morales, de la herencia histórica, de las conveniencias sociales y literarias. Dice cosas poéticas y profundas, cosas extravagantes, cosas groseras; dice, en suma, todo lo que se le ocurre, y se le ocurren infinitas cosas." *(Andrenio)* fue un rebelde, un anarquista muy pacífico, con anhelos indefinibles, de humor escéptico y pesimista. "Presencia el espectáculo de la vida con curiosidad, pero sin emoción ni simpatía. Su visión es fría, dura, impasible. Por todo ello, y por sus cualidades literarias, sus libros son espejos de la realidad, pero bien poco recreativos. El estilo es abrupto, impresionista; con frecuencia también, desmayado, incoloro, trivial (Romera Navarro). Su producción es enorme. En veintidós tomos—con el título general de *Memorias de un hombre de acción*—relata episodios más o menos históricos del siglo XIX, con un personaje central: Aviraneta. Sus "trilogías" son diez, aun cuando alguna de ellas comprende no tres sino cuatro novelas, como la "trilogía del mar": *Las inquietudes de Shanti Andía, El laberinto de las sirenas, La estrella del capitán Chimista, Los pilotos de altura*. Otras novelas: *La busca, Mala hierba, Aurora roja, La dama errante, La ciudad de la niebla, El árbol de la ciencia, La casa de Aizgorri, El mayorazgo de Labraz, Zalacaín el aventurero, Camino de perfección, Paradox rex, La feria de los discretos, Los últimos románticos, las tragedias grotescas, César o nada, El mundo es "ansí"*... Sus sinceras memorias comprenden siete nutridos volúmenes. Además escribió colecciones de cuentos y novelas breves: *Vidas sombrías, El horroroso crimen de Peñaranda*...

3. El postnoventaiochismo.—Forman parte de él algunos novelistas, pensadores y poetas que habiendo iniciado su obra hacia 1905 en ella delatan algunos de los ideales, principios y normas de los noventaiochistas.

José Ortega y Gasset (1883-1955) Nació y murió en Madrid. Estudió con los Jesuitas en Miraflores del Palo (Málaga) y en Deusto. Cursó estudios universitarios en Leipzig, Berlín y Marburgo. En 1910 ganó la cátedra de metafísica de la Universidad de Madrid. Creador de la famosa *Revista de Occidente* y orientador del gran diario *El Sol*. Viajero incansable por todas las Universidades de Europa y América, en las que dio cursos de conferencias inolvidables. De fama universal y solidísima. En 1948 fundó en Madrid un Instituto de Humanidades, con la colaboración de muchos de sus discípulos. Su influencia en el actual pensamiento de España es enorme y cada día creciente. Es el primer ensayista español de todos los tiempos, expositor de una elegancia y de una agudeza incomparables, noble estilista de riquísimo y jugoso lenguaje. Un verdadero "gran humanista del siglo XX". Cuanto salió de su pluma es una deliciosa y clarísima divulgación tanto de sistemas filosóficos—incluido el suyo: *metafísica de la razón vital*—, como de las tendencias estéticas y de las actitudes críticas. Es el intelectual español más conocido y admirado en todo el mundo. Entre sus mejores obras cuentan: *Meditaciones del Quijote, España invertebrada, El tema de nuestro tiempo, La rebelión de las masas, Vieja y nueva política, El Espectador, La historia como sistema, Kant, Ideas y creencias, Las Atlántidas, La deshumanización del arte, Goethe, El hombre y la gente, La idea del principio en Leibniz, Meditaciones de un pueblo joven, ¿Qué es la Filosofía?, Velázquez, Goya*...

Eugenio d'Ors y Rovira (1882-1954) nació en Barcelona. Ocupa uno de los primeros puestos entre los ensayistas europeos; y, además, fue el primer estético español en lo que va de siglo. Hasta 1917 escribió en catalán. Habiendo fijado su residencia en Madrid, y dedicándose a recorrer el mundo para dar cursos de conferencias admirables, adoptó el castellano para sus escritos. Popularizó el seudónimo de *Xenius*. "Para su exposición doctrinal, D'Ors ha preferido un género que, si no es invención suya, debe a él su actual naturaleza. Nos referimos a la *glosa*, especie de *ensayo segmentado*, o *esquema de ensayo*, esbozado a propósito de un dicho o un hecho de carácter particular y anecdótico, que gracias al comentario del escritor se eleva a categoría universal. La glosa oscila entre el ensayo a la manera de Unamuno u Ortega y el aforismo." (Díez Echarri, Roca Franquesa) De pensamiento muy sólido, de cultura vastísima y muy filtrada, de curiosidad insaciable, D'Ors representa la unidad magistral de la tradición española con el concepto de europeidad. Entre sus obras: *Glosario*—cuatro nutridísimos volúmenes—, *La bien plantada, El Barroco, Tres horas en el Museo del Prado, El secreto de la Filosofía, De la amistad y del diálogo, Poussin y el Greco, Cèzanne, Pablo Picasso, Cuando ya esté tranquilo, Goya...*

GREGORIO MARAÑÓN Y POSADILLO (1887-1960) Nació y murió en Madrid. Su fama como médico fue universal. Creó una escuela de especialistas tanto en la Facultad de Medicina como el Hospital General. Ideológicamente fue Marañón un hombre "del 98". Poseyó un estilo terso, espontáneo, noble, que le permitió convertirse en un historiador, en un ensayista, en un divulgador de los temas más complejos, realmente de valor excepcional. Su curiosidad científicoliteraria fue insaciable. Y en todos sus libros—tanto científicos como literarios—dejó constancia de su enorme cultura y de su gracia expresiva. Lleno de entusiasmo se lanzó "a las más arriesgadas exploraciones por el campo de la historia, de la literatura, de la psicología y del arte, en busca de personajes o mitos en quienes encarnar sus teorías." Obras: *Amiel, un estudio sobre la timidez, Tiberio, o historia de un resentimiento, Tres ensayos sobre la vida sexual, El conde-duque de Olivares, o la pasión de mandar, Luis Vives, Ensayo biológico sobre Enrique IV de Castilla, Antonio Pérez, Don Juan, Las ideas biológicas del padre Feijoo, Vocación y ética, Ensayos liberales, Elogio y nostalgia de Toledo, Toledo y el Greco, Vida e historia...*

RAMÓN GÓMEZ DE LA SERNA (1888-1963). Nació en Madrid y murió en Buenos Aires. Abogado. Fundador de revistas minoritarias y de la famosa tertulia literaria del café Pombo, en cuya presidencia, durante muchos años, *pontificó* garbosa y magistralmente sobre la literatura española. Su influencia en esta, entre 1920 y el año en curso, es de extraordinaria importancia, y de ella se han librado muy pocos escritores actuales. Escritor puro, de vocación sensacional y de producción sensacional igualmente, que abarca el teatro, el ensayo, la novela, la narración, la crítica, la biografía, el aforismo... Excéntrico, pintoresco, desorbitado, de un dinamismo prodigioso. Goza de fama universal. Y de él puede asegurarse que con una asombrosa sutileza *se ha adelantado* a todas las modernas tendencias literarias: teatro de vanguardia y de "evasión", novela superrealista, ensayo "rompecabezas"... Ha inventado la *greguería*, especie de frase categórica en la que se mezclan el humor, las paradojas y las imágenes más dislocadas para alcanzar un sentido de realismo con un contrapunto poético. Pasan de cien las obras publicadas por Gómez de la Serna. Ha escrito las biografías de Lope de Vega, Goya, Quevedo, el Greco, Velázquez, Valle-Inclán, Carolina Coronado, Gutiérrez Solana, Oscar Wilde... Entre sus novelas: *El Gran Hotel, La viuda blanca y negra, El dueño del átomo, Cinelandia, El secreto del Acueducto, Piso bajo, La Nardo, El chalet de las rosas, Seis falsas novelas...* Entre sus obras escénicas: *Los medios seres, El lunático, El drama del palacio deshabitado...* Entre sus libros de *greguerías: El Rastro, Senos. El circo, Gollerías, Total de greguerías, Los muertos y las muertas, El Alba...* Otras obras: *Elucidario de Madrid, Pombo, Retratos, Nuevos retratos contemporáneos, Ismos, Lo cursi, Automoribundia*—memorias de su vida...

RAMÓN MARÍA DEL VALLE-INCLÁN (1866-1936). Nació en Villanueva de Arosa y murió en una sanatoria de su Galicia. De vida aventurera borrascosa, que él supo *complicar* con su fantasía ardiente. Perdió un brazo—1899—a consecuencia de una disputa que tuvo con Manuel Bueno. Vivió algún tiempo en "las tierras calientes" de Méjico y Centroamérica, de donde volvió contando mil graciosas "trolas" acerca de sus estupendos hechos de moderno conquistador. Dirigió varias compañías teatrales en España e Hispanoamérica. En 1917 se le dio la cátedra de estética en la Escuela de Bellas Artes de San Fernando; y el gobierno de la segunda República española le nombró director de la Escuela de Bellas Artes de Roma. Polemista, fanfarroneador agresivo. "Valle-Inclán ama todo lo raro y peregrino. Lo misterioso le atrae; los conjuros, vaticinios y supersticiones populares abundan en su obra. Se inclina, al par, hacia lo legendario y aristocrático, en el ambiente y en los caracteres. Busca siempre la emoción estética, la sensación exquisita, que nos trasmite de modo sutil. Su creación más típica, el Marqués de Bradomín, es cínico, galante y de refinada sensualidad. El lenguaje, selecto, noble, con muy discreto sabor arcaico; su prosa rítmica, sonora, es acabado modelo de la prosa cincelada y artística." (Romera Navarro). En todas sus obras, aun en las más realistas, se sobrepone a esta realidad con derivaciones en las que triunfan la fantasía y la poesía. Para el teatro creó el género denominado *esperpento*, en el que con técnica y lenguaje arrancados de la picaresca se produce un cuadro de vitalidad espeluznante... Casi deshumanizada; es decir: el más tremendo gran guiñol. Novelas: las *Sonatas, Corte de amor, Jardín umbrío, Los cruzados de la causa, El resplandor de la hoguera, Gerifaltes de antaño, Tirano Banderas, La Corte de los milagros, ¡Viva mi dueño!, Baza de espadas...* Obras teatrales: *El yermo de las almas,*

Voces de gesta, Cuento de abril, La marquesa Rosalinda, Divinas palabras, Cara de plata, Aguila de blasón, Romance de lobos, Farsa y licencia de la reina castiza, Luces de bohemia, Las galas del difunto, La hija del capitán, Los cuernos de don Friolera, Ligazón, El embrujado...

RAMÓN PÉREZ DE AYALA (1881-1963). Nació en Oviedo. Estudió con los jesuitas de Gijón. En la Universidad de Madrid cursó Filosofía y Letras. Pronto se dio a conocer colaborando en las revistas literarias más destacadas: *La Lectura, Alma Española, España, Los lunes de "El Imparcial"*... Con Juan Ramón Jiménez y Martínez Sierra fundó la revista *Helios.* En 1928 fue elegido académico de la Real Española de la Lengua. Durante la segunda República española, embajador de España en Inglaterra. De refinados gustos, mucha cultura, fino y buido humorismo, paradójico y profundo, irónico con cierta crueldad. Sus ideas e ideales son, en su mayoría, los "del 98", pero ya suavizados por el europeísmo. Crítico y ensayista de primer orden. Novelista sin precedentes ni consiguientes, con más de cerebral y de subjetivo que de espontáneo y fuerte creador. Estilista impar, dueño de un lenguaje rico y refinado y castizo a la vez. Y poeta sumamente personal. Obras: *Tinieblas en las cumbres, Troteras y danzaderas, A. M. D. G. La pata de la raposa, Belarmino y Apolonio, Luna de miel, luna de hiel, Los trabajos de Urbano y Simona, Tigre Juan, El curandero de su honra, Prometeo, Luz de domingo, La caída de los limones, Bajo el signo de Artemisa, El ombligo del mundo, Política y toros, Las Máscaras*—dos tomos de críticas—, *Hermann, encadenado...* Sus poemas integran los volúmenes: *La paz del sendero, El sendero innumerable* y *El sendero andante.*

GABRIEL MIRÓ FERRER (1879-1930) Nació en Alicante y murió en Madrid. Estudió con los Jesuítas en Orihuela. Se licenció en Derecho en la Universidad de Granada. En 1908 obtuvo el primer premio en el concurso organizado por la revista *El Cuento Semanal* con su novela breve *Nómada,* haciéndose popular en seguida. Cronista de Alicante. Vivió algunos años en Barcelona, como empleado en una editorial y bibliotecario del Ayuntamiento y de la Diputación. En 1920 fijó su residencia en Madrid, desempeñando cargos en los Ministerios de Trabajo y de Instrucción Pública. Hombre sencillo, bueno y afable. Estilista lleno de la luminosidad de su tierra levantina y marítima. Dueño de un lenguaje precioso que trabajaba con fervor y acierto de lapidario medieval. Más que novelista fué un narrador admirable que llevó a sus relatos una armonía espléndida y rara conseguida por medio de la *plasticidad* y de la *musicalidad.* Inventor de las matáforas más extraordinarias y bellas. Obras: *Figuras de la Pasión, Del huerto provinciano, Las cerezas del cementerio, El humo dormido, El ángel, el molino y el caracol del faro, El libro de Sigüenza, El abuelo del rey, Años y leguas, El obispo leproso, Niño y grande, Nuestro Padre San Daniel, La novela de mi amigo, El hijo santo, Años y leguas.*

A este mismo grupo pertenecen otros escritores cuyos nombres merecen alta estimación. GABRIEL ALOMAR (1873-¿?), mallorquín, de mucha cultura: *Verba, La formación de sí mismo, El frente espiritual.* POMPEYO GENER (1848-1919), catalán de vida pintoresca: *Miguel Servet, La muerte y el diablo.* El guipuzcoano JOSÉ MARÍA SALAVERRÍA (1873-1940), de fina sensibilidad, ilustre periodista y ensayista extraordinario: *Las sombras de Loyola, Vieja España, Los paladines iluminados, La afirmación española, Alma vasca.* MANUEL AZAÑA (1880-1941), alcalaíno, estudiante con los agustinos en El Escorial, político que llegó a la presidencia de la segunda República española, prosista noble y pesimista ideólogo: *El jardín de los frailes, Plumas y palabras.* MANUEL BUENO (1874-1963), insigne periodista, novelista, autor teatral, de pensamiento hondo y estilo señor: *Teatro contemporáneo, Teatro en España, Jaime el conquistador, Los nietos de Dantón En el umbral de la vida, El dolor de llegar.* SALVADOR DE MADARIAGA (1886) gallego que ha vivido siempre en el extranjero; defensor incansable de los valores españoles por medio de su gran cultura histórica y de su expresividad polémica: *Guía del lector del "Quijote", Percival y los ingleses, Ingleses, franceses y españoles, España, Cristóbal Colón, Bolívar...*

EUGENIO NOEL (1885-1936), madrileño, de vida vagabunda y pintoresca, exaltado denostador de la fiesta taurina, narrador magistral, dueño de un riquísimo y castizo vocabulario: *Piel de España, Nervios de la raza, Las capeas, Aguafuertes ibéricos, España nervio a nervio.* SANTIAGO RAMÓN Y CAJAL (1852-1934), premio Nobel de Medicina, mundialmente conocido y admirado por sus investigaciones histológicas; como escritor participa, y mucho, de las ideas e ideales de los "del 98": *Recuerdos de mi vida, Psicología del "Quijote" y del quijotismo, Charlas de café, El mundo visto a los ochenta años.* ANTONIO ZOZOYA (¿1865-1940?), periodista magistral, cronista que tuvo gran popularidad: *Del huerto de Epicteto, Solares de hidalguía.*

4. EL MODERNISMO: LA POESÍA.—SALVADOR RUEDA (1857-1933), nació y murió en Málaga. Espíritu constantemente inquieto, viajó durante muchos años por "ambos mundos" recitando sus poemas y dando conferencias exaltadoras de los valores de España. Muchos años antes que Rubén Darío trajera a nuestra patria el triunfo del modernismo lírico, ya Rueda era su admirable propagador. De una fantasía meridional exuberante, dueño de las supremas armonía y musicalidad del verso, fue ante todo el *gran*

poeta de los sentidos. Quizá fueron causa de su injusta postergación tanto su incontinencia verbal e imaginativa, como su entrega apasionada a lo orquestal, colorista y declamatorio. Entre su abundantísima producción sobresalen: *Poema nacional, Sinfonía del año, Cantos de la vendimia, En tropel, La bacanal, Lenguas de fuego, Camafeos, Piedras preciosas, El poema de la carne, Cantando por ambos mundos...* También escribió algunas excelentes novelas de costumbres andaluzas: *La reja, La guitarra, Bajo la parra, El cielo alegre, La Cópula, La gitana, El gusano de luz...*

JUAN RAMÓN JIMÉNEZ (1881-1958), nació en Moguer (Huelva) y murió en Puerto Rico. Estudió en la Universidad de Sevilla. A fines del siglo se trasladó a Madrid, donde actuó en todas las tertulias literarias, escribió en las revistas minoritarias y se hizo amigo de los escritores más exquisitos. Perteneció a la Institución Libre de Enseñanza. En 1916 contrajo matrimonio con Zenobia Camprubí, en quien encontró la más abnegada de las esposas y de las secretarias. Fundó exquisitas revistas: *Ley, Índice, Sí.* Varios viajes por Europa y América. En 1936 marchó a Puerto Rico, de cuya Universidad fué profesor. En 1957 le fué otorgado el "Premio Nobel".

Juan Ramón ejerció, y sigue ejerciendo, una enorme influencia en los poetas españoles. Empezó siendo modernista puro. Hacia 1905 se pasó al *intimismo* obsesivo. A partir de 1916 se refugió en otras tendencias líricas, como el superrealismo, el neorromanticismo. Siendo su ideal supremo la consecución de la *poesía desnuda,* en sus últimos años cayó en casi todas las trampas de la poesía conceptuosa y culterana. Se le ha echado en cara su exceso de retórica y el abuso de las metáforas. Pero es, sin posible objeción, un gran poeta con aciertos definitivos en las imágenes y en la sentimentalidad. Su producción es vastísima. Entre sus mejores libros están: *Rimas, Arias tristes, Elegías, Pastorales, Laberinto, Estío, La soledad sonora, Sonetos espirituales, Eternidades, Piedra y cielo, Belleza...* Pero acaso su obra más famosa es la elegía en prosa *Platero y yo,* traducida a todos los idiomas cultos.

MANUEL MACHADO Y RUIZ (1874-1947), nacido en Sevilla y muerto en Madrid. Hermano de Antonio. Licenciado en Filosofía y Letras. Crítico teatral. Del Cuerpo de Archiveros-bibliotecarios. De la Real Academia Española de la Lengua. De cultura muy francesa, se adscribió decididamente al modernismo, al que aportó un noble garbo andaluz y una tendencia extremada hacia el folklore de su tierra; pero aun en este caso, jamás su poesía dejó de delatar una elegante expresividad muy francesa. De mezcla, al parecer, tan detonante, salió un lirismo seductor casi siempre. Obras: *Alma, Caprichos, La fiesta nacional, Cantares, El mal poema, Cante hondo, Sevilla y otros poemas, Ars moriendi...* Escribió varias obras teatrales en colaboración con su hermano Antonio (V.).

FRANCISCO VILLAESPESA (1877-1936), nació en Almería y murió en Madrid. De vida bohemia y andariega. Vivió muchos años en América al frente de compañías teatrales. Discípulo de Zorrilla, Rueda y Rubén Darío. De fecundidad pasmosa y siempre metido en un lirismo deslumbrante de imágenes y musicalidad, muy propenso a los temas árabes españoles y caballerescos. Obras: *El mirador de Lindaraja, Ajimeces de ensueño, Intimidades, Luchas, Confidencias, Saudades, Las horas que pasan...* Escribió una veintena de obras teatrales, algunas de las cuales obtuvieron éxitos muy grandes: *Aben-Humeya, El Alcázar de las perlas...*

Otros poetas dignos de mención fueron: ENRIQUE DÍEZ-CANEDO (1879-1944), madrileño, muy notable crítico teatral, prosista noble, y delicado poeta modernista en *La visita del sol, Imágenes, Versos de las horas, Epigramas americanos.* EMILIO CARRERE (1880-1947), nació y murió en Madrid; el último gran bohemio de la Villa y Corte, muy aficionado a llevar a su poesía lo costumbrista y lo legendario de su ciudad natal. Gozó en vida de una gran popularidad. Obras: *El caballero de la muerte, Románticas, Nocturnos de otoño, Del amor, del dolor y del misterio.* EDUARDO MARQUINA (1879-1946), nacido en Barcelona y muerto en Nueva York. Miembro de la Real Academia de la Lengua. Su gran popularidad se le dio su obra escénica, casi toda en verso, y con temas de la historia de España de otras épocas gloriosas, o de costumbres entrañables para el pueblo. Sin embargo, nos parece muy superior su valor como poeta lírico; no fué plenamente modernista, pues que aunó cierta reminiscencia clásica con un intimismo postmodernista. Obras líricas: *Odas, Las vendimias, Elegías, Églogas, Canciones del momento, Tierras de España, Juglarías, Vendimión...* Estrenó casi medio centenar de obras escénicas: *Doña María la Brava, Las hijas del Cid, En Flandes se ha puesto el sol, El Gran Capitán, Las flores de Aragón, El pavo real, El probrecito carpintero...*

Son poetas apegados a la tradición, con expresividad modernista muy escasa: JOSÉ MARÍA GABRIEL Y GALÁN (1870-1905), maestro de escuela, cantor sencillo y apasionado de las virtudes domésticas, de la vida campesina, de la religión metida en los tuétanos: *Castellanas, Nuevas castellanas, Extremeñas, Religiosas, Campesinas.* Gabriel y Galán nació en Frades de la Sierra (Salamanca) y murió en Guijo de Granadilla (Cáceres).

VICENTE MEDINA (1866-1937), murciano, viajero incansable por América; cantó los paisajes, las costumbres, las personas de su hermosa tierra con lirismo cálido y desafeitado por completo: *Aires murcianos, Alma del pueblo, La canción de la huerta...* Mucho más complicado y tocado por el modernismo fué RAMÓN DE BASTERRA (1888-1928), bilbaíno de muy noble familia; con gran cultura clásica; lo que en Gabriel y Galán y Medina es simplicidad y sencillez y naturalidad, en Basterra es reflexión y artificio, fluencia clásica latina, expresividad abarrocada dentro del modernismo; pero como aquellos, a las suyas, Basterra cantó a su tierra nativa: *Las ubres luminosas, La sencillez de los seres, Vírulo, Los labios del monte.* ENRIQUE DE MESA (1879-1929), nació y murió en Madrid. Gran crítico teatral. Periodista ilustre. Conocedor como pocos de nuestra literatura del Siglo de Oro. Con versos tersos, sugestivos, un tanto arcaizantes, cantó con pasión la Sierra de Guadarrama y las tierras de Castilla: *Flor pagana, Cancionero castellano, El silencio de la Cartuja, La posada y el camino, Andanzas serranas.* Y sería injusto silenciar los nombres de MARCOS R. BLANCO BELMONTE, MANUEL DE SANDOVAL, ALBERTO VALERO MARTÍN, ANTONIO REY SOTO, JUAN JOSÉ LLOVET, PÉREZ BOJART, FERNANDO LÓPEZ MARTÍN, NARCISO DÍAZ ESCOVAR, ARTURO REYES, MANUEL DE GÓNGORA, FRANCISCO RODRÍGUEZ MARÍN, LUIS CHAMIZO, ANTONIO CASERO, LUIS DE TAPIA... El fecundísimo, delicado, fielmente tradicional ESTEBAN CLEMENTE ROMEO.

Mención especial merece el palentino LEÓN FELIPE (1890), de vida aventurera, poeta mezcla de popularismo, modernismo mitigado, en una expresividad sencilla: *Versos y oraciones del caminante.*

Entre los poetas que cantaron con pasión al mar están: el canario TOMÁS MORALES (1885-1921), el más importante de todos, hondo y polifónico: *Poemas de la gloria, del amor y del mar, Las rosas de Hércules.* SAULO TORÓN (1885), grave y sentencioso: *Las monedas de cobre, El caracol encantado, Canciones de la orilla.* JOSÉ DEL RÍO SAINZ (1886), santanderino y marino mercante, periodista y cronista notable, muy modernista y orquestal: *Versos del mar y de los viajes, Hampa, La amazona de Estella.* JESÚS CANCIO (1885-1961), santanderino, sencillo y hondo: *Brumas norteñas, Odas y cantiles.* LUIS BARREDA (1874), delicado, hondo, muy depurado en la expresión, repartiéndose en temas de mar y de montaña santanderinos, santanderino él: *Cancionero montañés, Valle del Norte, Roto casi el navío, El báculo.* RAFAEL ROMERO, más conocido por su seudónimo de *Alonso Quesada* (1886-1925), de Las Palmas, melancólico y enfermizo: *El lino de los sueños, La umbría.*

5. EL TEATRO CONTEMPORÁNEO.—JACINTO BENAVENTE (1866-1954), nació y murió en Madrid. Estudió en el Instituto de San Isidro y en la Universidad de su ciudad natal, licenciándose en Derecho. Viajó por toda Europa. Conocedor admirable del teatro universal de todas las épocas. Traductor magnífico de Shakespeare. Dirigió la revista *Vida literaria.* En 1912 fué elegido académico de la Real Española de la Lengua, pero no llegó a leer su discurso de ingreso. "Premio Nobel 1922". Y sin discusión el autor teatral más eximio de nuestro siglo. De fama universal. Renovó por completo el teatro español melodramático y declamatorio, implantando la comedia y drama modernos, con una técnica magistral y un magistral lenguaje. En sus vastísima producción—cerca de doscientas obras—hay dramas rurales, comedias de carácter, comedias fantástico-simbólicas e infantiles, comedias sátiras sociales, obras de tesis, sainetes, juguetes cómicos. Entre 1894 y 1930 ejerció enorme influencia en nuestro teatro y tuvo incontables discípulos, a los que luego me referiré. La mayor parte de sus obras pertenecen al género de *teatro de conversación;* en la que abundan los rasgos de ingenio, la sátira buida y un humor elegante "a lo wildesco". Benavente dominó un castellano terso, noble y muy rico. Entre sus obras merecen lugares preferentes: *El nido ajeno, Rosas de otoño, La comida de las fieras, Lo cursi, Gente conocida, Señora ama, La Malquerida, Los intereses creados, La ciudad alegre y confiada, La noche del sábado, La princesa Bebé, La escuela de las princesas, La gata de Angora, El dragón de fuego, Por las nubes, La losa de los sueños, La fuerza bruta, Pepa Doncel, La Infanzona...*

Entre los seguidores del teatro benaventino están: MANUEL LINARES RIVAS (1878-1938), de La Coruña; muy ameno cronista y narrador; miembro de la Real Academia de la Lengua. De vastísima producción teatral, eligió para ella, preferentemente, temas sociales y jurídicos, intentando salir por los fueros de la verdad y de la justicia contra los desmanes de las leyes. Magistral en la construcción y en los diálogos de sus obras, entre los que se hicieron centenarias en los carteles: *El abolengo, Cobardías, La mala ley, Como hormigas, Como buitres, El caballero lobo, La garra, Fantasmas...* GREGORIO MARTÍNEZ SIERRA (1881-1947), nació y murió en Madrid; poeta notable, novelista admirable; dirigió compañías teatrales y a él se le debe la modernización escénica y técnica del teatro español; también dirigió revistas y la famosa editorial *Renacimiento* que publicó las obras de los principales escritores españoles aparecidos entre 1900 y 1920. Entre sus mejores obras escénicas—caracterizadas por la delicadeza y elegancia de sus temas y diálogos—están: *Canción de cuna, La sombra del padre, Primavera en otoño, Madame Pepita, Mamá, Don Juan de España, El reino de Dios.* ENRIQUE SUÁREZ DE DEZA (1906), nacido en la República Argentina, de padres españoles: *Ha entrado una mujer, Las furias, Los sueños de Silvia, El pelele, Ambición.* FRANCISCO SERRANO ANGUITA (1887), sevillano, excelente periodista; entre sus obras teatrales: *Manos de plata, Papá Gutiérrez, Tierra en los ojos.* FEDERICO OLIVER Y CRESPO (1879), de Chipiona, Cádiz; director de compañías teatrales, obtuvo éxitos grandes con *Los semidioses, Los cómicos de la legua, Lo que ellas quieren, Han matado a don Juan.* HONORIO MAURA Y GAMAZO (1886-1936), que unió hondura psicológica a los muy finos matices de sus comedias: *Corazón de mujer, Raquel, La muralla de oro, Julieta compra un hijo.* JUAN IGNACIO LUCA DE TENA (1897), nacido en Madrid, abogado, director durante algún tiempo del diario *A B C*, de la Real Academia de la Lengua, dominador de la técnica, excelente dialogador en: *La condesa María, Las canas de don Juan, ¿Quién soy yo?, El dinero del duque.*

Mucho menos seguidor de Benavente que de Galdós, apasionado por los dramas con temas sociales, JOSÉ LÓPEZ PINILLOS (1875-1922), sevillano, maestro de periodistas, novelista recio y tradicional, con lenguaje vivísimo, crudo y vigoroso—en *Las águilas,* la mejor novela del toreo, *Doña Mesalina, El luchador, Cintas rojas*—, alcanzó éxitos rotundos con sus obras teatrales: *Esclavitud, Los senderos del mal, El caudal de los hijos, La otra vida...* López Pinillos que popularizó el seudónimo de *Parmeno* censuró las costumbres y los vicios con iracundia y tozudez implacables.

Cultivaron también el drama, la alta comedia, pero se hicieron famosos principalmente cultivando el sainete: SERAFÍN Y JOAQUÍN ALVAREZ QUINTERO, nacidos en Utrera (Sevilla) en 1871 y en 1873, y murieron en Madrid en 1938 y en 1944 respectivamente. Pertenecieron a la Real Academia de la Lengua. Pocos autores consiguieron tantos y tan continuados éxitos en los escenarios como ellos. Poseyeron ingenio, gracia, sales, dominio escénico absoluto, colorido sugestivo para retratar el costumbrismo andaluz. Obras: *La reina mora, El patio, Las flores, Los galeotes, El genio alegre, Puebla de las mujeres, Las de Caín, El centenario, Doña Clarines...*

Continuador felicísimo del sainete y del "género chico" fué CARLOS ARNICHES BARRERA (1866-1943), nacido en Alicante, pero que toda su vida la pasó en Madrid, al culto de la cual ciudad y de sus tipos y costumbres dedicó la mayor parte de su asombrosa producción. Su calidad literaria es magnífica. Alcanzó singular fortuna en la modalidad llamada *tragedia grotesca,* adelantándose así a lo que parecía invención de Pirandello. Supo mezclar la gracia y la sentimentalidad, el dolor y la farsa, la sátira y la ternura, con una habilidad no superada aún por comediógrafo alguno. Entre sus mejores obras están: *El santo de la Isidra, El amigo Melquiades, La chica del gato, Don Quintín el Amargao, La venganza de la Petra, Es mi hombre, Alma de Dios, La señorita de Trévelez, Que viene mi marido, La locura de don Juan...*

Merecen siquiera sucinta mención, dentro del mismo género de sainete, "género chico" y, en general, *teatro para reír:* FRANCISCO RAMOS DE CASTRO, JORGE Y JOSÉ DE LA CUEVA, JOSÉ FERNÁNDEZ DEL VILLAR, ANTONIO ASENJO Y ÁNGEL TORRES DEL ÁLAMO, PEDRO PÉREZ Y FERNÁNDEZ, JOAQUÍN ABATI, ANTONIO PASO, ENRIQUE GARCÍA ALVAREZ.

Se le atribuye la invención del *astracán*—obra teatral de tema, técnica, diálogos desorbitados—al gaditano PEDRO MUÑOZ SECA (1881-1936), el autor más fecundo de nuestro teatro contemporáneo, con más de 300 títulos; en muchas temporadas, cinco o seis teatros de Madrid representaban obras suyas simultáneamente. Dominó la técnica y tuvo mucho ingenio, derrochó los chistes casi siempre felices en obras como: *La venganza de don Mendo, Pastor y Borrego, La frescura de Lafuente, La tela, Los extremeños se tocan, Anacleto se divorcia, El verdugo de Sevilla, La Oca...*

Han cultivado la comedia alta y, sobre todo, el teatro poético: MARQUINA y VILLAESPESA, a quienes ya me he referido en el apartado dedicado a la poesía del modernismo. LUIS FERNÁNDEZ ARDAVÍN (1891), nacido en Madrid, abogado, cronista, poeta lírico de muchos quilates; obtuvo éxitos grandes con *La Dama del Armiño, El doncel romántico, Vía Crucis, El bandido de la sierra, Doña Diabla, La vidriera milagrosa, Rosa de Francia.* JOAQUÍN DICENTA (1893), madrileño, hijo del autor de *Juan José;* excelente poeta lírico. Obras: *Leonor de Aquitania, Son mis amores reales.* JOSÉ MARÍA PEMÁN (1898), gaditano; cronista, poeta lírico, narrador, orador de mucha calidad; académico de la Real de la Lengua. Entre sus obras teatrales alcanzaron singulares éxitos: *El divino impaciente, Cisneros, Cuando las Cortes de Cádiz, La santa virreina, Julieta y Romeo, La casa, Metternich, El testamento de la mariposa, En tierra de nadie...* MANUEL DE GÓNGORA (1889-1953), granadino, poeta lírico de noble estirpe, alcanzó fama con sus obras teatrales: *La petenera, Un caballero español.* ENRIQUE LÓPEZ ALARCÓN (1881-1948), malagueño, poeta lírico notable, autor del famoso drama *La tizona,* escrito en colaboración con Ramón de Godoy.

RAMÓN GOY DE SILVA (1888), nacido en El Ferrol (La Coruña), poeta lírico francamente modernista, de gran finura de imágenes y exquisita musicalidad; como autor teatral cultivó el simbolismo en *La corte del cuervo blanco, La reina Silencio, El eco.*

Excepcional valor dentro del teatro poético y del drama simbólico tiene JACINTO GRAU DELGADO (1877-¿1959?), nacido en Barcelona, muy original en el planteamiento de los temas, en su desarrollo y en sus diálogos sostenidos con lenguaje noble, poético y un tanto culterano. Obras: *Don Juan de Carillana, El hijo pródigo, El conde de Alarcos, El señor de Pigmalión, El caballero Varona, La redención de Judas, El Burlador que no se burla, Los tres locos del mundo...*

La renovación del teatro español contemporáneo—o la innovación—fue obra de tres autores excepcionales: García Lorca, Alejandro Casona y Enrique Jardiel Poncela. Tal renovación se inició hacia 1930, quedando establecida firmemente antes de 1936.

ENRIQUE JARDIEL PONCELA (1901-1952), nació y murió en Madrid. Periodista desde los doce años. Fundador y mantenedor de revistas de humor. Autor de varias novelas que alcanzaron éxitos grandes que aún conservan: *Amor se escribe sin hache, La "tournèe" de Dios, Espérame en Siberia, vida mía, Pero, ¿hubo alguna vez once mil vírgenes?.* De imaginación asombrosa, capaz de las imágenes más desorbitadas y de las frases más agudas, parte siempre en su teatro de "una situación desesperada"—o "disparatada"—que procura ir metiendo "en la realidad". Habilísimo en mantener el equívoco y la paradoja detonante. Obras: *Angelina, o el honor de un brigadier, Eloísa está debajo de un almendro, Cuatro corazones con freno y marcha atrás, Un marido de ida y vuelta, Blanca por fuera y rosa por dentro, Usted tiene ojos de mujer fatal, Las cinco advertencias de Satanás, El pañuelo de la dama errante, ¡Madre! el drama padre, Las siete vidas del gato...* Jardiel Poncela se adelantó audazmente a llevar a la escena esas obras *de evasión* o "superrealistas" que ahora se atribuyen, por ejemplo, a Ionesco.

ALEJANDRO CASONA, seudónimo de ALEJANDRO RODRÍGUEZ ALVAREZ (1903), nacido en Besullo (Asturias); maestro nacional; director del teatro ambulante "Misiones Pedagógicas". Poeta modernista en el libro *La flauta del sapo;* feliz refundidor y narrador de hermosas tradiciones de cultura clásica y medieval en *Flor de leyendas.* En 1934 obtuvo el "Premio Lope de Vega", del Ayuntamiento de Madrid, con su original obra *La sirena varada.* Alejandro Casona trae al teatro contemporáneo una original concepción de los problemas vitales, escenificándolos en perfecta armonía de fantasía, realidad, falsilla poética y contrapunto melódico. Todos sus temas, aun los más crudos, se vivifican en una atmósfera de idealismo, de espiritualidad. Espiritualidad e idealismo que se filtran en un lenguaje de gran nobleza lírica. Demostrar hasta qué punto *la idealidad puede tener consecuencias reales,* parece ser el designio esencial del teatro de Casona. Obras: *Otra vez el diablo, Nuestra Natacha, Prohibido suicidarse en primavera, La dama del alba, La barca sin pescador, Los árboles mueren de pie, Siete gritos en el mar, Las tres perfectas casadas, Corona de amor y muerte, La llave en el desván...*

De FEDERICO GARCÍA LORCA me ocuparé, en su obra total, dentro del capítulo dedicado a la poesía lírica posterior a 1920.

También cultivaron este *renovado teatro,* con humor, con lirismo, con sorprendente temática: MAX AUB (1903), escritor español, de origen alemán que ha estrenado en Méjico sus principales obras: *Una botella, El desconfiado prodigioso.* VALENTÍN ANDRÉS ALVAREZ (1891), asturiano, catedrático de ciencias económicas en la Universidad de Madrid, muy fino novelista —*Sentimental Dancing*—, y autor de una magnífica comedia: *Tararí.* FELIPE XIMÉNEZ DE SANDOVAL (1903), madrileño, diplomático, novelista de muchos quilates, biógrafo excepcional; y autor de muy notables obras escénicas: *Orestes I, El pájaro pinto, Bacarrat, Dafnis, Cloe y Compañía, Hierro y orgullo.*

E

6. LA NOVELA. LA NARRACIÓN. EL CUENTO.—FELIPE TRIGO (1865-1916), extremeño, médico rural y del ejército que tuvo un comportamiento heroico en la guerra de Filipinas. Fue el maestro de la novela naturalista—y erótica—del siglo XX. En un estilo desaliñado, de rara síntaxis, pero lleno de brío, color y eficacia, escribió sus famosas novelas con temas preferentemente amatorios o sociales expuestos con gran valentía y "a contrapelo" de la moral al uso. Influyó decisivamente en incontables novelistas de los que se dieron a conocer entre 1905 y 1910. Obras: *Las ingenuas, La sed de amar, Alma en los labios, Sor Demonio, La bruta, La clave, Jarrapellejos, El médico rural, En la carrera, La Altísima, Los abismos, Las Evas del Paraíso...*

Entre los seguidores de Trigo, y más tarde "pasados" al realismo tradicional, están: RAFAEL LÓPEZ DE HARO, ANTONIO DE HOYOS Y VINENT, ALBERTO INSÚA, PEDRO MATA, JOAQUÍN BELDA, JOSÉ LÓPEZ PINILLOS, JOSÉ FRANCÉS, AUGUSTO MARTÍNEZ OLMEDILLA, JOSÉ MÁS, CARMEN DE BURGOS "COLOMBINE", EDUARDO ZAMACOIS, LUIS ANTÓN DEL OLMET, VICENTE DÍEZ DE TEJADA, PEDRO DE RÉPIDE, EMILIANO RAMÍREZ ÁNGEL, ANDRÉS GONZÁLEZ BLANCO, DIEGO SAN JOSÉ, LEOPOLDO LÓPEZ DE SAA, JOSÉ GARCÍA MERCADAL, FEDERICO GARCÍA SANCHIZ...

Dos escritores se reparten el honor de ser los mejores cuentistas en el período comprendido entre 1915 y 1936: Hernández Catá y Tomás Borrás. ALFONSO HERNÁNDEZ CATÁ (¿1885?-1940), aunque nacido en Cuba, vivió casi siempre en Europa, principalmente en España; diplomático de profesión. Escribió algunas novelas largas "desvaídas"; pero escribió centenares de cuentos y docenas de novelas breves en verdad ejemplares, y no inferiores a las escritas por los maestros en el género *Clarín* y la condesa de Pardo Bazán: *Los siete pecados, Manicomio, Los frutos ácidos, La voluntad de Dios...* TOMÁS BORRÁS BERMEJO (1891), nacido en Madrid y periodista magistral desde los doce años; fundador y director de diarios y revistas; periodista de honor; director de compañías teatrales y crítico teatral de justa fama; director del Instituto de Estudios Madrileños. Su producción, vastísima, abarca poesías—*Las rosas de la fontana, Palmas flamencas*—, traducciones de grandes novelistas y dramaturgos, novelas largas—*La pared de tela de araña, La mujer de sal, Luna de enero y el amor primero, La sangre de las almas*—obras teatrales originales—"*Fígaro*" *El Avapiés, Fantochines, Tan-tan, El honor de Mesié la Pringue*—; pero, sobre todas ellas, sus libros de cuentos y novelas breves: *Cuentos con cielo, Casi verdad, casi mentira, Cuentacuentos, Pase usted, fantasía, Antología de los Borrases, La cajita de los asombros. Noveletas, Yo, tú, ella, Sueños con los ojos abiertos...*

Tomás Borrás es hoy el maestro incomparable de ese dificilísimo género que es el cuento; género que actualmente tiene un feliz renacimiento, buena parte del cual a Tomás Borrás se debe.

Fuera de la línea de la novela naturalista se mueven otros narradores que alcanzaron gran fama, y cuyas novelas tienen una tendencia espiritualista. RICARDO LEÓN Y ROMÁN (1877-1943), nacido en Barcelona; funcionario en Madrid del Banco de España; miembro de la Real Academia de la Lengua. Muy tradicionalista en sus temas, de fervoroso patriotismo, perseverante en su imitación de los clásicos, cuyo lenguaje remeda sin demasiado acierto. Obras: *Casta de hidalgos, Alcalá de los Zegríes, Comedia sentimental, El amor de los amores, Los centauros, Humos de rey.*

CONCHA ESPINA (1877-1955), montañesa santanderina de nacimiento y muerta en Madrid. Todas sus obras se caracterizan por su honda emoción, su lirismo acentuado por una constante nostalgia nórdica, su riquísimo léxico, su constante propensión a dar importancia decisiva al paisaje. Todas las voces de la Naturaleza encuentran amplia resonancia en el alma de esta gran novelista. Obtuvo incontales e importantes premios literarios para sus novelas: *La niña de Luzmela, Despertar para morir, Agua de nieve, La esfinge maragata, El metal de los muertos, Altar mayor. El jayón, Ruecas de marfil, Las mujeres del Quijote...* JUAN FRANCISCO MUÑOZ PABÓN (1866-1920), sevillano, canónigo en su ciudad natal, finísimo y garboso costumbrista en *Paco Góngora, Javier Miranda, Oro de ley, La millona, El buen paño.* ALEJANDRO PÉREZ LUGÍN (1870-1926), madrileño, gran periodista, adquirió gran fama como cronista de corridas de toros con el seudónimo de "Don Pío"; pero aún le hicieron más popular sus novelas *La casa de la Troya, Estudiantina* y *Currito de la Cruz.* EMILIO GUTIÉRREZ GAMERO (1844-1936), madrileño, diputado a Cortes, de la Real Academia de la Lengua, que hizo crónica amenísima de las personas, de las costumbres de su tiempo, con sus novelas: *Sitilla, Telva, El conde Perico, Clara Porcia, La olla grande, Mis primeros ochenta años.* ARTURO REYES AGUILAR (1864-1913), malagueño, enamorado de su tierra, y de las costumbres, problemas y tipos de su tierra; fue muy delicado y emotivo poeta; pero escribió novelas muy atractivas: *Cartucherita, El lagar de la viñuela, Sangre gitana, Sangre torera, El niño de los caireles.* SALVADOR GONZÁLEZ ANAYA (1879-1955), malagueño, librero en su ciudad natal, de la que también fue alcalde, de la Real Academia de la Lengua, novelista de temas muy afectos a sus tierras andaluzas desarrollados con muy rico y noble vocabulario: *La sangre de Abel, El castillo de irás y no volverás, Rebelión, Nido de cigüeñas, La oración de la tarde, Las brujas de la ilusión, Nido real de gavilanes...*

Dentro de la tendencia narrativa humorística alcanzaron mucha y justa fama: JULIO CAMBA (1882-1961), nacido en Villanueva de Arosa y muerto en Madrid, ilustre periodista, corresponsal en Londres, París y Berlín de importantísimos diarios y durante muchos años; observador insuperable, analizador sagaz, dueño de una sátira finísima y de un humor sin par en la literatura española contemporánea: *Londres, Alemania, La rana viajera, Un año en el otro mundo, Aventuras de una peseta, La casa de Lúculo, o el arte de bien comer, Sobre casi todo, Sobre casi nada, La ciudad automática, Haciendo República...* WENCESLAO FERNÁNDEZ FLÓREZ (1884), nació en La Coruña, donde estudió y se inició en el periodismo; ya en Madrid adquirió rápida y enorme popularidad con sus comentarios de la sesiones de Cortes publicados en *A B C* con el título de *Acotaciones de un oyente;* miembro de la Real Academia de la Lengua; menos humorista, pero más satírico e irónico que Camba, y también más novelista; agudísimo, sabe ver en las personas, en las cosas y en hechos aspectos que pasaron inadvertidos para los demás, comentándolos con rasgos de ingenio, imágenes y paradojas felicísimas; entre sus mejores obras cuentan: *Fantasmas, Visiones de neurastenia, Volvoreta, El secreto de Barba Azul, Las siete columnas, Las gafas del diablo, El malvado Carabel, El bosque animado...*

Otros novelistas de justa y grande fama fueron: MARIO VERDAGUER (1885), nacido en Mahón, gran periodista, muchos años crítico literario en un gran diario de Barcelona, traductor admirable de Thomas Mann y Papini y otros grandes novelistas contemporáneos, y gran novelista él tanto por los temas elegidos como por el modo magistral de desarrollarlos en un estilo noble entreverado de lirismo y musicalidad: *La isla de oro, Piedras y viento, El intelectual y su carcoma, Un verano en Mallorca...* MAURICIO LÓPEZ ROBERTS (1873-1940), nacido en Niza y muerto en Madrid, diplomático de carrera, realista sin excesos y profundamente emotivo en: *Las de García Triz, La familia de Hita, Doña Martirio, El verdadero hogar...* CLAUDIO DE LA TORRE (1897), canario, muy notable autor dramático—*Tic tac, Tren de madrugada, Hotel Terminus*—, magnífico director teatral y novelista hondo y delicado en *En la vida del señor Alegre, Alicia, al pie de los laureles, Viento del Sur.* HUBERTO PÉREZ DE LA OSSA (1897), madrileño, gran director escénico, cronista y poeta muy notable, pero mejor novelista en: *El ancla de Jasón, La lámpara del dolor, La santa duquesa, El opio del ensueño, La casa de los masones...* RAMÓN LEDESMA MIRANDA (1902), madrileño, gran cronista colaborador en la prensa más importante del mundo hispánico, novelista intenso y de muy noble estilo y muy rico léxico en *Almudena, Antes del mediodía, Agonía, La casa de la fama...* MAURICIO BACARISSE (1895-1931), madrileño, periodista, poeta notable escapado con gloria de todos los "ismos" subversivos, y ganador del "Premio Nacional de Literatura" con su gran novela *Los terribles amores de Agliberto y Celedonia.* BENJAMÍN JARNÉS (1888-1949), zaragozano que murió en Madrid; en él se fundieron el cronista, el ensayista, el biógrafo, el novelista y el crítico literario siempre con singularísimos valores; acaso pecó en todo de un exceso de intelectualismo y de un estilismo muy cerebral; pero abundan los valores literarios en sus obras: *El profesor inútil, Muerte y locura de Nadie, La teoría del zumbel, Doble agonía de Bécquer, Lo rojo y lo azul. Castelar, hombre del Sinaí, Viviana y Merlín, El libro de Ruth, Tántalo...* BARTOLOMÉ SOLER (1895), barcelonés, viajero infatigable por todo el mundo, periodista, actor y autor teatral, duro y crudo novelista en: *Patapalo, Marcos Villarí, Los muertos no se cuentan, La vida encadenada...*

Y aun cuando empezaron a novelar antes de 1936, por haber realizado su mejor obra después de 1939, conviene considerar desde esta fecha a novelistas como Luis Antonio de Vega, Francisco Ayala, Arturo Barea, Juan Antonio de Zunzunegui, Sebastián Juan Arbó, Max Aub, Ramón J. Sender... Aun cuando este último ganó el "Premio Nacional de Literatura 1936" con su gran novela *Mr. Witt en el Cantón.*

7. LA ERUDICIÓN, LA CRÍTICA, EL ENSAYO.—Entre los mejores eruditos de este período merecen ser considerados el madrileño ADOLFO BONILLA SAN MARTÍN (1875-1926), catedrático de Historia de la Filosofía en la Universidad de Madrid, discípulo predilecto de Menéndez Pelayo, autor de estudios luminosos sobre Luis Vives, Erasmo, la Filosofía española, los libros de Caballerías... BLANCA DE LOS RÍOS (1862-1956), sevillana que murió en Madrid, novelista muy singular, pero insigne investigadora en la figura y en las obras de "Tirso de Molina". EMILIO COTARELO Y MORI (1857-1936), secretario perpetuo de la Real Academia Española, de enorme actividad investigadora, consiguió singularísimos aciertos escribiendo acerca del antiguo teatro español, Enrique de Villena, Rodrigo de Cota, Alvarez Gato, Antón de Montoro, Diego de San Pedro, Calderón, Vélez de Guevara, Villamediana, la zarzuela... FRANCISCO RODRÍGUEZ MARÍN (1855-1943), sevillano que murió en Madrid, poeta y folklorista muy notable, magnífico anotador del *Quijote,* bibliotecario de la Real Academia de la Lengua. Y merecen siquiera mención nominal: JOAQUÍN HAZAÑAS Y LA RÚA (1862-1934), ARMANDO COTARELO Y VALLEDOR (1879-1950), MANUEL SERRANO Y SANZ (1868-1932), JULIO PUYOL ALONSO (1865-1937), VÍCTOR SAID ARMESTO (1871-1914), JULIO CEJADOR FRAUCA (1864-1927), JUAN HURTADO DE LA SERNA (1875-1944), ÁNGEL GONZÁLEZ PALENCIA (1889-1949).

Entre los críticos literarios alcanzaron fama y autoridad: EDUARDO GÓMEZ DE BAQUERO, "ANDRENIO" (1866-1929), periodista ilustre, de la Real Academia de la Lengua, muy ponderado en el juicio, de mucha cultura, de forma magistral: *Letras e ideas, Cartas a Amaranta, De Gallardo a Unamuno, Novelas y novelistas...* ANDRÉS GONZÁLEZ BLANCO (1888-1924), asturiano, periodista, novelista, poeta muy singular, autor de *Historia de la novela en España, Salvador Rueda y Rubén Darío, Campoamor, Dramaturgos españoles contemporáneos...* MELCHOR FERNÁNDEZ ALMAGRO (1894), granadino, de la Real Academia de la Lengua y de la Real Academia de la Historia; crítico literario muy considerado, por su mucha cultura y sus juicios ponderados: *Vida y obra de Ángel Ganivet, Vida y literatura de Valle-Inclán, En torno al 98, Orígenes del régimen constitucional en España, Historia del reinado de Alfonso XIII...* JOSÉ MARÍA DE COSSIO (1894), de Valladolid, miembro de la Real Academia de la Lengua, de mucha cultura y muy agudo criterio: *Siglo XVII, La obra literaria de Pereda, El romanticismo a la vista...* LUIS ARAÚJO COSTA (1885-1958), nació y murió en Madrid, ensayista y crítico: *El escritor y la literatura, El siglo XVIII en España, Biografía del Barrio de Salamanca, El Ateneo de Madrid...* ÁNGEL VALBUENA PRAT (1900), barcelonés, catedrático, historiador magistral de nuestra literatura, profesor ilustre en varias Universidades extranjeras: *Historia de la Literatura Española, Historia del teatro español, La novela picaresca española, Poesía española contemporánea, Calderón...* GUILLERMO DÍAZ-PLAJA (1910), barcelonés, catedrático, director de la Escuela de Arte Escénico, poeta, ensayista, historiador de la literatura: *El arte de quedarse solo, Modernismo frente a Noventa y ocho, Introducción al Romanticismo, La poesía lírica española, El espíritu del barroco.* LUIS ASTRANA MARÍN (1889-1960), conquense, biógrafo de Cervantes, Quevedo, Lope de Vega, Shakespeare. JULIO CASARES (1877), secretario perpetuo de la Real Academia de la Lengua, filólogo y lexicógrafo admirable: *Crítica profana, Crítica efímera, Cosas del lenguaje, Diccionario ideológico de la lengua española.* JOAQUÍN DE ENTRAMBAS-

AGUAS (1904), madrileño, catedrático de literatura de la Universidad de Madrid; de gran cultura, de admirable criterio y juicio clarísimo, investigador fecundísimo y feliz: *Un guerra literaria en el Siglo de Oro, Vida de Lope de Vega, Determinación del romanticismo español, Miguel de Molinos, Alma sorprendida, Las manos de la Gioconda*...; Entrambasaguas es, además, poeta intenso y ensayista original y agudo. AGUSTÍN GONZÁLEZ DE AMEZÚA (1881-1956), madrileño, académico de la Real de la Lengua y de la Real de la Historia; muy fino crítico literario e incansable investigador: *La novela cortesana, Lope de Vega en sus cartas, Juan Rufo y el apotegma en España, Isabel de Valois*... FEDERICO CARLOS SAINZ DE ROBLES (1898), madrileño, archivero bibliotecario, de la Hispanic Society of América y del Instituto de Estudios Madrileños; narrador, poeta, ensayista, biógrafo, crítico e historiador literario: *Autobiografía de Madrid, Historia y Estampas de la Villa de Madrid, Lope de Vega, Velázquez, Benito Pérez Galdós, Historia del teatro español, Historia y Antología de la Poesía Castellana, Diccionario de la Literatura*... PEDRO SAINZ Y RODRÍGUEZ (1897), madrileño, catedrático, investigador notable y crítico perspicaz: *Gallardo y la crítica literaria de su tiempo, La mística española, Ascetismo y humanismo en la literatura española*...

Lugar muy destacado entre los investigadores y críticos literarios merece RAMÓN MENÉNDEZ PIDAL (1869), de La Coruña, el mejor de los discípulos de Menéndez Pelayo, catedrático de la Universidad de Madrid, presidente de la Real Academia de la Lengua y miembro de la Real de la Historia; doctor *honoris causa* de muchas Universidades extranjeras; su fama es mundial; el tipo perfecto del investigador y del sabio; cuantas empresas se propone, las deja absolutamente estudiadas y sin posibilidad de nuevos hallazgos. Entre sus mejores obras figuran: *La leyenda de los Infantes de Lara, Manual de gramática histórica española, Cantar de Mio Cid: texto, gramática y vocabulario, La España del Cid, Poesía juglaresca y juglares, Orígenes del español, De Cervantes a Lope de Vega, Estudios literarios, Los romances de América, El Romancero: teorías e investigaciones, El rey Rodrigo en la literatura*...

Entre los abundantes y notabilísimos discípulos de Menéndez Pidal están TOMÁS NAVARRO TOMÁS (1884), fundador de la moderna fonética española: *Manual de pronunciación*. AMÉRICO CASTRO Y QUESADA (1885), catedrático de la Universidad de Madrid, uno de los puntales del Centro de Estudios Históricos; ensayista magistral y magistral investigador; autor de obras tan magnas y magníficas como *Vida de Lope de Vega*—en colaboración con Rennert—, *El pensamiento de Cervantes, España en su historia: cristianos, judíos y moros*, y estudios acerca de Santa Teresa, Erasmo, "Tirso de Molina", Rojas y Zorrilla, Mal-Lara... AMADO ALONSO (1896-1952), doctor por la Universidad de Madrid, catedrático en Hamburgo, Buenos Aires, Harvard; crítico literario excepcional, escribió estudios acerca de Lope de Vega, Valle-Inclán, Larreta, Neruda, Guillén y libros tan notables como *El problema de la lengua en América, Gramática castellana, La identidad del fonema*... DÁMASO ALONSO (1898), Madrileño, catedrático de la Universidad de Madrid, académico de las Reales de la Lengua y de la Historia; filólogo eminente, gran poeta, ensayista impar, muy depurado crítico literario: *La lengua poética de Góngora, Vida y obra de Medrano, Poetas españoles contemporáneos, Poesía española, Oscura noticia*—poemas—, *Hijos de la ira*—poemas—... JOSÉ FERNÁNDEZ MONTESINOS (1897), catedrático en distintas Univesidades extranjeras, especializado en el estudio de Lope de Vega, Gracián y los erasmistas españoles. ANTONIO G. SOLALINDE (1892-1937), profesor y conferenciante en distintas Universidades de los Estados Unidos; y autor de excelentes libros acerca de Alfonso el Sabio, Gonzalo de Berceo... FEDERICO DE ONÍS (1886), catedrático en distintas Universidades de Europa y los Estados Unidos; feliz antologista de la poesía española contemporánea, y autor de ensayos felices acerca de Torres Villarroel, Baroja, Juan Ramón Jiménez, Galdós... HOMERO SERÍS (1879), JOAQUÍN CASALDUERO...

8. LA POESÍA ESPAÑOLA DE SUBVERSIONES Y REACCIONES (1920-1936).—Estos años, de gran importancia lírica, encierran grandes fenómenos cuya determinación es distinta en los más agudos críticos. Así, para Díaz-Plaja, la época comprende estos grupos: *movimientos hacia la libertad expresiva* (ultraísmo, creacionismo, superrealismo); *formas de contención*—neopopularismo, restauración de la estrofa, poetas de Cancionero, discípulos de Garcilaso, Góngora...—; y *los caminos de la poesía pura*—manera intimoafectiva y manera intelectualista—. Pero para José Fernández Cirre, en su *Forma y espíritu de una lírica española* (Méjico, 1950), son determinantes cuatro fases: *sublimación de la realidad* (Guillén y Salinas), *sublimación de los elementos populares* (Alberti, Lorca), *creacionismo-superrealismo* (Gerardo Diego, Vicente Aleixandre) y *trascendentalismo poético*. Según mi criterio, las fases son dos: *destrucción del próximo pasado lírico* por medio de las subversiones: ultraísmo, creacionismo, superrealismo; y *perfilamiento de los nuevos rumbos hacia las más puras tendencias poéticas:* garcilasismo, popularismo, gongorismo. ¿En qué consistieron las subversiones líricas? Las definió bien claramente Guillermo de Torre, su gran teórico y finísimo crítico literario, en su magnífico libro *Literaturas europeas de vanguardia*—1925—. El *ultraísmo*, nacido en España en 1919, corresponde al

dadaísmo francés, y consistió en abandonar el verso, la rima, la cadencia, la anécdota, la puntuación ortodoxa; y en aceptar la sustitución de las cualidades auditivas por las visuales, la imagen comparativa por la de identidad, los temas perfectamente humanos por los abstractos. Los poetas ultraístas más famosos fueron: Xavier Bóveda, Guillermo de Torre, César A. Comet, Pedro Garfias, J. Rivas Panedas, Antonio Espina, César González Ruano, Fernando Iglesias Caballero, Gerardo Diego, Juan Larrea, Adriano del Valle, Isaac del Vando Villar, José de Ciria Escalante, Eduardo de Ontañón, Eugenio Montes, Comín y Gargallo... Algunos de los cuales—los mejores, los auténticos: Diego, Laffón, Adriano del Valle...—superaron la etapa de la destrucción para ingresar en una tendencia ortodoxa.

El *creacionismo* consistió en negar la realidad y su temas poéticos, para convertir en temas líricos aquellos temas más refractarios a lo poético: la ciencia, la mecánica, la abstracción. las acciones más vulgares y hasta groseras de la existencia cotidiana. El *superrealismo*—el *surrealismo* de los franceses—consistió *en reducir el proceso creador a un automatismo psíquico puro,* al que suministran las mejores materias poéticas los estados crepusculares, el mundo del subconsciente y de lo onírico; al suprimir toda la realidad, el superrealismo entroniza una anarquía de expresión, de imágenes, de vocabulario, de lógica. El superrealismo es un *pase de libre circulación* concedido al prosaísmo disfrazado de poesía pura. De todos los movimientos subversivos, solo el superrealismo mantiene su vigencia; a la que se acogen todas las impotencias líricas.

El período 1920-1936, sazonado con peripecias detonantes, fue fecundo en poetas de gran calidad. Gerardo Diego (1894), nacido en Santander, catedrático de literatura, miembro de la Real Academia de la Lengua, "Premio Nacional de Literatura 1924-1925", juntamente con Rafael Alberti, con su libro *Versos humanos;* excelente pianista y estético; y aun cuando practicante en todos los ritos subversivos, libre de ellos y limpio en su personalidad singularísima, merced a su autenticidad lírica de muchos quilates. Gerardo Diego fue ultraísta, creacionista, superrealista, juanramoniano... Ahora, solo fiel a sí mismo, es *nada más que poeta altísimo.* Entre sus obras: *Romancero de la novia, Imagen, Soria, Manual de espumas, Fábula de Equis y Zeda, Ángeles de Compostela, Alondra de verdad, La suerte o la muerte, Limbo, Amor solo, Evasión, Canciones a Violante, La sorpresa...* Pedro Salinas (1892-1951), nacido en Madrid y muerto en Puerto Rico, catedrático de literatura en diversas universidades españolas y americanas; narrador y crítico literario excepcional. Aun cuando su lirismo arrancó del de Juan Ramón Jiménez, pronto se distanció de este para ganar una autenticidad de intimismo ardiente manifestado con gran simplicidad de elementos formales; y siempre pendiente de un tema único: amor, que le mete en la línea de Garcilaso y de Bécquer. Salinas supo crear su propio clima poético enormemente atractivo e inolvidable. Obras: *Presagios, Seguro azar, Fábula y signo, La voz a ti debida, Razón de amor, Poesía junta, El contemplado, Todo más claro...* Obras no líricas: *Víspera de gozo, El defensor, Jorge Manrique, Historia de la literatura española.* Jorge Guillén (1893), de Valladolid, lector de español en la Sorbona, catedrático de literatura en Murcia, Sevilla y varias Universidades de los Estados Unidos. Su lirismo juvenil deriva del de Góngora, del de Paul Valery, del de Juan Ramón Jiménez pero bien pronto se sacudió dichas influencias para cuajar en un personalísimo poeta atento a un mundo exterior que se ve, se palpa..., mucho de luz y de aire y de colores. "Poesía tan pensada, tan matemática, tan cerebral solo puede hacerla un hombre en quien la emoción interna no existe... Así es como en defintiva Guillén se nos revela un poeta perfecto en la forma, docto en originales metáforas, técnico del verso, pero escaso de profundidad." (Díez-Echarri y Roca Franquesa) Obra poética: *Cántico,* libro aumentado y muy perfilado en cada nueva edición; *Huerto de Melibea, Del amanecer y el despertar, Maremagnum, Viviendo y otros poemas.* Es justo consignar que en estos últimos libros Guillén se nos entrega con insospechados acentos de intimidad emocionada.

Dámaso Alonso (1898), nacido en Madrid, y al que ya nos hemos referido en el capítulo correspondiente a los eruditos y críticos, como poeta excepcional representa una gran fidelidad a la pureza expresiva y una entrega total de eterno tema metafísico de Dios y del hombre. Obras: *Poemas puros: poemillas de la ciudad, Oscura noticia, Hijos de la ira.*

Dentro de esta escuela de puristas y cerebrales quedan incluidos otros muy interesantes: Juan Larrea (1895). El madrileño Juan José Domenchina (1898-1960), narrador y crítico muy notable: *Del poema eterno, Las interrogaciones del silencio, El acto fervoroso,* Pedro Pérez Clotet, Rosa Chacel, Ernestina de Champourcín... El retorno a lo popular lo marcó indeleblemente Rafael Alberti (1903), nacido en el Puerto de Santa María (Cádiz), consiguió el "Premio Nacional de Literatura 1924" con su libro *Marinero en tierra* en el que se entrega como el cantor apasionado de la Andalucía baja; espumas, sales, mar gaditano de un azul con alamares de oro, barcos delfines... Posteriormente cultivó un superrealismo ardiente y exasperado de imágenes deslumbrantes y sugerencias angustiosas. Por último ha regresado a un lirismo de dolor, de nostalgia, de amargura y de honda vibración humana. Alberti es uno de los más grandes poetas de nuestra época. Obras: *La amante, El alba de alelí, Cal y canto, Sobre los ángeles*—que marca el cenit del superrealismo en España—, *Pleamar, Entre el clavel y la espada. A la pintura; poema del color y de la línea, Retorno de lo vivo lejano, Ola marítima, Verte y no verte...* Resonancias de Alberti o simples concomitancias temáticas y formales se encuentran en otros interesantes poetas: JOSÉ CARLOS DE LUNA, JOSÉ MARÍA MORÓN, CONRADO BLANCO, ALEJANDRO COLLANTES, ANTONIO OLIVER BELMÁS...

Fernando Villalón Daóiz y Halcón (1881-1930), aristócrata andaluz, ganadero de reses bravas, cantor admirable de las marismas, de los olivares, de las toriadas; pletórico de garbo y de sales en *Andalucía la Baja, La toriada, Romancero del 800.* JOSÉ MARÍA PEMÁN (1898), gaditano, miembro de la Real Academia de la Lengua, orador y cronista magnífico, autor teatral de menos quilates, poeta muy singular de un neopopularismo noble, enormemente pegadizo y musical: *De la vida sencilla, Nuevas poesías, A la rueda, rueda, El barrio de Santa Cruz, Señorita del mar, Poema de la Bestia y el Ángel...* El triunfo lírico del costumbrismo, del folklorismo andaluz, del inmenso apasionamiento en juego, lo representa FEDERICO GARCÍA LORCA (1898-1936), nacido en Fuentevaqueros (Granada) y asesinado en las afueras de esta ciudad. De familia acomodada. Estudió Derecho y Filosofía y Letras en Granada y en Madrid. Pianista y pintor muy estimable. Conferenciante genial y viajero infatigable. Fue recibido en triunfo en incontables países, pues no ha tenido España, contemporáneamente, otro poeta que más se captase la admiración incondicional, casi fanática, de los públicos, de los críticos y de los restantes poetas. Su influencia fue, y sigue siendo, enorme, pero en muchos casos nefasta, como la de Picasso en la pintura, pues que provoca imitaciones sin cuento, de las cuales muy pocas salvan su personalidad. Su simpatía personal, irresistible, se unió a su irresistible gracia poética. Tan grande fue su personalidad que pasó inmune entre los "ismos" líricos subversivos. Lorca fue singular, excepcional en cuantas tendencias se entregó: neopopularismo, superrealismo, folklorismo agudo, intimismo estridente... Su trágica muerte contribuyó a otorgarle condición de mito poético. Libros líricos: *Libro de poemas, Poema del Cante Jondo, Primeras canciones, Romancero gitano, Poeta en Nueva York, Llanto por Ignacio Sánchez Mejías, Diván del Tamarit, Poemas sueltos...* Pero fue García Lorca, además, un innovador del teatro español, al que trajo, con la intensidad humana y cruda de los temas, una expresividad lírica admirable en *Bodas de sangre, Yerma, La casa de Bernarda Alba...* Pero también acertó con otro teatro romántico, de pura farsa: *La zapatera prodigiosa, Amor de don Perlimplín con Belisa en el jardín, Doña Rosita la soltera o El lenguaje de las flores, Mariana Pineda.* Teatralmente, el gran valor de Lorca es haber devuelto a nuestro teatro la gran tragedia clásica, tal y como la entendieron los griegos.

En la línea de Lorca, lo cual no quiere decir que le imiten, están otros muchos poetas muy importantes: RAFAEL LAFFON (1896), sevillano, ADRIANO DEL VALLE (1891-¿1957?), también sevillano.

La culminación del neorromanticismo y del superrealismo buceador en lo subconsciente, del panteísmo místico *sui generis* se encuentra VICENTE ALEIXANDRE (1898), nacido en Sevilla, pero criado en Málaga y licenciado en Derecho por la Universidad de Madrid: académico de la Real de la Lengua; posiblemente el poeta que más influye en la juventud creadora. Tenemos que hacernos a la idea de que la poesía de Aleixandre no es la expresión de estados psíquicos *normales*, pues que propende a confabularse con lo freudiano y con lo telúrico, y a buscar las raíces más hondas y retorcidas de lo humano. Obras: *Ámbito, Espadas como labios, Pasión de la tierra, La destrucción o el Amor, Sombra del Paraíso, Mundo a solas, Nacimiento, Historia del corazón.*

Poetas importantes, que pasaron de una a otra tendencia, son: JOSÉ MORENO VILLA (1887) malagueño: *Garba, El pasajero, Evoluciones, Carambas, La noche del verbo.* LUIS CERNUDA (1904), sevillano: *Perfil del aire, Donde habite el olvido, La realidad y el deseo, Ocnos, Como quien espera el alba.* MANUEL ALTOLAGUIRRE (1905-1959), malagueño: *Las islas invitadas, Ejemplo, Soledades juntas, Fin de un amor.* EMILIO PRADOS (1904-¿1961?), malagueño: *Tiempo, Canciones del farero, Vuelta, Tres cantos.*

Mención especial merece *Miguel Hernández* (1910-1942), nacido en Orihuela; de familia y oficios humildes, siempre enfermizo; personalidad originalísima y casi inexplicable, pues "que apenas se comprende el carácter de su producción poética sino por un casi milagro de aislamiento y de autodidactismo, que se da muy raras veces." Poesía la suya vibrante, desordenada, conmovedora, un poco salvaje, que se mantiene fiel a la forma tradicional, pero cuyo temario responde a los apremios espirituales y sociales de nuestro tiempo. Obras: *Elegía a Ramón Sitjé, El labrador de mejor aire...*

Todavía antes de 1936 alcanzaron fama de poetas personales: JUAN Y LEOPOLDO PANERO, LUIS ROSALES, LUIS FELIPE VIVANCO, JOSÉ MARÍA SOUVIRÓN, CARMEN CONDE, DIONISIO RIDRUEJO, JOSÉ ANTONIO MUÑOZ ROJAS, JOSÉ MARÍA QUIROGA PLA, AGUSTÍN DE FOXÁ (1903-1960), madrileño, diplomático, lleno de ingenio y de humor; novelista, cronista y autor dramático de gran originalidad. Obras: *El almendro y la espada, Madrid: de corte a checa, Baile en Capitanía, Cui-ping-sing, Un mundo sin melodía...*

9. La literatura española de 1939 a... No tenemos perspectiva para enjuiciarla con precisión y ecuanimidad. Por ello me limitaré a apuntar las modalidades en los distintos géneros literarios y a mencionar—sin adjetivos ni calificaciones contundentes—a los escritores que han alcanzado indiscutibles méritos dentro de cada género.

En este período "domina la poesía reglada, perfecta, de ejecución cuidadísima—sentencian Díez Echarri y Roca Franquesa—. Se escriben sonetos, tercetos, décimas en cantidad asombrosa, y todos ellos de impecable factura. Por desgracia, se parecen demasiado entre sí, y el lector saca la impresión de que están hechos con arreglo a una pauta única e invariable. Hay verdadera efervescencia poética... Cada día, en cada rincón del país surge una revista nueva: *Garcilaso, Halcón, Acanto, Caracola, Norte, Proel, Mensaje, Ifach...*" Y añadimos por nuestra cuenta: de 1936 a 1963 aparecieron ¡209! revistas dedicadas con plenitud a la poesía. Jamás contaron los poetas de España con tantas tribunas como entre 1939 y 1963.

Menos pesimistas que los mencionados doctos catedráticos, debo consignar que abundan hoy los poetas excelentes, muy personales, y con autenticidad perdurable. Entre ellos: José García Nieto, Rafael Morales, Carlos Bousoño Vicente Gaos, Victoriano Cremer, Gabriel Celaya, Blas de Otero, Ramón de Garciasol, Luis López Anglada, Leopoldo de Luis, José Luis Gallego, Juan Ruiz Peña, Julio Maruri, José Hierro, José Luis Hidalgo, Juan Bautista Bertrán, Salvador Pérez Valiente, Salvador Jiménez, Rafael Montesinos, José Corredor, José Cruzet... Los temas que integran el lirismo actual son, obsesivamente, tres: el social tendencioso, el amor—más como narcisismo que como pasión—y el moroso examen de la conciencia.

También existen poetisas muy interesantes: Pino Ojeda, Pilar Paz Pasamar, Susana March, Concha Zardoya, la muy fuerte y patética Ángela Figuera Aymerich, Ángeles Villarta.

En la novela también son temas obsesivos: el socialismo urbano, el tremendismo de conciencia, la miseria y el vicio, las pasiones morbosas y subvertidas, el *humor negro.* Y como los poetas, los actuales novelistas dominan prodigiosamente la técnica novelesca, pero pecan de impersonalidad y de imitar modelos extranjeros: Kafka, Faulkner, Saroyan, Mauriac, Moravia... Dos excelentes novelistas, libres de las anteriores imputaciones acaso porque empezaron a producir antes de 1936, pero que han logrado su justa fama depués de 1939, son Manuel Halcón y Juan Antonio de Zunzunegui. Manuel Halcón Villalón Daoiz (1900), nació en Sevilla, de muy noble familia; estudió en su ciudad natal y en Madrid; miembro de la Real Academia de la Lengua, cronista y autor dramático; de un noble y finísimo humorismo y prosista impar. Obras: *Aventuras de Juan Lucas, Recuerdos de Fernando Villalón, Cuentos, Los Dueñas, Monólogo de una mujer fría* ("Premio Nacional Miguel de Cervantes 1961") Como cronista logra el premio "Mariano de Cavia". Sus novelas se mantienen en la línea más pura de la tradición, y muy en la *escuela* de don Juan Valera, pero con expresividad netamente de su tiempo. Juan Antonio de Zunzunegui (1901), nació en Portugalete; estudió en Bilbao, Salamanca y Madrid; miembro de la Real Academia de la Lengua; ha obtenido con sus novelas los más importantes premios que se otorgan en España: el Nacional, el "Fastenrath", el del Círculo de Bellas Artes, el de la Sociedad Cervantina... Es acaso el novelista más completo y vocacionalmente tradicional aparecido después de 1939. De humor intenso, realismo crudo, temática social, estilo muy personal y rico vocabulario. Obras: *¡Ay, estos hijos!, El barco de la muerte, La quiebra, La úlcera, La vida como es, El supremo bien, Las ratas del barco, Esta oscura desbandada, El camión justiciero, El hijo hecho a contrata, La poetisa...*

Camilo José Cela (1916), nacido en Iria Flavia (La Coruña), miembro de la Real Academia Española, director y fundador de la curiosa revista *Papeles de Son Armadans;* de escasa inventiva, pero observador incomparable, propenso a recoger los tipos, los temas, los escenarios, el vocabulario del mundo de las clases bajas, tanto urbanas como rústicas para proyectarlo con enorme fuerza, con crudeza espeluznante, con desgarro cruel y con innegables garbo y gracia respingones. Obras: *La familia de Pascual Duarte, Pabellón de reposo, La colmena, La catira, Tobogán de hambrientos, Nuevas andanzas y desventuras de Lazarillo de Tormes, El viaje a la Alcarria...*

Otros novelistas notables son: Pedro Alvarez Fernández, Miguel Delibes, José Luis Castillo Puche, Alejandro Núñez Alonso, Rafael García Serrano, Torcuato Luca de Tena, Darío Fernández-Flórez, Emilio Romero, Ignacio Agustí, Sebastián Juan Arbó, Miguel Villalonga, Luis de Castresana, Castillo Navarro, José Luis Martín Vigil, Rafael Sánchez Mazas, Rafael Sánchez Ferlosio, Domingo Manfredi, García Pavón, Gonzalo Torrente Ballester, Juan Goytisolo, Ignacio Aldecoa, Sánchez Silva...

Pero en este período ninguna fama tan rápida, amplia y tumultuosa como la del gerundense José María Gironella (1914), que alcanzó el "Premio Nadal" con su novela *Un hombre,* y que ha publicado las dos primeras partes de su trilogía dedicada a relatar los incidentes acaecidos en España entre 1935 y 1960: *Los cipreses creen en Dios* y *Un millón de muertos;* dos novelas-crónicas de vastísimas proporciones, la narración novelesca de mayor aliento publicada en España desde 1936, escrita con ob-

E

jetividad, adecuada documentación, y desarrollada con una maestría que no decae a lo largo de cerca de dos mil nutridas páginas, lo que dice mucho a favor de las condiciones y de las calidades genéricas de Gironella.

Entre 1939 y 1963 se dieron a conocer incontables escritoras, novelistas de innegables condiciones, muchas de cuyas obras alcanzaron los premios máximos otorgados por distintas editoriales, y algunas de las cuales no desmerecen en comparación con los mejores novelistas de estos años. Así: CARMEN LAFORET, ANA MARÍA MATUTE, ELISABETH MULDER, DOLORES MEDIO, ELENA SORIANO, ELENA QUIROGA, ÁNGELES VILLARTA, MERCEDES FÓRMICA, CARMEN BARBERÁ, MERCEDES SALISACHS, CARMEN CONDE, ELENA GALVARRIATO...

En el teatro, como en la novela y en la poesía, son temas predilectos los sociales, los amorosos turbulentos o truncados, y los llamados "de evasión"; muy influidos estos por el teatro dislocado o abstracto de Becket, de Ionesco... Teatro decididamente *crudo,* angustioso, delator de injusticias sociales.

Ya mencionados los tres autores más importantes aparecidos hacia 1930, y que siguieron cosechando éxitos después de 1939: Jardiel Poncela, García Lorca y Alejandro Casona, a partir de 1940 se dieron a conocer, hasta conseguir fama justa: ANTONIO BUERO VALLEJO (1916), de Guadalajara, pintor muy notable, y sin duda la figura cumbre del actual teatro español, siempre preocupado por los más nobles temas y tesis que desarrolla con maestría impar tanto en la técnica como en el diálogo, sin concesiones a la "galería" o a la "taquilla". En 1944 alcanzó el "Premio Lope de Vega" con su *Historia de una escalera* modelo de cuadro de costumbres tocado en alto grado por la poesía y patetismo. Otras obras: *Madrugada, En la ardiente oscuridad, La tejedora de sueños, Hoy es fiesta, Las cartas boca abajo, Un soñador para un pueblo, Las Meninas, Casi un cuento de hadas...*

Otros dramaturgos y comediógrafos notables son: JOSÉ LÓPEZ RUBIO—el de más rico, terso y elegante lenguaje—, VÍCTOR RUIZ IRIARTE, ALFONSO PASO—el más fecundo y vario—, ALFONSO SASTRE, EDGAR NEVILLE, MIGUEL MIHURA, CLAUDIO DE LA TORRE, LUIS ESCOBAR, LUIS DELGADO BENAVENTE, HORACIO RUIZ DE LA FUENTE, ÁNGEL LÁZARO—gran poeta además, que obtuvo sus mejores éxitos antes de 1939...

También en el ensayo, la crítica y la erudición, el período 1939-1963 ha dado escritores de talla muy notable, poseedores de una vastísima cultura, de un sutil criterio y de un estilo magnífico. Entre ellos: PEDRO LAÍN ENTRALGO, JOSÉ LUIS ARANGUREN, PASCUAL GALINDO HERRERO, GONZALO FERNÁNDEZ DE LA MORA, JULIÁN MARÍAS, ALFONSO GARCÍA VALDECASAS, JOSÉ CAMÓN AZNAR, JUAN ANTONIO GAYA NUÑO, JUAN BENEYTO, XAVIER ZUBIRI, EUGENIO IMAZ, LEOPOLDO EULOGIO PALACIOS, RAFAEL CALVO SERER, PÉREZ EMBID, JOSÉ ANTONIO MARAVALL, FRANCISCO JAVIER CONDE, JOSÉ GAOS, JOSÉ FERRATER MORA...

Bibliografía general. BELL, Aubrey, F. G.: *Literatura castellana* Barcelona. 1947.—CEJADOR Y FRAUCA, Julio: *Historia de la lengua y de la literatura castellana.* 14 tomos. Madrid. 1915-1922.—DÍAZ-PLAJA. Guillermo: *Historia de las literaturas hispánicas.* Barcelona, 1949-1962. 7 tomos.—FITZMAURICE-KELLY, Jaime: *Historia de la literatura española desde sus orígenes hasta 1900.* Madrid. 1901.—HURTADO, Juan, y GONZÁLEZ PALENCIA, Ángel: *Historia de la literatura española.* Madrid. 6 edición. 1949.—MONTOLÍU Y DE TOGORES, Manuel: *Literatura castellana.* 5 edición. Barcelona. 1947.—Río, Ángel del: *Historia de la literatura española.* 2 tomos. Nueva York. 1948.—AMADOR DE LOS RÍOS, José: *Historia crítica de la literatura española.* 7 tomos. Madrid. 1861-1865.—RISCO, Alberto: *Historia de la literatura española y universal.* 14 edición Madrid. "Razón y Fe" 1952.—ROMERA NAVARRO, Miguel: *Historia de la literatura española.* Boston, 1928.—SAINZ DE ROBLES, F. C.: *Diccionario de la Literatura.* 3 tomos. Madrid. Aguilar, S. A. 1953.—SAINZ DE ROBLES, F. C.: *Historia del teatro español.* Madrid. Aguilar. 7 tomos.—SAINZ DE ROBLES, F. C.: *Historia de la poesía española.* Madrid. Aguilar. 1957.—SALCEDO RUIZ, Ángel: *La literatura española.* 4 tomos. Madrid. Calleja, 1917.—TICKNOR, George: *Historia de la literatura española.* Madrid. 1851-1854.—VALBUENA PRAT, Ángel: *Historia de la literatura española.* 6 edición. Barcelona. G. Gili. 1960.—

Antologías: *Antología de poetas líricos castellanos,* por M. Menéndez Pelayo. 10 tomos. XVII-XXVI de las Obras Completas de M. P. Madrid Santander, 1944.—*Historia y antología de la poesía castellana,* por F. C. Sainz de Robles. Madrid. Aguilar. 1957.—*Antología de la poesía lírica española,* por Enrique Moreno Baez. Madrid. Revista de Occidente. 1952.—*Antología de la poesía española:* poesía de tipo tradicional, por don Alonso y J. M. Blecua. Madrid. Ed. Gredos. 1957.—*Floresta lírica española,* por José Manuel Blecua. Madrid. Gredos. 1957.—*Antología de prosistas españoles,* por Ramón Menéndez Pidal. Madrid. Espasa-Calpe, 7 edición. 1951.—*Teatro español: historia y antología,* por F. C. Sainz de Robles, 7 tomos. Madrid. Aguilar. 1943-1945.—*Antología histórica de la lengua española,* por Joaquín de Entrambasaguas. Valladolid. 1941.—*Antología de líricos castellanos,* por Adolfo Bonilla San Martín, 3 tomos. Madrid. V. Suárez. 1917.—*Antología mayor de la literatura española,* por Guillermo Díaz-Plaja. Barcelona. Ed. Labor. 4 tomos, 1958-1961.

Textos: Biblioteca de Autores Españoles desde la formación del lenguaje hasta nuestros días. Llamada "Biblioteca Rivadeneyra". 70 tomos. Madrid. 1846-1880.—Nueva Biblioteca de Autores Españoles, bajo la dirección de Menéndez Pelayo. Madrid. Bailly-Bailliere. 1905-1918. 50 tomos.—Biblioteca de Autores Españoles (Continuación de la Bca. Rivadeneyra" Madrid. Atlas. 1948-1963. 60 tomos.—Biblioteca Clásica "Hernando". Madrid. 280 tomos. 1878-1935.—Clásicos castellanos "La Lectura". Madrid. Espasa-Calpe. 1908-1963. 150 tomos.—Biblioteca clásica "Ebro". Zaragoza. Más de 100 tomos. 1940-1963.—Bibliófilos andaluces. Sevilla. 1898-1907. 44 tomos.—Bibliófilos madrileños. Madrid. 1866-1900.—Libros raros y curiosos. Madrid. 1871-1896. 24 tomos.—Libros de Antaño. Madrid. 1872-1898. 15 tomos.—Antiguos libros hispánicos, por A. Bonilla San Martín, 3 tomos. Madrid. 1917.—Col. "Obras Eternas" Madrid. Aguilar. 1940-1963. 45 tomos.—

Siglos X-XV: MILÁ Y FONTANALS, Manuel: *De la poesía heroico-popular castellana.* Barcelona. 1874.—MENÉNDEZ PIDAL, Ramón: *La leyenda de los infantes de Lara.* Madrid. 1896.—*Poema de Mio Cid.* Madrid. 1919.—*Poesía juglaresca y juglares.* Madrid. 1924.—MENÉNDEZ PELAYO, M: *Poetas líricos castellanos.* 10 tomos. Santander, Madrid. 1944-1945.—MARDEN, Caroll: *Poema de Fernán González.* Baltimore, 1904.—AMADOR DE LOS RÍOS, José: *El marqués de Santillana.* Madrid. 1852.—BECKER, R: *Gonzalo de Berceo.* Estrasburgo. 1910.—MENÉNDEZ PELAYO, M: *Los orígenes de la novela.* Madrid. Nueva Biblioteca de Autores Españoles. tomo 1.—JIMÉNEZ SOLER: *Infante don Juan Manuel.*—PUYOL ALONSO, Julio: *El Arcipreste de Hita.* Madrid. 1906.—DÍAZ DE ARCAYA, M: *El Gran Canciller don Pero López de Ayala.* Vitoria. 1900.—*Cancionero de Baena,* por Pedro J. Pidal. Madrid. 1851.—CHAVES, M: *Micer Francisco Imperial.* Sevilla. 1899.—CHANDLER R. Post: *Medieval Spanish Allegory.* Cambridge (EE. UU.) 1915.—*Cancionero castellano del siglo XV,* ed. de Foulché-Delbosc. En Nueva Biblioteca de Autores Españoles. Tomo XIX.—FOULCHÉ-DELBOSC, A: *Étude sur le Laberinte de Juan de Mena.* En *Revue Hispanique,* IX.—CHANDLER R. Post: *The Sources of Juan de Mena.* En *The Romanic Review* tomo, III.—NIETO, J: *Estudio biográfico de Jorge Manrique.* Madrid. 1902.—*Cancionero general de Hernando del Castillo,* ed. J. A. Palenchana. Sdad. Bibliófilos Españoles. Madrid. 1882. tomo I.—*Cancionero de Juan Fernández de Costantina,* edición de Foulché-Delbosc. Sdad. Bibliófilos Españoles. Madrid. 1914.—WOLF: *Primavera y flor de romances.* Berlín. 1956.—FOULCHÉ-DELBOSCS *Essai sur les origenes du Romancero.* París. 1914.—VALBUENA PRAT, A: *Historia del teatro español* (Los orígenes) Barcelona. 1959.—FOULCHÉ-DELBOSC: *Étude sur Fernán Pérez de Guzmán.* En *Revue Hispanique* tomo XVI.—PUYMALGRE, Th. de: *La cour litteraire de don Juan II.* París, 1873.—

PAZ Y MELIÁ: *El cronista Alonso de Palencia.* Madrid. 1914.—COTARELO MORI, Emilio: *Don Enrique de Villena.* Madrid. 1896.—PÉREZ PASTOR: *Arcipreste de Talavera.* Madrid. Sdad. Bibliófilos españoles. 1901.—CEJADOR, Julio: *La Celestina.* En "Clásicos Castellanos" Madrid. 1913.—CASTRO GUISASOLA. F: *Observaciones sobre las fuentes literarias de "La Celestina".* Madrid. 1924.—BONILLA SAN MARTÍN, Adolfo: *Las Bacantes o del origen del teatro.* Madrid. 1921.

Siglos XV y XVI: GONZÁLEZ PEDROSO: *Los autos sacramentales desde su origen hasta el siglo XVII.* Tomo LVIII de la Bca. Autores Españoles.—WICKERSHAM CRAWFORD, J. P. P.: *Spanish Drama before Lope de Vega.* Filadelfia. 1922.—AUBREY, F. G. Bell: *Gil Vicente.* Oxford. 1921.—ESPINOSA MAESO, R.: *Ensayo biográfico del maestro Lucas Fernández.* En "Bol. Real Academia Esp." Tomo X.—BONILLA SAN MARTÍN, Adolfo: *Luis Vives y la filosofía del Renacimiento.* Madrid. 1903.—MENÉNDEZ PELAYO, M.: *La Ciencia española.* Madrid. 1877-1878.—HAYWARD KENISTON, F.: *Garcilaso de la Vega: A Critical Study of His Life and Works.* Nueva York. 1924.—MENÉNDEZ PELAYO, M.: *Juan Boscán.* Tomo XIII de la *Antología de poetas líricos castellanos.* Madrid. Ed. Hernando.—NICOLAY, Clara E: *The Life and Works of Cristóbal de Castillejo.* Filadelfia. 1910.—COSTER, Adolphe: *Luis de León.* En "Rev. Hispanique". LIII (págs. 1-468) y LIV (págs. 1-346).—BELL, A. F. G.: *Luis de León: Study of the Spanish Renaissance.* Oxford. 1925.—MENÉNDEZ PELAYO, M.: *De la poesía mística.* En *Estudios de crítica literaria.* Madrid. 1893. Primera serie.—COSTER, Adolphe.: *Fernando de Herrera.* París. 1908.—LAFUENTE, Vicente de la: *Historia de las Universidades.* Madrid. 1884-1890.—COSTES, René.: *Antonio de Guevara: sa vie; son oeuvre.* Bordeaux-París. 1925.—MENÉNDEZ PELAYO, M.: *Historia de los heterodoxos españoles.*—CATALÁN LATORRE: *El Beato Juan de Avila.* Zaragoza. 1894.—ALLISON PEERS, Edgar: *Spanish Mysticism.* London. 1924.—MIR, Miguel: *Santa Teresa de Jesús.* Madrid. 1912.—CUERVO, Fr. J: *Biografía de fray Luis de Granada.* Madrid. 1895.—TORRÓ, P. Antonio: *Fray Juan de los Ángeles, místico-psicólogo.* Barcelona. 1925.—SCHACK, Conde de: *Historia de la literatura y del arte dramático en España.* Madrid. 1885. 3 tomos.—LÓPEZ PRUDENCIO, José: *El Bachiller Diego Sánchez de Badajoz.* Madrid. 1915.—THOMAS, H: *Spanish and Portuguese Romances of Chilvary.* London. 1920.—GIVANEL MÁS, J: *La novela caballeresca española; estudio crítico de* "Tirant lo Blanch". Madrid. 1912.—RENNERT, Hugo A: *The Spanish Pastoral Romances* (Publications of the University of Pennsylvania) Filadelfia. 1912.—FERNÁNDEZ JUNCOS, M: *Don Bernardo de Balbuena: estudio biográfico y crítico.* San Juan de Puerto Rico. 1884.—ACERO Y ABAD, N: *Ginés Pérez de Hita.* Estudio biográfico y bibliográfico. Madrid. 1888.—MENÉNDEZ PELAYO, M: Edición de "*La Diana enamorada*" En Nueva Biblioteca de Autores Españoles. Tomo VII.—WADLEIGH CHANDLER, F: *Ro-*

mances of Roguery: The Picaresque Novel in Spain. Nueva York. 1899.—VALBUENA PRAT, Ángel: *La Novela Picaresca,* Madrid. Ed. Aguilar. 1952.—SUÁREZ, Mireya: *La novela picaresca y el pícaro en la literatura española.* Madrid. 1926.—ASTRANA MARÍN, Luis: *Vida heroica de don Miguel de Cervantes.* Madrid. Siete tomos. 1952-1959.—NAVARRO LEDESMA, F: *El Ingenioso Hidalgo Don Miguel de Cervantes Saavedra.* Madrid. 1905.—BONILLA SAN MARTÍN, Adolfo: *Cervantes y su obra.* Madrid. 1915.—ARTIGAS, Miguel: *Don Luis de Góngora y Argote.* Madrid. 1925.—FERNÁNDEZ GUERRA, Aureliano: *Obras completas de Quevedo.* Edición crítica Sevilla. Ed. Bibliófilos Andaluces. 3 tomos. 1897-1907.—RENNERT Y CASTRO: *Vida de Lope de Vega.* Madrid. 1919.—SAINZ DE ROBLES, F. C.: *Lope de Vega.* Madrid. "Espasa-Calpe". 1962.—ENTRAMBASAGUAS, Joaquín: *Lope de Vega.* Barcelona. 1935.—Ríos, Blanca de los: "*Tirso de Molina*" Edición crítica. 3 tomos. Madrid. Aguilar. 1951-1958.—FERNÁNDEZ GUERRA, Luis: *Don Juan Ruiz de Alarcón.* Madrid. 1871.—COTARELO MORI, Emilio: *Don Francisco de Rojas Zorrilla.* Madrid. 1911.—MÉRIMÉE, H: *L'art dramatique á Valencia...* Toulouse. 1913.—VALBUENA PRAT, Ángel: *Calderón de la Barca.* Edición crítica. Madrid. Aguilar. 3 tomos.—MENÉNDEZ PELAYO, M: *Teatro selecto de Calderón* (Con estudio y biografía) 4 tomos. Madrid. 1917-1918.—CONDE DE ROCHE y J. P. TEJERA: *Saavedra Fajardo.* Madrid. 1884.—COSTER, Adoyphe: *Baltasar Gracián.* Chartres. 1911.—BELL, AUBREY F. G.: *Baltasar Gracián.* Oxford. 1921.—CORREA CALDERÓN, E: *Obras completas de Baltasar Gracián.* Edición crítica. Madrid. Aguilar. 1948.

Siglo XVIII: PARDO BAZÁN, Emilia: *Examen crítico de las obras del P. Feijoo.* Madrid. 1877.—MILLARES CARLO, Agustín: *Teatro crítico universal* (del P. Feijoo) Madrid. "Clásicos Castellanos", 1923-1936.—SALVADOR Y BARRERA, José María: *El P. Flórez y su "España Sagrada"* Madrid. 1914.—MENÉNDEZ PELAYO, M: *Historia de las ideas estéticas en España.*—COTARELO, MORI, Emilio: *Sainetes de Don Ramón de la Cruz.* Madrid. Nueva Biblioteca de Autores Españoles. Tomo XXIII.—*Iriarte y su época.* Madrid. 1897.—*Don Ramón de la Cruz y sus obras.* Madrid. 1899.—MARTÍNEZ RUBIO, J: *Los Moratín.* Valencia. 1893.—GARCÍA ROIZA, A: *Don Diego de Torres y Villarroel.* Salamanca, 1911.—FOULCHÉ-DELBOSC: *Cadalso.* En *Revue Hispanique.* Tomo 1 págs: 258-335.—JUDERÍAS, Julián: *Gaspar Melchor de Jovellanos: su vida, su tiempo, sus obras, su influencia social.* Madrid. 1913.—CUETO, Leopoldo A. Marqués de Valmar: *Historia crítica de la poesía castellana en el siglo XVIII.* Madrid. 1893.—MÉRIMÉE, E: *Meléndez Valdés.* En *Revue Hispanique.* Tomo 1.—SALINAS, Pedro: *Meléndez Valdés: poesías.* Madrid. "Clásicos Castellanos" 1925.—PIÑEYRO, Enrique: *Manuel José Quintana: ensayo crítico y biográfico* París-Madrid, 1892.—GONZÁLEZ NEGRO, E: *Estudio biográfico de don Juan Nicasio Gallego* Zamora. 1901.—ALCALÁ GALIANO, A: *Recuerdos de un anciano.* Madrid. Biblioteca Clásica "Hernando".—SILVELA, Manuel: *Vida de Moratín* (Leandro) Madrid. 1847.

Siglo XIX: ALLISON PEERS, E: *El Romanticismo en España.* Madrid. Editorial Gredos. 1957.—GARCÍA MERCADAL, J: *Historia del romanticismo en España.* Barcelona. Labor. ¿1935?.—PIÑEYRO, Enrique: *El romanticismo en España.* París. 1904.—ALLISON PEERS, E: Ángel Saavedra duque de Rivas. *A Critical Study.* En *Revue Hispanique.* Tomo LVIII. Págs: 1 a 600.—FUNES, Enrique: *García Gutiérrez: estudio crítico de su obra dramática.* Cádiz. 1900.—HARTZENBUSCH, E. (hijo): *Don Juan Eugenio Hartzenbusch.* Madrid. 1900.—CASCALES Y MUÑOZ, José: *Don José de Espronceda: su época, su vida y sus obras.* Madrid. 1914.—ALONSO CORTÉS, Narciso: *Zorrilla: su vida y sus obras.* Valladolid. 3 tomos.—VALLE MORÉ, J. del: *Pastor Díaz: su vida y su obra.* Habana. 1911.—LOMBA Y PEDRAJA, J. R.: *El P. Arolas: su vida y sus obras.* Madrid. 1898.—*Enrique Gil y Carrasco: su vida y su obra literaria.* En *Rev. Filol. Española,* tomo segundo, págs: 137-179.—SÁNCHEZ MOGUEL, Antonio: *Manuel Fernández y González.* Madrid. 1888.—NOMBELA Y CAMPOS, J.: *Larra ("Fígaro").* Madrid. 1909.—BURGOS SEGUÍ, Carmen de: *Larra,* Madrid, s. a. (¿1921?).—CÁNOVAS DEL CASTILLO, Antonio: *El Solitario y su tiempo.* Madrid. 1883.—SAINZ DE ROBLES, F. C.: *Mesonero Romanos.* Madrid. Aguilar. 1948.—COTARELO MORI, Emilio: *Elogio biográfico de don Ramón de Mesonero Romanos* En *Btin. Acad. de la Lengua,* tomo XII, págs. 155-191, 309-343 y 433-469.—ROURE, N: *La vida y las obras de Balmes.* Madrid. 1910.—MOLÍNS, Marqués de: *Bretón de los Herreros: recuerdos de su vida y de sus obras.* Madrid. 1883.—YXART, José: *El arte escénico en España.* Barcelona. 1894-1896.—BLANCO GARCÍA, P. Francisco: *La Literatura española en el siglo XIX.* Madrid. 1899-1903.—SICARS Y SALVADÓ, N: *Don Manuel Tamayo y Baus: estudio crítico biográfico* Madrid. 1906.—ANTÓN DEL OLMET, L. y GARCÍA CARRAFFA, A: *Los grandes españoles: Echegaray* Madrid. 1912.—COURZON, Henri: *Le théatre de José Echegaray.* París. 1913.—PI Y ARSUAGA, Francisco: *Echegaray, Sellés y Cano.* Madrid. 1884.—ZURITA, Marciano: *Historia del género chico.* Madrid. 1920.—SAINZ DE ROBLES, F. C.: Historia del teatro español. Madrid. Aguilar. 1943-1944 tomos XX VI y XXX VII.—GONZÁLEZ-BLANCO, Andrés: *Campoamor: biografía y estudio crítico.* Madrid. 1911.—RODRÍGUEZ CORREA, Ramón: *Prólogo* a las Obras de Bécquer. Madrid. 1911. 7.ª edición.—LÓPEZ NÚÑEZ, Juan: *Bécquer, biografía anecdótica.* Madrid. 1915.—JARNÉS, Benjamín: *Doble agonía de Bécquer.* Madrid. "Espasa-Calpe". 1933.—CASTILLO SORIANO, José del: *Núñez de Arce.* Madrid, 1904.—

VALERA, Juan: *Florilegio de poesías castellanas del siglo XIX* (Con estudios biográficos) Madrid. Fernando Fe. 1901-1904. 5 tomos.—PALMA, Angélica: *"Fernán Caballero" la novelista novelable.* Madrid, Espasa-Calpe. 1932.—FIGUEROA, Marqués de: *"Fernán Caballero" y la novela de su tiempo.* Madrid. 1886.—PARDO BAZÁN, Emilia: *Pedro Antonio de Alarcón.* En *Retratos y apuntes literarios.*—NAVAS, Conde de las: *Don Juan Valera: apuntes del natural.* Madrid. 1905.—JUDERÍAS, Julián: *Don Juan Valera: apuntes para su biografía.* En "La Lectura", 1913-1914.—MONTERO, José: *Pereda.* Madrid, 1919.—COSSÍO, José María de: *Pereda.* Madrid. 1934.—ALAS, Leopoldo "Clarín": *Galdós.* Madrid.—ANTÓN DEL OLMET, L. y GARCÍA CARRAFFA, A.: *Galdós.* Madrid. 1912.—SAINZ DE ROBLES, F. C: *Estudio biográfico y crítico* al frente de las *Obras Completas de Galdós.* Madrid. Aguilar.—CASALDUERO, Joaquín: *Pérez Galdós.* Buenos Aires. Col. Contemporánea. 1950.—SAINZ DE ROBLES, F. C: *Emilia Pardo Bazán.* Biografía y estudio crítico al frente de las *Obras Completas.* Madrid. Ed. Aguilar.—GONZÁLEZ-BLANCO, Andrés: *Historia de la novela en España desde el romanticismo a nuestros días.* Madrid. Jubera. 1909.—SAINZ Y RODRÍGUEZ, Pedro: *La obra de "Clarín".* Madrid. 1921.—CABEZAS, Juan Antonio: *"Clarín": el español universal.* Madrid. Col. Austral. "Espasa-Calpe". 1962.—PESEUX-RICHARD, H: *Un romancier espagnol: Jacinto Octavio Picón. En Revue Hispanique.* Tomo XXX.—CRUZ RUEDA, Ángel: *Armando Palacio Valdés: estudio biográfico.* Madrid. 1925.—SAINZ Y RODRÍGUEZ, Pedro: *Don Bartolomé José Gallardo y la crítica literaria de su tiempo.* En *Revue Hispanique,* tomo LI.—BONILLA SAN MARTÍN, Adolfo: *Marcelino Menéndez y Pelayo.* Madrid. 1914.

Siglo XX: FERNÁNDEZ ALMAGRO, Melchor: *Vida y obra de Ángel Ganivet.* Valencia. 1925.—GALLEGO BURÍN, Antonio: *Ganivet.* Granada. 1921.—GAMBÓN Y PLANA, M: *Biografía y bibliografía de don Joaquín Costa.* Huesca. 1911.—ANTÓN DEL OLMET, Luis: *Costa.* Madrid. 1917.—GÓMEZ DE LA SERNA, Ramón: *"Silverio Lanza"* al frente de las Obras Escogidas. Madrid. Bca. Nueva. 1921.—GONZÁLEZ-BLANCO, Andrés: *Los grandes maestros: Rubén Darío y Salvador Rueda.* Madrid. 1908.—TORRES-RIOSECO, Arturo: *Precursores del modernismo.* Madrid. 1925.—REVILLA MARCOS, A: *José María Gabriel y Galán: su vida y sus obras* Madrid. 1923.—GONZÁLEZ-BLANCO, Andrés: *Los contemporáneos* 1.ª serie. Madrid. 1906.—*Los contemporáneos.* 2.ª serie. París, 1908.—CANSINOS-ASSÉNS, Rafael: *La Nueva Literatura.* 3 tomos. Madrid. 1917.—TORRENTE BALLESTER, Gonzalo: *Panorama de la literatura española contemporánea.* Madrid. Ed. Guadarrama. 1960.—NORA, Eugenio de: *La novela española contemporánea.* Madrid. Ed. Gredos. 1958.—ALBORG, J. L: *La hora actual de la novela española.* Madrid. Taurus. 1957.—SAINZ DE ROBLES, F. C.: *La novela española en el siglo XX.* Madrid. Ed. Pegaso. 1957.—PÉREZ MINK, D: *Novelistas españoles de los siglos XIX y XX.* Madrid. Ed. Guadarrama. 1957.—TORRENTE BALLESTER, Gonzalo: *Teatro español contemporáneo.* Madrid. Ediciones Guadarrama. 1959.—STARKIE, Walter: *Jacinto Benavente.* Oxford, 1924.—LÁZARO, Ángel: *Jacinto Benavente: su vida y sus obras.* Madrid. 1925.—GONZÁLEZ-BLANCO, Andrés: *Los dramaturgos españoles contemporáneos* Dos series. Valencia. 1917.—BUENO, Manuel: *El teatro en España.* Madrid. 1907.—PÉREZ DE AYALA, Ramón: *Las Máscaras.* Dos tomos. Madrid. 1924.—CANSINOS-ASSÉNS, Rafael: *Poetas y prosistas del novecientos.* Madrid. 1918.—SAINZ DE ROBLES, F. C.: *Manuel Linares Rivas.* Estudio al frente de las Obras Escogidas de L. R. Madrid. Aguilar.—ROGERIO SÁNCHEZ, JOSÉ: *El teatro poético* Madrid. 1914.—"AZORÍN": *Los Quintero y otras páginas.*—ABRIL, Manuel: *Felipe Trigo: exposición y glosa de su vida, su filosofía, su moral, su arte, su estilo.* Madrid. 1917.—"ANDRENIO" (Eduardo Gómez de Baquero): *Novelas y novelistas.* Madrid. Renacimiento. 1918.—*Renacimiento de la novela española en el siglo XX* Madrid. 1924.—CASARES, Julio: *Crítica profana.* Madrid. Ed. Calleja, 1916.—*Crítica efímera.* 2 tomos. Madrid. "Espasa-Calpe" Col. Austral.—FERNÁNDEZ ALMAGRO, Melchor: *Valle-Inclán.* Madrid. Ed. Nacional. 1945.—GÓMEZ DE LA SERNA, Ramón: *Don Ramón del Valle-Inclán.* Madrid. "Espasa-Calpe". Col. Austral.—EGUÍA RUIZ, C: *Literatura y literatos.* Dos series. Madrid. 1914, y Barcelona. 1917.—GARCÍA MERCADAL, José: *Baroja en el banquillo.* Dos tomos. Zaragoza. 1956.—VARIOS: *Baroja y su mundo.* Dos tomos. Madrid. 1962.—DÍAZ-PLAJA, Guillermo: *Modernismo frente a Noventa y ocho.* Madrid. Espasa-Calpe, 1957.—AGUSTI, Francisco: *Ramón Pérez de Ayala.* Madrid. 1927.—BELL, Aubrey F. C.: *Contemporary Spanish Literature.* Nueva York. 1925.—LEVI, Elzio: *Nella letteratura spagnuola contemporánea.* Firenze. 1922.—CANSINOS-ASSÉNS, Rafael: *Literaturas del norte: la obra de Concha Espina.* Madrid. 1924.—BARJA, César: *Libros y autores contemporáneos.* Nueva York. 1935.—CHABÁS, Juan: *Literatura española contemporánea: 1898-1950.* La Habana. 1952.—TORRE, Guillermo de: *Literaturas europeas de vanguardia.* Madrid. 1925.—SALINAS, Pedro: *La literatura española. Siglo XV.* Méjico. 2.ª ed. 1957.—GÓMEZ DE LA SERNA, Ramón: *"Azorín"* Madrid. "La Nave". 1930.—KRAUSE, Anna: *"Azorín"* Madrid. "Espasa-Calpe". 1955.—MARÍAS, Julián: *Miguel de Unamuno.* Madrid. "Espasa-Calpe" Col. Austral.—ROMERO FLORES, H. R.: *Unamuno.* Madrid. 1941.—CLAVERÍA, C: *Temas de Unamuno.* Madrid. Ed. Gredos. 1953.—GRANJEL, L. S.: *Retrato de Unamuno.* Madrid. Ed. Guadarrama. 1957.—MARRERO, Vicente: *Maeztu.* Madrid. Ed.

Rialp. 1955.—FERRATER Y MORA: *La filosofía de Ortega y Gasset.* 1953.—OSORNO, M: *La filosofía de Ortega y Gasset.* 1949.—MARÍAS, Julián: *Ortega y tres antípodas.* 1950.—ARANGUREN, J. L: *La filosofía de Eugenio d'Ors,* Madrid. 1945.—PÉREZ FERRERO, M: *Vida de Ramón* (Gómez de la Serna) Madrid. 1935.—ANTÓN DEL OLMET Y GARCÍA CARRAFFA: *Los grandes españoles: Ramón y Cajal,* Madrid, 1913.—ALLISON PEERS, E: *Antonio Machado.* Oxford. 1950.—ZUBIRIA, R. de: *La poesía de Antonio Machado.* Madrid. Ed. Gredos. 1955.—PÉREZ FERRERO, M: *Vida de Antonio Machado y Manuel.* Madrid. 1947.—DÍEZ-CANEDO, Enrique: *Juan Ramón Jiménez en su obra.* Méjico. "Fondo de Cultura Económica". Colegio de Méjico. 1944.—PALAU DE NEMES, Gracella: *Vida y obra de Juan Ramón Jiménez.* Ed. Gredos, 1957.—DÍAZ-PLAJA, Guillermo: *Juan Ramón Jiménez en su poesía.* Madrid. Ed. Aguilar, 1958.—ALONSO, Dámaso: *Poetas españoles contemporáneos.* Madrid. Ed. Gredos, 1952.—DÍAZ-PLAJA, Guillermo: *Federico García Lorca. Su obra y su influencia en la poesía española.* Madrid. Col. Austral.—MORLA, C.: *En España con Federico García Lorca.* Madrid. Aguilar, 1957.—HOYO, Arturo: *Estudio bibliográfico* al frente de las *Obras Completas* de F. G. L. Madrid. Aguilar, Col. "Obras Eternas".—GIL ALBERT, J.: *Gabriel Miró. El estilo y el hombre.* Valencia, 1931.—GUARDIOLA Y ORTIZ, J.: *Biografía íntima de Gabriel Miró. El hombre y la obra.* Alicante, 1935.—RAMOS, Vicente: *Vida y obra de Gabriel Miró.* Madrid. Col. "El Grifón", 1957.—BONET GELABERT, J.: *El discutido indiscutible Jardiel Poncela.* Madrid. Bca. Nueva, 1946.—SAINZ DE ROBLES, F. C.: *Estudio biográfico crítico,* al frente de las *Obras Completas* de Alejandro Casona. Madrid. Aguilar. Dos tomos. 1961. 2.ª ed.

ESPAÑOLA (Versificación)

La poesía española, aparte la variedad de metros que le son comunes con la francesa e italiana, tiene otros peculiares. Por ejemplo, el octosílabo, metro de los viejos romances y casi exclusivamente adoptado por el teatro. Este verso corresponde al heptasílabo francés, más la desinencia femenina:

> Ciego amor, que en tus cad(e)nas
> nunca más me quiero v(e)r.

Existe asimismo el verso de catorce sílabas o alejandrino, el de doce sílabas o de *arte mayor,* llamado así porque presenta ciertas dificultades y exige un arte más excelso: ha desempeñado en la poesía española un papel semejante al que tuvo en la francesa el verso de doce pies; el endecasílabo importado de Italia, y que Boscán ennobleció haciéndole prevalecer sobre los pesados metros empleados antes del siglo XVI para la poesía heroica y didáctica.

Por debajo del octosílabo—verso de tipo medio—existen los versos de siete sílabas o anacreónticos; el de seis sílabas, en el cual el acento recae sobre el segundo y quinto pies (verso muy empleado para la *letrilla);* el de cinco sílabas, de las que la primera debe estar recargada con acento; y, finalmente, el tetrasílabo, con la primera y tercera acentuadas.

Cuando el verso termina en una palabra aguda, cuyo acento cae sobre la última sílaba, el verso debe contarse con un pie de menos.

Cuando, por el contrario, la palabra final es esdrújula, el verso tiene un pie de más.

La rima está sometida a reglas determinadas. Existen la rima *asonante* o imperfecta, y la *consonante* o rima perfecta.

La asonante consiste en la rima entre las vocales finales de una palabra, sin tener en cuenta las consonantes; recae únicamente sobre los versos pares:

> Sale la estrella de Venus
> al tiempo que el Sol se pone,
> y la enemiga del día
> su negro manto descoge.

En este ejemplo, la asonancia se hace por medio de las vocales *o* y *e*.

La rima asonante tiene un gran empleo en las poesías pastorales y eróticas, las canciones populares y los romances. Dice J. M. Maury: "Cuanto más necesite disimularse el artificio de la versificación, tanto más conveniente es la asonancia; de forma que el teatro no admite otra rima, y por muy débil que parezca la rima, cualquier descuido del poeta lo percibirá al instante el auditorio." La rima consonante está tratada en España con un exquisito cuidado. La lengua presenta al poeta escrupuloso dificultades excepcionales a causa de la innumerable variedad de significados, que Iriarte evalúa en 3.900. Debe tenerse en cuenta, aparte la similitud de sonido, el acento tónico, y ya hemos advertido que existen cinco maneras de colocar el acento. Por último, la poesía española admite el verso libre o "suelto".

Las combinaciones de metros y la disposición de las rimas tienen sus clásicos tipos dentro de la poesía española, a saber: la *silva,* mezcla de endecasílabos y heptasílabos, con rima cruzada —en ella se admite asimismo el verso libre—; el *soneto,* forma exquisita, que ha gozado en España, desde Boscán y sus discípulos, de gran boga; la *octava,* compuesta de endecasílabos, que también fue importada de Italia, y que se utilizó sobre todo en los poemas épicos; el *terceto,* compuesto de endecasílabos con rima cruzada; la pequeña estancia de diez octosílabos llamada *décima* o *espinela,* nombre del poeta Espinel, que la popularizó e inventó, y cuyas rimas se repiten por dos veces; *quintilla,* estrofa de cinco octosílabos; la *seguidilla,* en verso de siete y cinco sílabas con rimas asonantes, divididas en la pieza en dos estancias; es una forma usada para la canción que acompaña la danza del mismo nombre; en fin, la *redondilla,* compuesta de cuatro octosílabos, con correspondencia de rimas 1-4, 2-3. Forma típicamente española, que se encuentra en los primitivos orígenes de la poesía.

V. *Acento, Rima, Estrofa, Verso...*

V. BLOISE, P.: *Diccionario de la rima y versificación española.* Madrid, Aguilar 1946.

ESPINELA

Composición métrica de diez versos de ocho sílabas. Recibió su nombre del gran escritor Vicente Espinel (V.), su inventor. También se la llama *décima* (V.).

Por regla general, en la espinela riman el primero, cuarto y quinto versos; el segundo con el tercero, el sexto con el séptimo y el último y el octavo con el noveno. Admite punto final o dos puntos después del cuarto verso, y no los admite después del quinto.

Oigo, patria, tu aflicción
y escucho el triste concierto
que forman tocando a muerto
la campana y el cañón;
sobre tu invicto pendón
miro flotantes crespones,
y oigo alzarse a otras regiones
en estrofas funerarias,
de la Iglesia, las plegarias,
y del Arte, las canciones.

(B. LÓPEZ GARCÍA.)

ESPINOSISMO (V. Spinozismo)

ESPIRITISMO

Doctrina que supone que por medio del magnetismo, o de otros medios, pueden ser evocados los espíritus de los muertos para ponerse en relación con ellos y dialogar.

También se ha calificado de espiritismo a un sistema místico-religioso, según el cual el alma está unida al cuerpo por el *perispíritu* o cuerpo fluídico, que, por intermedio del mediumnismo, establece comunicación entre el mundo visible y el invisible y entre los espíritus encarnados—los vivos—y los espíritus desencarnados—los muertos—. Es el perispíritu el que origina los fenómenos anormales: la bilocación, las voces de ultratumba, las apariciones, etc.

El espiritismo—con el nombre de nigromancia—tiene orígenes remotísimos. Pero como doctrina apareció en el siglo XVIII, apoyado en los experimentos realizados por la familia Fox, en Hydesville y en Rochester (Estado de Nueva York).

Los primeros defensores del espiritismo fueron Horacio Greeley, W. Lloyd Garison, el profesor de Química de la Universidad de Pensilvania, Roberto Hare, y John Worh Edmond, juez del Tribunal Supremo del Estado de Nueva York.

El espiritismo se propagó rápidamente por toda Europa, originando grandes controversias entre los hombres de ciencia. Se multiplicaron los centros, las escuelas, las conferencias y las revistas espiritistas. Hipólito León Rivail, famoso en el mundo con el nombre de Allan Kardec. formuló la filosofía del espiritismo en su obra *Le livre des esprits*—París, 1853.

E

El espiritismo es un conjunto de doctrinas y de prácticas. Las doctrinas están basadas en el espiritualismo cristiano en lo referente a Dios, a los espíritus, a la vida futura. Las prácticas consisten en las comunicaciones de los espíritus encarnados con los espíritus desencarnados. En un *sentido amplio,* el espiritismo concuerda con varios géneros de adivinación y con los distintos procedimientos de hipnotismo y de magnetismo. En un *sentido estricto,* se distingue de los procedimientos mencionados así por las doctrinas como por unos procedimientos peculiares.

El espiritismo se basa en el ya aludido *perispíritu,* en la metempsicosis, en la preexistencia de las almas y su transmigración, en la supervivencia de los mismos en otros planetas. Según Allan Kardec: "... el espiritismo *es la tercera revelación de la ley de Dios* (la primera es la hecha a Moisés y la segunda es la de Cristo), aun cuando no está personificada en un individuo determinado, pues es el resultado de las enseñanzas predicadas, *no por un hombre, sino por los espíritus, que son la voz del cielo,* en todos los puntos de la tierra, y por una multitud innumerable de intermediarios."

Las prácticas y los experimentos del espiritismo se apoyan principalmente en los *mediums* o personas aptas para comunicarse con *el más allá.* Los *mediums* son *inspirados, intuitivos y proféticos.* Y han recibido diferentes nombres: *materializantes,* cuando hacen aparecer a los espíritus; *parlantes,* cuando toman la voz de los espíritus; *videntes,* cuando hacen que vean a los espíritus cuantos toman parte en la experiencia; *transportadores,* cuando cambian los objetos de lugar *sin intervenir materialmente; motores,* cuando ponen en movimieto objetos distantes; *curadores,* cuando revelan las enfermedades y los medios para su curación; *psicógrafos,* cuando escriben lo dictado por los espíritus; *tipticos* o *golpeadores,* cuando logran con sus golpes la presencia de los espíritus...

El espiritismo tiene varias teorías para explicar sus fenómenos: la de la *fuerza psíquica,* la de las *radiaciones psíquicas,* la de la *reverberación,* la del *cuerpo astral,* la del *od* o movimiento irresistible, fluido vital, espíritu de Dios.

Según la doctrina de Santo Tomás de Aquino, si un muerto se aparece a los vivos es por una especialísima permisión de Dios; es decir, que Dios *obra un milagro.*

Algunos hombres de ciencia y críticos del espiritismo han afirmado la intervención diabólica en sus fenómenos. Los católicos *no niegan* que haya, *quizá*, entre tales fenómenos, *alguno* que no tenga explicación natural; pero sí que *ninguno* sea efecto de realizaciones ajenas a la Providencia.

La Iglesia católica combatió siempre, y radicalmente, el espiritismo. Y la Sagrada Congregación de Ritos *lo condenó* en su comunicación del 30 de julio de 1856, dirigida a todos los prelados de la Cristiandad. La literatura del espiritismo es prodigiosa. Pasan de 10.000 los libros y folletos dedicados a él.

V. HILL, J. A.: *Spiritism, its history, phenomena and doctrine.* Londres, 1918.—SCHILLER, F. C. S.: *Spiritism.* En "Enc. of Rel. and Ethics." XI, 1920.—UGARTE DE ERCILLA, P.: *El espiritismo moderno.* Madrid, 1916.—TANNER, A. E.: *Studies in spiritism.* Nueva York, 1910.—REMY, M.: *Spirites et illusionistes.* París, 1909.—BOUCARD, L.: *El dogma católico ante la razón y la ciencia.* Barcelona, 1910.—ROURE: *Le merveilleux spirite.* París, 1917.—LILJENCRANTS: *Spiritism and religion.* Nueva York, 1918.

ESPÍRITU

1. Alma racional.
2. Virtud. Ciencia mística.
3. Valor. Ánimo. Aliento. Esfuerzo.

Una especie de talento. Entre las numerosas acepciones de esta palabra, hay una, la más delicada, que para nosotros tiene un particular interés. El espíritu, que significa para el filósofo la reunión de facultades intelectuales, significa en la literatura cierta vivacidad de pensamiento que hace encontrar reflexiones oportunas, ingeniosos comentarios, críticas sutiles, expuestas con una palabra, con una frase vehemente. Espíritu, para Voltaire, era: una alusión fina, una comparación original, una singular metáfora, una palabra de doble sentido, una comparación sutil entre dos ideas comunes, una gracia propia en la forma expresiva.

El espíritu tiene tanta importancia en el libro como en la conversación.

En literatura, el espíritu tiene dos géneros peculiares. En poesía: el epigrama, la sátira, el madrigal, el epitafio, el poema heroico, la comedia. En prosa: la carta, el panfleto, el discurso académico.

ESPIRITUALISMO

Doctrina que admite la existencia de sustancias inmateriales—Dios, el alma—, es decir, que no afectan a los sentidos, y carecen de figura, magnitud, situación y movimiento.

También es llamado espiritualismo el sistema filosófico que defiende la esencia espiritual y la inmortalidad del alma. Este sistema fue iniciado por Platón y Aristóteles, y aceptado después, con ligeras modificaciones, por los filósofos cristianos. El espiritualismo se opone al *sensualismo* (V.) y, más radicalmente, al *materialismo* (V.).

Descartes defendió un espiritualismo *dualista,* por admitir dos especies de sustancias: materiales y espirituales. Pero Leibniz y Berkeley no admiten más que sustancias espirituales.

Precisamente por oponerse el espiritualismo al sensualismo—y al materialismo que del sensualismo se había derivado—y ser el filósofo Cousin quien, en Francia, había combatido el sensualismo, se afirma que el espiritualismo, como palabra en uso en la literatura filosófica, data de la época de Víctor Cousin (1792-1867).

En su generalidad de oposición al materialismo, se ha dicho que el espiritualismo puede ser de tres clases: como correlativo de la materia; espiritualismo monista, confundido con el *idealismo* (V.), y el espiritualismo impropiamente llamado *espiritismo* (V.). Y decimos llamado *impropiamente,* porque el espiritismo no es por su propia naturaleza doctrina espiritualista, porque en muchas ocasiones niega la existencia de los espíritus distintos de la materia y porque es, en ocasiones, una doctrina materialista.

La filosofía espiritualista moderna ataca el espiritualismo de Descartes, por no admitir este la unidad sustancial del compuesto humano, dada su explicación de la espiritualidad del alma. El espiritualismo *monista,* muy extendido en la actualidad, se inició con la monadología de Leibniz, aun cuando este jamás negó en absoluto la materia. Por el contrario, el espiritualismo monista no admite ni en la naturaleza sensible o insensible ni en el hombre sino el espíritu, al cual a la vez confunde con la operación consciente del hombre, es decir, con todos los fenómenos de la conciencia. El espiritualismo monista aún llega a más: la unidad absoluta que se da en cada compuesto humano, identifica todos los individuos humanos en cada una de las conciencias.

V. JEZZONI: *I fatti psichici e il materialismo.* 1899.—CAILLARD: *Spirit and matter.* En "Contemp. Rev.". 1894.—BERGSON, H.: *Matière et mémoire.* París, 1896.—DE CRAENE: *De la espiritualidad del alma.* Trad. castellana. Barcelona, 1901.—NAVILLE: *Les systèmes de Philosophie, ou les Philosophies affirmatives.* 1909.

ESPONDAICO

Verso hexámetro cuyo quinto pie es un espondeo. Generalmente, el cuarto pie es un dáctilo.

ESPONDEO (Pie)

Pie de la versificación griega y latina que consta de dos sílabas largas, yendo la primera reforzada con un acento.

ESQUEMA

1. Figura o imagen de que nos servimos para la representación de un concepto intelectual.
2. Tema, punto o cuestión que se trae a deliberación o juicio.
3. Síntesis de una materia literaria.

ESTADOS UNIDOS DE AMÉRICA (Literatura de los)

La literatura americana puede dividirse en los siguientes períodos:

I. Época colonial. (Hasta la independencia política en 1776.)

II. Período de gestación, adquisición y primeros frutos. (Hasta 1800.)

III. Romanticismo o la guerra civil. (Hasta 1860.)

IV. Renacimiento.

V. Reacción democrática y nacional.

VI. Realismo. (Siglo xx.)

El primer período abarca siglo y medio. Se fundan los grandes centros universitarios de Yale, Harvard, Columbia y Princeton. Abundan las crónicas y las memorias, entre las que sobresalen: *History of Plymouth plantation,* de William Bradford. Abunda también la oratoria sagrada con calidades literarias en personajes como Increase Mather, Cotton Mather, Jonatham Edwards. Este último representa el puritanismo.

Durante la Revolución destacaron dos figuras: Benjamín Franklin (1706-1790) y Thomas Jefferson (1743-1826). El primero escribió su *Autobiografía* y numerosos dichos proverbiales, publicados en el *Poor Richard's Almanac.* Del segundo—más pensador, más teórico—es la famosa *Declaración de la Independencia.*

Tres figuras magníficas surgen en el período romántico. Washington Irving (1783-1859), James Fenimore Cooper (1789-1851) y Edgar Allan Poe (1809-1849).

Irving nació en Nueva York y vivió muchos años en Europa, en España principalmente. Fue gran historiador, ensayista, cuentista. Entre sus mejores producciones están: *Cuentos de la Alhambra, Vida y viajes de Colón y Sketch Book.*

Fenimore Cooper también vivió muchos años en Europa y le hicieron famoso en el mundo sus numerosas y bellas novelas de aventuras: *El piloto, El último mohicano.*

Poe, nacido en Boston, es uno de los poetas y narradores más admirables y traducidos de todas las literaturas. Era profundo, apasionado, lírico, extraño, de una inventiva feliz y originalísima. Entre sus obras sobresalen: *El cuervo* —poesía—, *Aventuras de Gordon Pym, Historias extraordinarias.*

A esta época pertenecen dos excelsos poetas líricos: Sidney Lanier y William Culler Bryant.

Al renacimiento de las letras norteamericanas pertenecen los nombres insignes de Emerson, Hawthorne, Longfellow, Holmes, Russell Lowell...

Ralph Waldo Emerson (1803-1882) ha sido el pensador más extraordinario de los Estados Unidos, crítico sagaz, estimulador de ideas, ensayista magistral y famosísimo conferenciante. Sus *Ensayos* y su *Diario* están henchidos de ideas geniales. Se le ha llamado "el Montaigne norteamericano".

Nataniel Hawthorne (1804-1864) es el gran novelista de la época. Todo el mundo ha leído sus *The Scarlett Letter, The Marble Faun, The house of the Seven Gables.*

Henry David Thoreau (1817-1862) es "el poeta místico" de la generación. Trazó una exaltación impresionante de la Naturaleza en su libro *Wilden.*

Henry Wadsworth Longfellow (1807-1882), famosísimo poeta lírico, el que más ahondó en el alma de sus compatriotas. Sus *Evangeline* y *The courtship of Miles Standish* son como *biblias* entre la niñez y la juventud.

Oliver Wendell Holmes (1809-1894), notable humorista, poeta y narrador. Con sus obras *Elsie Venner, The guardian angel* y *A mortal antipathy* preparó *el momento* a un extraordinario movimiento realista.

Harriet Beecher Stowe (1811-1896) fue la autora de una de las novelas más traducidas y leídas en el mundo: *La cabaña del tío Tom,* cuyo intento era exaltar la abolición de la esclavitud en su patria.

Louisa May Alcott (1832-1888) fue autora de una deliciosa novela para la juventud, popularísima en el mundo: *Mujercitas.*

Charles Brockden Brown (1771-1810) representa el auténtico romanticismo en la novela con narraciones apasionadas, fantásticas, pletóricas de horror.

John Lomax, con sus *Cow-boy Song,* representa un "Martín Fierro" norteamericano.

Augustus Baldwin Longstreet (1790-1870) hizo famosa su colección de cuentos *Georgia Scenes.*

Coincidiendo con el romanticismo y el florecimiento de Nueva Inglaterra, en el período que pudiera calificarse de "la primera rebelión", aparecen tres extraordinarios escritores realistas: Melville, Whitman y "Mark-Twain".

Herman Melville (1835-1891), neoyorquino, vivió extraordinarias aventuras por tierra y por mar. Sus novelas hermosas reflejan su existencia aventurera, y son obras fuertes, intensas, sugestivas. Así, *Moby Dick,* novela traducida muchas veces a todos los idiomas del mundo.

"Mark-Twain", seudónimo de Samuel Langhorne Clemens (1835-1910), narrador, humorista, pensador, sociólogo, una de las figuras más populares de la literatura mundial. Acaso él y Poe son los escritores yanquis más leídos y admirados en Europa. De mucho talento, gracia sutil y escepticismo sarcástico. Innumerables y magníficas son sus producciones: *Diario de Eva, ¿Ha existido Shakespeare?, Huckleberry Finn, Tom Sawyer, Un yanqui en la corte del rey Arturo...*

Walt Whitman (1819-1892) es considerado como el poeta de América, el guía y el ejemplo de las actuales generaciones de líricos. Original. Audaz. Sorprendente. Cantó como nadie el americanismo democrático, huyendo de las rimas fáciles.

Bret-Harte (1839-1902), californiano, admirable narrador de costumbres, disfrutó y disfruta gran popularidad. *Bocetos californianos, El chino hereje...*

Owen Wister (1860-1938) es el autor de una de las más bellas novelas llamada "del Oeste": *The Virginian.*

William H. Prescott (m. en 1859) fue un gran historiador y un narrador de primer orden. Escribió mucho y bien acerca de temas españoles: *Historia de Fernando y de Isabel, La conquista de Méjico.*

En el movimiento literario contemporáneo sobresalen:

William Dean Howells (1837-1920) marca la transición "de lo viejo a lo nuevo, del romanticismo al realismo, del regionalismo al cosmopolitismo". Novelista de viva imaginación y de interés, de noble prosa. Entre sus novelas están: *The Rise of Silas Lapham Fennel and Rue, Unleavened Cread...*

Henry James (1843-1916) vivió mucho tiempo en Francia y en Inglaterra. Novelista psicológico, original, culto y estilista. *Daisy Miller, The Portrait of a Lady.*

Theodoro Dreiser (1871-1946), uno de los principales representantes del naturalismo, escritor que desdeñó el estilo, pero de una fuerza creadora grande y de un sarcasmo despiadado. Su mejores novelas son: *An American Tragedy, Sister Carrie, El Financiero.* También fueron excelentes novelistas naturalistas: Frank Norris (1870-1902), autor de *The Pit,* y Stephen Crane (1871-1900), autor de *The Red Badge of Courage.*

Eugène O'Neill (n. en 1888), Premio Nobel de Literatura, para nuestro gusto el primer dramaturgo contemporáneo mundial. Originalísimo, audaz, siempre renovado y ferviente, de una humanidad densa y cálida o de un simbolismo de una sugestión sin límites. Entre sus obras están: *Extraño interludio, El emperador Jones, Antes del desayuno, Anna Christie, Mourning Becomes Electra, Lazarus Langhed, The Great God Brown.*

Sinclair Lewis (n. en 1885), también Premio Nobel, novelista universal, lleno de humor, de imponente realismo, en *Babbitt, Calle Mayor, El doctor Arrowsmith, Elmer Gautry.*

Pearl Buck (n. en 1889), también Premio Nobel, novelista original, intensa, de honda ternura y admirable colorido. Pocos escritores han conocido como ella la vida y las costumbres chinas. *La buena tierra, Viento del Este, viento del Oeste; La estirpe del dragón, La promesa, El patriota.*

Igualmente, grandes novelistas son: Ernest Hemingway—*Fiesta*—, John Dos Passos—*Rocinante vuelve al camino, Mannhatan Transfer, El paralelo 42*—, John Steinbeck—*La luna se ha puesto, Los arrabales de Cannery, El pony colorado*—, William Faulkner—*P y l o n*—, Upton Sinclair—*Carbón, Boston, Petróleo, Un patriota cien por cien*—, Erskine Caldwell, Willa Cather, Louis Bromfield—*Veinticuatro horas, Mrs. Parkington, Ana Bolton, La tierra...*

Entre los poetas: Robert Frots (n. en 1875), Edwin Arlington Robinson, Vachel Lindsay, Carl Sandburg, Anny Lowell, Russell Lowell, Edna St. Vincent Millay...

V. BLANKENSHIP, RUSSELL: *American Literature.* Nueva York, 1931.—MICHAND, Regis: *Littérature Américaine.* París, Kra., 1926.—CAMBRIDGE: *History of American Literature.* Nueva York, 1933.

ESTANCIA

1. Estrofa de una canción o poema.
2. Cualquiera de las partes de un poema compuestas del mismo número de versos y ordenadas de un modo igual.
3. Cualquiera de las partes de un poema, aun cuando no estén ordenadas igual ni consten del mismo número de versos. (V. *Estrofa.*)

ESTATISMO

El estatismo—llamado también *socialismo del Estado*—es una teoría política que tiene por objeto combatir la expansión del socialismo propiamente dicho, poniendo los medios sociales de la producción bajo la dependencia del Estado.

Se acostumbra designar con el nombre de *socialismo del Estado* dos doctrinas en realidad muy diferentes, según se acentúe la palabra *socialismo* o la palabra *Estado.* Para unos, los socialistas del Estado son estatistas acentuados, y para otros, son socialistas que utilizan el Estado para el socialismo y no el socialismo para el Estado. Fácilmente se entiende, al hablar de socialismo del Estado, un simple intervencionismo afirmado enérgicamente, pero que no rechaza la propiedad particular, ni las empresas libres, ni la competencia, ni el reparto basado en contratos y la *equivalencia en la utilidad;* doctrina que se reduce a reclamar para el Estado cierto derecho de dirección, de intervención, de impulsión respecto a la obra económica, hasta el derecho de tomar directamente parte en dicha obra, al lado, pero no excluyendo a los individuos aislados o asociados. Tomando en este sentido las palabras *socialismo del Estado,* hemos podido hablar, después de otros muchos, del socialismo del Estado de la monarquía francesa en la época mercantilista. En este sentido también se puede hablar de socialismo del Estado de escritores como Dupont-White, de economistas como Sismondi, Chevalier, Stuart Mill, y también los economistas alemanes del socialismo de cátedra." (Gonnard.)

Sin embargo, el estatismo como doctrina política se inició en Alemania bajo los auspicios de Bismarck y de los llamados economistas de cátedra.

El estatismo, según algunos tratadistas de Derecho político y de Economía política, es como un *colectivismo* (V.) simplificado, desembarazado de ciertas complicaciones doctrinales que hacen casi imposible su funcionamiento práctico.

Según el estatismo, el Estado es el dueño de los instrumentos de producción, y conserva la dirección de esta, salvo cuando quiere confiar su explotación a los municipios, a las asociaciones o a los individuos, pero fijándoles su tarea precisa y los medios de acción. El Estado se encarga del reparto y de la venta de los productos, aunque renuncia en absoluto a la tasación en unidades de valor trabajo. El socialismo del Estado permite la combinación con otras formas de socialismo. El Estado garantiza las iniciativas del socialismo, despojándolas así de su carácter revolucionario.

En el estatismo, lo mismo que en el colectivismo, triunfa el principio del reparto de productos en proporción al trabajo, por ser el Estado el único capitalista y asalariados los productores.

El salario se paga en dinero—y no en bonos de trabajo—, pero siempre según el principio de "a cada uno según su trabajo". En el estatismo desaparecen el interés y los beneficios, ya que la renta única es a favor del Estado.

Naturalmente, el estatismo tiene algunos inconvenientes. Primero, su misión es, sencillamente, abrumadora, y para realizarla no cuenta —como las entidades particulares—con directores *interesados en las iniciativas,* sino con funcionarios asalariados, cuyas iniciativas o pasividades no son tomadas en cuenta. Segundo, la libertad no obtiene garantías más serias, sensiblemente, que en el régimen colectivista. El Estado sigue siendo "formidable, inerte y opresivo".

Para Menger, el Estado socialista no debe centralizar sino el poder político, descentralizando las funciones económicas, a excepción de ciertos servicios esenciales para el interés nacional. Es decir, que el estatismo debe ser exclusivo en lo político y fiscalizador o intervencionista en lo administrativo.

En el libro colectivo de Renard, Landry y otros, publicado en 1905 con el título de *El socialismo, laborando,* se mantiene con firmeza la idea de la socialización general en todo lo que no sea de uso estrictamente personal, con la única reserva de que tal socialización ha de realizarse progresivamente. Se haría al principio a favor del Estado, el único lo bastante poderoso para armonizar las fuerzas productoras y asegurar la lucha victoriosa contra las desigualdades que tendiesen a renacer; pero se otorgará a los municipios u otras circunscripciones locales la propiedad (mejor dicho, la casi propiedad) de los bienes y la explotación de los servicios correspondientes a las necesidades locales. Se podrán confiar algunas explotaciones a individuos o asociaciones particulares, que no podrán obtener la propiedad de los capitales. El sistema, así compendiado, contiene una mezcla de socialismo comunal y un residuo de individualismo.

Los autores de *El socialismo, laborando* hicieron algo más que comentar el famoso *Programa de Saint Mandé,* trazado por Millerand en 1896, y que se define así: "Intervención del Estado para pasar del terreno capitalista al nacional las distintas clases de elementos de producción y de cambio, a medida que se desarrollan merced a la apropiación social."

El estatismo es, pues, aconsejable y aun preciso—según las tendencias socialistas—en aquellos países en que la colectividad aún no está preparada para las *descentralizaciones.*

(V. Centralismo, Descentralismo, Colectivismo.)

V. Gonnard, R.: *Historia de las doctrinas económicas.* Madrid, Aguilar, 1952.—Offertz, O.: *L'estatisme.* En "Rev. Social". 1913.—Gettell, Raymond G.: *Historia de las ideas políticas.* Barcelona, Labor, 1937.

ESTERCORANISMO

Esta palabra sirvió, durante las disputas religiosas sobre la Eucaristía entre los siglos xi y xvi, para designar cierta tendencia errónea en la explicación de los efectos de la transustanciación eucarística, consistente "en tomar en sentido demasiado materialista el influjo del cuerpo de Cristo sobre quienes lo reciben sacramentalmente".

Los estercoranistas no se conformaban con la refección espiritual de la Eucaristía, ni con que en la hostia consagrada no hubiera ninguna posible acción física de cuanto circunda a los accidentes eucarísticos sobre el cuerpo de Cristo.

Aun cuando Cristo ya precavió el peligro de una mala inteligencia del *comer su carne* con aquellas palabras *caro non prodest quidquam* (San Juan, c. VI, vv. 61-65), dando a entender

E

que no prometía manjar para digerir, los estercoranistas insistieron en lo contrario. Y así, Nicetas Pectoratus enseñó—siglo XI—*que la comunión rompía el ayuno.*

Tan misteriosamente como el cuerpo de Cristo se introdujo en las especies de pan, deja de estar en ellas una vez que el organismo que lo ha recibido pudiera transformarlo en vulgar alimento, sujeto a las funciones fisiológicas.

Realmente, el estercoranismo no indicó ninguna secta propiamente dicha.

La palabra se cree fue usada por vez primera, en 1054, por el cardenal Humbert en la increpación dirigida a Nicetas Pectoratus: *O perfide stercoranista.*

V. NAEGLE: *Ratramnus und die Hl. Eucharistie.* Viena, 1903.—PFAFF: *Dissertatio de stercoranistis medii aevi tam latinis quam graecis.* Tubinga, 1750.

ESTÉTICA

1. Ciencia que trata de la belleza.
2. Teoría de la sensibilidad.
3. Estudio de la belleza y de su representación en las bellas artes.

En su más alto y hondo sentido, estética es la filosofía de lo bello y del arte. Aun cuando las filosofías griega y medieval ya habían resuelto la mayoría de los problemas estéticos, como *ciencia particular,* la estética se precisó en 1750, fecha en que apareció el libro del wolfiano Baumgarten *Aesthetica.* Para Baumgarten, la estética era la filosofía de las percepciones sensitivas, ya que como tal ciencia se refirió al *sentimiento subjetivo* producido por la impresión externa y no sobre el *fundamento objetivo.* La estética es, pues, una ciencia psicológica.

Pero conviene advertir que el concepto *belleza* es, acaso, demasiado rígido para una integración del mundo de las sensaciones, ya que estas pueden ser, además de admirativas, alegres, deleitosas, de sobrecogimiento, de amable deleite, de satisfacción espiritual... De esta variedad nacen las *categorías estéticas,* de las cuales, la belleza no es sino una manifestación parcial.

Las categorías estéticas son: *lo sublime, lo gracioso, lo cómico, lo trágico, lo bello.*

Muchos siglos antes de Cristo los griegos ya se plantearon problemas tan fundamentales como los siguientes: ¿Qué es la *belleza?* ¿Qué es el *arte?* ¿Cuáles son las relaciones que existen entre la belleza y el arte, y entre lo *bueno* y lo *verdadero?* ¿Existe lo bello en sí y es *objetivo,* o solo el sujeto puede percibir la belleza, siendo esta, por tanto, un puro *ideal subjetivo?* Platón, que distinguió precisamente entre la belleza y el arte, hizo converger aquella hacia lo bueno. Y Aristóteles determinó como propiedades de lo bello el orden, la simetría y la delimitación. Para San Agustín, la belleza equivalía al orden. Para los neoplatónicos que siguieron las teorías de Plotino, la belleza se equiparó idealmente a la inteligencia, y más tarde al bien.

Durante la Edad Media, neoplatónicos y escolásticos *sujetaron lo bello* a las ideas de lo bueno y de lo verdadero.

Durante el Renacimiento, la filosofía estética influye decisivamente en lo literario por medio de los postulados de la retórica y de la poética. Y es preciso llegar al siglo XVIII para que la estética se desarrolle con absoluta independencia de los demás valores espirituales, estimulada por la filosofía sensualista de Condillac.

Para Kant, la belleza es *formal;* y solo es bello lo que es objeto de un universal placer; la belleza es un predicado del juicio—*sintético a priori*—que el hombre une a un objeto cuando este provoca "al juego libre de una contemplación desinteresada".

Actualmente, la Estética es la filosofía de las bellas artes en sus diversos aspectos—creación artística, relación entre las bellas artes, proyección de estas en la vida social, reacciones del individuo a las solicitaciones del arte...—y ha de enfrentarse con la peculiaridad de cada arte.

Identificada la estética con el arte—en cualesquiera de sus manifestaciones intelectuales o expresivas—, dota a este de unas reglas rigurosas: la *del orden,* la *de la verdad,* la *de la expresión,* la *del placer,* la *de la imitación,* la *de la expresión,* la *de la armonía*—subjetiva y objetiva—. Leyes inviolables, pero armonizadas *en desproporción,* esto es: sin necesidad de que estas leyes entren en idénticas apetencias subjetivas o idénticas exigencias objetivas.

Con relación a la literatura, la estética se proyecta, más que sobre la *invención*—sin reglas ni límites posibles—, sobre la *disposición* y sobre la *elocución.* Algunos críticos han llegado a creer que la estética de la literatura es una especie de retórica y poética *sin dictaduras preceptistas* sobre el escritor y dotando a este de una cultura múltiple y de un enorme sentido humano. Es decir: la Estética lleva a la literatura al campo experimental de todos los recursos bellos que proporciona la vida.

ESTETICISMO

Filosóficamente, esteticismo es una tendencia, confesada o no, a acoger las doctrinas por su belleza más bien que por su verdad. Y también la tendencia a una interpretación filosófica de la realidad desde el punto de vista personal y subjetivo de la estética, no de la verdad objetiva.

Por *esteticismo moral* se afirma la tendencia a determinar una conducta mediante las consideraciones puramente estéticas—inconsideradas las morales, aun cuando pueda parecer ello una paradoja—, a preocuparse, sí, de la dignidad, de la nobleza, de lo bello, del ordenamiento armónico de la vida más bien que de la justicia y de la beneficencia.

El esteticismo fue como una reacción filosófica contra muchos filósofos que pretendían que la moral absorbiese a la estética y que no reconocían como objeto bello ninguno que se opusiera o desconcertase con el orden moral. Los esteticistas afirmaron, por el contrario, que allí donde no había belleza, o tenía que existir moral, o la moral carecía de importancia. Posiblemente la confusión que existe al apreciar los términos de belleza y de moral radique en que tanto en una como en otra surgen sentimientos de desinterés, de admiración, de bondad, que transforman a los espíritus para la mayor dignidad y para la más soberana belleza.

Naturalmente, el esteticismo, como tendencia, es casi tan antiguo como el mundo; pero, como doctrina, aparece formulado en 1750 por el filósofo alemán Alexander Gottlieb Baumgarten, a quien se considera como el creador de la filosofía de lo bello, que distinguió de las otras disciplinas filosóficas y que bautizó con el nombre de *Estética.* Su obra fundamental fue la titulada *Aesthetica,* en ocho volúmenes, publicados de 1750 a 1758. Para Baumgarten, comprendía la Estética el estudio de las formas objetivas de la belleza natural y artística—lo gracioso, lo bello, lo sublime, lo trágico, lo cómico, etc.—y de las facultades perceptivas y creadoras de la belleza—imaginación, ingenio, emoción, sensibilidad, sentimiento, genio, etc.

Para Baumgarten, su filosofía de la belleza y del arte estaba integrada por elementos complejos, metafísicos, psicológicos, morales, sociológicos. Sin embargo, el esteticismo contemporáneo priva a la Estética del estudio de los elementos metafísicos de lo bello y declara su única disposición y propensión al estudio de las condiciones subjetivas—espirituales, intelectuales, emocionales y fisiológicas—. Nadie puede negar hoy a la Estética su trascendencia psicológica, ni tampoco su tendencia experimental, fundada en el análisis de los fenómenos psicológicos y fisiológicos que intervienen en el sentimiento estético. Se prescinde, pues, hoy, del aspecto objetivo, ontológico y metafísico, que fue el punto de vista del esteticismo griego y romano.

Literariamente, artísticamente, el esteticismo busca la organización de los estilos según las leyes de lo bello. La *pega* que se le ha puesto a tal consideración radica en lo espinoso de superar *lo subjetivo* en la apreciación de lo bello. Cada quisque pretende tener su ideal estético gloriosamente conseguido. Para separar tan precario subjetivismo de lo que pudiera alcanzar la categoría de *canon,* el esteticismo moderno ha defendido lo bello en su aspecto menos asequible a la masa: en lo *exquisito.* Salta a la vista que lo exquisito no es sino la más elaborada, subjetivamente, de las decadencias de lo bello.

Durante muchos siglos la idea de lo bello estuvo mezclada, como el oro nativo, con varias impurezas: el utilitarismo, la estricta imitación, la moral... Posiblemente han sido Kant y Hegel quienes más trabajaron para la independización de los valores estéticos. Kant, con su *Estética trascendental.* Hegel, con su dialéctica idealista.

Kant denominó *Estética trascendental* a la primera parte de su *Crítica de la razón pura,* y la definió como "la ciencia de todos los principios de la sensibilidad *a priori*". La destinaba Kant a ser el fundamento de la estética propiamente dicha, y en ella pretendió separar la pura sensibilidad de todo elemento de razón. Para Kant, los elementos especiales y constitutivos de la Estética son las concepciones sobre el espacio y el tiempo, que recibirán, respectivamente, el nombre de forma de la sensibilidad *a priori* externa e interna. Conocida es la difinición de lo bello como una *finalidad sin fin,* es decir, como algo que encierra en sí una finalidad, pero que no se subordina a ningún fin ajeno al goce estético. También distinguió Kant entre lo *bello*—productor de sentimientos placenteros, a los que acompañan ideas de limitación—y lo *sublime*—productor de sentimientos de admiración y de angustia o terror, que dan la impresión de lo ilimitado o infinito.

Hegel afirmó que toda realidad pertenece al *Espíritu,* y que el *Espíritu* es la única realidad; por tanto, fundió la *belleza* con lo *ideal.* El arte y la belleza—según Hegel—son la perfecta identidad del ideal y del fenómeno, el triunfo de lo real en la apariencia sensible. Solo cuando el *Espíritu* ha recorrido los numerosos estadios del *werdem,* y en su marcha *triádica*—tesis, antítesis y síntesis—llega a adquirir la conciencia de sí mismo, "esta autocontemplación se realiza en el arte, en la religión y en la filosofía".

El esteticismo actual ha separado radicalmente la belleza de lo ideal. El idealismo actual proclama que el arte puede existir en lo *no bello,* en lo *no agradable.* El actual esteticismo queda circunscrito "a la belleza que nos impresiona los sentidos, conforme o no con cánones universales".

Pero no puede en modo alguno confundirse este esteticismo sensualista con la estética total y totalizadora. El primero entiende el goce de una manera harto fácil e inmediata, exigiendo apenas que los dos principios de toda creación —expresión y representación—se sometan a las leyes armónicas de lo bello. La estética total y totalizadora comprende todas aquellas obras "con entidad existencial", es decir, con *poder* suficiente para concretarse en una sugerencia o en una emoción.

V. MARSHALL: *Aesthetic principles.* Londres, 1906. 2.ª ed.—OESER: *Aesthetische Briefe.* Berlín, 1910. 2.ª ed.—RITTER: *Ueber die principien der Aesthetik.* 1909. 5.ª ed.—SUTTER: *Cours d'esthétique générale.* París, 1902. 3.ª ed.—ZIMMERMANN: *Estética.* Traducción castellana

E

(¿1919?).—MENÉNDEZ Y PELAYO, M.: *Historia de las ideas estéticas.* Madrid, 1940. Cinco tomos.—MILÁ Y FONTANALS: *Principios de estética.* Barcelona, 1877.—ROUSSEL-DESPIERRES: *L'idéal esthétique.* París, 1904.

ESTETISMO (V. Esteticismo)

ESTILISMO

Tendencia literaria a cuidar exageradamente del estilo, atendiendo más a la forma que al fondo de la producción.

Conviene primeramente señalar la distinción radical que existe entre estilismo y estilo.

El estilo es una preocupación subjetiva por las calidades y las particularidades de la expresión, sin que jamás tal preocupación menoscabe las exigencias esenciales de la obra literaria: creación, pictoricismo, caracterización, interés, etc.

Que pueda afirmarse la existencia de un *estilo de Cervantes,* de un *estilo de Fray Luis de Granada,* o—en arte—de un *estilo velazqueño,* o—en música—de un *estilo mozartiano,* no significa en modo alguno la supeditación a estos estilos de la fuerza creadora o de la inspiración conmovedora, sino, simplemente, el hallazgo feliz de *una manera* o de *un modo* de expresarse peculiar, modo o manera que acrecientan la individualización de la obra literaria y artística. El estilo, en ocasiones, excede a las individualidades y concierne a las *escuelas* o a las *épocas,* y así existe—en literatura—un *estilo barroco,* y—en pintura—un *estilo rafaelesco* o un *estilo veneciano,* y—en artes decorativas y suntuarias—un *estilo Luis XV* o un *estilo isabelino.* El estilo es, pues, como una *arquitectura de la expresión;* es, igualmente, el "acuerdo de la forma con los medios de realización".

Aún cabe afirmar algo más del estilo: su necesidad es tal, que a él quedan sujetas cuestiones tan trascendentales como las luchas de escuelas, las tendencias conservadoras o innovadoras, las exigencias técnicas, los intereses artísticos. El estilismo es, indiscutiblemente, algo de menor importancia.

Como todas las *obsesiones,* el estilismo *amanera, desenfoca, desorbita* la obra literaria o artística. Lo cual no quiere decir que, en ocasiones, tales inconvenientes no sean *precisamente* los que califican y prestigian un nombre o una producción; para convencernos de ello, basta con que recordemos, sin salirnos de lo actual, la significación de un Strawinsky o de un Picasso. Pero ni aun pensando en las excepciones geniales, podemos dejar de insistir en que el estilismo es un fenómeno de individualismo amanerado y desenfocado, que, lógicamente, no formará nunca ni *época ni escuela.*

ESTILÍSTICA

Nombre dado al examen no solo de la parte gramatical de una obra literaria, sino también de las formas psicológicas; es decir, al estudio, en armonía perfecta, del lenguaje, del tema y del proceso creador.

"La estilística—escribe Amado Alonso—se aplica lo mismo a obras actuales que a obras remotas. Ella quiere también reconstruir, pero no lo de fuera, sino lo de dentro del poeta. Aspira a una re-creación estética, a subir por los hitos capilares de las formas idiomáticas más características hasta las vivencias estéticas que las determinaron. Se quiere con ello llegar a gozar no solo el tema poético deliberada y calculadamente construido y comunicado por el artista, sino también la atmósfera interior, espiritual, personal, donde esa flor nació; tomar conciencia, para su cabal goce, de toda la luz de la poesía que allí está vibrando, no solo de la que nos contornea los objetos, sino también de los rayos infarrojos y ultravioletas y de su eficacia oculta y vital. Y todo ello arrancando sabiamente a los individuos toda su fuerza denunciadora. *Per aspera ad astra:* se intenta asistir por vislumbres al espectáculo maravilloso de la creación poética."

La estilística debe, pues, iniciar su investigación donde la gramática debe detenerse.

La estilística tiene dos procedimientos opuestos para su desarrollo: el *método deductivo* y el *método inductivo.* Aquel se basa en el análisis de la obra íntegra de un autor o de un período. Este se basa en el análisis de algunos ejemplos que aparecen como culminaciones, según el sentir subjetivo del investigador.

La estilística, para obrar, no separa nunca el fondo de la forma; y exige, a quienes la cultivan, no solo una gran cultura, sino también, y en más alto grado, una intención nata para la fruición estética.

ESTILO

1. Forma. Manera. Modo.
2. Peculiaridad en quien escribe.
3. Gusto particular de cada autor, y como "sello" que caracteriza sus producciones.
4. Forma, aire que tienen el escritor y el orador de manifestar su pensamiento.

El estilo de un escritor no afecta, por lo general, a las cualidades esenciales y permanentes del lenguaje, sino a lo accidental, variable y característico *de sus formas,* esto es: a la manera de combinar y enlazar las frases, los giros, los períodos, las cláusulas; a la manera de colocar, de prodigar los adjetivos; a la manera de utilizar los arcaísmos, neologismos, barbarismos...

Estilo es también el carácter general del escrito: su claridad u oscuridad, su naturalidad o afectación, su previsión o vaguedad, su ligereza o pesadez, su concisión o redundancia, su ornato o su desaliño, su pureza o barbarie...

Según los retóricos, las principales cualidades que distinguen los estilos son siete: *orden, claridad, naturalidad, facilidad, variedad, precisión* y *decoro.*

Y la principal división del estilo es en: *sublime, medio* y *sencillo.*

Naturalmente, el estilo puede ser dividido con relación a numerosos aspectos. Claro y oscuro. Original y común o vulgar. Natural y afectado. Puro, castizo o bárbaro. Preciso y vago. Suave y áspero. Ligero y pesado. Enérgico y débil. Conciso y prolijo. Noble y familiar. Fuerte y débil. Elegante y chabacano. Cortado y farragoso. Llano y florido. Compacto y desencajado.

Y aún podemos aludir *a estilos ya formados,* que pueden ser adoptados por el escritor. Así, en España, el *estilo gongorino.* Y en el mundo: el *pindárico,* el *ciceroniano.*

También existen *estilos propios* de determinados géneros literarios. Así, el *epistolar,* el *oratorio,* el *histórico,* el *elegíaco,* el *didáctico.*

ESTOICISMO

Sistema filosófico fundado por Zenón de Citio. Este nombre, estoicismo, se deriva de *Stoa* (Pórtico), lugar donde enseñó aquel filósofo.

Zenón "el Estoico" nació en Citio (Chipre). Vivió entre los años 336-263 antes de Cristo. Murió en Atenas. Era hijo de un opulento mercader. Se estableció en Atenas y tuvo por maestro a Crates "el Cínico". Estudió durante veinte años con Estilpon, Jenócrates y Polemón en la escuela de Megara y en la Academia. Luego empezó la enseñanza pública en uno de los puntos más concurridos de Atenas: el *Pórtico,* situado al noroeste del Agora, circunstancia por la cual sus discípulos tomaron el nombre de *estoicos,* de στοά (pórtico). Alcanzó gran fama. Antígono Gonatas y Tolomeo Filadelfo intentaron atraerle a sus cortes. Atenas le concedió el derecho de ciudadanía y después de su muerte una sepultura en el Cerámico, con una corona de oro.

No ha quedado nada de sus escritos, tan numerosos como variados, a juzgar por sus títulos: *De la ética de Crates, De la vida conforme a la Naturaleza, De las pasiones, De lo conveniente, Del universo, Del ser, De la vida, De la razón, Del amor, De la expresión, De la educación griega, Problemas homéricos, Refutaciones, Soluciones, Trazados...*

La mejor colección de fragmentos zenonianos es la debida a Armin: *Storicorum veterum fragmenta,* volumen I: *Zeno et Zenonis discipuli,* Leipzig, 1905.

Cleantes y Crisipo sucedieron a Zenón en la dirección del estoicismo.

El *estoicismo antiguo* delata claramente tres influencias: la de los principios morales de los cínicos—con quienes se educó Zenón—, los postulados físicos de Heráclito y la lógica de Aristóteles. Pero el estoicismo tuvo otras dos épocas, llamadas *estoicismo medio* y *estoicismo nuevo.* Las tres épocas se desarrollaron entre los años 300 antes de Cristo y 200 después de Cristo, es decir, durante quinientos años. En el estoicismo medio se distinguió Panecio de Rodas y el sirio Posidonio—que fue maestro de Cicerón—. En el estoicismo nuevo fueron figuras sobresalientes Séneca, Epicteto, el emperador Marco Aurelio.

El estoicismo presenta su filosofía dividida en tres partes: lógica, física y ética; pero su verdadero interés y su máxima trascendencia residen en su moral.

El estoicismo antiguo aceptó la lógica de Aristóteles, ampliándola al estudio de los signos verbales, dándole un cariz gramatical, y a la determinación del criterio de la verdad.

De un empirismo exagerado, los estoicos afirmaron que todos los conocimientos humanos empezaban y terminaban con la experiencia; y distinguieron dos clases de conocimientos: los *naturales*—formados por repetidas experiencias de las mismas cosas— y los *universales*—formados por el entendimiento—. Pero únicamente los naturales tenían validez.

Monista y panteísta fue la física de los estoicos. Al no dar validez a los conceptos universales, tuvieron que negar las sustancias segundas, a las cuales calificaron de meras abstracciones del entendimiento, sin fundamento posible en la realidad. Todo lo real es corpóreo. Y la realidad corpórea se compone de cuatro elementos: aire, fuego, tierra y agua. El agua y la tierra son elementos pasivos; el fuego y el aire, activos. Pero es el fuego el *logos,* la razón del Universo, un elemento divino, Dios, en fin, que es el alma del mundo. Para los estoicos no existieron ni la libertad ni la casualidad; el hado, la fatalidad lo domina todo. Dios contiene las *rationes seminales* de todas las cosas; por ello conoce y domina los acontecimientos todos de la Naturaleza y del hombre. Ideas en las que ya insinuaron los estoicos los conceptos de providencia y de predestinación.

"La ética estoica—escribe González Alvarez— está basada en este principio fundamental: el bien consiste en vivir conforme a la Naturaleza. Esto puede entenderse de dos maneras, porque de dos maneras puede decirse la palabra Naturaleza: individual y cósmica. Si nos fijamos en la Naturaleza individual, estamos en el mismo punto de partida de los cínicos. Pero ha de tenerse en cuenta que el elemento superior de la Naturaleza, tanto humana como cósmica, es la razón. Vivir conforme a Naturaleza significa, pues, vivir conforme a razón. En este sentido, los estoicos vienen a coincidir con Sócrates: la sabiduría se identifica con la virtud. El sabio obra siempre bien; todas sus acciones son perfectas. Los necios, el vulgo, obran siempre mal, siempre imperfectamente. El supremo bien es la virtud, este modo de pensar del sabio, que se somete a la ley inexorable de su destino. Esta sumisión al destino es impedida, dificultada por las pasiones no sujetas a la razón. El ideal del sabio consistirá, pues, en libertarse de todas las pasiones libertadoras y hacerse insensible a todas las cosas que se consideran moralmente indiferentes, como el placer, los honores, la riqueza, etc. Solo poniendo la razón por arriba de todo adquirimos el verdadero ideal del sabio, la *apatía* o imperturbabilidad del ánimo."

Vivere secundum naturam proclamaron los estoicos, para quienes la razón humana era una parcela de la razón universal; y así, pensaban que nuestra naturaleza nos llevaba a la armonía con el universo entero, es decir, con la *Naturaleza*. El estoico tenía que aceptar las cosas tal como eran, amoldarse enteramente al destino. *Parere Deo libertas est*—la libertad consiste en obedecer a Dios—creían. Puesto que los hados nos arrastran, ¿por qué, para qué resistirnos a los hados invencibles? Otra sentencia estoica fue: *sustine et abstine*—soporta y renuncia.

En el estoicismo aparece clara y neta la idea del *cosmopolitismo* (V.) triunfando sobre la idea de *nacionalismo* (V.), ya que apelando únicamente a la naturaleza del hombre, esta no basta para fundar una convivencia—nación o tribu—, pero sí para unir a todos los hombres en una virtud. El estoicismo superó la idea de la *polis* como unidad política.

Otros estoicos griegos ilustres fueron: Perseo de Citio, Aristón de Chio, Herilo de Cartago, Zenón de Tarso, Diógenes de Babilonia, Antipater de Sidón...

Pero las grandes figuras del estoicismo nuevo fueron, como ya dijimos antes: Séneca, Epicteto y el emperador Marco Aurelio. Los tres corrigieron muchos defectos del estoicismo y le añadieron nuevos y subidos valores.

Lucio Anneo Séneca (3-65), nacido en Córdoba, famosísimo filósofo, abandonó la concepción panteísta del estoicismo y su doctrina antropológica, y revivió la concepción platónica sobre los temas apuntados, y acaso llegó a la idea de un Dios personal distinto del mundo. Séneca afirmó la hermandad de todos los hombres, basada en su naturaleza común, y que la virtud es suficiente para hallar la felicidad.

Epicteto (50-117), liberto o esclavo manumitido, autor de una deliciosa e impresionante colección de *Máximas*, declaró que el mal y el bien *no existían en el mundo, sino dentro de cada uno de nosotros*. Su doctrina moral se definió en el removedor *sustine et abstine*—soporta y renuncia.

El emperador Marco Aurelio, que gobernó entre los años 161 y 180, y en quien se advierte ya una clara influencia del Cristianismo, sostuvo la teoría de la realación del hombre con Dios mediante la mente, que tiene origen y carácter divino.

V. Lipsio, Justo: *Manuductio ad stoicam philosophiam*. Antuerpia, 1604.—Tiedemann: *Système de la philosophie stoïcienne*. Traducción francesa.—Ritter: *Hist. de la Philosophie*. Trad. franc. Lib. XI.—Arnim, H. von: *Stoicorum veterum fragmenta*. 1903-1905.—Weygoldt, P.: *Zeno von Citium*... Jena, 1872. Wellmann, E.: *Die Philosophie des Stoikes Zenon*. Leipzig, 1873-1877.—Bonhoeffer: *Epiktet und die Stoa*. Stuttgart, 1890.—Heineman, J.: *Poseidonios*. Berlín, 1927-1928.

ESTONIA (Lengua)

Una de las lenguas finesas sumamente parecida al finlandés, hasta el punto que pueden entenderse dos personas hablando cada una un idioma. En el estoniano predominan las vocales, y por ello es un lenguaje dulce y armonioso. Comprende dos dialectos principales: el de *Reval* y el de *Dorpat*, modificados profundamente en algunas regiones por la influencia de la lengua alemana.

V. Kruse: *Urgeschichte des estnichen Volksstammes*. Leipzig, 1846.

ESTONIA (Literatura)

El primer libro escrito en estonio fue la *Gramática* de H. Stahl, impresa en 1637. A fines del siglo XVII, un erudito y poeta llamado Johann Hornung publicó otra *Gramática* y un libro de *Cánticos*.

Pero hay que llegar al siglo XIX para encontrar una literatura estonia autóctona y diversa. Vidri Roin Ristmets (en alemán, Friedrich Reinhold Kreutzwald) (1803-1872) publicó un gran poema, de 18.000 versos en 20 cantos, titulado *Kalevipoeg (El hijo de Kalev)*, recopilación de antiguos cantos épicos del pueblo; poema que obtuvo un éxito muy próximo al de su modelo, el *Kalevala* finlandés. Pero ha de tenerse en cuenta que los cantos armonizados en el poema solo representan una parte exigua de la poesía popular estonia.

A partir de 1850 se multiplican los excelentes poetas y narradores. Lidya Koidula (1843-1886), narradora costumbrista. Milkhel Veske (1843-1890), filólogo. Peeter Jakobson (1854-1889), autor de salmos y plegarias. Martín Lipp (n. 1854), también poeta religioso. Juhan Kunder (1852-1888), poeta y autor dramático. Johan Bergmann (1856-1916), que tradujo en verso la *Odisea*. Jakob Tamm (1861-1907), poeta y ensayista. Jakob Liiv (n. 1859), Karl Eduard Sööt (n. 1862) y Georg Eduard Luiga (n. 1866), poetas líricos iniciadores del realismo. Anna Haava (nació en 1864), poetisa. Elise Aun (n. 1863), cuentista. Jakob Parn (1843-1916), que enriqueció y renovó la prosa narrativa. Eduar Bornhohe (1862-1923), cultivador de la novela histórica. August Kitzberg (n. 1855), autor dramático insigne—*El licántropo*—. Juhan Liiv (1864-1913), cuentista y novelista. Eduard Wilde (1865-1933), diplomático, periodista, autor dramático, narrador. A. H. Tammsaare, gran novelista. Aleksander Tassa, vigoroso novelista. Friedebert Tuglas (n. 1886), neorromántico. Jaan Tonisson, ideólogo y ensayista. Ernst Péterson, narrador humorista. Oskar Philipp Kallas (nació en 1868), folklorista. Konstatin Päts (n. 1874) y Mait Metsanurk (n. 1879), prosistas y autores dramáticos.

Ya dentro del siglo actual, han ganado popularidad en su país y fama fuera de este: Jaan Oks, cuentista y articulista. August Gailit, Cuentista. Oskar Luts, novelista fecundo y popular. Hugo Raudsepp (n. 1895), creador del moderno teatro estonio. Peet Vallark (n. 1893), narrador de un realismo duro. Albert Kivikas (n. 1898), cuentista y novelista. August Mälk (n. 1900) y August Jakobson (n. 1899), novelistas naturalistas.

Entre los mejores poetas: Gustav Suits (1883), tradicionalista. Villem Ridala, folklorista. Marie Under (1883), autora de baladas de asunto legendario. Johannes Semper (1892), metafísico.

Marcan el paso del modernismo a la subversión: Johannes Barbarus, Henrik Visnapuu, Jaan Kärner, Arthur Adson, Henrik Adamson, August Alle...

Y dentro de los "ismos"—futurismo, dadaísmo, superrealismo—han ganado personalidad: Vilmar Adams, Heisi Tammik, Erni Hiir, Johannes Schütz, en quienes la nota predominante es la de un post-modernismo aún no muy adulterado por la subversión.

V. Prampolini, J.: *Historia universal de la Literatura.* Buenos Aires, Uteha, 1941, tomo XIII.

ESTRAMBOTE (V. Soneto)

Se llama así la copla añadida al fin de una composición lírica, principalmente de las seguidillas o de los sonetos, para reforzar su intención o lograr un juego de gracejo.

Los tres últimos versos del siguiente soneto constituyen el estrambote:

Voto a Dios que me espanta esta grandeza
y que diera un doblón por describilla:
porque ¿a quién no suspende y maravilla
esta máquina insigne, esta riqueza?

Por Jesucristo vivo, cada pieza
vale más de un millón, y que es mancilla
que esto no dure un siglo, ¡oh gran Sevilla!
Roma triunfante en ánimo y nobleza.

Apostaré que el ánima del muerto,
por gozar este sitio hoy ha dejado
la gloria donde vive eternamente.

Esto oyó un valentón, y dijo: —Es cierto
cuanto dice voacé, señor soldado.
Y el que dijere lo contrario, miente.

Y luego, in continente,
caló el chapeo, requirió la espada,
miró al soslayo, fuese... y no hubo nada.

ESTRANGELO

Alfabeto siríaco. (V. *Siriaca, Lengua.*)

ESTRIBILLO

Estrofa corta o verso que se repite al fin de cada una de las estrofas de ciertas composiciones líricas. En ocasiones, el *estribillo* inicia también la composición. En el *estribillo* está contenida la idea central de la poesía:

¡Esta sí que es siega de vida; *(Estribillo.)*
esta sí que es siega de flor!
Hoy, segadores de España,
vení a ver a la moraña,
trigo blanco y sin argaña,
que de verlo es bendición.
¡Esta sí que es siega de vida; *(Estribillo.)*
esta sí que es siega de flor!

(Anónimo.)

ESTRO

Inspiración poética. Numen.

ESTROFA

De στροφή, vuelta, conversión.

1. Cada una de las partes, compuestas del mismo número de versos, en que se divide una composición poética.

2. Cualquiera de dichas partes, aun cuando consten de distinto número de versos y estos consten de distinto número de sílabas.

En Grecia se denominó *estrofa* a la parte primera del canto lírico, que comprendía: la *estrofa,* la *antiestrofa* y el *épodo.* La estrofa era cantada por el coro, y podía ser: *alcaica*—dos pies alcaicos, un yámbico dímetro hipercataléctico y un dactilo trocaico—, *sáfica*—tres sáficos y un adónico—, *asclepiadea*—tres asclepiadeos y un glicónico o dos asclepiadeos, un ferecraciano y un gliconiano—, *arquiloquiana*—de un gran arquiloquiano y un yámbico trocaico—, *yámbica*—de un yámbico trímetro y un yámbico dímetro.

Estrofas menos usadas y de importancia menor eran las *alcmeniana y trocaica.*

En la poesía castellana hay estrofas desde cuatro hasta veinte versos, y los versos que más se mezclan en ellos son: los de siete sílabas con los de once; los de ocho y los de siete; los de siete y los de cinco; los de once y los de cinco —estrofa sáfica.

Las estrofas más usadas en la poesía castellana son:

Pareado. Se combinan dos versos de arte mayor o menor, o uno de cada arte:

E

De las flores viene tomando,
es en alta voz d'amor cantando.

(Razón de amor.)

Terceto. Reunión de tres versos, generalmente endecasílabos:

Fabio, las esperanzas cortesanas
prisiones son do el ambicioso muere
y donde al más astuto nacen canas.

(Epístola moral a Fabio.)

Cuarteto. Cuatro versos de arte mayor. Si son de arte menor, forman la *redondilla:*

Hombres necios que acusáis
a la mujer sin razón,
sin ver que sois la ocasión
de lo mismo que culpáis.

(SOR JUANA INÉS DE LA CRUZ.)

Quinteto. Cinco versos de arte mayor. Si son de arte menor, forman la *quintilla:*

Pasó un día y otro día,
un mes y otro mes pasó,
y un año pasado había,
mas de Flandes no volvía
Diego, que a Flandes marchó.

(ZORRILLA.)

Lira. Cinco versos, dispuestos así: el primero (hectasílabo) rima con el tercero (hectasílabo), y el segundo (endecasílabo) con el cuarto (hectasílabo) y el quinto (endecasílabo):

El aire se serena
y viste de hermosura y luz no usada,
Salinas, cuando suena
la música extremada,
por vuestra sabia mano gobernada.

(FRAY LUIS DE LEÓN.)

Sextina. Seis versos de arte mayor, consonantes por lo general:

La generosa musa de Quevedo
desbordóse una vez como un torrente
y exclamó, llena de viril denuedo:
"No he de callar, por más que con el dedo,
ya tocando los labios, ya la frente,
silencio avises o amenaces miedo."

(NÚÑEZ DE ARCE.)

Octava real. Ocho versos endecasílabos, que riman: primero, tercero y quinto; segundo, cuarto y sexto, y séptimo y octavo:

¡Pobre Teresa! Cuando ya tus ojos
ávidos ni una lágrima brotaban;
cuando ya su color tus labios rojos
en cárdenos matices se cambiaban;
cuando de tu dolor tristes despojos
la vida y su ilusión te abandonaban,
y consumía lenta calentura
tu corazón al par de tu amargura.

(ESPRONCEDA.)

Décima. Diez versos octosílabos:

Apurar, cielos, pretendo,
ya que me tratáis así:
¿qué delito cometí
contra vosotros, naciendo?
Aunque si nací, ya entiendo
que delito he cometido,
bastante causa ha tenido
vuestra justicia y rigor,
pues el delito mayor
del hombre es haber nacido.

(CALDERÓN DE LA BARCA.)

Soneto. Catorce versos, dispuestos en dos cuartetos y dos tercetos:

Cuando en mis manos, Rey eterno, os miro,
y la cándida víctima levanto,
de mi atrevida indignidad me espanto,
y la piedad de vuestro pecho admiro.
Tal vez el alma con temor retiro,
tal vez la doy al amoroso llanto;
que, arrepentido de ofenderos tanto,
con ansias temo y con dolor suspiro.
Volved los ojos a mirarme humanos;
que por las sendas de mi error siniestras
me despeñaron pensamientos vanos.
No sean tantas las miserias nuestras
que a quien os tuvo en sus indignas manos
Vos le dejéis de las divinas vuestras.

(LOPE DE VEGA.)

También hay estrofas que, usándose ahora escasísimamente y por capricho, tienen un soberano interés histórico.

Tetrástrofo monorrimo, usada por el *mester de clerecía* y formada por cuatro versos de catorce sílabas, repartidas en dos hemistiquios de siete:

Yo, maestro Gonzalvo—de Berçeo nomnado,
yendo en romería—caecí en un prado
verde e bien sencido,—de flores bien poblado,
logar cobdiciadero—para omne cansado.

(GONZALO DE BERCEO.)

Copla de arte mayor. Ocho versos dodecasílabos, divididos en dos hemistiquios:

Bien se mostraba—ser madre en el duelo
que fizo la triste—después ya que vido
el cuerpo en las andas—sangriento tendido
de aquel que criara—con tanto recelo.

(MARQUÉS DE SANTILLANA.)

Ovillejo. Variedad de la décima. Los primeros seis versos, pareados; pero el primero de cada pareado es octosílabo y el segundo de pie quebrado. Los cuatro últimos versos formaban una redondilla, cuyo último verso reunía los tres quebrados:

¿Quién menosprecia mis bienes?
Desdenes.
¿Y quién aumenta mis duelos?
Los celos.
¿Y quién prueba mi paciencia?
Ausencia.
De este modo en mi dolencia
ningún remedio me alcanza,
pues me matan la esperanza
desdenes, celos y ausencia.

(CERVANTES.)

Octava italiana. Ocho versos endecasílabos u octosílabos, dispuestos así: el primero, libre; el segundo rima con el tercero; cuarto, agudo, con el octavo, también agudo; quinto, libre, sexto con séptimo. Se usó mucho por los poetas románticos:

Débil mortal, no te asuste
mi oscuridad ni mi nombre;
en mi seno encuentra el hombre
un término a su pesar.
Yo, compasiva, le ofrezco
lejos del mundo un asilo,
donde a mi sombra tranquilo
para siempre duerma en paz.

(ESPRONCEDA.)

ETEÓSTICO (V. Cronograma)

Era llamado así el verso latino que contenía en cifras romanas alguna fecha.

ETIMOLOGÍA

ἐτυμολογία, de ἔτυμος verdadero, y λόγος, dicción, palabra.

1. Origen de las palabras. Fuente, raíz, principio natural de donde derivan.
2. Razón de la existencia de las palabras.
3. Razón de la significación y de la forma de las palabras.

Los clásicos tuvieron esta idea de la etimología: "Verdadero conocimiento de la expresión de las palabras por el de su origen y por los elementos de su composición."

Fue Platón el primero que en su diálogo *Cratilo* se preocupó de la etimología. Para el genial filósofo, las palabras se dividían en *primitivas* y *derivadas.* Eran primitivas aquellas "que daban directamente la idea de la naturaleza de un objeto por medio del carácter mismo de sus sonidos".

Desde un punto de vista etimológico, se dividen las lenguas según hayan *ejercido influencia sobre otras* o la *hayan recibido,* porque aún no cabe señalar un lenguaje auténticamente puro en el que no puedan señalarse determinadas analogías con otro.

Todos los idiomas modernos han sufrido la influencia de las antiguas lenguas locales, así como las del griego, del latín, del árabe y de los idiomas nórdicos. A su vez, el griego y el latín la recibieron de los idiomas del Asia y de otros pueblos de Europa. Y estos idiomas europeos y asiáticos, unidos o no a un tronco común, del que se ignora el anterior o, al menos, sus raíces, recibirían la influencia de lenguajes hoy desconocidos o sumamente imprecisos.

Las lenguas habladas hoy se clasifican en *matrices y derivadas.*

El latín nació de uno de los dialectos de la lengua helénica—el eólico.

Al latín deben su origen: el *español,* el *francés,* el *italiano...*

Del *árabe* derivó el *turco.* Y estas lenguas, con la *persa,* la *fenicia,* la *caldea,* la *siria,* pertenecen a un mismo tronco, acaso el *sánscrito...*

ETIÓPICAS (Lenguas)

Grupo de lenguas habladas en el Africa oriental, parte en Abisinia y parte fuera de esta región, pero con relaciones evidentes entre ellas. El filólogo Antoine D'Abbadie sumó en este grupo veintiocho lenguas y sus dialectos, hablados en el curso superior del Nilo y en el curso de sus afluentes.

Las veintiocho lenguas se han agrupado en cinco clases. La primera de estas clases está calificada de *semítica,* y solo contiene la lengua *ghiz* y el etiópico propiamente dicho.

La segunda clase comprende dos lenguas, de cuya naturaleza semítica únicamente hay presunciones: *torgryama*—hablada en el Tigré y en el Agamo—y *togray*—hablada en todo el litoral del Mar Rojo.

La tercera clase, denominada subsemítica, comprende: el *amhara,* el *adari,* el *ilmorma* y los idiomas hablados en el Gonrage y por los galafs.

La cuarta clase es la de las lenguas *hamtonga,* así llamadas de la principal de ellas, la de los tcheratz agow.

La quinta clase de las lenguas etiópicas comprende todas aquellas afinidades que todavía son poco conocidas. A ella pertenecen el *dambia,* el *krarana* y otros.

El alfabeto *ghiz* ha dado lugar a numerosas y diversas hipótesis. Difiere de todos los demás alfabetos semíticos por el nombre, el orden, el valor, el número y la forma de las letras y la dirección de su escritura, que va de izquierda a derecha. Cada consonante, según afirmó Renán, encierra una *a* breve, como el sánscrito; las otras vocales no se marcan por signos independientes, sino por ciertos apéndices agregados a cada consonante. De aquí resulta que el alfabeto *ghiz* comprende un silabario de 202 signos, representando cada uno una sílaba. El antiguo *ghiz,* corrupto, dio paso al moderno *ghiz,* y este, modificado, ha sido llamado *amhárico* o del reino de *Amhara.*

V. Hasse, J. G.: *Manuel des langues arabe et éthiopienne.*—Isenberg: *Grammatik des aethiopiae Sprache.* Leipzig. 1857.—Renán, E.: *Histoire et système comparé des langues sémitiques.*

ETOPEA

Cuadro de caracteres sobre tipos dados, esto es, con relación a determinadas individualidades. (V. *Etopeya.)*

ETOPEYA (V. Figuras de pensamiento)

Consiste en la descripción de los usos y costumbres y carácter de un personaje.

> Era don Alvaro de Luna de ingenio vivo y de juicio agudo; su astucia y su disimulación, grandes; el atrevimiento, soberbia y ambición, no menores. (P. Mariana.)

> Ese es el cuerpo de Crisóstomo, que fue único en el ingenio, solo en la cortesía, extremo en la gentileza, fénix en la amistad, magnífico sin tasa, grave sin presunción, alegre sin bajeza, y, finalmente, primero en todo lo que es ser bueno, y sin segundo en todo lo que fue ser desdichado. (Cervantes.)

ETRUSCA (Lengua y Literatura)

El etrusco es uno de los antiguos idiomas itálicos. Todavía resulta difícil asignarle un lugar seguro en el grupo de las lenguas que afecta a la familia a que corresponde precisamente el pueblo que lo habla. Müller ha encontrado afinidades entre el etrusco y el griego. Micali cree que las tiene con un antiguo lenguaje ilírico, rama del tronco tracio. Ciampi lo cree derivado del eslavo. Freret, del céltico. Lanzi lo considera semítico. Guarnacci afirma que del etrusco deriva no solo el latín, sino también el griego. Como el etrusco se escribía de derecha a izquierda, dio motivo a suponer que sus raíces estaban en el Oriente. Los monumentos epigráficos descubiertos en Tarquinia, Corea y Vulci no son lo suficientemente numerosos para llevar luz a tantas dudas. Sus letras son, evidentemente, de origen griego, y toman las formas de los caracteres dorios y eolios. El alfabeto consta de 21 letras. Faltan en él la *o* y la *b,* reemplazada esta por la *p* o por la *d.* Existe una *f* distinta de la φ griega. Tiene dos *s,* una dulce y otra dura. Predomina en sus palabras la *n.* La *x* latina se confunde con la *z* y con la *s.* Las vocales breves se suprimen en la escritura.

La lengua etrusca abunda en articulaciones guturales; y todavía, en tiempos de Lucrecio, tenía una gran vitalidad.

Los etruscos, entre los cuales el arte tuvo una magnífica expresión, tuvieron igualmente una literatura selecta.

Uno de los más antiguos versos utilizados por los poetas latinos, el *verso fesceniano,* tiene un origen etrusco. La característica de la literatura etrusca tuvo una marcada tendencia al estudio de las ciencias naturales. Los sacerdotes redactaban sus observaciones meteorológicas en unos libros llamados *Fulgurantes.* Los sacerdotes estudiaban también las propiedades de las aguas y de las plantas. Los *libros sagrados* fueron quince, y se conocieron con el nombre de *Aquerontianos;* encerraban la doctrina de las larvas, la suspensión del destino, la deificación de los espíritus, el ritual religioso y los pronósticos. Los etruscos conocieron—y tuvieron—los teatros de piedra antes que los romanos. Los actores profesionales *ludii* o *ludiones* que interpretaron los primeros juegos escénicos en Roma, llegaron de Etruria. Varrón cita a un poeta llamado Volnio, autor de varias tragedias. Y Ovidio menciona a otro.

V. Amaduzzi: *Alphabetum veterum Etruscorum.* Roma, 1771.—Maury, Alfred: *Nouvelles recherches sur la langue étrusque.*

EUCÓLOGO o EUCOLOGIO

De εὔχεσται, oración y λέγειν, tratado. Libro de oraciones. Este nombre se dio, particularmente en la Iglesia griega, al ritual que contenía los detalles de las ceremonias del culto. En la Iglesia latina designa el libro que marca los oficios de los domingos y días festivos, con las *Horas* y los *Oficios.*

EUDEMONISMO

Sistema ético que propone como blanco y estímulo de la moralidad de las acciones la felicidad—dicha o placer—del ser que las ejecuta.

Eudemonismo deriva de εὐδαιμονία—felicidad—y es, según Aristóteles, *la teoría de la felicidad,* la cual se alcanza por la unificación racional de la vida, la subordinación de las tendencias inferiores a las superiores y la armónica adaptación de todas ellas al fin supremo. Es también la teoría *del orden o del bien* racional de los escolásticos.

Generalmente, el eudemonismo es una doctrina moral que identifica la virtud con la dicha. Pero como las ideas morales tienen muchos matices, de aquí que el eudemonismo haya sido confundido o identificado con cuantas doctrinas procuran el bienestar individual, como el *utilitarismo* (V.), el *epicureísmo* (V.), el *hedonismo* (V.). La mayor parte de la crítica ha hecho sinónimos eudemonismo y hedonismo, afirmando que las dos son doctrinas de la felicidad *no religiosa*. Afirmación que se aparta bastante de la verdad.

El hedonismo identifica la dicha con el placer, y establece el principio de que no hay otro bien que el placer ni existe otro mal que el dolor. El eudemonismo, por el contrario, afirma que las nociones de bondad y de maldad pueden ser concebidas independientemente del placer y del dolor, pero el bien y la dicha están necesariamente ligados entre sí. Platón *demuestra* que el justo es dichoso y que es desgraciado el perverso. Para Aristóteles, el bien es un *acto*, el placer es algo que se sobreañade a ello, pero que no lo constituye. Para las doctrinas espiritualistas, el bien es la perfección, o el *Ser;* el placer queda reducido a la condición de un sentimiento feliz que acompaña al acrecentamiento de nuestro ser o de nuestra perfección. Para el hedonismo, el bien es el placer mismo, y la dicha consiste en gozar del bien.

La filosofía medieval aceptó el eudemonismo *tamizado* por el aristotelismo, es decir, como el conjunto de ideas morales que dominaban en los pueblos civilizados.

Pero Kant, como predicaba la moral por la moral, usó la palabra eudemonismo despectivamente: como la tendencia egoísta de la moral que no se basta a sí misma y que *egoístamente* busca un interés: el bienestar, la dicha en esta o en la otra vida. Para Kant, el eudemonismo es una teoría inmoral. Para la moralidad quiere, pues, el gran filósofo de Koenigsberg un desinterés absoluto; y la doctrina que no siente como él y con él la calificó de egoísta, valiéndose del neologismo filosófico *eudemonismo.*

Y tanto ha pesado la opinión de Kant en la filosofía contemporánea, que hoy, cuando se califica una escuela o a un filósofo de eudemonistas, se entiende "que falta algo a la pureza de su doctrina moral". Sin embargo, la idea de Kant no es nueva. Ya la defendieron, en el siglo XVI, los calvinistas, y el español Miguel de Molinos poco después. Naturalmente, la Iglesia católica se ha opuesto siempre a la teoría kantiana, afirmando el valor del eudemonismo con tendencias interesadas a la consecución del bien supremo en esta y en la vida futura inmortal; y que el bien moral es el bien del hombre por antonomasia.

Creemos, sin embargo, que fue Aristóteles quien determinó con la mayor precisión el contenido y la eficacia del eudemonismo.

"¿Y cuál es el fin, el *supremo bien* del hombre?—escribe Aster—. Este fin le llamamos *eudemonía;* pero ¿en qué consiste la eudemonía, la felicidad? Cabalmente, en la respuesta a esta pregunta los pareceres de los filósofos se presentaban inconciliables. Por eso Aristóteles sigue otro camino distinto: su punto de partida no es el bien supremo, sino la esencia del hombre y la actividad que por su esencia le es propia.

"Aristóteles no determina el camino mediante el fin, sino el fin mediante el camino. El hombre es un *ser racional:* la actividad racional, el pensamiento, es la *expresión* de su esencia, el camino para la realización de su fin, de su bien supremo. En el pensamiento consiste, pues, la *virtud* del hombre: la vida teórica está por encima de la vida práctica. Pero aun en las mismas virtudes prácticas del dominio de sí mismo, de la templanza, de la fortaleza, etc., representan la hegemonía de la razón sobre la conducta. Y la influencia de la razón consiste en que esta conserva siempre la recta medida, el término medio universalmente válido entre lo demasiado y lo demasiado poco. Por eso toda la virtud es el verdadero término medio entre dos vicios, término medio no aritmético-mecánico, sino verdaderamente racional. Así, la fortaleza es el verdadero término medio entre la cobardía y la temeridad; la generosidad, el justo medio entre la avaricia y el derroche; el mantenimiento de la personalidad, el justo medio entre la renuncia cobarde y la presunción orgullosa. Aquí encontramos de nuevo la valoración, genuinamente griega, de medida y forma, de limitación de sí mismo y de figura, de armonía y unidad."

Sumamente curioso es el eudemonismo de Schopenhauer (1788-1860), para quien no existe más realidad que la voluntad. Pero como la voluntad supone *querer,* y el querer supone *insatisfacción,* la voluntad llega a convertirse en un *constante dolor.* El placer es transitorio, y consiste únicamente en la cesación del dolor, esto es, del impulso insaciable de la voluntad. La cual es un mal; y, por tanto, lo es el mundo y nuestra vida. Para Schopenhauer, el sentimiento moral es la *compasión,* es decir, el deseo de aliviar el dolor ajeno, impidiendo la eficacia de su voluntad de vivir. ¿Cuál es la salvación, pues, de este pesimismo catastrófico? La *superación de la voluntad de vivir.* Cuando hemos logrado eliminar nuestra voluntad, penetramos en el *nirvana;* "y esto, que parece un aniquilamiento, es, en realidad, el mayor bien, la dicha".

V. PFLEIDERER: *Eudaemonismus and Egoismus.* 1881.—RICKABY: *Moral Philosophy, or Ethics und Natural Law.* Londres, 1914.—WATSON, J.: *Hedonistic theories.* Glasgow, 1906.—ASTER, E. von: *Historia de la Filosofía.* Barcelona, 1935.

EUFEMISMO (V. **Figuras de pensamiento**)

1. Cuidado que se pone en ocultar las ideas.
2. Decencia en las palabras y expresiones.
3. Especie de *perífrasis* (V.) inventada por la delicadeza, y que tiene por fin dulcificar

E

cuanto, expresado *sin rodeos,* sería susceptible de ofender, molestar o afligir.

Haber llegado al término de la vida, por *morir.*
No ser ya joven, por *viejo.*
Dios le ampare, por *No quiero* o *No puedo darle algo.*
¡Vaya usted con viento fresco!, por *¡Vaya usted a la m...!*

EUFONÍA

En el género oratorio, consiste en elegir un tono medio, en que se guarden en la modulación el ritmo y la melodía, y se eviten cuidadosamente la monotonía y las salidas de tono.

EUFUISMO

De εὐφυής, elegante, de buen gusto. Tomó este nombre en Inglaterra, a fines del siglo XVI, el estilo preciosista, alambicado, oscuro, que hacía furor en Europa por esta época. El *eufuismo* es equivalente al *gongorismo* español. Fue John Lyly quien inició el eufuismo con su libro *Euphues o Anatomía del Espíritu,* en 1580, continuado al año siguiente con *Euphues y su Inglaterra,* viajes y aventuras de dicho héroe.

Euphues es el tipo del buen hablista, del pedante mundano, que pretende distinguirse de sus semejantes con sus imágenes atrevidas, sus alusiones oscuras, sus citas históricas y científicas.

Toda la corte de la reina Isabel adoptó entusiasmada las sabias elegancias del estilo que rivalizaba con el conceptismo italiano. Taine nos da una idea exacta de la nueva lengua con estas frases: "Damas y caballeros prodigaban las bellas frases refinadas y un tanto enigmáticas; las expresiones nada naturales, pletóricas de exageraciones y de antítesis, de alusiones mitológicas, de metáforas botánicas y de alquimia, envueltas en un fervoroso alarde de comparaciones y de conceptos."

El eufuismo inundó los libros, el teatro, la oratoria. Ejemplos de eufuismo se encuentran en Shakespeare. Ben Jonson, por el contrario, lo satirizó. La moda prosiguió hasta los tiempos de Walter Scott, que la puso en ridículo en su novela *El monasterio,* valiéndose de un personaje llamado sir Percy Shafton, pedante erudito muy semejante al propio Lyly.

V. TAINE, H.: *Historia de la literatura inglesa.* Madrid, tomo II.

EUROPEAS (Lenguas) (V. Indogermánicas)

ÉUSKARA (Lengua) (V. Basca o Éuskara, Lengua)

EVANGELISMO

Se da el nombre de evangelismo a la moral evangélica, a la moral revelada y al sistema religioso, político, social y humanitario contenido en el Evangelio.

Pero también se llama evangelismo la doctrina de la Iglesia evangélica y, particularmente, el *espíritu reformador* de las Iglesias protestantes—disidentes o cismáticas—separadas de la comunión católica; espíritu que pretende enraizar su fuerza espiritual en el Evangelio libremente interpretado.

EVASIÓN (V. Refutación)

Aquella parte del discurso o del escrito en que se rebaten las razones que pueden oponerse en contra de lo que sostiene o defiende el escritor o el orador.

EVEMERISMO

Nombre dado a las doctrinas religiosas de Evémero, en las que proclamaba que las leyendas de los dioses son tradiciones amplificadas por los poetas y relacionadas primitivamente con los hombres.

El evemerismo ve en los mitos religiosos únicamente tradiciones populares que tienen en su origen un fundamento histórico.

Evémero de Cirene vivió a fines del siglo IV y a principio del III antes de J. C. Perteneció, como filósofo, a la escuela cirenaica. Y publicó una obra titulada *Documentos sagrados,* en la cual expresó la mitología "por el endiosamiento o apoteosis de los hombres meritísimos".

No fue, ciertamente, Evémero quien primero explicó el sistema. Bastante antes lo enseñó Hecateo de Teos, historiador jónico, a quien siguieron Herodoto y Herodoro. El evemerismo fue aceptado jubilosamente por los cínicos, que vieron en él un fundamento para el ateísmo de su escuela. El evemerismo fue alabado en Roma por Ennio; y Cicerón—en su *De natura deorum*—le atribuyó la ruina del culto de los dioses. Ahora bien: a los romanos agradó en gran manera el evemerismo, gracias al cual pudieron llegar a la deificación de sus emperadores. En Grecia, el evemerismo contribuyó a la glorificación de Alejandro Magno.

Realmente, el evemerismo no explica el origen de los falsos cultos. Ahora bien: tiene en su contra que no toda idolatría, y mucho menos toda religión, ha de engendrarse por esta evolución en el respeto que se tributa a un personaje.

El culto a los antepasados, vivo en muchos pueblos—recordemos los dioses penates y los famosos ritos chinos—, es un ejemplo preciso del evemerismo.

V. GEFFCKEN: *Euhemerism.* En "Encyc. of Religion and Ethics". Tomo V. 1912.—BLOCK, M.: *Evhémere, son livre et sa doctrine.* Mons, 1876.—SIEROKA: *De Euhemero.* Koenigsberg, 1876.—GANSS: *Quaestiones Euhemereae.* Kempen, 1860.

EVOLUCIONISMO

Doctrina de la moderna filosofía científica que intenta resolver el problema del devenir mediante inducciones científicas, opuestas a la concepción de una realidad inmutable.

El evolucionismo hace de la idea de la evolución un principio de explicación científica de un alcance muy general, de manera que hay una psicología evolucionista, una moral evolucionista, etc.

Algunos críticos modernos han creído sinónimos evolucionismo y devenerismo. Sin embargo, los separa una razón fundamental. El devenerismo no implica noción alguna de progreso en el constante fluir y transformarse de las cosas y de los hechos. El evolucionismo se excita más y más en una suerte de progresismo cósmico.

Aun cuando el evolucionismo filosófico *ha cuajado* modernamente en las teorías de Herbert Spencer, sus primeros bosquejos se encuentran en la filosofía presocrática; y el *estoicismo* (V.) y el *neoplatonismo* sostuvieron una especie de evolucionismo.

Para Heráclito, en el mundo exterior *todo cambia, nada es;* el mundo es algo que está en continua transformación. Plotino insinuó el evolucionismo *por medio de las emanaciones sucesivas.*

Pero, realmente, el evolucionismo es uno de los puntos que caracterizan al siglo XIX en contraposición con el siglo XVIII; el evolucionismo, no solo en su consideración genética, sino también en su fuerte actuación. En el continente europeo, la idea de una evolución dialéctica se verifica por etapas separadas; pero en Inglaterra resalta más la idea de una transformación lenta mediante eslabones apenas diferentes. Y Lyell la aplicó a la historia de la Tierra y a la sucesión de los períodos geológicos, y Spencer y Darwin la aplicaron al origen de las diversas especies de animales y plantas.

El evolucionismo filosófico, único que nos importa aquí, hay que referirlo a Herbert Spencer (1820-1903), nacido en Derby y muerto en Brighton, uno de los más ilustres jefes del *positivismo* (V.) inglés y el teórico de la evolución, que aplicó a toda la Naturaleza y a las sociedades el sistema que Darwin aplicó a los seres vivientes. En 1860 inició la publicación de su magna obra en once volúmenes *System of synthetic philosophy.*

Spencer elaboró su sistema filosófico basado en la experiencia, asumiendo como principio fundamental la universalización del *concepto de la evolución,* que aplica a la realidad, tanto material como espiritual, al conocimiento y a la moralidad. La evolución es, pues, el paso de lo homogéneo e indiferenciado a lo heterogéneo y diferenciado. Los procesos del devenir son dos: *diferenciación e integración.*

Para Spencer, el Absoluto último, el fundamento último del mundo real, el Ser, la Fuerza, de donde todo procede, es incognoscible; pero, en compensación, es cognoscible la corriente del devenir, de la evolución, que de él brota. Spencer señala que, por un lado, toda evolución es un *tránsito* del todo menos coherente a otro más coherente—*integración*—; y, por otro lado, el *tránsito* de una uniformidad indeterminada a una diferenciación determinada. Spencer, utilizando un decidido *empirismo* (V.), trata de exponer la influencia de los dos principios—concentración y diferenciación—en la evolución del mundo inorgánico, orgánico y psíquico espiritual, demostrando así que el mundo en su totalidad no es sino un gigantesco proceso evolutivo y que se desarrolla en todas sus partes dentro de las mismas formas fundamentales.

V. MESSER, Augusto: *Historia de la Filosofía.* Madrid, "Rev. de Occidente". Cinco tomos.—FOUILLÉE, Alf.: *Historia de la Filosofía.* Madrid, Jorro, ¿1899? Cuatro tomos.—HÖFFDING: *Historia de la Filosofía moderna.* Madrid, Jorro, 1902. Dos tomos.

EXAGERACIÓN (V. Hipérbole)

Es una figura indirecta que consiste en ponderar las cosas, aumentándolas o disminuyéndolas de un modo extraordinario.

> Con mi llorar las piedras enternecen
> su natural dureza y la quebrantan;
> los árboles parece que se inclinan;
> las aves, que me escuchan cuando cantan,
> con diferente voz se condolecen,
> y mi morir, cantando, me adivinan;
> las fieras que reclinan
> su cuerpo fatigado,
> dejan el sosegado
> sueño por escuchar mi llanto triste.
>
> (GARCILASO.)

EXCLAMACIÓN (V. Figuras de pensamiento)

Esta figura se pone en juego para ponderar lo grande, lo vivo, lo hondo de algún pensamiento o sentimiento, la indignación, la pasión o cualquier otro afecto del ánimo, de modo que haga efecto vivísimo en quienes lean o escuchen. Generalmente, suele ir acompañada de las interjecciones *¡oh!, ¡ah!, ¡ay!* y otras.

EXECRACIÓN

Es la misma figura patética *imprecación* (V.), pero cuando deseamos que el daño que pedíamos en esta para los demás caiga sobre nosotros mismos.

> No se honren mis amigos
> de me llevar a su lado,
> y quede entre fieros moros
> preso, muerto o mal llagado,
> y arrástreme mi trotón
> fasta me facer pedazos.

EXÉGESIS

De ἐξήγησις, explicación. Término consagrado para designar la interpretación gramatical e histórica de una obra, y en particular de la *Biblia*. La exégesis fue practicada siempre por los doctores judíos o cristianos que se ocuparon del texto y del sentido de las Escrituras: Orígenes, San Jerónimo, San Juan Crisóstomo... Desde el Renacimiento, la exégesis se aplicó a toda clase de obras.

EXISTENCIALISMO

Doctrina filosófica que plantea el problema de la dimensión del ser del hombre, afirmando que el existir es una dimensión primaria y radical, y que todas las demás cosas se dan en la existencia; que no podemos derivar la existencia del pensamiento, ya que encontramos este radicado en la existencia.

El existencialismo no se preocupa sino del *existir*, creyendo el *ser* derivado de aquel; y así, pretende superar la antítesis realismo-idealismo situándose en un punto de vista anterior que anula a ambos. El existencialismo, no dando importancia sino a la existencia actuante, cercena toda esperanza y todo ensueño en una proposición de devenir. Para él no existe sino *lo que está siendo y la forma escueta en que ello está produciéndose*. Para el existencialismo, *el ser* no es sino un esclavo de la temporalidad de la existencia, y el tiempo no es sino destructividad organizada, actuante. El existencialismo, lógicamente, integra la nada en el ser. ¡Nada importa, nada tiene trascendencia sino el *existir!*

No debemos pensar en modo alguno que el fenómeno existencialista haya sido descubierto y explicado por el danés Kierkegaard, aun cuando, en verdad, este le haya dado sus actuales dimensión y trascendencia. El existencialismo se halla *latente* en todas las *concepciones pesimistas irreducibles*: en el *estoicismo* (V.), en el *escepticismo* (V.), en el *pascalismo* y también en el *idealismo* (V.) alemán.

Lo que no puede negarse es que las diversas manifestaciones del existencialismo, que hoy tanto preocupan, provienen, ya por derivación inmediata, ya por vía de condicionamiento problemático, de la especulación teológico-filosófica de Kierkegaard.

Sören Aabye Kierkegaard (1813-1855), extraordinario filósofo y literato dinamarqués, nació y murió en Copenhague. Estudió Teología y Filosofía, doctorándose en la Universidad de su ciudad natal. Vivió algún tiempo en Alemania. Teológicamente, Kierkegaard fue un heterodoxo. Consideraba incompatibles la ciencia y la fe. Enfermizo y melancólico, elaboró una moral de abnegación y apartamiento del mundo. Proclamó un *cristianismo interior*, que ha influido mucho, no solo en su país, sino en todos los de religión protestante, y en algunos aspectos de la Filosofía moderna.

En la actualidad, las obras de este genial pensador han alcanzado una difusión inmensa. Y sus ideas son admiradas aun por aquellos que las estiman erróneas, pues son delicadas, refinadas, inquietantes, y están expuestas con un estilo peculiarísimo de gran belleza.

Kierkegaard, movido en un mundo de pura posibilidad, llevó el interés del problema filosófico a la existencia individual. Y defendió la concepción de la existencia como el punto de unión de dos coordenadas contradictorias—temporalidad y eternidad—como expresión de dos mundos—finito e infinito—. El individuo únicamente se constituye en cuanto tal viviente ya en relación consigo mismo, ya en relación con Dios.

Las doctrinas existencialistas de Kierkegaard fueron cumplidamente desarrolladas y expuestas por los filósofos germanos Karl Jaspers y Martín Heidegger.

Karl Jaspers, filósofo y psiquíatra, nació en 1883, fue profesor de Filosofía en Heidelberg desde 1921. Entre sus obras sobresalen: *Psicología de las concepciones del mundo, Ambiente espiritual de nuestro tiempo, Razón y existencia* y *Filosofía de la existencia*. Jaspers estudia el existencialismo en sí mismo y en sus relaciones a la objetividad y a la trascendencia. El único problema de su filosofía es el de la *existencia*.

Martín Heidegger, acaso el más interesante filósofo actual, nació—1889—en Messkirch (Baden). Ha sido catedrático de Filosofía, sucesivamente, en Marburgo y Friburgo de Brisgovia —sucediendo aquí al famoso Husserl en 1928.— Entre sus obras capitales están: *Sein und Zeit* —1927—, *Die Lehre vom Urteil im Psychologismus*—1914—, *Vom Wessen des Grundes*—1929—, *Kant und das Problem der Metaphysik*—1929—, *Was it Metaphysik?*—1929—... De ellas interesan particularmente respecto al existencialismo: *Ser y Tiempo* y *¿Qué es Metafísica?*

Heidegger ha desarrollado su metafísica como "conocimiento fundamental de la existencia como tal y en su totalidad". La filosofía existencialista de Heidegger abarca la investigación del ser concreto sin previo concepto de sí mismo; el conocimiento no es el *haber del ser*, sino el *sentido del ser*. El mismo ser no es siempre temporal, finito; es un ser mortal, pero no *ser en el tiempo*, sino *ser como tiempo*. Según el cual, el tiempo es lo subjetivo absoluto.

Y aclara Aster: "El problema de que, según Heidegger, propiamente trata la filosofía, es el problema de la *esencia del ser*, que no puede confundirse con el problema de la esencia de *lo que es*. Lo que el ser *es* lo intuimos solamente en nosotros mismos, porque cabalmente es esencial al Yo el aprehenderse primariamente en su ser, no en la *quididad* de ese su ser, en oposición al mundo circundante de las cosas (mundo *amanual),* que primeramente se nos presenta como *algo* cualitativamente determinado. Mediante los actos de *preocupación* nos orientamos hacia las cosas, y por medio y a través de ellas hacia nosotros mismos; pero con la *preocupación* se une uno al mismo tiempo, como segunda vivencia fundamental, la angustia, el acto en que nuestro estar *colocados ante la nada* o *arrojados a la nada* le vivimos o sentimos como esencia de nuestra manera de ser.

"El problema de la esencia del *ser* se entrelaza con el de la esencia del *Yo,* del *hombre,* y precisamente a este problema se contesta mediante aquellos actos de preocupación y de angustia, que hacen visible la posición del hombre entre el *ser* y la *nada.* Con estas especulaciones sobre la esencia del ser humano se vincula después en Heidegger, inmediatamente, el problema del sentido de la vida humana; en la realización de su verdadero ser, de su ser esencial, en oposición al encubrimiento de este algo esencial en el dejarse determinar por lo que en tal o cual caso *se* hace, ve Heidegger este sentido, el problema o tema del hombre. En dos cosas, ante todo, se halla la piedra de toque del cumplimiento de ese fin en los individuos: la primera, en aceptar realmente con voluntad el destino histórico bajo el que uno se encuentra, las exigencias de la época, sin dejarse arrastrar exteriormente por ellas y sin sustraerse a ellas; la segunda, en la actitud ante la muerte y ante el temor a ella como vivencia elemental del estar ante la *nada.* No *todos* deben morir, como se expresa en la frase de consuelo que trata de esquivar el pensamiento de la muerte, sino cada uno por sí, en inevitable soledad."

El existencialismo cristiano de Heidegger ha sido calificado de fenomenología fundamental, de la que son puntos esenciales:

1.° Que el *existente* es un ser-en-el-mundo, y que toda idea acerca de él está supeditada —preformada—por su obligada existencia en un medio y con un medio.

2.° Que el existente-hombre se ve arrojado en el mundo sin medios capaces de modificar su destino trascendental.

3.° Que el existente-hombre ha de enfrentarse directa y radicalmente con la verdad *del ser.*

4.° Que el ser existe por el hombre y para el hombre, porque, entre los diversos existentes —a los que califica de *categorías*—es el único al que le ha sido dado el pensamiento-habla.

5.° Que el pensamiento-habla es la residencia del *ser.*

6.° Que ese drama—aquí la influencia de Kierkegaard—produce en el hombre una angustia y un cuidado, motivando que sus acciones sean la expresión de tales cuidado y angustia.

7.° Que el existente puede huir de la existencia auténtica, *por la que es, para la que es,* por medio de su refugio en lo falso, en lo convencional, en el mundo de lo efímero: diversiones, formalidades, etc.

8.° Que el horizonte apropiado del existente es el tiempo; y que el tiempo es asumido trascendentalmente por el existente en trance de éxtasis, por intersección consciente del pasado, presente y porvenir.

9.° Que la nada no es algo *contrario* al existente, sino uno de sus constitutivos.

El ilustre filósofo Ángel González Alvarez ha hecho—en su *Historia de la Filosofía,* 1946— un resumen excelente del existencialismo en su actual estado. Lo transcribimos:

"*Contenido doctrinal.*—a) *El punto de partida: el "sum".*—La nueva filosofía centra su problemática en el hombre concreto. El punto de partida no va a ser el *cogito,* sino el *sum* en que el propio *ego* consiste. El existencialismo surge con marcada oposición al idealismo, que reduce la realidad toda a pensamiento y anega al individuo en la totalidad. Mas, por otra parte, no admite el realismo de la filosofía tradicional por creer que ha olvidado la relación esencial de las cosas al *sum.* La nueva filosofía no podrá partir ni de la *res* ni del *cogito,* sino del *sum,* y emprenderá un análisis existencial que determinará toda la temática filosófica.

"b) *Del "sum" a la existencia.*—Lo primero que nos ofrece este análisis existencial del ser humano es su carácter de mismidad, de pertenencia a sí propio. Su existir viene referido a sí mismo como una *insistentia.* Por otra parte, el ser humano está referido a lo otro, es radical intencionalidad. Implantado el hombre en una situación, hállase también en constitutiva relación con las cosas: consiste en ser-en-el-mundo *(in-der-Welt-sein).* Este estar en el mundo significa una referencia esencial del hombre y el ser, una esencial ligazón del hombre a lo otro. Surgen así los conceptos de clausura y apertura.

"c) *La situación.*—Las nociones de clausura y apertura nos llevan a los conceptos de *situación* y *ontologicidad* de que habla el existencialismo germano y a sus correspondientes de *encarnación* y *participación,* según el lenguaje de Marcel, aceptado por todo el existencialismo francés. El *sum* se encuentra implantado en una situación que le es impuesta. Esta situación única para cada hombre es irrenunciable e incambiable. Por ella se individualiza, se encarna, cerrándose en la clausura de su propia intimidad.

"d) *La participación.*—Mas he aquí que la clausura no agota las dimensiones de la existencia. Existir es estar abierto a las cosas en comunicación con el mundo, mediante la participación en el ser o en el acto por el que el mundo no deja de hacerse.

"e) *Autorrelación existencial.*—No queda con esto concluido el análisis clarificador de la existencia. Entre el yo y la situación en que se encarna y el ser en que participa existen lazos esenciales, constitutivos, de identidad. El *sum* se identifica con su situación, hasta tal punto, que su esencia consiste en esa relación consigo mismo. La existencia es, por lo pronto, una autorrelación en el dominio de la clausura del yo. Además, la existencia es participación, es decir, heterorrelación en el ámbito de la apertura del yo. La autorrelación es entendida por Jaspers como identidad de yo y de situación, por Heidegger como *ser-consigo-mismo,* expresada por Marcel con la fórmula de la encarnación, y por Lavelle, como capacidad de adquirir una esencia.

"f) *Heterorrelación existencial.*—También sobre esta dimensión hay unanimidad de criterio entre los filósofos existencialistas, bien que cada uno la interpreta luego según sus particulares gustos y según las exigencias de los supuestos de que parte. Para Jaspers, por ejemplo, es una relación existentiva a la trascendencia; para Heidegger, una relación existencial al ser (los términos existentivo y existencial resumen las profundas diferencias que separan a ambos pensadores); para Marcel, es una participación en el ser explicada mediante su teoría del *misterio* ontológico como contrapuesto al problema.

"g) *La trascendencia.*—El *hétero* de la relación es entendido por algunos existencialistas como trascendencia. Es, sobre todo Jaspers quien más se detiene en este punto: la trascendencia entra en la definición misma de la existencia. En efecto, "la existencia es lo que se relaciona consigo-misma, y por ello con su trascendencia". Refiriéndose a este autor, la relación existentiva de la trascendencia, objetivada por el materialismo y negada por el positivismo, tiene dos facetas que nos revela el método del pensamiento trascendente: búsqueda (Suche) y presencia (Gegenwart). La búsqueda de la trascendencia es esencial a la existencia misma; pero la trascendencia debe hallarse presente ya en la búsqueda que la existencia hace.

"h) *Problema teológico.*—No habrá lugar a la solución del tema de Dios para aquellos existencialistas que no lo encuentren en el término de la relación existencial. Para Heidegger, por ejemplo, el *hétero* de la relación es siempre un ser intramundano y, concibiendo al hombre como un ser que viene de la nada y es para la muerte, su filosofía es esencialmente ateológica. En Jaspers, en cambio, cabría entenderse la trascendencia como la Divinidad. La presencia de la trascendencia se le manifiesta a Jaspers en la *escritura cifrada* y en las *situaciones límites.* En el existencialismo francés viene dado el tema por los análisis de los fenómenos vocación e invocación, tan vivos en la subjetividad humana. Pero queda siempre la apelación a la religión como único medio de resolver el problema teológico en cuanto tal, siguiendo este movimiento: hombre-religión-Dios."

Además del existencialismo germano, el más sólidamente armado y trabado, existen direcciones filosóficas existencialistas en otros varios países europeos.

Existencialistas franceses son: Gabriel Marcel, filósofo, dramaturgo y crítico de arte, autor de libros tan importantes como *Journal métaphysique, Etre et avoir* y *Homo Viator.* Jean Wahl, Vladimiro Jankélévith, René Le Senne y Louis Lavelle.

Existencialistas rusos son: Nicolás Berdiaeff y León Chestoff.

Existencialista español, y eximio, fue don Miguel de Unamuno. Su maravillosa obra *El sentimiento trágico de la vida* es una de las más hermosas, hondas, sugestivas y *angustiadas* construcciones del existencialismo en su máxima validez y en su mejor arraigo.

El existencialismo no se ha circunscrito al campo de la filosofía. Es lógico. Un agudo crítico de arte y poeta español, Juan Eduardo Cirlot, ha escrito: "Aparte de cuestiones minoritarias, es un hecho evidente que el existencialismo está en el ambiente de la época, y que, aun cuando no hubiese llegado a ser formulado como doctrina concreta, con sus dogmas y proposiciones, su realidad no hubiera dejado de patentizarse."

Novelista del más intenso existencialismo fue Dostoyevski. Para él no contaron, con atracción irresistible, sino la existencia apremiante de sus personajes—cada uno de ellos *un mucho él mismo*— y trascendencia de su angustia. Unamuno tiene novelas eminentemente existencialistas: *Abel Sánchez, Niebla, Nada menos que todo un hombre.*

Hay que reconocer, sin embargo, que es un francés—filósofo, dramaturgo y novelista—Jean Paul Sartre, quien ha planteado en todo su rigor el escándalo existencialista literario. En su tratado *L'Etre et le Néant,* en su novela *La Náusea* y en varias de sus producciones escénicas, ha desarrollado con radicalismo impresionante la actual posición existencialista. Sartre, luego de afirmar taxativamente: *Il n'y a pas de Dieu,* ha declarado que, pues el existencialismo no es sino una preocupación de *existencia,* poetas, novelistas, dramaturgos, músicos, etc., deben preocuparse *exclusivamente de lo actual y actuante,* desdeñando las calificaciones del futuro. El hombre no debe pensar sino *del momento* y crear *para el momento.* Para Sartre, el ideal es que cada época tuviera su filosofía, su literatura, su arte, los cuales perderían su valor y su vigencia en la época siguiente; y que cada filósofo, cada literato, cada artista, *quisiera su propio destino de mortalidad.* Con afanes tan restringidos y tan concretos, las obras tendrían una mayor eficacia *dentro de su marco de tiempo y de ambiente.* Contar con el porvenir para crear es llevar a las obras un lastre de inconformidad o de incomprensión momentánea.

"La falla y, a la vez, la característica, acaso máxima, del existencialismo, consiste en que este, al integrar al hombre en el puro diálogo de su consciencia con el mundo, suprime lo que podríamos denominar *tercera morada* del hombre; esto es, su imaginación, su capacidad para transfigurar, sublimar y aun enmascarar la doble realidad angustiante de su ser y del existir del mundo." (J. E. CIRLOT.)

V. HÖLFFDING: *Sören Kierkegaard: som Filosof.* Copenhague, 1892.—SODEUR: *Kierkegaard...* Tubinga, 1914.—HEIDEGGER, M.: *Sein und Zeit.* 1927.—HEIDEGGER, M.: *Vom Wesen des Grundes.* 1929.—JASPERS, K.: *Psychologie der Weltanschauungen.* 1919.—GONZÁLEZ ALVAREZ, A.: *Historia de la Filosofía.* Madrid, ¿1945?

ÉXODO

De ἔοξδος, parte final de las obras del teatro griego que seguía a la última actuación del coro. Éxodo se llamó también a las estrofas líricas con que acababan alguna vez las tragedias. Algunos escoliastas han hecho el término *éxodo* sinónimo de *epílogo*. En el teatro latino, el éxodo era una pequeña obra muy divertida, que se representaba después de una tragedia, para disipar en los oyentes la penosa impresión de este.

Las primeras *atelanas* (V.) se llamaron también *exodia*. Los actores que la representaban recibían el nombre de *exodiadii*.

EXORCISMO

Método de conjurar contra el espíritu maligno, ordenado por la Iglesia.

La Iglesia ha mantenido un riguroso celo en la ordenanza y calificación del exorcismo. Con celo tal ha pretendido evitar dos males:

1.º Que sean exorcizados seres que en modo alguno están endemoniados, sino que padecen enfermedades que ahora se conocen con los nombres de histerismo, epilepsia, demonomanía y otras semejantes; y

2.º Que en el exorcismo se atribuya al demonio algún derecho o superioridad sobre el paciente, con lo que el exorcismo degeneraría en una superstición o magia, o en una práctica idolátrica.

Durante la Edad Media, el exorcismo tuvo dos modos de verificarse: conjurando al demonio *con ruegos* o conjurando al demonio *con mandato*. La Iglesia únicamente declaró este segundo modo.

No debe creerse que son sinónimas las palabras *conjuro* y *exorcismo*, ya que la primera no es sino una parte de las ceremonias que en su totalidad comprende la segunda.

En todos los tiempos y en todas las religiones ha existido el exorcismo, pues que ha sido creencia universal que el mundo estaba poblado de espíritus, genios o demonios, unos buenos y otros malos. Y el hombre de todas las épocas imaginó que podría ahuyentar a los espíritus malignos, ya con la música, ya con los olores y fumigaciones, ya con amuletos, ya con palabras cabalísticas. Celso, Porfirio, Jámblico y Plotino hablan de exorcismos contra los demonios, exorcismos a los que ya aludían Pitágoras y Platón. Según cuenta San Lucas en su Evangelio—VIII, 30—, Jesús confirmó la creencia en los exorcismos contra los espíritus malignos, aludiendo a un monomaníaco que estaba poseído de una legión de demonios, "a cuyos malignos espíritus consintió que penetraran en una piara de cerdos".

Tertuliano afirmó—*De Corona*—que apenas existe un hombre que no tenga su demonio "pero que por los exorcismos sus fraudes son descubiertos". Y en otro libro—*De Bautismo*—añade "que por la invocación de Dios el Espíritu Santo desciende en las aguas, las santifica y les da la virtud de santificar..., ahogándose en ellas el demonio, su antiguo dominador".

La Iglesia cristiana, siguiendo el ejemplo de Jesucristo y de los apóstoles, admitió los exorcismos, dividiéndolos en *ordinarios* y *extraordinarios*. A la primera clase pertenecen los que se hacen antes de administrar el bautismo, bendiciendo el agua, la sal, etcétera...; y a la segunda, los que se emplean para libertar a las personas poseídas por el diablo.

La Iglesia católica da el nombre de *exorcista* al clérigo tonsurado que ha recibido la segunda de las órdenes menores; la primera es el lectorado. Las ceremonias con que se confiere el poder para exorcizar quedaron marcadas en el IV Concilio de Cartago, y constan en los antiguos rituales. Los ordenados reciben de manos del obispo el libro de los exorcismos con esta fórmula: "Recibid y aprended este libro, y tened el poder de imponer las manos sobre los energúmenos, sean bautizados o catecúmenos." La lectura de los exorcismos está reservada hoy a los diáconos; y aun en casos especiales de *demoníacos* se precisa la licencia episcopal, para evitar ilusiones, equivocaciones o engaños.

V. GREGORIO NAZIANCENO: *De expulsione diaboli...* En la *Patrilog. graec.*, de Mignet, 37, 1599-1600.—TONER, P. J.: *Exorcism.* En "The Catholic Encyclopedia". Tomo V.—FORTET, J.: *Exorcisme.* En "Dict. de Théologie Catholique". Tomo V.—PROBST: *Exorcismus.* En "Wetzer und Welte's Kirchenlexicon". Vol. IV, col. 1.141.

EXORDIO

Del griego προοίμιον, *proemio*, y del latín *exordium*, comienzo.

Exordio es la primera parte, preámbulo o introducción del discurso, y tiene por objeto preparar el ánimo de los oyentes para que presten su atención y benevolencia. El exordio no es siempre necesario.

Hay cuatro clases de exordio: *simple*—legítimo, explicativo—, *exordio por insinuación, exordio pomposo* y *exordio ex abrupto.*

Exordio *simple* es aquel en que el orador presenta algunas consideraciones preliminares relacionadas con el pensamiento capital.

Exordio por *insinuación* es el que va con ciertas precauciones, como por ocultos caminos, al ánimo de los oyentes, y lleva al asunto indirectamente y por medio de rodeos.

Caciques, del estado defensores,
codicia de mandar no me convida
a pesarme de veros pretensores
de cosa que a mí tanto era debida;
porque, según mi edad, ya veis, señores,
que estoy al otro mundo de partida;
mas el amor que siempre os he mostrado
a bien aconsejaros me ha incitado.

(ERCILLA.)

Exordio *pomposo* es el que está revestido de elevación y majestad, y tal magnificencia de estilo y profundidad de ideas, que excita, no solo a la benevolencia, sino también a la admiración de los oyentes.

Exordio *ex abrupto* es el que comienza moviendo vivamente las pasiones, y nace de la indignación o de la mal reprimida impaciencia, y, a veces, de un repentino gozo y grande alegría.

Yo soy Caupolicán, que el hado mío
por tierra derrocó mi fundamento...
Soy quien mató a Valdivia en Tucapelo,
y quien dejó a Purén desmantelado;
soy el que puso a Penco por el suelo,
y el que tantas batallas ha ganado.
¿Cómo? ¿Y que en cristiandad y pecho honrado
cabe cosa tan fuera de medida,
que a un hombre como yo tan señalado
le dé muerte una mano así abatida?

(ERCILLA.)

EXOTERISMO

Sistema de los conocimientos no herméticos, es decir, de los que podían y debían ser conocidos por todos. Precisamente todo lo contrario que el *esoterismo* (V.).

En la antigüedad llamóse exoterismo a la parte de las doctrinas que los filósofos explicaban públicamente a los no iniciados en la ciencia, por oposición a la otra parte, llamada esotérica o secreta, en la cual eran únicamente iniciados los discípulos escogidos.

EXOTISMO

Nombre dado a la aportación lingüística de idiomas extranjeros al castellano, cuando los vocablos *prestados* no han sido aún asimilados al sistema fonológico de nuestra lengua.

V. *Galicismo, italianismo, anglicismo...*

EXPERIMENTALISMO

Sistema que intenta extender a todas las disciplinas científicas, y aun a los problemas filosóficos, el método experimental. Escribe Goblot: "La experimentación es un método de investigar las leyes naturales. Se distingue comúnmente la experimentación de la observación diciendo que esta es el estudio de un fenómeno *espontáneo;* aquella, el de un fenómeno *provocado.* El hecho que se ha provocado en las condiciones más favorables es, en efecto, más instructivo, en general, que el hecho espontáneo, al cual hay que tomar tal como se presenta y cuando se presenta. Claude Bernard—en la *Introducción a la Medicina experimental*—ha mostrado que la distinción importante, desde el punto de vista lógico, no es la del hecho espontáneo y del hecho provocado, sino la del caso en que se es simple testigo, desde luego atento y competente, y la del caso en que se busca en los hechos la verificación de una *hipótesis.* Experimentar es interrogar a la naturaleza y obligarla a responder; es someterle preguntas y *ponerla en discusión.* La hipótesis es, pues, la parte esencial del método experimental. Como la naturaleza no presenta sino raras veces por sí misma el hecho decisivo, que invalide o confirme la hipótesis, con frecuencia es necesario provocarlo. Esta intervención del sabio en los hechos se llama *experimentalismo.*" El experimentalismo ha tenido su mayor trascendencia en el campo científico de la Medicina.

EXPOLIACIÓN

Expoliación o *conmoración* es una figura que consiste en presentar un mismo pensamiento repetido bajo distintas formas, para imprimirlo en el ánimo con más fuerza, o para exornarlo con las galas de la fantasía.

¡Anciano!, en todo la verdad dijiste;
pero Aquiles pretende sobre todos
los otros ser, a todos dominarlos,
sobre todos mandar, y como jefe
dictar leyes a todos; y su orgullo
inflexible será.

(HOMERO.)

EXPOSICIÓN

1. Es la narración de los hechos que no formando parte de la acción propiamente dicha, la motivan y son sus precedentes necesarios.

2. También es la primera parte de una obra dramática, y sirve, como indica su nombre, para exponer el asunto, es decir, para explicar su naturaleza y aclarar la situación respectiva en que se encuentran los personajes que van a obrar, a referir los acontecimientos que han producido esta situación, a indicar los caracteres y las pasiones que van a desarrollarse; en fin, el punto de partida de donde ha de salir la intriga para llenar su objeto.

En general, se llama exposición a la enunciación que, delante de toda obra literaria, declara cuanto el autor se propone tratar. Todos los géneros literarios admiten una exposición. En algunos de ellos es absolutamente necesaria.

La *exposición*, el *nudo* y el *desenlace* fueron siempre las tres partes fundamentales de la obra dramática. Modernamente, muchos grandes dramaturgos prescinden de la *exposición*, iniciando la acción en el primer acto, y encomendando a esta acción la *presentación* de los personajes y la declaración del *tema* y de la *intención*.

EXPRESIÓN

1. Declaración circunstanciada de algo para darlo a entender mejor.
2. Voz, dicho o hecho con que uno manifiesta lo que piensa, quiere o intenta.
3. Efecto de expresar, dar indicio del estado y movimiento del espíritu por medio de la palabra, del gesto, del ademán, de la acción.

EXPRESIONISMO

Tendencia ideológica, literaria y artística aparecida para contrarrestar la influencia del *impresionismo* (V.).

Su característica esencial fue el intento de expresar las sensaciones internas, pero no las impresiones recibidas de lo exterior, por medio de formas cerradas, exageradas, rimbombantes.

El expresionismo "traduce la motivación interior y su acento esencial, lo cual se quiere lograr convirtiendo la obra en signo expresivo de la pasión íntima del escritor, aunque sea a riesgo de desarticularla de la naturaleza exterior".

1. EXPRESIONISMO LITERARIO.—"De todos los modernos movimientos de vanguardia es, quizá, el expresionismo el único que ha triunfado plenamente—hasta el punto de que en la pintura y en el teatro, al menos, tiene un acatamiento oficial—, logrando la imposición de sus módulos en todas sus ramificaciones estéticas: en la novela, con Leonard Frank, y en el teatro, con Carl Sternheim y Kasimir Edschmid. Ello se debe precisamente a que más bien que un movimiento es una tendencia común de la época. Es, como ellos dicen: *Zeitgeist eine Gesinnung,* es decir, *el espíritu del tiempo.* No es una *coterie* limitada. En rigor, toda la nueva generación alemana es expresionista. No posee cánones carcelarios ni jefes acaudilladores. El expresionismo reside más bien en cierta actitud espiritual de la conciencia artística ante el mundo." (G. DE TORRE.)

El expresionismo—aclara Goll, uno de sus máximos teorizantes—"es la generalización de la vida basada en la influencia puramente espiritual. Se trata de dar a todo acto humano una significación superhumana, hasta el punto de que podría verse en esto una tendencia a la divinización".

Para Jorge-Luis Borges, expresionismo es "la tentativa de crear para esta época un arte maquinalmente intuicionista, de superar la realidad ambiente y elevar sobre su madeja sensorial y emotiva una ultrarrealidad espiritual. Su fuente la constituye esa visión ciclópea y atlética del pluriverso que rimara Walt Whitman, partiendo a su vez de Fichte y Hegel".

El expresionismo literario—mucho más joven que el artístico—data de 1910. Entre sus precursores, se cuentan Rainer María Rilke y George Trake. Pero, como muy bien ha señalado Borges, su "creador" fue Walt Whitman... traducido al alemán. Porque el expresionismo surgió de dos revistas germanas: *Die Aktion* —dirigida por Franz Pfemfer—y *Der Sturm*—dirigida por Herwarth Walden—. Al estallar la primera gran guerra mundial de 1914, los poetas expresionistas, germanos en su mayoría, abominaron del teutonismo y se refugiaron en Suiza.

Entre los más ilustres cultivadores del expresionismo están, además de los ya mencionados: Ernst Stadler, Joahnnes R. Becher, Georg Heym, Ludwig Rubiner, Franz Werfel, Albert Ehrenstein, Alfred Wolfenstein, August Stramm, Wilhelm Klemm, Else Lasker, Claire Studer Goll, la holandesa Enriqueta Roland Holst, el suizo Charlot Strasser, el noruego Sigbjoern Obstfelder, Hermann Plagge...

El expresionismo literario—"el espíritu vivificando la acción", como proclamó Henri Mann—no tuvo demasiada resonancia ni adquirió definitiva influencia fuera del mundo anglosajón. Creemos que su importancia capital estuvo —en su momento—en haber hecho posible el advenimiento del *superrealismo* (V.), movimiento literario y artístico en el que fueron injertadas las más hondas y las más altas apetencias del expresionismo.

El expresionismo—en el que algunos críticos han encontrado hasta ideales pacifistas y socialistas—invadió plenamente todos los géneros literarios: la lírica, la novela, el teatro, el ensayo...

El expresionismo literario encontró en los años posteriores a 1914 a sus más geniales intérpretes: James Joyce, Kafka, Wassermann, Aldous Huxley, Otto Weiningir...

2. EXPRESIONISMO ARTÍSTICO.—Fue una reacción apasionada contra el impresionismo, iniciada a fines del siglo XIX, y que alcanzó su máximo fervor entre 1900 y 1918. El expresionismo artístico repudió el reproducir las apariencias visibles de las cosas, y quiso *traducir su motivación interior y su acento esencial,* valiéndose para ello del *signo expresivo* de la pasión interior del artista, "aun exterior". El expresionismo artístico llevaba en sí mismo, desde su nacimiento, el germen de una explosión a largo plazo: el superrealismo.

La crítica más aguda ha señalado al genial

Vicent Van Gogh (1853-1890) como el iniciador del expresionismo pictórico, acaso basándose la crítica en aquellos anhelos del gran pintor, expresados poco antes de ingresar en un manicomio: "Bien quisiera yo pintar a los hombres con no sé qué de eterno, de lo cual el nimbo fue símbolo en otros tiempos, y que nosotros buscamos por la irradiación misma, por la vibración de sus coloraciones."

Lo mismo que el expresionismo literario, el artístico irradia principalmente en los países centroeuropeos, en los cuales surgen sus representantes más famosos: el suizo Ferdinand Hodler (1853-1918), el prusiano Emil Nolde (nació 1867), el lituano Haim Soutine, el búlgaro Julius Pîncas, el flamenco Constant Permeke, el alemán Karl Hofer, el español Pablo Picasso, el austríaco Oskar Kokoschka (n. 1886)—convulsivo de pincelada y pletórico de color—, el francés Georges Rouault, la israelita berlinesa Rutta Rosen...

"El artista expresionista—escribe Cirlot—jamás sirve a un modelo, a una sociedad, a una idea estructural...; su místico egotismo le sume de continuo en sus propias honduras, que para él son las del mundo, ese mundo que siente vacilante y entregado a una destructividad ilimitada."

V. TORRE, Guillermo de: *Literaturas europeas de vanguardia.* Madrid, 1925.—LASSAIGNE, J.: *Panorama des Arts.* París, 1947.—PLATSCHEK, Homs: *Oskar Kokoschka.* Buenos Aires (¿1945?).

EXTENSIVO (Sentido)

Es el sentido traslativo de la palabra cuando ya pertenece al fondo común de un idioma después de sancionada por el uso. Así decimos: los *pies* de la mesa, el *ojo* de la aguja, la *cabeza* del alfiler, las *hojas* del libro.

EXTENUACIÓN

Sinónimo de *litote* (V.).

EXTRACTO

Uno de los numerosos sinónimos de *compendio* (V.). Por su misma etimología, designa un trabajo menos regular, menos completo y menos personal que el *sumario,* el *análisis,* el *epítome* (V.). Un extracto bien hecho de una obra exige sentido crítico y gusto indudable, ya que debe darnos la idea íntegra de aquella.

Poder y saber extractar una obra conviene al espíritu investigador, ya que es una especie de *ejercicio intelectual.* Plinio "el Viejo", practicó este método: *Nihil legebat quod non excerperet.* Leibniz atribuyó su prodigiosa memoria al hábito que tuvo de extractar cuanto leía.

EXUBERANCIA

Vicio—en el género literario—que consiste en emplear, al expresar una idea o un sentimiento, muchos más términos de los convenientes. Es muy común en los autores jóvenes, que toman por riqueza de estilo lo que no es más que un lujo excesivo y una profusión extraordinaria de palabras y flores retóricas.

No hay que confundir la exuberancia con el *pleonasmo* (V.). El pleonasmo repite una proposición en otras proposiciones. La exuberancia utiliza dos, seis, ocho palabras para una misma idea.

F

FABIÁNISMO

Nombre dado a la tendencia de propaganda cultural, *con un matiz socialista,* aparecida en Inglaterra—1884—a impulsos de la Fabian Society, organización que constituyó un suceso sumamente importante en el movimiento socialista de la Gran Bretaña.

El fabianismo no quiso ser una asociación ni un partido político. Hay más: rechazó las ideas marxistas y la lucha de clases, y no atendió tanto al número como a la calidad de sus miembros. Su única misión pareció ser la cultura. El fabianismo confiaba en que las clases intelectuales llegarían a reconstruir la sociedad de acuerdo con las más elevadas posibilidades éticas y evitando la violencia.

El fabianismo tomó su nombre de Fabius Verrucosus, llamado *Cunctator* (diferidor), cónsul romano, que con la demora quiso vencer a Aníbal. También el fabianismo quería dar tiempo al tiempo. Y pensaba alcanzar el éxito de su misión con paciencia en los fabianos y con cultura en las masas. La Fabian Society cuenta con una evolución de la democracia que gradualmente desemboque en el socialismo. Con la colaboración de algunos de sus miembros —entre los cuales estaban Bernard Shaw, Beatrice Potter, el novelista Wells, la teosofista Annie Besant—publicó—1889—los *Fabian essays in socialism,* que causaron una enorme sensación en Inglaterra. El fabianismo llevó sus cátedras a los teatros, a los ateneos, a los paseos públicos.

Algunos críticos han creído encontrar en el fabianismo considerable influencia de las doctrinas de Marx y de Proudhon.

Pero la auténtica fuente de inspiración del fabianismo se encuentra en el ideario de Stuart Mill. El fabianismo, despojado de todo prejuicio revolucionario, se dirige, más que a las masas, a las clases intelectuales; defiende el socialismo municipal, la legislación obrera llevada a sus últimos límites, las asociaciones cooperativas. Posiblemente, el fabianismo, que aspira a interpretar los deseos de una gran democracia industrial, es el sucesor intelectual del radicalismo utilitarista.

"Mientras el benthamismo se refiere, principalmente, a la reforma constitucional y legislativa, el fabianismo se preocupa, sobre todo, de la reforma económica y social; y aboga por una mayor extensión del control del Estado democrático sobre la tierra y el capital. El control colectivo sobre los valores creados, socialmente, constituye su principio fundamental. También proclama el fabianismo la descentralización del Estado y la importancia de la técnica en la organización política. Se opone el fabianismo a toda agitación violenta, y demanda una reforma gradual y progresiva. La concepción orgánica de Spencer sobre el Estado y las tendencias biológicas aplicadas a la teoría política influyen poderosamente en esta orientación. Merced a esta nueva dirección doctrinal, ha podido despojarse el liberalismo inglés de su clásica investidura individualista, hasta el punto de favorecer en la actualidad una extensión considerable de las funciones del Estado en vista del bienestar general." (HOBSON.)

El fabianismo, como el colectivismo, admite la transformación de la propiedad individual de las tierras y de los capitales por la colectiva; pero discrepa del *colectivismo* (V.) en no admitir que se asegure a cada uno el producto íntegro de su trabajo, por entender que esta igualdad es prácticamente imposible.

En 1890 publicó el fabianismo socializante su *Programa,* cuyos puntos esenciales eran los siguientes:

1.º Todos los derechos públicos sobre la tierra y la renta procedente de ella serán cuidadosamente mantenidos, sin posibilidad de enajenación.

2.º Serán apoyadas todas las reformas financieras que tiendan al impuesto sobre el valor de la tierra.

3.º Los derechos privados de los propietarios de inmuebles se irán modificando gradualmente en interés de la colectividad, obligándolos a cultivar o a vender sus tierras, reservando a la colectividad todo acrecentamiento del valor de la tierra no producido por el trabajo, y decretando la expropiación por causa de utilidad pública, y sin derecho a indemnización, cuando los propietarios obren con negligencia o den mal uso a sus propiedades.

4.° Los Poderes públicos tomarán gradualmente posesión de todos los servicios públicos importantes—aguas, luz, transportes, minas—y adquirirán las tierras tantas veces como ello sea posible.

Quizá la característica más acusada del fabianismo sea la de que no trata de reemplazar la supremacía burguesa por la del proletariado, ni de suprimir el salariado, "sino de organizar la industria en interés de la comunidad entera y de asegurar a todos posibilidades y derechos iguales".

Acaso porque los fabianos primeros fueron intelectuales, el fabianismo fue considerado, dentro y fuera de Inglaterra, como un *snobismo* dialectal.

V. HOBSON, J. A.: *The Crisis of Liberalism.* Londres, 1909.—SHAW, G. Bernard: *The Fabian Society.* Londres. Número 41 de "Fabian Tract.".—WEBB, Sidney y Beatrice: *A constitution for the socialist commonwealth of Great Britain.* 1920.

FABLA

Habla, en un sentido voluntariamente arcaizado.

FABLIAU (Trova, romance)

Antiguo género literario francés. El cronista Lambert d'Ardres dividía en *tres ramas* la poesía de los trovadores, dando a una de estas ramas, la que comprendía los "cuentos picarescos que movían a risa", el nombre de *fabliaux*, "pequeñas fábulas". Para Taine, era *fabliau* cualquier leyenda medieval graciosa o terrible, sentimental, fantástica o agradable.

El germen del *fabliau* está, quizá, en el elemento cómico intercalado en sus canciones de gesta. Su origen, como el de todos los cuentos populares, es universal. Nuestro Menéndez y Pelayo veía en este género "como un primer ensayo de representación realista de la vida en sus ínfimos aspectos". Toda pretensión literaria queda excluida de ellos, y su forma poética es rudimentaria. El más antiguo *fabliau* escrito que se conoce es el de Richau, fechado en el año 1159.

El *fabliau* estaba compuesto en versos octosílabos, y las cualidades de su estilo eran la brevedad, la verdad y la naturalidad. La intención satírica se delataba siempre en él.

El apogeo de los *fabliaux* estuvo en el siglo XIII. Y desaparecieron hacia mediados del siglo XIV, al mismo tiempo que las canciones de gesta, los poemas de aventuras y las novelas rimadas de la Tabla Redonda; es decir, al acabarse el género trovadoresco.

Le Clerc agrupó los *fabliaux* atendiendo a la naturaleza del personaje principal de cada uno de ellos: Dios, los ángeles, los santos, los diablos, los juglares, los caballeros, los monjes, los clérigos, los burgueses, los villanos...

Famosos *fabliaux* fueron: *Des trois chevaliers et de la chainse,* de Jacques de Baiseux; *Guillaume au faucon, Narcissus, La Bourse pleine de sens,* de Jean Legallois d'Aubepierre; *Le Vilain mire,* por Douin de Lavesnes.

Los *fabliaux* en el siglo XIV tomaron forma de controversia o de proceso. Y así, los de los *Juicios,* los de las *Abogacías.*

La edición de *fabliaux* más completa es la de Montaignan y Raynaud, publicada entre 1872 y 1890.

V. LENIENT, Ch.: *La Satire en France au moyen âge.* 1859.—BRUNETIERE, F.: *Les Fabliaux du moyen âge.* En "Études Critiques". Tomos I y VI.

FABLIELLA

Nombre dado, durante la Edad Media española, a ciertos cuentos y novelas de breves dimensiones. Generalmente, era una fábula o una pequeña lección moral. Fue sinónimo de *fablilla* y de *parlilla.* Fabliella equivalió en España al *fabliau* francés, *relato corto, ficticio,* cuento de risa y aun *dicho moral,* leyenda caballeresca y leyenda sentimental.

FÁBULA

Para la opinión general—a la que se suma nuestra Real Academia de la Lengua—, *fábula* es sinónimo de *apólogo;* y ambos pueden definirse así: un breve recitado—o una pequeña composición—en el que, disimulada por un lance ficticio, palpita una moralidad ejemplarizante, de la cual son protagonistas, generalmente, los animales.

La Fontaine inicia una pequeña distinción entre el apólogo y la fábula, afirmando que aquel está compuesto de dos partes: el cuerpo, o la fábula, y el alma, o la moraleja. Es decir: para el admirable fabulista francés, la fábula es *una parte* del apólogo: la puramente narrativa, la genuinamente imaginativa. Al hacer su división se basó, tal vez, La Fontaine en las etimologías de las palabras apólogo y fábula. Fábula deriva del latín *fari* = hablar, y del griego *phaó* = decir.

En resumidas cuentas, contar algo por contar, sin sacar del cuento reflexión alguna. Apólogo deriva del griego *apo,* sobre, y *logos,* discurso. Es decir: ir directa o indirectamente, contando algo, a una verdad moral, o una enseñanza.

Para quienes hacen sinónimos fábula y apólogo, aún lo son, igualmente, de *parábola* y de *alegoría.*

Sin embargo, se han dado muchas diferencias notables entre los dos términos. Apuntaremos algunas. Apólogo es una composición en prosa. Fábula es *esa misma* composición en verso. El apólogo tiene una tendencia moralizadora. La fábula, una tendencia costumbrista. Fábula es el género y apólogo es la especie. En el apólogo, la verdad se da siempre *cubierta* por la fantasía. En la fábula puede darse la verdad sin encubrimiento alguno. El apólogo es una composición *breve y severa;* la fábula lo es *breve y risueña.* La fábula no es sino *una escena* descrita con *una pincelada* feliz; apólogo es una obra dramática, un verdadero esbozo de comedia, una sátira en acción, pero con cierta sequedad, sin humor, sin esa vehemencia apasionada que da a la razón un conato de ira.

Creemos que el lector habrá apreciado bien las diferencias apuntadas y que tendrá ya una clara visión de los dos términos reputados como sinónimos por la opinión general. Sino que tales diferencias, justo es declararlo, se dan más en la teoría que en la práctica. La realidad ha ido borrándolas. En los casos concretos, las características esenciales de la fábula han pasado al apólogo, y viceversa. Hoy, la mayoría de los ejemplos, en verso y en prosa, dejan perplejos a quienes han de calificarlos de fábulas o de apólogos. El análisis más minucioso halla mezcladas y aun combinadas las características, y borradas y aun confundidas las diferencias. Pero nos interesaba hacer constar que no hay tal sinonimia; y que la afirmación de esta se apoya en una confusión circunstancial... que amenaza hacerse crónica.

De los géneros literarios, ha sido siempre la fábula el más humilde, el más desvalorizado, el mirado con prevención por los poetas, como si su cultivo llevara aparejada una patente de prosaísmo. En el inmenso bosque de la poesía, donde son árboles gigantescos y frondosos la épica y cada uno de los géneros líricos: el romance, el madrigal, la canción, la letrilla, el soneto, la balada, la oda..., la fábula no es sino un arbusto; el arbusto que sale al paso, pero en el que no repara el viajero, entusiasmado en la contemplación de los árboles centenarios. Sin embargo, este arbusto es tan viejo, o más, que los árboles, y tiene propiedades similares y aromas penetrantes de los que carecen muchos de los árboles.

¿Por qué la acción de las fábulas está confiada a los animales, a los vegetales, a los objetos inanimados? ¿Por qué ellos hacen *de personas,* y viven, y hablan, y sufren como nosotros, y participan de nuestras sensaciones y se desviven con nuestros sentimientos? ¿Es que el hombre no se atreve a reprochar, a enseñar al hombre, y prefiere valerse de una ficción contra la que el hombre reprochado y enseñado no pueda revolverse?

Aristóteles quiso que únicamente los animales pudieran protagonizar las fábulas; no podía admitir el Estagirita en los seres del mundo vegetal las cualidades de actores de este pequeño poema alegórico que es la fábula. "¿Por qué?", exclama el fabulista Arnault. Y añade: "¿Por qué desheredar las otras obras de la Naturaleza del privilegio de seleccionar a los hombres? Si Aristóteles consiente en que la ilusión y la verdad salgan de la boca de un león, de un buey, de un cordero, ¿por qué no ha de consentir que la montaña, el árbol y el río modulen en sus acentos la misma verdad y la ilusión idéntica?" En esta concesión extensiva hallará el ingenio del fabulista no pocos recursos para emocionar y para enseñar aún menos duramente. Porque siempre será para el hombre una lección más suave y delicada la que le dé la rosa que la que le dé el elefante.

¿Cuándo nació la fábula? Seguramente, varios siglos antes que se tuviera el concepto de *género literario.* Para algunos tratadistas nació con la esclavitud. El esclavo mísero y de talento necesitaba *cantar las verdades* a su amo sin que este pudiera darse por aludido. ¡Qué destreza la de tal ficción! ¡Qué sutilísima la enseñanza envuelta en ella! Menos aún que un tacto. Menos aún que un roce. Apenas una sensación imperceptible..., que hacía gracia o que daba gusto. Creemos, sin embargo, que es más noble y está aún más allá el origen de la fábula. La fábula reside en el espíritu del hombre, no es otra cosa que la imperiosa necesidad que el hombre siente de expresar sus ideas por medio de las imágenes y de los simbolismos. Por tanto, puede afirmarse rotundamente que la fábula existe desde que el hombre es hombre y habla. Algo más: que las fábulas no son las expresiones de una inspiración refinada o de la erudición, sino las *naturales de cualquier hombre en cualquier momento.* Las fábulas las hace el hombre, a veces, sin darse cuenta. Es muy curiosa la conferencia pronunciada en la Sorbona por M. Saint-Marc Girardin—1858—, en la que se prueba cómo saltan en la vida cotidiana de cada lugar los apólogos y las fábulas, algunos de los cuales quedan truncados por falta de conciencia en quienes los inician o por falta de asistencia de quienes habrían de recibirlos como lección.

Como género literario, la fábula y el apólogo proceden de la India. De la India pasaron a China y Japón. Después, a Grecia y Roma. Al Occidente europeo llegaron ya en la Edad Media. En Grecia perfeccionó la fábula Esopo. En Roma, Fedro. Pero en Italia, lo mismo que en la península helénica, las fábulas—en yámbicos libres—, de origen y desarrollo aún llenos de enigmas y de suspicacias, o pasaron inadvertidas o fueron tenidas como *jugueteos* infantiles. Aristóteles las llamó "provocaciones de la emulación amistosa". Séneca las reputó "ajenas a los gustos imaginativos de los romanos". Quintiliano les otorgaba la misma categoría que a los cuentos de niños, y cuando más, las consideraba propias para "servir de texto a las paráfrasis escolares o de adorno de un discurso". Marcial las calificaba de "habladurías malévolas de los eunucos".

La historia de la fábula puede dividirse en cuatro edades: la *Antigua*—India y Grecia—, la *Media*—Roma y Occidente—, la *Moderna* —entre 1600 y 1800—y la *Contemporánea*. Realmente, la *edad de oro* de la fábula es la comprendida en los siglos XVII y XVIII. Con La Fontaine, en Francia. Con Iriarte y Samaniego, en España. Con Gay, en Inglaterra. Con Lessing, en Alemania. Con Pignotti, en Italia. Con Kriloff, en Rusia.

La primera edad de la fábula—*época primitiva*—es aquella en que la intención moral es lo único que importa; intención que se presenta desnuda, desdeñando los adornos. La fábula es también como un recurso de la filosofía y de la retórica. Edad de las fábulas orientales, la edad de Pilpay y de la famosa colección de apólogos *Calila e Dimna,* especie de novela filosóficomoral, cuyos principales personajes son dos chacales. Ya en Occidente, es la edad de Esopo, famoso esclavo frigio, que escribía y recitaba sus fábulas no cuando quería, sino cuando podía. La fábula es todavía una muy útil arma de persuasión. Es la moral del buen sentido, la moral del interés bien entendido. Una moral que no estimula ni al sacrificio, ni al heroísmo, ni a la castidad, sino, sencillamente, a la prudencia. La fábula resume el avisado conocimiento que de la vida tiene el poeta; y el poeta cree oportuno expedir *recetas* para bien vivir.

En esta su edad primera, ¿podía afirmarse de la fábula que era un género poético? Ciertamente, no. La fábula quedaba equidistante de la poesía, de la retórica y de la filosofía. Pilpay, lo mismo que Esopo, recitadores de sus obras en las plazas públicas, eran filósofos y oradores más que poetas. Aristóteles no habla de Esopo en su *Poética,* pero sí en la *Retórica*. A Esopo le corresponde con justicia el nombre de *Padre de la fábula occidental;* pero en modo alguno cabe pensar que antes de él no se conociera en Grecia este género literario oriental. La fábula *del ruiseñor y el gavilán* la había contado, antes de Esopo, Hesíodo; y la *del águila y la zorra,* Arquíloco; y la del *caballo y el cerdo,* Estesícoro; y Herodo la *del pescador que atraía con la flauta la pesca.* Famoso fabulista fue Babrio, contemporáneo de Bión y de Mosco, de originalísima inventiva.

La segunda edad de la fábula corresponde a la romanización de Europa y al período medieval. Su autor más importante es otro esclavo: Fedro. Pero, a semejanza de lo que hemos dicho de Esopo en Grecia, insistimos de Fedro en Roma. Antes de Fedro ya se cultivó en el Lacio la fábula. Menenio Agrippa fue el autor—año 493 a. J. C.—de la fábula *El estómago y los miembros;* Cicerón, de la titulada *El viejo y los tres jóvenes;* Horacio, de la famosísima *El ratón de la ciudad y el ratón de los campos;* Tiberio —según asevera el historiador Josefo—había compuesto la fábula *La zorra y el erizo.* Sin embargo, todo lo apuntado apenas llega a la categoría de tentativas afortunadas. Como Esopo en Grecia, Fedro en Roma estableció—y aclimató—el género, le dio validez y fuerza, originalidad y sutileza. Si Esopo improvisó y recitó sus fábulas, Fedro escribió las suyas y... las de Esopo, como declara con singular modestia:

> *Æsopus auctor quam materam repperit*
> *Hanc ego polivi versibus senariis.*

(Esopo es el autor de las fábulas que yo he puesto en versos senarios.)

Con Fedro adquiere la fábula toda su dignidad. Es genio menor que Esopo, pero mayor artista. Sabe dar a la fábula su lirismo, su intención, su colorido con una maestría sin par. Con Fedro, la fábula se acerca a la poesía y se aleja de la retórica y de la filosofía.

En esta época, a continuación de Fedro deben señalarse, por su capital importancia, otros fabulistas y otras colecciones de fábulas. El retórico Afonio de Antioquía, que vivió a fines del siglo III de la Era cristiana, autor de una colección de cuarenta fábulas, tomadas en su mayoría de Esopo. Aviano, contemporáneo de Teodosio, que tradujo Esopo al latín, mas sin gran interés. En el siglo IX, un obispo y gramático, el maestro Ignacio, tradujo y compendió las fábulas de Babrio. San Cirilo, apóstol de los eslavones, compiló en cuatro libros cerca de un centenar de fábulas. Vincent de Beauvais insertó en su *Espejo mural* varias fábulas tomadas de Esopo. Al siglo XIII corresponde la colección, de ciento tres fábulas, llamada *de María de Francia,* publicada por Roquefort; fábulas algunas de ellas originales y muy deshonestas. Al siglo XIV corresponden las veintiocho fábulas que intercala nuestro famosísimo Arcipreste de Hita en su *Libro de Buen Amor*. Al XV, el *Hecafomythium,* de Abstemius—Lorenzo Abstemio—, cien fábulas del griego, unas y otras originales. En 1542, Gilles Corrozet coleccionó cien fábulas con el título de *Fables du très-ancien Esòpe Phrygien*. En años inmediatos volvieron a traducir a Esopo Guillaume Haudent y Guillaume Gueroult; el primero, dando a su colección el título de *Trois cent soixante six apologues d'Esope;* el segundo, llamando a la suya *Emblèmes*. Faërne, uno de los más grandes humanistas del siglo, fue uno de los más felices traductores de Esopo; traducción que publicó a sus expensas el Papa Pío IV—1564—. Poco después, Pantaleo Candidus—nombre latinizado del alemán Weiss—publicó cien fábulas imitadas de los antiguos y divididas en ocho series, según fueran los protagonistas: dioses, hombres, cuadrúpedos, peces, pájaros, reptiles, vegetales y cosas inanimadas.

Como fácilmente puede comprenderse por lo apuntado, la tradición de Esopo y de Fedro se conservó a través de la Edad Media y del Renacimiento con singular relieve. Hasta el punto de que fueron escasísimos los temas originales;

y estos deben buscarse, más que en fabulistas, en apologistas, como nuestro infante don Juan Manuel y en el inglés Chaucer.

La *época de oro* de la fábula corresponde a los siglos XVII y XVIII. En esta época, La Fontaine, maestro insuperable, eleva la fábula a su genuina categoría poética. En España, Samaniego e Iriarte alcanzan la cumbre del género. Y en Inglaterra, Gay y Moore. Y en Alemania, Lessing. Y en Holanda, Katz. Y en Rusia, Bogdanowitch y Kriloff. Y en Italia, Lorenzo Pignotti.

¿Es esta la época áurea por la originalidad de los temas, por la renuncia absoluta a los inmortalizados por Esopo, Fedro y algunos fabulistas medievales? En modo alguno. La Fontaine, Samaniego, Iriarte, Gay, Lessing y demás poetas mencionados siguen aprovechándose de la temática antigua. Sino que perfeccionan la *expresión, nacionalizan* los temas, imprimen al género *una gracia atractiva* bastante alejada de la filosofía.

A partir del siglo XIX, con el romanticismo, la fábula queda casi desterrada de las literaturas europeas. Apenas si la cultivan, a escondidas, algunos ingenios que apenas fueron conocidos del gran público. La fábula ha quedado *anticuada.* Resulta demasiado infantil para espíritus complejos como los románticos del siglo pasado o tan retorcidos como los materialistas de este. Hasta el punto de que la fábula, desde 1850, es la lectura *graciosa* dedicada a los niños que empiezan a leer. La intención *terrible* que, a juicio de los bonachones fabulistas, puede contener una fábula, únicamente arranca la sonrisa a la malicia bonachona con que se inicia la malicia en el niño.

Queremos indicar ahora brevemente algunos detalles acerca de algunos famosos fabulistas —excluidos los españoles, a quienes nos referiremos en el apartado siguiente—y de algunas famosísimas colecciones de fábulas.

1. *Fábulas de Pilpay* o *Bidpay.*—Fueron escritas en sánscrito y llevaban el título de *Pantchatantra.* Estuvieron algún tiempo atribuidas al mítico poeta Visnú-Parma. Estas fábulas sirvieron de fondo a otra colección: *Hitopadesa,* traducida al pelvi, al persa, al árabe, y célebre en Europa Occidental con el nombre de *Calila e Dimna.* El libro de Pilpay es el más antiguo que se conoce de apólogos. Su fama fue tal, que pasó al Tibet, a China, a Persia, para acabar llegando a Grecia y sirviendo de inspiración a Esopo.

2. *Esopo.*—Muchos problemas se plantean alrededor de este nombre celebérrimo. ¿Existió Esopo? ¿No es el suyo más bien un nombre legendario como el de Orfeo? Y si existió realmente, ¿escribió las fábulas que se le atribuyen? ¿No fueron estas fábulas elaboración de muchos poetas, durante muchos años, fábulas recitadas sencillamente por Esopo en distintos lugares públicos? No existe una obra rigurosamente auténtica de Esopo, lo cual ha hecho pensar a los mejores críticos si las fábulas que le están atribuidas no las escribió jamás. Aristóteles, en *Las avispas,* y Sócrates—a decir de Platón—, así lo dan a entender.

Sin embargo, otros muchos notables autores admiten la existencia de Esopo y también su paternidad de las famosas fábulas, *al menos en la forma.* Así, Heraclio de Ponto lo menciona como nacido en Tracia y esclavo de Jantos, primero; luego, liberto de Idmón. Fedro, el no menos famoso fabulista latino, tuvo a Esopo por frigio, natural de Kotyaium. Es el caso que *a nombre de Esopo* recogió Planudo trescientas cincuenta y siete fábulas; y aún hay más: lleno de suficiencia—sospechamos que intentó meternos gato por liebre—, Planudo escribió una *Vida de Esopo,* donde le hace nacer en Amorium de Frigia, el siglo VI anterior a la Era cristiana, y en la que le describe físicamente con la pintura más despiadada: patizambo, ventrudo, corcovado, calvo, apepinada la cabeza, achatada la nariz, negra la tez, tartaja... ¡Una birria, en fin! Resulta que nuestro realista Velázquez, tan imponentemente cruel para patentizar la verdad en los retratos, casi casi *le puso guapo...*

Respecto de la época en que Esopo naciera, no se ponen de acuerdo los escritores que afirman su existencia rotundamente. Así, Herodoto señala los años 570-526 antes de Cristo. Heraclio de Ponto, hacia 540. Fedro, los años 612-527... Si hemos de creer a Suidas, Esopo escribió dos libros de fábulas en Delfos. Si hemos de creer a Tolomeo Efestión, Esopo asistió al combate de las Termópilas. Si hemos de creer a Fedro, Esopo consiguió con sus fábulas calmar a los atenienses excitados por la tiranía de Pisistrato. Si hemos de creer a Plutarco—en *Solón*—, un tal Pataikos se gloriaba de haberse encarnado en su cuerpo el espíritu de Esopo. Si hemos de creer a Luciano de Samosata, en honor a los méritos de Esopo, los atenienses encargaron a Lísipo que esculpiera una estatua del famoso fabulista.

¿Vivió? ¿No vivió? ¿Escribió? ¿No escribió? ¿Fue esclavo? ¿No lo fue? Creemos que más vale, para el encanto, que subsistan las interrogaciones. Como de Orfeo. Como de Homero.

Lo que no admite dudas es que a la genuina colección de fábulas llamada *esópica* se le han ido agregando, durante siglos, otras muchas antiguas y modernas. Y que posiblemente las fábulas primitivas estuvieron escritas en yámbicos, aun cuando las que han llegado a nuestros días estén en una prosa concisa, limpia, de una corrección insuperable.

El texto de las fábulas de Esopo, recogido por Planudo, fue publicado hacia 1480 por el sabio Bono Accorso de Pisa, juntamente con una traducción latina. Y la edición más completa resulta ser la que publicó M. Dübner en la Biblioteca griego-latina de Fermín Didot. Las ediciones e imitaciones de estas fábulas *esópicas* son tan numerosas, que su enumeración ha bastado a integrar una voluminosa obra: el *Bibliographisches Lexikon,* de Hoffmann. Muy poca originalidad puede encontrarse en la obra de Esopo, representación de la sagacidad en una forma popular. El fabulista frigio se limitó a recoger y adaptar los apólogos orientales que iban llegando a Grecia.

3. *Fedro.*—¿Dónde nació Fedro? Posiblemente en la Tracia, tierra de lengua griega. El asegura que

Ego, quem Perio mater enixa est iugo.

Piero, donde le dio a luz su madre, es una región agreste y montañosa de Macedonia. ¿Cuándo nació Fedro? La crítica más rigurosa afirma que con la Era cristiana, *aproximadamente.* Tal vez el año 20 antes de Cristo. Fue, desde Macedonia, conducido a Roma, como esclavo, y él mismo se llamó *liberto de Augusto.* Posiblemente perdió toda la importancia que tuvo en el palacio de Augusto, al morir este, y, según se dice, por haber satirizado Fedro a Seyano, favorito de Tiberio. Murió a una edad muy avanzada hacia el año 69 de nuestra Era.

Fedro fue tan artista como modesto. Jamás negó que su labor fuera una imitación de Esopo, según hemos ya apuntado. El mismo título de su obra lo resalta: *Phaedri Augusti Liberti Fabularum Aesopiarum Liber;* obra que comprende ciento treinta y cinco fábulas, agrupadas en cinco libros. Fedro escribió sus fábulas entre el reinado de Tiberio y el de Nerón. Marcial y Prudencio fueron los autores que mencionaron a Fedro por vez primera. Avieno—siglo v—parafraseó sus fábulas en dísticos elegíacos. En el siglo x apareció la versión llamada *Rómulo,* y en el XI, la de Adhemar y la anónima de Wissembourg. Las tres en prosa. En 1595, y en Troyes, fue publicada por Pithou la primera edición, *al parecer* íntegra, de las fábulas de Fedro. Pero en pleno siglo XVIII se descubrió en Parma un manuscrito del famoso arzobispo de Manfredonia, Nicolás Perotto—que vivió entre 1430 y 1480—, que contenía treinta y dos fábulas de Fedro desconocidas.

4. *Fábulas de María de Francia.*—El erudito Roquefort publicó en 1822 las poesías atribuidas a esta princesa, entre las cuales hay ciento tres fábulas "compuestas con un espíritu muy conocedor del corazón humano y con una moral profundamente delicada" y en su mayoría muy originales. María de Francia escribió en un francés *que aún estaba en formación* con una deliciosa naturalidad.

5. *Fábulas de Abstemius.*—En prosa latina. La colección recibió el nombre de *Hecatomythium.* Comprende cien fábulas, en su mayoría traducidas del griego. Apareció—1495—en Venecia. Una segunda edición en 1499. Pillot hizo una traducción francesa de ellas y la publicó —en 1814—en Douai.

6. *Juan de La Fontaine.*—Nació el año 1621, en Château-Thierry. Era hijo de una noble y pudiente familia. Fue novicio en la Congregación del Oratorio, de París. Abandonó sus estudios religiosos. Se aburguesó. En 1647 era miembro del Parlamento y director de Bosques y de Aguas. Tradujo en verso *El eunuco,* de Terencio. Se casó y se separó casi en seguida de su mujer. Llevó una vida en extremo licenciosa. El superintendente Fouquet le protegió, señalándole una pensión y colmándole de favores. Caído en desgracia este ministro, obtuvo La Fontaine la protección de Enriqueta de Inglaterra. Y, muerta esta, la de madame de Sablière. Entró en la Academia francesa en 1684. Dos años antes se había reconciliado con la Iglesia. Murió en 1695. La Fontaine publicó en 1668 los seis primeros libros de sus *Fables choisies, mises en vers,* dedicados al delfín. En 1678, los libros del sexto al undécimo. En 1694, el duodécimo y último. Los aparecidos en 1678 están dedicados a madame de Montespan. El propio La Fontaine declara lo que eran sus fábulas:

Une ample comédie à cent actes divers

Es, indiscutiblemente, La Fontaine el fabulista más grande que ha habido. Más que Esopo. Más que Pilpay. A todos los aventaja en humor, en gracia, en elegancia, en intención, en fluidez versificadora, en auténtica poesía. Es, ciertamente, *inimitable,* él, que imitó a todo el mundo. Pero si Molière pudo exclamar, sin mengua para su fama: "Allí donde encuentro mi bien, lo tomo", igual pudo La Fontaine decir, sin menoscabo de la suya: "Mi imitación no es ninguna servidumbre." Y no lo es, no. Como Shakespeare, como Goethe, La Fontaine se apropia de temas ajenos *para inmortalizarlos él.* La Fontaine conoció los apólogos orientales, las fábulas de Esopo, de Fedro, de Horacio, de Babrio, de Aftonios; los *fabliaux* versificados medievales, los cuentos de Rabelais, las fábulas de Marot y de Regnier, las de nuestro Arcipreste de Hita, las hindúes del *Livre des lumières,* la compilación del *Roman de Renart...* En todas estas colecciones entró a saco. Pero su talento era tal, que los saqueos quedaron *como nuevos,* transformados en verdaderas obras de arte personalísimas.

7. *Fábulas de Lamotte.*—Publicadas por primera vez en 1719. Más que en las fábulas, el interés de la colección reside en el extenso prefacio que las precede y en que es una historia del género escrita en una prosa viva, elegante, sutil. Antonio Lamotte, autor dramático y académico francés, nació en 1672 y murió en 1731.

8. *Fábulas de Juan Gay.*—Nacido en Barnstaple—1688—y muerto en Londres—1732—,

Juan Gay está considerado como el primer fabulista inglés. Sus *Fables* se publicaron en 1726 para la instrucción del joven duque de Cumberland. Las fábulas de Gay, como todas las inglesas, carecen de la gracia, ingenio y malicia de las francesas. Son fábulas de sátira exclusivamente política. En Francia, las fábulas atacan el orden social. En Inglaterra, la gobernación del país. Las fábulas francesas del siglo XVIII están llenas de maliciosas alusiones contra las religiones. Las inglesas, por el contrario, muestran un puritano tacto en materia tan importante. Políticas exclusivamente son las fábulas de Gay, algunas de las cuales atacaron al famoso ministro Horacio Walpole.

9. *Fábulas de Teófilo Efraim Lessing.*—Poeta, filósofo, crítico de arte, talento excepcional, en 1753 publicó sus primeras fábulas; en 1759, su *Abhandlungen über Die Fabel.* Lessing creyó que la fábula quedaba dentro de la filosofía moral, sin nada de común con la poesía; para Lessing, la fábula no podía ser otra cosa que la expresión desnuda en una verdad fortificada por el ejemplo, en la que todo adorno y lirismo contribuían a desfigurarla, a empequeñecerla. Por ello, Lessing escribió sus fábulas en una prosa seca, aun cuando elegante. Lessing intentó llevar de nuevo el apólogo a la simplicidad con que le trató Esopo en sus primitivas profundidad, intención y pureza.

10. *Fábulas de Iván Andrievitch Kriloff.*—Llamado "el La Fontaine ruso". Nacido en 1768 y muerto en 1844. Secretario del príncipe Sergio de Galitzin, el cual le llevó a sus tierras de Saratof. La vida rural y la lectura de las fábulas de La Fontaine, inspiraron su vocación y le hicieron emprender este género de literatura, en el que llegó al más alto grado de perfección. Las fábulas de Kriloff fueron dadas a conocer en Francia—1828—por el senador Orloff; son de un sencillo fondo moral, y están impregnadas de la gracia y espiritualidad que Kriloff bebió en su modelo francés. En alguna cualidad llegó Kriloff a parangonarse y aun exceder a La Fontaine: en la delicadeza y en los matices del *colorido local.* Son más rusas las fábulas rusas de Kriloff que francesas las francesas de La Fontaine.

11. *Fábulas de Lorenzo Pignotti* (1739-1812). El primero entre los fabulistas italianos. Sus fábulas se publicaron por primera vez en 1779. Llenas de colorido, hábilmente dramáticas, fáciles de versificación, carecen, sin embargo, de la sencillez de las de Esopo y Fedro y de la elegancia de las de La Fontaine. El éxito enorme de que gozó Pignotti como fabulista lo debió a su estilo pintoresco y a la viveza de sus innumerables imágenes.

Son las apuntadas las principales colecciones de fábulas. Sin embargo, no sería justo no indicar, siquiera brevemente, otras de interés menor, pero del suficiente para ser incluidas en un esbozo, por tenue que sea, para la historia del género. Así, las fábulas del poeta sueco Oloff, de Dalín, las del holandés Jacobs Katz —1660—, las que compuso Fenelón para descararse de guante blanco con su discípulo el irritable duque de Bourgogne; las del abate Aubert —1756—, al que llamó Voltaire "inimitable fabulista"; las de Le Bailly, en verso—1784—, de gran elegancia y concisión; las de Florián, el fabulista francés más admirado después de La Fontaine; las de Arnault, en verso y en cuatro volúmenes, recopilación de todos los temas más conocidos del género, hecha con innegable personalidad; las de Viennet—1843—, leídas la mayor parte por su autor en las sesiones de la Academia francesa; las de Lachambeaudie, las que tradujo de libros orientales—1769—Saint-Lambert; las de Boissard—1773—, las de Nivernais—1796—, las de Stassart—1818—, las de Gellert—1715—, uno de los mejores poetas alemanes del siglo XVIII; las de Hagendorn—1738—, las de Lichtwer—1761—y las de Pfeffel...

La historia de la fábula en España está aún por hacer. Apenas se encuentran algunos cabos estudiando la poesía narrativa; cabos que no suelen llevar a ninguna parte. Cada fabulista español es como un islote. Y, sin embargo, el género ha sido cultivado desde el siglo XIV de una manera continuada. Y si realmente no han abundado los fabulistas como autores dedicados con dilección al género, raro ha sido el poeta dramático o lírico español que no haya escrito su correspondiente fabulilla. En la inmensa selva de la producción teatral española de los siglos XVII y XVIII se pueden recoger infinitos modelos de sutil ingenio, en nada inferiores a los que llenan las páginas de los más bellos fabularios del mundo.

Pero es lo cierto que ningún investigador se ha dedicado a historiar con minuciosidad este género literario.

En España se pueden señalar seis grandes fabulistas en verso: el Arcipreste de Hita, Iriarte, Samaniego, Hartzenbusch, Campoamor y M. A. Príncipe. Uno del siglo XIV, dos del XVIII, tres del XIX. Del primero a los restantes, una laguna de cuatro siglos. ¿Es posible un lapso tal de olvido, de la *no práctica* de la fábula? Durante esos cuatro siglos hay que buscarla, ya en prosa, ya en verso, en las graves crónicas de los reinados, en los doctrinales políticos, en los tratados ascéticos, en los centones de chascarros, en los pasos, entremeses y comedias, en los poemas épicos. En todas estas obras la fabulilla surge como sin querer de nadie, sencillamente porque era necesario encubrir cierta moralidad en una ficción edulcorada.

Fue el erudito francés M. de Puibusque quien, en el estudio que puso al frente de su traducción de *El conde Lucanor,* titulado *Origines de l'apologue espagnol,* señaló toda la importancia de las fábulas contenidas en el libro de nuestro Arcipreste de Hita, desconocidas absurdamente por quienes se reputan investigadores, como Robert—en sus *Fables inédites des XIIe, XIIIe et XIVe siècles*—y como M. Guillaume—en sus *Recherches sur les auteurs dans lesquels La Fontaine a pu trouver ses fables.* Las fábulas de Juan Ruiz no son, ciertamente, originales; sus modelos están en Pilpay, en Esopo, en Fedro; pero tiene Juan Ruiz tanta fuerza creadora, tales gracias poéticas, tanta sutileza para aclimatar a su época y a su patria las moralejas, que no se le puede negar el mérito *de la originalidad.*

Después del Arcipreste no puede señalarse otro autor de tan copiosa producción fabulística versificada hasta el siglo XVIII; pero es sumamente sencillo espigar fábulas en las obras de dramaturgos, poetas, historiadores y ascéticos. Y aun se da el caso de que un mismo autor ha tratado el mismo tema en varias obras con distintos metros. Recordemos la fábula de la gata transformada en mujer por disposición de Júpiter y con el designio de amar a un hombre, la cual, apenas vio a un ratón, volvió a su primitivo ser. Dicha fábula la refiere Lope de Vega en *El castigo sin venganza*—en romance, acto tercero—, en *El príncipe perfecto*—en quinquillas, primera parte, acto tercero—y en *Ejemplo de casadas*—en endecasílabos, acto segundo—. El apólogo del perro que llevaba en la boca un trozo de carne y que se vio reflejado en el agua, lo incluye Cañizares en la jornada segunda de *La heroica Antona.* La fábula del asno que quiso imitar al perro haciendo zalemas a su amo la recoge Matos Fragoso en la jornada tercera de *Lorenzo me llamo.* La del asno que se quedó sin comer por no decidirse entre dos piensos, Alvaro Cubillo de Aragón, en el acto primero de *El amor como ha de ser.* La de la zorra y el aliento fétido del león, Tirso de Molina en el acto primero de *El pretendiente al revés,* y Jacinto de Herrera en la jornada segunda de *Duelo de honor y amistad.* Antonio Mira de Amescua refiere en el acto tercero de *Lo que le toca al valor* la archiconocida de la cigarra y la hormiga. La de la urraca con plumas ajenas y el águila, Ruiz de Alarcón en el acto segundo de *No hay mal que por bien no venga.* La lista pudiera ser interminable con un poco de paciencia.

Las setenta y seis *Fábulas literarias en verso castellano*—nueve de ellas póstumas—se publicaron en 1782. Su éxito fue grande. Por la naturaleza especial de las mismas, escapan del anacronismo del género y del concepto imitativo. Es sumamente curioso leer cómo las bestias hablan de literatura en las fábulas de Iriarte. Un gusto delicado, una fineza exquisita, una severa corrección, en un lenguaje siempre elegante, distinguen las producciones de este singular fabulista, que, además, posee todos los secretos rítmicos y métricos de la versificación. Según el crítico francés Emile Deschamps, Iriarte es "un escritor clásico, en el más alto y significativo valor de dicho adjetivo, y sus *fábulas,* llenas de buena doctrina y de sutil moral, deberían estar siempre de moda en todas las escuelas y universidades". Iriarte conoció la fábula clásica a través de La Fontaine.

Un año antes—1781—se publicó la primera parte de las fábulas *Al uso del real seminario vascongado,* de las que era autor Félix María Samaniego. La segunda apareció en 1784. Las fábulas eran en total ciento cincuenta y nueve, de las cuales diecinueve eran completamente originales. "Iriarte—escribe Quintana—cuenta bien, pero Samaniego pinta; el uno es ingenioso y discreto; el otro, gracioso y natural; las sales y los idiotismos que uno y otro esparcen en su obra son igualmente oportunos y castizos, pero el uno los busca y el otro los encuentra sin buscarlos y parece que los produce por sí mismos." Las fuentes de Samaniego son Esopo, Fedro, Gay y La Fontaine. Cuando es original —como en la fábula de *El joven filósofo y sus compañeros*—, raya a mayor altura que cuando es un simple reformador o adaptador. "El La Fontaine español" ha sido llamado Samaniego. Aun cuando inferior al modelo, Samaniego se merece el dictado. Fue—salvo Iriarte—el modelo de todos sus contemporáneos y aun de cuantos han escrito fábulas en castellano desde él.

En 1861-1862 publicó Miguel Agustín Príncipe sus *Fábulas en verso castellano y en variedad de rimas.* La colección comprende más de ciento cincuenta fábulas, divididas en seis libros, precedidas de una introducción y seguidas de un tratado acerca de la versificación española. La introducción es un estudio muy discreto de la historia del apólogo y una apreciación exacta y muy sincera de cuantos fabulistas tuvo conocimiento. Sino que en la parte relativa a la fábula flojea bastante, ya que sus noticias son *de segunda mano.* Por ejemplo: lamenta Príncipe la pérdida de parte de las fábulas de Babrio *veintitantos años después* de haber sido encontradas, las dadas por perdidas, en un convento del monte Athos por el erudito M. Minoïde Minas. Más de la mitad de las fábulas de Príncipe son originales, facilísimas de versificación, ingeniosas, con el grano de moral suficiente y una amenidad absoluta. No fue Príncipe de los fabulistas demasiado partidarios de hacer hablar a los animales; prefirió tomar como personajes de sus fábulas los vegetales, los símbolos, las virtudes abstractas, las alegorías.

Entre 1848 y 1865 publicó sus fábulas el gran dramaturgo y gran erudito don Juan Eugenio Hartzenbusch. En total, alrededor de doscientas. No todas ellas originales. Modestamente, el propio fabulista lo declara:

> Remendaba con sigilo
> sus calzones un mancebo.
> Yo, que le acechaba, vilo,
> y pregunté: —¿Qué ha de nuevo?
> Y él respondió: —Solo el hilo.

Y en seguida: "Los lectores que hagan el cotejo del original y la copia echarán de ver que unas veces he traducido, otras he imitado, refundido o desfigurado el original, según me pareció conveniente y según hicieron otros antes que yo." Sin embargo, también sabe Hartzenbusch ser completamente original en muchísimas ocasiones. Recuérdese una de las más hermosas fábulas de todas las épocas, por su hondura dramática, por su concisión imponente, por su sencillísima versificación, por su formidable moral de época, la titulada *El águila y el caracol:*

> Vio, en la inminente roca donde anida
> el águila real, que se le llega
> un torpe caracol de la honda vega,
> y exclama, sorprendida:
> —¿Cómo, con ese andar tan perezoso,
> tan arriba subiste a visitarme?
> —Subí, señora—contestó el baboso—,
> a fuerza de arrastrarme.

Si cuantas fábulas salieron de la pluma de Hartzenbusch hubieran sido parecidas a esta, Hartzenbusch sería el más grande fabulista de todas las épocas. Sin embargo, fabulista de muchísimos quilates es Hartzenbusch. Puso al escribir sus fábulas el mismo primor, la misma naturalidad, el mismo ingenio que cuando escribió sus dramas hermosísimos.

En muchos de los casos, la imitación de Hartzenbusch suele exceder en gracia y en belleza a las del original. Y en lo que no ha sido excedido por nadie, ni por Samaniego e Iriarte, ni por el mismo La Fontaine, es en la tersura y elegancia del verso y en el dominio del lenguaje castizo.

En 1842 publicó sus *Fábulas* el famoso poeta Ramón de Campoamor, "las más notables, con las de Hartzenbusch, de las letras castellanas modernas, que se distinguen, no solo por su tendencia moralizadora—como las de otros autores—, sino también por su malicia e intención irónica" (M. P.). Campoamor imita menos que Hartzenbusch, pero le es muy inferior en naturalidad y en inspiración poética.

Don Ramón de Campoamor impregna sus fábulas de la misma filosofía, un tanto ramplona, que sus *Doloras* y *Humoradas.* Además, la moraleja en las fábulas campoamorianas ya no se ve tan fácilmente. Cierta ironía cazurra, cierto humorismo, obligan al lector a vacilar antes de sacar la consecuencia; sin que se logre sacarla, a veces, o amargando, en ocasiones, la almendrilla que creíamos agridulce.

Genuinamente fabulistas, son dignos de mención: el magistrado y senador del reino don Pascual Fernández Baeza, que publicó, en 1852, una *Colección de fábulas políticas y morales;* el diputado general de Vizcaya e historiador del Señorío de Guernica don José Agustín de la Rentería—1750 a 1826—, cuyas fábulas han sido publicadas—1923—por el erudito Alonso Cortés en una colección escogida de *Fábulas castellanas;* el sacerdote y abogado, profesor de Religión y Moral de don Alfonso XII, don Cayetano Fernández (1820-1901), de la Academia Sevillana de Buenas Letras, autor de unas *Fábulas ascéticas;* el oidor de la Audiencia de Aragón y consejero de su majestad don Rafael José de Crespo (¿1789-1849?), que dedicó sus *Fábulas y epigramas* al ministro Calomarde; don Juan Pisón y Vargas, autor de unas *Fábulas políticas y literarias,* muy estimadas de Núñez de Arce.

Y a lo escrito quedan reducidos estos breves apuntes, que desearían contribuir a una historia más detallada y documentada de la fábula española.

BIBLIOGRAFÍA: a) *De los principales fabulistas:* V. AESOPI: *Fabulae.*—PHEDRI: *Fabularum aesopiarum, libri V.*—AVIANI, F. C.: *Fabulae.* Amsterdam, 1731.—BABRII (Babrio): *Fabulae. (De Babrio dissertatio,* autore Tyrwhitz). Londres, 1776.—SYNTIPAE PHILOSOPH: *Fabulae LXII.* Leipzig, 1781.—SAN CIRILO: *Apologi morales.* Viena, 1630.—ABSTEMII (Lorenzo Abstemio): *Fabulae.* Venecia, 1519.—VALLA, Lorenzo: *Facietae morales.* (¿1430?).—VALLA, Lorenzo: *Propos fabuleaux moralisez.* Lyón, 1556.—VALLA, Lorenzo: *Centum fabulae ex antiquiis scriptoribus.* Venecia, 1587.—PANDOLPHI COLLENUTI: *Apologi quatuor.* 1511.—FAERNI, G.: *Fabulae.* Roma, 1564.—DESBILLONS, Fr. J.: *Fabulae aesopicae.* París, 1778. MARÍA DE FRANCIA: *Fábulas.* Publicadas por Roquefort. París, 1820.—RUIZ, Juan, Arcipreste de Hita: *Libro de Buen Amor.*—PAVESI, Cesare (M. P. Targa): *Cento e cinquenta favole...* Venecia, 1569.—ROBERTI, J.: *Favole esopiane.* Bassano, 1782.—PAGNOTTI, Lorenzo: *Favole e novelle.* 1784.—FLORIÁN, Jean-Pierre Claris de: *Fables,* 1796.—LA FONTAINE, Jean de: *Fables...* 1668.—HOUDARD DE LA MOTTE: *Fables nouvelles.* París, 1719.—FENELÓN, François de Salignac de la Motte de: *Fables,* 1703. AUBERT, Abate: *Fables.* París, 1773.—SAMANIEGO, Félix María: *Fábulas en verso castellano.* Valencia, 1781.—IRIARTE, Tomás de: *Fábulas literarias.* 1782.—LESSING, G. E.: *Fabelu.* Berlín, 1801.—GELLERT, Ch. F.: *Fabelu und Erzaehlungen.* Berlín, 1804.—DRYDEN: *Fables.* Londres, 1793.—GAY, John: *Fables.* Londres, 1793.—KRILOFF, M.: *Fables russes.* París, 1825.—MELLO, Fr. Antonio Manuel: *Apologos et dialogues.* Lisboa, 1721.—HARTZENBUSCH, J. E.: *Fábulas,* 1888. En "Escritores castellanos".—PRÍNCIPE, Miguel Agustín: *Fábulas en verso castellano...* Madrid, 1861.—CAMPOAMOR, Ramón de: *Fábulas.* En "Obras poéticas completas". Aguilar, 1934.—Y obra fundamentalísima: *Calila e Dimna* o *Fábulas,* de PILDAY O BIDPAY.

b) *De las principales obras críticas acerca de la fábula y de los fabulistas:*

V. HOUDARD DE LA MOTTE: *Discours* al frente

de sus *Fables* (V.).—WALCKENAER, W.: *Essai sur la fable et les fabulistes.* París, 1822. JAUFFRET: *Letres sur les fabulistes anciens et modernes.* París, 1827.—LOISELEUR-DESLONGCHAMPS, A.: *Essai sur les fables indiennes.* París, 1838.—DARESTE, R.: *Babrius et la fable grecque.* En "Revue des Deux-Mondes". 1846.—WEBBER, A.: *La correspondencia de las fábulas griegas y latinas.* En Berlín, 1855. Traducción española de Alvarez. 1886.—ERSCH Y GRUBER: Artículo "Fabel" en la *Allgemeine Encyclopaediae.*—PETZOHLDT, J.: *Bibliotheca bibliographica.* 1864.—PRÍNCIPE, M. A.: *Estudio* al frente de sus *Fábulas.* 1861 (V.).—BRUNET, J. Ch.: Artículo "Bidpay" en su *Manuel du libraire.*—MENÉNDEZ Y PELAYO, M.: *Orígenes de la novela española.*—MENÉNDEZ Y PELAYO, M.: *Antología de poetas líricos castellanos.*

FABULISTA

1. Autor, inventor o compositor de fábulas.
2. Persona que escribe de la *fábula* o *mitología.*

FACECIA (Burla)

Chiste. Agudeza. Donaire. Cuento gracioso. No debe confundirse con la bufonería. La facecia es más delicada, más espiritual. Porque la facecia puede encerrar "un pensamiento serio", "un aviso moral", expuesto de un modo ligero y divertido. La facecia excita la risa o la sonrisa *inteligente.* La bufonada, la risa animal.

La facecia tuvo una importancia decisiva en el teatro burlesco de Aristófanes, en la *Batracomiomaquia*—atribuida a Homero—; en los *fabliaux* y cuentos de Chaucer, don Juan Manuel y Boccaccio; en algunas obras de Shakespeare, Lope de Vega, Rabelais; en la comedieta italiana de cámara; en la farsa, en el drama musical y en el vodevil.

La facecia muy fácilmente degenera en irreverencia religiosa o política.

V. DE CALLIERES: *Des bons mots, des bons Contes et de leur usage, de la raillerie des anciens...* París, 1692.

FACSÍMILE

Imitación o reproducción perfecta de un manuscrito o impreso.

FACTUM

Nombre dado a ciertos *panfletos* (V.) literarios, judiciales o políticos, que tienen por objeto atacar o defender. Su origen es un escrito latino, especie de *memoria,* que se remitía a los jueces, y en el que se exponía un negocio contencioso.

El *factum* literario adquirió gran importancia en la literatura francesa. Las querellas jansenistas, las discusiones religiosas, científicas, políticas y poéticas dieron lugar a numerosos y magníficos *facta.*

FALANGISMO

Doctrina, sistema y organización de la agrupación política fundada—29 de octubre de 1933—por José Antonio Primo de Rivera. También se llama Falangismo a la misma agrupación—hoy, ya, partido y técnica y táctica de gobierno.

El Falangismo—o Nacionalsindicalismo—, movimiento cuyos tres principales postulados son: la lucha contra el comunismo, la unidad nacional y la dignificación del trabajo, tuvo dos antecedentes inmediatos en España, los dos surgidos como répica contra la socializante segunda República española:

1.º El de las J. O. N. S. *(Junta de Ofensiva Nacional Sindicalista),* cuya doctrina estableció Ramiro Ledesma Ramos—febrero de 1931—en su *Manifiesto político de la Conquista del Estado.*

2.º La *Junta Castellana de Actuación Hispánica,* fundada en Valladolid—9 de agosto de 1931—por Onésimo Redondo.

Poco después—4 de octubre de 1931—se unieron los elementos de estas dos organizaciones, integrando las J. O. N. S., cuyo caudillo fue Ledesma Ramos y cuyos postulados pregonó la revista *J. O. N. S.* desde mayo de 1933.

El origen de la Falange Española fue el discurso pronunciado por José Antonio Primo de Rivera en el teatro de la Comedia, de Madrid, el 29 de octubre de 1933. En este discurso memorable quedaron sentadas las bases de la Revolución española, desarrolladas doctrinalmente—desde enero de 1934—en el semanario *F. E.*

El día 13 de febrero de 1934 se fusionaron Falange Española y las J. O. N. S. La nueva organización estuvo regida por un triunvirato, formado por José Antonio Primo de Rivera, Ruiz de Alda y Ledesma Ramos. A la nueva organización aportaron las J. O. N. S. el emblema del haz y del yugo y la bandera roja y negra. Y la Falange aportó su grito de lucha: ¡Arriba España!, y la teoría de su fundador acerca de la unidad de destino de España en lo universal.

El 5 de octubre de 1934, Primo de Rivera fue nombrado jefe nacional único por el primer Consejo Nacional de la Falange Española y de las J. O. N. S. Y el día 21 de marzo de 1935 apareció el primer número de *Arriba,* semanario órgano del nacionalsindicalismo español.

Felipe Ximénez de Sandoval, el más puntual biógrafo de José Antonio Primo de Rivera, escribe: "La Falange lanza sus primeros Puntos Iniciales, que más tarde perfilaría el propio José Antonio en el milagroso equilibrio de lógica política, de sintaxis militar y de profundidad ascética, de los 26 puntos de F. E. de las J. O. N. S., adoptados por el generalísimo Franco como la sólida arquitectura sobre la que edificar el castillo imperial del Estado nacionalsindicalista.

"Aun cuando después muchos han presumido de retocar las páginas de José Antonio, los primeros Puntos eran absolutamente debidos a su pluma, y decían así:

"I. ESPAÑA.

Falange Española cree resueltamente en España.

España *no es* un territorio.

Ni un agregado de hombres y mujeres.

España es, ante todo, una *unidad de destino*.

Una realidad histórica.

Una entidad, verdadera en sí misma, que supo cumplir—y aun tendrá que cumplir—misiones universales.

*

Por tanto, España existe:

1.° Como algo *distinto* a cada uno de los individuos y de las clases y de los grupos que la integran.

2.° Como algo *superior* a cada uno de esos individuos, clases y grupos, y aun al conjunto de todos ellos.

*

Luego España, que existe como *realidad distinta y superior,* ha de tener sus *fines propios*.

Son esos fines:

1.° La permanencia en su unidad.

2.° El resurgimiento de su vitalidad interna.

3.° La participación, con voz preeminente, en las empresas espirituales del mundo.

II. DISGREGACIÓN DE ESPAÑA.

Para cumplir esos fines, España tropieza con un gran obstáculo. Está dividida:

1.° Por los separatismos locales.

2.° Por las pugnas entre los partidos políticos.

3. Por la lucha de clases.

*

El separatismo ignora u olvida la realidad de España. Desconoce que España es, sobre todo, una gran *unidad de destino*.

Los separatistas se fijan en si hablan lengua propia, en si tienen características raciales propias, en si su comarca presenta clima propio o especial fisonomía topográfica.

Pero—habrá que repetirlo siempre—una nación no es una lengua, ni una raza, ni un territorio. Es una *unidad de destino en lo universal.* Esa unidad de destino se llamó y se llama España.

Bajo el signo de España cumplieron su destino—unidos en lo universal—los pueblos que la integran.

Nada puede justificar que esa magnífica unidad, creadora de un mundo, se rompa.

*

Los partidos políticos ignoran la unidad de España porque la miran desde el punto de vista de un interés *parcial*.

Unos están a la *derecha*.

Otros están a la *izquierda*.

Situarse así ante España es ya desfigurar su verdad.

Es como mirarla con solo el ojo izquierdo o con solo el ojo derecho.

Las cosas bellas y claras no se miran así, sino con los ojos sinceramente: *de frente*.

No desde el punto de vista *parcial, de partido,* que ya, por serlo, deforma lo que se mira.

Sino desde un punto de vista *total,* de Patria, que al abarcarla en su conjunto corrige nuestros defectos de visión.

*

La lucha de clases ignora la unidad de la Patria, porque rompe la idea de la *producción nacional* como conjunto.

Los patronos se proponen, en estado de lucha, ganar más.

Los obreros, también.

Y, alternativamente, se tiranizan.

En las épocas de crisis de trabajo, los patronos abusan de los obreros. En las épocas de sobra de trabajo, o cuando las organizaciones obreras son muy fuertes, los obreros abusan de los patronos.

Ni los obreros ni los patronos se dan cuenta de esta verdad: unos y otros son cooperadores en la obra conjunta de la *producción nacional*. No pensando en la producción nacional, sino en el interés o en la ambición de cada clase, acaban por destruirse y arruinarse patronos y obreros.

III. CAMINO DE REMEDIO.

Si las luchas y la decadencia nos vienen de que se ha perdido la idea permanente de España, el remedio estará en restaurar esa idea. Hay que volver a concebir a España como realidad existente por sí misma.

Superior a las diferencias entre los pueblos.

Y a las pugnas entre los partidos.

Y a la lucha de las clases.

Quien no pierda de vista esa afirmación de la realidad superior de España, verá claros todos los problemas políticos.

IV. EL ESTADO.

Algunos conciben el Estado como un simple mantenedor del orden, como un espectador de la vida nacional, que solo toma parte en ella cuando el orden se perturba, pero que no cree resueltamente en ninguna idea determinada.

Otros aspiran a adueñarse del Estado para usarlo, incluso, tiránicamente, como instrumento de los intereses de su grupo o de su clase.

Falange Española no quiere decir ninguna de las dos cosas: ni el Estado indiferente mero policía, ni el Estado de clase o de grupo.

Quiere un Estado creyente en la realidad y en la misión superior de su España.

Un Estado que, al servicio de su idea, asigne a cada hombre, a cada clase y a cada grupo sus tareas, sus derechos y sus sacrificios.

Un Estado *de todos*, es decir, que no se mueva sino por la consideración de esa idea permanente de su España; nunca por sumisión al interés de una clase o de un partido.

V. Supresión de los partidos políticos.

Para que el Estado no pueda ser nunca partido hay que acabar con los partidos políticos.

Los partidos políticos se producen como resultado de una organización política falsa: el régimen parlamentario.

En el Parlamento, unos cuantos señores dicen representar a quienes los eligen. Pero la mayor parte de los electores no tienen nada en común con los elegidos: ni son de la misma familia, ni de los mismos municipios, ni del mismo gremio.

Unos pedacitos de papel depositados cada dos o tres años en unas urnas son la única razón entre el pueblo y los que dicen representarle.

*

Para que funcione esa máquina electoral, cada dos o tres años hay que agitar las vidas de los pueblos de un modo febril.

Los candidatos vociferan, se injurian, prometen cosas imposibles.

Los bandos se exaltan, se increpan, se asesinan.

Los más feroces odios son azuzados en esos días. Nacen rencores que duran acaso para siempre y harán imposible la vida de los pueblos.

Pero a los candidatos triunfantes ¿qué les importan los pueblos? Ellos se van a la capital a brillar, a salir en los periódicos y a gastar su tiempo en discutir cosas complicadas que los pueblos no entienden.

¿Para qué necesitan los pueblos de esos intermediarios políticos? ¿Por qué cada hombre, para intervenir en la vida de su nación, ha de afiliarse a un partido o votar las candidaturas de un partido político?

Todos nacemos en una *familia*.

Todos vivimos en un *Municipio*.

Todos trabajamos en un *oficio* o *profesión*.

Pero nadie nace ni vive naturalmente en un partido político.

El partido es una cosa *artificial* que nos une a gentes de otros municipios y otros oficios, con las que no tenemos nada en común, y nos separa de nuestros convenios y de nuestros compañeros de trabajo, que son con quienes de verdad convivimos.

Un Estado verdadero, como el que quiere Falange Española, no estará asentado sobre la falsedad de los partidos políticos ni sobre el Parlamento que ellos engendran.

Estará asentado sobre las auténticas realidades vitales:

La familia.

El Municipio.

El Gremio o Sindicato.

Así, el nuevo Estado habrá de reconocer la integridad de la familia como unidad social; la autonomía del Municipio, como unidad territorial, y el Sindicato, el Gremio, la Corporación, como bases auténticas de la organización total del Estado.

VI. Superación de la lucha de clases.

El nuevo Estado no se inhibirá cruelmente de la lucha por la vida que sostienen los hombres.

No dejará que cada clase se las arregle como pueda para librarse del yugo de la otra para tiranizarla.

El nuevo Estado, por ser de todos, totalitario, considerará como fines propios los fines de cada uno de los grupos que lo integran y velará como por sí mismo por los intereses de todos.

La riqueza tiene como primer término mejorar las condiciones de vida de los demás: no sacrificar a los más para el lujo y el regalo de los menos.

El trabajo es el mejor título de dignidad civil. Nada puede merecer más atención al Estado que la dignidad y el bienestar de los trabajadores.

Así, considerará como primera obligación suya, cueste lo que cueste, proporcionar a todo hombre trabajo que le asegure no solo el sustento, sino una vida digna y humana.

Esto no lo hará como limosna, sino como cumplimiento de su deber.

Por consecuencia, ni las ganancias del capital —hoy a menudo injustas—, ni las tareas del trabajo, estarán determinadas por el interés o por el poder de la clase que en cada momento prevalezca, sino por el interés conjunto de la producción nacional y por el poder del Estado.

Las clases no tendrán que organizarse en pie de guerra para su propia defensa, porque podrán estar seguras de que el Estado velará sin titubeos por todos sus intereses justos.

Pero sí tendrán que organizarse en pie de paz

FALANGISMO

los Sindicatos, y los Gremios, hoy alejados de la vida pública por la inspección artificial del Parlamento y de los partidos políticos, pasarán a ser órganos directos del Estado.

*

En resumen:

La actual situación de lucha considera las clases como divididas en dos bandos, con diferentes y opuestos intereses.

El nuevo punto de vista considera a cuantos contribuyen a la producción como interesados en una misma empresa común.

VII. El individuo.

Falange Española considera al hombre como conjunto de un cuerpo y de un alma; es decir, como capaz de un destino eterno, como portador de valores eternos.

Así, pues, el máximo respeto se tributa a la dignidad humana, a la integridad del hombre y a su libertad.

Pero esta libertad profunda no autoriza a socavar los fundamentos de la convivencia pública.

No puede permitirse que todo un pueblo sirva de campo de experimentación a la osadía o a la extravagancia de cualquier sujeto.

Para todos, la libertad verdadera, que solo se logra por quien forma parte de una nación fuerte y libre.

Para nadie, la libertad de perturbar, de envenenar, de azuzar las pasiones, de socavar los cimientos de toda duradera organización política.

Estos fundamentos son: *la autoridad, la jerarquía* y *el orden.*

Si la integridad física del individuo es siempre sagrada, no es suficiente para darle una participación en la vida pública nacional.

La condición política del individuo solo se justifica en cuanto cumple una función dentro de la vida nacional.

Solo están exentos de tal deber los impedidos.

Pero los parásitos, los zánganos, los que aspiran a vivir como convidados a costa del esfuerzo de los demás, no merecerán la menor consideración del Estado nuevo.

VIII. Lo espiritual.

Falange Española no puede considerar la vida como un mero juego de factores económicos. No acepta la interpretación material de la Historia.

Lo espiritual ha sido, y es, el resorte decisivo en la vida de los hombres y de los pueblos.

*

Aspecto preeminente de lo espiritual es lo religioso.

Ningún hombre puede dejar de formularse las eternas preguntas sobre la vida y la muerte, sobre la creación y el más allá.

A estas preguntas no se puede contestar con evasivas: hay que contestar con la afirmación o con la negación.

España contestó siempre con la afirmación católica.

La interpretación católica de la vida es, en primer lugar, la verdadera; pero es, además, históricamente, la española.

Por su sentido *de catolicidad, de universalidad,* ganó España al mar y a la barbarie continentes desconocidos. Los ganó para incorporar a quienes los habitaban a una empresa universal de salvación.

*

Así, pues, toda reconstrucción de España ha de tener un sentido católico.

Esto no quiere decir que vayan a renacer las persecuciones religiosas contra quienes no lo sean. Los tiempos de las persecuciones religiosas han pasado.

Tampoco quiere decir que el Estado vaya a asumir funciones religiosas que corresponden a la Iglesia.

Ni menos que vaya a tolerar intromisiones o maquinaciones de la Iglesia, con daño posible para la dignidad del Estado o para la integridad nacional.

Quiere decir que el Estado nuevo se inspirará en el espíritu religioso católico tradicional de España y concordará con la Iglesia las consideraciones y el amparo que le son debidos.

IX. La conducta.

Esto es lo que quiere Falange Española.

Para conseguirlo, llama a una cruzada a cuantos españoles quieran el resurgimiento de una España grande, libre, justa y genuina.

Los que lleguen a esta cruzada habrán de aprestar el esfuerzo para el servicio y para el sacrificio.

Habrán de considerar la vida como milicia; disciplina y peligro, abnegación y renuncia a toda vanidad, a la envidia, a la pereza y a la maledicencia.

Y al mismo tiempo servirán ese espíritu de una manera alegre y deportiva.

*

La violencia puede ser lícita cuando se emplea por un ideal que la justifique.

La razón, la justicia y la Patria serán defendidas por la violencia cuando por la violencia —o por la insidia— se las ataque.

Pero Falange Española nunca empleará la violencia como instrumento de opresión.

Mienten quienes anuncian—por ejemplo—a los obreros una tiranía fascista.

Todo lo que es *haz* o *falange* es unión, cooperación animosa y fraterna, amor.

Falange Española, encendida por un amor, segura de una fe, sabrá conquistar España para España con aire de milicia."

Así postuló José Antonio Primo de Rivera las doctrinas y los ideales del Falangismo o Nacionalsindicalismo.

Iniciado en julio de 1936 el Movimiento Nacional, a su lado se pusieron Falange Española y los Requetés tradicionalistas. Por ello, el jefe del Estado acordó la unificación de las dos milicias en decreto de 19 de abril de 1937 y con el nombre de *Falange Española Tradicionalista y de las J. O. N. S.* Hecha esta unión, se procedió a organizar la Falange, que, según el artículo 4.° de sus Estatutos, está integrada en la siguiente forma: Afiliados, Falanges locales y Jefaturas provinciales, Inspecciones regionales, Servicios, Milicias y Sindicatos, Inspecciones nacionales, Delegados nacionales, Secretario nacional del Movimiento, Junta política, Consejo Nacional y Caudillo o jefe nacional del Movimiento.

El Falangismo adoptó el siguiente uniforme: camisa azul con escudo de Falange Española, formado por un yugo horizontal, cruzado por un haz de cinco flechas, y boina roja, uniendo así a los distintivos de la primitiva Falange los de los Requetés.

Terminada y ganada la guerra de liberación, el Estado Nacionalsindicalista—o Falangismo—se sustentó y desarrolló sobre 26 de los puntos que constituyen el ideario de la Falange, y que son los siguientes:

1. Creemos en la suprema realidad de España. Fortalecerla, elevarla y engrandecerla es la apremiante tarea colectiva de todos los españoles. A la realización de esta tarea habrán de plegarse inexorablemente los intereses de los individuos, de los grupos y de las clases.

2. España es una unidad de destino en lo universal. Toda conspiración contra esa unidad es repulsiva.

Todo separatismo es un crimen que no perdonaremos.

3. Tenemos voluntad de Imperio. Afirmamos que la plenitud histórica de España es el Imperio.

Reclamamos para España un puesto preeminente en Europa. No soportamos ni el aislamiento internacional ni la mediatización extranjera.

Respecto a los países de Hispanoamérica, tendemos a la unificación de la cultura, de intereses económicos y de poder. España alega su condición de eje espiritual del mundo hispánico como título de preeminencia en las empresas universales.

4. Nuestras fuerzas armadas en la tierra, en el mar y en el aire habrán de ser tan capaces y numerosas como sea preciso para asegurar a España en todo instante la completa independencia y la jerarquía mundial que le corresponda.

Devolveremos al Ejército de tierra, mar y aire toda la dignidad pública que merece y haremos a su imagen, que un sentido militar de la vida informe toda la existencia española.

5. España volverá a buscar su gloria y su riqueza por las rutas del mar. España ha de aspirar a ser una gran potencia marítima para el peligro y para el comercio.

Exigimos para la Patria igual jerarquía en las flotas y en los rumbos del aire.

6. Nuestro Estado será un instrumento totalitario al servicio de la integridad patria. Todos los españoles participarán en él a través de su función familiar, municipal y sindical. Nadie participará a través de los partidos políticos. Se abolirá implacablemente el sistema de los partidos políticos con todas sus consecuencias: sufragio inorgánico, representación por bandos en lucha y Parlamento de tipo conocido.

7. La dignidad humana, la integridad del hombre y su libertad son valores eternos e intangibles. Pero solo es de veras libre quien forma parte de una nación fuerte y libre.

A nadie le será lícito usar su libertad contra la unión y la libertad de la Patria. Una disciplina rigurosa impedirá todo intento dirigido a envenenar, a desunir a los españoles o moverlos contra el destino de la Patria.

8. El Estado Nacionalsindicalista permitirá toda iniciativa privada compatible con el interés colectivo, y aun protegerá y estimulará las beneficiosas.

9. Concebimos a España en lo económico como un gigantesco Sindicato de productores. Organizaremos corporativamente la sociedad española mediante un sistema de sindicatos verticales por ramas de la producción al servicio de la integridad económica nacional.

10. Repudiamos el sistema capitalista, que se desentiende de las necesidades populares, deshumaniza la propiedad privada y aglomera a los trabajadores en masas informes, propicias a la miseria y a la desesperación.

Nuestro sentido espiritual y nacional repudia también el marxismo. Orientaremos el ímpetu de las clases laboriosas, hoy descarriadas por el marxismo, en el sentido de exigir su participación directa en la gran tarea del Estado nacional.

11. El Estado Nacionalsindicalista no se inhibirá cruelmente de las luchas económicas de los hombres, ni asistirá impasible a la dominación de la clase más débil por la más fuerte. Nuestro régimen hará radicalmente imposible

la lucha de clases, por cuanto todos los que cooperan a la producción constituyen en él una totalidad orgánica.

Reprobaremos e impediremos a toda costa los abusos de un interés parcial sobre otro y la anarquía en el régimen del trabajo.

12. La riqueza tiene como primer destino —y así lo afirmará nuestro Estado—mejorar las condiciones de vida de cuantos integran el pueblo. No es tolerable que masas enormes vivan miserablemente mientras unos cuantos disfrutan de todos los lujos.

13. El Estado reconocerá la propiedad privada como medio lícito para el cumplimiento de los fines individuales, familiares y sociales, y la protegerá contra los abusos del gran capital financiero, de los especuladores y de los prestamistas.

14. Defendemos la tendencia a la nacionalización del servicio de banca, y mediante las corporaciones, a la de los grandes servicios públicos.

15. Todos los españoles tienen derecho al trabajo. Las entidades públicas sostendrán necesariamente a quienes se hallen en paro forzoso.

Mientras se llega a la nueva estructura total, mantendremos e intensificaremos todas las ventajas proporcionadas al obrero por las leyes vigentes sociales.

16. Todos los españoles no impedidos tienen el deber del trabajo. El Estado Nacionalsindicalista no tributará la menor consideración a los que no cumplen función alguna y aspiran a vivir como convidados a costa del esfuerzo de los demás.

17. Hay que elevar a todo trance el nivel de la vida del campo, vivero permanente de España. Para ello adquirimos el compromiso de llevar a cabo sin contemplaciones la reforma económica y la reforma social de la agricultura.

18. Enriqueceremos la producción agrícola (reforma económica) por los medios siguientes:

Asegurando a todos los productores de la tierra un precio mínimo remunerador.

Exigiendo que se devuelva al campo, para dotarlo suficientemente, gran parte de lo que hoy absorbe la ciudad en pago de sus servicios intelectuales y comerciales.

Organizando un verdadero Crédito Agrícola nacional, que, al prestar dinero al labrador a bajo interés, con la garantía de sus bienes y de sus cosechas, le redima de la usura y del caciquismo.

Difundiendo la enseñanza agrícola y pecuaria.

Ordenando la dedicación de las tierras por razón de sus condiciones y de la posible colocación de los productos.

Orientando la política arancelaria en sentido protector de la agricultura y de la ganadería.

Acelerando las obras hidráulicas.

Racionalizando las unidades de cultivo, para suprimir tanto los latifundios desperdiciados como los minifundios antieconómicos por su exiguo rendimiento.

19. Organizaremos socialmente la agricultura por los medios siguientes:

Distribuyendo de nuevo la tierra cultivable para instituir la propiedad familiar y estimular enérgicamente la sindicación de labradores.

Redimiendo de la miseria en que viven a las masas humanas que hoy se extenúan en arañar suelos estériles, y que serán trasladadas a las nuevas tierras cultivables.

20. Emprenderemos una campaña infatigable de repoblación ganadera y forestal, sancionando con severas medidas a quienes la entorpezcan e incluso acudiendo a la forzosa movilización temporal de toda la juventud española para esta histórica tarea de reconstruir la riqueza patria.

21. El Estado podrá expropiar sin indemnización las tierras cuya propiedad haya sido adquirida o disfrutada ilegítimamente.

22. Será designio preferente del Estado Nacionalsindicalista la reconstrucción de los patrimonios comunales de los pueblos.

23. Es misión esencial del Estado, mediante una disciplina rigurosa de la educación, conseguir un espíritu nacional fuerte y unido, e instalar en el alma de las futuras generaciones la alegría y el orgullo de la Patria.

Todos los hombres recibirán una educación premilitar que les prepare para el honor de incorporarse al Ejército nacional y popular de España.

24. La cultura se organizará en forma de que no se malogre ningún talento por falta de medios económicos. Todos los que lo merezcan tendrán fácil acceso incluso a los estudios superiores.

25. Nuestro Movimiento incorpora el sentido católico—de gloriosa tradición y predominante en España —a la reconstrucción nacional.

La Iglesia y el Estado concordarán sus facultades respectivas, sin que se admita intromisión o actividad alguna que menoscabe la dignidad del Estado o la integridad nacional.

26. Falange Española Tradicionalista y de las J. O. N. S. quiere un orden nuevo, enunciado en los anteriores principios. Para implantarlo, en pugna con las resistencias del orden vigente, aspira a la Revolución Nacional.

Su estilo preferirá lo directo, ardiente y combativo. La vida es milicia y ha de vivirse con espíritu acendrado de servicio y de sacrificio.

V. PRIMO DE RIVERA, J. A.: *Obras completas.* Madrid. Varias ediciones.—LEDESMA RAMOS, R.: *La conquista del Estado.*—BENEYTO PÉREZ, J.: *El nuevo Estado español.*—LAÍN ENTRALGO, P.: *Los valores morales del Nacionalismo.*—PEMARTÍN, J.: *Teoría de la Falange.*—VALLS Y TABERNER: *Reafirmación de España.* MONTERO DÍAZ, S.: *La Revolución Nacional.* XIMÉNEZ DE SANDOVAL, F.: *Biografía de José Antonio.*—ARRESE, J. L.: *La revolución social del Nacionalismo.*

FALECIANO (Verso)

Verso griego y latino cuya invención es atribuida al poeta Phalaecius. Se le llamó *endecasílabo* porque consta de once sílabas. Los cinco pies de que se compone son: el primero, un espondeo—y alguna vez un troqueo o yambo—; el segundo, dáctilo; los tres últimos, troqueos. La cesura puede ir detrás del segundo pie o después de dos pies y medio.

Stellae / delici / un me / i co / lumba,
Vero / na licet / audi / ente / dicam,
Vicit, / Maxime, / passe / rem Ca / tulli.
Tanto / Stella me / us tu / o Ca / tullo,
Quanto / passare / major / est co / lumba.

(MARCIAL.)

V. HERMANN: *De metris graecorum et romanorum poetarum.*

FALISCO (Verso)

Verso de la poesía griega y latina, formado por tres dáctilos y un espondeo. (V. *Dáctilo* y *Dactílico.)*

FANATISMO

Exceso vicioso de celo en una creencia religiosa. Obstinación teórica y práctica en opiniones erróneas. Es el fanatismo una de las enfermedades mentales de mayor alcance y causa de mayores males. Obra siempre a impulsos de una imaginación desarreglada y de una viciosa asociación de ideas. El fanático es un ser abstraído, meditabundo, concentrado en sí mismo, insensible a toda otra impresión que no sea el afecto que le domina.

Hay fanatismo *literario, artístico, político, religioso...*

En todos los casos, el fanático piensa, juzga a impulsos de su pasión y no de la razón, que es, en general, la única y más segura guía del hombre.

El fanatismo por excelencia, al cual conviene como en propiedad este nombre, es el *religioso.*

Balmes, en su obra *El Protestantismo comparado con el Catolicismo,* lo definió así: "Viva exaltación del ánimo fuertemente señoreado por alguna opinión, o falsa o exagerada."

En el fanático se suman, pues, la ceguera del entendimiento y una voluntad tenaz y excitada para la lucha.

Es sumamente necesario no confundir el fanatismo con el *utopismo* y con el *heroísmo.*

El *utopismo* es como un sueño que no interrumpen las buenas razones, pero que *no irrita el ánimo,* y hasta concede como una íntima paz. El fanatismo es violento, bélico, rechaza las razones sin intentar examinarlas.

El *heroísmo* está en posesión de una verdad y utiliza cuantos medios cree legítimos para defenderla. Entonces no existe fanatismo; hay entusiasmo en el ánimo y heroísmo en la acción.

La raíz última del fanatismo—según Balmes—"es una inclinación vehemente del hombre a entregarse a sus propios pensamientos e imaginar sistemas que en algo se aparten del camino trillado". Una vez *creada la idea,* mírala el entendimiento creador con amor ciego, y en torno a ella trata de acomodar los hechos y las verdades, no como estos son en sí, antes a la medida de idea... "Y si es ardiente la cabeza donde ha brotado ese pensamiento, si está señoreada por un corazón lleno de fuego, el calor provoca la fermentación, y esta el fanatismo, propagador de todos los delirios."

Religioso el hombre por naturaleza, en la religión es donde se han dado los casos más turbadores del fanatismo.

La historia de las religiones y la historia de las herejías de la Iglesia presentan una abundancia asombrosa de fanatismos. Naturalmente, no todos estos fanatismos podrían calificarse de *absolutamente religiosos.* Así, en el cisma de Focio y en el islamismo, sobre el fanatismo religioso campeó el *fanatismo político;* no solo eran fanatismos *celosos,* sino también *ambiciosos.*

Y, extraña paradoja, la Reforma, que proclamó desde el principio el *libre examen* y la *libertad de conciencia,* es, posiblemente, la herejía más fanática levantada en el curso de los siglos contra la Iglesia de Jesucristo. Porque es difícil comprender un fanatismo mayor que aquel que declara que un libro fundamental, la *Biblia,* puede ser interpretado personalmente con juicio particularísimo y por derecho indisputable. Y, lógicamente, tan desdichada creencia levantó a los más terribles fanáticos: Fox, Calvino, Munzer, Juan de Leyden, Cromwell...

Los seudofilósofos del siglo XVIII y los racionalistas del siglo XIX atacaron a la Iglesia católica acusándola de ser un *monstruo* de fanatismo y de intolerancia.

Balmes, en la obra citada, prueba el *no fanatismo* de la Iglesia y la *existencia de fanáticos dentro de ella.* Pero "no está el mal en que se presenten fanáticos en medio de una religión, sino en que ella los forme, en que los incite al fanatismo, o les abra para él anchurosa puerta... La Iglesia no se gloriará de que haya podido curar todas las locuras de los hombres, y, por tanto, no pretenderá tampoco que de entre sus hijos haya podido desterrar de tal modo el fanatismo, que de cuando en cuando no haya visto en su seno a algunos fanáticos..." (BALMES.)

La distinción que hemos marcado anteriormente entre *fanatismo* y *heroísmo* determina con precisión por qué *no merecen el dictado de fanáticos y sí el de héroes* los mártires de la Iglesia. Su religión no los empujó ni a la conquista ni a la violencia, no excitó sus pasiones ni provocó su ambición. Y supieron morir *con una paz admirable,* perdonando a sus verdugos y aun rogando por ellos.

FANTASÍA

1. Facultad del alma para formar imágenes, conservándolas, modificándolas o transformándolas.
2. La imagen formada en virtud de la facultad del alma.
3. Cualquier idea que llega a tomar cuerpo imaginario o fantástico.
4. Ficción. Cuento. Novela. Pura invención.
5. Creación literaria.
6. Grado de superior imaginación.
7. Hazaña. Primor. Fineza. Alteza. Obra heroica o excepcional.

FANTASIATISMO

Herejía aparecida en el siglo IV, cuya doctrina afirmaba que el cuerpo de Jesucristo había sido *fantástico,* aparente; que había cumplido todas las funciones que le atribuye el Evangelio, pero *que no había padecido y que su muerte fue exclusivamente aparente.*

Al no padecer el cuerpo de Cristo, por no ser de la misma naturaleza que el de los hombres, no se le podía, pues, atribuir *la eficacia de la redención.*

El fantasiatismo fue herejía muy antigua en la Iglesia de Oriente. Posiblemente ya tenía adeptos en el siglo II, y se propagó con enorme rapidez.

En el siglo III, los fantasiastas mezcláronse con diversas sectas de gnósticos, y en el siglo IV se confundieron con los monofisitas, quienes no admitían en Cristo sino una naturaleza: la divina.

Desde esta época desapareció el fantasiatismo, del que ya no se volvió a hablar, y ello circunstancialmente, en el siglo VI, cuando se dividieron en dos sectas: corruptícolas e incorruptícolas.

FANTÁSTICO (Género)

De φάντασια, imaginación. Comprende este género literario las obras de imaginación cuyos temas, personajes, acontecimientos, sentimientos, *quedan fuera del mundo real.*

El dominio de lo fantástico es lo sobrenatural, es decir, algo maravilloso que nos aproxima a ciertos hechos desconocidos que no sabemos interpretar debidamente y que atribuimos a la voluntad y poder de invisibles divinidades. Lo fantástico es a la imaginación lo que lo maravilloso para la fe.

Los grandes poemas mitológicos, como la *Ilíada* o la *Odisea,* en los que los dioses conviven con los hombres o una inteligencia superior preside todos los fenómenos de la Naturaleza, pertenecen a este ciclo fantástico. Igualmente los poemas heroicos de la Edad Media. Fantásticos son, en su mayoría, los cuentos orientales. Lo fantástico da todo su encanto a obras como *La tempestad,* de Shakespeare.

El género ha tenido su trascendencia máxima y sus mejores ejemplos en la literatura alemana. Fantásticos son las *Baladas* de Burger, el *Fausto* de Goethe, los *Cuentos* de Hoffmann.

Fantásticas son las *Historias extraordinarias* de Poe, las *Leyendas* de Bécquer, algunas obras de "Jorge Sand", Charles Nodier, Gautier y Nerval.

Los elementos principales de lo fantástico son los *presentimientos,* la *locura,* las *alucinaciones,* los *efectos de los narcóticos sobre la inteligencia,* las *supuestas relaciones entre los vivos y los muertos,* las *supersticiones,* las *coincidencias inexplicables,* las *influencias misteriosas,* la *doble vida* de los seres, los *ensueños portentosos...*

FANTOCHINES o MARIONETAS

Fantochines o fantoches son títeres o muñecos que, movidos por hilos sujetos a sus cabezas, brazos y piernas, pueden hacer el *papel de actores* en una obra escénica de puro divertimiento, satírica o fantástica.

FARÁNDULA

Nombre dado a las antiguas compañías teatrales *de cómicos de la legua.*

FARAUTE

Durante la Edad Media se dio el nombre de faraute al *heraldo* que anunciaba los duelos y torneos caballerescos. Posteriormente, se dio el mismo nombre, en el teatro clásico español, al actor que recitaba el prólogo de una comedia.

FARSA

1. Fábula, ficción o invención para entretener o para enseñar cautivando el ánimo de los espectadores.
2. Representación de un hecho, real o imaginario, verosímil o inverosímil.
3. Obra teatral llena de incidentes grotescos.

Farsas fueron llamadas en la Edad Media unas composiciones *teatrales* dedicadas a entretener o a moralizar con un tono jocoso o burlesco.

Las *farsas* ya eran corrientes en el siglo XIII, pues que acusan su existencia las *Leyes de Partidas.* En Italia dieron origen a la *comedia dell' arte;* en Francia, a las *sotties, moralidades y sermones jocosos;* en España, a los *autos.*

Las *farsas,* que empezaron teniendo un carácter religioso y representándose en los templos y en los claustros de las catedrales, acabaron por convertirse en *piezas profanas.*

En España, durante la primera mitad del siglo XVI, tuvieron su apogeo las *farsas* con autores como Juan del Enzina—*Farsa de Cristina y Febea*—, López de Yanguas—*Farsa del mundo*—, Gil Vicente—*Farsa de Juiz de Beira*—, Lucas Fernández—*Farsas y églogas*—, Sánchez de Badajoz—*Farsa del molinero, Farsa del matrimonio*—, Juan de Pedraza—*Farsa llamada*

F

danza de la muerte—, Cristóbal de Castillejo —*Farsa de la Constanza*—, Juan de Timoneda —*Farsa trapacera, Farsa Floriana*...

En el teatro moderno se califican de *farsas* todas aquellas obras cuya intención didáctica o moral queda exteriorizada con agudeza o humorismo. *Los intereses creados,* de Benavente, son un buen modelo del género.

La *farsa* ha dado en todas las literaturas un *personaje característico,* a quien se encomiendan los desplantes grotescos, las malicias intencionadas, los chistes... En España, el *gracioso.* En Inglaterra, el *clown.* En Alemania, *Hans-Würst.*

FASCISMO

Doctrina política, técnica y táctica del golpe de Estado y teoría de gobierno implantadas —1922—en Italia por Benito Mussolini. El fascismo tuvo su germen en el *Rinnovamento* de 1919, que cristalizó para oponerse al avance del comunismo. Y, sin embargo, aun cuando era una viva réplica a este, el fascismo tomó muchos de los métodos del comunismo: antiliberalismo, antiparlamentarismo, partido único, elecciones por lista también única, supresión de la oposición.

Benito Mussolini nació—1883—en Dovia di Predappio (Romaña) y fue hijo de un herrero, socialista de acción. Desde muy niño se mostró inteligente, audaz y agresivo. Estudió con los salesianos de Faenza y en la Escuela Normal de Forlimpopuli. Maestro normal. En 1902 se trasladó a Suiza, donde, mientras completaba su cultura, desempeñó los más diversos oficios: peón de albañil, maestro albañil, mozo de abacería, maletero de estación... Por sus ideas socialistas fue detenido y encarcelado una docena de veces; y en determinadas ocasiones hubo de pedir limosna para poder llevarse pan a la boca. En 1904 fue expulsado de Suiza. De 1907 a 1908 ejerció la enseñanza oficial en Tolmezzo. En 1909, y en Trento, dirigió el periódico socialista *Avvenire.* Después fue redactor del *Popolo,* diario italianizante, fundado por Battisti. En 1912 formó parte de la directiva del partido socialista italiano y dirigió el *Avanti.* En 1914 fundo *Il Popolo d'Italia,* cuya divisa era la frase napoleónica "la Revolución es una idea que ha encontrado bayonetas". Por sus ideas intervencionistas en la gran guerra mundial de 1914, fue expulsado del partido. Como simple soldado tomó parte activa en la guerra, donde quedó herido gravemente. Desde las columnas de *Il Popolo* apoyó las reivindicaciones adriáticas y atacó al bolchevismo. Reaccionando ante la manifetsación comunista de Milán, fundó—23 de marzo de 1919—los *Fasci italiani di combattimento,* en los cuales agrupó a miles de compañeros de la guerra, desilusionados de la marcha social del mundo. Los *Fasci* tenían dos grandes misiones que cumplir: valorizar la victoria italiana y luchar implacablemente contra el comunismo.

El nombre de fascismo derivó de *fasci*—haces—y fue en extremo simbólico, porque los *haces de los lictores,* en la antigua Roma, fueron el símbolo de la fuerza puesta al servicio del derecho.

Conforme el comunismo iba dejando sangrientas huellas de su paso por las ciudades más florecientes de Italia, iban adquiriendo vitalidad asombrosa los grupos de *fascistas* o *camisas negras,* por el color de la que llevaban. Los cuales, en el Congreso de Roma—1921—, se constituyeron en partido nacional e inmediatamente iniciaron una actuación enérgica y constante, sumándose a la aventura de D'Annunzio en Fiume. Mussolini creyó llegado el momento oportuno para apoderarse del Poder, y lanzó su programa en el Congreso de Nápoles—25 de octubre de 1922—. Los fascistas lo hicieron suyo, y en número de 60.000 camisas negras iniciaron la famosa *marcha sobre Roma.* El Gobierno Facta aconsejó al rey Víctor Manuel la declaración del estado de guerra para oponerse a aquella marcha; pero el monarca, por el contrario, llamó a Mussolini y le ofreció el Gobierno el 30 del mismo octubre, un día después de iniciada la marcha. El 31 desfilaron por Roma triunfalmente las milicias fascistas. Inmediatamente el fascismo quedó implantado en toda Italia y eliminado el comunismo y aun cualquier otra oposición. Mussolini fue el gran maestro de los totalitarismos europeos posteriores y tan frecuentes en Europa.

Durante algún tiempo conservó Mussolini la Cámara legislativa de 1921. Pero la ley electoral de 1923 le permitió constituir en abril de 1924 una Cámara cuyas dos terceras partes eran fascistas. El asesinato del diputado socialista Matteoti y la retirada, en señal de protesta, de la oposición del Parlamento permitieron a Mussolini contar con una Cámara absolutamente adicta.

Mussolini, discípulo de Georges Sorel, y Rossoni, prohombre sindicalista, aportaron al fascismo la idea de una aplicación sistemática de la violencia, y, al mismo tiempo, de la importancia de los sindicatos para la estructura de la vida pública. Del campo nacionalista, traída por Corradini, Federzoni, Rocco, entre otros, procedía la otra característica ideológica del fascismo, constituida por el concepto de la nación como una entidad supraindividual, dotada de naturaleza y vida ultratemporales. Pero el inmediato ideal del fascismo fue, apenas alcanzó el Poder, hacer del Estado italiano un Estado fascista, con estructuración totalitaria.

El fascismo, en su primera etapa, confió en depurar y ordenar todos los ámbitos de la vida mediante *la creación de un Estado dentro del Estado.* En la segunda etapa, rechazando ya "aquella especial concepción de la democracia, análoga a la de un clan prehistórico", admitió, sin embargo, la posibilidad de colaborar con los antiguos grupos políticos. Finalmente, en la tercera, quedó el fascismo tan estatizado como el Estado impregnado de fascismo.

"El Estado es para el fascismo la única exteriorización del contenido entero de la nación. Desde luego, proscribe el fascismo toda forma de vida social o colectiva ajena al Estado, partiendo del principio de rechazar la posibilidad que contraponga al Estado y al individuo como entidades susceptibles de existencia independiente. Este dualismo de la concepción política usual queda reemplazado por un monismo absoluto: "Todo en el Estado; nada contra el Estado; nada fuera del Estado" (Mussolini). Según Arnaldo Mussolini, es absurdo tratar siquiera de discutir los límites del poder del Estado. El individuo es un átomo al que la nación infunde su propia inmortalidad, o, según la expresión de Rocco, "el individuo es tan solo un elemento transitorio e infinitamente pequeño dentro de un todo orgánico".

Según el fascismo, "el individuo ya no representa un fin en sí mismo, siendo solamente un elemento parcial y un instrumento de eficacia de la nación encarnada en el Estado. Toda actividad social debe, pues, orientarse, no en considerar al individuo, sino a la nación y al Estado. El individuo solo posee derechos y solo son legítimas sus aspiraciones en tanto en cuanto su reconocimiento interese a la nación que lo necesita como instrumento. La subordinación de los intereses personales, y, en caso necesario, el sacrificio de los mismos ante la colectividad, constituyen, en efecto, un principio de política práctica en todos los Estados; pero así como la generalidad de ellos limitan en los casos precisos derechos privados cuya preexistencia reconocen, el fascismo, por el contrario, solo empieza a admitir la existencia de los derechos individuales cuando el interés del Estado deja margen para su surgimiento".

"El absoluto predominio atribuido a la idea de la nación y a su expresión jurídica, el Estado, alcanza por igual a los ámbitos territorial y personal. El poder del Estado afecta, por lo menos teóricamente, a todos los italianos, aun cuando no residan en el territorio nacional, y no reconoce ninguna limitación ideal en el poder de los demás Estados. Complemento de la fórmula que hace al Estado expresión jurídica de la nación, es la idea de ser la soberanía un atributo del Estado, y no del pueblo. Este y aquel no son una misma cosa en la idea fascista: la soberanía de un Estado es completamente independiente de los derechos del pueblo. El fascismo, al reemplazar la soberanía del pueblo por la soberanía del Estado, no puede prescindir—como ninguna de las teorías del Estado, que presumiendo ir más allá de la rigurosa democracia, pretenden, en principio, justificarse con los principios de esta, aunque, en realidad, los supriman o los dejen reducidos a una sombra impalpable—de hacer derivar esta soberanía de la voluntad general, si bien se establece como forma de manifestación de esta voluntad general no un procedimiento electoral cualquiera que dé lugar al resurgimiento de una mayoría, sino la proclamación de una minoría selecta, una *élite,* de capacidad directiva, elevada al Poder mediante un plebiscito tácito.

"Según la idea fascista, no es admisible, ni en teoría, ninguna restricción del derecho del Estado frente al individuo; mas, ello no obstante, se ha esforzado también el fascismo en aportar soluciones propias al problema de la justificación del Estado. Esta justificación puede buscarse en imposiciones de la realidad o en una tendencia irracional. En el primer caso se justifica el Estado por una génesis racional, iniciada en la consideración del individuo sobre la insuficiencia de sus medios respecto de sus fines, lo que le obliga a incorporarse a una institución supraindividual. En el segundo, la explicación del Estado se coloca metafísicamente en una tendencia innata del hombre hacia la vida colectiva, o por la idea suprasensible del Estado, que pugna por aparecer a la realidad. El fascismo acepta simultáneamente estas dos explicaciones, aunque entre ellas predomine la primera, que a menudo involucra con la segunda." (ESCHMANN.)

La jerarquía del fascismo está formada así:

1.° El rey, que simboliza la continuidad respecto del pasado, es *eso:* un símbolo. Su personalidad está oscurecida por la del jefe del Gobierno. Y aun el fascismo atribuye al Gran Consejo las facultades de "marcar fundamentalmente el contenido del mandato real, determinar la sucesión al trono y, eventualmente, aunque ello no se haga constar de un modo expreso, excluir del mismo al heredero legítimo".

2.° El jefe del Gobierno, el Duce, en quien se suman los más radicales poderes. Solo ha de responder de sus actos ante el rey, y no ante el Senado, la Cámara fascista o el Gran Consejo. Él mismo elige sus ministros y los destituye. Sin su aprobación no puede incluirse asunto alguno en el orden del día de la Cámara, del Senado ni del Gran Consejo. No solo tiene el pleno poder ejecutivo, sino que puede, inclusive, legislar, sin otro límite que dar cuenta de lo legislado a la Cámara... ¡en un plazo máximo de dos años! Pudiera decirse del jefe del Gobierno que es un dictador oficial, pues aunque, teóricamente, necesita de la confianza del rey, este puede ver mermadas sus atribuciones por el Gran Consejo, subordinado a su vez... ¡al jefe del Gobierno, que es Duce del fascismo!

3.° El Gran Consejo Fascista fue erigido en órgano del Estado por ley de 21 de septiembre de 1928. Al principio estuvo formado por cincuenta y dos miembros; pero poco después quedaron reducidos a veinte. El Gran Consejo viene a ser el titular efectivo de la soberanía del Estado. Su presidente es el Duce. Sus sesiones son secretas. Es organo consultivo del jefe del Gobierno. Decide sobre la extensión de las facultades regias y sobre la sucesión al trono. Es órgano del partido fascista y constitucional del Estado.

4.º El partido se halla ligado constitucionalmente al Estado por medio del Gran Consejo. La dirección corresponde al Duce, quien constituye, juntamente con el secretario general y el del Fascio, así como los secretarios de las organizaciones provinciales, la llamada *jerarquía del partido*. Los órganos del partido son: el Gran Consejo, el Directorio y el Consejo Nacional. El Directorio viene a ser el Consejo de Administración del partido, bajo la inmediata dirección del secretario general, quien tiene, después del Duce, la personalidad más importante del Estado, y forma parte del Consejo de Ministros. La designación del Directorio, antes que al Gran Consejo, estuvo atribuida al Consejo Nacional, formado por representantes de los diversos fascios locales. Lo mismo que el Estado, ha evolucionado el partido hacia la concentración del Poder en una sola persona. Por ello, Estado y partido han traspasado el poder supremo al Gran Consejo, sometiéndolo al secretario general, que es un *alter ego* del Duce. El partido está organizado sobre un régimen rigurosamente militar.

5.º La llamada Cámara corporativa—aprobada en plebiscito de 24 de marzo de 1924—nada tiene de común con cualquier otra Cámara de un Estado liberal. Se compone de cuatrocientos diputados, elegidos por el Gran Consejo Fascista de entre los mil nombres propuestos por las Confederaciones sindicales. La Cámara corporativa no se ocupa jamás de los intereses económicos; todos los problemas los enjuicia políticamente.

6.º El Senado fascista es puramente como una reminiscencia de los tiempos pasados. Como en los tiempos de la monarquía, sigue estando formado—el rey los elige libremente—por altos funcionarios y alto clero, ex diputados y personas de relieve en la vida pública y económica de Italia. Hállase totalmente subordinado al Gran Consejo. Su papel es absolutamente simbólico.

7.º El Consejo de las Corporaciones está compuesto por el secretario general, los subsecretarios de ciertos ministerios, los directores generales de las Corporaciones, los presidentes de las Confederaciones sindicales y los representantes de los Institutos Sociales. Tiene facultades no solo consultivas, sino también legislativas, sobre cuestiones económicas, formando, por consiguiente, una especie de Consejo Nacional de Economía.

El fascismo considera la Prensa como uno de los factores más valiosos para la realización de la voluntad política, elaborada en el Gobierno central. No admite—como admite la política de otros países—que sea la expresión del sentimiento nacional o de la opinión de determinados grupos; tiene que ser, en el Estado fascista, una institución política, por lo que inmediatamente surge una división de los periódicos en dos categorías, según estén o no influidos por el Estado. La ley de Prensa del Estado fascista emplea dos medios para asegurarse la incondicionalidad de los periódicos: la intervención sobre la dirección de los mismos y la reglamentación del periodismo. Por estos dos medios se consigue: que desaparezcan los periódicos no afectos al fascismo o que se sometan a ser comprados por este.

El fascismo suprimió la autonomía administrativa de las provincias mediante la atribución de una mayor autoridad a los prefectos. Hizo desaparecer las Diputaciones y Consejos provinciales, creando en su lugar los llamados Rectorados, compuestos de cuatro a ocho rectores, y verificándose su designación por real decreto, a propuesta de los prefectos. Este Rectorado es puramente simbólico. Cada prefecto es en su circunscripción como "un pequeño Duce".

La abolición de derecho de la autonomía municipal tuvo lugar con la creación del cargo de *podestà*, designado por el prefecto.

Abordada resueltamente por Mussolini la *cuestión romana*, que durante tantos años entristecía los espíritus católicos, quedó solucionada por el tratado político de Letrán, firmado el 11 de febrero de 1929, con su Concordato que regula las condiciones de la religión y de la Iglesia en Italia. Aparte de la restauración del Estado Pontificio y de la cesación de la clausura papal, se concede al Pontífice la consideración de soberano. El Estado reconoce a la Iglesia católica como única religión oficial, si bien consiente cualquier otro culto que no sea contrario a las buenas costumbres. Mussolini subrayó reiteradas veces que la Iglesia católica, en cuanto universal y radicante en la Ciudad Vaticana como su sede propia, es absolutamente soberana; pero que la Iglesia católica de Italia "ha de estar enteramente sometida a la soberanía del Estado".

La organización de la producción dentro del fascismo está caracterizada por el sistema corporativo. El fascismo llegó a modelar un tipo completamente original: el Sindicato reconocido por el Estado, que no es ni una agremiación forzosa, ni tampoco una federación de diversos sindicatos separados por tendencias particulares. La legislación sindical de 1926 y la *Carta del Lavoro* de 1927 consiguieron que el Sindicato pasara a ser una institución del Estado, en la que el apoyo espontáneo de los afiliados pasaba a segundo término.

Un comentarista contemporáneo ha dicho agudamente: "Los sindicatos son, pues, órganos del Estado, que si bien, según el texto de la ley, disfrutan de personalidad autónoma, se hallan de hecho, respecto de aquel, reducidos a ser instrumentos para su penetración y arraigo en el seno del pueblo." El sistema sindical italiano fascista instituyó tres clases de organismos: los llamados de primer orden, las federaciones y las confederaciones. Los primeros, dentro de una localidad, acogían a los afiliados de determinada profesión. Estos sindicatos de primer orden se agrupan en las llamadas *federaciones,* cuya integración se basa en la naturaleza económica de aquellos; por ejemplo, los sindicatos de sombrerería pertenecen a la Federación de industrias del vestuario. En un último grado, los sindicatos están articulados en confederaciones. Continuando el ejemplo anterior, los sindicatos de obreros sombrereros pertenecerán, en último término, a la Confederación de trabajadores de la industria suntuaria, y los de patronos del mismo ramo a la de patronos de la misma industria. La *Carta del Lavoro* atribuye a los sindicatos funciones muy amplias; no solo armonizar las relaciones entre capital y trabajo, sino también crear las mutualidades de carácter social para el mantenimiento de la disciplina del trabajo, para el incremento de la producción y para la instrucción y el perfeccionamiento de los afiliados.

La política económica del fascismo se distingue de la de cualquier otro sistema económico —capitalismo, socialismo, proteccionismo, etc.— en dos finalidades típicas de aquella: la conversión de la economía en un instrumento de la nación y del Estado—que la personifica—, y el desarrollo de dicho instrumento hasta la máxima posibilidad. Para esta segunda finalidad recurre a tomar sobre sí ciertas funciones económicas y a aplicar a la propaganda y difusión de un producto determinado mediante verdaderas campañas metodizadas. A ello responde la institución del *día del trigo,* del *día del automóvil...*

Apenas llegado el fascismo al Poder, dedicó su mayor empeño en ganar para su doctrina y para su técnica a las juventudes de Italia. Reclamó el partido la formación integral de la juventud, realizándose en instrucción pública, según frase del propio Mussolini, "la más fascista de las reformas". Desde la escuela elemental a las enseñanzas superiores, toda la legislación fue reformada, con el principio constante de un "encaminamiento formativo", que consistía en preparar la capacidad profesional y a la vez el espíritu cívico del ciudadano. Los establecimientos de enseñanza unificaron su organización, y el juramento fascista que se exigía a los alumnos de cada grado aseguraba la armonía de la enseñanza con las normas ideales del Estado. Los directores de los institutos y los rectores de las universidades y los decanos de las facultades eran nombrados por el Gobierno. Y ellos respondían ante este de la lealtad fascista de los catedráticos.

El fascismo se preocupó obsesivamente de las juventudes, y las encuadró en distintos grados de milicia, según la edad. De ocho a catorce años las agrupó en las *Balilla*—nombre aplicado también al conjunto de la organización juvenil y reconocida esta como institución pública por una ley especial de 3 de abril de 1926—. *Balilla* fue el nombre de un muchacho heroico que en el año 1746 dio en Génova la señal de levantamiento contra Austria apedreando una patrulla del ejército extranjero. De catorce a dieciocho años forman parte de las *Vanguardias.* A los dieciocho años ingresan en el partido fascista.

Frente al problema agrario, el fascismo rechazó siempre la estatización de la tierra, propugnada por el comunismo, afirmando que debía establecerse un límite jurídico de divisibilidad, con reforma al mismo tiempo del derecho de sucesión y estableciendo una especie de retracto de colindantes para que los hogares cuenten a su alrededor con terrenos propios, y, si fuera posible, la permuta de los distantes por los próximos. Los campesinos reciben de los propietarios la dirección técnica, las simientes, el ganado y los aperos, a cambio de un arriendo, que completan con una parte de las cosechas, y así esperan poder, en corto plazo, adquirir la tierra.

El fascismo acentuó cada vez más su tendencia nacionalista, hasta el punto de decir Mussolini "que si para el fascista legítimo no había más tierra que Italia, para el auténtico italiano tampoco había otra doctrina que el fascismo; porque ambas ideas, Italia y Fascismo, se identificaban".

La gran equivocación de Musolini y demás dirigentes del fascismo fue creer que este había enraizado en lo más profundo del alma italiana. Desgraciadamente para ellos, la masa italiana no tuvo sino *un barniz de fascismo,* el barniz de fascismo que le libraba de los castigos y de las venganzas del totalitarismo o *Estado verdugo.* Durante la segunda gran guerra mundial de 1940-1945 quedó al desnudo cuanto de artificioso, de epidérmico tenía el fascismo. Y al perder Italia la guerra, el fascismo *se desintegró,* arrastrando a la muerte espantosa a Mussolini y a sus principales colaboradores, en 1943.

El fascismo fue un fenómeno político que *se puso de moda* en todo el mundo. En distintos países se iniciaron movimientos políticos que guardaban grandes semejanzas con el fascismo. Así, el Nacionalsocialismo, el Nacionalsindicalismo, el partido de sir O. Mosley en Inglaterra, y el de Degrelle en Bélgica, y el de Dollfuss en Austria, el de la Guardia de Hierro rumana...

Aun cuando el triunfo de los aliados democráticos en la gran guerra ha supuesto el repudio de las ideas fascistas y su eliminación de la política mundial, sería insensato creer que han sido extirpadas *de raíz* de los millones de espíritus que las seguían con la mayor fe y el entusiasmo más decidido.

V. ESCHMANN, Ernst Wilhelm: *El Estado fascista en Italia.* Barcelona, Labor, 1931.—MANHARDT, W.: *Der Faschismus.* Munich, 1925.—SILLANI, T.: *L'Etat Mussolinien et les réalisations du fascisme en Italie.* París, 1931. Traducción francesa.—NITTI, V., y BUOZZI, B.: *Fascisme et syndicalisme.* París, 1935. 3. ed.—ASPIAZU, J.: *La ideología política del fascismo, ¿es católica?* Madrid, 1928. En "Razón y Fe", enero-marzo.—CAMBÓ, F.: *Alrededor del fascismo italiano.* Madrid, 1925.—GENTILE, G.: *Origine e dottrina del fascismo.* Roma, 1934.—HELLER, H.: *Europa y el fascismo.* Madrid, 1931.—BENEYTO, J.: *Nacionalsocialismo.* Barcelona, 1934.—VON BECKERATHS *Wesen und Werden des fascistischen Staates.* Berlín, 1927.—VALOIS, G.: *Le fascisme.* París, 1937.

FATALIDAD

Idea de un poder inexorable e inevitable como la necesidad, ciego como el azar, cuyas acciones, encadenadas por vínculos secretos, tienen por fin la desdicha del hombre.

Este pensamiento soberano, anterior y superior a los hombres y a los dioses, personificación de las fuerzas de la Naturaleza, es la *Fatalidad*—Iº ἄναγκη —de los griegos, y la *cruel necesidad—saeva necessitas*—de los latinos.

La *Fatalidad* desempeñó un papel principalísimo en las obras griegas de Homero, Herodoto, Esquilo, Sófocles y Eurípides. Un célebre verso griego fue el que tradujeron los latinos:

Quos vult perdere Jupiter dementat prius.

(Júpiter enloquece a los que quiere perder.) Con él se significaba la *fatalidad* que pesaba sobre la vida de los hombres.

Durante la Edad Media, la *Fatalidad* fue sustituida por el *Destino.* Varió el nombre, pero no la significación.

Modernamente, la palabra *Destino* tiene dos significaciones bien diferentes, ya se traduzca como inspirada en los dogmas de la Providencia, de la predestinación y de la gracia, ya se traduzca en relación con una teoría psicológica del fatalismo de las pasiones. Bajo la primera acepción, el *Destino—semifatalidad*—nos llega desde el púlpito—cátedra ortodoxa—y desde la filosofía de la Historia, a partir de San Agustín y de Orosio, quienes desenvolvieron el axioma: "El hombre se agita y Dios le dirige."

En cuanto a la *fatalidad* de las pasiones, ha llegado a los géneros literarios a través de las relaciones anormales entre la física y la moral del hombre, y ha encontrado desenvolvimiento propicio en aquellas obras en que la psicología se conecta con los estudios patológicos. Desde Homero y Esquilo a nuestros Dostoyevski y Poe, la distancia es grande, y la diferencia, profunda. Lo que para aquellos era la *fuerza inviolable* de los dioses, para estos es una enfermedad, un acceso de histeria, una neurosis.

V. CICERÓN: *De Fato y De Divinatione.*—DAUNOU: *Mémoire sur le destin.*—WESTERMACK: *The origin and development of the moral ideas.* Londres, 1912.

FATALISMO

Sistema o modo de pensar, según el cual todo cuanto sucede es *fatal,* es decir, inevitable. Ningún arte, ningún esfuerzo, puede impedir que acontezca lo que debe acontecer, ni producir lo que no debe realizarse. El fatalismo es, a menudo, consecuencia de la omnipotencia de Dios o de su presciencia; por ejemplo, entre los musulmanes; se le denomina entonces *fatalismo teológico*: si todo está en el poder de Dios, ningún hecho puede producirse de distinto modo de como Él lo ha querido; si Dios conoce el porvenir, es desde ahora necesario que el porvenir sea como lo ha conocido Dios. En la antigüedad se llamó *fatum* o *destino* a la necesidad a la cual todas las cosas obedecen. *Fatum stoicum* fue llamada la precisión de que Dios se identificase con el mundo, la necesidad de que los acontecimientos del mundo se identificasen con la naturaleza de Dios.

"El fatalismo difiere del *determinismo* (V.). El fatalismo consiste en concebir los hechos como necesarios en virtud de una fuerza que les es superior y que dispone de ellos; es una necesidad trascendente. Aun en el panteísmo, el mundo en tanto que es Dios, principio uno y universal, *natura naturans,* impone la necesidad al mundo en tanto que es multitud indefinida de los fenómenos, *natura naturata.* Por eso, casi todos los fatalistas—a excepción de Spinoza—admiten una libertad del querer, solo que ella es impotente. Laio puede intentar matar a Edipo para impedir que se cumpla el oráculo; el oráculo se cumplirá, haga lo que haga. El soldado musulmán puede tomar parte en la refriega o huir; si está escrito que debe perecer, perecerá, haga lo que haga. El estoico se cree libre de consentir o de resistir a su destino: haga lo que haga, lo seguirá, de buen grado si consiente a ello, por la fuerza si se resiste. El determinismo no es otra cosa que el principio de causalidad: las mismas causas producen los mismos efectos; la necesidad aquí es inmanente, y se confunde con la naturaleza de las cosas. Spinoza es, a la vez, fatalista y determinista. Cuando el fatalismo se refiere especialmente a la moralidad, se llama predestinación." (GOBLOT.)

Dentro de la moral—advertimos—el fatalismo no existe entre los católicos, convencidos de la existencia de un Dios próvido y omnisciente, que gobierna el mundo, y uno de cuyos más excelsos atributos es la *justicia.*

En casi todas las religiones antiguas existió el fatalismo. En la India, la creencia en la metempsicosis y los perennes efectos del *karma* o acción son determinativos del destino de los hombres. En las obras de Confucio se encuentra a menudo la palabra *ming,* fatalidad, o, en su sentido originario, "algo pronunciado o decretado".

Entre griegos y romanos, la Fatalidad o el Destino era una deidad temida e inexorable. Se la representaba con el globo terráqueo a los pies y en las manos una urna, en la cual estaba la suerte de los hombres. Se creía que sus sentencias eran irrevocables, y tan grande era su poder, que los demás dioses le estaban subordinados. La primera personificación mitológica del Destino encárnase en Júpiter. Homero le llama *Moira;* Hesíodo, *Moros,* y lo hace descender del Caos y de la Noche. Después, los latinos lo miraron en las Parcas. Y latinos y griegos le denominaron vulgarmente el *Hado, Anank,* la *Fortuna,* la *Necesidad.* Los caracteres de su acción eran la *ciega necesidad* y la *fuerza ineludible.* Lucano, en *La Farsalia,* alude a destinos *mayores,* a que ni los dioses hacían frente, y *menores,* sujetos a ellos y al conjuro de las oraciones que ellos acogían. A la omnipotencia del Destino juntábase la inmutabilidad; el Destino no sufre suspensión, ni se corrige; es ciego en sus decretos y en la ejecución de los mismos. En la Mitología aparece como la síntesis de la omnipotencia ciega, inevitable y trascendente.

En el campo de la filosofía, el fatalismo irrumpió en numerosas doctrinas: el *estoicismo* (V.), el *epicureísmo* (V.), el *panteísmo* (V.).

Posiblemente, fue Spinoza quien construyó más efectivamente el fatalismo filosófico. Para Spinoza, únicamente es libre la cosa que existe por la sola necesidad de su naturaleza y se determina a obrar por sí sola. Es una idea de la libertad dentro de la cual únicamente Dios es libre. Según Spinoza, no puede concebirse al hombre como un imperio dentro de otro imperio (Dios). El hombre, pues, no es libre, ni el mundo tiene una finalidad. Todo es fatal y está determinado causalmente. El hombre es esclavo precisamente porque se cree libre. La única posible libertad para el hombre radica en que *conozca* su propia esclavitud y no se sienta coaccionado, obligado, sino *determinado* según su esencia. El ser del hombre—*mens* y *corpus*—consiste en no ser libre y en saberlo. En no pretender vivir fuera de la Naturaleza y de Dios. Realmente, el fatalismo spinozista reaviva el principio estoico *parere Deo libertas est:* obedecer a Dios es libertad.

En el campo teológico incurren en el fatalismo cuantas doctrinas protestantes defienden la predestinación y niegan el libre arbitrio. Aun cuando la defensa del *predestinacionismo* (V.) es muy anterior al *luteranismo* (V.) o al *calvinismo* (V.). En el siglo v, Pelagio, natural de Gran Bretaña, defendió la herejía de la predestinación y de la gracia divina, negando la libertad humana. (V. *Pelagianismo.*)

V. Westermark: *The origin and development of the moral ideas.* Londres, 1912.—Rodríguez Pardo, J.: *El fatalismo en las religiones.* Madrid, 1888.

FEBRONIANISMO

Nombre dado a la doctrina eclesiástica heterodoxa de Juan Nicolás de Hontheim.

Hontheim (1701-1790) nació en Tréveris y murió en Montquintin. Doctor en Derecho canónico. Profesor en la Universidad de su ciudad natal. Director del Seminario de Coblenza. Sufragáneo del arzobispo elector de Tréveris con el título de arzobispo de Miriofita *in partibus infidelium.*

Hontheim, de austeras costumbres y de mucha ciencia, ejerció una gran influencia en su diócesis e introdujo muchas reformas en la enseñanza eclesiástica.

Hontheim publicó, bajo el seudónimo de "Febronio"—de donde el nombre de *febronianismo* dado a su doctrina—, un libro intitulado *Statu Ecclesiae et legitima potestate Romani Pontificis Liber singularis ad reuniendos dissidentes in religione christianos compositus*—Francfort, 1770—, en el cual exponía las reivindicaciones de la Iglesia alemana. La obra obtuvo un éxito inmenso, siendo traducida a todos los idiomas europeos. Clemente XIII condenó el libro, que fue quemado públicamente. Y al saberse que el autor era Hontheim, se le obligó a retractarse —1781—. Pero los príncipes electores renanos, lejos de perseguir al autor, empezaron en 1793 la tarea de aplicar su doctrina, y redactaron un memorial que contenía treinta quejas contra la corte romana.

El febronianismo contenía los siguientes puntos:

1.° No aceptaba la constitución monárquica de la Iglesia.

2.° El gobierno de la Iglesia había de ejercerse por los obispos.

3.° El Pontífice era el primero de los obispos, pero no era infalible, y su autoridad era inferior a la de los concilios. Tenía, pues, la primacía *de honor,* pero no la *de jurisdicción.*

4.° Entre los poderes del Pontífice, unos eran *legítimos,* y *usurpados* otros. Entre los primeros estaban: defender a los obispos; convocar y presidir los concilios; hacer cumplir los decretos conciliares sobre la fe y las costumbres. Los *usurpados*—que debían ser suprimidos—: la infalibilidad, la concesión de exenciones, las reservas y el derecho de intervención en los negocios temporales.

En el Congreso de Ems, los febronianistas

presentaron 23 artículos, entre los que destacaban: supresión de los nuncios, de los recursos y de las dispensas otorgadas por Roma; la abolición del juramento de fidelidad del clero a la Santa Sede; las bulas y los breves del Papa habían de ser aceptados y publicados por los obispos antes de adquirir fuerza obligatoria.

El febronianismo difería del *galicanismo* (V.) en que este entregaba a los príncipes los poderes mermados al Pontificado, y el febronianismo se los entregaba a los obispos, y, particularmente, a los metropolitanos.

El Congreso de Ems no logró la unanimidad del episcopado alemán, y Roma aprovechó tales discrepancias para negarse a las pretensiones de la Iglesia alemana.

V. Küntziger: *Febronius et le Febronianisme*. Bruselas, 1890.—Meyer, D.: *Febronius*... Tubinga, 1880.

FEDERALISMO

Sistema político por el cual varios Estados o provincias, conservando su independencia administrativa y judicial, ponen en común sus intereses políticos y militares, y más frecuentemente sus intereses comerciales, adoptando a este respecto leyes uniformes y generales.

Las características esenciales del federalismo son: organización de dos clases de poderes, centrales y locales, independientes; subordinación de ambas clases de poderes a una Constitución; Constitución rígida que no pueda reformarse sin intervención de los representantes de los pueblos que integran el Estado federal.

El origen del federalismo fue el desnivel entre la producción y el consumo de las ciudades antiguas, desnivel que las obligó a federarse para poder alcanzar el fin propuesto.

Sócrates, Platón y Aristóteles afirmaron el origen económico del federalismo.

No cabe confundir la federación con la confederación. El federalismo nace siempre de un pacto; la confederación, a veces, es impuesta por la fuerza.

El federalismo está determinado, de una parte, por el esfuerzo que realizan los Estados poderosos para anexionarse a sus vecinos débiles; y, de otra parte, por las corrientes que se inician entre los Estados limítrofes, con el fin de asociar sus propósitos en una obra de defensa y de interés común.

Las formas gubernamentales que se ofrecen como resultado de dicha unificación pueden reducirse a dos tipos principales.

Fusión completa y absoluta es el primer tipo, y en este caso las unidades políticas constituyen una sola organización. A esta organización se llega de una manera voluntaria y pacífica, generalmente por pueblos cuyas diferencias locales son muy débiles y muy fuerte el espíritu de nacionalidad. Este es el caso de Inglaterra y Escocia, y, más modernamente, el de Italia. Pero a dicha organización también se llega por medio de la conquista y de la expansión territorial, cuando un Estado más fuerte dilata sus fronteras sin contar para nada con la voluntad de los pueblos más débiles incorporados. Caso este que se dio en el Imperio romano y en la monarquía francesa; en ambos casos, el Estado unitario surgió de un proceso político.

El segundo tipo está formado por aquellos Estados favorables a la unión, por razones de situación o de nacionalidad. Dichos Estados conservan sus gobiernos respectivos, con autoridad y competencia en determinadas materias, y que ceden el control de otros asuntos a un Gobierno central, creado con este fin. Cuando los Estados retienen su soberanía y consideran el Gobierno central como un agente, *la unión política se llama confederación*. Cuando la unión representa un solo soberano, mediante un estatuto constitucional de poderes entre el Gobierno central y los gobiernos de los Estados, la nueva formación política, *el Estado así creado, se llama federación*.

Las Confederaciones fueron muy frecuentes en la antigua Grecia; la Liga Aquea se aproximó mucho al tipo de federación. Confederaciones formaron las primeras ciudades italianas. Y en la Edad Media fueron famosas: las del Rin, la Liga Hanseática, el Sacro Romano Imperio.

Más modernamente formaron Confederaciones los cantones suizos, las provincias holandesas, los Estados americanos después de la independencia, los reinos y principados germánicos después del Congreso de Viena.

Estados Unidos—a partir de la Constitución de 1789—, Suiza—sometida a las Constituciones de 1848 y 1874—y el Imperio alemán—a raíz de la Constitución de 1871—señalan el desarrollo de un federalismo radical y proporcionan un tema sugestivo con la exposición e interpretación de este fenómeno.

"Todas estas organizaciones representan el desarrollo de formas anteriores de asociaciones, en las cuales, nominalmente al menos, las comunidades individuales disfrutan de la posesión de prerrogativas soberanas. Todas están construidas sobre principios de compromiso y transacción, coordinando de la mejor manera posible la autonomía de todos sus miembros y la efectividad de la unión. En todas ellas existen dos clases de organizaciones y una doble jerarquía de poderes: de una parte, el Gobierno federal o central, y de otra, el Gobierno local. Se estatuye el ejercicio de la mayor suma de poderes a cargo del Gobierno central, y, al mismo tiempo, las entidades locales gozan de una celosa protección en su control respectivo, sobre un campo extenso de actividad gubernamental. Las relaciones entre la autoridad central y las locales entrañan problemas de intrincada naturaleza, origen y estímulo, en gran parte, del desenvolvimiento de una serie de teorías con respecto a la naturaleza y asiento del supremo poder político." (MERRIAM.)

Algunos tratadistas de Derecho político han creído que el federalismo es un sistema político solo compatible con la forma de gobierno republicana; pero esta teoría no se acomoda ni a la teoría ni a la realidad. "La federación—escribe Santamaría de Paredes—no es esencial en la República porque no es realmente forma de gobierno, sino *modo de unión* de diferentes Estados que tienden a constituir una unidad política común a todos ellos que antes no existía." Y una monarquía puede pasar del unitarismo al federalismo sin que pierda nada de lo que esencialmente la constituye. Basta recordar el Imperio austrohúngaro, formado por naciones bien distintas—en tradición, lengua, religión—, que de un rígido unitarismo pasó—en 1861—al federalismo más amplio, compatible con la unidad del Imperio.

Modernamente, el *sindicalismo* (V.) defiende un *federalismo económico* que convierte el Estado en una verdadera *federación de asociaciones.* Por el contrario, el *socialismo* (V.) se inclina por el unitarismo estatal.

Pi y Margall, el apóstol español del federalismo, en su libro *Las nacionalidades* escribió: "La federación es el mejor medio, no solo para determinar y constituir las nacionalidades, sino también para asegurar en cada una la libertad y el orden, y levantar sobre todas las provincias un poder que, sin menoscabarles en nada la autonomía, corte las diferencias que podría llevarlas a la guerra y conozca los intereses que les sean comunes."

Y a continuación enumera las ventajas del federalismo, que reputa en tres órdenes: *políticas, económicas* y *sociales.*

Las ventajas políticas son:

A) Que las funciones del individuo, del Municipio, de la Provincia, del Estado, se hallan perfectamente determinadas.

B) Que los derechos del individuo, del Municipio, de la Provincia no pueden ser limitados ni mermados por el Poder central.

C) Que el federalismo es un pacto y no hay posibilidad de que se rescinda sin la voluntad de los contratantes.

D) Que en la forma federal se determinan concretamente los fines de Estado, y fuera de ellos se queda en completa libertad.

E) Que alejan los abusos de la dictadura y de la sedición.

He aquí las ventajas económicas:

A) Se aligera el presupuesto de gastos.

B) Las provincias adoptan el sistema tributario más adecuado a su idiosincrasia y sus necesidades.

C) El ciudadano conoce de cerca el destino de sus tributos y hace el sacrificio más gustosamente.

D) Se concentran más los esfuerzos y hay más emulación entre unos y otros.

Las ventajas sociales son:

A) Suprimir muchos conflictos, porque en vez de legislar con generalidad se toman más en cuenta las circunstancias de lugar. El problema de las tierras, por ejemplo, es distinto en Galicia, Andalucía y Castilla.

B) Nivelar más la producción y el consumo.

Naturalmente, frente a tales ventajas pueden ser enumeradas algunas desventajas que Pi y Margall se calla. Por ejemplo:

1. El interés local opone grandes obstáculos a la legislación general de la federación.

2. La distribución constante de los poderes entre los distintos órganos conduce fatalmente al resultado de que ninguna autoridad pueda reunir toda la fuerza necesaria para actuar, en caso apurado, con la rapidez y la energía requeridas. "Gobierno federal—dijo Dicey—es sinónimo de Gobierno débil."

Insistimos en que la *forma jurídica* de la confederación es el *pacto común,* así como la de la federación es la *ley constitucional común.* La confederación precede a la federación en el orden de los hechos, así como una y otra anteceden a la *nacionalidad,* y no se explican después de constituida esta. Si el federalismo es un gran paso para la formación de los Estados nacionales, *es un retroceso* cuando se intenta volver atrás en la Historia para deshacer las nacionalidades ya formadas.

V. PI Y MARGALL, F.: *Las nacionalidades.* Madrid, 1887.—FREEMAN, E. A.: *History of Federal Government.* Londres, 1863.—TOCQUEVILLE, A. de: *Democracy in America.* Nueva York, 1841.—BAZÁN, José S.: *Las instituciones federales...* Madrid, 1883.—LEACOK, S.: *Limitations of Federal Government.* En "Proceedings of American Political Science Association", V, 37-52, 1908.—PROUDHON, P. J.: *El principio federativo.* Madrid, 1868.—LA GRASSERIE, R.: *L'Etat Fédératif.* París, 1897.

FELIBRES

Nombre dado a los poetas provenzales del siglo XIX que intentaron reanimar y perfeccionar su literatura. Entre ellos, Joseph Roumanille (1816-1891), Teodoro Aubanel (1829-1886) y Federico Mistral (1830-1914).

El movimiento poético del *Félibrige* motivó un verdadero renacimiento de las literaturas occitanas: provenzal, languedociana, bearnesa, gascona, delfinesa, lemosina y auverniana.

FEMINISMO

Doctrina social favorable a la condición de la mujer, para la que pide la igualdad de derechos con el hombre.

Posiblemente, fue Alejandro Dumas (hijo) quien por vez primera—1872—dio a la palabra feminismo la significación de movimiento en favor de la emancipación de la mujer.

El feminismo, como tal movimiento social, data de 1878, fecha en que se celebró en París un Congreso feminista internacional. Sin embargo, su carácter orgánico lo alcanzó—1888—en el Congreso reunido en Washington, donde se constituyeron el Consejo Internacional de las Mujeres, la Federación de Consejos Nacionales y de Uniones femeninas existentes en varios países. En el Congreso celebrado—1893—en Chicago fueron redactados los Estatutos del Consejo Internacional.

Sin embargo, los antecedentes del feminismo hay que buscarlos mucho antes; aparecen unidos al movimiento filosófico del siglo XVIII. En 1791, Olimpia de Gouges—escritora y heroína francesa, cuya cabeza segó la guillotina—presentó su *Déclaration des droits des femmes.* Los socialistas de las escuelas de Fourier y de Saint-Simon hicieron de la emancipación de la mujer punto esencial de su programa. En 1776, en los Estados Unidos, Abigaíl Adams, esposa del futuro presidente de aquel país, escribía a este exigiéndole los derechos de la mujer. En 1792, en Inglaterra, Mary Wollstonecraft publicó una *Vindication of the Right of the Women,* pidiendo que la mujer pudiera educarse igual que el hombre y realizar idénticos estudios para ejercer idénticas profesiones. Las grandes escritoras románticas madame de Staël y "George Sand" plantearon el feminismo no solo en el terreno doctrinal, sino también en la práctica. Y el gran filósofo Stuart Mill, en su libro *The Subjection of Women*—1869—, presentó en toda su amplitud las reivindicaciones de lo que se llamó feminismo, las cuales podían ser reducidas a las siguientes:

1.ª *De carácter económico* (Derecho a ser admitida la mujer en cualquier profesión).

2.ª *De carácter jurídico* (Igualdad de derechos con el hombre).

3.ª *De carácter político* (Derecho a votar y a ser elegida para desempeñar cargos públicos).

El primitivo feminismo tuvo unas aspiraciones nobilísimas, que quedaron consignadas en el preámbulo de los Estatutos del Congreso Internacional celebrado—1893—en Chicago...

"Nosotras, mujeres de todos los países, creyendo sinceramente que el bienestar de la Humanidad se realizará gracias a una mayor unidad de pensamiento, de sentimientos y de propósitos, y que la acción regularmente organizada de las mujeres será el medio más adecuado para asegurar la prosperidad de la familia y del Estado, declaramos que nos unimos en una federación de trabajadoras, que tiene por objeto hacer penetrar en la sociedad, en las costumbres y en las leyes los principios de la regla de oro que dice: *Haz a otro lo que quisieras que se hiciese contigo.*"

Este manifiesto, *casi poético* y sumamente conmovedor, no hacía presagiar la violencia que tomaría poco después el feminismo al exigir los llamados *derechos políticos,* ya que en la concesión de los *económicos* y *jurídicos* el acuerdo llegó pronto y bien en todo el mundo civilizado.

A principios del siglo XX el feminismo inició su primera campaña en pro del sufragio en las elecciones políticas. Así apareció el llamado *sufragismo* (V.). Posiblemente, ha sido Inglaterra el país donde el feminismo ha tenido más fuerza y una mayor eficacia. A partir de 1867, con la National Union of Women's Suffrage Societies, tuvo numerosas entidades feministas, periódicos feministas—*The Common Cause, Votes for Women*—y caudillos feministas tan notables como Emmeline Pankhurst y Christabel Pankhurst.

La gran guerra mundial de 1914-1918, que tan radicales cambios había de operar, no solo en el mapa de Europa, sino también en la estructuración política y económica del mundo, fue asimismo un factor decisivo para la solución del problema feminista. Uno de los estatutos de la que fue famosa Sociedad de Naciones contiene una cláusula según la cual la mujer es elegible para todos los cargos de la misma.

En los Estados Unidos, en 1910, algunos de estos Estados ya habían concedido a la mujer el derecho al voto. Y en 1920 lo reconocieron la totalidad. En Inglaterra, después de unas violentísimas campañas en el Parlamento, en la Prensa y en las calles, fue reconocido en 1918.

En 1920, la mujer ejercía todos los derechos políticos en Estados Unidos, Inglaterra, Canadá, Australia, Nueva Zelanda, Rodesia, Jamaica, Dinamarca, Noruega, Suecia, Islandia, Finlandia, Holanda, Rumania, Servia, Luxemburgo, Alemania y Austria.

En España, el feminismo se inició en 1917. En 1919, la Asociación Nacional de Mujeres Españolas, cuyo Comité ejecutivo residía en Madrid, publicó un manifiesto con todas sus aspiraciones, recogidas por Valentí Camp en su obra *Las reivindicaciones femeninas.* Poco después, también en Madrid, aparecieron dos instituciones culturales feministas: el Lyceum y la Universidad profesional femenina.

Hoy, el feminismo ha dejado de ser un movimiento vindicativo de derechos, para transformarse en un movimiento de exaltación de la mujer en todos los aspectos de la vida.

V. LYON BLEASE, W.: *The emancipation of women.* Londres, 1910.—ZANTA, Leontina: *Psychologie du féminisme.* París, 1922.—MELEGARI, Dora: *Ames et visages de femmes. Les victorieuses.* París, 1923.—VALENTÍ CAMP, S.: *Las reivindicaciones femeninas.* Barcelona, 1927.

FENICIA (Lengua y Literatura)

Entre los idiomas semíticos de la antigüedad, es el fenicio aquel del que se tienen noticias más ciertas, acaso porque habiéndose extendido enormemente por la costa septentrional de Africa, Chipre, Sicilia, Cerdeña y España, se mantuvo con firmeza hasta el inicio de la Edad Media, resistiendo la influencia del arameo y del griego.

Debe rechazarse la idea de que los fenicios inventaron el alfabeto. Las investigaciones modernas se refieren con plena seguridad a otros alfabetos contemporáneos y aún más antiguos que el fenicio.

La lengua fenicia tuvo dos dialectos principales: el *oriental* o *fenicio propiamente dicho* y el *africano* o *púnico*. Este último dialecto perduró en el uso mucho tiempo conociéndolo y hablándolo San Agustín y Procopio.

En cuanto a los orígenes del fenicio, están generalmente admitidos estos dos puntos: 1.º Su carácter semítico; 2.º Su estrecha afinidad con las restantes lenguas de la misma familia, y en especial con el hebreo. En las inscripciones fenicias, las palabras hebreas predominan.

El alfabeto fenicio hubo de componerse de veintiún caracteres, cuya equivalencia con los latinos es esta: *a, b, c, e, f, g, h, i, j, k, l, m, n, o, p, q, r, sh, t, v, x, z.*

El alfabeto fenicio influyó en algunos primitivos alfabetos europeos, como el etrusco y el ibérico.

Muy pocos fragmentos nos quedan de la literatura fenicia, ya que autores citados como fenicios escriberon en lengua griega.

Parece ser apócrifa la *Historia fenicia,* de Sanchuniathon, escrita en el siglo XII antes de Cristo, y de la que nos quedan algunos fragmentos traducidos al griego por Filón de Biblos, y conservados por mediación de Porfirio y Eusebio.

Nos queda la versión griega del *Periplo,* de Hannón, navegante cartaginés de principios del siglo VI antes de Cristo. Y también algunos pasajes púnicos de la comedia de Plauto *Poenulus.*

Los monumentos epigráficos y las medallas—importantísimos para la *recomposición* de la lengua fenicia—no tienen carácter literario alguno.

V. BLOCH, A.: *Phoenizisches Glosar.* Berlín, 1890.—CONTENAU, G.: *La civilisation phénicienne.* París, 1939.—WEILL, R.: *La Phénicie et l'Asie Occidentale.* París, 1939.

FENOMENISMO

Sistema filosófico que no admite otra realidad que los fenómenos, eliminando la idea de sustancia. O también: sistema filosófico que limita a la apariencia la cognoscibilidad de los objetos. Tiene, pues, el fenomenismo dos acepciones: la *epistemológica* y la *ontológica.* La primera coincide con el *subjetivismo* (V.); la segunda se opone al *sustancialismo* (V.), ya que esta doctrina atribuye valor objetivo al concepto de sustancia.

Conviene afirmar que el fenomenismo conviene esencialmente con la segunda de las acepciones. La sustancia, es decir, el sujeto cuyo fenómeno es el atributo, no constituye más que "un agregado de fenómenos, al que se añade un atributo más: todo es fenómeno, atributo, cualidad; nada es absolutamente sujeto". Así, cuando se dice: *Esta silla es de madera,* no se atribuye la cualidad *madera* a la sustancia *silla,* sino que se añade la cualidad *madera* al grupo de cualidades ya formado en el espíritu, grupo designado con la palabra *silla.* "El sujeto pensante no es más que la serie de estados de conciencia anteriores, a la cual se añade el estado de conciencia presente."

El fenomenismo se extiende a cuantos conceptos ontológicos se relacionan con el concepto de sustancia—causalidad, esencialidad, finalidad—. La teoría relativista del conocimiento es el antecedente lógico del fenomenismo.

Lógicamente, debemos concretar qué es fenómeno.

"Fenómeno es—explica Goblot—todo lo que es susceptible de ser observado. Se extiende a menudo el sentido del vocablo a todo lo que tiene lugar, a todo lo que ocurre, incluso a lo que no es observable; se dice, por ejemplo: *fenómenos psicológicos inconscientes.* Fenómeno será así sinónimo de hecho. Es preferible emplear la palabra *hecho* cuando se trate de lo que es inobservable: las vibraciones del éter son hechos, no fenómenos. No se da el nombre de fenómenos a las fuerzas, potencias naturales, propiedades, facultades, sino únicamente a sus efectos sensibles o conscientes. La gravitación no es un fenómeno; la caída de un cuerpo lo es. La causalidad no es un fenómeno; una causa lo es, pues la condición de un hecho observable es otro hecho observable. Únicamente lo concreto es observable; se puede, no obstante, dar el nombre de fenómeno a algo abstracto; pues no observamos nunca lo concreto sino desde un punto de vista determinado: la velocidad de un movimiento, o su dirección, por ejemplo. Nuestra facultad de conocer los fenómenos se llama *experiencia,* y se divide a su vez en dos facultades: los sentidos o la experiencia externa, la conciencia o experiencia interna. Hay, pues, dos especies de fenómenos: los *sensibles* y los *conscientes.*"

El fenomenismo filosófico tuvo sus orígenes en la filosofía griega; y se halla en el idealismo de Heráclito, en el subjetivismo de los sofistas y en el *escepticismo* (V.).

Para Heráclito de Efeso—que vivió quinientos años antes de Cristo—, y que afirmó que el *fuego* es el principio de todas las cosas, rechazó como mera *apariencia* precisamente cuanto de *permanente* había en el mundo. Según él, el universo es un suceso, un proceso, un eterno hacerse y deshacerse; todo lo permanente e idéntico es apariencia, a la manera que el río parece el mismo hoy que ayer, y es, sin embargo, otro distinto. Solo una cosa es permanente: la *ley de cambio*. El Destino, que impera sobre todo, en sucesión idéntica y en medida igual, transforma todas las cosas unas en otras.

Para los sofistas—Protágoras de Abdera, Gorgias de Leontino, Pródico, Hippias...—: 1.º, *nada es; 2.º, si algo fuese, sería incognoscible; 3.º, si algo fuese y lo conociésemos, sería incomunicable a los demás*. Negaron, pues, respectivamente, la realidad, el conocimiento y la validez del lenguaje.

Para Pirrón de Elis, uno de los fundadores del escepticismo, las cosas son incognoscibles; conviene, pues, limitarse a reconocer los hechos tal cual aparecen—como fenómenos—, pero sin pronunciarse acerca de su realidad.

Durante la Edad Media, el fenomenismo influye en el *nominalismo* (V.) o *terminismo* (V.) de Ockam.

Para Guillermo Ockam, franciscano, que murió en el año 1349, toda realidad consiste en seres individuales particulares; son objetos ficticios los llamados objetos universales. Y, pues que solo lo individual tiene realidad, la intuición, la *experiencia* interior y exterior es el fundamento de todo conocimiento.

El fenomenismo irrumpe victorioso en la Edad Moderna, y sus huellas se encuentran en el *empirismo* (V.) de Locke, de Berkeley, de Hume; en Stuart Mill, Bain, Spencer; en los inmanentistas Schuppe, Rehmke, Schubert-Seldern; en los empiricriticistas Avenarius, Mach, Ostwald; en el positivista Laas.

Para Hume, todos los juicios que formamos relativos al orden físico se fundan en la idea de causa; pero la *experiencia* solo nos manifiesta relaciones de sucesión o de simultaneidad entre los hechos. Faltando, pues, la noción de causa, todos nuestros juicios acerca del mundo físico se quedan sin base alguna, porque solo aplicándola nos es posible explicar de algún modo los fenómenos, y la creencia en el mundo exterior que reputamos causa de esos mismos fenómenos.

Para Stuart Mill, "los cuerpos son posibilidades permanentes de sensaciones, y el espíritu, una serie de sentimientos coordenados".

En Francia, Charles Renouvier (1815-1903) renovó el más puro y antiguo fenomenismo. Para él, todo conocimiento es conocimiento de fenómenos, de hechos de conciencia; el conocimiento únicamente aprehende los objetos de una manera relativa en sus relaciones entre sí y con el sujeto que conoce; la categoría fundamental es la de relación, a la cual debe subordinarse hasta la de *sustancia*.

V. Goblot, Edmond: *Vocabul, philosophique*. París, 1913.

FERECRACIO (Verso)

Verso griego y latino compuesto de tres pies: *espondeo, dáctilo* y *espondeo*. Su nombre deriva del poeta Ferecrato, su inventor. Se llama también *hectasílabo*. Horacio lo coloca en las estrofas de cuatro versos, comenzando por dos asclepiadeos y terminando por un glicónico; el *ferecracio* es, pues, el tercer verso de la siguiente estrofa:

O navis, referent in mare te novi
Fluctus! O quid agis? fortiter occupa
—— *Portum. Nonne vides ut* ——
Nudum remigio latus.

(V. *Dáctilo.*)

FERIA (Teatros de)

Se designan con este nombre los espectáculos de marionetas, de acróbatas, de animales sabios, de vodeviles y de sainetes o piececillas cómicas, celebrados en las ferias de todos los pueblos y de los arrabales de las ciudades.

Su origen es netamente francés. Desde los siglos XVI y XVII se hicieron famosos los teatros de las ferias de Saint-Germain y de Saint-Martin. En 1595, los cómicos de provincias establecieron un teatrillo en los alrededores de la feria de Saint-Germain, pese a la oposición de los archicofrades de la Pasión y de los actores del Hotel de Bourgogne. En 1646 se autorizaron los juegos de marionetas; y cuatro años después Brioché estableció en cada feria un teatro del mismo género.

Autores como Lesage, Dorneval, Favart, Largillière, Boissy, Piron, Fromaget, Lafont, escribieron obras para estos teatros arrabaleros y de ferias.

V. Bonnasies, J.: *Le théâtre et le peuple*. París, 1872.

FESCENINOS (Versos)

Fesceninos o Saturninos. Les dieron el nombre Horacio y Ennio. Y Virgilio—en *Las Geórgicas,* II, v. 385 y sigs.—Se refiere a ellos como a unos versos rítmicos, pero sin medida, satíricos y deshonestos, que entre risas desenfrenadas recitaban los antiguos labradores de Ausonia.

Horacio—en sus *Epístolas,* lib. II, ep. I, v. 140 y sigs.—traza la historia, más o menos auténtica, de los juegos fesceninos o fescenios y de la poesía.

En los últimos tiempos de la República, estos versos agrestes y groseros adquirieron—por la mitigación de su cruda expresión—categoría literaria. Y los escribieron Octavio, Ausonio y Claudio. Un poeta de los tiempos de Adriano, Anniano, se hizo popular escribiéndolos, generalmente con referencia a los banquetes nupciales.

V. Magnin, Ch.: *Les origines du théâtre antique*. París, 1838.

FESTIVO

Adjetivo aplicable al género literario de tendencias humorística, optimista, chistosa, regocijante... El *género festivo* se ha dado en todas las épocas y en todos los países, y sirve para plasmarse tanto en la lírica como en la épica, en el teatro como en la novela, en la oratoria como en la didáctica.

En Grecia, Aristófanes cultivó el género festivo; y Terencio y Marcial, en Roma. Y no damos sino nombres señeros.

Toda la literatura española está casi saturada de escritores insignes como satíricos, festivos, regocijantes, que jamás perdieron la más alta calidad. El arcipreste de Hita, el arcipreste de Talavera, Turmeda, Juan del Encina, Lope de Rueda, Quevedo, Baltasar del Alcázar, Lope de Vega, Quiñones de Benavente, Cáncer de Velasco, Francisco Santos, Zabaleta, Iriarte, Samaniego Bretón de los Herreros, Villergas, Campoamor, Manuel del Palacio... (V. *Sátira. Burlesco, Género.)*

FETICHISMO

Fetichismo—o hechicismo—es el culto dedicado a los fetiches. Religión así llamada del nombre dado por los negros africanos a sus ídolos—*fetisso.*

Es la religión de casi todos los pueblos menos civilizados, y se extiende por gran parte de Africa, el centro de Asia, gran número de islas del Pacífico y muchas tribus de ambas Américas.

Todos estos pueblos han buscado sus fetiches principalmente en los elementos naturales: el fuego, el agua, los árboles, y entre esos seres invisibles, genios benéficos o maléficos, creados por la superstición o por el miedo; tales son los *grisgris* del Africa Central, los *manitus* y los *ockis* de América; los *burkhans* de Siberia.

Distinguen la mayor parte de estas religiones bárbaras los actos bárbaros o impúdicos y los sacrificios humanos. Los sacerdotes de estos ídolos se llaman *griots* en Africa, *jouglers* en América y *chamanes* en Asia Central.

El fetichismo es casi tan viejo como la Humanidad; y en épocas antiguas lo practicaron inclusive pueblos de extraordinaria cultura. En la antigua Persia se creyó que el sol era el genio del Bien; que el sol no era sino la representación del omnipotente y benéfico Ormuz. Los hindúes adoraron igualmente el sol con el nombre de Indra; y adoraron también el río Ganges. Los egipcios adoraron el Nilo, y los germanos el Rin. Los Apeninos y los Vosgos fueron adorados por los pelasgos. Y el culto de las fuentes fue general aun entre pueblos tan cultos como los griegos y los romanos.

Fue igualmente general el culto dedicado a los animales. Y dioses fueron entre los egipcios el buey Apis, el gavilán, el cocodrilo; y entre los eslavos, el caballo; y entre los griegos, la serpiente de Epidauro; y entre los galos, el gallo y el jabalí; y entre los sirios, las palomas; y hasta por los hebreos, el pueblo de Dios, fue adorada la serpiente de bronce.

El fetichismo de los ídolos, de las imágenes y de las estatuas de la divinidad plantea una cuestión sumamente interesante. Los padres y los doctores de la Iglesia afirmaron que la antigüedad estuvo degradada totalmente por el fetichismo. A esta aseveración han replicado los filósofos y críticos racionalistas oponiendo que los espíritus cultivados de las épocas remotas no adoraron las piedras o los animales como tales animales y piedras, sino como representaciones de los verdaderos dioses: Ormuz, Isis, Júpiter; algo semejante a la representación que los hebreos hacían de Jehová en un anciano de larga barba blanca y de cabellos largos encrespados. (V. *Hechicismo.)*

FEUDALISMO

Sistema de gobierno y de organización de la propiedad, nacido en la Edad Media, que consistía "en la subdivisión de las tierras entre varios señores que tenían dominio sobre ellas y sobre las personas que las habitaban, dependiendo ellos a su vez de otros señores más poderosos o de un soberano a quien debían homenaje".

Etimológicamente deriva feudalismo de dos palabras germanas que significan *propiedad dada en recompensa.*

Cuando los bárbaros invadieron el Imperio romano y se establecieron sobre él, los jefes concedieron a sus soldados o *leudes* (al. *Leute,* gente) algunas tierras que estaban libres de toda obligación: eran los *alodios,* sujetos a censos, y los *feudos.* Los primeros desaparecieron bien pronto, pero los feudos tomaron un incremento extraordinario. El señor feudal, al conceder el feudo, daba la *investidura* del bien conocido en una ceremonia simbólica; el vasallo, o sea el que recibía el feudo, prestaba fidelidad y homenaje a su señor y le juraba ser *su hombre,* su fiel y leal servidor.

El feudalismo fue, pues, una institución rigurosamente importada por los germanos y fundamentada en un concepto del Derecho privado, aunque más tarde afectara con importantes consecuencias al Derecho público.

"Los germanos eran guerreros y estaban organizados militarmente bajo la dirección de un caudillo. Estaban unidos entre sí por los vínculos monárquicos y por el juramento de fidelidad personal. Su organización era descentralizada, sobre la base de la autonomía local. Su desarrollo económico era rudimentario, y dedicaban todos sus esfuerzos a la posesión de la tierra. Durante el período de conquista, cuando se desmorona el Imperio occidental, las bandas germánicas se organizan en ejércitos de considerable extensión, pretendiendo sus jefes apoderarse del gobierno de los principales fragmentos del Imperio. En la realización de este propósito, los gobernantes francos fueron los más afortunados. Los francos defienden la causa de la Cristiandad frente a paganos y sarracenos, y era natural que el Papa consagrara, en términos legales, al rey Carlomagno como sucesor del emperador romano, puesto que, de hecho, ejercía la autoridad imperial sobre una parte considerable del Imperio. Sin embargo, en medio de estos esfuerzos para constituir un Estado, anidaba una ambición desmedida, y el Imperio de Carlomagno se desmiembra rápidamente después de su muerte. Los funcionarios locales y los grandes propietarios de tierras hacen una ley de su propia voluntad; para sostener el orden social, en medio de la anarquía, es necesario encontrar otros lazos de cohesión que los vínculos políticos.

"Radican estos nuevos lazos, como complemento de los que integran la Iglesia, en las relaciones personales que se establecen entre los hombres a través de un sistema de dependencia territorial, asociado, en la práctica, a la autoridad política. Los campesinos se ponían bajo la protección de los señores territoriales, quedando, en cambio, ligados al suelo y sujetos al cumplimiento de determinadas obligaciones. Los hombres que no podían disfrutar de una vida independiente, se "encomendaban" a algún señor importante, con el compromiso de que este los protegiera, obligándose, por su parte, a la prestación de servicios. Los guerreros se agrupaban, como amigos y servidores, en torno a algún jefe prestigioso. Los reyes y nobles concedían las tierras a sus servidores mediante la obligación de sujetarse a ciertos servicios, especialmente militares. La Iglesia siguió también este sistema, estableciéndose una serie compleja de relaciones personales y locales basadas en la tenencia de la tierra.

"El feudalismo, por su propia naturaleza, encierra una relación de índole personal, privada y apolítica. Todo el que fuera fuerte y capaz podía hacer la guerra, acuñar moneda y establecer una jurisdicción judicial. Los hombres, dentro de esta organización, en vez de pagar impuestos, cumplían servicios de carácter feudal; en lugar de figurar en ejércitos permanentes, realizaban oficios de caballeros; en vez de crear un Parlamento, acudían a los Tribunales, y eran vasallos en vez de ciudadanos. El señorío personal y el vínculo de la tierra ocupaban el puesto de la nacionalidad moderna y la soberanía territorial. Las facultades de los señores feudales eran limitadas. Las relaciones entre el señor y el vasallo quedaban definidas por la existencia de un contrato, expreso o tácito. Las demarcaciones feudales eran pequeñas y diseminadas, a pesar de los intentos realizados para conseguir la agrupación de los territorios próximos a base de la identidad geográfica y racial. Por su misma naturaleza, se hace incompatible el feudalismo con la idea de una autoridad absoluta que gobierne en un período determinado. El feudalismo requiere una serie sucesiva de señoríos, superpuestos los unos a los otros, sin que ninguno posea la soberanía absoluta.

"El imperio de las ideas feudales constituyó un obstáculo para los avances del progreso político; no obstante, las instituciones modernas le deben algunos elementos importantes de su organización; y no hay que olvidar tampoco el proceso de la formación del Estado nacional mediante la concentración de los territorios feudales y la centralización de la autoridad política. Además, la concepción feudal no es enteramente anárquica. Las relaciones personales del feudalismo tienen por fundamento la idea de la fidelidad y el hecho del contrato; señores y vasallos se obligaban por igual a la defensa y al acatamiento de la ley, de donde se derivan sus derechos y sus deberes mutuos. Por otra parte, dentro de la obediencia al superior inmediato, se fue desarrollando poco a poco la idea de la lealtad directa que media entre el monarca y el hombre libre, principio que acelera la formación de los Estados nacionales. En la teoría feudal se aprende que tanto el gobernante como el gobernador están sometidos al respeto de la ley. También constituye un principio importante la obligación de prestar servicios, en la paz y en la guerra, a que está sujeto el propietario territorial."

Gettell, que tan magníficamente ha resumido la doctrina y la acción del feudalismo, exageró un poco su creencia en las ventajas del feudalismo con relación a la formación de las nacionalidades. Creemos, por el contrario, que las retrasó y no poco. En los países de acusado feudalismo—Francia, Alemania, Italia y, en parte, España—, los monarcas eran señores solamente de nombre, porque los verdaderos soberanos eran los grandes feudatarios. Los reyes habían de buscar la amistad de estos si deseaban lograr un ejército y unos medios económicos para sostenerlo. Cada ejército medieval *no era sino la suma de tantos ejércitos como tantos señores prestaban al monarca.*

El feudalismo tuvo numerosas modalidades; pero, habida consideración a sus elementos integrantes, puede ser dividido así:

1.° *Eclesiástico* o *laical,* según el señor del mismo sea clérigo o laico.

2.° *Ligio* o *no ligio,* según el vasallo esté obligado a prestar obediencia absoluta *en todo* o únicamente según determinadas condiciones.

3.° *Propio* o *impropio,* según el feudo recaiga sobre bienes inmuebles o sobre muebles o prestaciones.

4.° *Nuevo* o *antiguo,* según se inicie su disfrute o se haya heredado.

Conviene también distinguir la diferencia entre *feudo* y *señorío;* diferencia que, en ocasiones, ni las leyes—recuérdense las *Siete Partidas*—ni los autores han sabido señalar.

El *señorío* era un poder que el rey otorgaba a personas determinadas, y consistente en el disfrute de ciertos derechos que solo al rey podían corresponder. El señorío implicaba, pues, una desmembración de la propiedad real. El feudo no suponía esta desmembración, ya que la propiedad del mismo podía no haber pertenecido jamás a la corona. El feudo, como una especialísima relación jurídica, se extinguía por el no cumplimiento de las obligaciones que entrañaba. El señorío podía extinguirse por la misma voluntad real que lo había originado. Es indiscutible que el feudalismo es el régimen con el cual se constituye la alta nobleza en Europa durante la Edad Media.

Queremos ahora señalar brevemente la índole de las prestaciones feudales, algunas de las cuales afectaban al propio concepto de la dignidad humana.

Los vasallos tenían, en relación con sus señores, deberes *morales, especiales* y *materiales.* Entre los primeros estaban: respetar el cuerpo de su señor; defenderlo cuando otros trataran de ofenderlo; no poseer nada que al señor corresponda sin su consentimiento; no sugerirle nada en contra de su honor o en su daño; respetar a sus familiares; aconsejarle con lealtad; dar caución por él cuando le viere preso o adeudado; sacarle del peligro cuando se hallase en manos de sus enemigos o próximo a caer en ellas.

Entre los deberes *especiales* o *materiales* estaban los denominados: *al servicio, a la fe, a la justicia* y *a los subsidios.*

Consistía el primero en hacer la guerra a favor del señor durante cuarenta, sesenta días, durante toda una campaña, sosteniendo el vasallo de su propio peculio su pequeño ejército. *La fe* obligaba al vasallo a acompañar a su señor, como testigo, a cuantos pleitos se le presentasen. Por la *justicia,* el vasallo sometíase, sin apelación, a los Tribunales determinados por el señor. En cuanto *a los subsidios,* el vasallo se los entregaba al señor, ya en dinero, ya en especies; además, el vasallo entregaba cierta cantidad extraordinaria cuando contraía matrimonio la hija mayor del señor, o era armado caballero uno de los hijos de este.

Posteriormente fueron introducidas otras obligaciones. Eran del feudatario las cosas que se hallaban en sus tierras, la herencia de cuantos morían sin testar, sin confesarse o de muerte repentina. Cuando moría sin herederos una persona de condición servil, el señor le heredaba en todo o en parte. Por el derecho de *albimagio* o *aubana,* el feudatario heredaba al extranjero que moría en sus tierras. Y el señor se apoderaba de cuanto—hombres o cosas—el mar arrojaba a sus playas. También recibía el señor una cantidad por el reconocimiento—*relevium*—que hacía del heredero no directo de un vasallo.

Los derechos y deberes en el feudalismo quedaron perfectamente señalados; pero los señores fueron ampliando sus prerrogativas, hasta hacerlas ilimitadas a causa de la manera arbitraria y absoluta como ejercían su poder. Incluso con el mismo rey se mostraban altivos y autoritarios, formando confederaciones o ligas de señores que le imponían su voluntad, o le prestaban su fuerza cuando les convenía, por lo que ha podido decirse que el rey, de protector que era de sus vasallos, pasó a ser protegido de los señores, y que en el régimen feudal no tiene realidad de ninguna clase el poder regio, siendo solo uno, el aristocrático, el que todo lo invade y avasalla, el que tenía mediatizado al rey y al pueblo.

El feudalismo adquirió su mayor desarrollo, por este orden, en Francia, Inglaterra, Alemania e Italia. Se ha negado por algunos tratadistas que alcanzara demasiada importancia en España. Sin embargo, la tuvo. Y no solo en Aragón y en el Condado de Barcelona, donde los francos introdujeron sus leyes y sus costumbres, sino también en Castilla. La minuciosidad con que se refieren al feudalismo el *Fuero Viejo de Castilla,* las *Siete Partidas,* los *Usatges* de Cataluña, el *Fuero de Valencia,* el *Fuero general de Navarra* y otras recopilaciones, no deja lugar a duda de que el feudalismo tuvo un gran empaque—ya que no arraigo—en España. Solo que entre la nobleza de León y de Castilla no alcanzó jamás la fuerza que en los mencionados países. En León y Castilla jamás se desprendieron los monarcas de la suprema autoridad sobre todos sus súbditos, de cualquier jerarquía que fuesen.

Acerca del *fenómeno* feudalismo en León y Castilla, Santamaría de Paredes se explica así: "Menos accesibles los caudillos francos a la idea del poder público que tenían los romanos, no acertaron a soportar la jurisdicción de los delegados del rey en sus tierras, ni se resignaron a pagar el impuesto; por eso, bajo los merovingios aparecen las *emunitates* en la concesión de los *beneficios,* prohibiendo la intervención de los jueces reales en las tierras concedidas. Por otra parte, buscaban los francos en los *cargos públicos* el provecho *privado* y propendían a convertirlos en objeto particular de lucro, prescindiendo de los deberes políticos que tales cargos imponían. Y estos precedentes de la Francia merovingia preparan el desarrollo del verdadero feudalismo, que se caracteriza por la confusión de la verdadera soberanía con la propiedad territorial y por el carácter privado y hereditario que adquieren los cargos públicos, manifestándose con todo su vigor en aquel país al disolverse el imperio de Carlomagno.

"En la España goda, por el contrario el Estado se constituye sobre la idea del poder público de los romanos, y ningún *senior* ejerce jurisdicción sobre sus vasallos, sino que todos viven igualmente sujetos a los jueces públicos jerarquizados bajo la potestad del rey, a pesar de que la aristocracia goda, la más cerrada entre todas las de los pueblos germánicos, organiza la propiedad territorial sobre la base de las relaciones entre los *seniores* y los *bucelarios.* Por la misma razón, de haberse constituido el poder a la romana, los cargos públicos no tienen aquí nunca el carácter de patrimonio privado, ni se consiente a los que ejercen exigir prestaciones o corveas a los pueblos; los jueces fueron entre los godos, según declara Chindasvinto, "funcionarios públicos retribuidos por el rey". Así se explica que la España de la Reconquista, si bien recibió de la España goda la jerarquización señorial del territorio, no se encontrase preparada, por precedentes históricos, para confundir la propiedad con la soberanía, cuya fusión constituye el carácter esencial del feudalismo.

"Pero bien fuese por el influjo de otros pueblos, bien por efecto del mismo espíritu germánico contenido por el romanismo en la época goda, el feudalismo aparece en el siglo VIII, puesto que la jurisdicción incorporada a la tierra y ejercida sobre los siervos adscripticios se transmite con siervos y tierra, como lo prueba la donación de don Adelgastro, hijo del rey Silo, al monasterio de Santa María de Bona en 780. Este tardío nacimiento del feudalismo explica luego su limitación en Castilla y León, tanto por hallarse más alejados estos reinos de la influencia francesa, cuanto porque en ellos renace la monarquía gótica con sus aspiraciones de poder absoluto. Además, la tierra conquistada y el derecho de repartirla pertenece al rey de León y Castilla, y de aquí surge otra limitación del señorío: si los señores y abades pueblan, es por concesión del rey, del cual quedan como sus primeros vasallos; por eso, está limitada la potestad de tales señores sobre los habitantes de sus tierras, y la alta jurisdicción pertenece siempre al rey. Así dice el *Fuero Viejo de Castilla* que "cuatro cosas son naturales del señorío del rey, que non las debe dar a ningund ome, nin las partir de si, ca pertenescen a él por razón del señorio natural: justicia, moneda, fonsadera e suos yantares".

"Por otra parte, el crecimiento del poder municipal, que en Europa se manifiesta como la primera causa de la destrucción del feudalismo, se anticipa en Castilla para contener el programa del régimen feudal cuando hubiera podido prevalecer sobre la monarquía. Los reyes, apoyándose en los Concejos, pudieron dominar el poder de la aristocracia y dar unidad a la jurisdicción, con el establecimiento de los merinos mayores y menores, los adelantados y, más tarde los Tribunales de corte y las Audiencias. De suerte que si el feudalismo existió en la monarquía castellana, fue de una manera *incompleta y limitada,* por su tardío nacimiento, por el carácter de la repoblación y por el advenimiento anticipado del estado llano a la vida pública en los reinos de León y Castilla."

¿Cuáles fueron las causas de la decadencia rápida y de la desaparición de un régimen tan fuerte y tan dilatado en la Europa occidental como el feudalismo?

1.ª Las rivalidades feroces entre los mismos señores.

2.ª La importancia que fueron adquiriendo los Municipios, cuyas prerrogativas eran incompatibles con las del feudalismo, y en los que se apoyaron los monarcas para combatir a este.

3.ª La corriente general hacia la centralización de los poderes que derivaría en todos los países hacia el absolutismo real.

4.ª La tendencia de los jurisconsultos a ponerse de parte de los reyes en nombre de los antiguos textos legales; textos que despojaban a los señores de gran número de sus prerrogativas.

5.ª Las franquicias y los fueros que los reyes fueron otorgando a las ciudades conforme las iban obteniendo o conquistando.

La atomización de la soberanía, característica del feudalismo, terminó en el siglo XV.

V. DAVIS, H. W. C.: *Europa medieval,* Barcelona, Labor, 1928.—VEDEL, Waldemar: *Ideales culturales de la Edad Media: Romántica caballeresca.* Barcelona, Labor, 1927.—CALMETTE, J.: *La société féodale.* París, 1923.—GANSHOF, F. L.: *Qu'est ce que la féodalité.* Neuchâtel, 1846.—SÁNCHEZ ALBORNOZ, C.: *En torno a los orígenes de feudalismo.* Mendoza, Argentina, 1942.—SPANGENBERG: *Feudalismus...* En *Hist. Zeitschrift,* 103, 1909.—ESCOSURA Y HEVIA: *Juicio crítico del feudalismo en España.* Madrid, 1856.

FICCIÓN

1. Paradoja. Cuento. Fábula. Apólogo. Invención parabólica.
2. Ensueño. Ilusión de la fantasía.
3. Invención poética.
4. Género literario de pura inventiva del autor.

FICCIONISMO

Doctrina filosófica de Hans Vaihinger, según la cual las imágenes, relativas y movibles, del mundo, no son sino *ficciones,* siendo únicamente *realidades* los hechos puros de la experiencia cuando no han sido *desvirtuados* para satisfacer una *necesidad inconsciente* de la Humanidad.

Hans Vaihinger (1852-1933) nació en Nehren, cerca de Tubinga, estudiando Filosofía en Tubinga, Leipzig y Berlín. Explicó Filosofía en Estrasburgo, en Halle y en París, siendo reconocido como uno de los mejores intérpretes del *kantismo* (V.). Para defender su Filosofía, fundó—1919—los *Annalen der Philosophie.*

Su famosa teoría de las *ficciones*—que transporta de la metodología de las ciencias particulares a la Filosofía—"es una aplicación a los problemas especulativos de una teoría análoga a la de los postulados de la *razón práctica* de Kant".

El gran filósofo alemán Augusto Messer ha resumido en estos términos lo que él llama el positivismo de Vaihinger: "Lo positivo, lo objetivamente dado, solo son las sensaciones y sus conexiones. El *yo* es una ficción (es decir, una suposición conscientemente falsa), así como las cosas con sus propiedades, y la causalidad. Esta, como las demás categorías, no son sino medios cómodos para dominar las sensaciones; no tienen originariamente otro fin. Nacen de esta necesidad práctica, y su origen, su número y sus clases son determinados por las distintas formas exteriores del ser a las cuales debe acomodarse el espíritu... Existe un ser, una realidad existente en sí, pero incognoscible... El hecho de que aprehendamos la realidad por las categorías no debe disminuir en nada el valor de estas. Podemos y debemos seguir pensando y hablando como si existieran cosas y almas, pues estas ficciones, como las de las categorías, son biológicamente útiles."

V. MESSER, A.: *Historia de la Filosofía*. Trad. cast. Madrid, "Revista de Occidente". Cinco tomos.—KÜLPE, Oswald: *Introducción a la Filosofía*. Madrid, "Revista de Occidente".—RUSELL, Bertrand: *Los problemas de la Filosofía*. Barcelona. "Col. Labor", n. 176.

FIDEÍSMO

Doctrina filosófica heterodoxa, según la cual, siendo impotente la razón para comprender algunas verdades de la religión, presupone la existencia en el hombre *de una facultad independiente,* que es la que otorga capacidad para la fe.

Más concretamente se ha dicho que el fideísmo es una doctrina que funda en la fe, y no en la razón, el conocimiento de las primeras verdades.

También se ha llamado fideísmo a la doctrina que afirma que la fe puede servir de base a la Filosofía.

¿En qué han fundado su afirmación los fideístas? Se había tenido casi como dogma de la razón que para poder discernir lo verdadero de lo falso tenía el hombre necesidad de una norma o regla que le sirviera en las operaciones del entendimiento; pero, al comprobar que no eran sino errores algunas verdades defendidas como *evidentes* por la razón, los fideístas creyeron que podían rechazar la *evidencia* como criterio y norma de la verdad. Dentro del fideísmo, sin embargo, han surgido dos tendencias: una, la de aquellos que se apoyan en la *revelación,* en la *tradición* y en el *consentimiento universal;* otra, la de quienes buscan en el *instinto* o sentido especial con que Dios ha dotado a los hombres.

El fideísmo filosófico tuvo su origen en el siglo XVIII. Su iniciador fue Pierre Daniel Huet (1630-1721), erudito y filósofo francés, muy protegido por Luis XIV, y que dirigió las famosas ediciones de clásicos *ad usum Delphini.* Huet entró en la Academia, y en 1689 obtuvo el obispado de Avranches; ya anciano, renunció la mitra y se retiró a la casa profesa de jesuitas en París, Póstumamente apareció su obra *Traité philosophique de la faiblesse de l'esprit humain*—1723—, en la que está contenida la doctrina fideísta. En ella afirma Huet que el hombre, con las luces naturales de su entendimiento, no llega sino al conocimiento *probable* de las cosas, y que para llegar a la certeza absoluta necesita de la revelación hecha por Dios valiéndose de la "locución" oral o escrita.

Louis Eugène Bautain (1796-1867), teólogo y filósofo francés, comentarista acertado del fideísmo de Huet, en sus obras *De l'enseignement de la philosophie en France au XIXe siècle* y *Philosophie du Christianisme,* afirmó que todas las verdades fundamentales, que son los principios de la ciencia, han de ser tomadas de la revelación sobrenatural (Sagrada Escritura y Tradición de la Iglesia). Por tanto, según él, la ciencia no es sino un conjunto de conclusiones enraizadas inconmoviblemente en la fe.

El fideísmo llegó a su máxima exageración, también en Francia, con el famoso Hugues Félicité Robert de Lamennais (1782-1854), teólogo y filósofo, que pasó de una exaltada ortodoxia a una enemistad irreconciliable con la Iglesia católica. En su leidísimo y curioso libro *Affaires de Rome*—1836—exaltó el fideísmo y la democracia. Para Lamennais, ningún entendimiento humano puede alcanzar por sí solo la certeza, ni siquiera la de su propia existencia; que la revelación de Dios se dio a nuestros primeros padres, quienes la transmitieron a las siguientes generaciones; que la fe y la obediciencia de la voluntad son imprescindibles a la sociedad humana que quiera participar de la revelación; que este *consentimiento universal* en la revelación está por encima de la misma autoridad de la Iglesia.

De lo anteriormente expuesto se sacan las siguientes conclusiones:

a) No puede ser tildado de fideísta quien crea en el importante papel que en el entendimiento desempeña la creencia en la *gracia de Dios* y en el *conocimiento de los preámbulos de la fe,* siempre que tenga en cuenta que la gracia es un *auxilio subjetivo* que obra juntamente con las *posibilidades cognoscitivas.*

b) Puede ser acusado de fideísta quien intente excluir la prueba *racional* de los preámbulos de la fe, eliminando los *motivos* que ne-

F

cesita el entendimiento para afirmar siquiera sea con *certeza relativa.*

El fideísmo ha sido condenado reiteradamente por Pío IX, el Concilio Vaticano y León XIII. Según Pío IX—en su encíclica *Qui pluribus,* 1846—, es imprescindible que la razón se cerciore—porque *puede* y porque *debe*—de los preámbulos de la fe por medio de la demostración.

El Concilio Vaticano—sección III, capítulos III y IV—afirmó: que existe *posibilidad* de conocer la existencia de Dios *por la luz natural;* que hay *necesidad* de ejercitar dicha *posibilidad* para que la fe esté de acuerdo con la razón.

V. OLLÉ-LAPRUNE: *La certitude morale.* París, 1880.—TURINAZ, M.: *La foi catholique.* París, 1905.—RUIZ AMADO, P.: *Los peligros de la fe.* Barcelona, 1905.—GARDEIL, O. P.: *La credibilité et l'apologétique.* París, 1912.—CATHREIN, V.: *Glauben und Wissen.* Friburgo, 1903.

FIGI o VITI (Lengua) (V. Polinésicas, Lenguas)

FIGURA

1. En un sentido amplio, *figura* no es otra cosa que la *expresión* de un pensamiento.
2. En un sentido estricto, *figura* es aquella *expresión* que añade fuerza, gracia, sentimiento y cualquiera otra calidad espiritual al lenguaje humano.

Según Quintiliano, las figuras podían ser: de *pensamiento* y de *lenguaje.*

Los retóricos modernos precisan más. Las *figuras de pensamiento* pueden dividirse: *a)* las que sirven para intensificar el convencimiento —*interrogación, prolepsis, dubitación, comunicación, sustentación*—; *b)* las que sirven para intensificar el sentimiento o la pasión—*exclamación, prosopopeya, apóstrofe, hipotiposis, ironía, aposiopósis...*

Las *figuras de lenguaje* se dividen en *tropos* —sustitución de una palabra por otra—y *figuras gramaticales.*

Los *tropos* son de dos clases: los que sirven para expresar el pensamiento—*metáfora, sinécdoque, metonimia, antonomasia, onomatopeya, catacresis*—y los que sirven para embellecer el pensamiento—*alegoría, epíteto perífrasis, enigma, hipérbole...*

Las *figuras gramaticales o de construcción* consiguen un lenguaje más expresivo tomando los elementos de expresión del propio lenguaje —*anáfora, epístrofe, epanodos, germinación, poliptoton, anadiplosis...* (V. *Figuras. Figuras de palabras. Figuras de pensamiento.)*

FIGURADO (Lenguaje)

Es el que corresponde a los pensamientos embellecidos por el encanto de la imaginación y animados por el fuego del sentimiento y de los afectos.

El lenguaje figurado tiene su origen en la naturaleza del hombre, el cual, dotado como se halla, no solo de inteligencia, mas también de sensibilidad, pasiones y voluntad, no se sujeta ni al formular ni al expresar el pensamiento a las leyes fijas e invariables de la lógica, sino que, dejándose llevar de la fantasía y de los afectos, según la intención que se proponga y la situación moral en que se encuentre, da al pensamiento nuevas formas, que se han de reflejar necesariamente en el lenguaje, y de aquí el lenguaje figurado.

Cicerón afirmó que el lenguaje figurado tuvo su origen en la necesidad que hay, cuando un idioma es pobre, de dar a las palabras nuevas significaciones, además de las que primitivamente corresponden a cada una, para expresar todas las ideas. *Modus transferendi verba late patet, quem necessitas primum genuit coacta inopia et angustiis, postea autem delectatio juncunditasque celebravit.*

En todos los idiomas existe el lenguaje figurado. Por necesidad o por placer, se han dado en todas las lenguas nuevos sentidos traslativos a las palabras.

> Pues, ¡oh Dios mío y todas cosas!, ¿por qué no te amaré yo con todos los amores? Tú eres Dios mío verdadero, Padre mío santo, Señor mío piadoso, Rey mío grande, Amador mío hermoso, pan mío vivo, sacerdote mío eterno, sacrificio mío limpio, lumbre mía verdadera, dulcedumbre mía santa, sabiduría mía cierta, simplicidad mía pura, heredad mía rica, misericordia mía grande, redención mía cumplida, esperanza mía segura, caridad mía perfecta, vida mía eterna, alegría y bienaventuranza mía perdurable. (FRAY LUIS DE GRANADA.)

FIGURADO (Sentido)

Sentido *figurado* de una palabra es el traslativo que se emplea, no por necesidad, sino con el solo fin de realizar y embellecer la expresión del pensamiento. Ejemplos: la juventud es *la primavera de la vida;* la ignorancia es *la noche de la inteligencia;* el infierno *es la cárcel infinita.*

FIGURANTES

1. Cada uno de los personajes que salen a la escena, pero que no hablan, figurando soldados, monjes, gentes de pueblo, acompañamiento...
2. Bailarín o bailarina. Mimo.

FIGURAS

Son ciertos modos de hablar que, embelleciendo y realzando la expresión de los pensamientos y de los afectos, se apartan de un modo más sencillo, pero no más natural.

Para que las formas del pensamiento y del lenguaje merezcan el nombre de figuras, deben tener los caracteres siguientes: 1.º No han de ser necesarias, es decir, formas únicas del pensamiento; 2.º Han de poder ser sustituidas por otras más sencillas, no figuradas; 3.º Han de dar al lenguaje y al pensamiento energía, belleza y elegancia.

Los valores de las figuras son: 1.º Enriquecen las ideas; 2.º Dan claridad, belleza y elegancia y hasta concisión al pensamiento; 3.º Enriquecen el lenguaje; 4.º Dan al estilo gracia, dignidad, nobleza y personalidad; 5.º Sirven para disfrazar las ideas; 6.º Son la mejor y la mayor fuente de novedad del pensamiento y del lenguaje.

Atendiendo a la naturaleza de cada una de las figuras, pueden ser divididas en: *elegancias del lenguaje—figuras de dicción—*, *tropos* y *figuras del pensamiento.*

La retórica no ha inventado las figuras, que son producto natural del espíritu humano. Porque todo es *figurado* en la parte moral y metafísica del lenguaje. La pobreza de las lenguas es una de las causas del origen de las figuras. Otras muchas de estas han nacido de la pasión, de la emoción, de la imaginación, de la elegancia del espíritu. Cuando los hombres pasaron de la percepción transmitida por los sentidos a las ideas abstractas, necesitaron *como una nueva lengua*—las figuras—para expresar cada una de sus concepciones. Nadie crea que las *figuras* son patrimonio de los poetas, de los dramaturgos, de los filósofos, de los espíritus cultivados. Se hallan igualmente en el más simple lenguaje de un inculto aldeano.

V. Marmontel: *Eléments de littérature.*—Blair: *Lecciones de retórica.* Madrid, 1901.

FIGURAS DE PALABRAS

Las elegancias o figuras de dicción son ciertas maneras de construir las cláusulas con belleza, gracia y aun a veces con energía; o sea, ciertas modificaciones del lenguaje consistentes en la *adición, supresión* o *repetición* de alguna palabra en una o varias cláusulas, o en la *artificiosa combinación* de palabras análogas, ya por el sonido, ya por los accidentes gramaticales, ya por el sentido.

Hay cuatro clases de elegancias del lenguaje o *figuras de dicción:* 1.ª Elegancias por *adición* o *supresión* de palabras; 2.ª Elegancias por *repetición;* 3.ª Elegancias por *combinación;* 4.ª Elegancias por *inversión del lenguaje*—hipérbaton.

Las *figuras de dicción* son:

Adjunción (V.), *Alegoría* (V.), *Anacoluto* (V.), *Anadiplosis* (V.), *Anáfora* (V.), *Anástrofe* (V.), *Antanaclasis* (V.), *Antimetátesis* (V.), *Antistrofa* (V.), *Antonomasia* (V.), *Asíndeton* (V.), *Catacresis* (V.), *Complexión* (V.), *Conjunción* (V.), *Diáfora* (V.), *Disyunción* (V.), *Elipsis* (V.), *Enalage* (V.), *Homeoptoto* (V.), *Hipálage* (V.), *Hipérbaton* (V.), *Inversión* (V.), *Metábola* (V.), *Metáfora* (V.), *Metalepsis* (V.), *Metaplasmo* (V.) *Metonimia* (V.), *Onomatopeya* (V.), *Paranomasia* (V.), *Pleonasmo* (V.), *Polípote* (V.), *Polisíndeton* (V.), *Reduplicación* (V.), *Repetición* (V.), *Silepsis* (V.), *Sinécdoque* (V.), *Zeugma* (V.).

FIGURAS DE PENSAMIENTO

Son las formas especiales que el pensamiento toma bajo el influjo, ya de la imaginación, ya de la razón, ya de los afectos, o ya también para presentar las ideas como veladas y con más gracia y belleza; formas que son más independientes de lo material del lenguaje que los tropos y las elegancias o *figuras de dicción.*

Las *figuras de pensamiento* se diferencian de los tropos en que estos trasladan el sentido de las palabras, y las figuras de pensamiento no hacen ninguna traslación, pues consisten exclusivamente en ser formas nuevas y más expresivas de la idea.

Las *figuras de pensamiento* se dividen en cuatro clases: *pintorescas* o *descriptivas, lógicas, patéticas* e *indirectas.* A estas últimas se las suele denominar *tropos de sentencia.*

Las *figuras de pensamiento* son:

Acumulación (V.), *Alusión* (V.), *Anacefaleosis* (V.), *Anteocupación* y *Anticipación* (V.), *Anticlímax* (V.), *Antífrasis* (V.), *Antítesis* (V.), *Aplicación* (V.), *Aposiopesis* o *Reticencia* (V.), *Apóstrofe* (V.), *Atroísmo* (V.), *Clímax* (V.), *Comunicación* (V.), *Comparación* (V.), *Compensación* (V.), *Concesión* (V.), *Conglobación* (V.), *Conminación* (V.), *Contraste* (V.), *Corrección* (V.), *Cronografía* (V.), *Demostración* (V.), *Deprecación* (V.), *Descripción* (V.), *Distribución* (V.), *Dubitación* (V.), *Enumeración* (V.), *Epanortosis* (V.), *Epifonema* (V.), *Epítrofe* (V.), *Etopeya* (V.), *Eufemismo* (V.), *Exclamación* (V.), *Gradación* (V.), *Hipérbole* (V.), *Hipotiposis* (V.), *Imprecación* (V.), *Interrogación* (V.), *Ironía* (V.), *Licencia* (V.), *Litote* (V.), *Obsecración* (V.), *Ocupación* (V.), *Optación* (V.), *Paradiástole* (V.), *Paroxismo* (V.), *Perífrasis* (V.), *Permisión* (V.), *Preterición* (V.), *Prolepsis* (V.), *Prosopografía* (V.), *Prosopopeya* (V.), *Recapitulación* (V.), *Reticencia* (V.), *Subyección* (V.), *Suspensión* (V.), *Sinatroísmo* (V.), *Topografía* (V.).

FIGURATIVAS (Poesías)

Recibían el nombre de *poesías figurativas* aquellas que con la colocación de los versos conseguían a los ojos la silueta de objetos materiales. Se atribuye su invención a Simmias de Rodas, poeta del siglo IV antes de Cristo. De él se conservan *Las alas, El hacha, El huevo.* Cada una de las alas estaba formada por seis versos coriámbicos que *figuraban seis plumas,* disminuyendo gradualmente su longitud. Los veintidós versos que *figuraban el huevo* eran de diferentes medidas. Aún añadió el poeta una nueva dificultad, consistente en que el *primer verso* hiciese sentido, *no con el segundo,* sino *con el*

F

último, y el segundo con el penúltimo, y el tercero con el antepenúltimo.

Entre los latinos fue autor de poesías figurativas Publio Optatiano Porfirio, que vivió en el siglo IV después de Jesucristo, y que compuso un *altar*, una *siringa* y un *órgano*. Veinticuatro yámbicos trímetros formaban el *altar*, disminuyendo o aumentando, según la necesidad de la figura, por medio exclusivamente de palabras con más o menos letras.

Entre los franceses, los versos figurativos estuvieron de moda entre los siglos XVI y XVIII. Y se hicieron famosísimos la *Botella* de Rabelais y el *Vaso* de Panard.

He aquí el *Vaso* de Panard:

Nous ne pouvons rien trouver sur la terre
Qui soit si bon ni si beau que le verre,
Du tendre amour berceau charmant.
C'est toi, champêtre fougère,
C'est toi, qui sers à faire
L'heureux instrument
Où souvent pétille,
Mousse et brille
Le jus qui rend
Gai, riant,
Content.
Quelle douceur
Il porte au coeur!
Tôt,
Tôt,
Tôt,
Qu'on m'en donne,
Qu'on l'entonne;
Tôt,
Tôt,
Tôt,
Qu'on m'en donne
Vite et comme il faut:
L'on y voit, sur ser flots chéris
Nager l'allégresse et les ris.

V. CARAMUEL: *Metemétrica*. Roma, 1663.—PEIGNOT: *Amusements philologiques*. 1842.

FILANTROPISMO

Doctrina y sentimiento que buscan el triunfo de lo que hay de universal en la naturaleza humana sobre lo que es propio de cada época, lugar, clase y nacionalidad.

El filantropismo tiende a elevar la idea de humanidad sobre la particular de nacionalismo y aun por encima de la idea de confraternidad religiosa.

Según Grubb—en su *Philanthropy*—, el filantropismo es especialmente característico de las sociedades llamadas *individualistas*. en las que los ideales de la libertad individual inclinan fuertemente hacia una nivelación social.

Es muy frecuente creer que son sinónimos *caridad* y *filantropismo*. La creencia es completamente errónea.

La caridad es un sentimiento que tiende a socorrer una *caridad actual*. El filantropismo, mirando más al futuro que al presente, procura realzar la condición de la vida humana en mayor escala y con definitiva eficacia.

En la antigüedad, el filantropismo quedó circunscrito a la esfera del Estado. Griegos y romanos creyeron que únicamente el Estado debía preocuparse de mejorar la situación moral y material de los necesitados. Fue el Cristianismo quien primeramente inculcó en la sociedad y en cada miembro de la comunidad las ideas y los sentimientos filantrópicos.

Pero el filantropismo como movimiento social estructurado tuvo sus orígenes en el movimiento pedagógico exaltado, en la segunda mitad del siglo XVIII, por Juan Bernardo Bassedow, quien se propuso reaccionar contra el egoísta y herético *pietismo* y crear una escuela inspirada en el iluminismo racionalista *(Aufklärung)*, aconfesional y exenta de toda influencia religiosa, cuya única misión, correspondiente a su ideal único, sería "formar una nueva Humanidad atenta al bienestar de todos, en una fraternidad venturosa".

Bassedow fundó—1774—, en Dessau, el primer establecimiento *(Philanthropinum)* de enseñanza y de práctica. Martín Planta fundó en Suiza otro análogo.

Para los modernos filántropos, el filantropismo no tiene otra misión "que cooperar al esfuerzo de la comunidad para sobrellevar las responsabilidades de los miembros débiles de la sociedad".

Dos de las más admirables consecuencias del filantropismo han sido la *reforma carcelaria* y la *administración penal*. Hasta el siglo XVIII, el Estado creía cumplida su misión encarcelando al miembro corrompido de la sociedad y... dejándole libre cuando hubiera cumplido su condena. Dos miembros ilustres del filantropismo: John Howard—en 1773—e Isabel Fry—en 1813—iniciaron sus titánicos esfuerzos en pro del futuro de los delincuentes. Se trataba de que estos, faltos de recursos al salir de la prisión, no se vieran obligados a ser más peligrosos para la sociedad que lo habían sido cuando entraron en la cárcel. Isabel Fry logró que las cárceles fueran, además de tales, reformatorios impulsados por un sentido de humanidad.

V. TIMPSON, Th.: *Memoirs of Mrs. Fry, including a story of her labours*. Londres, 1846. HARE, A.: *The Gurneys of Earlham*. Londres, 1895.

FILIPINA o TAGALA (Lengua)

Idioma de la familia malasia, hablado por los tagalos, habitantes indígenas de las Islas Filipinas. Comprende numerosos dialectos: el *tagalo*, peculiar de la isla de Luzón; el *pampango*, el *zambal*, el *pangasinan*, el *ylocos*, dialectos provinciales de Luzón; el *maitim*, hablado por las poblaciones del interior de la mencionada isla; el *capul,* hablado en la isla de este nombre; el *bissayo,* que domina en las pequeñas islas del archipiélago; el *bohol,* hablado en la isla de Negros y en la de Bohol; el *mindanao,* hablado en la isla de este nombre.

La lengua filipina es rica, armoniosa; es más complicada en sus formas que las restantes lenguas malasias. Posee tres pasivos, un dual para las tres personas; el verbo *ser* se sobrentiende siempre, y su tiempo está representado por la posición de las palabras en la frase. El antiguo alfabeto tagalo tenía catorce consonantes y tres vocales. Con respeto a estas vocales, resulta el más incompleto de los alfabetos conocidos. Al convertirse al Cristianismo, los tagalos adoptaron el alfabeto llevado a Filipinas por los españoles.

V. San Joseph, Fr. de: *Arte y reglas de la lengua tagala.* 1610.—Magdalena, Agostino de la: *Arte de la lengua tagala.* México, 1669.—Noceda, P. J. de: *Vocabulario de la lengua tagala.* Manila, 1754.

FILOLOGÍA

De φίλος, amigo, y λόγος, discurso o razón. Para los griegos, este vocablo designó el amor a la cultura en su más amplio sentido. Sócrates, según Platón, se llamó a sí mismo *filólogo.* Después, la palabra tuvo un sentido *menos general.* La Filología ha sido definida por F. A. Wolf como la *ciencia de la antigüedad.* Esta definición es demasiado extensa. Actualmente se restringe su significación al *estudio del lenguaje* en los diversos campos de la *gramática,* de la *lexicografía,* de la *etimología,* de la *interpretación* y de la *crítica.* Y aún se observan diferencias hondas entre la Filología y la Lingüística, ya que esta última se preocupa solamente de los *caracteres* y de la *clasificación* de las lenguas, mientras la Filología examina la *formación* y las *variaciones* de las lenguas en la Historia.

La Filología se divide en: *clásica,* cuando comprende el estudio de los monumentos de las lenguas griega y romana; *oriental,* si se refiere particularmente a las lenguas de Asia; *moderna,* aquella que se ocupa de las lenguas vivas, de su origen y de sus evoluciones y revoluciones.

Para trazar la historia de la Filología hay que referirse a tiempos muy antiguos. El esfuerzo para coordinar los *poemas homéricos,* que tuvo lugar en tiempos de Pisístrato, se reputa como el intento filológico más antiguo. Su historia prosiguió en la crítica de Aristóteles, en la centralización de los estudios literarios en Grecia, y más tarde en Roma, donde Quintiliano y Aulo Gelio fueron *filólogos* en el más amplio sentido del vocablo. A la Filología *afectaron* las sutiles discusiones de los sofistas y los trabajos de los enciclopedistas latinos, tales como Martianus Capella, Boecio, Casiodoro, Isidoro de Sevilla, y los de los lexicógrafos Hesiquio, Suidas y Pollux, y los de la etimologista Eudocia; igualmente las escuelas de gramática fundadas por Carlomagno; la creación de las Universidades en toda Europa; los comentarios de Eustasio y de Tzetzés; las enseñanzas de los sabios griegos de Constantinopla refugiados—después de la toma de esta ciudad por los turcos—en Italia: Constantino y Juan Lascaris, Teodoro de Gaza, D. Calcodilas; los recuerdos bibliográficos de los monjes durante la Edad Media; los de los eruditos italianos del siglo xvi: Poggio, Marsilio Ficino, Pomponio Leto, Lorenzo Valla, Policiano; los trabajos de Erasmo, Henri Estienne, Budeo, Camerario, Melanchton, Lipsio, los Valdés, Nebrija, el *Pinciano,* Escalígero Gronovius, Gaspar Barth, Grimm, Danés, Du Cange...

La Filología tiene un doble campo de acción: en la lengua y en la literatura; y siendo la lengua la expresión literaria, y siendo la literatura el objeto de la investigación filológica, resulta casi imposible separar sus relaciones estrechísimas.

Dentro de la Filología están la *Sintaxis* y la *Estilística,* la *Morfología* y la *Fonética.* Pero para la Filología los temas trascendentales son los de la *Psicología* y la *Estética del lenguaje.* Dejando a la *Lingüística*—nacida de ella—los temas de la Sintaxis, Fonética y Morfología.

La Filología, como ciencia literaria, es, por un lado, *Crítica,* y por otro lado, *Hermenéutica.*

Como *Crítica,* estudia el origen y tradición de las obras literarias, esforzándose por hallar las formas originales y primitivas de las mismas, siempre que estas hayan sido desfiguradas o alteradas. Estudia también en cada obra los problemas de la época, del lugar, del carácter y del estilo, e inclusive los detalles concernientes a la personalidad del autor.

Como *Hermenéutica,* aspira a la total y perfecta comprensión, tanto lingüística como objetiva, de las obras literarias.

La importancia más trascendente de la Filología es la de ser el instrumento de la expresión nacional, merced a la cual cada pueblo exterioriza su pensamiento individual y eterno.

La Filología guarda íntimas relaciones con las demás ciencias culturales.

La Filología, cuya esencia es el estudio de las lenguas nacionales, se apoya en la *Lingüística* —conocimiento de las diversas formas del lenguaje—, en la *Filosofía del lenguaje*—que estudia las relaciones entre el pensamiento y su expresión—y la *Gramática comparada*—que pone de manifiesto las relaciones existentes entre los diversos tipos de lenguas humanas.

Como ciencia, la Filología tiene una relación íntima con la *Psicología,* ya que los estados psíquicos tienen sorprendentes efectos en el lenguaje.

Algunos críticos, impresionados por tan estrecha intimidad, han denominado a la Filología *Psicología del lenguaje.*

V. Müller, Max: *Lectures of the Science of Language.* 1867.—Whitney: *Language and the Study of Language.* 1867.—Wheeler: *The History of Language.* 1891.—Cejador, J.: *Tesoro de la lengua castellana.* 1914.—Cejador, J.: *La lengua de Cervantes.* 1903.—Cejador, J.: *El lenguaje.* 1911.

FILOSOFISMO

Nombre dado a las doctrinas de ciertos filósofos del siglo xviii, que combatían las ideas tradicionales en religión y política, manteniendo el casuismo con relación al pecado filosófico.

Antoine Arnauld fue el primero que utilizó el término filosofismo.

Arnauld (1612-1694), filósofo y teólogo, nació en París. Recibió el sacerdocio en 1641. Por defender a Jansenio, fue excluido de la Facultad de Teología, refugiándose en el convento de Port-Royal des Champs, donde fue el alma de aquella sociedad de señores y filósofos famosísimos, entre los que se contaban Pascal, Nicole, Lancelot. Murió en Lieja. Escribió contra los calvinistas su tratado *Perpetuidad de la fe;* contra Descartes, las *Observaciones* contra las meditaciones de este; contra Malebranche, *De las verdaderas y falsas ideas,* y la *Instrucción contra la Gracia.*

FINALISMO

Sistema filosófico en el cual la idea de finalidad ocupa un lugar preponderante.

FINÉS (Idioma)

El finés o finlandés es la lengua principal de un grupo de idiomas uraloaltaico, en el que están el estoniano y el lapón. Estos idiomas son denominados también *tchudos,* es decir, *extranjeros,* nombre dado por los rusos a las poblaciones de las campiñas a las cuales no habían llegado ni su civilización ni sus conquistas.

El finés comprende tres dialectos: el del Sur, o *tavasto;* el del Este, o *kareliano,* y el del Norte, o de *quenes.* El finés, según declaración de Rask, es una de las lenguas más perfectas del globo, y se distingue por su sonoridad y por su dulzura. Carece de sonidos guturales y son escasas sus letras silbantes. Su alfabeto comprende ocho vocales y trece consonantes, más un gran número de diptongos. Admite un extraordinario número de palabras compuestas por la reunión de radicales. Pocas lenguas son más sintéticas. Su declinación ofrece, según los dialectos, de ocho a quince casos. La versificación depende a la vez del nombre, de la medida de sus sílabas y de su aliteración. En el finés existen bastantes vocablos pertenecientes a los pueblos que han denominado sobre el país: Rusia, Suecia, Dinamarca y Alemania.

V. Renwall, G.: *Lexicon linguae finnicae.* Abo, 1826.—Genetz: *Lärobok i finska sprakets grammatik.* Helsinski, 1882.

FINESA (Literatura)

Hasta principios del siglo xix no se han publicado en lengua finesa obras de literatura. Unicamente obras de carácter religioso, a partir —1548—de la traducción al finés de la Biblia por el obispo luterano Miguel Agrícola. Los siglos xvi, xvii y xviii presentan una literatura escrita en sueco.

Hacia 1820 *se descubre* la vena riquísima de la *poesía popular.* Y fue su descubridor Elías Lönrot (1802-1883), llamado el "Homero finés", quien publicó *Kantele,* colección de poesías que había recogido de labios de los mismos labriegos y montañeses. La cosecha de Lönrot fue enorme y sorprendente: versos líricos, baladas, canciones épicas en honor de personajes, encantaciones mágicas y sortilegios. El mismo Lönrot, fundiendo los diversos elementos épicos, creó una epopeya, el *Kalevala,* suma de la poesía popular.

El *Kalevala*—aparecido en 1836—constaba de 36 cantos y de 12.100 versos; la edición siguiente—1849—aumentó a 50 cantos y a 22.800 versos. El mérito del *Kalevala* es ser, quizá, la única epopeya verdaderamente popular.

Lönrot publicó, además, siempre tomados los versos al pueblo, *Kanteletar*—poesías líricas—, *Sanalarkuja*—proverbios—, *Arvoituksia*—adivinanzas—, *Loitsuronoja*—cantos mágicos.

El padre de la prosa finesa fue Alexis Kivi (1834-1871), hijo de un sastre, y que murió loco. Su novela *Los siete hermanos* es la primera de que se vanagloria la lengua finesa; novela curiosa, en que se mezclan leyendas, diálogos, poesías, incidentes burlescos. La comedia *Los zapatos de aldea* da origen al teatro finés.

A. Oksanen (1826-1889) fue filólogo y poeta. Kaarlo Kramsu (1855-1895), gran poeta romántico y pesimista. J. H. Errko (1849-1906), poeta y crítico de arte. Minna Canth (1844-1895), novelista excelente, fue la introductora del naturalismo en su país. Igualmente naturalistas o realistas, novelistas y cuentistas, fueron: Juhani Aho (1861-1921), muy influido por Guy de Maupassant y Anatole France; Arvid Jarnefelt (n. 1861); Teuvo Pakkalu (1862-1925), admirable autor de narraciones infantiles; Santeri Ivalo (1866), autor de muchas y notables obras históricas.

Más famoso que los anteriores es Johannes Linnaukoski (1869-1913), autor de las novelas *El canto de la flor roja* y *Fugitivos,* traducidas a varios idiomas europeos. Simbolista y patético es Maina Talvio. Novelista y poeta muy popular en su patria: Larin Kyosti (1873).

Entre los contemporáneos destacan: F. E. Sillanpää (1888), Premio Nobel de Literatura, cuya novela *Santa Miseria* es famosa en todo el mundo; Kyosti Vilkuna (1879-1922), novelista; Haanpaa, novelista de tendencias socializantes; Eino Leino (1878-1928), lírico extraordinario; Otto Maninnen (1873), gran poeta y gran traductor de Homero, Molière y Goethe.

De gran popularidad goza Veikko Antero Koskenniemi (n. 1885), poeta clasicista y filosófico. La poetisa L. Onerva (1882)—*Disonancias*—. La genial novelista Aino Kallas (n. 1878) —*La franja negra, desde el otro lado del mar*—. María Jotuni (1880), novelista y autora dramática—*Amor, La vida cotidiana, La esposa de un marido dócil, El becerro de oro*—. Joel Lehtonen (1881), novelista realista—*Jutkinotko*—. Artturi Järviluoma (nació en 1879), autor del famoso drama *Los septentrionales.*

Entre los poetas: Einari Vuorela (1889)—*Lejos de aquí, Juegos de sombras*—. Katri Vala (n. 1901), buena discípula de Tagore. Uuno Kailas (1901-1933)—*Solos los dos, Descalzos, El sueño y la muerte*—. Lauri Haarlo (1890), expresionista y autor dramático—*El pecado*—. Arvi Järventaus (1883), Artturi Leinonen (1888)...

Aun cuando la literatura propiamente finesa no se inicia hasta el siglo XIX, en épocas anteriores y aun próximas muchos escritores fineses dieron gloria indudable a la literatura sueca. Así: Jacob Frese (1690-1729), lírico; G. F. Creutz (1731-1785), poeta y diplomático; H. G. Porthan (1739-1804), erudito y poeta; A. I. Arwidson (1791-1858), acaso quien inició el entusiasmo "por encontrar una literatura propia"; J. L. Runeberg (1804-1877), magnífico prosista y poeta, autor de los *Relatos del abanderado Stol;* L. J. Stenback (1811-1870), lírico de tendencias ascéticas; K. A. Tavanstjerna (1860-1898), autor de novelas naturalistas; J. J. Wecksell (1838-1907), poeta y dramaturgo, autor de un gran drama histórico, *Daniel Hjort;* Rumar Schildt (1888-1925), dramaturgo y novelista; Hjalmar Procopé (1869-1927), narrador y crítico; Edith Lodergran (1892-1923), poeta; Jarl Hemmer (1893), gran novelista...

V. KRHN, J.: *Suomalaisen Kirjallisunden Vaikeet.* Helsinski, 1897.—KALLIO, O. A.: *Uudempi suomalainen Kirjallisuus.* Porvoo, 1911. PERRET, J. L.: *Literatura finesa.* En "Historia de la Literatura universal". Madrid, "Atlas", 1946.

FINLANDÉS (Lenguaje) (V. Finés, Idioma)

FISIOCRATISMO (V. Agrarismo)

FLAMENCA (Lengua y Literatura)

El flamenco es una de las principales formas de la lengua germanobelga, que se puede considerar como una variedad del bajo alemán. Algunos filólogos han considerado el flamenco como superior, en varios aspectos, al holandés, del que se separa principalmente por diferencias de pronunciación y de ortografía. El flamenco no se dejó penetrar por el latín sino muy poco. Y el latín, aparte del flamenco, formó el idioma romanobelga o valón.

La gramática del flamenco es muy regular, y deriva las palabras o las forma con gran facilidad. El flamenco es la lengua escrita y oficial del Brabante y de diversas provincias que en un tiempo estuvieron sometidas a la Casa de Borgoña.

El flamenco participó en el movimiento de la literatura europea desde el siglo XII. Sin embargo, debido a las influencias alemanas, francesas, españolas, holandesas, no llegó *a cuajar* en una literatura propia hasta fines del siglo XVIII.

Jan Frans Willems inició el desarrollo de esta literatura editando—entre 1836 a 1846—los antiguos clásicos flamencos: *Reinaert de Vos* y las *Crónicas* de Jan van Heelu y Jan Le Clerc.

Blommaert, fundando—1834—en Gante la revista *Nederdintsche Lettereoseningen,* levantó el entusiasmo de ciertos grupos de escritores, quienes multiplicaron las revistas y las tertulias literarias.

En 1851 fue creada una organización de propaganda flamenca denominada *Willemsfonds.* Y en 1886 se estableció en Gante la Real Academia de la Lengua.

Escritores flamencos notables son: Prudens van Duyse (1804-1859), fecundo narrador y poeta; Teodoro van Rijswijek (1811-1849); Jacob de Laet (1815-1891); P. F. de Kerckhoven (1818-1857); el gran lírico Emil Hiel (1834-1899); las novelistas Rosalía (1834-1875) y Virginia (1836-¿1890?) Loveling; los dramaturgos Néstor de Tiére, Alberto Rodenbach y Alfredo Hegenscheidt; el gran prosista Stijn Streuvels. Y, sobre todos, el gran poeta y novelista Hendrick Conscience (1812-1883), cuyas obras están traducidas en todos los idiomas del mundo.

V. VAN DE HOVEN, Kervyn: *La Langue flamande, son passé et son avenir.* Bruselas, 1844. —IPEY: *Histoire succincte de la langue néerlandaise.* Utrech, 1812.—STECHER: *Histoire de la littérature néerlandaise en Belgique.* Bruselas, 1887.

FLEXIÓN (Lenguas de)

Se llaman lenguas de *flexión* aquellas que tienen la propiedad de señalar con determinadas transformaciones de las palabras las circunstancias modificativas de la idea o la acción que tales vocablos expresan. Estas transformaciones, también llamadas flexiones o inflexiones, comprenden normalmente la radical, los sufijos y las desinencias de las palabras.

El griego y el latín, entre los idiomas antiguos, y el alemán, entre los modernos, poseen en alto grado la calidad flexiva. Las llamadas

F

lenguas neolatinas son menos ricas en inflexiones y en flexiones. Según la abundancia o pobreza que en ellas tienen las lenguas, así son analíticas o sintéticas.

La flexión es de dos clases: *declinación* y *conjugación*. Destacados filólogos han llamado también flexión al cambio que experimentan algunas vocales de los temas nominales y verbales en sus diferentes variaciones: *t(a)ngo, t(e)tigi; c(a)pio, c(e)pi.*

Por su flexión, las palabras se dividen en dos categorías: *variables* e *invariables.* (Véase *Lengua, Idioma.)*

FLORALES (Juegos) (V. Juegos florales)

FLORESTA

Nombre dado por algunos antólogos y compiladores a sus obras antológicas—de prosa o verso—. Juan Nicolás Böhl de Faber publicó—Leipzig (1821-1825)—su *Floresta de rimas antiguas castellanas.* En el siglo XV, Fernán Pérez de Guzmán publicó su *Floresta de philósofos,* con sentencias de Séneca, Cicerón, Salustio, Boecio, San Agustín, San Bernardo...

FLORIDO (Estilo)

Es aquel que se complace en buscar todo género de adornos y gran copia de figuras y tropos para hermosear y enaltecer el asunto. Este estilo será defectuoso si no guarda la conveniente proporción entre el pensamiento y el excesivo ornato quc lo recarga y desfigura.

> En fin, soberana princesa, del océano inmenso de vuestra hermosura salieron como arroyos la hermosura y belleza de todas las criaturas. El mar aprendió a encrespar y a ensortijar sus olas y ondear sus cristales, de los cabellos de oro de vuestra cabeza, que encrespados ondean sobre los hombros y cuello de marfil. Las fuentes cristalinas y sus claros remansos aprendieron quietud y sosiego de la serenidad de vuestra hermosa frente y apacible semblante... (P. VILLEGAS.)

FLORILEGIO

Colección—muy seleccionada—de trozos de materias literarias.

FLUCTUACIÓN (En los metros)

Se halla en la antigua poesía castellana—y aun en la moderna—, y se determina por los distintos versos de un poema que tienen como base un desigual número de sílabas.

> Amor que yo vi
> por mi pesar
> quiero olvidar.
> Mi corazón se fue a perder
> amando a quien no pudo aver.
> Si lo perdí
> por mi mal buscar,
> ¿dó lo iré a fallar?
>
> (ANTÓN DE MONTORO.)

FOLÍA

Antiguo aire de danza en compás ternario. Su origen es más que probablemente español. El gran teórico musical Salinas lo cita en 1577. Cervantes lo enumera juntamente con la zarabanda y la chacona. En 1623, el italiano Carlo Milanutio lo enumera entre las danzas auténticamente españolas. Los clavecinistas franceses se refieren repetidamente a las *folies d'Espagne.*

FOLKLORE

"Bajo el nombre de *saber popular*—escribe Menéndez y Pelayo—, que me parece traducción exacta del *folk-lore,* inglés, denominación genérica con que en toda Europa se designa este género de estudios, agrupó todas las investigaciones sobre refranes, cantos populares, meteorología y agricultura. El *folk-lore,* considerado como rama de las ciencias antropológicas y como parte esencialísima de la que Lazurus y Steinthal llamaron *Völkerpsychilogie* o psicología de los pueblos, es moderno, en verdad, y su aparición no era posible sin el concurso de otras ciencias, relativamente modernas también, como la Mitología comparada y la Historia de las instituciones."

Según la Academia Española, *folklore* es el "conjunto de las tradiciones, costumbres y creencias de las clases populares". El *folklore* tiene, pues, como objeto acopiar y publicar los conocimientos del pueblo en los diversos ramos de la ciencia, los proverbios, cantares, adivinanzas, cuentos, leyendas, fábulas, tradiciones y demás formas poéticas y literarias; los usos, costumbres, ceremonias, espectáculos y fiestas familiares; los ritos, las creencias, las supersticiones, mitos y juegos infantiles en que se conservan más puros los vestigios de las civilizaciones pasadas; las locuciones, giros, frases hechas, motes y apodos, modismos y voces infantiles; los nombres de sitios, pueblos y lugares; de piedras, animales y plantas; en suma, todos los elementos constitutivos del genio, del saber y del idioma nacionales contenidos en la tradición y en los monumentos y conservados por la tradición oral como materiales indispensables para el conocimiento y reconstrucción de la Historia.

La palabra *folklore* fue empleada por vez primera en 1846, en la publicación *The Atheneum,* por el arqueólogo William J. Thoms.

En España fueron *folkloristas* insignes: Milá y Fontanals, Machado y Alvarez, Carreras Artáu, Amades, C. Cabal...

FOLLA

Se dio este nombre a un espectáculo escénico compuesto por distintos fragmentos—los más emotivos, graciosos y coloristas—de entremeses, loas, jácaras, mojigangas, bailes, etc, etc.

FOLLETÍN

Género literario narrativo popular, que se publica *por partes* en la Prensa. Generalmente se trata de novelas de mucha extensión, con las que se intenta prender el interés de los lectores que gustan de los temas dramáticos o sentimentales, obligándolos a la compra diaria o semanal del periódico en que se inserta, *por entregas,* el relato.

Por extensión, se llama folletín a cualquier obra narrativa de intención popular en que se mezclan las acciones sentimentaloides, la psicología fácil, los acontecimientos cuasi inverosímiles, los tipos más diversos, alrededor de un tema melodramático, casi siempre con interés moralizante...

Folletines son casi todas las novelas extensas y populacheras de Montepín, Gaboriau, Ponson du Terrail, Dumas, Fernández y González, Ortega y Frías, Parreño, Tárrago.

Hoy suele llamarse *folletín* a los escritos insertos en la parte inferior de los periódicos, *con cuerpo de composición propio,* y en el cual se trata de materias extrañas al objeto principal de la publicación; así, artículos de crítica literaria, ensayos históricos o filológicos, novelas, cuentos, folklore, etc. (V. *Folletón.)*

FOLLETO

1. Obra impresa que reúne, sin ser periódico, en un volumen, más de ocho páginas y menos de doscientas.
2. Obra que carece de suficiente extensión para formar un libro.
3. Gacetilla manuscrita que contiene, por lo regular, las noticias diarias.

Generalmente, siempre se ha utilizado el folleto—por la facilidad de su redacción y de publicación—para fines combativos en política, en religión, en literatura... Todos los panfletos, las sátiras, los pronunciamientos, las enseñanzas subversivas, han circulado *en forma de folleto.*

FOLLETÓN

Folletón o folletín (V.) es un anexo o una parte integrante de un periódico. Fue Bertin el *Viejo* quien, a partir del 8 pluvioso del año VIII de la Revolución francesa, imaginó, al margen de los acontecimientos, un suplemento especial consagrado a la crítica y a la literatura, que llegó a ser el famoso folletón de los *Débats.* El folletón de Bertin contenía el programa de los espectáculos, anuncios, efemérides, jeroglíficos, epigramas, artículos de modas, noticias literarias, crítica de las obras teatrales... El folletón consta de cuatro páginas, formando parte de la edición *in folio* del *Journal.*

Posteriormente, el folletón se transformó en la publicación, en los periódicos, de obras de extensión extraordinaria, principalmente de novelas, de las que diariamente, semanalmente, se daban a los lectores partes relativamente cortas, sosteniendo así su interés durante mucho tiempo. Los fundadores, en Francia, del *Siècle* fueron los primeros en idear esta publicación parcial. En los tiempos de Luis Felipe, el folletón alcanzó un éxito fenomenal. Ni un diario, ni un semanario, prescindía de él. Las novelas de Dumas, publicadas por entregas en el *Siècle,* proporcionaron a este un ingreso de varios millones de francos.

Todos los periódicos de Europa copiaron la idea. Y el *folletón* sigue teniendo hoy la misma importancia. Aun cuando se denomina así siempre que sus temas tengan altura literaria: ensayos, críticas, artículos... Reservándose el nombre de *folletín* (V.) para las narraciones de sentido popular.

V. Sirven, A.: *Journaux et journalistes.* París, 1866-1867.

FONEMA

Según Navarro Tomás, fonema es el "concepto abstracto del sonido como unidad fonética y semántica."

La palabra *fonema* encierra un concepto mucho más general que el vocablo *sonido.* Este se refiere exclusivamente a la idea de vibración y de sonoridad de los signos hablados. Fonema comprende todos los signos hablados: sordos, sonoros o fónicos.

El sonido da lugar a la *fonética.* El fonema da origen a la *fonología.*

FONÉTICA

1. Conjunto de sonidos de una lengua.
2. Ciencia de los fonemas articulados que forman un lenguaje.

FONOGRAFÍA (V. Ortografía)

FONOLOGÍA

Estudio de los sonidos de un idioma.

FORMALISMO

1. Sistema metafísico que consiste en buscar la esencia de las cosas en la *forma,* excluyendo su contenido o no reconociéndolo. En realidad, el formalismo es un resto del extremado realismo que dio lugar a una fecunda literatura durante los siglos XIV y XV y a la reacción opuesta del *nominalismo* (V.) de Ockam.

El formalismo surgió en la filosofía escotista cuando se estableció en ella la *distinctio formalis ex natura rei* como intermediaria entre la distinción propia o absolutamente real y la que

F

proviene única y simplemente de una operación intelectual arbitraria.

Para Escoto, las *formas* son varias, y distingue sutilmente entre la *res* y las *formalitates* que la constituyen. Así, un hombre tiene varias formas: una *humana,* pero *otra forma* que le distingue de los demás hombres. Y esto es una distinción formal *a parte rei* o *haecceitas;* la *haecceitas* consiste en ser *esta cosa.* En Juan o en José está la esencia humana entera; pero en Juan hay una *formalitas* más que le distingue de José. Y aquí reside el principio de la individualización defendido por Duns Escoto, que no es solo material, como en la metafísica tomista, sino también formal.

El formalismo de Escoto dejó paso abierto al nominalismo, y, desde entonces, se multiplicaron las distinciones y se afirmaron con más apasionamiento las *individualidades,* Estas, sin excluir su *forma* específica, eran *formalitates.* Pero Ockam exageró la teoría, negando en absoluto la existencia de los universales en la naturaleza.

2. Artísticamente, formalismo es la tendencia a someter las creaciones al imperio de la forma.

Esta definición exige alguna explicación, ya que cuanto es aprehensible por los sentidos cuaja una forma, de la que nada puede librarse dimensionalmente. La concepción del mundo ligada íntimamente a la concepción de las formas, la serie de formaciones ordenadas, enlazadas y armonizadas que, en puridad, forman el mundo, nada tienen que ver con el llamado *formalismo* artístico. Una tendencia o un movimiento artísticos no pueden surgir de una ley que pudiéramos llamar inmanente: la precisión de una forma para la realidad de los sentidos.

Existe formalismo artístico cuando el creador artista somete voluntariamente sus lucubraciones creacionales, sus conceptos puros del arte, sus afanes de perduración, su emoción humana a la exaltación de la *apariencia,* de la *forma.* También existe formalismo artístico cuando el artista, para crear, se somete a una *ordenación* rigurosa, en la que las *normas* preestablecidas tienden a la indistinción de las individualidades. El literato, cuya única preocupación es el *estilo,* puede ser calificado de *formalista,* según el primer "sentido" que hemos expuesto.

Y en el "segundo sentido", es igualmente formalista el poeta que sujeta su inspiración o ritmos, metros o consonancias, previamente aceptados por la crítica o los gustos generales.

Artísticamente, el formalismo suele triunfar en los movimientos llamados de *acción: clasicismo* (V.), *neoclasicismo* (V.), *academicismo* (V.); por el contrario, el formalismo fracasa en los movimientos *de reacción* o *de subversión: naturalismo* (V.), *barroquismo* (V.), *romanticismo* (V.), *superrealismo* (V.)...

FOSFORISTAS

Nombre dado a un grupo de poetas románticos suecos, cuya revista llevaba el título de *Phosphoros.* Dichos poetas se proclamaron discípulos de Schlegel, Tieck y Novalis. Su jefe fue el poeta Atterbom (1790-1855).

FRANCESA (Lengua)

La lengua francesa, derivada del latín a través de las lenguas romances, ha conservado menos que estas últimas, bajo el aspecto gramatical, las huellas de su origen. Su tendencia general ha sido la de transformarse de sintética en analítica. El romance había conservado de la declinación latina la distinción de los casos para el sujeto o el régimen, y para el singular o el plural. El caso del sujeto, o caso directo, se formó en general sobre el nominativo latino, y como este se caracterizaba muy a menudo por la *s* final, esta vino a ser el signo constante de este caso en el singular. De la misma manera que de *murus* habíase originado *murs, Diex* de *Deus, coms* o *cuems* de *comes,* se dijo por analogía *homs* y *sires* para el nominativo de *homo* y *senior.* El régimen directo y los otros casos carecían de *s,* y, por lo demás, estaban calcados del acusativo latino cuando este se separaba lo suficiente del nominativo. En estos casos se decía: *mur* por *murum: Dieu,* por *Deum; comte,* por *comitem; homme,* por *hominem; seigneur,* por *seniorem.* A veces, la diferencia de las palabras francesas formadas sobre casos diferentes de una misma palabra latina era tan grande, que, cuando la distinción de los casos cayó en desuso, resultaron dos palabras en vez de una, con su peculiar sentido para cada forma; así, la diferencia entre *cantor* y *cantorem* sobrevive en las voces *chantre* y *chanteur;* la de *pastor* y *pastorem,* en *pâtre* y *pasteur;* la de *garcio y garcionem,* en *gars y garçon.* Esta fue una próvida fuente de desdoblamientos. A la inversa del singular, el plural caracterizó el caso directo por la ausencia de la *s* final y los casos oblicuos por la adición de dicha desinencia, que se convirtió en el signo definitivo de dicho número. La razón de esta regla se encuentra asimismo en la segunda declinación latina, adoptada como modelo de la declinación romance, y en la cual la *s* desaparecía en el nominativo del plural, para reaparecer en el caso del régimen *(muri, muros).* Dando así al artículo, tomado del pronombre latino *ille,* casos análogos, se obtuvo el tipo siguiente:

Singular: *li murs (ille murus), le mur (illum murum).*

Plural: *li mur (ill muri), les murs (illos muros)*

Esta declinación embrionaria que se aprecia en *Le serment de Louis le Germanique,* pero que se perdió en seguida en la lengua hablada, ¿se conservó de modo regular y constante en la lengua escrita hasta muy entrado el siglo XV, como lo creen algunos filólogos? Lo cierto fue que su desaparición provocó una revolución en la sintaxis.

Las diferencias de terminación que, bajo la influencia del latín, se habían establecido para distinguir en los verbos la persona o el número, no se mantuvieron durante mucho tiempo más. Primeramente, se había dicho en la primera persona: *je voi, j'aimoie, je doin,* etc., por no confundirla con la segunda, que era la única que llevaba, según el latín, la desinencia en *s (vides, amabas, donas);* más tarde, la identidad de sonido trajo consigo la identidad ortográfica. Por otro lado, el oído y cierto sentido de la necesidad de la regularidad llevaron al idioma a crear las distinciones de género proscriptas por la lengua romance, ya que el latín no las había admitido; por ejemplo, los adjetivos latinos con una sola terminación para masculino y femenino, durante mucho tiempo tuvieron también una forma única para el francés: *legalis, grandis,* produjeron *loial, grant* para ambos géneros, y así, se decía: *femme loial* o *loials,* según los casos, e igualmente *Rome le grant,* locuciones respecto de las cuales se ha intentado sustituir por un apóstrofo *(grand'mère)* una letra que en modo alguno existía. El francés obedece a su espíritu alejándose de la etimología para seguir la lógica.

Su carácter analítico se hizo asimismo ostensible por la simplificación de las formas, donde se introdujo el empleo del verbo auxiliar familiar a todas las lenguas neolatinas, sin hacer en todo caso en la voz activa un uso tan completo como las lenguas de origen teutónico o sajón, pues conservó una forma especial para el futuro y el condicional; pero reemplazó todas las formas de la voz pasiva por el verbo auxiliar personal.

El desarrollo de la lengua francesa en el sentido analítico tuvo por consecuencia el abandono completo de la inversión que la existencia de casos resultaba todavía posible en la lengua romance, y el empleo constante de preposiciones que en las lenguas de flexión resultan más bien superfluas. Las palabras, sin señalar por ninguna desinencia sus relaciones entre ellas como sujetos o complementos, su papel en la frase quedó tan solo señalado por su lugar respectivo, o bien por sus partículas indispensables para señalar el lazo de unión entre cada palabra y sus vecinas. La construcción de la frase francesa, sobrecargada de este modo, tomó desde entonces una regularidad, una fijeza que hubieran engendrado indefectiblemente la monotonía más lamentable, si la vivacidad del espíritu nacional no hubiese encontrado en ello recursos para liberarse.

Como compensación, el francés encontró en la necesidad de seguir siempre el orden lógico una condición de claridad. Tal vez sea preciso observar que dicha cualidad proviene menos de la lengua que del carácter mismo del pueblo que la habla, y el dicho de que quien no es claro no es francés es el mayor homenaje que puede atribuirse a dicho idioma. Es notorio que los extranjeros, cuando se han familiarizado con el francés, tienen marcada tendencia a servirse de este idioma para darse una exacta cuenta de sus pensamientos. Uno de los más netos espíritus anglosajones, el historiador Gibbon, hacía en francés los extractos de sus lecturas. El filósofo Schelling trataba de evadirse de la nebulosa con ayuda del idioma: "Escribo mi frase en francés y luego la traduzco al alemán." Aunque, ciertamente, ni aun así resulta muy clara. Antes que él, Leibniz, para desembarazarse de las oscuridades germánicas, adoptó resueltamente la lengua de Descartes, en la cual compuso su *Teodicea.* Todos los alemanes que han llevado luz al espíritu de su país, Federico el *Grande,* Wieland, Goethe, se acostumbraron a las maneras del lenguaje y del espíritu de Francia.

Uno y otro están igualmente llenos de contrastes; pero aquí no se trata más que del idioma: extraño a la vez por su simplicidad y por sus complicaciones, por su regularidad y sus innúmeras excepciones, por su fijeza y sus incertidumbres. Malherbe, este déspota de las palabras y las sílabas, que ha reglamentado maravillosamente el idioma, indicaba lo que le faltaba aún de libertad para esta famosa frase: *Je m'en vais, ou je m'en vas, l'un et l'autre se dit ou se disent.* Bandeándose entre la doble lógica del sentido y del oído y la arbitraria tiranía del uso, la lengua francesa ofrece un tropel de delicados giros y de idiotismos que son la desesperación de los extranjeros. El conocimiento de sus sinónimos solicita un extraordinario y exquisito tacto y largos estudios. Inconstante y caprichosa, a veces exuberante, a veces concisa, rebosa de heterogéneas riquezas o se limita a sus propios recursos; el neologismo y el purismo la seducen sucesivamente. Después de haber importado con exceso de Italia, España, Alemania e Inglaterra, se convierte en *cette gueuse qui la fait fière,* como dice Voltaire, y vuelve a su fuente para recrearse de nuevo en su originalidad.

Tal como ella es, no ha dejado de ostentar mucho tiempo el privilegio de la universalidad. Para no llegar hasta la Edad Media, en que las grandes epopeyas francesas se convirtieron en europeas, donde, para el Oriente musulmán, el nombre de *Frangi* equivalía a cristiano, observamos en el siglo XVII cómo la lengua francesa se impone como la lengua literaria de todas las cortes y de todas las sociedades políticas. Particularmente se convierte en la lengua de la diplomacia. El siglo XVIII hace de ella instrumento activo de la propaganda filosófica y algo así como el arma natural de todas las libertades. La Revolución y el Imperio acabaron de extenderla, y cuando la potencia bélica o política de Francia sufrió un eclipse, cuando las necesidades del comercio hacen del inglés una nueva lengua universal, la lengua de los intereses, la literatura y la filosofía reconquistan para la lengua francesa su universalidad, por la acción de las ideas y el prestigio de las obras.

V. COCHERIS, HIPP.: *Origine et formation de la langue française*.—LITTRÉ, E.: *Histoire de la langue française*.—PARÍS, G.: *Grammaire historique de la langue française*.

FRANCESA (Literatura)

La literatura francesa puede dividirse en tres grandes períodos:

I. *Edad Media. Siglos XI al XV.*
II. *Renacimiento. Siglo XVI.*
III. *Edad moderna. Siglos XVII, XVIII, XIX y XX.*

Primer período: Edad Media. Siglos XI y XII.—La lengua francesa deriva esencialmente del latín; su creación literaria se logra en el siglo XI; sin embargo, seguirá evolucionando hasta adquirir su perfección en el siglo XVI. Durante la Edad Media coexisten dos principales dialectos: la *langue d'oil,* al norte del río Loira, y la *langue d'oc,* al sur del mismo río.

Las primeras poesías francesas consistieron en una especie de cantilenas heroicas, de las que más tarde nacieron los grandes poemas épicos. Tales primeras poesías—como la *Bataille de Soucour ou Chant de Louis* y *Sainte-Eulalie*—presentan bien un matiz germánico o una forma romana.

En el siglo XII aparece ya una literatura auténticamente francesa con los poemas épicos, agrupados en *ciclos:* el de *Carlomagno,* el de *Guillermo de Orange* y el de *Doon de Mayence.*

A tales ciclos se anticipó la famosísima *Chanson de Roland,* de autor desconocido, la gran epopeya francesa, cuya influencia fue decisiva en la Europa occidental, especie de *Iliada* del ciclo *carolingio* o *carlovingio,* y también como la *Odisea* de los siguientes poemas y romances de aventuras.

El origen de los cantares de gesta es anónimo. Algunos críticos han aumentado a cinco el número de sus ciclos: el *Carlovingio,* el del *Rey Artús* o de la *Tabla Redonda,* el de la *Antigüedad,* el de las *Cruzadas* y el *Provincial.* Al lado de estos ciclos de gestas se fueron formando otros que recibieron el nombre de *Romans,* verdadero tesoro de una poesía mágica y de una inventiva fecundísima y viril. Estos poemas de aventuras fabulosas son los que forman el *ciclo bretón,* en el que fue principal poeta el denominado *Chrétien de Troyes.* Los temas de este ciclo fueron grecolatinos: Troya, Eneas, Tebas.

A compás de estos poemas se desarrollan las *crónicas rimadas,* entre las que se hizo famosa la *Croisade des Albigeois.* Estas crónicas, donde se mezclaban lo histórico y lo fabuloso, el amor y el odio, eran también una móvil representación de las móviles costumbres de la época.

Siglos XIII, XIV y XV.—En este período, un género que parece poco compatible con el carácter épico se desenvuelve extraordinariamente: el *satírico.* Su obra fundamental es el *Roman de Renart,* obra de absoluta originalidad francesa, de la que toda Europa intentó apropiarse "por imitación"; en ella se mezclan los cuentos y las fábulas de animales, con sus moralejas y una sutil intención burlesca. Autores como Guyot de Provins, Hughes de Berzy y Rutebeuf mantienen con dignidad el género. De intención más didáctica y moral que satírica es el *Roman de la rose,* cuyas dos partes escribieron Guillaume de Lorris y Jean de Meung.

Los *Romans*—satíricos y amorosos—dan paso a los *Fabliaux,* especie de contrapartida de los poemas heroicos, en un lenguaje más perfecto, más sujetos a las costumbres que a la inventiva. La ironía, la observación, cierto realismo audaz caracteriza a estas deliciosas obritas, que tanto inspirarían, siglos más tarde, a Rabelais, Molière, La Fontaine...

La poesía de estos siglos es recogida en los *Dits,* los *Débats,* los *Lais,* etc., en los cuales, con precisión y maravillosa armonía, se patentizan todas las riquezas de inspiración, de ritmo y de rima de la época.

La Historia queda perfectamente representada por las *Crónicas* de Joinville, Froissat y Villahourduin.

En estos mismos siglos aparecen los primeros esbozos *del teatro,* titulados *Mystères,* por sus temas exclusivamente religiosos. El *Mystère d'Adam* corresponde al siglo XII. A los *Misterios* se unen los *Milagros*—de una mayor amenidad—y las *Moralidades*—de raíz alegórica y propósito de ejemplaridad—, y las *Sotties* y las *Farces,* que preludian el advenimiento de un teatro cómico, y aun picaresco, de costumbres. La farsa *L'avocat Patelin* es una verdadera joya del teatro burlesco, que aún conserva toda su frescura y gracia.

Grandes poetas de esta época son: Rutebeuf, autor de poesías líricas y del *Milagro de Teófilo*—para ser representado—; Carlos de Orleáns (1391-1465), preso muchos años en Inglaterra, y François de Villon (1431-¿1465?), gran aventurero, de vida novelesca, autor de poemas como la *Balada de los ahorcados* y las *Damas de antaño.* Villon es para Francia lo que para España representó el Arcipreste de Hita.

La prosa francesa alcanza su apogeo de época en Felipe de Commines (¿1445?-1511)—nuestro don Juan Manuel—, con sus *Memorias,* en las que se mezclan la historia, la diplomacia y las costumbres.

El gran triunfo de la literatura francesa de estos siglos fue la rapidez con que pasó sus fronteras y sirvió de estímulo y de norma a otras literaturas. Obras como *Tristan et Iseult, Flore et Blanchefleur, Perseval le Gallois* y el *Roman du Renart* provocaron incontables imitaciones.

II. *El Renacimiento. Siglo XVI.*—El Renacimiento llega a Francia merced a las guerras habidas en el suelo italiano entre las coronas de Francia y España. Guerras largas y duras, que motivaron las constantes relaciones de los beligerantes con la admirable cultura de Italia. Francia encontró sus geniales renacentistas en impresores como los Etienne, en traductores como Amyot, en eruditos como Bernard Palissy, en realezas como Francisco I y Margarita de Navarra, en cortesanos libertinos y poetas como Clément Marot y Bonaventure Desperriers, en políticos como L'Hôpital.

Clément Marot (1492-1549) es el gran poeta de la corte de Francisco I. Frívolo y tierno, cínico y apasionado, no se limitó a escribir poesías deliciosas, sino que tradujo con elegancia los *Salmos* y obras de Virgilio y Horacio. Más profundo que Marot fue Maurice Scève, autor de *Délie*. Más seco y severo, Agripa d'Aubigné.

De importancia capital son cuantos poetas formaron la famosa *Pléyade*. El primero de ellos en valor: Pierre de Ronsard (1524-1585), de gustos delicados y epicúreos, extraordinario lírico. Entre sus obras figuran la epopeya *Franciada,* los *Sonetos a Elena,* sus *Discursos* acerca de la poesía moralista. Joachim du Bellay (1525-1560), de lírico y clásico lenguaje poético, quien en su *Defensa e ilustración de la lengua francesa* proclamó la perfección del francés en igualdad con las lenguas clásicas.

Perfeccionan el género teatral: Jodelle—de alientos trágicos eminentemente renacentistas—y Garnier—más atento a la tradición satírica francesa.

La prosa francesa alcanza su perfección en Rabelais y Montaigne.

François Rabelais (¿1490?-1553), de Turena, monje benedictino secularizado, médico graduado en Montpellier, viajero por Italia, escandaloso, erudito, socarrón, es el autor de los cinco libros de *Gargantúa,* creación literaria de las más felices de todos los tiempos. Pantagruel, Panurgo y el hermano Juan son figuras inolvidables e inmortales.

Michel de Montaigne (1533-1592), nacido en el castillo de su apellido, viajero por Italia y Alemania, alcalde de Burdeos, erudito excepcional, escribió un único libro: *Ensayos,* pero tan admirable, que puede calificarse de incomparable, ya que supera en interés, en profundidad, en crítica, en estilo y en arte a los mismos ensayos de Luciano.

Siglo XVII. Edad de Oro.—La literatura francesa, culminada en el largo reinado de Luis XIV, ejerció una tiranía absoluta sobre las demás literaturas europeas. En este siglo, cuanto, literariamente, no tuviera como modelo *lo francés,* parecía no alcanzar importancia ni conseguir trascendencia. Debemos, sin embargo, recalcar que la literatura francesa de este siglo se *nutrió* con savia de otras literaturas, principalmente de la española, a la que saqueó implacablemente.

Entre los poetas sobresalen: François de Malherbe (1555-1628), reformador del léxico y del verbo franceses, perseguidor de toda clase de libertades y de licencias rítmicas, entronizador del alejandrino clásico y riguroso, y poeta, lógicamente, frío, seco. Théophile de Vian (1590-1626), más poeta, más delicado, más íntimo que Malherbe. El ingenioso, preciosista y decadente Voiture (1598-1648). El descriptivo Saint-Amand (1594-1661). Jean de La Fontaine (1621-1695), acaso el más admirable de todos los fabulistas; sus *Fábulas,* exquisitas, intencionadas, graciosas, flexibles de ritmo, recuerdan los *Fabliaux* medievales. Nicolás Boileau (1635-1711), preceptista rígido, poeta amanerado, crítico clasicista a la exageración, autor del *Art Poétique,* que "trajo de cabeza" a todos los literatos europeos en el sentido de amanerarlos.

El teatro francés tuvo figuras realmente excepcionales. Alexandre Hardy (1570-1631) representa en la escena francesa lo que Juan de la Cueva en la española. Es el precursor de los grandes dramáticos, el primer autor que cultiva el género popular parisiense. De fecundidad asombrosa—casi setecientas obras—, estuvo influido por los españoles Lope de Vega, Tirso de Molina, Alarcón... La misma influencia española se observa en dramaturgos de segundo orden, como Tomás Corneille (1625-1709), Jean Retrou (1609-1650) y Scarron (1610-1660).

El que verdaderamente implantó el drama francés fue Pierre Corneille (1606-1684), con su obra *Le Cid,* inspirada, como su otro gran éxito, *Le menteur,* en obras españolas de Guillén de Castro y Alarcón. Inspirándose en modelos grecolatinos, compuso *Horace, Cinna, Polyeucte, Pompée.*

Jean Racine (1639-1699), educado en Port-Royal, lector e historiógrafo del rey, de exigua producción, siempre respetuoso con las tres unidades escénicas que ahormaban a los clasicistas, compuso dramas magníficos: *Britannicus, Athalie, Fedra, Ifigenia en Aulide, Ester...*

Jean B. Poquelin (Molière) (1622-1673) es el más grande de los autores teatrales franceses, el gran maestro de la comedia y de la farsa. Sus obras rebosan humanidad, ingenio, felicidad expresiva. Fue un gran creador de caracteres: Sganarelle, M. Jourdain, Harpagon, Tartufo, Celimena... Molière, que fue también comediante, llegó a una perfección de técnica asombrosa. Su inventiva era fácil y moralizante. Sus producciones conservan toda su gracia y su fuerza en cualquier idioma y en cualquier tiempo. Entre ellas destacan: *El médico a su pesar, El avaro, El burgués gentilhombre, Don Juan, Tartufo, La escuela de los maridos, El misántropo, Las preciosas ridículas...*

Entre los novelistas de esta época están: Scarron—con la *Novela cómica*—, Mlle. Scudéry, Honoré d'Urfé—con *Astrea*—, madame de La Fayette—con *La princesa de Clèves*—, Cyrano de Bergerac (1615-1655), autor de *Viaje a la luna* y *Viaje a los estados del sol.*

Abundaron en el siglo XVII los moralistas y filósofos: René Descartes (1596-1650), matemático, físico, fisiólogo genial, autor del celebérrimo *Discurso del método.* Blas Pascal (1623-1662), el polemista del jansenismo y "el alma de la escuela llamada Port-Royal", hombre de ciencia, de crítica y de hondo pensamiento, autor de *Pensamientos, Cartas provinciales;* madame de Sévigné (1626-1696), cuyas *Cartas* deliciosas y pintorescas son modelo del género. El duque de la Rochefoucauld (1613-1680), que en sus *Máximas* y *Memorias* nos ha dejado ejemplos inimitables de ingenio. Talento, ingenio, observación, sutileza, pintura de costumbres y sagaz intención moralizadora se encuentran en los *Caracteres,* de La Bruyère (1645-1696). Jacques-Besigne Bossuet (1627-1704), preceptor del delfín y obispo de Meaux, gran orador religioso, nos ha dejado obras de Historia, de polémica, de exégesis y de Teología, como el *Discurso sobre la Historia universal* y la *Historia de las variaciones de las religiones protestantes.* François de Salignac de la Mothe (Fénelon) (1651-1715), arzobispo de Cambray, autor de las famosísimas *Aventuras del joven Telémaco,* especie de novela pedagógica.

Todavía merecen una mención entre los autores moralistas el severo Bourdaloue, el agradable Fléchier, el hábil y elegante Massillon, el infatigable Arnauld, el docto y prolijo Nicole. El cartesianismo se hizo más religioso y más elocuente en Malebranche.

Entre los más espléndidos autores de *Memorias* figuran el duque de Saint-Simon y mademoiselle de Motteville.

Siglo XVIII.—El siglo del racionalismo filosófico, del análisis implacable, del remilgo retórico, del escepticismo "volteriano", de la expresión académica, del buen gusto "relamido", de la hipocresía crítica.

Los poetas buenos son escasos: André Chénier (1762-1794), nacido en Constantinopla y asesinado por la Revolución, autor de *Elegías, Odas, Yambos, Bucólicas.* Aún menos valen Saint Lambert—*Las Estaciones*—, el abate Delille, Parny...

En la novela sobresalen: R. A. Lesage (1668-1747), gran pirata de los narradores españoles, autor de *Gil Blas de Santillana.* El abate Prévost (1697-1763), de vida aventurera y libre, cuya obra *Manón Lescaut* ha sido traducida a todos los idiomas del mundo; sin otra rival, acaso, que *Pablo* y *Virginia,* de Bernardino de Saint-Pierre (1737-1814), gran novela naturalista, de jugosa prosa.

De extraordinarios prosistas pueden ser calificados—aun cuando muchos de ellos escribieran dramas, poesías, novelas y tratados filosóficos—casi todos los colaboradores de la celebérrima *Enciclopedia,* origen de los movimientos revolucionarios de Francia, exaltación de la *racionalidad.* Pierre Bayle, con su *Diccionario histórico-crítico.* Fontenelle (1657-1757) autor de *Sobre la pluralidad de los mundos* y de los *Diálogos de los muertos.* El barón de Montesquieu (1689-1755), cuyas *Cartas persas* rebosan ingenio y espíritu de gran sutileza crítica; con *El espíritu de las leyes,* audaz exposición de Derecho político, prepara la caída de la monarquía absoluta. Denis Diderot (1713-1784), protegido de la emperatriz Catalina II de Rusia, fue uno de los directores de la *Enciclopedia.* Sus obras tienen escaso interés literario... *La paradoja del comediante,* la novela *El sobrino de Rameau,* su crítica *Salones...* Otro de los directores de la *Enciclopedia* y redactor de *su programa* fue Jean Le Rond d'Alembert (1717-1783), gran lírico y matemático, autor de una *Miscelánea de literatura, historia y filosofía.*

François M. Arouet (Voltaire) (1694-1778) nació en París, fue discípulo de los jesuitas, amigo de Federico II de Prusia. Estuvo desterrado en Inglaterra. Escritor en una prosa de perfección admirable y de una impresionante fecundidad, ejerció una verdadera tiranía intelectual en su patria y en otros muchos países. Escribió poesías frías y académicas, poemas—*La Enriada*—, novelas—*Cándido, El ingenuo, Micromegas, Zadig*—, tragedias—*Edipo, Semíramis, Brutus, Orestes, Alcira, El hijo pródigo*—, historia—*El siglo de Luis XIV, Historia de Carlos XII*—, crítica—*Ensayo sobre la poesía épica, Diccionario filosófico*—, filosofía—*Metafísica, Cartas filosóficas...*

Tanto influyeron sus ideas, su racionalismo, su intención satírica, que su siglo ha sido calificado como el del *espíritu volteriano.*

Jean-Jacques Rousseau (1712-1778), de Ginebra. Su vida fue compleja y escandalosa. Compuso obras teatrales—*Muses galantes*—, novelas—*La nueva Eloisa*—, estudios pedagógicos—*Emilio o De la educación*—, ensayos sociológicos—*El Contrato social*—, algunas poesías y las famosísimas *Confesiones* y *Reflexiones de un paseante solitario.* Rousseau comparte con Voltaire la influencia de pensamiento y literaria de su época. Pero Rousseau no es un escéptico como Voltaire, sino un auténtico sentimental.

Por serlo, parte de la crítica ha visto en él al iniciador del romanticismo francés.

Merecen siquiera una mención: Condillac, D'Holbach, De Belloy, Crétillon—dramaturgo clasicista—, Pierre Augustin, barón de Beaumarchais (1732-1899), autor de deliciosas piezas teatrales, como *El barbero de Sevilla, El matrimonio de Fígaro;* Pierre Carlet de Chamblain de Marivaux (1688-1763), espíritu refinado, exquisito y preciosista, hasta el punto que se dio el término *marivaudage* a todo lo ingenioso y alambicado; pintor delicioso de tipos femeninos, triunfó en su novela *La vie de Marianne* y en sus obras teatrales *Juego de amor y de azar* y *L'épreuve.*

Siglo XIX.—Esta centuria se inicia con la aparición del *Romanticismo,* movimiento literario cuajado antes en Alemania y en Inglaterra.

Los primeros románticos franceses fueron: Germaine Necker, baronesa de Stäel (1766-1817), quien en sus novelas *Corina* y *Delfina* y en sus impresiones de viaje *De la Alemania* inicia la "simpatía romántica".

François-René, vizconde de Chateaubriand (1768-1848), de noble familia de la Bretaña, viajó por América, huyendo de la Revolución, y vivió en Inglaterra; diplomático insigne, verdadero gran señor de las letras, el primero de los escritores franceses verdaderamente moderno en su siglo, católico exaltado, de una imaginación de brillantísimo colorido. Sus novelas *Atala* y *René,* sus *Memorias de ultratumba,* sus obras apologéticas *Los mártires* y *El genio del Cristianismo,* le aseguran una gloria definitiva.

Alfonso de Lamartine (1790-1869) es el autor del primer libro de poesías románticas francesas: las *Meditaciones*—1820—. Publicó luego *Nuevas meditaciones, Armonías poéticas y religiosas,* y obras épicas y novelescas como *Jocelyn, La caída de un ángel, Graziella, Rafael...*

Víctor Hugo (1802-1885) está considerado como el más grande de los poetas franceses del siglo XIX. Su romanticismo es impetuoso, violento, fecundo, gradilocuente. De sus obras poéticas sobresalen: *Orientales, Cantos del crepúsculo, Hojas de otoño, La leyenda de los siglos, Las voces interiores.* De sus novelas: *Nuestra Señora de París, Los miserables, El noventa y tres.* De sus obras teatrales: *Hernani, Ruy Blas, El rey se divierte.*

Alfredo de Vigny (1793-1863), el más intenso de los líricos románticos franceses. Entre sus obras en prosa se han hecho famosas: *Chatterton*—drama—, *Cinco de marzo*—novela—, *Servidumbre y grandeza militar*—narraciones breves—. Entre sus poesías: *Eloa, Sansón, Moisés.*

Alfredo de Musset (1810-1857), extraordinario lírico en las *Noches;* extraordinario comediógrafo en *Los caprichos de Mariana, Fantasio, Lorenzacio, No se juega con el amor;* cuentista delicioso en *Mimí Pinson* y *El secreto de Javotte;* excelente novelista en *Confesión de un hijo del siglo.*

Teófilo Gautier (1811-1872), pintor viajero por países exóticos. En sus obras asombran *el colorido, lo pintoresco.* Con exquisito cuidado cinceló su prosa y sus versos. Entre sus obras son populares: *El capitán Fracasa, Avatar, La novela de una momia, Esmaltes y camafeos.*

Gerardo de Nerval (1808-1855), de vida bohemia, alucinante. Extraños son sus sonetos de *La quimera* y sus novelas *Sylvia, Aurelia, La mano encantada.*

Alejandro Dumas, padre (1803-1870), de fecundidad ciclópea, novelista y dramaturgo el más popular en el mundo. Buenos dramas suyos son *Anthony, Enrique III, Cristina.* Pero su genio está en sus novelas histórico-románticas: *Los tres mosqueteros, El conde de Montecristo, El collar de la reina...*

Lucile Aurore Dupin (Jorge Sand) (1804-1876), de vida escandalosa y aventurera. Fue amante de Musset y de Federico Chopin. Entre sus novelas—numerosas—destacan: *Indiana, Ella y él, La charca del diablo, Lelia, Juana, Los caballeros del Bois-Doré...*

Próspero Mérimée (1803-1870), gran amigo de España y de la emperatriz Eugenia. Magnífica es su prosa, magnífica su inventiva, magníficos sus estudios de caracteres y costumbres, magnífico su colorido y su dibujo. Famosas son sus novelas *Carmen, Colomba, Matteo Falcone...*

Aun cuando precursores geniales del realismo, realistas ellos, incluimos en este período—porque vivieron en él—a Stendhal y a Balzac.

Henri Beyle (Stendhal) (1783-1842) asistió a varias batallas napoleónicas y vivió mucho tiempo "en su adorada Italia". Es el novelista psicológico que más hondo caló en las almas. Impresionantes resultan su observación, su imaginación febril, su agudeza crítica, su clima expresivo, su construcción mental y patética. Alguien le ha calificado muy justamente del "novelista de la profundidad". Sus novelas *Rojo y negro* y *La Cartuja de Parma* son de las más excelsas que ha producido el género novelesco.

Honorato de Balzac (1799-1850), de Tours, el más fecundo de los novelistas franceses, el creador más formidable de personajes extraordinarios en el bien y en el mal. Su imaginación febril era romántica, su temperamento y su voluntad, realistas. Balzac es quien abre en el Romanticismo la brecha por la que atacará, para vencer, el realismo. Los seres de su inmenso mundo novelesco llevan en sí todas las aberraciones y las normalidades de la vida. Asombra la rapidez con que, con cuatro trazos y cuatro pinceladas, Balzac crea un personaje inmortal o nos hace ver un lugar de sorprendente precisión. De sus casi cien novelas, sobresalen: *Azucena en el valle, Eugenia Grandet, Ursula Mirouet, Gobseck, Papá Goriot, El médico rural, Los Chuanes, La piel de zapa.*

Entre los grandes prosistas del Romanticismo está Sainte-Beuve (1804-1869), poeta y novelista —en *Voluptuosidad*—, pero, sobre todo, crítico literario de excepcional valor. Sus *Causeries du lundi*, sus *Retratos de mujeres*, su *Port-Royal*, influirán decisivamente en la crítica literaria de toda Europa. Joseph de Maîstre (1753-1821), diplomático y apologista católico, autor de *Las veladas de San Petersburgo*. Jules Michelet (1798-1874), profesor en la Sorbona y en el Colegio de Francia, gran historiador y gran prosista. Obras suyas importantes son: *Histoire de France, Histoire de la Révolution française, L'amour, La mer, L'oiseau.*

El año 1850 puede señalarse en Francia como el hito en que decae el Romanticismo y surge espléndido el realismo.

En la poesía, en este período deben ser tenidos en cuenta otros movimientos espirituales: el Parnasianismo—1866—, el Simbolismo—1875—, el Decadentismo—1880.

Charles Baudelaire (1821-1867), de familia rica, viajó durante algún tiempo en un velero por los mismos mares que Saint-Pierre, verdadero dandi, acabó en la locura. De sensibilidad prodigiosa, renovó el léxico francés, ennobleció las palabras con sorprendente alquimia. Su poesía arranca del Romanticismo, alcanza el Simbolismo y va a dar en una grandeza clásica. Todo el mundo conoce y ha saboreado las infinitas bellezas de las poesías que integran *Las flores del mal.*

Al Parnasianismo pertenecen: Théodore de Banville (1823-1891), con sus deslumbrantes *Odas funambulescas*. Leconte de Lisle (1820-1894), gran helenista. José María de Heredia (1839-1907), con sus *Trofeos*. Aloysius Bertrand, con su *Gaspard de la Nuit*. Y Sully Prudhomme, Catulle Mendès, François Coppée, Supervielle, Moréas, la condesa de Noailles...

Paul Verlaine (1844-1896), de vida bohemia, miserable y desdichadísima, aunque se inició en el Parnasianismo, en seguida pasó al Simbolismo. Amó todo lo humilde, lo desafortunado, con versos de musicalidad exquisita y en un léxico nuevo oreado de gracia popular. Su maravillosa fe cristiana salvó en última instancia su alma, sencilla y dolorosa. Libros suyos muy representativos son: *Sagesse, Las fiestas galantes, La buena canción, Romanzas sin palabras.*

Stéphane Mallarmé (1842-1898), de un exquisito simbolismo en prosa y verso. Sus poemas tienen resplandores de joyas engarzadas en metales preciosos sutilmente labrados. Tristán Corbière (1846-1870), también simbolista. El conde de Lautréamont (1846-1870), poeta decadente y satanista en sus *Cantos de Moldoror*. Jules Laforgue (1860-1887). Arthur Rimbaud (1856-1891), simbolista, viajero por todo el mundo, caso pasmoso de precocidad, pues que a los dieciocho años había ya escrito la mayoría de sus prosas *eléctricas* y de sus poesías de alucinante potencia imaginativa.

Entre los novelistas del realismo figuran: Gustave Flaubert (1821-1880), de Ruán, viajó de joven por Africa y Oriente. De prosa exquisita, muy trabajada. Sutil psicólogo de caracteres. Su *Madame Bovary* es una de las cumbres de la novela contemporánea. Otras obras: *Las tentaciones de San Antonio, Salambó, La educación sentimental, Un corazón sencillo, Herodías.*

Los Goncourt, Edmond (1822-1896) y Jules (1830-1870), amantes *del colorido pictórico* en la narración, autores de *Renata Mauperin, Los hermanos Zenganno, Manette Salomón.*

Alfonso Daudet (1840-1897), novelista de viva imaginación, honda ternura, gracia y naturalidad en la narración, magnífico psicólogo de caracteres y de situaciones, de humor fácil. Su *Tartarín* es inmortal. Y todavía se leen con interés: *Safo, Fromont y Risler, Jack, El nabab.*

Emilio Zola (1840-1902) es el iniciador del naturalismo, el creador de la novela experimental y fisiológica. Su ciclo novelesco *Los Rougon-Macquart* es un impresionante museo de taras hereditarias, de hediondos detalles sociales. Otras obras famosas: *Germinal, La tierra, La taberna, Paris.*

Guy de Maupassant (1850-1893), el más impasible y objetivo de los naturalistas, el mejor cuentista que ha tenido Francia. *Pedro y Juan, Una vida, Bel-Ami, Bola de sebo,* son obras suyas excepcionales.

Barbey d'Aurevilly, autor de exquisitos y extraños relatos: *Las diabólicas, La hechizada, El cabecilla Destouches*. Villiers de l'Isle Adam, de gran imaginación en *La Eva futura* y *Nuevos cuentos crueles;* J. K. Huysmans, naturalista en *Al revés, Allá lejos,* y católico en *La catedral.*

En la Historia y en la crítica destacan dos nombres admirables: Hipólito Taine (1828-1893), con su *Historia de la literatura inglesa, Los orígenes de la Francia contemporánea* y la *Filosofía del Arte;* y Ernesto Renán (1823-1892), acaso el prosista francés más impecable, con sus *Recuerdos de niñez y mocedad,* los *Orígenes del Cristianismo,* la *Vida de Jesús.*

Pero en el siglo XIX francés, verdadero siglo de oro de su literatura, otros nombres merecen mención. Alejandro Dumas (hijo), novelista y autor dramático, que alcanzó renombre universal con *La dama de las camelias*. Benjamín Constant, autor de la deliciosa narración *Adolfo*. Jules Sandeau, novelista excelente en *La señorita de la Seigliere*. Paul Feval, fecundo folletinista. Charles Nodier, cuentista original. Emilio Augier, autor dramático fecundísimo. Víctor Cousin, prosista excelente en *Du vrai, du bon et du beau*. Augustin Thierry, magnífico historiador—*Récits mérovingiens*—. Edgar Quinet, narrador original en *Ahasverus*. Novelistas y prosistas como Anatole France—Premio

Nobel de Literatura—; Paul Bourget—*La etapa, El discípulo*—; Fernando Brunetière; Henri Murger—*Escenas de la vida bohemia*—; Conde de Gobineau—*Renacimiento*—; Jules Lemaître—*Les contemporains*—; Octave Mirbeau—*El jardín de los suplicios*—; Remy de Gourmont; los grandes dramaturgos Bernstein, Bataille, Capús, Lavedan, Donnay, François du Curel, Tristán Bernard, Porto Riche, Edmond Rostand—*Aiglon, Cyrano de Bergerac, Chantecler*—, Sardou, Paul Hervieu...

Los grandes novelistas Abel Hermant, Marcel Prévost, Paul y Víctor Margueritte, J. H. Rosny, Paul Adam, Colette-Willy, Pierre Louys, René Bazin, Henri Bordeaux, Pierre Loti, Maurice Barrès.

Siglo XX.—Muy próximo a nosotros para enjuiciar las obras de sus principales escritores, nos limitamos a enumerarlos.

Entre sus poetas: Francis Jammes, condesa de Noailles, Charles Péguy, Guillaume Apollinaire, Paul Valéry, Paul Claudel...

Entre sus dramaturgos y novelistas: Jean Giradoux, Marcel Proust, Romain Rolland, Jules Romains, André Gide—Premio Nobel 1947—, Lenormand, Sacha Guitry, Jean Cocteau, Pierre Benoit, Roland Dorgelés, Jules Renard, Henri Barbusse, Roger Martin du Gard—Premio Nobel 1937—, Jean Paul Sartre.

Y un filósofo excepcional: Henri Bergson, Premio Nobel, autor de *La risa, La evolución creadora.*

V. LANSON, G.: *Histoire de la Littérature française.*—BRUNETIERE, F.: *Manuel d'histoire de la Littérature française.*—ABRY, E.: *Histoire illustrée de la Littérature française.* THIBAUDET, A.: *Histoire de la Littérature française de 1879 à nos jours.*

FRANCESA (Versificación)

Todo el sistema prosódico de la poesía francesa descansa sobre el número de sílabas. El verso francés las cuenta, no las mide; no atiende a su valor como cantidad o duración. La rima resulta de esta manera un medio para explicar este principio: hace notar que el verso se ha acabado, es decir, que se ha completado el número de sílabas deseado. Primitivamente, la asonancia bastaba para desempeñar este papel, e incluso hoy mismo, en el rudimentario ritmo de los cantos populares, suele prestar este servicio. Los versos franceses se distinguen únicamente por el número de sílabas comprendidas entre dos rimas, suspendiendo o no el sentido del verso. Hay versos desde una hasta doce sílabas. No los hay de más, porque por cima de este número resultaría difícil la apreciación, sin la ayuda de otro medio de contarlas, de la exactitud en el cumplimiento de la medida. Este principio proscribe el empleo—al menos, el empleo frecuente—de la transición, es decir, de la ligazón por el sentido entre la última palabra de un verso y el verso siguiente, de tal manera que el oído no percibe dónde concluye el verso. El siguiente ejemplo de Racine (*Les plaideurs,* acto III, escena III):

Puis donc qu'on nous permet de prendre
Haleine, et que l'on nous défend de nous étendre...

no es más que una licencia de la obra y del género, pero la práctica habitual despistaría completamente el oído.

El mismo principio conduce a la supresión del hemistiquio y de la cesura. Mientras el verso no contenga más sílabas de las que el oído pueda apreciar en una primera impresión, no se impone ningún corte o pausa; así, hasta nueve sílabas conserva toda su libertad de movimiento y de reposo. En los de diez sílabas, la cesura se hace obligatoria; es el propio oído el que ha sentido la necesidad de cortar el verso para contarlo. La división en este primer grado se hace lo más naturalmente posible en dos grupos desiguales; pero, dentro de ellos, de un número semejante de sílabas: uno de cuatro, otro de seis... Se puede partir asimismo en dos hemistiquios de cinco sílabas. El verso de doce sílabas se corta, por las mismas exigencias auditivas, en dos grupos iguales, de seis sílabas cada uno. Estos son la razón y efecto de la cesura, unida a las leyes naturales, de las que es preciso sustraerse en evitación de la monotonía, pero que es imposible abandonar del todo si no se quiere borrar completamente la distinción entre prosa y verso.

Lo que ha obligado al verso francés a contar las sílabas en vez de medirlas, como ocurrió antiguamente en Grecia y Roma, o actualmente en Alemania, es la imperfecta clasificación francesa de sílabas largas y sílabas breves, por insuficiencia—si no es por ausencia total—de un principio de cuantidad. El valor absoluto de las sílabas francesas, esto es, el que arranca de la etimología, de la ortografía o del uso, está sin cesar en desacuerdo con el valor relativo que les presta el acento tónico, que ha llegado a ser el principal elemento de armonía, y este resulta demasiado móvil y monótono a la vez para fundar un sistema de pies, guardando su valor peculiar en el ritmo. Por ello, ha fracasado toda tentativa de construir la versificación francesa sobre la cantidad de las sílabas.

En el siglo XVI, sobre todo, esta restauración grecolatina tuvo sus teorizadores, como N. de Mancel, y sus discípulos, como Baïf. Hemos hablado de este último: el llamado *vers baifin* tuvo gran importancia en el Renacimiento francés. Se esforzaron por transportar los metros grecolatinos al francés, no solo los hexámetros y pentámetros, sino todas las variedades de ritmo que entran en la estrofa sabia de los antiguos. Se hizo gran aplicación del verso métrico; con este sistema se tradujeron la *Ilíada,* la *Odi-*

F

sea, la *Eneida*, etc. Pero solamente por una mera ilusión de erudito podría escandirse el nuevo verso francés a la manera griega o latina; el acento tónico, que preside toda idea de la cantidad, revolvía por completo en el oído todo el brillante artificio creado para los ojos. Consideremos, por ejemplo, el dístico de Jodelle, que Pasquier considera como una pequeña obra maestra. Presentémosle primero sin ninguna división rítmica:

Phébus, Amour, Cypris veut sauver, nourrir et orner
Ton vers et ton chef d'ombre, de flammes de fleurs.

Escandémoslo ahora sobre el papel, en hexámetro y pentámetro, marcando por mayúsculas las sílabas consideradas largas, encargadas de representar dentro de cada pie el tiempo fuerte:

PHEbus, A / MOUR, Cy / PRIS, veut / SAUver / [NOUrrir et / ORner
TON vers / ET ton / CHEF // d'OMbre, de / [FLAMmes, de / FLEURS.

Esta notación rítmica en dáctilos y espondeos de fantasía es justamente lo contrario que la lectura en voz alta, que con el libre juego del acento tónico puede ser algo análogo a esto:

PhéBUS, / AMOUR, / CyPRIS / veut sauVER / [nouRRIR / et orNER
Ton VERS / et ton CHEF / d'OM / bre, de [FLAM / mes de FLEURS.

Pero en este caso no estamos ante un ejemplo de ritmo griego y latino, y, por otra parte, tampoco estamos ante un verso francés.

Combinado con la rima, este cálculo de una cantidad poco apreciable por el oído o contradicha por el acento tónico produce una especie de verso francés, parte que no carece de armonía, pero cuyos dáctilos y anapésticos por contrasentido no tienen nada común con lo antiguo. Para juzgarlo, he aquí unos versos del epitafio que Ronsard compuso para Rapin:

Vous qui les ruisseaux d'Hélicon fréquentez
Vous qui les jardins solitaires hantez,
Et le fond des bois, curieux de choisir
L'ombre et le loisir;

....

Elevez vos chants, redoublez votre ardeur,
Soutenez vos voix d'une brusque verdeur
Dont l'accord, montant d'ici jusqu'aux cieux,
Irrite les dieux.

Pero sin la rima no hay ni verso francés ni verso de ninguna clase; buena prueba de ello es el principio de una traducción de la *Eneida*, hecha por el célebre Turgot, partidario rezagado de las tentativas del XVI:

Jadis sur la fougère, une mussette accompagna mes [chants.
J'osais depuis, sortant des bois, disciple de Cérès,
Forcer la terre à répondre aux voeux de l'avare [agriculteur;
Mais aujourd'hui m'appelle. O muse, embouche la [trompette,
Dis les combats, muse, et cet guerrier que l'ordre [du destin,
Loin des murs d'Ilion en cendre et du tombeau de [ses pères,
Aux chants ausoniens fit aborder après mille dangers.

Con los versos métricos, la constitución de la lengua francesa prohíbe los versos libres o sin rima, que los poetas del XVI y XVII trataron de introducir en ella. Un verso caracterizado por una combinación de pies, o por un particular juego prosódico del acento, puede estar aislado o mezclarse con versos de clases diferentes, sin dejar de ser verso; el verso fundado sobre el número mismo de las sílabas no es más que una línea de prosa medida, si no se encuentra unida a otras por un signo que establezca el ritmo; este signo no es otro que la vuelta del mismo sonido o la rima. En el XIX se hicieron nuevos esfuerzos para librarse de esta tiranía de la rima. El ex rey de Holanda Luis Bonaparte puso la cuestión en litigio ante la Academia en 1811, y él mismo publicó más tarde una obra donde, repudiando el inevitable auxiliar de la versificación francesa, se proponía dar al verso francés, por la regular distribución del acento, el carácter prosódico de los antiguos metros. Pero el concurso académico no proporcionó ningún resultado, como tampoco su libro con versos denominados *armónico-rítmicos*.

Si el acento no basta, en defecto de pies fundados en la cantidad, para darnos el verso métrico, con independencia de la rima, no deja de tener, sin embargo, un papel importante en la métrica francesa. Marca las pausas y es la clave de la monotonía o de la agilidad. Tan pronto parece el verso no tener la medida a causa del pequeño número de sílabas acentuadas, cuanto que se prolonga en exceso por la causa contraria. En muchos poetas se encuentran efectos del sonido desagradables al oído que no tienen otro origen que un acento mal colocado; por el contrario, una feliz distribución de los acentos es casi todo el secreto de la melodía de los versos de Racine. Sin entrar en las consecuencias del principio de la versificación francesa y en las aplicaciones de la rima, nos remitimos a los artículos donde estos puntos tienen su adecuado desarrollo. (V. *Acento, Cesura, Metro, Pie, Rima, Estrofa*, etc.)

V. QUICHERAT, L.: *Traité de versification française.*

FRASE

De φράζομαι, hablar.

1. Reunión de vocablos que forman sentido.

2. Conjunto de palabras que sirven para expresar un sentido.

3. Modo particular en que se ordena la dicción para expresar un pensamiento.

4. Gramaticalmente: "Conjunto de palabras limitado por dos pausas prolongadas de la voz, que se indican con puntos."

La frase puede ser: *correcta* o *viciosa, natural* o *figurada, simple, compuesta* y *compleja.*

Toda frase ha de tener, al menos, un sujeto y un atributo—*simple*—. Si tiene varios, o un sujeto y varios atributos, o varios sujetos y un atributo, se llama *compuesta. Conpleja* es aquella que contiene frases modificativas del sujeto o del atributo.

La reunión de frases se llama *período.*

Son muy importantes y sutiles las reglas para la formación de la frase, ya que de ellas depende no solo la perfección de quien habla o escribe, sino la *originalidad de su estilo.* Las palabras en la frase deben ir perfecta y armónicamente ligadas. Hay *idiomas transpositivos* que permiten la inversión en el orden en que deben colocarse los vocablos. En los que no lo son, tiene que ir, invariablemente, el sujeto antes que el verbo, y el verbo antes que el atributo.

Frase familiar es aquella, peculiar de una lengua, sin equivalente en otro idioma, que se emplea en la conversación llana. También se le denomina *modismo.* "Estar de uñas", "Estar tocado de la cabeza", "Estar de uno hasta la coronilla".

Frase proverbial es aquella que contiene una sentencia, un proverbio, como "Cada uno puede hacer de su capa un sayo".

FRASEOLOGÍA

1. Modo—o *estilo*—de ordenar las frases peculiar en cada escritor.
2. Abundancia inútil de frases.
3. Verbosidad deslumbradora momentáneamente.
4. Escasas ideas en numerosos vocablos.
5. Estudio y conocimiento de las frases.
6. Colección de "frases hechas" o modismos.

FRAUDE LITERARIO (V. Plagio, Superchería, Imitación)

FRICATIVO

Modo de articulación de ciertos sonidos consonantes que se pronuncian sin interrupción mientras existe la continuidad de aire espirado.

Son fricativas las consonantes *b, d* y *g* cuando van al fin de la palabra: *haba, rueda, riego;* pero estas consonantes pierden la continuidad al principio de la palabra: *bueno, dura, gorra.*

El carácter fricativo o continuativo no es, pues, una regla fija y constante.

FRISÓN (Dialecto)

Altfriesisch, antiguo dialecto germánico. Una de las formas del bajo alemán usado al noroeste de Alemania y en sus límites con Holanda. Ha sido absorbido, de un lado, por el sajón; de otro, por los dialectos neerlandeses. Su apogeo se marcó en el siglo XV. Y tuvo muy marcadas relaciones de pronunciación y de ortografía con el inglés. El frisón fue usado principalmente como lengua del derecho alemán, y se le encuentra, con los más antiguos caracteres, en los monumentos escritos del siglo XIII. En 1829, Franeker fundó una sociedad para el estudio del frisón, y publicó—1850—un diario especial de *Vrije Fries.*

V. GRIMM, J.: *Gramática frisona.* Gotinga, 1840.—OUTZEN: *Glosario frisón.* Copenhague, 1837.

FRONTÍN

Personaje de comedia. Era el *criado* teatral del siglo XVIII; una transición entre *Scapin* y *Fígaro.* Era un criado sabio y pedante, que dirigía audazmente a su señor tanto en los negocios como en los placeres. Algunos dramaturgos franceses, como Brueys, Regnard, Dufresny y, sobre todos, La Saye, no supieron prescindir de darle vida en sus comedias, atribuyéndole muchos rasgos de ingenio.

V. MONNIER, Marc.: *Les Aïeux de "Fígaro".* París, 1868.

FRUCTIFICANTES (Sociedad de los)

En alemán, *Die Fruchtbringende Gesellschaft,* la más famosa de las sociedades filológicas y literarias fundadas en Alemania en el siglo XVII. Fue organizada en 1617 a propuesta de un hombre de letras de Weimar, Gaspar de Teutleben, y bajo los auspicios del príncipe Luis de Anhalt. Las primeras reuniones se celebraron en el castillo de Coethen. La Sociedad tuvo como modelo las academias italianas, y se ocupó principalmente del idioma, intentando mantener el *alto alemán* en toda su pureza. El presidente, según los estatutos, tenía que ser un príncipe alemán. Tenía por emblema *una palmera coronada* y esta divisa: *Todo por lo útil.* Cada miembro recibía un nombre particular, más o menos significativo. Opitz fue llamado *El Coronado;* Griph, *El Inmortal;* Zesen, *El Buen Compositor;* Logau, *El Diminutivo...* Los sobrenombres aludían al talento, a la persona o a determinado detalle de la vida de esta.

V. SCHULZ, O.: *Die Sprachgellschaften des XVIIen Jahrhunderts.* Berlín, 1834.

FUNCIÓN

1. Representación de una obra teatral.
2. Espectáculo que se da al público en teatro, cine, circo, plaza de toros, campo de deportes...

FUNCIONARISMO (V. Burocratismo)

FURIERISMO

Doctrina política y económica de Fourier.

Carlos Fourier (1772-1837) nació en Besançon. Su padre fue un rico mercader que perdió su fortuna a consecuencia de la Revolución. Carlos llevó una vida oscura y modestísima. Solterón, casero, monomaniático, agente de comercio, empleado, "sargento de tienda", como él decía; autodidacto, iletrado.

Sus libros, en los que se mezclan pensamientos profundos con teorías absurdas, le dieron fama de loco.

Le lanzaron al campo de la política y de la economía la codicia y trapacería que observó reinaban en el mundo comercial, y colocándose en el terreno del individualismo y partiendo de la personalidad individual, quiso reintegrarla en sus derechos.

En realidad, el furierismo puede resumirse en muy pocas líneas. Es necesario que las pasiones humanas encuentren un destino legítimo y una satisfacción que redunde en beneficio de los demás; todas las capacidades han de ser aplicadas de modo que sea un derecho y un atractivo para todos, y no una obligación penosa, concurrir al bienestar general; para este fin, los hombres deben asociarse en capital, trabajo y talento por grupos, series y falanges, mediante la *atracción apasionada,* que, según Fourier, es la ley de la Humanidad.

Para el furierismo, el hombre no es más que una parte de la Naturaleza en íntima conjunción con Dios. Todo está supeditado a unas mismas leyes armónicas; mas esta armonía se ha perdido entre los hombres, y para devolvérsela hay que buscar su satisfacción, individual y de grupo.

Todo lo malo nace de la no satisfacción, por estar contra la armonía de la Naturaleza. El furierismo busca una organización de la sociedad que se funde en el disfrute y se esfuerce en establecer un orden material en el que "la armonía de las pasiones sea la base del trabajo".

Para lograr tal armonía, Fourier creyó preciso repartir la colectividad en comunidades de 1.500 a 2.000 personas (falanges), asignando a cada una un territorio de una legua cuadrada. Dichas personas vivirían en unos cuarteles *(falansterios),* agrupándose en series libres para la producción agrícola y comercial. El capital necesario para tal empresa se obtendría por acciones, la tierra, las herramientas, y sería de propiedad común; el beneficio se repartiría así: $^{4}/_{12}$ dividendo del capital; $^{5}/_{12}$ pago al trabajo; $^{3}/_{12}$ retribución del talento. La educación de los niños sería en común. La mujer tendría exactamente los mismos derechos y consideración que el hombre.

Los libros fundamentales del furierismo fueron: *Théorie des quatre mouvements*—1808— y *Traité de l'association domestique agricole* —1822—, ambas obras de Carlos Fourier.

"En el falansterio, tan minuciosamente descrito por Fourier, se nos presenta a los miembros de la falange haciendo una vida de lujo y libertad al mismo tiempo, con jefes que casi no tienen más que poderes honoríficos, destinados a satisfacer una pasión más: la vanidad. Cada cual se las arregla como puede, aprovechándose de las enormes economías resultantes del consumo en común; además, se permite el consumo individual, pero todos los falansterianos prefieren a la triste comida de familia la alegre mesa común. Los alojamientos son de varias clases, más o menos ricos, pero cómodos y espaciosos todos ellos. La educación de los niños la costea la comunidad; pero Fourier aleja el temor de que esta facilidad excite a una procreación excesiva, recurriendo a un conjunto de consideraciones que, como casi todas las suyas, son una mezcla de elementos juiciosos y extraños. Todo irá lo mejor posible. Un optimismo tranquilizador inspira todo el cuadro, en el cual no se ha olvidado el menor detalle.

"El falansterio es, pues, un mundo en el cual reinan no solo el bienestar y la justicia, como en todos los mundos socialistas, sino también la libertad. Hay en él libertad por todas partes: en el alma humana, cuyas pasiones están libres de todos los imperativos categóricos, de todas las tiranías del moralismo, tan odiado por Fourier; hay libertad en la organización social, que no implica sujeción alguna, ni nada más que la atracción del goce. Ni aun en el Estado existe. La unidad es el falansterio. Cierto es que los falansterios se agrupan en una especie de jerarquía, cuyos jefes van desde el *unarca* al *omniarca* o emperador universal; pero esta jerarquía casi no es más que honorífica. ¿Qué lugar podría reservarse a una atoridad efectiva en una sociedad en donde la armonía es la resultante del libre juego de las pasiones individuales? La "libertad" de los civilizados no pasa de ser una "sombra", comparada con la que disfrutará en el "régimen societario", que consagra *en plenitud o en equivalente consentido* los derechos primordiales de los salvajes (de caza, de pesca, de recolección, de pastos, de *robo al exterior,* de *libre federación contra los ataques de los demás,* de indiferencia), en tanto que la civilización los ha suprimido, dejando en su lugar solo palabras." (GONNARD.)

Algunos escritores han dudado de que las teorías de Fourier puedan ser calificadas de socialistas. Pero Fourier jamás atacó la propiedad, ni siquiera el interés del capital, limitándose a incriminar "al estado moral que induce a los hombres a conformarse con el modo actual de la producción y la distinción".

¿Qué contiene el furierismo de socialismo? Nada, al parecer, si nos limitamos a registrar

FUTURISMO

los ocho artículos principales de su programa económico, tal como los enumera Gide en su *Charles Fourier:*

1.º Dedicarse a reformar el modo de producir las riquezas antes que el modo de distribuirlas (lo cual es bastante específicamente socialista).

2.º Fijarse en la producción agrícola mejor que en la producción industrial.

3.º Dedicarse más especialmente a la horticultura y a la arboricultura (tareas las más individualistas de la agricultura).

4.º Desarrollar la producción en gran escala.

5.º Llevar a su último límite la división del trabajo.

6.º Practicar la variedad y la alternación de los trabajos.

7.º Practicar el consumo por asociación.

8.º Suprimir los intermediarios.

El socialismo que contenga el furierismo hay que buscarlo: en la dosis que exista, en la proclamación del derecho de todos a la existencia y al bienestar garantizado; en la supresión del salariado; en la reforma—siquiera sea voluntaria—de la propiedad.

El furierismo encontró adeptos ilustres en Víctor Considérant, su principal vulgarizador; en Brisbane, que contribuyó a fundar colonias falansterianas en Norteamérica; en Godin, creador del *Familisterio* de Guisa, que vivió muy próspero hasta que se inició la gran guerra de 1914-1918; a Pompéry; a Paget; al futuro emperador francés Luis Napoleón Bonaparte.

En España introdujo y propagó el furierismo Joaquín de Abréu. Auxiliado por sus amigos y discípulos Pedro Luis Ugarte, Manuel Sagrario de Veloy y Pedro Bohorques, lograron fundar el falansterio de Tampul, cerca de Jerez de la Frontera, en el que se gastaron más de cinco millones de pesetas.

V. PELLARIN, Ch.: *Fourier, sa vie et sa théorie.* París, 1843.—GONNARD, René: *Historia de las doctrinas económicas.* Madrid, M. Aguilar, 1952.—BOURGIN: *Charles Fourier. París, s.a.* [¿1908?].—SAMBUC: *Le socialisme de Fourier.* París, s. a.

FUTURISMO

De todos los movimientos literarios *subversivos* del siglo XX, el *futurismo* ha sido el más fuerte, el más vital, el más influyente y combatido.

Su fundador, el poeta italiano F. T. Marinetti, lanzó en Milán, y el 20 de febrero de 1909, el primer *manifiesto futurista,* cuyos postulados—agresivos y bárbaros—eran estos: abominación del pasado; desdén por todo anhelo de perennidad—llegando a propugnar la demolición de los museos y la quema de las bibliotecas—; amor a la temeridad y al peligro; violencia; consideración del valor, la audacia y la revolución como elementos básicos de la nueva lírica; exaltación de lo deportivo en contraposición a la meditación y al ensueño (un automóvil de carreras—según Marinetti—era más hermoso que la *Victoria de Samotracia);* exaltación de la velocidad; la necesaria provocación del escándalo.

El *futurismo* pretendió revolucionar la literatura, la política, la concepción de la vida, las costumbres, la sintaxis, la composición tipográfica.

En el *Manifiesto técnico de la literatura futurista*—1912—se abogaba por la absoluta abolición de la sintaxis: el verbo se emplearía en infinitivo; el adjetivo y adverbio deberían extinguirse; la puntuación sería sustituida por los signos matemáticos ×, —, :, +, =, >, <, y musicales; predominio de la imagen; desaparición del *yo;* páginas impresas en distintos colores, con líneas verticales, circulares, oblicuas...; los distintos caracteres tipográficos serían empleados siguiendo un método original; por ejemplo, las *cursivas,* para las sensaciones; las *negritas,* para las onomatopeyas; las *versalitas,* para las pasiones...

Algunos de los *principios* del *futurismo* fueron recogidos y aplicados por otras escuelas y tendencias.

En pocas líneas—las antecedentes—hemos dado una síntesis del futurismo. Pero el movimiento, por su excepcional importancia, merece que ahora intentemos aclarar ciertos extremos y fijar otros y equilibrar algunos.

La primera cuestión que importa aclarar es la de si el futurismo tuvo un origen genuinamente, netamente italiano, Y replicamos así: la exaltación y la trascendencia futuristas son neta y genuinamente italianas, pero no lo son los *atisbos idealistas,* las *inspiraciones* apremiantes del futurismo. Sombras precursoras ilustres se proyectan sobre este movimiento puesto en marcha decidida por Marinetti; y dichas sombras son las de Nietzsche, Walt Whitman y Emile Verhaeren.

En las obras del autor de *Zarathustra* encuéntranse ya los principios teóricos que informan la vida aforística del futurismo. Y en su parábola de *Las tres transformaciones del espíritu* defiende la rebelión contra los usos y costumbres, rechaza la necesidad de las formas, aboga por el triunfo de la fuerza. Nietzsche abogó por la lucha contra la sociedad y contra el arte tradicional. Y si el futurismo afirmó con entusiasmo que *solo en la belleza hay lucha,* ya Nietzsche dictaminó *que una buena guerra santifica todas las causas.*

Walt Whitman, el formidable cantor de *Leaves of grass,* entronizó el mecanicismo, y cantó al *cuerpo eléctrico* y a la *locomotora;* Whitman dio a la poesía el sentido *cósmico,* que los futuristas italianos exagerarían hasta el paroxismo.

Según Regis Michaud, Whitman fue el primer poeta que llevó un *sentido espiritualista* al cuadro de la civilización industrial y maquinista del nuevo mundo.

El simple recuento de los títulos de algunos libros poéticos del belga Emile Verhaeren nos lleva a la comprensión de sus anticipaciones futuristas: *Les villes tentaculaires*—1895—, *Las forces tumultueuses*—1902—, *La multiple esplendeur*—1906.

Conocidos ya los antecedentes del futurismo, interesa fijar la personalidad de Filippo Tommaso Marinetti, cuyo lema: *Marciare non marcire*—avanzar, no corromperse—salta obsesivamente por todas sus obras literarias, por todos sus discursos, por todos sus manifiestos; hijo de padres italianos, nació—1876—en Alejandría (Egipto). Inició sus estudios y sus afanes literarios en París, de aquí su bilingüismo perfecto, escribiendo indistintamente en italiano o en francés. Su primer libro, *La conquête des étoiles,* escrito en francés, data de 1902. En su segunda obra, *Destruction*—1904—, patentiza ya predilección por los temas de la violencia y de la más exasperada sensibilidad. En 1905 fundó la revista *Poesía.* Y el 20 de febrero de 1909 publicó en *Le Figaro,* de París, su primer "Manifiesto futurista". En este manifiesto, de una agresividad impresionante, se exaltan la guerra, el militarismo, el antipapismo, el esfuerzo muscular de las multitudes; se abomina del pasado y de todos sus vestigios de cultura; se aconseja la actitud agresiva, el insomnio febril, el salto peligroso, el paso gimnástico..., frente al éxtasis o al sueño, contra la inmovilidad pensativa y la corrección de modales; se exige a la poesía que cante únicamente el valor, la audacia y la revolución; se acepta el carácter perecedero de toda obra y la sustitución de cada generación por otra más joven que destruya cuantos restos quedaron de su antecedente.

El *Manifiesto* de Marinetti estalló violentísimamente en toda Europa. Se multiplicaron las polémicas más fenomenales en la Prensa y en las tribunas. Y Marinetti, acompañado de sus corifeos fidelísimos y agresivos—Lucini, Mazza, Palazzeschi, Russolo, Carrá, Cavacchioli, Boccioni—, recorrió las ciudades de Italia, desafiando con sus palabras, sus gestos y sus escritos las violentísimas reacciones de los tradicionalistas.

Conviene advertir que Marinetti no pretendió realizar únicamente una revolución literaria; pretendió que el nuevo movimiento alcanzase a todas las artes: pintura, música, escultura, poesía, teatro, cinematógrafo.

Precisamente sus discípulos pintores—Carrá, Russolo, Severini, Balla y Boccioni—fueron quienes firmaron el manifiesto de 11 de abril de 1910, cuyos principales postulados fueron los siguientes:

1.° Negación de todas las formas de imitación. Glorificación de las formas de originalidad.

2.° Rebelión contra la tiranía de las fórmulas: *armonía* y *buen gusto.*

3.° Inutilidad de la crítica de arte.

4.° Repudiación de todos los *tipos* ya utilizados, que habrían de ser sustituidos por los apremios únicos de la vida moderna: la fuerza, la violencia, la velocidad, el acero, la mecánica.

5.° Degradación del tradicionalismo.

6.° Aceptación de los calificativos *locos, destructores.*

7.° Práctica del *completarismo total.*

8.° Producción en la pintura del *dinamismo universal* como *sensación mecánica.*

9.° Declaración de la sinceridad y de la virginidad como cualidades imprescindibles de la creación.

10. Declaración de que la luz y el movimiento destruyen la materialidad de los cuerpos.

Por su parte, los escultores afirmaron la necesidad de abolir por completo "la línea continua y la estatua cerrada"; la necesidad de "abrir la figura como una ventana y encerrar en ella el medio donde vive".

Los músicos futuristas propugnaron "una música de luces".

En 1912 publicó Marinetti su *Manifiesto técnico de la literatura futurista,* en el que defendía la "destrucción" de la sintaxis a que ya nos hemos referido.

Aludiendo a las innovaciones del futurismo, escribe Guillermo de Torre: "Y entremos por fin en el examen de sus innovaciones más llamativas y más discutidas: las tipográficas. El libro, según Marinetti, debiera ser la expresión futurista de su pensamiento futurista. Y su revolución se dirige "contra lo que se llama habitualmente la armonía tipográfica de la página, contraria al flujo y reflujo que se extiende en la hoja impresa. Nosotros emplearemos en una misma página cuatro o cinco tintas de colores diferentes y veinte caracteres distintos, si es necesario. Ejemplo: cursivas, para las series de sensaciones análogas y rápidas; negritas, para las onomatopeyas violentas, etc." Sustituía así, pues, a la pura visión tipográfica de la página una visión pictórica. Además, su revolución tipográfica comprende no solo el empleo de varios tipos de letras, sino también la transformación radical de la página por la dirección de las líneas: verticales, oblicuas, circulares o enlazadas por paréntesis y llaves, espaciadas, con letras mayúsculas de gran tamaño. Todas estas innovaciones, que corresponden a una necesidad ultraexpresiva, son viables, siempre que se utilicen con moderación y, aunque no muy frecuentemente, han sido utilizadas en libros de diversas lenguas. Basta recordar sólo en Francia el *Calligrammes,* de Apollinaire. Aunque este, en rigor lo que se propone es dar una sugestión pictórica y dibujar con la letra impresa aquello que además sugiere o condensa la imagen óptica."

Marinetti, en distintos manifiestos posteriores,

aunque atenuando bastante su nihilismo, hizo afirmaciones tan absurdas como sorprendentes.

Había que odiar la inteligencia y exaltar la intuición, don característico de las razas latinas.

La estética futurista apelaba especialmente a la sensación. Era imprescindible la exaltación sin límites del maquinismo, ya que el hombre estaba llamado a ser absorbido en la materia. La velocidad era la única *belleza nueva.* Y en su nuevo manifiesto, titulado *La nueva religión moral de la velocidad,* declara Marinetti: "En contraposición a la moral cristiana, que ha prohibido al cuerpo del hombre los excesos de la sensualidad, la moral futurista, opiniéndose a la lentitud, al recuerdo, al reposo, quiere desarrollar la energía humana que, centuplicada por la velocidad, dominará el tiempo y el espacio."

Ya nos hemos referido a los posibles precursores del futurismo: Nietzsche, Walt Whitman, Emile Verhaeren, y si recordamos ahora enunciados anteriores, es para añadir que la crítica ha discutido también acerca del papel desempeñado por Italia y Marinetti en la exaltación del futurismo. Ivan Goll afirma—en el prólogo de la antología lírica *Les cinq Continents:* "El primer grito, bastante estridente para hacer levantar la cabeza a la Europa adormecida, ha partido de Italia. Aunque haya llegado rápidamente al extremo, después de su primer vuelo en aeroplano, el futurismo conserva todavía el título de campeón de la poesía moderna. Ha sido imitado en todas partes. Este fenómeno sísmico ha sido registrado en Francia por espíritus receptores muy finos, quizá demasiado finos, que han insistido, más que sobre los detalles, sobre las grandes formas del conjunto. El resto de los espíritus latinos sigue el paso sencillamente."

Pero... ¡buenos son los franceses para permitir—o reconocer—que nadie pueda adelantárseles en la iniciación de una moda o de un modo! La afirmación de Goll fue contestada destempladamente por Philippe Soupault: "Tal afirmación me parece absolutamente inexacta. Dos poetas, a mi juicio, han hecho *lever la tête à l'Europe engourdie:* Walt Whitman y Arthur Rimbaud. Marinetti no ha sido más que un brillante y ruidoso vulgarizador. Ha seguido el movimiento."

Se ha discutido mucho acerca de si el futurismo fue el primer movimiento literario subversivo, o si le precedió, como pretenden los dadaístas, el DADÁ, o el *creacionismo* (V.).

En el año 1916, fecha del primer manifiesto dadaísta, ya habían aparecido varias obras futuristas, como las *Parole in libertà,* de Marinetti; *L'Incendiario,* de Palazzeschi; *Rarefazioni,* de Govoni; *Hermaphrodito,* de Savinio.

Rotundamente, el gran crítico literario español Enrique Díez-Canedo afirma que no se puede negar al futurismo la primacía entre todos los movimientos literarios surgidos en el siglo XX. Su descomposición engendra otras inmediatas. Sus negaciones—sobre todo en las proclamas, de que es pródigo—abren cauce a los nuevos; porque si no salieron de él grandes obras, produjo un sinnúmero muy interesante de sugestiones.

Guillermo de Torre hace, como *sin querer,* el juicio más severo del futurismo con estas palabras: "El error de los futuristas—repitámoslo con un modismo popular, pero expresivo—ha sido, en la mayoría de los casos, "tomar el rábano por las hojas": tomar los elementos de la nueva belleza por la belleza misma. Y creer que el solo hecho de utilizar un sistema tipográfico y sintáctico moderno bastaba para bordar un poema o una obra moderna sobre cualquier cañamazo temático."

V. TORRE, Guillermo de: *Literaturas europeas de vanguardia.* Madrid, 1925.—DÍEZ-CANEDO, Enrique: *El Futurismo... a los seis años.* En "España", 26-XI-1918.—DÍEZ-CANEDO, Enrique: *La nueva poesía.* Madrid, 1923.—MARINETTI, F. T.: *Les mots futuristes en liberté.* Ed. "Poesía". Milán, 1919.—SETTIMELLI y CORRA: *Marinetti: L'uomo e l'artista.* Milán, 1921.—SOFFICI, Ardengo: *Apologie du futurisme.* En "Valori Plastici". Roma, 1920.—GÓMEZ DE LA SERNA, Ramón: *Ismos.* Madrid, 1931.

G

GABINETES DE LECTURA

Establecimientos particulares en los que, mediante un pago, pueden ser leídos libros, revistas y diarios. Son como sucursales de las bibliotecas públicas. Tienen sobre estas la ventaja de permanecer abiertos muchas más horas, e inclusive los domingos y días de fiesta. Los gabinetes de lectura tienen un origen francés. En 1761, Quillou estableció uno en la rue Christine, de París, con el que obtuvo pingües ganancias. Durante la Revolución francesa se multiplicaron los gabinetes. Y en 1818 los tenían todas las ciudades importantes de Francia. Todos los países copiaron esta institución cultural.

Hoy han sido sustituidos los gabinetes de lectura, al menos en España, por las librerías dedicadas al préstamo de los libros—mediante una cantidad mensual y otra que queda como fianza—para ser llevados a los domicilios de los lectores durante un plazo que varía de los tres a los quince días.

GACELA

Composición poética de la lírica persa. Su extensión máxima era de doce estrofas. Sus temas, el amor, el vino, los placeres. Su contenido, preferentemente metafórico. Hafiz—siglo XV—fue el más famoso cultivador de la *gacela* o *gazal*. En el siglo XIX, algunos poetas *orientalistas* europeos quisieron aclimatarla en Occidente.

En España, el conde de Noroña tradujo algunas de las *gacelas* de Hafiz.

GACETA

1. Papel público con noticias políticas, teatrales, de modas, de sucesos...

2. Periódico que trata especialmente de algún ramo especial de la literatura o de la administración. *Gaceta de Teatros. Gaceta de los Tribunales.*

En Venecia, durante el siglo XVII, se llamaba *gazzeta* a la moneda de cobre con que se pagaba cada uno de los impresos aludidos.

GACETILLA

1. Breve noticia periodística.

2. Sección que en el periódico se dedica a insertar las noticias breves.

GAÉLICA (Lengua y Literatura)

El gaélico, dialecto de la lengua céltica, pertenece a la familia de las lenguas arias o indogermánicas. En una época remota se habló en Irlanda, en Escocia, en Francia, en Dinamarca y hasta en España (Galicia). Para Grant, el gaélico proviene del de los pelasgos, de la misma manera que el griego y el latín. Armstrong se limita a decir que el gaélico debe buscarse menos que el galo y el irlandés en el antiguo celta.

El gaélico comprende tres dialectos: el *erse* o irlandés, el gaélico de las Highlands de Escocia y el de la isla de Man. Los gaélicos poseyeron una escritura llamada *oghuim,* nombre de uno de sus dioses, Oghuim, especie de Mercurio-Hércules. Los caracteres *oghuim* eran tallados con cuchillo en juncos que llevaban los poetas, poseedores exclusivos de este arte misterioso.

El gaélico está lleno de sonidos guturales. Su alfabeto es irlandés y se compone de dieciocho letras, cuyos nombres, como los de los caracteres rúnicos, envuelven en sí la idea de otros tantos árboles. En este alfabeto, las letras *k, q, v, x, z* no se conocen. La versificación gaélica ofrece considerable número de rimas diferentes, que se ha hecho ascender a veinticuatro. Es raro en el verso el empleo de la rima final; pero se emplea frecuentemente la asonancia, la alitesacia y aun la misma rima en el cuerpo del verso. Los antiguos monumentos de la literatura gaélica están todos en verso, si se exceptúan las genealogías de los clanes.

Los manuscritos conservados que interesan a la literatura son: *Leabnar na huidhre*—el *Libro de la vaca castaña*—, transcrito por el monje Maelmuirre hacia fines del siglo XI, y que contiene, entre otros, el más célebre de los poemas gaélicos: el *Tain bo Chuailgne;* el *Libro de*

Leimter, de mediados del siglo XII, conteniendo el *Dinnsenchus,* en el que se encuentran fragmentos de la poesía ossiánica; el *Leabnar Breac —Libro manchado—*y el *Libro de Ballymote,* del siglo XIV; el *Leabnar Buidhe Lecain—Libro de oro de Lecan—,* del siglo XV; el *Libro de Lismore,* del XV, que incluye la *Agalamh na seanorach.* Estos manuscritos, de los que algunos han sido publicados modernamente, representan la literatura gaélica desde una época anterior a la conversión de los gaélicos al Cristianismo hasta el siglo XV; pero comprenden también muchas traducciones del latín y aun del francés, al lado de poemas originales muy antiguos.

El más célebre, *Tain bo Chuailgne,* según la leyenda, se había perdido; pero los hijos del gran bardo Seachan Torpest pudieron encontrarlo evocando la sombra del héroe Fergus MacRoy.

De los demás cantos y poemas para recitar, los más interesantes son: la *Batalla de Moytura, La primera aparición de los gaélicos en Erin, El origen del tributo boromiano.* Si de estos recitados—de los cuales solo algunos nos han llegado en forma rítmica—pasamos a la poesía personal de los bardos, nos admiramos inmediatamente con los poemas de Ossian, que Macpherson hizo famosos. Son diez, relativos a Fionn, a Oisin (Ossian) y a Fenians, especie de milicia de la que se hace descender a los reyes primitivos de Irlanda.

Fionn—*el de los cabellos rubios*—, el *Fingal* de Macpherson, era hijo de Cumhaill; su genealogía se encuentra en el *Libro de Leimter* y en los *Anales de los cuatro maestros,* donde se da como fecha de su muerte el año 283. Oisin, fue el hijo de Fionn y el padre de Osgur, el *Oscar* de Macpherson. Se le atribuye un poema de veintiocho versos y otro de doscientos dieciséis.

A Fergus Finnbheoil "El Elocuente", otro de los hijos de Fionn, se atribuye otro poema de ciento treinta y dos versos, en el que se cuenta cómo Ossian, yendo de caza, penetró en una caverna, en la que las hadas le retuvieron doce meses prisionero.

El Cristianismo hirió de muerte a los bardos recitadores errantes. La actividad intelectual de los gaélicos se dedicó a la predicación evangélica y al estudio de las letras clásicas.

En los *cantos* y en las *baladas* se han apoyado los *Anales de Irlanda,* redactados principalmente por los monjes. Las *Crónicas* que nos han llegado son: los *Sincronismos* de Flann de Monasterboice—1056—; un poema cronológico de Gilla Caemhain, que murió en 1072; los *Anales* de Tighernach O'Braoin, abad de Clonmacnois, que murió en 1088; los *Anales de Inisfallen,* que se cree escritos en parte por Maelsuthain, que murió en 1008, y que fueron continuados hasta 1215; los *Anales d'Ulster,* los *Anales de Kilronan*—que llegan a 1590—, los *Anales de Connaught...*

Los *Poemas ossiánicos*—de insuperable belleza poética—fueron publicados en Londres —1857—por John Hawkins Simpson: *Poems of Oisin, bard of Erin.*

V. REID: *Bibliotheca scoto-celtica, or an account of all the books printed in the gaelic language.* Glasgow, 1832.—STOKES, Whitley: *Irish Glosses.* Dublín, 1860.—ZEUSS: *Gramática céltica,* 1853.

GAITA GALLEGA (Versos de)

Muy frecuentes en la poesía popular de la Península Ibérica: castellana, gallega y portuguesa. Para algunos críticos, el verso de gaita gallega es *anapéstico* (V.); otros lo califican de *dáctilo.* Cuando es anapéstico debe descontarse la primera sílaba.

Existe una regla más general: cuando el acento se produce de tres en tres sílabas, existe el verso de gaita gallega. No es, pues, imprescindible que el verso sea endecasílabo.

Tanto bailé con el ama del cura,
tanto bailé que me entró calentura...

(POPULAR.)

Cuánto te quiero, tú bien lo sabes;
cuánto te quiero, deja que calle...

(POPULAR.)

Con desazón me alejaré;
con desazón me encontrarás...

(POPULAR.)

Modernamente, la mayor parte de los versos de gaita gallega presentan su medida endecasílaba:

L(i)bre la fr(e)nte que el c(a)sco reh(ú)sa,
c(a)si desn(u)da en la gl(o)ria del d(í)a...

(RUBÉN DARÍO.)

V. HENRÍQUEZ UREÑA, Pedro: *La versificación española irregular.* Madrid, Centro de Estudios Históricos, 1932, 2.ª edición.

GALICANISMO

Se ha dado este nombre a la tendencia que tuvo la Iglesia en Francia, durante muchos siglos, a no someterse a la Santa Sede sino en cuestiones dogmáticas, reclamando su *independencia nacional dentro de la adhesión más sincera al catolicismo.* Y así oponíase a que Roma interviniese en su desenvolvimiento interno y sometiese a su autoridad a los reyes.

Tal espíritu de independencia se inició en los primeros siglos de nuestra era y se desenvolvió principalmente en el siglo XIII, cuando San Luis, rey, proclamó en una ordenanza las *libertades e inmunidades de la Iglesia galicana*—1229—y

G

publicó—1270—la *Pragmática Sanción;* en el siglo XIV, en que Felipe el *Hermoso* luchó contra Bonifacio VIII; en el XVII, en que el clero de Francia—1682—hizo aquella célebre declaración: "Que la Iglesia debe ser regida por los cánones; que San Pedro y sus sucesores no han recibido poder sino sobre las cosas espirituales; que las reglas y las constituciones establecidas en el reino deben ser sostenidas, y los límites establecidos por nuestros padres deben permanecer inalterables; que los decretos y juicios del Pontífice no son irreformables, etc., etc...."

Entre los defensores del galicanismo estuvieron personas tan eminentes como Hincmar, Fleury, Gerson, Bossuet, Fraysinous, Guillon...

En el galicanismo pueden distinguirse claramente dos tendencias: una, iniciada en el siglo XIII, que sintetiza las reivindicaciones de la sociedad civil contra el clero, y denominada *galicanismo real* o *parlamentario;* otra, que data del siglo XVII, y que saliéndose del terreno político, se adentra peligrosamente en el campo religioso, tendiendo a disminuir la jurisdicción pontificia, sometiendo el poder de este al del Concilio general, cuyos cánones debe obedecer. Esta tendencia se conoce con el nombre de *galicanismo episcopal;* también se le ha llamado *regalismo francés,* que data desde la declaración de los principios a que se sometía la Iglesia en Francia en tiempos de Luis XIV.

El galicanismo real o parlamentario tuvo sus primeros brotes en el reinado de Carlos el *Calvo;* se enconó reinando Felipe Augusto—1205—y Luis VIII; y culminó con el famoso Cisma de Occidente—1378—. El galicanismo aprovechó la enemiga de dos competidores de Pontificado para desentenderse de la *romanidad.* Y así, Urbano VI se estableció en Roma y Clemente VII en Aviñón.

Por espacio de sesenta años hubo en la Iglesia dos papas, y en ocasiones tres. Para poner fin a este escándalo, los cardenales convocaron los concilios de Pisa y de Constanza. El primero—1409—eligió un nuevo pontífice contra los dos existentes, pero no obtuvo resultado. El de Constanza—1414—terminó con la deposición de los dos papas y la elección—1417—de Martín V. El Concilio declaró "que estaban sus decisiones por encima de las pontificias", verdad bien clara, puesto que examinaba su proceso.

El *galicanismo episcopal* tuvo matices más desagradables; quiso imponer a la autoridad eclesiástica dos límites:

1.º "El Pontífice no puede ni destituir a los príncipes temporales ni eximir a sus súbditos del deber de obedecerlos; es decir, el rey es independiente del Papa."

2.º "En el terreno espiritual, la suprema autoridad corresponde al Concilio general y no al Pontífice."

La famosa *Declaración* de 1682, a la que ya hemos aludido, concretaba así sus decisiones:

1.ª El Papa no puede destituir al rey, porque carece de autoridad en materias que no sean espirituales.

2.ª Aun en materias espirituales, las decisiones pontificias no deben rebasar los límites que estableció el Concilio de Constanza.

3.ª En cuanto es legislativa y judicial, esta autoridad está limitada por los cánones y por los usos y por la Constitución del reino de Francia.

4.ª En cuanto dicha autoridad es doctrinal, está subordinada al juicio de la Iglesia, la cual puede reformarla.

La *Declaración* fue defendida con entusiasmo por el clero francés. Se rompieron las relaciones entre la Santa Sede y Francia. Y en 1691, Alejandro VIII anuló la *Declaración,* aun cuando no fulminó censura alguna.

El galicanismo francés encontró un defensor extraordinario en el *jansenismo* (V.). Pero en 1869, al reunirse el Concilio Vaticano, el galicanismo tenía ya escasísimos defensores. Y cuando el Concilio, en 1870, proclamó *la infalibilidad pontificia y la plena y absoluta jurisdicción del Pontífice sobre la Iglesia universal,* el galicanismo quedó automáticamente transformado en una *herejía,* y sus últimos y preclaros defensores se vieron en la necesidad de someterse con humildad o de rebelarse abiertamente. Entre los primeros se contaron: Darboy, arzobispo de París; Gratry, oratoriano y miembro de la Academia Francesa; Dupanloup, obispo de Orleáns; Maret, decano de la Facultad de Teología de París. Entre los que se rebelaron estuvo Loyson—el famoso *Padre Jacinto*—, carmelita y célebre orador de Nuestra Señora de París, quien intentó inútilmente crear una *Iglesia nacional.* Todos los rebeldes se refugiaron en Suiza, siendo admitidos en el grupo disidente de los *católicos viejos.*

Durante los últimos tiempos del galicanismo, la Iglesia Católica tuvo dos grandes campeones del Pontificado en las personas del gran escritor José de Maistre y del gran teólogo Louis Veuillot.

V. PITHOU: *Les libertés de l'Eglise gallicane.* París, 1594.—CHARLAS: *Tractatus de libertatibus ecclesiae gallicanae.* Lieja, 1684.—VALOIS: *La France et le grand schisme d'Occident.* París, 1895-1902.—VALOIS: *Histoire de la Pragmatique Sanction de Bourges.* París, 1906.—HALLER: *Papstum und Kirchenreform.* Berlín, 1903.—MAISTRE, J. DE: *Du Pape.* Lyon, 1821.—MAISTRE, J. DE: *De l'Eglise gallicane dans son rapport avec le souverain Pontifice.* París, 1821.

GALICISMO

1. Uso de alguna palabra francesa.

2. Según la Academia Española, giro o modo de hablar propio y privativo de la lengua francesa; vocablo o giro de esta lengua empleado en otra; empleo de vocablos o giros franceses en distinto idioma.

En el castellano existen tanto los galicismos de vocablos como los de giros o frases.

Aprovisionar, por abastecer; *bisutería,* por buhonería; *debutar,* por estrenarse; *avalancha,* por alud; *rango,* por clase...

Es por esto que discutimos, en lugar de *por esto discutimos.*

Los galicismos en castellano suman muchos miles.

V. BARALT, R.: *Diccionario de galicismos.* Varias ediciones.—MIR, P. JUAN: *Prontuario de hispanismo y barbarismo.* Madrid, 1908.

GALILEO (Dialecto)

Uno de los idiomas de Judea. Se diferencia del lenguaje hablado de Jerusalén por ser mucho menos grosero que este. Las particularidades conocidas del dialecto galileo son: confusión de letras, elisión de las guturales, fusión de muchos vocablos en uno solo. Tiene grandes analogías con el samaritano, el fenicio y los dialectos del Líbano.

GALIMATÍAS

1. Discurso o escrito confuso, incoherente, sin ilación de ideas.

2. Lenguaje ininteligible.

El galimatías es un baturrillo involuntario, así como el baturrillo es un galimatías voluntario.

Anecdóticamente, cuenta Voltaire que el galimatías debe su nombre a cierto *Matías,* quien durante un discurso se embrolló de tal suerte que dijo *Galli Mathias* en lugar de *Gallus Mathiae.*

GALOS (Idiomas) (V. Bretón, Cimbrio, Gaélico)

GALLEGA (Lengua)

Uno de los lenguajes románicos de España, hablado en Galicia. Hasta fines del siglo XIII no hubo grandes diferencias entre el gallego y el portugués. El gallego fue la lengua principal del lirismo en tiempos del rey don Alfonso X el *Sabio,* quien escribió sus famosas *Cantigas* en ese idioma.

Acaso el primer documento conocido en lengua gallega sea una *escritura de foro* fechada en 1016.

El gallego se distingue del castellano por casi todos los rasgos fonéticos propios del portugués. Este y el gallego tienen sus principales diferencias en la conjugación, debidas en el segundo a las influencias del castellano. Rasgos característicos del gallego son: ser más frecuentes que en castellano los grupos vocálicos; sonorización de las consonantes sordas en posición intervocálica; pérdida, como consonantes finales, de *b, c, d, m, n, r, s, t;* conservación de los diptongos latinos vulgares con alguna modificación: *ai* se convierte en *ei, au* se hace *ou;* la tendencia al acento secundario inicial, el cual llega a dominar al mismo acento etimológico; las arcaicas desinencias *ades, edes, ides* de las segundas personas del plural...

La ortografía moderna del gallego, para su transcripción, es la misma castellana, salvo contadísimas excepciones.

V. GARCÍA DE DIEGO, V.: *Elementos de gramática histórica gallega: Fonología y Morfología.* Burgos, 1909.—SACO Y ARCE, A.: *Gramática gallega.* Lugo, 1868.

GALLEGA (Literatura)

El gallego es el idioma peninsular que antes llegó a su formación, a principios del siglo XII. Los poetas castellanos lo utilizaron para sus composiciones, hallándolo más propicio a la expresividad poética.

La poesía gallega nació con la música y la danza. La *muñeira,* danza ritual, origina los balbuceos líricos. La literatura gallega, realmente espléndida en los siglos XII, XIII, XIV y XV, excede de las fronteras geográficas y es cultivada en Castilla, Extremadura y Andalucía. Indudablemente, la llegada a Santiago, en peregrinación, de bardos, juglares y trovadores del Mediodía de Francia removió el afán local hacia la poesía.

La primitiva poesía gallega ha podido ser estudiada gracias a las muestras admirables encontradas en los cancioneros.

El *Códice* más antiguo de la lírica gallega es el de las *Cantigas,* de Alfonso X el *Sabio.* Comprende cuatrocientas veinte composiciones en alabanza de María, posiblemente escritas para ser cantadas. En su mayoría tienen la forma de *zéjel* de los moros españoles, estrofilla temática con un dístico dedicado al coro.

Los *Cancioneros* galaico-portugueses son: el *de Ajuda,* el *da Vaticana,* de *Colocci-Brancutti* y el de *Martín Codax.*

Las composiciones de estos cancioneros, o derivan de la poesía provenzal—*Ajuda*—o se inspiran en la poesía popular indígena; y por sus asuntos pueden clasificarse en: *Cantigas de amor* o de *ledino, Cantigas de amigo* y *Cantigas de escarnio y de maldecir.*

El *Cancionero de Ajuda* se llama así por haber sido encontrado en el palacio de Ajuda, antes Colegio Noble de Lisboa. Fragmentariamente lo publicó—1824—lord Stuard. Completo, en 1849, el diplomático brasileño F. A. Vernhagen.

El *Cancionero* de la Biblioteca Vaticana lo publicó—1875—el profesor de lenguas romances Ernesto Monacci. Comprende 4.803 composiciones.

El de *Brancutti* lo descubrió en la biblioteca del marqués de Brancutti el erudito Molteni. Comprende 1.675 composiciones.

En 1902, M. Lang, profesor de Filología de la

Universidad de Yale, recopiló las composiciones gallegas contenidas en aquellos Cancioneros en uno titulado *Cancionero gallego-castellano.*

En el *Cancionero de Baena*—siglo XV—hay numerosas poesías gallegas de Rodríguez del Padrón, García de Jerena, Villasandino, Mendoza, Macías.

En el *Cancionero de Stúñiga*—siglo XV—figuran poesías gallegas de Rodríguez del Padrón y Macías.

Los siglos XVI, XVII y XVIII marcan la decadencia de la literatura gallega, absorbida por la castellana.

En los primeros años de la centuria diecinueve se inicia su resurgimiento con los nombres del clérigo Manuel Pardo de Andrade, Martínez Padín, Vera Aguiar, Francisco Mirás... Inmediatamente, los poetas forman una verdadera legión: Pastor Díaz, Juan Manuel Pintos—*Gaita gallega, Desconsolo, Os nennos*—, García Mosquera, Puente Braños, Luis Corral, Marcial Valladares, Saco Arce—autor, además, de una *Gramática gallega*—, Andrés Muruais, Francisco Añón—*Magosto, O pantasma...*

Entre esta legión de poetas excelentes sobresalen: Benito Losala (1824-1891), autor de *Cantiños da terra* y *Soaces d'un vello.* Manuel Curros Enríquez (1852-1908), que escribió *Aires da miña terra, O gaitero, A virxe de cristal, O divino sainete,* obras que le ganaron el rango de lírico de primer orden. Rosalía de Castro (1837-1885), tan famosa por sus poesías castellanas como por las gallegas, espíritu de excepción, autora de novelas como *El caballero de las botas azules, La hija del mar, Flavio,* y de obras líricas como *Follas novas* y *En las orillas del Sar.* Eduardo Pondal (1835-1917), autor de *Queixumes dos pinos, A campana d'aullons, O dolmen de Dombate, Os Eoas.* Valentín Lamas Carvajal (1849-1906), que hizo célebre el seudónimo de "O tío Marcos d'a Portela", autor de *Espiñas, Follas e frores, A musa d'as aldeas, Saudades.*

Estos cinco grandes poetas lograron despertar un entusiasmo magnífico hacia la lírica gallega, destacando entre los escritores más modernos: García Ferreiro—*Lênda de gloria, Volvoretas*—, Aureliano J. Pereira—*Cousas da aldea*—, Rey González—*Fangullas*—, García Acuña—*Orballeiras*—, Núñez González—*Salayos*—, Rodríguez González—*Polerpas*—, Aurelio Ribalta—*Meus votos, Ferraxe*—, Carré y Aldao—*Bretemas, Rayolas*—Ramón Cabanillas—*N'o desterro, Vento mareiro*—. También han escrito bellas poesías gallegas—aun cuando casi siempre se expresaban en castellano—Correa Calderón, Xavier Bóveda, Rey Soto.

Autores dramáticos de mérito son: Ramón Armada—*A torre de Peito Burdelo*—, Galo Salinas—*Filla*—, Francisco Laiglesia—*A fonte a xuramento.*

Erudito excelente es R. Otero Pedrayo.

Galicia es una de las regiones que más admirables escritores ha dado a la literatura castellana en todas las épocas.

V. GARCÍA DE LA RIGA, C.: *Literatura galaica, el "Amadís de Gaula".* Madrid, 1909.—CARRÉ Y ALDAO: *La literatura gallega en el siglo XIX.*

GANGARILLA

Nombre dado, durante el Siglo de Oro, a la compañía teatral compuesta por tres o cuatro actores y un muchacho que hacía los papeles de dama.

Agustín de Rojas, en *El viaje entretenido* —libro I—, describe así la gangarilla: "Es compañía más gruesa [que el *bululú* (V.) y que el *ñaque* (V.)]; ya van aquí tres o cuatro hombres, uno que sabe tocar una locura; llevan un muchacho que hace la dama, hacen el auto *La oveja perdida,* tienen barba y cabellera, buscan saya y toca prestada (y algunas veces se olvidan de volvella), hacen dos entremeses de bobo, cobran a cuatro, pedazo de pan, huevo y sardina y todo género de zarandaja (que se echa en una talega); estos comen asado, duermen en el suelo, beben su trago de vino, caminan a menudo, representan en cualquier cortijo, y traen siempre los brazos cruzados..."

GARNACHA

Nombre dado durante el Siglo de Oro a una compañía teatral compuesta por cinco o seis hombres, una mujer, que hacía la primera dama, y un muchacho, que hacía de dama segunda.

Agustín de Rojas, en *El viaje entretenido* —libro I—, la describe así: "Estos [los actores de la garnacha] llevan un arca con dos sayos, una ropa, tres pellicos, barbas y cabelleras y algún vestido de la mujer de tiritaña. Estos llevan cuatro comedias, tres autos y otros tantos entremeses; el arca en un pollino, la mujer a las ancas, gruñendo, y todos los compañeros detrás arreando. Están ocho días en un pueblo, duermen en una cama cuatro, comen olla de vaca y carnero, y algunas noches su menudo muy bien aderezado. Tienen el vino por adarmes, la carne por onzas, el pan por libras y el hambre por arrobas..."

GASCÓN (Dialecto)

Dialecto de la lengua de *oc,* hablado en las regiones francesas de Burdeos y Toulouse. Su dialecto principal es el *agenais.* Contiene muchos vocablos castellanos y catalanes.

La literatura del gascón se reduce a canciones populares sin demasiada importancia, publicadas por Pey de Garros—*Poesías gasconas,* Toulouse, 1567—y en *Cou Parterre gascoun,* de G. Bedout, Burdeos, 1642. (Véase *Agenais, Dialecto.)*

V. CÉNAC-MONCAUT: *Littérature populaire de la Gascogne.* París, 1868.

GAUCHISMO

Nombre dado a la literatura popular de las llanuras rioplatenses.

Posiblemente tuvieron su origen en las manifestaciones literarias *regionales* de España llevadas a la Argentina por los colonizadores. Las primeras manifestaciones del gauchismo son lirismos cantados con acompamiento de guitarra, algunos de los cuales toman nombres muy significativos: *vidalita, cielito, triste,* siendo casi todas fruto de la inspiración espontánea y menos sujeta a las estrecheces de la forma. El gauchismo es el equivalente a la *copla* española, tan distinta de acompañamiento musical en cada región.

Con dialecto y expresividad propia, el gauchismo ha pasado a la historia literaria merced a modelos de la máxima trascendencia: *Corro,* poema de Juan Gualberto Godoy; *Diálogos patrióticos,* de Bartolomé Hidalgo; *Santos Vega o Los mellizos de la flor, Paulino Lucero y Aniceto el "Gallo"*, de Hilario Ascasubi; *Fausto,* de Estanislao del Campo; *Martín Fierro,* de José Hernández.

Con posterioridad a este último gran poema, el gauchismo se apodera de formas literarias *cultas,* culminando en algunas obras excepcionales como *Don Segundo Sombra,* de Güiraldes; *El gaucho florido,* de Reyles; *Zogoibi,* de Larreta.

Hoy, gauchismo es sinónimo de *expresión típica*—la forma popular o la forma culta—en la literatura argentina.

GAYA CIENCIA

Nombre con el que se designa la poesía cultivada en sus aspectos lírico y subjetivo, y tal como la entendieron los trovadores provenzales y catalanes de los siglos XIII y XIV. Gaya ciencia puede ser definida como "la ciencia de la poesía, o sea, el conjunto doctrinal de reglas y preceptos para trovar o componer poesías".

Se cree que fue el poeta catalán Ramón Vidal de Besalú el fundador—1323—, en la ciudad de Tolosa, del *Consistorio de la Gaya Ciencia.*

Años después—1356—, el Concejo de dicha ciudad decretó unas *Ordenanzas dels VII senhors mantenedors del Gay Saber.* Estos *siete señores* eran los jueces encargados de fallar en los certámenes poéticos para otorgar la *violeta de oro*—y aun otras flores simbólicas—, creada por la gran dama Clemencia Isaura, del linaje de los condes de Tolosa.

Posteriormente, la *gaya ciencia* hizo referencia a cuanto poéticamente se relacionase con los *Juegos florales* (V.) y a las *Cortes de Amor.* (V. *Trovador.)*

V. Balaguer, Víctor: *Historia de los trovadores provenzales.* Madrid, 1882.—Villena, marqués de: *De la Gaya Ciencia.*

GAZEL o GAZAL

Género de poesía correspondiente a las literaturas árabe, persa, turca e indostánica. Es una oda de una docena de versos—o algunos más—con una misma rima, a excepción del primer verso, que en los dos hemistiquios deben rimar entre sí. El último verso del *gazel,* el nombre del poeta o su seudónimo.

GENERACIÓN

Nombre con el que se designa a un grupo de escritores que iniciaron su empresa literaria en torno a una *fecha decisiva central* y movidos por idénticos ideales, por similares ideas, por el mismo designio, por tendencias armonizadas.

La fecha decisiva central comprende su tiempo—generalmente, un año—y entre siete o diez anteriores y siete o diez posteriores. Las fechas no suelen referirse a las de los nacimientos, sino a las de las obras. La generación radica, pues, en la *coetaneidad* y no en la *contemporaneidad.* Galdós y Valle-Inclán son contemporáneos, pero no coetáneos. Valle-Inclán es coetáneo de "Azorín", de Baroja, de Antonio Machado, porque sus obras surgen con un indiscutible paralelismo. Para saber a qué generación pertenece un escritor, es preciso determinar las fechas de sus obras decisivas, primero, y, después, los *puntos de contacto* de su producción con las obras de otros escritores cuyas fechas se aproximan a aquellas. Las generaciones exigen, pues, una *realidad histórica* proyectada en una *eficacia real* de ejemplaridad y de estímulo y de destino.

Para Ortega y Gasset, riguroso preceptista de las generaciones, cada una de estas comprende un período aproximado de quince años, durante el cual permanecen vigentes los sistemas de creencias, ideas y pretensiones; en ese período se aconsonantan inflexiblemente las opiniones, las valoraciones, los imperativos. La estructura de las edades es la razón del ritmo temporal de las variaciones espirituales. La fase *activa* de la producción—de los treinta a los sesenta años—queda dividida en dos etapas: la de la *innovación*—lucha con la generación anterior—y la del *ejercicio del poder ganado*—lucha de resistencia contra la etapa anterior.

La afinidad entre los escritores de una generación depende decisivamente de que viven en un mundo que tiene para ellos los mismos ideales, las mismas ideas, idénticas tendencias, formas similares; causas estas que no pueden ser desvirtuadas por las rebeldías *parciales* de alguno o algunos de los miembros de la generación.

GENERACIONISMO (V. Tertulianismo y Traducianismo)

G

GÉNERO

En Retórica, cada una de las partes en que ha sido dividida esta disciplina.

En Literatura, cada una de las grandes divisiones que abarcan los conceptos y los procedimientos literarios. Así, POESÍA y PROSA son los géneros fundamentales, que a su vez se subdividen en otros varios. POESÍA: géneros *lírico, épico, epigramático, dramático, didáctico, satírico, popular*... PROSA: géneros *narrativo, dramático, epistolar, histórico, oratorio, filosófico, satírico, didáctico*... (V. *Literatura, Preceptiva literaria, Retórica*...)

GÉNERO CHICO

Esta denominación de *género chico* comprende las obras teatrales, con música o sin ella, en un acto, que se representan aisladamente, esto es, *en funciones por horas.*

El *género chico,* nacido en 1869, tuvo su origen en la ocurrencia de haber remedado a los cafés-conciertos los teatros *por horas,* con el intento de abaratar los precios y dar lugar a que todas las clases sociales pudieran asistir al teatro, como iban al café-concierto. Hiciéronse piezas en un acto, breves, casi improvisadas: sainetes, pasillos, parodias, juguetes, revistas, disparates, bocetos... Creció hasta lo infinito el número de los autores, comúnmente festivos, creyéndose cualquiera capaz de endilgar cuatro escenas populares, a las cuales se añadía música no menos popular y callejera. Chulos, flamencos, trapisondistas, hembras de rompe y rasga, paletos avispados, señoritos viciosos, triunfaron sobre los tablados.

Para dedicarlos al *género chico* se edificaron los teatros de la Comedia, Apolo, Princesa, Eslava y Lara.

El *género chico* se inició a fines de 1869, en el teatro del Recreo o de la Flor, situado en la calle de la Flor Baja, por los actores José Vallés, Antonio Riquelme y José Juan Luján. De allí pasaron al Variedades. Era *por horas,* a real la butaca. En el de la Flor se hacían piezas de repertorio, viejas. En el Variedades empezaron a estrenar Matoses, Ramos Carrión, Estremera, Vital Aza, Flores García, Javier de Burgos, Luceño, Ricardo de la Vega. El apogeo del *género chico* fue en el teatro Apolo, de la calle de Alcalá, inaugurado en 1874.

Al éxito general contribuyeron varios factores: la baratura, las obras cortas y bien acomodadas a las diversas clases de la sociedad madrileña. El *género chico* pide expresión musical al alma del pueblo; y toda técnica y esfuerzo que denote gran saber, pero que no dé la tonalidad musical española está fuera de su lugar y es reprobable. Al día siguiente de cada estreno, las señoritas en el piano, los ciegos por las calles, las sirvientas en las cocinas, los horteras ambulantes, tocaban, cantaban, berreaban y silbaban la canción tal o la tonada cual de la obrilla. A la semana eran conocidas en toda España. Y así una vez. Y otra. Y otra. Apolo llegó a ser la *catedral del género chico.* Y Novedades, "una especie de colegiata". "Los autores enseñaron chulaperías a los chulos, enseñaron a las chulaponas a taconear, a contonearse, a terciarse el mantón más y mejor de lo que de unas y de otros ellos mismos lo habían aprendido. Estas mutuas corrientes entre el público retratado en el teatro y el teatro que retrata al público, de mutua imitación e influjo, hicieron al género chico el género dramático más popular y más característico que jamás se vio en España."

"La música, mayormente, contribuyó a despertar más y más el gusto de estos espectáculos, y volvió a renacer el espíritu aquel del siglo XVII, cuando autores y público se compenetraban y entendían, dándose una nueva época de florecimiento teatral extraordinario. Los aires populares en que los músicos aprendían y se inspiraban volvían al público, que gusta oírlos en las tablas en boca de los personajes. Todo ello prueba lo popular que en España es el teatro y los cantares y lo popular del género chico; por consiguiente, el alto valer estético de las piececillas de un género, al parecer baladí, y a pesar de los disparates con que las aderezaban autores realmente legos y nada leídos, pero que, a vueltas de su crasa ignorancia y de los despropósitos que estrujaban de su acartonado caletre, habían dado con la veta del arte popular cuanto a varios de los elementos musicales y cómicos, que eran los que daban valer hasta a no pocos verdaderos esperpentos teatrales. El espíritu de tales piezas muestra mejor que todas las filosofías de nuestros escritores cuál es el espíritu del pueblo español. Cansados estamos de oírles proclamar lo de la tristeza española, lo de la parda y seca meseta castellana que la engendra, lo de la falta de sensibilidad de la raza. Todo ello es patarata de fracasados, de extranjerizados escritores, que no conocen el alma española ni por el forro. Prueba al canto: muchos de los asuntos del género chico serían fuentes de dolor y luto para el arte de fuera de España: el hambre, los cesantes, los apuros caseros, la canallería política, el caciquismo... Y, sin embargo, los autores del género chico convierten todas esas fuentes amargas en chorros de alegría y buen humor, merced a la broma e ironía con que las consideran, por observar que por ese lado las toma el pueblo. ¿No es ello filosofía popular y levantadísimo arte? ¿No es lo más refinado del arte sacar placer del pesar, alegría del dolor, dulzura de mieles del acibarado cáliz de muchas flores? ¿No es ese el más alto timbre de gloria de Cervantes y de todo gran artista? El pueblo español se lo ha enseñado así a sus pocos leídos, pero populares escritores del género chico." (CEJADOR.)

Claro está que, como no hay regla sin excepción, de esta clasificación de iletrados que aplica el crítico aragonés a los autores del género chico se salvan muy dignamente algunos: Ricardo de la Vega, Javier de Burgos, Tomás Luceño, Sinesio Delgado, López Silva, Fernández-Shaw, Jackson Veyan, Pérez Zúñiga...

Y se han escrito obras de un valor literario indiscutible: *La Gran Vía, Agua, azucarillos y aguardiente; La verbena de la Paloma, La Revoltosa, La canción de la Lola, La viejecita, Pepa la Frescachona, Los valientes, El baile de Luis Alonso...*

V. ZURITA, Marciano: *Historia del género chico.* Madrid, Prensa Popular, 1920.—DELEITO PIÑUELA, José: *El género chico.* Madrid, "Revista de Occidente", 1949.

GÉNEROS LITERARIOS

Se llama género literario a cada una de las manifestaciones en que se ha producido el arte de la literatura.

Los más antiguos retóricos redujeron a tres los géneros literarios:

1.° *Género épico,* correspondiente a la obra en que se narra un hecho ajeno al autor.

2.° *Género lírico,* correspondiente a la obra en la que el autor nos declara algunos de sus sentimientos íntimos.

3.° *Género dramático,* correspondiente a la obra para la que el autor crea distintos personajes, dotando su expresión de forma dialogada.

La anterior división es, se comprende fácilmente, demasiado restringida. Y, acaso, inexacta. En el género épico puede darse el caso de que el autor *no se sienta ajeno* al hecho que narra. En el género lírico se da el caso de que el autor se encubre por medio de expresiones objetivas—descriptivas—. En el género dramático abundan los casos en que el creador *se delata* en alguno de los personajes creados. Aclarando: lo objetivo y lo subjetivo pueden darse en los tres géneros, armonizados lo mismo en el fondo que en la forma.

Fuera de la rigidez retórica, los géneros literarios fueron múltiples en cada época y en cada país; y aun siempre han existido los géneros literarios *propios* de una época y de un país; o, al menos, que únicamente se cultivaron con éxito en determinada época. Recordemos el género *pastoril,* cuya boga se mantuvo únicamente en el siglo XVI.

Ortega y Gasset explica: "Entiendo, pues, por géneros literarios, a la inversa que la poética antigua, ciertos temas radicales, irreducibles entre sí, verdaderas categorías estéticas." Es decir, para Ortega, son géneros literarios: los cantares de gesta, los romances, los cancioneros. Hay, por ello, tantos géneros literarios como temas estéticos irreducibles.

Hoy, cada uno de los reconocidos géneros literarios: la poesía lírica, la poesía narrativa, la poesía dramática, la novela, la historia, etc., se subdividen en otros géneros perfectamente determinados dentro de su grupo. Así, la novela, en novela histórica, novela sentimental, de costumbres, fantástica, picaresca, didáctica... La historia, en historia general, historia de sucesos particulares, historia nobiliaria, historia de ciudades, biografía...

GENIO

Facultad del espíritu. El vocablo genio tiene muchas acepciones, algunas de las cuales afectan a las cuestiones literarias. Una de ellas designa al genio "como la superioridad irresistible de algunos escritores de excepción, manifestada por la originalidad y por la fuerza con que sus obras influyen sobre los espíritus". En este sentido, la palabra se aplica en todas las esferas elevadas de la actividad intelectual, en las ciencias, en las artes, en la política, en las finanzas, en las guerras, donde resplandece con una pujanza extraordinaria de invención o de combinación. No es fácil señalar, con un análisis riguroso, los elementos sustanciales del genio y determinar su origen—o causa—y las leyes de su desenvolvimiento.

¿Es el genio de distinta naturaleza que el talento, al cual se enfrenta, como lo sublime a lo bello, en dos facultades paralelas? ¿Es un grado superior de esas facultades? Es sumamente difícil la respuesta. Nada autoriza a pensar que es el genio un don especialísimo que convierte al escritor, al artista, en un ser por encima o al margen de la Humanidad, porque los elementos que se le reconocen se hallan, en grados diversos, en la mayor parte de aquellos que cultivan las artes o la literatura; solo que en el hombre genial adquieren un desenvolvimiento, una fuerza y una brillantez que parecen transformar la naturaleza. El primer rango de tales elementos es la *invención.* El genio es esencialmente creador. No quiere decir ello que los escritores *no geniales* no tengan idéntico poder. Sino que el genio exalta inverosímilmente ese poder fuera de lo vulgar, dando a sucesos y a ideas comunes una fuerza, una profundidad de expresión, que hacen pensar en emociones sobrenaturales. Esta transformación de las facultades ordinarias en una acción extraña y superior al hombre es la que merece la calificación de genio.

Para los antiguos, el genio no fue otra cosa que una inspiración divina:

Est deus in nobis, agitante calescimus illo.

Las exageraciones se apoyan en esta pretensión para creer genios a cuantos se manifestaban incoherentes en las ideas, extravagantes en las imágenes, subversivos en las palabras; hasta el punto de que el genio—según se desprende de los versos de Horacio—nada tenía que ver

G

con el gusto, con el buen sentido, con la naturalidad expresiva...

Ingenium misera quia fortunatius arte
Credit, et excludit sanos Helicone poetas
Democritus, bona pars non ungues ponere curat
Non barbam: secreta petit loca, balnea vita.
Nanciscetur enim pretium nomenque poetae,
Si tribus Anticrys caput insanabile nunquam
Tonsori Licino conmiserit...

Según esta idea, el genio lindaría con la locura. A lo cual se oponen abiertamente los psicólogos psiquíatras modernos. Es un error capital creer una gran incompatibilidad entre el genio y el buen gusto. Precisamente sin este, aquel caerá en la excentricidad y en el confusionismo. Conducido por el buen gusto, el genio no perderá su calidad humana, ni su fuerza, y, como insensiblemente, irá elevando sus efectos y completando su sugestión en una belleza sostenida. La famosa definición de Buffon: *Le génie n'es autre chose qu'une grande aptitude à la patience* puede aplicarse lo mismo que a los trabajos de los sabios a las creaciones artísticas; marca, bajo una forma paradójica, la parte que toma, en las obras, el trabajo paralelamente a la inspiración.

Las propiedades que comúnmente se admiten en el genio son: la *novedad,* la *ejemplaridad* y la *fecundidad.* Los factores del genio: la *herencia,* las *condiciones sociales, políticas y religiosas de su época,* la *educación,* la *aplicación,* la *atención.*

GENOVÉS (Dialecto)

Uno de los dialectos de la lengua italiana, hablado en la costa francesa de Mónaco y Mentón, y en Parma, Novi, Ormea, Tenda. Su centro es la ciudad de Génova. En su fonética abundan las semejanzas con los dialectos lombardo y piamontés: ausencia de los diptongos *ie, ou;* conversión de *ü* en *ö;* la caída de las dentales entre vocales; la vocalización de *l* en *u* delante de consonante paladial.

Características propias del genovés son: al desaparecer el diptongo *ei* afecta a la cantidad y calidad de las vocales; el nexo *atr* pasó de *ai* en *ä;* el diptongo *au, ao,* procedente de *al,* se ha transformado en *a...*

V. MEYER-LÜTKE, G.: *Die italianische Sprache.* En "Grundriss der Romanischen Philologie".—FLECHIA, G.: *Annotazioni sistematiche alle antiche Rime genovesi e alle prose genovesi.* En "Archivo Glottologico", VIII y X.

GENTILISMO

Sistema religioso de los gentiles. También puede ser definido así: conjunto de las doctrinas que profesan y de las supersticiones que practican los gentiles.

Hasta la encarnación de Jesucristo, fueron llamados gentiles cuantos pueblos y personas adoraban a los falsos dioses. A partir de la Era cristiana, el gentilismo fue llamado *paganismo.*

El Evangelio designó a los paganos como gentiles. Y el apóstol San Pablo es conocido con el sobrenombre de "Apóstol de los gentiles". (V. *Paganismo.*)

GEOGRAFÍA

El estudio de la constitución general de la tierra y la descripción de sus diversas partes presentan, desde el punto de vista bibliográfico, histórico, filosófico y literario, una importancia y un interés crecientes de día en día. La Geografía forma, con la Historia, una de las principales secciones de toda biblioteca, y las obras que nos ha transmitido la antigüedad griega y latina, las descripciones de países, los itinerarios, los periplos son uno de los objetos más curiosos para la crítica erudita. Sin la Geografía, casi todo en la Historia quedaría desordenado y oscuro. La Geografía aclara no solo la marcha de los acontecimientos, sino que explica, en parte, sus causas, y hace penetrar en la misma naturaleza de los personajes que los viven. Un antiguo proverbio persa dice: "Lo que no se conoce por la tierra, no se conoce por lo plantado en ella." Y otro proverbio más moderno: "Como es la tierra, es el hombre."

Se ha dividido la Geografía según la multiplicidad de sus objetos. La principal de ellas: en *geografía matemática, geografía física y geografía política.* Las definiciones son inútiles aquí. Se distingue inmediatamente, según el punto de vista particular de lo que se estudia, la *cosmografía,* la *geología,* la *geognosia,* la *geística* o *epirografía,* la *orografía,* la *hidrografía,* la *cartografía,* la *geografía meteorológica,* la *mineralogía,* la *botánica,* la *zoología,* la *antropogeografía* o *etnología,* la *topografía,* la *estadística...* En todos estos diversos aspectos, la Geografía puede ser *general* y *particular, pura* o *aplicada.* En fin, existe la *Historia de la Geografía,* que comprende sus métodos, sus descubrimientos, así como las obras a que ella se refiere.

Los estudios geográficos han recibido en nuestros días un impulso decisivo por la fundación en todos los países cultos de Sociedades Geográficas, que, no satisfechas con la publicación de boletines y revistas acerca de viajes y descubrimientos, organizan expediciones, subvencionando y recompensando a quienes las dirigen en la práctica.

Naturalmente, los escritos geográficos están sujetos a las calidades literarias. La *Geografía* de Reclús une a su mérito científico la gracia de su arte narrativo y de su estilo.

V. D'ANVILLE: *Considérations sur l'étude et les connaissances que demande la composition des ouvrages de géographie.* París. Varias ediciones.

GEÓGRAFOS GRIEGOS (Los pequeños)

Geographici graeci minores. Con este nombre son designados cierto número de geógrafos griegos de los que nos han llegado disertaciones especiales sobre los periplos de la antigüedad o fragmentos de obras geográficas. Tales son: Agatárquides, Dicearco, Escílax, Isidoro de Charax, Arriano, Dionisio, Marciano de Heraclea... Sus escritos han sido reunidos en ediciones colectivas, como la Hoeschel—Ausburgo, 1600—, J. Gronovius—Leyden, 1697—, Dodwell—Oxford, 1698—, Gail—París, 1826 a 1831—, Müller—París, 1855, en la "Biblioteca Didot".

V. D'AVEZAC: *Grands et petits géographes grecs et latins...* París, 1856.

GEORGIANA (Lengua y Literatura)

Uno de los idiomas caucásicos. Es hablado, en sus diferentes dialectos, por los georgianos en Karthli, Kakheti, Imericia, la Mingrelia y Guria, provincias unidas unas a Rusia y las otras al Imperio otomano. De sus dialectos, el principal es el *karthli.* La lengua georgiana corresponde a la familia indo-europea, y es rica en flexiones gramaticales y admite vocablos derivados y compuestos. Carece de artículo. Su declinación cuenta con siete casos; y es igual para los sustantivos, los adjetivos y los pronombres, los cuales tienen un solo género. En el verbo, las personas tienen cada una su característica. El indicativo tiene siete tiempos, de los cuales tres son pasados y tres futuros; ciertas particularidades transforman el indicativo en condicional. No existe el subjuntivo; y la pasiva se forma con los verbos auxiliares. Las preposiciones van colocadas detrás de las palabras a las que afectan. La construcción de las frases es muy libre y muy rica. La acumulación de consonantes hace sumamente dura la pronunciación. Los georgianos tuvieron su alfabeto en el siglo V, debido al doctor Mesrob, a quien los armenios se lo deben igualmente. Dicho alfabeto georgiano llevó el nombre de *Eclesiástico;* tenía una forma *muy cursiva,* ocho vocales y veintinueve consonantes; se escribía de izquierda a derecha.

La literatura georgiana es de un orden inferior y de escasa importancia. Posee algunos poemas y crónicas—aquellos imitados del persa—, tres o cuatro novelas en prosa, himnos religiosos y patrióticos. El más antiguo de sus libros conocidos es una traducción de la *Biblia,* hecha en el siglo VIII por San Eufemio o Eutimio. Los escritores georgianos son escasos. Roustwel, autor de *Nestan Daredjan* y de *Los amores de Tariel;* Tsachruchadsé, autor de *Thamariani,* poema en honor de la reina Thamar; Sarg de Thmogwi y Moisés de Khoni, narradores; el poeta David Guramis Chvili; Bessarion Gabas Chvili, autor de sátiras; el patriarca Antonio, quien en el siglo XVIII formó una antología de cantos guerreros y religiosos.

V. ALTER: *Ueber georgianische Literatur.* Viena, 1798.—BROSSOT: *Eléments de la langue géorgienne.* París, 1837.—BROSSOT: *Mémoires... relatifs à la langue et à la littérature georgienne.* En francés y en georgiano París, 1833.

GEORGISMO

Nombre dado al movimiento *socialista-agrario* que originó el libro de Henry George *Progress and poverty*—1879.

Henry George, sociólogo y economista mundialmente famoso, nació—1839—en Filadelfia y murió—1897—en Nueva York. De familia modesta, tuvo una educación deficiente. A los quince años embarcó como grumete en un barco que hacía la carrera de Australia y la India. Después fue tipógrafo en San Francisco de California. Y buscador de oro. Con motivo del asesinato de Lincoln, publicó en el *Herald of San Francisco*—del que era tipógrafo—un artículo tan excelente, que le valió la plaza de reportero. Seis meses después era director del mencionado diario. Entabló amistad con el gran economista inglés Stuart Mill. Fundó periódicos: *The Transcript, The San Francisco Post...* Y su fama de economista y de sociólogo llegó a Europa.

En 1879 publicó su más famosa obra: *Progreso y miseria,* que meses después estaba traducida a doce idiomas, y que fue uno de los libros del siglo XIX que obtuvo un más colosal éxito de librería.

"Durante un viaje que hice a los Estados Unidos en 1881—escribe Thorold Rogers—vi en todas las manos el libro de George... En Inglaterra se hicieron muchas ediciones de esta obra, la cual fue el Nuevo Evangelio de multitud de obreros inteligentes que veían en nuestro régimen de la tierra una causa de agravación de su malestar y la primera de la ruina de nuestra agricultura." (Rogers se refiere a Inglaterra.)

El georgismo exaltó el impuesto único sobre la tierra. El georgismo afirmó que la tierra es el patrimonio común de la Humanidad, con arreglo a la ley natural. Y como consecuencia de ello, el georgismo intentó socializar la renta de la tierra, toda vez que encierra un asunto de valor que se adquiere indebidamente. Según el georgismo, la tierra debe permanecer en manos de los particulares; pero el Estado irá absorbiendo la renta, prácticamente, por medio del impuesto. Y con el producto podrá el Estado ensanchar la zona de su actividad benéfica para todos.

"Animado por un soplo de cristianismo humanitario, George tomó como punto de partida la comprobación que él se figuró que podía hacer del desarrollo simultáneo en las civilizaciones modernas, de la riqueza de ciertas clases y del pauperismo de otras. La evolución civilizadora no solo no atenúa los contrastes, sino que los acentúa. ¿Es esto resultado de una ley fatal? No, ni tampoco la de la explotación del

G

trabajo por el capital, ni la del juego de las teorías maltusianas de la población, sino simplemente de una circunstancia económica eventual: la de la renta.

"En efecto, George acepta la teoría ricardiana con sus consecuencias, y opina que por el juego de la renta el propietario está llamado a beneficiarse él solo, y cada vez más, con el progreso económico; pero no se resigna a este estado de cosas: es, efectivamente, un socialista utópico, en el sentido marxista; es decir, cree que la reforma social puede ser realizada mediante una ley, y la que él propone es la *single-taxe,* la absorción de la renta por un impuesto que sería el impuesto único. Observémoslo; eso es lo único que distingue a George de otros adeptos al colectivismo agrario: no se suprimirá la propiedad de la tierra como propiedad; la reforma consistiría únicamente en la implantación de una tasa cuya progresión se establecería de manera a absorber la renta a medida de su aparición.

"Se comprende en el acto la objeción práctica que se puede oponer a esta doctrina respecto a la dificultad de distinguir en la renta de una tierra lo que representa el salario del trabajo y el interés del capital gastado, por una parte, de lo que constituye la renta en el sentido ricardiano, objeción que es la única que promueve el sistema de George, pues, desde el punto de vista de la justicia, aún se puede preguntar si conviene que la sociedad confisque de esa manera las probabilidades buenas de la explotación, dejando las malas nada más—las probabilidades negativas—al propietario. Por su parte, los socialistas opinan que debe ser suprimido el interés, lo mismo que la renta, en tanto que George mantiene el capital, privado del interés, pues, para él, los provechos que proporciona al hombre su actividad, ya en trabajo directamente productivo, ya en trabajo que sirva para crear capital, son equivalentes; no siendo así, el hombre tiene que producir más, ya en capitales, ya en bienes de consumo, hasta que el rendimiento de su esfuerzo sea idéntico en ambos casos." (GONNARD.)

El georgismo alcanzó un éxito enorme, no solo en los Estados Unidos, sino, quizá más, en Europa, a pesar de que fue combatido por el primer filósofo de la época: Spencer, y de que León XIII lo condenó en su encíclica *De conditione opifficum.* George dirigió una respetuosísima carta abierta al Pontífice, sosteniendo en ella que sus ideas no eran contrarias al catolicismo, sino perfectamente cristianas. León XIII dulcificó su actitud y hasta levantó la excomunión que pesaba sobre el doctor McClynn, uno de los más entusiastas defensores del georgismo.

En 1883, los georgistas ingleses fundaron la Land Reform Union, que adoptó en seguida el nombre de English Land Restauration League, y dio principio entusiasta a la teoría de la restitución del suelo inglés a sus verdaderos dueños.

En Bélgica, Colins, autor del *Pacto social* —1835—, fue uno de los iniciadores del socialismo agrario; por ello, el georgismo encontró un terreno abonado entre los economistas y los sociólogos belgas. En Suiza lo representó Walras. En Italia, Loria. En Alemania, Flürscheim.

V. ARGENTE, Baldomero: *Henry George. Su vida y sus doctrinas.* Madrid, ¿1916?—RAVENTÓS, Manuel: *La doctrina del impuesto único de Henry George.* Barcelona, s. a.—GONNARD, René: *Historia de las doctrinas económicas.* Madrid, Aguilar, 1952.

GERMANÍA (Lenguaje de)

1. Modo de hablar—dialecto—usado por los gitanos, ladrones, vagabundos, rufianes...

2. Jerga compuesta de vocablos castellanos—con significación distinta de la genuina y verdadera—y de otras palabras de origen dudoso, desconocido o caprichoso.

Según el gran filólogo francés Dauzat, en todo lenguaje de *argot* el cincuenta por ciento de sus palabras corresponden al idioma del país en que el *argot* se utiliza, aun cuando tomadas en acepciones y significados *no propios.* El otro cincuenta por ciento suma palabras inventadas o tomadas de distintos idiomas.

La *germanía* castellana corresponde al *argot* francés y a la *cobertanza* italiana.

V. SALILLAS, R.: *El lenguaje del hampa.* Madrid, 1896.

GERMÁNICAS (Lenguas)

Uno de los grupos de la familia de lenguas indoeuropeas. Comprende los diversos idiomas que tienen *por centro*—si no *por base*—el antiguo gótico hablado en Alemania. Comprende: el alemán antiguo y moderno—es decir, el *bajo* y *alto* alemán—y los principales dialectos teutogóticos, con las diferencias marcadas en distintas épocas y *unificadas* en tiempo de Lutero. Comprende también las lenguas *flamenca* y *holandesa*—que se relacionan con el bajo alemán —y las lenguas *escandinavas:* el danés, el sueco, el noruego, el islandés...

En virtud de ciertas analogías, se incluyen igualmente en el grupo germánico las lenguas *anglosajonas* con sus distintos dialectos.

La mayor parte de las lenguas germánicas han adoptado el alfabeto latino o gótico, y la pronunciación es, por lo general, idéntica a la escritura y con sujeción a reglas fijas.

La pronunciación de las lenguas germánicas puede reducirse a unos veintitantos sonidos simples, de los cuales ocho o nueve son vocales. Las articulaciones guturales predominan en el alemán o teutónico.

Gran papel desempeña el acento en la sílaba gramatical de las lenguas germánicas, que son esencialmente flexibles. Los sustantivos son susceptibles de los tres géneros, exceptuando el inglés y el danés. La conjugación y declinación son menos ricas que las de griegos y romanos. El número de los casos, ya poco considerable en el alemán, disminuye a medida que se acercan las subdivisiones anglosajonas y escandinavas.

Las lenguas germánicas son divididas en cuatro ramas: *teutónicas*—alemán antiguo y moderno, con todos sus dialectos—, *sajona* o *úmbrica*—bajo alemán, frisón, neerlandés o bátavo—, *normandogótica*—mesogótico, normando, noruego, sueco, danés—, *anglosajona*—inglés sajón e inglés moderno.

V. MEIDINGER, H.: *Diccionario etimológico y comparativo de las lenguas teutónicas.*—REGNIER, Ad.: *Recherches sur l'histoire des langues germaniques.* París. Varias ediciones. BOSWARTH, J.: *The origin of the germanic and scandinavian languages and nations.* Londres, 1896.

GERMANISMO

1. Vicio del castellano, que consiste en usar corrientemente voces o giros propios del idioma alemán.

2. Modo de hablar—giro—propio y privativo del idioma alemán. (V. *Idiotismo.*)

GESTA

1. Hazañas. Hechos. Historias.

2. Cantares o Canciones de gesta (V.) (V. *Gesta, Canciones de.*)

GESTA (Canciones de)

Primitivamente se llamaron *Canciones* o *Cantares de gesta* las *Crónicas latinas de la Edad Media;* por ejemplo, la de Guillaume de Nangis.

La famosa *Gesta Romanorum,* reunión de recitados, cuentos y leyendas muy populares en la Edad Media, fue redactada en latín por cierto monje alemán o inglés llamado Elimandus, y se refiere a la historia de los emperadores romanos, presentando las narraciones *el carácter* de la época caballeresca y recogiendo recuerdos de la literatura oriental. Esta compilación parece como derivada de los *Siete sabios* o *Dolophatos.*

La más antigua de las versiones de la *Gesta Romanorum*—todas ellas muy distintas del primitivo texto latino—parece ser la de *Raemer Tat,* libro popular en Alemania en el siglo XIII. La primera edición moderna es la impresa—1473—en Utrecht.

La *Gesta Francorum* fue una compilación de los hechos memorables referentes a la caída del Imperio romano de Occidente, de la que fue autor Adriano de Vaudois. Entre 1446 y 1658 se imprimieron los tres primeros volúmenes.

La *Gesta Dei per Francos* es una compilación de narraciones relativas a las Cruzadas. En 1611 se imprimió esta obra, debida al esfuerzo del erudito y diplomático J. Bongars.

Las *Gestas,* con el nombre de *Cantares, Cantos* (V.) o *Canciones de gesta,* con una significación de *relato histórico en verso,* fueron el origen de la poesía épica. Aparecieron primeramente en Francia. Las motivaron las magníficas hazañas de Carlomagno, las luchas contra los moros y entre los señores feudales y los reyes. A veces, los *Cantares de gesta* estaban incluidos dentro de las *crónicas;* y que aparecieron hacia el siglo X, lo demuestra la *Chronique de Saint-Riquier*—1088—, haciendo mención a uno de ellos. Pero el más antiguo conocido es la *Chanson de Roland*—compuesta a principios del siglo XI—, famosa en toda Europa y que influyó en las manifestaciones épicas de nuestra patria.

Las *Canciones de gesta* fueron recitadas y modificadas por los juglares, quienes las agruparon en ciclos: *Carlovingio,* de *Garín de Monglane,* de *Doon de Maguncia,* de *las Cruzadas.*

En España, según Menéndez Pelayo, las *Canciones de gesta* tuvieron menos importancia por haber sido mucho menor su número y por no haber tenido una figura como la de Carlomagno, capaz de dar unidad a las gestas desligadas. El afrancesamiento de la corte de Alfonso VI, la invasión de los monjes cluniacenses y las peregrinaciones francesas a Santiago de Compostela motivaron el entusiasmo hispánico por el género épico.

En España, los principales modelos del género son: el *Poema de Mio Cid,* el *Cantar del rey don Fernando,* el *Cantar del cerco de Zamora,* el *Cantar del rey don Sancho II,* los *Infantes de Lara.* En la *Primera Crónica de España* y en la *Primera Crónica General* hállanse fragmentos de otros cantares de gesta más antiguos: *Pérdida de España, Bernardo del Carpio, Mainete.*

A su vez, las *Canciones* o *Cantares de gesta* estaban en germen en los poemas de *Vidas de santos,* primeras manifestaciones de la poesía francesa.

V. RAJNA, Pío: *Le origini dell' epopeya francese.* 1884.—PARIS, Gastón: *Histoire poétique de Charlemagne.* 1905.—BÉDIER, J.: *Les légendes épiques, recherches sur la formation des chansons de geste.* 1908-1913.—MILÁ Y FONTANALS, M.: *De la poesía heroicopopular castellana* 1874.

GIRO

Modo o manera de ordenar las palabras en la oración.

GLAGOLÍTICO (Alfabeto)

Llamado también *eslavón, bukwitsa, divinsa* y *alfabeto hieronímico,* por creerse invención de San Jerónimo. La palabra *glagol,* derivada del eslavo, significa expresión, discurso. Los monumentos literarios de la literatura eslavona han estado escritos sujetándose a este alfabeto o al *cirílico.* Hasta fines del siglo XIX, el *glagolí-*

tico era usado por un pequeño grupo de eslavos de rito latino, en Istria, Croacia, Dalmacia y Bosnia, para la transcripción de libros litúrgicos. Está compuesto por cuarenta y dos letras, que difieren de las cirilianas por la extravagancia de sus rasgos y adornos. Los más antiguos ejemplos de la escritura glagolítica son: un manuscrito del siglo XI, perteneciente al conde Kloz y reproducido por Kopitar con el título de *Glagolita Clozianus*—Viena, 1836—, y un *salterio* en pergamino. En el pasado siglo fue descubierto en la Biblioteca de Tours un manuscrito glagolítico, cuyo facsímil fotográfico figuró en el Congreso arqueológico de Kiev (1874).

J. Grim ha dado al alfabeto glagolítico un origen muy antiguo, y ha creído reconocer en algunas de sus letras el carácter rúnico.

Miklosich ha opinado que el alfabeto glagolítico—mucho más antiguo que el *cirílico,* atribuido al apóstol Cirilo, siglo IX—está fundado sobre una antiquísima escritura nacional, originariamente debida a los griegos.

V. KOPITAR: *Alfabeto glagolítico,* en "Glagolita Clozianus". Viena, 1836.—HAMKA, W.: *Zprawa o slowanskena Evangelium w. Remesi.* Praga, 1839.—MIKLOSICH: En la *Enciclopedia* de "Ersch y Gruber", sec. I, tomo LXXI.

GLICÓNICO (Verso) (V. Gliconio, Verso)

GLICONIO (Verso)

Verso griego y latino. Consta de una *base,* un *dáctilo,* un *troqueo* y una *sílaba indiferente.* Entre los líricos griegos, la base es un pie cualquiera de dos sílabas. Entre los latinos, bien un espondeo o un troqueo—Catulo—o un espondeo siempre—Horacio.

Glicónico dactílico: es un trímetro compuesto de un espondeo y dos dáctilos. Se le llama también *trímetro dactílico, trímetro épico, trímetro acataléctico* y *verso octosílabo.*

Sic te / diva po / tens Cypri.

Horacio, de quien es el anterior ejemplo, no emplea el glicónico solo: le une al asclepiadeo. Séneca lo emplea muchas veces en un *sistema continuado:*

Regium non faciunt opes,
Non vestis Tyriae color,
Non frontis nota regii,
Non auro nitidae trabes.

Igualmente se le encuentra en Prudencio, Boecio y Martianus Capella.

Entre los griegos, el glicónico comienza por un *troqueo,* y se transforma en un *trocaico dímetro cataléctico.*

Glicónico—trocaico—o *coraico,* es, en efecto, un *trocaico dímetro cataléctico,* con un dáctilo o un espondeo como segundo pie:

Tempe / rem zephy / ro le / vi
Vela, / ne pres / sae gra / vi
Spiri / tu auten / nae ge / mant.

(SÉNECA.)

GLOSA

Sinónimo de *comentario.* Es propiamente, según su etimología—γλῶσσα, lengua, palabra—, la explicación de un vocablo. Primitivamente, la glosa consistió en una nota marginal, destinada a explicar una palabra difícil o confusa del texto. Poco a poco, la glosa ha llegado a ser la explicación o comentario de un texto. En un sentido más estricto, la glosa da una explicación más literal que la del *comentario* (V.).

La glosa existió antes que se inventase su nombre, porque la necesidad de explicar lo confuso u oscuro es tan antigua como el hombre. Y tal explicación tenía un valor mayor cuando se trataba de aclarar *lo escrito por otro.*

GLOSARIO

Sinónimo de *diccionario.* Con la misma etimología que la palabra glosa, el glosario designa un *diccionario* o *vocabulario* de palabras oscuras, confusas y desconocidas, con la definición y explicación de cada una de ellas.

GNÓMICA (Poesía)

De γνώμη, pensamiento, sentencia. Parte importante del género lírico, cuyo fin es moralizar sentenciosamente. La poesía gnómica tenía una expresión elegíaca, y tuvo su apogeo en Grecia y en el siglo VI antes de Cristo. A las poesías gnómicas se las llamó *Hypothecai,* y también *exhortaciones.*

Cultivaron la poesía gnómica Solón, Teognis de Megara, Focílides de Mileto y los llamados *Siete Sabios.* Focílides dio sus sentencias en versos épicos. Teognis, por el contrario, empleó siempre la forma elegíaca, y las sentencias que se conservan de él están contenidas en dísticos.

Con una expresión tan breve, lógicamente la poesía gnómica careció de elevación y de grandeza. Sus características fueron la precisión, la vivacidad, la energía... Eran una especie de *recetas morales,* que algunos escritores modernos han traducido en cuartetas o en dísticos.

Las *poesías gnómicas* han sido, sucesivamente, editadas por J. Lascaris—*Gnom, monastichae,* Florencia, 1495—; Jér. Aléandre—*Gnomologia,* París, 1512—; BRUNCK—*Gnomici poetaegraeci,* Estrasburgo, 1784—; Schaefer—Leipzig, 1817—; Boissonade—París, 1823...

V. DABAS: *De gnomica graecorum philosophia.* Burdeos, 1832.

GNOSTICISMO

GNOSTICISMO

Nombre dado a la herejía más importante de la antigüedad y que tomó verdadero incremento durante los siglos II y III. Después fue desapareciendo paulatinamente y quedó extinguida a fines del siglo IV.

Se llamó gnosticismo al conjunto de escuelas y sistemas filosóficos y religiosos originados de sectas judaicas, paganas y cristianas, que, sin embargo, concordaban en puntos capitales: en el conocimiento de una ciencia superior y misteriosa y en la admisión de una serie de entidades divinas que intervenían en la creación y en la conservación del Universo.

Su origen fue debido a la tentativa de querer unir en una sola doctrina—*sincretismo*—los sistemas religiosos y filosóficos que la mezcolanza de los pueblos había puesto en circulación dentro del vasto Imperio romano.

El gnosticismo estaba destinado a un pequeño número de elegidos, ya que su objeto era llegar a los principios que sirven de base a la fe.

El gnosticismo consideró como insuficiente e inexacta la revelación contenida en los libros santos, y pretendió poseer la verdadera ciencia —*gnosis*—de la divinidad y de todas las cosas divinas; ciencia que debía, bien a una intuición directa, bien a una tradición que se remontaba sin interrupción a la cuna de la Humanidad, y que el gnosticismo creía superior a toda revelación.

El gnosticismo admitía, para explicar el mundo, tres cosas: la *Materia*, el *Demiurgo* y el *Salvador*, y colocaba al Salvador sobre el Demiurgo y le encargaba de reformar su obra. El gnosticismo juntaba a estos dogmas el de la *emanación*, y hacía derivar todas las cosas del seno de un Dios supremo, ser inefable e irrevelado.

El gnosticismo se opuso al paganismo, al judaísmo y al cristianismo. Al primero le reprochaba carecer de filosofía y tener una doctrina mitológica y un criterio escéptico. Al segundo, que su revelación no era la del Ser Supremo, sino la de una divinidad secundaria o demiurgo. Y al cristianismo, que los Apóstoles no habían comprendido las enseñanzas del Maestro ni habían interpretado los textos sagrados con exactitud.

El gnosticismo pretendió *sustituir la fe por la gnosis*—conocimiento—, o sea: por un conocimiento perfecto de Dios y del mundo.

Boulenger ha sintetizado con maestría los puntos esenciales del gnosticismo: "El punto de coicidencia de todas las herejías gnósticas—el gnosticismo contaba unas sesenta sectas distintas—consistía en la *explicación del mal* por la coexistencia de dos principios, bueno uno y malo el otro: Dios y la Materia. Entonces ya, como ahora, la Iglesia enseñaba la *creación de la nada* y consideraba *el mal* como un *abuso de la libertad;* pero algunos gnósticos suponían que la materia era eterna, y otros sostenían que era una derivación *emanada de la sustancia divina*. Según estas hipótesis, el mundo no había sido creado por Dios, que no podía tener contacto con la materia, principio del mal, sino por unos intermediarios llamados *eones* o *demiurgos*.

Consideradas así las cosas, o sea, considerando mala la materia, ¿de qué manera el hombre, que aspira a su unión con Dios, puede separarse o librarse de la dominación de la materia? Para darle un medio, Dios mandó un *eón* superior, el *Verbo* o *Logos;* la obra del cual tiene el nombre de redención. Para realizar esta obra, Jesús tomó solamente la *apariencia de cuerpo;* el *Logos* no podía unirse con la materia mala de por sí. Este último punto de la doctrina gnóstica tenía el nombre de *docetismo*—del griego *dokein*, parecer—. Seguramente, San Juan la comprendió y la quiso combatir en su Evangelio, al escribir que el *Verbo es Dios* y que el *Verbo se hizo carne*.

"La *moral* del gnosticismo recomendaba el *ascetismo*, porque el alma humana no podía librarse de la materia más que por medio de una severa continencia. Esta teoría, llevada al extremo, tendía a la desaparición de la vida, condenaba el matrimonio y, en general, toda clase de obras, pues para ellas se necesitaba el concurso de la materia. Su germen contenía ya esta teoría: la doctrina protestante de la fe sin obras."

El gnosticismo fue iniciado por Simón el *Mago*, sectario judío nacido en Gitton, lugar del país de Samaria, en los primeros años del siglo I. Fue discípulo de Filón de Alejandría, y unió a las doctrinas de este diferentes prácticas de teurgia, las cuales le proporcionaron gran prestigio entre los samaritanos. El principal discípulo de Simón el *Mago* fue Menandro. El gnosticismo se extendió rápidamente por Siria y Egipto. Pero inmediatamente comenzó a dividirse en sectas. Los llamados *gnósticos idealistas* —cuyo jefe fue Valentín—pretendían enseñar una doctrina secreta, recibida de los Apóstoles, y que Cristo no había enseñado a la multitud, porque esta no hubiera podido comprenderla. Los gnósticos *idealistas panteístas* afirmaban que Dios había creado el mundo, sin oposición ni mal. Los gnósticos *dualistas* aseguraban la imperfección del mundo. Los discípulos de Saturnino y Basílides, fieles discípulos de la doctrina persa, enseñada por Filón, oponían Dios a la materia. Los gnósticos *pesimistas* creyeron que el mal moral y físico era el límite del ser, y que no podía producir nada y sí destruir cuanto le rodeaba. Pero, caso curioso, las sesenta y tantas sectas del gnosticismo tuvieron una nota común: el abandono de la metafísica y de la crítica para acogerse al misticismo en una o en otra forma.

Según Tertuliano, la aspiración del gnosticismo no fue nunca la de convertir a los paganos, sino la de pervertir a los cristianos *(Non ethnicos convertendi sed nostros evertendi)*.

Los principales defensores y propagandistas del gnosticismo fueron: Simón el *Mago*, Menandro el *Samaritano*, Cerinto, Dositeo y Filón el *Judío*, en el siglo I; en los siglos II y III: Marción, Cerdón, Saturnino de Antioquía, Bardesano de Edeso, Valentino, Tacio y Carpócrates.

Afortunadamente, los impugnadores del gnosticismo fueron tantos como tan ilustres: San Justino, San Teófilo de Antioquía, Milcíades, Melitón, San Ireneo, San Hipólito, Tertuliano, Orígenes, San Clemente de Alejandría, Teodoreto, Epifanio, San Agustín... Y hasta algún filósofo no cristiano, como Plotino.

El gnosticismo, como el neoplatonismo, desfiguró la tradición filosófica y cayó en las prácticas supersticiosas y en las falsas inspiraciones de que nos había liberado el cristianismo.

V. MATTER: *Histoire critique du gnosticisme*. París, 1828.—KUNZE: *De historiae gnosticismi fontibus novae quaestiones criticae*. Leipzig, 1894.—BOULENGER, A.: *Historia de la Iglesia*. Trad. cast. Barcelona, 1936.—DUCHESNE: *Gnose*. En el "Dict. Apologétique de la foi catholique", tomo II, París, 1911.—BAREILLE, G.: *Gnosticisme*. En "Dict. de Théologie catholique", VI, París, 1920.

GOLIARDOS

Bufones muy famosos durante la Edad Media—en Francia, Inglaterra y Alemania—, que, aun en contra de las disposiciones de la Iglesia, llevaban la tonsura eclesiástica. Iban de fiesta en fiesta, cantando y bailando cantos y bailes licenciosos, para divertir a las gentes y ganar unas monedas. Varios concilios esclesiásticos del siglo XIII promulgaron diversos estatutos contra ellos, mandando que se raparan la cabeza por completo. (Véase *Carmina Burana*.)

GOLPE TEATRAL

Con este nombre se designa un rápido efecto de escena imprevisto, que marca generalmente una pausa en la acción dramática y en la situación de los personajes.

A veces no es sino una sola palabra reveladora. Entre los antiguos era la *intervención de un dios*.

El *golpe teatral* se usa igualmente en la tragedia, en el drama, en la comedia y aun en el sainete y en el vodevil.

El teatro moderno abusa de los *golpes teatrales* por medio de sorprendentes efectos: el disparo de un arma de fuego, un incendio, el descubrimiento de una puerta secreta o de un micrófono disimulado, la aparición de una persona que se creía muerta... Lo mecánico y artificioso prestan eficacia decisiva a los *golpes teatrales*.

GONGORISMO (V. Culteranismo)

Las postrimerías del siglo XVI y el inicio del XVII estuvieron señalados con la invasión de la afectación, de los pensamientos sutiles y confusos, del estilo refinado en las literaturas europeas. Lyly en Inglaterra, Marini en Italia y Ledesma y Góngora en España fueron los corruptores del gusto.

Ledesma había imaginado el *conceptismo*. Góngora, abandonando la poesía tradicional, en la que había alcanzado una gloria justa, publicó las *Soledades*, obra que significó una ruptura completa entre la lengua poética y la vulgar. Góngora inventó el *estilo culto*. En este estilo, la palabra tenía una significación distinta, *más imaginativa que real;* se introducían en las frases las inversiones griegas y latinas; se aludía con reiteración abusiva a lo mitológico. Todo ello, mezclado con metáforas audaces y con ampulosidades desconcertantes, constituía el *gongorismo* o *cultismo*. Para el gongorismo, los *cabellos rubios* son *oro;* los *pájaros* son *campanas sonoras;* una hermosa muchacha que se lava la cara en un limpio arroyo "reúne el cristal líquido y el cristal de sus mejillas por el acueducto de su mano"; y de una jovencita afirma:

Muchos siglos de hermosura
en pocos años de edad.

El gongorismo tuvo una fortuna espléndida en España, pese a los ataques durísimos de Lope, Quevedo, Calderón..., quienes, en ocasiones, quedaron contagiados del vicio que combatían. Los discípulos de Góngora fueron innumerables. El gongorismo excedió nuestras fronteras y sembró inquietudes semejantes en Francia, en Italia, en Portugal...

Queremos—con insistencia—dejar precisamente consignados los propósitos del gongorismo, que eran los siguientes:

1.° Amoldar el castellano al latín, introduciendo no solo multitud de voces de esta lengua, sino también, y en imitación servil de ella, graves alteraciones sintácticas.

2.° Sustituir el significado directo de las palabras por el significado traslaticio.

3.° Multiplicar las metáforas, buscando ardientemente entre los términos metafóricos relaciones sutilísimas, casi imposibles de percibir sin un muy detenido examen.

4.° Multiplicar las alusiones a la mitología clásica.

5.° Creación, en antítesis a la frase sencilla y llana, de una nueva manera de decir, si apartada de lo natural y corriente, tan estrafalaria y oscura, que únicamente acertaran a entenderla los iniciados.

Los libros *sagrados y cabalísticos* del gongorismo son dos obras de Góngora: la *Fábula de Polifemo y Galatea* y las *Soledades*, compuestos entre 1612 y 1613.

La *Fábula* tiene como asunto los amores de Galatea, la más hermosa y dulce de las ninfas, y del pastor Acis; Polifemo, gigante monstruoso, desdeñado por Galatea, sorprende a los amantes y da muerte al pastor. Conviene advertir que no todo es oscuridad y artificio en este poema. Bastan para probarlo dos fragmentos. Cuando Galatea encuentra dormido en el césped al pastor Acis, y se siente súbitamente herida de amor:

Llamárale, aunque muda, mas no sabe
el nombre articular que más querría,
ni le ha visto; si bien pincel süave
le ha bosquejado ya en su fantasía...

Y cuando Polifemo queda enamorado de Galatea:

¡Oh bella Galatea!, más süave
que los claveles que tronchó la aurora;
blanca más que las plumas de aquel ave
que dulce muere y en las aguas llora...

Las *Soledades,* según Góngora, habían de exaltar la soledad de los campos, de las riberas, de las selvas y del yermo. Solo compuso la primera *Soledad* y parte de la segunda; entre ambas suman unos dos mil versos. Las *Soledades* apenas tienen unidad ni acción; casi todo son descripciones. Son como fragmentos de un colosal poema concebido por Góngora, pero que no llegó a completarse.

El gran crítico Romera Navarro—en su *Historia de la Literatura española,* 1928—escribe: "¿En qué consisten las tinieblas, artificio y extravagancias de las *Soledades* y de la *Fábula?* Responderemos con una enumeración: *a)* uso de vocablos latinos que no se entienden en castellano, y de otros italianos; *b)* arcaísmos y neologismos; *c)* vocablos castellanos con significado especial, distinto del corriente; *d)* en vez de una palabra expresiva, una paráfrasis oscura y rara; *e)* transposiciones violentas, colocando los verbos y los adjetivos a larga distancia de los sujetos y nombres, o de tal manera que no guardan exacta correspondencia; *f)* supresión de artículos y de conjunciones; *g)* paréntesis largos e intempestivos; *h)* afectada erudición y profundidad; *i)* abuso de alusiones mitológicas; *j)* conceptos sutiles o extravagantes; *k) metáforas* que no guardan clara analogía con la idea principal; *l)* y abuso de las antítesis y de todas las figuras retóricas."

El *Polifemo* y las *Soledades* pasaron a ser como la Biblia del nuevo estilo, y sus numerosos adictos "se aplicaron con religiosa devoción a comentarlos frase por frase, palabra por palabra".

¿Quiénes fueron los más importantes de tales discípulos y comentaristas? Villamediana, Paravicino, Soto de Rojas, Francisco de Córdoba, el conde de Lemos, Díaz de Rivas, Angulo y Pulgar, Vázquez Siruela, Cabrera de Córdoba, Pellicer, Ramírez del Prado, Tamayo de Vargas, el maestro Céspedes, Francisco de Amaya, el maestro Aguilar...

Naturalmente, como ninguno de estos discípulos tuvo el talento del maestro, el gongorismo se llenó en seguida de un *mal gusto* chocante que pretendía compensar la falta *de la manera genial.*

El gongorismo decayó por completo durante el siglo XVIII y la primera mitad del XIX. El frío y preciso *neoclasimismo* (V.) y el efervescente y claro *romanticismo* (V.) eran, por lógica, sus peores enemigos. Pero a mediados de la centuria pasada, los parnasianos y los simbolistas franceses lo rehabilitaron con entusiasmo sin límites. Moréas y Verlaine se sabían casi de memoria las *Soledades* y el *Polifemo;* y el segundo afirmaba siempre que no conocía verso tan delicioso como el último de la *Soledad* primera:

A batallas de amor, campo de pluma.

En España, la celebración—1927—del tercer centenario de la muerte de Góngora señaló un renacimiento *casi fenomenal* del gongorismo.

V. THOMAS, Lucien-Paul: *Góngora et le gongorisme...* París, 1911.—CAÑETE, Manuel: "Observaciones acerca de Góngora y el gongorismo...", en *Rev. Hispanique,* XLVI.—BUCETA, Erasmo: "Algunos antecedentes del culteranismo", en *The Romanic,* XI, 328-48.

GOTICISMO

Tendencia artística. Carácter o espíritu propio del estilo gótico. Oposición artística al *clasicismo* (V.).

Generalmente, el goticismo se aplicó a un estilo arquitectónico; pero también, con más timidez, a un estilo escultórico y pictórico.

El nombre de goticismo deriva del *gótico,* lengua germánica hablada por los godos, desaparecida hoy casi por completo, quedándonos como únicos testimonios de ella algunas breves inscripciones descubiertas en Valaquia y en Volhynia, y algunos fragmentos de la traducción de la Biblia, realizada en el siglo IV por el obispo Ulfila, a quien se atribuye la invención del alfabeto gótico.

Las palabras gótico y goticismo empezaron a ser usadas por los artistas italianos del Renacimiento, ya para atribuir el estilo a los godos, ya por creerlo irregular y bárbaro, en atención a que se aparta completamente de las reglas clásicas o grecorromanas.

El goticismo se desarrolló en el mundo cristiano dependiente de Roma, desde la segunda mitad del siglo XII al primer tercio de la centuria XVI. Según prestigiosos críticos, contribuyó al desarrollo del goticismo el incremento del movimiento comunal, dejando de ser un *arte monástico*—como el románico—para ser la expresión del *espíritu de la ciudad.* Y no han faltado autores—Violet Le Duc, Worringer, Courajod—que sostienen que el goticismo, además de un sentido y de una expresión de arte, es una tendencia filosófica y hasta una norma de vida medieval y una *traducción* lógica del paisaje-escenario.

Worringer escribe—en *La esencia del arte gótico*—: "La base sobre la cual se desenvuelve la voluntad gótica de forma es el estilo geométrico, que se halla extendido sobre toda la tierra, como estilo del hombre primitivo; pero que, hacia la época en que el Norte ingresa en la evolución histórica, aparece como propiedad común de todos los pueblos arios. Los germanos no son los únicos que tienen arte gótico, ni los únicos que lo crean; los celtas y romanos poseen la misma importante participación que ellos en la evolución gótica. Pero los germanos son la *conditio sine qua non* del goticismo."

1. *Arquitectura gótica.*—El calificativo de *ojival,* con que se distingue también a la arquitectura gótica, se deriva del nombre que en la Edad Media se aplicó a la bóveda de crucería o a los nervios diagonales de la misma, llamándolos *ojivas* (de *augere,* aumentar el esfuerzo), nombre que desde el siglo XVIII se da también a los arcos apuntados.

Los orígenes de la arquitectura gótica hay que buscarlos en la Isla de Francia y en Normandía, entre los años 1120 y 1150. Hay, sin embargo, que hacer una aclaración: en estas regiones francesas surge la *bóveda de crucería,* elemento esencial de la arquitectura gótica; porque la *bóveda de ojivas* ya se había utilizado antes por los musulmanes españoles en Córdoba y en Toledo, y por la escuela normanda—siglo XI—en la catedral inglesa de Durham.

Pero, insistimos, fue en la región parisiense de la Isla de Francia donde la arquitectura gótica alcanzó su forma definida, propagándose inmediatamente por toda Europa.

Los elementos esenciales de la arquitectura gótica son: la *bóveda de crucería*—que afecta a la estructura—y el *arco apuntado,* que se apoyan sobre columnas delgadas o haces de ellas y se contrarrestan con botareles y arbotantes.

La bóveda de crucería, concentrando los esfuerzos en un punto determinado y centralizando los empujes, provocó la desaparición de los pesados y macizos muros del románico, sustituyéndolos con amplísimos y alargados ventanales con vidrieras policromadas. Los empujes son trasladados por medio de arbotantes a los contrafuertes exteriores, que rematan en pináculos.

"El problema que trata de resolver la arquitectura gótica se reduce a construir con la mayor solidez y elegancia posibles, y el menor material posible, un edificio que responda a su destino de la mejor manera posible. Y ningún arte como el ojival ha dado con tanto acierto la solución del problema. A este fin, procura disminuir los empujes, concentrarlos en determinados puntos, y aplica allí el esfuerzo de resistencia que los neutralice. El arco ojival tiene menos empuje hacia los lados; la bóveda por arista y los arcos cruceros fijan en determinados puntos los empujes verticales y horizontales; las columnas interiores fasciculadas resisten al peso o empuje vertical, y los contrafuertes, que son aquí botareles y arbotantes colocados fuera para que no estorben, neutralizan el empuje horizontal, que se transmite por entero a ellos en definitiva. De aquí la posibilidad de aligerar y aun suprimir los muros, ya que no ejercen función de resistencia, y la oportunidad para abrir en ellos ventanas que den hermosa luz al recinto, y la facilidad de imprimir al edificio ese tipo aéreo, delicado y como inmaterial que le distingue; a ello contribuyen asimismo el adelgazamiento aparente de los arcos, por medio de baquetones o molduras en el intradós de los mismos; la esbeltez de las columnas fasciculadas; la perspectiva de los arcos ojivales y demás líneas convergentes, que producen la impresión de lo grande, y dan al edificio mayor apariencia de la que en realidad tiene; la magnitud y elegancia de los ajimeces y rosetones; la gentileza de los pináculos, la elevación de las torres gemelas, el despejo de las naves y el aire místico y sublime que toma el conjunto." (P. NAVAL.)

El estilo arquitectónico gótico se divide en cuatro períodos: *transición, robusto* o *lancetado, gentil* o *radiante* y *florido* o *flamígero,* correspondientes, respectivamente, a los siglos XII, XIII XIV y XV.

En el período de *transición*—en el que se incluyen templos iniciados en estilo románico y terminados en estilo gótico—aparecen los gruesos pilares con columnas semicirculares adosadas a los muros y los contrafuertes como sistema de contraste.

En el *robusto* o *lancetado:* bóveda de crucería; ventanas con tracerías a base de arcos apuntados; rosetones trifoliados y cuatrifoliados; arbotantes.

En el *gentil* o *radiante:* bóvedas con multiplicadas nervaturas; arco apuntado equilátero; subdivisión excesiva de columnillas.

En el *florido* o *flamígero:* la decoración domina las líneas arquitectónicas.

El monumento característico de la arquitectura gótica es la catedral, en la que se reúnen los valores esenciales del estilo, con planta de tres o de cinco naves, crucero, cabecera con girola, simple o doble. Y al exterior, torres gemelas, impresionantes contrafuertes—que reciben el empuje de los arbotantes—y rematados por pináculos, ábside avanzado.

Pero aun cuando la catedral sea la más perfecta expresión del gótico, este arte no ha producido únicamente catedrales. Existen castillos, abadías, casas consistoriales, casas de oficios, edificios particulares de un gótico maravilloso. Y hasta ciudades enteras, como aún puede verse en Colonia, en Bourges, en Brujas, en Malinas, en Amiens, en Arras...

En Francia, el primer gran monumento gótico es la célebre *abadía de Saint-Denis*—1144—. Al primer período corresponden las catedrales de *Noyon, Laon* y *Notre Dame,* de París. Al siglo XIII: *catedral de Chartres, catedral de Reims, catedral de Amiens* y la *Santa Capilla,* de París. Al siglo XV: *Saint-Ouen de Rouen, Saint-Wulfram de Abbeville,* la *Madeleine de Troyes...*

En Italia: la *iglesia de Asís* (1228-1235), la *catedral de Milán,* la *catedral de Siena,* la *catedral de Orvieto*—iniciadas en el siglo XIV.

En Alemania: *Santa Isabel de Marbury*—siglo XIII—, la *catedral de Colonia,* la *catedral de Estrasburgo*—siglo XIV.

En Inglaterra: la *catedral de Cantorbery* y la *catedral de Lincoln*—siglo XII—; la *catedral de Salisbury,* la de *Exéter,* la *abadía de Gloucester* —siglos XIII y XIV—; las *catedrales de Yok* y *Warwick*—siglo XV.

En España, la arquitectura gótica presenta modelos maravillosos. En el siglo XII—influídas por los monasterios cistercienses de Poblet, Moreruela y Veruela—, las *catedrales de Tarragona, Lérida* y *Avila.* En el siglo XIII: *catedrales de Burgos, Toledo* y *León.* En el siglo XIV: *catedrales de Barcelona, Gerona* y *Palma de Mallorca.* En el siglo XV: *catedrales de Sevilla, Salamanca* y *Segovia.*

2. *Escultura gótica.*—Estuvo por completo subordinada a la arquitectura. Se caracterizó por su tendencia a copiar la realidad no servilmente, sino con un idealismo edificante. Sus temas fueron esencialmente religiosos y docentes: escenas bíblicas y de la *Leyenda Aurea,* personificaciones de las virtudes y de los vicios, representaciones simbólicas de las ciencias y las artes, de las estaciones, de los signos del Zodíaco y de los trabajos agrícolas.

Pero la escultura gótica no decoró únicamente las catedrales: desde el siglo XIV, las imágenes funerarias se convirtieron progresivamente en *retratos.* Fue el retrato el que condujo a la escultura gótica a buscar la *expresión individual.* Y alcanzaron un rango admirable, primero, las *estatuas yacentes;* luego, las *estatuas orantes.* Las principales obras maestras de la escultura gótica, aparte de la decoración de las iglesias, son las estatuillas y los bajorrelieves en madera y marfil, pintados y dorados por lo general.

Los caracteres de la escultura gótica son: el naturalismo, la humanización de la Divinidad, la exposición clara y ordenada.

"Al carácter rudo, con cierto convencionalismo, de la escultura gótica de la segunda mitad del siglo XII, sucede en el XIII la época de mayor esplendor de esta escultura en Francia, que se difundió por toda Europa occidental. Es la época de la construcción de las grandes catedrales. Es una escultura de belleza serena y majestuosa, de cierto sabor clásico, con vestidos sencillos, en los que los pliegues caen con gran simplicidad. A fines de este siglo se buscan los efectos pintorescos, se hace más anecdótica y narrativa. Al tipo de belleza ideal, platónica, perseguida por los escultores del siglo XIII, se opone una corriente que sustituye la belleza abstracta por la real, es el arte del retrato. Al mismo tiempo, los plegados se multiplican en numerosos y pequeños pliegues sinuosos, a los que contribuyen las siluetas de las figuras, que se incurvan en un movimiento gracioso. A fines del siglo XIV se impone un estilo originario de Borgoña, en el que el arte del retrato se perfecciona y los vestidos pierden sus múltiples curvas caligráficas, que se transforman en pliegues angulosos y quebrados, como en la pintura. Se copian escenas de la vida real para las representaciones, y la tendencia sentimental iniciada en el siglo XIV conduce al más hondo patetismo. Los temas patéticos se prodigan, la representación de martirios, la Piedad, los Cristos sangrantes, los esqueletos roídos por los gusanos, etc., son habituales." (J. M. AZCÁRATE.)

Ya hemos indicado anteriormente que la escultura gótica quedó subordinada por completo a la arquitectura, en especial desde el siglo XII al XIII. En las portadas de las catedrales, en los brazos del crucero, aparecen las más estupendas series iconográficas; estatuas de apóstoles y de profetas, de doctores y de confesores, de vírgenes y de mártires, adosadas a jambas y mainel. Y en los tímpanos, a relieve, escenas del Juicio final, de la vida de Jesús o de la Virgen o de algunos santos. Y ángeles y extraños seres del *Apocalipsis* en las arquivoltas, bajo doseletes.

En los capiteles, temas vegetales reemplazan los temas humanos o divinos del arte románico. En las capillas funerarias, que se multiplican, triunfan las estatuas-retratos, conseguidas con un impresionante realismo dentro de la mayor serenidad.

Con una penetración admirable ha declarado el gran crítico Salomón Reinach: "La catedral gótica es una verdadera enciclopedia del saber humano. En ella se encuentran representaciones tomadas de los Libros Santos y de las leyendas piadosas; motivos del reino animal y del vegetal; símbolos de las estaciones, de los trabajos agrícolas, de las artes, de las ciencias y de los oficios; finalmente, alegorías morales, como las ingeniosas personificaciones de las virtudes y de los vicios. En el siglo XIII, un sabio dominico, Vicente de Beauvais, recibió de San Luis el encargo de formar una gran obra, resumen de todos los conocimientos de su tiempo. Esta compilación, titulada *Espejo del Mundo,* está dividida en cuatro partes: el *Espejo de la Naturaleza,* el *Espejo de la Ciencia,* el *Espejo de la Moral* y el *Espejo histórico.* Ahora bien: un arqueólogo contemporáneo, E. Mâle, ha podido demostrar que las obras de arte de nuestras grandes catedrales son algo así como la traducción en piedra del *Espejo* de Vicente de Beauvais, salvo los episodios de la historia de los griegos y de los romanos, que no poseían título alguno para figurar en dicha obra. No quiere esto decir que los imagineros hayan leído a Vicente de Beauvais; pero, siguiendo su ejemplo, han querido reunir todo lo que los hombres de su tiempo debían conocer. El primer objeto de su arte no es agradar, sino enseñar por medio de imágenes; es una enciclopedia para uso de los que no saben leer, traducida por la escultura o la pintura de las vidrieras a una lengua clara y precisa, bajo la elevada dirección de la Iglesia, que nada abandona al azar. Y en estas obras se encuentra, siempre y por todas partes, aconsejando y vigilando al artista, no consintiéndole que se abandone a su inspiración más que cuando modela los animales fantásticos de las gárgolas, o toma los motivos de la decoración del reino vegetal."

También hay que buscar en Francia los más tempranos y característicos ejemplares de la escultura gótica. La portada de *Saint-Denis,* del abad Suger—¿1140?—; el *Pórtico Real de Chartres*—¿1180?—; la portada de *Senlis*—¿1190?—, enteramente dedicada a escenas de la vida de la Virgen; la fachada occidental de la *catedral de Amiens*—1225 a 1236—, con el tipo de belleza ideal en el *Beau Dieu;* la *Cartuja de Champmol,* en cuyas esculturas patentizó su genio el holandés Claus Sluter.

La escultura gótica española se inicia bajo una acusada influencia de la francesa. Durante el siglo XIII, las *catedrales de León* y *Burgos* muestran las más bellas esculturas de la época. En el siglo XIV el arte triunfa en algunos sepulcros y en la *Puerta del Reloj* de la *catedral de Toledo;* en el claustro de la *catedral de Oviedo;* con el *sepulcro de Fernández de Luna;* en la Seo, de Zaragoza, y el *San Carlomagno* de la catedral de Gerona; en la *Puerta preciosa* de la catedral de Pamplona.

En el siglo XV: la *portada de Miramar,* de la *catedral de Palma de Mallorca,* obra de Sagrera; el *retablo* de la *catedral de Tarragona,* y la *predela del de la Seo,* de Zaragoza, obras de Pere Joan; el *sepulcro de Carlos el Noble,* de Janin de Lomme; *los sepulcros de don Juan II* y *doña Isabel de Portugal* y del *infante don Alfonso,* en la Cartuja burgalesa de Miraflores, obras de Gil de Siloé; el *retablo* de la misma Cartuja, de Siloé y Diego de la Cruz; la *Puerta de los Leones* de la catedral toledana, obra de Hannequin de Bruselas, Alemán y Egas; el *sepulcro del cardenal Cervantes* en la catedral de Sevilla, obra de Lorenzo Mercadante...

En Italia son ejemplos extraordinarios de la escultura gótica: el *púlpito del Baptisterio de Pisa* y el *púlpito de la catedral de Siena,* obra de Nicolás Pisano; el *púlpito de San Andrés de Pistoia* y el de la *catedral de Pisa,* obras de Giovanni Pisano, hijo de Nicolás; las *puertas de bronce del Baptisterio de Florencia,* de Andrea Pisano; el *mausoleo de Can-Grabde-della-Scala,* en Verona; el *monumento funerario a Bernabé Visconti,* en Milán.

La escultura gótica alemana tuvo sus mejores artistas en Veit Stoss, Adam Krafft, Pieter Vischer y Tilman Riemenscheneider.

3. *Pintura gótica.*—La pintura ojival tuvo menor desarrollo que la escultura. Como pintura y escultura quedaron subordinadas a la arquitectura, la de las catedrales, con escasos espacios aptos para ser decorados con pinturas murales, impidió el desarrollo de la pintura monumental.

La pintura gótica se desarrolló en las *tablas,* en las *vidrieras* y en las *miniaturas;* a fines de la Edad Media se perfecciona en los mosaicos y se introducen los cuadros de lienzo; en el siglo XV *se inventa* la pintura al óleo.

La pintura gótica se caracteriza "por la independencia que logran las figuras de la rigidez y maneras bizantinas; por la variedad en la expresión y el misticismo que respiran los semblantes y actitudes de las figuras humanas; por la finura y naturalidad en el plegado múltiple de la vestimenta y por el constante progreso hacia la perfección en las formas de todos los objetos que entran en la composición del cuadro, imitando a la escultura, que fue la primera en seguir estas vías de progreso..."

Las *miniaturas* o iluminaciones de códices llegaron a su edad de oro en el siglo XV, por el extraordinario lujo que en ellas se desplegaba. Las *vidrieras de colores* estuvieron pintadas ya a mediados del siglo XII, se generalizaron en el XIII y en el XIV alcanzaron su apogeo.

El uso de los *lienzos* como base de los cuadros, aunque sea muy antiguo, no se introdujo con toda propiedad hasta el siglo XV, pues antes limitábanse los artistas a pegarlos sobre una tabla o cuerpo duro, "como si únicamente se tratara de afinar y asegurar la superficie".

La *pintura al óleo* empezó a ensayarse con éxito a principios del siglo XV por los hermanos Huberto y Juan Eyck, pintores belgas, que inventaron el empleo de aceites secantes.

En Francia, cuya pintura gótica se encuentra plenamente formada a mediados del siglo XIII, destacan los pintores siguientes: Broederlam, Henri Bellechose, Jean Fouquet, Enguerrand Charonton, Nicolás Fromet d'Uzès, el maestro de Moulins...

En Alemania: el maestro Bertram, Conrad Soest, Stefan Lochner, Lucas Moser, Conrad Witz, Miguel Pacher, Hans Pleydenwurf, Miguel Wolgemut...

En Flandes y Países Bajos: Hubert y Jean Van Eyck, Roger van der Weyden, Thierry Bouts, Hams Memling Hugo van der Goes,

Gerard David, Jerónimo van Acken Bosch, "el Bosco"...

En Italia: en el *Ducento:* Iacopo Territi, Pietro Cavallini, Cimabue, Duccio di Boninsegna. En el *Trecento:* Simone Martini, Pietro y Ambrogio Lorenzetti, Giotto di Bondone, Taddeo Gaddi...

En la pintura gótica española cabe señalar dos períodos: el comprendido por los siglos XIII y XIV y el formado por el siglo XV.

En el primer período, todo el siglo XIII y la primera mitad del XIV, la influencia de la pintura gótica francesa es decisiva, y se manifiesta en las pinturas *al fresco* del monasterio de Sigena, de San Miguel de Foces y de la capilla de San Martín, en la catedral vieja de Salamanca; en los *frontales* y *retablos* de Santo Tomás, de Lladó, San Pedro Mártir, de Sigena; de don Pedro López de Ayala, de Quejana; en las *miniaturas* de las *Cantigas* de Alfonso *el Sabio* y el *Libro de los Juegos* (El Escorial)

En la segunda mitad del siglo XIV desaparece la influencia del goticismo francés y se inicia la del goticismo italiano en los *retablos* del monasterio de Piedra (1390), de Santa Lucía, en el Albal (Valencia), y de Sot de Ferrer (Castellón). De esta época ya nos son conocidos algunos artistas: Ferrer Bassa (n. ¿? y m. 1348) y los hermanos Jaime (n. ¿? y m. antes de 1395) y Pedro (n. ¿? y m. después de 1399) Serra.

El segundo—y más importante—período de la pintura gótica española comprende el siglo XV. Y en él conviene distinguir: los *primitivos levantinos,* los *primitivos castellanos* y los *primitivos andaluces.*

Entre los *primitivos levantinos* destacan: *a)* En Cataluña Luis Borrasá (¿?-d. de 1424), Jaime Cabrera (¿?-d. de 1406), el maestro de Guimerá, el maestro de San Jorge, Jaime Huguet (...1448-1483...), Jaime y Pablo Vergós (entre 1450 y 1510), Bartolomé Bermejo de Córdoba (...1474-1495...), el maestro Alfonso. *b)* En Aragón: Lorenzo Zaragoza, Pedro Zuera, maestro Jacobus, Juan de Leví, el maestro del arzobispo Mur, el maestro de Arguis, Martín Bernat, Miguel Ximénez y Pedro de Aponti. *c)* En Valencia: Pere Nicoláu, Andrés Marzal de Sax, maestro del Puig, Antón Guerau, Luis Dalmáu, Jaime Baço Jacomart (1413-1461), Juan Rexach, Rodrigo de Osona y su hijo Rodrigo.

Entre los *primitivos castellanos:* Nicolás Francés (¿?-1468), Jorge Inglés—autor del famosísimo retablo del marqués de Santillana—, el maestro de Sopetrán, Fernando Gallego. Todos ellos influidos por el goticismo italiano. Pero al conocerse en Castilla las pinturas del goticismo flamenco (Van der Weyden, Bouts, Van der Goes, Memling...), es este el que define a artistas tan magníficos como García del Barco, Alonso de Sedano, Pedro Díaz de Oviedo, Melchor Alemán, Miguel Flamenco, Juan de Flandes—estos tres extranjeros—, Fernando Rincón, Francisco Chacón y el magnífico Pedro de Berruguete (¿?-1503).

Entre los *primitivos andaluces*—con influencia italiana—están: Juan Fernández y Juan Hispalense; y con influencia flamenca: Juan Sánchez de Castro, Pedro Sánchez, Juan Núñez, Pedro de Córdoba, Alejo Fernández (¿?-1543) y Pedro Fernández de Guadalupe.

V. REINACH, Salomón: *Apolo. Historia general de las artes plásticas.* Madrid, 1924.—NAVAL, R. P. Francisco: *Arqueología y Bellas Artes.* Santo Domingo de la Calzada, 1904.—AZCÁRATE, José María: *Historia del Arte.* Madrid, ¿1947?—PIJOÁN, José: *Summa Artis.* Madrid, 1947, vol. XI.—CALZADA, A.: *Historia de la Arquitectura en España.* Barcelona, 1928.—COLÁS, R.: *Le style gathique en France,* 1926.—LOZOYA, Marqués de: *Historia del Arte hispánico.* Barcelona, 1934, tomo II.—MAYER, A. L.: *El estilo gótico en España.* Madrid, 1929.—POST, Ch. A.: *A History of Spanish Painting,* 1930, vol. II.

GÓTICO

Lengua germánica hablada por los godos. Desaparecida hoy por completo, los únicos testimonios que nos quedan de ella son algunas breves inscripciones descubiertas en Valaquia y en Volhynia, y algunos fragmentos de la traducción de la *Biblia,* hecha por el obispo Ulfila en el siglo IV. Estos fragmentos están escritos en un carácter especial, cuya invención se atribuye al mismo Ulfila, basado en el alfabeto griego uncial.

Seguramente, el gótico no fue una lengua general a todos los pueblos germánicos del siglo IV; pero, indudablemente, lo hablaron los ostrogodos, los visigodos, los vándalos y los gépidas. En el siglo IX aún era hablado el gótico en algunas aldeas de la región del bajo Danubio. En el siglo XVI sobrevivía únicamente entre los godos de la península de Crimea.

El alfabeto gótico, además de los caracteres unciales griegos, comprende otros del alfabeto rúnico y del alfabeto latino. Se incluye este alfabeto en un manuscrito del siglo X, conservado en Salzburgo.

V. STREITBERG, W.: *Gotisches Elementerbuch.* Heidelberg, 1897.

GRACIA

1. Donaire. Atractivo.
2. Garbo y despejo al hablar o al escribir.
3. Don natural que hace agradable a quien habla o a quien escribe.
4. Ocurrencia festiva. Dicho agudo y chistoso.
5. Ingenio donoso.
6. Humor sutil.

En Retórica, el buen efecto que resulta de la elección de las voces, de la armonía de las frases y principalmente de la delicadeza de las ideas y descripciones.

GRACIOSO

Personaje famoso—casi indispensable—en el teatro clásico español. Posiblemente, su primera aparición la tuvo en la comedia *Himenea*, de Torres Naharro, a principio del siglo XVI. Sus antecedentes pudieron ser el *simple* de las obras de Juan del Enzina y el *bobo* de los pasos de Lope de Rueda. Pero fue Lope de Vega quien completó y perfeccionó *el tipo,* haciéndolo ingenioso, sutil, jovialísimo, capaz de resolver los enredos más peliagudos. Con la introducción *del gracioso* en las obras dramáticas se conseguía paliar *la tensión* de éstas, dando *un respiro* el espectador, y acentuando, por el contraste entre lo cómico y lo dramático, el valor humano de la representación.

El teatro francés, siempre a *la caza* de lo español, se apoderó también de este tipo, llamando a sus graciosos *niais.*

Todos los géneros teatrales modernos: la comedieta, la farsa, la ópera, el juguete, el sainete, la zarzuela, etc., presentan *el tipo genial,* al que se confía la delicada labor de *la atracción cómica.* En innumerables producciones escénicas es el gracioso el verdadero protagonista; caso que ya se dio en obras del propio Lope de Vega, como la *Noche de San Juan* y *La hermosa fea.*

V. DÍAZ DE ESCOVAR: *Historia del teatro español.* Barcelona, 1925.—SÁINZ DE ROBLES, F. C.: *Historia del teatro español.* Siete tomos. Madrid, 1943.

GRADACIÓN (V. Figuras de pensamiento)

Gradación o *clímax* es una figura que consiste en colocar las palabras de manera que, como por grados, se pase insensiblemente de lo ínfimo a lo sumo, de lo indiferente a lo interesante, de lo fácil a lo difícil, o viceversa. Las imágenes o los sentimientos se presentan en progresión ascendente o descendente.

> *Nihil agis, nihil moliris, nihil cogitas, quod ego non modo non audiam, sed etiam non videam, planeque senteam.* (CICERÓN: *Contra Catilina.)*

> Para emprender una cosa es menester cordura; para ordenarla, experiencia; y para acabarla, paciencia; mas para sustentarla es menester buen esfuerzo, y para menospreciarla, gran ánimo. (FRAY A. DE GUEVARA.)

> Porque allí llego sediento,
> pido vino de lo nuevo;
> mídenlo, dánmelo, bebo,
> págolo y voime contento.
>
> (B. DEL ALCÁZAR.)

GRAFOLOGÍA

Ciencia que pretende descubrir y explicar los caracteres, sentimientos y destinos humanos por medio del examen minucioso de la escritura autógrafa.

GRAMÁTICA

1. Ciencia del lenguaje como instrumento de comunicación entre los hombres.

2. Arte de hablar y escribir correctamente un idioma.

3. Ciencia que trata de los principios fundamentales de cada idioma.

"El instinto común a todos los hombres es el que hizo la primera Gramática, sin que nadie se percatara. Los lapones, los negros, así como los griegos, necesitaron expresar el pasado, el presente y el futuro, y lo hicieron; mas como nunca se celebró una asamblea de lógicos que formara una lengua, ninguna ha conseguido un plan absolutamente regular. La importancia de la ciencia gramática no ha sido verdaderamente apreciada hasta una época muy reciente. Los antiguos cultivaron su estudio con gran cuidado, pero no considerándola como Gramática general, es decir, como ciencia, sino como Gramática particular o arte." (VOLTAIRE.)

Modernamente, la Gramática suele dividirse en *Fonética, Morfología, Composición* de las palabras y *Sintaxis.* Algunos filólogos agregan la *Semántica* y la *Etimología.*

La Gramática puede ser considerada y estudiada: con una finalidad puramente práctica, como arte, y es preceptiva, formando un conjunto sistemático de reglas o preceptos; o con una finalidad científica o teórica, es decir, atendiendo a los problemas del origen, de la naturaleza y de las relaciones entre las lenguas.

El estudio de la Gramática entre los antiguos era el primer grado de iniciación para la comprensión de las Ciencias y de las Artes, relacionándola con la Metafísica, con la Moral, con la Filosofía, con la Política, con la Historia, con la Poesía...

Platón, en su *Cratilo,* es quien primero se ocupó, entre los griegos, de las investigaciones o estudios gramáticos. Aristóteles fijó aún más su importancia en su *Retórica,* en su *Poética* y en su tratado de la interpretación.

La máxima gloria de la Escuela de Alejandría se la ganaron sus gramáticos Filetas de Cos, Aristófanes de Bizancio, Aristarco..., quienes crearon las *categorías gramaticales* antes que sus rivales de la Escuela de Pérgamo, entre quienes sobresalía Crates de Males.

Dionisio Tracio escribió la primera Gramática griega, elemental y práctica, que ha llegado hasta nosotros.

En Roma enseñaron Gramática Dionisio Tracio y Crates de Maltuna, embajador del rey de Pérgamo, despertando el entusiasmo de la juventud por tales estudios. Gramáticos insignes fueron el galo Antonio Ghipon, Cicerón, Varrón, Quintiliano.

En tiempos más modernos, después de Casiodoro y San Isidoro de Sevilla, cabe citar a Beos el *Venerable* y a su discípulo Alcuíno, que fue profesor de Carlomagno.

El estudio de las lenguas románicas tuvo su cuna en la Italia del Renacimiento, con Fortunio, Bembo, Giorgio Bartoli, Giumbullari...

En España fue Lebrija el primero que publicó una *Gramática*. A Lebrija siguieron Francisco de Ternecora—*Suma y erudición de Gramática en verso castellano,* 1550—, Villalón —1558—, Juan Miranda—*Observaciones sobre la lengua castellana,* 1567—, Simón Abril—*Gramática castellana*—, Pedro de Guevara, Jiménez Patón—*Instituciones de la Gramática española,* 1614—, Gonzalo Correas—*Trilingüe,* 1627—, Ambrosio de Salazar—*Espejo general de la Gramática,* 1614...

La primera edición de la *Gramática* de la Real Academia Española es de 1771.

El estudio más intenso de la Gramática es el campo de la Filología.

GRIEGA (**Lengua**)

Por su riqueza, su regularidad, su largo desarrollo histórico, por el brillo y la influencia de su literatura, de la cual es el instrumento, la lengua griega es la más importante del grupo meridional de la gran familia indoeuropea.

La lengua griega presenta sorprendentes analogías con el sánscrito, sea que, según la opinión de aquellos que primero las reconocieron, haya salido del sánscrito con el latín y las otras lenguas indoeuropeas, o bien que todas estas lenguas, como ha supuesto muy justamente el sabio Fr. Bopp, sean "modificaciones graduales de una sola y única lengua primitiva, de la que el sánscrito es considerado como más cercano que los dialectos congéneres". En este caso, el griego no vendría del sánscrito, como el latín no viene del griego; pero cada uno de estos idiomas, nacido de un origen común, conserva la traza, los diversos grados, en sus palabras y en sus formas gramaticales.

El hecho más evidente en la historia de la antigua lengua griega es su división en dialectos, tomando los nombres mismos de los pueblos que los hablaban: *dórico, jónico* o *eólico*. Cada uno de ellos ha tenido su desenvolvimiento regular, sus leyes propias, y tanto los unos y los otros, alejándose de un estado primitivo que los griegos no sospechaban, han acabado por fundirse en la lengua común, después de ser adaptados a géneros literarios particulares y haber representado, en épocas sucesivas, las diferentes tendencias de la civilización helénica. Una vez desaparecidas todas estas divergencias y de alcanzada esta unidad, de la cual el aticismo fue como la flor, el griego no podía mantenerse así, y sufrió, como todas las lenguas, incesantes modificaciones, a través de las cuales llegó a la decadencia en el período bizantino que va desde el siglo v después de Jesucristo a la toma de Constantinopla por los turcos (1453). Durante estos diez siglos, la lengua clásica se alteró bajo la influencia del latín, contenida, sin embargo, por la rivalidad de Bizancio contra Roma, y después por la introducción de palabras orientales, árabes, turcas, eslavas, o europeas, italianas, francesas, etc. Mas la mezcla no fue lo bastante completa para destruir la identidad primitiva, y entre todas las lenguas antiguas, el griego tuvo el privilegio de sobrevivirse a sí mismo en una de las lenguas contemporáneas, el griego moderno. No muere, como el latín, en el naufragio del mundo antiguo; mientras que las lenguas neolatinas son lenguas verdaderamente nuevas, teniendo su origen y sus leyes de formación, el griego moderno no es otro que la continuación del antiguo, y, a pesar de las diferencias inevitables aportadas por el tiempo al diccionario y a la gramática, y del *patois* reciente que tiende a corromperla de la misma forma que los primeros dialectos tendían a formarla, la lengua griega se encuentra a sí misma luego de largos siglos de variaciones. "En su forma actual—escribe A. R. Raugabe—se aleja menos de Jenofonte que la lengua de Jenofonte pueda diferir de la de Homero."

La lengua griega es la más regular de las lenguas que han tenido una literatura clásica, así como la más flexible, la más rica y la más armoniosa. Su constitución gramatical es una maravilla, a la vez, de orden y de libertad. Todos los hechos relativos a la formación y a la derivación de palabras griegas ponen en claridad las reglas de una simplicidad, de una unidad perfectas, con una diversidad infinita de aplicaciones. No hay nada de fortuito ni de caprichoso en estos hechos, y nada más natural y más claro que las leyes que allí presiden. La teoría y la práctica, tan a menudo en lucha en las otras lenguas, están de acuerdo aquí en todos los puntos. Nada más fácil que ir de la palabra completa a la raíz que extrae la idea en su abstracción, o de ir de la raíz a todas las palabras destinadas a representar los diversos matices de la idea. Todo está reglado en los valores de estas desinencias tan multiplicadas con la radical, que modifican, según dos especies de leyes, las del sentido y las del oído. Parece que esta lengua griega de vocabulario tan rico debería ser la más fácil de aprender, pues que debiera ser suficiente conocer, en esta multitud de palabras que marchan por familias, un pequeño número de sus generadores con las leyes de su filiación; ejemplo: λυςισ, rescate; λυτός, rescatado; λυ-τικος, propio de rescatar; λυ-τρος, medio de rescatar, razón de rescatar.

Es de notar que las raíces, extrayendo la idea abstracta y absoluta, son, en general, monosilábicas: λυ, rescatar; φιλ, amar; λαβ, tomar, etc.; y que todas estas modificaciones que sufren en los derivados obedecen a las leyes de eufonía.

La misma regularidad preside en la formación de las palabras más complicadas, en medio de desinencias redobladas (φιλ-ητέος, que debe ser

G

amado), o de prefijos: ἀ-βροτος, inmortal; συν εκ-δαίνω, salir juntamente; o de radicales acumuladas: φιλο-δοξος, amigo de la gloria; ναυμαχεω, combatir sobre una nave. En estos últimos casos, el griego obtiene palabras compuestas que se añaden a su potencia expresiva o pintoresca, y cuyo empleo, aunque sometido a reglas fijas, deja al escritor una gran libertad de creación. Así, siempre que hay necesidad de formar una nomenclatura nueva para un orden nuevo de ideas, el vocabulario griego es el que presta al clasificador un instrumento de anotación potente y dócil.

El griego es, en cierto modo, una lengua menos sintética que el latín. Tiene el artículo que falta a este último; su declinación tiene menos casos y es menos complicada; ofrece, sin embargo, una gran variedad de terminaciones para marcar las relaciones de las palabras y de las ideas en la proposición. Tiene los tres géneros para todas las palabras declinables; tiene para los nombres y para los verbos la lucha que falta al latín. Tiene para extraer la acción del sujeto sobre el mismo una voz especial, la voz media. Al lado de la forma, que se ha hecho regular y general, con fecha relativamente reciente, existe para los verbos una forma más antigua, la forma en μι, que se remonta hasta los orígenes indianos y parece calcada sobre la conjunción sánscrita. En suma: la variedad de sus flexiones ha permitido al griego llevar la sintaxis a una perfección desconocida antes. Ha guardado la más completa libertad de inversión, y sus prosistas y poetas lo han usado para dar más relieve al pensamiento, más armonía a la frase.

Una cuestión muy debatida es la pronunciación del griego antiguo. Es cierto que desde la invasión de los bárbaros en el mundo romano los idiomas modernos nos han inducido a desfigurar, cada uno a nuestra manera, la lengua de Homero y de Platón, imponiéndole, lo mismo que al latín, las leyes de nuestra pronunciación. Bajo este aspecto, el francés no tiene nada que reprochar al alemán, al italiano ni al inglés; todo sistema de deletreo germánico o romano aplicado al griego es arbitrario y bárbaro. Esta pronunciación, a la moderna, combatida por Reuchlin y vivamente defendida por Erasmo, en el momento del renacimiento de las letras griegas tomó el nombre de *erasmiense.* Se invocaba y se le invoca aún en su favor, no solamente por la facilidad que ofrece para la enseñanza en cada país, sino para la pronunciación verdadera de los helenos, y los inconvenientes reales de la aplicación a los textos antiguos de los usos de la pronunciación de los griegos de nuestros días. Después de esta última, tres letras, η, ι, υ, tienen el sonido de la ι, que está igualmente representada por los diptongos o contracciones siguienes: ει, ου, η, υι. Leídos después de este sistema ciertos pasajes de los autores clásicos, están desfigurados por el iotacismo o extremo frecuente de la ν, hasta el punto de ser incomprensibles. Se sabe, además, que la lengua de los griegos no tenía todos los sonidos de la nuestra, y que la homofonía de varias letras producía confusiones favorables a los oráculos y a los juegos de palabras.

Otros sonidos sugeridos por la pronunciación del griego moderno eran repudiados por los erasmienses como inaplicables al griego antiguo. Para las consonantes, la β se pronuncia hoy como la *v;* la Γ, tan pronto como la *g* dura francesa, como la *j* vocal en alemán; la Δ y la Θ, como el *th* inglés, dulce o silbante; la X, como la *ch* alemana. Los diptongos que no tienen el sonido de la han sido el gran campo de batalla. Según el griego moderno, sería preciso pronunciar αυ como *av,* ευ como *ev,* ηυ como *iv,* ων como *ov,* y estos mismos diptongos como *af, ef, if, of,* delante de θ, κ, ξ, π, σ, φ, χ, ψ.

Sin volver a entrar en los debates entablados sobre este particular, y descartando toda cuestión de amor propio nacional, es necesario convenir que la sustitución de una pronunciación puede ser más racional a la de nuestra barbarie erasmiense, la cual ofrece más inconvenientes que ventajas, y que sería natural entorpecer el estudio elemental del griego en lugar de favorecer la expansión.

V. BURTON, G.: *Historia linguae graecae.*—HERMANN, G.: *De enmendanda ratione graecae grammaticae.*—LOBECK: *Paralipomena grammaticae graecae.*—EGGER: *Notions élémentaires de grammaire comparée.*—BAUDRY: *Gramática comparada de las lenguas clásicas.*

GRIEGA (Literatura)

La literatura griega se divide en los siguientes períodos:

1.° *Período arcaico (joniodórico),* del siglo X al VI antes de Cristo.

2.° *Período clásico (ático),* siglos V y IV antes de Cristo.

3.° *Período alejandrino.* Siglos III, II y I antes de Cristo.

4.° *Período grecorromano.* Siglos I al IV después de Cristo

5.° *Desde el siglo V hasta la toma de Constantinopla por los turcos.* Siglo XV.

6.° *Desde el siglo XV hasta nuestros días.*

El período antehistórico de la literatura griega se subdivide en dos épocas, la que precede a los poemas homéricos y la de estos poemas. La primera, muy indeterminada por cuanto afecta a sus límites, únicamente comprende recuerdos confusos de oscuridades legendarias, algunos nombres y escasísimas obras. Los nombres tienen, generalmente, un origen tracio o hiperbóreo: Lino, Orfeo, Oleno, Museo. Las obras son de carácter mítico: *himnos y trenos* y el *peán,* que recitaban y cantaban los *aedas* y rapsodas.

La *Ilíada* y la *Odisea* son las obras más gloriosas de la literatura griega y las que fijan los caracteres esenciales de la epopeya. La *Ilíada* tiene como argumento la toma de Ilión (Troya) por los griegos confederados, al mando de Agamenón. Y el motivo de esta guerra, el rapto de Helena, esposa de Menelao, rey de Esparta, por Paris, hijo de Príamo, rey de Troya. La *Odisea* es el poema de Ulises con sus viajes y numerosas peripecias.

Se atribuyen estos poemas grandiosos a Homero, rapsoda pobre y ciego, que vivió hacia el año 900 antes de Cristo. Aun cuando durante mucho tiempo la crítica estimó que dichos poemas fueron escritos por varios rapsodas. La influencia de la *Ilíada* y la *Odisea* fue inmensa. En torno a ellas, en tiempos posteriores, se compusieron numerosos y extensos *poemas cíclicos,* que desarrollaban episodios solo esbozados en aquellas dos gloriosas obras. Algunos de estos poemas tuvieron un desarrollo burlesco. Así, *La Batracomiomaquia*—lucha de las ranas y los topos—y *Margites,* poema del que únicamente se conoce el nombre.

Al tiempo que entre los jonios surgía la poesía heroica, entre los dorios surgió la *didáctica.* El nuevo género está representado por Hesíodo, que vivió hacia el año 800 antes de Cristo en un pueblecito de Bercia, y al que se le atribuyen dos obras: *Los trabajos y los días* —poema en 826 versos, con consejos prácticos— y la *Teogonía* o *Linaje de los dioses*—poema en un millar de versos—. No puede atribuirse a Hesíodo el poema en 480 versos *El escudo.*

La *Fábula* fue cultivada por Esopo, esclavo frigio, que vivió en el siglo VI. Las fábulas que le son atribuidas—algunas de ellas de clara procedencia oriental—parte de la crítica las ha considerado como de diversos autores, coleccionadas en el siglo VI.

La lírica.—Hasta el período alejandrino, la lírica era siempre cantada, acompañándose el canto con algún instrumento musical, generalmente la lira o la cítara. De aquí el nombre de *lírica.* Esta poesía tenía dos variedades: *citarodia,* si la poesía era acompañada por la cítara o la lira, y *aulodia,* si lo era por la flauta (de *aulós,* flauta).

Entre los líricos primitivos sobresalió Terprando, autor de *nomos* (cantos litúrgicos).

El lirismo jónico tuvo dos modalidades: la *poesía elegíaca*—composición en estrofas de dos versos, un hexámetro y un pentámetro—y *poesía yámbica*—con una forma métrica que se ajustaba a sus variados asuntos—. Entre los poetas *elegíacos* destacaron: Calinos de Efeso, Tirteo (hacia el año 680 antes de Cristo), cuya vena fue fundamentalmente guerrera y patriótica; Solón (hacia 640-550), legislador, uno de los siete sabios de Grecia, cuyos versos animaron a sus compatriotas a tomar Salamina; Minnermo (hacia el 625 a. de C.), poeta sentimental y erótico por excelencia, uno de los más imitados por los grandes poetas latinos; Teognis (hacia 540), ciudadano de Megara, aristócrata enemigo de la burguesía; Jenófanes, fundador de la poesía *eleática.*

La *poesía yámbica,* de pie más ágil y vivo que el hexámetro y el dístico elegíaco, tuvo su máximo representante en Arquíloco de Paros, poeta satírico, apasionado e impetuoso, "todo sangre y nervio", según Quintiliano.

Se llamó *poesía mélica*—de *melos,* música— a la lírica "que se cantaba", porque la elegíaca y la yámbica "se recitaban" con acompañamiento musical. La poesía mélica podía ser: *individual* y *coral.* Poetas mélicos fueron: Alceo (hacia el 610), inventor de la estrofa *alcaica* y maestro amado por Horacio; Safo (hacia el 600), poetisa celebérrima, que, al parecer, se suicidó por amor, arrojándose al mar, y autora de *epitalamios, himnos* y especialmente de las *odas sáficas;* Erina, discípula y amiga de Safo, autora de algunos epigramas llenos de ternura; Anacreonte (hacia el 540), poeta blando y epicúreo, cantor del vino y de los placeres, dio origen a la poesía *anacreóntica* y a los versos *anacreónticos.*

La *lírica mélica* coral se componía de *nomos* (cantos litúrgicos), *himnos, peán*—cantado ante el ara de los dioses—, *encomio*—cantado al final de los banquetes—, el *epitalamio*—canción de bodas—, el *himeneo*—cantado por los convidados que acompañaban a la novia a casa de su esposo—, el *treno*—canto fúnebre—, el *epinicio* —canto de la victoria—. Poetas mélicos fueron: Estesícoro, que inventó el *épodo* o parte final del canto; Alcman, Simónides de Ceos y su sobrino Baquílides; Píndaro (522-441), de Tebas, idolatrado en vida por los griegos y llamado el *Divino,* autor de *epinicios* y *odas triunfales* —subdivididas en *olímpicas, píticas, nemeas* e *ístmicas*—para celebrar las victorias atléticas.

Orígenes de la tragedia.—Los ditirambos entonados en las fiestas que se celebraban en el Ática originaron la tragedia, cuya etimología es *tragos* (macho cabrío) y *ode* (canción). Los coristas se vestían con pieles de macho cabrío, como los sátiros del cortejo de Baco. Las representaciones se celebraban al aire libre, junto al templo de Dionisios, situado en la falda de la Acrópolis de Atenas. La tradición helénica afirma que fue Tespis el organizador de la tragedia ateniense. No se conservan obras de Tespis, pero fue él quien añadió al coro y al personaje de los ditirambos otro personaje—protagonista—que dialogaba con ambos. Poco a poco el diálogo se fue alargando y se hizo más espaciada la intervención del coro. Los atenienses gustaron con pasión del género y organizaron concursos para premiar a los poetas que presentasen *trilogías* o grupo de tres tragedias, a las que más tarde se añadió un drama satírico o una comedia, pasando a ser, por tanto, tetralogías.

Los asuntos de la tragedia griega procedían de los poemas homéricos y de los poemas cíclicos.

Esquilo (525-426), de noble linaje ateniense, fue el primero de los grandes trágicos. Solo conocemos siete obras suyas: *Agamenón, Las coéforas* y *Las euménides*—trilogía—y *Los persas, Los siete contra Tebas, Las suplicantes, Prometeo encadenado.* El teatro de Esquilo se caracteriza por su religiosidad y grandeza. Su acción es escasa.

Sófocles (596-406). El más fecundo y perfecto trágico griego. Carece de la grandeza de Esquilo, pero es más humano. De las cien obras que compuso, únicamente siete han llegado a nosotros: *Edipo rey, Edipo en Colono* y *Antígona* —trilogía—, *Electra, Ayax, Filoctetes, Las traquinias.*

Eurípides (480-406), llamado el *filósofo de la escena.* Su teatro tiene la acción más complicada y los caracteres más humanos. Diecisiete de sus obras han llegado hasta nosotros, entre las que sobresalen: *Ifigenia en Aulide, Ifigenia en Tauris, Hécuba, Helena, Andrómaca, Orestes, Alcestes, Las Troyanas, Hércules furioso.*

ORÍGENES DE LA COMEDIA.—La comedia tuvo su origen en las mascaradas grotescas que se celebraban en el campo después de la vendimia. Los atenienses aún gustaron más de las comedias que de las tragedias.

Aristófanes (450-580), ateniense, satírico y moralista, escribió cuarenta y cuatro obras, de las que únicamente se conservan íntegras once: *Las nubes, Las aves, Las avispas, Las ranas, Lisístrata, Los caballeros, La paz, La riqueza, Los acarnienses, La asamblea de mujeres, Las tesmoforiazusas.*

Menandro (343-292), ateniense y aristócrata; menos hiriente que Aristófanes.

LA PROSA.—Entre los historiadores: Herodoto de Halicarnaso (484-425), llamado "el padre de la Historia", gran amigo de Pericles. Su *Historia* está dividida en nueve libros—en honor de las nueve Musas—, y en ella falta el sentido crítico, pero abundan la sinceridad y la veracidad.

Tucídides (470-360), general del ejército ateniense durante la guerra del Peloponeso, que relató—en ocho libros—con veracidad y arte y sentido crítico.

Jenofonte (440-350), ateniense, discípulo de Sócrates, combatió contra Artajerjes; entre sus obras están: *Anábasis* (expedición al interior del Asia), *Historias griegas, Ciropedia* (educación de Ciro el *Mayor,* rey de Persia) y la *Apología de Sócrates.*

Entre los filósofos: Sócrates (469-399), el hombre que, sin haber escrito nada, más ha influido en el pensamiento humano. Todas sus doctrinas las propagó su discípulo Platón.

Platón (428-347), de noble familia ateniense, genial filósofo, el más perfecto prosista griego. Viajó por Egipto y Sicilia, propagando las doctrinas de su maestro Sócrates. Consérvanse de él cuarenta y dos *Diálogos,* algunos reputados como apócrifos, entre los que sobresalen: *Fedón, Critón, El banquete, Parménides, Fedro, Leyes, La República...* Los *Diálogos* de Platón son una maravilla de estilo y de hondura de pensamiento.

Aristóteles (348-322), de Estagira, discípulo de Platón y preceptor de Alejandro Magno. Portento de sabiduría y de gracia expresiva. Entre sus obras: *Organon, Ética a Nicómaco, Metafísica, Retórica, Poética.*

Entre los filósofos, llamados *sofistas:* Protágoras, Pródicos, Gorgias.

Entre los oradores: Lisias (440-380), siracusano, fue perseguido por los treinta tiranos. Se conservan de él treinta y cuatro discursos.

Isócrates (436-338), ateniense y discípulo de Sócrates. De sus veintiún discursos, el más importante es el *Panegírico.*

Demóstenes (384-322), ateniense, combatió encarnizadamente a Filipo, rey de Macedonia, con sus cuatro *Filípicas* y sus *Olintíacas.* El *Discurso de la corona* iba contra su rival Esquines.

Otros famosos oradores fueron: Antifonte, Andocides, Licurgo de Atenas, Hipérides, Esquines y Dimarco.

PERÍODOS ALEJANDRINO Y GRECOLATINO.—Marcan la decadencia de la literatura griega.

POESÍA.—Calímaco (310-240), autor de *himnos* y *elegías.* Teócrito (305-250), cultivador excepcional del género bucólico—*Idilios*—y de los *mimos*—*Las siracusanas*—. Bión de Esmirna y Mosco de Siracusa, discípulos de Teócrito. Apolonio de Rodas (295-230), autor del poema épico *Los argonautas.*

PROSA.—Entre los críticos y filólogos de la famosa *Escuela de Alejandría* figuran: Aristófanes de Bizancio y Aristarco.

Entre los filósofos *escépticos:* Pirrón, fundador de la *filosofía escéptica.*

Entre los *epicúreos:* Epicuro. También tuvo numerosos adeptos el *estoicismo.*

El principal *geógrafo* fue Eratóstenes (275-195), de una cultura portentosa, autor también de obras históricas y de astronomía. Sus obras principales son: *Cronografía* y su *Geografía,* nombre inventado por él, que fue el verdadero creador de esta ciencia.

Entre los historiadores: Polibio (210-125), que luchó contra los romanos, aun cuando, más tarde, pasó a Roma y estuvo protegido por los Escipiones. Su obra *Historia* narra los sucesos comprendidos entre los años 221 y 146.

Dentro del *período grecorromano* cabe distinguir la *literatura pagana* y la *literatura cristiana.*

En la *literatura pagana* fueron escritores notabilísimos: Diodoro de Sicilia, historiador, autor de una *Enciclopedia* en cuarenta libros.

Estrabón, historiador y geógrafo, cuya *Geografía* conserva aún innegables encantos. Flavio Josefo, judío de Jerusalén, historiador, que fue hecho cautivo en la toma de su ciudad natal por Tito, autor de la *Guerra de los judíos* y la *Historia de Israel.* Estos tres escritores vivieron en el siglo I de nuestra Era. A los siglos II y III corresponden: Epicteto, esclavo en Roma, autor de un célebre *Manual* de la filosofía estricta. Marco Aurelio, emperador, filósofo estoico, que hizo famosos sus *Pensamientos.* Plotino, que profesó una filosofía mística de base neoplatónica, autor de las *Enéadas.* Arriano, que tituló su obra acerca de la expedición de Alejandro en Asia *Anábasis,* en memoria de Jenofonte, de quien fue gran admirador. Apiano, autor de una *Historia romana.* Pausanias, cuya *Descripción de Grecia* está llena de preciosas informaciones. Diógenes Laercio, uno de los primeros escritores que cultivó la biografía en *Vidas y doctrinas de filósofos ilustres.*

Plutarco (50-120), de Queronea y de noble familia, gobernador de Acaia, maestro de filosofía en Roma. Sus *Obras morales* son una colección de anécdotas de la antigüedad. Sus *Vidas paralelas,* cincuenta y seis biografías de hombres célebres, es una de las obras clásicas más amenas y fundamentales.

Luciano de Samosata (125-200), de humilde familia siria, viajero en Grecia, Roma, las Galias y Egipto; satírico y escéptico, es autor de numerosos *Diálogos* acerca de Literatura, Filosofía, Historia, Arte... Entre ellos sobresalen: *Diálogos de los muertos, El sueño, El gallo, Sobre la manera de escribir historia,* y la novela *El asno.* Sus escritos pasan de ochenta. Influyó en espíritus tan admirables como Erasmo, Quevedo y Voltaire.

LITERATURA CRISTIANA.—En los siglos II y III de nuestra Era se hicieron célebres los llamados *apologistas:* San Justino, filósofo, y martirizado en el año 165, autor de dos *Apologías.* San Clemente de Alejandría, autor de *Apología del cristianismo.* Orígenes, de Alejandría, de inmensa sabiduría, de cuyas obras sobresalen *Comentarios* a la Biblia y *Exhortación al martirio.*

Al siglo IV corresponden: San Atanasio, patriarca de Alejandría. San Basilio, obispo de Cesarea, prosista excepcional, autor de *Homilías* y de un *Discurso* acerca de la utilidad de la lectura de los libros clásicos paganos. San Gregorio de Nissa, obispo de esta ciudad y hermano de San Basilio. San Gregorio de Nazianzo, poeta, teólogo y orador espléndido. San Juan Crisóstomo, es decir, "boca de oro", el más profundo y original de los padres de la Iglesia de Oriente, autor de numerosas obras: *Sobre Eutropio, Sobre las estatuas, Tratados, Discursos, Cartas...*

(Para la literatura griega de los siglos V al XV, véase *Bizantina, Literatura.)*

Tomada Constantinopla por los turcos, toda la civilización griega se derrumbó. Sin embargo, las relaciones entre Oriente y Occidente no se interrumpieron, porque los grandes escritores griegos se refugiaron en los países occidentales. Así, Jorge de Trebizonda, Teodoro de Gaza, Leoncio Pilatos, Jorge Gemisto, Manuel y Juan Crisoloras, el cardenal Bessarion.

En el suelo esclavizado de Grecia no vivió sino la poesía popular de los cleftas, pueblo guerrero que siguió defendiéndose en las montañas y de los isleños del mar Egeo. Como curiosa excepción, conviene citar la *Escuela poética de Creta,* que siguió próspera, empleando para sus obras un lenguaje con rara mezcla de vocablos venecianos.

De esta época son notables: Vicente Cornaro, autor del poema erótico en cinco cantos y metro alejandrino *Eratocrito,* pintura deliciosa de costumbres. Jorge Chortakis, autor del poema trágico *Erófilo.* Nicolás Drimíticos, autor del poema idílico *Pastora.* Los tres poemas están escritos en dialecto candiota; y en este mismo dialecto compusieron sus obras el pindárico Maroulos y los epigramáticos Melisinios y Gregoropulos.

Y todavía en el siglo XV, y en la propia Grecia, cabe señalar a: Arsenio, obispo de Monembasia, comentarista de Eurípides y Aristófanes. Portos el *Cretense* y Allatio de Quío, poetas y comentaristas de obras clásicas; y los historiadores Georgilos Limenitis, Jacobo Trivoles y Papaspondylos Zotikos.

El siglo XVI es notable por los prosistas e historiadores: Demetrio Cantemiro escribe la historia del Imperio otomano; Franzes, la de los paleólogos; Teodosio Zygomalas, la de Constantinopla; Melaxos, la crónica de su patriarcado.

La literatura nacional griega renace con Nicéforo Theotokis y Eugenio Bulgares, apologistas, eruditos y comentaristas de obras clásicas; porque durante los siglos XVII y XVIII apenas si tuvo otras representaciones que los cantos populares de las montañas y de las islas y algunas traducciones de obras italianas.

Hay que llegar a la época de la guerra de la independencia griega para poder referirse a un indudable renacimiento literario y bibliográfico.

Los griegos modernos han cultivado principalmente la filología y la historia: Coray, Azopios, Piccolos, Pappadópulo Ureto, Philippidis, Peraebos, Surmelis, Rangabé, Corais de Quío —fundador de la moderna lengua griega.

Uno de los mejores poetas modernos es Dyonisios Sulomos, que se valió del dialecto de las islas Jónicas. Otros poetas excelentes: Terzetes, Kalvos, Typaldos, Markoras, Aristóteles, Vagadrites, Mavrogiannos, Vilara, Bikelas, Parascos, Vlachos, Bizyenos, Aquiles Parascos.

Entre los dramaturgos: Demetrios Kuromelas, Bernadakes, Kleon Rhangabes. Entre los novelistas: Zampelios y Kalligas. Entre los eruditos: Juan Psicari, Palli, Karolides, Empiridión Campos, Constantino Kontos, Diomedes Kyriakos...

V. PIERRON, Alejo: *Historia de la literatura griega.* Barcelona, 1861.—NESTLE, Wilhem: *Historia de la literatura griega.* Barcelona, 1930.—CROISET, A. y M.: *Histoire de la littérature grecque.* París, 3.ª ed. 1910-1920.—MAHAFFY, J. P.: *A history of classical Greek literature.* Londres, 1903-1908.—WOLF, Aly: *Geschichte der griechische Literatur.* Leipzig, 1925.

GRIEGA (Versificación)

Los griegos, como más tarde lo hicieron los latinos, fundaron toda su versificación, no sobre el número de sílabas, sino sobre su medida o cantidad. El verso tuvo como elementos los pies, es decir, los grupos de sílabas de un valor determinado por la pronunciación, y la rima fue marcada para el oído por la serie regular de largas y breves en la estructura misma del verso. Hemos expuesto de antemano este principio de medida, sus aplicaciones, sus consecuencias (véase *Cantidad, Pie, Versificación,* etc.); nosotros nos limitaremos a reunir aquí los principales tipos de versos imaginados por los griegos y transmitidos por ellos a los romanos, y después los grupos más notables formados por su mezcla.

I. *Principales tipos de versos griegos y latinos.*—El más importante y el más usado tenía como base el dáctilo, y se llamaba *hexámetro* o *heroico.* Comprendía como variedades el *priapense dactílico,* el *bucólico,* el *teliambo* o *miuro* y el *hexámetro espondaico.* El hexámetro tenía, además, como derivados: el *adónico;* los dos últimos pies del hexámetro; el *arquiloquio:* dos dáctilos más una sílaba; el *glicónico* (latín): un espondeo y dos dáctilos; el *ferecracio:* un dáctilo entre dos espondeos; el *arquiloquio tetrámetro:* los cuatro últimos pies del hexámetro; el *alcmánico:* los cuatro primeros pies del hexámetro; el *falisco:* tres dáctilos y un yambo o un pirriquio; el *tetrámetro cataléctico:* tres dáctilos más una sílaba; el *tetrámetro hipercataléctico:* cuatro pies más una sílaba. Es preciso volver a añadir al *hexámetro* un verso de una rima muy distinta, pero que no puede ir sino con el *pentámetro* o *elegíaco.*

Uno de los versos que los antiguos empleaban más a menudo tenía como base el yambo, y era llamado *yámbico;* su tipo principal era el *trímetro,* pero comprendía numerosas especies y algunos derivados de una gran variedad. Son dignos de mención: el *escazonte* o *coliambo,* el *saturnino,* el *anacreóntico,* el *galiámbico,* el *yambo elegíaco,* el *elegiámbico.*

Los seguían:

El verso del cual el troqueo es la base, o trocaico, con sus variedades, entre las cuales se distingue: el *glicónico,* el *itifálico,* el *sáfico.*

El verso del que el *coriambo* es la base, o coriámbico, con sus variedades.

El verso del que el *anapesto* es la base, o *anapéstico,* con sus variedades, entre las cuales se encuentran el *paremíaco,* el *arquebúlico,* el *aristófano.*

El verso compuesto de pequeños *jónicos: jónico menor* y sus variedades.

El verso compuesto de grandes *jónicos: jónico mayor,* con sus variedades, entre las cuales está el *tetrámetro cataléctico.*

Los versos compuestos de *baquios: baquiáquicos;* de *antibaquios: antibáquicos;* de *docmio: docmíaco;* de *créticos: crético;* de *procelesmáticos: procelesmático.*

Es preciso citar aún los versos siguientes: el *alcaico: yambo o espondeo, yambo, cesura,* dos *dáctilos;* el *asclepiadeo: espondeo, dáctilo, cesura,* dos *dáctilos;* el *falacio: espondeo, dáctilo,* tres *troqueos.*

Varios de estos versos presentaban, como ya se ha indicado, especies que determinaban el número más o menos considerable de pies. Podía suceder que el mismo género de versos tuviese variedades tales como los *monómetros, dímetros, trímetros, tetrámetros, pentámetros hexámetros* y hasta *heptámetros.* Estos, a su vez, se subdividen, en algunos casos, en versos *acalécticos, catalécticos, braquiacatalécticos* o *hipercatalécticos* (V.).

II. *Mezcla de versos entre griegos y latinos.*—Los antiguos, como los modernos, tan pronto empleaban versos de una sola especie en un sistema continuo como los unían a otras especies de versos. Un poema que contenía una especie de versos se llamaba *monócolo* (μονό-κωλος, unimembre). Si contenía dos especies recibía el nombre de *dícolo* (δίκολος, bimembre). Si contenía tres, *trícolo* (τρίκολος, trimembre). Dos especies de versos podían sucederse alternativamente y formaban una pieza, que se llamaba *dícolos distrofos.* Tres especies de versos que se sucedían alternativamente formaban un *trícolos tristrofos.* La estrofa de cuatro versos con dos clases de metros se llamaba *dícolos tetrástrofos;* la estrofa de tres, *trícolos tetrástrofos.*

Las composiciones que contienen dos clases de versos ofrecen muy numerosas variedades. La mezcla más frecuente es la del *hexámetro* y del *pentámetro* o *dístico.* El *hexámetro* se unía con el *alcmánico,* el *arquiloquio,* el *arquiloquio tetrámetro,* el *yámbico dímetro,* el *yámbico trímetro* y el *yambo elegíaco.* Se unía el *alcmánico* con el *arquiloquio* o con el *yámbico dímetro,* el *glicónico* con el *asclepiadeo.* El *yámbico trímetro* se colocaba con el *yámbico dímetro,* el *pentámetro* y el *elegiámbico.* Al *anacreóntico* le seguía el *ferecracio;* al *asclepiadeo,* el *ferecracio* o el *yámbico dímetro;* al *sáfico,* el *glicónico;* al *falacio,* el *pentámetro* o el *dáctilo troqueico;* al *aristófano,* el *gran alcaico.*

Los versos no se sucedían siempre alternativamente. Se podían colocar grandes versos semejantes entre ellos, a los que seguía uno más pequeño; algunas veces pequeños versos eran, por el contrario, seguidos de uno más largo. De la misma manera se sucedían, por ejemplo, tres *sáficos* y un *adónico,* tres *asclepiadeos* y un *glicónico,* dos o tres *glicónicos* y un *priapense,* tres *anacreónticos* y un *coriámbico.* En la reunión de tres clases de versos se colocaban, sucesivamente, o bien dos *alcaicos,* un *yámbico dímetro hipercataléctico* y un *dáctilo trocaico;* o bien dos *asclepiadeos,* un *ferecracio* y un *glicónico;* o un *glicónico,* un *asclepiadeo* y un *coriámbico pentámetro.* Estos grupos de versos formaban estrofas y recibieron, lo mismo que los versos de los cuales estaban compuestos, los nombres de sus inventores, Alceo, Safo, Asclepiades, etc.

En los coros de las tragedias se encuentran, además de los diversos tipos de estrofas, sucesiones irregulares, en donde los versos no solamente son de medidas desiguales, sino de naturaleza distinta; por ejemplo: una mezcla del sistema *yámbico* y del sistema *trocaico.* Véanse en el Diccionario los nombres de los versos señalados en este artículo o los grupos a los cuales pertenecen. Para los detalles de la versificación griega: la *elisión,* la *transición,* la *cesura,* etcétera, es preciso consultar con los tratados elementales de prosodia, bien sea griega o latina, porque estas cuestiones no son de suficiente interés para tratarlas en estos artículos especiales.

V. HERMANN: *De metris poetarum graecorum et romanorum.* Leipzig, 1796.—ZENOBIUS POP: *Traité de métrique grecque.* Traducción. Viena, 1899.—QUICHERAT, L.: *Traité de versification grecque et latine.* París. Varias ediciones.—MUNK, Ed.: *Metrik der Griechen und der Raemer.* Leipzig. Varias ediciones.

GROENLANDÉS (Idioma)

Uno de los principales idiomas esquimales. Es hablado, en multitud de dialectos, en Groenlandia, y su vocabulario comprende palabras y giros de otros idiomas esquimales hablados en la península del Labrador y en el litoral de la bahía de Hudson. El filólogo Cranz ha reconocido en el groenlandés influencias noruegas muy fuertes. Su cualidad de lengua de aglutinación no le da sino cierta concisión, ya que en ella son muy raros los monosílabos.

Las reglas de la composición de las palabras son de una gran complicación, pero de una extraordinaria fijeza. Son numerosas las formas gramaticales para los sustantivos, los pronombres y los verbos. La expresión de ideas abstractas es limitadísima.

En el groenlandés, los nombres se declinan por medio de afijos. Tienen tres números, como el griego, pero carecen de género. Tiene cinco conjugaciones muy ricas en modos, pero únicamente con tres tiempos: el presente, el pretérito y el futuro. El presente indica a la vez un pasado próximo; el futuro es doble, y se designa por las dos formas de futuro próximo y de futuro lejano. Los modos son: indicativo, interrogativo, imperativo, permisivo, conjuntivo e infinitivo. El alfabeto se compone de cinco vocales y treinta y una consonantes. El predominio de la *t, k* y *r* da a la pronunciación excesiva dureza.

En groenlandés existen dos versiones espléndidas del *Génesis* y del *Nuevo Testamento.*

B, g, l, v, nunca entran en la composición inicial de una palabra. El acento prosódico o tónico recae ordinariamente sobre la última sílaba.

Para el filólogo Du Ponceau, el groenlandés pertenece al sistema polisintético, al cual se refieren todas las lenguas de América, y en el que las palabras compuestas están formadas por un procedimiento de aglutinación. Por su parte, Malte-Brun declara haber encontrado en el groenlandés las partículas y las inflexiones tan abundantes como en el griego.

V. EGEDE, P.: *Dictionarium groenlandicodanico-latinum.* Copenhague. Varias ediciones.—KLEINSCHMIDT, S.: *Gramatik der groenlaendischen Sprache.* Berlín, 1851.

GROTESCO (Género)

Género literario *disparatado, chocarrero, risible, disforme, extravagante, estrambótico* y *ridículo.*

GUARANÍ (Lengua)

Idioma hablado en vastas comarcas de la América meridional, extendiéndose por el Norte hasta las Antillas y La Florida; por el Sur, hasta la Patagonia, y por el Este y Oeste, hasta el Atlántico y el Pacífico, respectivamente.

Todo este conglomerado de pueblos, que incluye a "los caribes de las Antillas, de las Guayanas y del norte del Brasil, los tupíes y guaraníes del centro y norte del Brasil, del Alto y Bajo Amazonas, agregando varios otros elementos menores, y los pueblos sometidos por los guaraníes"—entre los que se pueden citar a los charrúas que habitaban el Uruguay, los minuanes, timbúes y chanaes de Argentina, y los guayaquíes de la región del Guairá en el Paraguay—, que ocupaban en total un territorio que, partiendo de la Pampa argentina, llegaba hasta las Antillas, se denomina *grupo guaraniano.* De que existió ese *grupo guarianiano,* de que nos habla Bertoni, es prueba concluyente el hecho de que Panamá, Yucatán, Guayaquil, Guayanas, Pará, Paraná, Paranaribo, Paranagua, Amazonas, Minihama, Paraguay y Uruguay, son nombres guaraníes indiscutibles. Existen más de 60.000 nombres geográficos, toponímicos y de animales y plantas en toda Sudamérica, cuyo origen guaraní es innegable.

Existe luego un *pueblo guaraní* que comprendía todos los pueblos sudamericanos que hablaban el mismo idioma, o un idioma similar. Puede citarse, finalmente, una *nación guaraní* que constituía algo así como la aristocracia de los pueblos guaraníes, abarcando "los pueblos que habitaban el centro y norte del Paraguay, partes del centro y sur de Matto-Grosso, parte de la cuenca del Amazonas y varias partes de las costas del Atlántico y centro del Brasil". Todos estos datos vienen a demostrar que el límite norte de las regiones habitadas por los guaraníes no es el que se hace en el Diccionario, sino que se extiende mucho más allá. Además, la división que se hace en cuatro grupos de los idiomas guaraníes es arbitraria y sin fundamento. Existe un solo idioma guaraní puro, hablado actualmente—con influencias del castellano—en el Paraguay, y existen dialectos, llegando a contarse sesenta y seis, todos ellos derivados del guaraní, y de los cuales algunos son: el *apiacá*, el *camayura*, el *tapirapé*, el *tembe*, el *guayayarí*, el *ovampi*, el *emerillón*, el *omagua*, el *guarayo*, el *tapi*, el *chiriguano*, el *caingua*, el *apitere*...

Entre las regiones en que se hablaba guaraní, el Paraguay destaca ampliamente. El Paraguay es un país bilingüe—el único en América—, en donde el castellano es el idioma oficial obligatorio, y que se enseña en las escuelas; y el guaraní, el idioma popular, sobre todo en el campo, donde adquiere la característica de lengua familiar, existiendo muchísimas personas del pueblo que solo poseen el guaraní. Esto demuestra que el Paraguay es no solo donde con más extensión se habla el guaraní, sino que también es el país en el cual con más pureza se lo hace. "Juntamente con el idioma traído por el conquistador hispano, la lengua rancia, colorida, dúctil y elegante con que el español rima sus endechas, llora sus tristezas, canta sus ensueños y plasma sus pensamientos, en las regiones de los antiguos caribes, se habla un idioma extraño, expresivo, gutural, pleno de giros raros y de onomatopéyicos sonidos. Es la lengua guaraní...", escribe Carlos R. Centurión en su *Historia de las letras paraguayas*.

También en la provincia argentina de Corrientes se habla, aunque con menos generalidad y perfección, el guaraní. Asimismo existen institutos que lo estudian, en el Brasil principalmente, y en el Uruguay y la Argentina; pero es el Paraguay, a no dudarlo, el principal centro del habla guaraní.

En contra de lo que afirmamos en la primera edición de esta obra, en el guaraní existe la letra *l*, como lo demuestran las siguientes palabras, castizamente guaraníes: *gualalá* (sonido que hacen los dientes al chocar), *keleé* (halago), *chulú* (calzoncillo), *güilili* (ruido que hacen los órganos digestivos), *Lambaré* (nombre de un famoso cacique guaraní), *canchalagua* (deyanira, especie de geneciana), *calaguala* (anthurio) y otras muchas más. En cuanto a la *f* y la *z*, en realidad no existen, así como tampoco la *b* y la *d* (independientes, puesto que existen como digramas *mb* y *nd*), la *h* (muda), la *ll*, la *q*, la *r* (como sonido fuerte, pues siempre se pronuncia como la *r* intermedia castellana, aunque sea inicial), la *w* y la *x*, todos ellos son fonemas inexistentes en guaraní.

En guaraní no se puede hablar de una ortografía, de una tradición ortográfica, aunque sí de un cauce ortográfico, seguido por los cultores de la lengua vernácula, con múltiples variaciones, introducidas por cada autor. Para salvar ese inconveniente, en 1950 se celebró en la ciudad de Montevideo una reunión con el fin de adoptar un sistema ortográfico y numeral guaraní, estando representados los principales centros de estudios de lengua guaraní del Paraguay, Uruguay, Brasil y Argentina. Y le cupo al representante de la Facultad de Filosofía y Letras de la Universidad de Asunción—el licenciado R. Decoud Larroza—un descollante papel al conseguir imponer, casi totalmente, un sistema ortográfico que le pertenece.

En dicho Congreso se adoptó un sistema ortográfico fonético, racional y muy práctico, por la sencillez y facilidad, en el cual solo existen siete reglas ortográficas.

El alfabeto aprobado consta de veinticuatro signos o letras, que corresponden a veinticuatro sonidos fundamentales, a saber: *a*, *ch* (suena como la *ch* francesa), *e*, *g* (que tiene sonido suave en las seis vocales guaraníes, pues no existe el sonido fuerte de la *j* o de la *ge*, *gi*), *g* (*g* nasal), *h* (siempre aspirada, que equivaldría a una *j* castellana muy suave), *i*, *y* (sonido más o menos análogo a la *u* francesa, usándose siempre como vocal, nunca como consonante, y es esta la sexta vocal guaraní), *k* (reemplaza en todo a la *c* castellana, que se suprime), *l*, *m*, *mb* (con un sonido más fuerte que la *b* castellana), *n*, *nd*, *ng*, *ñ*, *o*, *p*, *r* (siempre suave; no existe la *rr*) *s*, *t*, *u*, *v*, *j* (con su sonido, no de *j* castellana, sino universal de *ye*; más o menos, como en francés, inglés y portugués).

La adopción de este sistema ortográfico es la principal resolución tomada en el citado Congreso, pues ello servirá para unificar los distintos sistemas usados por los diversos autores de habla guaraní.

Aun cuando en el guaraní existen muchas palabras monosilábicas, son polisilábicas en su mayoría. El guaraní no tiene *géneros*, pero distingue los *casos*. El plural se marca por el sentido de la frase o por la adición de otra palabra que indica pluralidad. Tiene dos conjugaciones negativas y dos positivas. La declinación de los pronombres es muy rica, y un nombre puede transformarse en verbo por la unión de un pronombre personal.

Comprendiendo gran número de afijos y de preposiciones, esta lengua puede formar los modos y los tiempos de una manera muy complicada y muy diferente de nuestra sintaxis.

Una característica del guaraní es la cantidad de voces onomatopéyicas que contiene.

Muchas de las anteriores noticias las debemos a la amabilidad y a la ciencia del publicista paraguayo don Rubén Bareiro Saguier.

V. RUIZ DE MONTOYA, P. Antonio: *Tesoro de la lengua guaraní.* Madrid, 1639.—VELÁZQUEZ, P.: *Diccionario guaraní.* Madrid, 1624. VELÁZQUEZ, P.: *Catecismo de las lenguas guaranís.* Madrid, 1640.— BERTONI, Dr. Moisés: *La civilización guaraní.*—BERTONI, Dr. Moisés: *Prehistoria y protohistoria de los países guaranís.*

GUATEMALTECA (Literatura)

La literatura guatemalteca autóctona no aparece hasta el siglo XIX. Sin embargo, merecen ser destacados algunos escritores de épocas anteriores nacidos en Guatemala. Así, el dominico fray Ambrosio de la Madre de Dios (m. 1627); los poetas jesuitas Alonso de Arrillaga (m. 1724) e Ignacio de Azpeitia; sor Juana de Maldonado (¿1598-1638?); los sacerdotes Antonio de Cáceres y Fernando Valtierra; Francisco Antonio de Fuentes y Guzmán (m. 1699), poeta y prosista—*El milagro de América, Vida de Santa Teresa, Recordación florida*—; fray Francisco Vázquez (¿1647-1714?) —*Crónica de la provincia del Santísimo Nombre de Jesús, de Guatemala; Historia lauterana sobre la imagen de nuestra Señora de Loreto, en Guatemala*—; Antonio Paz Salgado (¿1695-1750?), satírico de mérito—*Verdades de grande importancia para todo género de personas, El mosqueador añadido, o Abanico con visos de espejo para ahuyentar y representar todo género de tontos, moledores y majaderos; Instrucción de litigantes*—; Miguel de Taracena —*Lágrimas de Aganipe*—; el jesuita Rafael Landívar (1731-1793), poeta e historiador —*Rusticatio mexicana,* poema latino, muy alabado por Menéndez y Pelayo—; P. Domingo Juarros (1752-1820)—*Compendio de la historia de la ciudad de Guatemala*—; Antonio José de Irisarri (1786-1868) fue, según Menéndez y Pelayo, "uno de los hombres de más entendimiento, de más vasta cultura, de más energía política que América ha producido", y escribió *El cristiano errante,* novela autobiográfica; *Historia crítica del asesinato del Gran Mariscal de Ayacucho,* el relato satírico *Historia del perínclito Epaminondas del Cauca* y las *Cuestiones filológicas;* Rafael García Goyena (1766-1823), nacido en el Ecuador, pero que desde muy joven vivió en Guatemala, fabulista insigne.

Con el movimiento romántico se inicia la literatura nacional guatemalteca en lengua española. Y son sus escritores más representativos: José de Batres y Montúfar (1809-1844) —*Tradiciones de Guatemala,* de excepcional valor literario y costumbrista—. Juan Diéguez (1813-1865), poeta—*La garza, A mi gallo, Tardes de abril*—. Alejandro Marure (1806-1851), historiador y erudito—*Bosquejo histórico de las revoluciones en Centroamérica desde 1811 hasta 1834, Cuadro de la literatura de los griegos*—. Lorenzo Montúfar—*Reseña histórica de Centroamérica*—. José Milla (1822-1882), que popularizó el seudónimo de "Salomé Gil", novelista—*El visitador, Los nazarenos, La hija del Adelantado, Don Bonifacio, Historia de un Pepe, Memorias de un abogado*—. Juan José Micheo (1847-1869), traductor de Horacio. Eduardo Hall (1832-1885), traductor de Lamartine, Hugo, Moore, Byron. Domingo Flores (1825-1864), poeta—*Chinautla, El xequijel*—. Vicenta Laparra de Lacerda (1834-1905), iniciadora del teatro moderno guatemalteco. Antonio Batres Jáuregui, historiador y filólogo —*Bosquejo de Guatemala, Cristóbal Colón, El Nuevo Mundo, Literatura americana, Vicios del lenguaje y provincialismos de Guatemala, Estudios históricos y literarios*—. Agustín Mencos Franco (m. 1902)—*Crónicas de la antigua Guatemala*—. Los poetas Ricardo Casanovas Estrada (1844-1913), Fernando Cruz (1845-1901), Francisco Lainfiesta (1837-1912), Juan Fermín Aycinena (1838-1898).

Enrique Gómez Carrillo (1873-1927), que siempre vivió en París o Madrid, cronista brillante, poeta de la prosa—*El Evangelio del amor, El encanto de Buenos Aires, La sonrisa de la esfinge, Safo, Salomé y otras seductoras; Bohemia sentimental*—. Domingo Estrada 1858-1901), traductor de Poe, Musset y Hugo. María Cruz (1876-1915), poetisa y prosista. Enrique Martínez Sobral, novelista de mérito. El poeta Juan Coto.

Ya dentro del siglo XX sobresalen: Rafael Arévalo Martínez (1884), poeta, novelista, ensayista—*Los atormentados, El hombre que parecía un caballo, Maya, El señor Monitot*—. Máximo Soto Hall (1871-1944), novelista—*Catalina, El ideal, La divina reclusa, La niña de Guatemala*—. Flavio Herrera, poeta, finísimo cultivador del *haikai.* Luis Cardoza y Aragón (1902), poeta superrealista y revolucionario —*Luna Park, Sol, aguamar y palmeras*—. Miguel Angel Asturias (1899), poeta—*Leyendas de Guatemala*—y novelista—*Tohil*—del fascinador folklore maya. Horacio Espinosa Altamirano y Oscar Mirón Alvarez son dos excelentes líricos de fuerte expresión indígena. Antonio Morales Nadler (n. 1917), cultivador feliz del romance. Carlos Wyld Ospina (n. 1891), poeta.

V. Henríquez Ureña, Pedro: *Literatura de América Central.* En el tomo XII de la "Historia universal de la Literatura", de Prampolini. Buenos Aires, Uteha, 1941.—Salazar, Ramón A.: *Historia del desenvolvimiento intelectual de Guatemala.* Guatemala, 1897.—Díaz Vasconcelos, Luis Antonio: *Apuntes para la historia de la literatura guatemalteca. Epocas indígena y colonial.* Guatemala, 1942. Leguizamón, Julio A.: *Historia de la Literatura hispanoamericana.* Buenos Aires, 1945. Dos tomos.

GUÍA

1. Libro que se publica periódicamente y en el "que se dan preceptos o meras noticias para encaminar o dirigir las cosas, ya espirituales o abstractas, ya puramente mecánicas o materiales".

2. Libro en el que se describe un lugar, una comarca, una región, un país, dándose en él otras noticias acerca de personas célebres, monumentos artísticos, hechos históricos que tienen relación con el lugar o país descrito.

3. *Guía de forasteros.* Libro, oficial o no, que se publica periódicamente y que contiene noticias sociales, administrativas, económicas, políticas, literarias y artísticas circunscritas a un lugar para enseñanza de cuantos llegan a él.

GUILDISMO

Tendencia política y económica socialista de la Edad Media, reavivada en la segunda mitad del siglo xix.

Guildismo procede de las guildas o gildas, cofradías o hermandades medievales para la mutua ayuda y protección de los miembros que las formaban. Las guildas nacieron en el norte de Europa. Cada una de ellas estaba formada por un maestro y varios oficiales, los cuales pagaban el derecho de entrada, una cuota anual y vestían uniforme. Cada guilda tenía su capilla, su patrono, su sala de reuniones y su ceremonial.

En un principio, todas las guildas se ajustaron a uno de estos tres tipos: social o de paz, mercantil y de comercio.

A partir del siglo vii, las guildas—nacidas para suplir las deficiencias de la ley en relación con los trabajadores—se propagaron por toda Europa, tomando diferentes nombres y adoptando ciertas diferencias de gobierno y de organización impuestas por las circunstancias. En Francia fueron los *métiers;* en España, los *gremios;* en Italia, las *arti;* en el sur de Alemania, las *Zunft...* Durante la baja Edad Media, las guildas más famosas y mejor organizadas fueron las llamadas *tradegilds*—guildas de comercio—, en las cuales algunos autores han creído ver el origen de las *trade-unions* actuales, de tan enorme fuerza social en Inglaterra.

"El socialismo guildista, cuya fuerza más importante reside en Inglaterra, representa un compromiso entre el socialismo y el colectivismo; coordina el concepto de la propiedad del Estado, de los colectivistas, con la idea del control de los productores, que profesan los sindicalistas. Y mientras el sindicalismo se guía únicamente por el interés de los productores, el socialismo guildista se preocupa, a un tiempo, del bienestar de productores y consumidores. Los trabajadores se organizan en uniones o guildas, atendiendo a sus labores respectivas, y tienen a su cuidado el control de la producción; y los consumidores, representados por el Estado, deben poseer los medios de producción. Hay que añadir a esta concepción la teoría pluralista de la soberanía, a base de la idea de función. Según los socialistas, patrocinadores de las guildas, la industria, la Iglesia, la educación y todos los aspectos esenciales de la actividad humana deben tener, por separado, una organización peculiar y la dirección de sus propios asuntos. El Estado ha de limitarse a intervenir, en último término, o permanecer en un pie de igualdad con los demás grupos naturales, descansando la autoridad suprema que resuelva los conflictos en un cuerpo que lleve la representación de todos los intereses fundamentales."

El guildismo manifestó siempre una gran desconfianza ante la obra del Estado y una muy acusada tendencia antiintelectualista; se declaró enemigo del socialismo del Estado, ya que este, al crear un electorado egoísta, mediatiza la burocracia gobernante y, a su vez, es mediatizado por esta; y estableció dos democracias: una *económica*—por la cual otorgaba cierta cantidad para que el Estado cumpliera sus obligaciones—y otra *política*—por la que legislaba en materias profesionales.

El guildismo, para algunos tratadistas como Hobson y Cole, representa una reacción frente al Estado y la gran industria de nuestro tiempo. El guildismo no puede prescindir de la consideración que siente *por el elemento humano;* y si no puede calificarse de socialismo utópico, sí puede serlo de socialismo romántico. "El guildismo retorna a la Edad Media con su industria pequeña, descentralizada, a base de la habilidad del artífice, en cuyo ambiente se desarolla la personalidad de los trabajadores y hace posible el orgullo ante la contemplación de la obra acabada."

El guildismo, reavivado en el pasado siglo por Buchez, fue aceptado con gran entusiasmo en Inglaterra por los socialistas cristianos. En Alemania y Austria lo propagaron Hitze y Ketteler; Mun, en Francia... A partir de 1905 exponen sistemáticamente el guildismo en Inglaterra Penty, Orage, Hobson, Cole... Todavía en 1915 se organizó la National Guilds League.

¿A qué aspiran los guildistas contemporáneos?

A que el control del Estado sobre la producción sea sustituido por la acción de los grupos económicos.

A que el Estado resuelva los conflictos a través de su "supremacía espiritual", alejándose del empleo autoritario de la fuerza.

A que el Estado no posea una soberanía industrial.

A que el Congreso de las guildas nacionales represente los intereses de los productores, mientras el Estado represente el de los consumidores.

A crear una entidad orgánica, mercantil y nacional, a base de los grupos funcionales, y a la desaparición de cualquier clase de organización política soberana.

"Debemos a los guildistas—escribe Gettell—sugestiones e ideas de capital importancia, a pesar de que no hayan definido con verdadera claridad las esferas respectivas de los distintos grupos sociales, y de que falte en su doctrina una sistematización ordenada de la autoridad superior moderadora encargada de la resolución de los conflictos, en su empeño predominante de llegar a la destrucción de la teoría unitaria del Estado. En una época de progresión siempre creciente en el control gubernamental de la industria, han puesto de relieve los peligros del intervencionismo burocrático y han sugerido procedimientos adecuados y posibles para el planteamiento del *self-government* en la industria. A los guildistas se debe, igualmente, un nuevo examen de la debatida cuestión de la soberanía del Estado y la proposición de reformas valiosas en la representación. El interés que ponen los guildistas en el desenvolvimiento de la iniciativa y de la personalidad del trabajador constituye también un hecho importantísimo en el proceso democrático.

"Representa el socialismo guildista una firme creencia en el individualismo democrático. El guildismo constituye una transacción entre la autocracia y la anarquía; aspira a descentralizar los poderes de una institución omnipotente, para preservar al individuo de su tiranía. Y en este camino acoge con enardecimiento la ayuda poderosa de las distintas asociaciones y comunidades que resultan del desarrollo natural de los intereses humanos. Proyecta el guildismo una organización social donde se representen proporcionalmente las distintas actividades del hombre en la complejidad de la sociedad moderna. Será interesante examinar si el desarrollo de este plan desembocaría, finalmente, en una anarquía de grupo o en una nueva forma de soberanía, absoluta y omnímoda, a través de la gran industria fomentada por las guildas, tan autocrática como el mismo Estado a quien se pretende sustituir, y tan alejada del control del pueblo. Pretender asignar al Estado la dirección de las cuestiones internacionales y dejar a las guildas la reglamentación económica de la producción, constituye un intento imposible; porque en el mundo actual los problemas internacionales y los intereses económicos están estrechamente ligados."

V. GETTELL, Raymond G.: *Historia de las ideas políticas.* Barcelona, "Labor", 1930.—PENTY, A. J.: *The restoration of the guilds system.* Londres, 1906.—HOBSON, S. G.: *National Guilds and the State.* Londres, 1920.—COLE, G. D. H.: *Guild Socialism.* Londres, 1921.—GROSS, Ch.: *Gilda Mercatoria.* Gotinga, 1883.—GROSS, Ch.: *The gild merchand.* Oxford, 1890.

G

GUIÓN

1. Escrito breve y ordenado que contiene los puntos esenciales a tratar, desarrollándolos en un libro o en un discurso.

2. Hoy ha adquirido una importancia excepcional el llamado *guión cinematográfico,* que no es ningún escrito breve o plan, sino un verdadero libro, en el que *detalladamente* se describen escenarios, costumbres, aparato, detalles a los que se ajustará el desarrollo de una película, así como se marcan los diálogos completos de la misma.

V. GÓMEZ, Enrique: *El guión cinematográfico. Su teoría y su técnica.* Madrid. Aguilar. 1944.

GUSTO

La palabra *gusto* tiene tres acepciones principales: 1.ª Uno de los cinco sentidos corporales por el cual percibimos los *sabores.* 2.ª *Estilo, orden, carácter* o *manera;* así decimos que tal iglesia o palacio es de gusto *gótico, árabe* o *renacentista;* que tal pintura es de gusto *flamenco;* que tal música es de gusto *clásico.* 3.ª Significa la voz *gusto* en la literatura la facultad que tiene el hombre de sentir placer en la contemplación, o en la lectura, o en la audición, de las obras artísticas, y de discenir en ellas lo sólido de lo fútil, lo bello de lo defectuoso, lo bueno de lo malo.

Hay dos especies de gusto: *positivo* y *negativo.* Con el primero se discierne y aprecia la belleza; con el segundo se disciernen y calibran los defectos. El *gusto perfecto* debe conocer y apreciar así las bellezas como los defectos.

El gusto, o sea este discernimiento de lo bello y lo defectuoso en las obras artísticas, no es debido solo a la sensibilidad, sino que tiene su principio en la inteligencia, en el talento natural y en la instrucción del que hace o examina las obras.

El gusto se mejora y perfecciona con la *cultura estética,* que abarca la contemplación inteligente de la Naturaleza, el estudio de los modelos y el conocimiento y práctica de las reglas.

El gusto no es ni puede ser igual en todos los hombres, pues no todos tienen igualmente perfectas y bien educadas sus facultades estéticas e intelectuales; de ahí la diferencia que existe, por ejemplo, entre un pueblo africano y un europeo.

El gusto perfecto se distigue por los caracteres inseparables de *delicadeza* y *corrección.* Por la delicadeza se producen obras bellas. Por la corrección se evitan los defectos. No siempre se hallan equilibrados estos elementos. Cuando predomina la delicadeza, el gusto es *positivo.* Si predomina la corrección, *negativo.*

Luego de dicho lo anterior, afirmamos que tales reglas y definiciones no sirven para nada. El *gusto* es un *sin porqué* y un *porque sí.* Se nace con *gusto* como se nace con los ojos azules o negros. El *gusto es una calidad del espíritu.*

GUZERATO (Dialecto)

Uno de los principales dialectos de la India derivados del sánscrito. Es hablado al noroeste del país, en la provincia de su nombre, y también por algunas poblaciones adscritas a las antiguas doctrinas persas y situadas al norte y al sur del río Nerbudda.

El guzerato guarda muchas semejanzas con el indostánico, y las reglas de su gramática y de su sintaxis son casi las mismas. Emplea dos alfabetos: el *devanagari* (V.) y el suyo propio, que no es otro que el anterior, ligeramente modificado.

La *Biblia* ha sido traducida al guzerato e impresa en caracteres *devanágares*—Serampore, 1820.

V. DRUMMOND, R.: *Illustrations of the grammatical parts of the guzaratte mahratta and english languages.* Bombay, 1898.

H

HÁBITO

1. Facilidad con que ejecutamos las operaciones que hemos repetidos muchas veces.
2. Efecto de una inclinación natural que nos inspira una afición o afecto a las personas o a las cosas con las que hemos tenido frecuentes puntos de contacto.
3. Tendencia adquirida, consciente y libremente, respecto a formas de acción susceptibles de valoración moral.

HABLISTA

Persona que se distingue por la corrección, pureza y casticismo de su lenguaje y de sus escritos.

HAGIOGRAFÍA

De ἅγιος, santo, y γραφή, documento, escrito.

1. Historia de la vida de los santos.
2. Leyendas ascéticas y religiosas.

La Hagiografía—como ciencia—tiene orígenes que se remontan a los primeros siglos de nuestra Era. San Clemente I, en el siglo I, ya ordenó que siete notarios se dedicaran a redactar las vidas gloriosas de los mártires.

Los primeros hagiógrafos fueron: Eusebio Cesariense—siglos III y IV—, Teodoreto—siglos IV y V—y San Jerónimo—con su obra *De viris illustribus*—. Después: San Gregorio de Tours—*In gloria Martyrum* e *In gloria Confessorum*—, San Eulogio de Córdoba (800-859) —*Documentum martyriale* y *Apologeticus Sanctorum*— y Jacobo de Vorágine (1230-1298) —*Legenda aurea.*

En 1625 se inició la publicación de la enorme obra *Acta Sanctorum,* de los Bolandistas, quienes publicaron también: *Bibliotheca hagiographica latina, Biblioteca hagiographica graeca, Bibliotheca hagiographica orientalis, Catalogue codicum hagiographicorum* y *Repertoria hymnologica.*

V. DELEHAYE: *Catholic Encyclopedia.*—DELEHAYE: *Les légendes hagiographiques.* Bruselas, 1906.—PÉREZ DE URBEL, J.: *Año Cristiano.* Madrid, 1945.

HAI-KAI

Composición popular japonesa de diecisiete sílabas, cuyo tema fundamental es la influencia de la Naturaleza variable en el alma del poeta. Se ha llamado al *hai-kai* "croquis de poesía".

El *hai-kai* se inició en el siglo XVI. Pasan por ser sus mejores cultivadores Matsuo Baso (1644-1694) y la poetisa Ciyo (1703-1775).

El cazador
de libélulas, ¿dónde
estará hoy?

(CIYO.)

En la poesía contemporánea española, el *hai-kai* ha tenido felices representantes en Alejandro Mac-Kinlay y Manuel Machado.

Todo te lo di.
Jugando contigo
todo lo perdí.

(MACHADO.)

HAITIANA (Literatura)

En Haití es donde ha dado la raza negra la medida de sus posibilidades literarias, aun cuando, modernamente, muchos de sus escritores se manifiestan en lenguas francesa, inglesa y española.

Haití tuvo sus primeras manifestaciones poéticas por sus *zambas,* algo así como cantores y narradores. Algunos de estos, como Buki y el delicado Petit-Malice, son los verdaderos héroes de la poesía popular de los negros.

Los haitianos siempre se mostraron habilísimos en expresar sus pensamientos en forma de proverbios y de sentencias.

Pero los primeros verdaderos representantes de las letras haitianas hay que buscarlos en la pléyade franconegra. Duprez fue un magnífico epigramista, poeta lírico y dramático, cuya *Oda a la libertad* alcanzó una fama imperecedera. El fabulista Milscent, muerto en 1842, publicó sus composiciones en *L'Abeille,* entre 1817 y 1821. Hérard-Du Mesles, autor de un

Voyage dans le nord d'Haïti—1824—, obra en prosa y verso. E. Segny, autor de *Ode sur l'Independance.* Vilevolex, el general Chanlatte y Juan Bautista Romano, autores de odas patrióticas y poesías de circunstancias. Ignacio Nau y Coriolano, poetas influidos por Víctor Hugo. Ardouin de Lamartine, muerto prematuramente en 1835, gran lírico romántico.

En el género teatral sobresalieron: Duprez, con *La muerte del general Lamarre* y *Le placement ou le concubinage.* Chanlatte, con *La partie de chasse du roi,* a la que puso música Cassian. Lieutand-Ethéart produjo dramas en prosa como *Güelfos* y *gibelinos* y *Genio infernal.* P. Faubert alcanzó fama con el drama *Ogé ou le préjuge de couleur.*

La Historia es el género más rico en la literatura haitiana. Tres mulatos: Pinchinat, Rigaud y Jules Raymond escribieron obras políticas acerca de la Revolución francesa. Boisrond-Tonerre, en sus *Memorias para servir a la historia de Haití,* abarca todo el período de la expedición francesa dirigida por el general Leclerc. Chanlatte escribió el poema histórico *La Haïtiade* y *Le cri de la nature,* en la que, según el abad Grégoire, se halla *una fuerza* semejante a la de Tácito. Dignas de mención son las *Mémoires d'Isaac-Toussaint Louverture,* escritas por su hijo—1825—. Importantes escritos históricos publicaron Thomas Madiou, Beaubrun, Ardouin, Saint-Remy...

Debe recordarse que los haitianos reclaman para su literatura a Alejandro Dumas (padre), nacido en la Martinica.

Más modernamente, a fines del siglo XIX y principios del XX, se han hecho famosos: Fernand Hibbert, con sus novelas *Séna, Thazar;* Etzer Vilaire, poeta; Tertullien Guilbaud, autor de *Patrie,* libro de excepcional lirismo; Antenor Firmin—*L'égalité des races humaines*—; Madion—*Histoire d'Haïti*—; Fréderic Marcelin, el más fecundo de los escritores haitianos —con *La vengeance de Mama, Marilisse, La confession de Bauzotte, Thémistocle-Epaminondas-Labasterre*—; Borno, Pradines, Dantés Bellegarde, D. Fortunat, F. D. Legitime...

V. LA SELVE: *Histoire de la Littérature Haïtienne.* Versalles, 1876.—BONNEAU, Alex: *La Littérature d'Haïti.* En "Rev. Contemporaine", 1856.

HAPLOLOGÍA

Nombre dado a la simplificación de la estructura fonética de una palabra o de un grupo de palabras. Es una licencia gramatical cuyo abuso degenera el lenguaje, aun reconociendo la necesidad y aun la felicidad de alguna de tales simplificaciones. No es este el caso de ese horrendo vocablo *autobús,* que sustituye al *automóvil-ómnibus;* ni del más moderno *trolebús,* que designa al automóvil con trole. (V. *Contracción.*)

HARMONÍA

Cualidad del estilo. Generalmente se distinguen dos clases de harmonía: una, general y continua, resultado de la sucesión de vocablos que producen una agradable impresión en el oído por su suavidad y sonoridad; otra, especial y accidental, que resulta de la analogía entre la idea y la frase que la exterioriza. Con cierta impropiedad se ha llamado a la primera *harmonía mecánica,* y a la segunda, *imitativa.*

Los retóricos griegos y latinos, y entre estos últimos Cicerón y Tertuliano, nos enseñan la importancia que los oradores y escritores clásicos dieron a la harmonía. Y se hace necesario considerar toda la rítmica que a la Naturaleza sacaban griegos y romanos, para explicarnos los afanes de los pueblos que hablaban idiomas tan melodiosos. Ya no solo en los ejercicios escolares, también en los discursos graves se atendía a la ciencia de la eufonía, según nos demuestra Isócrates. Dionisio de Halicarnaso nos cuenta cómo Demóstenes conservaba la medida y la cadencia musicales en lo más fogoso de sus oraciones. Y de los afanes de Cicerón por atenerse a la harmonía nos sugiere el siguiente párrafo de su última *Catilinaria:* "*Cogitate quantis laboribus fundatum imperium, quanta virtute stabilitam libertatem, quanta deorum benignitate auctas exaggeratasque fortunas, una nox poene delevit.*"

Y añade en *De Oratore:* "Yo he visto asambleas inmensas estallar en un fervoroso aplauso al escuchar un feliz período harmonioso, verdadero placer del oído."

Toda la harmonía mecánica de la prosa escrita o hablada se reduce a guardar, por sensibilidad o por hábito de eufonía, aquellos vocablos que más pueden acariciar el oído. Pero también importa encontrar en el discurso o en el escrito esa otra harmonía que consiste en la íntima afinidad de la idea con la frase que la expresa y con el sentimiento que le da calidez; todo lo cual viene a formar el estilo más sincero de emociones transmitidas por la palabra.

Esta otra harmonía de analogía no tiene reglas como la harmonía mecánica; nace de las facultades mismas *que hacen al orador* y del estudio asiduo de los grandes maestros.

En su concepto más comprensivo, la harmonía es la manifestación de la unidad en la variedad, o de esta comprendida dentro de la unidad. Según lo cual, sus manifestaciones son: 1.ª, *el orden* o colocación conveniente de las partes en el todo; 2.ª *la proporción* o relación ordenada en las dimensiones de los objetos; 3.ª, *la regularidad* o conformidad de las partes con una misma ley; 4.ª, *la simetría* en la colocación de las partes opuestas y relacionadas a la vez.

En un sentido más restringido, harmonía es la acertada colocación de las palabras de manera que su pronunciación resulte caricia para el oído. Para esto nada mejor que el sometimiento de los vocablos a la proporción musical llamada *ritmo*.

En la *harmonía imitativa* hay que considerar el *fondo* y la *forma*. El primero queda conseguido por la relación entre la melodía general de la obra y el pensamiento. La segunda se logra *imitando sonidos por sonidos; imitando con sonidos el movimiento físico y sensible; imitando con sonidos las pasiones o agitaciones del alma.*

Las palabras que imitan sonidos por sonidos se llaman *onomatopéyicas: chillido, susurro, ronquido, estampido, trueno...* Para expresar el movimiento físico, si este es lento, se utilizarán palabras largas; si es vivo, palabras cortas. Para los movimientos risueños del alma, las palabras serán melodiosas; para los tristes, largas y oscuras; breves y rápidas y duras para los sentimientos apasionados.

Son célebres los siguientes versos, con los que Fernando de Herrera logró expresar un estado físico y psíquico de cansancio por medio del encuentro de vocales:

> Subo con tanto peso quebrantado
> por esta alta, empinada, aguda sierra;
> del golpe y de la carga maltratado,
> me alzo apenas.

(V. *Aliteración, Cacofonía, Onomatopeya.*)

V. JULIEN, B.: *L'harmonie du langage chez les grecs et les romains.* París, 1867.—MARTÍNEZ DE LA ROSA, F.: *Arte poética.*

HEBRAÍSMO (V. Judaísmo)

HEBREA (Lengua)

Pertenece a la *familia semítica,* grupo de idiomas flexivos de cuatro ramas: la *asiriobabilónica,* la *aramea,* la *arábiga* y la *cananea.* Intimamente relacionado en la estructura gramatical con el fenicio, el *hebreo* es el único dialecto cananeo hablado y escrito en nuestros días.

Las particularidades del hebreo—como de las restantes lenguas semíticas—son: escasez de adjetivos y adverbios; pobreza de nombres comunes compuestos; tendencia de las radicales a estabilizarse en grupos de tres consonantes, aun cuando queden aún raíces bilíteras; variabilidad vocálica extrema; genio antisubordinativo de la frase, es decir, unión de las preposiciones mediante la conjunción.

El hebreo posee todos los caracteres de las lenguas semíticas. al lado de radicales monosilábicas, agrupa las raíces de tres y cuatro letras. El número de estas raíces, según los cálculos de los filólogos, es de dos mil a tres mil. Pero, según Rümelin, pueden reducirse ¡a quince!, las que, por medio de transposiciones y permutas de letras, llegan a formar todas las palabras hebreas. Las diversas relaciones de los objetos del discurso y la unión de las ideas no se consiguen únicamente por las flexiones o modificaciones de las radicales, sino por un sistema de signos, de prefijos y de afijos, de partículas y de palabras accesorias. Los signos son principalmente los llamados *puntos vocales,* que pueden ser colocados encima, en el centro, o encima y en el centro de las consonantes, únicas letras que se escriben.

La gramática es de una simplicidad y de una pobreza extremas. Los sustantivos no se declinan, pero los casos quedan indicados por el artículo y por las preposiciones inseparables. Los adjetivos, escasísimos, se suplen con sustantivos empleados como complementos. El comparativo se forma con los prefijos, y el superlativo con el empleo del positivo repetido tres veces: *grande, grande, grande,* o *santo, santo, santo.* El sustantivo se repite a modo de aumentativo: *una montaña montaña,* o el *cántico de los cánticos.* El verbo tiene una sola conjugación, mas con una variedad de formas, ya de acción, ya de circunstancias, que lo modifican. La distinción de los tiempos es muy imperfecta; se reducen a dos: *el pasado* y *el futuro.* El presente se marca con una combinación de aquellos dos. Gracias a esta simplicidad de su gramática, a su pequeño número de raíces y a la determinación invariable de sonidos en una lengua muerta, el estudio del hebreo es mucho más fácil de lo que se cree generalmente.

El *alefato*—abecedario hebreo—consta de veintidós letras, cada una de las cuales tiene un valor numeral, ya que los hebreos jamás emplearon guarismos. También carece de letras mayúsculas, y su escritura se lee de derecha a izquierda. Del alfabeto hebreo—escritura cuadrada—deriva la escritura rabínica o alfabeto redondo, cuyas letras tienen análoga denominación de aquel e igual valor.

La división de los párrafos—punto y aparte—se logra con un blanco equivalente al cuadrado de una letra.

Existen dos clases de escritura hebrea: la llamada *ascurith,* nombre de origen siríaco (de Aschur, en Siria) y la llamada *samaritana.* En la primera, las letras toman una *forma cerrada.* En la segunda, los caracteres son más grandes y complicados. Muchas letras tienen idéntica analogía en ambas escrituras; pero otras nada tienen de común.

V. POSTEL: *De originibus seu de hebraicae linguae antiquitate.* 1538.—HAUPTMANN: *Historia de la lengua hebrea.*

HEBREA (Literatura)

La literatura hebrea se divide en dos grandes períodos: *Bíblico* o *hebraico* y *Postbíblico, judaico* o *talmúdico.*

PERÍODO BÍBLICO (anterior a Jesucristo).—Comprende la colección de libros que forman

H

el *Antiguo Testamento* o la *Biblia,* cuyo nombre griego, ταβιβγια, significa *biblioteca.*

El *Antiguo Testamento* se divide en: a) *Torah* (La Ley: *Pentateuco);* b) *Nebiim* (Los Profetas: *Josué, Jueces, Samuel* y *Reyes, Isaías, Jeremías, Ezequiel, Osén, Amós* y otros); c) *Ketubim* (Escritos varios: libros poéticos: *Salterio, Proverbios* y *Job; Meghillot: Cantares, Ruth, Ester, Lamentaciones* y *Eclesiastés);* últimos escritos: *Daniel, Esdras, Nehemías* y *Crónicas.*

Los libros del *Antiguo Testamento* se dividen en *históricos, poéticos* y *proféticos.*

LIBROS HISTÓRICOS.—Son los que forman la Ley *(Pentateuco):* el *Génesis*—origen de la Humanidad y de las cosas—; *Exodo*—historia de la emigración del pueblo hebreo—; *Números* —conquista del país transjordánico—; *Levítico* —códigos pequeños—y *Deuteronomio*—libro de la segunda Ley.

Libros históricos son también: *Josué*—conquista definitiva de Canaán—; *Jueces*—continuación de la historia del pueblo de Israel independiente bajo el gobierno de Elihú, Baraq, Gedeón, Jefté, Sansón...—; *Ruth*—enlace con la historia de David—; *Samuel;* los tres libros que aluden a la construcción del Templo de Jerusalén: *Paralipómenos, Esdras* y *Nehemías; Ester*—libro discutido.

LIBROS POÉTICOS.—Trozos poéticos se encuentran en algunos de los libros históricos; por ejemplo: la bendición de Jacob *(Génesis,* XLIX), la de Moisés *(Deut.,* 33) el vaticinio de Balaám *(Núm.,* XXIII), el canto de Débora *(Jueces,* V), el canto de Moisés *(Ex.,* XV), el cántico de Anna (I *Samuel,* 2), y algunos pasajes deliciosos de *Ruth* y de *Ester...*

La poesía hebraica se divide en *lírica (Shir)* y *gnómica (Mashal).* El *Shir* era el cántico unido a la música. El *Mashal* era la poesía sentenciosa.

La *poesía lírica* comprende: 1.° El *Salterio (Tehillim,* alabanzas) y las *Preces (Tefilloth),* colección de 150 salmos, de David y otros autores desconocidos; 2.° El *Cantar de los Cantares,* atribuido a Salomón, bellísimo idilio, la fuente más pura de las iluminaciones místicas para los poetas posteriores; 3.° Las *Lamentaciones* o *Trenos,* elegías a la destrucción de Jerusalén, que son atribuidas a Jeremías.

La *poesía gnómica* comprende: 1.° Los *Proverbios,* alabanzas de la Sabiduría; la *Mishelé Shelomó,* o aforismos acerca del temor de Dios, la piedad, la obediencia, etc.; el *Mashal,* o palabras del sabio acerca de la justicia, equidad o prudencia...; las *Palabras de Agus* y las *Palabras de Lemuel,* sentencias morales...; 2.° El *Libro de Job,* el monumento más extraordinario de la poesía hebraica por su amplitud, su forma y su estilo; 3.° El *Eclesiastés,* poema en prosa, exégesis de la sentencia *Vanitas vanitatum et omnia vanitas.*

LIBROS PROFÉTICOS.—Cabe distinguir en ellos los debidos a los llamados *profetas mayores* (Isaías, Ezequiel, Jeremías) y los debidos a los *profetas menores* (doce), entre los que se cuentan: Joel, Amós, Oseas, Zacarías, Miqueas, Nahum, Sofonías, Habacuc, Abodías, Jonás, Daniel, Malaquías...

Aun cuando escritos y publicados después de Cristo, deben añadirse al *Antiguo Testamento* los libros del *Nuevo Testamento,* que forman, en rigor, con los de aquel, la *Biblia.* El *Nuevo Testamento* comprende los cuatro Evangelios (San Mateo, San Marcos, San Lucas y San Juan); los *Hechos de los Apóstoles,* las *Epístolas de San Pablo,* la *Epístola de Santiago,* las *Epístolas* de San Pedro y San Juan, y el *Apocalipsis* de este último. Todos estos libros, a excepción del *Evangelio* de San Mateo, escrito en hebreo, originariamente fueron redactados en griego.

En la época de Tolomeo Filadelfo fue traducido al griego el *Antiguo Testamento* por setenta sabios hebreos; esta versión es conocida con el nombre de *los Setenta.*

Al latín se tradujo en el siglo IV, revisando San Jerónimo esta versión, llamada *Vulgata,* única reconocida oficialmente por la Iglesia católica, apostólica y romana.

PERÍODO POSTBÍBLICO.—Comprende la *Halacá,* la *Haggadá* y el *Himno litúrgico.*

La *Halacá* es el comentario a la *Torá* (Ley), la doctrina transmitida *oralmente* de generación en generación.

La *Haggadá* reúne las tradiciones y leyendas formadas por el pueblo al hilo de la relación histórica.

El *Himno litúrgico* suma las composiciones poéticas, generalmente elegíacas, con que el pueblo hebreo errante se comunica.

La influencia de la literatura hebrea ha sido enorme, llegando hasta nuestros días. Quedó patente en la teología islámica, en las ideas del Renacimiento, en la filosofía germánica del romanticismo, en la novela rusa del siglo XIX...

La literatura judaica comprende cinco períodos: *época talmúdica, época arabigohispana, época italoholandesa, época mendelssohniana* y *época sionista.*

EPOCA TALMÚDICA (siglos I-IX).—La elaboración del *Misná* (repetición) duró dos siglos, y fue cultivada en las escuelas palestinenses. Era el estudio oral de la Ley. La *Misná* y su comentario, la *Guemará,* formaron el *Talmud* —que significa enseñanza—. La doctrina talmúdica presenta dos direcciones: la palestinense —*Talmud Ierusalmi*—y la mesopotámica—*Talmud Babli*—. A los compiladores de la *Misná* se los llamó *tannaim* (repetidores) y a los redactores del *Talmud, amoraim* (oradores).

El *Talmud* representa una de las más grandes creaciones del ingenio humano, plenamente judaica.

Los comentarios al *Talmud* constituyen una rama de la literatura del pueblo judío.

EPOCA ARABIGOHISPANA (siglos X-XIV).—En el siglo X, el centro de la cultura judaica de Babilonia se desplaza rápidamente a Occidente, al Andalus. Dicho desplazamiento fue debido a la protección dispensada a los sabios de su raza por Hasdai ben Chaprut (915-970), ministro del califa Abderrahmán III. Figuras excepcionales de este período son: Menahem ben Saruk, de Tortosa, lexicógrafo; Meruán ben Chanaj (siglo XI), exegeta y sistematizador del lenguaje; Samuel ben Nagrela (993-1055), poeta; Ben Gabirol (1021-1070), poeta magnífico, autor de *Keter Malcut;* Yehuda Ha-Levi (1085-1140), poeta ilustre, autor de las *Siónidas;* Abraham ben Ezra, poeta, autor del *Collar de perlas.* Pero Gabirol, Ha-Levi y Ezra no solamente fueron excelentísimos líricos: el primero —el *Avicebrón* de los escolásticos—representa la filosofía en su *Makor Hayyim;* Yehuda Ha-Levi, la apologética, con su *Cuzari,* y Ezra, la exégesis.

Bakia ben Dakuda (hacia 1060), autor de *Deberes de los corazones,* libro filosóficomoral; Abraham ben David de Toledo (1110-1180) médico y filósofo, autor del *Libro de la tradición,* la crónica más completa de los hebreos españoles; Yehuda ben Salomón Aljarici (¿1170-1230?), el "Ovidio" de la poesía neohebraica; Moisés ben Maimón, Maimónides (1135-1204), calificado "el Santo Tomás" del judaísmo, portentoso pensador, teólogo, médico, filósofo, astrónomo..., nacido en Córdoba, autor de libros universales, como: *Moreh Nebukim (Guía de descarriados), Michné Torah, Aforismos de Medicina...*; Yehuda ben Zabara (siglo XIII), barcelonés y poeta, autor del *Libro de las delicias;* Harizi (siglo XIII), autor de *Tahkemoni,* último monumento notable de la poesía hebraicoespañola; Abufalia (1234-1304), Moisés de León (1250-1305), autor del *Libro de Zohar,* obra de doctrina cabalística; Sem Tob, de Carrión, poeta magnífico en sus *Proverbios...*

EPOCA ITALOHOLANDESA (siglos XV a XVII).—Expulsados los judíos de España, refugiados en Italia, Holanda y otros países, aún dan obras magníficas los nacidos en nuestra patria. Así: Abraham Zacuto, cosmógrafo y profesor de Salamanca, autor del *Libro de los linajes;* Isaac Abrabanel, muerto en Venecia, historiador y comentarista bíblico; su hijo Yehuda, conocido por "León Hebreo", cuyos *Dialoghi di amore* tuvieron una enorme influencia en la *literatura amorosa* de toda Europa.

Otros escritores hebreos de este período: Azarías de Rossi (1514-1588), erudito e historiador; los Ben Verga: Yehuda—español—, Salomón y Josef, historiadores y filólogos; Abraham Farissol, cosmógrafo, autor de *Epístola de los caminos del mundo;* Manasés ben Israel, autor de la *Esperanza de Israel;* Yusef Caro, español, cuya obra *Mesa preparada* es una enciclopedia metódica de prácticas rituales; Baruc Espinosa, extraordinario filósofo...

PERÍODO MENDELSSOHNIANO (siglo XVIII).—En la centuria dieciocho se inicia una nueva etapa en la historia del judaísmo, debida a un triple proceso: su *emancipación* civil y social; su *asimilación* a lo europeo; su *reforma* con su irrupción en el liberalismo religioso.

El fundador verdadero de esta *resurrección* del judaísmo fue Mosé Mendelssohn (1729-1786), llamado "el tercer Moisés" y "el Sócrates y Platón alemán". Sus obras más importantes fueron: *Phaïdon*—acerca del alma y la inmortalidad—y *Jerusalén*—acerca de la religión—. Fundó el semanario hebreo *Predicador de Moral* y *Los senderos de paz.* Y tradujo al alemán el *Salterio* y el *Pentateuco.*

En el semanario educativo *Me'assef*—desde 1784—se dieron a conocer los más notables discípulos y continuadores de Mendelssohn: Wessely, Satanow y Loeb Ben-Zeev. En Hungría, el gran poeta Loevinshon. En Italia, el gran filólogo y poeta Luzzatto. En Galitzia, el poeta Letteris, los historiadores y filósofos Kronhmal y Rappoport, el prosista y traductor Gottlober. En Rusia, Baer Levinshon, Morderkhay, sabios eminentes; los grandes poetas Lebenshon, Yehuda, Loeb Gordon, Imber, Abraham Mapu, creador de la novela hebrea; Abramowitsch, Brender, Braudes, novelistas también; el filósofo Berdiczewiski...

Modernamente, la literatura hebrea tiene admirables representantes en prosistas como Sokolow, Bernfeld, Czaczkes; en poetas como el exquisito Bialyk; en el historiador Yosef Klausner...

EPOCA SIONISTA.—El maestro de esta época es el erudito y lexicógrafo Eliezer ben Yehuda, gracias al cual la lengua hebrea se ha adaptado a la vida popular corriente como cualquier otro idioma. En torno a la Universidad de Jerusalén ha sido creado un movimiento literario y científico muy intenso, que ya está dando pruebas de un magnífico porvenir.

V. BERNFELD, Simón: *Sttoria della Letteratura Ebraica antica.* Trad. de Enzo Sereni. Turín, 1926.—WAXMAN, M.: *A History of Jewish Literature.* Nueva York, 1930.—ZIMBERG: *Historia de la Literatura judía* (en hebreo), 1933-1937. Ocho volúmenes.—AMADOR DE LOS RÍOS, J.: *Estudios históricos, políticos y religiosos sobre los judíos de España.* 1848.

HEBREA (Versificación)

La versificación hebrea no está fundada en el ritmo fonético, como en la poesía grecolatina y moderna. No existen en ella alternancia de sonidos, sílabas o acentos. Su ritmo depende del *paralelismo,* asociación mental de dos o más conceptos o imágenes, que se repiten, que se oponen o se completan entre sí.

El *paralelismo* puede ser: *sinonímico, antitético* y *sintético.* El primero consiste en dos oraciones o hemistiquios, que se completan por yuxtaposición; es decir, que el segundo es una repetición del primero, con escasas variantes:

> Venid, alegrémonos en el Señor; cantemos alegremente a Dios, Salvador nuestro. *(Salmo* 94, I.)

En el paralelismo antitético, el segundo hemistiquio expresa una idea o una imagen contraria a la del primero:

> Mi alma se derritió luego que habló; lo busqué y no lo hallé; lo llamé y no me respondió. *(Cantar de los Cantares,* V, 6.)

El paralelismo sintético o constructivo consiste en expresar en un mismo verso dos ideas o imágenes distintas, pero que en el fondo guardan cierta analogía:

> El temor del Señor es el principio de la Sabiduría. Los necios desprecian la sabiduría y la doctrina. *(Proverbios,* I, 7.)

El paralelismo sinonímico es la forma más antigua de la poetización bíblica.

V. Gonzalo Maeso, David: *Contribución al estudio de la métrica bíblica.* En "Sefard", III, 1943.—Gonzalo Maeso, David: *Principios fundamentales del verso hebreo.* En "Sefard", V, 1945.

HECHICISMO

Hechicismo es sinónimo de *magia.* El hechicismo es una *fórmula* para evitar el mal y atraer el bien.

El hechicismo puede consistir en unas palabras cabalísticas, pero también en unas *ceremonias* o en unos *determinados objetos* debidamente esforzados contra todos los males.

El hechicismo es tan viejo como el mundo. Y no se limita a los pueblos salvajes, ni está más desarrollado en los de cultura más rudimentaria, sino que, en una forma o en otra, más descarada o más disimulada, subsiste en todas las culturas, inclusive en las más superiores.

El hechicismo—la superstición no es sino una especie de hechicismo—se apodera en ocasiones aun de los espíritus considerados como geniales.

El hechicismo tiene *palabras mágicas* y *objetos mágicos.*

Las *palabras mágicas* forman oraciones, conjuros, evocaciones, salmodias... que han de ser pronunciados en determinados momentos del día, en determinadas actitudes, con determinados gestos y entonaciones de voz.

Los *objetos mágicos* son tomados de todos los reinos de la Naturaleza—*hechizos naturales*—: piedras, maderas, hierbas, animales.

Los hechizos son *familiares* cuando los objetos pertenecieron a los antepasados o son parte del cuerpo de los mismos, teniendo como virtud unir el pasado con el presente y librar los hogares de todo mal.

Los hechizos son *protectores* cuando se busca en ellos la defensa contra todos los males que provienen de los espíritus malignos—*amuletos*—, o el alcanzar las felicidades de la vida: la salud, el amor, la riqueza, el poder—*talismanes.*

Los hechizos son *de los genios de la Naturaleza* cuando con ellos se relaciona a los elementos naturales: la tierra, el mar, el fuego, el aire.

Y son hechizos *vengadores* aquellos cuyo fin es producir el mal a determinadas personas.

El hechicismo no es, pues, un culto, sino una operación que participa de la magia y de la superstición, y cree *subyugar un poder superior* en oposición al sentimiento humilde de la religión.

En los pueblos salvajes el hechicismo va unido a la medicina y a las demás artes prácticas. En la actualidad, el hechicismo domina en grandes zonas de casi todos los continentes. Así: en casi toda el Africa, en la India, en la América más septentrional, entre los indios de los Estados Unidos, en la América Central y en la meridional, en las islas de la Malasia, de la Micronesia y Polinesia, y entre los esquimales boreales y australes.

El hechicismo tuvo—y tiene—sus sacerdotes, llamados hechiceros, personajes que tienen una influencia inmensa sobre las multitudes supersticiosas, ya que son ellos quienes poseen el poder de las *palabras mágicas* y el de convertir los objetos en *objetos mágicos.*

El hechicismo estuvo siempre condenado por la Iglesia y perseguido por la Inquisición y los poderes civiles.

La Historia nos habla de miles y miles de procesos contra hechiceras y hechiceros, en Europa, que terminaron con la muerte violenta y terrible de los mismos.

El hechicismo guarda una gran relación con el *fetichismo* (V.). Los navegantes portugueses del siglo xvi dieron a ciertos objetos de los negros de la costa occidental africana el nombre de *feitiços,* que en castellano es lo mismo que *hechizos.* Y el *feitiço* portugués fue afrancesado así: *fétiche.*

V. Brosses, C. de: *Du culte des dieux fétiches.* París, 1760.—Nassau, R. H.: *Fetichism...* Londres, 1904.—Haddon, A. C.: *Magic and Fetichism.* Londres, 1906.—Beth: *Religion und Magie bei den Natürvölker.* Berlín, 1914.—Aranzadi: *Espantajos de ingenio y monigotes de superstición.* San Sebastián, 1923.—Schultze: *Der Fetichismus.* Leipzig, 1871.

HEDONISMO

De ἡδονή —placer—, es una doctrina que afirma en principio que todo placer es un bien como tal, y que no hay otro bien que el placer; que todo dolor es un mal, y que no hay otro mal que el dolor.

No cabe confundir el hedonismo con el *eudemonismo*. Es este una doctrina moral que identifica también la virtud con la dicha; pero tiene un fin mucho menos materialista que el hedonismo. Este nos habla del *placer*—puro gozo de los sentidos—. El eudemonismo nos habla de *dicha*—puro gozo del alma—. Es decir, el eudemonismo concibe el bien y el mal como distintos al placer y al dolor, pero el bien y la dicha están ligados íntimamente entre sí. Según el hedonismo, el bien es el goce mismo; según el eudemonismo, la dicha consiste en gozar del bien.

En la historia de la Filosofía, el hedonismo está representado por la doctrina de Aristipo de Cirene y de su escuela.

Aristipo nació en Cirene, hacia el año 430 antes de Cristo. Fue discípulo de Sócrates. Vivió en la corte de Dionisio el *Tirano,* a quien cautivó con sus adulaciones. Murió en Lípara. Infiel a las doctrinas de su maestro, fundó la escuela *cirenaica,* que hacía consistir el fin del hombre en los goces materiales y en la libertad de las ideas.

Aristipo es el primer filósofo de la serie de los hedonistas que prosiguen, hasta cierto punto, su funesta escuela: Epicuro, Hobbes, Locke, Hume, Bentham, Stuart Mill y Spencer...

Se conservan con su nombre *cuatro cartas,* evidentemente apócrifas.

Según Aristipo, el bien para el hombre es el placer actual y presente, mientras que la esperanza, incierta, de un bien futuro está siempre mezclada con la inquietud. Una moral de este género excluye toda moderación en la busca del placer.

Todas las categorías morales del hedonismo son formas del placer, pero no de placer idealizado o intelectualizado, sino de placer inmediato, sensible, en movimiento. Afirma el hedonismo que el hombre está sujeto a la soberanía del *instante;* que la Naturaleza, el instinto y la pasión son los verdaderos móviles de los actos humanos; que el *bonum honestum* queda asimilado al *bonum delectabile;* que la calificación de los actos se hace por algo ajeno por completo a la moral.

El hedonismo fue defendido y estructurado por la llamada escuela cirenaica, cuyo fundador fue Aristipo. La doctrina de esta escuela degeneró de la de Sócrates, porque, en vez de cifrar la felicidad en el cumplimiento de los deberes, confundió la noción de deber con la de deleite. Así preparó el camino al *epicureísmo* (V.), diferenciándose de este en que solo atendía al placer inmediato, al paso que Epicuro consideraba el conjunto de la vida para calcular los bienes y los males, sacrificando muchas veces el bien presente al futuro, y dando cabida en su sistema a los placeres puramente morales e intelectuales.

El hedonismo no admitió otro origen de conocimiento que las sensaciones. Y Teodoro de Cirene el *Ateo* sacó las últimas consecuencias a las doctrinas de Aristipo enseñando que nada sabemos sobre la realidad de los objetos exteriores.

Hedonistas famosos fueron Bion de Borístenes, Evéremo de Mesina, Hegerías... Este último sostuvo que abundando más en la vida los males que los bienes, la muerte era la felicidad.

V. ZELLER, E.: *Die Philosophie der Griechen.* Seis tomos.—BREHIER, E.: *Histoire de la Philosophie.* Dos tomos.—LEHU, P.: *Ethica et ius naturae.*

H

HEGELISMO

Conjunto de las doctrinas filosóficas, éticas, estéticas y políticas de Hegel.

Jorge Guillermo Federico Hegel nació —1770—en Stuttgart. Murió—1831—, víctima del cólera, en Berlín, Jefe de una de las más famosas escuelas filosóficas alemanas. Estudió Filosofía y Teología en Tubinga. Fue preceptor en Suiza y en Francfort. Enseñó públicamente en la Universidad de Jena. Fue rector del Gimnasium de Nuremberg y catedrático de Filosofía en la Universidad de Heidelberg. En 1818 fue llamado a Berlín para desempeñar la cátedra que había ocupado Fichte. Su fama fue y es inmensa. Su sistema filosófico es uno de los más enraizados y atrayentes. Fue admirado por Goethe. Visitó Holanda—1822—, Viena —1824—y París, donde Cousin le pagó la hospitalidad que del filósofo alemán había recibido en Berlín. Su cadáver fue sepultado al lado de los restos de Fichte.

Hegel es una de las personalidades más gloriosas de las letras contemporáneas. Para la gran crítica, su obra es tan fundamental como la de Kant, y mucho más sugestiva. Sus teorías sutilísimas son difícilmente expugnables. Cualquiera que sea el juicio que se forme sobre su sistema, es preciso confesar que sus obras abundan en ideas geniales y originalísimas, en apreciaciones llenas de ingenio.

Entre sus obras sobresalen: *Fenomenología del espíritu, Lógica, Enciclopedia de las ciencias filosóficas, La Filosofía del Derecho, Lecciones de estética, Lecciones sobre la Filosofía de la Religión, Lecciones sobre la historia de la Filosofía, Lógica del ser, la esencia y la idea; Propedéutica filosófica...*

Hegel fue absolutamente, rigurosamente, un filósofo... y nada más.

"El era lo que era su filosofía—escribe Zubiri—. Y su vida fue la historia de su filosofía; lo demás, su contravida. Nada tuvo sentido personal para él, que no lo adquiriera al ser revivido filosóficamente. La *Fenomenología* fue y es el despertar a la filosofía. La filosofía misma, la reviviscencia intelectual de su existencia como manifestación de lo que él llamó espíritu absoluto. Lo humano de Hegel, tan callado, tan ajeno al filosofar por una parte, adquiere por otra rango filosófico al elevarse a la suprema publicidad de lo concebido. Y, recíprocamente, su pensar concipiente aprehende, en el individuo que fue Hegel, con la fuerza que le confiere la esencia absoluta del espíritu y el sedimento espiritual de la historia entera. Por esto es Hegel, en cierto sentido, la madurez de Europa."

Y añade Julián Marías: "El pensamiento de Hegel es de una dificultad que solo puede compararse con su importancia. Es la culminación, en su forma más rigurosa y madura, de todo el idealismo alemán."

El primer esfuerzo que tuvo que realizar Hegel fue para separar la filosofía de la teología, y para quitar de la primera las telarañas de la vaguedad, de la nebulosidad. Y es que por entonces teología y filosofía pretendían más la *edificación espiritual* que la evidencia. Lo cual pareció intolerable a Hegel, haciéndole exclamar: "La filosofía tiene que guardarse de querer ser edificante." Y poco después explicó su intento apasionado: "La verdadera figura en la cual existe la verdad no puede ser sino el sistema científico de la misma. Colaborar a que la filosofía se aproxime a la forma de ciencia—a que pueda despojarse de su nombre de amor al saber y sea saber efectivo—, tal es lo que me he propuesto."

En efecto, Hegel se propuso hacer de la filosofía una ciencia rigurosa, un saber efectivo y "no un mero amor a la sabiduría".

Para conseguir su propósito dividió la ciencia filosófica en dos partes: la primera—propedéutica—estudia los fenómenos del espíritu, capacitándolo para el saber; la segunda trata del saber absoluto. Esta segunda parte comprende otras tres: la Lógica, la Filosofía de la Naturaleza y la Filosofía del Espíritu.

La obra fundamental de Hegel es la *Fenomenología del espíritu,* que es una propedéutica al estudio del saber absoluto.

¿Cuántos modos de saber existen? Hegel distingue: la *mera información* (historia) y el *conocimiento conceptual.* Sin embargo, se precisa un *saber absoluto,* un saber que nada deje *fuera de sí,* ni siquiera el *error.*

"Esta dialéctica del espíritu en Hegel es *lógica,* es una *dialéctica de la razón pura.* Esto es lo que hoy hace discutible la filosofía de la historia de Hegel. El espíritu atraviesa una serie de estadios antes de llegar al saber absoluto. En el comienzo de filosofar está el *ser.* Aquí empieza la filosofía. La filosofía hegeliana comienza, pues, con el ser." (J. Marías.)

La *Lógica* de Hegel es, pues, una dialéctica del ser; y es una metafísica. La *Lógica* de Hegel versa sobre el saber absoluto, es decir, sobre la *idea* absoluta. Según Hegel, la inteligencia que capta lo real y lo real captado por la inteligencia se identifican en su mente. La dialéctica es, pues, tanto un movimiento de la mente cuanto un movimiento del ser. La *Lógica* hegeliana es la dialéctica del ser, es la lógica del ente, es decir, ontología.

La *Lógica* de Hegel comprende tres partes: *doctrina del ser, doctrina de la ciencia y doctrina del concepto.* Estas tres partes tienen diferentes articulaciones.

La *doctrina del ser* estudia a este en sus significados *cualitativo, cuantitativo* y *modal;* dentro de la *cualidad* se distinguen tres estadios: *Ser, Existencia* y *Ser para sí.*

La *doctrina de la ciencia* trata del ser verdadero, dividiéndolo en *esencia, fenómeno* y *realidad.*

La *doctrina del concepto*—síntesis del ser y esencia—se divide igualmente en tres momentos: *concepto subjetivo*—concepto, juicio y raciocinio—, *concepto objetivo*—proceso mecánico, químico y teleológico—e *idea*—vida, conocimiento, idea absoluta.

Debe tenerse en cuenta que la dialéctica de Hegel tiene una estructura ternaria: la *antítesis* se opone a la *tesis,* y las dos encuentran su unidad en la *síntesis.* Pero que nadie crea que esta unidad es una *conciliación;* tesis y antítesis se arrastran mutuamente, y este *movimiento del ser* las conduce inexorablemente a la síntesis, en la cual son aquellas *conservadas* y *superadas.*

En la tesis, el *ser es el ser;* en la antítesis, el *ser es nada;* en la síntesis se equilibran los conceptos de *ser* y de *nada,* y de este equilibrio surge el concepto de *devenir.*

Ahora bien: la síntesis no es *definitiva,* sino que se convierte inmediatamente en otra nueva tesis para un nuevo proceso ternario en la evolución de la dialéctica.

El proceso de la dialéctica—acaso expuesto por nosotros con demasiada torpeza—lo ha resumido magistralmente Julián Marías, siguiendo la interpretación admirable que Xavier Zubiri ha logrado de las ideas hegelianas: "Al final de la *Fenomenología del espíritu* se llega al comienzo absoluto del filosofar: al *ser.* Este es el ser puro, el ser absoluto. El ser es indefinible, porque tendría que entrar el definido en la definición; pero se pueden decir de él algunas cosas. Según Hegel, el ser es lo *inmediato indeterminado.* Está libre de toda determinación frente a la esencia; simplemente *es;* no es *esto* o *lo otro.* Este ser no tiene nada que pueda diferenciarlo de lo que no sea él, puesto que no tiene ninguna determinación; es la pura *indeterminación* y *vaciedad.* Si tratamos de intuir o de pensar el ser, no intuimos nada; si no fuera así, intuiríamos *algo,* y no sería el ser puro. Cuando yo voy a pensar el ser, lo que pienso es *nada.* Del ser se pasa, pues, a la nada. Pasa el ser mismo, se entiende, no yo. El ser, lo inmediato determinado, es de hecho *nada;* nada más ni nada menos *que nada.* Hemos visto en el ser estos dos caracteres que nos da al principio Hegel: *inmediato* e *indeterminado.* El carácter de la indeterminación es el no ser *nada;* el de la inmediatez, ser *lo primero.* Del ser hemos sido arrojados a la nada. Pero ¿qué es la nada? Perfecta vaciedad, ausencia de determinación y contenido, incapacidad de ser separada de sí misma. Pensar o intuir la nada es eso: intuir la nada; es el puro intuir, el *puro pensar.* Vemos, pues, que es lo mismo intuir la nada que intuir el ser. El ser puro y la nada pura son *uno* y lo mismo. El ser nos ha arrojado en su movimiento interno a la nada, y la nada al ser, y no podemos permanecer en ninguno de los dos. ¿Qué quiere decir esto? Nos preguntábamos por la verdad. Verdad es un estar patente, un estar descubierto, un mostrarse. Hemos visto que la manera de ser que tiene el *ser* es la de dejar de ser *ser* y pasar a ser *nada;* y que el modo de ser que tiene la *nada* es también no poder permanecer en sí y pasar a ser *ser.* La *verdad* es que el ser ha pasado a la nada y la nada ha pasado al ser. Esto es el *devenir.* En esta dialéctica, repito, en cada estadio está la verdad del anterior, y la suya está en el siguiente. Así, la verdad del ser estaba en la nada, y la de la nada en el devenir. Y la verdad del devenir no estará tampoco patente en sí mismo, y así continúa, por su inexorable necesidad ontológica, el movimiento del ser en los estadios ulteriores de la dialéctica."

La crítica señala en el panteísmo de Hegel tres influencias o reminiscencias: la de Parménides, quien, contradiciendo los sistemas orientales que señalaban la nada como primer principio, pone el *ser* como lo absoluto, como la única verdad; la de Heráclito que opone a la nada como abstracción el concepto total del devenir; y la del principio de la metafísica medieval *ex nihilo nihil fit.*

La Filosofía de la Naturaleza es la segunda división del sistema hegeliano del saber absoluto. Dicha Filosofía de la Naturaleza puede ser definida como "la ciencia de la idea en su ser fuera de sí". Es decir: la idea de su *ser otro,* en lo que no es *sí mismo.* El ser se ha objetivado, siendo, pues, objeto para otro ser. La Naturaleza es la que *está ahí.* La Naturaleza, que es un momento de la idea y que tiene diferentes estadios: la *mecánica,* la *física* y la *orgánica.* A su vez, cada uno de estos estadios cuenta con tres momentos.

La mecánica: *espacio* y *tiempo*—momento abstracto del *estar fuera*—; *materia* y *movimiento* o mecánica finita; y *materia libre* o mecánica absoluta.

La física: *individualidad general, particular* y *total.*

La orgánica: *naturaleza geológica, naturaleza vegetal* y *organismo animal.*

De la Filosofía de la Naturaleza pasa Hegel a la Filosofía del Espíritu. Para Hegel, el espíritu no es, como para los griegos, la naturaleza; ni el ánimo, como para San Agustín. Para Hegel, el espíritu es la *mismidad,* el *ser para mí;* puede, pues, el espíritu ser definido como la *entrada en sí mismo* o el *ser para sí.* Y lo mismo que la Naturaleza tiene los suyos—ya enunciados—, el espíritu tiene tres estadios, cada uno de los cuales queda subdividido en tres momentos: *espíritu subjetivo*—antropología, fenomenología y psicología—; *espíritu objetivo* —derecho, moralidad, eticidad—, y *espíritu absoluto*—arte, religión revelada y filosofía.

El espíritu subjetivo, sujeto que se sabe a sí mismo, que es *sí mismo,* que tiene *interioridad* e *intimidad,* puede ser considerado en cuanto está unido a un cuerpo y en cuanto es un *alma.* Cuando el espíritu es alma, su estudio cae en el campo de la antropología. Pero este espíritu no sólo es el alma, sino que tiene *conciencia* de ello, y por medio de los grados de esta conciencia va a llegar al saber absoluto; entonces el espíritu desarrolla su *fenomenología.* Cuando el espíritu, además de tener conciencia, *sabe* y *quiere,* penetra en el campo de la *psicología.*

El espíritu objetivo parece encerrar una contradicción: ser espíritu, esto es, sujeto, *mismidad,* y, sin embargo, salirse de sí, no estar en sí, sino *estar ahí* como objetivo de otro sujeto. El espíritu puede objetivarse en tres manifestaciones: el *derecho,* la *moralidad* y la *ética.* El *derecho* se funda en el ser racional y libre —persona—. El derecho preside la forma más elemental de las relaciones humanas. El derecho tiene a su vez tres manifestaciones fundamentales: el contrato, la propiedad y la pena. El contrato suma dos voluntades en una. La propiedad marca el derecho de las personas sobre ella y hace las oportunas referencias al contrato—compra y venta, arrendamiento, préstamo, etc.— Pero como existe la *negación del derecho,* se impone la existencia de *otra negación* del derecho: la pena. La pena adquiere un sentido de expiación.

Para Hegel, el delincuente tiene derecho —cuando se salió él del derecho por medio del delito—a que se le castigue, esto es, a que se le vuelva a *meter* dentro de la esfera del derecho, tratándolo así como persona.

La *moralidad* se funda en el conocimiento de los motivos, ya que son estos los que determinan la moralidad de una acción. Mientras el derecho es algo exterior y objetivo, la moralidad es algo auténticamente subjetivo. Y unidos derecho y moralidad, llegarán a fundamentarse en un tercer momento, llamado por Hegel ético.

Eticidad significa la superación del espíritu subjetivo y del espíritu objetivo. Y tal superación se da en tres esferas perfectamente delimitadas: la *familia*, la *sociedad* y el *Estado*.

La *familia*, cuya base es el matrimonio, es el espíritu inmediato y *natural*, y ha de atender a la educación de la prole y a que se cumpla el derecho hereditario.

La *sociedad* está formada por un conjunto de familias, y su objeto fundamental es el bien de la comunidad.

El momento más álgido y alto de la eticidad es el *Estado*, plena forma del espíritu objetivo, creación de la razón, que nunca es *medio*, sino *fin* en sí. Opuesto al liberalismo de Rousseau, Hegel afirma "que el Estado es Dios mismo sobre la tierra". Sin embargo, a juicio de Hegel, ningún Estado concreto realiza plenamente la misión estatal. Esta no se desarrolla en su integridad y perfección sino en la *historia universal*. Esta creencia hegeliana es la que informa *Lecciones sobre la filosofía de la historia universal*, uno de los libros más geniales que ha producido Europa, con la misma luminosa grandeza de otros libros semejantes, como *De Civitate Dei*, de San Agustín; el *Discours sur l'histoire universelle*, de Bossuet; *La scienza nuova*, de Vico. La historia universal, auténtica revelación de Dios, es como la fenomenal teodicea hegeliana.

El *espíritu absoluto* es el ser *en sí y para sí*, la unidad de los espíritus subjetivo y objetivo, la síntesis de la naturaleza y del espíritu. El espíritu absoluto comprende tres estadios: el *arte*, la *religión* y la *filosofía*.

El *arte* es la manifestación *sensible* e *intuitiva* del espíritu absoluto.

La *religión*, para Hegel, depende del *sentimiento* y de la *representación*; y existen en ella las entregas recíprocas de Dios y del hombre; de Dios, mediante la gracia; del hombre, mediante el sacrificio.

La *filosofía* es la gestación y la exaltación de la idea, *no* intuida o representada, sino *concebida*, elevada a concepto. La filosofía "es la razón que se comprende a sí misma".

Según Hegel, las distintas filosofías producidas en el curso de la Historia no son sino *fases de la filosofía*.

V. OTT, A.: ... *Hegel*. París, 1844.—FOUCHER DE CARELL: *Hegel e Schopenhauer*. 1862.—VERA: *L'Hégelianisme et la Philosophie*, 1861. MESSER, A.: *De Kant a Hegel*. Madrid. "Revista de Occidente", 1927.—ZUBIRI, X.: *Hegel y el fenómeno metafísico*.—ORTEGA Y GASSET, J.: *La "Filosofía de la Historia" de Hegel y la historiología*. Madrid, "Rev. de Occidente", tomo V de *Obras completas*. 1947.—MARÍAS, Julián: *Historia de la Filosofía*. Madrid, 1943, 2.ª ed.—KRONER, R.: *Von Kant zu Hegel*. Tubinga, 1921. Dos tomos.—HAERING, T.: *Hegel*. Tubinga, 1930-1936.—ROSENZWEIG, F.: *Hegel u. d. Staat*. Munich, 1920

HELENISMO

Período cultural iniciado por Alejandro Magno, en el que la cultura griega (helénica) se *descentra* de Grecia, se refunde con elementos *no griegos*—asiáticos principalmente—para una nueva creación de lo *helenístico*, en torno a Alejandría. El helenismo, como movimiento fecundo y renovador, se extiende entre los años 336 y 30 antes de Cristo.

También se ha llamado helenismo a la conversión en *escuela literaria* del clasicismo helénico. Esta escuela está formada: 1.º Por los *autores geniales* que imitaron a los maestros griegos: Virgilio a Homero, Horacio a Píndaro, Terencio a Menandro, Plauto a Aristófanes. 2.º Por los *sabios e investigadores comentaristas* y *escoliastas* de obras clásicas griegas, desde Aristarco, Suidas, Eliano, Ateneo, San Isidoro, Boecio... hasta Boccaccio, Bembo, Erasmo, Budeo, el *Pinciano*... 3.º Por los *meros traductores* de obras clásicas griegas...

Conviene afirmar, refiriéndonos a la primera acepción de helenismo, que este comprendió tanto las letras como las artes.

Aun cuando ya nos referimos al helenismo *literario* al escribir acerca del *clasicismo* (V.) griego, vamos a concretarlo ahora con una más rigurosa sistemática.

1. HELENISMO LITERARIO.—Tuvo su origen en las conquistas de Alejandro Magno. Este gran monarca, al volcar los ejércitos griegos en Asia y Africa, volcó igualmente la cultura y la lengua de su patria, que se impusieron rápidamente en países cuya característica era la *heterogeneidad* racial y cultural. El esfuerzo inicial de Alejandro tuvo brillante continuación y culminación en la época de sus sucesores los *Diadocas:* los reyes de Siria *(Seléucidas)*, los de Pérgamo *(Atálidas)* los de Egipto *(Tolomeos)*. Todos estos reyes pusieron un entusiasmo invencible en que la cultura griega dominase en sus respectivos países. El centro más fecundo del helenismo fue la ciudad de Alejandría, donde se creó una famosísima Biblioteca, jamás superada después. Y puede afirmarse que, mientras el helenismo fue *fundamental* fuera de Grecia, aquí la literatura y las artes llegaron a una decadencia inverosímil.

Entre los poetas más famosos del helenismo figuran: Calímaco (310-340), erudito admirable y uno de los más ilustres bibliotecarios de Alejandría, autor de elegías y epigramas; Teócrito (305-250), siracusano, que vivió en Alejandría la mayor parte de su vida, muy admirado en la corte de los Tolomeos, autor de los famosísimos *Idilios;* Bión de Esmirna (siglo III antes de Cristo), discípulo y amigo de Teócrito, autor del *Epitafio de Adonis* y del *Epitalamio de Aquiles y Deidamis;* Mosco de Siracusa, amigo de Bión, autor del celebérrimo epigrama *El amor fugitivo,* imitado por Tasso y Ben Jonson; Apolonio de Rodas (295-230), alumno de Calímaco, erudito y bibliotecario de Alejandría, autor del poema épico *Los Argonautas.*

Entre los prosistas: Aristófanes de Bizancio (siglo III antes de Cristo), creador de la puntuación y acentuación griegas, tenido por el primer crítico y editor de los poemas homéricos; Aristarco (160-90), célebre gramático y crítico, director de la Biblioteca alejandrina, depurador de los textos de Hesíodo, Esquilo, Sófocles, Aristófanes, Alceo, Píndaro, Arquíloco...; Eratóstenes (275-195), geógrafo excepcional, poeta, filólogo, naturalista, director también de la Biblioteca alejandrina, autor de la gran *Cronografía.*

2. HELENISMO ARTÍSTICO.—También las expediciones y conquistas de Alejandro motivaron la exaltación del arte griego en muchos países asiáticos y en Egipto, desplazándose así los centros de cultura hacia las nuevas capitales del helenismo. Y surgen las escuelas de Pérgamo y Rodas—en el siglo II antes de Cristo—y la escuela de Tralles.

Al helenismo corresponden por completo el *Hermes sentado,* del museo de Nápoles; la *Ménade,* del museo de Berlín; el *Negro cantor;* el *Niño con el ganso,* de Bothos; las *Afroditas de Médicis, Viena y de Milo;* el *altar de Pérgamo,* erigido por Eumenes II; el grupo de *Laocoonte y sus hijos,* del escultor Agesandro y de sus hijos Polidoro y Atanodoro; el *Toro Farnesio,* de Apolonio y Taurico de Tralles, conservado en el museo de Nápoles; las innumerables y pequeñas figuras, al estilo de las Tanagras, en bronce, mármol o barro cocido, de Alejandría; el incomparable *Juicio de Paris,* pintado por Meidias en una hidria...

3. EL HELENISMO COMO TENDENCIA, IMITACIÓN O CRÍTICA.—Pero, posiblemente, el más interesante *sentido* del helenismo, en la historia literaria, es aquel que comprende el elemento peculiar del espíritu griego que informa e influye la literatura de cada nación, durante más de veinte siglos, hasta nuestros días. Helenismo bien patente en creadores, críticos, comentaristas y traductores.

Aun cuando la influencia del helenismo no desapareció durante la Edad Media—deben recordarse las innumerables copias de obras griegas llevadas a cabo por los monjes medievales—, fue el *humanismo* (V.) quien hizo surgir avasalladoramente los *afanes griegos* en la nueva sociedad renacentista. Y en Italia, en Alemania, en Francia, en Inglaterra se multiplicaron las traducciones, los comentarios, las imitaciones de las más extraordinarias obras de la antigüedad helénica. Ya sin interrupción, en todas las Universidades más importantes del mundo quedaron organizados los estudios de lengua y literatura griegas *como base imprescindible* de la cultura.

Como sería de una extraordinaria dificultad—y casi inoportuno en un ensayo de *Diccionario de la Literatura*—ir estudiando por lo menudo el helenismo en cada uno de los países de Europa y América, nos proponemos hacer un resumen acerca del helenismo en España, para redactar el cual nos hemos servido de las magníficas obras de Julián Apráiz y Menéndez Pelayo reseñadas en la bibliografía correspondiente a este tema.

No queremos iniciar el resumen con esa afirmación, que parece de rigor, acerca de ser nuestra patria el país en que el helenismo tuvo su máxima exaltación. La afirmación, además de audaz, sería absolutamente falsa. Sí cabe señalar que el helenismo tiene en España una tradición tan antigua como fecunda y admirable en tres fases perfectamente acusadas: a) *helenismo como influencia cultural;* b) *helenismo como origen de imitaciones,* y c) *helenismo como estímulo de traductores.*

a) *Helenismo como influencia cultural.*—El primer contacto de la cultura griega con España aún está velado por las tradiciones más o menos fabulosas. A dar crédito a muchos escritores clásicos, doscientos años antes de la guerra de Troya, hacia el siglo XIV antes de Cristo, navegantes griegos fundaron la ciudad de *Zacinto,* que muchos años después cambiaría este nombre por el de *Sagunto.* Ciento cincuenta años antes de la misma odisea troyana, Dioniso o Baco, hijo de Semele, llegó a la desembocadura del Guadalquivir; al abandonar esta tierra, Baco dejó de gobernadores a sus compañeros Pan y Luso, quienes dieron sus nombres a *Spania* y *Lusitania.* Bastantes años después, de regreso de su expedición a la Cólquida, los argonautas se detuvieron en las tierras que hoy son Algeciras y Gibraltar. Terminada la guerra de Troya, muchos capitanes griegos se establecen en España; y Teucro edifica Teucria (hoy Cartagena) y Helene (hoy Pontevedra); y Diomedes, hijo de Tideo, funda, con el nombre de su padre, Tide o Túy; y Mnesteo se establece en Cádiz; y Ulises funda y da su nombre a Lisboa, y funda en Andalucía Ménaca y Ulisea... Todas estas sorprendentes noticias pueden leerse en graves historiadores como Estrabón, Plutarco, Varrón, Plinio, Silio Itálico, Ausonio, Ocampo, Morales, Mariana...

Pero pasando de lo que parece casi broma a lo que parece casi veras, los griegos que mayor y más duradera influencia ejercieron en España, y que más colonias tuvieron en ella, fueron los procedentes de Focea, en el Asia Menor, los cuales llegaron a nuestras costas hacia el siglo VI antes de Cristo. Y poblaron las islas Baleares y las costas levantinas, desde Rodas (Rosas) hasta Tartessos, en Cádiz. Detrás de los focenses llegaron los rodios, ya establecidos en Marsella, quienes lucharon con aquellos y se extendieron por toda la provincia de Valencia. "No sería aventurado suponer—arguye el docto Apráiz—que el vocabulario indígena recibiría caudal abundante de voces griegas—máxime si, como es probable, existía afinidad entre uno y otro idioma—, cuyas voces, en no despreciable parte, habrían de conservarse al verificarse la asimilación completa del mayor número de lenguas ibéricas con el latín."

Durante la dominación romana, en España vivieron muchos e ilustres griegos. Estrabón menciona a Asclepíades Mirlano y a Isquilino, que tenían establecida en Córdoba una escuela de griego. Masdéu consigna una inscripción, por él vista, alusiva a un tal Troilo, maestro de griego en Sevilla, y otra inscripción relativa a Licinio Politimo, profesor de griego del joven M. Terencio Paterno, muerto tempranamente en Roma. Y ya antes de la Era cristiana alcanzaron fama de helenistas consumados los oradores Junio Galión—cordobés—y Turrino Clodio, y el eruditísimo gramático C. Julio Higino.

Dominaron el griego y fueron grandes conocedores de la cultura helénica poetas, oradores, didácticos y emperadores hispanorromanos tan admirables como los Séneca, Lucano, Marcial, Pomponio Mela, Moderato Columela, Silio Itálico, Quintiliano, Floro, Trajano, Adriano, Antonio Juliano, Aquilino Juvenco —el primer poeta hispano que canta a Jesucristo—, Prudencio, Osio—*padre de los Concilios* y supuesto traductor del *Timeo,* de Platón—, Draconio e Idacio...

La tradición helénica subsistió brillante durante la dominación visigótica. Dominaron el griego San Martín Bracarense—traductor de las *Actas* de los Sínodos y de las *Sentencias de los Padres de Egipto,* en griego redactadas—, San Leandro, San Isidoro, Tajón...

Atanagildo, para vencer al rey Agila, obtuvo la ayuda militar del emperador Justiniano... Y los greco-bizantinos ocuparon grandes provincias españolas, de las que tardaron en ser desalojados.

Los musulmanes españoles cultivaron también con gran entusiasmo el helenismo. Abu-Omar-ben-Martín, español islamizado—muladí—, tradujo al árabe las *Eticas* de Aristóteles. Almanzor estableció una cátedra de griego en la aljama o gran mezquita de Córdoba.

Por voluntad de Abderramán, llegó a Córdoba un monje llamado Nicolás para traducir del griego al árabe el tratado de Botánica de Dioscórides. Y grandes helenistas fueron los notabilísimos médicos Abulwalid Mohamed ben Ahmad eb- Roschd o *Averroes,* y Mohamed Abi Baker Razis o *Rasis,* comentadores, ampliadores y traductores de Hipócrates, Aristóteles y Galeno.

En la España cristiana de la Reconquista, el helenismo queda patente en numerosísimas obras: en el *Hortulus* y el *Fabularius poeticus,* en la *Disciplina clericalis,* en el *Libro de Apolonio,* en el *Poema de Alexandre,* en las *Partidas,* en el *Libro del Tesoro...* Apasionados helenistas fueron el obispo de Burgos don Alonso de Cartagena; el ilustre marqués de Santillana, el gran vate cordobés Juan de Mena, don Pero González de Mendoza...

Las aventuras de catalanes y aragoneses —mandados por Roger de Flor, Roger de Lauria y Berenguer de Entenza—por los mares y tierras del imperio de Oriente—con la institución del ducado y reino de Atenas—motivaron un enorme "estrechamiento" de relaciones entre España y Grecia; relaciones, principalmente culturales, historiadas por el ateniense Jenofonte y el almogávar Ramón Muntaner.

El infante don Enrique, hermano de Fernando de Antequera, patrocinó una versión en romance de las *Fábulas* de Esopo; y el infortunado príncipe de Viana puso en castellano las *Eticas* de Aristóteles, dedicándolas a su tío don Alfonso.

Durante el reinado glorioso de los Reyes Católicos se aclimataron definitivamente en España los estudios grecolatinos. Y por deseo de la reina Isabel, vinieron a España eruditos y filólogos como Pedro Mártir de Anglería, Lucio Marineo Sículo y los hermanos Geraldini. La enseñanza del griego fue obligatoria en todas las Universidades españolas. Y helenistas incomparables fueron Arias Barbosa, Nebrija, el Pinciano, Juan Ramón Ferrer, Jerónimo Pau, Diego López de Zúñiga, Alonso de Zamora, Paulo Coronel, Alonso de Alcalá y otros muchos...

Elio Antonio Martínez de Jaraba, llamado Nebrija, escribió *De litteris et declinatione graeca* e *Instituciones graecae linguae.*

Demetrio Cretense publicó a principios del siglo XVI una gramática griega.

Pedro Juan Núñez, valenciano y catedrático, es autor de *Grammaticae graecae institutiones, De mutatione linguae graecae in Latinam libellus* y *Grammatistica, seu de genuina Literarum Graecarum pronuntiatione.*

Igualmente escribieron gramáticas griegas el balear Antonio Lull, el sevillano Fernando Valdés, el toledano Francisco de Vergara, el zaragozano Juan Verzosa, el salmantino Juan de Villalobos, el gran místico Alejo Venegas del Busto, el insigne humanista Pedro Simón de Abril, el maestro Francisco Sánchez—conocido por el *Brocense*—, Benito Arias Montano—autor del famoso *Lexicon Graecum et Institutiones linguae Graecae,* 1522—, el Padre Martín de Roa, Lorenzo Palmireno, Miguel Jerónimo Ledesma, Lope de Mesa, el licenciado Matute de Contreras, Bernardo de Alderete, Sebastián de Covarrubias, el maestro Gonzalo Correas, Antonio Lupián de Zapata... Todos ellos esparcieron por toda Europa sus inmensos conocimientos helenísticos, llevándolos después a la América española.

Durante el siglo XVII decayó incomprensiblemente el afán por los estudios griegos. En muchas Universidades dejaron de enseñarse la gramática y literatura. Y Carlos III—en 1771—restableció la enseñanza del griego en la mayor parte de los centros docentes.

Ya en el siglo XIX, la Academia grecolatina matritense hizo laudables esfuerzos por la propagación de los estudios clásicos.

Durante la centuria dieciocho destacaron como consumados helenistas: Gregorio Mayáns y Siscar, el P. José Petisco, el carmelita fray Bernardo Agustín de Zamora, el franciscano fray Pedro Antonio de Fuentes, el carmelita calzado fray Miguel Azero Aldovera.

En la centuria diecinueve sobresalieron: José María Román, Antonio Bergnes de la Casa, Lozano y Blasco, Alonso Ortega, Delago y David, Alfredo Adolfo Camús, Cabañero y Temprado, Alcover y Largo, González Garbín...

b) *Helenismo como origen de imitaciones.* La influencia del helenismo en algunas manifestaciones de las letras hispanas fue muy considerable.

Los poemas épicos de los griegos y su mitología proporcionaron temas a célebres poetas españoles. Así: al marqués de Villena—*Trabajos de Hércules*—, a Juan de Mal Lara—*Trabajos de Hércules*—, a Hurtado de Mendoza—*Adonis* e *Hipomenes y Atalanta*—, a Gregorio Silvestre—*Fábula de Dafne y Apolo* y *Píramo y Tisbe*—, a Romero de Cepeda—*Destrucción de Troya*—, a Antonio de Villegas—*Historia de Píramo, Contienda de Ayax*—, a Manuel de Gallegos—*Gigantomaquia*—, a Góngora—*Fábula de Polifemo*—, a Villamediana—*Fábula de Faetón, Fábula de Apolo y Dafne, Venus y Adonis*—, a Pantaleón de la Ribera—*Fábula de Eco*—, a Moncayo—*Atalanta* y *Venus y Adonis*—, a Villalpando—*Psiquis y Cupido*—, a Salazar—*E u r i d i c e*—, a Colodrero—*Teseo y Ariadna*—, a Polo de Medina—*Las tres diosas*—, a Gaspar Aguilar—*Fábula de Endimión y la Luna*...

La *Batracomiomaquia* griega, poema burlesco, inspiró la *Mosquea* a Villaviciosa, la *Gatomaquia* a Lope de Vega, la *Burromaquia* a Pellicer y Toledo, la *Perromaquia* a Pisón y Vargas, y otra *Perromaquia* a Nieto y Molina; la *Asneida* a Cosme Aldana—obra del siglo XVI, perdida hoy.

Las invenciones esópicas *alimentaron* las obras de nuestro genial Arcipreste de Hita y casi todas las colecciones de cuentecillos, apólogos y fábulas publicados desde el siglo XVI al XVIII. Iriarte y Samaniego, nuestros dos clásicos fabulistas, deben no poco al fabulista helénico.

Precisaríamos muchísimas páginas para enunciar únicamente las influencias del teatro griego en nuestro teatro—especialmente en el neoclásico del siglo XVIII—. Bastará señalar algunos ejemplos. Lope de Vega, el portentoso *creador* del teatro español, escribió: *El laberinto de Creta, El marido más firme.* Calderón de la Barca: *Eco y Narciso, Apolo y Climene, La estatua de Prometeo, Fortunas de Andrómeda y Perseo, El hijo del Sol Faetón, El golfo de las Sirenas, Ni Amor se libra de amor.* Rojas Zorrilla: *Progne y Filomena* y *Los encantos de Medea.* Guillén de Castro: *Progne y Filomena* y *Los amores de Dido y Eneas.* Juan Bautista Diamante: *Alfeo y Aretusa, El Laberinto de Creta, Júpiter y Semele.* Fernando de Zárate: *El maestro de Alejandro.* Agustín de Salazar y Torres: *El amor más desgraciado, Céfalo y Pocris, Thetis y Peleo, Los Juegos Olímpicos.* José de Cañizares: *Accis y Galatea, Telémaco y Calipso, La hazaña mayor de Alcides.* Agustín de Silva, duque de Aliaga: *Las Troyanas.* Dionisio Solís: *El hijo de Agamenón.* Francisco Comella: *Ino y Temisto.* Marchena: *Polixena.* Olavide: *Fedra.* Clavijo y Fajardo: *Andrómaca.* Alvarez de Cienfuegos: *Idomeneo*...

La novela griega inspiró muchas y muy interesantes narraciones españolas, como: *Clareo y Florisea,* de Alonso Núñez de Mendoza; *La fuerza de la sangre* y *Persiles y Sigismunda,* de Miguel de Cervantes; *Argenís,* de Pellicer y Tovar.

c) *Helenismo como estímulo de traductores.*—No nos proponemos tampoco en este apartado enumerar todas—ni aun en su mayoría—las obras griegas traducidas al castellano, sino únicamente algunas de las mejor vertidas o de las traducidas por famosísimos ingenios.

Juan de Mena realizó la paráfrasis de algunos cantos de la *Ilíada.* Gonzalo Pérez, secretario de Carlos I y padre del famoso Antonio Pérez, tradujo en verso castellano la *Odisea.* El eruditísimo Vicente Mariner, bibliotecario de El Escorial, vertió todas las obras atribuidas a Homero "en el mismo número de versos que los originales". También tradujeron la *Ilíada:* Juan de Mal Lara, Cristóbal de Mesa, Ignacio García Malo, José Gómez Hermosilla. El gran dramaturgo Juan de la Cueva vertió al castellano la *Batracomiomaquia.* Antonio Gironella, la *Odisea.* El citado Mariner, la *Teogonía* y *Los trabajos y los días,* de Hesíodo. Pedro Jaime Esteve, la *Teriaca,* de Nicandro. Juan Boscán—versión libre—, la fábula de *Leandro y Ero,* de Museo.

La más antigua versión de las *Fábulas* de Esopo apareció en el siglo XV con el título de *Libro de Isopete ystoriado.* Buena traducción moderna de estas fábulas es la de don

Eduardo Mier—1871—. Diego Girón y Pedro Simón Abril tradujeron también a Esopo

Los poetas líricos griegos cuentan con magníficos traductores.

A Anacreonte le tradujeron Quevedo, Esteban Manuel Villegas, Luzán, José Antonio Conde, José del Castillo y Ayensa, Baraibar.

Los hermanos Canga-Argüelles tradujeron poesías de Safo, Erina, Alcman, Alceo, Simónides, Ibico, Baquílides, Arquíloco, Alfeo, Pratino y Menalípides.

A Píndaro: Luis de León, los hermanos Canga-Argüelles, el obispo Montes de Oca, Francisco Patricio de Berguizas.

A Esquilo: Nemesio F. Cuesta y Fernando Brieva Salvatierra.

A Sófocles: Fernán Pérez de la Oliva, Vicente García de la Huerta, Pedro Estala, Nemesio F. Cuesta, Pedro Montengón, Alemany Bolufer.

A Eurípides: Fernán Pérez de la Oliva, Juan Boscán, Esteban M. de Villegas, Pedro Simón Abril, Genaro Alenda, Eduardo Mier.

A Aristófanes: Miguel Cabedo, Pedro Simón Abril, Pedro Estela, Salvador Constanzo, Nemesio F. Cuesta, Federico Baráibar.

A Teócrito: Vicente Mariner, Esteban M. de Villegas, Salvador Constanzo, Genaro Alenda.

A Luciano: Andrés Laguna, Pedro Simón Abril, Juan Jarava, Esteban M. de Villegas, Pedro de Valencia, Bartolomé Leonardo de Argensola, Gonzalo Correas, Flórez Canseco, Herrera Maldonado, Nemesio F. Cuesta, Luis García Sanz.

A Isócrates: Luis Vives, Diego Gracián, Pedro Mexía, Ranz Romanillos, Ignacio Luzán.

A Herodoto: Bartolomé Pou.

A Tucídides: Alfonso López Pinciano, Castro Salinas, Diego Gracián.

A Jenofonte: Diego Gracián.

A Polibio: Ambrosio Rui Bamba.

A Josefo: Alonso de Palencia, Semah Arias, Ortiz de la Vega.

A Plutarco: Alonso de Palencia, Diego Gracián, Francisco de Encinas, Juan de Castro Salinas, Ranz Romanillos.

A Diógenes Laercio: José Ortiz y Sanz.

A Aristóteles: Francisco Escobar, Vicente Mariner, Ginés de Sepúlveda, Juan de Vergara, Andrés Laguna, Francisco Vallés, Pedro Fonseca, Pedro Simón Abril, Ignacio López de Ayala, Patricio de Azcárate.

A Platón: Pedro Simón Abril, Nemesio F. Cuesta. Patricio de Azcárate.

A Epicteto: Francisco Sánchez "Brocense", Gonzalo Correas, Francisco de Quevedo, José Ortiz.

A Marco Aurelio: Jacinto Díaz de Miranda.

A Longo de Lesbos: Juan Valera y Carmen de Burgos.

Insistimos en que únicamente hemos mencionado los escritores griegos más importantes traducidos por los más ilustres ingenios españoles. Quien desee precisar la totalidad de las obras griegas vertidas al castellano, debe consultar la inapreciable obra de Julián Apráiz que nos ha servido de guía para la redacción de esta síntesis.

V. Menéndez Pelayo, M.: *Historia de las ideas estéticas...* Madrid, 1890.—Menéndez Pelayo, M.: *Orígenes de la novela...* Tomo I. Menéndez Pelayo, M.: *El helenismo en España.* Estudio preliminar a las *Comedias* de Aristófanes. Biblioteca Clásica. Madrid.—Amador de los Ríos, J.: *El arte latino-bizantino en España...* Madrid, 1861.—Schöel, M.: *Histoire de la Littérature grecque...*—Apráiz, Julián: *Apuntes para una historia de los estudios helénicos en España.* Madrid, 1874.—Thieling, M.: *Der Hellenismus...* Leipzig, 1911.—Winckelmann: *Histoire de l'art chez les anciens.*—Rubió y Lluch, Antonio: *Sobre el helenismo en España...* En su tomo de *Novelas griegas.* Barcelona, 1903.

HELENÍSTICO

Dialecto griego, mezclado con hebraísmos y sirianismos, en el que fueron escritos la versión de los *Setenta* y los libros del *Nuevo Testamento,* con excepción del *Evangelio* de San Mateo. Ricardo Simón lo llamó *Lengua de la Sinagoga.*

Este dialecto era utilizado por los judíos fuera de Judea.

HEMISTIQUIO (V. Cesura)

1. La mitad de un verso.
2. Pausa o cesura que, al medir o leer un verso, debe hacerse en su mitad.

El uso del hemistiquio es muy antiguo. Los árabes usaban en sus poesías versos divididos en dos partes o hemistiquios, que tenían igual número de sílabas, y de los cuales el primero se llamaba *sadilbrait* o entrada del verso, y el segundo, a cuyo final iba la *cofia* o consonancia, se nombraba *ogzilbait* o cabo del verso.

Los versos castellanos alejandrinos—del *Poema de Alejandro,* atribuido a Juan Lorenzo de Segura de Astorga—tienen, sin duda, dos hemistiquios.

El mes era de mayo / un tiempo glorioso,
quando fazen las aves / un solaz deleitoso.
Son vestidos los prados / de vestido fermoso,
de suspiros la duenna / la que non ha esposo.

También los versos de doce sílabas, llamados de arte mayor, fueron divididos por nuestros mejores poetas en dos hemistiquios de seis sílabas.

Bien se mostraba ser / madre en el duelo,
que fizo las tristes / después que ya vido

el cuerpo en las andas / sangriento tendido,
de aquel que criara / con tanto desvelo.

(JUAN DE MENA.)

En esta clase de versos no siempre son los hemistiquios de seis sílabas, pues a veces el segundo no tiene sino cinco.

El hemistiquio considerado, no ya como una de las dos partes iguales en que un verso puede dividirse, sino cual un verso que entra como parte integrante en otro de mayor número de sílabas, se encuentra también en los endecasílabos.

Sin dardo ni zagaya / va seguro...
....
Que siempre está sujeta / al inclemente...
....
La providencia tiene / aprisionada...

(FRAY LUIS DE LEÓN.)

HENOTEÍSMO

Se llama así una modalidad de la concepción teísta del Ser Supremo.

HEPTÁMETRO

Verso griego y latino que consta de siete pies. (V. *Metro, Verso.*)

HEPTASÍLABO

Verso que consta de siete sílabas. Fue llamado también *anacreóntico,* por imitar el verso griego de este nombre. En España hizo su aparición en el *Auto de los Reyes Magos,* en los *Proverbios* de Sem Tob, en la *Crónica troyana* de don Juan Manuel, en el *Libro del buen amor,* del Arcipreste de Hita. Estuvo en desuso durante el siglo XV, con los poetas del *Cancionero* de Baena. Y surgió espléndido en el XVI, bien solo o bien acompañado de su hermano mayor, el endecasílabo.

Por nascer en espino
la rosa yo no siento
que pierda, ni el buen vino
por nascer del sarmiento.

(SEM TOB.)

¡Pobre barquilla mía,
entre peñascos rota,
sin velas desvelada,
y entre las olas sola!

(LOPE DE VEGA.)

HERMENÉUTICA

De 'ηρμενεύειν, interpretar.

Arte de interpretar el sentido de un libro. Parte de la crítica que tiene por objeto la interpretación de las doctrinas expuestas en un texto.

Aristóteles escribió un tratado de *Hermenéutica,* la cual, aplicada a los textos sagrados, recibe el nombre de *Exégesis* (V.).

La *hermenéutica* se aplica a la interpretación de lo que es *simbólico.* (V. *Interpretación.*)

V. MEYER, W.: *Historia de la Hermenéutica sagrada.* Trad. Madrid, 1879.

HERMESIANISMO

Sistema herético adoptado por Jorge Hermes a principios del siglo XIX.

Jorge Hermes, filósofo y teólogo alemán, nació—1775—en Dreierwalde (Westfalia) y murió—1831—en Bonn. Estudió Filosofía en la Universidad de Münster, y más tarde Teología, ordenándose sacerdote en 1799, cuando era ya profesor en el Gimnasio de Münster. Posteriormente fue catedrático de Teología en la Universidad de dicha ciudad. Y llegó a canónigo de la archidiócesis de Colonia. Sus discípulos le amaron con devoción por su bondad, su simpatía y por la claridad con que explicaba los problemas más abstrusos.

Jorge Hermes expuso el hermesianismo en sus *Die philosophische Einleitung in die christkatholische Teologie*—Münster, 1819—y *Christkatholische Dogmatik*—Münster, 1819.

Los errores del hermesianismo se reducen a tres puntos principales: el referente al principio de certidumbre, tanto en el orden teológico como en el filosófico; el referente a la aplicación de este principio general y a las demostraciones relativas a las verdades de la Religión; y el referente a los errores relativos a la gracia, pecado original y otras cuestiones concretas.

En relación con el primer punto, el hermesianismo se separó de la doctrina de la Iglesia por lo que respecta al principio supremo o criterio último de verdad acerca de la naturaleza de la fe y acerca del motivo de la fe sobrenatural. En relación con el segundo punto, cayó en el error sobre la naturaleza de Dios, su distinción del mundo y sus principales atributos. Y participó de los errores del *jansenismo* (V.) en cuanto a la gracia, el pecado original...

Según el hermesianismo, todas las cuestiones filosóficas y teológicas "deben empezar por el escepticismo, por la teoría de la duda universal y absoluta, real y positiva, y no hipotética, como la de Descartes". Según el hermesianismo, pues que todos los sistemas filosóficos no habían logrado llegar a un criterio seguro para distinguir lo verdadero de lo falso, si se quería establecer una ciencia sólida y cierta, la razón debía empezar dudando y proseguir en la duda "hasta llegar a un punto en que le fuera imposible dudar y en que se viera necesitada a prestar firme asentimiento, constituyendo esta *imposibilidad de dudar* el principio supremo o el criterio último de certeza".

Filosóficamente, el hermesianismo llegó a la solución de un *imperativo categórico* de la razón práctica.

Pero *teológicamente,* los errores del hermesianismo fueron estos:

1.º Abrir el camino a muchos errores, poniendo la duda positiva como base de todas las inquisiciones teológicas.

2.º Despreciar la tradición y la autoridad de los Santos Padres en la explicación de las verdades de la fe.

3.º Creer que la razón humana es el único medio para llegar al conocimiento de las verdades sobrenaturales.

4.º Inclinarse abiertamente al escepticismo.

5.º Por adulterar las verdades teológicas acerca de la gracia, del pecado original, de la revelación, de la naturaleza, justicia y libertad de Dios en las obras *ad extra,* de las fuerzas del hombre caído en el pecado...

El Pontífice Gregorio XVI condenó el hermesianismo por su Breve de 26 de septiembre de 1835, y puso en el Indice las obras de Hermes.

El intento principal del hermesianismo fue racionalizar el dogma, fundando las doctrinas cristianas en los postulados del idealismo de Kant y Fichte. Pretendió hacer con las verdades teológicas y la fe lo que con la ciencia y la filosofía había hecho Kant.

V. Esser: *Denkschrift auf Georg Hermes.* Colonia, 1832.—Niedner: *Philosophiae Hermesii explicatio.* Leipzig, 1839.—Stupp: *Der letzten Hermesianer.* Wiesbaden, 1844-1845.

HERMÉTICOS (Libros)

Obras atribuidas a un personaje fabuloso, que para los griegos era Hermes Trismegisto, y para los egipcios, Thoth, Thot o Taut, gran iniciador de las ciencias, las letras y las artes a orillas del Nilo. Los egipcios atribuían a este dios 36.525 libros. El filósofo Jamblico afirma haber visto 12.000. ¿Cómo explicar tal fecundidad? Egger afirma que se atribuye a Thot toda la enciclopedia científica y religiosa conservada por los sacerdotes en los templos, y de la cual San Clemente de Alejandría nos ha dejado una especie de catálogo compendiado en sus *Stromata.*

Los *libros herméticos,* desprovistos de toda autenticidad, tratan, a la vez, de Filosofía, Medicina, Química, Historia Natural. La parte filosófica representa las antiguas doctrinas egipcias, alteradas, en una proporción difícil de señalar, por una mezcla de espiritualismo platónico y de tradiciones judías y cristianas.

Los principales *libros herméticos* son los siguientes: *Asclepius, sive de Natura deorum dialogus,* traducción hecha por Apuleyo de un original titulado: Λόγος τέλειος, que se ha perdido. *Poemander,* diálogo sobre la Naturaleza, la creación del mundo, la divinidad y su esencia y sus atributos. *Astrología,* publicada en griego por Cramer—Nuremberg, 1532—. *De revolutionibus nativitatum,* tratado de Astrología, publicado por Wolf juntamente con el *Isagoge* de Porfirio—Basilea, 1559—. *Centiloquium* o cien aforismos astrológicos. *Liber physico-medicus Kiradinum Kirani,* que se conoce por la traducción latina de Andrés Rivinus; pero el original griego existe manuscrito en la Biblioteca de Madrid. Una traducción íntegra, en francés, de *Hermes Trismegisto,* la realizó Luis Ménard, París, 1866.

V. Ursinus, J. H.: *Exercitatio de Mercurio Trismegisto ejusque scriptio.* Nuremberg, 1661. —Fresno y Lengleton: *Histoire de la philosophie hermétique.* París, 1742. Hay edición moderna.—Baumgarten-Crusius: *De librorum hermeticorum origine atque indole,* Jena, 1827. —Guigniant: *De* Ερμοῦ *sen Mercurii mythologia.* París. Varias ediciones.—Ménard, L.: *Etude sur l'origine des livres hermétiques.* París, 1866.

HERMETISMO

1. Nombre dado al conjunto de doctrinas expuestas en los libros de un personaje fabuloso, llamado Hermes Trismegisto. Se dijo que en los libros de Hermes Trismegisto estaba contenida toda la sabiduría del antiguo Egipto.

Bajo el nombre de Hermes—el Mercurio de los latinos—, los críticos han señalado al dios egipcio Thot, Thoth o Taut, quien, según las tradiciones religiosas del país del Nilo, fue el iniciador de las ciencias, de las artes y de las creencias del Oriente. Los egipcios le atribuyeron 36.525 libros de enseñanzas sagradas. La explicación de esta milagrosa fecundidad es sumamente sencilla; según Egger, se le atribuyen todas las obras escritas por los sacerdotes de los principales templos, de las cuales nos ha dejado un magnífico catálogo San Clemente de Alejandría en sus *Stromata.*

Los fragmentos que nos quedan de los libros de Hermes Trismegisto han dado lugar a muy interesantes discusiones. Dichos fragmentos son escasos: dieciocho o veinte párrafos griegos de *Pœmandres,* una traducción latina del *Asclepius* y las referencias de los Santos Padres en sus polémicas contra el politeísmo. El conjunto fue recogido y traducido al latín por Marsilio Ficino, en 1471, y después publicado—1554—por Turnebo.

Lactancio y San Agustín hablaron con admiración de *Pœmandres;* y en el siglo xvi, Baronius citó—aun señalando sus errores—los libros de Hermes *como autoridad* en la historia de la Teología.

Posiblemente fue Cicerón quien primero identificó a Hermes Trismegisto, con Thot, en su tratado *De natura deorum*—III, 56—, afirmando que el quinto Mercurio, asesino de Argos, fue arrojado de su país por este crimen y marchó a Egipto, donde dio leyes y enseñó a sus habitantes. Los egipcios le dieron el nombre de Thot o Theuth, que es el del quinto mes del año en su calendario. Lactancio afirmó que Hermes fundó la ciudad de Hermópolis, y fue adorado por los saítas, y que, a pesar de ser un hombre, fue tan honrado a causa de su sabiduría, que se le dio el nombre de Trismegisto—de *tris,* tres veces, y *megisto,* el más grande.

Las doctrinas del hermetismo son tan varias, que, en efecto, puede dudarse con razón de que hayan emanado de un solo entendimiento.

V. PIETSCHMAN, R.: *Hermes Trismegisto nach ägypt., griech und Orient...* Leipzig, 1875.—REITZENSTEIN, R.: *Poimandres.* Leipzig, 1904.—MEAD, G. R. S.: *Thrice-Greatest Hermes.* Londres, 1906.—REINACH, S.: *Orfeo. Historia de las religiones.* Madrid, 1910.

2. El hermetismo es sinónimo de *ocultismo* (V.) y de *esoterismo* (V.).

Como tal sinónimo, el hermetismo "es la ciencia de las cosas misteriosas o que han sido obtenidas por medio de la magia".

Con tal ciencia se pretendía antiguamente el hallazgo de la piedra filosofal y de la panacea universal.

Era también la ciencia de pronosticar los sucesos por medio de la situación y aspecto de los astros.

El hermetismo estuvo relacionado con gran número de escuelas filosóficas; por ejemplo, las del antiguo Egipto, los cabalistas, los neoplatónicos y ciertas escuelas de la Edad Media y principios del Renacimiento.

A partir del siglo XIX, el hermetismo estuvo—y está—relacionado con la *Teosofía,* y entre sus teorías destaca la del plano astral.

El hermetismo cree posible someter al control del hombre una serie de curiosas fuerzas ocultas. (V. *Esoterismo. Ocultismo. Teosofismo.)*

HERODIANISMO

Secta religiosa y política de los herodianos, que se creían herederos de las doctrinas y de la misión política de Herodes "el Grande".

El herodianismo tuvo escasa trascendencia. En el Nuevo Testamento se nombra tres veces, y como de pasada, a los herodianos.

Honraban la memoria de Herodes I, reedificador del templo de Jerusalén, y tan pronto se los veía asociados a los fariseos como a los saduceos. En verdad formaban un partido político, que buscaba la independencia respecto de Roma. En el siglo II, el herodianismo había desaparecido.

V. VIGOUROUX: *Dict. de la Bible.* Art. *Hérodiens.*

HEROICO (Verso)

1. Se dice del metro que en cada lengua se tiene por más conveniente para escribir los poemas épicos.

2. Verso propio de los personajes fabulosos o heroicos.

Entre los antiguos se utilizaba el hexámetro para los poemas narrativos y la estrofa alcaica para la poesía lírica. Los italianos y los ingleses utilizaron para su poesía heroica el endecasílabo. Los alemanes, independientemente de sus ritmos propios, el hexámetro y la estrofa alcaica. Los franceses, el alejandrino. Los españoles, el verso de catorce y más sílabas y el endecasílabo.

HEROICO-CÓMICO (Género)

Género de poemas en los cuales a un *sujeto vulgar* se le otorga una forma épica, resultando del contraste felices efectos de humor y de ironía.

El poema heroico-cómico es considerado como una especie de parodia de la epopeya. Se diferencia del poema burlesco en que este trata a los dioses y a los héroes como personajes vulgares, mientras que el heroico-cómico otorga una nobleza épica a personajes y cosas vulgares.

Modelos del género heroico-cómico son: la *Batracomiomaquia,* atribuida a Homero durante muchos siglos; la *Gatomaquia,* de Lope de Vega; *El cántaro elevado,* de Tassoni; *Le Lutrin,* de Boileau; *The rape of the lock,* de Pope; *La mosquea,* de Villaviciosa.

HEROIDA

Poema que generalmente adopta la forma de epístola y el tono de elegía.

Le llamaron *heroida* los antiguos escritores latinos, porque en él es siempre un héroe o una heroína quien refiere los sucesos de su vida.

Son famosas las *Heroidas* de Ovidio, comparables a las mejores elegías de Tibulo y Propercio.

HEXÁMETRO (Verso)

Verso griego y latino, que consta de seis pies *dáctilos* o *espondeos.* El gusto, el capricho y principalmente el oído del poeta los emplearon alternativamente y sin regla en los cuatro primeros pies; pero el quinto debe ser siempre dáctilo, y el sexto, espondeo o troqueo.

Cuando el hexámetro ha de pintar la celeridad o la alegría, debe constar de varios dáctilos, por lo rápidos, vivos y ligeros.

Quadrupedam potrem sonitu quabit ungula campum.

(VIRGILIO.)

H

Cuando el ritmo ha de ser lento, conviene utilizar los espondeos largos y aquiletados.

Extinctum ninphae crudeli funere Daphnim, hebant.

(VIRGILIO.)

Los griegos lo utilizaron admirablemente, sin preocuparse de las sílabas de la palabra final. Para el efecto de su verso, únicamente se preocupaban de la armonía. Cuando Ennio puso de moda el hexámetro entre los latinos, *le quitó la libertad* de que había gozado en Grecia. Las cesuras ocuparon lugares fijos; el quinto pie, salvo rarísimas excepciones, era siempre dáctilo; la última palabra quedó sujeta, en cuanto a su longitud y naturaleza, a rígidas reglas.

Se atribuye a los dioses la invención del hexámetro. Homero lo recibió de los aedas y lo transmitió perfecto. Los eruditos modernos, apoyándose en Pausanias, Proclo y Eustato, atribuyen su origen a Femonoé, primera pitonisa de Delfos. Es el hexámetro un verso majestuoso, sugestivo, propio para las narraciones heroicas.

Hay diferentes clases de hexámetros: *bucólico, priapeo dactílico, hexámetro miurus* o *teliambo, hexámetro espondaico.*

El *bucólico* lleva un reposo después del cuarto pie, el cual es siempre dáctilo. Es el empleado en la poesía pastoral. Teócrito lo usó muchas veces. Y menos Virgilio.

El *priapeo dactílico* lleva una pausa después del tercer pie, generalmente dáctilo. Puede ser considerado como la unión del glicónico y del ferecracio. Se usó para el género amoroso y licencioso.

El *miurus* lleva como pie último un yambo o un pirriquio. De aquí le ha venido su nombre, que significa en griego *el que tiene más larga la cola* (μηρύων ούρά). Se le llamó también *teliambo,* es decir, el terminado por un yambo (τέλος ἴαμβος).

El *espondaico* es un hexámetro que lleva un quinto pie espondeo y un cuarto pie generalmente dáctilo. Los griegos lo utilizaron frecuentemente y sin una intención bien marcada. Por el contrario, los latinos, por su majestuosidad, lo reservaron para representar una acción larga; y para aumentar su efecto, lo hacían terminar en una palabra de cuatro sílabas. Así, Virgilio representa a Sinón paseando sus miradas por la armada troyana:

Constitit, atque oculis Phrygia agmina circumspexit.

(Para los versos derivados del hexámetro, V. *Dactílicos.*)

V. HERMANN, G.: *De metris graecorum et romanorum poetarum.*—QUICHERAT, L.: *Traité de versification latine.*

HEXASÍLABO

Verso de seis sílabas. Propio de las endechas y letrillas. El primero en usarlo en castellano fue el Arcipreste de Hita. Y después lo usó con galanura el marqués de Santillana. Generalmente, se emplea solo, aunque también combinado con octosílabos y dodecasílabos.

Cerca de Tablada,
la sierra passada,
falléme con Aldara
a la madrugada.

(ARCIPRESTE DE HITA.)

Moça tan fermosa
non vi en la frontera
como una vaquera
de la Finojosa.

(MARQUÉS DE SANTILLANA.)

HIATO

1. Sonido desagradable de la pronunciación de dos vocablos cuando el primero acaba en la misma vocal con que empieza el segundo: "Juan camin*a a*calorado."

2. Vicio o defecto de emplear en un escrito varias vocales reunidas: *Iré a Aragón, Provee el pan.*

Casi imposible de evitar este defecto, forzoso es tolerarlo, aun cuando se proscriba su abuso. Nuestro idioma es admirablemente flexible y adecuado a los órganos de la pronunciación, y admite sin esfuerzo ese defecto necesario, principalmente cuando se habla en prosa y la disonancia que de él resulta no es demasiado desagradable. Vale advertir que cuando las vocales conjuntas son diferentes no existe el hiato, excepto si son más de tres.

En la poesía francesa, por ejemplo, no es admitido el encuentro de dos vocales, excepto si una de ellas va acentuada, y basta el hiato para que deje de ser verso aquel en que se encuentra. En la poesía castellana es de muy mal efecto el encuentro de vocales iguales, pero no anula el verso, y cuando son vocales diferentes, se comete *sinalefa* (V.), y se pronuncian sin dificultad, como si fuesen una sola sílaba...

... Hevio, que puso
pleit(o) (a) su madre y l(a) (e)ncerró por loca,
dice que ya l(a) (a)utoridad paterna
n(i) (a)poyos tiene ni vigor...

(L. F. DE MORATÍN.)

La *h* antepuesta a la vocal, no siendo aspirada entre nosotros, produce el mismo efecto que si no existiera. Por ello vemos que cuando se encuentran dos vocales, que, por su acentuación o por el lugar que ocupan en la medida del verso, no pueden formar sinalefa, aunque la segunda vaya precedida de *h,* resulta el verso *flojo,* como en este ejemplo, tomado a fray Luis de León:

Con l(a) h(e)rmosa Cava en la ribera.

El hiato, inevitable como ya se ha dicho, se presenta *dentro* de las palabras: *Cooperación, reacción,* y en el *¡hiato* mismo!

Los griegos no tuvieron reglas especiales para evitar el hiato, y dejaban encomendado al buen arte de sus poetas el remedio para atenuarlo al menos. El hiato no les preocupaba más que la cesura, por ejemplo; y no les producían el menor disgusto las ligeras disonancias en la continuada y maravillosa armonía de sus obras. Un solo verso de Homero nos ofrece lcs hiatos sin interrupción:

Ὦ πόποι, οἷον δή νυ θεούς βροτοι αιτιόωνται.
(*Odisea,* cant. I, v. 32.)

Αὐτάρ ἐγών Ἰθάκην ἐσελεύσομαι, ὄφρα οἱ υἱόν.
(*Odisea,* cant. I, v. 38.)

Los latinos, por el contrario, dieron una importancia capital al hiato. El verso de Ennio renunció a todas las libertades que en el caso del hiato le había enseñado Homero. La ausencia de elisión frecuente en el verso homérico se marca ¡una sola vez! en toda la poesía de Horacio:

Jam daedale(o) (o)cior Icaro.
(*Odas,* lib. II, XX.)

Los romanos lucharon con el hiato, que tanto los perturbaba, por medio de la sinéresis, de la elisión, de la contracción.

En Virgilio se observan casos no dudosos de hiato; mas, como compensación, abrevió la vocal larga no elidida:

Implerunt montes, flerunt Rhodopeiae arces...
Credimus? an (qui) amant ipsi sibi somnia fingunt?

V. Baudry, F.: *Grammaire comparée des langues classiques.*

HIERÁTICA (Escritura)

1. Escritura de los antiguos egipcios, que era una abreviación de la jeroglífica.
2. Escritura particular de los antiguos sacerdotes egipcios. (V. *Egipcia, Lengua* y *Literatura.)*

HILEMORFISMO

Sistema metafísico-natural fundado por Aristóteles y seguido por la mayoría de los escolásticos.

Según el hilemorfismo, todo ser corporal está constituido por dos coprincipios íntimamente compenetrados entre sí, no tanto en el espacio, cuanto en la misma realidad sustancial, en orden a la cual se completan mutuamente. Los dos principios son *materia* y *forma.* La materia es un principio indeterminado y común a todos los cuerpos. La forma determina específicamente cada individuo orgánico o cada cuerpo anorgánico, sea planta, animal u hombre.

Durante algunos siglos, el hilemorfismo estuvo unido con la teoría de Empédocles de los cuatro elementos: tierra, agua, aire y fuego. Para muchos filósofos, las formas específicas y diversas no solo se encontraban en los cuatro elementos, sino también en los llamados *mixtos,* originados por la combinación de aquellos. Ahora bien, ¿permanecían *formalmente* los elementos en los mixtos? Si permanecían, era lógica la aparición de varias formas naturales subordinadas en un mismo cuerpo. Era esta la opinión de los franciscanos—Escoto, Guillermo Ockam, Rogerio Bacon, etc.—. Era natural esta opinión; ellos veían cómo, después de la muerte, desaparecida el alma espiritual—*forma* esencial del hombre—, aún quedaba cierta forma de *corporeidad.*

Contrariamente o p i n a b a n los dominicos, quienes rechazaban la hipótesis de las formas subordinadas, y en particular de la forma de *corporeidad.*

Destruida por la química moderna la tesis de los cuatro elementos y llevado a primer plano el atomismo físico, y declarada verdad dogmática la unión sustancial del alma humana espiritual con el cuerpo material, puede decirse que el hilemorfismo ha dejado de tener importancia y aun interés.

Tampoco cabe negar el dualismo de los demás seres orgánicos "que mediante la nutrición se asimilan e informan con un principio de naturaleza más elevada a la materia que antes era inerte".

V. Wulf: *Hist. de la philosophie médiévale.* Lovaina, 1924-1925.—Nys, M.: *Cosmologie.* Lovaina, 1918, tomo III, 3.ª ed.—Weyl: *Was ist Materie?* Berlín, 1924.—Piat: *Aristote.* París, 1903.

HIMENEO (V. Epitalamio)

HIMNO

Poesía cantada en honor de la divinidad. Etimológicamente, la palabra *himno* será sinónimo de *oda,* si es cierto, como parece, que ὕομνς deriva de ὕδω, cantar. Como la oda, como la canción, el himno queda asociado a la poesía cantada. Y se distingue de la canción y de la oda por su carácter popular y religioso. El himno supone el *concierto* de una multitud para la interpretación de los sentimientos y de los entusiasmos. Encierra la adoración, la piedad, la acción de gracias.

H

También se ha dado el nombre de himno a las poesías morales y a los cantos patrióticos.

La acepción religiosa del himno es la más antigua. El pueblo hebreo dio a sus himnos el nombre de *Cánticos* y de *Salmos*. Los antiguos poemas de la India, llamados *Vedas*, presentan las características más acusadas y ricas del himno religioso. En Grecia fue cultivado por Orfeo; y los *peans*, consagrados a Apolo, himnos son. También los *ditirambos* en honor a Baco. Himnos se encuentran en las poesías de Alceo, Safo, Píndaro, Simónides, Calímaco... Son famosos los himnos de Proclo y el *Canto a la virtud*, de Aristóteles.

Los antiguos himnos romanos nos son conocidos con los nombres de *cantos sálicos* y de *canto Arval*. El *Cathemerinon* y el *Pheristephanon*, de Prudencio, son himnos hermosísimos.

La versificación de los himnos es regular y sujeta a compases fijos, según lo exige la música.

V. KRIES: *De Hymnis veterum*. Gotinga. Varias ediciones.—SOUCHAY: *Sur les Himnes des anciens*. En "Mémoires de l'Académie des Inscriptions", tomos XXIII y XXIV.—GAUTIER, León: *Histoire de la poésie liturgique*. Tesis doc. en "L'Ecole des chartes". 1855.

HINDÚ (Lengua) (V. Indostánica, Lengua y Literatura)

HIPÁLAGE (V. Figuras de palabras)

1. Figura en virtud de la cual se atribuye a una palabra de la frase lo que conviene a otra de la misma.

Fue muy utilizada por los poetas griegos y latinos, ya que daba al lenguaje un vivo color que no puede convenir a la prosa.

Horacio dice, hablando de Micenas:

> *Tyrrhena regum progenies.*
> (Vástago de los reyes tirrenos.)

Sin hipálage, la misma frase sería así:

> *Tyrrhenorum regum progenies.*

2. La hipálage aplica a una cosa el epíteto que solo conviene a una persona, como en Virgilio:

> *Heu! fuge crudeles terras, fuge littus avanis...*

HIPÉRBATON (V. Figuras de palabras)

Es la inversión del orden gramatical de las palabras en la oración, en virtud de la cual se colocan estas, no según el rigor lógico, sino según conviene al intento del que habla o escribe:

> Estos, Fabio, ¡ay dolor!, que ves ahora
> campos de soledad, mustio collado,
> fueron un tiempo Itálica famosa.
> Aquí de Escipión la vencedora
> colonia fue; por tierra derribado
> yace el temido honor de la espantosa
> muralla, y lastimosa
> reliquia es solamente
> de su invencible gente.
>
> (RODRIGO CARO.)

"Que me maten, Sancho—dijo en oyéndole Don Quijote—, si nos ha de suceder cosa buena esta noche. ¿No oyes lo que viene cantando ese villano?" "Sí oigo—respondió Sancho—; pero ¿qué hace a nuestro propósito la caza de Roncesvalles?" (CERVANTES.)

El hipérbaton tiene sus límites, y por eso no toda inversión está permitida; siendo solamente admisible la que no dañe ni a la claridad ni a la naturalidad del escrito.

Si bien es cierto que el castellano admite el hipérbaton—pues tiene flexibilidad suficiente para variar la coordinación de las cláusulas con bastante libertad y gallardía—, no puede, sin embargo, competir con el latín, por carecer de verdaderas declinaciones en los nombres y de desinencias pasivas en los verbos.

Nace el hipérbaton cuando, por hallarse la imaginación excitada y el ánimo agitado, va el escritor expresando sus ideas y afectos, según la impresión mayor o menor que le producen, apartándose del rigor lógico.

> Tan cerca, tan unida
> está al morir la vida,
> que dudo si en sus lágrimas la aurora
> mustia tu nacimiento o muerte llora.
>
> (F. DE RIOJA.)

El hipérbaton se da más en la poesía que en la prosa.

Hay varias clases de hipérbaton: 1.ª Cuando las palabras que debieran estar unidas quedan separadas por la interposición de otras; 2.ª Cuando se anteponen una o más palabras a otra, después de la cual deberían estar colocadas, según el orden gramatical, formando todas ellas una sola frase; 3.ª Anteposición y transposición, no de palabras que forman una sola frase, sino de frases distintas.

HIPÉRBOLE (V. Figuras de pensamiento)

1. Figura que consiste en ponderar las cosas, aumentándolas o disminuyéndolas de un modo extraordinario.

2. Atribución a una persona o a un objeto de calidades que en rigor le corresponden, pero no en tan alto grado como supone el que habla o escribe.

3. Cualidad de aumentar o disminuir con exceso la verdad de lo que se habla.

La hipérbole es una de las figuras de pensamiento más frecuente entre los escritores, ya que la fantasía es rica y variadísima, y la vehemencia del hombre le lleva a perderse en lo infinitamente grande o en lo infinitamente pequeño. Según Quintiliano, para utilizar la hipérbole con éxito es preciso que, "aunque lo que se dice sea inverosímil para el que lo oye, no lo sea para el que lo dice". Casio Longino creía que las mejores hipérboles son las que pasan inadvertidas.

En castellano inclusive son infinitas las *frases hechas hiperbólicas*. Así: *Coger el cielo con las manos, Comerse los codos de hambre, Hacerse dueño del mundo, Cortar un pelo en el aire...*

Lope—en *La Circe,* cant. II—, aludiendo al enorme caballo artificial introducido por los griegos en Troya, hiperboliza:

Castigo fue también en parte alguna,
de haber entrado los troyanos muros,
con invención tan alta, que la luna
temió su sombra en sus cristales puros.

Virgilio pinta hiperbólicamente la figura de Camila:

Illa vel intactae segetis per summa volaret
gramina nec teneras cursu lacrisset aristas,
vel mare per medium fluctu suspenta tumente
ferret iter, celeres nec tingere aequore plantas...

Y Garcilaso de la Vega:

Con mi llorar las piedras enternecen
su natural dureza y la quebrantan;
los árboles parece que se inclinan;
las aves que me escuchan cuando cantan
con diferente voz se condolecen,
y mi morir, cantando, me adivinan...

HIPERCATALÉCTICO

Nombre dado a los versos griegos y latinos que tienen una o dos sílabas más. (V. *Cataléctico, Verso.)*

HIPERMETRO (Verso)

Verso griego y latino que tiene una sílaba de más, como indica su etimología: ὑπερ μέτρον·
Esta sílaba se elide cuando el verso siguiente empieza por vocal. En el hexámetro hipermetro, la sílaba elidida suele ser *que* o *ve:*

Sternitur infelix alieno vulnere, caelum(que)
adspicit. (VIRGILIO.)

En algunos casos, el hexámetro hipermetro, al no elidir la última sílaba, termina en un dáctilo, lo que hace suponer que tiene tanto de verso dactílico como de verso espondaico. (V. *Hexámetro.)*

He aquí un sáfico hipermetro:

Mugiunt vaccae, tibi tollit hinni(tum)
apta quadrigis equa. (HORACIO.)

Y el mismo caso en el glicónico:

Flammeum video ven(ire).
Ite, concinite in modum.
(CATULO.)

Y en el alcaico, Horacio hace la siguiente elisión:

Versatur urna, serius, ocius
sors exitura, et nos in aeter(num)
exsilium impositura cymbae.

Aquí, Horacio imitó a Alceo. Sin embargo, entre los griegos, el verso no es propiamente hipermetro, ya que la sílaba elidida está representada únicamente por un apóstrofo.

V. HERMANN, G.: *De metris graecorum et romanorum poetarum.*—QUICHERAT, L.: *Traité de versification latine.*

HIPÓBOLE (V. Prolepsis)

Figura en virtud de la cual se previenen las objeciones que puede hacer el contrario, y se responde anticipadamente a ellas.

Alegará, por ventura, alguno que entre los filósofos no faltaron hombres virtuosos y continentes. A esto primeramente respondo que no merece nombre de perfecta virtud la que no tiene por fin a Dios y no se endereza a su gloria. (FRAY LUIS DE GRANADA.)

(V. *Anticipación.)*

HIPONACTEO (Verso)

Especie de verso yámbico, en el cual el último pie, en vez de ser un yambo, es un espondeo. Se le llama más comúnmente *escazonte* y *coriambo.* También se dice de un verso yámbico al cual se le añade un antibaquio, es decir, un pie compuesto de una breve y dos largas.

HIPORQUEMA

De Ὑπόρχημα, danza regida por el canto.

Poema lírico griego, compuesto por versos muy cortos y lleno de pirriquios, que servía para acompañar la danza.

Los primeros hiporquemas fueron compuestos en Delos, en honor de Apolo, para que los cantasen, bailando, coros de jóvenes. Para que el hiporquema tuviera unidad, el mismo poeta que lo escribía era quien enseñaba el baile y el canto.

Posteriormente, el hiporquema se dedicó también a Baco, como lo refiere Homero en la *Odisea*—cant. VIII, vs. 266-371—, aludiendo a una danza hiporquemática ejecutada por los feacianos al final de un festín, mientras Demodoco cantaba los amores de Ares y Afrodita.

El hiporquema fue cultivado por Jenódamo

H

de Citeria, Pratinas de Filonte, Simónides, Píndaro...

V. MAGNIN: *Les origines du théâtre.* París, 1848. Otras ediciones.

HIPOSCENIO

1. Parte del teatro antiguo situada debajo del escenario.

2. Muro contra el que se apoyaba el escenario.

3. Lugar que ocupaba la orquesta.

Hiposcenio se llamó principalmente al muro delantero del proscenio, que solía estar decorado con columnas y estatuas, y que separaba la escena del lugar donde se colocaban los músicos.

HIPÓTESIS

De ὑπόθεσις. Suposición de un hecho, factible o no, o de una cosa, existente o no, para deducir una consecuencia aplicable.

HIPOTÍPOSIS (V. Figuras de pensamiento)

Consiste esta figura en pintar tan vivamente los objetos, que parece que los estamos viendo. (V. *Descripción.*)

La hipotíposis puede dividirse en *topografía* —descripción pintoresca de un país—, *cronografía*—pintura del tiempo y de sus partes—, *prosopografía*—descripción externa de un personaje—, *etopeya*—trasunto de costumbres—, *carácter*—bosquejo de una persona, o de una clase social, o de una profesión—, *paralelo* —comparación de personas u objetos—, *definición*—determinación de un ser cualquiera.

Magníficos ejemplos de hipotíposis se hallan en Virgilio; y uno de los más bellos, cuando pinta el inicio de la tempestad concitada contra los troyanos por la implacable reina de los dioses:

... Venti velut agmine facto
qua data porta, reunt, et terra turbine perfiant
incubuere mari, totumque a sedibus imis
una Eurusque, Notusque ruunt creberque procelli
Africus, et vasta volunt ad littora fluctus.

HIPOZEUGMA

Especie de *zeugma* (V.), que tiene lugar cuando el vocablo que sirve de enlace está en la proposición final.

HISPANOAMERICANA (Literatura)

V. *Argentina (Literatura).*
Boliviana (Literatura).
Colombiana (Literatura).
Costarricense (Literatura).
Cubana (Literatura).
Chilena (Literatura).
Dominicana (Literatura).
Ecuatoriana (Literatura).
Guatemalteca (Literatura).
Hondureña (Literatura).
Mexicana (Literatura).
Nicaragüeña (Literatura).
Panameña (Literatura).
Paraguaya (Literatura).
Peruana (Literatura).
Puertorriqueña (Literatura).
Salvadoreña (Literatura).
Uruguaya (Literatura).
Venezolana (Literatura).

HISPANISMO

1. Palabra o giro español usado en otro idioma. A partir del siglo XVI, numerosos vocablos y giros españoles pasan a enriquecer otras lenguas: la francesa, la italiana, la inglesa, la alemana.

2. Estudio de la lengua y de la literatura hispana por los extranjeros. También: influencia de las letras españolas en las de otros países.

En el siglo XVII, los grandes autores franceses—Corneille, Molière, Racine, Scarron, Lesage—escriben tomando como modelos obras de escritores españoles, y los plagian desenfadadamente. El Romanticismo determina el entusiasmo de los literatos y eruditos extranjeros por la literatura e historia de España, inspirando una y otra obras de la máxima importancia y de singularísimo interés.

Entre los más famosos hispanistas destacan: los franceses Próspero Mérimée, Víctor Hugo, Gautier, Ernesto y Enrique Mérimée, Morel-Fatio, Bataillon, Martineche, Légendre, Cassou...; los alemanes Schlegel, Tieck, Schack, Fastenrath, Pfandl, Vossler...; los ingleses Byron, Trend, Fitzmaurice-Kelly, Allison Peers, Bele, Wilson...; los italianos Rajna, Farinelli, Croce, Puccini...; los norteamericanos Irving, Prescott, Ticknor, Marden, Schevill, Rennert...

Una magnífica obra de cuatrocientas páginas ha dedicado modernamente el profesor español Romera Navarro a mencionar—con ágiles comentarios—los nombres y las obras de más de ochenta hispanistas norteamericanos contemporáneos. (V. *El Hispanismo en Norteamérica.* Madrid, Ed. Renacimiento, 1917.)

HISPANISMO

Movimiento de investigación y exaltación de la cultura española en los distintos países del mundo, iniciado y mantenido por ilustres profesores, escritores y artistas extranjeros.

Durante los siglos XVI y XVII, mientras España dominaba el mundo con sus armas y con su cultura, los enemigos de nuestra patria fueron forjando la *leyenda negra* que había de lograr, a fines del siglo XVII, su caída en la desgracia, en el olvido, en la incomprensión, en el general desprecio.

Si bien es cierto que hasta 1700 la lengua española se estudiaba en toda Europa, no lo es menos que tal conocimiento de nuestro hermoso idioma buscábase con las miras bastardas de procurar la introducción de la influencia inglesa o francesa en los riquísimos países de la América española. Quería desprestigiarse el nombre de España en el idioma español.

No es este lugar, ni es este momento de referirnos a las *verdaderas causas* de la fenomenal decadencia de nuestra política y de nuestra cultura durante las centurias dieciocho y diecinueve. Pero tal decadencia motivó que España y lo español quedaran *silenciados* en los labios y rencorosamente *eliminados* en el corazón y en la razón de Europa. España y lo español "dejaron de contar" en lo mundial. Y conviene consignar que Francia, país el que más se había aprovechado de todos los aspectos de nuestra cultura, fue quien más tesón puso en que cuajara el desdén universal hacia España y lo español.

"Toda injusticia—dice Isócrates—lleva en sí su finitud." La injusticia sórdida contra España probó la exactitud filosófica de la frase del gran orador ateniense. Y antes de terminar el siglo XVIII ya surgieron las primeras voces que demandaban imperiosamente atención y admiración para España y lo español.

¿Dónde se alzaron tales voces? ¿En Europa? ¡No! En América. En los Estados Unidos, pueblo *nuevo,* y como nuevo—juvenil, ilusionado—, desinteresado y justiciero.

Hasta punto tal de entusiasmo y de admiración llevaron los Estados Unidos su hispanismo, que el profesor español M. Romera Navarro ha necesitado un voluminoso libro para enunciar únicamente los nombres—y las obras—de los más preclaros hispanistas.

El gusto por lo español se inició en Norteamérica en el último tercio del siglo XVIII. De 1766 a 1797, Foocks enseñó lengua española en la Universidad de Pensilvania. Desde 1780, Bellini dio cursos de español en el William and Mary College.

Pero, realmente, los precursores del hispanismo norteamericano, ya iniciado el siglo XIX, fueron: Irving, Longfellow, Prescott, Ticknor, Howells, Lowell, Hay...

"Los norteamericanos no pueden olvidar—escribe Romera Navarro—que dos terceras partes de su madre patria han sido tierra española; que en el Sur, en el Oeste y en el Centro habitan nutridos grupos de población que aún hablan el español y sienten y piensan en castellano; que comarcas, pueblos, montañas y ríos de la vasta y poderosa federación fueron descubiertos o fundados por el misionero o por el guerrero español, conservando hoy sus castizos nombres de pila: California, Florida, Colorado, Nuevo León, San Pablo, San Francisco, Los Angeles, Sierra Nevada, Río Sacramento, etc. etcétera...".

Todos los precursores, ya mencionados, fueron insignes hombres de letras, gloria tanto de su patria como de España.

Washington Irving (1783-1859) vivió mucho tiempo en España, enamorado de Andalucía, y muchos de sus libros son un hermoso panegírico de la España romancesca. Entre su obra españolísima destacan: *Historia de la vida y viajes de Cristóbal Colón*—1828—, *Viajes y descubrimientos de los compañeros de Colón* —1831—, *Una crónica de la conquista de Granada, según los manuscritos de fray Antonio Agapida*—1829—, *La Alhambra (Relatos y bocetos de moros y españoles)*—1832—, *La leyenda de don Rodrigo, La leyenda de la subyugación de España, La leyenda del conde don Julián, La leyenda de don Pelayo, La crónica de Fernando el Santo, La crónica de Fernán González, conde de Castilla*—1835—, *The Spanish papers and others miscellanies*—1866.

Guillermo Hickling Prescott (1796-1859) "casi merece el título de historiador de España", de la que, como Irving, fue otro gran enamorado y entusiasta enaltecedor. Entre sus obras figuran: *Historia del reinado de los Reyes Católicos Fernando e Isabel*—1837—, *Historia de la conquista de Méjico*—1843—, *Historia del reinado de Felipe II, rey de España*—1855—, *Historia de la conquista del Perú*—1847—, *Relato de la vida del emperador Carlos V desde su abdicación.*

Jorge Ticknor (1791-1871), a partir de 1818 visitó repetidamente España, dedicándose con gran fervor al estudio de su literatura y publicando su *Historia de la Literatura española*—1849.

Enrique Wadsworth Longfellow (1807-1882), magnífico poeta, recorrió España durante el año 1827; llegó a dominar el castellano con rara perfección; compuso poesías en alabanza de cosas españolas, como *Castillos en España;* fue sucesor de Ticknor en la cátedra de lenguas romances de la Universidad de Harvard y miembro correspondiente de la Real Academia Española. Escribió una obra en verso titulada *El estudiante español*—1842—. Y tradujo al inglés, maravillosamente, trozos de la *Vida de San Millán* y *Los milagros de Nuestra Señora,* de Gonzalo de Berceo; poesías de Lope de Vega, Aldana y Medrano, y las *Coplas* de Jorge Manrique.

Guillermo Cullen Bryant (1794-1878), aunque no llegó a visitar España, dominó el castellano, realizando traducciones excelentes de *La vida del campo* y *La Asunción del Señor,* de fray Luis de León.

Jaime Russell Lowell (1819-1891) sucedió a Longfellow como profesor de castellano en la Universidad de Harvard, y consideró la literatura dramática española del Siglo de Oro como la más importante del mundo; de 1877 a 1879 fue ministro de su país en Madrid y miembro honorario de la Real Academia Española; escribió varias poesías con temas españoles y aun alguna de ellas directamente en castellano; dedicó un soneto muy bello *A la muerte de la reina Mercedes.*

Guillermo Dean Howells (1837-1919) calificó *Don Quijote* del "libro más maravilloso y deleitable del mundo"; dominó el castellano y su literatura, principalmente la novelesca, teniendo a Galdós por uno de los mejores novelistas de Europa; tradujo al inglés *Un drama nuevo,* de Tamayo, y recogió en su obra *Spanish travels* sus ensayos acerca de las letras hispanas.

A principios del siglo XX dio un fenomenal impulso al hispanismo norteamericano la Hispanic Society of America, fundada—1904—por Archer Milton Huntington a sus generosas expensas. La Sociedad Hispánica de América—edificio, museo, biblioteca espléndidos—nació "para difundir el estudio de los idiomas, literatura e historia de España y Portugal, editar publicaciones y fomentar el conocimiento de los países de origen ibérico". La Sociedad editó la *Revue Hispanique,* la *Bibliotheca Hispanica* y la *Bibliographie Hispanique.* En los salones de la Sociedad se han celebrado exposiciones de artistas españoles: Sorolla, Zuloaga, Bilbao, Sotomayor, Chicharro, los Zubiaurre, Rusiñol, Villegas, Anglada Camarasa, Moreno Carbonero, Benedito...

Entre los eruditos y poetas hispanistas contemporáneos destacan:

Archer Milton Huntington, gran arqueólogo, traductor del *Poema del Mío Cid* y autor de unos *Apuntes sobre el norte de España.*

Hugo Alberto Rennert, profesor de la Universidad de Pensilvania, miembro honorario de la Academia Española, autor de la *Vida de Lope de Vega* y de *La escena española en tiempos de Lope de Vega,* de *Macías el enamorado, trovador gallego; Romances pastoriles españoles,* y de la reimpresión y anotación de comedias de Miguel Sánchez, Guillén de Castro, Lope de Vega, Tirso de Molina...

Juan Driscoll Fitz-Gerald, profesor de la Universidad de Illinois, miembro de la Sociedad Hispánica y de la Real Academia Española, en cuya labor sobresale la constitución del poema de Berceo *Vida de Santo Domingo de Silos* —1904—y el estudio crítico sobre la *Versificación de la cuaderna vía*—1905.

Carlos Upson Clark, profesor de la Universidad de Yale, vivió algún tiempo en España y dedicó sus mayores fervores, durante muchos años, a exaltar las letras hispanas. Publicó: *Collectanea Hispanica, Romantic Spain.*

Jeremías D. M. Ford, miembro de la Sociedad Hispánica y correspondiente de la Academia Española, es autor de *The Old Spanish Sibilants*—1900—, *Old Spanish Etymologies* —1903—, *A Spanish Anthology a Collection of Lyrics from the Thirteenth Century down to the Present Time*—1901—, *Exercices in Spanish Composition*—1900— *Old Spanish Readings* —1912—, *Spanish Grammar*—1912—... y de muchísimos artículos de crítica acerca de obras literarias españolas.

Thomas Walsh, poeta y erudito (n. 1875), de la Sociedad Hispánica y miembro de la Academia Española de la Lengua, gran conocedor de España y entusiasta de sus tierras y de sus hombres. Autor de *The Pilgrim Kings (Greco and Goya and other poems of Spain)*—1915—, *The Manriques Battle-Lords and Poets*—1912—, *Grave and Gay Spain,* y de las dos extensas e incomparables biografías acerca de *Santa Teresa de Jesús*—1945—y de *Felipe II.* Posiblemente pasan de mil los artículos publicados por Walsh, en distintas revistas, sobre temas españoles. Ha traducido al inglés las maravillosas *Coplas* de Jorge Manrique.

Entre los expositores y críticos figuran: Milton A. Buchanan, Schevill, Crawford, Bourlana, Post, Chandler, Churchman, Howells...

Milton A. Buchanan, profesor de la Universidad de Toronto, autor de *Cervantes and Books of Chilvary*—1914—, *Some Italian Reminiscences in Cervantes* (1907-1908); ediciones críticas de las obras de Mira de Amescua—*El esclavo del demonio*—, de Calderón de la Barca—*La vida es sueño*—, de Lope de Vega—*Amar sin saber a quién.*

Rudolph Schevil (1874-1946), profesor de la Universidad de California, autor de *Ovid and the Renascence in Spain*—1913—, *Cervantes* —1919—; ediciones y estudios acerca de Timoneda, Lope de Vega, Vélez de Guevara, Valera, Núñez de Arce, P. A. de Alarcón... En colaboración con el profesor español Bonilla San Martín, emprendió la edición de las obras cervantinas, depurando sus textos y añadiéndoles notas muy agudas y muy sólidas observaciones.

J. P. Wickersham Crawford, profesor de la Universidad de Pensilvania, autor de *The Spanish Pastoral Drama*—1915—, *Life and Works of Cristóbal Suárez de Figueroa*—1907—. Ha publicado los textos—con sagaces comentarios—de Ximénez de Enciso, Figueros, Francisco de las Cuevas, Francisco de la Torre, Alfonso de la Torre, Jerónimo Bermúdez, Lupercio Leonardo de Argensola, Gaspar de Avila, Lope de Vega...

Carolyn B. Bourland, profesora del Smith College, autora de *Boccaccio and the "Decamerón" in Castilian and Catalan Literature*—en *Rev. Hispanique,* XII, págs. 1-232, 1905—; de la edición comentada de *Las paredes oyen,* de Ruiz de Alarcón.

C. Rathfon Post, de la Universidad de Harvard, autor de *Mediaeval Spanish Allegory* —1915—, *The Sources of Juan de Mena*—en *Romanic Review,* 1912, tomo III.

Wadleigh Chandler, catedrático de la Universidad de Cincinnati, autor de *The Picaresque*

Novel in Spain—1899—, *The Literature of Roguery*—1907.

Philip H. Churchman, profesor de la Universidad de Harvard, autor de *Byron and Espronceda*—en *Revue Hispanique,* 1909, XX, páginas 5-210.

Otros expositores y críticos son: Pietsch, Burman, H. Otto, Coaster, Blondheim, Evers, Tuttle, Brownell, Bliss Luquiens, Segall, Owen, Horne, Kuersteiner, Bruerton, Lipari, Wagner...

Entre los biógrafos e historiadores contemporáneos destacan: Bourne, Lummis, Mac Nutt Lea, Caffin, Bacon...

Edward Gaylord Bourne (1860-1908) defendió con entusiasmo y erudición la conquista y colonización de los españoles en su obra magistral *Spain in America, 1450-1580.*

Charles Fletcher Lummis es autor de uno de los más populares, extraordinarios y amenos libros escritos con tema español: *Los exploradores españoles (The Spanish Pionners,* 1899), obra traducida a varios idiomas y de la que se han agotado copiosas ediciones.

Francis Augustus Mac Nutt, autor de *Bartholomew de las Casas. His Life, his Apostolate, and his Writings*—1909—, *Fernando Cortés, and his Conquest of Mexico*—1909—, *Letters of Cortes...*—1908.

Henry Charles Lea, autor de *A History of the Inquisition of Spain*—1908—, *The Moriscos of Spain, their Conversion and Expulsion* —1901—, *The Inquisition in the Spanish Dependencies*—1908—; obras apasionadas que han dado origen a fuertes controversias.

George William Bacon, autor de *The Life and Dramatic Works of Doctor Juan Pérez de Montalván (1602-1638)*—1912, vol. XXVI, *Revue Hispanique.*

Otros historiadores norteamericanos de temas, directa o incidentalmente, españoles, son: Bancroft, B a n d e l i e r, Brehaut, Challice, Curry, Elliot, Elder, Fisker, Hill, Harrison, Hale, Teodoro Irving, Latimer, Moses, Miron, Nicolay, Ober, Smith, Strobel, Stapley, Shepherd, Shipp, Thacher, Trench...

Entre los colectores y comentaristas más ilustres merecen figurar: Henry Roseman Lang —*Cancioneiro G a l l e g o Castellano*—. Carrol Marden—*Poema de Fernán Gonçález*—, Ireland Knapp (1835-1908)—*Obras de Juan Boscán* y *Obras poéticas de Diego Hurtado de Mendoza*—, Tyler Northup—editor y comentarista agudo de *La selva oscura* y de *Troya, abrasada,* de Calderón de la Barca—, Millard Rosenberg—editor y comentarista de *La española de Florencia,* de Calderón; *Las burlas veras,* de Lope de Vega.

Citar otros colectores y comentaristas de menor importancia, así como los traductores y prologuistas, nos obligaría a redactar un índice inacabable.

Sí nos interesa indicar que en la actualidad el hispanismo norteamericano sigue sus afanes crecientes. Ernest Hemingway, uno de los mejores novelistas norteamericanos, ha producido sus mejores novelas—*Fiesta, Por quién doblan las campanas...*—con temas españoles. Otro gran novelista, John Dos Passos, triunfa con su agudísimo libro *Rocinante vuelve al camino.* Y España debe a Waldo D. Franck las páginas admirables de su *España virgen.* Nuestro teatro sigue siendo una fuente inagotable de sugestiones para informar las tesis doctorales presentadas en las principales Universidades de los Estados Unidos.

En Alemania, a fines del siglo XVIII, surgió la curiosidad por las letras y el arte de España. En el llamado *romanticismo alemán* tuvo no poca parte de sugestión el teatro español del siglo XVII, tan estudiado por Lessing, Federico y Guillermo Schlegel, Grimm, Grillparzer. Otros hispanistas insignes alemanes fueron: Hämel, Bouterwerk, Max Leopoldo Wagner, Hubert, Schulze, Tieck, Hain, D e p p i n g, Hoffmann, Dohrn, Herder, Geiger, Schlüter, el conde de Schack—gran historiador de nuestro teatro—, Spitzer, Karl Justi, E. Vogels, Boehl de Faber —padre de nuestra gran novelista "Fernán Caballero"—, Leopoldo Schmitd, Clarus, A. L. Mayer, Heyse, Fastenrath—fundador del premio de su nombre, otorgado por la Real Academia Española—, Leo Spitzer, Morf, Karl Vossler—autor de una biografía de *Lope de Vega, Sor Juana Inés de la Cruz, Calderón* y *La soledad en la poesía española*—, Ludwig Pfandl (1881-1942), autor de *Introducción al Siglo de Oro, Juana la Loca, Felipe II, Estudios sobre la Edad Media, Carlos II, Historia de la Literatura nacional española en la Edad de Oro.*

En Hamburgo quedó fundado—1912—, por obra de Schädel, un Seminario de lenguas y culturas románicas, al cual iba agregado un Instituto Iberoamericano, editor de importantes publicaciones.

En Berlín, desde 1929, funcionó otro Ibero-Amerikanischen Archiv Institut, con su *Boletín* correspondiente. El doctor Quelle organizó el Instituto Iberoamericano de Bonn. Y en Würzburg fue creado el Institut für Amerika-Forschung. Iniciadas por Finke, se publicaron las *Spanische Forschungen,* en las que colaboraron eruditos e investigadores alemanes de la mayor solvencia.

El hispanismo inglés cuenta con muchos e ilustres cultivadores: Lord Byron, George Borrow—*La Biblia en España* y *Los Zincali (Los gitanos en España*—, Richard Ford—*A Handbook for Travellers in Spain* y *Gathering from Spain*—, James Fitzmaurice-Kelly—autor de una biografía de *Cervantes* y de una *Historia de la Literatura española*—, E. Allison Peers—autor de obras acerca del romanticismo, de las novelas picarescas y de los místicos españoles—, A. F. G. Bell—*Fray Luis de León, El Renaci-*

miento español—, Julia Fitzmaurice-Kelly—*El inca Garcilaso de la Vega*—, Walter F. Starkie—*Benavente and Spanish Drama* (1924), *Trotamundos y gitanos, Writers of Modern Spain* (1929), *Biography of Cardinal Ximenez de Cisneros, Spanish Raggle Taggle* (1934)—, Havelock Ellis—*The Soul of Spain,* 1908—, Henry B. Clarke (1863-1904)—*Spanish Literature,* 1893, y *Modern Spain, 1815-1898*—, William E. Purser—*Palmerin of England*—, R. B. Cunninghame Graham—*Hernando de Soto, Gonzalo Silvestre, Pedro de Valdivia, The Conquest of New Granada*—, Gabriela Cunninghame Graham—*Santa Teresa de Jesús,* 1927—, A. F. Calvert; John Brande Trend—*Spanish Madrigals,* 1925; *The Music of Spanis History, Spain from the South, La escenografía madrileña en el siglo XVII, Manuel de Falla, The Mistery of Elche, Spanish Plays English Players, Cancionero musical de los poetas de los siglos XVI y XVII, Alphonse the Sage*—, Martín Hume (1847-1910)—*Spanish State Papers, Philip II of Spain, Modern Spain, Spanische influence on English literature, Queens of old Spain, The court of Philip IV, Spain, its greatness and decay, A history of Spanish people, Españoles e ingleses en el siglo XVII.*

A pesar de que, como han reconocido eminentes críticos franceses, es la literatura española la que más influencia ha ejercido en la francesa entre todas las extranjeras, el hispanismo galo, aun siendo muy valioso y de vastas proporciones, ha carecido siempre del fervor generoso del norteamericano. Las *ojerizas* de vecindad, las casi ininterrumpidas contiendas bélicas y políticas entre España y Francia en la sucesión de veinte siglos, han motivado, quizá, ese complejo mezcla de suspicacia, de celos y de desdén que los franceses viven frente a los españoles.

En realidad, jamás ha sido tan enorme ni ha estado tan vivo el hispanismo francés como durante el siglo XVII, cuando el castellano era una lengua *casi natural* en Francia y los más ilustres escritores franceses se aprovechaban de tal conocimiento para entrar *a saco* en las obras de nuestros clásicos y a costa de ellos sentar plaza de creadores fenomenales. ¡Qué duda cabe que fueron hispanistas fervorosos y consumados Corneille, Molière, Racine, Lesage, Scarron y tantos y tantos más escritores galos! ¡Buenos *catadores* del más enraizado y sabroso españolismo!

Durante casi todo el siglo XIX, los *temas españoles* siguieron moviendo las plumas más insignes de Francia: Dumas, Mérimée, "George Sand", Víctor Hugo, Teófilo Gautier... Este último, en su *Viaje por España,* ha dejado inmortalizada una de las comprensiones más vivas, brillantes, simpáticas y hondas que se han logrado del paisaje, del hombre y de las costumbres de nuestra patria.

El movimiento hispanista de Francia, en la época actual, debe su iniciativa a dos eruditos insignes: Ramón Foulché Delbosc, director de la *Revue Hispanique*—empezada a publicar en París en 1894—y Alfred Morel-Fatio, fundador del *Bulletin Hispanique*—que inició su aparición en 1899, en la Universidad de Burdeos.

Estas dos revistas, de una trascendencia incalculable, han motivado el resurgimiento esplendoroso del hispanismo francés, sumando en él nombres de singularísima importancia: Enrique y Ernesto Mérimée, A. de Puibusque, Ernesto Martinenche, Jorge Cirot, Camilo Pitollet, Pierre Paris, F. Vénizet, Jean Amade, Jean Serrailh, G. Desdevises du Dézert, Th. Alaux, Lucas Paul Thomas, Marcel Bataillon, J. Ducamin, G. Boussagol, N. Barthe, René Costes, G. Le Gentil, J. A. Brutails, Marcel Dieulafoy, H. Pesseux-Richard, Adolfo Coster, Leo Rouanet, Boris de Tannenberg, Lorin, Jeanroy, Radet, Louis Viardot, Marcel Carayon, Alfred Baudrillart, Moreri, E. Debic, Francis de Miomandre Valéry Larbaud, Jean Casssou, Chasles, Jubinal, Berret, J. Anglade, Guinard...

En 1912 fue fundado el Institut des Etudes Hispaniques, especie de Universidad española, agregado a la Facultad de Letras de la Universidad de París, cuyo órgano fue la revista trimestral *Hispania.* Posteriormente fueron fundados nuevos centros de hispanismo: Société de Correspondance Hispanique—en Burdeos—, Société Franco-Hispano-Portugaise—en Toulouse—, Ecole des Hautes Etudes Hispaniques—en la Universidad de Burdeos—, Institut des Etudes de la Méditerranée Occidentale.

Las Universidades de Burdeos y de Toulouse fundaron el Institut Français en Espagne—1909—, con residencia en Madrid.

En Italia han sido propulsores de los estudios hispánicos: Arturo Farinelli, E. de Zuani, Pío Rajna, César de Lollis, Luigi Suñer, Eugenio Mele, Ruggero Palmieri, Benedetto Croce, Pablo Savj López, Gilberto Beccari, Restori, Monaci...

V. ROMERA NAVARRO, M.: *El hispanismo en Norteamérica.* Madrid, 1917.—BUCETA, Erasmo: *Adición* al libro de Romera. En "Modern Language Notes", XXXIII, Baltimore, 1918.—MARTINENCHE, E.: *Les études hispaniques.* París, 1915.—PITOLLET, C.: *Ensayo de la historia contemporánea de los estudios hispánicos en Francia.* En "Nuestro Tiempo", Madrid, 1913.—PALMIERI, Ruggero: *L'ispanismo in Italia.* En "Bibliog. general española e hispanoamericana". Madrid, enero-abril 1923.—MENÉNDEZ PIDAL, R.: *El Hispanismo en Alemania, Estados Unidos, Inglaterra, Francia e Italia.* Conf. Centro de Estudios Históricos. Madrid, 1920.—ALTAMIRA, Rafael: *Hispanólogos e hispanistas.* En "De Historia y de Arte", 1898.

HISPANOAMERICANISMO

Con este vocablo se designan dos modernas doctrinas que comprenden sentidos espirituales, religiosos, políticos, artísticos, literarios, científicos—y materiales—económicos, industriales, etc.

Una de estas doctrinas tiende a la *unión de todos los pueblos hispanoamericanos.* Es una doctrina amplia y generalizadora.

La otra doctrina—más sutil, mejor caracterizada, ya que evita suspicacias de cualquiera índole—tiende a *valorizar todo lo que tienen de común España y las Repúblicas hispanoamericanas* en el espíritu, en el destino, en la religión, en la lengua, en la cultura.

La primera doctrina posee cierta *aspiración confederal,* poco agradable para las soberanías de los distintos países.

La segunda doctrina respeta radicalmente las soberanías y las tendencias políticas.

A raíz de independizarse de España cada uno de los países hispanoamericanos, se produjeron, lógicamente, entre estos y aquella una honda discrepancia, unos recelos invencibles y hasta ciertos rencores que motivaron el *distanciamiento* no solo político y económico, sino también el espiritual. Después de una *riña* tan áspera, tan violenta, entre los miembros de una *gran familia,* cada uno de estos procuraron eliminar las posibles y probables influencias de los demás, y en especial las de la *madre patria,* que, por comprensible fenómeno, habían de ser las más fuertes y apremiantes. Los *hijos mayores de edad* repudiaron, antes que nada, la tutela materna, en la que encontraban un freno para sus libérrimas voluntades.

Entre 1825 y 1898, las relaciones entre España y las Repúblicas hispanoamericanas fueron bien débiles y muy tirantes. Lo que aprovecharon los Estados Unidos, Francia e Italia, principalmente, para iniciar su *colonización e influencia* en tierras de la América española. Y surgieron los movimientos—antes que nada, políticos y económicos—que, eliminando lo español, en la medida de lo posible, aunaron sólidamente los lazos entre dichas potencias europeas y las jóvenes Repúblicas.

Estados Unidos organizó, primero, el *monroísmo* (V.), con el programa de excluir a Europa de los asuntos americanos y aun de sus derechos sobre los territorios del nuevo continente; después, el *panamericanismo* (V.), hacia un sentido de unidad de las dos Américas con una preponderancia norteamericana.

Por su parte, Francia e Italia lanzaron, con miras interesadas, la expresión de *América latina,* sustitutiva de la de *Hispanoamérica,* con la intención de asumir las directrices que había perdido España.

Todavía hoy, aun habiendo perdido el interés y casi la fuerza las expresiones *panamericanismo* y *América latina,* las naciones interesadas en ellas siguen utilizándolas más por rencor a España que porque crean en su eficacia.

A principios del siglo actual volvió a recobrar su vigor y su sentido el término hispanoamericanismo, no tanto basado en la idea de la raza como en la unidad de cultura, y, sobre todo, en la de la lengua. Según Menéndez Pelayo, "el castellano es un patrimonio común que todos los pueblos hispanoamericanos tienen igual interés en conservar".

El *renaciente* hispanoamericanismo encontró paladines admirables en Valera, Menéndez Pelayo, Cebrián, Labra, Rubió y Lluch, Altamira, Azcárate, Posada...

Juan C. Cebrián, patriota insigne que vivió muchos años en San Francisco de California, contribuyendo con su amor a España y con sus caudales a la exaltación de lo español en las dos Américas, en marzo de 1916 publicó en *Las Novedades,* de Nueva York, una magnífica y emocionada carta protestando contra la denominación de *América latina,* lanzada insidiosamente por italianos y franceses.

"¿Y con qué razón—pregunta J. C. Cebrián—tal denominación? Con ninguna; porque América latina significa un producto o derivado *latino,* y *latino,* hoy día, significa lo francés, italiano, español y portugués. Ahora bien: esos países (las Repúblicas hispanoamericanas) son hijos legítimos de España, sin intervención de Francia ni de Italia. España sola derramó su sangre, perdió sus hijos e hijas, gastó sus caudales e inteligencia, empleó sus métodos propios (y a menudo vituperados, sin razón sea dicho) para conquistar, civilizar y crear esos países. España sola los amamantó, los crió, los guió maternalmente sin ayuda de Francia ni de Italia (más bien censurada por estas dos *latinas)* y los protegió contra otras naciones envidiosas. España sola las dotó con su idioma, sus leyes, sus usos y costumbres, vicios y virtudes. España trasplantó a esos países su propia civilización, completa, sin ayuda alguna... Así vemos que después de ser *colonias españolas,* todo el mundo ha continuado llamando a aquellos países por su propio apellido, que es: *español;* y hasta hace cinco años han sido conocidos como países *hispanoamericanos, Repúblicas hispanoamericanas, América Española* o *Hispana. Spanish America* han dicho siempre los yanquis; y cuando un hispanoamericano de cualquier zona anda por los Estados Unidos, todo el mundo, doctos e indoctos, grandes y chicos, le han llamado y le llaman *spanish.* Jamás se les ocurre decir *he* o *she is latin.* Véanse los impresos y escritos de los Estados Unidos anteriores a 1910, y siempre se hallarán los apelativos *Spanish, Spanish American, Spanish America, The Spanish Republics,* y lo mismo en Francia, antes de 1910, en todos los periódicos han impreso: *Les pays hispanoaméricains, les hispano-américains, l'Amérique espagnole.*"

Saliendo al paso de la objeción que surge de

la existencia del Brasil, el señor Cebrián dice: "Pero hay que notar que este país es también hispano, porque *Hispania,* como *Iberia,* comprendía Portugal y España, y nada más. De suerte que el apelativo hispanoamericano comprende todo lo que proviene de Portugal y de España. Y ahí va un ejemplo: los yanquis, que tienen fama de inteligentes, lógicos, justicieros, fundaron en Nueva York una Sociedad para el estudio de la Historia americana relacionada con España y Portugal, y escogieron por nombre The Hispanic Society of America; no eligieron el título de Latin Society, porque hubiera sido un equívoco, una falsedad, un craso error, como lo es querer aplicar el apelativo de *latino* a nuestras naciones hispánicas, hispanas o españolas, que no descienden ni de Francia ni de Italia. El poderío de Francia en América no tuvo lugar en los países hispanos; se ejerció solamente en tierras que hoy pertenecen a los Estados Unidos o al Canadá. Que trate de introducir el apelativo *latino* en esas regiones."

La neutralidad mantenida por España durante la gran guerra mundial de 1914-1918 originó su acercamiento cordial hacia sus hijas americanas, igualmente neutrales. Estas, ya sin suspicacias por el verdadero pensamiento español, se manifestaron propicias a la estrecha alianza que dictaba la unidad de raza, de religión, de idioma y de cultura.

Hacia 1916, Rafael Altamira, catedrático de Historia de América en la Universidad de Madrid, gran patricio, orador insigne, magnífico defensor de lo español en América, muy conocedor de la psicología y de la situación del momento—política, economía, intelectual—de las Repúblicas hispanoamericanas, escribió y defendió un programa *mínimo* y *urgente* que sirviera de base para el renacido hispanoamericanismo. Comprendía cinco apartados: *Organización central, Emigración, Cuestiones económicas, Defensa del idioma e intercambio intelectual* y *Celo en las comunicaciones*—para darles la máxima facilidad.

En la *Organización central* se abogaba: por el restablecimiento en el Ministerio de Estado de una sección de *Política americana;* por la *preparación especializada* de los diplomáticos de carrera, y por la *selección* de los cónsules y vicecónsules *no nacionales* representantes de España en las Repúblicas.

En la *Cuestión de la emigración* se defendía: la reforma del Consejo Superior de Emigración; la creación de escuelas preparatorias para emigrantes; la creación de escuelas y colegios españoles para los emigrantes y sus hijos en los países de emigración; la situación política del emigrante (en el sentido de aceptar la *doble nacionalidad).*

En las *Cuestiones económicas* abogaba Altamira: por la celebración de convenios comerciales; por el envío sistemático de viajantes para conocer directamente el mercado hispanoamericano; por el establecimiento de depósitos de mercancías españolas en todas las Repúblicas; por la divulgación del anuncio español y la facilidad de información en las Agencias de negocios españoles establecidas en América; por la recepción franca de los valores americanos cotizados en Bolsas españolas.

En la *Defensa del idioma e intercambio intelectual:* creación de escuelas privadas para españoles en los distintos países hispanoamericanos, único medio de defender la continuidad de nuestro idioma y de nuestra cultura; reciprocidad de títulos, lo más amplia posible, con todas las naciones de América; facilitar la formación en Sevilla de escuelas históricas americanas para el estudio sistemático del glorioso Archivo de Indias; intercambio de libros y material de enseñanza; facilitar el envío de pensionados a todos los países de la América española.

En la *Facilidad de comuniacciones:* establecimiento del servicio de paquetes postales con todas las Repúblicas; el envío directo de nuestro correo a América, sin utilizar puertos extranjeros; impulsar el establecimiento de líneas de barcos españoles; el cable español con América.

Este programa, *mínimo* y *urgente,* que entonces pareció de difícil y lenta realización, se ha cumplido totalmente hoy hasta en su punto que parecía menos viable: *el de la doble nacionalidad.*

Posteriormente, varios Congresos de Juventudes Hispanoamericanas, *caldeando el ambiente,* lograron la máxima cordialidad y la máxima rapidez en el fruto óptimo de un Hispanoamericanismo auténtico, fuerte, que hoy subsiste en su límite de pujanza.

En la actualidad, el Consejo de la Hispanidad y el Instituto de Cultura Hispánica encauzan el hispanoamericanismo, cuyo cauce cierra con precisión una corriente caudalosísima, brillante, limpia, fecunda y Dios quiera inagotable.

V. Altamira, Rafael: *España y el programa americanista.* Madrid, [¿1920?].—Altamira, Rafael: *La política de España en América.* Valencia, 1921.—Altamira, Rafael: *La huella de España en América.* Madrid, s. a.—Labra, Rafael María de: *El Congreso Hispanoamericano de 1900.* Madrid, 1901.—Pereyra, Carlos: *La obra de España en América.* Madrid, 1921.

HISTEROLOGÍA

Figura patética que invierte y trastrueca el orden lógico de las ideas a impulso de la pasión.

Moriamur, et in media arma ruamus.
(Muramos, y arrojémonos en medio de las armas enemigas.) (Virgilio.)

HISTORIA

Uno de los grandes géneros literarios en prosa. En griego, Ἱστορια, que significa conocimiento adquirido por una indagación inteligente, y Ἵστορια, que designa a la vez al sabio y al testigo, van unidos a una raíz misma: ἔιδω, ἴδω, del verbo *ver* (οἶδα), conocer por sí mismo, ya que no por sus propios ojos. Así, desde su origen, Historia lleva en sí las ideas de examen y de crítica inseparablemente.

En la Historia, la narración no es una simple exposición de los hechos, como en la epopeya, en la discusión filosófica o en la novela; los hechos que la Historia narra están comprobados por una sabia curiosidad y sólidamente garantizados por los testimonios.

Historia es la narración y exposición verdadera de los acontecimientos pasados y cosas memorables. Y también el conjunto de hechos que caen bajo el dominio de la experiencia, lo presente y lo pasado, todos los fenómenos que se producen en el espacio y todos los cambios que se verifican sucesiva o cronológicamente. Y también conjunto de hechos referidos por los historiadores.

Cicerón—en su obra *De Oratore*—llama a la Historia *luz de la verdad, testigo de los tiempos, maestra de la vida, mensajera de la antigüedad.*

Historia "es el relato fiel de los hechos importantes verificados por el hombre en los diversos períodos de su civilización y que han influido en su formación, progreso, decadencia y destrucción de las naciones".

La Historia puede dividirse: por razón de su *contenido,* del *tiempo* y de la *extensión* que abrace.

Atendiendo a su *contenido,* se subdivide la Historia en *sagrada* y *profana.*

Por razón del *tiempo,* en *antigua, media, moderna* y *contemporánea.* La *antigua* comprende desde el origen de los tiempos hasta la caída del Imperio romano de Occidente—año 476 después de Cristo—; la *media,* desde este año hasta la toma de Constantinopla por los turcos —año 1433—; la *moderna* termina en 1789, Revolución francesa; la *contemporánea* termina en nuestros días.

Por su *extensión,* en *universal, general* o *particular,* según estudie la historia del mundo, de una nación o de un suceso.

El *objeto* de la Historia es narrar fielmente los hechos llevados a cabo por el hombre; su *fin,* instruir con esta narración; su *fundamento,* los hechos consignados en las fuentes históricas o los observados directamente por el narrador, apreciados unos y otros con crítica directa e imparcial.

Los *hechos* pueden ser: de *repetición* o *inhistóricos* y de *sucesión* o *históricos.* Los segundos: *singulares, típicos* o *colectivos,* según nazcan de una persona, un pueblo o la muchedumbre humana. La Historia no puede estudiar estos hechos *aisladamente* y como cosa muerta, sino en su *encadenamiento causal.*

Las causas pueden ser: *divinas, personales, accidentales, físicas, sociales, religiosas* y *culturales.*

Los métodos históricos son: *narrativo*—llamado también *pintoresco, descriptivo*—y *filosófico* o *crítico.*

Durante mucho tiempo ha sido considerada la Historia como *una obra de arte.* Hoy nadie le niega el *carácter científico.* Si ciencia es, según la definición clásica, *cognitio rei per causas,* síguese que la Historia, que aspira a cerciorarse de los hechos en su encadenamiento causal, llena perfectamente los requisitos de esta definición. Pues aunque las causas que pretende indagar no son las últimas, sino las inmediatas, es ello una cuestión casi meramente nominal.

Las grandes formas de la Historia son: la *narrativa,* la *pragmática* y la *genética.*

La *narrativa* no tiene otro fin que excitar el interés por los hechos, aun cuando sean ficticios. Si la *narración* es de hechos fantásticos y maravillosos, se denominará con cualquiera de estos nombres: *fábula, novela, cuento, leyenda, mito* (V.). La segunda forma narrativa la comprenden los *monumentos* y las *inscripciones* (V.), que tienen por objeto perpetuar la memoria de un personaje o de un hecho célebre. Otra forma son las *listas* y *notas* para ayudar a la memoria a contar algo. El primer representante de la Historia narrativa fue Herodoto (440 años antes de Cristo). A la forma *narrativa* corresponden las crónicas de la Edad Media.

La forma *pragmática* atiende a la narración de los hechos y a *sacar de ellos algún provecho;* por tanto, debe interpretarlos y comentarlos. El primer autor de Historia *pragmática* fue Tucídides (460-400 años antes de Cristo). A esta forma corresponde la *oratoria.*

La forma *genética* es la *causal* o *razonada,* y por ello la más perfecta, la única que merece el nombre de Historia.

La enseñanza de la Historia puede ordenarse en los métodos siguientes: 1.° *Cronológico-progresivo,* o sencilla narración de los hechos, conservando el orden estricto de su sucesión; 2.° *Regresivo,* es decir, remontarse en la Historia desde los hechos contemporáneos hasta los más antiguos; 3.° *Etnográfico,* tratando primero de una raza o pueblo, y luego de los otros sucesivamente; 4.° *Sincronístico,* o narración de los hechos de distintos pueblos *enlazados* por las mismas épocas; 5.° *Retrospectivo,* o serie de cuadros comparativos, deduciendo sus causas y diferencias; 6.° *Genético,* o estudio de causas y razones con las de los factores que los han motivado y condicionado; 7.° *Pragmático,* demostrando las enseñanzas de la Historia; 8.° *Agrupación de materias,* teniendo muy en cuenta su parentesco; 9.° *Comparativo* entre hechos o personajes; 10. *Biomonográfico,* o es-

H

tudio exclusivo del sujeto histórico; 11. *Progresivo,* o tratado de la materia en clases; 12. *Cíclico,* por el cual la materia se va ampliando.

Siendo la Historia una verdadera enciclopedia, pues que contiene la vida humana en todas sus manifestaciones, es lógico que necesite del auxilio de otras ciencias.

A la *Geografía* y a la *Cronología* se las ha llamado *los ojos de la Historia,* para significar lo poco que valdría sin ellas. La *Cronología* es el cómputo del tiempo en que se realizaron los hechos y vivieron los hombres. La *Geografía* determina los *escenarios de la acción* que tanto influyen en el modo de ser y manifestarse los personajes y de cumplirse los acontecimientos. Alguien ha dicho que la *Geografía es el hombre.*

Otras ciencias auxiliares de la Historia son: la *Arqueología,* estudio de las antigüedades de todo género; la *Epigrafía,* conocimiento de las inscripciones; la *Numismática,* conocimiento de las monedas; la *Paleografía,* conocimiento de las escrituras antiguas; la *Diplomática,* conocimiento de los documentos que se redactaron para legalizar actos de la vida pública o privada; la *Estadística,* o matemáticas de la Historia; la *Filología,* estudio del lenguaje; la *Filología comparada,* que ha permitido conocer mejor las antiguas civilizaciones; el *Folklore* o saber popular, que ofrece copiosos datos de valor; la *Iconografía,* conocimiento de los personajes por sus retratos; la *Heráldica,* que estudia los escudos y blasones; la *Indumentaria,* conocimiento de las modas y los modos en el vestir; la *Hermenéutica,* o interpretación de la mente o intención del historiador.

A estas ciencias auxiliares se las ha llamado *fuentes directas de la Historia,* pues en ellas residen los únicos medios que tiene el hombre para llegar a la verdad de los hechos que no ha conocido. Las *fuentes indirectas* se reducen, en realidad, a una: el *testimonio,* que puede ser de tres clases: *tradicional, monumental* y *escrito;* indispensables los dos primeros para Historia de las Edades Antigua y Media, y los dos últimos para el de la Moderna.

Para el estudio de la Historia le son indispensables al hombre: la *libertad,* el *discernimiento,* la *imparcialidad* y la *ciencia.*

Entre los grandes historiadores griegos figuran: Herodoto de Halicarnaso, Tucídides, Jenofonte, Polibio, Plutarco, Josefo, Apiano, Dión Casio y Diógenes Laercio. Entre los latinos: César, Tito Livio, Salustio, Tácito, Cornelio Nepote, Floro, Suetonio, Veleyo Patérculo, Quinto Curcio, Eutropio y Amiano Marcelino. Entre los cristianos: Paulo Orosio y San Agustín.

En la Edad Media: los españoles Alfonso X, Jaime I, Rodrigo Jiménez de Rada, Pérez de Guzmán, López de Ayala, Alfonso de Plasencia, el cura de los Palacios, Hernando del Pulgar, Mosén Diego de Valera. Entre los franceses: San Gregorio de Tours, Villeardouin, Joinville, Froissart, Commines. Entre los ingleses: el venerable Beda. Entre los italianos: Dido Compagni y Villani. Entre los alemanes: Lamberto de Aschafemburgo y Otón de Freisingen.

En la época moderna: los españoles Antonio de Guevara, Florián de Ocampo, Ambrosio de Morales, Zurita, el Padre Mariana, Sandoval, Hurtado de Mendoza, Garibay, Solís, Melo, Moncada, Coloma, Cabrera de Córdoba, Oviedo, López de Gomara, el Padre Las Casas, Díaz del Castillo, Sepúlveda, Bernardino de Mendoza, el Padre Flórez, Masdéu. Los italianos Maquiavelo, Guicciardini, Pallavicini, Sarpi, Muratori, Ciannone. Los franceses De Thou, Brantôme, Meneray, Saint-Real, Rollin, Vertot, Anquetil, Voltaire. Los ingleses Raleigh, Hume, Robertson, Gibbon, Goldsmith. Los alemanes Schmitd, Herder, Juan Muller, Schroeckh.

En la época contemporánea: los españoles Toreno, Lafuente, Alcalá Galiano, Ferrer del Río, Cavanillas, Amador de los Ríos, Rada, Quadrado. Los franceses Guizot, Thiers, Renán, Thierry, Sismondi, Taine, Michelet, Blanc, Mignet, Ségur. Los italianos Cantú, Vanucci, Amasi, Farini, Ricotti, Romanin, Botta, Micali, Coletta. Entre los ingleses: Carlyle, Lingard, Grote, Hallain, Buckle, Turner, Macaulay. Entre los alemanes: Niebuhr, Ranke, Schiller, Raumer, Mommsen, Duncker, Curtius, Sybel, Gervinus, Droyssen, Heren. Los portugueses Herculano, Oliveira Martins, Teófilo Braga.

V. Luciano de Samosata: *Cómo se ha de escribir la Historia.*—Herder: *Ideas acerca de la filosofía de la Historia.* Trad. Madrid, 1889.—Lenglet du Fresnoy: *Méthode pour étudier l'Histoire.* París. Varias ediciones.—Schlegel: *Filosofía de la Historia.*—Bernheim, Ernest: *Lehrbuch der historischen Methode und der Geschichtsphilosophie.* Leipzig, 1908.—Ballesteros, Antonio y Pío: *Cuestiones históricas.* Madrid, 1913.—Lacombe, P.: *De l'Histoire considérée comme science.* París, 1894.

HISTORICISMO

Teoría filosófica y científica—acentuada a principios del siglo XIX—inclinada a interpretar las doctrinas y a juzgar los hechos, *no ya según su valor intrínseco,* sino situándolos de nuevo *en su medio histórico.* El historicismo aclara: tal doctrina que, tomada en sí misma, es falsa; tal acto que, considerado abstractamente, es condenable, aparecen históricamente como momentos necesarios, como fases imposibles de eliminar de una evolución.

También ha sido calificada de historicismo la tendencia a considerar un problema preferentemente en su desarrollo histórico.

Y no han faltado filósofos e historiadores que han señalado como historicismo único la doctrina que sostiene que la lengua, el arte, las costumbres, el derecho, etc., de los pueblos son "el producto de una elaboración colectiva, inconsciente e involuntaria, que termina en el momento mismo en que la reflexión se aplica a ella, y que no puede ser modificada deliberadamente, ni ser interpretada de otra manera que en su historia".

Se han llamado a sí mismos *historicistas* algunos historiadores y sociólogos que defienden la tesis de que los valores, creencias y sentimientos morales están sujetos a constante evolución y transformación, desconociendo—voluntariamente—sus principios permanentes e inmutables.

Como lógica consecuencia de las definiciones antecedentes, el historicismo no da importancia al *hombre abstracto,* y sí solamente al hombre personalizado en cada época y en cada país. El historicismo tiene la ventaja de operar *experimentalmente,* por lo que sus resultados pueden aparecer y parecer como más correctos.

Se ha señalado como ventaja muy importante del historicismo *su revisión* de cuanto han establecido las abstracciones, revalorizando muchas de las conclusiones de estas y eliminando otras caídas ya en el desprestigio.

El historicismo puede ser también considerado en la literatura y en el arte, quedando definido como "en el estilo y la tendencia de los artistas y escritores contemporáneos de traer a sus obras elementos de otras épocas".

No pocos pintores han revalorizado los temas y la técnica de los *primitivos* italianos, alemanes o flamencos. Incontables poetas "vuelven" a la inspiración, a las melodías, a la versificación de los grandes líricos del siglo XVII. El afán de *rehacer modelos,* de *vitalizar mundos* desaparecidos es una preocupación casi obsesiva de los escritores y artistas contemporáneos.

HISTORIOGRAFÍA

Arte o modo de escribir la Historia. Entre los griegos y romanos predominó el género pragmático literario. Durante la Edad Media se atuvieron los escritores a la concepción estrecha y simplista de las Crónicas. En el Renacimiento se volvió al arte o método de los clásicos. En el siglo XIX se inicia el método genético. (V. *Historia.*)

El primer escrito acerca del arte o método de escribir Historia se debe a J. Bodin—1566—: *Methodus ad facilem historiarum cognitionem,* en el que trata de las condiciones y calidades del historiador, de la necesidad de las ciencias auxiliares, de la necesidad del cotejo de los documentos...

Entre los grandes historiógrafos se cuentan: Duchesne, Baluze, Labre, Cossart, los monjes benedictinos de San Mauro de Saint-Germain des Prés, Juan Mabillon—*De re diplomatica, libri sex,* 1681—, Bolando—*Acta Sanctorum,* 1643—, el obispo Tanner, Fulmann, G. J. Voss, Bernardo de Montfaucon, Toustain y Tassin, Bouquet, Luis Antonio Muratori, Lenglet-Dufresnoy—*Méthode pour étudier l'Histoire,* 1713—, Wolf, Niebuhr. Ranke, Fonck, Bernheim, Langlois-Seignobos Berr; y los españoles Nicolás Antonio, Mondéjar, Berganza, Pérez Bayer, Burriel, Forner, Lorenzana, Muñoz y Romero, Menéndez Pelayo, García Villada...

HISTRIÓN

1. Cómico. Farsante.
2. El que representaba disfrazado en la comedia o en la tragedia antigua. Nombre de origen etrusco, que en esta lengua significaba mimo o danzarín teatral. Los romanos, cuando hacia el año de Roma 390 se aficionaron a las *histerias* o baladinas de Etruria, dieron en seguida el nombre de histrión a cualquier actor trágico o cómico y aun al cantor o bailarín. De la perfecta distinción entre el histrión y el cantor nacieron dos géneros bien distintos: la pantomima y el drama lírico.

Los histriones fueron originariamente esclavos y reputados como infames por las leyes romanas. Unicamente histriones de la calidad de Esopo y Roscio lograron la consideración y aun la amistad de personajes ilustres. Sin embargo, los histriones ganaban sueldos fabulosos. Roscio cobraba por año un equivalente a 180.000 pesetas. Y Esopo, al morir, aun habiendo llevado una vida disipada, dejó un equivalente de más de cinco millones de pesetas.

V. MAGNIN: *Les origines du theâtre.* Tomo I.

HITLERISMO (V. Nazismo)

HITTITA (Literatura)

El pueblo hittita habitó el Asia Menor. Su literatura, con la de los *hurritas* (V.), pasa por ser "el puente literario entre el antiguo Oriente y Grecia".

Cuanto se conoce de esta literatura procede de los Archivos de Bogazköi, en textos akkadios e hittitas. Del género lírico se conservan oraciones e himnos a los dioses. En prosa existen discursos políticos, cartas oficiales, consejos a los funcionarios, un *código*—sumamente humano—, un tratado sobre el arte de domar caballos, reglas sobre el empleo de los metales preciosos y los *Anales de Mursil II,* obra que ha merecido para el pueblo hittita el título de ser el primero que cultivó la verdadera *historiografía.*

V. GÖTZE, A.: *Hethiter, Hurriter und Assyrer.* Oslo, 1936.—DELAPORTE, L.: *Les hittites.* En "Evolution de l'Humanité". París, 1936.

HOLANDESA (Lengua)

El holandés, considerado como un dialecto del tudesco o bajo alemán, forma, con el flamenco, el grupo neerlandés. El holandés se separó del tudesco a partir de la dominación española sobre las provincias de Flandes, llegando a ser el idioma oficial y nacional, pero sin disputar todavía al latín el rango de lengua literaria. Como el flamenco, el holandés tiene un cierto número de caracteres comunes con el alemán: las mismas raíces y una parte del vocabulario, sobre todo en el orden de las ideas morales. Forma las palabras como el alemán, pero con menos libertad; en cada una de ellas hace cargar el acento tónico sobre la sílaba radical. Su pronunciación es menos dura, porque se resiste a la acumulación de consonantes, a las letras silbantes y a las aspiraciones, familiares en alemán. Pero gracias a las mismas semejanzas y diferencias con este, el holandés ha alcanzado su riqueza y su gracia, se adapta lo mismo a la prosa por su amplitud, que a la poesía, por su flexibilidad.

V. OLINGER: *Les racines de la langue hollandaise.* Bruselas, 1818.—OTTO, F.: *Essai sur la langue... hollandaise.* Trad. del alemán. Varias ediciones.—VAN JAARSVELDT: *Acerca de las relaciones entre el alemán y el holandés.* Traducción. Madrid, 1900.

HOLANDESA (Literatura)

La literatura holandesa se inicia en el siglo XII. Flandes fue una de las regiones más cultas durante la Edad Media, ya que era *un cruce de caminos* entre Francia, Alemania e Inglaterra.

A este siglo corresponden los fragmentos de un poema—inspirado en *Le Roman de Troie*—de Henri Van Veldeken, y un extenso poema del "Maestro Guillermo", de Gante, basado en el conocidísimo tema del *Roman du Renard.* En el siglo XIII, Jacob van Maerlant, de Damme, poeta de singular inspiración lírica y épica, compuso numerosas composiciones amorosas y otros poemas largos, como *Historie van Trogen, Alexanders Geesten, Der Naturen Bloeme* (Flor de la Naturaleza), *Heimelijcheit der Heimelijcheden* (Secreto de secretos), *Rijmbijbel* (Biblia rimada), *Sint Franciscus leven* y *Der Kerken Claqhe* (Llanto de la iglesia). Van Maerlant murió en 1299, y debe ser calificado como el primer gran poeta holandés.

Al siglo XIV corresponden: Jan van Boendale (1285-1365), gran poeta, autor de *Jan's Teesteye, Leken-Spieghel* (Espejo de los lagos) y *Boec van der Wraken* (Libro de las venganzas); Jan van Weert, famoso satírico; Jan van Ruysbroeck (1293-1381), natural del pueblo de Ruysbroeck, en el Brabante, poeta y místico de extraordinaria importancia, autor de *Espejo de la salud eterna, El libro de la verdad suprema, Libro del tabernáculo espiritual, Ornamento de las bodas espirituales;* Goert de Groote, famoso ascético.

En este mismo siglo XIV se inicia el entusiasmo popular por el teatro profano—farsas, *sotternien, klutchen*—, y en el siguiente se hace famosa la obra escénica de Franciscus van Dallaer *De erste Blisiap van Maria* (La primera alegría de María).

Cuando el Renacimiento apunta, Holanda está en posesión de un hermoso idioma, que gana al latín el precioso puesto de lengua literaria. La aparición de las Cámaras de Retórica motivó las normas a la poesía. Fue la principal de estas entidades de cultura la llamada *Eglantina,* fundada en 1406, en Amsterdam. Todas las ciudades importantes contaron inmediatamente con la suya. En estas Cámaras se intentaba introducir los nuevos géneros de poesía griega y latina. El guía de este movimiento humanista fue Jan B. Houwaert (1533-1599), magnífico poeta y erudito, gran enemigo de España, llamado el "Homero de Brabante", y que escribió sus obras en dialecto burgundico; entre sus escritos es notable el poema *Pegasides Pleyn,* en el que pinta el amor terrenal.

La Reforma influyó fundamentalmente en la vida intelectual holandesa. Excelentes escritores reformistas fueron Jan Utmhove, Lucas de Heere (1534-1585) y Petrus Datheen (1539-1590), cuyas poesías quedaron escritas en forma de *salmos* y de *himnos litúrgicos.* En esta época se hicieron célebres, como excepcionales muestras de la lírica holandesa, el *Gensen Lieden Boecken*—Cantos de victoria—, la *Balada* de Heiligerlee y la *Balada* de Egmont y Horn.

Pero el apogeo de la literatura holandesa se inicia con una extraordinaria mujer, Anna Bijns, católica, maestra de escuela en Amberes, llamada la "Safo de Brabante" y la "Princesa de la Retórica"; sus poesías adoptaron forma de *refercinen*—refranes—. En Anna Bijns, el lenguaje es ya terso, limpio, perfecto. En el campo protestante sobresalen: Felipe de Marnix (¿1536?-1598), señor de Algedungis, autor del poema *Wilhelmendied,* sobre Guillermo de Orange; Dirk V. Coornhert (m. 1590), traductor de Cicerón, Séneca y Beocio, llamado el "Montaigne holandés", autor de *Zadekunst*—tratado filosófico.

Otros grandes escritores de este período son: Roemer Pietersen Wisscher, el "Marcial holandés", y sus hijas Anna Wisscher, autora del poema didáctico *De Roemster van den Atemstel,* y Tesselschade Wisscher, que escribió bellísimas poesías líricas; Spieghel, católico ardoroso, cuya exhortación dialogada *Twerpraecken van de Nederduytsche Letterskunts* alcanzó justa fama; Pieter Hoof (m. 1647), gran poeta dramático en *Baeto,* gran poeta en *Granida* y gran historiador en *Historia de Holanda* e *Historia de la Casa de Médicis;* Samuel Coster, poeta y dramaturgo—*Itis, Teucris el bobo*—; Gerbrand Brederoo, el más grande de los poetas cómicos—*Farsa de la vaca y Jerolimo o el español brabanzón*—; Jakob Cats (1577-

1660), el escritor más admirado de su época, gran poeta y gran prosista, de sabor popular —Sine en *Minnebeelde* y *Houwelick*—; Joost van del Bondel (1587-1679), poeta y dramaturgo—*Jerusalén desolada, La inocencia asesinada,* dramas, y sus poemas *Lucifer* y *Gysbrecht van Aemstel*—; Constantino Hoyghens (1596-1687), poeta academicista—*Batava tempe, Horas de ocio*—; Jan Antonides van der Goes, poeta—*Ystroom*—y trágico—*Zungelsies, Trazil*—; Joachim Oudaen, poeta y dramaturgo—*Johanna Grey, Konradyn...*

Aun cuando sus obras caen fuera del campo de la literatura, conviene mencionar, por su extraordinaria importancia, los nombres de los grandes humanistas holandeses, que fueron también magníficos prosistas: Erasmo de Rotterdam, Rodulfo Agrícola, Lipsio, Escalígero —filólogos admirables—, Spinoza—filósofo—, Hugo Grocio—jurista—, Boerhave—médico—, Huyghens—matemático...

Todos estos grandes espíritus consiguieron para su patria un puesto glorioso en la línea del humanismo europeo.

El siglo XVIII marca cierta decadencia literaria en Holanda y una influencia grande en ella de las letras francesas, inglesas y alemanas.

Escritores significativos de este período son: Arnold Hoogvliet, poeta—*Abraham*—. Lucas Rotgans (m. 1710), poeta de temas patrióticos. Pieter Langendijk (1683-1756), comediógrafo —*Krelis Louwen, El recíproco engaño del matrimonio, Espejo de los patrios mercaderes*—. Hubert Poot (1689-1733), insigne lírico, que sintetizó el sentimiento popular y el clasicismo. Justus van Effen (1684-1735), prosista muy adicto al *The Spectator,* de Addison, Betje Wolff, inteligentísima dama, que inició la novela holandesa con *Sara Burgerhart, Willem Leevend* y *Cornelia Wildschut.* Balthazar Huyde Coper (1695-1778), filólogo, traductor de Horacio y autor de la tragedia *Achilles.* Sybrand Feitama (1694-1758), traductor de Corneille, Boileau y Voltaire, autor de la tragedia *Fabricius.*

Onno Zwier van Harem (1713-1779), autor de alguna tragedia—*Agon, sultán de Bantam*—y del poema en 24 cantos *Los mendigos.* Su hermano Willem (1710-1778), crítico y poeta—*La vida humana, Los casos de Friso*—. Lucretia Wilhelmina van Merckem, autora de las epopeyas *David* y *Germanicus.* Dirck Smits (1702-1752), productor incansable de églogas pastoriles e idilios alegóricos. Las novelistas Elizabeth Bekker Wolff—ya mencionada—, o sea Betje Wolff (1738-1804), y Aagje Deken (1741-1804), que colaboraron, con gran éxito, en varias narraciones—*Abraham Blankaart.*

El prerromanticismo alemán encontró en Holanda numerosos adeptos. Hieronymus van Alphen (1746-1803), estético y crítico. Jacobus Bellamy (1757-1786), articulista y poeta—*Cantos de mi juventud*—. Rhijnvis Feith (1753-1824), novelista fecundo—*Julia, Fernando en Constancia*—y poeta—*La tumba, La vejez*—. Johannes Kinker (1761-1845), pensador racionalista y polemista, principal colaborador del semanario satírico *De Post van den Helicon.*

El primer poeta importante que presentó el siglo XIX fue Willem Bilderdijk (1756-1831), clásico decadente y prerromántico, que cultivó diversos géneros: el teatro, la novela, el ensayo, la balada. Más interesante fue Hendrik Tollens (1789-1856), poeta—*Las estaciones*—y narrador —*La invernada de los holandeses en Nueva Zembla, 1819*—. Antoni Christiaan Wijnand Staring (1767-1840), gran poeta—*Los dos gibosos, A la sencillez, A la luna, Remembranza*—. Isaäc da Costa (1798-1860), que cultivó la poesía religiosa.

Hacia 1830 triunfó el romanticismo holandés, que tuvo como modelos a Byron y a Walter Scott, y como tribuna la revista *De Gids (La Guía).*

Petrus Augustus de Genestet (1829-1861), gran lírico—*Fantasio, Leekedichtjes.*

Cultivaron la novela histórica: Jacob van Lennep (1802-1868)—*El hijo adoptivo*—. Aernout Drost (1810-1834)—*Hermingad van de Eikenterpen*—. Jan Frederik Oltmans (1806-1854)—*El pastor de ovejas*—. Anna Louisa Geertruida Bosboom-Toussaint (1812-1886), con las diez partes de *Leycester-ciclus.* Petrus van Limburg Brouwer—*Diophanes*—. Petrus Abraham van Limburg Brouwer—*Akbar*—. Hendrik Jan Schimmel (1823-1905)—*Sinjeur Semeyns*—. "A. S. C. Wallis", seudónimo de Adele van Antal-Opzoomer...

Prosistas y críticos: Jacob Geel (1789-1852); Aernout Drost, fundador de la interesante revista "de grupo" *De Muzen;* Reinier Bakhuizen van den Brink (1810-1865); Conrad Busken Huet (1826-1886); Everardus Johannes Potgieter (1808-1875); Nicolás Beets (1814-1903), autor de una obra muy difundida por Europa: *Cámara oscura;* "Jonatham", seudónimo de Johannes Pieter Hasebroek—*Verdades y sueños*—; "Klikspaan", seudónimo de Johannes Kneppelhout; "Vlerk" (Bernard Gewin)—*Encuentros de viaje*—; Cornelis Eliza van Koesveld; Gerrit van der Linde; "Piet Paaltjes", seudónimo de François Haverschmidt—*Sollozos y sonrisas*—; Jacob Jan Cremer (1827-1880); Justus van Maurik (1846-1904).

Poetas románticos católicos fueron: H. J. A. M. Schaepman (1844-1903)—*Aya Sophia*—; Jan Pieter Heye (1809-1876), autor de canciones populares e infantiles; J. J. L. Ten Kate (1819-1889), cantor piadoso de la Creación; J. J. A. Goeverneur; Willem Hofdijk (1816-1888); J. A. Alberdingk Thijm (1820-1889), cuyo poema "en forma dantesca", *Het Voorgeborchte,* termina con la predicción de una Holanda católica.

El período de transición 1860-1880 tuvo una

H

figura excepcional: E. Douwes Dekker (1820-1887), que popularizó el seudónimo de "Multatuli" (Yo he sufrido mucho), autor de *Max Havelaar,* obra que le hizo célebre de repente; *Cartas de amor, Ideas...* Carel Vosmaer (1826-1888), crítico y estilista, autorromántico, autorrealista, neoclásico aparatoso—*Manno, Iniciación.*

Tuvieron cierto interés algunos poetas nacidos entre 1840 y 1850. Así: Isaäc Esser (1845-1920); Jacobus Winkler Prins (1849-1907); Willem Levinus Penning (1840-1924); Marcelus Emants (1848-1923)—*Lilith, El crepúsculo de los dioses*—; Jacques Perk (1850-1881)—*Mathilde, Iris.*

El simbolismo y el parnasianismo constituyeron—1880—el movimiento *De beweging van tachtig,* cuyo órgano fue la revista *De Nieuwe Gids (La Nueva Guía,* 1885).

A este movimiento pertenecieron: Willem Kloos (n. 1859)—*Versos*—, cantor del individualismo con una gran belleza formal. Frederik van Eeden (1860-1932), médico y psicólogo, comunista en su juventud, se convirtió—1921—al catolicismo; fundador y director de revistas, poeta y dramaturgo admirable. Albert Verwey (n. 1865), poeta y narrador—*La tierra, La carga aligerada*—. Herman Gorter (1864-1927), dionisíaco y melódico, filósofo y social, gran temperamento poético—*Mayo, Poemas sensitivos.*

"Lodewijk van Deyssel", seudónimo de Karel Joan Lodewijk (n. 1864), crítico impresionista, novelista—*Un amor, Juventud, Hombres y montes*—. Hélène Swarth (n. 1859), poetisa, que mereció ser llamada "el corazón que canta". Hendrik Boeken (n. 1861), poeta fácil. Jan Veth (1864-1925)—*Un vagabundo habla*—. Ary Prins (1860-1922), lírico evocador de temas medievales—*La Santa Cruzada, Un rey*—. Jacobus van Looy (1855-1930), pintor y prosista de opulenta brillantez—*Fiestas*—. Frans Erens (n. 1870), delicado poeta católico—*Danzas y ritmos*—. Jan Hofker, de riquísimo y audaz léxico, algo así como un lejano precursor de los futuristas.

El naturalismo de origen francés tuvo en Holanda numerosos adeptos entre los narradores. Marcellus Emants, novelista muy popular —*Confesión póstuma, Ilusión*—. Arnol Aletrino (1858-1916), médico, narrador y crítico, que eligió temas burgueses. Eliza Johannes van Meester (1860 - 1931), de intenciones éticas —*Geertje*—. Hermann Robbers (n. 1868), novelista "del mundo familiar". Israel Querido (1870-1932), pintor de los suburbios de Amsterdam. F. Haspels (1864-1916), naturalista con una ética protestante. "Gerard van Eckeren", seudónimo de Maurits Esser (n. 1876), novelista de la sencillez cotidiana.

Las novelistas de esta época forman verdadera legión. Margo Antink (n. 1869); Augusta de Wit (n. 1864); Ina Boudier Bakker (nació en 1875); Top Naeff (n. 1878); Jo van Ammers-Küller...

Más conocido en el extranjero que en su patria es Louis Couperus (1863-1923), que vivió mucho tiempo en Francia, novelista discípulo de Flaubert—*Eline Vere, Libros de las almas pequeñas, La montaña de luz, Majestad, Psiquis, Fidessa.*

En el teatro alcanzaron éxito: Herman Heijermans (1864-1924)—*Ghetto, El séptimo mandamiento, El día de los muertos*—. Josina Simons-Mees; Willem Schürmann; Jan Fabricius (nació en 1871).

En los últimos años del siglo XIX, apartándose del crudo naturalismo y apuntando al neorromanticismo, se agruparon varios muy interesantes escritores.

Henriëtte Roland Holst van der Schalk (n. 1869), poetisa de fama mundial—*Caminos hacia lo alto, La mujer en el bosque, Entre dos mundos, Adquisiciones, Fronteras abolidas*—; también escribió dramas líricos y narraciones. Petrus Cornelis Boutens (n. 1870), auténtico "lírico puro"—*Preludios, Voces, Carmina, Cancioncillas olvidadas*—. Jan Hendrik Leopold (1865-1925), de refinada espiritualidad y de escasa y pulida obra—*Versos, Cheops*—. A. van Collen (n. 1858), de tendencias comunistas. "Adwaita", seudónimo de J. A. der Mouw (1862-1919) —*Brahman*—. J. H. Speenhoff, ingenuo y popular autor de canciones populares. Jacqueline van der Waals (1868-1922); Frans Bastiaanse, Johannes Reddingius...

Son prosistas neorrománticos: Adriaan van Oordt (1865-1910), narrador y autor dramático que escogió temas medievales—*Irmenlo, Floris V, Warhold*—. Arthur van Schendez (nació en 1874), uno de los más ilustres novelistas holandeses, de gran imaginación, psicólogo y estilista—*La bella cacería, Un vagabundo enamorado, El monte de los sueños, Las flores del amor, Rosa Angélica, Una isla en el mar del Sur, Recuerdos de un muchacho tonto*—. P. H. van Moerkerken (n. 1877)—*La danza de la vida, El ocaso de una aldea*—. "Carry van Bruggen", seudónimo de la hebrea C. Pit de Haan (1881-1932)—*La casita cerca del foso, Cuatro estaciones, Pequeñas aventuras.*

Prosistas y críticos: R. N. Roland Holst, esposo de la gran poetisa—*Meditaciones de un buscador de moras*—. J. Huizinga, famoso mundialmente como historiador y ensayista—*Otoño en la Edad Media, Erasmo*—. A. Pit—*Pensamiento e imagen*—. André Jolles—*Inspiración y forma.*

La llamada "promoción de 1905" abundó en nombres ilustres, poetas principalmente: N. J. van Suchtelen (n. 1878), traductor del Dante y de Goethe, autor de las novelas *Quia absurdum* y *Demonios.* Nine van des Schaaf (n. 1882), autora de las novelas *Santos en Lypra, Amanie en Brodo, Vida de aldea frisona.* Aart van der

Leeuw (1876-1931), gran poeta y gran prosista —*Canciones y baladas, Saludos fugaces, Los benditos, Yo y mi compañero músico*—. Jocob-Israël de Haan (1881-1924), posiblemente el más admirable lírico entre los judíos holandeses —*En la nueva Cartago, Canciones, Salmos*—. P. N. van Eyck (n. 1887), crítico y poeta—*El laberinto adornado, Las estrellas, Estaciones, Recogimiento*—. J. C. Bloem (n. 1887), poeta —*El deseo, Estrofas sueltas*—. "Geerten Gossaert", seudónimo de Carel Gerretson (n. 1884) —*Experimentos*—. Adriaan Roland Holst (nació en 1888), inspiradísimo lírico, cantor del viento y del mar—*Versos, La confesión del silencio, Más allá de los caminos, Verso poniente, Destierro, El horizonte salvaje, El pacto, Ex tenebris mundi*—. H. W. J. M. Keuls (n. 1883); Albert Besnard (n. 1887)—*Revelación y trabajo*—; J. W. F. Werumeus Buning (n. 1891) —*In memoriam*—; "Jan Prins", seudónimo de C. L. Scheep (n. 1883), de sencillez popular; François Pauwels; Marie Cremer; J. Jac Thomson; J. J. de Stoppelaar...

Entre los estéticos y críticos figuran: Dirk Coster (n. 1887), anticlásico y antirracionalista, fundador de la importante revista *De Stem (La Voz)*, estético y crítico—*Marginalia*—. P. H. Ritter (1882); Matthijs Vermeulen (1883); L. J. M. Feber (n. 1885), también dramaturgo —*Holofernes, David*—; Just Havelaar (1880-1931).

Entre los narradores "de segundo orden" destacan: R. van Genderen Stort (n. 1886); Annie Solomons, que ha usado el seudónimo de "Ada Gerlo"; Jo de Wit—*La resaca, Altamar*—; Alie Smeding; Herman de Man—*El agua que sube*—; A. M. Jong; Madeleine Böhtlingk —*Astrid*.

Pertenecen a la "generación de la Gran Guerra" (1914-1918): Martinus Nijhoff (n. 1894), poeta—*El viandante, Formas*—. J. C. van Schagen (n. 1891)—*Cordura de loco*—. Herman van den Bergh (n. 1897), vehemente e imaginativo. Hendrick de Vries (n. 1896), sensitivo y alucinado. Johan Theunisz (n. 1900). Willen de Merode—*La sangre preciosa*—. Martien Beversluis (n. 1897). Víctor E. van Vriesland (n. 1892) —*Perspectiva condicional*.

H. Marsman (n. 1899), expresionista, viril, poeta y crítico—*Porta nigra, Sombra, Paraíso recobrado*—. Roel Houwink (n. 1899), crítico, novelista, poeta—*Enfermo, Hespérides, Madonna in tenebris*—. J. Slauerhoff (1899), de temas orientales—*Saturnus, Archipiélago, La isla de primavera, Yoeng-Poe-Tsioeng*.

A un muy famoso grupo titulado *De distelvinck (El Jilguero)* pertenecieron: G. A. van Klinkenberg, Henrik Scholte, D. A. M. Binnendijk, Anthonie Donker, J. J. van Geuns, A. Dem Doolaard, Theun de Vries, Halbo C. Kool.

El grupo neocatólico contó con importantes poetas: Bernard Verhoeven (n. 1898)—*El peregrino*—; Henri Bruning (n. 1900); Jan Engelman (n. 1900); Albert Kuyle (n. 1903); Anton van Duinkerken (n. 1903); Willen Dem Berge; Pierre Kemp (n. 1886); Mathias Kemp (nació en 1890).

Figura muy significativa como poeta, crítico y cuentista, es la de Charles-Edgar Du Perron (n. 1899). J. W. de Boer (n. 1893), novelista. Antoon Coolen (n. 1897), cuentista. R. Blijstra (n. 1901), narrador expresionista. A. Defresne (n. 1893), autor teatral. Menno Ter Braak (nació en 1902), autor teatral. Albert Helman (n. 1903), notable novelista—*Sur Suroeste, Mi mono llora, Corazón sin tierra, Serenitas...*

V. TIELROOY, J.: *Littérature hollandaise*. París. Ed. "Panoramas", ¿1929?—PRINSEN, J.: *Handbock tot de nederladsche Letterkundige Geschiedenis*. Haarlem, 1922.—SCHNEIDER, L.: *Geschichte der Niederländischen Literatur*. Leipzig, 1907.—PRAMPOLINI, S.: *Literatura holandesa*. En el tomo X de la "Historia universal de la Literatura". Buenos Aires, Uteha, 1941.

H

HOLOFRÁSTICAS (Lenguas)

Se da este nombre a las lenguas aglutinantes, que con pocas palabras expresan muchas ideas, y en las que, lógicamente, hay que recurrir muchas veces a la paráfrasis. Uno de los tres grupos de lenguas aglutinantes, llamadas así porque combinan una serie de palabras primitivas, sin refundirlas en un todo verdaderamente orgánico, es el de los idiomas llamados *incorporantes* por Schleicher, *holofrásticos* por Lieber y *polisintéticos* por Duponceau y los filósofos americanos.

El expresar muchas ideas con pocas palabras puede hacerse de dos formas: 1.ª, por la unión de sílabas significativas o de sentidos sacados de diferentes palabras, de donde se han tomado las sílabas; 2.ª por la combinación, fundada en principios de analogía, de diferentes partes del discurso, extrañas, por decirlo así, a semejante unión, y que se hallan unidas al verbo de manera que, por sus formas o inflexiones variadas, no solamente puedan asociarse la idea de la acción principal y de sus accesorios ordinarios—persona, número, tiempo, etc.—, sino el mayor número posible de ideas morales y físicas...

Entre las lenguas del mundo antiguo, las que más se acercan al sistema de lenguas *holofrásticas* o *polisintéticas* figuran el vasco y el georgiano.

HOMEOPTOTE

Acumulación de palabras que se corresponden por el tiempo, caso y desinencia. Algo parecido a la rima moderna. Aun cuando entre los escritores griegos y latinos estuvo proscrito, Virgilio, Tibulo, Ovidio, lo utilizaron algunas veces. Y Horacio más en el verso asclepiadeo.

Muchos poemas de la Edad Media—entre ellos los *Aforismos de Salerno*—se escribieron en este metro original y rebuscado.

En la prosa apenas si se usa sino en algunas frases vulgares—*juego de manos, juego de villanos*—y en multitud de refranes; el homeoptote reemplaza a la rima y constituye facilidad mnemónica.

HOMERISMO

Nombre dado a la investigación fervorosa y entusiasta llevada a cabo por muchos eruditos y críticos—de todos los países y de todas las épocas—para interpretar y comentar las obras de Homero.

El homerismo ha planteado problemas tan importantes como los siguientes:

¿Existió Homero?

Las obras que se le atribuyen, ¿fueron escritas por varios poetas?

Si existió Homero, ¿cuál fue su patria?

¿Cuáles son las obras homéricas entre las que se atribuyen al inmortal poeta?

La lengua homérica.

Influencia de la obra homérica.

Mucho ha apasionado la cuestión acerca de la existencia de Homero. ¿Fue, en realidad, un poeta rapsoda? ¿Fue únicamente la voz de Grecia, el eco de los tiempos heroicos, es decir, una abstracción?

Esta cuestión domina todas las demás propuestas por la crítica en relación con Homero. Evocando la época en que los griegos comenzaron a recordar en sus recitados las tradiciones de su pasado, es decir, hacia el siglo VI antes de Cristo, con el nombre de Homero se designó no solo al autor de la *Iliada* y de la *Odisea,* sino al *conjunto* de los poemas que constituían un ciclo épico, a los himnos conocidos con el nombre de homéricos y aun a la mayor parte de las producciones satíricas. En general, las obras poéticas que celebraban las hazañas de un héroe le fueron atribuidas a Homero, a la *abstracción* Homero, de la misma manera que bajo el nombre de Hesíodo "se reunían" aquellos cantos que exponían la genealogía de los héroes y de los dioses. Esta creencia, poco reflexiva, que hizo de Homero un *ser mítico,* una personificación de la poesía épica, se fue disipando, fue adentrándose en los límites de las posibilidades humanas, a continuación de los trabajos efectuados por los críticos alejandrinos.

Bien pronto la reacción y el espíritu de duda contra las antiguas tradiciones fueron llevados más lejos. Dos escritores atribuyeron la *Iliada* y la *Odisea* a dos autores diferentes, recibiendo por tal opinión el nombre de *chorizontes,* es decir, *separadores.*

Otros críticos presentaron estos poemas como *mosaicos* formados por poemas distintos—aun cuando acerca del mismo tema—en tiempos y por orden de Pisístrato. La decadencia de las letras griegas y latinas puso término a tantas teorías y controversias.

En la Edad Media y durante el Renacimiento, el nombre y la existencia de Homero quedan aceptados, basándose esta creencia general en los siguientes documentos: una *Vida de Homero,* falsamente atribuida a Herodoto; otra *Vida de Homero,* atribuida, sin grandes fundamentos, a Plutarco, biografía que, naturalmente, aun reconociéndola como de este gran historiador, estaría escrita en el siglo II después de Cristo; otra *Vida de Homero* por Proclo—*no* el filósofo bizantino del siglo V—, también escrita en el siglo II; otra *Vida de Homero* compuesta en el siglo XI por Suidas. De todos estos escritos, el más antiguo es posterior en mil años casi a la existencia de Homero, poeta y hombre.

He aquí, sucintamente, cuantas noticias se han tenido como ciertas, durante diecinueve siglos, acerca del autor de la *Ilíada.* Su madre, llamada Critheis, era originaria de Cyma. Nació él en Esmirna—aun cuando, aún hoy, otras seis ciudades se disputan el honor de haber sido su cuna—, a orillas del río Melés, de donde le llegó el sobrenombre de *Melesigeno.* Su maestro Phemius le enseñó música y artes. Cuando aún no había cumplido los veintidós años, ocupó en la escuela el puesto de Phemius. Estando en meditación acerca de sus poemas, y deseando conocer los escenarios sobre los que iban a vivir sus héroes, se lanzó a viajar enfervorizado. Después de haber visitado el Egipto, la Libia, Italia, llegó a Itaca, donde una afección a los ojos le obligó a refugiarse en casa de Mentor, quien le comunicó interesantísimas noticias acerca de Ulises. Visitó más tarde las costas del Peloponeso; y se reintegró a Esmirna, donde, habiendo perdido la vista por completo, recibió el nombre de Ομῆρος, que significa *ciego* en el dialecto de Cyma. Forzado por la miseria a salir de su patria, perdió sus poemas en Focea, o le fueron robados por Testóride. Ya entonces había acabado la *Ilíada.* Abrió escuela en Quíos y compuso aquí la *Odisea.* Dedicóse durante algún tiempo a recorrer algunas ciudades recitando sus poemas. Murió en la isla de Ios.

El primer crítico moderno que parece haber atacado formalmente las apuntadas noticias acerca de Homero fue el abate Aubignac, en sus *Conjectures académiques,* escritas hacia 1674. Según él, la *Iliada* y la *Odisea* no son obras de un mismo poeta, sino la reunión de diversos poemas cantados o recitados separadamente en las más viejas épocas de Grecia, hasta que Pisístrato ordenó que fueran reunidos y coordinados.

Una opinión análoga se encuentra en los *Jugements des savants,* de Baillet—1685—. Carlos Perrault y Boileau no se decidieron por las tesis expuestas, aunque tampoco expusieron las suyas. Bentley—en *Letter by Philaleutherus Lipsiensis,* 1723—reprodujo la opinión de Aubignac, y añadió que Homero compuso una serie de *canciones* y de *rapsodias,* y que estas fueron reunidas bajo la forma de un poema épico cerca de quinientos años después de muerto Homero.

Vico—en *Scienza nuova,* tomo III, 1725—trata tal cuestión aún con más apasionamiento, y, a pesar de graves errores en los detalles, abrió admirables *posibilidades* y *probabilidades* de las que se aprovecharían eruditos posteriores. Vico rechazó al Homero imaginado por los sofistas y evocado en las escuelas, y otorgó a Homero la *personificación* de un largo período poético, el *arquetipo* de aquellos rapsodas que recorrieron la Grecia cantando las hazañas de los héroes y de los dioses. Por ello, las obras puestas bajo el nombre de Homero correspondían no a un hombre, sino a varios hombres, y aun a varias generaciones de hombres. Los poemas fueron comenzados durante la *juventud* de la Grecia heroica y acabados en la *vejez.* Cuatro siglos, cuando menos, separan la *Ilíada* de la *Odisea,* por los caracteres bien diferentes de Aquiles y de Ulises.

En 1770, R. Wood publicó un libro acerca del *Genio de Homero,* en el cual suscitó el interesantísimo problema de si los poemas fueron o no primitivamente escritos. Opinión que constituyó el fundamento de las disquisiciones críticas expuestas por Wolf en sus *Prolegomena ad Homerum*—1795—. Wolf opina minuciosamente acerca de la época en que el arte de escribir fue introducido en Grecia, rechazando como fábulas groseras las tradiciones que atribuyen su invención a Cadmo, a Cécrops, a Orfeo, a Lino y a Palamedes. A continuación, admitiendo que los caracteres gráficos de la escritura fueron conocidos en Grecia en una época remota, insiste en la diferencia que existe entre el conocimiento de dichos caracteres y su uso general para las obras literarias. La escritura empleóse, primero, para las inscripciones de los monumentos públicos; después, para la transcripción de las leyes. A fines del siglo VII antes de Cristo, el papiro fue llevado de Egipto a Grecia. Las leyes de Licurgo no fueron escritas. Las de Zaleucus—hacia el año 664—son citadas como las primeras que lo estuvieron. Las de Solón, setenta años más tarde, fueron escritas sobre tablillas de madera.

De tales consideraciones deduce Wolf que antes del siglo VI resultó casi imposible el empleo de la escritura para poemas tan largos como los de Homero. El erudito que más ha combatido la tesis de Wolf, G. W. Nitzsch, no ha podido demostrar el uso de la escritura en la época en que se suponen compuestas las obras homéricas. Müller y otros filólogos encuentran en la versificación de los poemas *libertades de contracción* que hubieran desaparecido de haber estado escritos. Una prueba irrefutable de que no estuvieron escritos es la existencia, en la época de su composición, del *digamma eólico,* sonido que había desaparecido por completo del idioma en la época en que fueron copiados por primera vez. Gracias a tal *aspiración* particularísima, los numerosos hiatos, las cuantidades irregulares que se observan en los poemas, ya escritos, no existieron para los oídos de los contemporáneos. Si tal *aspiración* estuvo marcada para los ojos por su signo correspondiente, no se explica la desaparición de 50.000 ó de 60.000 *digammas* en las transcripciones hechas más tarde.

Otra prueba: si la escritura hubiera sido familiar a los contemporáneos del autor de los poemas homéricos, en estos, llenos de minuciosos detalles acerca de los usos de la vida, no hubiera dejado de mencionarse su empleo. Sin embargo, en un solo pasaje se alude a los signos grabados sobre una tablilla: en el relativo a Belerofonte enviado a Licia, portador de un signo misterioso—*σῆμα κακόν*—, de un signo funesto—*σήματαλυρά*—, que le condenaba, sin él saberlo, a muerte *(Ilíada,* lib. VI, 166 y sigs.). Pero este pasaje, sumamente oscuro, puede ser interpretado en el sentido de una muy imperfecta escritura. En otro pasaje, cuando los jefes griegos combaten contra Héctor, cada uno de aquellos lleva en el casco no su nombre, sino un signo por el cual puede ser reconocido *(Ilíada,* lib. VII, 175 y sigs.). En la *Odisea* (lib. VIII, 163 y sigs.), el capitán de una embarcación mercante, careciendo de registro y de tablillas, confía a la memoria todo lo concerniente al cargamento.

De todos estos extremos resulta la imposibilidad de contestar la primera conclusión de Wolf: que los poemas homéricos no fueron escritos primitivamente. Partiendo de lo cual, aseveración que es capital y que está llena de consecuencias, Wolf estima que hubiera necesitado Homero poseer un genio increíble para concebir en su espíritu, sin el auxilio de la escritura, obras de tan enorme extensión y minuciosidad. A esta objeción, tan lógica, de Wolf, replica Müller: "¿Quién es capaz de determinar el número de versos que puede inventar en un año un espíritu sutil, siempre ensimismado, confiándolos a la memoria fiel de numerosos y devotos discípulos?"

Insiste Wolf: en un pueblo, que no escribe ni lee, el único medio para la publicación de los poemas es la recitación; esta recitación tenía lugar generalmente en los banquetes y en los festejos particulares; trozos leídos—que no podían ser largos—en ocasiones tan distintas..., ¿cómo podían dar unidad de poema, si aquellos mismos respondían a solicitaciones diversas?

Contra tal argumento, los adversarios de Wolf

H

oponen que las recitaciones no tuvieron lugar únicamente en los banquetes y en los festejos particulares, sino también en las fiestas nacionales y en los concursos públicos; y hacen observar que, más tarde, los griegos representaron, durante una sola fiesta, nueve tragedias, tres dramas satíricos y tres comedias. Sin embargo, estas observaciones no son sino argumentos muy débiles contra la tesis de Wolf.

Este mismo erudito y crítico resumió así sus opiniones: 1.ª, la mayor parte de los cantos de ambos poemas son originales de un mismo autor; pero una cuarta parte, cuando menos, de los mismos, son obras de los *homéridas,* sucesores, continuadores e imitadores del supuesto Homero; 2.ª, hay que considerar los dos poemas como un conjunto de narraciones épicas de distinta mano y procedencia, en su principio, pero que más tarde, en época de los pisistrátidas, formaron el cuerpo homogéneo que hoy conocemos.

Para otros críticos—Müller, Nitzsch, Egger, Grote, Wolkmann—: 1.º, nótanse entre ambos poemas diferencias grandes de lenguaje, estilo, pintura de costumbres, plan y desarrollo de la acción, y, más que todo, *diferencias de ideas religiosas;* 2.º, de los estudios de los eruditos de los siglos XVIII y XIX se saca la conclusión de que la *Ilíada* y la *Odisea* no son obras de un mismo poeta ni están escritas sujetas a un plan concebido de antemano. Ambos poemas encierran muchas lagunas, adiciones y soldaduras, que no pueden explicar las interpolaciones reconocidas como tales por los escoliastas y críticos. Choca, principalmente en la *Ilíada,* el primor admirable de las partes, examinadas aisladamente, con la impresión borrosa y deficiente del conjunto.

Hoy, la opinión más generalizada es la de que existió Homero; la de que el germen del primitivo poema se componía de cantos aislados, obras de un mismo poeta, pero unidos después por la consecuencia de los hechos o por la identidad de los personajes.

Los poemas homéricos, nacidos en una época en que no existían ni la ciencia ni la historia, fueron, para los pobladores de la antigua Grecia, la historia, la geografía y la poesía de un largo período memorable.

Las poesías homéricas, ya muerto Homero, fueron declamadas públicamente por toda Grecia, hasta la institución de las Panateneas. Se cree que fue Solón quien primero ordenó la recopilación y cotejo de los fragmentos poéticos. Pero a Pisístrato y a sus hijos les cabe la gloria de haber nombrado una Comisión de compiladores, encargándoles la delicadísima misión de fijar los textos. El más ilustre de dichos compiladores fue Onomácrito (540 a 530 a. de Cristo). Las transcripciones fueron muy numerosas; unas, originarias *de las ciudades*—Quíos, Argos, Sínope, Creta, Chipre—; y otras llamadas *de los sabios*—Anaximandro, Glaucón, Estesimbroto de Tasos, Ferécides, Antímaco de Colofón, Eurípides el *Joven,* Aristóteles

La depuración de los textos homéricos duró más de un siglo; y, ya en la época alejandrina, sobresalieron en tan ímproba labor: Zenódoto, Aristófanes de Bizancio, Aristarco. Esta depuración, sin embargo, ha motivado que el número de textos y variantes de Homero sea crecidísimo. El más antiguo manuscrito conocido de la *Ilíada* es el denominado *Veneto,* realizado por un gramático del siglo III después de Cristo.

En los poemas homéricos, la ortografía es jónica; pero en la gramática existen elementos jónicos, eólicos, aqueos.

Puede afirmarse que el homerismo no ha disminuido en sus afanes desde entonces. Durante la Edad Media se multiplicaron las copias de los poemas, ya en latín, ya en las distintas lenguas romances. Y multiplicáronse, igualmente, los comentaristas y críticos.

La influencia de Homero fue enorme en la época universal. Siguiendo las huellas del inmortal autor de la *Ilíada,* Hesíodo escribió su *Teogenia* y su poema *Los trabajos y los días;* y Virgilio, su *Eneida;* y Lucrecio, *De Natura rerum;* y otros poemas Estacio y Valerio Flacco.

Durante la Edad Media hállanse fácilmente las inspiraciones homéricas en las epopeyas septentrionales *Kalevala, Gudrún, Los Nibelungos;* y en las meridionales, *La chanson de Roland,* el *Poema de Mío Cid.* En el Renacimiento, Tasso y Camoens recuerdan a Homero *a través de Virgilio.* Y, posteriormente, Ariosto, Ercilla, Milton, Klopstock, y tantos y tantos más geniales poetas épicos, escribieron sus obras inmortales *con la vista* puesta en Homero.

Los trabajos más importantes que la antigüedad nos ha legado sobre las poesías homéricas son:

1.º Los *Escolios,* relativos a la *Ilíada,* publicados por Villoison—1788—en Venecia.

2.º Un *Lexicón de Homero,* compuesto por el sofista griego Apolonio, que vivía en el reinado de Augusto, impreso—1788—en Leyden.

3.º El voluminoso *Comentario* de Eustato, arzobispo de Tesalónica en el siglo XII, de donde los compiladores y críticos modernos han tomado a manos llenas.

Homero fue publicado íntegro por primera vez en 1488, Florencia, por Demetrio Chalcóndilo y Demetrio de Creta. Infinitas ediciones se han hecho después, sobresaliendo las de Wolf, Leipzig, 1804; Dubner, París, 1837, *Col. grecolatina* de Didot; Heine, Leipzig, 1802 a 1822, nueve tomos; Ilgen, Halle, 1796; Matthiae, Leipzig, 1805; Hermann, Leipzig, 1906; Montaner y Simón, Barcelona, 1926; Didot, París, 1828 a 1834, nueve tomos; Biblioteca Clásica, Madrid; Bergua, Madrid, 1933 a 1934.

Ediciones magníficas son las de Aldo Manucio y Plantin.

El homerismo ha contado con magníficos escoliastas, críticos y traductores en todo el mundo.

En Francia: Hugues Salel, Amadis Jamyn, Mme. Dacier, Bitaubé, G. de Rochefort, Lebrun, Bignan, Aignan, Pirron, Dugas-Montbel, M. Giguet, Gail, Pessonneaux, Leconte de Lisle, Quicherat, Boissonnade...

En Italia: Salvini, Monti, Pidemonte, Ermesti...

En Inglaterra: Chapman, Pope, Gladstone, Sayce, Cowper...

En Alemania: Voss, Dam, Rost, Buttmann, Doederlein, Kirchhoff, Müller, Berg, Düntzer, Kammer...

En España: Gonzalo Pérez, Vicente Mariner, Cristóbal de Mesa, Ignacio García Malo, Gómez Hermosilla, Pedro A. Crowley, Antonio Gironella, Narciso Campillo, Luis Segalá, R. P. Lucio Lapalma, J. Bergua...

V. DUPORT: *Gnomologia Homeri.* Cambridge, 1660.—SCHLEGEL, A. G.: *De Geographia Homeri.* Hannover, 1788.—WOLF: *Prolegomena ad Homerum...* Halle, 1795.—NITZSCH: *Quaestiones homericae...* Hannover y Kiel, 1830-1837. —MÜLLER, W.: *Introduction à l'étude de l'Iliade et de l'Odyssée.* Leipzig, 1836.—THEIL Y HALLEZ D'ARROS: *Dictionnaire complet d'Homére et des homérides.* París, 1842. EGGER: *Questions de philologie homérique.* París, 1849.—KAMMER, F.: *Die Einheit der Odysee.* Leipzig, 1874. —DÜNTZER: *Questiones homericae.* Colonia, 1876.—CHRIST, W.: *Homer und die Homeriden.* Berlín, 1884.—BERARD, V.: *Les phéniciens et l'Odyssée.* París, 1904.—SEGALA, Luis: *El problema de la existencia de Homero.* Barcelona, 1924.

HOMILÉTICA

De ὁμιλεῖν, hablar. Nombre dado por los críticos alemanes a la teoría de la elocuencia eclesiástica. La obra de San Agustín *De doctrina cristiana* es, en cierto modo, el primer tratado de *homilética* cristiana. El *Eclesiastés,* de Erasmo de Rotterdam, es uno de los principales monumentos en esta materia. Igualmente son obras importantísimas *De formandis cancionibus sacris,* de Hyperius, y *La elocuencia del púlpito,* del cardenal Maury. Han compuesto tratados admirables sobre la *homilética* Schmitd, Ammon, Schott, Huffel.

La *homilética* consta de tres elementos: el *predicador,* el *auditorio* y la *doctrina.*

HOMILÍA

De ὁμιλία, conferencia. El sentido de esta palabra no ha sido siempre el mismo. En los primeros siglos de la Iglesia fue empleada en Oriente para significar cualquier género de instrucción religiosa, sin duda para distinguirlos de los discursos declamatorios de los sofistas. En San Juan Crisóstomo, la *homilía* no constituye un género oratorio definido. Después se restringió el empleo de la palabra a su sentido etimológico: sermón religioso, propio para explicar, por su sencillez, los Evangelios o las Epístolas, o un punto de dogma o moral.

V. CAVE: *Scriptorum ecclesiasticorum historia litteraria.* Tomo I.—CEILLIER, Dom.: *Histoire générale des auteurs ecclésiastiques.* Tomo VII.

HOMÓFONAS

Palabras que tienen el mismo sonido y diferente significación. Así: *masa*—de pan—y *masa*—muchedumbre—; *solar*—verbo—y *solar* —nombre—; *hatajo* y *atajo.*

HOMÓGRAFAS

Palabras que se escriben de la misma manera, teniendo significado distinto. Así: *ser* —sustantivo—y *ser*—verbo—; *haya*—árbol—y *haya*—verbo.

HOMOLOGÍA (V. Concesión)

De ὁμός, semejante, y λογος, doctrina.

1. Términos sinónimos o que significan una misma cosa.

2. V. *Concesión.*

HOMÓNIMOS

Homónimos o *palabras homónimas* son las que, siendo partes distintas de la oración, o trayendo distinto origen, por una coincidencia se escriben y pronuncian de igual modo, con significación distinta. Por ejemplo: *Yo (amo) a Dios. Yo soy el (amo) de esta casa. Y a mí no me han (criado) mis padres para (criado) de vuestra merced.*

Con dos tragos del que suelo
llamar yo néctar divino,
y a quien otros llaman (vino)
porque nos (vino) del cielo...

(BALTASAR DEL ALCÁZAR.)

HONDUREÑA (Literatura)

No es muy rica en nombres ni en obras la literatura hondureña.

Posiblemente su primer escritor de mérito fue José Cecilio del Valle (1780-1834), redactor de su propia *Enciclopedia* y de *Soñaba el abad de San Pedro, y yo también con él;* P. José Trinidad Reyes (1797-1855), músico, poeta, orador, dibujante, que introdujo la Imprenta en su patria y organizó la Universidad. Carlos Gutiérrez Lozano (1818-1892), historiador—*Fray Bartolomé de las Casas*—. Alvaro Contreras (1839-1882), periodista. Adolfo Zúñiga (1835-1900), periodista y orador. Marco Aurelio Soto (1846-1907), poeta, erudito, economista. Manuel Molina Vigil (1853-1883), poeta de la máxima popularidad en su tiempo. Carlos F. Gutiérrez y Lardizábal (1861-1899), poeta y novelista—*Angelina*—. José Antonio Domínguez (1869-1903), autor del *Himno a la materia.* Juan Ramón Molina (1875-1908), poeta de opulenta fantasía pictórica. Jerónimo J. Reina (1876-1918). Jorge Federico Zepeda (1883-1932)—*Ritmos y colores de la tierruca, Aire, pampa y sol*—. Adán Coello (1885-1919), al que se le ha llamado "el mejor poeta de Honduras después de Juan Ramón Molina". Froilán Turcios (1878), prosista y poeta—*Mariposas, Hojas de otoño, Floresta sonora*—. Ramón Ortega (1885-1932), gran sonetista. Manuel Escoto (1895-1930)—*Los zarzales de San Pedro Sala*—. Rubén Bermúdez (1891-1930)—*Mi poema al río Ulúa*—. Joaquín Soto (1897-1926)—*El adiós a mi pueblo*—. Rómulo Ernesto Durón, poeta y prosista. Rafael Heliodoro Valle (1891), prosista y crítico cuya fama ha excedido de su patria—*Como la luz del día, Anfora sedienta, El perfume de la tierra natal*—. Juana Rosa Cruz, poetisa honda y melancólica. Salvador Turcios, poeta y prosista. Arturo Mejía Nieto, novelista—*El Tundo*—. Juan Ramón Molina, lírico de mucha personalidad...

V. Henríquez Ureña, Pedro: *Literatura de Centroamérica.* En el tomo XII de la "Historia universal de la Literatura", de Prampolini. Buenos Aires, Uteha, 1941.—Leguizamón, Julio A.: *Historia de la Literatura hispanoamericana.* Buenos Aires, 1945. Dos tomos.—Castro, Jesús: *Antología de poetas hondureños.* Tegucigalpa, 1939.

HORAS (Libros de)

Estos libros ofrecen un gran interés bibliográfico. Antes de la invención de la Imprenta eran los más importantes manuscritos por la belleza de la escritura, por la belleza de las ilustraciones—miniadas y áureas—y por la riqueza de la encuadernación. Algunos eran verdaderas joyas, y alcanzaron en su venta cifras fabulosas; otros se conservan en los principales museos del mundo. Su contenido era el rezo del *Oficio divino.* Generalmente estaban dedicados a reyes y personajes principales. Estuvieron muy en boga en Europa durante los siglos XIV y XV. Artistas de la talla de Gerardo Horebout, Coene, Fouquet, Memling, dedicaron su arte al adorno de tales libros.

Entre los más famosos *libros de horas*—en su mayoría franceses—se encuentran los de *Ana de Bretaña*—acaso el más importante y rico—, *Horas de Turín, Las riquísimas horas del duque de Berry, Horas de Ruán, Horas del conde Carlos de Angulema, Horas de Juana II de Navarra,* y el de la Biblioteca Nacional de Madrid, atribuido al artista Simón de Brujas.

V. Pluquet: *Notice sur les anciens livres d'heures.* Caen, 1834.—Langlois: *Essai sur la calligraphie des manuscrits du moyen âge et sur les ornements des premiers livres d'heures...* Ruán, 1841.

HORREMITISMO (V. Khorremitismo)

HUMANISMO

Movimiento espiritual—filosófico, literario y artístico.

El clasicismo, como el río Guadiana, avanzó algún tiempo bajo tierra. Entre los siglos V y XIV, sobre él medraron el bizantinismo, el escolasticismo y las literaturas romanas. Durante el siglo XVII, el barroco. Pero el clasicismo resurgió, fuerte y ancho y sereno, de la centuria decimocuarta a la decimosexta, y de la decimoséptima—final—a la decimonovena—principios—. Naturalmente, en sus resurrecciones no se presentaba exacto y puro, sino ligeramente mistificado y entre paisajes diversos, poco en consonancia.

Realmente, humanismo y renacimiento suman un mismo afán espiritual y un idéntico fervor normal. Sino que el humanismo tiende *a la idea,* y el renacimiento, *a la forma.* Los dos sumandos buscan apartarse de los ideales y de las costumbres dominantes en la Edad Media; los dos tratan de sustituir la preocupación religiosa y la deshumanización del sentido realista de la vida medievales por una concepción *más humana* del mundo. Y verdad que nadie como los griegos y romanos supieron hacer del hombre un universo y polarizar los aspectos literario, político y social en una orientación obstinada de la glorificación de lo perecedero. Para alcanzar su pretensión, el humanismo y el renacimiento dieron nueva vida a la antigüedad clásica. Si las concepciones filosóficas de la Edad Media valoraron el conocimiento en función de la realidad, el humanismo—como el clasicismo—lo hace por su utilidad o aplicaciones. Para el humanismo, el valor apreciable era el *práctico.* Para el escolasticismo, el teórico. El renacimiento—como el clasicismo—se sometió a la forma, *pero no como fin,* sino como *un medio interpretativo* de tendencias morales.

No se crea, sin embargo, que en el siglo XIV resucitó el clasicismo con los nombres de humanismo y renacimiento, en su natural apogeo. No en balde, durante varios siglos, otras inquietudes espirituales y otros modos y maneras habíanse aposado con espesura en el alma del hombre, que se evadía del medievalismo. Quizá contra la voluntad y aun contra el conocimiento de los primeros genios humanistas y renacentistas. Aristóteles *sabía demasiado* a Santo Tomás, y Apeles, a la Capilla Sixtina, y Sófocles y Terencio, a las "farsas de la Muerte", y el Partenón, al Pórtico de la Gloria, y las bacanales, a los ritos eclesiásticos de benedictinos y cistercienses.

HUMANISMO

El clasicismo que ponen en pie humanistas y renacentistas conserva las esencias y las formas genuinas, pero no puras, sino mezcladas con los resabios de las más decisivas conmociones espirituales y literarias medievales. Resabios que si no lo desvirtúan, sí lo remueven. Los *únicos* ideales de utilidad y de belleza del clasicismo, en el humanismo y en el renacimiento *comparten* su tiranía con invencible curiosidad religiosa. Precisamente esta curiosidad espiritual, actuando en tan propicios ideales de ensoberbecimiento subjetivo, dan origen a la Reforma o le allanan el camino.

El humanismo—sumando que precede en más de un siglo al renacimiento, ¡curioso hecho!—se inició en Italia durante el siglo XIV. Acaso antes, en el *Trecento,* con Cino da Pistoia, Guido Cavalcanti y Gianni Alfani. Pero los primeros humanistas famosos son Dante Alighieri, Petrarca, Boccaccio, Marsilio Ficino, Lorenzo Valla, Bracciolini, Biondo, Pomponio, Leto, Sannazaro, Eneas Silvio Piccolomini, Bembo, Panormita y tantos y tantos más.

Concretando ahora, queremos escindir del humanismo el *renacentismo* (V.), para estudiar éste en su lugar oportuno.

Vamos, pues, a quedarnos *a solas* con el humanismo. Al renacentismo reservaremos las significaciones y los sentidos artísticos. Al humanismo integraremos las diferentes tendencias de la filosofía, de la literatura, de las ciencias sociales, etc., coincidentes todas ellas con el deseo de devolver al hombre *su centralización* en la historia, apoyándose en la restauración de los productos espirituales del mundo antiguo, "cuyas esencias se habían volatizado durante las intensas espiritualistas y subjetivas jornadas de la Edad Media".

El humanismo, concretado en el ámbito que hemos marcado, puede ser definido como "un movimiento *intelectual* que se apartó de las tradiciones del escolasticismo medieval y exhumó y estudió los autores griegos y latinos". Posiblemente se le llamó humanismo porque ensalzaba con preferencia las cualidades propias de la naturaleza humana y porque su finalidad era el *descubrimiento del hombre* y la consecuencia de la racionalidad de la vida, tomando como maestros y ejemplos los autores clásicos. Pero para que los clásicos griegos y romanos pudieran valer como modelos y hablaran en su genuino lenguaje, fue preciso librarlos de los errores, de las interpolaciones, de las deficiencias, de las falsificaciones, debidas a la incuria de los copistas, que había sufrido la transmisión de sus obras. Esta ingente, esta maravillosa labor de limpieza, de fidelidad, de restitución, fue la que tomaron sobre sus hombros los humanistas, quienes, por necesidad ineludible para su gloriosa labor, hubieron de poseer grandes conocimientos lingüísticos, geográficos, históricos, filosóficos, arqueológicos...

El humanismo empezó, pues, siendo como una resurrección *filológica.* Pero la filología triunfante abrió paso a la filosofía, a la historia, a la poesía, a la crítica polémica. El esplendor impresionante de la cultura iniciado en el siglo XIV hay que buscarlo en los humanistas, que, imitando en la forma y en el fondo a los escritores de la antigüedad clásica, difundieron las ideas griegas y romanas, intentaron armonizar los conocimientos humanos con las ideas religiosas, corrigieron el abuso silogístico y, al dar de lado la Escolástica, humanizaron la Ciencia.

El humanismo, repetimos, se inició en Italia, favorecida por su posición geográfica, cerca del Imperio bizantino—que conservaba las mejores reliquias del clasicismo—; por el refinamiento de su cultura y por su riqueza material en el siglo XV. Dante se mostró entusiasta partidario del gusto clásico y dejó preparado el terreno en el que Petrarca (1304-1374)—el *primer hombre moderno*—había de cosechar abundantísimos frutos. Petrarca llamó a Cicerón su padre, y a Virgilio su hermano, descubrió y coleccionó manuscritos, encargó—pues él no sabía griego—una traducción de Homero; su obra *De Viris illustribus* es una serie de biografías de hombres célebres de la antigüedad; y ensayó en *Africa*—las hazañas de Escipión el *Africano*—el poema heroico latino; finalmente, dejó un copioso epistolario en latín, "de valía inapreciable para la psicología del humanismo *trecentista*". El exaltado individualismo de Petrarca y su preocupación del autoanálisis, le hacen el verdadero precursor del humanismo y del renacentismo, que había de tener un digno émulo en Boccaccio (1313-1375), como erudito vulgarizador de las ideas humanistas.

El primer esfuerzo del humanismo se polarizó en la consecución de la perfecta latinidad, de la forma estética, de la precisa y elegante oratoria. Las lenguas vulgares quedaron relegadas a un segundo término. El humanismo italiano impuso la teoría de la imitación, según la cual, la meta de todo buen humanista sería lograr una perfección formal en sus poesías, en sus epístolas, en sus discursos que le acercaran y aun pudieran parecer como salidas de las plumas de sus modelos: Virgilio, Horacio, Cicerón.

Acaso pueda ser acusado el humanismo italiano de distanciarse *demasiado* de la concepción del mundo sustentada en la Edad Media, de imprimir en el espíritu y en la voluntad de los llamados humanistas una placentera inclinación hacia todo lo humano y una oposición sutil contra las instituciones eclesiásticas y la auténtica moral cristiana.

A la rapidísima propagación y al triunfo del humanismo en Italia contribuyeron en grado sumo las Academias y los Mecenazgos.

Las Academias calificadas de *mayores* fueron tres: la de Florencia, fundada por Cosme de Médicis, con una orientación filosófica, y denominada *Platónica,* en la que enseñaron Marsilio Ficino y Pico de la Mirandola; la de Roma, llamada *Pomponiana,* con una orientación arqueológica y filológica, fundada por Pomponio Leto, en la que brillaron Filipo Buonaccorsi y Bartolomeo Sacchi; y la de Nápoles, de orientación marcadamente poética, fundada por Antonio Beccadelli, en la que se inmortalizó Sannazaro.

Los Mecenazgos fueron numerosos y magníficos. En Florencia, en Mantua, en Ferrara, en Milán, los nombres de las familias más ilustres y poderosas fueron unidos a los de los humanistas más eximios. Mecenas admirables fueron Lorenzo el *Magnífico,* nuestro Alfonso V de Aragón en Nápoles, el Pontífice Nicolás V, Eneas Silvio Piccolomini—futuro Pío II...

Famosos humanistas italianos fueron: Flavio Biondo (1388-1463), secretario del Pontífice Nicolás V, y autor de varias obras de Historia y de Arqueología, entre las que destaca: *Historiarum ab inclinatione Romanorum.* Lorenzo Valla (1406-1457), natural de Roma, secretario de Alfonso V de Aragón y de Nicolás V, latino fenomenal y erudito asombroso, autor de *Elegantiarum latinae linguae* y *De Voluptate*—defensa del epicureísmo contra el ascetismo—. Giovanni Pontano (1426-1503), secretario de la corte aragonesa de Nápoles y presidente de la Academia literaria napolitana, acaso el más grande poeta latino que tuvo el humanismo italiano, autor de *Versus lirici, Versus Iambici, De Amore coniugale, Amorum Eridanorum.* Lorenzo de Médicis (1448-1492), gran mecenas y excelente poeta, autor de la égloga *Corinto* y de la parodia *I beoni.* Angelo Ambrogini, llamado Poliziano (1454-1494), traductor de la *Ilíada* en hexámetros latinos, magnífico lírico en *Fábula de Orfeo, Stanze per la Giostra.* Luigi Pulci (1432-1484), florentino, poeta y erudito. Boyardo, conde de Scandino (1434-1494), traductor insigne de clásicos griegos y latinos, autor del *Orlando innamorato* en octavas reales. Girolano Savonarola (1452-1498), natural de Ferrara, magnífico orador, latinista magistral. Leonardo de Vinci (1452-1519), además de genial pintor y hombre de ciencia, fue gran prosista. Jacopo Sannazaro (1458-1530), napolitano, poeta eximio en su *Arcadia*—novela pastoril—, en sus *Eclogae Piscatoriae* y en sus *Elegías* latinas. Niccolo Machiavelli (1469-1527), florentino, genial hombre de Estado, erudito excelso, prosista modelo en *Historia florentina, El príncipe, El arte de la guerra, Discursos sobre la primera década de Tito Livio,* dramaturgo excepcional en *La Mandrágora.* Francesco Guicciardini (1483-1540), hombre de Estado, embajador, de una portentosa y fría inteligencia, autor de *Historia Florentina, Historia de Italia, Relaciones de España* y *Ricordi* (memorias personales). Ludovico Ariosto (1474-1533), de Reggio y de noble familia, autor de *Orlando furioso,* el gran poema que sintetizó todo el espíritu de su época. Giorgio Vasari (1511-1574), gran pintor y arquitecto, y gran prosista y biógrafo en su libro *Vidas de los más excelentes pintores, escultores y arquitectos.* Benvenuto Cellini (1500-1501), genial escultor y cincelador, y gran prosista en su *Autobiografía.* Mateo Bandello (¿1485-1560?), autor ingeniosísimo de más de doscientas narraciones. Baltasar Castiglione (1478-1529), estadista, embajador, erudito, cuya obra *El Cortesano* —llena de ingenio, de sabiduría y de elegancia—fue traducida a varios idiomas, influyendo en las literaturas extranjeras. Pietro Aretino (1492-1556), gran caballero y cortesano, mordaz y sensual, autor de comedias y de los archifamosos y picantes *Diálogos.* Torcuato Tasso (1544-1595), de Sorrento, de inmensa cultura, que ganó la inmortalidad con su *Jerusalén liberada,* compuesta en veinte cantos y en octavas reales.

Y las poetisas Vittoria Colonna y Gaspara Stampa; Giambattista della Porta, comediógrafo; Paolo Paruta, historiógrafo; Jacopo Nardi, biógrafo e historiador; Agnolo Firenzuola, novelista; Giraldi, comediógrafo, y tantos y tantos más.

En Francia se introdujo el humanismo por el contacto con Italia a consecuencia de las guerras de Carlos VIII y Luis XII; pero tuvo su desarrollo merced a la protección que le prestó Francisco I y a las relaciones de su hermana Margarita de Navarra con literatos y reformistas.

Entre los más insignes humanistas franceses se contaron: Guillaume Budé o Budaeus (1467-1540), de París, filólogo y erudito, a quien llamó Erasmo el "Prodigio de Francia", autor de unos *Comentarios sobre la lengua griega,* de unas anotaciones a las *Pandectas* y *De asse et partibus,* acerca del sistema monetario de griegos y romanos. Clément Marot (1495-1544), finísimo poeta, secretario de Margarita de Valois, reina de Navarra, lleno de ingenio y de gracia, autor de 65 epístolas, más de 300 epigramas, elegías, baladas, canciones y del pequeño poema *El Templo de Cupido.* Margarita de Valois, hermana de Francisco I, reina de Navarra, que con el título de *Margaritas (o perlas) de la Margarita de las princesas* publicó una colección de exquisitas poesías; esta eximia dama ejerció un mecenazgo tan generoso como decisivo a favor de eruditos, poetas y filósofos. Pierre Ronsard (1524-1585), excelso poeta que en unión de Daurat, Du Bellay, Jodelle, Bellau, Ponthus de Thiard y Baïf fundaron la *Brigade,* que poco después tomó el nombre de *Pléyade;* Ronsard, de innegable talento lírico, se sometió excesivamente a los modelos clásicos en sus odas, elegías, églogas y poemas. Mathurin Regnier (1573-1613), imitador servil de Horacio en sus odas y sátiras. François Malherbe (1555-1628), erudito y cortesano, poeta de excepcional talento, con cuyas obras adquirió la lengua francesa su máxima riqueza y elegancia. Etienne Jodelle (1532-1573), gran dramaturgo en sus obras *Cleopatra* y *Dido.* Robert Garnier (1534-1590), el mejor autor dramático francés de su siglo, autor de las tragedias clásicas *Porcio, Hipólito, Cornelia, Marco Antonio, Antígona,* la *Troade, Los judíos.* Jacques Amyot (1513-1593), helenista y latinista consumado; su traducción de las *Vidas paralelas,* de Plutarco, es un verdadero primor, difícilmente igualable. Michel Eyquem de Montaigne (1533-1592), de familia nobilísima, magistrado en el Parlamento de Burdeos, militar bizarro; Montaigne fue el perfeccionador genial de la prosa francesa, y en sus celebérrimos *Ensayos* patentizó sus enormes conocimientos filológicos, éticos, históricos y literarios. François Rabelais (1483-1553), de Chinon, franciscano, sacerdote, astrónomo, médico, viajero incansable; habiendo abandonado el convento, fue protegido por Francisco I; su sátira mordaz le atrajo no escasas animosidades; le alcanzó la inmortalidad su obra *Gargantúa* y *Pantagruel.*

Y en tono menor—desde un punto de vista literario—, los autores dramáticos Pierre Larivey y Alex Hardy; los prosistas Etienne de la Boëtie—*Discurso sobre la servidumbre voluntaria*—; Jean Calvino—*Institución cristiana*—; Saint François de Sales—*Introducción a la vida devota...*

En Alemania, el humanismo preparó y se identificó con la Reforma luterana. Humanistas de excepcional valor—como tales y por su gran erudición—fueron: Martín Lutero (1483-1546), monje agustino, filósofo y jurista, magnífico latinista, cuya traducción de la *Biblia* marca la perfección inicial de la lengua alemana. Felipe Melanchthon (1497-1560), extraordinario teólogo y filósofo, profesor de griego y de hebreo en la Universidad de Wittemberg, la más alta mentalidad entre los reformistas alemanes. Ulrico de Hutten (1488-1523), poeta y humanista, gran admirador de la antigüedad clásica, descubridor de los manuscritos de Quintiliano y Plinio y editor de dos libros inéditos de la historia de Tito Livio. Sebastián Brant (1458-1521), humanista y poeta, autor del famoso poema satírico *Narrenschilf (La nave de los locos),* cuadro lleno de humor y de colorido de la sociedad de su tiempo. Hans Sachs (1494-1576), poeta que marca el último período de la poesía de los Meistersänger *(maestros cantores),* y que compuso cuatro mil canciones; era zapatero e hijo de zapatero, se hizo reformista y pasa por ser uno de los precursores de la poesía dramática en su patria. Juan Turmayer (1477-¿1532?), llamado Aventinus, apasionado de los estudios clásicos y autor de una excelente *Crónica* de los duques de Baviera. Juan Fischart, teólogo y jurisconsulto, luterano, historiador y satírico mordaz contra los jesuitas y las Ordenes de predicadores. Nicolás Manuel, predicador y dramaturgo. Pablo Rebhun, amigo de Lutero, autor de varios dramas con temas bíblicos. Jacobo Ayrer, también autor de teatro popular. Rollenhagen, autor del poema burlesco la *Guerra de las ratas y de las ranas,* inspirado en la *Batracomiomaquia* griega. El fabulista Erasmus Alberus, discípulo de Lutero. El paremiólogo Juan Agrícola...

El humanismo se inicia en Inglaterra a principios del siglo XVI como consecuencia de las relaciones establecidas por Enrique VIII con Francia, España, Italia y Alemania. El humanismo inglés coincide con el perfeccionamiento de la lengua inglesa y con la propagación de la Imprenta en las Islas Británicas. El primer humanista inglés es Santo Tomás Moro (1480-1535), magnífico hombre de Estado, jurisconsulto, gran canciller de Inglaterra, erudito admirable, decapitado por defender los derechos de la Iglesia frente a los caprichos de Enrique VIII; su *Utopía* es una de las más hermosas obras del humanismo europeo. Roger Aschan (1515-1568), preceptor y privado de Isabel I, helenista insigne y singular prosista, autor de un tratado de Pedagogía titulado *El maestro de escuela* y de *Toxofilos,* elogio poético del tiro con arco. Philip Sidney (1554-1586), político y noble, embajador, modelo de caballeros y de poetas; su novela *Arcadia,* imitación de la de Sannazaro, alcanzó un éxito grandioso. Sir Thomas Wyatt (1503-1542), de familia nobilísima, gentilhombre de Enrique VIII, embajador en Madrid y en París, escribió en abundancia *epigramas, sátiras, epístolas, salmos, odas,* e introdujo el *soneto* en su patria. Edmund Spenser (1552-1599), magnífico poeta y erudito singularísimo, que ejerció una decisiva influencia en sus contemporáneos y en sus sucesores, desde Shakespeare y Ben Jonson hasta Milton. John Lyly (1554-1606), autor dramático y novelista, considerado como el iniciador del *eufuismo* (V.), estilo oscuro, amanerado y pedantesco, que dio a conocer en su comedia *Euphes.* Y los poetas Chapman, Waston, Hall, Constable, Donne, Herbert, Daniel, Drayton, Warner, Sir Henry Howard; y los prosistas Paniter, Tuberville y Whetstone... Aun cuando algunos críticos creen que deben ser considerados dentro del humanismo clasicista los dramaturgos Marlowe, Jonson y Shakespeare, nosotros los creemos ya iniciados en la corriente del *barroquismo* (V.).

Los Países Bajos cuentan con una figura excepcional dentro del humanismo, *precisamente* con el que pasa por el hombre y el sabio simbolizador del humanismo: Desiderius Erasmo (1467-1536), nacido en Rotterdam (Holanda), maestro eximio de humanistas, pasmo de erudición, una de las más altas cumbres europeas del saber de su época, latinista y humanista, doctor en Teología, consejero de monarcas y de Pontífices; sus *Adagia* y *Colloquia,* su *Elogio de la locura* son de las obras que más influyeron en el pensamiento humanista de Europa.

La larguísima lucha que mantuvieron en España los monarcas cristianos contra los musulmanes motivó que nuestra patria permaneciera aislada culturalmente del resto de Europa hasta bien entrado el siglo XVI; aparte, por supuesto, la *vena humanística* que unió a Cataluña y Aragón con Italia durante el reinado del monarca aragonés Alfonso V, cuya corte napolitana fue una pura exaltación humanística. El humanismo español coincidió con el italiano en el desarrollo de la filosofía neoplatónica, en el sentido humanístico de la lengua y en el culto de la forma. León Hebreo, Nebrija y Boscán son los ejemplos de estos tres conceptos. Sin perder de vista su sentido nacional, España utilizó del humanismo italiano "la imagen de origen clásico, los modelos griegos y latinos y la erudición".

No podemos detenernos, en el vastísimo panorama del humanismo español, sino para mencionar ciertos nombres de capitalísima importancia. Luis Vives (1492-1540), pensador, filólogo, filósofo, pedagogo, de quien dijo Menéndez Pelayo "que fue el genio más universal y sintético que produjo el siglo XVI en España". Diego López de Cortegana (1475-1559), traductor de Apuleyo y Erasmo. Alfonso de Valdés (1490-1532), secretario del emperador Carlos I de España, y al que se llamó "más erasmista que Erasmo", autor del *Diálogo de Mercurio* y *Carón.* Juan de Valdés (¿1501?-1545), hermano de Alfonso, gran amigo de Erasmo, reformista convencido, autor del famoso *Diálogo de la Lengua.* Cristóbal de Villalón (¿1505?-¿1581?), teólogo y helenista, viajero por Turquía y Grecia, escribió obras tan interesantes como *El viaje de Turquía, El Crotalón.* Fray Antonio de Guevara (¿1480?-1545), obispo de Mondoñedo y de Guadix, autor de *Libro llamado Relox de príncipes* o *Libro áureo del emperador Marco Aurelio.* Los eruditos, prosistas, ensayistas: Alonso de Herrera, López de Palacios Rubios, Hernán Pérez de Oliva, Francisco de Villalobos, Nicolás Monardes, Pero Mexía, Antonio de Torquemada, Pedro de Medina, Andrés Laguna, Sabino de Nantes, Simón Abril, Huarte San Juan, Arias Montano, Pérez de Moya, Cipriano de Valera, Elio Antonio de Nebrija...

Los poetas Boscán, Garcilaso de la Vega, Hernando de Acuña, Gutierre de Cetina, Francisco de Figueroa, Barahona de Soto, fray Luis de León, Malón de Chaide, Francisco de la Torre, Francisco Medrano, Mal Lara, Fernando de Herrera, Céspedes, Pacheco, Baltasar del Alcázar, Rioja, Arguijo, Jáuregui, Rufo, Zapata, Ercilla, Virués, Juan de la Cueva...

Los autores dramáticos Torres Naharro, Gil Vicente, Castillejo, Huete, Sánchez de Badajoz, Carvajal, Lope de Rueda, Timoneda, Alonso de la Vega, Rey de Artieda, Virués, Prado, Bermúdez...

Los narradores Montemayor, Gálvez de Montalvo, Alonso Pérez, Francisco de Vergara, Pérez de Hita, Juan de Segura, Timoneda, Ambrosio de Salazar, Sebastián de Horozco, Mexía, Zapata, Mal Lara, Rufo, Mey, Luis de Pinedo, Melchor de Santa Cruz...

Los historiadores Ocampo, Zurita, Morales, Garibay, Ginés de Sepúlveda, fray Prudencio de Sandoval, Diego de Mendoza, Alonso de Santa Cruz, Francesillo de Zúñiga, Calvete de Estrella, Cabrera de Córdoba, Antonio de Herrera, Antonio de Solís, José de Sigüenza, Oviedo, Bartolomé de las Casas, López de Gómara, Díaz del Castillo...

Puede afirmarse que el humanismo español, con peculiarísimas características, fue uno de los más completos, densos e influyentes entre los humanismos europeos; posiblemente no le excedió en cantidad y en calidad sino el italiano.

V. TAINE, H.: *Filosofía del arte.*—GEIGER, L.: *Rennaissance und Humanismus...* Berlín, 1907. —PÉREZ HERVÁS: *Historia del Renacimiento.* Barcelona, 1916.—BURKHARDT, J.: *Cultura del Renacimiento en Italia.* Barcelona, 1947. —HASSE, K. P.: *Die italienische Renaissance.* Leipzig, 1927.—HAUSER Y RENAUDET: *Les débuts de l'Age Moderne...* París, 1929.—HUDSON, W. H.: *The story of the Renaissance.* Londres, 1912.

HUMANITARISMO

Doctrina filosófica moderna, basada en las doctrinas de Spinoza, que intenta reducir a reglas generales el desarrollo y los progresos del género humano.

HUMOR

1. Condición. Genio. Indole. Inclinación. Voluntad.

Los franceses, como indica el P. Mir, trastornan estas acepciones otorgándole como sinónimos: *descontento, mal humor, fastidio, amargura, enfado, ceño...*

2. Estado de ánimo que obedece a una emoción.

3. En su más moderna acepción: sutilísima ironía con que se juzga de las personas, de los hechos y de las cosas, sacando de tal juicio unos efectos un tanto *desorbitados de la realidad,* pero siempre *dentro de la verdad.* (V. *Humorismo.*)

HUMORADA

Composición poética *inventada* por el poeta español Campoamor, quien la definió así: *un rasgo intencionado en pocos versos.* El crítico P. Blanco García da esta otra definición: "Instantánea de un estado psicológico; receta de viejo contra las ilusiones de la juventud; aforismo de pérfida intención."

Acaso pueda negarse la *invención* de Campoamor, afirmando que el *género* ya se encuentra en los *Diálogos* de Luciano y en los *Epigramas* de Marcial y Catulo. Y modernamente, en las composiciones de Heine, Leopardi y Stecchetti se hallan composiciones del mismo fondo y forma que las de Campoamor.

La niña es la mujer que respetamos,
y la mujer la niña que engañamos.

(CAMPOAMOR.)

Ser fiel, siempre que quieres, es tu lema;
pero tú ¿quieres siempre? He aquí el problema.

(CAMPOAMOR.)

¿Te es infiel y la quieres? No me extraña:
yo adoro la esperanza, aunque me engaña.

(CAMPOAMOR.)

No puedo ver con ánimo sereno
Borjas, cual tú, tan puras y apacibles;
pues juzgo, como hay Dios, menos temibles
las Borjas del puñal y del veneno.

(CAMPOAMOR.)

HUMORISMO

La palabra humor, en su sentido *de humorismo,* es netamente inglesa. "Humor es más que ingenio", asegura un refrán inglés. "Lo ridículo en el sentimiento" lo ha definido alguien.

Humorismo puede ser "la combinación de un elemento agradable y otro desagradable, de los cuales uno es sentimental; de este contraste surge la sonrisa".

También puede ser "la desproporción entre el tono en que se habla y el tema de que se habla".

Y "la preocupación íntima disimulada con un tono de optimismo".

Y "la seriedad pretendida para aludir a lo grotesco".

Y "la ironía filosófica del sabio desengañado".

Aun cuando los ingleses han dado al *humorismo* un sutil y fino y admirablemente encastado y contrastado matiz peculiar, el *humorismo* ha existido siempre. Se encuentra en los *Diálogos* de Luciano, en los cuentos de don Juan Manuel, Chaucer y Boccaccio, en Shakespeare, en Rabelais, en los costumbristas españoles del siglo XVII, en la novela picaresca española. El *Quijote* es un maravilloso monumento del *humor* más hondo y humano.

No queda, pues, otro remedio que considerar el humorismo como un movimiento literario y artístico de mucha trascendencia y de muchísima influencia en la actualidad.

Conviene, ante todo, esclarecer el *sentido* del humorismo, al que se ha confundido con lo grotesco, lo cómico, lo satírico, lo irónico, lo sarcástico, lo bufo, lo epigramático. ¿En qué se diferencia el *humor* de los restantes términos enunciados? Vayámoslo comparando con cada uno de tales términos.

El humorismo *no es lo grotesco.* Lo grotesco está compuesto de ridiculez, de extravagancia, de grosería y de mal gusto. Su gracia se basa en *lo anormal* o *chocante* de la vida, del hombre o de las cosas. Carece, pues, casi siempre de una significación noblemente humana. El humorismo enraiza en lo *normal desorbitado.* No es ridículo, sino hondamente emotivo. No es extravagante, sino delicadamente natural. No es grosero, sino delicadamente turbador.

El humorismo *no es lo cómico.* Lo cómico supone ausencia total de emoción, provoca la carcajada. El humor es una emoción hondísima, indefectible, que jamás se disuelve en la risa, ya que no provoca la carcajada, sino la *sonrisa,* efusión alegre la más digna de lo humano.

El humorismo *no es lo satírico.* La sátira se compone de picardía *en doblez,* de agresividad, de ausencia de caridad ejemplarizante, de arrogación de una misión moralizante ejercida con impertinencia. El humorismo *acaricia,* carece de intenciones moralizadoras.

El humorismo *no es lo irónico.* En la ironía hay una burla tan cruel como fina y disimulada, un tonillo ofensivo, cierto concepto de superioridad propia por parte del ironista. En el humorismo no existe burla, y sí una *graciosa compasión;* el humorista es el primero en reírse de sí mismo.

El humorismo *no es lo sarcástico.* Lo sarcástico tiene agresividad de propia desesperación, y ofende o maltrata a las personas con crueldad innoble. El humorismo desconoce la desesperación; su filosofía es la serenidad melancólica o escéptica. Y jamás llega a herir. Su roce es el de una caricia honda que pudiera, cuando más, arañar exclusivamente la epidermis.

El humorismo *no es lo bajo.* En la bufonada existe siempre bajeza, angustia del complejo de inferioridad del bufón, afán de sacar un beneficio por haber disfrazado de chuscada la angustia del complejo. En el humorismo existe siempre señorío; el humorismo jamás intenta conseguir algo; lo acepta todo, tal cual es, tal cual acontece.

El humorismo *no es lo epigramático.* Lo epigramático es mucho más episódico que lo humorístico. El epigrama es la retorsión de una agudeza, el círculo cerrado de una opinión zumbona y carece de la naturalidad y de la suavidad del humor.

El humorismo es la manifestación más humana, más noble, más delicada y trascendental de la gracia y del ingenio.

Ramón Gómez de la Serna—en su original obra *Ismos*—recoge varias definiciones muy curiosas y muy certeras de humorismo, que vamos a copiar.

Lipps lo ha definido como "sublimación de lo cómico a través de lo cómico mismo".

Juan Pablo Richter ha dicho "que es como el pájaro mérceps, que sube al cielo con la cola hacia las nubes, que bebe danzando sobre su cabeza".

Revilla dice "que es el punto más álgido del lirismo, su exageración, el momento en que el poeta afirma con energía su pura objetividad; poniéndose a veces hasta en contra de la sociedad entera".

Taine: "Como procedimiento artístico, confunde todos los estilos, mezcla todas las formas, acumula alusiones paganas a reminiscencias bíblicas, abstracciones germánicas a términos técnicos, la poesía al argot y los arcaísmos a los neologismos. La libertad subjetiva que degenera en arbitrariedad varía indefinidamente la perspectiva del humorista, mirando lo grande desde lo pequeño y viceversa, y convirtiendo lo sublime en ridículo y lo ridículo en sublime. Toca de esta suerte en el límite del absurdo, hace núcleo de su inspiración el contraste, y con él la parodia y la paradoja para llegar a una risa triste o ironía sublime que conserva un dejo cariñoso o simpático hacia lo mismo que se zahiere y censura. Audacia e impotencia juntas, anhelo que no se cumple, ideal que se presiente y no se concibe, síntesis que se anuncia y no se realiza, mesianismo igual al de la teología judaica: tal parece ser el humorismo, nube preñada de auroras. El humorismo es *lex inversa,* que introduce lo serio en lo jocoso y convierte al diablo en bufón. A su vez, el humorista es un Diógenes o un Sócrates; demente que posee, según dice Schlegel, una genialidad fragmentaria, en cuanto se desvía del medio social que constituye su atmósfera nutritiva. Hijo pródigo de su propio talento, lo derrocha el humorista, protestando contra un orden aparatoso, cuya medula es un desorden que a su vez busca normalidad dentro de síntesis superiores. Con excesiva preferencia hacia los contrastes, vistiendo las ideas más serias con la casaca del arlequín y produciendo irrupciones de locas alegrías en mundos de tristeza, cual eco lejano de una eterna danza macabra, el humorista aparece ante todo como un escritor autónomo, y el humorismo como una poesía equívoca, porque el autor y la obra, sumergidos en el fuego de la sensibilidad, se ven asfixiados por el humo."

Pirandello: "El humorismo no es más que una lógica sutil. Los humoristas son lógicos que viven en medio de los absurdos de la retórica y de la visión unilateral de la vida." Y también: "El humorismo es el sentimiento del contrario, un Hermes bifronte, una de cuyas caras se ríe de las lágrimas que vierte la otra."

Jean Paul: "El humor es lo cómico del pesimismo; un cómico más fino y más profundo que el de la comicidad ordinaria."

Pawlowski: "El humor es el sentido exacto de la relatividad de todas las cosas, es decir, la crítica constante de lo que se cree ser definitivo, la puerta abierta a las nuevas posibilidades sin las que ningún progreso del espíritu sería posible. El humor no puede llegar a conclusiones, puesto que toda conclusión es una muerte intelectual, y es precisamente este lado negativo del humorismo el que disgusta a muchas gentes, aunque él indica el límite en nuestras incertidumbres y es la mayor ventaja que se nos puede conceder. El humor no es la risa. El reír es un tribunal social que juzga y condena las ridiculeces, comparándolas con la verdad admitida que hace la ley. El humor no está al servicio de la sociedad, sino de los dioses, y se dedica a mostrarnos, o a que atisbemos el encuentro de lo conocido con lo desconocido. El humor no tiene nada que pueda agradar a los que se sacian de orgullo encerrándose en sus certitudes, ya que, por el contrario, es el nerviosismo de una inteligencia que quiere volar, nerviosismo siempre doloroso, pues al abrir sus alas, el espíritu se martiriza contra los barrotes de su jaula."

Horacio Walpole: "El humorismo es a la vez una comedia y una tragedia. Una comedia para el hombre que piensa y una tragedia para el hombre que siente."

Para Thackeray, uno de los más grandes humoristas ingleses, "el humorismo no solo pone de relieve el ridículo de las cosas, sino que, además, evoca la piedad, la ternura y la compasión en favor de los que sufren. El humorismo es una especie de predicación laica".

Menéndez Pelayo ha sintetizado la teoría del humorismo, según Richter, en los términos siguientes: "El humorismo no es para

Juan Pablo otra cosa que lo *cómico romántico.* Y ¿de qué manera puede adquirir lo cómico el carácter de *infinitud* propio de la musa romántica, siendo así que el entendimiento y el mundo objetivo no conocen más que lo finito? Si oponiendo lo finito como contraste subjetivo a la idea infinita considerada como contraste objetivo, y en vez de producir, como en el caso de lo sublime, la manifestación de lo infinito en lo finito, producimos *la manifestación de lo finito en lo infinito,* es decir, una *infinitud* de contraste, una negación de lo infinito, un *sublime al revés,* tendremos el *humor,* o sea lo cómico romántico. El humorista no se fija en una locura o extravagancia individual; para él no hay necios, sino un mundo de necedad, una necedad infinita. Rebaja lo grande y exalta lo pequeño, pero no a la manera que lo verifican la parodia y la ironía, sino aniquilándolos el uno por el otro, ya que delante de lo infinito todo es igual y todo es nada. Esta *universalidad* del humor puede expresarse simbólicamente y por partes, como lo han hecho Rabelais, Sterne y otros, o bien, y es procedimiento más elevado, presentando totalmente las grandes antítesis de la vida como las presentan Shakespeare y Cervantes. El verdadero humorista es dulce y tolerante con las flaquezas particulares que tanto excitan la bilis del satírico, porque el humorista empieza por reconocerse afín con la Humanidad y partícipe de su miseria... En el fondo, el humorismo es cosa muy seria, como que entraña la idea aniquiladora e infinita... El humorista divide su *yo* en dos factores: finito e infinito, y hace salir el segundo del primero. El *humor* nunca es involuntario ni se ignora a sí mismo."

Según Cejador, "el humorismo es la ironía filosófica del sabio desengañado, que, cansado de buscar lo que su alma ansía, cae desfallecido y se sonríe de todo para consolarse; es el epifonema del escéptico".

Los ingleses se creen los inventores del humor; al menos, de un *humor inglés.* La creencia es tan falsa como pueril. Justo es reconocer que el humorismo *se da* en Inglaterra con mayor abundancia y lozanía, hoy, que en el resto del mundo; pero su humorismo *es el eterno,* el que existe desde que el hombre aprendió a renunciar y a sonreír. Humorismo, y del mejor, se halla en Aristófanes, en la filosofía estoica, en Ovidio, en Petronio, en Luciano de Samosata, en Apuleyo. Para la mayor parte de la crítica, los tres humoristas más excelsos han sido: Chaucer, Rabelais y Miguel de Cervantes.

Humoristas insignes ingleses han sido Shakespeare, Swift, Thackeray, Sterne, Dickens, Wilde, Shaw, Chesterton... Pero ¿quién podrá negar el humorismo de nuestros Arcipreste de Hita, Arcipreste de Talavera, Anselmo de Turmeda, Alemán, Espinel, Quevedo, Góngora, Gracián, Larra, Campoamor, "Silverio Lanza"? ¿Quién negará el humorismo portentoso de Dostoyevski o de Poe, de Eça de Queiroz o de Mark Twain?

El humor es de siempre y de todas las literaturas. En lo que no estamos conformes es en esa calificación, ya vulgar, de *escritores humoristas,* de escritores susceptibles únicamente a la solicitación del humor. Cualquier escritor, *circunstancialmente,* puede resultar humorista; y si es un admirable escritor, su humorismo será admirable. El humor no es *un carácter,* sino *un estado de ánimo* que surge y desaparece. ¡Tan extraordinario, tan maravilloso, tan sobrehumano es el humorismo, que los hombres no lo pueden disfrutar sino en pequeñas porciones y de cuando en cuando! El escritor que presume de humorista constante—legítimamente caracterizado—hace surgir en los inteligentes la sospecha de ser únicamente un tonto.

El humorismo en el arte es igualmente antiquísimo. Posiblemente nació en Oriente. Humorismo extraordinario existe en las *estatuas febriles* del templo de Mahabelipur—entre Madrás y Pondicheri—; en las *estupas* de Pagan—orilla izquierda del Irawadi, Birmania—, templos fundados, según la tradición, por Ananda, discípulo predilecto de Buda; en las *gopuras* de Madura—India meridional—y en las columnas y en los frisos y en los zócalos de otros innumerables templos, en los que los escultores más admirables dejaron la patente de un humorismo insuperable.

El humorismo discurre a lo largo del arte medieval en capiteles, portadas y miniaturas, hasta alcanzar la cumbre imaginativa en las pinturas del Bosco y en las de ciertos pintores renacentistas florentinos cuando interpretan *caseramente* ciertos temas sacros.

Modernamente, es Inglaterra la que inicia el humor en el dibujo y en el grabado, llevándolo a las revistas. Nadie puede negar el humorismo —lindante con el sarcasmo—de nuestro Goya. Y humor del mejor hállase en las litografías de Daumier o de Gavarni. Y cuando la caricatura triunfa en el mundo, puede afirmarse el imperio del humor en su grado más aquilatado y significativo.

El humorismo más radical informa—y hasta, a veces, determina—las más recientes tendencias pictóricas: el picasismo, el futurismo, el negrismo, el superrealismo, el cubismo...

V. Baroja, Pío: *La caverna del humorismo.* —Gómez de la Serna, R.: *Ismos.* Madrid, 1931. —Richter, Juan Pablo: *Introducción a la Estética.* Madrid, s. a. [¿1908?]—Menéndez Pelayo, M.: ... *Ideas estéticas...* 1883. Thackeray, W. M.: *The Book of Snobs.* Londres, 1847. Swift, Jonathan: *Miscellanies.* 1727.—Chesterton, G. K.: *Alarms and Discursions.* Londres, 1910.

H

HÚNGARA (Lengua)

La lengua húngara o magiar es una de las correspondientes al grupo uralo-alcaico o finotártaro. Se habla en Hungría y en la Transilvania y es de la más antigua formación en Europa. Está constituida por un gran número de palabras de procedencia alemana, griega, latina, eslava, persa...; lo que se explica por las relaciones de Hungría con diversos pueblos a lo largo de su historia. Son cuatro sus dialectos principales: el *paloczen,* el dialecto de los magiares de la cuenca del Danubio, el dialecto de los magiares *de la Theiss* y el de los *Szeklers,* que viven en la Transilvania, en la Moldavia y en la Bukovina. Este último es el menos hablado, y se diferencia de los anteriores por su pronunciación *baja* u opaca.

La lengua húngara es sumamente armoniosa, cualidad que la alcanza por la proporción en que se mezclan las vocales y las consonantes. Las raíces son muy simples y en su mayoría monosílabas. La composición se forma con mucha facilidad. No distingue los géneros, ni tiene declinación. La flexión de sus casos se logra con partículas añadidas a la radical. La conjugación es muy rica en modos y tiempos. El verbo activo se conjuga de dos maneras, según que se emplee en un sentido general o en un sentido determinado. Consta de tres tiempos y participio.

Una particularidad del magiar es aplicar a los nombres familiares las reglas de los adjetivos, por ejemplo, colocándolos antes de los pronombres.

El alfabeto húngaro, que no es otro que el latino modificado, tiene vocales simples, *a, e, i, o, u,* y vocales mudas, *á, é, í, ó, ü,* para la pronunciación *rastreada* o *baja.* Entre las consonantes, *cs* tiene valor de *ch* y de *ts; cz,* la de *c* y *tz.* La *y* tiene sonido de *j* y no de *i,* y se confunde con la consonante que la precede.

La lengua húngara durante muchos siglos estuvo excluida de un *papel oficial,* utilizándose en Hungría el *latín* o el alemán. Apenas si es instrumento de la literatura nacional desde el siglo XIX.

V. KIEDEL: *Magyarische Grammatik.* Viena, 1918.—IMRE, S.: *A magyar irodalom és nyelvrövid törnéte.* Budapest, 1885.—DUX, A.: *Aus Ungarn.* Budapest, 1910.

HÚNGARA (Literatura)

Siendo la lengua húngara una de las que antes se formaron en Europa, la literatura no pudo desarrollarse a causa de la titánica lucha de los magiares con los pueblos opresores, quienes proscribían el uso del húngaro, imponiendo el latín o el idioma de los vencedores para las relaciones oficiales y culturales.

La literatura húngara, hasta principios del siglo XIX, se desarrolló con mucha dificultad, *casi a escondidas.*

Del siglo XI datan los *Gesta Ungarorum;* en ellas confluyen los relatos de origen glorioso y bíblico de Hungría; se refieren a los *hunos,* a la entrada de los húngaros en Panonia y al ciclo de los primeros reyes.

Los archivos han revelado la existencia de trovadores profesionales. Al siglo XIII corresponde una *oración fúnebre*—en húngaro—hallada en un devocionario latino; y al XV, el más precioso producto de la lírica medieval: una *Elegía a la Virgen.* En 1436 se tradujo al húngaro la Biblia, según la entendían los husitas.

La Reforma conmovió a Hungría más profundamente que a otros países. Al humanismo protestante se debe la primera obra impresa en lengua húngara—1527.

En el siglo XVI destacan dos nombres en la literatura: Peter Bornemisza-Absthemius, autor de homilías, sermones y una adaptación de la *Electra,* de Sófocles, y el barón Bálint Balasi (1551-1594), trovador, admirador de Petrarca y versificador fecundo y sentimental.

Al siglo XVII corresponden: Janós Apáczai-Csere, gran prosista y erudito, autor de una *Enciclopedia Húngara* y de una *Lógica.* Miklós Zrinyi, el primer gran prosista húngaro y "sublime poeta lírico", que cantó en estrofas hermosísimas la guerra contra el opresor turco. István Gyöngyösi, poeta burlesco, jocoso, pagano, popularísimo en su tierra.

"Hacia los últimos años del siglo XVII—escribe el profesor Béla Zolnay—asistimos a una incomparable floración de la veradera poesía popular, la del lirismo de los soldados "kouroutz", producto único y especial de la literatura húngara, a la que ha fecundado hasta los albores de nuestro siglo. Por ella alcanzan expresión literaria el alma viril, el espíritu burlón, el humor resignado y, en algunos momentos, la desesperación de los rebeldes del ejército de Rákóczi, que defendía, frente al enemigo alemán, la libertad política y religiosa. Nacida junto al fuego de los vivaques, para conmemorar las peripecias y los fastos militares, ha inspirado gran número de piezas musicales, entre ellas la *Marcha de Rákóczi,* de Berlioz."

En el siglo XVIII aparece el primer periódico húngaro—1780—, nace el teatro nacional —1790—, y multitud de escritores desterrados mantienen las relaciones culturales de Hungría con Europa, entre ellos: Francisco II Rákóczi, Kelemen Mikes, János Fekete, József Teleki, György Bessenyei—autor de comedias, poesías didácticas y una novela utópica...

El siglo XVIII, en Hungría, se caracteriza *por una reacción contra el espíritu latino.* András Ougonics escribe novelas prerrománticas. El conde Gvandányi compone epopeyas cómicas y populares. Mihály Csokonai fue autor de poemas sentimentales y anacreónticos. Kálman Thaly hizo populares algunas canciones a la manera de los "kouroutz". Daniel Berzsenyi, poeta magnífico, autor de admirables idilios, patético y prerromántico. Kárman, autor de la novela *Fanni,* influida por el *Werther,* de Goethe. Ferenc Kazineczy, defensor del ideal clásico y humanista.

Siglo XIX.—Es la centuria en que la literatura húngara inicia su apogeo. La Academia de Hungría fue fundada en 1825. En este período destacan: Sándor Kisfaludy, gran poeta romántico, petrarquista rezagado, autor de canciones y romances trágicos sobre temas medievales. Su hermano Károly Kisfaludy, autor de la primera tragedia, de gran éxito, *Irene,* 1820. Jözsef Katota, gran dramaturgo—*Bank Ban,* 1821—. Kölcsey, el "Novalis húngaro", autor del *Himno nacional.* Lajos Kussuth, publicista y prosista excelente. El conde István Széchenyi, fundador de la Academia de Hungría y autor de un curiosísimo diario. El barón József Eötvös, novelista de mérito—*El cartujo, El notario de pueblo*—. Miklós Jósika, el "Walter Scott húngaro". Zsigmond Kemény, el "Balzac húngaro", iniciador de la tendencia realista. Mór Jokai, acaso el más popular y universal de los narradores húngaros, autor de más de un centenar de novelas, algunas de ellas *a la manera de Julio Verne,* pero al que se anticipó en la *Novela del siglo futuro;* su mejor novela es el *Nuevo hacendado; La rosa amarilla* ha tenido un gran éxito en España. Los cuatro grandes poetas húngaros del siglo XIX son: Vörösmarty, Petöfi, Arany y Ady.

Mihály Vörösmarty (1800-1855) representa el *lamartinismo húngaro,* sensiblero, tristón, imaginativo—*Oda a Liszt, Mensaje a la nación*—; escribió buenas obras teatrales: *Csongor* y *Tünde.*

Sándor Petöfi (1823-1849) descubrió en el extranjero la Hungría poética. Es el más conocido mundialmente, poeta húngaro, de tendencia byroniana, exaltado pesimista, profundo.

Janós Arany (1817-1882), goethiano, fecundo, inquietante, autor de *Los gitanos de Nagyida, Tiennot el bufón* y de la gran trilogía *Toldi,* en cuya composición trabajó toda su vida, verdadera epopeya húngara.

Endre Ary (1877-1919), poeta profético, cruel y amoroso, creador de mitos y autor de *Demonio, El príncipe Silencio, Los Alpes y la costa, Los caballos de la muerte.*

Otros escritores notables: Mihály Tompa, autor de romances históricos y leyendas floridas. Imre Madách, autor del gran poema *La tragedia del hombre*—1861—, comparable a *Fausto, Manfredo* y *Peer Gynt.* Kálmán Mikzáth, novelista, humorista. Tömörkeny, novelista de costumbres. Ferenc Herczeg, el "Bourget húngaro", popularísimo en España, dramaturgo y novelista—*La hija del Nabab de Dolova, Casa Honthy, Tres guardias de corps*—. Mihály Babits, poeta iniciador del *parnasianismo húngaro* y uno de los fundadores de la famosa revista *Nyugat.* Esta revista agrupó a los representantes del *modernismo:* Dezsö Kosztolányi, impresionista y expresionista; Arpád Tóth, simbolista; Gynla Juhász, baudelariano; Lörinc Szabó, traductor de Verlaine.

Siglo XX.—Famosos son los periodistas y dramaturgos Lajos Biró, Menyhért, Lengyel y Ferenc Molnar, este último muy apreciado en España. Eugenio Heltai, humorista admirable, cuyas obras han sido traducidas a todos los idiomas. T. Kóbor—*Budapest*—. Lajos Kassák, poeta influido por Whitman y Marinetti. Dezsö Szabó, gran novelista—*El pueblo destruido,* 1919—. Cecilia Tormay, novelista—*La vieja casa*—. Gyula Krudy, autora de deliciosos relatos líricos. Miklos Surányi, novelista.

Son novelistas extraordinarios y conocidísimos en España: Lajos Zilahy—*Las armas miran atrás, Primavera mortal*—, Ferenc Körmendy—*Aventura en Budapest, La gran mentira*—, Mihály Föeldi, Frigyes Karinthy—*Viaje alrededor de mi cráneo*—, Sándor Márai, el más europeo de los autores húngaros contemporáneos.

Otto Car Prohászka, filósofo, orador y polemista. Tihamer Tóth, obispo, pedagogo, cuyas obras están traducidas, casi en su totalidad, al castellano. János Kodolanyi, prosista y poeta excepcional. Gyula Illyes, József Nyire—*El Uz*—, Attila József, poeta de la desesperación; Jënd Heltai, András Németh, biógrafo...

V. KONT, I.: *Histoire de la littérature hongroise.* París, 1900.—TAPIÉ, V. L.: *Littérature hongroise contemporaine.* Bruselas, 1928, en "Le Flambeau".—ZOLNAY, Béla: *Literatura húngara.* En "Historia de la literatura universal". Madrid, "Atlas", 1946.

HURONÉS (Lenguaje)

Uno de los principales lenguajes iroqueses, hablado al este del lago Hurón. Carece de los sonidos *b, f, g, m, n, p, u, v,* y *z* del alfabeto latino. Los verbos simples tienen una doble conjugación: una absoluta y otra recíproca. Comprende numerosos verbos de acción; tantos, que los filólogos han creído que cada palabra que significa alguna actividad origina un verbo.

V. LUDEVIG, H. E.: *The Literature of american aboriginal languages.* Londres, 1858.

HURRITA (Literatura)

El pueblo hurrita habitó en la Siria del Norte, y tuvo grandes relaciones con el pueblo hittita. Los vestigios de su literatura han sido

H

encontrados en Amarna (Egipto), Bogazköi (Asia Menor), Nuzu (Mitania), Mari (Asiria) y Ugarit (Fenicia); entre ellos, unos fragmentos de la versión hurrita del poema de Gilgames y la leyenda de Kumarbi.

Del profesor Celada, de la Universidad de Madrid, es este juicio: "Los mitos hurritas son verdaderas epopeyas. En ellas se advierte el mismo gusto por la descripción de los pormenores que en Homero. Homero y Hesíodo, los dos grandes poetas épicos, procedían de las cosas del Asia Menor, y eran contemporáneos del rey Midas, de Frigia, donde, en los templos, se conservaba la vieja tradición hittita-hurrita. Ambos grandes poetas conocieron, sin duda, las epopeyas orientales, que ellos combinaron con la vieja tradición micénica. Se citan coincidencias bien concretas, como las tres parejas de divinidades: Urano y Ge, Cronos y Rea, Zeus y Hera; la castración del dios del cielo, la palabra alada, la apuesta por la hija del rey."

V. GÖTZE, A.: *Hethiter, Hurriter und Assyrer.* Oslo, 1936.

HUSITISMO

Herejía de Juan Hus.

Juan Hus nació—1369—en Has o Hussinetz, aldea de Bohemia, de familia pobre. En 1400 ingresó en el estado sacerdotal, iniciando su actividad como predicador fogoso y sugestivo. En 1402 fue nombrado orador sagrado de la capilla de Betlehem, en la cual se predicaba en lengua checa y con ciertas tendencias reformadoras. En 1402 fue nombrado rector de la Universidad de Praga y confesor de la reina de Bohemia, Sofía de Baviera.

Ya en 1399, Juan Hus defendió las 45 proposiciones de Wiclef, aun cuando no rechazó, como este, el dogma de la transustanciación. Los profesores alemanes de la Universidad de Praga, enemigos de los checos y con más votos que estos en el claustro universitario, hicieron condenar—1403—las proposiciones de Wiclef. En 1408, el arzobispo Sbynko quitó a Hus el cargo de predicador sinodal, y poco después le privó de las licencias eclesiásticas, pronunciando contra él—1410—la sentencia de excomunión y ordenando que sus obras fueran quemadas públicamente con los escritos de Wiclef.

Pero el rey Wenceslao IV protegió abiertamente a Hus, rehusó la obediencia a Roma y aceptó la de Pisa.

Los teólogos checos siguieron a su rey, mientras los alemanes permanencían fieles a Roma.

Con ocasión de unas indulgencias publicadas por el Pontífice Juan XXIII—1411—, Hus que se opuso a ellas, fue de nuevo anatematizado y desterrado de Praga, iniciando entonces la propagación de sus doctrinas en escritos como *De Ecclesia,* manifiestamente wiklefianos y en abierta oposición con Roma.

Al reunirse—1414—el Concilio de Constanza, el emperador Sigismundo dio un salvoconducto a Hus para que fuese a defenderse ante aquella docta asamblea. En el Concilio fueron declaradas heréticas 30 proposiciones de su obra *De Ecclesia.* Juan Hus no quiso retractarse, y fue detenido, encarcelado y c o n d e n a d o a muerte.

Entregado al brazo secular, Hus fue quemado vivo—1415—, muriendo con un valor y una resignación admirables.

Un año más tarde sufrió la misma pena su amigo y discípulo Jerónimo de Praga.

A partir de 1925, el aniversario del día de la ejecución de Juan Hus se conmemora como fiesta nacional y religiosa en Bohemia. Hus no es solo el padre del nacionalismo religioso bohemio, sino el propugnador ilustre de su lengua, a la que dio una nueva ortografía, y el creador de su literatura. La colección de las obras de Juan Hus fue publicada—1558—en Nuremberg, en dos tomos, con un prefacio de Lutero, y reimpresa—1715—con el título de *Joannis Hussii et Hieronymi Pragensis confessorum Christi, historia et monumenta.*

La muerte de Hus y la cobardía que para Hus tuvo el emperador Sigismundo provocaron la indignación de los bohemios y dieron lugar a la terrible guerra llamada de los *husitas,* que duró diecisiete años (1419-1436).

Poco antes se había constituido la secta de los *calixtinos,* que pedían la comunión en las dos especies (cáliz y hostia). Calixtinos y husitas estaban de acuerdo para exigir la reforma del clero y el fin de los abusos eclesiásticos. Y juntos organizaron la célebre posesión del cáliz, asaltaron la casa municipal de Praga y echaron por las ventanas a siete consejeros católicos, contrarios a su partido *(defenestración de Praga),* saquearon las iglesias y conventos y se apoderaron del rey, *que murió de miedo* —1419—. La montaña Tabor vino a ser su fortaleza, desde la que desafiaron a los ejércitos del emperador Sigismundo; y obtuvieron algunas victorias, dirigidos por Juan Ziska, Nicolás de Husinetz y Andrés Procope. Y respondieron a las matanzas de los husitas con los degüellos de monjes. El Concilio de Basilea —1433—restableció al fin la paz con los convenios llamados *Compactata de Praga,* firmados en Iglau en 1436, concediendo a los checos la facultad de comulgar bajo ambas especies —*sub utraque specie*—; de aquí que los husitas fueran también llamados *utraquistas.* Sin embargo, quedaron comunidades husitas en Bohemia y en Moravia. Los religiosos llamados *hermanos moravos,* que se distinguieron como misioneros, se reclutaron—1457—entre los restos de los husitas. Rehechos—1722—después de las persecuciones, los moravos fijaron su residencia en Hernhut de Lusacia, y fueron los *cuáqueros* de Alemania, y ejercieron gran influencia sobre el *metodismo* (V.) inglés del siglo XVIII. Después marcharon a América septentrional, y hoy cuentan con más de 100.000 prosélitos.

El husitismo ha sido considerado como el eslabón entre Wiclef y Lutero.

El husitismo rechazó la autoridad del Pontífice; atacó los vicios del clero y sus abusos y simonías, las excomuniones, las indulgencias, el culto de la Virgen y de los santos y la comunión bajo una sola especie.

V. MOURET, F.: *Histoire générale de l'Eglise.* 1913.—HELFERT: *Studie über Hus und Hyeronimus.* 1853.—ZITTE: *Lebensbeschreibung des Magisters Joh. Hus.* 1789-1795.— FUNK, F. X.: *Compendio de historia eclesiástica.* Trad. cast. 1908.

I

IAMBO (Verso y pie) (V. Yambo)

IBÍDEM

Adverbio latino, muy usado en las obras literarias—notas, escolios, índices—, significando: *allí mismo, en el mismo lugar.*

ICONOCLASTISMO

Herejía de los iconoclastas o *destructores de imágenes.*

Desde los tiempos de Constantino se hizo costumbre general entre los cristianos la de venerar las imágenes—pinturas o esculturas— de Nuestro Señor, de María Santísima y de los santos. Esta costumbre tuvo en seguida muchos adversarios. Los judíos veían en ella una infracción a la ley del Sinaí, que prohibía adorar toda imagen labrada o pintada que represente a Dios *(Exodo,* XX, 4). A los musulmanes les prohibió el Corán la fabricación de imágenes. Y muchos cristianos, disconformes con los excesos del culto y de las prácticas supersticiosas de que eran objeto las imágenes piadosas, consideraban como idolatría la adoración de tantas imágenes.

Posiblemente, el primer iconoclasta de que hace mención la Historia fue el arzobispo nestoriano Sanajas de Hierápolis, esclavo fugitivo y hombre ignorante, que, sin estar bautizado, fue ordenado por el heresiarca Pedro Foulon. A Sanajas se unieron, en los comienzos del siglo VIII, varios obispos: Constantino de Nacolea, Teodoro de Efeso y Tomás de Claudiópolis, todos ellos poseedores de gran influencia en los negocios públicos, quienes consiguieron del emperador León III el *Isáurico,* de origen asiático, que publicara—726—un *edicto* que proscribía el culto de las imágenes en todos los edificios sagrados o profanos.

Posiblemente convencieron al emperador haciéndole creer que el excesivo culto que a las imágenes daban los católicos era el único obstáculo que se oponía a la conversión de los judíos y musulmanes.

A consecuencia del edicto de León III fueron rotas brutalmente las imágenes de todas las iglesias. Y se inició un período de turbación y de sangrientas persecuciones, que duró ciento veinte años. Los protagonistas fueron el emperador y los monjes. Y posiblemente aquel —*aquellos,* ya que los emperadores perseguidores se sucedieron—exageraron la *causa religiosa* del conflicto para ocultar la *causa política,* para ellos mucho más interesante, ya que temían el poder que iba adquiriendo el monacato, tanto por la riquezas que sumaba como por la *inmunidad fiscal* de que gozaba, no produciendo beneficio alguno al tesoro imperial.

En vano protestaron contra el edicto San Germán, patriarca de Constantinopla, y el Pontífice Gregorio II.

La *guerra de las imágenes* abarcó dos períodos perfectamente distintos: el primero, de 726 a 775, caracterizado por las represalias contra los adoradores de imágenes; el segundo, de 775 a 842, período *de tregua religiosa,* pero no de intrigas francamente políticas.

"El segundo Concilio de Nicea—787—fijó la doctrina de la Iglesia, distinguiendo el culto de las imágenes y el de la persona que las mismas representan. El Concilio declaró que la *veneración* otorgada a las imágenes no debía confundirse con la *adoración* que solamente corresponde a Dios."

Durante el primer período, León III se opuso a los Pontífices Gregorio II y Gregorio III, y cometió el error de restar a la jurisdicción romana, para confiarlos a la jurisdicción del patriarca de Constantinopla, los territorios de Calabria, Sicilia, Creta y el Ilírico, con la cual disposición abrió una seria enemistad entre el Pontificado y el Imperio.

Constantino Coprónimo, hijo de León III, continuó, aún con más violencia, la obra de su padre, y reuniendo en Constantinopla—754— un *Sínodo complaciente,* en el que no estuvieron representados ni el Pontífice ni los patriarcas de Alejandría, Antioquía y Jerusalén, logró que fuera condenado el culto de las imágenes.

Los monjes se opusieron enérgicamente, por lo que arreció la persecución contra ellos. En

769, el Pontífice Esteban III, en el *Sínodo de Letrán,* anatematizó el Concilio de Constantinopla y a los iconoclastas.

En el segundo período, durante el reinado de León IV y de la emperatriz Irene, que se encargó de la regencia durante la minoría de su hijo Constantino VI, casi desaparecieron las persecuciones. León IV, sin derogar las leyes iconoclastas, no tenía gran interés en que se cumplieran; y la emperatriz Irene era francamente partidaria de las imágenes. Durante su regencia, de acuerdo con el Pontífice Adriano I, convocó el ya mencionado Concilio II de Nicea, y VII entre los Concilios generales. La cuestión del iconoclastismo quedó, pues, terminada *de derecho.*

Pero los iconoclastas volvieron a sublevarse durante los reinados de León V el *Armenio* (813-820), Miguel II (820-829) y Teófilo (829-842), siendo completamente reducidos por la emperatriz Teodora (842-859). Desde entonces no fue lícito adorar las imágenes, pero se las podía besar, prosternarse delante de ellas, encender ante ellas cirios y quemar incienso.

Los iconoclastas tuvieron alguna fuerza entre los obispos de la Galia, los cuales, equivocando las decisiones del Concilio II de Nicea, creyeron que este había permitido *la adoración* de las imágenes. Carlomagno, en sus *libros carolingios,* expuso sus objeciones al Pontífice, aclarándolas por completo Adriano I.

V. BRÉHIER, L.: *La querelle des images.* París, 1904.—MAIMBOURG: *Histoire de l'herésie des Iconoclastes.* París, 1674.—TALBOT: *Historia iconoclastorum.* París, 1674.—PARGOIRES: *L'Eglise byzantine de 527 à 847.* París, 1905.—WALTSGOTT: *De iconolatria christianorum idolatrica.* Halle, 1756.

ICONOGRAFÍA

De εἰκών, imagen, y γράφειν, escribir.

1. Descripción y estudio científico de las estatuas, cuadros, miniaturas antiguas, mosaicos.

2. Interpretación del lenguaje natural o misterioso en que *nos hablan* los objetos antiguos.

3. Tratado o colección de imágenes o de retratos.

Iconografía es el conocimiento en general de las representaciones figuradas, ya sea de dioses, ya de hombres, y en particular la descripción de los monumentos de la estatuaria antigua y de la Edad Media. Todas las obras de arte que conservan los vestigios reales o legendarios de un personaje caen bajo su dominio: esculturas, pinturas, mosaicos, piedras grabadas, camafeos, miniaturas...

La Iconografía es una parte importante de la Historia del Arte, sea general, sea religioso o literario; entra a formar parte de lo que se conoce con el nombre de *paralipómenos históricos.*

Obras fundamentales de Iconografía son: *Illustrium imagines,* de André Fulvius, en las colecciones de Mazocchi, Roma, 1517; *De Statuis illustrium Romanorum,* de Ed. Frigelius, Estocolmo, 1656; *Iconografia,* de Canini, Roma, 1669; *Veterum Illustrium Philosophorum, poetarum..., imagenes ex antiquiis monumentis desumptae,* por Bellori, Roma, 1685; *Iconographie ancienne,* por Visconti y Moguez, París, 1808-1817; *Dictionnaire iconographique des monuments de l'antiquité chrétienne et du moyen âge,* por Guénebault, París, 1843; *Iconographie chrétienne. Histoire de Dieu,* por Didron, París, 1843; *Manual de Iconografía cristiana, griega y latina,* por Didron, París, 1845, y Madrid, 1887.

En España, la Junta de Iconografía Nacional lleva más de treinta años publicando obras del más alto interés.

ICONOLOGÍA

De εἰκών, imagen, y λέγειν, decir.

Tiene por objeto la explicación de las imágenes emblemáticas y de sus atributos, de los monumentos antiguos, de las figuras alegóricas...

Generalmente, la Iconología se refiere a los *temas* y *objetos paganos,* habiéndose dejado la Iconografía para los *temas* y *objetos cristianos.*

Otros escritores las diferencian, afirmando que la Iconografía se refiere a las personas, y la Iconología a las cosas y a los emblemas y atributos de las personas.

Los paganos multiplicaron sin fin sus divinidades, y los pintores, poetas y escultores ejercitaron su fantasía con diferentes figuras formadas de objetos puramente quiméricos, dando igualmente cuerpo a los atributos divinos, estaciones del año, provincias, ríos, artes, ciencias, virtudes, vicios, pasiones, etc.

Tratados muy importantes de Iconología son: *Recueil d'emblèmes,* por Baudoin, París, 1688; *Iconología,* de Boudard, París, 1796; Londres, 1803; *Iconologie ou traité complet des allegories, emblèmes,* etc., de Gaucher, París, 1796; *Iconología,* de Pistrucci, Milán, 1817.

ICTUS

Ritmo del acento en la métrica clásica.

IDEA

1. La primera y más sencilla operación del entendimiento.

2. Imagen que queda en el alma del objeto percibido.

3. Intención o ánimo de ejecutar alguna acción.

4. Plan o disposición del escritor para la producción de alguna obra.
5. Ingenio. T a l e n t o. Inventiva. *Tener ideas...*
6. Opinión y concepto que se forma de alguien o de algo.
7. Regla. Norma.
8. Los griegos y romanos llamaron así a la Naturaleza.

IDEAL

1. Modelo *interior* que el escritor y el artista se hacen de un objeto real.
2. Aspiración máxima.
3. La perfección de una obra, esencia misma del ideal.

"Según Platón, ideal y belleza perfecta son dos palabras sinónimas, y la idea que estas palabras representan es innata en el hombre y tienen su origen en la misma divinidad. El artista, con solo la fuerza de la imaginación, se eleva a esta concepción de lo bello absoluto y se esfuerza en reproducir su imagen."

El ideal es esencialmente individual. Un mismo tema, tratado por veinte artistas geniales, alcanzará una perfección absolutamente distinta. Plauto, Molière, Balzac y Galdós encarnan la avaricia en Euclión, Harpagón, Goriot y Torquemada, y, sin embargo, los avaros perfectos en los cuatro se diferencian profundamente. (V. *Arte, Belleza.)*

IDEALISMO

Es sumamente difícil dar una definición del idealismo, ya que este término, de complejo contenido, se proyecta en campos de muy distinta significación y trascendencia: filosofía, literatura, arte y hasta economía. Término sumamente vago, apenas debe emplearse sin explicarlo.

Filosóficamente puede afirmarse del idealismo que es una doctrina o sistema que considera la idea como el origen del conocimiento, de la existencia o del conocimiento y de la existencia a la vez. Más concretamente: sistema que considera la idea como principio del ser y del conocer. Tendencia de subordinar la realidad a la idea. Según el idealismo filosófico, el mundo de la materia es una pura ilusión, es nada fuera de la representación que creemos tener de él. Como teoría del conocimiento, es la negación de la realidad o, por lo menos, de la cognoscibilidad de todo lo que no sea idea. Lo primero que se advierte en las definiciones antecedentes es que, filosóficamente, el término idealismo no encierra ese sentido tan común hoy *de imaginación creadora a compás de la sensibilidad en una proyección de ensueño casi.* Este contenido queda vigente para los ámbitos del arte y de la literatura.

Aclarando las definiciones del idealismo filosófico, escribe Edmond Goblot: "En la teoría del conocimiento, el idealismo consiste en sostener que el pensamiento no conoce otra realidad que el pensamiento mismo. Según Descartes, Malebranche, Leibniz, la existencia de realidades verdaderas correspondientes a los objetos de nuestro conocimiento nos es garantizada por la *veracidad divina,* o por la *armonía preestablecida.* Según Kant, el *nóumeno* existe; "para que haya apariencias es realmente necesario que haya algo que aparezca". Pero el nóumeno es incognoscible; los datos del conocimiento, que son nuestras propias modificaciones o afecciones, no pueden ser pensados más que bajo ciertas formas y según ciertas leyes. Ahora bien: estas formas y estas leyes pertenecen a la naturaleza del espíritu, no a la naturaleza de las cosas. Son condiciones de la posibilidad del ser. A este respecto se llama a menudo a la doctrina de Kant *idealismo subjetivo.*

"En Ontología, el idealismo consiste en decir que las cosas no son más que nuestros propios pensamientos. No hay un mundo exterior que esté representado en nosotros; el mundo es esta misma representación que en nosotros existe: lo único real son los sujetos pensantes, y la realidad de los objetos consiste en ser pensados por estos sujetos: *esse est percipi* (Berkeley). Es lo que se llama a menudo *idealismo metafísico.* Extremando el sistema, el sujeto pensante acaba por decirse que, si se representa en el mundo a otros sujetos pensantes, estos no existen tampoco sino en tanto que son representados o representables en él, de tal manera que no afirma ninguna existencia fuera de su existencia personal. Esta actitud metafísica se llama *solipsismo.* Los sucesores de Kant, especialmente Fichte, Schelling y Hegel, han tratado de eliminar la noción del nóumeno, de *cosa en sí* inaccesible, y sus doctrinas han sido denominadas *idealismo absoluto.* Pese a sus profundas diferencias, vuelven las tres a considerar la distinción del sujeto y del objeto, del yo y del no-yo, distinción que constituye la conciencia, como derivada y como no primordial. El ser, anterior a la conciencia, es absoluto; anterior a lo relativo, es la identidad del sujeto y del objeto."

Excelente es la síntesis de Goblot, pero la división peca, quizá, de insuficiente.

La crítica moderna divide el idealismo en *positivista, crítico* y *absoluto.* El idealismo positivista—Berkeley, Hume, Spencer—es el que interpreta la realidad a través de la conciencia empírica. El idealismo crítico—Kant y los criticistas—interpreta la realidad a través de las leyes universales. El idealismo absoluto pone como fundamento último del ser el *yo*—Fichte—, lo absoluto—Schelling—, la idea—Hegel—. Y la misma crítica asevera que a una de estas tres formas puede reducirse cualquiera de los términos con que en la filosofía moderna se expresa el idealismo: *inmanentismo* (V.), *innatismo* (V.), *trascendentalismo* (V.), *apriorismo* (V.), *psicologismo* (V.), *misticismo filosófico,* etc.

Tampoco la división antecedente satisface por completo. Y no han faltado filósofos que estimen como más exacta la siguiente: a) *idealismo platónico*—vigente hasta bien entrada la Edad Media—; b) *idealismo medieval* o *ultrarrealismo;* c) *idealismo cartesiano;* d) *idealismo de la escuela inglesa;* e) *idealismo kantiano;* f) *ideal realismo del siglo XIX.*

El idealismo platónico ha sido rechazado decididamente por los filósofos modernos, alegando que en el sistema platónico "las ideas quedan convertidas en realidades, en la única realidad auténtica". Un filósofo español, Ferrater Mora, cree que la repudiación que se hace del idealismo de Platón se debe, en su origen, a la diferencia que existe entre el idealismo de las ideas y el idealismo de los ideales. El auténticamente filosófico es aquel. Porque Platón entró en el conocimiento creador de las *ideas-ideales* por el camino de la contemplación de la belleza.

Lo que sí puede afirmarse es que el término idealismo aparece por vez primera, en su acepción filosófica, con Leibniz, quien, aludiendo al materialismo de Epicuro, lo opuso al idealismo de Platón.

En el siglo XVIII se llamó idealismo—en general—a la doctrina de Berkeley. Kant le denominó *idealismo dogmático,* y denominó al idealismo de Descartes *problemático,* y denominó a su idealismo *trascendental de los fenómenos,* ya que Kant consideró todos los fenómenos como representaciones y no como cosas en sí, y el espacio y el tiempo como formas sensibles de nuestra intuición y no como determinaciones dadas en sí mismas. A la doctrina opuesta a este idealismo trascendental la llamó Kant *realismo trascendental.*

Pues bien, insistimos: del idealismo trascendental de Kant derivaron tres nuevas corrientes de idealismo: el *subjetivo* (Fichte), el *objetivo* (Schelling) y el *absoluto* (Hegel). Estos tres idealismos han sido clasificados así: *ético,* el de Fichte, porque coloca el ideal, principio de toda existencia, en el sujeto moral considerado como absoluto; *físico,* el de Schelling, porque equipara la naturaleza al espíritu como expresiones ambos de un absoluto indiferente a toda oposición; *lógico,* el de Hegel, porque declara convertibles lo real y lo racional, "dándose el ser como un absoluto devenir".

Las modernas concepciones filosóficas aceptan un idealismo como resultado de la experiencia—que reduce el conocimiento a una sensación transformada—; o como resultado racionalista—que hace al mundo externo producto de la razón individual o de la razón consciente universal o del absoluto inconsciente—; o estrictamente *intuicionista*—que estima la realidad interna y externa como contingente o como una alternativa de necesidad y contingencia, luego de colocar como base de conocimiento un acto de libertad.

*

Estéticamente, el idealismo se opone radical y vehemente al realismo. El realismo exige al artista una sumisión absoluta a la Naturaleza, a la verdad, a cuanto captan los sentidos y la inteligencia en la *normalidad.* Por el contrario, el idealismo empuja al artista a infringir todas las leyes de la Naturaleza y todos los imperativos de la verdad, a suprimir los obstáculos de la razón... para *crear mundos propios* con ayuda de la imaginación y del anhelo a cuarenta y dos grados de fiebre. El idealismo literario y artístico odia los límites, las imitaciones, las reflexiones, el orden, el método, el compás de espera, la oportunidad.

El idealismo, literariamente, se refugia en la poesía lírica, cuyos alientos estimulan los desbordamientos de lo imaginativo y de lo temperamental. Los demás géneros literarios se prestan menos a la ruptura con la lógica.

El idealismo, artísticamente, se refugia en las *subversiones.*

V. RANZOLI, G.: *Le forme storiche dell' idealisme e del realisme.* En "Linguaggio dei filosofi". 1913.

IDEOLOGÍA

De ἰδέα, idea, y λογος, discurso.

1. Tratado del origen y de la clasificación de las ideas.

2. Sistema de ideas. Conjunto de representaciones.

Se llama ideología, desde el siglo XVIII, al análisis de las operaciones del espíritu y de las formas del lenguaje, encaminadas las unas y las otras a la teoría del origen de las ideas, tal como lo habían enunciado Locke y Condillac.

"Ideología es la ciencia que tiene por objeto manifestar y describir el modo de formarse las ideas, las combinaciones que con ellas hacemos en la mente, las operaciones todas del entendimiento, la teoría, en fin, de las facultades del alma."

También se llama ideología el conjunto de ideas que, a manera de normas, constituyen un programa de acción; así, *ideología del liberalismo, ideología de la Reforma.*

IDILIO

Los griegos, que nos legaron la palabra *idilio,* no le dieron exclusivamente, como los

I

modernos, un sentido de poesía pastoril, sino que la aplicaron a unos breves poemas de géneros muy diversos, con la significación de *pequeñas imágenes* (εἰδύλλιον). Los treinta idilios que han llegado a nosotros como de Teócrito comprenden no solo poesías pastoriles, sino también poesías épicas, líricas e incluso algunos *poemas mímicos*. De estos cuatro géneros de idilios, los pastoriles son, en verdad, los más conocidos. Ausonio compuso, con el título de *Eidyllia*, algunas poesías pastoriles, otras descriptivas y mitológicas, y aun algunas jocoserias parecidas a las de los poetas anacreónticos.

Actualmente, la palabra *idilio* no tiene sino una significación pastoril; a veces se hace sinónimo de *égloga* y de *bucólica* (V.); por ello definen los críticos el idilio: "... como un pequeño poema, casi siempre amoroso, cuyo asunto es ordinariamente pastoril o campestre, como el de la égloga."

Teócrito pasa por ser el maestro de este delicado género, en el que se hicieron igualmente famosos Bión y Mosco. En Roma, Virgilio fue el único que logró rivalizar con los griegos. Horacio es el autor de un delicioso idilio: *Beatus ille que procul negotiis*. Ausonio también escribió excelentes idilios.

En Italia, época renacentista, se cultivó mucho el género, con bastante éxito. La *Aminta*, de Tasso, y el *Pastorfido*, de Guarini, son verdaderos modelos, con la novedad de constituir una transición entre la epopeya y el drama.

En España, la *Diana*, de Montemayor; la *Diana enamorada*, de Gil Polo; la *Galatea*, de Cervantes, y la *Arcadia*, de Lope, son modelos de esta nueva concepción renacentista del *idilio*.

IDIOMA (V. Lengua)

IDIOTISMO

Sinónimo de *modismo*. El P. Juan Mir lo define: "Aquella manera de decir, tan propia de una lengua, que suele traspasar las leyes comunes de la gramática o de la ordinaria construcción."

Los idiotismos son tan peculiares de un idioma, que al ser traducidos a otro pierden su verdadero sentido. *A brazo partido, Armarse de punta en blanco, Llegar de golpe, Venir de perlas*, traducidos a otras lenguas significarían verdaderos disparates.

El origen del idiotismo está en la fuerza imaginativa del escritor, quien, haciendo caso omiso de la gramática, en su sentido recto, busca el sentido tropológico, creando figuras de dicción, frases adverbiales y hasta figuradas o familiares. Para el P. Mir, los idiotismos se deben más a la masa anónima del pueblo que a los escritores cultos y eruditos.

El idiotismo arguye siempre riqueza lexicológica, y la lengua que más abundancia tiene de ellos puede considerarse tanto más rica y armoniosa. Los buenos hablistas se muestran celosísimos en conservar los idiotismos o modismos, ya que ellos suplen magníficamente la carencia de voces propias o de falta de leyes gramaticales en un idioma.

V. VALDÉS, Juan de: *Diálogo de la lengua*. ALDERETE, Bernardo: *Origen de la lengua castellana*. 1606.—COVARRUBIAS, Sebastián de: *El tesoro de la lengua castellana*, 1606.—CAPMANY, Antonio: *Filosofía del lenguaje*. 1787. MAYÁNS Y SISCAR: *Orígenes de la lengua española*.—MIR, P. Juan: *Prontuario de hispanismo y barbarismo*. 1908.—CEJADOR, Julio: *La lengua de Cervantes*, 1907.

IDOLATRISMO o IDOLISMO

Idolatría o idolatrismo es la adoración que se da a los ídolos y falsas divinidades. En la etimología de la palabra idolatrismo existe la idea de una imagen o ídolo. Pero conviene hacer una distinción entre *idolatrismo* y *paganismo* (V.), aun cuando comúnmente son palabras tenidas por sinónimas. El idolatrismo adora los dioses falsos *en forma de ídolos*. El paganismo adora las falsas divinidades sin que estas necesiten apariencias de ídolos o las tomen de personas.

El culto de los ídolos se remonta a la misma infancia del mundo, aun cuando sea muy difícil señalar su origen. Algunos críticos señalan como primeros objetos del culto idolátrico el sol, la luna y los demás astros, los ríos y las fuentes, el fuego, el viento, algunos animales monstruosos. Voscio afirma que la primera idolatría del hombre fue la referida a los vagos principios del Bien y del Mal. Josefo y los Padres de la Iglesia aseguran que el culto de los ídolos dominaba el universo en tiempo de Abraham; y San Epifanio creyó que Sarug, abuelo de Tharé, fue el primero que lo introdujo después del diluvio. Otros historiadores atribuyen esta primera impiedad a Nemrod, que instituyó el culto del fuego. Varios, a Cam, hijo de Noé, o a Canaán.

La Sagrada Escritura dice que los hebreos abandonaron al Señor su Dios, y que adoraron a Astaroth y a Baal.

La idolatría se mantuvo mucho tiempo por el fraude de los sacerdotes, la ignorancia general de los pueblos, la magnificencia de las ceremonias y, sobre todo, por la superstición en los falsos oráculos. Hasta la aparición del cristianismo, el idolismo fue la religión de todos los pueblos, exceptuado el de Israel. A partir del año 313, en que el emperador Constantino dio el *Edicto de Milán*, a pesar de los posteriores esfuerzos del emperador Juliano, la idolatría desapareció del Imperio romano y no tuvo luego otro asilo que entre los pueblos incultos o bárbaros.

Conviene advertir que el idolatrismo no significa la adoración *de algo favorable* para quienes lo adoran. En muchos pueblos, *el miedo forja ídolos;* y son ídolos las enfermedades, los vicios, el dolor... Los idólatras piensan que adorándolos podrán verse libres de ellos.

El idolatrismo fue—y es—: *externo, material* y *simulado,* o *interno* y *formal.* En el primero no se consiente con la voluntad, aun cuando sí con las palabras o los gestos. En el segundo se entrega la voluntad en la adoración. Este segundo idolatrismo es el de los pueblos bárbaros o salvajes. El primero suele ser el de los enemigos de Dios, por odio a El o movidos por la esperanza de un lucro demoníaco.

Según Santo Tomás, el idolatrismo es el mayor de los pecados del mundo, pues atenta contra la misma Divinidad en su más alta prerrogativa. *(V. Fetichismo. Hechicismo. Gentilismo. Paganismo. Politeísmo.)*

IDOLOPEYA

Figura retórica que consiste en atribuir un discurso o un dicho a una persona muerta.

ILÍRICA (Lengua)

Idioma de los antiguos ilirios; perteneció, como su raza, a la rama traciana, de la gran familia eslava. Se alteró bien pronto con la sucesiva introducción de los elementos célticos, latinos, alemanes, hunos, ávaros y búlgaros. Hasta hace poco se llamó lengua ilírica la rama de la familia de lenguas eslavas que Dobrowsky, en sus numerosos trabajos acerca de esta parte de la lingüística, y Adelung—en su *Mitrídates*—, llaman oriental, y que comprende numerosos dialectos. Tantos y tan imprecisos, que algunos filólogos han pretendido que no existía un idioma propiamente ilírico, sino que la Iliria poseía tantos lenguajes como provincias.

Con el doble nombre de *ilírico* y de *glagolítico* conócese un alfabeto introducido a fin del siglo XII por un croata, que lo presentó como inventado por San Jerónimo para sustituir al que los eslavos debían a San Cirilo.

Los dialectos ilíricos son armoniosos, por tener todas sus terminaciones formadas con vocales sonoras. Son igualmente ricos en palabras y en formas. Se prestan mucho a la versificación, cuyo ritmo es extremadamente libre, no admitiendo ni cesura obligada ni rima. El metro más común tiene gran relación con los versos de diez sílabas.

V. CASSIUS, B.: *Institutiones linguae illyricae.* Roma, 1604.—MICHEL, J.: *Prawopis illyrsky.* Praga, 1836.—DOLCI: *De Illyricae linguae vestustate et amplitudine.*

ILIRISMO

Movimiento literario y político iniciado en la primera mitad del siglo XIX—1835—, en Croacia, por Ludovico Gaj y Dragutín, quienes se proponían reunir bajo una denominación única—de *ilirios*—a los pueblos servio, croata, esloveno y dálmata. La base de esta unión sería la lengua, unificada ortográficamente, y la literatura. Se esperaba que la unidad política llegaría más tarde y sin violencias.

Ljudewit Gaj (1809-1872) nació en Zagreb; desde antes de cumplir los veinte años se sintió obsesionado por los ideales de un *paneslavismo* (V.) meridional, proponiéndose unir en una sola modalidad literaria a croatas, dálmatas, servios y eslovenos. Redactó un sistema ortográfico croataesloveno y fundó una revista, órgano del *ilirismo,* titulada *Novine Hvratske.* Fue varias veces diputado en el Parlamento húngaro y obtuvo—1848—el derecho de nombrar un *banus*—gobernador—de Croacia y de convocar una Asamblea popular.

El ilirismo obtuvo un éxito inmenso, principalmente entre los escritores y estudiantes. En 1839 contaba con 10.000 afiliados. Con 50.000 en 1842. Con más de 100.000 en 1844, año en que fue prohibido por el Gobierno imperial de Viena.

A partir de 1870, el ilirismo fue perdiendo su carácter político, robusteciendo, en compensación, su carácter literario. La escritura legal croataeslovena, realizada por Gaj, puede decirse que fue aceptada con rara unanimidad por todos los literatos hasta bien entrado el siglo XX.

ILUMINISMO

1. Nombre dado a la secta herética de los iluminados.

Para Menéndez Pelayo, el iluminismo existió antes que existiese el cristianismo. Ya los brahmanes y gimnosofistas de la India enseñaban "que el fin último de la perfección del hombre consiste en la extinción y aniquilación de la actividad propia hasta identificarse con la divinidad y librarse así de las cadenas de la transmigración". La escuela neoplatónica de Alejandría, por una parte, y el *gnosticismo* (V.), por otra, resucitaron casi simultáneamente tales sueños orientales. Y desde Simón el *Mago* hasta los ofitas y carpocracianos, desde estos hasta los nicolaítas, cainitas y adamitas, enseñóse que, siendo *todo puro para los puros* los actos cometidos durante los éxtasis no servían ni para el bien ni para el mal. Plotino, Porfirio y Jámblico enseñaron "que en la unión extática del alma con Dios se hacen *uno,* quedando el alma *como aniquilada por el golpe intuitivo* hasta olvidarse de que está unida al cuerpo, y perder, finalmente, la noción de su propia existencia".

I

Los agapitas practicaron el iluminismo. Los priscilianistas lo defendieron en Galicia. En el siglo XIII lo restauraron los albigenses en Cataluña, y en el XIV, los begardos en Valencia y Cataluña.

Menéndez Pelayo—en los *Heterodoxos*—señala los principales errores del iluminismo:

1.° Que la oración mental es de precepto divino, y que con ella se cumple todo lo demás.

2.° Que los siervos de Dios no han de dedicarse a trabajos corporales.

3.° Que no ha de obedecerse a prelado, padre o superior en cuanto manden cosas que se opongan a la contemplación.

4.° Que ciertos ardores, temblores y desmayos que padecen los contemplativos significan estar en gracia y tener el Espíritu Santo, y que los perfectos no tienen necesidad de hacer obras virtuosas.

5.° Que se puede ver y se ve en esta vida la esencia divina y el misterio de la Trinidad, cuando se llega a cierto punto de perfección en que el Espíritu Santo gobierna interiormente a sus elegidos.

6.° Que al llegar a cierto grado de perfección no se debe imponer regla ni oír sermones, ni obliga en tal estado el precepto de oír misa.

7.° Que la persona que comunica con mayor forma o más forma es más perfecta.

8.° Que puede llegar una persona a tal grado de perfección, que la gracia aliente en sus potencias de manera que el alma ya no pueda ir ni atrás ni adelante.

9.° Que es vana la intercesión de los santos.

10. Que solamente se ha de atender a Dios, entender que es a sí mismo, en sí mismo y en las cosas mismas.

11. Que la vista de Dios, comunicada una vez al alma en esta vida, se queda perfectamente en ella a voluntad del que la tuvo.

12. Que en los éxtasis no hay fe porque se ve claramente a Dios, viniendo a ser el rapto un estado intermedio entre la fe y la gloria.

El iluminismo, extendido por España, pasó a Francia en el siglo XVII—1634—, agregándose a él los sectarios de Pedro Guérin, y exaltándolo Antonio Boquet.

En Alemania, durante el siglo XVIII, el iluminismo tuvo un gran número de adeptos, guiados por el benedictino Perneti y el conde de Gravianca. Y en 1774, el profesor Weishaup fundó en Baviera la Sociedad de los Iluminados, que en 1786 se unió a las sectas masónicas. (V. *Quietismo. Molinosismo.)*

V. MENÉNDEZ PELAYO, M.: *Heterodoxos españoles.* Madrid, 1880.

2. También se dio el nombre de iluminismo al movimiento filosóficocultural de fines del siglo XVII y todo el siglo XVIII en Europa, designado por los alemanes con el nombre de *Anfklärung* o *filosofía de las luces.*

Para muchos críticos, el iluminismo filosóficocultural es el puente que enlaza las ideas y los ideales reformistas del Renacimiento con el escientismo del siglo XIX.

El iluminismo se propuso unir la filosofía y la literatura, "propugnando una concepción popular y práctica de la filosofía como ciencia de la vida".

El iluminismo se opuso a la dialéctica sutil, al rígido criterio de autoridad, a la inflexible fijeza científica.

Este movimiento tuvo sus máximas figuras en el inglés Locke, en el francés Bayle y en los alemanes Lessing y Herder.

ILUSIONISMO

Doctrina filosófica que equipara la percepción exterior a una ilusión de los sentidos.

Para el ilusionismo, el mundo externo no existe en sí; es una pura representación en cada sujeto—fantasma imaginativo o fenómeno cerebral—, que cada sujeto proyecta fuera de sí, fatalmente, para que se objetivice. (V. *Idealismo.)*

El ilusionismo guarda escasas relaciones con el idealismo espiritualista, y algunas más con el empírico de Berkeley y Hume. Su parentesco hay que buscarlo en la doctrina propuesta por Stuart Mill, "de que la realidad exterior es una posibilidad permanente de sensaciones"; y, más aún, en la teoría de Taine, suponiendo la sensación como una alucinación verdadera.

IMAGEN

1. Representación de *algo* en la mente.
2. Representación viva y eficaz de *algo* por medio del lenguaje.
3. Expresión compuesta solo de palabras que significan objetos sensibles (Gibert).
4. Metáfora (V.).

Para Hermosilla, la imagen era distinta de la metáfora, pues en una expresión pueden todas las palabras significar objetos sensibles, estando usadas en sentido *propio* y no en el *figurado,* que es lo único que constituye la metáfora. Una expresión puede ser sumamente enérgica y, a pesar de esto, no forma una imagen, porque para lo primero basta con que dé a conocer las cualidades más interesantes del objeto, aunque estas sean expresadas con palabras que delaten ideas abstractas.

IMAGINACIÓN

1. Facultad del alma, por virtud de la cual se presentan en ella las imágenes de los objetos.
2. Don del alma que sirve para recibir las

impresiones de los objetos reales y para combinarlas de manera que con ellas puedan producirse nuevas creaciones.

3. Facultad de sentir con más fuerza que la generalidad de los individuos las impresiones de los objetos y la de reunir estas impresiones, animarlas, darles nueva forma sin más impulso que el de hacer creaciones nuevas y diferentes de las que ya existen.

La imaginación puede ser: *reproductiva* o *memoria imaginativa, percepción* o *concepción, productiva* o *creadora* e *invención.*

La *reproductiva* o *imaginativa* se limita a reproducir, con mayor o menor viveza, la imagen de los objetos percibidos por los sentidos externos, en cuyo caso los resultados o fenómenos producidos pueden llamarse *imágenes.*

La *perceptiva* o *concepción,* cuando presta forma corpórea y percibe como en imagen los objetos que pueden ser conocidos y que en realidad no tienen tal forma: *Dar cuerpo a los ángeles.*

Productiva o *creadora,* cuando mezcla inteligentemente los elementos que sirven para conocer, que le ha proporcionado la realidad, resultando por producto un tipo que no tiene correspondencia objetiva o una especie de creación; de aquí la *ficción* o *creación literaria.*

Invención, cuando la imaginación, refiriéndose o dedicándose a las artes mecánicas, dé por resultado los inventos.

Los filósofos han distinguido otras dos clases de imaginación: *activa* y *pasiva.*

La *pasiva* es aquella que, con absoluta falta de voluntad, es gobernada por las leyes naturales, fatales, de la memoria y de la asociación de ideas. Es la imaginación del delirio, del sueño, de la vejez.

La *activa* está dirigida por la voluntad, y es la imaginación del cuento, de la novela, de las obras fantásticas o de intriga.

V. ADDISON: *Ensayos sobre la imaginación.* Madrid, 1903.—VOLTAIRE: *Diccionario filosófico.*—LEVESQUE DE POUILLY: *Théorie de l'imagination.* Ginebra, 1803.

IMITACIÓN (En literatura)

El hecho de que un autor tome de otro la invención, el experimento, la elocución y el estilo se llama *imitación literaria.*

A veces la imitación se reduce a uno solo de los elementos literarios. Virgilio imitó a Homero, tomando de él el argumento, los personajes y las situaciones; pero su elocución fue original.

Los dramaturgos franceses de los siglos XVII y XVIII tomaron del teatro español argumentos, personajes y ciertas características; sin embargo, fueron originales en la elocución y en el estilo.

No es imitación el simple hecho de *inspirarse* en un tema ajeno, modificándolo convenientemente.

Los franceses, para designar la imitación literaria en que el imitador intenta que su obra sea tomada por original del imitado, han creado la palabra *pastiche.*

A veces la imitación es sumamente útil y aun necesaria. Los clásicos griegos y romanos han sido imitados, y de esta imitación se han sacado frutos magníficos en algunos períodos, como el Renacimiento—siglos XV y XVI—y el Neoclasicismo—siglo XVIII.

Voltaire, en su *XXVII carta filosófica,* afirma rotundamente: "Todo es imitación. Boyardo imitó a Pulci, Ariosto imitó a Boyardo. Los espíritus más originales se pisotean los unos a los otros."

Verdaderos *ciclos* literarios—la *novela pastoril,* la *novela caballeresca,* la *novela picaresca,* el *drama neoclásico*—responden a una pura tendencia imitativa.

Molière exclama: "Yo encuentro lo que deseo o lo cojo donde puedo." Fedro plagió a Esopo; La Fontaine, Iriarte, Samaniego, plagiaron a Fedro y a Esopo...

V. GENIN: *De l'originalité et de l'imitation.* Varias ediciones.—LALANNE, Lud.: *Curiosidades literarias.* Barcelona, 1888.—NODIER, Ch.: *Questions de littérature légale.*

IMPERIALISMO

Doctrina y sistema que, en sentido moderno, determinan la voluntad de una nación que aspira a extender su influencia política, cultural y económica más allá de sus propias fronteras.

La definición antecedente no quiere decir que *en un sentido antiguo* el imperialismo no fuera algo muy parecido. Porque el imperialismo es tan viejo como el mundo. Sino que los antiguos enraizaban sus afanes imperialistas no en los mismos postulados que los modernos, sino en otros tal vez más nobles: porque creían que el destino de un Estado estaba en engrandecerse o en morir.

En los tiempos antiguos, la expansión territorial de los Estados se produce ordinariamente por la supremacía de la fuerza; para aumentar el poderío militar; para evitar y repeler ataques extraños; para extender las creencias religiosas; para recoger tributos. En la antigüedad, la expansión territorial del Imperio de Alejandro respondió *a una política de conquista* bien definida y mejor planeada. Pero el crecimiento del Imperio romano fue el resultado de una simple política de engrandecimiento, sin trayectoria prevista "y aun con la oposición de un partido político dentro del Estado". El imperialismo antiguo fue centralizador y autoritario.

El imperialismo no desaparece durante la

Edad Media, pero se transforma como en un fantasma sin posibilidad de realismo alguno. Los pueblos viven demasiado dentro de sí mismos, con escasas relaciones y pretensiones internacionales, acaso porque las nacionalidades aún *no se han compuesto* en el "puzzle" de la Historia. Cada pueblo tiene bastante con buscarse y con encontrase dentro de sus anhelados límites geográficos estables.

Al final de la Edad Media es Maquiavelo quien formula el imperialismo político de la expansión territorial como una tendencia inexcusable y deliberada de los Estados. Al imperialismo moderno lo reanimó el renacimiento del comercio, las pretensiones de la Reforma, la conclusión de las nacionalidades.

"El imperialismo recibe señalado apoyo con el descubrimiento del Nuevo Mundo. Impulsan sus avances las teorías mercantilistas, dominantes en el siglo XVII y primeros tiempos del siglo XVIII, y encuentra un medio favorable de expresión en los repartos territoriales entre las grandes potencias, sobre todo en la centuria pasada. Es una consecuencia de la colonización de las tierras vacantes por la creciente población de Europa; de los esfuerzos de la Iglesia para cristianizar infieles; de las rivalidades económicas y la lucha por los mercados y las primeras materias; de las corrientes financieras que siguen a la revolución industrial, y de las ambiciones de los Estados vinculadas en la posesión de posiciones militares estratégicas.

"La doctrina del imperialismo moderno aparece asociada, en correspondencia íntima, con las ideas nacionalistas, puesto que los Estados creen firmemente en la superioridad de su cultura y en la necesidad de extender esta a los pueblos inferiores, y también aparece unida al militarismo, porque el éxito de la expansión territorial exige, como es consiguiente, ejércitos y escuadras poderosas. La importancia del poder marítimo constituyó una de las preocupaciones fundamentales del pensamiento político en la última mitad del siglo pasado. En los tiempos actuales, el dominio del aire encierra un hecho de capital importancia.

"Los partidarios del imperialismo santifican y defienden su poder, al que consideran natural e inevitable; señalan las ventajas que resultan de la sumisión de las grandes extensiones territoriales, bajo la paz y el derecho común, y encuentran preferible el espíritu cosmopolita a la estrechez ideológica del localismo; a veces presentan las razones que abonan la superioridad de la cultura propia y justifican su predominio y difusión sobre los pueblos inferiores, apelando a la fuerza si fuera necesario." (GETTELL.)

Naturalmente, ningún tratadista desapasionado de Derecho político piensa que el imperialismo sea un impulso irresistible de una raza o de un pueblo. Ya sabe a ciencia cierta que el imperialismo es un morbo rigurosamente humano e individualista.

Un país *parece imperialista* cuando sus gobernantes lo son. Y deja de parecerlo cuando lo gobiernan espíritus de fina espiritualidad y de democracia auténtica. Ahora bien: se da el caso de que una nación empujada al imperialismo por sus gobernantes, en determinada época, posteriormente, con gobernantes *no imperialistas,* esa misma nación haya enraizado sus intereses en el imperialismo de tal suerte que ya no le sea fácil prescindir de él. Sí, no suele estar justificado calificar de imperialista a un Estado, pero sí lo está calificar a un hombre de ese Estado. Macedonia fue imperialista con Alejandro. Roma, con César. Turquía, con Solimán. España, con Carlos I. Francia, con Napoleón. Inglaterra, con los ministros de los reyes Jorge III y IV y de Victoria I.

En el siglo XX el imperialismo ha sido el morbo insaciable de algunos Estados: Inglaterra, Estados Unidos, Alemania, Japón, Rusia. El imperialismo inglés es obra del esforzado espíritu de sus clases mercantiles. El imperialismo norteamericano tiene por motivo más acusado el control mercantil y financiero; representa, en parte, el resultado de la llamada "diplomacia del dólar" en la región caribe, y nace del deseo de mantener el orden y la estabilidad financiera en las fronteras. En este sentido se difunde y aplica la doctrina de Monroe, que no es, precisamente, lo que este dijo: "América para los americanos", sino "América para los Estados Unidos".

El imperialismo alemán del presente siglo ha sido más pretencioso, pero... más romántico. Alemania se ha creído dueña de la cultura máxima, y ha querido imponerla por medio de su máquina guerrera formidable. Porque el imperialismo alemán considera la guerra como "una decisión justa y biológica", como "la expresión más noble y sagrada de la actividad humana". Junto a tales premisas, difunde la creencia que niega a los Estados pequeños la coexistencia política entre las naciones de cultura superior, y justifica la "organización de Europa bajo la dirección de Alemania".

El imperialismo japonés se funda en creerse el más apto para llevar la dirección de la raza amarilla; más apto por su cultura, por su organización y por su fuerza militar.

El imperialismo ruso actual mezcla turbiamente una ideología absorbente y excluyente con una tendencia militarista de opresión.

V. GETTELL, Raymond G.: *Historia de las ideas políticas.* 2.ª ed. Barcelona, Labor, 1937. HOBSON, J. A.: *Imperialism.* Londres, 1905.—

MAHAN, A. T.: *The Influence of sea power upon history*. 1890.—HOBHOUSE, L. T.: *Democracy and Reaction*. 1904.—SCHURZ, Carl: *American Imperialism*. 1899.—BULOW, Príncipe von: *Imperial Germany*. Trad. de Lewenz, 1914.

IMPOSIBLE

Imposible o *adynaton* es una figura patética por la que aseguramos que primero que se verifique, o deje de verificarse, un suceso, se transformarán las leyes de la Naturaleza.

Del bien perdido al cabo, ¿qué nos queda
sino pena, dolor y pesadumbre?
Pensar que en él fortuna ha de estar queda,
antes dejara el sol de darnos lumbre.

(ERCILLA.)

Cuando yo, arrepentido y suspirando,
estas palabras diga,
que tú finges y adornas a tu gusto,
hacia sus fuentes volverán los ríos,
huirá el hambriento lobo del cordero,
el galgo de la liebre, amará el oso
el mar profundo, y el delfín los Alpes.

(JÁUREGUI.)

IMPRECACIÓN (V. Figuras de pensamiento)

Consiste esta figura en la manifestación del vehemente deseo de que sobrevenga un grave mal, o una terrible desgracia o castigo, a una persona. Esta figura se llama *execración* cuando deseamos que el daño caiga sobre nosotros mismos.

Del soldán de Babilonia,
de ese os quiero decir,
¡que le dé Dios mala vida,
y a la postre peor fin!

(ROMANCERO.)

No se honren mis amigos
de me llevar a su lado,
y quede entre fieros moros
preso, muerto, o mal llagado,
y arrástreme mi trotón
fasta me facer pedazos.

(ROMANCERO.)

IMPRENTA

Oprimir, imprimir, voces que fueron sinónimas en un principio, tienen una vigencia remotísima. Sobre cualquier objeto blando se signaba con trazos previamente marcados a la inversa en la matriz.

La leyenda cuenta que el rey Agesilao llevaba marcada en la palma de la mano, inversamente, la palabra *victoria;* mano que imponía sobre las entrañas de los animales sacrificados, calientes aún, dejando, como por milagro para sus soldados, *impreso* en ellas el alentador vocablo.

Los cilindros—sellos—fueron ya usados por Nabopolasar. Todos los monarcas persas guardaban el anillo signatario—marca: un símbolo —con el que validaban sus escritos.

Y desde que el uso de la moneda fue corriente—siglo VII—, no fue otro el procedimiento que se siguió para valorizarla: *imprimir* su anverso y reverso con moldes fijos grabados a mano.

Un progreso grande representa la *xilografía* —China: siglo X—u obtención de impresos mediante una placa de madera sobre la cual se han tallado, inversos, los rasgos de la escritura. Con pinceles se entintaban estos rasgos; después, con "bodrios" de lana. El procedimiento era lento y costoso, pero los ejemplares de la obra podían *ya multiplicarse.*

Se tienen noticias de xilografías francesas y alemanas de los siglos XIII y XIV. Son noticias sin confirmación. Conjeturas más bien. Mejor aún: ilusiones patrióticas de ciertos eruditos. El xilógrafo fechado más antiguo que se conoce data del siglo XV (1423).

¿Inconvenientes de este sistema? No se podía imprimir más que una de las caras del papel, porque a consecuencia de la fuerte presión de la tabla quedaban también señalados los contornos en el reverso.

Pero el verdadero *quid* del arte de imprimir se reservaba para ser descubierto por Juan Gensfleisch Gutenberg, natural de Maguncia, que concibió la *ingeniosidad* de los *tipos móviles.* En Estrasburgo, donde residió de 1424 a 1444, intentó llevar a cabo su proyecto, pero le faltaron algunos detalles, y entre ellos el importantísimo del dinero.

En Maguncia se asoció con el ricohombre Juan Fust, que a su vez dio participación en el negocio a su yerno Pedro Schoeffer.

En los talleres de Juan Fust, bajo la dirección de Gutenberg, en 1455 fue impresa la *Biblia latina,* que constaba de dos volúmenes en folio con 641 páginas—327 y 314—de *cuarenta y dos líneas* cada una.

Se hicieron cien ejemplares, de los cuales se conservan aún diez sobre pergamino.

En seguida se separó Gutenberg de sus socios, quedando estos en Maguncia, cuyo asalto y toma en 1462 por Adolfo de Nassau fue parte en la difusión de la Imprenta, ya que al huir los obreros de Fust, cada uno se estableció por su cuenta en ciudades distintas.

En España se disputan la gloria de haber tenido la primera imprenta las ciudades de Valencia y Zaragoza. El erudito Serrano y Sanz descubrió en el Archivo de Protocolos de la ciudad aragonesa un contrato según el cual en 5 de enero de 1473 tres alemanes, Jorge von Holtz, Juan Planck y Enrique Botel, se

I

reunieron para explotar la industria de la impresión y venta de libros. Sin embargo, ningún libro se conoce impreso por esta Sociedad. Valencia presenta una prueba más irrefutable: un folleto, *Les obres* o *troves danall scrites, les quels tracten de lahors de la sacratissima verge Maria,* en 66 hojas en cuarto, ocho de ellas en blanco; el tipo de letra, romana; sin portada, foliación ni colofón; impresa, seguramente en 1474 en Valencia por Lamberto Palmart, a quien se asoció el primer impresor de nacionalidad española: Alonso Fernández de Córdoba.

Principales impresores del mundo.—Aldo Manucio, el "Viejo". Impresor veneciano —1494-1515—. Su producción es la más interesante del mundo tipográfico. Era sutilísimo humanista. Los seis primeros años de su trabajo pertenecen a la catalogación como incunables. Características: goticismo en los tipos, epigrafía y grabados. He aquí algunas de sus obras:

Museo. Hero y Leandro. Texto griego y latín. Sin fecha. Se le tiene por el primero de sus trabajos.

Láscaris (C.). Grammatica graeca (Erotemata cum interpretatione latina). En 4.° Primer libro fechado de Aldo: 1494-1495.

Virgilio. Opera (1501). Primer libro impreso por Aldo con caracteres itálicos.

Aldo Manucio, el "Joven".—Completó la obra de su predecesor.

Enrique Estienne.—Celebérrimo impresor parisiense (1502-1520). Primero de una numerosa familia de impresores.

Principal obra que imprimió: *Psalterium (Quincuplex),* en folio (1509).

Lorenzo Coster.—De los Países Bajos. Se le atribuye la impresión del *Speculum humanae salvationis,* sin nombre de impresor ni año cierto—en la ciudad de Utrecht; Haarlem, según otros—, hacia 1471. Edición famosa, porque los textos explicativos de sus 116 grabados son unos de tipos movibles y otros xilográficos, de manera que resulta como una obra de transición entre la xilografía y la imprenta.

Cristóbal Plantin.—De origen francés, pero impresor en Amberes—1555-1581—, fue el más fecundo de los editores, porque mezcló la especulación de librería con el trabajo de la imprenta. Obtuvo de la Curia romana el privilegio para las impresiones litúrgicas y el nombramiento de prototipógrafo del rey Felipe II de España. Imprimió la célebre *Biblia Real* o *plantina*—1569-1573—, para la que le fueron enviados los caracteres orientales, grabados en Alcalá a expensas del cardenal Cisneros, con destino a la famosa *Biblia Complutense.*

Los Elzevir.—Impresores famosos en Leyden y Amsterdam en el siglo xvii. Los libros elzevirianos se caracterizan por su incomparable finura de tipos; ediciones en dozavo—de "bolsillo", que hoy diríamos—y pergamino flexible.

Los Didot.—Francisco Ambrosio—1720-1804—y Pedro—1716-1853—, célebres impresores en París del conde de Artois—64 tomos en 18.°—y de los *libros del delfín.*

Juan de la Cuesta.—Impresor de las tres primeras ediciones del *Quijote.* Según inventario de 1595, su imprenta valía 13.304 reales, suma elevada para aquella época.

Joaquín Ibarra (1725-1785).—De Zaragoza, establecido en Madrid y el más famoso de los impresores españoles. Ibarra obtuvo el título de "Impresor de la Real Academia Española" en 1779. Las obras que le dieron más fama son:

La traducción del *Salustio,* hecha por el infante don Gabriel (1772).

Ediciones de *Don Quijote* (1780-1782).

Historia de España, del Padre Mariana (1780).

Diccionario de la Lengua Castellana (1780).

Su viuda e hijos siguieron durante mucho tiempo con la notabilísima imprenta.

Antonio de Sancha (1720-¿1790?).—Trabajó en la imprenta de Ibarra, pero imprimió por su cuenta los dos primeros tomos del *Parnaso Español,* colección de poesías escogidas de los más célebres poetas castellanos. Los tres siguientes los trabajó ya en la imprenta propia. *Parnaso Español* es, acaso, la obra más perfecta de la tipografía española en su tiempo, por su papel—de hilo—, por la limpieza de los caracteres, por la fineza de los estampados, por el tamaño agradable.

Imprimió también la *Colección de obras sueltas, así en prosa como en verso, de don fray Lope Félix de Vega y Carpio,* en 21 tomos (1776-1779). (V. *Tipografía.*)

V. Bernard, Aug.: *De l'origine et des débuts de l'imprimerie...* 1853.—Didot, Ambrosio Firmin: *Essai sur la typographie.* París, 1851. —Dupont, D.: *Historia de la Imprenta.* Traducción. Madrid, 1872.

IMPRESIONISMO

Movimiento pictórico, literario y musical nacido en Francia, y que alcanzó una influencia decisiva sobre la *expresión* de la poesía y del arte universales.

1. Impresionismo pictórico.—El primero entre los impresionismos, el pictórico, hizo su aparición en Francia hacia 1860. Debe advertirse, como detalle muy curioso, que el título de *impresionismo* para señalar una *escuela* nació varios años después que esta.

La escuela nació en 1863, en el Salon des Refusés—*de los rechazados*—. Napoleón III quiso que el público juzgase las pinturas que habían sido consideradas como inaceptables para una exposición por un Jurado demasiado apegado a la tradición. En este Salon des Refusés se inició propiamente el movimiento pictórico; y entre las obras rechazadas sobresalió —sugestionando a la crítica y a los espectadores aficionados—la obra de Manet *Le déjeuner sur l'herbe.*

Realmente, el primer impulso impresionista —iniciador de escuela—se debió a Manet. El término *ordenador* y *asociador* se debió a un cuadro de Monet titulado *Impressions*—de una salida de sol—, pintado en Londres—1872—y presentado—1874—en la Exposición colectiva celebrada en París. *Impresionismo*—de *Impressions*—fue, desde entonces, empleado para designar un conjunto de aspiraciones pictóricas.

¿Tanta importancia tenía el cuadro de Monet como para *bautizar* con su título a toda una escuela nacida con pujanza magnífica?

Sí la tenía. Y vale la pena transcribir la descripción que de él hace el crítico Béla Lázar, con la subsiguiente enumeración de sus peculiaridades:

"El sol se eleva sobre las casas de la orilla; su luz tiembla en líneas de zigzag en el espejo de las aguas del río. Sobre las casas y sobre el agua se extiende un aire azul, en el cual surgen las manchas de las siluetas de los campanarios y de los barcos que cruzan el río. El cuadro representa la pugna entre la niebla y la luz del sol, entre los valores cromáticos del cielo y del agua, así como la compenetración y la mutua influencia de sus colores. Los matices se funden. Las formas se hacen insensibles. El pintor toma como punto de partida un efecto real: la observación de la relación que existe entre las manchas del color y el ambiente inundado por ellas. Tales son sus motivos. El profano no se acostumbra a darse cuenta de ninguno de los fenómenos indicados, que esta composición le ofrece, porque en su manera de apreciar la realidad se ha habituado a considerar el color no como un elemento autónomo, sino como un medio para reconocer las cosas. Así se comprende que estos efectos cromáticos combinados ejerzan en él, de momento, una influencia perturbadora. En cambio, la situación del artista frente a la Naturaleza es completamente distinta. El pintor no ve el mundo con los ojos prácticos de la generalidad, sino que, apartándose de la realidad, considera las formas en que se manifiestan los fenómenos visibles: colores, líneas, matices, transiciones de luz, elementos autónomos, objetos propios de su arte, de tal modo que incluso las cosas del mundo externo, las montañas, las praderas, los árboles, el agua, el cielo, son para él fenómenos luminosos y cromáticos. El pintor busca la secreta articulación que existe entre estos elementos, sus variaciones siempre nuevas, para crear con ellas una nueva obra de arte. Y no se satisface hasta que ha encontrado los medios de expresar esta nueva manifestación de la belleza artística. Esta nueva revelación de lo bello que él encuentra en la Naturaleza suscita en el artista sensaciones que constituyen el punto de partida de su creación. En él se producen visiones fantásticas, imágenes que se elaboran en su espíritu, que se transforman bajo la influencia de sus observaciones ante la Naturaleza y que, finalmente, llegan a convertirse en manifestaciones personales. Incluso aquellos pintores que se dedican a la profunda contemplación de la Naturaleza y que, en apariencia, se limitan a copiar el cuadro que la Naturaleza les ofrece, no pintan sino cuadros creados por su fantasía, visiones que el artista ha observado con sus ojos internos, mirando a la Naturaleza. En realidad, el cuadro está creado por las sensaciones del pintor, alimentado por sus recuerdos y elaborado por su fantasía."

En las palabras de Béla Lázar quedan resumidos, en verdad, el sentido y la expresividad de la tendencia impresionista.

Una frase agudísima de Rousseau resulta igualmente reveladora del secreto del impresionismo: "El cuadro ha de crearse previamente en nuestro cerebro."

Como todo movimiento del espíritu es una reacción contra un estado *de ser* y *de permanecer*, debemos indicar cuál era el estado contra el que se enfrentó el impresionismo. En líneas generales, el impresionismo pictórico fue una reacción contra el espíritu grecolatino y contra la organización escolástica de la pintura, tal como la habían impuesto "después del segundo Renacimiento y de la escuela italofrancesa de Fontainebleau, el siglo de Luis XIV, la escuela de Roma y el gusto consular e imperial".

Pero, como muy bien observa un crítico moderno, a tal reacción—precursora del impresionismo propiamente tal—siguió otra, que *matizó* ya el auténtico y totalitario impresionismo, y que tendió no solo contra los temas clásicos, sino también contra la pintura lóbrega de los decadentes pintores del Romanticismo.

Las dos reacciones, ya sumadas y armonizadas, orientáronse hacia la tradición realista: Foucquet, Clouet, Lorrain, Poussin, Chardin, Watteau, La Tour, Fragonard.

Lógicamente, debemos ahora señalar los *antecedentes* del impresionismo o, cuando menos, los precursores de los impresionistas.

Entre tales precursores los hay *próximos* y *remotos*. Entre estos últimos encontramos a nuestro inimitable Velázquez. Y no se crea que es apasionamiento nuestro esta referencia a la maestría impresionista de Velázquez. Leamos a Lázar:

"Manet no pintaba la forma estudiándola

parte por parte, sino que representaba los valores visibles, el resultado inmediato de la visión. Pintaba sin premeditación la visión directa, las masas aisladas de colores y los valores cromáticos creados por la luz, cuyas relaciones procuran la ilusión del espacio. Manet pintó las variaciones de la luz, generadora del color, y convirtió esta técnica en el problema principal de la pintura... Sin embargo, un viaje por España le permitió conocer a Velázquez y a Goya. Velázquez había enseñado a mirar así la Naturaleza—es la denominada visión impresionista, que no sitúa el color junto al color, el detalle al lado del detalle—como lo hizo todavía Franz Hals. El impresionista considera el campo de visión como una unidad, y así lo reproduce. Dentro de esta unidad comprueba los valores de las masas cromáticas y su relación con la unidad. Contemplemos *Las Meninas,* de Velázquez. El cuadro representa el momento en que la infanta, acompañada de su corte, visita al maestro, que está pintando a la real pareja. ¿Qué deducciones hizo Manet delante de este cuadro? En primer término, observó la manera de reproducir la unidad de la imagen óptica con ayuda de las masas de color y de sus correspondientes valores cromáticos. *Las Meninas* constituyeron para él un espléndido ejemplo de cómo se agrupan las manchas de color para construir las figuras y de cómo se sitúan en íntima relación con su ambiente. El pintor no se ha limitado simplemente a reproducir aquello que podemos apreciar de una sola ojeada, aquello que está iluminado por una luz oscilante, que penetra por un lado a raudales e inunda el aire de colores. Cuanto más cercanos están los objetos sobre los cuales cae, tanto más clara es la luz; cuanto más lejanos, tanto más gris y oscura. La luz crea valores cromáticos, aumenta la ilusión espacial, lo atraviesa todo, lo circunda todo y lo reduce todo a unidad." Es muy notable el hecho de que este mismo principio fuera también apreciado en Velázquez por Marées, artista alemán, que, entre tanto, había hecho un viaje por España. En el año 1873 escribía a su alumna Melanie Tauber: "Nuestra mirada percibe en primer término en la Naturaleza simples masas limitadas y llenas de color." Manet encontró, pues, en nuestro Velázquez las características fundamentales de su modo de entender la pintura impresionista.

Los precursores inmediatos del impresionismo fueron: Watteau, Lorrain, Ruysdael, Poussin, Turner, Monticelli. Según Camilo Mauclair, en el lienzo de Watteau *Embarque con rumbo a Citerea*—de factura legítimamente impresionista—ya encontró Claudio Monet algunos de los principios por él defendidos: la división de las tonalidades por toques de colores yuxtapuestos. Para Mauclair, la genealogía de Claudio Monet paisajista es esta: Claudio Lorrain, Watteau, Turner y Monticelli.

Cuando se considera el impresionismo, no cabe olvidar que en él falta la llamada intelectualidad en un sentido estrictamente literario; que repudia los símbolos y los sentidos filosóficos; que odia la abstracción; que estima, más que nada, la observación inteligente y animada, y la claridad.

El impresionismo, verdadera escuela, posee un sistema doctrinal absolutamente preciso, cuyos principales postulados son:

a) En la Naturaleza no existen los colores por sí mismos.

b) La luz solar, que envuelve y revela todas las cosas, es la única fuente creadora de los colores.

c) La forma y el color son nociones inseparables.

d) El dibujo y el colorido, *que no se distinguen en la Naturaleza,* únicamente pueden ser distinguidos artificialmente.

e) Por las diversas superficies de colores concebimos las formas.

f) Desaparecida la luz, desaparecen colores y formas.

g) El *sentido de los colores* puede concebirse así: los colores más oscuros o más claros nos dan la idea de la distancia y de la perspectiva.

h) La pintura no es *imitación* de la Naturaleza, sino su *interpretación artificial.*

i) La pintura, que no dispone sino de dos dimensiones, necesita los colores para dar la idea de profundidad en las superficies planas.

j) El color engendra el dibujo.

k) La sombra no puede ser *carencia de luz,* sino una luz de otra clase.

l) La armonía de los tonos del espectro se verifica por una proyección *paralela y distinta* de los colores.

m) Cada uno de los colores tiene su peculiar eficiencia; por ello, el punto capital de la técnica impresionista es la *disociación* de las tonalidades.

n) El tema, en el impresionismo, es algo accesorio; un mismo paisaje es una escena distinta, ofreciendo aspectos diversos, según sean los cambios de luz.

o) En la paleta no se mezclarán los colores; la fusión de los mismos debe producirse en la retina del observador al mirar de lejos con la composición. Así, para obtener el verde, el artista se limitará a colocar juntos un trazo amarillo y otro azul. En la retina del observador, la luz engendrará su fusión en verde.

El impresionismo recibió también inspiración de los artistas japoneses, en los cuales era un hecho normal el de la solución de los problemas impresionistas; también ellos representaban por masas el grupo inmóvil como unidad óptica.

Alguien ha dicho que el impresionismo no es sino la resolución del problema de la luz solar, y, como complemento, el aseguramiento de la impresión óptica aun tratándose de una luz dispersa.

Camilo Mauclair—en su obra *L'impressionisme; son histoire, son esthétique, ses maîtres*—divide en cuatro grupos a los representantes del impresionismo; entre los artistas *primarios:* Manet, Monet Degas y Renoir; entre los *secundarios:* Pissarro, Sisley, Cézanne, Berta Morisot, Fantin-Latour. María Cassatt, Caillebotte, Lebourg y Bondin; entre los *ilustradores:* Raffaelli, Toulouse-Lautrec, Forain, Chéret, Steinlen, Legrand, Renouard, Lepère y Rivière; entre los *neoimpresionistas:* Seurat, Signac, Denis, Vuillard, Bonnard, Van Rysselberghe, Gauguin, Anquetin...

El éxito del impresionismo quedó asegurado—1894—en todo el mundo.

Edouard Manet (1832-1883) nació en París. Marino en su juventud, vivió algún tiempo en el Brasil—posible causa de su apasionamiento por la luz—. Visitó los Países Bajos y España, siendo fervoroso admirador de Velázquez y de Goya, de quienes aprendió el más genuino de los impresionismos. Entre sus principales obras cuentan: *El bar del Folies-Bergère* (Col. Courtauld, Londres); el *Retrato de Stéphane Mallarmé* (Louvre); *Le déjeuner sur l'herbe* (Louvre); *Olimpia* (Louvre); *Lola de Valencia* (Louvre); *Carreras de caballos en Longchamp; Ejecución del emperador Maximiliano* (Museo Mannheim); *En el jardín de las Tullerías.*

Claude Monet (1840-1926) nació en París. De niño hizo su aprendizaje en el taller de Gleyre. Recorrió Holanda en compañía de Pissarro. Y desde 1886 apenas salió de su finca de Giverny, entre París y Ruán. Entre sus mejores obras figuran. *Salida de sol: Mujeres en el jardín* (Louvre); *La mujer del vestido verde* (Brema); *La plaza ante la iglesia de St. Germain l'Auxerrois* (Berlín); *La Grenouillière* (Berlín); *Paisaje con amapolas* (Louvre); *La estación de Saint-Lazare* (Museo del Luxemburgo); *El Támesis en Londres; Las praderas de Argenteuil...*

Auguste Renoir (1841-1919) nació en Limoges. En su juventud fue pintor de estores, decorador de porcelanas y cantante. Concurrió al taller de Gleyre, donde se hizo amigo de Monet, Sisley y Bazille. Sufrió influencias de Courbet y Delacroix. Se le ha llamado el pintor de la vida parisiense. Son famosas, entre sus obras: sus desnudos femeninos. *Moulin de la Galette* (Museo del Luxemburgo); *La familia Charpentier* (Nueva York); *Almuerzo en el jardín* (Francfort); *En el palco; Muchachas tocando el piano* (Museo del Luxemburgo); *En la playa de Guernesey* (Galería Barbazanges, París)...

Edgar Degas (1834-1917) nació en París. Ligado por la amistad con Manet, cayó en la órbita del impresionismo, y fue, sobre todo, el pintor de las bailarinas de la Opera y de las carreras de caballos. Cuadros suyos famosos son: *Retrato de familia* (Louvre); *Bailarinas en el ensayo* (Louvre)...

El impresionismo tuvo magníficos representantes en todos los países.

En España: Darío de Regoyos, Zuloaga, Sorolla, Muñoz Degráin... En Bélgica: Van Rysselberghe, Claus, Verheyden, Heymans, Willaert, Verstraete... En los países escandinavos: Larsson, Skredsvig, Kroyer, Diriks... En Inglaterra: Lewis-Brown, Whistler, Walden, Frieseke, Morrice, Holmes...

En 1884, en el Salon des Indépendents, de París, quedó patente una *escisión* de algunos impresionistas, entre los cuales estaban Seurat (1859-1892) y Paul Signac (1863-1935). Tal escisión fue llamada *neoimpresionismo,* y tuvo sus propias, aun cuando escasísimas, variantes; entre ellas, la de obtener, mediante el divisionismo—el *puntillismo*—, por medio de pequeñísimas pinceladas, efectos de gran luminosidad. El problema de la luz y de las vibraciones cromáticas quedaba resuelto.

Posiblemente tuvo España el más admirable representante—y el precusor—del neoimpresionismo en Mariano Fortuny (1838-1874).

Y no podemos terminar estas notas acerca del impresionismo sin manifestar que el auténtico *padre* del mismo, en su conceptuación, trascendencia y eficacia, fue Francisco de Goya y Lucientes (1746-1828). ¿Pruebas de esta afirmación? Las obras del mismo genial artista, maestro indiscutible de toda la pintura moderna. Poco antes de morir pintó su lienzo *La lechera de Burdeos,* obra de técnica tan curiosa como avanzada, pintada con el procedimiento de las *pinceladas menudas* que muchos años después utilizarían los impresionistas.

Entre 1814 y 1828, la mayoría de los cuadros de Goya pertenecen al más auténtico impresionismo; su técnica, cada vez más sintética y abocetada, logra los más asombrosos efectos impresionistas yuxtaponiendo las pinceladas, emparejando los colores enteros. Recuérdense *El afilador, Los herreros*—de la Colección Frick, de Nueva York—, *La bella y la celestina, El naufragio, La última comunión de San José de Calasanz.*

V. LÁZAR, Béla: *Pintores impresionistas.* Barcelona, Labor, 1918.—WEISBACH, Werner: *Impressionismus.* Tomo I.—MAUCLAIR, C.: *L'impressionisme; son histoire, son esthétique, ses maîtres.* París, 1904.—DURET, T.: *Histoire des peintres impressionistes.* París, 1906.—DURET, T.: *Manet and the French impressionists.* Lon-

I

dres, 1924.—FAURE, Elie: *Histoire de l'Art*. París, 1921, tomo IV.—MEIER-GRAEFE, J.: *Impressionisten*. Munich, 1907.—WRIGHT, W. H.: *Modern Painting*. Londres, 1916.—ZOLA, Emile: *Prefacio* al *Catálogo de obras de Manet*. París, 1884.—BÉNÉDITE, Louis: *La peinture au XIXe siècle*. París, 1924.—HAMANN, R.: *Der Impressionismus...* Colonia, 1907.—LECOMTE, Georges: *L'Art impressioniste*. París, 1892.—DEHWARTS: *Impress. Painting*. Londres, 1913.—PROUST, M.: *Edouard Manet*. París, 1919.

2. IMPRESIONISMO LITERARIO.—Este movimiento nació en Francia, en la segunda mitad del siglo XIX, como correspondencia con el impresionismo pictórico iniciado por Manet. Literariamente, el impresionismo designó una tendencia a reducir todo valor poético a la *pura sensación* y a su descripción con fuerza e integridad, *negando la forma externa de las realidades*.

Los más firmes propulsores del impresionismo literario fueron Paul Verlaine (1844-1896) y Stéphane Mallarmé (1842-1898). El primero tuvo una verdadera obsesión por elegir las palabras más *sonoras* y *descriptivas*, ya que consideró la poesía "como una música reveladora —aun cuando de manera imprecisa e indefinida—de las emociones nacidas en el alma del poeta".

Mallarmé aún llegó más allá; creó un lenguaje, accesible únicamente a los iniciados, para el que no tiene importancia el pensamiento, "ya que las sensaciones del color y del sonido lo son todo".

Dentro del impresionismo quedaron prendidos muchos poetas simbolistas y parnasianos. Todos ellos, como Verlaine y Mallarmé, buscaban ante todo la exquisitez formal, la imagen rutilante, la expresión elaborada y culta, las sensaciones con un valor propio, *ajeno a la realidad*. Entre estos impresionistas, destacaron: Remy de Gourmont (1856-1915), Jean Lahor (1840-1909), Maurice Bouchor (1855-¿?), Jean Moréas (1856-1910), Albert Samain (1859-1900), Francis Viélé-Griffin (1864), Emile Verhaeren (1855-1917), Charles Guérin (1873-1902), Jules Laforgue (1860-1887), Paul Fort (1872).

El impresionismo literario prescinde, por ejemplo, de la descripción en el sentido propio del verbo describir; y la sustituye por una *serie de sensaciones* con las que el escritor *sugiere* en el lector la descripción apetecida. El impresionismo tiene un *estilo peculiar*, conseguido con frases exquisitas, con imágenes deslumbrantes y con conceptos que encierran matices cromáticos. Así como el impresionismo pictórico *creó* el paisaje, el impresionismo literario *inventó* el paisaje.

El color y la luz no sirven a estos dos impresionismos para *copiar la realidad*, sino para patentizar una realidad exclusivamente *subjetiva*. Marcel Proust (1871-1922) reavivó el movimiento impresionista con sus famosas novelas *en tiempo lento*.

El impresionismo literario no tuvo, fuera de Francia, el mismo éxito que el pictórico. Su influencia llegó, por ejemplo, a España, mitigadísima y vital en algunos de los primeros poetas afectos al *modernismo* (V.), como Salvador Rueda o Juan Ramón Jiménez, y aun de algunos prosistas como "Azorín".

V. VIGIÉ-LECOQ, E.: *La poésie contemporaine*. París, 1897.—HURET, J.: *Enquête sur l'évolution littéraire*. París, 1909, 2.ª ed.—MORICE, Charles: *La Littérature de tout à l'heure*. París, 1889.—LANSON, Gustave: *The new Poetry*. En "The International Monthly", X, 1901. —LANSON, Gustave: *Histoire de la Littérature française*. Tomo II.—BLONDEL, Charles: *La Psychographie de Marcel Proust*. 1931.

IMPROMPTU

Pequeña obra en verso compuesta *in promptu*, repentizada. Generalmente, consiste en un madrigal, un epigrama, una copla. Es una poesía de circunstancia, y este es su principal mérito. Voltaire ha dicho certeramente en *Zadig* que "los versos improntos no son buenos jamás sino para aquella persona o aquella cosa en honor a la cual han sido escritos".

El pomposo Buffon, invitado a escribir una improvisación sobre las rodillas de una dama joven y hermosa, compuso, a lápiz, este madrigal:

Sur vos genoux, ô ma belle Eugénie,
à des couplets je songerais en vain;
le sentiment étouffe le génie,
et le pupitre égare l'écrivain.

IMPROVISACIÓN

Consiste en producir, acerca de determinado tema y sin preparación, una obra artística o literaria conforme a las reglas del género, y conteniendo las diversas calidades que son fruto de la meditación y del esfuerzo.

Todas las lenguas, todas las literaturas y todas las épocas no son igualmente favorables a la improvisación. Entre los griegos, los poetas primitivos—rapsodas y aedas contemporáneos de Homero—fueron grandes improvisadores. A Tirteo se le atribuye una súbita inspiración profética. Los hebreos, como los griegos, improvisaron *por inspiración divina*. Y durante la Edad Media, en la Europa occidental, lo hicieron igualmente los bardos y los trovadores. Y hay un pueblo, Italia, en que la armonía de la lengua, la simplicidad de la versificación y la misma indulgencia del gusto público favorecieron en todos los tiempos esta fácil manifestación de la poesía. Italia es llamada "la tierra clásica de la improvisación", y cuenta, dentro del género, con numerosos escritores meritísimos: Petrarca, Serafino d'Aquila, Bernardo Accoli, Christóforo el *Florentino,* Nicolo Leoniceno, Mario Filelfo, Panfilo Saffi, Baptista Strozzi, Ippolito de Ferrara, Aurelio y Rafael Brandolini, Metastasio, Zucco...

Quintiliano dijo que "la facultad de improvisar es el más bello fruto del estudio y la mejor recompensa de un largo tiempo de trabajo".

La improvisación puede ser *poética* y *oratoria.*

V. DUCHESNE: *Improvisation intime et privée.* Nancy, 1870.—VOLAND: *L'improvisation oratoire.* Nancy, 1870.

INCIDENCIA

Proposición literaria accesoria que, combinada con otra principal, sirve, no para modificar el sentido, sino para llamar la atención acerca de determinada circunstancia o intención del autor.

INCIDENTE (V. Peripecia)

Se llama así, en un poema, en una narración, en una obra dramática, todo acontecimiento, más o menos interesante, toda acción particular ligada a la principal acción.

INCUNABLES

Nombre dado a los libros impresos desde el año de invención de la Imprenta—1455—hasta 1500, porque nacieron "cuando la Imprenta aún estaba en su cuna": *incunabula.* Los primeros incunables están impresos en *tipos góticos,* menos angulosos que los de los libros de estampas; dentro del siglo XV fueron reemplazados por los *tipos románicos, itálico* y *cícero.* En estas ediciones, la *i* y la *j,* la *u* y la *v* son empleadas indistintamente. La *t* es reemplazada por la *c* en las palabras latinas terminadas en *tio* y *tia.* Los diptongos *oe* y *ae* no existen. El punto toma forma estrellada. Tampoco existe la paginación, que es suplida con el *reclamo:* primera palabra de la página siguiente. Los márgenes son muy grandes.

Los libros incunables se ha creído alcanzan la cifra de 13.000.

Son incunables famosos: el *Salterio*—Maguncia, 1457—, la *Biblia* de Gutenberg—Maguncia, 1455—, el *Marcial* de Venecia—1470—, el *Aulo Gelio*—Roma, 1469—, el *César*—1469—, el *Plinio*—Venecia, 1469—, el *Tito Livio*—Roma, 1469—, el *Boccaccio*—Venecia, 1471.

El primer incunable español es el titulado *Les obres o troves... donall scrites, les quels tracten de lahors de la sacratissima verge Maria,* Valencia, 1474. (V. *Imprenta. Tipografía.)*

V. BEUGHEM: *Incunabula typographie.* Amsterdam, 1688.—AUDIFFREDI: *Catalogus editionum seculi XV.* Roma, 1783.—MAITTAIRI: *Annales typographici ab artis inventae origine ad annum 1500.* La Haya, Amsterdam, Londres. —AMATI: *Manuale di bibliografia del secolo XV...* Milán, 1854.

INDETERMINISMO

Doctrina filosófica que admite en el hombre un libre arbitrio absoluto para obrar o no, para someterse o no a esas leyes llamadas impropiamente *fatales.* Es, pues, doctrina contraria radicalmente al *determinismo* (V.).

Durante mucho tiempo determinismo e indeterminismo se movieron en esferas distintas. El primero fue un postulado de la ciencia de la Naturaleza sometida a la rigidez del principio de la causalidad. El segundo regía únicamente para el mundo moral. Al invadir el determinismo los dominios de la psicología y de la ética, el indeterminismo se introdujo sutilmente en la filosofía natural. Modernamente se oponen, luchan y detonan en los más arduos problemas de la filosofía y aun de la teología, siempre uno a rastras del otro.

El indeterminismo puede ser inmoderado o moderado. El inmoderado defiende una libertad absoluta en todos los casos e independiente de toda condición. El moderado defiende una libertad restringida a ciertos casos y dependiente de determinadas condiciones.

El *escolasticismo* (V.) profesó un indeterminismo moderado, ya que no defendió la libertad de elegir sin ningún motivo, sino la libertad de elegir entre varios motivos previamente seleccionados por el conocimiento.

El indeterminismo excluye toda necesidad antecedente a su determinación, lo cual pudiera llevar a un estado de *indiferencia,* ya por parte del sujeto, ya por parte del objeto. Y algunos críticos afirman que esta indiferencia es tan importante que, si falta, desaparece el indeterminismo.

Sin embargo, la doble indiferencia apuntada necesita de condiciones precisas para cumplirse. Así, la subjetiva debe ser activa y dominativa, y no inmotivada, sino siempre dispuesta a elegir entre varios motivos; no obstante, puede sentirse más o menos atraída hacia este o aquel extremo, y basta con que su indiferencia sea pasiva.

La indiferencia objetiva puede serlo aun en el caso de que atraiga la voluntad, siempre que su atracción no sea tan decisiva que anule la indeterminación. (V. *Contingentismo.)*

INDIA (Literatura)

La literatura de la India puede considerarse dividida en tres períodos:

1.° *Período de los Vedas.*

2.° *Período postvédico* (epopeyas, puranas, literatura budista, jamista y filosófica).

3.° *Período clásico.*

I

Los textos más antiguos de la lengua sánscrita—hacia el siglo XIV antes de Cristo—son los *Vedas*. Veda significa "ciencia".

Los *Vedas* son cuatro textos fundamentales: *Rigveda,* colección de 1.028 himnos con 40.000 versos, origen de toda la poesía posterior; el *Yagur-Veda,* fórmulas sacerdotales de culto; *Sama-Veda,* himnos propios de las fiestas religiosas; *Atharva-Veda,* himnos cantados en bodas y funerales y fórmulas mágicas contra las enfermedades, enemigos y bestias dañinas.

Textos posteriores son: los *Brahmanas,* comentarios a los *Vedas; Upanisad,* doctrina revelada por el maestro a sus discípulos; *Vedanga,* sentencias y aforismos llamados *sutras;* Código de Manú *(Manava-dharmasastra),* que data del siglo III antes de nuestra Era, y que representa las ideas religiosas y sociales anteriores.

Segundo período: posvédico.—Dos grandes poemas épicos constituyen la epopeya del pueblo indio: el *Ramayana* y el *Mahabharata.* Los dos poemas debieron estar escritos con anterioridad a la propagación del budismo—siglo V antes de Cristo—, pues que no se encuentra en ellos la menor referencia a la religión suava. El texto actual del *Ramayana* se fijó en el siglo II de la Era cristiana; el del *Mahabharata,* en el siglo IV.

El *Mahabharata,* sin las interpolaciones que le ha sumado el entusiasmo popular, constaría de unos 25.000 versos o *slokas;* con las interpolaciones consta de 100.000. Su tema es la lucha que sostuvieron los *Pandavas,* descendientes de Baharata, por la posesión del reino de Hastinapur. Carece de unidad. Contiene varias leyendas y aun varios tratados filosóficos. Se desconoce el nombre del autor, ya que *Vyasa,* a quien se atribuye, es nombre que significa *compilador.*

El *Ramayana,* atribuido a *Valmiki,* trata del nacimiento y educación de Rama, reencarnación de Visnú—dios de la guerra—; de su destierro, acompañado por su fiel esposa Sita; del rapto de esta; de los esfuerzos de Rama por recobrarla; de los hechos militares del héroe, exterminio de los *raxasas*—sus enemigos—y conquista de la isla de Lanka (Ceilán). En el poema, abigarrado, intervienen dioses, hombres y animales sabios. Los críticos creen que los libros *2* al *6* constituyen el poema primitivo, y que los *1* y *7* se han agregado posteriormente, para hacer del héroe Rama la encarnación de Visnú.

A este mismo período corresponden los *Puranas*—o *antiguos*—; conjunto de leyendas de finalidad religiosa. Y los textos que contienen la sistematización teológica y filosófica del hinduismo: los *Agama (tradiciones),* libros rituales filosóficos; los *Tantra (libros),* ampliación de los *Ayama,* y el Código de Visnú.

Entre todos los géneros literarios cultivados en la India, el *cuento moral* es el más admirable y difundido. La colección de cuentos de mayor fama e influjo es la denominada *Panchatantra* ("cinco libros", "cinco *tantras*", esto es, hilos o series), que reúne cuentos, fábulas, apólogos, moralejas, y dio origen a una literatura espléndida en distintos pueblos de Asia y Europa: China, Japón, Persia, Arabia, Grecia, Alemania, Italia, España, Inglaterra...

El *Panchatantra* fue imitado y refundido en otra colección titulada *Hitopadesa* o *Instrucción saludable.* Y sus cuentos ganaron fama al ser traducidos al persa y al árabe con el título de *Kalila y Dimna.*

Período clásico.—Se inicia hacia el siglo IV de la Era cristiana. Su figura máxima es el poeta y dramático Kalidasa, entre cuyas otras están: el *Meghadata*—lamentaciones de amor—, el *Sakuntala*—drama en siete actos, acerca de los amores del rey Duchmanta y de Sakuntala, y de las trágicas peripecias por las que pasaron antes de vivir felices—; el *Ritusamhara*—poema a las seis estaciones del año indio—; el *Vicramorvasi...*

Otro gran poeta, contemporáneo de Kalidasa, fue Chatakarpara, lírico de extraordinaria delicadeza y de un suave erotismo. Y Yajadeva, gran poeta igualmente, escribió *Gitanovinda,* exaltación del amor orgiástico y del panteísmo. (V. *Indostani, Literatura.)*

V. KEITH, A. B.: *A History of Sanskrit literature.* Oxford, 1928.—PISCHEL, R.: *Indische Literatur (Die Kultur der Gegenwart,* I, VII). Berlín, Leipzig, 1906.—GRIERSON, G. A.: *Modern vernacular Literature of Hindostam.* Bengala, 1919.—CELADA, B.: *Literatura india.* (En "Historia de la Literatura Universal".) Madrid, Atlas, 1946.

ÍNDICE

1. Indicio o señal que guía.
2. Lista, catálogo, enumeración breve, dispuestos por orden alfabético, cronológico, de páginas... que conducen a encontrar fácilmente una cosa en medio de otras muchas.
3. Lista o catálogo de las obras que forman una biblioteca, un archivo, un museo...
4. Conjunto metódico de materias, muy sucintamente enunciadas, que se pone al principio o al fin de un libro, con el objeto de que puedan encontrarse con facilidad en la parte de aquel donde son tratadas con amplitud.
5. Sala de una biblioteca, de un archivo, de un museo, donde está colocado el catálogo de sus obras.
6. Catálogo romano de los libros prohibidos por la Iglesia. (V. *Catálogo, Catalogación.)*

INDIFERENTISMO

1. En las creencias y prácticas religiosas, sistema cuyos sectarios hacen profesión de indiferencia hacia todo y se abandonan a la fatalidad.

El indiferentismo religioso ha sido definido así: "Sistema de ideas y doctrinas que eleva a la categoría de ciencia y de ley la indiferencia religiosa."

La indiferencia puede ser: *negativa,* si no se inclina con cierta preferencia por una entre las distintas religiones; y *positiva,* si cree que todas las religiones son positivamente iguales.

El indiferentismo, desde el punto de vista social, puede ser: *absoluto, mitigado* o *latitudinarismo* y *liberal.*

El *absoluto* niega la necesidad de cualquier religión, aun la natural. Fue condenado por Pío IX en la tercera proposición del *Syllabus.* Y deriva: del *ateísmo*—que niega a Dios—, o del *panteísmo*—que identifica a Dios con la Naturaleza—, o del *agnosticismo*—que hace la idea de Dios inaccesible al entendimiento humano.

El *indiferentismo mitigado* admite que el hombre tiene algunos deberes para con Dios, pero defiende la libertad absoluta del hombre para elegir religión conforme a su gusto. Fue condenado por Pío IX en el *Syllabus.* Y lo habían ensalzado Rousseau en su *Emilio* y Jules Simson en su *Religion naturelle.*

El *indiferentismo liberal* o *liberalismo* (V.) propugna una gran libertad de conciencia en materia religiosa, y un respeto igual para todas las religiones. Fue condenado por Pío IX en el *Syllabus* y por León XIII en sus encíclicas *Immortale Dei* y *Libertas.*

El indiferentismo suele alegar *que no necesita Dios de nuestros obsequios.* La refutación es esta: en los actos religiosos no debemos buscar la *utilidad* de Dios, sino *su gloria y nuestro bien.*

Siendo el fin último y natural del hombre conocer la Suprema Verdad y amar la Verdad increada, como tal fin no puede realizarse sin que el hombre ponga cuanto es de su parte en orden a sentir bien de Dios, lógicamente se desprende de ello la maldad de un indiferentismo que le aparta para siempre de acercarse al conocimiento y al inmediato cumplimiento de dicho fin. Es decir, que el hombre tiene la obligación grave de inquirir y averiguar dónde está la verdadera religión, la religión revelada, una vez que posee sólidas razones acerca de una verdadera probabilidad sobre su existencia.

El indiferentismo religioso va contra la misma ley natural, que nos inspira la seguridad de una religión revelada en la que se cumplen todos los fines de la espiritualidad.

2. El indiferentismo filosófico y la doctrina de lo *no-diferente* los defendió en el siglo XII Adelardo de Bath.

Bath consideraba la sustancia individual como lo verdaderamente existente. Pero añadía que cada singularidad iba acompañada de una serie de propiedades que le son comunes con otras. Tal semejanza correlativa constituía la *indiferencia* en los individuos, o la *no-diferencia.* Resumiendo: en cuanto a los individuos, la especie es lo *indiferente* o lo *no-diferente;* en cuanto a las especies, el género es lo *no-diferente,* lo *indiferente.*

V. *Para el indiferentismo religioso:* RICHARD, P.: *Indifférence religieuse.* En el "Dict. de théol. cath.", de Vacant-Mangenot-Amann. París, 1923, tomo VIII.—GARRIGOU-LAGRANGE: *De revelatione per Eccl. cath. proposita.* Roma y París, 1921, vol. II.

V. *Para el indiferentismo filosófico:* REINERS: *Der aristotelische Realismus in der Frühscholastik.* Bonn, 1907.

I

INDIVIDUALISMO

Sistema filosófico que considera al individuo como fundamento y fin de todas las leyes y relaciones morales y políticas, anteponiéndole a los demás valores denominados impersonales, en los órdenes explicativos, moral o práctico.

Políticamente, el individualismo consiste en limitar la acción de la colectividad como tal, es decir, la acción del Estado, a la defensa y protección del individuo, resistiéndose a la absorción del individuo por la comunidad. En este sentido son muy difíciles de fijar los límites del individualismo, aun cuando la acción colectiva puede considerarse casi siempre como defensiva.

El vocablo individualismo, políticamente, se opone con frecuencia a *socialismo* (V.), a *colectivismo* (V.), a *comunismo* (V.). Se opone clarísimamente a comunismo, pero no a ciertas formas modernas del socialismo y del colectivismo que pretenden conservar la libertad y los derechos del individuo, sosteniendo inclusive que el individuo no puede llegar a ser verdaderamente libre sino en el seno del colectivismo y del socialismo.

Filosóficamente, el individualismo se planteó ya en los primeros tiempos de la reflexión filosófica, por ser una fase muy interesante del problema general del ser. Las primeras concepciones individualistas: el *atomismo*—realidad formada de individualidades—y el *pluralismo*—conjunto de elementos heterogéneos subsistentes—se opusieron a la concepción monista del Universo.

Acaso podría calificarse de individualista la doctrina filosófica de Aristóteles, ya que este atribuyó la auténtica realidad al individuo. También es una concepción individualista el *dualismo* (V.); y la filosofía de la continuidad descubre distintas formas de individualidades, "cuyo grado inferior es el elemento químico, y el superior, la conciencia humana".

El individualismo es un término que casi ha desaparecido ya de la nomenclatura filosófica, aplicándosele más y más en los problemas prácticos: política, economía, sociología, etc...

Políticamente, "el ideal del individualismo es relativamente reciente. Está implícito en la antigua Atenas y en las doctrinas del Renacimiento. La Reforma, que representaba la rebelión de la conciencia individual contra las pretensiones de la autoridad, contribuye al desarrollo de este ideal, especialmente cuando el Estado interviene en las doctrinas religiosas. Las teorías de los derechos naturales y del pacto social, el principio utilitarista de la felicidad del mayor número, consideran al individuo como el elemento más importante del Estado. La Revolución francesa ofrece también un ideal individualista al sostener, apasionadamente, la creencia de que las instituciones políticas tienen su origen en la existencia humana y reflejan sus efectos en la vida de los ciudadanos. Sin embargo, los hombres, en este tiempo, se preocupan, sobre todo, de la posibilidad de establecer un gobierno perfecto, y atienden con preferencia a la mejora y transformación del Estado, dejando en segundo término lo relativo a los límites sobre la esfera de su actividad.

"El individualismo moderno brota de la revolución industrial, a quien se debe la desaparición de los últimos vestigios de las castas medievales. La revolución convierte al *hombre económico* en el miembro más importante y respetable de la sociedad. Las condiciones y necesidades del nuevo régimen se oponen a la tradición del gobierno absoluto; y aparece una escuela numerosa de pensadores que proclaman la necesidad de una amplia libertad individual. La nueva biología, con su doctrina de la evolución, a través de la lucha por la existencia y de la supervivencia de los más aptos, fortalece y apoya los argumentos económicos a favor de la libertad de competencia y de los principios del *laissez faire* y del librecambio. Todas estas influencias actúan, conjuntamente, en sentido individualista, en la primera mitad del siglo XIX. Los idealistas, dentro del individualismo, piensan que los hombres poseen determinados derechos naturales, a los cuales no puede tocar el Estado. Los economistas sostienen que el Estado debe dejar en libertad a los individuos, y que la manera más adecuada de fomentar los intereses de la comunidad es asegurar a cada uno la conquista de su propio interés. Los hombres de ciencia proclaman la lucha y la libre competencia humana como condiciones indispensables al progreso. Y, en general, se aspira a dejar a la Naturaleza abandonada a sus propias fuerzas; a confiar, con optimismo, en el desarrollo de las fuerzas naturales, en cuyo proceso radica únicamente la solución de todos los problemas sociales, si se evita y aleja la intromisión embarazosa del Estado. En su forma más extrema y exagerada, el individualismo conduce al anarquismo.

"La mejor exposición de las teorías individualistas proviene de Inglaterra. Herbert Spencer sostiene que el altruismo modera las ambiciones egoístas, sin que sea necesaria la intervención del Estado. En la Historia se encuentra el testimonio fehaciente de la disminución de la autoridad gubernamental a medida que pasan los hombres de la organización militar a la organización industrial de la sociedad. Sostiene Spencer que el Estado, en cuanto órgano especializado de la estructura social, debe limitar su actividad a ciertos deberes y obligaciones específicas, que se reducen, en resumen, al sostenimiento de la paz y del orden. En este camino, la limitación de la actividad del Estado tiene que marchar de acuerdo con la especialización de las funciones necesarias a la evolución. Spencer se aprovecha de este modo de las enseñanzas de la Historia y de la concepción darwiniana, para demostrar la integridad del individualismo y la necesidad de su implantación y establecimiento.

"John Stuart Mill ensalza la tesis individualista como el medio más adecuado para asegurar el desarrollo acabado y completo de las facultades y potencias de todos los individuos. Según este autor, la actuación de los Gobiernos debilita y oscurece la iniciativa individual y destruye toda originalidad; aboga, en su consecuencia, por la existencia de un Gobierno popular y descentralizado, que actúe en la vida dentro de ciertos límites prescritos con anterioridad. Mill representa una etapa de transición; en sus últimos escritos manifiesta una actitud favorable al socialismo de Estado. Abandona el principio del interés individual por el del sacrificio... Sigwick presenta, también, una exposición doctrinal, desde el punto de vista individualista. Dice que la actividad peculiar y propia del Gobierno se reduce al sostenimiento de la seguridad personal, de la propiedad privada y de las obligaciones que nacen de los contratos; y cree que el bienestar social alcanza su estado más perfecto a medida que los individuos realizan, de manera razonable, su propio interés privado. Individualistas son igualmente las teorías de Donisthorpe y Bruce Smith.

"En América se ofrecían, especialmente, condiciones favorables al desarrollo de las doctrinas individualistas. La teoría de la revolución americana, con su concepción de las personas soberanas dotadas de derechos naturales, presenta un aspecto claramente individualista.

Aunque los *leaders* federalistas defendían un Gobierno fuerte y enérgico, la opinión pública se inclinaba por el individualismo a medida que se desarrollaban las tendencias democráticas de Jefferson y Jackson. Los *leaders* radicales, en el movimiento abolicionista de la esclavitud, no conceden demasiada importancia al Gobierno. Parten de la libertad inalienable de los hombres y llegan incluso a sostener la abstención en la política y la abolición del Gobierno. Confían en la emancipación universal; demandan la separación de la Iglesia y del Estado, y sostienen distintos movimientos liberales y humanitarios.

"Al final del siglo XIX, la teoría política americana continúa siendo, predominantemente, individualista. Se nota, sin embargo, un cambio desde el individualismo político de la primera época (a base de la concepción de los derechos naturales, y de la asimilación de los Gobiernos fuertes, con el imperio del absolutismo), al individualismo económico de los tiempos posteriores, fundado en la doctrina del *laissez faire,* según la cual el comercio y la industria alcanzan un mayor grado de florecimiento cuando el Gobierno se abstiene de intervenir en su actividad." (GETTELL.)

El individualismo ha tenido una gran trascendencia en la esfera económica. La escuela *individualista* tomó nuevas denominaciones: *liberal, optimista, clásica.*

La individualista afirmó que el egoísmo debía ser la norma única de nuestras acciones. Este individualismo "feroz" excluye el *asociacionismo* (V.), el *solidarismo* (V.), la intervención del Estado.

La escuela individualista liberal creyó que el individuo era el único agente del movimiento económico, ya que él es el único capaz de determinar sus intereses y de realizar los medios oportunos para lograr aquellos.

La escuela individualista optimista afirmó, completando la teoría de la escuela liberal, que el interés social no es sino la suma de los intereses individuales.

La escuela individualista clásica es individualista y liberal, pero no optimista, y se mantiene dentro del campo de la ciencia pura.

El individualismo económico se opone abiertamente a la intervención del Estado, y fue estructurado y defendido por Adam Smith.

G. GETTELL, Raymond G.: *Historia de las ideas políticas.* Barcelona, 1930.—ASTER, Ernst von: *Historia de la Filosofía.* Barcelona, 1935

INDOEUROPEAS (Lenguas)

Se designa con este nombre una importante familia de idiomas que al principio fueron llamados *indopersas* y después *indogermánicos.*

Un detenido estudio comparativo de los diversos idiomas de Europa con la lengua originaria de la India, de la que deriva el sánscrito, ha llevado a reunir a tales idiomas en una familia definitiva, constituida bajo la denominación de *indoeuropea.* Lassen las ha llamado también *lenguas arias,* título que la ciencia ha aceptado. La lengua védica es la raíz común de estas lenguas.

La familia indoeuropea se reparte en seis grupos:

1.º *Lenguas indias* o *sánscritas.*
2.º *Lenguas persas* o *iranias.*
3.º *Lenguas celtas.*
4.º *Lenguas germánicas.*
5.º *Lenguas eslavas.*
6.º *Lenguas grecorromanas* o *traciopelásgicas.*

El primer grupo comprende el *sánscrito,* el *pracrit,* el *pali,* el *indú,* el *indostán,* el *bengalí* y muchísimos dialectos.

El segundo grupo está formado por el *zenda,* el *pehlvi*—de los medos—, el *armenio* y el *parsi,* origen este último del moderno persa.

El grupo de las lenguas *célticas* dio origen al idioma de los *cimbrios* o *bretones,* y al de los *galos* o *gaéticos.* En nuestros días comprende el *erse,* de Irlanda; el *caledoniano,* de las montañas de Escocia; el *welsh,* del País de Gales; el *breizad,* de la Baja Bretaña.

Las lenguas *germánicas* comprenden tres grandes divisiones: la *gótica,* la *teutónica* y la *escandinava.* La *gótica* es la más antigua forma conocida de lengua *germánica.* El *teutónico* es el *alemán,* que, a su vez, comprende el *bajo alemán (frisón, holandés, sajón, anglosajón)* y el *alto alemán* antiguo, medio y moderno. El *escandinavo* o *nórdico* comprende el *danés, noruego, sueco, islandés...*

El grupo de *lenguas eslavas* comprende: el *esclavón,* el *ruso,* el *yugoslavo,* el *curlandés,* el *lituano,* el *letón,* el *polaco,* el *húngaro,* el *checo,* el *venedo.* El lituano dio origen al *antiguo prusiano.*

En el grupo *grecorromano* hay tres grandes ramas: el *helénico,* el *itálico* y el *albanés.* El *helénico* comprende: el *griego antiguo* y sus *dialectos: eolio, jónico,* y el *griego moderno* o *romaico.*

Los idiomas primitivos de Italia son: el *osco,* el *umbrio* y el *latín.* Este último dio origen a las lenguas *neolatinas: italiano, español, francés, portugués...,* con sus numerosos dialectos.

La unidad radical y la identidad originaria de las lenguas de Europa y de la India constituyen un hecho fundamental logrado por la filología moderna. Su causa estuvo en la dispersión—tres mil años antes de la Era cristiana—de los pueblos arios hacia el sur de Asia y hacia Europa.

En 1767, P. Coeurdoux, luego de un examen minucioso de los idiomas indios, griegos y latinos, llegó a la conclusión del origen de todos ellos. La línea es esta:

V. VATER, J. S.: *Tableau comparatif des grammaires des langues de l'Europe et de l'Asie*. Halle, 1806.—EICHHOFF: *Paralelo entre las lenguas de Europa y Asia*. Trad. Madrid, 1902.—CHAVÉE: *Lexicologie indo-européenne*. París, 1849.—BAUDRY, F.: *Grammaire comparée des langues classiques*. París. Varias ediciones.—PICTET, Ad.: *Les origines indo-européennes, ou les Aryas primitifs*. Ginebra, 1856.

INDOSTANÍ (Lengua)

Una de las lenguas de la India correspondiente a la familia de las indoeuropeas. El indostaní se formó hacia el siglo XI, por la época de la invasión de Mahmoud el Gaznevide. En la centuria siguiente, establecida en Delhi la dinastía Pathana, se logró, en las ciudades sometidas a los musulmanes, una combinación más completa del flamante idioma, mezcla de *pracrit*—que es el sánscrito alterado—y de persa.

Algunos filólogos—Garcin de Tassy entre otros—dividieron el indostaní en *antiguo* o *indú* y *moderno*. Pero esta división no está generalmente admitida: el induí precede, en la formación, un siglo al indostaní. El indostaní moderno comprende dos dialectos: el *urdu*, lengua de los campos, al Norte, y el *dakhni*, al Sur, usado en las ciudades musulmanas.

Como lengua hablada, el indostaní tiene fama por su pureza y elegancia. Después de una definición proverbial de origen persa, el árabe fue la base de las lenguas del Oriente musulmán y el más perfecto de los idiomas.

El turco es la lengua, acaso, de las artes y de la literatura; el persa, el idioma de la poesía y de la historia; pero el indostaní, reuniendo las mejores calidades de los tres idiomas mencionados, fue el preferido para el diálogo de la vida, acaso por su expresividad y sonoridad. Los musulmanes de la India lo hablan con exclusión de otro cualquier idioma. El indostaní es el preferido por todos los promotores y propagandistas de ideas filosóficas y de doctrinas religiosas.

La gramática indostaní es mucho más sencilla y simple que la del sánscrito. Cuenta con dos géneros, dos números y seis casos para los sustantivos, los adjetivos y los pronombres. El verbo activo se forma generalmente del neutro.

Garcin de Tassy ha dividido en diez clases los verbos compuestos: *nominales* o *adverbiales*, de *intensidad*, *potenciales*, *completivos*, *incoactivos*, *permisivos*, *adquisitivos*, *frecuentativos*, *continuativos* y de *proximidad*. La voz neutra, la activa y la pasiva se conjugan sobre un único modelo. Su alfabeto es el árabe, al que se le han unido cierto número de letras para representar las articulaciones y los sonidos persas e indostanís, desconocidos en el árabe. Se compone de 14 vocales y 47 consonantes.

V. SCHULTZ: *Grammatica hindostanica*. Halle, 1745.—DUNCAN FORBES: *A Grammar of the hindoustani language*. Londres, 1868. SANDFORD ARNOT: *Hindustani Grammar*. Londres, 1861.

INDOSTANÍ (Literatura)

La literatura indostaní o indostana continúa, en la India, en un idioma derivado del sánscrito la literatura brahmánica. Esta literatura ofrece un gran interés por sus obras poéticas, históricas y filosóficas. En ella todo está compuesto en verso: novelas, historias, tratados didácticos, leyendas y hasta los diccionarios. La poesía sirve para expresar las doctrinas filosóficas de los reformadores.

Las producciones de la literatura indostaní se dividen, según la clasificación sánscrita, en *Akhyana*—cuentos y leyendas—, *Adikavya*—poesías primitivas—y en *Itihaça*—historias, recitados en verso, o en prosa y verso, apólogos tales como el *Totâ kahânî (Cuentos del papagayo)*, el *Sing-haçan-Battici (El trono encantado)*, el *Baïtal-Pachici (Narraciones de Baïtal)*, etc...

En la literatura indostaní son innumerables los géneros de poesía, teniendo cada uno su nombre peculiar, sus temas y sus reglas propias. Su nombre depende ordinariamente del número de sus versos y de las condiciones rítmicas, o bien de las circunstancias a las cuales se aplica la composición. Cerca de cuarenta géneros poéticos se han determinado en el indostaní. El *chaupaï*, el *doha*, el *sloka*, simples dísticos; el *badhava*, el *quitta*, cuartetas; el *chand*, el *chappaï*, sextinas; el *band*, el *abheng*, el *guit*, estancias, odas y canciones; el *tappa*, canción con refrán; el *chaturang*, canción de cuatro partes y con cuatro "aires" diferentes; el *dadra*, el *raçadik*, cantos eróticos; el *bhathyal*, el *marcya*, cantos fúnebres; el *dhammal*, el *dipachandi*, el *holi*, cantos de carnaval; el *sadra*, canto de combate; el *hindola*, el *jhulna*, cantos de danzas; el *malaï*, canto para pedir la lluvia; el *mongal*, el *sohlá*, cantos en las fiestas populares; el *romaïni*, enigmas, logogrifos, sentencias; el *inscha*, epístolas; el *mustazad*, el *rag*, a manera de las *gazelas* árabes; el *rubaï* y el *rubyat*, composición complicada a manera de invocación; el *tarikh*, cronograma; el *masnavi*, forma sabia común a persas, turcos y árabes; el *chistan*, enigma; el *soz*, el *taschib*, poemas eróticos; el *tazmin,* comentario poético a otros poemas.

Las obras literarias indostanís se comprenden en los siguientes apartados: 1.º *Poesía heroica,* que suma los grandes poemas históricos que llevan el nombre de *nama*—libros—y las narraciones en verso o *guissas;* las obras históricas en prosa poética, los romances legendarios acerca de Alejandro el *Grande,* Khusran, Schüzin, Majnun, Laïla; los romances "de caballería", como *Quissa-i Amir Hamza* y *Khawir-Nama;* los cuentos de *Las mil y unas noches* y el *Khirad Afoz, Mufarrah, Ulculub,* etc.; 2.º *Elegías y quejas;* 3.º *Obras morales,* los *Pand-nama* (libros de consejos), las *Akhlacs,* tratados en prosa y verso; 4.º *Poesía erótica, gazelas* místicas, poemas filosóficos que enseñaban un panteísmo licencioso; 5.º *Poesías de elogio y salutación,* invocaciones a Dios, a los príncipes e imanes, a los protectores de los poetas; 6.º *Composiciones satíricas* contra los déspotas, contra las enfermedades, pestes, plagas, trivialidades, costumbres y obscenidades; 7.º *Poesía descriptiva,* en prosa y verso, como los *Tazkiras* y los *Inscha.*

La literatura indostaní no tuvo un verdadero teatro. Los juglares o *Bazigars,* durante las fiestas populares, representaban escenas de costumbres, en las cuales el diálogo era improvisado.

Son numerosos los grandes escritores indostanís. La mayor parte de ellos, historiadores, cuentistas, poetas, filósofos... En el siglo XII sobresalieron: Chand y Khusrau; en el XV: Kabir, Manak; en el XVI: Surdas, Tulci-das; en el XVIII: Iuzat, Wali, Aschufta, Mir Tagni, Arzu, Hatim, Haçam, Joschich, Caïm, Mushafi, Dard, Sauda, Afsos, Ramcharam, Soz, Haïdari, Jawan... En el siglo XX surgió el maravilloso poeta Rabindranath Tagore, Premio Nobel de Literatura mundial, dramaturgo excepcional, tanto en inglés como en bengalí. (V. *India, Literatura.)*

V. GARCIN DE TASSY: *Histoire de la littérature hindouïe...* París, 1837.—GARCIN DE TASSY: *Langue et littérature hindoustanies.* 1870.

INDOSTÁNICAS (Lenguas)

Son numerosísimas y se hablan en el Imperio angloindio, en el reino de Lahore, en los principados de Sindhi, en el reino de Nepal, en el reino de Maldives y en las posesiones de las potencias europeas.

Las lenguas antiguas son: el idioma—conjeturado—de los *arios,* el *sánscrito,* los idiomas *dravidianos,* el *pracrit*—alteración del sánscrito vulgar—, el *pali*—preferido por los budistas.

Las lenguas modernas son: el *indui* o *indostaní* (y sus dialectos: *dakni* y *ourdui),* el *bengalí* o *gaur,* el *kawi,* el *mahrrate,* el *pindjabi,* el *cingalés,* el *guzerate,* el *sindhi,* el *orissa,* el *maguhda,* el *bundelkhund,* el *cachemiro,* el *kukuna,* el *multani,* el *kahspura,* el *cissam,* el *rossawan,* el *banga,* el *rooinga,* el *dogura,* el *bikamir,* el *aruti,* el *hudonya-pura,* el *jouya-pura,* el *malhwah,* el *kutch,* el *mithili,* el *zíngaro,* y los llamados idiomas *malebares: kanara, maldiviano, malayala, telinga,* etc. (V. *Indoeuropeas, Lenguas.)*

V. KLAPROTH: *Asia polyglotta.* París. Varias ediciones.—BALBI, Adriano: *Atlas etnográfico.* Trad. Madrid, 1905.

INDUSTRIALISMO

Tendencia económica con un predominio indebido de los intereses industriales. (Véase *Mercantilismo.)*

El industrialismo, aunque ya existente prácticamente en Inglaterra, se inició como teoría en 1788, con motivo del viaje de Say a las Islas Británicas. A su regreso a Francia teorizó sus nuevas ideas, dándoles el alcance de una doctrina.

Juan Bautista Say (1764-1832) nació en Lyón y murió en París. En 1819 creóse para él una cátedra de Economía industrial en el Conservatorio de Artes y Oficios, y en 1825, otra de Economía política en el Instituto de Francia. En sus obras principales: *Traité d'économie politique*—1803—y *Cours complet d'économie politique pratique*—1828—desarrolló sus teorías. Fue discípulo y divulgador de Adam Smith; dividió la Economía en tres partes: producción, distribución y consumo; distinguió el interés del capital y la ganancia del empresario; se preocupó dominantemente de la industria, aunque no dejó de colocar la agricultura en primer lugar, no considerando inferiores a esta "los capitales empleados para sacar partido de las fuerzas productivas de la Naturaleza".

Conviene subrayar también algunos puntos de la doctrina de Say:

"Teórico del industrialismo, se vio lógicamente llevado a poner completamente en claro la fisonomía económica del *empresario,* que la escuela inglesa confundía con la del capitalista. Se interesó en determinar su papel, en destacar su importancia, y consideró los beneficios como un salario de trabajo, de un trabajo mejor remunerado por ser menos *ofrecido* y exigir unas cualidades morales cuya coincidencia no es *común.* Presenta al *empresario de industrias* como el eje de la producción y de la distribución al mismo tiempo; el que adapta los recursos a las necesidades sociales y remunera a los colaboradores en la obra de la cual es director. Teoría es esta superior a la de Ricardo, para quien el propietario de tierras y su renta eran el eje del mundo económico.

"Say dio, sobre todo, su nombre a la famosa "ley de los mercados", expuesta por él en el capítulo XV del libro primero del *Tratado.*

Dice así: "El análisis de los hechos más comunes y más constantes enseña que el empresario que crea valores no puede confiar en que se los paguen más que cuando otros hombres tengan medios de adquisición. Ahora bien: ¿en qué consisten estos? En otros valores, en otros productos, fruto de su industria, de sus capitales, de sus tierras; de lo cual resulta, aunque parezca una paradoja a primera vista, que es la producción la que abre el mercado a los productos." Esto suele enunciarse de una manera más breve: los productos se cambian por otros productos.

"Así, pues, si una clase de productos se vende mal, *no es porque escasee el dinero,* como se figuran los negociantes, sino por escasez de los productos de cambio. De modo que cuando se dice: *no hay ventas porque escasea el dinero,* se toma el medio por causa; se comete un error que procede de que casi todos los productos se resuelven en dinero antes de cambiarse por otras mercancías, y de que una mercancía que se presenta tan a menudo le parece al vulgo la mercancía por excelencia, el fin de todas las transacciones, de las cuales solo es intermediario... Siempre hay dinero bastante para la circulación y el cambio recíproco de otros valores, cuando estos valores existen realmente; más aún: *es buena señal que falte dinero para las transacciones,* como lo es también *que falten almacenes para las mercancías.*

"El dinero no realiza más que una misión pasajera...; al final de los cambios resulta siempre que se han pagado los productos con otros productos. Cuando se crea un producto, constituye una salida para otro producto en competencia del importe de su propio valor, pues "desde el momento en que existe busca otro producto por el cual pueda ser cambiado".

"Resulta de esto que no puede haber superproducción general. Cuando hay aglomeración, solo puede ser parcial: "Es porque los conductos, en vez de estar atascados, se ven desprovistos de varios productos. Es porque habiendo padecido alguna dificultad de producción de los productos que faltan, los que sobran no tienen salida."

"Consecuencias: 1.ª, cuando más numerosos son los productos en un país determinado y más se multiplican las producciones, más fáciles y variadas son las salidas; 2.ª la prosperidad de cada industria es solidaria de la de las demás; 3.ª, la de una nación es solidaria de la de las demás naciones; 4.ª, no se perjudica la producción nacional cuando se importan y se compran mercancías extranjeras; 5.ª, alentar el consumo no es favorecer el comercio: un producto creado es un mercado abierto; un producto consumido es un mercado cerrado. Apreciación antifisiocrática y contraria y un prejuicio corriente."

Con frecuencia ha sido criticado y combatido el industrialismo de Say. Sin embargo, apenas en detalles equivocó su teoría este gran economista; en el fondo, su pensamiento es acertado. Say deseó que no hubiera temor a producir; se puede producir demasiado en un sentido, pero no en todos a un tiempo.

Lo que censuró Say fue el *maltusianismo industrial.* Al "miedo de vivir y de producir" del inglés, opuso Say un acto de fe en la industria, en la producción.

Dentro del liberalismo económico, defendiendo Say sus dos ideas raíces—misión del empresario y beneficio de la producción ilimitada—, logró exaltar un optimismo fundado en la creencia del esfuerzo humano mejor que en la generosidad de la Naturaleza.

Say dejó numerosos discípulos—Comte, Dunoyer, Allix...—, los cuales desarrollaron plenamente las doctrinas del industrialismo, y en especial las del pase del poder a manos de los *laboriosos* y de lo más escogido de la industria, y la de la necesidad de una Internacional de *productores,* ya que no de obreros manuales.

V. GONNARD, René: *Historia de las doctrinas económicas.* Madrid, Aguilar, 1952.—ALLIX, E.: *Say et les origines de l'industrialisme.* París, 1910.—KLEINWACHTER, F.: *Tratado de Economía política.* Barcelona, 1925.

INFLEXIÓN

1. Variabilidad de que son capaces, en sus terminaciones, todas las partes de la oración gramatical llamadas variables: *nombre sustantivo, verbos,* etc.

2. La variación del verbo por sus modos, tiempos y personas.

Antiguamente, la *inflexión* fue tomada como sinónimo de *declinación;* teoría inaceptable hoy. (V. *Flexión.*)

INGENIO

1. Facilidad, presteza en concebir y en imaginar.

2. Facultad del hombre, en virtud de la cual discurre o inventa con prontitud.

3. Entendimiento e inspiración para lo literario.

4. Agudeza en concebir, interpretar o comentar algo.

Pensamiento *ingenioso* es el que muestra agudeza de entendimiento y descubre relaciones no advertidas por la multitud.

> Por nuestro Señor, que es mina
> la taberna de Alcocer;
> grande consuelo es tener
> la taberna por vecina.

Si es o no invención moderna,
vive Dios, que no lo sé;
pero delicada fue
la invención de la taberna.
....

Alegre estoy, vive Dios;
mas oye un punto sutil:
¿no pusiste allí un candil?
¿Cómo me parecen dos?

Pero son preguntas viles;
ya sé lo que puede ser:
con ese negro beber
se acrecientan los candiles.

(Baltasar del Alcázar.)

INGLESA (Lengua)

La lengua inglesa proviene del anglosajón, que es al mismo tiempo un dialecto de la Baja Alemania. Los jutlandeses, los sajones, los anglos, a mediados del siglo v invadieron la Gran Bretaña y llevaron sus lenguas, que diferían ligeramente entre ellas y constituían los dialectos llamados bajo-alemán, franco-norte, el gótico y el escandinavo. Los conquistadores sometieron al Occidente a los antiguos habitantes de la isla, que poco a poco fueron perdiendo su lengua y cediendo a la de los vencedores. En los comienzos del siglo IX la dominación anglosajona estaba consolidada; con más consistencia tomó también más unidad. Los dialectos de los jutlandios, de los anglos y de los sajones se mezclaron, y el anglosajón se encontró totalmente constituido.

El anglosajón es un idioma totalmente germánico. No sufrió sino muy débilmente la influencia de los celtas y de los romanos, que precedieron a los germanos en la Gran Bretaña. Por su origen, se refiere inmediatamente al viejo sajón, que subsiste aún, aunque muy modificado, en la Westfalia y en los distritos de Cléveris, Essen y Munster; al viejo frisón, idioma de los francos, del cual el holandés moderno *(dutch)* es una derivación; al mesogótico, que contiene en el *Evangelio* de Ulfila el monumento más antiguo de las lenguas escandinavas; el viejo nórdico, que es la lengua madre del sueco, del danés, del noruego, del islandés y del dialecto de las islas Feroe; también está ligado, pero menos directamente, al antiguo alto-alemán, fuente del alemán moderno.

El anglosajón, comparado con el inglés moderno, ofrece formas gramáticales más numerosas y una sintaxis mucho más complicada. Existe la misma diferencia que pudiéramos encontrar entre el latín y el italiano. Contiene una gran cantidad de palabras que no existen en el inglés, por ejemplo: *lyft,* aire; *lichama,* cuerpo; *stefn,* voz; *swithe,* verdaderamente; *theold,* pueblo; las mismas palabras en anglosajón y en inglés se presentan bajo una forma diferente:

ANGLOSAJON	INGLES
Ic (yo).	*I.*
An (uno).	*One.*
Eahta (ocho).	*Eight.*
Nygon (nueve).	*Nine.*
Endlufon (once).	*Eleven.*

El anglosajón contenía muchas flexiones gramaticales que no se encuentran en el inglés; tenía tres géneros: masculino, femenino y neutro, y tres declinaciones, terminadas en *a,* en *e* y en *u* (para el masculino), con un rasgo común, que el genitivo plural termina siempre en *ena,* y el dativo y el ablativo en *um.* Los adjetivos toman los tres géneros y se declinan como los sustantivos. Todas estas flexiones han desaparecido en el inglés moderno. Así, por ejemplo, para el adjetivo *god (good),* bueno, el anglosajón tiene cinco formas: *godan, godre, godne, godes, godra,* mientras el inglés solamente tiene una, *good.* Lo mismo sucede con los verbos, cuya variedad de formas anglosajonas contrasta notablemente con la pobreza gramatical inglesa.

El anglosajón ofrece este carácter, que subsiste en el inglés, de poseer palabras breves que resultaban más sonoras que en la lengua moderna.

El anglosajón continúa casi sin alteración hasta la conquista normanda en 1066. Las invasiones de los daneses no le causaron sino débiles daños; mas, sin embargo, la de los normandos franceses le sometió a una dura prueba. Los conquistadores se repartieron casi todas las tierras y ocuparon casi todas las magistraturas. La justicia se administraba en francés. Bajo esta presión, el anglosajón resistió, porque era la lengua de la inmensa mayoría de los habitantes; pero como cesó de cultivarse literariamente, se descompuso. Todo cuanto había de artificial y complicado en su estructura desapareció poco a poco; perdió sus inflexiones y sus terminaciones. Se siguen los progresos de esta descomposición en la *Crónica sajona:* el anglosajón que termina en el año 1079 es aún bastante correcto; pero en el que va de 1135 a 1140, casi todas las inflexiones de la lengua están cambiadas, así como la ortografía y la construcción de frases. Se puede, pues, decir que el anglosajón acabó y que el antiguo inglés comienza en la primera mitad del siglo XII. El antiguo inglés, también llamado mediosajón, difiere, sobre todo, del precedente en la gramática. Pierde las inflexiones, no conservando en las declinaciones más que el genitivo y generalizando su empleo; en el verbo no retiene más que los tiempos pasados, el participio pasado y algunas personas. Pero mientras la gramática se alteraba tan profundamente, el vocabulario cambiaba poco. El número adoptado de palabras francesas fue muy escaso; no obstante, el contacto prolongado con la lengua romana favoreció la introducción en el inglés de palabras latinas.

En su estructura, el inglés es el más simple y el más lógico de todos los idiomas europeos. El género gramatical de los sustantivos depende del género natural de los seres que representan. La declinación no ofrece más que dos casos, y el genitivo difiere del nominativo por la adición de una *s* y de un apóstrofo. Los adjetivos no cambian ni para el número ni para el género, y solamente son modificados por los grados de comparación. El artículo y el participio son invariables. El pronombre tiene los tres géneros y se declina. El sistema de la conjugación es de una extrema sencillez: solamente consta de dos tiempos, el presente y el pasado; los demás tiempos se forman por la adjunción de auxiliares, al lado de los cuales el verbo guarda las formas normales del participio y del infinitivo. La construcción gramatical es directa, con la particularidad de que el adjetivo precede siempre al sustantivo que le califica. Desgraciadamente, la ortografía inglesa es muy defectuosa, es decir, que hace muy imperfecta la pronunciación; es difícil que responda convenientemente a este objeto, a causa del papel preponderante del acento tónico en la manera de pronunciar. Este acento jamás podrá expresar el verdadero valor, retrocede lo más posible hacia el comienzo de la palabra, y como tiene por efecto poner en relieve la sílaba que golpea, las otras sílabas, la final, por ejemplo, se atenúan y escapan al oído. Para coger al vuelo estas articulaciones breves y silbantes, quien no sea inglés necesita una larga práctica. A pesar de este inconveniente, la lengua inglesa, rica, enérgica, precisa, dúctil, está fuertemente extendida por Europa y América del Norte, de la que es lengua nacional, y por inmensos territorios en las otras partes del mundo.

Una lengua así extendida no puede conservar en todas partes su pureza. Sin hablar de las alteraciones que ha sufrido en América y Australia, existen en las provincias formas corruptas: un inglés en el que se reconocen mejor las trazas del sajón que en el inglés moderno. Donde más se hacen notar estas huellas es en los condados de Lancaster, de Somerset, de Norfolk; pero estas particularidades no son suficientes a dar a estas composiciones el nombre de dialectos. Por el contrario, el escocés es un verdadero dialecto. Formado en las tierras bajas *(Lowlands)* de Escocia por un pueblo anglosajón de origen, pero que reivindicó su independencia contra los reyes de Inglaterra, se constituyó con los mismos elementos que el inglés y sufrió la misma simplificación gramatical. Se distingue de él por la forma y más tarde por la pronunciación de sus palabras, que es más sonora y más grave, lo que le ha valido ser llamado el "dórico de Inglaterra". En cuanto a los otros idiomas que se hablan en el Reino Unido, el galés, el címrico, no se parecen en nada al inglés, y solamente son ramas del tronco celta.

V. RASK: *A grammar of the anglo-saxon tongue.* Copenhague. 1830.—LATHAM, G.: *The english language.* Londres. Varias ediciones desde 1850.—MARSH: *Manual of the english language.* Londres. Varias ediciones.—VERNONG E. Johnstone: *A guide to the anglosaxon tongue...* Londres, 1846.

INGLESA (Literatura)

La primitiva literatura inglesa hay que buscarla en los fragmentos de las epopeyas germánicas que cantaban los bardos, conociéndolas por la tradición oral. Estos fragmentos poemáticos, correspondientes a los siglos IX y X, son denominados: *Beowulf, Finnesburh, Witsith, Waldere.* Poco después, en el mismo siglo X, la conquista de Bretaña y la lucha contra los dinamarqueses dio origen a poemas—fragmentados hoy—de *La batalla de Maldon* y de la *Brunaburh.* Inmediatamente en los claustros de los monasterios se inicia un apogeo de literatura religiosa, consistente en imitaciones de los himnos latinos; y triunfa la literatura lírica y la dramática y se perfecciona la prosa. El rey Alfredo—con sus *Leyes, Dialogues, Pastoral Care*—, Elfrico y Wulf Stam—con sus escritos de carácter piadoso—son notables prosistas. La poesía se enorgullece de los nombres de Aldhelem, Caedmon y Cynewulf, y de obras como *Judith, Exodus, Exeter Book, Dialogue of Salomon and Saturn.* Y la dramática presenta diálogos tan animados como *The wandera, The scafarer Deor, The Banished's wife complaint.*

La conquista de Inglaterra por los normandos detiene el apogeo literario inglés, ya que impone el uso del francés o del latín en los documentos oficiales y en las obras literarias. La mezcla de las tres lenguas paraliza el esfuerzo nacional. Apenas si la tradición se conserva en el *Queren Riwle*—libro de consejos monásticos del siglo XIII—, en algunos poemas líricos—*baladas* principalmente—y en las obras de Ricardo Rolle—siglo XIV.

Pero la influencia de los modelos franceses se señala clarísimamente en la sátira antinomástica *Land of Cockaigne;* en el *Luve Rou,* de Tomás de Hales; en la *Dame Siviz*—de inspiración oriental—; en la crónica métrica *Brest,* de Wace, y en las crónicas de Roberto de Gloucester, Tomás Bekk y Roberto Mannyng.

Los *romances* de la poesía medieval inglesa —1250—proceden igualmente del romancero francés. Unicamente conservan la tradición popular nacional los poetas anglonormandos en *Havelock, Bevis of Hamtoun, King Horn* y *Guy of Warwick;* a cuyos romances hay que añadir los del *Ciclo de Arturo* y los del *Rey Corazón de León.* Pero todos estos primores hubieron de rendirse ante la fuerza de modelos franceses como *Floris and Blanchefleur, Arthus and Merlin, Roland and Vernager, Tristram, Otriel* y *Alexander.* Acaso de tal rendimiento se libraron escasísimas composiciones, como la de *Wynnere and Wastour.*

Durante la guerra de los Cien Años, el sentimiento popular inglés se sobrepone a toda ajena influencia e inicia un renacimiento de sus letras con obras tan notables como el *Piers Plowma*—coplas satíricas, atribuidas a Guillermo Langland—, *Patience*—poema bíblico—, *Gawayne and the grene Knight*—estilización del romance—, *Pearl*—de un lirismo romántico—, los famosos romanceros de *Robin Hood*—de tipo alegórico—y baladas como el *Nut brown maid.*

También durante el mismo período comenzó a esplender el teatro litúrgico, que llegaría a su apogeo en el siglo XV. Las *burlas,* los *milagros* y las *moralidades* dialogadas alcanzaron enorme popularidad. Son notabilísimos modelos: el ciclo de *Jowneley* o *Wakefield Plays,* las *York Plays, Mind, Castle of Perseverance, Pride of life, Ludus Conventriae, Play of Sacrament.*

Pero la figura literaria inglesa más extraordinaria durante la Edad Media es la de Godofredo Chaucer, nacido en Londres—1340—, de una familia de mercaderes. Guerreó en Francia y cayó prisionero, pagándole el rey el rescate. Fue gran diplomático y ocupó grandes cargos en la corte. Juan de Gante le hizo su mejor consejero. Entre sus obras están: *El libro de la duquesa*—elogio póstumo de Blanca de Lancaster, esposa de su señor y amigo—, *El artificio de los pájaros*—artificio alegórico—, *El templo de la fama, Leyenda de las mujeres ejemplares.* Pero su fama inmortal la debe a *Los cuentos de Canterbury,* empezados a escribir en 1385 y no terminados, por haberle sorprendido la muerte en 1400. Son treinta, y en cada uno de ellos describe tipos eminentemente representativos de un estado social, una profesión, un oficio. La obra delata en su estructura la influencia del *Decamerón,* de Boccaccio, pero tiene un sentido eminentemente inglés, lleno de humor y de elegancia espiritual. En la pluma de Chaucer, el idioma alcanzó un vigorosísimo desarrollo.

SIGLO XV.—La literatura inglesa decae. Los nombres de los imitadores de Chaucer, Gower, Lydgate, Occleve, Richard Ros... son bien poca cosa. La poesía hay que ir a buscarla a Escocia, donde aún tienen éxito los bardos y donde los reyes los protegen, y ellos mismos escriben poesías. Robert Henryson (1425-1500), maestro de escuela—*El testamento de Criseida*—; William Dumbar (1460-1520), fraile franciscano, protegido por Jacobo IV, autor de los poemas *El cardo y la rosa, La danza de los siete pecados capitales, La rodela de oro,* y de la fábula *Las dos casadas y la viuda;* Gawin Douglas (1475-1522), obispo, traductor e imitador de Virgilio, autor de *El palacio del honor y el rey Corazón;* Jacobo I (1394-1436) escribió bellísimas composiciones. Antes que todos los mencionados, mantuvo líricamente el sentimiento nacional un gran poeta conocido con el nombre de *Enrique el Ciego.*

El Renacimiento en las letras inglesas presenta la figura cumbre de Tomás Moro (1478-1535), erudito, gran amigo y colaborador de Erasmo, diplomático insigne, canciller de Inglaterra; su obra *Utopía* es el más bello libro renacentista inglés. Moro se opuso tenazmente al protestantismo, y fue degollado por orden de Enrique VIII. La Iglesia católica le ha incluido en el número de sus mártires. Son también excelentes humanistas William Lily (1468-1522), John Colet y Linacre.

SIGLO XVI.—El triunfo del protestantismo en Inglaterra determina la desaparición de los conventos. Como en estos estaban refugiados todos los hombres estudiosos y recogidos los libros más fundamentales de la cultura, desaparecieron sin que nadie los reemplazara.

Entre los reformistas más ilustres cuentan: Hugo Latimer (1485-1555), que murió en la hoguera; John Foxe (1516-1587), autor de salmos y bien escritos panfletos, como el titulado *Las actas y los monumentos de estos últimos peligrosos días;* John Knox (1490-1582), teólogo, "el Calvino de Escocia", gran prosista en su *Historia de la Reforma religiosa en el reino de Escocia;* los poetas ingleses David Lyndsay y George Buchanan, y los escoceses Thomas Wyatt (1503-1542)—introductor del soneto—, conde de Surrey, Thomas Sackville y George Cascoigne. Uno de estos poetas, Lyndsay, escribió una sátira escénica, *Los tres Estados,* uno de los primeros modelos del moderno teatro inglés.

La afición por el teatro en Inglaterra surge con fuerza arrolladora. Obtiene un éxito inmenso la adaptación de la famosa obra española *La Celestina.* El obispo John Bale (1495-1563) escribe tragedias, comedias e interludios con temas bíblicos e intención reformista. También escribe piezas escénicas, de género cómico y picaresco, John Heywood (1497-1580). En 1574 obtiene licencia para el ejercicio de la profesión una compañía de cómicos; y dos años después se levanta el primer local teatral en la *City* de Londres.

Y entre los precursores del género escénico están: Nicolás Udall (1505-1556), William Stevenson—*La aguja de la comadre Gurton*—,

I

Thomas Norton—*Porrex*—, Thomas Preston, director del "Trinity Hall"—*Cambyses.*

La llamada "Era isabelina" marca la magnífica trascendencia de las letras inglesas en todos los géneros literarios.

Felipe Sidney (1554-1586) imitó en *La Arcadia* a Jorge de Montemayor; Edmundo Spenser (1552-1599), poeta; Anthony Munday, traductor de las obras españolas *La Diana, Amadís de Gaula* y *El lazarillo de Tormes;* Sir Walter Releigh, famoso marino y filibustero—*Historia del mundo*—; Samuel Daniel—*Historia de las luchas de las casas de York y de Lancaster,* de la que había de servirse Shakespeare—; Miguel Drayton—*Historia de la guerra de los barones* y *Las epístolas heroicas de Inglaterra*—; Edward Dyer; Fulky Greville; Eduardo de Vere, conde de Oxford; John Lyly, autor de *Euphues* o *La anatomía del espíritu*—1578—, que dio lugar al *eufuismo,* movimiento literario similar al *conceptismo* en España.

Pero las tres grandes figuras de esta época y del reinado de Jacobo I son Shakespeare, Bacon y Ben Jonson.

William Shakespeare (1564-1616) nació en Stratford on Avon, se casó en 1582 con Ana Hathaway—de la que tuvo tres hijos—y dirigió varias compañías de arte teatral. Shakespeare es, acaso, el más genial de los dramaturgos de todos los tiempos. Sus obras rebosan humanidad, pasiones, poesía, fuerza creadora, inimitables humor e ingenio, grandiosidad impresionante. Entre sus obras gloriosas están: *Hamlet, Romeo y Julieta, Macbeth, El mercader de Venecia, Otelo, Sueño de una noche de verano, El rey Lear, Cuento de invierno, La tempestad, Cimbelino, Julio César, Coriolano, Timón de Atenas, Mucho ruido para nada, Los dos hidalgos de Verona, Noche de Epifanía, Trabajos de amor perdidos, La comedia de las equivocaciones...* Shakespeare fue también un admirable poeta lírico en *Venus* y *Adonis* y *Lucrecia.*

Los precursores de Shakespeare en el teatro fueron: Thomas Kyd (1558-1594)—*Tragedia española*—, Cristóbal Marlowe (1564-1583)—*Jacestus, Edward II, Tarjelán*—, George Peele...

Los discípulos de Shakespeare: John Fletcher (1579-1625), colaborador del genio en *Enrique VIII*—, Francis Beaumont (1584-1616), George Chapman, John Marton, Thomas Dekker, Cyril Turneur, Thomas Middleton, James Shirley, Richard Brome, John Ford...

Ben Jonson, diez años más joven que Shakespeare, es el dramaturgo que más se le acerca; su comedia *Volpone* o *el zorro* está considerada como la más bella del teatro inglés del Renacimiento; también son muy hermosas sus tragedias *Catilina* y *Seyano.*

Francis Bacon (1561-1626) fue un extraordinario prosista y filósofo e historiador; una gloria imperecedera le han alcanzado sus obras: *Novum organum, Instauratio magna, Ensayos, La nueva Atlántida, Apotegmas nuevos y antiguos, Historia de Enrique VII.*

Entre los poetas del siglo XVII destaca como una cumbre grandiosa y solitaria: John Milton (1608-1674), estudió en Cambridge y viajó por Europa; se dedicó a la política con ideas radicales, interviniendo a favor de la condena y muerte de Carlos I; al quedarse ciego, en 1652, renunció a la política y recobró una gran serenidad espiritual. Sus obras inmortales son los poemas *El paraíso perdido*—1667—y *El paraíso recuperado* y *Sansón Agonistes*—1671—. John Dryden, nacido en 1651, fue un magnífico poeta cortesano, a veces con acentos delicados y en ocasiones con feroces acentos satíricos, como en *Absalón* y *Achitophel;* fue igualmente famoso como dramaturgo y como prosista—*El fraile español, El amor triunfante, Almanzor, La reina india, Las damas rivales, Aureng-Zebe...*

En torno al astro refulgente que fue Dryden, brillaron pálidamente: Samuel Butler—*Hudibras*—, William d'Avenant—*El sitio de Rodas*—, William Wycherley, George Etherege...

Aun cuando fueron, antes que nada, grandes filósofos, escribieron en buena prosa inglesa: Thomas Hobbes (1588-1678)—*Leviatán*— y John Locke (1632-1704)—*Ensayos sobre el entendimiento humano, Las razones del Cristianismo.*

Siglo XVIII.—La figura inglesa representativa del retorno al clasicismo es Alejandro Pope (1688-1744), católico, de gran ingenio, dominador del idioma, poeta excelso en *Pastorales, El bosque de Windsor, Dunciad,* y prosista magnífico en *Ensayos* sobre el hombre.

Jonathan Swift, nacido en Dublín en 1667, siguió la carrera eclesiástica; son extraordinarios su talento crítico, su ironía sutilísima, su sarcasmo, la fuerza de su sátira, la amenidad de su inventiva, su vehemencia patética, su pesimismo... *Los viajes de Gulliver*—crítica realista de la sociedad de su tiempo—le han dado una fama universal imperecedera.

Daniel Defoe nació—1660—en Londres; dirigió la famosa hoja pública *The Review,* y escribió crónicas, cuentos, versos, novelas en medio de una agitadísima vida, en la que abundaron las prisiones y castigos corporales; su fama la debe a *Robinson Crusoe,* hito de la literatura universal, novela encantadora y emotiva; pero también son excelentes obras suyas: *Moll Flanders, El coronel Jacque* y *El capitán Singleton.*

Richard Steele, nacido—1772—en Dublín, dirigió otra famosa hoja pública, *The Tattler (El Chismoso),* y se distinguió como dramaturgo y prosista; entre sus obras sobresale *El héroe cristiano.*

Más inteligente que Steele fue Joseph Addison, nacido en 1672, educado en Italia y Francia, miembro del Parlamento y director de *The Spectator,* la hoja impresa más buscada en Inglaterra, y autor de comedias y tragedias.

Samuel Johnson (1709-1784) editó revistas como *The Idler (El Holgazán)* y *The Rambler (El Vagabundo Hablador);* escribió poemas como *Londres* y *La vanidad del deseo humano;* compuso la novela moral *Rasselas;* redactó veinticuatro biografías en *Las vidas de los poetas,* y llevó a cabo una obra erudita: *Diccionario de la lengua inglesa.*

Eduardo Young (1683-1765), el gran poeta de la Naturaleza, autor de *Lamentaciones, Pensamientos nocturnos sobre la vida, la muerte y la inmortalidad* y *Las noches,* su obra cumbre, verdadero monumento del prerromanticismo.

Otros autores: Williams Collins—*Odas*—, Thomas Gray—*Elegía.*

En la novela destacaron: Samuel Richardson (1689-1781), autor de *Pamela, Clarisa,* narraciones burguesas; Oliverio Goldsmith (1730-1774), cuya obra *El vicario de Wakefield* ha sido traducida a todos los idomas del mundo numerosas veces; Henry Fielding (1707-1754), para muchos críticos uno de los mejores novelistas ingleses de todas las épocas, autor de *Historia de las aventuras de José Andrews y de su amigo Abraham Adams, Tom Jones* y *Amelia;* Lawrence Sterne (1713-1768), formidable humorista en *Viaje sentimental* y gran narrador en *Sandy;* George Smollet (1721-1771), novelista del pesimismo; Francisca Burney—*Evelina...*

La poesía experimentó una verdadera resurrección gracias a la inspiración y talento de William Cowper—*Table Talk, Task, Tirocinium*—; Roberto Burns, escocés—*Duncan Gray, Wandering Willie*—; Jorge Crabbe—*Tales of the Hall...*

En el género epistolar e histórico son dignos de mención: Felipe Dormer Stanhope, conde de Chesterfield; Horacio Walpole, ministro y estadista genial; David Hume (1711-1766), con su *Historia de Inglaterra,* continuada por Robertson (1721-1793); Edward Gibbon—*Decadencia y ruina del Imperio romano*—; Adam Smith—*Investigación sobre la naturaleza del bienestar de las naciones.*

SIGLO XIX.—El romanticismo apunta en las novelas terroríficas de Ana Radcliffe (Ana Ward) y en las sensibleras de Jane Austen (1775-1817)—*Persuasión, Orgullo y prejuicio, La abadía de Northanger*—, que aún cuentan con la predilección del gran público. Walter Scott (1771-1832), escocés, fecundísimo, feliz evocador de pasados tiempos, es "el padre de la novela histórica romántica"; sus obras *Ivanhoe, Waverley, Bob Rey, El anticuario, El pirata, Quintín Durward, Kennilword, Guy Mannerign* y tantas y tantas más son admirables y aun hoy se leen afanosamente; de él ha dicho Menéndez Pelayo: "En el género del romanticismo histórico que creó en Inglaterra, es maestro no igualado y quizá insuperable."

Los paladines del romanticismo poético fueron: Wordsworth, Colerige, Southney, lord Byron, Keats y Shelley. Los tres primeros crearon la escuela poética llamada "de los lagos o *La Kista*", porque en la orilla de ellos buscaban los vates su inspiración.

William Wordsworth (1770-1850)—*Sonnets, Evening walk, The Excursion, Lyra heroica*—; Samuel Taylor Coleridge (1772-1834)—*Ancient mariner, Christobel, Kubla Khan, Love y Dejection*—; Robert Soutney (1774-1843)—*Madoc, Roderick*—; Walter Savage Landor—*Poems, Gebir, Gebims.*

George Gordon, lord Byron (1788-1824) formó—con Keats y Shelley—el gran trío de los líricos románticos de excepción. Su vida extraña y desconcertante exaltó aún más su romanticismo, contagioso en alto grado. Entre sus obras cuentan: *Childe Harold, Giaour, Don Juan, Manfred y Cain, Marino Faliero*—tragedia—. Byron representa en Inglaterra lo que el Goethe de *Werther* en Alemania y Lamartine en Francia.

Percy Bysche Shelley (1792-1822), como Byron, hizo de su vida una serie de aventuras románticas desconcertantes. Le expulsan del colegio. Se casa, se divorcia y su mujer se suicida. Aparece ahogado en una playa y su cadáver es quemado... Para la gran crítica inglesa, Shelley es el más extraordinario lírico de su patria. Obras admirables son: *Hellas, Adonais, Alastor, Prometeo encadenado, Epipsichidion, El triunfo de la vida, Queen Mab...*

John Keats (1795-1821), sensitivo extraordinario, con él llega el romanticismo lírico a su ápice y se adivina en él un simbolismo extraño. Obras: *Hyperion*—poema épico—. *Endymion, Isabella, Eve of Saint Mark.*

Entre los poetas de segundo y de tercer orden cuentan: Moore, Darley, Robert.

La crítica y el ensayo romántico están representados por Charles Lamb, James Henry, Leig Hunt, William Hazlitt, Thomas de Quincy—*El asesinato considerado como una bella arte, Placeres y tormentos del opio*—, Thomas Love Peacock...

Figuras interesantes del utilitarismo económico, de la Filosofía y de la Historia, fueron: Jeremías Bentham (1748-1832), Thomas Robert Malthus (1766-1834)—*Ensayo sobre el principio de población*—, James Mill (1773-1836)—, Sidney Smith (1771-1845)—*Cartas de Peter Plymley*—, Matthew Arnold (1822-1888), Charles Robert Darwin (1809-1882)—*El origen de las especies*—, Herbert Spencer (1820-1903), Thomas Henry Huxley (1825-1895), John Stuart

Mill (1806-1873)—*Un sistema de lógica, Autobiografía*—, Augustus Freeman, Henry Thomas Buckle, Thomas Babington Macaulay (1800-1859), gran político, historiador extraordinario de inmensa popularidad, crítico sin par, autor de *Historia de la revolución inglesa* y *Ensayos*...; Thomas Carlyle (1795-1881), pensador, crítico y filósofo de máximos valores, autor de *Los héroes, Ensayos, Historia de la Revolución francesa.*

La reacción idealista dentro del realismo la marca un novelista genial: Charles Dickens (1812-1870), nacido en humilde familia, autodidacto, cuyo triunfo fue apoteótico dentro y fuera de su patria. Creador formidable, maestro en el dibujo y en el colorido de las costumbres y de los personajes, lleno de gracia, humor y poesía, de sensibilidad exquisita. Entre sus obras portentosas sobresalen: *David Copperfield, Oliverio Twist, Papeles del Club Pickwick, La Pequeña Dorrit, Historia de dos ciudades, Dombey e Hijo, La tienda de antigüedades.*

Novelistas de prestigio son: las hermanas Brontë, Carlota (1816-1858)—*El profesor Shandy, Jane Eyre*—, Emily (1818-1848)—*Cumbres Borrascosas*—y Ana—*La inquilina de Wildfeld Hall*—; María Evans ("Jorge Eliot")—*El molino*—, Isabel Cleghorn Gaskell, Charles Kingsley—*Alton Locke, Hypatia*—, Antonio Trollope—*Barsetshire novels*—, Wilkie Collins—*La dama vestida de blanco*—, Bulwer Lytton (1803-1873), cuya novela *Los últimos días de Pompeya* está traducida a todos los idiomas; Nicolás Wiseman (nacido en España), cuya *Fabiola* es inmensamente popular; Benjamín Disraeli (1804-1881), famoso hombre de Estado y autor de excelentes novelas.

Los únicos rivales de Dickens en el campo de la novela fueron: William Makepeace Thackeray (1811-1863), extraordinario humorista, potente creador de caracteres, uno de cuyos libros, *La feria de las vanidades,* es un modelo universal en su género, y Luis Robert Stevenson (1850-1894), acaso hoy el más leído de los tres, felicísimo de inventiva, maestro en el narrar, al que han hecho popularísimo *La isla del tesoro, Aventuras de David Balfour, El extraño caso del doctor Jekyll y míster Hyde*...

Figura señera y magnífica de la crítica de arte fue John Ruskin (1819-1900)—*Pintores modernos, Las piedras de Venecia, Prerrafaelismo*...

TIEMPOS CONTEMPORÁNEOS.—En la primera fila de los poetas están: Tennyson, Browning, Rossetti y Swinburne.

Alfred Tennyson (1809-1892) fue como un epigono del romanticismo, que inició la reacción "por el culto de la forma": *Baladas, La muerte de Oneone, Idilios del rey.*

Robert Browning (1812-1889), extraordinario lírico en *Paulina, Paracelsus, Pippa Passes* y *Hombres* y *mujeres,* estuvo casado con la gran poetisa Isabel Barret (1806-1860).

Dante Gabriel Rossetti (1828-1882), hijo de un gran pintor italiano, es el fundador de *The Germ,* órgano de los "prerrafaelistas", líricos decadentes y extravagantes; sus *Baladas* y *Sonetos* colocan su nombre entre los de los poetas más excelsos.

Algernon Charles Swinburne (1837-1909) inicia con éxito el neorromanticismo en *Poemas y baladas.*

Poetas excepcionales son los irlandeses William Butler Yeats—*Poemas* y *baladas de la joven Irlanda*—, John Millington y George Moore.

Poeta, novelista, dramaturgo apasionante y singularísimo es Oscar Wilde (1856-1900), satírico delicioso, epigramista de salones, de estilo exquisito e insinuante, autor de *El retrato de Dorian Gray*—novela—, *La importancia de llamarse Ernesto, El abanico de lady Windermere, Un marido ideal*—comedias—, *Salomé*—drama—, *Balada de la cárcel de Reading* y *De profundis.*

Poeta, novelista y estético finísimo: George Meredith (1828-1909)—*El idiota*—, y estético y crítico de arte de mérito excepcional: Walter Pate (1839-1894)—*Marius el Epicúreo, Renacimiento.*

Grandes escritores, de diversa y extensísima labor: Thomas Hardy (1840-1928), poeta—*Poemas de Wessex, Del pasado y del presente*—, novelista—*Judas el Oscuro, Teresa la de Ubervilles.* Samuel Butler (1835-1902), filósofo y teólogo. George Bernard Shaw (nació en 1856), Premio Nobel, ensayista, novelista y formidable dramaturgo—*Volviendo a Matusalén, Santa Juana, Hombre y superhombre, Pigmalión, El discípulo del diablo, César y Cleopatra*—. Rudyard Kipling (nació en 1865), "el poeta del Imperio", de verbo fuerte y obra copiosísima. Premio Nobel—*El libro de la Jungla, Kim, Cuentos de las colinas, Capitanes valientes, De mar a mar*—. Henry James (1843-1916), nacido en los Estados Unidos, novelista hondo de psicologías—*La musa trágica, Retrato de una dama*—. Herbert George Wells (1868-1946), al que han dado fama universal sus novelas con anticipaciones de la vida futura: *El nuevo Maquiavelo, Los hombres dioses, Kipps, Tono-Bungay*... Joseph Conrad, nacido en Ucrania en 1856 y muerto en 1924, maestro en las narraciones exóticas: *El negro del "Narcyssus", Lord Jim, Tifón, El vagabundo de las islas.* Gilbert Keith Chesterton (1874-1940), paradojista y humorista, de una sugestión admirable: *El hombre que fue jueves, Ortodoxia, Pequeña historia de Inglaterra, Los escándalos del padre Brown, El Napoleón de Notting-Hall, Chaucer, El candor del padre Brown, La esfera y la cruz.* Hillaire

Belloc, nacido en París en 1870, biógrafo, historiador, polemista, crítico insigne, autor de *El camino de Roma, María Antonieta.* Arnold Bennet (n. 1867), fino humorista, narrador de la mejor escuela de Dickens. John Galsworthy (n. 1867), Premio Nobel, novelista de tono menor, pero delicado y estilista—*La casa de campo, Flor sombría, El mono blanco, La isla de los fariseos*—. Arthur Conan-Doyle, creador de *Sherlock-Holmes,* policía genial. El irlandés James Joyce (1882-1942), cuya novela *Ulises* ha revolucionado la técnica novelística; es uno de los escritores más originales, sutiles y sugestivos del siglo. William Somerset Maugham, dramaturgo y novelista popularísimo en el mundo—*Extremo Oriente, El velo pintado, Cuentos de los mares del Sur, Servidumbre humana.*

Novelistas insignes, de técnica personalísima, son: Catalina Mansfield y Virginia Wolf—*Orlando*—, Aldous Huxley, renovador del género narrativo, de una originalidad portentosa en *Contrapunto* y *Un mundo feliz...* D. H. Lawrence (1885-1930), que con Joyce y Huxley forma el trío más interesante de los narradores contemporáneos, autor de *Canguro, Hijos y amantes, El hombre que murió* y *El amante de lady Chatterley.* Richard Aldington—*Todos los hombres son enemigos*—. Lytton Strachey (1880-1932), gran biógrafo en *La reina Victoria, Isabel y Essex.*

Grandes humoristas son: Jerome K. Jerome y Wodehouse... Y poetas excelentes: Elliot, Austin, Housman, Sturge... Personalidad propia tienen los grandes prosistas Walter Starkie—*Gitanos*—, Winston Spencer Churchill—*La crisis mundial.*

Dramaturgos y novelistas hoy de importancia son: J. B. Priestley (n. 1894)—*Los buenos compañeros, El callejón del ángel.*

V. Taine, H.: *Historia de la Literatura inglesa.* Madrid, 1894.—Legouis y Cazamian: *Histoire de Littérature anglaise.* París, 1924. Harvey, P.: *The Oxford Companion to English Literature.* Oxford, 1932.—Río Sainz, José: *Historia de la Literatura inglesa.* En "Historia de la Literatura universal", Madrid, Atlas, 1946.—Evans, B. Ifor: *Breve historia de la Literatura inglesa.* Buenos Aires, Lautaró, 1947.

INMANENTISMO

Teoría filosófica moderna, opuesta al *intelectualismo* (V.), que rechaza como artificial la representación abstracta y fragmentaria de lo real.

Según el inmanentismo, carecen de valor las pruebas conceptuales y discursivas de la existencia de Dios; para el inmanentismo, la religión no es sino el "resultado espontáneo de las exigencias inextinguibles del espíritu humano, que encuentran su satisfacción en la experiencia íntima y afectiva de la presencia de lo divino en nosotros".

Pese a su oposición al intelectualismo, el inmanentismo posee idénticos defectos, a los que ha sumado las imprecisiones del sentimentalismo religioso.

Naturalmente, el inmanentismo es el método que utiliza la doctrina de la inmanencia como criterio para conocer cuál sea *de hecho* la verdadera religión.

Según Mauricio Blondel, el principio de la inmanencia—en su sentido normal y anterior a todo sistema particular—consiste en la afirmación de Santo Tomás a propósito del orden sobrenatural: *Nihil potest ordinari in finem aliquem nisi preexistat in ipso quaedam proportio ad finem (Quaestiones disputatae,* XIV, *De Veritate,* II). Afirmación de una verdad esencial y universal que Blondel traduce recordando que "nada, en efecto, puede entrar en el hombre que no corresponda de algún modo a la necesidad de expansión, cualquiera que sea, por lo demás, el origen o naturaleza de este apetito".

Le Roy—en su obra *Dogme et Critique*—formula de manera distinta el principio de la inmanencia: "La realidad no está formada de piezas distintas, yuxtapuestas; todo es anterior a todo; en los más pequeños detalles de la Naturaleza y de la ciencia, el análisis vuelve a encontrar toda la Naturaleza y toda la ciencia; cada uno de nuestros estados y de nuestros actos envuelve nuestra alma entera y la totalidad de sus potencias; en una palabra, el pensamiento está implicado totalmente en cada uno de sus momentos o grados. Más brevemente, no hay nunca para nosotros dato puramente externo. La experiencia misma no puede considerarse como una adquisición de cosas en todo extrañas a nosotros, sino más bien como un tránsito de lo implícito a lo explícito, un movimiento en profundidad que nos revela exigencias latentes y riquezas virtuales en el sistema del saber ya esclarecido, un esfuerzo de desarrollo orgánico que pone en circulación reservas o que despierta necesidades que aumentan nuestra acción."

No hay, pues, sujeto sin objeto, y viceversa: el ser es igual al ser consciente; no hay otra ciencia que la del hecho o percepción inmediata de la conciencia personal; el mundo, por tanto, es inmanente en la conciencia del individuo; la conciencia nada vale como propiedad, y sí por su contenido, esto es, por su aptitud para cerciorarnos de otras cosas; la sensación es el origen de todo conocimiento, y su objetividad "es la posibilidad permanente de ciertos grupos de sensaciones frente a la variabilidad del resto".

Lo inmanente, *que reside en el ser,* se opone a *transitorio* o *transitivo,* o bien a *trascendente.*

El *panteísmo* (V.) considera a Dios como inmanente al mundo, es decir, confundiéndose con la sustancia del mundo. En la doctrina de un Dios creador, Dios es trascendente al mundo. Son actos inmanentes de Dios los que tienen su término en El; son transitorios el acto creador y las intervenciones providenciales.

El inmanentismo es una teoría del conocimiento que partiendo de Kant vuelve a Berkeley y a Hume. Modernamente ha enlazado con el *intuicionismo* (V.) bergsoniano, con la doctrina de la experiencia religiosa de W. James y con otros pragmatismos, informando el movimiento católico heterodoxo llamado *modernismo* (V.).

V. BLONDEL, M.: *Lettre sur les origines de la pensée contemporaine en matière d'apologétique.* París, 1896.—LE ROY: *Dogme et Critique.* París, 1907.

INMATERIALISMO

Sistema filosófico que niega la materia. El inmaterialismo cuajó en el sistema de Berkeley, filósofo que propuso el nombre, habiéndose elaborado en el ambiente cartesiano y en el camino abierto por Locke. El inmaterialismo contiene grandes semejanzas con el *idealismo* (V.) y con el *espiritualismo* (V.). Con el primero coincide en rechazar el valor del conocimiento sensible; y con el segundo, en identificar el ser con el espíritu.

Inmaterialistas fueron los idealistas empíricos: Berkeley, Hume, Stuart Mill; los idealistas racionistas, así Kant, que no ve en el espacio sino una forma *a priori* de la sensibilidad; así Leibniz, que no ve en los cuerpos sino cuerpos simples; así Hegel, para quien la idea es la suprema realidad. Pero, insistimos, fue Berkeley (1685-1753) quien empezó combatiendo el materialismo para terminar negando la materia. Berkeley partió de los siguientes postulados: incompatibilidad de materia y espíritu; subjetividad de la sensación, y teoría de las ideas representativas.

Y resume González Alvarez: "Partiendo Berkeley de la teoría de las ideas de Locke, pasa pronto a la metafísica, elaborando el sistema del idealismo psicológico. De la materia no tenemos idea, porque no tenemos de ella percepción. La experiencia nos ofrece únicamente representaciones, es decir, ideas de nuestra mente. Solo hay cualidades secundarias. Las llamadas todavía por Locke cualidades primarias son también ideas, es decir, contenidos de mi percepción. Todas las cosas existen, pues, únicamente para nosotros, como complejos de cualidades. Las cosas existen en cuanto son percibidas: *esse est percipi.* Más allá de estas cualidades no existe nada, y, por consiguiente, la *materia,* supuesta causa y *substratum* de las percepciones, no tiene existencia: es una pretendida idea general, pura ilusión y puro nombre. Para Berkeley, pues, solo existen ideas percibidas y espíritus percipientes. Así es como pasa del idealismo e inmaterialismo del mundo a su doctrina del realismo espiritual. De la existencia del yo espiritual tenemos un conocimiento inmediato, intuitivo. Para asegurar la validez del conocimiento humano, apela Berkeley a Dios. No existen cosas que causen en nosotros las ideas. Las ideas son puestas en nuestra mente por Dios. La regularidad y conexión que observamos en ellas están fundadas en la voluntad inmutable de Dios. Las leyes de la Naturaleza no son, pues, otra cosa que esta regularidad y conexión de las ideas puestas en nosotros por Dios."

Mientras para Malebranche o para Leibniz solo podemos ver y saber las cosas en o por Dios, para Berkeley no existen más que los espíritus, y Dios—que es quien actúa sobre ellos—, les *crea un mundo material.* Y no solo vemos las cosas en Dios, sino que, literalmente, "en Dios vivimos, nos movemos y somos".

V. BERKELEY, G.: *Three Dialogues between Hylas and Philonous.* 1713.—MARÍAS, Julián: *Historia de la Filosofía.* Madrid, 1943, 2.ª edición.—GONZÁLEZ ALVAREZ, A.: *Historia de la Filosofía.* Madrid, ¿1946?

INNATISMO

Sistema filosófico que afirma que las ideas son connaturales a la razón y nacen de ella.

Según la teoría aristotelicoescolástica, la inteligencia nace sin ideas, pero es innato en ella el poder de producirlas por las sugestiones de la inteligencia. Kant admite como innato el elemento formal del conocimiento—formas *a priori* de la razón, del entendimiento y de la sensibilidad—. Los sensualistas y evolucionistas modernos admiten que hay hábitos y leyes innatos en la razón procedentes de experiencias acumuladas y transmitidas por generaciones anteriores.

La crítica moderna afirma que las formas principales del innatismo son los sistemas ideológicos de Platón, Descartes, Leibniz y Kant, considerando el intelectualismo aristotélico como una situación intermedia entre el *empirismo* (V.) y el innatismo.

Platón afirmó la existencia de dos mundos, que él llamó *cosmos noetós*—mundo de las ideas—y *cosmos aiszétos*—mundo de las cosas sensibles—. Platón postuló para el alma una existencia anterior en el *cosmos noetós,* donde, por intuición intelectual, vio las ideas. Al unirse el alma al cuerpo material, olvida las ideas, y luego vuelve a poseer su conocimiento por medio de las percepciones sensibles. Para Platón, las ideas son realidades permanentes y absolutas, que no pueden existir en el mundo mutable y relativo. Son entes universales, arquetipos, que existen por sí en el mundo suprasensible.

Descartes—que no parece haber empleado la palabra *innato*—admite que ciertas ideas son innatas, por ejemplo, la idea de la perfección; el espíritu las encierra dentro de sí antes de toda experiencia. Para Leibniz, los principios innatos, nociones y verdades primeras, no existen más que virtualmente en el espíritu antes de la experiencia; están en nosotros "aunque no pensemos en ellos". Para Kant, son innatas las formas o leyes del pensamiento, las cuales no resultan pensamientos actuales en tanto que la experiencia no les ha proporcionado una materia. Para Leibniz, las ideas proceden todas de la actividad interna, de la *vis representativa* de la mente, y son todas innatas no ya en el sentido psicológico, sino hasta en sentido metafórico. Para Kant, el conocimiento *inmanente* es el de las ideas *que están en el sujeto.*

Posiblemente, el primer intento del innatismo lo realizó la teoría escolástica del *conatus;* si el intento no llegó a cuajar, fue por la esclavitud que para la escolástica suponía el aforismo *nihil est in intellecta quod prius non fuerit in sensu* (nada existe en el entendimiento que primero no hayan descubierto los sentidos), incompatible con el innatismo moderno.

Balmes ha sintetizado con precisión admirable los distintos problemas del innatismo: "Hay entre los adversarios de las ideas innatas diferencias profundas. Los materialistas sostienen que el hombre lo recibe todo por los sentidos, de tal manera que cuanto posee nuestro entendimiento no es más que el producto del organismo que se ha ido perfeccionando, como una máquina adquiere por el uso mayor facilidad y delicadeza en el movimiento. Nada suponen preexistente en el espíritu, sino la facultad de sentir; mejor diremos, no admiten espíritu, sino un ser corpóreo cuyas funciones producen naturalmente lo que se llama el desarrollo intelectual. Los sensualistas, que no atribuían a la materia la facultad de pensar, tampoco admitían las ideas innatas; confesaban la existencia del espíritu, pero solo le otorgaban facultades sensitivas: todo su caudal debía sacarlo de sus sensaciones, y no podía ser otra cosa que sensación transformada.

"Contaban las ideas innatas con otros adversarios que no eran ni los materialistas ni los sensualistas. Tales eran los escolásticos, que defendiendo por una parte el principio de que no hay nada en el entendimiento que antes no haya estado en el sentido, combatían, por otra, el materialismo y el sensualismo. La diferencia entre los escolásticos y los defensores de las ideas innatas quizá no hubiera sido tanta como se cree, si la cuestión se hubiera planteado de otra manera. Los escolásticos consideraban las ideas como formas accidentales, de suerte que un entendimiento con ideas podía compararse a un lienzo cubierto de figuras. Los defensores de las ideas innatas decían: "En el lienzo preexisten las figuras; para que se ofrezcan a la vista basta levantar el velo que las cubre." Esta explicación es algo dura, pero contraria abiertamente a la experiencia, que atestigua: 1.º, la necesidad de la excitación del entendimiento por las sensaciones; 2.º, la elaboración intelectual que experimentamos al pensar, y que nos dice que hay dentro de nosotros una especie de producción de las ideas.

"Santo Tomás dice que es preciso que nos hayan sido comunicados naturalmente los primeros principios, tanto los especulativos como los prácticos... La cuestión de las ideas innatas, agitada con tanto calor en las escuelas filosóficas, no ofrecería tantas dificultades si se la plantease con la debida claridad. Para esto sería menester clasificar de la manera correspondiente los fenómenos internos llamados ideas, y determinar con precisión el sentido de la palabra *innata.*

"Por lo dicho anteriormente, tenemos que hay en nuestro espíritu representaciones sensibles, acción intelectual sobre ellas, o ideas geométricas; ideas intelectuales puras, intuitivas y no intuitivas; o ideas generales, determinadas e indeterminadas... ¿Qué se entiende por innato? Lo no nacido, lo que el espíritu posee, no por trabajo propio, no por impresiones venidas del exterior, sino por don inmediato del Autor de su naturaleza. Lo innato se opone, pues, a lo adquirido; y preguntar si hay ideas innatas es preguntar si antes de recibir impresiones y de ejercer ningún acto tenemos ya en nuestra mente las ideas.

"No se puede sostener que las representaciones sensibles sean innatas. La experiencia atestigua que sin las impresiones de los órganos no tenemos las representaciones que les corresponden; que una vez puestos aquellos en acción de manera conveniente, no podemos menos de experimentarlas. Esto es general a todas las sensaciones, ya sean actuales, ya recordadas... Es de notar que el argumento fundado en la imposibilidad de que el cuerpo transmita impresiones al espíritu no prueba nada en favor de la opinión que combatimos. Aun cuando el argumento fuera concluyente, no se inferiría de él la necesidad de las ideas innatas; pues que con el sistema de las causas ocasionales se salvaría la incomunicación física del cuerpo con el espíritu, y al propio tiempo se podría defender que las ideas no preexistían, sino que han sido causadas por la presencia y con ocasión de las afecciones orgánicas.

"Las ideas relativas a las representaciones sensibles parecen consistir, no en formas del entendimiento, sino en actos de este ejercidos sobre dichas representaciones. Llamar innatas a estas ideas es contrariar la experiencia y hasta desconocer la naturaleza de las mismas. No pueden ejercerse dichos actos cuando les falta el objeto que es la representación sensible; y esta no existe sin la impresión de los órganos corpóreos. Luego el apellidar innatas a estas ideas, o carece de sentido, o no puede significar otra cosa que la preexistencia de la actividad intelectual, desarrollada después con la presencia de las intuiciones sensibles.

"Las ideas intuitivas que no se refieren a la sensibilidad, como son las que tenemos al reflexionar sobre los actos de entender y querer, tampoco pueden ser innatas. Lo que en este caso sirve de idea es el mismo acto del entendimiento o de la voluntad, que se presenta a nuestra percepción en la conciencia; decir, pues, que estas ideas son innatas equivale a decir que estos actos existían antes de existir... Infiérese de esto que ninguna idea intuitiva es innata; pues que la intuición supone un objeto presentado a la facultad perceptiva.

"Las ideas generales determinadas son las que se refieren a una intuición; luego no pueden existir antes que esta; y como, por otra parte, la intuición no es posible sin un acto, resulta que estas ideas no pueden ser innatas.

"Quedan, por último, las ideas generales indeterminadas, es decir, aquellas que por sí solas no ofrecen al espíritu nada existente ni aun posible. Si bien se observa el carácter de estas ideas, se echará de ver que no son otra cosa sino percepciones de un aspecto de los objetos, considerados bajo una razón general. Es indudable que uno de los caracteres de la inteligencia es la percepción de estos aspectos; pero también lo es que no se alcanza por qué hemos de figurarnos esas ideas como una especie de formas preexistentes en nuestro espíritu, y distinta de los actos con que ejerce su facultad perceptiva. No veo con qué fundamento se puede afirmar que estas ideas son innatas, y que yacen ocultas en nuestro espíritu anteriormente al desarrollo de toda actividad, a manera de cuadros arrinconados en un museo no abierto todavía a la curiosidad de los espectadores.

"Resumiendo la doctrina emitida hasta aquí sobre las ideas innatas, podremos formularla de la manera siguiente:

"1.º Existen en nosotros facultades sensitivas que se desarrollan por efecto o con ocasión de las impresiones orgánicas.

"2.º Nada sentimos sino con sujeción a las leyes del organismo.

"3.º Las representaciones sensibles internas no pueden formarse de otros elementos que de los suministrados por las sensaciones.

"4.º Todo cuanto se diga sobre la preexistencia de representaciones sensibles anteriormente a las impresiones orgánicas, a más de carecer de fundamento, está en contradicción con la experiencia.

"5.º Las ideas geométricas, o sea las relativas a intuiciones sensibles, no son innatas, puesto que son los actos del entendimiento que opera sobre los materiales ofrecidos por la sensibilidad.

"6.º Las ideas intuitivas del orden intelectual puro no son innatas, porque no son otra cosa que los actos de entendimiento o voluntad, ofrecidos a nuestra percepción en la conciencia reflexiva.

"7.º Las ideas generales determinadas no son innatas, puesto que son la representación de intuiciones en las que se ha ejercido por necesidad algún acto.

"8.º Se afirma sin fundamento que son innatas las ideas generales indeterminadas, las cuales parecen ser los actos de la facultad perceptiva de los objetos bajo una razón general.

"9.º Lo que hay innato en nuestro espíritu es la actividad sensitiva y la intelectual; pero ambas, para ponerse en movimiento, necesitan objetos que las afecten.

"10. El desarrollo de esta actividad principia por las afecciones orgánicas; y aunque va mucho más allá de la esfera sensible, permanece siempre más o menos sujeta a las condiciones que le impone la unión del espíritu con el cuerpo.

"11. La actividad intelectual tiene condiciones *a priori* del todo independientes de la sensibilidad, y que aplica a todos los objetos, sean cuales fueren las impresiones que le causen. Entre estas condiciones figura como la primera el principio de la contradicción.

"12. Luego en nuestra inteligencia hay algo *a priori* y absoluto que no podría alterarse aun cuando se variasen completamente todas las impresiones que recibimos de los objetos y sufriesen un cambio radical todas las relaciones que tenemos con los mismos."

V. Balmes, Jaime: *Filosofía fundamental.* Tomo III. Barcelona, 1878, 5.ª ed.—Messer, Aug.: *Historia de la Filosofía.* Madrid, "Revista de Occidente". Cinco tomos.—De Gérandis: *Histoire de la Philosophie moderne.* París. Cuatro tomos.—Fischer, L.: *Geschichte der neuren Philosophie: I. Descartes; II. Fitche; III. Leibniz; IV y V. Kant.*—Willmann, O.: *Geschichte des Idealismus.* Tres tomos.

INNEÍSMO (V. Nativismo)

INSCRIPCIÓN

En latín *inscriptio,* de *in* y *scribere,* escribir; en griego, ἐπιγραφή, ἐπίγραμμα, de ἐπι sobre, y γράφειν, escribir.

Texto grabado, pintado o escrito sobre la parte exterior de un monumento, de una estatua, de una medalla, de un mueble, de un objeto cualquiera. Según los casos, la inscripción toma nombres diferentes: sobre una tumba, *epitafio* (V.); a la cabeza de un libro, *epígrafe* (V.).

Se llama *Epigrafía* (V.) a la ciencia que tiene por objeto el conocimiento de las inscripciones, su aclaración y su interpretación. Esta ciencia, poco apreciada durante mucho tiempo, tiene hoy gran importancia, y ha prestado utilísimos servicios y luces a la Historia; ha aclarado tanto cosas y hechos relativos a la vida privada como a la vida pública de los hombres, a los usos y costumbres. Gracias a las inscripciones, se han conocido detalles trascendentales que sin ellas aún nos serían desconocidos. Las inscripciones han confirmado o rectificado afirmaciones históricas y han llenado *lagunas* de enorme consideración. Y tal es su fuerza probatoria, que durante algún tiempo pasaron por ser la prueba más decisiva en las antigüedades griegas, romanas y egipcias.

Aplicadas las inscripciones a pueblos como Asiria, Fenicia, Escandinavia, América precolombina, que no han tenido otra literatura y otra historia que las delatadas en aquellas, la Epigrafía tiene el valor de una revelación; ella ha reconstruido sus alfabetos, sus lenguas, y ha patentizado sus costumbres y el grado de sus civilizaciones.

Se llama *estilo lapidario* al propio de las inscripciones grabadas en la piedra, en el mármol, en los metales, y que necesariamente no pueden ser largas. La primera necesidad de tal estilo es la concisión; concisión que no excluye la claridad. Los modernos adoptan para sus inscripciones la lengua latina, porque en ella se hace más bello y perfecto el *estilo lapidario*. Los antiguos escribieron en verso no pocas inscripciones.

V. Ferreti, J. B.: *Musae lapidariae antiquorum*. Verona, 1673.—Marcelli: *De Stilo inscriptionum latinarum, libri III*. Roma, 1780. Texier, Abbé: *Manuel d'épigraphie*. Varias ediciones.—Brunet, J. Ch.: *Manuel du libraire*. Varias ediciones.

INSPIRACIÓN

Esta palabra, que designa, en un orden teológico, la acción inmediata y sobrenatural del espíritu divino sobre los hombres, en un sentido literario expresa una cierta exaltación del alma, movida igualmente por una influencia sobrehumana. La inspiración, propia del genio, está considerada como un don natural, que pueden calibrar la fecundidad, el gusto, el método y la discreción. (V. *Genio.*)

Dicha feliz influencia se manifiesta, a veces, en ideas; a veces, en sutilezas de detalles.

Inspiración es, igualmente, la concepción primera de una obra o una invención. Las inspiraciones literarias, como los descubrimientos científicos, son atribuibles a imponderables sugestiones ajenas al sujeto.

INSTITUCIÓN

1. Instrucción. Educación. Enseñanza.
2. Organización de los principios o elementos de alguna ciencia o arte.

INTELECTUALISMO

Doctrina filosófica que defiende la preeminencia del entendimiento sobre la voluntad y la sensibilidad. Se opone, pues, lógicamente al *sensualismo* (V.), al *sentimentalismo* (V.) y al *pragmatismo* (V.).

El intelectualismo puede ser *justo* y *ponderado,* pero también *radical* y *exagerado;* en este caso hace de la inteligencia medida y ley de la realidad, a la que reduce a un mero conjunto de relaciones intelectuales. Naturalmente, cuando los filósofos se han referido desdeñosamente al intelectualismo, hay que suponer que se referían al intelectualismo radical y exagerado.

Posiblemente, el intelectualismo, como forma filosófica, empezó a tener importancia al aparecer sus formas antitéticas: *voluntarismo* (V.), *intuicionismo* (V.), *activismo* (V.), *pragmatismo* (V.).

Kant acusó a Leibniz de haber fundado el sistema intelectual del mundo y de haber intelectualizado los fenómenos. Y Schelling lo opuso al *materialismo* (V.).

En el intelectualismo pueden ser distinguidos tres tipos generales: el *psicológico,* el *gnoseológico* y el *ontológico.*

El psicológico ha sido definido "como una solución sistemática al problema de las facultades anímicas". Santo Tomás defendió la primacía de la inteligencia, mientras Escoto defendió la de la voluntad. El intelectualismo psicológico subordina la voluntad y el sentimiento a la inteligencia, y concede a esta la facultad de servir de norma a aquellos. Lo cual es una consecuencia legítima de creer que la voluntad es una prolongación de la idea y que los sentimientos son representaciones confusas o resultados del juego o choque de las representaciones. En una psicología intelectualista no hay lugar para una actividad mental *eficaz.* La relación de las representaciones entre sí no puede ser más que la semejanza y la diferencia: "una representación no actúa más sobre el objeto que el retrato sobre el original" (Fouillée). La naturaleza de la conciencia no consiste, pues, sino en expresar en sí, en representar hechos que no dependen de ella. La conciencia es el testigo impotente de una actividad en la cual no le es dable intervenir.

El intelectualista afirma que el conocimiento es un puro efecto de las facultades teoréticas del espíritu—conciencia, percepción, imaginación, entendimiento, razón—, sin intervención alguna de las facultades afectivas y prácticas. El intelectualismo ontológico sostiene que lo intelectual y lo real son inseparables, entendiéndose esta unión ya en un sentido de identidad, ya en el del conocimiento-asimilación defendido por el aristotelismo escolástico. Dentro del intelectualismo caben igualmente las posiciones idealistas y las realistas; y existen formas de intelectualismo empíricas y formas de intelectualismo racionalistas.

El sentido intelectualista está *muy dentro* de la filosofía contemporánea. Se encuentra en el matematismo cartesiano, en el naturalismo de la escuela inglesa, en las doctrinas de Spinoza, Leibniz, Kant, Hegel...

Uno de los grandes filósofos modernos que más han combatido el intelectualismo ha sido Henri Bergson (1859-1941), quien llega a afirmar que el pensamiento intelectual es incapaz de aprehender la vida, el espíritu, la verdadera realidad. Para Bergson, la inteligencia forma conceptos fijos, estáticos, *solidificándolo* todo. El pensamiento intelectual todo lo paraliza; únicamente puede aprehender lo material, lo muerto. El auténtico fondo de la realidad escapa al intelecto, y solo es aprehendido por la intuición. Gracias a la intuición descubrimos *nuestro yo.* "Cuando el intelecto se aplica al conocimiento de lo psíquico lo espacializa, lo materializa y, por consiguiente, lo falsea." Lo que la intuición aprehende del yo, el intelectualismo falla cuando intenta reducirlo a conceptos.

El intelectualismo ha invadido también los ámbitos de la Moral y de la Sociología. En el ámbito de la Moral, el intelectualismo atribuye a la inteligencia una acción decisiva sobre la actividad moral del hombre y niega la influencia de los móviles afectivos. El intelectualismo moral apuntó ya en el determinismo de Sócrates. Según este, la práctica del bien es un aprendizaje racional; propiamente no existe sino una virtud que las comprende todas: la sabiduría.

El intelectualismo es en Sociología la tesis opuesta al materialismo histórico, y afirma que el progreso de la Humanidad es el resultado del progreso intelectual, ya que la idea o pensamiento es el factor primitivo y básico de la vida social.

V. VORLANDER, K.: *Geschichte der Philosophie.* Tres tomos.—KLIMKE, F., S. J.: *Institutiones historiae philosophiae.* Dos tomos. WEBER Y PERRY: *History of Philosophie.* Londres, 3.ª ed., ¿1926?

INTELIGENCIA

Es la facultad cognoscitiva espiritual, o sea la que ejerce el alma independientemente de los órganos corporales.

Razón es la misma inteligencia en cuanto forma raciocinios; es decir, en cuanto se halla dotada de la virtud de discurrir o pasar de una verdad conocida a otras verdades.

El cultivo y desarrollo de la inteligencia es necesario, en primer término, al literato, porque toda obra literaria ha de ser producto de ellos, debiendo estas facultades moderar y dirigir los vuelos de la fantasía, a fin de que no se extravíe.

INTERÉS

1. Amenidad, sugestión, en una obra literaria.

2. Fuerza irresistible que atrae desde una obra literaria y que sujeta al lector o al espectador hasta su fin.

Consiste el interés en que la obra excite afectos de regocijo, de compasión o de pasmo. Una composición será interesante cuando el argumento sea nuevo, de situaciones varias y animadas, sin decaer desde el principio hasta el fin, antes bien, aumentando progresivamente en su importancia y en su trascendencia. El interés nace de los acontecimientos o de los caracteres.

Independientemente de sus diferentes sentidos en el orden moral y económico, el interés en la literatura significa tanto como un sentimiento de atención profunda y de curiosidad hacia una obra. Un libro, una pieza teatral, un discurso, pueden interesar igualmente al lector, al espectador, al oyente, desde el principio hasta el fin. Al interés contribuyen la composición general, la distribución de las partes, el acierto de los detalles, el mérito del estilo. Los griegos, en su idioma florido, llamaron "conductores de almas" (ψυχαγωγιαχ) a esos poemas atrayentes, persuasivos, conformes con el precepto de Horacio—*Ad Pisones,* V, 99:

Non salis est pulchra esse poemata, dulcia sunto,
Et. quocunque volent, animum auditoris agunto.

La primera condición del interés es la *unidad,* que no excluye la diversidad, la misma multiplicidad de los personajes, de los sentimientos, de las situaciones, de los resortes técnicos. Pero el interés principal debe dominar la obra enteramente y mostrarse intachable a través de los contrastes.

INTERMEDIARISMO

Sistema filosófico que hace intervenir un *tertium quid* entre el sujeto cognoscente y el objeto conocido. El intermediarismo se opone a la doctrina de la percepción directa o inmediata y al *idealismo* (V.), que hace del objeto una representación subjetiva.

El intermediarismo comprende doctrinas tan dispares como la de las *eidola* de Demócrito y la de las *especies* de los escolásticos. Demócrito afirmó que las sensaciones son unas especies de imágenes que, desprendiéndose de los cuerpos, penetran en el hombre orgánico. La inteligencia llega de lo exterior a lo interior; es resultado de un conjunto de imágenes—*intermediarias*—, como lo es el cuerpo de una reunión de átomos. El alma es un efecto múltiplo y no un principio de unidad sustancial.

Locke afirmó que lo *intermediario* entre el sujeto y el objeto era la idea representativa del objeto.

Maine de Birán cree que el alma percibe las modificaciones de su propio cuerpo por medio de los objetos exteriores, siendo la percepción externa una percepción del órgano modificado. Los idealistas Berkeley y Malebranche atribuyen el conocimiento del mundo exterior a disposiciones divinas.

INTERMEDIO

1. Cada uno de los momentos en que la escena queda sin actores.
2. Lapso que media entre uno y otro acto de una obra teatral durante el cual está corrido el telón de boca.
3. Baile, música, pantomima, que se ejecuta entre los actos de una pieza dramática.

Nombre dado a las danzas, cuplés, coros de música, etc., interpretados durante los actos de una obra dramática con el fin de impedir la disipación de ánimo y el aburrimiento de los espectadores.

En el teatro antiguo griego, las diversas partes de una obra fueron jalonadas por la presencia de los coros; era un intermedio natural, ya que en él se explicaba parte de la acción dramática y aun hacíase algún comentario atinado.

En el teatro español de los siglos XVI y XVII, entre acto y acto, para sujetar la atención del espectador, acostumbrábase intercalar alguna piececilla jocosa o algún baile. Muchos de los entremeses de Cervantes, Quiñones de Benavente, Moreto y otros escribiéronse con dicho fin.

Sin embargo, la gracia y picardía de estas piezas, el colorido de los bailes, en ocasiones, no hacían sino turbar el ánimo de cuantos estaban impresionados fuertemente por la trama y las pasiones de la obra fundamental.

INTERNACIONALISMO

Teoría que aspira a la realización de la unidad del mundo en el respeto a un derecho aplicable a todos los Estados. En un principio, el internacionalismo se vinculó a la implantación de un *Imperio* universal. Posteriormente redujo sus ideales agrupándolos en torno a una *Federación* universal con la observancia de unas mismas normas internacionales.

El origen del internacionalismo hay que buscarlo en el Imperio romano, que llegó a dominar el mundo, imponiéndole la paz y su derecho, y legando su ideal de un Estado y de una Iglesia universal a la Edad Media. También la Iglesia católica aspiró desde siempre a un internacionalismo basado en la paz fraternal de los pueblos y en la doctrina de Cristo. Dante —en su obra *De Monarchia*—defendió la implantación de un derecho universal y la existencia de un monarca supremo.

Con el siglo XV se inicia la exaltación del principio radicalmente *nacionalista,* alcanzando rápidos progresos en España y en Francia y ganando ininterrumpidamente otros Estados. La guerra de los Cien Años sirvió a los monarcas franceses para unificar su reino. La lucha contra los musulmanes favoreció la unidad española. El siglo XVI señala el apogeo de los Estados nacionales e independientes. El ideal del internacionalismo se ha perdido por completo, y acaso por ello surgen las grandes contiendas entre los Estados; luchas que mueve el ambicioso concepto nacionalista.

¿Cómo contrarrestar las teorías y las *necesidades* bélicas?

Los estadistas europeos proponen el establecimiento de *un equilibrio* entre los grandes poderes; sino que estos grandes poderes eran tan inestables que no dieron raíz para el pretendido equilibrio. Un nuevo conato de internacionalismo se inició ante el problema de la convivencia pacífica de católicos y protestantes dentro del mismo país. Y entonces apareció la obra famosa titulada *El gran designio de Enrique IV,* atribuida a Sully, ministro de este monarca francés. En ella se esboza una confederación pacífica de la Europa occidental, dividida en quince Estados, monárquicos y republicanos. "El emperador estaría a la cabeza de la confederación, pero los asuntos comunes correrían a cargo de un Consejo de sesenta y cuatro delegados, en quienes se vincularía la representación de los distintos Estados. Las disputas entre los Estados se dirimirían ante el Consejo, quien disfrutaría del apoyo de un ejército y de una armada internacionales."

Francisco de Vitoria, Hugo Grocio y otros espíritus eximios aspiraron a la creación de un derecho que rigiese universalmente, sobre la base del derecho natural; a la aceptación progresiva de una ley internacional para el mundo civilizado. Grocio sostuvo la necesidad del arbitraje entre las naciones y la celebración de conferencias periódicas entre los Estados cristianos de Europa.

A fines del siglo XVII, William Penn—en su *Essay towards the Present and Future Peace of Europe,* 1695.—, irritado por la ambición insaciable de Luis XIV, propuso la reunión de un Parlamento europeo, ante el que se presentarían las controversias internacionales; en dicho Parlamento estarían representadas todas las naciones de Europa; y si alguna de estas se negase a obedecer las disposiciones emanadas de aquel organismo internacional, sería obligada a someterse por la acción mancomunada de los demás Estados.

Más tarde, el abate Saint Pierre, secretario plenipotenciario francés en La Haya, publicó su célebre *Projet de traité pour rendre la paix perpétuelle*—1713—. En esta obra se declaraba partidario de la reunión de un Congreso internacional, con la asistencia de los delegados de todos los Estados europeos. Según Saint Pierre, este Congreso administraría un fondo común que sería utilizado para someter a la voluntad general al Estado transgresor. Discípulo de Saint Pierre, Rousseau imaginó la creación de una Federación europea, que únicamente podría alcanzarse por medio de la violencia y la revolución.

Jeremías Bentham elaboró un plan para la codificación del Derecho internacional, la reducción de los armamentos, la emancipación de las colonias y el establecimiento de un Tribunal internacional.

En 1785 publicó Kant su celebérrima obra *La paz perpetua,* en la que demuestra que el mantenimiento de la paz está unido a la creación de las instituciones republicanas y representativas en todos los Estados, y da una definición de Derecho internacional, a base de una federación de Estados libres y con el establecimiento de la ciudadanía universal.

Kant creyó que los hombres renunciarían a la guerra por motivos económicos, y que la ley natural serviría de garantía a la paz perpetua y a la unidad del mundo.

La Santa Alianza, para contener las ambiciones imperialistas de Napoleón Bonaparte, representó el desarrollo práctico del internacionalismo; aspiró a la formación de una *fraternidad indisoluble,* fundada en los principios cristianos de la paz y la justicia; invitó a figurar en la unión a todos los Estados que participaran de los mismos sentimientos; creó los cimientos del concierto europeo, proporcionando una nueva sanción al Derecho internacional, y formó entre las naciones una tradición solidaria de intereses comunes que ha constituido un factor poderoso en el desarrollo del internacionalismo contemporáneo.

El siglo XIX representa un progreso inmenso a favor del internacionalismo. En él fueron creadas numerosas uniones internacionales: la Unión Postal Universal, la Unión Telegráfica Universal, la Unión Métrica Internacional, etc., etcétera... En él tuvieron lugar famosísimos Congresos y Conferencias internacionales, como la de La Haya de 1899.

El siglo XX se caracteriza por su enorme decisión internacionalista. La Conferencia de La Haya de 1907 instituyó un Tribunal internacional de presas. Los horrores de la gran guerra de 1914-1918 resucitaron la idea de una federación universal, y como expresión de este espíritu fue creada la Sociedad de Naciones con un Consejo, una Asamblea, un Secretariado permanente y un Tribunal de arbitraje, también permanente.

La segunda y más terrible gran guerra mundial de 1939-1945 determinó una nueva exaltación del internacionalismo, siendo creada la Organización de las Naciones Unidas, y estableciéndose, como complemento, el Pacto Atlántico.

V. BOLCE, H.: *The new internacionalism.* Nueva York, 1907.—BURNS, C. D.: *International politics.* Londres, 1920.—MUIR, R.: *Nationalism and Internationalism.* Londres, 1916.—WOOLF, L. S.: *El gobierno internacional.* 1916.—ANGELL, Norman: *La gran ilusión.* Traducción cast. Col. Nelson, 1912.

INTERPOLACIÓN

Con este nombre se designa el hecho de colocar en el texto de un libro un pasaje que nada tiene que ver con aquel.

Las interpolaciones obedecen a dos causas: el *fraude* y la *ignorancia.* Esta última conduce a intercalar en el texto explicaciones, esclarecimientos, que ya preocuparon al autor, quien los colocó como glosas al margen del manuscrito.

La interpolación por fraude aún causa un daño mayor, pues que altera los textos, siendo muy difícil, al cabo de los años, y en ediciones amañadas, eliminar las interpolaciones fraudulentas, que la mayor parte de las veces cambian radicalmente la significación y el valor del texto auténtico.

Son famosísimas las interpolaciones llevadas a cabo en los *textos homéricos.* Hubo de crearse una *escuela de comentaristas*—cuya figura magna fue Aristarco—para llevar a término feliz la expurgación, en los maravillosos poemas, de las partes interpoladas por los aedas.

Uno de los más altos y difíciles deberes de la crítica es contribuir *a fijar la pureza del texto comentado.*

Los infinitos copistas que durante la Edad Media, en monasterios y universidades, se dedicaron a reproducir los textos clásicos, involuntariamente, en ocasiones interpolaron palabras, frases, que no constaban en aquellos. Las impresiones realizadas sobre tales copias propagaron el *texto erróneo,* ya que a veces, una palabra, una coma, interpoladas, bastan a cambiar radicalmente el sentido en que quiso expresarse el autor.

INTERPRETACIÓN

Manera peculiar, más o menos feliz, con que cada escritor o artista traduce y expresa, según su entender y su sensibilidad, un tema de invención o un aspecto de la Naturaleza o de la vida, ya que las tres se resisten a una fiel apariencia y a una verdad única. (V. *Exégesis. Hermenéutica. Traducción.*)

INTERPRETACIONISMO

Doctrina filosófica que, al explicar el conocimiento sensible, no admite el mundo exterior como objeto de percepción directa o intuitiva, sino *como inferencia mediata.*

El interpretacionismo se funda en la necesidad de que la razón—facultad de ideas y de primeros principios—se sume a cualquier conocimiento. Según algunos filósofos, el interpretacionismo es una consecuencia, más o menos lejana, del *idealismo* (V.) y del *subjetivismo* (V.). Pero en modo alguno cabe confundirlo con el *intermediarismo* (V.). Para este, entre el sujeto cognoscente y el objeto conocido existe un conocimiento independiente de toda reflexión o actividad comparativa. Para el interpretacionismo, entre el sujeto cognoscente y el objeto conocido surgen los datos experimentales según los principios de la razón.

La forma más antigua de interpretacionismo es la cartesiana.

Afirma Descartes que si ha llegado a creer en las cosas materiales se debe al hecho de haber encontrado en sí sensaciones no dependientes de su voluntad, lo que le hacía suponer que aquellas cosas materiales dependían *de causas exteriores.*

David Hume fundó la creencia en la realidad sensible, en la interpretación que de nuestras sensaciones lográbamos por medio de las asociaciones y de los hábitos.

Tomás Reid (1710-1796) tuvo "la convicción de que todo conocimiento tiene su origen en la experiencia, aun cuando su concepto de la experiencia era singular. Así, la experiencia no es el existir en la conciencia contenidos, ideas e impresiones, que nosotros nos limitamos a *asociar,* y de los cuales como *copias* o como efectos deducimos la existencia de un mundo de cosas subyacente a tales representaciones, sobre cuya legitimidad de deducción se investigará después necesariamente. La experiencia es una percepción inmediata de objetos exteriores, en parte directa, tal en la visión, la aprehensión de la forma y magnitud del objeto visto; en parte indirecta, es decir, no mediante una conclusión, sino mediante una interpretación, experimentada como evidente, de los contenidos de la conciencia. Así, no podemos sentir un color o una solidez sin que en esta calidad de la conciencia o de la sensación percibamos el color y la solidez de una cosa exterior. Esta percepción de objetos exteriores, inseparablemente unida con la creencia en la realidad del objeto percibido, es algo último, inderivable; no es reducible ni a ser datos de conciencia, ni a una *conclusión;* es un elemento natural de toda conciencia, para la *sana razón humana* o sentido común, tan segura en cuanto fuente de conocimiento, como, por ejemplo, el recuerdo de nuestro pasado vivido".

INTERROGACIÓN (V. Figuras de pensamiento)

Es una figura por la cual preguntamos, no precisamente para que se nos responda, ni para manifestar nuestras dudas o nuestra ignorancia de alguna cosa, sino para afirmarla con más convicción y vehemencia.

> ¿Qué se hizo el rey don Juan?
> Los infantes de Aragón,
> ¿qué se hicieron?
> ¿Qué fue de tanto galán?
> ¿Qué fue de tanta invención
> como trujeron?

También se utiliza la interrogación para declarar con más vehemencia algún defecto o para convencer y confundir a los oyentes y lectores.

INTERRUPCIÓN (V. Figuras de pensamiento)

Figura patética que consiste en el tránsito rápido de unas ideas a otras, dejando a veces incompleto el sentido gramatical de alguna o varias frases empezadas y no concluidas. Es efecto de la agitación del alma.

> ¡Oh vida muerta! ¡Oh lumbre oscurecida! ¡Oh hermosura afeada! ¿Tanto han podido las manos de los hombres contra Dios? Hijo mío y sangre mía, ¿dónde se levantó a deshora esta tempestad? Hijo mío, ¿qué haré sin ti? ¿Adónde iré? ¿Quién me remediará? Hijo mío, ¿no me habláis? ¡Oh lengua del cielo que a tantos consolasteis con vuestras palabras! ¿Quién os ha puesto tan silencioso que no habláis a vuestra madre? ¡Oh Belén y Jerusalén!... (FRAY LUIS DE GRANADA.)

INTIMISMO

Tendencia literaria y artística que busca la exaltación y la trascendencia de lo *individual* como sentimiento, como hecho, como destino. El intimismo tiene su raíz en la sugestión irresistible de la "vida interior" en el escritor y en el artista. Posiblemente la temática del intimismo es enteramente romántica, por lo que tiene de importancia del *yo,* trascendencia cultivada en un clima rigurosamente egocéntrico —cuando no egolátrico—. El intimismo tiene sus antecedentes remotos en la *actitud confesional* del hombre sincero, que cree que la pública declaración de su humanidad más secreta logrará efectos venturosos para sí y para sus semejantes.

Es preciso recalcar que el intimismo, en la mayoría de los casos, patentiza el sentido egoísta de su fervor. El escritor, el artista intimista rehúye reconocer la importancia de lo universal, de cuanto es ajeno a sí propio; y, por el contrario, cree sinceramente, o finge creer, que únicamente él y sus "estados" y sus "situaciones" en la realidad tienen importancia, ya por su verdad, ya por su emotividad. Se niega a aceptar que cuanto él piensa, cuanto él desea, cuanto a él le pasa, no tenga la menor importancia para sus semejantes, y aun estos puedan desconocerlo en su totalidad.

Los peligros del intimismo no son pocos. El primero de ellos, subordinar lo poético—inspiración y sensibilidad—a lo sentimental, y aun a lo sensiblero. El segundo, obcecarse en dar a lo externo—ámbito y ambiente—una rigurosa explicación subjetiva, pensando que no puede existir otra, ya en la realidad, ya en los demás subjetivismos en pugna. El tercero, el error de confundir los límites que separan lo poético y lo humano en general. El cuarto, el empeño en protagonizar sucesos que rechazan toda función que no sea de "masas". Quinto, desconocer cuán peligrosamente próximos se hallan en la confesión la sinceridad de los actos logrados y la hipocresía de los actos malogrados. Recuérdense las *Confesiones,* de Rousseau, donde abundan tanto las sinceridades intrascendentes como las hipocresías trascendentales. El sexto, no evitar en todas las ocasiones ese efecto de teatralizar demasiado momentos que piden apenas el murmullo, apenas el vago ademán, apenas el insinuado gesto.

Y es que el intimismo, contra lo que parece lógico, se empeña en gritar demasiado, en llamar excesivamente la atención, en moverse, sin perder su mano capitana, fuera de la órbita que le es propia, armónica y necesaria.

Con su natural agudeza ha comentado el poeta y crítico Juan Eduardo Cirlot: "Ahora bien: el intimismo comporta una paradoja fundamental. Si su pasión es la intimidad, lo personal, lo encerrado entre las paredes del yo, ¿cómo es posible que la acción se traduzca en el acto antiintimista de publicar esas particularidades preciosas que deberían quedar en el arcano del individuo? La única respuesta posible es que, para el intimista, sus intimidades alcanzan tal poder emotivo e incluso grandiosidad que se le independizan, tendiendo a centrifugarse en forma inevitable. Así resulta que el intimismo es un modo de exhibicionismo que, cuando no está justificado por la necesidad confesional, puede aparecer como una manera extrema de vanidad o de falta de cohesión para conservar esos elementos en la pureza de la oscuridad. También puede explicarse esa precisión de explicar lo íntimo por la enfermedad de ello. Cuando algo nos duele hondamente, perdemos la sensación de vergüenza que sentiríamos al exhibirlo. En este caso, el intimista acudiría al expediente de la publicación como en busca de una cura para su intimidad maltratada. Lo importante es que esa forma de referirse al mundo constituyó a su aparición una renovación del temario lírico y, sobre todo, una educación para la sensibilidad y el orden. De la disciplina intimista se sale empequeñecido acaso, pero con una nueva visión de las cosas, que puede extenderse a las objetividades para incluirlas en esa interioridad espiritual."

El intimismo tiene, en lo literario, sus peculiarísimas manifestaciones en las *Confesiones, Autobiografías, Memorias, Cartas, Albumes, Diarios, Conversaciones, Entrevistas, Confidencias.*

Posiblemente, son las *Confesiones,* de San Agustín, el primer intento serio y trascendental del intimismo; el paradigma de conectar con el mundo las experiencias de un sentimiento personal. Después...

Las *Cartas literarias* son la expresión más propia de las confesiones sinceras de los grandes espíritus ante sus contemporáneos y ante la posteridad. Famosísimas son las *Cartas* de Cicerón, Horacio, Ovidio, Plinio el *Joven,* Séneca, San Jerónimo, Santa Teresa de Jesús, Fernando del Pulgar, San Ignacio de Loyola, Antonio Pérez, Quevedo, el beato Juan de Avila, el P. Isla...

Fuera de España, famosas son las *Cartas* de Clément Marot, Tabourot, Voiture, Scarron, Bois-Robert, Voltaire, Gentil-Bernard, Bernis, Sedaine, Bouffres, Chénier, Lamartine, Delavigne, en Francia; Pope, Young, en Inglaterra; Wieland, Gleim, Jacobi, Schmidt, en Alemania.

Dentro del intimismo, quizá han tenido más importancia y fuerza que las *Cartas*—por estar destinadas a otra persona—las *Memorias,* que mezclan lo autobiográfico con lo confesional.

La antigüedad nos ha legado dos *Memorias* admirables: la *Anábasis,* de Jenofonte, y los *Comentarios,* de Julio César; aun cuando acaso puedan ser incluidas en el género las *Cartas* de Cicerón y de Séneca.

La Edad Media nos da a Marco Polo, Clavijo, Windecke...

En la Edad Moderna, es Francia el país cuya literatura ofrece un mayor número de *Memorias* sencillamente prodigiosas: Margarita de Valois, Paradin, La Roue, Duplessis Mornay, Villeroi, el príncipe Luis de Condé, Brantôme, Rohán, Estrees, Bassompierre, Aubery, cardenal de Retz, Grammont, Saint-Simon, Catinat, Noailles, Duclos, Choiseul, duque de Richelieu, Nécker, La Fayette, madame Stäel, madame Roland, Mirabeau, Desmoulins, Les Cases, duquesa de Abrantes, Eugenio Beauharnais, madame

Rémusat, Chateaubriand, "Jorge Sand", Broglie...

En Inglaterra escribieron *Memorias* célebres: James Melville, Th. Birch, Clarendon, Whitelock, Bolingbroke, Walpone, Kers...

En Alemania: Goetz de Berlichingen, Viglius van Zwiechem, Schärtlin de Burtenbach, Wolrad de Waldeck y Barth...

En España: Badía ("Ali-Bey"), Godoy, Alcalá Galiano, Mesonero Romanos, Mina, Argüelles, Narváez, Fernández de Córdoba, Zorrilla, O'Donnell, José Coroléu...

En Italia: Benvenuto Cellini, Alfieri, Goldoni, Carlo Gozzi, Casanova, Silvio Pellico...

Las *Confesiones* y las *Confidencias* son la más genuina manifestación literaria del intimismo; la mayoría de ellas—las famosas, claro está— suelen estar marcadas por una intención de franqueza absoluta.

Las *Confesiones* más famosas son las de San Agustín, Santa Teresa de Jesús—el *Libro de mi vida*—y Juan Jacobo Rousseau. Las primeras, asombrosamente sinceras. Las de Rousseau, con excesivas reticencias, bastantes hipocresías y muchas veladuras.

Son famosos igualmente: los *Ensayos,* de Montaigne; las *Réflexions sur la miséricorde de Dieu,* de Mlle. de La Vallière; *De vita propria,* de Cerdán; *Confessions of an English Opium Eater,* de Thomas de Quincey; *Confession d'un enfant du siècle,* de Alfred de Musset; *Confidences* y *Nouvelles confidences,* de Lamartine; *Histoire de ma vie,* de "George Sand".

INTRIGA

En las obras literarias, el enredo, trama, tema o combinación de circunstancias, incidentes y caracteres que despiertan, atraen y sujetan el interés o la curiosidad del lector u oyente, poniéndole en estado de duda respecto del fin o desenlace.

La intriga es una de las partes esenciales de toda composición literaria, teniendo por objeto el interés o el desarrollo sugestivo de la acción.

En algunas obras, las llamadas *comedias de intriga,* es la única parte esencial. En otras obras, *comedias de costumbres* o de *caracteres,* la intriga pasa a ocupar un lugar secundario. Sin ella, la tragedia queda reducida a la pintura de una situación, y el drama, a una serie de cuadros y de escenas sin interés dramático; y el poema narrativo, un número equis de episodios sin ilación. Estando en todas las partes de una obra, la intriga le da unidad y vida, contribuye a la perfección de la ejecución y del estilo y a cautivar a cuantos la leen o la escuchan. El arte de preparar, presentar o desarrollar la intriga y de conseguir todos sus fines, es un elemento importantísimo en el arte dramático, cuyas reglas inmutables son: *exposición, nudo y desenlace* de la intriga.

Todos los grandes escritores se han preocupado, antes que nada, de la *invención de una intriga.* Ya lograda esta, original e interesante, los demás elementos—estilo, plan, lenguaje, efectos, episodios secundarios—son captados fácilmente.

Alguien ha dicho que la intriga es una *acción complicada.* Es decir, que si en la obra literaria basta, para su interés, un tema, mientras este tema sea simple y sencillo, como entre los griegos, no podrá hablarse de la existencia de la *intriga,* acción complicada, de sugestión ascendente, cuyo fin nadie supone ni adivina hasta que el autor lo desenlaza y aclara.

Entre los escritores modernos, la *intriga* ha perdido el papel preeminente que tuvo, exceptuados, claro está, aquellos géneros denominados *misteriosos, policíacos...*

INTRODUCCIÓN

Discurso preliminar que se coloca al frente de algunas obras, ya para explicar la intención de estas, ya para enterar al lector de algunos extremos que le facilitarán la inteligencia de las mismas.

La introducción difiere del *preámbulo* (V.), del *prefacio* (V.), del *avant-propos,* en que aquella es susceptible de alcanzar un gran desarrollo y comprender las consideraciones generales que dominan el libro entero.

Algunas *introducciones* llegan a tener consideración de verdaderas obras maestras. Así, la *Introducción a la vida devota,* de San Francisco de Sales; el *Discurso preliminar,* de D'Alembert, para la *Enciclopedia* francesa; la *Introducción al estudio de la Filosofía,* de Gioberti; la *Introducción* a la *Historia de la poesía castellana,* de Menéndez Pelayo.

INTROITO

1. V. *Prólogo, Prefacio, Introducción, Proemio, Exordio, Isagoge.*
2. Entrada o principio de una obra literaria.
3. Cada una de las *antífonas* (V.) que se dicen antes de los salmos.

INTUICIONISMO

Sistema de metafísica o de moral que da una intervención ya excesiva, ya exclusiva, a la intuición sobre la razón.

Según Bergson, son calificadas de *filosofías de la intuición* aquellas teorías "que intentan construir una metafísica de la realidad, no sobre el análisis conceptual de la razón, sino sobre los datos inmediatos de la intuición psicológica".

Intuición es lo que el espíritu conoce en un acto único y no en una sucesión de actos. Descartes llama así "todo acto por el cual el espíritu considera una idea—noción, juicio y razonamiento—comprendiéndola enteramente a la vez y no sucesivamente".

Y opone la intuición a la deducción, "la cual no opera enteramente a la vez, sino que implica cierto movimiento de nuestro espíritu, infiriendo una cosa de otra".

En un sentido más especial, intuición es lo que percibimos de golpe, lo que es dado en la experiencia. Una intuición es, pues, *un* dato de la experiencia, ya externa, ya interna, ya simple, ya más o menos compleja, en cualquier caso formando un todo definido.

La intuición sensible es el dato inmediato de un sentido. Pero no se llama intuición a la noción de una cosa facilitada por varios sentidos a la vez. Sin embargo, la intuición no es sinónimo de sensación, pues aquella es un modo de conocimiento, y no comprende el elemento afectivo de la sensación, ni de percepción, pues para que haya percepción es preciso que se añada a esta el juicio de exterioridad.

Kant define la intuición "como todo conocimiento que se refiere *inmediatamente* a objetos", y la opone al *concepto*. Denomina *empírica* "la intuición que se refiere al objeto por medio de la sensación", e *intuición pura,* la forma de la intuición empírica, es decir, "lo que hace que lo que hay en ella de diverso pueda ser ordenado bajo ciertos aspectos". El espacio y el tiempo son intuiciones puras, es decir, no son sensaciones ni, hablando con propiedad, conceptos.

"Kant niega que existan *intuiciones intelectuales,* esto es, conocimientos desprovistos de contenido empírico y refiriéndose, sin embargo, inmediatamente a objetos. Las intuiciones puras no son más que *formas* del conocimiento; los conceptos del entendimiento puro no son intuiciones, y no pueden ser considerados como refiriéndose a objetos sino por lo que él llama *ilusión dialéctica.*"

El idealismo absoluto del siglo XIX es radicalmente intuicionista. El intuicionismo cuenta con figuras tan señeras como Fichte, Schelling, Hegel, Riosmini, Gioberti..., quienes lo oponen al *intelectualismo* (V.), tanto experimental como racionalista.

El intuicionismo es común al *pragmatismo* (V.), al *humanismo* (V.), a la filosofía de la acción, al *fideísmo* (V.), al *inmanentismo* (V.), al *modernismo* (V.).

Modernamente, es Bergson uno de los principales paladines del intuicionismo. "Bergson —escribe González Alvarez—es uno de los pensadores que más han contribuido a la superación del positivismo. Combate el monismo y el materialismo de su época, y llega a afirmar que el pensamiento intelectual es incapaz de aprehender la vida, el espíritu, la verdadera realidad. Con esto no niega Bergson la metafísica; antes al contrario, reivindica su existencia frente a los ataques del positivismo. Bergson, en efecto, distingue entre la ciencia natural y la filosofía. Aquella tiene por objeto el mundo de la Naturaleza, la rigidez inorgánica, la discontinuidad, y por método, el pensamiento intelectual, que trabaja con conceptos. Esta, la filosofía, tiene por objeto la esencia de la realidad, la vida siempre fluyente, y por método, la *intuición.*

"Hay, pues, un conocimiento científico-conceptual y un conocimiento filosófico-intuitivo. El conocimiento científico considera los objetos desde un punto de vista exterior, y procede por análisis y síntesis; está dirigido a la práctica, al manejo de las cosas como instrumentos útiles. La inteligencia forma así conceptos fijos, estáticos, solidificándolo todo. El pensamiento intelectual lo paraliza todo; solo puede aprehender lo muerto, lo material. Pero la realidad es muy distinta. El verdadero fondo de la realidad escapa al intelecto, y solo es aprehensible por la *intuición.* La intuición nos descubre, en primer lugar, nuestro propio yo. Cuando el intelecto se aplica al conocimiento de lo psíquico, lo espacializa, lo materializa y, por consiguiente, lo falsea. El yo no es algo rígido, estático, hecho de una vez para siempre, sino, por el contrario, algo que se hace, que fluye, que se convierte continuamente en otro distinto, acumulando su pasado y anticipando su futuro. Su esencia es la duración real. Solo es posible captarlo por *intuición,* que no procede por análisis y síntesis, sino por interioridad, por intimidad y penetración. Lo que la intuición aprehende así del yo no puede expresarse por conceptos."

No puede negarse que el intuicionismo es la forma de conocimiento propia de los primeros principios; pero como estos son condiciones de la vida mental o leyes del pensamiento, precisan de los datos experimentales para ponerse en movimiento.

V. BERGSON, H.: *Essai sur les données immédiates de la conscience.*—BERGSON, H.: *La pensée et le mouvement.*—BERGSON, H.: *L'évolution créatrice.* París, 1907.

INVENCIÓN

Es, en todos los géneros literarios, la parte del arte que consiste en encontrar el fondo, el sentido, los detalles y los adornos *de lo que se va a tratar.*

Es la primera parte de la retórica, ya que tiene por objeto reunir los elementos literarios que han de conmover y persuadir.

Según los retóricos griegos, la invención comprendía: las *pruebas* (V.), que instruían y convencían al auditorio; las *costumbres,* que complacían al auditorio, y las *pasiones,* que lo conmovían.

También se ha definido la invención como "el arte de elegir los argumentos y los medios para desarrollarlos".

INVERSIÓN

Es la alteración en el orden gramatical de las palabras, en virtud de la cual se colocan estas, no según su rigor lógico, sino según conviene al intento del que habla o escribe. (V. *Hipérbaton.)*

INVESTIGACIÓN

Estudio o profundización en alguna materia literaria.

La investigación puede ser: de simple *estudio* o de *demostración.* Aquella comprende los métodos de *descubrimiento,* y esta, los de una *ordenación sistemática.* También puede ser *doctrinal* e *histórica.*

INVOCACIÓN

Es una especie de composición breve colocada por el poeta delante de su obra y dirigida a su musa, a su dios o a su genio, para suplicar le sirva de guía y mantenga vibrante su inspiración. En la *Ilíada* y en la *Odisea* se dan sendas invocaciones magníficas. E igualmente se encuentran en la *Eneida,* de Virgilio; en el poema *A la Naturaleza,* de Lucrecio; en las *Metamorfosis,* de Ovidio.

Lucano, en su *Farsalia,* prescindió de la invocación, y también Dante en su *Divina Comedia.* Otros épicos más modernos: Tasso, Milton, Camoens, Boileau, reinciden en ella.

IOTACISMO

1. Uso excesivo de la letra *i* o del sonido *i* en una lengua.

2. Falta de ortografía en la actual lengua griega, por confusión entre diversas vocales o diptongos, que pronuncian igualmente *i.*

IRANIAS (Lenguas)

Bajo la denominación de *lenguas iranias* se comprende una familia perteneciente al mismo tronco que las *lenguas indoeuropeas,* y cuyo dominio se extiende desde el Indo hasta el Eufrates, y desde el Iaxarte hasta el Océano Indico. Son: el *zenda,* el *pelvi,* el *armenio,* el *parsi.*

Los tipos más antiguos de esta familia nos han sido suministrados por el *zenda,* antiguo idioma de los mayos, y en el que Zoroastro redactó su doctrina: el *Avesta*—palabra viva.

A la familia irania van unidos innumerables dialectos: *kurdo, ossete, puchtu, belutche, brahui...* El *belutche* sirve de transición entre las lenguas dravidianas y las iranias.

El *parsi* es la lengua de transición entre el *zenda* y el moderno *persa.*

IRLANDESA (Lengua)

La lengua irlandesa pertenece a la rama gaética de las lenguas célticas.

El irlandés moderno consta de cinco vocales, que pueden ser largas o breves por medio de un acento agudo, resultando de su combinación trece diptongos y cinco triptongos. Los signos alfabéticos adoptados para las consonantes en el estado simple son trece, pero las diversas mutaciones de que son susceptibles estas consonantes hacen que el número sea doble. El irlandés tiene dos géneros y dos números; su declinación carece de flexiones propiamente dichas, a excepción de los casos genitivo del singular y nominativo del plural; los restantes casos se indican por medios secundarios, tales como el artículo y el cambio de la consonante inicial. El superlativo se expresa por medio de preposiciones. El artículo cambia de forma con el género, número y caso. Las declinaciones regulares del nombre son cinco, y cuatro las del adjetivo. Los verbos sufren la flexión según el número, la persona, el modo, el tiempo y la voz. Hay tres personas para el singular y tres para el plural. Los modos son cuatro: imperativo, indicativo, condicional e infinitivo. Las voces son dos: activa y pasiva, pero únicamente la primera tiene flexión personal. Los tiempos son: pasado, presente y futuro. El verbo *ser* carece de flexión personal, ya que solo consta de tercera persona y de los tiempos presente, pasado y futuro de indicativo, así como el condicional. Los verbos irregulares suman catorce, alguno de ellos defectivo. El adverbio es, generalmente, compuesto, y se forma, ya de un adjetivo, ya de un nombre, ya de una preposición. Las preposiciones son simples y compuestas, yendo estas últimas seguidas de un nombre.

Tampoco la sintaxis irlandesa es igual a la de otros idiomas celtas.

V. VENDRYES, J.: *Grammaire du vieil irlandais.* París, 1908.—CRAIG, J.: *Grammar of modern Irish.* Londres, 1908.—JOYCE, P. W.: *A Grammar of the Irish language.* Dublín, 1908.

IRLANDESA (Literatura)

El más antiguo monumento literario irlandés que se conoce data del siglo V: el *Foid Fiado—grito del gamo—,* conocido por el *Himno a San Patricio.* Al siglo VII corresponde el *Brigithe bithmaith, Himno de Ultan* o *de Santa Brígida,* en elaboración de métrica mayor. Al siglo IX: el himno *Sen dé,* de Colman; la *Plegaria,* de Ninino o Fiace; el *Himno de Sancian;* los fragmentos del himno *Mael-Isu's,* recopilados por Ferdomnach en el *Libro de Armagh;* la *Homilia de Cambray;* la *Vida de San Columbano,* de Adamnan; el *Misal Stowe;* el

Felire o *Calendario de Fiestas;* el humorístico *Gato Paugur Bau;* el *Tallagh*—martirologio—, de O'Gorman; el *Salterio,* de Oengus, y el *Euldeo,* titulado *Saltais na rom.*

En la poesía de esta época se encuentran ya las características de la literatura irlandesa: aliteración, asonancia y armonías.

Durante los siglos IX y X, las invasiones normandas hacen huir a los irlandeses al Continente. Sin embargo, su literatura no queda interrumpida. A estos siglos corresponden los *scel*—obras narrativas—y las *anomaris*—obras poéticas—. Las obras narrativas se asimilan a los *Romanceros.* Estos romanceros, atribuidos a los troveros o *fili* y a los *forceti*—adivinos y jueces—, comprenden los magníficos *ciclos* de Tain, Cuchuliun, Ulster y Leinster, en los que se canta a los héroes de las luchas contra los invasores y enemigos de Irlanda. También se refieren a temas sobrenaturales, como en el *May Mell (Llanura de delicias),* o en el *Tu nan-oc (Tierra de juventud),* o en el *Tir Tairngiri (Tierra de promisión).*

Un ciclo particular e importantísimo es el llamado *feniano* u *ossiánico,* con obras en verso y en prosa dedicadas a exaltar la figura legendaria de Finn. El ciclo comprende: narraciones *(Fotho coltra Cnucha),* poemas *(Dindsenchus)* e historias *(Siaburcharpat Cemcleulains).* La balada es la forma predilecta de su verso. Y como poetas de este ciclo figuran: Finn, Ossian, Cailte, Fergus Finnbel.

En la poesía propiamente lírica se conservan composiciones tan bellas como la de *Berile el elocuente, Hijos de Liv* y *Tres historias dolorosas.*

Muy rica fue la literatura irlandesa durante la Edad Media. En el género *hagiográfico* son célebres obras como la *Trilogía de San Patricio,* las *Pasiones y homilías de Leothar Breac,* la *Visión de Adamnar,* la *Visión de Trindale,* la *Visión del Infierno* y la *Visión de Merlín.* En el género *moralista y proverbial:* el *Testamento de Moran Mac Mouin,* las *Instrucciones de Cucholinn,* el *Tecosca Carmari* y el *Seubriathra Jithail.* En el *género histórico: Cogad Gaedel re Gollaib*—relación de la guerra contra los normandos—, el *Leabhard Oiris,* el *Leabhas Jobhalla,* el *Libro de Munster,* los *Anales de Innisfallen,* el *Chronicon Scotorum,* los *Anales de los Cuatro maestros.*

En el género *didáctico y erudito* sobresalen nombres como los de Flann Mac Lonain, el "Virgilio irlandés"; Flanagan, autor de crónicas acerca de los primeros reyes de Irlanda; Maelmort, autor de un poema sobre las invasiones nórdicas; Cormacan; Flainn, autor de una cronología de los reyes del Ulster; Flann Mainstrech, autor del *Libro de los sincronismos;* Conn va Lochcainn, autor de un libro sobre las antigüedades de Taro; Cinaed va Artacain...

Caso curioso de la literatura irlandesa: los antiguos poetas de corte se transformaron en bardos hereditarios y familias de escritores, entre las que figuran las de los O'Dalys, Mac Wards, O'Higgins, Mac Brodys, O'Huidhrinn.

En la literatura religiosa se conservan *homilías—Poemas de Adán, La lengua siempre nueva, Los pecados mortales*—, *sermones—Scela na esergi, Scela lai bhrota...*

La conquista y dominación de Irlanda por los ingleses no apagó por completo el desarrollo de su literatura, que puede enorgullecerse de nombres como los de Godofredo Keating, erudito; Taga Og O'Higgins, poeta religioso; Manus O'Donnell, hagiógrafo; Tedhg Mag Daire, O'Hussey, Ferfesa O'Cainti, poetas historiadores; Pierre Ferriter y Davis O'Bruadar, grandes satíricos...

Aun cuando a partir del siglo XVII Irlanda ha realizado enormes esfuerzos para evitar la decadencia de sus letras, modernamente, todos sus grandes escritores, utilizando la lengua inglesa, obligan a que se los incluya en la historia literaria de Inglaterra. Tal es el caso de ingenios como Steele, Swift, Sheridan, Sterne, Yeats, George Moore, Oscad Wilde, James Joyce, Liam O'Flaherty, Lord Dunsany, Bernard Shaw...

En lo que va de siglo se inicia un sorprendente resurgimiento literario irlandés con los nombres de Martyn, Lennox Robinson, Seam O'Casey, Colum, dramaturgos; Eglinton. Seumac O'Sullivan, Griffith, ensayistas; Corkery y Gogarty, novelistas. (V. *Inglesa, Literatura.*)

V. BOYD: *Ireland's Literary Renaissance.* Nueva York, 1922.—KEATING: *History of Irish literature.* Dublín, 1921.—HYDE, Douglas: *Literary history of Ireland.* Dublín, 1910.

IRONÍA (V. Figuras de pensamiento)

De εἰρωνεία, disimulación.

Figura indirecta, que consiste en decir en tono de burla todo lo contrario de lo que expresa la letra, dejando siempre comprender a quien lee o escucha el verdadero sentido de las palabras.

> ¡Qué mucho, Amesto, si del padre Astete
> ni aun leyó el catecismo! Mas no creas
> su memoria vacía. Oye y diráte
> quién de Romero Costillares saca
> la muleta mejor, y quién más limpio
> hiere en la cruz al bruto jarameño.
>
> (JOVELLANOS.)

En la vida corriente decimos de un cobarde que es un *Cid,* y de un mal poeta, que es un *Virgilio.*

En la *ironía,* la palabra es directamente opuesta al pensamiento; pero, haciendo como que lo oculta, no hace sino resaltarlo más aún.

Du Marsais distingue dos especies de ironía: la una es un tropo, en su opinión, y la otra, una figura de pensamiento. Esta es la ironía sostenida; aquella consiste en una o dos palabras.

Mayáns definió la *ironía* como "la traslación de la propia significación a la opuesta"; y la dividió en tres clases, entendiéndose por la naturaleza de *persona,* o de la *cosa* de que se trata, o por la *pronunciación.*

La ironía tiene numerosas aplicaciones, tanto en la elocuencia como en la poesía. Los antiguos retóricos distinguían varias clases de *ironía:* el *asteísmo*—ironía delicada que instruye, que conmueve—; el *carientismo,* que a la delicadeza une cierto picante estímulo; la *mímesis,* especie de parodia que ridiculiza; el *cleuasmo,* o atribución a cierta persona de las buenas cualidades que no tiene; el *micterismo,* ironía insultante y prolongada.

IROQUÉS (Lenguaje)

Grupo de lenguas de la América Septentrional, en la región de los Allegheny y de los grandes lagos. Estas lenguas son: el *mohawk* o *iroqués* propiamente dicho, el *oneida,* el *onondaga,* el *seneca* y el *hurón.*

El sistema de articulación de los idiomas iroqueses es simple. El alfabeto se compone de cinco vocales y de ocho consonantes: *k, t, n, h, s, r, v, y,* a las cuales, según Zeisberger, pueden agregarse los sonidos *g, ng, tch* y *x.*

V. DUPONCEAU: *Mémoires sur le systéme grammatical de quelques nations indiennes de l'Amérique du Nord.* París, 1838.—LUDEWIG, H. E.: *Literature of american aboriginal languages.* Londres. Varias ediciones.

IRREDENTISMO

Nombre dado al movimiento político italiano cuyo ideal es la reclamación, para su unión a Italia, de las regiones de origen italiano unidas a otras naciones.

Más generalmente, hoy, el irredentismo es un movimiento político que se da en otros muchos países. Así, puede hablarse de un irredentismo griego, de un irredentismo rumano, de un irredentismo polaco, y hasta de un irredentismo español—si se piensa en el territorio de Gibraltar.

Pero el irredentismo, como tal movimiento político, se originó en Italia, después de su unidad en 1870, para reivindicar los territorios italianos que estaban sometidos a Austria—Trieste y el Trentino—o a Francia—la Saboya.

Mateo Imbriani, con su libro *Italia irredenta,* dio la pauta para que—1878—fuera fundada en Roma una Asociación, llamada precisamente *Italia irredenta,* presidida por un general y ardiente garibaldino: Avezzana.

Justo es consignar que el irredentismo italiano se esforzó mucho más en combatir el imperialismo austríaco que el republicanismo francés. La Saboya, cuna de la dinastía italiana, le importaba mucho menos que Trieste y el Trentino.

El irredentismo italiano adquirió caracteres de polémica y de propaganda violentísimas, y llegó a poner en verdaderos compromisos al Gobierno italiano, especialmente cuando hubo de firmarse la llamada Triple Alianza, por la cual Italia quedaba ligada militarmente a Austria y Alemania.

Al estallar la gran guerra de 1914-1918, el irredentismo exasperado de los italianos motivó que su país no se uniera en un principio a sus aliados militares, y que, posteriormente, se decidiera a lanzarse a la lucha, pero... unida a Francia e Inglaterra. Lógicamente, como estas potencias ganaron la guerra, Italia pudo conseguir uno de los más fuertes ideales de su irredentismo: la unión a Italia de las provincias de origen italiano detentadas por Austria.

El irredentismo, infiltrado en Austria, fue terriblemente perseguido por este Imperio; y, naturalmente, tuvo sus mártires, entre los que sobresalieron Pietro Barsanti y Guglielmo Oberdanck.

En Francia, el irredentismo—de Alsacia y Lorena—tomó, en su época, el nombre de *revanche.*

V. GETTELL, Raymond G.: *Historia de las ideas políticas.* 2.ª ed. Barcelona, Labor, 1937.

ISAGOGE

Del griego εἰσαγωγή, introducción. Término empleado por los antiguos retóricos como sinónimo de *introducción* (V.).

También llamaron así a ciertos comentarios acerca de Aristóteles que formaban una especie de introducción al estudio del *Organon* y de las *Categorías.*

Lope de Vega tituló *Isagoge a los Reales Estudios de la Compañía de Jesús,* un poema en silvas, de setecientos cinco versos, compuesto en 1629.

ISLÁMICA (Lengua y Literatura) (V. Arabe, Lengua y Literatura)

ISLAMISMO

Conjunto de dogmas y preceptos morales que constituyen la religión de Mahoma. Pero también el conjunto de todas las manifestaciones —políticas, sociales, económicas, literarias, artísticas, etc., etc...—relativas al pueblo árabe.

Restrictivamente, *islamismo* es el nombre por el cual todos los musulmanes del mundo designan su propia religión.

La palabra *islam* significa *sumisión a Dios* o *abandono en Dios,* y se encuentra en el Corán—III, 17—: "La verdadera religión a los ojos de Alah es el Islam." El Islam es, pues, la religión fundada por Mahoma.

Aun cuando los árabes, vecinos de Abisinia y de Palestina, en donde había comunidades cristianas, no ignoraban las doctrinas de los judíos y de los cristianos, seguían afectos a la idolatría. Cada tribu—y eran incontables, unas nómadas y otras sedentarias—tenía su dios particular, y cada dios un templo. Entre tantas tribus, el único nexo religioso existente era la común veneración por el famoso santuario de la *Kaaba,* levantado en la Meca y célebre por la *fuente,* la *piedra negra* y los *ídolos.*

La *fuente* era la misma que el arcángel San Gabriel hizo brotar en el desierto para que pudiesen apagar su sed Ismael y su madre Agar. La *piedra* había sido transportada allí por el mismo arcángel, para que en ella pudiesen descansar los fugitivos; blanca al principio, los pecados de los hombres habíanla vuelto negra. Los *ídolos,* en número de 360, representaban los distintos dioses adorados por las distintas tribus.

Los árabes marchaban todos los años en peregrinación a la *Kaaba,* y allí adoraban juntamente al Dios de Abraham y a los ídolos. Pero...

Mahoma, que era un convencido monoteísta, quiso terminar con el culto de los ídolos. Mahoma—*Mohammet* en árabe, y que significa *ensalzado, digno de alabanza*—nació en la Meca hacia el año 571, de una familia de la tribu de los coraisitas. Huérfano desde los seis años —hasta esta edad había estado en el desierto con su nodriza beduina—, fue educado por su tío Abu-Talib. A los veinticinco entró al servicio de Khadisdcha, viuda de un rico mercader, que contaba cuarenta años, y con la cual se casó. Ya rico, pudo hacer largos y frecuentes viajes y relacionarse con judíos y cristianos.

Mahoma, ya desde su juventud, víctima de frecuentes crisis nerviosas, tenía muchas alucinaciones; y en sus retiradas al desierto concluyeron por aparecérsele los ángeles, entre estos el arcángel San Gabriel, que le reveló su misión. Entonces Mahoma empezó a predicar dos cosas: el *Dios único* y el *Islam,* o sea el completo abandono a la voluntad de Dios. Y así predicó desde el 611 hasta el 622. Esta nueva doctrina, que tendía a la destrucción de los ídolos, levantó contra él odios y persecuciones feroces, que le obligaron a huir de la Meca, y a trasladarse con algunos partidarios a *Yatreb,* que tomó luego el nombre de *Medina,* o ciudad del profeta. De esta huida o *hégira* —622—parte la era musulmana. En Medina fundó Mahoma su religión: el islamismo; allí formuló sus dogmas y organizó su culto. Y viéndose sufientemente apoyado, dio otro carácter a su predicación; no se ocupó más *del abandono en la voluntad de Dios* ni de la resignación, y predicó la *guerra santa* contra los infieles de la Meca. La lucha duró ocho años, al cabo de los cuales Mahoma entró victorioso en la Meca y adoró la piedra negra de la *Kaaba,* después de haber hecho destruir los 360 ídolos. Diez años más tarde debió de morir en Medina. En solo diez años había logrado imponer su religión en toda la Arabia, consiguiendo así la unidad nacional.

El islamismo tiene su libro sagrado: el *Corán*—que quiere decir *recitación*—, compuesto por 114 capítulos o *suras* de muy distinta extensión, y que contiene las revelaciones del arcángel San Gabriel a Mahoma.

La parte *dogmática* del Corán es muy sencilla, y poco tiene de original, ya que reproduce en gran parte las doctrinas judía y cristiana. Los puntos esenciales de esa dogmática son:

1.° *Unidad de Dios;* único y creador que por un decreto absoluto e inmutable *predestina* a las criaturas a las delicias del paraíso o a las torturas del infierno.

2.° *Misión profética de Mahoma;* único elegido y enviado por Dios.

3.° *Creencia en ángeles y demonios.*

4.° *Creencia en una vida futura y eterna,* en la resurrección de los muertos, en el Juicio final.

La *moral* del Corán no es demasiado exigente. Conservó la poligamia y la esclavitud, pero reglamentando la primera y dulcificando la segunda. Mandó observar las prácticas del culto, o sea: la ablución; el rezo cinco veces al día—entre el alba y la salida del sol, a mediodía, por la tarde, a la puesta del sol y al anochecer—; el ayuno, todos los años durante los días del Ramadán, para los mayores de catorce años; hacer limosna, y, a lo menos, una vez en la vida, ir en peregrinación al santuario de la *Kaaba.*

La incultura y el poco hábito de estudio del pueblo árabe nómada, y la indiferencia con que recibió el islamismo, no dejaron terreno propicio al desarrollo de sectas heterodoxas. Pero cuando las conquistas árabes excedieron los límites de sus viejas fronteras, surgieron en el seno del Islam multitud de sectas heterodoxas. Así, los *Chabaríes* atribuyeron a la divinidad toda la eficiencia de los actos humanos, siendo el hombre un *instrumento ciego* de Alá. Los *Sifatíes* defendieron, ya alegóricamente, ya en un sentido material y antropomórfico, los atributos de Dios. Los *Cadiries* creyeron en el *cádar* o libre albedrío del hombre. Los *Motazilíes* negaban los atributos divinos y toda autoridad religiosa y política de los descendientes de Alí, yerno de Mahoma. Los *Xiíes* adoraron idolátricamente a los descendientes de Alí. Los *Jarichíes* llegaron a un protestantismo destructor de toda jerarquía eclesiástica...

El islamismo celebró su culto en las mezquitas, desde cuyos alminares el almuédano llamaba a la oración a los fieles. Sus oraciones las dirigía el *imán*. Tuvo predicadores llamados *játibes*, y teólogos o *ulemas*, y jurisconsultos o *alfaquíes*, e intérpretes de las leyes o *muftíes*.

En relación con la *política*, el islamismo coloca la autoridad temporal por debajo de la espiritual, y entrega el poder religioso al poder civil, de donde proviene el despotismo más intolerable. Pero lo que mejor caracteriza al islamismo es su *fanatismo religioso*. No solo prescribe la *guerra santa*, sino que promete a cuantos mueren en ella las más codiciadas recompensas *materiales* en el cielo.

Así se explica su éxito y su difusión por la India, Persia, China, Indochina, Africa y todo el occidente de Asia...

Modernamente, el islamismo, enseñado en todas las Universidades islámicas—El Azhar, Karuin, Fez, El Cairo—, tiende a apartar toda noción antropomórfica de la divinidad; a separar de la religión toda concepción materialista; a suprimir *de derecho* la poligamia—muy restringida ya *de hecho*—y la esclavitud; a afirmar la fraternidad humana.

Cuando las leyes dictadas por Mahoma—*Corán*—fueron insuficientes, se recopilaron entonces los *dichos* y las *actas* del Profeta—*hadith*—que podían aplicarse a los casos no bien resueltos. Tal es el origen, en el islamismo, fenómeno religioso, de la *Sunna* o costumbre.

V. Dugat: *Hist. des philosophes et des théologiens musulmans*. París, 1878.—Hugues, T. P.: *A dictionary of Islam*. Londres, 1896.—Boer, J. de: *The history of Philosophie in Islam*. Londres, 1903.—Dozy, R.: *L'Islamisme*. Leyden, 1878.—Montet, E.: *L'Islam*. París, 1921.

ISLANDESA (Lengua y Literatura)

La lengua islandesa es una rama del antiguo idioma hablado en los tres reinos del Norte, y lleva los nombres de *norrena, tunga* y *donsk tunga*. El obispo sueco Troil, en sus *Cartas sobre la Islandia*, nos dice que el antiguo islandés estaba dividido en cuatro dialectos por ciertos matices vocales de pronunciación.

Relacionada Islandia con otros países europeos, bien pronto presentó en su lenguaje multitud de términos extranjeros: ingleses, holandeses, franceses y latinos. La pronunciación del islandés es dulce y sonora. El islandés tiene tres géneros y declinaciones para los nombres y los pronombres. El artículo definido se coloca detrás del nombre. Los verbos primitivos forman su pretérito con un cambio en la vocal de la radical; y los verbos derivados forman el suyo con la adición del sufijo *ta*. El mecanismo de la composición en sus formas gramaticales es el de las lenguas teutogóticas. La sintaxis islandesa es sencilla, y su mejor estilo, el de frases muy breves.

Los primeros monumentos de la literatura islandesa datan de los siglos IX y X. Son poemas—*Helgi, La muerte de Hialmar, Volsung*—, dramas poéticos—*For Shirnis, Skialdunga Saga, Harbarosliod*—, composiciones didácticas—*Gimnismal, Alvissmal*—, cantos guerreros—*Hrafronmal, Biarkamal*—, poemas mitológicos—*Hyndluljoo, Inglingatal*—... Todas estas obras corresponden a un período trovadoresco; y como trovadores fueron Kormak, Egil, Eyuindo, Hallfred, el rey Haakon.

El año 1002 marca la culminación de las *Sagas*, el género más amado y mejor cultivado por los islandeses. La *Saga* es un poema heroico. La más antigua, *Gold Tori*, es del año 930. Los temas de las *Sagas* son diversos: religiosos, caballerescos, históricos, legendarios; su forma las asemeja a nuestros *romances*. Entre las más famosas están: *Niol Saga, Laexdela, Egil Saga, Grettle, Havard Saga, Jastbraedra Saga, Niola, Gislosaga, Herdsaga*.

Desde el siglo XV, los géneros predilectos de los islandeses son: el *rimur* o caballeresco, y el *diktur* o religioso. Al primero corresponden Einar Gillson—*Olafrrima*—, Einar Fostri—*Skidda rima*—. Al segundo, Agrinssom y Arason de Holar—*Liomr* y *Pislargrat*.

Poetas admirables fueron: Hall Grim Peturssom—*Himnos a la pasión*—; Esteban el *Ciego;* Thorlak Gupbrandsson—*Ulfor Rimar*—; Esteban Olaisson; Gunnar Palsson—*Gunnarslag*—; Juan Magnussom—*Hristafla*—; Eggert Olafsson—*Bunadar Balks*...

La literatura histórica islandesa comienza con Ari Frodi Thorgilsson, autor de *Kormngabok* o *Libro de los Reyes* y de multitud de crónicas. Y también fueron historiadores meritísimos: Snorri Sturlosson—*Heimskringla*—. Sturla, Seemund, Erico Odsson—*Hriggyar Stykki*—, Karl Jonsson—*Sverrisaga, Boblunga Sogus*—, Styrmi Karasson—*Vida de San Olaf*.

Olaf, llamado "el poeta blanco", refundió en varios poemas la crónica *Kuntsaga* y las *Vidas del rey Valdemaro y su hijo*.

La conquista de Islandia por los noruegos marca la aparición de la influencia francesa de los romances: *Riddara Sogur*, y el gusto por las traducciones de obras como el *Bruto*, la *Troya, La Farsalia, Lais de María de Bretaña, Barlaam* y *Josafat*...

El Renacimiento se inaugura con la traducción de la *Biblia* por Odd Gottskalksson, y prosigue con un gusto por la *literatura teológica:* Juan Vidalin—*Postill bog*—. Olafsson y Paultsson—en *Iter per patriam*—dan un impulso a los estudios geográficos; y a los folklóricos—ya en el siglo XVII—: Gudmundsson, Olaf el *Viejo* y Olafsson; y a los arqueológicos: Arngrimm Jonnsson—*Brevis Commetaris* y *Crymogea*—, Bryniyuf, Juan Egilsson—*Neu Uungerwaker*.

El siglo XVIII se cierra con la figura culta y laboriosa de Sveinbjörn Egilsson.

Puede decirse que el introductor del Romanticismo fue Bjarni Thorarensen (1786-1841), quien había estudiado en Copenhague las obras de Oehlenschläger y de los románticos alemanes. La obra que le dio fama fue *Islands minni (Saludo a Islandia)*.

Figuras destacadas del Romanticismo fueron: Jónas Hallgrímsson (1807-1845), de gran popularidad por sus canciones, que el pueblo recitaba de memoria. Sigurdur Breidfjörd (1798-1846), delicado y evocador—*Núma rímus*—. Bólu-Hjálmar (1796-1875), satírico de la vida cotidiana.

Entre los prosistas: Jón Thoroddsen (1819-1868), el primer novelista islandés contemporáneo—*Mozo y muchacha, Hombre y mujer*—. Benedikt Gröndal (1826-1907)—*Relato de la batalla de la llanura de la muerte*—. Kristjan Jónsson (1842-1869), narrador costumbrista. Steingrímur Thorsteinsson (1831-1913), narrador y poeta lírico muy popular. Matthias Jochumsson (1835-1920), traductor de Shakespeare, de Byron, de Ibsen, poeta y prosista, autor dramático—*La fuerza de la ley, Comienza un nuevo siglo*—. Páll Olafsson (1827-1905), poeta y prosista. Jón Sigurdsson (1811-1879), estético, filósofo y crítico. Jón Arnason (1819-1888)—*Relatos populares y leyendas islandesas*—. Gudbrandur Vigfusson (1827-1889), lexicógrafo y folklorista. Finnur Jónsson (n. 1858), historiador y erudito.

Las revistas *Verdandi (El Porvenir)* y *Heimdallur* introdujeron el realismo en Islandia hacia 1882.

Gestur Pálsson (1852-1891), extraordinario periodista y cuentista—*La casa del amor, Sigurd, el capitán del barco*—. Thorsteinn Erlingsson (1858-1914), crítico y satírico, discípulo de Brandés. Hannes Petursson Hafstein (1861-1922), poeta y prosista. Stephan G. Stephansson (n. 1853), prosista y poeta—*Insomnios*—. Jón Stefánsson (1851-1915), novelista—*Arriba, Cuentos de animales*—. "Jón Trausti", seudónimo de Gudmundur Magnússon (1873-1918), poeta y dramaturgo.

Einar Hjörleifsson (n. 1859), de fama ya europea, fecundo y diverso—*Oro, El alma se despierta, Cuentos rurales*—. Jónas Jónasson, autor de novelas históricas. Einar Benediktsson (nació 1864), gran poeta—*Olas, Resplandor del mar, Bahías*—. Sigurjón Fridjónsson (n. 1867), poeta, cantor de la primavera—*Ljódmaeli*—. Gudmundur Fridjónsson (nació en 1869), poeta y crítico, hermano del anterior.

Entre los escritores islandeses que se han expresado en otras lenguas—danesa principalmente—figuran: Jóhann Sigurjónsson (1880-1919), poeta y dramaturgo—*El campesino de Hraun, Eyvind del monte*—. El popularísimo Gunnard Gunnarsson (n. 1889), de cultura europea, poeta y novelista—*Crónica de la gente de Borg, La playa de la vida, Bienaventurados los pobres de espíritu, El pájaro negro, Tierra*—. Gudmundur Kamban (n. 1888), narrador y dramaturgo—*Hadda Padda, El mensajero de Júpiter*—. Jónas Gudlaugsson (1887-1916), novelista—*Gente del Breidjörd, Sólrún y sus pretendientes*.

Kristmann Gudmundsson (n. 1902), poeta —*Cantos del crepúsculo*—y novelista—*Amor islandés, El traje de esposa, La montaña de la vida, Sigmar, La costa azul, La montaña sagrada*.

Se han expresado en lengua materna: "Hulda", seudónimo de la gran poetisa Unni Bjarklind. Theódóra Thóroddsen, poetisa y narradora costumbrista. Jakob Thorarensen (n. 1886), magnífico poeta—*Galopes, Ráfagas heladas, Bonanza*—. Phorsteinn Gíslason, Bjarni Jónsson, Sigurdur Sigurdsson, Stefán Frá Hvítadal, poetas...

Entre los autores posteriores a la gran guerra (1914-1918) figuran: David Stefánsson Frá Fagraskógi (n. 1894), de gran perfección técnica y de una honda melancolía. Jóhannes Ur Kötlum (n. 1899), poeta—*El graznido de los cisnes*—. Mágnus Asgeirsson (n. 1902), poeta y traductor de poetas nórdicos.

Narradores excelentes son: Gíslason Hagalín (n. 1898), novelista y cuentista—*Los incendiarios*—. Sigurdur Nordal (n. 1886), crítico y novelista—*Antiguos amores*—. Halldór Kiljan Laxness (n. 1902), el narrador más interesante, vario y audaz de hoy—*Salka Valka*...

Merecen la mención de sus nombres: Bjorn Mágnussom, Finnur Jónsson, Jón Porkelsson, Pulkell Biarnasson, Indrioi Einardsson, Matthias Jóchumsson, Valtyr Gudmundsen...

V. DORN: *History of the literature of the Scandinavian North*. Londres, 1921.—HERBERT: *Old Icelandie poetry*. Londres, 1921.—FURBES, C. S.: *Iceland*. Londres, 1924.—JONSSON, Finnur: *Derd Oldnonke og Oldislandske Litteratus Histoire*. Copenhague, 1910.—PRAMPOLINI, S.: *Literatura islandesa*. En el tomo X de la "Historia universal de la Literatura". Buenos Aires, Uteha, 1941.

ISMAELISMO

Conjunto de doctrinas religiosas, con mezcla de judaísmo, que predicó Ismael—descendiente de Alí, yerno de Mahoma—a los musulmanes en el siglo VIII.

El ismaelismo reconoció a Alí como el primer sucesor legítimo de Mahoma, y dio el nombre de *imanes* a quienes heredaron legítimamente la autoridad espiritual y temporal del Profeta. Los *siete imanes* fueron: Alí y sus dos hijos, Hassan y Hosseïn; Mohammed; Djafar Sadix, hijo de Mohammed; Ismael, hijo de Djafar, y Mohammed, hijo de Ismael.

Los ismaelitas fueron una rama de los *chyitas* o partidarios de Alí; en lugar de admitir una sucesión de doce *imanes* o soberanos pontífices, como hicieron los demás chyitas, solo admitieron los siete aludidos *imanes,* y pretendieron que a la muerte de Ismael, hijo mayor de Djafar, se cometió gran error e injusticia en transferir la cualidad de *imán* a Muza, hermano segundo de Ismael, ya que tal dignidad pertenecía en derecho a Mohammed, hijo de Ismael; pues habiendo aquel desaparecido cuando todavía era muy joven, los ismaelitas no quisieron creer en su muerte y afirmaron que se perpetuaría por una filiación secreta hasta la llegada de un último *imán,* especie de Mesías que haría triunfar su secta.

Los ismaelitas profesaban una doctrina misteriosa, que explicaba, por medio de alegorías, los dogmas del islamismo, y que dispensando a sus adeptos de toda obligación, era igualmente contraria a la religión y a la moral.

Según el islamismo, la *subida a la perfección religiosa* estaba formada por *nueve peldaños.*

El peldaño primero era la *adhesión* al ismaelismo.

El segundo peldaño, el *conocimiento* de las verdades fundamentales expuestas en el Corán; verdades que únicamente podían interpretar los imanes.

El tercer peldaño era para el prosélito el conocimiento del dogma que distinguía al ismaelismo de todas las otras ramas de los chyitas.

En el cuarto peldaño eran conocidas las doctrinas de los profetas antecesores a Mahoma: Adán y Seth, Noé y Sem, Abraham e Ismael, Moisés y Aarón, Josué, Jesús...

En el quinto peldaño el ismaelita conocía aquellas leyes necesarias y complementarias de la revelación del Profeta.

En el sexto peldaño eran enseñados el sentido legal y el sentido místico de las ordenanzas.

En el séptimo peldaño, el iniciado se ponía en contacto con la doctrina *esotérica,* y aprendía a comparar la *verdad* ismaelita con las verdades de las religiones antiguas de otros pueblos, como Persia, Egipto, China...

En el octavo peldaño se desenvolvía íntegramente la dogmática del ismaelismo.

Al llegar al noveno peldaño, el iniciado *comprendía* la suprema sabiduría del imán; y en tal comprensión, y en el acatamiento de aquella, hallaba la santidad y la serenidad.

El ismaelismo no permaneció mucho tiempo en su primitiva ortodoxia. De él derivaron muchas sectas, entre las que se hicieron famosas: la de los *Asesinos,* cuyo jefe era llamado el "Viejo de la Montaña"; la de los *Drusos,* que aún son numerosísimos en Siria; la de los *Nosaïris;* la de los *Wahabitas...*

Los *Asesinos* son los ismaelitas de Persia. (V. *Islamismo.)*

ISMO

Afijo empleado literariamente para derivar palabras que indican escuela, tendencia, manera. Así: *platonismo* o doctrina de Platón; *romanticismo* o tendencia a lo romántico; *cubismo* o manera artística lineal.

En nuestro siglo se han dado la calificación de *ismos* a los movimientos literarios y artísticos "subversivos" cuya finalidad es de *reacción* contra escuelas y tendencias tradicionales, y cuyos modos expresivos no se ajustan a ninguna regla, desorbitando la realidad o inspirándose en motivos ajenos al arte y a la literatura. Casi todos los *ismos* así considerados logran sus afanes destructores, pero rara vez consiguen crear. (V. *Futurismo, Ultraísmo, Creacionismo, Cubismo...*)

ISOSÍLABOS

Llámase así a los versos formados por el mismo número de sílabas.

ISQUIORRÓGICO (Verso)

Recibe este nombre un verso escazonte o coriámbico, que lleva un espondeo como quinto pie. El poeta griego Aniano empleó mucho este verso. Y también su contemporáneo Hiponax, al que se atribuye la invención del escazón o escazonte. Los poetas latinos de la decadencia lo emplearon igualmente. Sin embargo, el isquiorrógico (de ισχιον, saliente, y ῥηγνύω, romper) fue generalmente combatido por los gramáticos.

ITALIANA (Lengua)

El italiano es de todas las lenguas neolatinas la que más se acerca al latín; es, precisamente, derivada directamente del latín clásico, si no de la lengua vulgar, propiamente dicha, de la lengua rústica o de los campesinos *(verbum castrense),* hablada por el pueblo en la época en que la sociedad hacía uso de un lenguaje pulido que los escritores nos han transmitido. Lo que caracteriza a este latín popular, conservado en muchas inscripciones, son las desinencias de palabras determinadas por los casos—más descuidadas—que tienden a ser definitivamente reemplazadas por el empleo del artículo moderno. La transición está marcada por el uso cada vez más general de los pronombres demostrativos. Al mismo tiempo, ciertas palabras del más alto estilo eran sustituidas por expresiones vulgares; por ejemplo: *bellus* a *pulcher, caballus* a *equinus, casa* a *domus, testa* a *caput,* etc.

En los siglos de decadencia, de barbarie y de confusión que siguieron a la dominación romana se continuó un trabajo sordo de descomposición y refundición, que vino a parar al romano y en seguida al italiano. Los conquistadores germánicos aportaron su parte en esta obra. Modificando sensiblemente la pronunciación, desfiguraban las palabras, repitiéndolas mal, cortándolas sobre la sílaba acentuada, multiplicaban las partículas, adaptaban las terminaciones latinas a las radicales extranjeras, introducían en el idioma en fusión sus propios términos, relativos a las armas, a los usos, a las instituciones, etc.

Sin hacer mención al famoso juramento de Carlos el *Calvo* y de Luis el *Germánico* (842), o en un documento más antiguo y menos conocido, las *Glosas de Reichenau,* que no tienen más que una relación general con el idioma particular de Italia, es necesario ver el más antiguo monumento italiano—que data del año 1135—, en una inscripción en verso grabada sobre una piedra de la bóveda de la catedral de Ferrara. El latín empleado en estos versos, cultivado por el clero y los eruditos, se separa completamente del lenguaje usado por la multitud, y los predicadores, al dirigirse al pueblo, se vieron obligados, para hacerse entender, a servirse del nuevo idioma. Desde este momento se introduce la llamada *lingua vulgaris* o *volgare,* por oposición a la *lingua grammatica.* Ya antes se formaron diversos dialectos. Dante, en su libro *De Vulgaris eloquentia,* que consta de catorce dialectos, por lo menos, recomienda a los escritores no se sirvan especialmente de ninguno de ellos para sus obras, sino de dar preferencia a la lengua adoptada por las clases elevadas, los príncipes, los cortesanos y las damas, lengua formada de una selección de todo lo que los dialectos ofrecían de más puro, y de una aportación considerable de desinencias sonoras del dialecto siciliano, puestas en circulación gracias a las composiciones de los poetas de la corte de Federico II. Esta lengua movible se encontró fijada por los escritos inmortales de Dante, de Petrarca y de Boccaccio.

Se pueden considerar, sin embargo, como monumentos de la lengua italiana los versos de Giullo d'Alcamo, de Guido Guinicelli, de Guido Cavalcanti, y la prosa de Fra Guittone d'Arezzo, de Mateo Spinelli, de Ricordano Malaspini. La correspondencia de las casas comerciales de Florencia en el siglo XIII tiene un estrecho lazo con la lengua hablada en numerosos dialectos en la Península entera.

Los principales dialectos italianos son: el *lombardo,* el *piamontés,* el *genovés,* el *veneciano,* el *toscano,* el *napolitano* de las Calabrias y de los Abruzzos. Todos ellos han conservado los rasgos característicos que Dante les asignó. En los del Norte, aparte el *genovés,* que suprime varias consonantes, estas dominan en las desinencias de las palabras; las vocales, por el contrario, preponderan en los dialectos del Sur. En el centro de Italia, en Toscana y en los Estados de la Iglesia, la lengua posee muchos términos y entonaciones de la antigua lengua romana. El *toscano* es también el más puro y armonioso de todos los dialectos; y esto es lo que explica y autoriza hasta cierto punto la pretensión que han tenido siempre los florentinos de dar al idioma de la Península el nombre de lengua *florentina* o *toscana.* En 1868, el patriarca de la literatura contemporánea, Manzoni, intentó la unidad de la lengua en Italia, tomando el *toscano* como base. La influencia francesa es de tal manera sensible en el dialecto *piamontés,* que se le podría considerar como extranjero al grupo de la Península.

El italiano, menos sonoro que el español, es, sin embargo, el más armonioso de las lenguas neolatinas. Ha seguido en sus variaciones las fases de la historia política del país, inmediatamente traducidas en las letras y las costumbres. Ciñámonos a señalar los principales rasgos de su gramática. El *italiano* tiene tres clases de acentos, uno escrito y dos hablados o tónicos. El primero se emplea al final de las palabras de las cuales suprime una sílaba, una letra, para marcar el silencio sobre la vocal final. Uno de los acentos tónicos está marcado por un suave arrastramiento de la voz sobre la penúltima sílaba de muchos vocablos; el otro, por un rápido golpe gutural sobre ciertas sílabas iniciales. Hay tres artículos, *lo, il, la,* de los cuales el plural es *gli, i, le.* Las preposiciones, llamadas *segnacasi,* son los signos para el caso o para los nombres. Solamente se distinguen dos géneros. Los sustantivos y adjetivos pueden convertirse en aumentativos o diminutivos. Los comparativos se forman como en francés, colocando las partículas delante de los adjetivos; pero los superlativos absolutos cambian la vocal final del adjetivo en *issimo, issima* o repiten el adjetivo. Los pronombres, los personales sobre todo, son muy numerosos y están sometidos a reglas muy variadas. El verbo tiene, como en la lengua francesa, sus dos verbos auxiliares y los mismos modos y tiempos. Las partículas expletivas, las supresiones y las aumentaciones en las palabras tienen en el italiano una importancia particular.

V. CITTADINI: *Trattato della vera origine e del processo, e nome della nostra lingua.* Venecia, 1601.—FERRARI, O.: *Origines linguae italicae.* París, 1676.—ROMANI, G.: *Opere sopra la lingua italiana.* Milán, 1825.—CESAROTTI: ...*La Lingua italiana.* Vicenza, 1788.

ITALIANA (Literatura)

La historia de la literatura italiana puede dividirse en siete períodos: 1.° Tiempos anteriores al siglo XIV; 2.° Siglo XIV, primera edad de oro; 3.° Siglo XV, edad de la erudición y de la cultura clásica; 4.° Siglo XVI, renacimiento, segunda edad de oro; 5.° Siglos XVII y XVIII, decadencia e imitación de lo extranjero; 6.° Siglo XIX; 7.° Siglo XX.

I. TIEMPOS ANTERIORES AL SIGLO XIV.—Si por la literatura de un pueblo se entienden las producciones literarias escritas en una lengua, la literatura italiana no data sino del siglo XIII. La persistencia del latín como lengua de cultura fue la causa del retraso con que en Italia aparece la literatura en lengua vulgar, cuando ya España y Francia habían logrado las suyas vigorosamente. Los inicios de la lírica italiana están tutelados por la influencia de los trovadores provenzales. Y sus primeros poetas, entre ellos Sordello de Mantua, escriben en provenzal. Son los poetas sicilianos de la corte de Federico II quienes redactan sus composiciones en una lengua que viene a ser como una transición entre el italiano central y el meridional, poblada aún de vocablos extranjeros. Y en Sicilia nacen el *sonetto* y la *canzone* en composiciones que tanta fama adquirieron en el mundo poético y hasta nuestros días. Esta lírica se extendió rápidamente por toda la península apenina, haciéndose complicada y artificiosa, y diversificándose en los temas religiosos, didáctico-morales, galantes y bélicos.

A este período corresponden nombres tan gloriosos como los de Brunnetto Latini (1210-1294), autor del *Tesoretto;* Guido Gunizelli, precursor de Dante; Fra Guittone D'Arezzo, poeta muy alabado por Petrarca; Guido Cavalcanti; Odo de la Colonna, cuyos versos estaban escritos ya en una lengua que llamó Dante "cardinal, ilustre y áulica"; Mazzeo Di Billo... Como dato curioso, conviene apuntar que se libró de la influencia poética provenzal la lírica religiosa, representada por San Francisco de Asís, a quien se atribuye el cántico *Frate Sole,* y sus discípulos, especialmente Jacopone Datodi.

En la prosa, singularmente más pobre: Mateo Spinelli, autor de *Giornali;* Ricordano —*Historia de Florencia*—; Dino Compagni —*Recuerdos históricos*—; Malaspini...

Entre los numerosos dialectos de Italia, el *toscano* adquirió pronto la estimación general que iba a convertirle en el núcleo de la lengua literaria italiana.

II. SIGLO XIV. PRIMERA EDAD DE ORO.—Este siglo lo llenan las figuras magníficas de Petrarca, Dante y Boccaccio.

A fines del siglo anterior y a principios de este, la escuela del *dolce stil nuovo,* que representa una renovación, tiene un precursor en Guido Cavalcanti (¿1255-1300?). A dicha escuela pertenece el florentino Dante Alighieri (1265-1321), cuyo poema *La Divina Comedia*—en tres cantos: *Infierno, Purgatorio* y *Paraíso*—es como una síntesis del espíritu culto de la Edad Media y el admirable preludio del espíritu renacentista. Otras obras de Dante son: la *Vita nuova*—versos compuestos entre los dieciocho y los treinta años—; el *Convivio,* comentario filosófico a tres canciones alegóricas; *De vulgari eloquentia,* y muchas canciones, sonetos, baladas y sextinas, reunidas posteriormente bajo el título de *Cancionero.*

La figura máxima del humanismo trecentista es Francesco Petrarca (1304-1374), nacido en Arezzo, de familia florentina. Su pasión por Laura le inspiró maravillosas composiciones. Fue coronado como poeta en el Capitolio de Roma. Su *Cancionero* contiene baladas, sextinas, estancias, sonetos, canciones, que habían de servir de modelo a la lírica de toda Europa. En sus *Triunfos,* escritos en tercetos, adoptando el alegorismo dantesco, delata un fin didáctico-filosófico.

Juan Boccaccio (1313-1375), amigo de Petrarca y comentador ilustre de *La Divina Comedia,* es el "padre de la prosa italiana". Su mérito principal está en la inagotable inventiva y en la riqueza y expresividad del lenguaje. Boccaccio escribió novelas breves tan hermosas como *Filocolo, Ameto*—primer ejemplo de la novela pastoril—, *Fiammetta*—historia de una mujer enamorada—, el *Corbaccio*—violenta sátira contra las mujeres—. Pero su obra genial es el *Decamerón,* colección de cien cuentos o novelas de distintos orígenes: populares, orientales, clásicos y de propia inventiva; todos ellos picantes, alegres, intensos, cálidos, de soberana humanidad.

A esta primera edad de oro de la literatura italiana pertenecen escritores tan valiosos como Colucio Salutari (1331-1406); Niccolo Niccoli (1364-1434); Lorenzo Valla (1407-1457), famoso gramático; Eneas Silvio Piccolomini, que fue Pontífice con el nombre de Pío II (¿1405-1464?); León Battista Alberti (1407-1472); Marsilio Ficino, traductor de Platón; Pico de la Mirandola; Matteo Palmieri (1406-1475); Angelo Ambrogini Poliziano (1454-1494); Giovanni Pontiano (1426-1503); Albertino Mussato, autor de una historia de Padua; el gran hagiógrafo Fra Domenico Cavalca; el dogo Andrea Dandolo, autor de una historia de Venecia; la ardiente y mística Santa Catalina de Siena—*Cartas místicas...*

A esta época corresponde igualmente la *Fioreti di San Francesco,* deliciosos poemas hagiográficos.

III. SIGLOS XV y XVI.—La influencia de Dante, Petrarca, y Boccaccio, la corriente del humanismo—cada vez más vigorosa y popular—, la famosa corte literaria de los Médicis en Florencia—Cosme de Médicis creó la Academia platónica—, la protección decidida de los Pontífices a las letras, la aparición de las universidades y la invención de la Imprenta, originan en los varios Estados italianos un apogeo inmenso de cultura. Nacen las ciencias experimentales y de observación. La brújula y los grandes descubrimientos geográficos amplían la visión que tenía el hombre del mundo. Se multiplican las ediciones impresas de las obras clásicas. Se comentan las corrientes filosóficas. La plenitud del humanismo y del renacimiento se logra antes en Italia que en los demás países europeos. Durante estos dos siglos, Italia marca una influencia decisiva en todas las literaturas europeas occidentales.

La novela pastoril se inicia con Jacopo Sannázzaro (1458-1530), autor de la *Arcadia,* paradigma del género, que sufrirá innumerables imitaciones, entre ellas las de nuestros Montemayor, Gil Polo, Cervantes y Lope. La epopeya renacentista—apuntada en la *Teseida* de Boccaccio—adquiere su modelo con el *Morgante,* de Luigi Pulci (1432-1484), amigo y protegido de Lorenzo el *Magnífico.* Matteo María Moiardo, conde Scandiano (1434-1494), escribe para los cortesanos de Ferrara su *Orlando innamorato,* tema delicioso, que tendrá su perfección en el *Orlando furioso,* de Ludovico Ariosto (1474-1533), poeta excepcional, que también escribió comedias, sátiras, poesías líricas. El más ilustre lírico de este período es el petrarquista Pietro Bembo (1470-1547).

Figura de una talla imponente es Niccolo Machiavelli (1469-1527), florentino, hombre de Estado sutilísimo, espíritu frío y realista, de una gran cultura, autor de *El príncipe*—tratado político, apología del gobernante dúctil—, de *La Mandrágora*—la comedia más obscena del Renacimiento—, de *Historia de Florencia,* de la biografía *Castruccio Castracani,* de un tratado sobre el *Arte de la guerra* y de los *Discursos sobre la primera década de Tito Livio.*

Frances Guicciardini (1483-1540), gran historiador y prosista en sus *Storie fiorentine* y en sus *Ricordi politicci e civili.* Pietro Aretino (1492-1556), estilista supremo, autor licencioso y cuentista admirable en los *Diálogos.*

Benvenuto Cellini (1500-1571), prodigioso escultor y orfebre, autor de una *Autobiografía* tan amena como fantástica. Baldassare Castiglione (1478-1529), quien en su *Cortigiano* traza el modelo perfecto del caballero renacentista. Tansillo de Venosa (1510-1568), autor de *Las lágrimas de San Pedro;* Torcuato Tasso (1544-1595), espléndido poeta, cuyo poema *La Jerusalén liberada* es un prodigio de interés, de fuerza y de expresión; también escribió Tasso el poema dramático pastoril *Aminta;* aun cuando en este género acaso le superó Battista Guarini (1538-1612), autor de *Pastor fido,* verdadera joya poética.

La novela, magníficamente lograda por Boccaccio, tuvo ilustres continuadores en Mateo Bandello (1490-1560), autor de cuentos y novelas breves que no desmerecen al lado de los mejores del gran maestro del *Decamerón;* Giraldi Cintio, Antón Francesco Grazzini, Firenzuola...

SIGLOS XVII Y XVIII. DECADENCIA.—Estos dos siglos corresponden a una decadencia enorme de las letras italianas, debida, en parte, a la rigidez del pensamiento y de los modos reformistas capaces de secar el caudaloso río de la luminosa y alegre Italia; y, de otra, por la creación—1582—de la Academia de la Crusca, en Florencia, cuyos miembros legislaban tiránicamente en materia de lenguaje, oponiéndose a la fecunda libertad de la inspiración. También tuvieron culpa las influencias literarias de España y de Francia. Y por si estas causas no fueran más que suficientes, Giambattista Marini (1569-1625), autor de la *Fábula de Adone,* puso en boga el *marinismo,* equivalente al *cultismo* español, fórmula de neologismos y metáforas y atrevimientos de expresión, las más de las veces ininteligibles. Gabriello Chiabrera (1552-1646), influido por los poetas franceses de la Pléyade. El clasicista Fulvio Testi (1559-1646); el satírico Salvatore Rosa (1615-1676); el satírico Luigi Adimari; Alessandro Guidi; el ditirámbico Francesco Redi; Alessandro Tassoni, autor del poema heroico-cómico *El cántaro levantado.* Y no pueden silenciarse los nombres—aun cuando su valor literario no sea grande—del filósofo Giordano Bruno, del utopista Campanella, de Galileo Galilei...

Durante el siglo XVIII la influencia neoclásica francesa es intensísima y poco beneficiosa en Italia. Aparecen nuevas Academias, entre ellas la de los Arcades, fundada por Crescimbeni y Gravina, a la que podían pertenecer los italianos y los extranjeros. Continúa el purismo expresivo, que no deja medrar al pensamiento ni al arte.

También en este siglo se inicia la influencia decisiva de los periódicos. Gaspar Gozzi (1713-1786) funda la *Gazzeta Veneziana* y el *Osservatore.* El poeta Giuseppe Parini (1729-1799) apadrina cuantas ideas y fórmulas literarias llegan de Francia. Vicenzo Monti (1734-1828), el último de los poetas clásicos italianos. Los autores de farsas Sacchi y Cerione.

A finales de esta centuria se inicia el llamado *Risorgimento* con las figuras de primer orden de Hugo Foscolo, Alfieri, "Metastasio" y Goldini.

Pietro Trapassi, "Metastasio" (1698-1782), que fluctuó entre el gongorismo español y el neoclasicismo francés, de una fecundidad asombrosa, alcanzó gran celebridad con sus libretos de ópera y sus dramas, traducidos e imitados.

Hugo Foscolo (1778-1827), que empezó a darse a conocer con sus traducciones de los clásicos griegos y latinos, alcanzó inmensa fama, no disminuida hoy, con su *Lettere di Jacopo Ortis,* modelo de literatura pasional, que anunciaba un romanticismo exaltado. Vittorio Alfieri (1749-1803), uno de los más grandes poetas de Italia, renovador de la tragedia, exaltador del sentimiento popular italiano; entre sus tragedias sobresalen: *Saúl, Orestes, Merope, Mirra...*

Carlo Goldoni (1707-1793) representa en Italia lo que en Francia Molière; renovó radicalmente el teatro, creó el humor escénico; todas sus obras rebosan ingenio, elegancia, humanidad, cálido gozo, y están escritas en un estilo joyante y como recién acuñado y con un dominio prodigioso de la técnica; *La Locandiera, Un curioso accidente* y otras varias obras de Goldoni aún se representan en todo el mundo teatral. Continuadores de la renovación de Alfieri y Goldoni fueron: Escipión Maffei—*Merope*—, Alejandro Berri—*Galeazzo Sforza*—y los autores de tragedias cristianas Annibal Marchese y Pietro Bianchi.

El teorizante de la poesía italiana en este siglo, el "Boileau italiano", fue Muratori, autor de *Della perfette poesia.*

SIGLO XIX.—El romanticismo italiano presenta figuras ilustres lo mismo en la poesía, que en la novela, que en el teatro, que en los demás géneros literarios.

Genial y simpático escritor fue Alessandro Manzoni (1785-1873), cuya *Oda a la muerte de Napoleón* es una de las más hermosas composiciones de la lírica italiana; creó la novela histórica con su celebradísima obra *Promessi Sposi;* magníficos son sus *Himnos Sacros,* y escribió tragedias excelentes, como *El conde de Carmagnola* y *Adelchi;* Manzoni es el *centro* del romanticismo italiano. Novelistas de mérito son: Tomasso Grosi, autor de la epopeya *I Lombardi alla prima Crociata;* Francesco Guerrazi (1804-1873), autor de *Isabella Ornisi;* Rosini —*Monarca di Monza y Luisa Strozzi*—; Massimo D'Azeglio—*Ettore Fieramosca*—; Bazzoni —*Il Castello di Trezzo*—; Tommaseo—*Il Duce d'Atene...*

El sentimiento romántico y patriótico alienta en la obra de Silvio Pellico (1789-1854)—*Mis prisiones*—, y en casi todos los escritores italianos de la época: Cavour (1810-1861), Mazzini (1808-1872), Niccolini, Capponi... Los últimos poetas románticos son: Giovanni Prati —*Ermengarda*—y Giacomo Zanella, y el más admirable, Giacomo Leopardi (1788-1837), individualista, pesimista, de nítida pureza de estilo—*Odas a Italia, Obras morales.*

Otro magnífico lírico, Giosue Carducci (1835-1907), marca la reacción contra el romanticismo, cantor de la Italia pagana en *Odas bárbaras, Rimas y ritmos, Juventia, Levia-Gravia, Yambos y épodos.*

El naturalismo surge de la pluma de los novelistas: Giovanni Verga (1840-1922), pintor admirable de las costumbres campesinas—*Cavallería rusticana, La malavoglia, Vida de los campos*—; Matilde Serao (1856-1927), fecundísima exaltadora de las clases bajas de Nápoles; Grazia Deledda (1875-1936), Premio Nobel de literatura, extraordinaria narradora—*Maria Sirca, Il nostro padrone, Sal deserto*—; Edmundo de Amicis (1846-1908), de humorismo amable, famoso por su libro *Corazón;* Antonio Fogazzaro (1842-1911), que enlaza el espíritu manzoniano con las modernas tendencias en *Pequeño mundo antiguo, Daniel Cortis, Malombra, Pequeño mundo moderno;* Salvatore Farina—*Las tres comedias de la vida.*

A fines del siglo XIX surge espléndidamente un renovado teatro italiano con Giuseppe Giacosa (1847-1906)—*Como las hojas, Tristes amores, Il più forte*—; Girolano Rovetta—*Il giorno della cresima, Papa Eccellenza*—; Roberto Bracco, acaso el más genial de los dramaturgos italianos contemporáneos—*Il frutto acerbo*—; Marco Praga—*La morale della favola*—; Sem Benelli—*La cena delle beffe...*

No debe olvidarse la figura de César Cantú, magnífico historiador y estimable novelista en *Margherita Pusterla.*

EPOCA CONTEMPORÁNEA.—La figura más original e importante de la literatura italiana de nuestros días es la de Gabrielle D'Annunzio (1873-1938), extraordinario como poeta—*Canto nuevo, Elegías romanas, Intermedio, Odas marinas*—, como novelista—*El fuego, El placer, El triunfo de la muerte, El inocente*—, como dramaturgo—*La nave, La ciudad muerta, La Gioconda, La hija de Iorio, Francisca de Rímini*—; D'Annunzio lleva un sello de personalidad luminosa, originalísima, pasional y pagana a todas sus obras. Amador delirante de la belleza, nadie como él encarna el llamado esteticismo. En importancia sigue a D'Annunzio Luigi Pirandello (1861-1936), Premio Nobel, espíritu de una originalidad asombrosa, que ha llevado a sus obras una infinita inquietud filosófica, admirable en su teatro—*Seis personajes en busca de autor, El placer de la honradez*—, en la novela—*El difunto Matías Pascal*—, en el cuento—*El maletín negro, Tercetos, Un caballo en la luna*—. F. T. Marinetti (n. 1878), creador del futurismo poético y propugnador de la ruptura con todas las formas del pasado. Giovanni Papini (n. 1881), sarcástico y anarquizante, humorista genial, pensador extraordinario en *Historia de Cristo, Hombre acabado, Gog, Bufonadas, Cartas del Papa Celestino VI, Dante.*

En la imposibilidad de mencionar a todos los modernos escritores italianos, preferimos hacer referencia de aquellos que más fama han adquirido en España.

Mario Puccini, gran novelista y crítico—*El milagro*—; Luciano Zuccoli, novelista—*Vita irónica*—; Luigi Capuana, novelista y dramaturgo—*Coscienza, Cass d'amore*—; Corradini, gran cuentista—*Las siete lámparas de oro*—; Adolfo Albertazzi—*In faccia al destino*—; Virgilio Brochi—*El águila*—; Massimo Bontempelli, humorista, novelista, dramaturgo—*Amori, Eglo-ghe*—; Salvatore di Giacomo—*Poesie*—; Annie Vivanti, novelista—*Los devoradores*—; Ciro Alvi, novelista—*L'arcobaleno*—; Rosso di San Segundo, magnífico dramaturgo; Alfredo Panzini, novelista; los humoristas Achille Campanile y Mosca; la novelista y poetisa Ada Negri; el novelista y poeta Corrado Alvaro; los poetas Giovanni Pascoli—*Le canzoni di Re Enzo*—, Ancheli, Chiesa, Luisa Anzoletti, Anile, Pantile, Novaro, Pastonchi, Montale; los grandes dramaturgos Luigi Chiarelli—*La máscara y el rostro*—, Darío Nicodemi—*La enemiga*—, Giacchino Forzano, Nino Berrini...

La crítica y la erudición están representadas por Benedetto Croce (n. 1866), filósofo e historiador de fama mundial; De Sanctis, crítico, filósofo; De Ruggiero, Arturo Farinelli, Gentile, Tonelli, Romagnoli, Tari, Fiorentino, Imbriani, Parodi...

V. ROSSI: *Storia della Letteratura italiana.* Milán, 1938. Tres tomos.—PENNA: *Historia de la Literatura italiana.* Madrid, Atlas, 1944.—FLORA: *Storia della Letteratura italiana.* Milán, 1939-1941. Tres tomos.—VARIOS PROFESORES (ROSSI, ZINGARELLI, GALLETTI...): *Storia della Leteratura italiana.* Ed. Vallardi. Milán, 1935-1939.

ITALIANA (Versificación)

El metro y el acento prosódico forman la base de la versificación italiana. La rima no es indispensable. Se distinguen los versos por el número de sílabas que contienen. Hay los *grandes versos,* que tienen diez, once y doce sílabas. Entre los antiguos poetas se encuentran versos hasta de dieciocho sílabas; pero, en realidad, se los puede considerar como dos versos regulares juntos.

Martelli ha empleado para sus tragedias versos de catorce sílabas, llamados *martelliani.* La poesía moderna se sirve aún de versos de doce sílabas, llamados *sdrucciolo,* es decir, esdrújulo. Su antepenúltima sílaba está acentuada:

Quel che l'uom vede, amor gli fa invisibile.

En la pronunciación se confunde casi con el *endecasílabo* o *heroico,* en cuyo verso la penúltima sílaba está acentuada:

Canto l'armi pietose, e'l capitano...

El *cadente* o *tronco* tiene diez sílabas, y el acento está colocado sobre la última:

Di sua man propria, avea descritto am(or)
Il mio destin con lettre di pi(cta).

Existen también los versos llamados *anacreontici,* compuestos de ocho sílabas, de las cuales la séptima marca su cadencia, debiendo llevar la tercera acentuada y larga; los *giambici* (yámbicos), que tienen siete sílabas, de las cuales la sexta, que es la de la cadencia, debe ser rigurosamente larga; los versos pequeños constan de seis y cuatro sílabas, etc. Por su cadencia o colocación de su acento, los pequeños versos se los coloca entre los *sdruccioli* y los *tronchi.* El número de sílabas se fija teniendo en cuenta las elisiones que provoca la unión de dos vocales. Los diptongos se eliden también, y se ven hasta cuatro vocales en dos palabras que no forman más que una sílaba. Solamente los buenos poetas evitan las elisiones de diptongos. La elisión no puede hacerse cuando una de las vocales en presencia está acentuada, como en *virtú inaudita, ne assai.*

La armonía del verso es producida sobre todo por la disposición de los acentos prosódicos. Es preferible que las vocales acentuadas estén en la cuarta, la sexta, la octava y la décima sílabas.

La rima, por accesoria que sea, está sometida a rigurosas reglas: para que dos palabras rimen, es preciso que la vocal sobre la cual va el acento tónico y todas las letras después de ella sean exactamente las mismas en cuanto a la forma y a la cantidad. Así, por ejemplo, *cantó* rima con *ritornó, portár* con *espaventár, colóre* con *timóre, ténere* con *cénere, términano* con *detérminano.* La rima es facultativa en las composiciones dramáticas, salvo en los coros, que deben ser rimados; los recitales y las arias de las óperas también son en versos rimados. En el soneto, la rima se combina de diversas maneras. Consiste en la *sextina,* en repetir ciertas palabras en un orden regular. En la *terza rima,* el primero y el tercer versos de la primera estancia riman juntos, y el segundo con el primero y el tercer versos de la estancia siguiente. La estrofa se termina por una estancia de cuatro versos, a fin de que no quede ninguno sin rima. De los ocho versos que forman la *ottava rima,* el primero rima con el tercero y el quinto; el segundo, con el cuarto y el sexto; el séptimo, con el último. Cada estancia desenvuelve así sus tres rimas.

He aquí el empleo de los diversos metros de la versificación italiana. En los poemas épicos se sirve de los endecasílabos. Generalmente, están divididos por octavas. Estos poemas pueden ser en versos rimados o en versos libres *(sciolti).* Los versos dramáticos varían según el género de la composición. Para la tragedia se da la preferencia a los *endecasillabi sciolti;* para la tragicomedia y la pastoral, a los *endecasillabi* mezclados de yámbicos de cadencia heroica, los unos y los otros tan pronto rimados como sin rima. Los coros son rimados y divididos en estancias como las odas. Para la comedia se emplea aún el endecasílabo o el yámbico rimados o libres. En la ópera, el endecasílabo y el yámbico rimados para los recitados, y para las arias, las estancias de pequeños versos rimados. En el soneto, en el madrigal, en la balada, en la canción u oda, en la sextina, en la octava rima, es preferido el endecasílabo. Los yámbicos son muy armoniosos, y después de los endecasílabos son empleados muy freuentemente. Los versos de diez sílabas pecan por la uniformidad en la armonía. Los versos *tronchi,* naturalmente, se emplean en muy contados casos.

Los poetas italianos terminan algunas veces los *sdruccioli* con palabras latinas, licencia tolerada en este solo metro. La reunión de versos en estancias de tres, cuatro, seis, ocho versos, constituye los metros de la tercia rima o terceto, del cuarteto, de la sexta y de la octava rima.

V. TRISSINO, G. G.: *Poética.* Vicenza, 1529. MENZINI, B.: *Arte poética.* Roma, 1690.—BARBIERI, G.: *Origine della poesia rimata.* Módena, 1790.

ITALIANISMO

Nombre dado a la palabra italiana acogida en el vocabulario español.

Los italianismos adoptados en nuestro idioma son numerosos, principalmente de voces que se refieren al arte, a la literatura, a la vida militar y al comercio: *fachada, diseño, escorzo, batuta, soneto, terceto, alerta, capricho, tinelo, bandido...*

En tres momentos culminantes de la Historia se produjeron las invasiones de italianismos en España: con motivo de la conquista por los aragoneses del reino de Nápoles, y principalmente durante el reinado de Alfonso V de Aragón, que vivió mucho tiempo en aquella ciudad, donde tuvo una magnífica corte de poetas y de artistas; durante el siglo XVI, cuando en pleno apogeo renacentista los monarcas españoles Carlos I y Felipe II trajeron a España a incontables artistas italianos; y en el siglo XVIII, al llegar a reinar en España Carlos III de Borbón, que antes había reinado en Nápoles.

V. TERLINGEN, J. H.: *Los italianismos en español desde la formación hasta principios del siglo XVII.* Amsterdam, 1943.

ITÁLICAS (Lenguas)

Nombre que comprende los idiomas hablados en Italia antes de la conquista romana, es decir; *etrusco, umbrio, osco* y *sabino.* Un gran número de vocablos de estas lenguas pasó inmediatamente al latín; otros, más tarde, al italiano. Las *Atelanas,* farsas escritas en osco, fueron muy populares en Roma.

V. MICALI, G.: *Italia antes de la dominación romana.* 1894.

ITIFÁLICO (Verso)

Verso griego y latino, formado por dos dáctilos y un yambo. En su máxima pureza se componía de tres troqueos; pero también podían sustituir el tribaquio a los dos primeros pies y el espondeo al último. Los líricos griegos lo empleaban en el épodo y en el coro de las obras dramáticas, sirviendo de cláusula.

ITINERARIO

Nombre dado, en bibliografía, a ciertas obras de geografía relativas a la ruta seguida por una expedición militar, una misión diplomática, una caravana exploradora, etc... Se distinguen dos clases de itinerarios: los *escritos (Itineraria scripta* o *annotata)* y *dibujados.* Estos últimos constituyen los *mapas.*

Los *Itinerarios* escritos son, por lo general, de autores desconocidos o inciertos. Y son famosos: el *Itinerario de Antonino Pío,* impreso por vez primera por H. Estienne, Turín, 1512; el *Itinerario de Alejandro,* publicado por Angelo Mai, Milán, 1817.

Llevó este nombre un poema de Rutilius Numatianus: *Itinerarium de reditu suo.*

Entre los griegos, los *Itinerarios* de viajes por mar fueron llamados *Periplos.*

Modernamente, el nombre de *Itinerario* pueden recibirlo los libros más generalmente conocidos con el nombre de *Guías.*

I

J

JÁCARA

Composición poética en que se cantaba como un intermedio teatral. Por lo regular, sus temas eran las peripecias de la vida airada y picaresca.

La *jácara,* en España, se inició con Juan del Encina, y tuvo su apogeo en los siglos XVI y XVII. Pero en estas centurias la *jácara* solía ser como un *romance*—recitado sobre la música—, con tema amoroso, jocoso o caballeresco, que nada tenía que ver con la obra representada.

Quevedo fue autor de admirables *jácaras.* Cáncer y Velasco compuso *jácaras devotas,* estableciendo en ellas el diálogo con recitación y canto.

Las *jácaras* fueron el germen de las *tonadillas escénicas* (V.).

V. COTARELO Y MORI, E.: *Entremeses, loas, bailes, jácaras, mojigangas...* Madrid, 1911.

JACOBINISMO

Doctrina política y sistema revolucionario de los jacobinos.

Recibieron el nombre de jacobinos los más exaltados, los más violentos, los más implacables revolucionarios franceses. En 1789, después de los Estados generales de Versalles, estos extremistas sectarios constituyeron una Sociedad secreta, a la que dieron el nombre de *Club Bretón.* Pasadas las jornadas sangrientas del 5 y del 6 de octubre, instaláronse en un convento que había sido de frailes *jacobitas,* tomando entonces el título de *Société des Amis de la Constitución.*

Pero el pueblo, con ese instinto certero que suele tener para los motes, los designó con el más *pegadizo* y breve de *jacobinos.* El local de los jacobinos fue como la *catedral* de la Revolución. Los jacobinos se convirtieron en los más feroces, odiados y, sin embargo, respetados de los revolucionarios. Cuanto se decidía en el Club de los jacobinos, las masas alharaquientas y enfurecidas lo cumplían como si de un dogma de fe se tratase. Al frente de los jacobinos estuvieron Dantón, Robespierre y Marat. Los jacobinos obligaron a la Asamblea Nacional Legislativa a disolverse para ceder el paso a la Convención Nacional.

De los jacobinos salió aquella fracción más exaltada de la Convención—llamada *de los Montañeses,* porque tenían asiento en los escaños más altos—que condenó a muerte a los reyes y a más de 25.000 franceses, que derrocó todo lo a la sazón existente y que desencadenó el terror y celebró la Fiesta de la Diosa Razón.

El jacobinismo, que durante algún tiempo fue dueño de Francia, queda debilitado con la muerte de Robespierre. El primer golpe mortal lo recibe en Termidor, con el triunfo de Barras y Tallien. Y Napoleón Bonaparte *lo barrió* por completo después de haberlo arrancado *de raíz.*

¿Cuáles fueron las doctrinas políticas del jacobinismo?

El docto catedrático español Juan Beneyto ha resumido con acierto indudable la *ideología política* de los revolucionarios franceses: "La elaboración de la Revolución es más rápida que la expansión institucional. Piénsese en la sucesión de Declaraciones en 1789, y en la tarea constitucional ligada a los años 1791, 1793, 1795 y 1800. La misma libertad, tan exaltada, queda muy reducida. El sufragio universal es aceptado por la Convención de 1793, pero con grandes reservas, al extremo de que su vigencia no fue efectiva hasta 1848. El respeto a la persona se pierde: las matanzas de los enemigos son consideradas medidas saludables en las jornadas de 1793 a 1795. El iluminado mesías de Robespierre—Catalina Théot—pide la reducción de la población mundial a solo ciento cuarenta mil individuos...

"Cuando quiere fundarse sobre la representación popular, la Asamblea de 1783, para salir al paso de las supuestas ambiciones de Mirabeau, vota un decreto que prohíbe escoger ministros entre los diputados. La tesis parlamentaria solamente se aplica en 1793, y entonces conduciendo a la constitución de un Comité con miembros de la Convención. Dantón puede ofrecer así, ante la asamblea, el primer Ministerio responsable.

"La influencia de los filósofos queda fijada en las Declaraciones. La de 1789 recogió la línea que defiende la libertad individual y la formulación de la igualdad de los derechos y de la soberanía nacional, como consecuencia —que no iba a tardar en dar vida—del sufragio y de la República. Advirtiéndose estos principios, dice Sée que la Convención es la heredera de todo el movimiento ideológico del siglo XVIII. Hay, en efecto, como notamos, más presión de ideas que aplicación de formas. La Declaración conduce a la Constitución, pero exige, ante todo, garantías. Estas proceden de Montesquieu, que pensaba que no era posible una sociedad política sin que se garantizasen los derechos y se separasen los poderes. La parte ideal responde a la idea russoniana: la ley como expresión de la voluntad general, y la igualdad de libertad y de derechos de todos los hombres desde el nacimiento y durante la vida. Contra la doctrina de Locke, Rousseau aprueba la delegación de la autoridad del pueblo y, en fin, la dictadura. Es Rousseau quien apoya filosóficamente el jacobinismo.

"La Declaración de Derechos del Hombre y del Ciudadano ha de ser vista así como un hecho que testimonia un cambio de estructuras y como una idea que asume valor deontológico. Según ha destacado Battaglia, los trabajos preparatorios revelan una fervorosa actividad. Su planteo arranca de los *bills of rights* de las colonias inglesas de Norteamérica, según hicieron ver no solo La Fayette, sino el mismo arzobispo de Burdeos, que habla textualmente de trasplante de ideas desde el otro hemisferio. La formulación era pedida por distintos *cahiers*, y su forma preceptística impuesta por las circunstancias: cada máxima, en efecto, explica su situación y responde a un interés. Las libertades catalogadas en la Declaración son de este modo antítesis polémica de aspectos reales."

Claro es que cuanto hemos señalado de la ideología del jacobinismo no fue precisamente lo que le dio fama ni lo que le hizo fuerte frente a otras ideologías, frente a la masa *salida de cauce*. El jacobinismo, más que en sustentar una doctrina política, se preocupó de implantar un régimen de gobierno, y este fue tan brutal como eficaz: más que persuasión, eliminación del adversario.

V. CARLYLE: *Historia de la Revolución francesa*. Barcelona, J. Gil, 1930. Tres tomos. AULARD, A.: *Etudes et leçons sur la Révolution française*. París, 1904.—VAN DUZER: *Contribution of the Ideologues to French Revolutionary Thought*. Baltimore, 1939.—FANTIN, A.: *Histoire philosophique de la Révolution de France*. París, 1801.

JAINISMO

Nombre dado a una de las tres grandes religiones históricas de la India. El más importante santuario del jainismo está situado en el monte Abu, y es una de las siete maravillas de la India.

El jainismo puede ser considerado en un aspecto *filosófico* y en un aspecto *práctico* o *ético*.

Filosóficamente, el jainismo se opone a los *upanishads* y otras sectas, que creen que el dios supremo es *uno*.

El jainismo cree que es *variable*, pues sufre las modificaciones de la producción, de la continuación y de la destrucción. Esta teoría recibe el nombre de *anekantavada* o *indifinidad del Ser Supremo;* y los filósofos hindúes la defienden con un especialísimo método dialéctico llamado *Syadvada*. Según esta teoría, existen siete formas de proposiciones metafísicas, todas las cuales contienen la voz *Syad,* que significa *puede ser*. Completan dichas proposiciones los *siete nayas* o modos de expresar la naturaleza de las cosas, cuatro referentes a los conceptos y tres a las palabras.

La razón de tal variedad expositiva se basa en que el ser no es simple, sino de naturaleza complicada.

Las sustancias se dividen en *cosas sin vida* y *cosas vivientes* que llenan el mundo. Las almas son eternas, pero varían *de tamaño,* ya que se ajustan al de los cuerpos que ocupan. Y pueden ser: *almas mundanas*—las incorparadas a seres vivientes—y *almas liberadas*—las que ya no pueden incorporarse de nuevo por haber alcanzado la pureza absoluta, es decir, por gozar del *nirvana definitivo*.

Las *almas mundanas,* llenas de *materia sutil,* se dividen en *espacio, dharma* y *adharma, y pudgala* (materia).

Para que las almas subsistan, son imprescindibles *espacio, dharma* y *adharma,* ya que, respectivamente, les facilitan el *lugar para vivir,* las condiciones para *moverse* y las condiciones para *reposar*.

En la materia—*pudgala*—, que es eterna, el jainismo distingue dos estados: la *materia gruesa*—de la cual están hechas las cosas visibles—y la *materia sutil*—que escapa a nuestros sentidos.

Para el jainismo, los elementos—tierra, agua, fuego y aire—son cuerpos de almas "en estado inferior de desarrollo".

La ética jainista no tiene sino una aspiración: el logro del *nirvana* o *moksa*. Para alcanzar este maravilloso fin inmutable son precisas tres virtudes, llamadas metafóricamente las *tres joyas:* la *verdadera fe,* el *verdadero conocimiento* y la *verdadera recta conducta*. Para alcanzar dichas tres joyas se han de observar rigurosamente ciertas normas de conducta: no matar, no robar, no mentir, no fornicar, no poseer bienes materiales. El monje jainista hace tales votos.

Los prosélitos del jainismo están divididos en dos grandes ramas: *digambaras* o *desnudos* y *svetambaras* o *vestidos de blanco.* Los primeros datan del siglo VI o VII antes de Cristo; los segundos, del siglo V después de Cristo.

Digambaras y *svetambaras* coinciden en las siguientes exigencias: gobernar el cuerpo, el habla y la mente sin desfallecimientos; para huir del pecado, observar los cinco *samitis:* ser cauto en el andar, hablar, mirar, oír y recoger limosnas; adquirir las virtudes contrarias a la pasión dominante; como los vicios cardinales—*kasaya*—son: ira, soberbia, ilusión y codicia, buscar las virtudes opuestas a ellos: clemencia, indulgencia, honradez y pureza; tener siempre presentes las doce *bhavana* o *anupreksa* (reflexiones) acerca de la transitoriedad de las cosas, del desvalimiento del hombre, de la miseria del mundo, de la suciedad de la carne, etcétera; soportar la turbación o la molestia con ánimo imperturbable; acogerse al *ascetismo,* que impide el pecado nuevo y purga el antiguo.

V. GUÉRINOT, A.: *Essai de bibliographie Jaina.* París, 1907.—STEVENSON, Marg.: *Notes on modern Jainism.* Oxford, 1910.—WARREN, Herbert: *Jainism...* Madras, 1912.—JHAVERI, H. L.: *The first principles of the Jain philosophy.* Londres, 1910.—HOPKINS: *Religions of India.* Londres, 1914.

JANSENISMO

Nombre dado a las doctrinas heréticas de Cornelio Jansenio.

Jansenio nació—1585—en el pueblo de Acquoi, cerca de Leerdam (Holanda). Estudió Teología en Lovaina y en París. Por recomendación del abad de Saint-Cyran, regentó un colegio en Bayona. En 1617 regresó a Lovaina, donde fue director del colegio de Santa Pulqueria. En 1630 fue nombrado profesor de Teología de la Universidad de aquella misma ciudad, donde sostuvo agrias polémicas con los jesuitas, logrando que se les prohibiera enseñar en Lovaina. Obispo de Ypres en 1635. Tres años después, mientras visitaba su diócesis, murió víctima de la peste.

Jansenio dedicó los veintidós últimos años de su vida a componer la obra celebérrima: *Augustinus, seu doctrina S. Augustini de humanae naturae aegritudine, sanitate et medicina adversus Pelagianus et Massilienses*—Lovaina, 1640—. Antes de morir, Jansenio confió el manuscrito a su familiar Reginaldo Lamaeus, encargándole que antes de publicarlo, si la Santa Sede deseaba que se cambiase alguna cosa, que así se hiciera, "pues él era hijo obediente de una Iglesia en cuyo seno había vivido siempre, y en cuyo seno quería exhalar su último suspiro".

En el *Augustinus* pretendió Jansenio reproducir las ideas de San Agustín sobre la gracia, el libre albedrío y la predestinación.

"Pariente próximo del calvinismo, el jansenismo sostiene que, después del pecado original, el *hombre no es verdaderamente libre,* y que se salva o se condena *necesariamente,* según Dios le conceda o le niegue su gracia; que la gracia es un puro don de Dios, que la distribuye como le parece, sin que nada pueda modificar su soberana voluntad; de aquí se sigue que Jesucristo no murió por todos los hombres, *sino solo por los predestinados.*" (BOULENGER.)

Tal doctrina se opone a la libertad del hombre y al mérito o demérito de nuestros actos.

El jansenismo, nacido en los Países Bajos, se extendió rápidamente por Francia, ganando ilustres adeptos y encontrando su fortaleza en la abadía de Port-Royal, comunidad cisterciense de mujeres, fundada—1204—cerca de Chevreuse. El jansenismo fue combatido implacablemente por los jesuitas, partidarios acérrimos del libre albedrío. Y la discusión se enconó de tal modo, que Francia se dividió en dos bandos poderosos: *jansenistas*—a los que se sumaban el Parlamento, la abadía y los galicanos, siempre dispuestos a discrepar de Roma—y *jesuitas,* apoyados por la mayoría de los obispos y por el Poder civil.

En 1653, la Sorbona logró que el Pontífice Inocencio X condenara como heréticas *cinco proposiciones* del *Augustinus.* Inmediatamente intervinieron a favor del jansenismo espíritus tan admirables como Blas Pascal, el cardenal de Retz, Quesnel, Noailles—que era arzobispo de París—, el diácono Paris, Arnauld...

En 1656, Alejandro VII volvió a condenar las *cinco proposiciones* del *Augustinus,* que eran las siguientes:

1.ª Ciertos mandamientos de Dios son imposibles a los justos, privados de la gracia necesaria.

2.ª Nadie puede resistir a la gracia interior en estado de naturaleza caída.

3.ª Para merecer o desmerecer, no basta que el hombre se aparte de la violencia exterior.

4.ª Los semipelagianos eran herejes porque pretendían que la voluntad humana puede aceptar la gracia o resistirla.

5.ª Existe error en creer que Jesucristo murió por todos los hombres.

Alejandro VII quiso obligar a los jansenistas a firmar un formulario que contenía una adhesión a la condenación—1665—, siendo irremisiblemente proscriptos cuantos se negaran a firmarlo.

A principios del siglo XVIII volvió el jansenismo a levantar cabeza con motivo de un obra de Quesnel, sacerdote del Oratorio, titulada *Reflexiones morales sobre el Nuevo Testamento,* en la cual se pretendió hallar consignados los principios de Jansenio, y la cual fue condenada por Clemente XI en la famosa bula *Unigenitus*—1713—. Esta bula fue admitida en Francia gracias a la energía con que Luis XIV impuso la voluntad pontificia.

Pero en 1715, *bajo la Regencia,* el jansenismo se reavivó. La Sorbona, Noailles, algunos obispos, *apelaron contra la bula ante un Concilio general*—1717—; de aquí el nombre de *apelantes* con que se los designó. Y aun cuando Noailles se retractó—1728—y también la Sorbona—1729—, los jansenistas creyeron encontrar la justificación de su doctrina en los pretendidos milagros que se operaban en el cementerio de San Medardo, sobre la tumba del jansenista y austero diácono Francisco Paris. (V. *Convulsionarismo.)*

El diácono Francisco Paris (1690-1727) había sido un jansenista irreducible, de muy austeras costumbres, y que por humildad no había querido recibir el presbiteriado, y que se dedicaba por completo a la oración y a la caridad.

Francisco Paris murió *apelando* y *reapelando* de la bula *Unigenitus.* Los jansenistas, que le habían levantado una magnífica tumba en el cementerio de la parroquia de San Medardo, no tardaron en venerarle como santo y en atribuirle milagros obrados en cuantos iban a visitar su tumba. Fueron tales los escándalos originados en el cementerio, que tuvo que ser clausurado por la Policía.

Aun en los momentos en que la lucha era más cerrada, el jansenismo francés jamás estuvo en abierta oposición con la Iglesia. No aconteció igual en Holanda, donde se refugiaron los jansenistas franceses más radicales en 1669 y 1713. Además, Holanda siempre estuvo propicia a la ruptura religiosa con Roma. El principal centro del jansenismo holandés fue Utrecht; y aquí se consumó el cisma. En 1702, Clemente XI depuso al arzobispo Pedro Kodde a causa de sus simpatías por los jansenistas. La sede permaneció vacante hasta 1723, en que el cabildo jansenista eligió a Cornelio Steenoven. Y desde entonces persiste el cisma. En 1889 los jansenistas se unieron a los *viejos católicos.*

V. Du Mas: *Histoire des cinq propositions de Jansenius.* Lieja, 1699.—Paquier: *Le Jansenisme, étude doctrinale...* París, 1909.—Gazier, A.: *Hist. générale du mouvement janséniste depuis ses origines jusqu'à nos jours.* París, 1923.

JAPONESA (Lengua)

La japonesa es una de las lenguas de Asia perteneciente a la familia ougro-japonesa o altaica. Es polisilábica y susceptible de flexiones gramaticales. Es extraordinariamente armoniosa. Muchas de sus palabras terminan en vocal. Las consonantes se articulan suavemente. La gramática, sin embargo, es sumamente complicada. No tiene artículo; no existe, pues, la distinción de los géneros, si bien se salva dicha carencia con el uso de las partículas *o* y *'me,* aquella para el macho, esta para la hembra. La declinación tiene lugar por medio de partículas pospositivas, que varían según la condición de los interlocutores o la naturaleza del asunto del discurso. El verbo *arou (ser* y *hacer),* con la ayuda de los sustantivos, puede formar un gran número de verbos. Los tiempos y los modos están indicados por medio de desinencias, pero las personas y los números no se distinguen más que por los pronombres.

La lengua escrita difiere notablemente de la lengua hablada, y es denominada *yamato;* comprende diversos estilos, muy diferentes entre sí, para formar dialectos. Estos estilos son: *naïden,* para los escritores budistas, y *ghe-den,* para los restantes géneros. La poesía emplea tres metros principales: uno de cinco sílabas y otro de siete—*haikai*—. Y el otro de treinta y una sílabas—*tanka.*

Los japoneses conocieron la escritura hacia el siglo III de nuestra Era. Y se sirvieron de dos sistemas de signos: los caracteres chinos, principalmente para las obras científicas, y sus silabarios, cada uno de ellos con cuarenta y siete signos o sílabas. Los silabarios son: el *kata-kana* (mitades de signos), el *hira-kana* (forma cursiva), el *man-yo-kana* (compuesto de caracteres chinos enteros) y el *ya-mato-kana* (escritura japonesa por excelencia, formada con caracteres chinos muy simplificados). Los japoneses escriben *por columnas,* de derecha a izquierda y de arriba abajo.

V. Alvarez, Manuel: *De Institutione grammatica, libri III, um versione japonica.* Amacusan, 1593.—Rodríguez, J.: *Arte da lingoa de Japan.* Nagasaki, 1604.—Medhurst, G.: *Japanase and english...* Batavia, 1830.—Evrard, F.: *Cours de langue japonaise.* Yokohama, 1874, 1888, 1900.

JAPONESA (Literatura)

El estudio de la literatura japonesa puede ajustarse a seis períodos, cada uno de los cuales designado con el nombre de la ciudad donde residió el Gobierno del Imperio.

1.° *Arcaico.* Del año 710 d. de J. C.
2.° *De Nara.* Del 710 al 794.
3.° *Clásico de Kioto.* Del 794 al 1186.
4.° *Decadencia, el Kamakura.* De 1186 a 1603.
5.° *Renovación o de Yedo.* De 1603 a 1867.
6.° *Contemporáneo o de Tokio.* De 1867 hasta hoy.

En los primeros períodos, la influencia es coreana. En el tercero y cuarto, la influencia

J

es china. Unicamente al final del quinto período surge pujante la verdadera literatura japonesa, con propia fuerza.

Del primer período no se conoce sino una obra de carácter litúrgico: *Norito.* Dos antologías famosas—anteriores al siglo XI—, *Manosiu* y *Kokinsiu,* recogen cumplidamente la poesía lírica del período Nara. El *Manosiu,* o *Colección de las diez mil hojas,* contiene innumerables *tankas* de poetas de los siglos VII y VIII, entre ellos Onin, Gimmo Tenno, Kobo Dahisi—gran elegíaco—y Retgensu, admirable poetisa. Tasibana Moroie fue el autor compilador de esta antología, que reúne canciones, madrigales, elegías, alegorías, de una inspiración y de una belleza inmensas. La antología *Kokinsiu,* o *El antiguo y nuevo canto,* contiene composiciones epigramáticas, proverbios, declaraciones de amor. Estas dos antologías, reimpresas continuamente, están consideradas por los japoneses como obras de texto. Todavía existe una tercera antología de la poesía de esta época, atribuida a Ogaki, vate casi legendario.

Nombres de poetas ilustres de los siglos VIII a X, son: Buntoku—*Tríptico elegíaco*—, Hitomaru—llamado "Genio de la Poesía"—, Akafitu, Sosei, monje budista y gran exaltador de la melancolía; Sonsiau, lírico amatorio y erótico; Kisato, autor de lirismos psicológicos; Otomo, cantor de la Naturaleza; Zuraiuki, y las poetisas Akazome, Komatzi y Kio.

Ya en la avanzada Edad Media, el elegíaco Kintu Sune, el solemne y clasicista Teiku, sacerdote budista; Teitoku y Moritake, improvisadores de deliciosas *haikais;* Kigin, gran compositor de *tankas;* Baskiu, quien por su fecundidad recibió el nombre de "El viejo de las veinte mil hojas"; Iorie, que cantó los goces de la pesca.

Los relatos históricos se iniciaron en el siglo VIII, con el nombre de *Aru fumi.* Y la tradición más antigua que se conoce se conserva en el libro llamado *Furukoto bumi (Memoria de las cosas antiguas),* original de Iasumaru.

El género narrativo tiene su monumento medieval en *Monogatari,* recopilación de cuentos —tradicionales, amorosos, fantásticos, filosóficos, didácticos—, muy semejante a *Las mil y una noches.* La *Gengis monogatari,* escrita por orden de la emperatriz Murasaki Saikibu, en el siglo XI, con el tema de las increíbles aventuras del héroe Ghengo, es como una novela oriental de caballerías. Y se multiplican las fábulas y los apólogos, género al que fueron aficionadísimos los japoneses. La reacción japonesa contra la influencia china en la narración la marca *Uasobioi,* fantástico relato de aventuras que satirizan el ascetismo y el quietismo. Pero para encontrar grandes maestros en este género hay que llegar a los siglos XVIII y XIX. En la primera de dichas centurias sobresalieron: Giskio, Kiseki y Kioden, este último considerado como el más original de los narradores japoneses, entre cuyas obras se han popularizado, dentro y fuera del Japón, *El tambor del infierno, El maleficio del topo ponzoñoso, La cuerda rota de la guitarra.*

Al siglo XIX pertenecen: Ikku, narrador humorista—, en *Hirokurige*—, Samba, magnífico cuentista—*El balneario universal, La casa del barbero del mundo*—; Kiokutei-Bakin, fecundísimo, gran estilista y gran psicólogo—*El arco curvo, Historia de los ocho perros*—; Rintei Tankiko, dramaturgo, novelista y poeta, cuyo libro de cuentos *Inaka Gengi,* y cuya novela *Mampara modelo del pobre mundo,* han sido traducidos a varios idiomas europeos.

El teatro japonés tuvo sus primeros ensayos con el nombre de *No* hacia el siglo XI, no quedando arraigado hasta dos centurias después. El drama lírico tuvo unos orígenes religiosos, derivando de las representaciones y danzas sintoístas. La pieza teatral más antigua que se conoce es la titulada *El vestido de plumas del hada.* Atribuidas a Motokio, cuyo nombre, acaso, encubra a varios autores populares, se hicieron famosas obras teatrales como: *Hijo de las alturas, Haki noki,* o *Los árboles enanos.* Pero, además del drama lírico, existió el *Kabuki,* teatro popular de costumbres, cuyo primer teatro fue fundado en Kioto, en el siglo XVI.

El primero de los dramaturgos japoneses fue Tsikamatzu Montzaemu, que vivió en el siglo XVII, autor de más de cien obras. En el siglo XVIII: Takeda Itzumo.

Ya libre de influencias, la poesía japonesa llegó a su apogeo en el siglo XIX, con los grandes líricos Ietzugiro Inuie, Toyama Masakatzu y Riokiki Ietabe, que cultivan los antiguos *tanka* y *haikai.*

De los poetas contemporáneos son famosos: Uko—*Flores y hojas de otoño*—, Masakatzo, exaltador de la Naturaleza; Sibata Tziro, Sihaki Fukutzima—*Flores de cerezo.*

Entre los modernos novelistas: Iutzo—*Mani no kata*—, Tokutomi Kengiro, apellidado el "Tolstoi japonés"—*Recuerdos, El cuchillo*—; Mansui Supo—*La dama de nuevo estilo*—, Oraki Tokutaro, "Koiosan", imitador de Zola; Koda Narinki, "Rohan", autor de deliciosos cuentos fantásticos, por el estilo de Andersen y Perrault; Usarai Kaita, autora de *Los mil demonios;* Onoto Vatanna, la mujer más famosa de las modernas letras japonesas—*El ruiseñor japonés...*

V. ASTON, W. G.: *History of Japanese Literature.* Londres, 1899.—GUNDERT, W.: *Die japanische Literatur.* Postdam, 1929.—YOSHITOMI: *Anthologie de la littérature japonaise contemporaine.* Grenoble, 1924.

JAVANESA (Lengua y Literatura)

El javanés, hablado en la isla de Java, es una de las lenguas malayas. Se compone de numerosos dialectos: el *sura-karta* y el *yugia-karta,* que parecen ser los más puros, y cuya pronunciación es breve, grave y acentuada; el *tagalo,* el *samarango,* el *sarabaya* y el *baning wangi.*

Existen en el javanés tres formas de hablar, determinadas por la superioridad, igualdad e inferioridad del rango social o de la edad de los interlocutores. La más respetuosa de tales formas es el *kronio;* la forma intermedia, el *madhjo,* y la inferior, el *nioko.* Estas distinciones se dan tanto en los libros como en las conversaciones. El javanés no tiene artículo ni género. Posee dos números. En la conjugación no se distingue ni el número ni las personas. Como en otras lenguas malayas, el sustantivo puede transformarse en verbo, en adverbio, etc. La frase es de una extrema simplicidad y excluye el uso de las metáforas. Posee un alfabeto particular, compuesto por veintiséis consonantes y seis vocales. Los caracteres se escriben horizontalmente, de izquierda a derecha.

La literatura javanesa es la más importante de las lenguas malayas; es muy rica en poemas, canciones, dramas y obras legendarias e históricas.

Las obras litúrgicas han sido conservadas por los sacerdotes budistas en lengua *kawie,* antiguamente hablada en Java. Entre las más antiguas obras poéticas se cuentan: el poema *Kanda (El cántico),* traducido, al parecer, del kawie; el *Brathayudha (La guerra santa),* y un poema sobre *Rama.*

El teatro tiene su máxima importancia en las *pantomimas,* combinadas la música y la danza, y presenta una innovación curiosa: el poeta, que es al mismo tiempo director de escena, es el único que habla sobre la escena, narrando el argumento entre danza y danza.

V. BRUCKNER, Gottlob: *Introduction à la grammaire javanaise.* Trad. del holandés. Batavia, 1831.—CORNETS DE GROOT: *Gramática javanesa.* Batavia. Varias ediciones. Manila, 1889.—DULAURIER: *Mémoire, lettres et rapports relatifs aux cours des langues malaise et javanaise.* París, 1863.

JEHOVISMO

Culto de *Jehová,* nombre de Dios en el Antiguo Testamento, y el más frecuente en la Biblia hebraica, "en el que se halla repetido unas 6.000 veces".

Jehová significa *Ser absoluto y eterno.* En la composición de su nombre entran los tres tiempos del verbo ser: *hayá,* El fue; *hoveh,* El es; *yihyeh,* El será.

Se ha dado por algunos críticos el nombre de jehovismo o de jehovista a las partes de la Sagrada Escritura en que Dios es llamado Jehová; porque en otras se le llama *Elohim,* que quiere decir: grandeza, excelsitud, divinidad en abstracto.

Teniendo a Dios por inefable, los rabinos, en sus escritos, evitaron poner el nombre de Jehová, sustituyéndolo por otros, como *Dominus* (Vulgata), *Kyrios* (Versión de los Setenta), "el Nombre glorioso y terrible", "el Nombre por excelencia", "el Nombre oculto y misterioso", "el *tetragrámmaton*"—por constar en hebreo de cuatro letras—, "el Nombre expuesto o separado", "el Nombre escrito y no leído".

Posiblemente, es antiquísima la prohibición de pronunciar el nombre de Jehová, salvo en casos excepcionales. Los Setenta tradujeron dicho nombre por *Kyrios* (Señor). Los rabinos apoyaban la prohibición de pronunciar el nombre de Jehová en aquel pasaje del *Levítico* —XXIV, 16—que dice, entendido en un sentido absurdamente rigorista: *El que blasfemare el nombre del Señor, muera de muerte.*

En algunos pasajes del *Talmud* se afirma que el impresionante tetragrama no lo pronunciaba más que el Pontífice al entrar en el *Sancta Sanctorum* el día de la Expiación, y los sacerdotes, al bendecir al pueblo en el santuario.

Nickel, en su obra *La Religion d'Israel,* dice: "Jehová había de ser no solo el Dios de Israel, sino también, de un modo general, el único Dios. En la revelación mosaica, Jehová se afirma claramente el *Señor soberano y universal...* La revelación mosaica, además, al imponer el culto del verdadero Dios en forma de *jahvismo*—culto de Jehová—, estableció sobre una base nueva las relaciones de Israel con Dios. Las palabras *Yo, Jehová, soy tu Dios,* crearon la *teocracia,* o sea aquel estado en el que Israel había de considerarse como la propiedad del Señor y reconocer a Jehová como su Rey... Rasgo característico del culto de Jehová era la ausencia de imágenes de la divinidad: el santuario levítico no las tuvo jamás, y aunque es verdad que el pueblo, en tiempo de los Jueces y aun en el de los primeros reyes, tendió varias veces a constituir imágenes de Dios, y que Jeroboam I, a fin de acentuar las tendencias separatistas, se adelantó al deseo del bajo pueblo, de tener un símbolo de la divinidad, e hizo poner dos becerros de oro en los dos templos, de Bethel y de Dan, no se puede demostrar que la representación de Jehová en forma de un *ephod* o de un becerro hubiese sido tenida jamás por legítima."

V. DESNOYERS, L.: *La religión de Jahwé...* En "Btin. de Littérature Ecclésiastique". Toulouse, 1912.

JERGA

Lenguaje convencional y familiar, usado entre individuos de ciertas profesiones: toreros, estudiantes, curiales...

Se forma, en general, por la corrupción del lenguaje ordinario, muchas veces bajo la influencia de la ineducación o de la barbarie.

El *contagio* y la imitación ha servido para propagar el uso de la jerga.

Algunos críticos han llamado *jerga* al lenguaje técnico de ciertos sabios, principalmente filósofos. "Cada ciencia, cada estudio—dijo Voltaire—tiene su jerga ininteligible, que sirve para alejar de ellos las curiosidades de los profanos."

JERIGONZA

Lenguaje complicado—y convencional—difícil de entender.

JEROGLÍFICA (Escritura)

De ἱερός, sagrado, y γλύφειν, grabar.

Recibe este nombre una de las escrituras usadas por los antiguos egipcios y algunos pueblos aborígenes americanos. En tal escritura no se representaban las palabras con signos fonéticos o alfabéticos, sino que el significado de las mismas era expresado con figuras o símbolos.

La escritura jeroglífica egipcia, gracias a los eruditos e historiadores modernos, ha sido interpretada a la perfección. No así la escritura jeroglífica americana, cuya interpretación anda aún en sus balbuceos.

Los egipcios instituyeron su escritura por los jeroglíficos muchos siglos antes de Cristo, y se valieron de esta hasta el siglo III de nuestra Era, en que la cambiaron por la cóptica, que usó los caracteres griegos.

En la antigüedad, el primer intento de interpretar la escritura jeroglífica egipcia fue llevado a cabo por un oscuro personaje, conocido con el rimbombante nombre de *Horapollo (Horus-Apollo),* quien no hizo sino desorientar aún más la cuestión, ya que dio al jeroglífico un sentido de escritura puramente figurado, en el cual cada signo tenía un valor independiente.

Amiano Marcelino—en su *Historia,* XVII, 4—da la traducción, que le proporcionó un sacerdote egipcio, de la inscripción del obelisco de Constantino, trasladado a Roma.

En el siglo XVII se inició con gran entusiasmo el intento de levantar el velo que cubría la misteriosa escritura jeroglífica. Sabios como Pierio Valerio, Miguel Mercati, Guillermo Warburton y Zoega, iniciaron su esfuerzo fijándose principalmente en los jeroglíficos de los obeliscos. Pero el verdadero descifrador de la escritura jeroglífica fue J. F. Champollion el *Joven,* quien, al descifrar por completo la famosa inscripción de Rosseta, escrita en tres idiomas, halló el alfabeto y la clave correspondiente a la mayor parte de los signos. Los seguidores del método de Champollion acabaron de completar rigurosamente la definitiva lectura de los jeroglíficos, consiguiendo así la traducción de las escrituras *hierática* y *demótica,* derivadas de la *jeroglífica.*

La existencia del jeroglífico alcanza los tiempos protohistóricos, ya que se le encuentra en las inscripciones funerarias de los legendarios reyes de Abidos. Creen los eruditos más ilustres que fue la jeroglífica la escritura primitiva de la Humanidad. Afirmación completamente lógica, ya que parece lo natural que quienes intentaran comunicar sus ideas a sus semejantes sin valerse de la voz acudieran *a pintar las imágenes*—vistas innumerables veces—que mejor sustituían a las ideas.

La escritura jeroglífica no solo se escribió en los muros de los templos, en las piedras de las sepulturas y en las caras de los obeliscos y de las pirámides, sino también en vasijas de arcilla, tabletas de madera y sobre el *papyrus.*

Para la escritura jeroglífica se utilizaron dos métodos: ya indicar *la parte por el todo,* ya sustituir *a un objeto por la imagen de otro de cualidades idénticas.* Así fueron creadas dos series de signos: los *curiológicos* y los *trópicos.*

El número de signos jeroglíficos, tanto figurados como simbólicos, se acerca a los ochocientos. A estos caracteres se hallan mezclados otros puramente fonéticos, que tienen un valor alfabético y silábico.

Los egipcios se sirvieron a la vez, en el mismo texto y aun en la misma palabra, de tres clases de escrituras: *signos figurativos, expresión simbólica,* tomada de los objetos materiales para expresar ideas abstractas, y *silabario fonético,* destinado a conseguir la articulación de las palabras.

La escritura jeroglífica nos ha transmitido algunos textos literarios de inapreciable valor, entre ellos los *Textos de las pirámides de Jakkâra*—traducidos por Maspero—, el *Libro de los muertos (Pert in heru,* o *La salida del día),* los *Cuentos populares de Egipto*—también traducidos por Maspero—y un *Papiro matemático* de la época de los hicsos, que hoy se halla en el British Museum.

V. CHABAS, A.: *L'inscription hiéroglyphique de Rossette, analysée...* París, 1867.—LEPSIUS: *Lettre à M. Rosellini sur l'alphabet hiéroglyphique.* Roma, 1837.—CHAMPOLLION: *Lettres à M. Dacier sur l'alphabet des hiéroglyphiques.* 1822.—SAULCY, F. de: *Estudio de los jeroglíficos.* Trad. Madrid, 1872.—MASPERO, G.: *Les textes des Pyramides de Jakkâra.* París, 1894.

JEROGLÍFICO

Símbolo o figura que contiene algún sentido misterioso, alguna significación ideal materializada. Así, la *palma* representa la *victoria;* la *bandera,* la *patria;* el *león,* el *vigor;* el *perro,* la *fidelidad.* (V. *Jeroglífica, Escritura.)*

JOAQUINISMO

Nombre dado a la doctrina herética del abad Joaquín de Fiore.

Joaquín de Fiore nació—1130—en Celico. Y murió en 1202. En su mocedad fue paje del rey Rogerio de Sicilia. Pero atraído invenciblemente por la soledad y por el silencio, marchó, primero, en peregrinación a Jerusalén, y habiendo regresado a Calabria, entró en la abadía de San Cuccino, donde ejerció el cargo de portero. Del monasterio salió para predicar la palabra divina. El abad de Corazzo le dio el hábito de su monasterio, y hasta llegó a ser abad. Poco después renunció al abadiato y marchó a vivir al desierto de Haute-Pierre. Más tarde, internándose en las montañas de Calabria, se fijó definitivamente en Fiore, donde fundó, con algunos de sus discípulos, un monasterio, gobernado por la regla más rígida del Cister.

Joaquín de Fiore dejó varias obras importantes: *Liber concordiae Novi ac Veteris Testamentii, Psalterium decem chordarum* y *Comentarios* sobre el *Apocalipsis,* Isaías, Jeremías y otros profetas menores.

El Concilio de Letrán—1215—encontró una proposición censurable en el *Tratado de la Trinidad.*

Posiblemente, el joaquinismo fue obra no de Joaquín de Fiore, sino de algunos de sus discípulos.

El joaquinismo afirmaba que la ley evangélica era imperfecta, y que debía ser sustituida por otra mejor, llamada *del Espíritu,* que estaría contenida en el *Evangelio eterno;* afirmaba que el *Evangelio eterno* debía ser predicado por unos monjes descalzos; que en la Religión existían tres épocas: Antiguo Testamento, Nuevo Testamento—las dos imperfectas—y Evangelio eterno—futura y perfecta—; que la vida contemplativa era más útil que la activa para la salvación del alma; que el Padre Eterno gobernó el mundo hasta la encarnación de Jesucristo, y que Jesucristo lo gobernaría durante mil doscientos sesenta años, sutituyéndole luego en dicho gobierno el Espíritu Santo; que durante el primer gobierno vivieron los hombres *sobre la carne;* en el segundo, según *la carne y el espíritu,* y en el tercero, vivirían únicamente *del espíritu...*

El *Evangelio eterno,* atribuido ya a Juan de Roma, general de los frailes menores; ya a Mauri, estaba lleno de extravagancias. Tuvo mucha difusión durante los siglos XIII y XIV, llegándose a enseñar su doctrina en la Universidad de París—1254.

El Pontífice Alejandro IV y el Concilio de Arles condenaron el *Evangelio eterno,* raíz del joaquinismo.

JOCOSERIO (Género)

Género que contiene, dosificadas, discreción, burlas y veras.

Generalmente, dentro de él están los escritos satíricos, humorísticos, irónicos y sarcásticos.

JOC-PARTIT

Composición trovadoresca provenzal, que consistía en la discusión—en versos—de dos o más poetas acerca de un tema de amor, de política, satírico... (V. *Provenzal, Literatura.)*

JÓNICO (Pie)

Consta de cuatro sílabas, y es *mayor* cuando las dos primeras son largas y las otras dos breves; y *menor,* cuando son breves las primeras y las últimas largas.

JÓNICO (Verso)

Verso griego y latino compuesto de cuatro pies, y que, como el pie jónico, se dividía en dos especies: *jónico mayor* y *jónico menor.*

I. El *jónico mayor* tenía por base el pie, compuesto de dos sílabas largas y dos breves, llamándose también *gran jónico;* y de él se conocían las tres variedades siguientes:

1.ª *Tetrámetro cataléctico,* llamado igualmente *sotadeo* o *sotádico,* del poeta Sotades, que lo había empleado en sus sátiras. Se compone de tres grandes jónicos y un espondeo.

Vocalia / quaedam memo / rant, consona / quae-
[dam.

2.ª El *tetrámetro,* compuesto de dos grandes jónicos, de un peón y de un baquio.

Nec jam pote / ram quod modo / conficere /
[pennem. (PETRONIO.)

3.ª El *pentámetro,* que comprende dos grandes jónicos, más un itifálico (tres troqueos).

Ter corripu / i terribi / lem ma / nu bi / pennem.
(PETRONIO.)

II. El *jónico menor* tenía por base el pie formado por dos sílabas breves y dos largas. Se conocieron cuatro variedades de él.

1.ª El *dímetro,* o de dos pies, según Servio da en el siguiente ejemplo:

Sapientes / Amor odit.

2.ª El *trímetro,* de tres pies.

Sonat alta / trabe fixus / tibi nidus.
(SERVIO.)

3.ª *Tetrámetro cataléctico,* de cuatro pies, el último de los cuales puede ser anapesto o espondeo.

Volo tandem / tibi parcas: / labor est in / chartis.
(SAN AGUSTÍN.)

4.ª *Tetrámetro,* de cuatro pequeños jónicos.

J

JORNADA

Nombre sinónimo de *acto,* muy usado por los autores dramáticos en nuestro Siglo de Oro. Cervantes—en el prólogo de sus *Comedias* —se atribuyó el haber sido el primero que se atrevió a "reducir las comedias a tres *jornadas,* de cinco que tenían antes".

Modernamente, jornada se utiliza por muchos escritores como sinónimo de *parte,* de *capítulo,* principalmente en el género novelesco.

JOSEFISMO

Nombre dado a la política religiosa practicada por el emperador José II de Austria (1741-1790).

El josefismo fue en Austria lo que habían sido el *galicanismo* (V.) en Francia y el *febronianismo* (V.) en Alemania: un intento de disminuir los poderes del Pontificado en provecho de la Iglesia nacional, "la cual había de quedar subordinada a la autoridad del monarca". La pretensión llevaba en sí la idea de la tiranía ejercida por el príncipe, apoyándose en los solos principios de la razón y prescindiendo de los derechos del jefe de la Iglesia.

No fue José II el primer soberano austríaco que intentó llevar las ideas de la Reforma a su patria. Antes que él ya ensayaron las tendencias subversivas Carlos VI (1711-1740) y María Teresa (1740-1780), entremetiéndose frecuentemente en los asuntos eclesiásticos y en una posible reforma de la Iglesia. Pero fue José II quien concibió y ejecutó el vasto plan de reorganización que se conoce con el nombre de josefismo, y que abarcó todos los campos y llegó hasta los insignificantes detalles de la liturgia. El gran monarca prusiano Federico II calificó humorísticamente a José II de *emperador sacristán.*

Posiblemente, en el josefismo abundaron las buenas intenciones y surgieron algunos aciertos; pero su gran pecado fue haberse logrado prescindiendo del Pontificado, e inclusive usurpándole algunos de sus derechos. Por ello tuvo que enfrentarse siempre con la oposición de Roma. En vano se trasladó Pío VI personalmente a Viena para intentar convencer a José II. El emperador desdeñó las sabias advertencias del Pontífice, hizo caso omiso de sus consejos y llevó a la práctica unas reformas que habían de perdurar y de predominar hasta 1850.

Las reformas de José II comprendieron los importantísimos puntos siguientes:

1.º Libertad de culto a las sectas disidentes y a los griegos cismáticos.

2.º Institución del matrimonio civil y del divorcio.

3.º Reglamentación real de las cofradías, procesiones y peregrinaciones.

4.º Sustitución de los seminarios diocesanos por los *seminarios generales,* en los que únicamente podían enseñar profesores afectos al monarca.

5.º Nueva demarcación episcopal correspondiente a la división civil.

6.º Derecho real al nombramiento de obispos y a exigirles el juramento de fidelidad.

7.º Supresión de todos los conventos de *Ordenes contemplativas* y de otros que no se dedicaran a la enseñanza ni al cuidado de los enfermos. (Esta disposición motivó el cierre de 600 monasterios, y el que los restantes quedaran sujetos a la investigación del Estado.)

8.º Orden a los obispos para que, sin necesidad de acudir a Roma, dispensasen los impedimentos matrimoniales en los grados tercero y cuarto de parentesco y absolviesen en los casos reservados al Papa.

9.º Someter al *placet* del monarca las bulas y los decretos pontificios, y también los mandatos y las disposicones de los obispos.

El josefismo no quedó circunscrito a Austria, sino que se extendió por algunos reinos italianos. El gran duque de Toscana, Leopoldo II, hermano y futuro sucesor de José II, impuso las reformas al clero de sus estados y dispuso la celebración—1786—del sínodo de Pistoia, convocado por el obispo Ricci, el más adicto de los *leopoldinos.* El sínodo tomó algunos acuerdos de conformidad con las doctrinas jansenista y febroniana, y recomendó los escritos de Pascal, de Arnauld y, especialmente, de Quesnel. El Papa Pío VI condenó 85 proposiciones del sínodo de Pistoia—1794—, y Ricci se retractó en 1799.

Justo es consignar que aun cuando José II dictó—1781—la llamada *Patente de tolerancia* —que aplicó a Austria, Bohemia, Hungría y Bélgica—, supo conservar la supremacía para la Iglesia católica, y aun dictó severas medidas a fin de evitar que los católicos abrazaran fácilmente otras comuniones, apostatando de la suya, y en ciertos casos aplicó duros castigos a monjes que habían abandonado caprichosamente sus conventos y a protestantes que se habían dedicado al proselitismo.

En 1783, por consejos de Bernis y del embajador español Azara, José II marchó a Roma para entrevistarse con el Sumo Pontífice, con lo que las relaciones entre ambos se suavizaron bastante.

El josefismo prolongó su influencia en Austria, aunque un tanto mitigado, hasta bien entrado el siglo XIX. A su fuerza se unía el *derecho a veto* que poseía el emperador en el nombramiento de Pontífice.

V. LUSTKANDL: *Die Josephinischen Ideen und ihr Eerfolg.* Maguncia, 1881.—ECHLITTER: *Pius VI und Joseph II von der Rueckkehr des Paptes nach Rom bis zum Abschluss des Konkordates.* Maguncia, 1894.

JOTA

Composición lírica breve, peculiar de Aragón, Navarra y Valencia, para ser cantada acompañando a la danza.

JUDAÍSMO

Religión del pueblo judío. (V. *Hebraísmo.*)

La religión de los judíos, el judaísmo o mosaísmo, está fundada por completo en el Antiguo Testamento. No reconoce sino un Dios único: Jehová. Niega la divinidad de Jesucristo, y, sin embargo, espera la llegada de un Mesías que levantará a su pueblo de la postración y fundará un vastísimo y magnífico estado. No admite más revelaciones que las de Moisés y las de los Profetas. Exige la celebración del día del sábado, de la Pascua y la abstinencia de viandas impuras.

Entre los antiguos judíos, los sacerdotes únicamente podían salir de la tribu de Leví, y de aquí nace el nombre de levitas que se les daba. Hasta el cautiverio de Babilonia, la religión judía continuó siendo una y sin alteración. Pero a la vuelta del destierro los samaritanos se separaron de los judíos propiamente llamados así. Se adhirieron, sobre todo, a la letra de la ley y desecharon la tradición de los Profetas; esta división llegó a consumarse con la fundación de un templo diferente del de Jerusalén, que los samaritanos levantaron en Garizim —año 435 antes de Cristo.

Después de la dispersión de los judíos, en tiempos de Adriano—año 135—, los principales doctores se reunieron en Tiberíades, donde formaron un gran Consejo llamado Sanedrín, y establecieron allí una escuela, que llegó a ser el plantel o seminario de los rabinos. Estos, con el nombre de *Talmud,* redactaron una obra destinada a conservar la ley oral y las tradiciones judaicas. Terminóse la obra el año de nuestra Era, y fue, para la mayor parte de los judíos, la base de la fe. De aquí procede la división del judaísmo en dos sectas rivales: *talmudistas* o *rabinistas,* que siguen el Talmud, y los *caraítas,* que se atienen a la letra de la ley.

El Sanedrín, o Consejo de la nación, estaba compuesto de 71 miembros, escogidos entre los sacerdotes, los escribas y los ancianos o jefes de las tribus. Según unos, fue creado por Moisés, y, según otros—como ya hemos indicado—, fue constituido después del cautiverio. De todos modos, era la única institución judía jurídica que tenía alguna efectividad. Era, a la vez, Parlamento y Alto Tribunal de la Justicia.

En el judaísmo hay que distinguir cuatro períodos: *patriarcal, mosaico, profético* y *talmúdico.*

Los patriarcas adoraron a un único Dios, que llevaba el nombre de *El Elohim,* que significa: *el Señor de los Señores,* y lo adoraron con un culto que se manifestaba por las oraciones, por los votos, por la ceremonia de la circuncisión y por los sacrificios ofrecidos sobre altares de piedras rústicas no labradas.

El judaísmo mosaico formó el núcleo de lo que fue la religión hebraica. Moisés recibió de Dios la *Torá* o Ley, y la dio al pueblo. El Dios único de Moisés llevó el nombre de Jehová, cuya gloria llenó toda la tierra.

La alianza de Jehová con su pueblo se confirmó sobre el monte Sinaí con la publicación del *Decálogo.* Y el culto se organizó mediante la erección del Tabernáculo, en cuyo fondo estaba el Arca de la Alianza y era donde Jehová se manifestaba a Moisés.

El judaísmo mosaico prescribía las oblaciones públicas y privadas, el ayuno, la circuncisión, la purificación, las fiestas religiosas—de Pascua o de los ázimos, de Pentecostés o de las primicias, de los Tabernáculos, de la Expiación...

Contra la corrupción del judaísmo mosaico, cuando los hebreos se mezclaron con los pueblos paganos y los reyes elevaron altares a los ídolos de sus concubinas, se levantó el judaísmo de los Profetas, enviados por Dios a su pueblo para volverlo a la pureza de la religión revelada.

Al cuarto *judaísmo talmúdico* ya nos hemos referido anteriormente. (V. *Mosaísmo.*)

V. JOSEPH, M.: *Judaism as Creed and Life.* Londres, 1910.—JOSEPH, M.: *The Message of Judaism.* Londres, 1906.—FRIEDLANDER, M.: *The Jewish Religion.* Londres, 1891.—ABELSON, J.: *Jewis Mysticism.* Londres, 1913.—LOEWE, H.: *Judaism.* En "Encyclopedia of Religion and Ethics", tomo VII. Edimburgo, 1913.

JUEGO (Dramático)

Nombre de una de las más antiguas composiciones dramáticas de la Edad Media. En Alemania se le llamó *Spiel,* tomando subdivisiones como *Fastnachtspiel,* juego de carnaval, y *Schauspiel,* pieza de teatro.

El nombre de *juego* aludía a composiciones breves, escenificadas, que encerraban un sentido proverbial, epigramático o didáctico. Generalmente no pasaban de ser *diálogos,* con escasísima o ninguna acción, representados por juglares o trovadores en las plazas públicas.

Uno de los más antiguos autores de estas piezas teatrales fue Adam de Halle, poeta francés del siglo XIII, autor del *Jeu de la Feuillée* y del *Jeu de Robin et de Marion.*

En España puede calificarse de *juego* el *Diálogo entre el Amor y un viejo,* de Rodrigo de Cota, y las *Coplas de Mingo Revulgo,* del *Provincial* y del *¡Ay, panadera!,* en el siglo XV.

JUEGOS FLORALES (Academia de los)

Fue una de las más antiguas instituciones literarias de Europa. Fundada en 1323, en Tolosa, por siete hombres de letras: Bernard de Panassac, Guillaume de Lobra, Béranger de Saint-Plancat, Pierre de Meranasserra, Guillaume de Gontaut, Pierre Canon y Bernard Oth. Su primer acto público fue el anuncio pomposo de un concurso entre los poetas de la lengua de *oc,* publicado el martes después del día 1 de noviembre, festividad de Todos los Santos, de 1323, dando como plazo hasta el día 1 de mayo del siguiente año. El premio de la lucha poética era una *violeta de oro,* que fue ganada la primera vez por el maestro Arnaud Vidal, de Castelnaudary.

Bien pronto la Academia tolosana recibió una organización más regular y, por decirlo así, *oficial.* Los miembros fundadores tomaron el nombre de *mantenedores,* a cuya cabeza estaba el *canciller.* Y a la *violeta de oro* se añadieron un agavanzo *(églantine)* y una caléndula de plata. Los *mantenedores,* por turno, pronunciaban el discurso resumen de los Juegos florales.

En 1485 la institución estaba a punto de perecer cuando Clemencia Isaure le dio una nueva vida. Aumentó el valor de los premios y dejó legados a la ciudad de Tolosa para que, luego de muerta ella, pudiera sostener la celebración de los Juegos florales. Luis XIV, en 1694, transformó la institución en Academia.

Los Juegos florales pasaron a España a través de Cataluña, celebrándose aún en nuestra patria esporádicamente.

V. LALOUBERE: *Traité de l'origine des Jeux floraux.* Toulouse, 1715.—POITEVIN PEITAVI: *Mémoires pour servir à l'histoire des Jeux floraux.* Toulouse, 1851.

JUGLARES (V. Juglarismo)

Nombre dado comúnmente a los trovadores de la Edad Media, pero que designaba, más en particular, a los cantores o recitadores de poemas épicos.

JUGLARISMO

Poesía recitada, baile, juegos y cánticos de los juglares. El juglarismo tuvo una boga extraordinaria, entre los siglos X y XIV, por toda Europa, principalmente por los países de origen latino.

¿Qué es un juglar? Menéndez Pidal—en su magistral obra *Poesía juglaresca y juglares*—da una definición, resumiendo otras muchas, que parece ser la definitiva. Juglares son "todos los que se ganaban la vida actuando ante un público, para recrearle con la música, o con la literatura, o con la charlatanería, o con juegos de manos, de acrobatismo, de mímica, etc."

Por su parte, Menéndez Pelayo nos dice que "la juglería era el modo de mendicidad más alegre y socorrido, y en ella se refugiaban lo mismo infelices lisiados que truhanes y chocarreros, estudiantes noctámbulos, clérigos vagabundos y tabernarios (de los llamados en otras partes goliardos)..., y, en general, todos los desheredados de la Naturaleza y de la fortuna que poseían alguna aptitud artística y gustaban de la vida al aire libre o tenían que conformarse con ella por dura necesidad".

Joglaria significó primeramente oficio o mester propio del juglar; después, diversión o espectáculo que proporciona el juglar; por último, burla o chanza en general. Pero conviene advertir que en sentido adjetivo: "lengua juglara", "sermón juglar", "hombre juglar", ese dictado siempre tuvo un valor despectivo.

Muchos juglares adoptaron para el ejercicio de su profesión nombres distintos—sonoros y significativos—de los de pila. Se conocen estos nombres populares: *Alegret, Saborejo, Graciosa Alegre, María Sotil, Cornamusa, Malanotte...* El juglar de Alfonso X el *Sabio* era conocido por *Citola;* y el loco del condestable Miguel Lucas—1463—se titulaba *Maestre de Santiago.*

Los juglares profesionales solían llevar trajes vistosísimos, hechos con paños de crudos y abigarrados colorines, en los que solían ir prendidos borlones o cascabeles. Naturalmente, los juglares de los reyes y de los grandes personajes vestían con extraordinario lujo. Según Bofarull, los diez juglares de Juan I de Aragón (1387-1395) vestían librea de paño blanco y encarnado con un distintivo de plata.

El juglarismo tuvo sus primeros cultivadores en la antigüedad clásica. En ella, eran llamados *mimi, histriones, thymelici* cuantos practicaban, para divertir, espectáculos jocosos, indecorosos y condenables. Es de suponer que aún antes, en la antigüedad faraónica, existieran tipos semejantes.

En el siglo VII aparece en la Europa central el *joculator,* persona que, por oficio, divierte al rey o al pueblo. En la Europa latina, el joculator deriva en *juglar.* Y con este nombre de juglares se les conoce ya en España, en Sahagún—1116—y en la corte de León—1136—. Para varios críticos, los juglares son simples herederos de los *mimos* romanos.

Tipos semejantes a los juglares, y que confirman la idea de haber existido siempre y en todas partes "alegradores de oficio", fueron los *scopas* bárbaros y los *cantores* musulmanes.

En el sur de Francia, durante el siglo XI, surgió una nueva denominación para designar al poeta más culto y no ejecutante: llamósele *trobador.* Este título surge en Castilla—1197—en la firma de un testigo en un documento del monasterio de Aguilar de Campoo: "Gómez trobador". Y nuestro excelso Gonzalo de Berceo se calificó a sí mismo de "juglar" de Santo Domingo y de "trobador" de la Virgen.

Sin embargo, y aun cuando el trovador nace por imitación del juglar, en modo alguno pueden asimilarse ambos nombres y profesiones. El trovador tiene una dignidad de la que carece el juglar. El trovador solía ser persona instruidísima, de rango social, poeta o músico de inspiración. Hubo príncipes y nobles trovadores. El trovador recitaba o no su versos, pero jamás buscaba el lucro con sus exhibiciones; en la mayoría de los casos, únicamente el amor le movía.

Socialmente muy inferior al trovador, el juglar, no pocas veces, estuvo al servicio de aquel. El famoso trovador Giraldo de Borneil viajaba por las cortes llevando a su servicio dos juglares que le recitaban sus versos y le entonaban sus canciones. Tampoco era raro que los juglares *encargaran* poesías a los trovadores; poesías que les pagaban—como quien compra la propiedad—para poderlas recitar por todas parte o ante *determinadas personas.*

Aun cuando en la Provenza se dio el nombre de juglar "a muchas clases de personas", no sucedió lo mismo en España, donde hubo nombres diversos para cada clase. Se llamó *juglares* a los que tañían instrumentos; y *remedadores* a los que imitaban; y *segrieres* a los trovadores cortesanos; y *cazurros* a quienes se deshonraban públicamente con deshonestas o chocarreras palabras y maneras, contando cuentos picantes o recitando poemas eróticos; y, por fin, *trovadores* a quienes poseían la maestría del soberano trovar, componiendo versos perfectos, en los que mostraban los caminos gloriosos del mejor amor, del mejor honor y de la más refinada cortesía.

Jerárquicamente, el trovador solía ser caballero, el segrier solía ser escudero y el juglar solía ser villano.

En una *Declaratió* de Alfonso X el *Sabio* se alude también a los *facedores de los zaharrones* y a los *bufones.* Eran los primeros ciertos villanos que, enmascarados o vestidos de mamarrachos, solían ir detrás de las procesiones, bailando, chillando y espantando con vejigas infladas a los chiquillos. Los bufones eran "locos fingidos", y empezaron a ser llamados así en Lombardía. En España, a principios del siglo XIII, aparece como oficio un "Don Guzbet el bufón", quien tenía una tienda lindante con el monasterio de Sahagún.

Tipos que igualmente guardan alguna semejanza con los juglares fueron los *truhanes, albardanes, caballeros salvajes, ciegos mendigos.* Con ninguno de estos tipos puede ser confundido el juglar, aun cuando todos cantan, recitan, bailan y narran sucesos jocosos.

Según Menéndez Pidal, el tipo más afín al juglar es "el de los *clérigos* o *escolares vagabundos, los clerici ribaldi, maxime qui dicuntur de familiae Goliae,* a quienes el obispo de Sens, a principios del siglo X, manda rapar, a fin de borrar en ellos la tonsura clerical; los *vagos scholares aut goliardos,* a quienes el Concilio de Tréveris, en 1227, prohíbe cantar en las misas versos al *Sanctus* y al *Agnus Dei;* los *clericos joculatores seu goliardos aut bufones,* que la Decretal de Bonifacio VIII excluía de los beneficios clericales".

De todas estas especies de cómicos mencionadas, alcanzaron la máxima fama las de *trovadores* y *juglares.* La posteridad así lo ha reconocido.

El juglar, a partir del siglo XI, adquirió una *importancia decisiva para* "lo literario". Y al lado del juglar surgió la *juglaresa,* mujer errante que se gana la vida con la paga del público, ante el que recita, baila, juega, profetiza.

También la juglaresa tuvo tipos similares en las *soldaderas*—graciosas *a sueldo*—., *cantaderas, dançaderas...*

Hubo diversas clases de juglares. Las *Partidas* nos enseñan la existencia de los *juglares de gesta*—acaso los más nobles y estimados—, que iban de pueblo en pueblo y de reino en reino cantando las gestas de los príncipes y las vidas de los santos. Los moralistas del siglo XIII los estimaron y defendieron como los únicos juglares dignos de perdurar. *Juglares líricos y amorosos. Juglares "así de boca como de péñola"*, es decir, recitadores y autores de las poesías recitadas, o, más probablemente, que manuscribían los poemas de los trovadores para que otros los cantasen. Hubo también *juglares cantores y juglares meros tañedores,* cuyos principales instrumentos eran la *vihuela* de péñola o plectro, la *cedra,* la *citola,* la *trompa,* el *tambor,* el *laúd,* el *rabé,* la *gayta,* la *guitarra,* la *giga,* el *alboque,* el *salterio,* la *farpa*—harpa—..., instrumentos de viento, de cuerda y de percusión.

"El juglar divertía a todas las clases sociales, desde las más altas hasta las más ínfimas, y hay quien, atendiendo a esta variedad del público, divide la juglería en dos mitades de origen diverso: una, que vive entre el pueblo bajo, heredera de los mimos, y otra, consagrada a los nobles y derivada de los bardos y escaldas. Mas aunque creemos que para formar el tipo de histrión medieval concurrieron influencias romanas y germánicas y aun otros influjos de otras civilizaciones, no por eso asentiremos a tan simplista división de la juglería según sus orígenes varios. Las complejas habilidades del juglar, viniesen de donde vinieren, divertían lo mismo a los altos que a los humildes. Pero esto, por otra parte, no nos debe llevar a creer muy corriente, según piensan otros, que los juglares de la feria fuesen los mismos que los de los castillos; no podemos suponer que el que era llamado *domini Imperatoris joculator* cantase para ganarse un don entre la gente popular. Por fuerza tenía que haber en la práctica de esas diversiones, por muy comunes que ellas fuesen, modos más refinados y elegantes junto a modos más simples y gastados, según el público fuese más exigente o más sencillo, y claro es que esta división correspondería, por lo común, aunque no siempre, a un público noble y a otro plebeyo." (MENÉNDEZ PIDAL.)

Hubo, pues, juglares en las cortes de los reyes, en las cortes de los nobles señores y juglares errantes que actuaban ante el pueblo. Y, posteriormente, juglares asalariados por los clérigos los Municipios y los trovadores. Y juglares que acompañaban lo mismo a las huestes que iban a la guerra, que a los reyes y señores que viajaban por placer o para dedicarse a la caza.

A partir del siglo XI, el juglarismo alcanzó un rango universal, triunfando igual en España, que en Francia, que en Inglaterra, Alemania, Italia o Portugal. Y no era raro el "intercambio juglaresco", es decir, juglares franceses que actuaban en Inglaterra o en Aragón o Castilla. o juglares castellanos que actuaban en Francia o Alemania.

En la historia del juglarismo pueden señalarse varios períodos.

1.° Una época primitiva, algo confusa, hasta el año 1130.

2.° Florecimiento del juglar lírico y del juglar de gestas: desde 1135 y 1140, respectivamente, hasta 1330 y 1336.

3.° Decadencia: entre 1330 y 1480.

La importancia del juglarismo literario fue excepcional y tuvo influencias decisivas. "Que los juglares fueron los primitivos poetas en romance, nos lo confirma el hecho, no bastante considerado, de que los más antiguos clérigos poetas, aun los que más pretendían ser ajenos al arte juglaresco, se llamaban, sin embargo, también juglares, por hallar ya este nombre acreditado de antes para designar al poeta en lengua vulgar. La historia literaria nos hace mirar a los juglares como iniciadores y guías de estos clérigos, que por no saber componer en latín, según declara Berceo, se dedicaban a poetizar para el vulgo; así, la poesía culta nace como una ligera variedad de la juglaresca, y solo por evolución posterior aspira a diferenciarse más de su primera norma, pudiéndose decir que la historia de las literaturas modernas es, durante mucho tiempo, la historia de cómo los géneros creados entre el público iletrado van invadiendo el círculo de los doctos y van atrayendo a estos a escribir en romance... Así, las literaturas modernas nacen en manos de los juglares, y nacen destinadas a la popularidad; son, durante muchos siglos, literaturas *vulgares* en *lengua vulgar*... Si a la poesía juglaresca queremos llamarla popular, no la juzguemos, solo por esto, poesía sin arte y sin estudio. Había un espectáculo juglaresco plebeyo e inculto como hay un teatro de barrios bajos y de aldea; pero este apenas interesa a la historia literaria, la cual busca y halla, entre otros juglares, lucha de tendencias y procedimientos, altas ambiciones de arte, esfuerzo por superar lo ya dominado y envejecido... Además, la excelencia de este arte juglaresco bueno no dimana, por lo común, exclusivamente de un poeta excepcional que, en virtud de su superioridad, deja atrás las minucias de la técnica y las novedades de la escuela, para atender mejor a las esencias del arte. Si el juglar excelente, por razón del público ante el cual actúa, adquiere cierto instinto propio para dar solidez a su poesía, por otra parte, también la obra juglaresca afortunada se reviste de alguna de sus cualidades mejores mediante el trabajo, no de uno solo, sino de varios poetas, pues tiene en sí una disposición natural que la lleva a la reelaboración, sin que en esto haya tampoco nada de misterioso." (MENÉNDEZ PIDAL.)

Federico Schlegel afirma que la poesía juglaresca heroico-tradicional constituye uno de los caracteres fundamentales de la literatura española, correspondiéndole el primer puesto entre las literaturas europeas.

Pero el juglarismo no contribuyó únicamente a la exaltación y fecundidad de las poesías lírica y narrativa, sino también al felicísimo alumbramiento del primitivo teatro español, según hemos probado en otro estudio nuestro, reiterando ahora nuestras anteriores afirmaciones.

Más *teatro*—y tómese el sustantivo en un sentido recto y en un sentido traslativo—hicieron en la alta Edad Media los trovadores en sus justas del *Gay Saber*, a quienes las cruzadas y las peregrinaciones a Compostela removieron y empujaron de aquí para allá a enamoradizos y poetas, capaces de dialogar entre sí, o con los estímulos sentimentales—noche, sol, luna, mar...—, o con las virtudes, *humanizada su abstracción*—amor, dolor, sacrificio, recuerdo...—. ¿No han visto muchos críticos nacer el drama y remecerse las musas Terpsícore y Talía por obra y gracia del histrión colocado bajo un balcón con celosías o sobre un tinglado en una plaza pública? Estos trovadores resolvían entre sí y a la vista del público las cuestiones poéticas propuestas—amores, asuntos privados o públicos, evocaciones de emociones antiguas—en forma de diálogo y pocas veces en la de una acción casi dramática, sucesiva, viva y animada. Los *cantores del pueblo*—mercenarios redactores de una poesía popular a la que el vulgo era impotente para poner el verbo; soplo y lirismo, más que gramática—, *los troveros*, artistas independientes; *los mimos, los jaculatores, los juglares, los bai-*

larines de cuerda, los bufones, los remedadores, los cazurros, los segrieres... ¡y las juglaresas, y las troteras, y las danzaderas!

¡Cuántos actores y qué admirables! ¡Cuánto *teatro,* más que en un sentido sustantivo, en un sentido *deformativo* de lo natural; ellos componían y recitaban las *albas* y las *pastoretas,* los *romances* narrativos, los *cantos seculares,* las *coplas de serranía,* las *baladas* y los *sirventes,* las *farsas* y los *remedos.* Ellos conmovían la vida monótona de cada lugar. Eran como sembradores de inquietudes. Los pueblos los recibían con entusiasmo y los imitaban con tesón. Aplaudían las damas. Deleitábanse las gentes con risotadas y con lagrimones. Y hasta los fieros Cides, aún moteados de polvo y de sangre, deschatarrados, olvidados de los trances bélicos, derrumbados en un sitial, se adormecían con el recitado rítmico de los farsantes o con el eco de la música acordada. "En España, según se dice, se halla esto más arreglado, diferenciándose las profesiones con nombres especiales. Los músicos se llaman *juglares;* los actores, *remedadores;* los trovadores de las cortes, *segrieres,* y los que, lejos de toda buena sociedad, se consagran a innobles artes en calles y plazas y viven vida miserable, son denominados *cazurros,* para denotar su bajeza: tal es la costumbre de España, y así es fácil distinguir las artes por sus nombres."

De todos estos *actores embrionarios* son, sin género de duda, los más interesantes y nobles los juglares recitadores de *romances.* En el romance sí que está el germen del drama. En el romance, lo narrativo tiene una palpitación humana inmarcesible. Recitándolo el juglar, se transfigura: gime, grita, impreca, susurra. El juglar, recitando la narración romanceada que tal vez él mismo ha escrito, convierte en *público* al auditorio, a cada oyente en un *espectador.* Y él se hace *actor* de cien vidas, olvidado de la suya, y las vive con los mayores y los mejores alientos, con los más fervorosos entusiasmos. Sospecha muy bien el conde de Schack cuando alude a que mientras el juglar recita el romance, "pudieran representar pantomímicamente los bufones y remedadores el suceso referido". El juglar, variando con oportunidad las modulaciones de voz y sus animados gestos, intentaría vocalizar la acción y matizar su significado.

V. MENÉNDEZ PIDAL, Ramón: *Poesía juglaresca y juglares.* Madrid, 1924.—MENÉNDEZ PELAYO, Marcelino: *Antología de poetas líricos castellanos.* XI, 1903.—MICHAELIS, Carolina: *Cancioneiro da Ajuda.* 1904, tomo II.—MILÁ Y FONTANALS, M.: *De los trovadores en España.* En *Obras completas,* VI, 62 y sgs., 171-81.—BOFARULL, A.: *Ministriles y juglares...* En "El Arte", Barcelona, 1-IX-1859.—FARAL, E.: *Les jongleurs en France au moyen âge.* 1910.

J

JUGUETE CÓMICO

Pieza teatral—comedia y sainete—de tema jocoso.

JURASIANO (Dialecto, Patois)

Forma de la antigua lengua *d'oïl.* Como productos literarios del *jurásico* o *bresano* están los cantos populares y de los *Noëls,* muchos de los cuales fueron obra del gobernador de Pont-du-Vaux, Emm. Bosjon *(Noëls bressans,* ediciones de 1797 y la de París de 1845).

V. PIERQUIN DE GEMBLOUX: *Histoire littér., philolog. et bibliogr. des patois.* París, 1841.

K

KABUKI

Drama popular japonés de temas históricos, con intercalaciones musicales.

KACHIQUEL (Lenguaje)

Lengua de la América Central, particularmente hablada por algunos indígenas de Guatemala y enseñada en la Universidad de este país. Se deriva del maya o yucateco. En el kachiquel, los sustantivos carecen de inflexiones para marcar el género y el número; los adjetivos se forman de los sustantivos, a los que se añaden las sílabas *el* e *il;* los infinitivos de los verbos pasivos pueden sustituir a los nombres.

V. FLORES, José: *Arte del idioma kachiquel.* Guatemala, 1753.

KALMUKA (Lengua y Literatura)

Es uno de los idiomas tártaros hablado por los kalmukos, oletes y dzongares, en el que se encuentra un gran número de palabras mogólicas o tártaras, lo que parece indicar una comunidad de origen. Las analogías gramaticales son frecuentes entre los dos idiomas. El kalmuko posee una declinación más simple y una conjugación menos imperfecta. Pero la pronunciación es menos sonora y suave.

Aun cuando el kalmuko ha sido considerado como uno de los pueblos más ignorantes y más pobres en obras literarias, posee *varios poemas,* conservados oralmente por sus bardos o *dehangartschi,* y también algunos libros, entre los que se destacan: el *Yertunchin (Espejo del mundo),* cosmografía calcada sobre ideas indostánicas; el *Bokdo Gaersaerkhan,* obra moral; el *Goh-Tchikitu,* narración mitológica; el *Ochandar-Khan,* biografía novelesca del héroe del mismo nombre; el *Neligaryn Dolaï (Océano de parábolas).*

V. RÉMUSAT, Abel: *Recherches sur les langues tartares.* París. Varias ediciones.—BERGMANN: *Viaje al país de los kalmukos.* Traducción. Madrid, 1900.

KANARA (Lengua)

Una de las lenguas de la India, de la familia de las dravidianas, hablada al centro de Dékhan, en la meseta de Maïssur y en las dos provincias de las que toma el nombre. El kanara y el karnatic, dialectos particulares de estas provincias, tienen tanta semejanza entre ellos que quedan englobados ya bajo un nombre, ya bajo otro. El kanara contiene palabras de origen sánscrito. La afinidad más marcada alude al *tamul* y al *malabar,* entre los idiomas dravidianos.

El kanara se escribe con el alfabeto grantham o malabar, y el karnatic, con el alfabeto *telinga.*

V. ESTEBANS, Thomas: *Grammaire du kanara.* Goa. Varias ediciones.—MAC KERELL, J.: *Gramática kanara.* En castellano. Madras, 1820.—ALMEIDA: *Diccionario de la lengua canárica.*—CALDWELL: *Comparative grammar of the Dravidian languages.* Londres, 1856.

KANTISMO

(Lo referente a las doctrinas filosóficas de Kant debe buscarse en *Criticismo.* Al aludir al kantismo nos limitaremos a señalar los momentos esenciales en su interpretación y su enorme influencia en el mundo.)

Aun cuando sería injusto afirmar que Kant no nos legó una metafísica, sí cabe decir que no la dejó estructurada por completo. Según Ortega y Gasset, la *Crítica de la razón pura* es ya una metafísica. Sin embargo, Kant no la llama así, y aun diríase que intenta probar que la metafísica no es posible.

El kantismo quedó un tanto desarticulado y exigente de unas inmediatas interpretación y puesta en orden.

El filósofo español Julián Marías, con su admirable precisión de siempre, ha señalado el cumplimiento de tal exigencia:

"Lo que justifica que se diga a propósito de Kant es que el kantismo ha sido algo oscilante y ha tenido interpretaciones muy diversas; ha habido varios kantismos distintos, más o menos auténticos. Vamos a ver los tres momentos capitales en la interpretación:

"a) *El idealismo alemán.*—Kant aparece como generador de un espléndido movimiento filosófico: el idealismo alemán. Hasta tal punto, que los idealistas empiezan por presentar sus filosofías como interpretaciones de Kant.

"Fichte viene a decir esto: "A Kant no se le ha entendido bien: yo lo he entendido quizá mejor que Kant mismo." Toma un punto de vista distinto del de Kant para explicar a este, y entonces Fichte y los demás idealistas hacen sus filosofías respectivas. Lo que hacen, pues, con Kant es hacer su propia filosofía por los caminos kantianos y continuar, partiendo de Kant, lo que Kant no hizo; dicho en términos generales, los tres grandes idealistas (Fichte, Schelling y Hegel) pretenden hacer la metafísica que Kant no llegó a hacer.

"b) *El neokantismo.*—Veamos el segundo momento. Conviene fijarse en su mismo nombre: *neokantismo.* Una expresa actualización de un pasado, ya que no son kantianos, sino *neokantianos;* por tanto, algo que no es actual, sino que necesita ser renovado, actualizado. Van a ser los exegetas del kantismo: Hermann Cohen, Paul Natorp, sobre todo. No pretenden presentar a Kant, sino a un *neo-Kant.*

"Su situación frente a los idealistas alemanes es: "Kant no era eso; era otra cosa que vamos a decir nosotros." Como este neokantismo no es simplemente kantismo, tiene que haber habido algo en medio que justifique esa partícula. ¿Qué es esto? El *positivismo* (desde los años de 1835-1840 hasta 1880, aproximadamente). Por tanto, los neokantianos son positivistas que dejan de serlo, que vienen del positivismo; esto es lo que determina la índole de la filosofía neokantiana.

"c) *La filosofía actual.*—Llegamos al momento presente. Lo que Kant pueda ser para nosotros es muy distinto, porque entre los neokantianos y nosotros han acontecido cosas muy graves: 1.ª, la elaboración de una filosofía de la vida, con caracteres metafísicos, desde Kierkegaard, Nietzsche, Dilthey y Bergson; 2.ª, la constitución de la fenomenología de Husserl, preparada por Brentano, y 3.ª, se ha llegado, finalmente, a hacer una metafísica de la vida humana, o, mejor, de la razón vital—Ortega—o una ontología de la existencia—Heidegger—. Por tanto, hemos vuelto a la metafísica. Se ha vuelto a ver con claridad que la filosofía es metafísica y no otra cosa, que la teoría del conocimiento es metafísica, y no puede ser una disciplina autónoma y anterior. Por tanto, la interpretación neokantiana de Kant nos parece parcial—es decir, falsa—, por subrayar solo lo menos importante. Para nosotros, Kant es, ante todo, un metafísico que no pudo elaborar sistemáticamente su filosofía, pero que la dejó —en las páginas que menos vieron los neokantianos—. Y su metafísica tiene que ser tal, que haga patente cómo pueden salir de ella las otras metafísicas del idealismo alemán."

Sería pueril negar que el kantismo señaló en la historia general de la filosofía un nuevo momento—fulgurante y fecundo—, separando en dos períodos la Edad Moderna. Y cabe añadir que el kantismo influye en todas las doctrinas filosóficas contemporáneas, y aun se mezcla en sus diversos principios y modalidades. El kantismo fue como una epidemia imponente, que prendió en todos los filósofos—y aun en literatos y artistas—, y contra la cual no se encontraron, durante muchos años, vacunas adecuadas, inmunizadoras.

Francia fue el país en que, después de Alemania, más y mejor influyó el kantismo, cuyas doctrinas fueron expuestas en 1801 por Carlos de Villers en su obra *Philosophie de Kant, ou principes fondamentaux de la philosophie transcendentale.* Y en 1830 Tissot lleva a cabo las primeras traducciones—íntegras y excelentes—de las obras de Kant. Y kantistas ilustres fueron: Renouvier, Lachelier, Evellin, Hamelin, Gourd, Dauriac, Pillon, Boutroux...

En Inglaterra—1797—, Beck publicó una *Filosofía crítica,* según los textos de Kant. Y en 1799 fue traducida la *Metafísica de las costumbres.* Kantianos ilustres ingleses fueron: Richardson, Semple, Nitsch, Villich, Brown, Hamilton, Coleridge, Carlyle, Ruskin...

En Italia, uno de los primeros expositores del kantismo fue Loave—1803—. Y kantianos ardientes se mostraron: Colecchi, V. de Grazia, Alfonso Testa, Cantoni, Masci, Martinetti, Guastella, Tocco, Zuccante, Chiappelli, Faggi...

En España se conoció a Kant a través de las traducciones francesas. Y, quizá, fue Balmes el primer filósofo que hizo una crítica del kantismo desde su punto de vista estrictamente ortodoxo y romano.

A partir de 1865 aparecieron las primeras traducciones deficientes de Kant, debidas al profesor Rey Heredia, a Gabino Lizárraga, a García Moreno y Ruvira, a Uría, a Zozaya. Mejores son las de José del Perojo, Lloréns y Barba, Besteiro, Rivera y Pastor, Sánchez Rivera... Pero la gloria de la traducción magistral de Kant se debe al gran profesor y filósofo Manuel García Morente.

KARNATIC (Lengua) (V. Kanara, Lengua)

KASIDA

Composición lírica de los árabes, anterior al islamismo. Sus temas eran el amor, la Naturaleza, el placer, los mil motivos de la vida cotidiana. (V. *Casida.*)

KIRGHISA (Lengua)

Corresponde al grupo uralo-altaico y es uno de los dialectos turcos más puros. Lo hablan dos pueblos de razas diferentes al norte del mar Caspio. Los kirghis habitan el Turquestán; los kirghis-kazaks viven bajo la dominación rusa.

V. DUBEUX: *Grande et petite tartarie.* En "L'Univers Pittoresque". París.

KLIKS (Lenguas a)

Lenguas caracterizadas por el castañeteo de lengua que hacen oír los hotentotes cuando hablan. (V. *Hotentote, Lengua.)*

KOLUCHE o KOLUSCHE (Lengua)

Una de las lenguas habladas en la costa noroeste de la América Septentrional. De una gramática muy pobre, no distingue, por diferencias de terminación, ni el número ni el género. Muchas de sus palabras empiezan y terminan por las consonantes *tl.* Los koluscheś crean con facilidad nombres nuevos para designar los objetos desconocidos que les importan desde el extranjero.

V. LUDEWIG, H. E.: *The literature of american aboriginal languages.* Londres. Varias ediciones.

KHORREMITISMO

Nombre dado a las doctrinas heréticas de Babek o Babec, heresíarca musulmán persa, que vivió en los siglos VIII y IX.

Babec, poseedor de una oratoria llena de entusiasmo y de sugestión, propagó sus doctrinas por Persia, Armenia y el Imperio árabe, llegando a sumar muchos miles de prosélitos fanáticos y apoderándose de las ciudades de Hamadam e Ispahan, donde cometieron los khorremitas verdaderos crímenes.

Afschim, jefe de los ejércitos del califa Motacen, derrotó por completo a Babec, quien, después de perder 60.000 hombres, pudo huir, refugiándose en los montes de la Armenia. Poco después, el señor feudal que le había ofrecido asilo, le entregó a sus enemigos. Babec murió a manos del verdugo—año 837—y su cuerpo fue entregado a la furia del populacho.

El khorremitismo era una mezcla de *sabeísmo* (V.) y de *ismaelismo* (V.). Autorizaba el libertinaje, el vino, toda clase de manjares, la libre interpretación de las doctrinas tradicionales y la poligamia.

KRAUSISMO

Sistema filosófico ideado por Krause a principios del siglo XIX.

Karl Christian Friedrich Krause nació—1781—en Eisenberg (Turingia) y murió—1832—en Munich. Estudió en Donndorf, en Altenburgo y en Jena. Discípulo dilecto de Fichte y de Schelling. En 1813 fundó en Berlín una "Sociedad para el perfeccionamiento y difusión de la Lengua alemana". Viajó por Italia y Francia, para consolarse de no haber ganado las cátedras de Berlín y Gotinga.

Entre sus obras—traducidas a numerosos idiomas—sobresalen: *Oratio de scientia humana, Urbild der Menschheit*—1811—, *Vorlesungen über die Grundwahrheiter der Wissenschaft*—1829—, *Vorlesungen über das System der Philosophie*—1828.

El krausismo se funda en una conciliación entre el *teísmo* (V.) y el *panteísmo* (V.). Según esta doctrina krausista, Dios, sin ser el mundo ni estar exclusivamente fuera de él, lo contiene en sí y de El trasciende el mundo.

El krausismo no tuvo repercusión alguna en vida de su autor, a quien, ni en Alemania, nadie hizo caso. Pero muerto Krause, propagaron admirablemente sus doctrinas sus discípulos Ahrens, von Leonhardi y Schliephake.

Balmes, que tuvo ocasión de estudiar y criticar el krausismo, escribió en su *Historia de la Filosofía:* "El sistema de Krause se reduce a lo siguiente: hay dos mundos, el espiritual y el natural, a cada uno de los cuales corresponde un ser infinito en su orden respectivo: Espíritu y Naturaleza. Los seres individuales finitos están en comunidad de esencia con uno de ellos: los cuerpos con la Naturaleza, los espíritus con el Espíritu. La Naturaleza y el Espíritu son distintos, pero tienen comunidad de esencia con el Ser Supremo absoluto, que incluye en sí la unidad, la identidad de la Naturaleza y del Espíritu. Dejo al buen juicio del lector el resolver si con esta doctrina se evita el panteísmo; y si, a pesar de todas las protestas, es algo más que sistema del Ser Absoluto, con distintos atributos."

Y Menéndez Pelayo, que combatió el krausismo con una tal violencia que le llevó a salirse "de sus casillas" y a caer en un exceso de lenguaje, comenta en sus *Heterodoxos:* "La escuela krausista, modo alemán del eclecticismo, se presenta, después de cosechada la amplia mies de Kant, Fichte, Schelling y Hegel, con la pretensión de concordarlo todo, de dar a cada elemento y a cada término del problema filosófico su legítimo valor, dentro de un nuevo sistema que se llamará *racionalismo armónico.* En él vendrán a resolverse de un modo superior todos los antagonismos y todas las oposiciones sistemáticas: el escepticismo, el idealismo, el naturalismo entrarán como piedras labradas en una construcción más amplia, cuya base será el criticismo kantiano. La razón y el sentimiento se abrazarán en el nuevo sistema, Krause no rechaza ni siquiera a los místicos; al contrario, él es un teósofo, un iluminado ternísimo, humanitario y sentimental, a quien los filósofos trascendentales de raza miraron siempre con cierta desdeñosa superioridad, considerándole como filósofo de logias, como propagandista francmasónico, como metafísico de institutrices; en suma, como un charlatán de la alta ciencia, que la humillaba a fines inmediatos y no teoréticos."

Posiblemente, el enojo con que Menéndez Pelayo combatió el krausismo se debió a que su mayor éxito y su más honda influencia los alcanzó en España, donde fue introducido por el profesor Sanz del Río y propagado con gran entusiasmo por los profesores y políticos Nicolás Salmerón, Francisco Giner de los Ríos, Fernando de Castro, Ruiz de Quevedo y Tapia.

El krausismo alcanzó en España, cierto es, su máximo esplendor. Invadió las cátedras. Se filtró en la política y en la literatura. Excitó los ánimos juveniles. Llegó a ser *una moda exquisita* en los salones aristocráticos. El gusto por el krausismo, repetimos, lo inició el catedrático de la Universidad Central don Julián Sanz del Río, con la oración inaugural del curso 1857-1858 que pronunció en dicho centro docente. Tales disturbios, controversias, odios suscitó el krausismo, que el Gobierno trató de investigar y de reprimir lo que en la Universidad pasaba. En abril de 1865 se formó expediente a Sanz del Río, a Castelar y otros catedráticos krausistas. El rector, don Juan Manuel Montalbán, se negó a proceder contra sus compañeros, y de resultas fue separado de su alto cargo. Los estudiantes, para honrarle por su firmeza en favor de la libertad de cátedra, le obsequiaron con una serenata, que se hizo famosa como *la de la noche de San Daniel*—10 de abril—, que acabó a tiros y con derramamiento de sangre. Como consecuencia de semejante suceso, fueron privados de sus cátedras Castro, Giner de los Ríos, Salmerón, García Blanco... Inmediatamente, y sin cuartel, fue combatido el krausismo por Ortí Lara, Navarro Villoslada, Ceferino González y Menéndez Pelayo, los cuales, todo hay que confesarlo, no dieron pruebas de su fraternidad cristiana en el lenguaje.

V. Balmes, Jaime: *Historia de la Filosofía.* Barcelona, 1884, 7.ª ed.—Menéndez Pelayo, M.: ... *Heterodoxos españoles.* Madrid, 1881, tomo III.—Krause: *Ideal de la Humanidad para la vida.* Con introducción y comentarios de don Julián Sanz del Río. Madrid, 1860.—Sanz del Río, J.: *Análisis del pensamiento racional.* Madrid, 1877.—Procksch, A.: *K. Ch. F. Krause.* Leipzig, 1880.—Tiberghien: *Exposition du système philosophique de Krause.* Bruselas, 1844.—Martín, B. (T. Busch): *K. Ch. Krauses Leben, Lehre und Bedeutung.* Leipzig, 1881.

KURDA (Lengua)

Corresponde al grupo de las lenguas iranias o persas y a la familia de las lenguas indoeuropeas. La hablan los kurdos y los lures en el Kurdistán y en el Luristán. Esta lengua difiere del persa más por su vocabulario que por la gramática, siendo el idioma kurdo mucho más duro, mucho menos pulido. Carece de inflexiones para indicar el número y el caso, y la declinación se desarrolla con la ayuda del adjetivo. El sujeto y el atributo enlazan sin cópula verbal. La conjugación, muy simple, no tiene sino dos tiempos. En el vocabulario kurdo se encuentran palabras de origen zenda, turcas, árabes y griegas. Ofrece muchos dialectos: el *badinan,* hablado en la provincia de este nombre; el *soran* o *karatchlen;* el *schambo* o *djulamerk;* el *bottan,* hablado en el Djezirech; el *betlisi.*

Los kurdos utilizan el alfabeto persa para escribir.

V. Lerch, Peter: *Forschungen über die Kurden.* Berlín, 1849, 1888.

K

KURILIANO (Lenguaje)

Lengua asiática, de la región siberiana, hablada por los aïnos en el archipiélago de las Kuriles, en la isla Tarakaï y en la desembocadura del río Amur. El kuriliano comprende varios dialectos: el *kuriliano* propiamente dicho; el *jesso,* hablado en la isla de este nombre, que pertenece al Japón; el *tarakaï,* hablado en la isla de este nombre. Y se puede considerar como dialecto de esta lengua el lenguaje de los aïnos, que viven en Kamtchatka. El kuriliano ofrece un gran número de raíces comunes con muchas lenguas de Asia y, sobre todo, con los idiomas de la familia samoyeda.

KYOGEN

Farsas o entremeses cómicos japoneses, cuyos temas procedían de las leyendas y de los cuentos populares.

L

LABERINTO

Composición poética *de capricho,* en la que los versos están colocados o redactados de tal forma, que pueden ser leídos de izquierda a derecha, de derecha a izquierda, de arriba abajo, de abajo arriba, sin que pierdan ni el sentido ni la cadencia.

LABORISMO

Nombre dado al *socialismo* (V.) inglés.

El laborismo tiene sus antecedentes *remotos* en una etapa de especulación económica y de criticismo que señaló el desarrollo del comercialismo. Criticismo y especulación económica adoptaron dos formas. La de mayor influencia histórica fue la *forma utópica* del owenismo en sus varios aspectos; la de mayor importancia intelectual fue la *forma económica y jurídica* expuesta por escritores como Godwin Thomson, Hall, Hodgskin, Ogilvie, quienes probaron, con la economía y con la jurisprudencia, que el trabajador tenía derecho al producto íntegro de su trabajo.

Los antecedentes *próximos* del laborismo inglés fueron: la aparición—1879—de la famosa obra de Henry George *Progreso y miseria* y la formación de tres sociedades afines con las doctrinas marxistas: la Federación Social Democrática, la Liga Socialista y la Sociedad Fabiana.

El libro de George conmovió extraordinariamente al pueblo inglés, y le hizo darse cuenta de que la pobreza tenía un interés decisivo y *público,* de que había pasado su época de tratamiento individual y privado.

La Federación Social Democrática nació del núcleo de militantes marxistas que componían el Eleusis Club de Chelsea y que dirigía Hyndmann, uno de los más apasionados discípulos de Carlos Marx.

De algunos descontentos de la Federación, capitaneados por William Morris, surgió la Liga Socialista. ¿En que se diferenciaban estas dos agrupaciones? La Federación—que desde 1906 tomó el nombre de Partido—era francamente, exclusivamente marxista. La Liga tenía tendencias decididamente anarquistas.

Poco después de la apuntada escisión, inspirados en un pequeño grupo idealista denominado New Fellowship—dirigido por el profesor Thomas Davidson—, Bernard Shaw y Sidney Webb fundaron la Fabian Society, que se dedicó a realizar una labor socialista *puramente educativa;* sus doctrinas eran brillantemente expuestas por los muchos intelectuales ilustres convertidos al *fabianismo* (V.). Pero los socialistas, que preconizaban la acción, reprocharon al fabianismo haber adoptado como lema *Permite* en vez del de *Organiza.*

Pero lo que dio un impulso decisivo al laborismo fue la conversión al socialismo de los jefes de las Trade Unions, asociación de obreros organizados para la protección de sus intereses. En su origen, las Trade Unions fueron pequeñas sociedades obreras de socorros mutuos para los de su respectiva profesión. Su origen se remonta al siglo XVII, siendo reconocidas en 1825. Hoy, agrupadas en vastas Federaciones, dirigidas por figuras preeminentes y representadas en grandes Congresos anuales, constituyen la más grande fuerza social de Inglaterra.

Pues bien: el Congreso de las Trade Unions celebrado en Glasgow en 1892 invitó a unirse a los representantes de la Federación, de la Liga y del fabianismo, quedando organizado —Bradford, 1893—el Partido Laborista Independiente, con Mr. Keir Hardie como jefe.

"El partido previó desde el principio que bajo algún Gobierno libre el movimiento socialista debía unirse, para realizar objetivos políticos, con las organizaciones industriales de los obreros. Esta es la explicación de las batallas reñidas en los Congresos tradeunionistas. Esta política es, en efecto, la realización de lo que Marx preconizaba. El socialismo no puede tener éxito mientras sea solamente un credo: necesita ser convertido en movimiento. Y esto es imposible hasta que dos cosas sucedan: que exista un poder organizador detrás de un núcleo de fuerzas convergentes, y que logre ganar la confianza de la masa de las clases obreras. La Federación Social Democrática desprecia estas dos tareas, mientras que el Partido Laborista Independiente se dedica de lleno a ello; la Federación queda detenida en un remanso; el Partido sigue el curso de la corriente viva." (R. MACDONALD.)

En 1900, el Partido quedó reorganizado con el nombre de Labour Representative Committee, para dar representación a los obreros en el Parlamento británico. En las elecciones de 1906 figuró ya como Labour Party. Y en 1909 se le unió la única Trade Union de importancia que permaneció hasta entonces apartada: la Federación minera. Su apogeo culminó en 1918, al terminar la primera gran guerra mundial.

En 1924 fue elevado al Poder el jefe del laborismo, Ramsay Macdonald. En la actualidad, el laborismo y el *conservatismo* (V.) son los partidos que se turnan en la gobernación de Inglaterra, ya que los demás carecen de fuerza en el número y en la opinión.

Y resulta sumamente curioso recoger aquí la opinión de Macdonald, inteligencia privilegiada del laborismo, acerca de lo que es—y aún puede ser—este movimiento en su patria: "El partido laborista no es socialista. Es una unión de entidades socialistas y tradeunionistas para la realización de una labor política inmediata; el Partido Social Democrático se le unió en un principio; pero después de cooperar durante un año, volvió a su aislamiento en 1901. Esta es, sin embargo, la única forma política en que el socialismo evolucionista puede arraigar en un país con las tradiciones políticas y métodos de la Gran Bretaña. En las circunstancias inglesas, un partido socialista es la última forma, no la primera, del movimiento socialista en política."

V. WEBB, Sidney y Beatrice: *Histoire du Trade-Unionisme*. Trad. franc. París, 1897.—FOSTER, A.: *English Socialism of To-day*. Londres, 1908.—GUYOT, E.: *Le socialisme et l'évolution de l'Angleterre contemporaine*. París, 1914.—BEER, M.: *History of British Socialism*, Londres, 1920. Dos tomos.—LEUBUSCHER, C.: *Sozialismus und Sozialisierung in England*. Jena, 1921.—NOEL, C.: *The Labour Party*. Londres, 1906.—MACDONALD, R.: *Socialismo*. Barcelona, Labor, 1926. Traducción castellana.

LACONISMO

1. Expresión de una idea en escasísimas palabras.

2. Escrito rápido, desnudo de imágenes y de otras figuras retóricas y poéticas.

LAGARO (Verso)

De λαγαρος, delgado. Verso hexámetro, en cuyo primer hemistiquio se encuentra una sílaba breve en lugar de una larga, como en la *Iliada*, II, 731.

LAI

Queja, lamentación, endecha. Especie de poesía lastimera y lamentable, muy usada antiguamente.

Romance, pequeño poema en versos octosílabos, muy en boga durante la Edad Media, en el que se refería alguna leyenda o aventura maravillosa.

En un principio se dio este nombre a unos cantares que los bretones acompañaban con la lira o el arpa. Más tarde, a poemas líricos franceses y provenzales formados por estrofas irregulares.

Entre los *lais* más famosos están los de *Haveloc*, de Gaimar; *Ignaurés*, de Renaut; y los diversos relativos a *Tristán e Isolda*. Y, sobre todo, los de María de Francia.

La etimología de la palabra no esclarece el origen de la composición. Algunos críticos creen que deriva del alemán *lied*, que tuvo en latín el equivalente *leudus*, empleado en el siglo VI por Fortunat:

Hos tibi versiculos, dent carmina barbara leudos.

Pero *lied* y *leudus* pueden derivar de dos palabras de las lenguas más antiguas de Europa: del gaélico *laoith* y del únrico *llais*.

V. WOLF: *Ueber die Lais*. Heidelberg, 1841. MICHEL, F.: *Lais inédits des XII*e *et XIII*e *siècles*. París, 1836.

L

LAICISMO

Se llama así la intromisión del Poder en los asuntos eclesiásticos.

También es laicismo el sistema doctrinal o político que pretende arrancar la sociedad y la familia de toda influencia religiosa.

El laicismo intenta ya eliminar la religión católica, ya cualquier religión positiva, ya hasta la idea de religión.

El laicismo estatal prescinde de toda religión, elimina a la Iglesia y quiere excluir la idea de Dios de sus instituciones y establecimientos.

El laicismo ha llegado a crear una *moral laica*, independiente de toda religión revelada y sometida a los dictados de la conciencia. Una moral seca y triste, sin Dios, sin vida futura y sin responsabilidad.

LAICOCEFALISMO

Nombre dado a una doctrina herética que concede a los seglares—legos—el derecho de gobernar la Iglesia y hasta de administrar los Sacramentos en ciertos casos.

El laicocefalismo tuvo su exaltación en Inglaterra al iniciarse la Reforma protestante durante el reinado de Enrique VIII. Este monarca quedó nombrado jefe de la Iglesia anglicana; jefe espiritual, en materia de fe y de costumbres, al que debían someterse y prestar juramento todos los súbditos. Los católicos que se negaron a reconocer la autoridad laica dieron el nombre de *laicocéfalos* a los protestantes que la reconocieron.

La oposición de Roma contra el laicocefalismo fue aún más enérgica al subir al trono Isabel I, ya que esta añadía a la herejía su condición de *suprema sacerdotisa* o *papisa occidental,* según la llamaron sus propios súbditos.

El laicocefalismo es doctrina aún vigente en algunas naciones protestantes, como la misma Inglaterra.

LAKISMO

Nombre dado a la escuela poética de los lakistas.

Fueron los lakistas poetas líricos del primer romanticismo inglés, que vivieron juntos algún tiempo en la región de los lagos del noroeste de Inglaterra, y que compusieron sus versos entre 1790 y 1815.

Procede la palabra lakismo del inglés *lake* —lago—, por haber cantado los lakistas los paisajes de las regiones llenas de lagos, de donde eran naturales. Los lakistas se formaron en la tradición clásica, pero llegaron a una nueva creación de la poesía, en la que se revela el alma "a través de su sentido del paisaje".

Maestros y auténticos iniciadores del romanticismo inglés, los lakistas repudiaron los temas, las rígidas normas, la seudofilosofía, el rigorismo preceptista del frío neoclasicismo, y exaltaron "el regreso" a la Naturaleza, a la sencillez, a la intimidad sincera, a los amores apasionados, a las exaltaciones del yo. Los lakistas dieron vigencia a los temas más característicos del Romanticismo: la soledad, la angustia, la muerte, el honor, la tragedia vital.

Los más importantes poetas del lakismo fueron: Wordsworth, Coleridge, Southey, Lowell y Wilson.

William Wordsworth (1770-1850) nació en Cockermouth (Cumberland), y fué el más importante representante de tan interesante grupo. De familia acaudalada, estudió en Cambrigde. Viajó por Suiza y Francia, mostrando alborozado entusiasmo por las ideas de la Revolución francesa. Pasado pronto su fervor revolucionario estuvo en Alemania con su muy amada hermana—también escritora— Dorothy, y juntos regresaron a su patria, estableciéndose en la región de los lagos—primero en Grasmere, y después en Rydal Hount—, donde vivieron cincuenta años. En 1805 contrajo matrimonio. Tuvo una amistad fraternal con Coleridge. En 1843 fue nombrado poeta laureado. Indiscutiblemente, la lectura de Rousseau y de los más ilustres enciclopedistas le llevó a romper con los gustos del siglo XVIII. Lo psicológico y lo emocional imperaron absolutamente en él; y en grado superlativo la Naturaleza. Pero no en balde había nacido dentro del neoclasicismo. Wordsworth no supo *describir* las cosas naturales; las interpretó, las intelectualizó. No vio ni sintió con los *sentidos* la Naturaleza, sino con el espíritu, y en lenguaje espiritual y trascendental nos la trasmitió líricamente. Halló en ella lo abstracto y universal, pero no a través de una exaltación, sino en la paz y en la armonía. Sus temas predilectos fueron: el hombre, el campo, la sencillez de la vida, los valores morales de su clase.

Entre sus obras destacan: *Upon Westminster Brigde, Lyrical Ballads, The Recluse, The Prelude.*

Otro gran lakista, el que más influyó en las sucesivas generaciones de poetas románticos ingleses, fue Samuel Taylor Coleridge (1772-1834), nacido en Ottery St. Mary (Devonshire), hijo de un vicario, y que llevó una vida irregular y aventurera. Estudió en Cambridge. Sentó plaza de voluntario en un regimiento de dragones. Entabló relaciones amorosas con Sara Fricken, cuñada de Lowell y de Southey, con quienes fundó, en las riberas del Susquehanna, una Sociedad comunista denominada Pantisocracia. En 1804 fue nombrado secretario del gobernador de Malta. Visitó Italia. En 1806 regresó a Inglaterra, teniendo ya muy arraigado el vicio del opio. En 1828 hizo un viaje por el Rin en compañía de su fraternal amigo Wordsworth. Y luego se encerró en Highgate, donde murió. Fue un gran poeta, de hondura y de sencillez admirables, el crítico más leído de Inglaterra y un filósofo ecléctico muy interesante. Entre sus obras figuran: *Poems, The Friend, Remorsa, Sibellene Leaves, Aids to Reflection, Literary Remains, Confessions of an inquiring Spirit, Essay on Method...*

El tercer gran lakista fue Robert Southey (1774-1843), nacido en Bristol. Estudió Teología en Oxford y quedó entusiasmado de la Revolución francesa, pretendiendo marchar a América para fundar una colonia comunista. En 1795 viajó por España y Portugal. En 1801 desempeñó la Secretaría del canciller de Hacienda en Irlanda. Después se estableció en Great-Hall (Cumberland), afiliándose a la escuela poética de Wordsworth y Coleridge, a quienes no igualó, ni mucho menos, como poeta. En 1813 fue coronado públicamente, siendo nombrado historiógrafo del Estado. Sin embargo, en Inglaterra y en su época su fama fue mucho mayor que la de sus admirables maestros. Influyó en Walter Scott y en Shelley y escribió ciento nueve volúmenes de diversos géneros literarios. Obras suyas importantes son: *Thalaba the destroyer, The curse of Kehama*—su mejor poema—,*Carmen triumphale, Visión of Judgement, Colloquies.*

Entre estos tres grandes líricos lakistas y los llamados románticos puros—Byron, Shelley, Keats—estuvieron, como epígonos ilustres de la sensibilidad romántica, Walter Scott y Thomas Moore.

Lo que ya no admite duda es que el lakismo y sus epígonos ejercieron tanta influencia sobre los románticos ingleses como los primeros románticos franceses: Chateaubriand, Vigny, Lamartine. La *balada* fue la composición que más atrajo a todos por su contenido íntimo, rememorador y fervorosamente adscrito a la Naturaleza.

Con los lakistas, la poesía *del campo y de la subjetividad cálida y sincera* sustituyó felizmente a la fría poesía cerebral de salón.

V. Taine, H.: *Historia de la literatura inglesa.* Madrid, 1905, "La España Moderna". Cinco tomos.—Legwis, E.: *The early Life of William Wordsworth.* Londres, 1897.—Garnett: *Coleridge.* Nueva York, 1904.—Dowden: *Life of Robert Southey.* Londres, 1888.

LAMENTACIÓN

1. Queja poética.
2. Cada una de las partes del canto lúgubre de Jeremías. (V. *Treno.)*

LANGUEDOCIANO (Dialecto, Patois)

Patois, derivado de uno de los principales dialectos de la lengua romana del Mediodía de Francia, o lengua de *oc.* Tiene una gran analogía con el provenzal por su gramática y por su vocabulario. (V. *Provenzal, Lengua.)*

LAPIDARIO (Estilo)

1. Dícese de las inscripciones marcadas sobre la piedra.
2. Estilo conciso, severo, majestuoso.
3. Nombre dado en la Edad Media al libro que trataba de las *virtudes* de las piedras preciosas. *Virtudes* de las que habían tratado: San Juan, en el *Apocalipsis;* Marlodio, obispo de Rennes, en su obra *De Gemmis et lapidibus* —siglo xii.

LAPÓN (Lenguaje)

Una de las lenguas finesas. Se distingue del *finés* propiamente dicho por algunos caracteres gramaticales y por la mezcla de elementos suecos, noruegos y rusos. El lapón consta de tres dialectos, según preponderan en él los tres elementos citados. Ofrece también cierta afinidad con el húngaro. Es aún más pobre que el estoniano para la expresión de las ideas abstractas; pero es muy rico en onomatopeyas. Su declinación tiene ocho casos únicamente, cuando otros dialectos fineses, el suomi, por ejemplo, suman hasta quince. Las declinaciones son dos, y dos las conjugaciones, determinadas por la desinencia de la tercera persona del presente de indicativo. El plural de los nombres se constituye de distinta manera; unas veces debilitando o acortando, otras reforzando, por el contrario, o duplicando las consonantes radicales. La verdadera riqueza del lapón está en sus verbos, en los que el uso de flexiones particulares permite expresar, mediante una sola palabra, lo mismo que en la mayoría de las lenguas por medio de grandes perífrasis.

V. Leem, Knud: *De Lapponibus Finmarchiae eorumque lingua. Conpenhague,* 1767.—Sainovicz: *Demostratio idioma Hungarorum et Lapponum idem esse.* Copenhague, 1770.—Unwerth, W. v.: *Untersuchungen über Totenkult bei Nordgermanen und Lappen.* Breslau, 1911.

LAQUISMO (V. Lakismo)

LATINA (Lengua)

Más propiamente el dialecto del antiguo Latium. Pertenece esta lengua al grupo de las indoeuropeas, en el que, juntamente con el griego, representa a una de las familias del Mediodía: la denominada *traciopelásgica* o *grecolatina.* Malte-Brun creyó que era el latín la tercera rama de la antigua lengua de la Italia central, a la que dio el nombre de *opico* u *ópico.*

Primitivamente, el latín no fue sino el dialecto de la ciudad de Roma, el *sermo urbanus* en oposición al *sermo rusticus* de los territorios vecinos: Lanuvium, Praeneste o Felerii. Con un ímpetu avasallador, el latín fue extendiéndose por la Península apenina, llegando hasta las regiones montañosas, donde eran hablados el *sabelio,* el *volsco,* el *marso,* el *osco,* el *umbrio,* absorbiendo inclusive las lenguas no itálicas, como la *etrusca* y la *céltica,* al Norte, y la *mesapiana,* al Sur. Sin diques ya que contuvieran su fuerza arrolladora, penetró en las colonias del mundo occidental: España, Las Galias, Africa del Norte... El latín, logrado en una perfección absoluta por una literatura admirable, universal, aun después de la caída del Imperio, siguió imponiéndose al mundo como lengua sabia, y es, aún, hoy, el idioma del la Iglesia católica.

Hasta bien entrado el siglo xvii, muchas obras fundamentales de Teología, Filosofía, Moral, Derecho y Ciencias Naturales fueron escritas en latín. Y el latín resulta un conocimiento indispensable a los eruditos y filólogos contemporáneos. También hasta el siglo xviii se mantuvo el latín como lengua *oficial* diplomática y cancilleresca.

El texto latino más antiguo que se conserva se remonta al año 600 antes de Cristo, y es una inscripción redactada sobre una fíbula de oro hallada en Praeneste en 1871.

Hay que distinguir el *latín sabio,* que conocemos por las obras de una poderosa y magnífica literatura, del *latín vulgar,* hablado por el pueblo, y que sufrió los embates de vocablos y de giros de otras lenguas. De este *latín vulgar* han nacido todas las lenguas llamadas *neolatinas:* el italiano, el español, el francés, el portugués, el provenzal, el valaco, el rumano...

En la evolución de la lengua latina pueden señalarse cuatro períodos fundamentales: 1.° Desde la fundación de Roma—753 antes de Cristo—hasta la muerte de Sila; 2.° Hasta la muerte de Filerio, y comprende el llamado *Siglo de Oro* de la lengua; 3.° Hasta la muerte de Teodosio; 4.° Hasta la invasión de los bárbaros en el siglo V después de Cristo. Algunos críticos añaden un quinto período: la Edad Media, tiempo en que el latín se hablaba y entendía en todas partes.

No son muy abundantes los monumentos lingüísticos del primer período: fragmentos de las leyes de Numa y de Servio Tulio, varios himnos de los sacerdotes salios, las fórmulas del Código de las Doce Tablas, inscripciones sepulcrales de los Escipiones y la que alude a la victoria naval de Duilio, grabada en la columna del Foro de Roma...

El latín no alcanzó su perfeción y belleza hasta que entró Roma en relaciones con el mundo griego. Y su mayor pureza la alcanzó, en sentir de Cicerón, en el siglo de Ennio, Terencio y Catón.

No es tan armoniosa la lengua latina como la griega, ni cuenta con tantas palabras ni con tal variedad en las flexiones; carece de la flexibilidad helénica; sin embargo, el rigor y la solidez de su sintaxis le dan una gravedad y un empaque que permite construir períodos majestuosos.

Es el latín una lengua más para la oratoria que para la poesía. Conciso y breve en sus comienzos, el latín se hizo más tarde, acudiendo al griego, elegante, y tomó de este la abundancia de que carecía.

Son importantes características de la lengua latina: la abundancia de formas y flexiones gramaticales. El uso del hipérbaton, ya que como las terminaciones pemiten conocer el oficio que desempeña cada palabra en la frase, el escritor y el orador pueden colocar las voces como mejor convenga a las ideas o a las leyes de la armonía.

Dichas inversiones hacen frecuentes las cadencia musicales, mantienen vivo el interés, prodigando las sorpresas, favorecen lo pintoresco del lenguaje, brindan a la imaginación un amplísimo campo de acción. Cierta facilidad para formar las palabras, ya por derivación, ya por composición.

El alfabeto latino comprendía veintitrés letras. El acento tenía su lugar exacto de colocación; jamás podía ir sobre la última sílaba; en las palabras de tres o más sílabas era colocado sobre la antepenúltima cuando la penúltima era breve, y sobre la penúltima si esta era larga; en las palabras compuestas de dos sílabas, el acento tocaba la primera.

El latín no tiene artículo. Aun cuando esta afirmación pudiera no ser rigurosamente exacta, ya que los latinos llamaron *artículos* adjetivos determinativos *quis, ille, iste is, idem...,* cuando iban unidos a los nombres, pronombres o participios; y aun cuando no los colocaban delante de los sustantivos con tanta frecuencia como los griegos, los empleaban con el valor de ο, ἡ, τό, si la significación de la frase lo exigía.

La lengua latina tiene dos números: singular y plural; tres géneros: masculino, femenino y neutro; seis casos, uno más que el griego; cinco declinaciones, que se distinguen entre ellas por las desinencias del genitivo del singular: *ae, i, is, ûs, ei.* Los adjetivos calificativos son declinables, lo mismo que los nombres, y los hay de tres terminaciones—*bonus, bona, bonum*—, de dos—*brevis, breve*—y de una—*prudens*—. Un sustantivo y un adjetivo reunidos para formar un nombre compuesto se declinan los dos.

El verbo tiene cuatro conjugaciones—según termine en *are, ere, êre ire*—; seis tiempos: presente, imperfecto, futuro perfecto, pluscuamperfecto y futuro anterior; modos personales: indicativo, subjuntivo, imperativo; modos impersonales: infinitivo, gerundio, supinos y participios; dos voces: activa y pasiva para los verbos transitivos, y únicamente la activa para los verbos intransitivos o neutros.

Una particularidad de la conjugación latina es la existencia de un gran número de verbos deponentes, es decir, que tienen, con la terminación pasiva, una significación activa o neutra. Las preposiciones son treinta, de las cuales algunas reciben ciertas modificaciones eufónicas. En la sintaxis latina dominan las reglas de concordancia y régimen o dependencia. En resumen: la gramática latina en lo esencial se diferencia de la griega, y entre ellas existe un paralelismo notable de procedimientos.

En todas las universidades y colegios del mundo es obligatoria la enseñanza de la lengua latina. En todo tiempo ha sido esta lengua objeto de numerosísimos y magníficos estudios gramaticales. Más de treinta antiguos gramáticos comprende la colección llamada *Grammaticae latinae auctores antiqui,* editada—1605—en Hannover por Putsch. Desde la época del Humanismo y del Renacimiento, las *gramáticas* y *estudios gramaticales* se han multiplicado casi hasta el infinito, ya elementales, ya superiores. Entre las que sobresalen: *Introductiones latinae* 1481—, de Nebrija; la de Aldo Manucio—Venecia, 1501—, Melanchthon—Nuremberg,

1547—, Despautère—París, 1537—, Schopp—Milán, 1628—, Vossius—Amsterdam, 1635—, cardenal Wolsey—1637—, Cl. Lancelot o de Port-Royal—París, 1644—, Ruddiman—Edimburgo, 1715—, Lhomond—París, 1780—, Schneider —Berlín, 1819—, Burnouf—París, 1841...

V. PEZZI: *Grammatica storico-comparativa della lingua latina.* Turín, 1872.—ROBY: *A Grammar of the Latin Language.* Londres, 1872-1874.—ALVARI, Emmanuel: *De Instit. Grammatica libri tres.* Barcelona, 1907.—COMMELERÁN, F.: *Gramática comparada latino-castellana.* Madrid, 1891.—MILLARES CARLO: *Gramática de la lengua latina.* Madrid, 1934.

LATINA (Literatura)

El estudio de la literatura latina comprende cuatro grandes períodos:

1. *Arcaico,* desde los orígenes hasta el siglo II antes de Cristo.
2. *Clásico* o *Edad de Oro, aurea latinitas:* el siglo I antes de Cristo y el siglo I después de Cristo.
3. *Postclásico o del Imperio. Edad de Plata.* Siglos II y III.
4. *Período de decadencia y literatura cristiana.* Hasta el año 565.

PERÍODO ARCAICO.—De la primitiva poesía lírica latina solo nos quedan referencias en las obras de escritores posteriores y algunos fragmentos sueltos. Entre estos: los cantos de los sacerdotes *arvales*—que imploraban las cosechas—y los de los *salios,* de sentido guerrero. Por las referencias sabemos que existieron las poesías de los banquetes—*carmina convivalia*—, de las bodas—*carmina nuptiala*—, de los entierros—*nenias*—, de la victoria—*carmina triumphalia*—y poesías satíricas—*fesceninas*—. También por las referencias conocemos la existencia de representaciones dramáticas con los nombres de *sátiras, mimos* y *atelanas*—de Atela, ciudad de Campania.

Poetas líricos y dramáticos de este período fueron: Livio Andrónico (siglo III antes de Cristo), joven griego de Tarento, hecho preso cuando la toma de esta ciudad por los romanos y llevado como esclavo a Roma. En el año 207 compuso un *Himno* para conmemorar la victoria de Metauro; tradujo al latín la *Odisea* y las tragedias *Ayax, Aquiles* y *El caballo de Troya.* Cneo Nevio (nació hacia el año 270 antes de Cristo), escribió *Bellum Punicum*—poema en versos saturnianos—, comedias y tragedias —*Alimonia, Clastidium, Rómulo y Remo*—. Ennio (234-169 antes de Cristo), de Calabria, perteneció al ejército; autor de diversas poesías magistrales, con el título de *Saturiae,* y de tragedias con temas helénicos de ciclo troyano —*Andrómaca cautiva, Hécuba, Ifigenia*—; escribió los *Annales,* poema épico. Pacuvio, de Brindisi, nació hacia el año 220 antes de Cristo, Sobrino de Ennio, escribió una *tragedia pretexta* con el título de *Paulus,* en la que cantaba las glorias de Paulo Emilio. Accio (170-¿90? a. de Cristo), de Umbria, protegido del cónsul Decimo Bruto, supo combinar el procedimiento dramático griego con el llamado romano en la tragedia *Prometeo;* también escribió un poema didáctico: *Didascalia.*

Tito Maccio Plauto (¿254?-¿ ? a. de Cristo), de Sarsina, Umbria, y de vida muy agitada. Los antiguos le atribuyen 130 comedias, de las que solo nos quedan 20, entre ellas *El anfitrión, Aulularia, Los cautivos, El soldado fanfarrón, Menaechmi...* Plauto ha sido considerado como el fundador de la *comedia* romana. Sus obras reúnen fuertes caracteres, gran ingenio, humanidad y gracia.

Publio Terencio Afer (¿ ?-159 a. de Cristo). De Africa. Imitó al griego Menandro y alcanzó menos popularidad que Plauto porque sus comedias aludían a un ambiente refinado y estaban escritas en un estilo culto. Nos han llegado seis obras suyas: *Andria, Hecyra, Heautontimorúmenos (El atormentador de sí mismo), Eunuchus, Phormio,* y *Adelphi (Los hermanos);* en ellas hay ingenio sutil, intención satírica, patetismo contenido.

En la prosa—sátira, historia, y oratoria— destacaron: Lucilio (180-103 a. de Cristo), latino, de origen noble y rico, gran amigo de los Escipiones; atacó con valentía a los poderosos de su tiempo; quedan algunos fragmentos de sus sátiras. Marco Porcio Catón (234-149 a. de Cristo) nació en Tusculum, soldado glorioso, cónsul y censor, espíritu grande, orador famoso; entre sus escritos riguran el tratado *De Agricultura,* una historia titulada *Orígenes* y varios discursos.

PERÍODO CLÁSICO.—En la poesía hicieron gloriosos sus nombres: Tito Lucrecio Caro (99-55 antes de Cristo), autor del célebre poema didáctico *De rerum natura,* "la poesía de la materia", como alguien ha dicho. C. Valerio Catulo (87-54 a. de Cristo), uno de los más delicados líricos eróticos; entre sus poesías se hicieron famosas *Epitalamio de Tetis y Peleo, A la cabellera de Berenice* y varias composiciones dedicadas *A Lesbia.*

Publio Virgilio Marón (n. 70 a. de Cristo), de Mantua; protegido de Augusto y de Mecenas, el más grande de los poetas latinos, casi semejante a Homero; su universalidad es absoluta y su poesía sencillamente maravillosa. Su poema épico la *Eneida*—de cierta correspondencia con la *Odisea*—, en doce libros, es como una síntesis de la poesía más preciosa. Igualmente son admirables sus *Geórgicas,* poema didáctico acerca de la agricultura, y sus *Bucólicas,* poemas pastoriles.

Quinto Horacio Flaco (65-8 a. de Cristo), de Apulia. Gran amigo y protegido de Mecenas.

Magnífico poeta, comparte con Virgilio la cumbre de la poesía latina. De enorme popularidad en su tiempo y universal para siempre gloriosamente. Entre sus obras están: *Odas, Epístolas, Arte poético* (Epístola a los Pisones), *Epodos, Sátiras.*

Tibulo (n. 54 a. de Cristo), de familia ilustre, protegido de Mesala, escribió *elegías* de una encantadora melancolía y de una noble sinceridad. Propercio (n. 46 a. de Cristo), de Umbria, protegido de Augusto; se conservan de él cuatro libros de elegías y varias leyendas sobre el origen de Roma.

Publio Ovidio Nason (43 a. de Cristo-17 después de Cristo), de Sulmona; estudió en Roma y en Atenas; Augusto le desterró a Tomes, a orillas del Ponto Euxino, donde murió amargado. Sus composiciones están llenas de gracia, sutileza y armonía. Fue el más fecundo de los poetas latinos. Obras: *La metamorfosis,* las *Heroidas,* los *Fastos,* las *Ponticas,* el *Arte de amar, Los Amores,* las *Tristes...*

En la prosa histórica: Cayo Julio César (100-44 a. de Cristo), de vida y de hechos magníficos; pronunció discursos, escribió versos, se interesó por la astronomía; pero su fama literaria la debe a sus historias: *De bello Gallico* y *De bello civile,* escritas en una prosa fluida, elegante, magistral.

Cayo Crispo Salustio (86-34 a. de Cristo), de Amiterno, Sabina; procónsul en Africa, amigo de César; su prosa es de una elegancia insuperable; su sentido de lo histórico, admirable. Escribió *De coniurationes Catilinae, Bellum Iugurthinum* y las *Historias,* de las que solo nos quedan pequeños fragmentos. Cornelio Nepote, del que solo conocemos una colección de biografías: *De viris illustribus.* Marco Terencio Varrón (160-70 a. de Cristo), de Sabina, combatió al lado de Pompeyo en la batalla de Farsalia; era de una enorme erudición enciclopédica; de sus numerosísimas obras, únicamente se conservan una parte de su *De lingua latina,* un tratado de Agricultura y unos fragmentos acerca de las antigüedades romanas.

Tito Livio (59 a. de Cristo-17 d. de Cristo), de Padua, amigo de Augusto; el máximo historiador romano y acaso el mejor prosista. De clara visión, admirable sentido crítico, severo estilo. *Su Historia de Roma,* en 142 libros, es un modelo de orden, medida y claridad.

Orador extraordinario, gran prosista, filósofo fue Marco Tulio Cicerón (106 a. de Cristo), natural de Arpino, de ilustre familia, cuestor y edil en Sicilia, cónsul en el año 63, partidario de Pompeyo, enemigo de Antonio; los soldados de este le asesinaron, cortándole la cabeza, que, justamente con la mano derecha, enviaron al Senado para ser expuestas. De una fecundidad asombrosa, escribió sobre las más varias materias. Entre sus obras están: los tratados acerca de la elocuencia: *Orator, De oratore, Brutus;* los tratados filosóficos: *De senectute, De amicitia, De officiis, De legibus, De Divinatione, De natura deorum;* los discursos *Pro Roscio, Pro Milone, Pro Arquia,* las *Verrinas,* las *Catilinarias,* y alrededor de 900 *epístolas.*

Trogo Pompeyo escribió unas *Historias filípicas,* que conocemos por el resumen que hizo de ellas Justino.

Período posclásico *(Edad de Plata).*—En la poesía épica se glorificaron: Lucano (n. 39 después de Cristo), de Córdoba, España, sobrino de Séneca; amigo y émulo de Nerón, quien por envidia le condenó a muerte. Su gran poema es *La Farsalia,* en la que se mezclan la poesía lírica y la elocuencia, las máximas y las sentencias estoicas. Silio Itálico (25-101), cónsul durante el reinado de Nerón; su poema *Punica,* en 17 cantos, tiene como modelo la *Eneida.* Valerio Flaco, muerto hacia el año 82, nos legó el poema *Los Argonautas,* obra mitológica, fría y artificial. Publio P. Estacio (n. 40), de Nápoles, autor del poema épico en 12 libros *La Tebaida*—referente a la lucha de los Siete contra Tebas— y de unas *Silvas* de circunstancias en hexámetros.

La sátira la cultivaron: Aulo Persio Flaco, de Volaterra (Etruria), de ideas elevadas, pero de estilo oscuro y rígido en las seis sátiras suyas que conocemos. M. Valerio Marcial (n. hacia el año 40), de Calatayud, en España; su talento era inmenso y grandísima su cultura; su fuerza satírica, impresionante, y enorme su gracia. Vivió muchos años en Roma, aplaudido y admirado; pero regresó a su patria para morir. Conservamos de él 1.500 epigramas, repartidos en 14 libros, de variadísimos asuntos, virulentos y divertidísimos. Decio J. Juvenal (n. 60), de Aquino; se dedicó a declamar en público. Sus 16 sátiras son una pintura exacta de la sociedad romana de tiempos de Domiciano, y constituyen un cuadro realista excelente. Fabulista famosísimo fue Fedro, que vivió en tiempos de Augusto, Tiberio y Claudio; escribió, imitando a Esopo, cinco libros de *Fábulas* en un estilo elegante, sencillo y claro y movidas por un finísimo ingenio.

En la Historia: Veleyo Patérculo, que estuvo en Germania a las órdenes de Tiberio, escribió una *Historia Romana* en un estilo nervioso y cortado, en la que abundan los excelentes retratos y las reflexiones morales. Valerio Máximo, autor de *Hechos y dichos memorables.* Quinto Curcio Rufo, cuya vida se ignora, es autor de una *Vida de Alejandro,* llena de interés y muy bien redactada.

P. Cornelio Tácito (n. ¿54? d. de Cristo) es el historiador más importante de la llamada *Edad de Plata;* de estilo sobrio, fuerte, elegante en la dificultad; compuso entre otras obras el *Diálogo de los oradores,* una biografía de su suegro, el cónsul Julio Agrícola; las *Historias* y *los Anales* y *De la Germania;* nadie fue como Tácito tan dueño de la expresión eficaz y concisa; su estilismo es magnífico y personal.

Hasta la época del Imperio, en la literatura romana no existió ninguna muestra del género novelesco. Petronio, cortesano favorito de Nerón, hombre de noble familia, cultísimo, escéptico y de una famosa elegancia en el vestir y en el decir, escribió el *Satiricón,* novela mezcla de prosa y verso, que es un soberbio cuadro de las costumbres romanas depravadas de su época.

En la erudición y en la crítica fueron notables: Plinio el *Mayor* (23-79), de la Galia Cisalpina, de enorme cultura, autor de una *Historia Natural* en 37 libros, de escaso mérito literario, pero llena de mérito científico. Plinio el *Joven* (61-¿119?), de la Galia Cisalpina, de familia rica y acomodada, cónsul el año 100 y gobernador en Bitinia y en el Ponto, autor de *Panegírico de Trajano* y de *Cartas,* publicadas en 10 libros, en las que describe con sumo interés y elegancia las costumbres romanas de su época. M. Fabio Quintiliano, de España (Calahorra), nacido hacia el año 35, jurisconsulto fmoso y profesor de elocuencia en Roma; de ideas morales muy elevadas, ponderado crítico literario, de pensamiento hondo y de mucha cultura; su obra más importante es la *Institución oratoria,* en 12 libros, modelo de agudeza, de sistematización y en un estilo puro y clásico. Lucio J. Moderato Columela (siglo I), de Cádiz, España, autor de los doce libros de *Re rustica,* el último de los cuales trata de los jardines y está escrito en verso.

Carecieron los romanos de Filosofía propia, limitándose a exponer y comentar la de los griegos. Entre los expositores del pensamiento helénico fulguró el español—cordobés— Lucio Anneo Séneca (4 a. de Cristo-65 d. de Cristo), hijo de Séneca el *Retórico;* vivió en Roma, haciéndose pronto célebre por su oratoria. Claudio le desterró a Córcega, pero Agripina le mandó llamar para encargarle de la educación de Nerón, cuya perversa naturaleza intentó corregir. Habiéndosele complicado en la conjuración de Pisón, Nerón le dio la orden de morir. Séneca se abrió las venas. Muy considerable es la producción que nos queda de Séneca, aun habiéndose perdido gran parte de ella, y muy varia; los tratados filosóficos. *De clementia, De vita beata, De brevitatae vitae,* las tres *Consolaciones:* a *María,* a *Helvia, su madre,* a *Polibio,* etc...; las *Cartas a Lucilio,* su obra maestra; las *Cuestiones naturales;* las tragedias—cuyos argumentos tomó de Sófocles y Eurípides—*Hércules, furioso; Tieste, Hécuba, Edipo, Medea, Fedro, Octavia...* Pensador genial, filósofo ecléctico, de gran penetración psicológica, moral con estoicismo, verdadero apóstol de unos ideales morales y dignos, prosista magno, Séneca es una de las figuras más grandes de la literatura latina.

PERÍODO DE DECADENCIA: I *Literatura pagana.*—Entre los poetas merecen una mención especial: Ausonio (n. 310), de Burdeos, profesor de Gramática y Retórica, contando entre sus alumnos al futuro emperador Graciano, quien le nombró cónsul el año 379; escribió *idilios, epigramas, epístolas;* Ausonio fue un poeta fácil, ingenioso. Claudiano (del siglo IV) nació en Alejandría, fue protegido por Estilicón, ministro y general del emperador Honorio; como Ausonio, escribió *epístolas, epigramas* e *idilios,* y un poema mitológico: *El rapto de Proserpina,* en tres libros; Claudiano ha sido considerado como el mejor poeta del fin del paganismo.

La novela la cultivó Apuleyo, nacido en Africa hacia el año 125, y cuya vida transcurrió en Roma, Atenas y Cartago; escribió una *Apología,* defendiéndose de practicar la magia, algunos mediocres tratados filosóficos y *La metamorfosis* o *El asno de oro,* novela en la que se narran las aventuras de un hombre transformado en asno y que al final de la novela recupera la forma humana; obra amena y extraña, en la que se intercalan pequeños cuentos—como el de *Eros* y *Psiquis*—y que presenta con toda exactitud la vida en una ciudad del Imperio durante el siglo II.

Historiadores notables fueron: Cayo Suetonio Tranquilo (n. ¿75?), secretario de confianza del emperador Adriano, gran erudito y prosista excelente; escribió las *Vidas de los Césares*—César, Augusto y sus diez sucesores—y una parte de *De viribus illustribus* sobre algunos gramáticos y retóricos. Floro, de vida oscura, estilista más que historiador, escribió un epítome de *Historia romana.* Justino, de origen galo, modificó y completó las *Historias* de Trogo Pompeyo. Amiano Marcelino (siglo IV), de Antioquía, acompañó al emperador Juliano contra los persas; de estilo oscuro y afectado, redactó una historia titulada *Resgestae.* Gran erudito, con algo de filósofo y mucho de retórico, fue Aulo Gelio, nacido en Roma, autor de *Noches áticas,* obra de gran valor por sus comentarios y noticias acerca de temas de Historia, Arte, Filosofía, Derecho, por el estilo en que están escritos y por la sagacidad de juicio y profundidad de pensamiento que delatan.

PERÍODO DE DECADENCIA: II. *Literatura cristiana.*—El más insigne de todos los poetas cristianos fue el español y zaragozano Aurelio Prudencio—nació el año 348 y murió el año 410—; sus obras son muy numerosas. Hacia el año 405 publicó una edición completa, dividida en siete partes, a las que titulaba con un nombre griego: *Cathemerinon* (Cantos para toda la jornada), *Peristephanon* (Acerca de las coronas de los mártires); en poemas didácticos de versos clásicos expuso las doctrinas teológicas; su poema *Psychomachia* está escrito de manera alegórica. Prudencio tuvo mucha inspiración, gran elevación moral y arrebato místico.

Entre los apologistas y polemistas cuentan: Minucio Félix, de origen africano, escribió una *Apología* del Cristianismo en un estilo elegante y severo; Quinto F. Tertuliano, natural de Cartago (150-230), pagano convertido, orador fogoso y elocuentísimo, de brillante imaginación y de estilo enérgico; sus obras más conocidas son: *Apologética contra los gentiles* y los *Espectáculos.* Arnobio, africano, profesor de Retórica, defendió con gran ardor la religión católica en su tratado *Adversus nationes.* Lactancio, discípulo de Arnobio, profesor de Retórica en Nicomedia, maestro del hijo de Constantino, combatió a los estoicos y epicúreos, y es llamado por San Jerónimo "el Cicerón cristiano"; sus obras son: *Institutiones divinae, De ira Dei, De mortibus persecutorum.*

Grandes escritores, pensadores geniales fueron los llamados *Padres de la Iglesia:*

San Cipriano (200-260), de Africa, educado por Tertuliano, obispo de Cartago, muerto en el martirio, autor de *De catholicae ecclesiae unitate, De lapsis, Ad Donatum* y de numerosas *epístolas* y *tratados.*

San Hilario (siglo IV), de Poitiers convertido al Cristianismo, llegó a obispo de su ciudad natal; combatió con gran ardor el arrianismo en su obra más importante: *De lide adversus arianos.*

San Ambrosio (¿340?-397), de Tréveris, arzobispo de Milán, maestro de San Agustín; la forma de sus obras es frecuentemente oratoria, llena de viveza, de movimiento y de calor; entre las más notables están: *De virginitate, De fide, De Spiritu Sancto, De mysteriis, De incarnatione, De paenitentia...*

San Jerónimo (331-420) nació en Estridón (Dalmacia) y murió en Belén; gran filósofo, teólogo insigne, exegeta notabilísimo; su traducción de la *Biblia,* conocida por la *Vulgata,* es la única reconocida oficialmente por la Santa Iglesia Católica; escribió, además, *De viribus illustribus,* biografías de escritores cristianos, y numerosas y admirables *Cartas.* San Jerónimo fue también un polemista admirable, lleno de agudeza y de ironía.

San Agustín (354-439) nació en Tagaste (Numidia), y se convirtió escuchando a San Ambrosio. Su ciencia era inmensa, "talento sublime", "digno heredero del genio de Platón", brioso, osado e independiente. El año 387 fue bautizado por San Ambrosio, y el año 396 fue nombrado obispo de Hipona (Africa). Era hijo de Santa Mónica. Alguien le ha llamado "el más bello de los ingenios y el más grande de los doctores". Causa asombro la inmensidad y la profundidad de su ciencia, la hermosura de sus pensamientos, su elocuencia incomparable y la vivacidad y fuerza prodigiosas de sus escritos. Entre sus obras son universales: *La Ciudad de Dios,* sus *Confesiones,* los *Soliloquios.* "Doctor de la Gracia" se le ha llamado a San Agustín.

Mención merecen el historiador español Paulo Orosio y el también historiador Casiodoro.

V. ROMIZI: *Compendio della storia della letteratura latina.*—PICHON, R.: *Histoire de la littérature latine.*—GUDEMAN, Alfred: *Geschichte der latinischen Literatur.* (Hay traducción española.)—WALCH: *Historia de la literatura latina.* Madrid, 1905.—LOLIÉ: *Historia de las literaturas comparadas.* Barcelona, 1905.—PIERRON, A.: *Histoire de la littérature latine.* París, 1873, 6.ª edición.

LATINA (Versificación) (V. Griega, Versificación)

LATINISMO

Se designa, indistintamente, con los términos *latinismo* y *latinidad* la cultura general latina, no solo en Roma y en Italia, sino en los demás países europeos que conservan, imitándola, aquella cultura.

El latinismo constituye una de las influencias más fenomenales y una de las herencias más prodigiosas y fecundas de la Historia.

Podemos, pues, afirmar que el latinismo es un movimiento cultural universal, iniciado en Roma al definirse, con rasgos propios, la cultura latina en el siglo II antes de Cristo.

Aun cuando los caracteres más decisivos de Roma fueron la conquista, el dominio y el derecho, el haber heredado y asimilado la cultura helénica la puso en posesión de una cultura rigurosamente peculiar. Roma conquistó Grecia por las armas, y Grecia conquistó Roma por el arte y por las letras, la *helenizó.* Grecia, pueblo dominado, ofreció a Roma, pueblo vencedor: un pensamiento sistematizado y vivo; una filosofía clara y sutilísima; un arte bellísimo y ordenado; un teatro de una absoluta trascendencia humana; una poesía sorprendente de armonía, de gracia y de ingenio.

Pero sería injusto decir que Roma se conformó con apoderarse de los beneficios de cultura tan portentosa. Roma supo *saborear, transformar* esa cultura. Y dos siglos antes de Cristo, Roma pudo envanecerse de sumar a sus armas, a su poder y a su derecho, su arte y sus letras. El Panteón, las Termas, los Acueductos, los Arcos de triunfo hablan de la grandeza *peculiar ya* de Roma. Las comedias de Plauto y de Terencio, las estrofas de Virgilio y Horacio, el pensamiento filosófico de Séneca—que inicia el ascetismo medieval y muchos aspectos actuales de la filosofía ética—aluden con un vigor irresistible a lo auténticamente romano.

La asimilación ha sido absoluta, hasta tal

punto, que la Edad Media y el Renacimiento se pondrán en contacto con lo helénico *por medio de lo latino*. Roma tuvo el sentido de la unidad sobre lo vario, esencial a todo genio. Rutilio Namaciano reconoció esta gran virtud en un verso celebérrimo:

Fecisti patriam diversis gentibus unam.

Para que el latinismo se impusiera al mundo medieval se sumaron estos tres valores capitales: que se uniese poco a poco con el Cristianismo; que el Cristianismo aceptase la lengua latina; que la lengua latina, ruda y fuerte, pero de una gran facilidad para la evolución, dejase una serie de culturas herederas—o *romances*—que aceptaron no el *latín clásico* de las minorías, sino el *latín vulgar* de la plebe.

El ser el latín la lengua del Cristianismo, y el haber sido el Cristianismo "el alma" de la Edad Media, motivó que todos los países europeos *se latinizasen*, que creyeran *bárbaras* todas las culturas que desdecían de lo romano. La lengua fue, pues, el vehículo de la civilización en toda la *Romania* o conjunto de pueblos que hablaron el latín en el Imperio.

Las artes liberales, las escuelas medievales imitan el plan de las clásicas. En los monasterios y en las bibliotecas de los monarcas, los monjes y los secretarios de cámara copian, con paciencia inaudita, las obras de los inmortales poetas y pensadores latinos; y si también, en ocasiones, copian las obras inmortales de Grecia, lo hacen a través de la *asimilación latina*. La herencia romana, inagotable, queda como organización social y jurídica, como fórmula para las nuevas ideas y la nueva dialéctica, como renovadas expresiones para la sensibilidad y hasta como posibles renovaciones en los temas técnicos. Durante la Edad Media, lo individual y lo estatal se conjugan a través de la historia y de la cultura de Roma. Dante, eligiendo a Virgilio para que le guíe por el mundo de las sombras, puede ser un símbolo de cuanto hemos dicho. Dante es la Edad Media. Y el infierno que visita en su inmortal *Divina Comedia* es la representación de las lobregueces de la barbarie. Nadie como Virgilio, el más "luminoso" representante del latinismo, podría llevar la luz a regiones sumidas en la noche.

El Renacimiento estuvo igualmente latinizado. Es cierto que el *humanismo* (V.) miró con ojos ávidos a Grecia; pero, contra su voluntad, estaba ligado fuertemente a Roma. La arquitectura del Renacimiento vuelve a colocar sobre los templos la cúpula del Panteón. El latín sigue siendo la lengua de la erudición universal. Las principales naciones de Europa son gobernadas con el concepto totalitarista que tuvieron los césares.

El latinismo tuvo en España figuras y momentos de grandeza incomparable.

En el llamado período hispanorromano y visigodo: Juvenco, San Dámaso, Prudencio, Flavio Merobaudes, Orosio, Idacio, Juan de Biclara, San Isidoro de Sevilla y sus discípulos: San Braulio, San Eugenio, San Ildefonso, Tajón, San Julián.

En el ámbito mozárabe: Elipando, Juan Hispalense, Speraindeo, San Eulogio, Alvaro de Córdoba, Samsón, Vicente, Cipriano Samuel y Leovigildo...

El momento más trascendental de esta época es cuando San Isidoro de Sevilla recogió toda la cultura de la Roma vieja y la ofreció como la enciclopedia del mundo naciente.

En el Renacimiento: Nebrija, Vives, los Valdés, Alonso de Herrera, Hernán Pérez de Oliva, Francisco de Villalobos, fray Antonio de Guevara, Nicolás Monardes, Pedro Mexía, Pedro de Medina, Andrés de Laguna, Pedro Simón Abril, Sabuco, Huarte San Juan, Arias Montano, Pérez de Moya, Cipriano de Valera, Alonso Pérez Pinciano, Pérez de Herrera, Martín de Roa, Sebastián de Covarrubias, Pedro de Ribadeneyra, P. Juan Márquez, Calvete de Estrella, Ginés de Sepúlveda, Carlos Coloma...

El latinismo decae en España a partir de 1600. Pero es innegable que ya está bien enraizado en la cultura española: en su lengua —con miles y miles de voces—, en su arte, en su erudición, en su sentido de la vida.

LAUDATORIA

Escrito, discurso u oración en alabanza de una persona o de una cosa.

LAUREADO (Autor)

Se da el nombre de *laureados* a aquellos escritores que reciben de un gobernante o de una corporación académica una corona de laurel, un premio cualquiera, como reconocimiento del mérito de sus obras. Generalmente, tal recompensa se otorga como resultado de un concurso.

En la Edad Media y en el Renacimiento, el nombre del escritor laureado tenía una significación especial: designaba al poeta, al que un príncipe llamaba a su corte para encargarle de la organización de las fiestas con las que se glorificaban los acontecimientos de su reinado.

En Italia fue donde la concesión de los premios alcanzó máxima trascendencia. Petrarca fue coronado públicamente en Roma el año 1341. A partir de 1504, la *corona poética* era concedida en Alemania por un *Colegio literario*, fundado en Viena por Maximiliano I. En Inglaterra, desde el siglo XVII los poetas eran coronados por los reyes y recibían un premio de 127 libras; uno de los últimos líricos ingleses que recibió el honor fue Tennyson. En España, Isabel II coronó públicamente a Quintana. Y públicamente fue laureado en Granada José Zorrilla.

Hoy el laurel no pasa de ser un simbolismo. Todas las Academias literarias tienen establecidos diversos premios en metálico y en diplomas, que se otorgan, por lo general, anualmente, a los hombres de letras que más se han distinguido ya con una obra determinada, ya por una producción en conjunto.

V. LANCETTI: *Memoire intorno ai poeti laureati d'ogni nazione.* Milán, 1839.

LECCIÓN

1. Explicación—hablada o escrita—de un tema.
2. Interpretación de un texto.
3. Cotejo de las distintas versiones escritas en un texto.

LECTURAS PÚBLICAS (Recitaciones)

Son denominadas así aquellas lecturas que de sus obras—o de parte de ellas—dan los autores ante un auditorio. Cuando las lecturas son de poesías, reciben el nombre de *recitaciones.* Es el método más sencillo y más rápido de que el público se ponga en relación con el escritor. Antes de la invención de la imprenta y, sobre todo, en la época medieval, en que el uso de la escritura estaba poco extendido, las producciones literarias, para llegar a la popularidad, no poseían otro camino que este de las lecturas públicas. Por la recitación, más o menos cantada, los aedas popularizaron en Grecia los poemas homéricos. Y en los demás pueblos, los trovadores, los bardos, los juglares, los escaldas, los *minnesingers*—"cantores de amor"—, propagaron y exaltaron las epopeyas y los romances, las leyendas y las ficciones. Los retóricos y los oradores de la escuela de Isócrates componían especialmente sus obras o sus discursos con vistas a las lecturas públicas. Del filósofo Demócrito se cuenta que habiendo perdido su fortuna viajando para instruirse, la rehízo leyendo en público su principal obra: Μέγας Διάκοσμος.

En Roma tuvo un extraordinario desarrollo el método de lecturas públicas. En el siglo de Augusto, *la moda* hizo furor; se recitaba en el foro, delante de los templos, en las termas, en los paseos, alrededor de los coliseos. Los emperadores se dieron el gusto de recitar; así, Augusto, Claudio, Nerón...

Acaso tales recitaciones fueron una de las causas de la corrupción del gusto, ya que eran sacrificados el pensamiento, la corrección del estilo, las calidades *sólidas,* por los efectos de relumbrón que excitaban el aplauso.

En los tiempos modernos aún tienen éxito las lecturas públicas o recitaciones.

El gran novelista Dickens ganó muchos miles de dólares recorriendo los Estados Unidos para dar a conocer ante auditorios expectantes y numerosos sus novelas, apenas terminadas de escribir.

En los Ateneos aún acostumbran darse estas lecturas públicas de partes de una obra próxima a imprimirse.

Durante el siglo XIX, en numerosos salones de la nobleza eran organizadas veladas literarias para dar a conocer en ellas las primicias de las obras de los poetas.

LEMA

1. Mote. Divisa. Emblema (V.).
2. Título breve de un escrito.
3. Explicación que condensa la idea de una composición literaria.

LEMOSÍN (Dialecto, Patois)

Uno de los dialectos más suaves y hermosos de Francia; pertenece a la lengua de *oc* y se habla dentro de los límites de la antigua diócesis de Limoges. Como los demás dialectos y lenguas romanas, deriva del latín. En el siglo XIII era hablado en todo el sur de Francia y penetró en España, extendiéndose por el condado catalán. Aun cuando se han agrupado, caprichosamente, bajo la denominación de *lemosinas,* variantes dialectales como el *balear, aranés, alguerés, rético* y *rosellonés,* nada tienen de común con el lemosín provenzal. (V. *Provenzal, Lengua.*)

LENGUA

1. Conjunto de vocablos, términos y reglas con que cada país explica sus ideas.

2. Las palabras y las reglas adoptadas por la generalidad de una nación para expresar sus pensamientos forman la lengua. El desarrollo particular de una lengua "con ciertas condiciones locales" constituye el *dialecto.* Los dialectos y su corrupción dan origen a la *jerga,* al *argot* y al *patois.*

Las palabras son la parte más importante, la *materialidad* de la lengua; su nomenclatura y su estudio son el objeto de la *lexicografía* (V.). El orden por el cual son colocadas para expresar la idea constituye la frase, sometida, tanto como a los propios vocablos, a las reglas gramaticales de la sintaxis. El encadenamiento de las frases forma el *discurso.* Al lado de la filología y de la gramática, que estudian las palabras y las reglas para su empleo, se coloca una ciencia más general, a la vez filosófica e histórica, que reúne todos los problemas relativos al origen y a la formación de las lenguas, a las leyes lógicas y a las condiciones externas de su desarrollo, a los recursos naturales o accidentales que pueden servir para clasificarlas; tal ciencia es la *lingüística,* revelación de nuestros días, especialmente idónea para el *estudio com-*

parado de los distintos idiomas de la Humanidad.

No es cuestión para tratada aquí la del origen divino o humano de este gran instrumento del pensamiento. Las lenguas, auxiliares naturales de la sociabilidad, remontan su origen tan remotamente como el propio hombre. La diversidad de lenguas, expuestas a la variedad de influencias bajo las cuales el ser humano nace y se desenvuelve, es un hecho natural y primitivo. Es un resultado de los caracteres fisiológicos y morales de la raza, del ambiente en que vive, del clima, del sol, de las aptitudes, de los hábitos, de las ideas... Todos estos elementos contribuyen a la formación de una lengua y a caracterizarla; y de su acción combinada, acumulada, proviene *el genio* de una lengua, que responde, normalmente, al genio de una nación.

Se llama *lengua viva* a aquella aún en uso, como medio general de comunicación expresiva, en un país; y *lengua muerta* a la que ya no es hablada y cuyo testimonio se conserva únicamente en los escritos. Una *lengua viva* puede ser dividida en *vulgar* o *familiar* y *lengua escrita;* aquella es la más libre y la menos rígida; esta, la más sometida a las reglas rigurosas. Ciertas lenguas escritas difieren tanto de sus correspondientes lenguas vulgares o habladas, que presentan los caracteres de una lengua artificial.

Se califica una lengua de *literal* cuando ha sido conservada en las obras escritas en un estado de pureza primitiva que contrasta con la alteración constante de la lengua común; tal acontece, por ejemplo, entre el árabe del *Corán* y el árabe vulgar.

El número de las lenguas vivas y muertas, que se ha señalado, por aproximación, en *dos mil,* no ha sido jamás determinado sino de una manera incierta y arbitraria. Fuera del número corto que han fijado los monumentos literarios, el resto nace y desaparece a merced de un incesante movimiento inexplicable—o indeterminado—aún. En América, en Asia, en Africa, en Oceanía—pese a los prodigiosos esfuerzos de los misioneros y de los filólogos—, surgen y desaparecen los lenguajes. En esos continentes no es raro encontrar ciudades dentro de cuyos límites se hablan diez o doce dialectos, tan distintos entre sí, que se hacen ininteligibles para los mismos vecinos. Según Plinio, él llegó a clasificar, en la Cólquida, más de trescientas tribus que hablaban distintos dialectos; y los romanos tuvieron que servirse de ciento treinta intérpretes para comerciar y tratar con ellas.

Una clasificación metódica de elementos tan diversos y numerosos presenta grandes dificultades. Son muchos los sistemas seguidos por los lingüistas. Unos se basan por países; otros, por familias; otros, por elementos constitutivos...

Según el primer sistema—que es menos una clasificación que una distribución geográfica—, hay lenguas *asiáticas, europeas, africanas, americanas* y *oceánicas.* Según el segundo sistema, por *familias,* hay lenguas *indoeuropeas, semíticas, neolatinas, eslavas, uraloaltaicas.* Según el tercer sistema, el *morfológico*—de μορφή, forma—, hay lenguas *monosilábicas, aglutinantes* y *flexivas,* y también *analíticas* y *sintéticas.* Una buena clasificación ha de tener en cuenta todos estos sistemas.

Max Müller, aplicando el *sistema genealógico,* dividió las lenguas en tres familias: *aria, semita* y *turania.* Clasificación incompleta, porque deja fuera de ella a las innumerables lenguas americanas y a las del centro y sur de Africa. La familia *aria* comprende las lenguas *indoeuropeas* originadas por el *sánscrito,* en total unas cuarenta lenguas vivas y unas veinte lenguas muertas de Europa y Asia. La familia *semita* es más pobre; aparte el hebreo y el árabe, comprende unos cuantos idiomas conocidos únicamente por los monumentos y las inscripciones. La familia *turania* es, por el contrario, conocidísima, ya que suma más de un centenar de idiomas, de los cuales es muy difícil hallar su raíz común.

La última de las clasificaciones, en lenguas *analíticas* y *sintéticas*—dentro de un orden morfológico—, se basa en las *consecuencias literarias.* Se llaman *analíticas* aquellas cuyas ideas están dependiendo, no de las palabras que exponen estas ideas, sino de palabras particulares, de los signos aislados y abstractos de sus relaciones. Son lo contrario que las *sintéticas,* en las que cada vocablo representa no solo una idea, sino también las relaciones de esta con las demás y su papel en la proposición. En las *analíticas,* según las relaciones de posesión, de filiación, de atribución, de la acción ejercitada o en suspenso, de su abstracción o generalización, la idea está representada por un signo especial, el más destacado en la proposición. La tendencia de estas lenguas es llegar a no expresar por los sustantivos y los verbos sino el objeto y la acción *en su pura abstracción.* De aquí la necesidad de palabras auxiliares—pronombres, preposiciones, etc.—para alcanzar con su ayuda las necesarias modificaciones del pensamiento.

Las lenguas modernas son más analíticas que las antiguas, y las neolatinas más que las germánicas.

V. GESNER, Conrad: *De Differentiis linguarum.* Zurich, 1555.—CONDILLAC: *Essai sur l'origine des connaissances humaines.* París, 1756.—ADELUNG: *Mithritate, ou Science générale des langues.* Berlín, 1806.—VATER: *Tableaux comparatifs des grammaires des langues de l'Europe et de l'Asie.* Halle, 1822.—BALBI, Adrien: *Atlas etnográfico del globo.* Traducción. Madrid, 1886.—STEINTHAHL, H.: ... *Die Classification der Sprachen.* 1850.—MÜLLER, Max: *La ciencia del lenguaje.* Madrid, 1890.—MÜLLER, Max: *Nouvelles études*

L

sur le langage. París, 1863.—BAUDRY, F.: *Gramática comparada de las lenguas clásicas.* Varias ediciones.—GRIMM, Jac.: *Ueber den Ursprung der Sprachen.* Extracto de las "Memorias" de la Academia de Berlín. 1862.

LENGUA D'OC (V. Provenzal, Lengua)

LEONINO (Verso)

Se llama así a cierto verso cuya última sílaba rima con la del hemistiquio.

Bella per Em(athios)—plusquam civilia c(ampos).

Al parecer este verso recibió el nombre de leonino o Leonio, religioso contemporáneo del rey de Francia Luis VII, que lo puso en boga, aun cuando ya lo habían utilizado los mejores poetas antiguos. En Virgilio se han encontrado 924 versos leoninos, 75 en las *Bucólicas,* 198 en las *Geórgicas* y 651 en la *Eneida.*

Los poetas latinos gustaron de colocar con frecuencia en el hemistiquio de un hexámetro una palabra que se asemejaba gramaticalmente a la última palabra del verso. Así, con cierta apariencia de asonancia, lograban un efecto de armonía.

En los poemas latinos de la Edad Media, los versos leoninos fueron aún más frecuentes que en la antigüedad. Se emplearon en las prosas y en los himnos litúrgicos. Y aún hubo obras compuestas totalmente con versos leoninos. Tal es la *Historia del Antiguo y del Nuevo Testamento,* cuyo manuscrito se conserva en la Biblioteca Nacional de París, atribuido a Leonio o Leonino. Y tal es, también, un poema de 2.956 versos, titulado *Bernardi Mornalensis, monachi ordinis cluniacensis, ad Petrum Cluniacensem abbatem qui claruit anno 1149, de Contemptu mundi, libri III* (Bremen, 1595).

Versos leoninos se encuentran hoy en casi todos los poetas modernos.

V. OBERLIN: *Rhytmologia.* Varias ediciones.

LESGHISA (Lengua)

Uno de los idiomas caucasianos, hablado por los habitantes del Lesghistán o Daghestán. Esta lengua tiene semejanzas no solo con las restantes lenguas del Cáucaso, sino, aún más, con otras del norte de Asia y del norte de Europa, principalmente con las de los samoyedos y uranios. Son numerosos los dialectos lesghisos y extraordinariamente distintos entre sí. Klaproth ha señalado los siguientes: *aware, akuscha, anzouch, tscharikabutsch, andi, didoëthi, kazi- kumuk.* El más importante es el *aware,* que no tiene género; su declinación ofrece siete casos y su conjugación es sumamente irregular. Su pronunciación, como la de los demás dialectos, es sumamente dura por la multiplicación de las consonantes y sus sonidos guturales.

V. MÜLLER, Max: *La science du langage.*

LETONA (Literatura)

La primera literatura letona tiene un carácter eminentemente popular. Han llegado a ser reunidos cerca de 500.000 cantos populares—*tautas dziesmas*—. La primera compilación de estas poesías, anónimas en su mayoría, la realizó y publicó en ocho volúmenes, de 1894 a 1915, Krishjanis Barons (1835-1923), erudito y poeta de mucho mérito, que llegó a coleccionar 250.000 composiciones. Tales cantos dividíanse en mitológicos, caballerescos, amorosos, costumbristas, legendarios...

La primera obra de literatura culta escrita en letón es una plegaria inserta en una crónica prusiana—¿1529?—. Las primeras obras impresas: *Catecismo católico*—1585—y *Catecismo luterano* 1590—. Durante más de un siglo la producción libresca se redujo a textos religiosos protestantes, himnos, sermones, gramáticas y léxicos.

La literatura profana se inició hacia 1750, removida por las ideas alemanas de la *Aufklärung,* introducida en Letonia por G. F. Stenders (1714-1796), fabulista, didáctico, muy amado por sus compatriotas, quienes le designaban cariñosamente con el nombre de "Vecais Stenders" (Viejo Stenders). Su hijo, A. I. Stenders (n. ¿1750?), fue autor de la primera comedia escrita en letón.

Se ha llamado "período nacional" el comprendido entre 1860-1890, durante el cual publicáronse varias revistas y diarios del mayor interés.

En este período se iniciaron: Juris Neikens (m. 1878), novelista. Juris Allunans, poeta clasicista. Andrejs Pumpurs (1841-1902), uno de los iniciadores del romanticismo, autor del gran poema *Lachplesis.* "Auseklis", seudónimo de Krogzemju Mikus (1850-1879), gran patriota, en versos de enorme musicalidad. "Jusminsh", seudónimo de Jekabs Lautenbachs (1847-1928), autor de las epopeyas *Dios y el diablo* y *La esposa de la serpiente,* y novelas y poesías líricas. Kaudzites Matiss (1848-1926), quien, en colaboración con su hermano Reines (1839-1920), escribió una trilogía realista: *Los tiempos de los revisores,* considerada como el *Quijote* de Letonia. Adolfs Allunans (1848-1912), autor de dramas intensos —*Nuestros abuelos, Quiénes son los que cantaban*—. "Apsishu Jekabs", seudónimo de Janis Jaunzemis (n. 1858), novelista popular—*Entre gente extranjera, Parientes ricos.*

A partir de 1890 adquirieron gran fama, dentro de las distintas tendencias europeas de la época—simbolismo, naturalismo, realismo y modernismo—: Teodors Zeiferts (nació en 1865), que creó la crítica de arte. Jekabs Janshevskis, cuentista, autor de la gran novela *La tierra natal,* en seis tomos. Rudolfs Blaumanis (1862-1908), novelista—*Vadeando las ciénagas, El temporal, En la sombra de la muerte*—. Janis Poruks (1871-1911), cuentista y novelista neorromántico—*Lágrimas, Los puros de corazón*—. Andrievs Niedra (n. 1871), dramaturgo, novelista —*Humo de tierra virgen.*

"Rainis", seudónimo de Janis Pliekshans (1865-1929), traductor de Shakespeare, Goethe y Schiller, acaso el poeta más representativo de la Letonia moderna—*Fin y Principio*—y dramaturgo insigne—*Juego y noche, El caballo de oro*—. Elsa Rozenberge (nació en 1868), que popularizó el seudónimo de "Aspazija", poetisa neorromántica y autora dramática—*El velo de plata, La sacerdotisa pagana*—. Anna Brigadere (1869-1933), poetisa y autora de un teatro fantástico —*Spriditis*—. Karlis Skalbe (n. 1879), poeta y narrador. Janis Jaunsuorabinsh (n. 1877), dramaturgo y novelista. Fricis Barda (1880-1919), neorromántico y filosófico. Janis Akuraters (n. 1876), poeta, novelista y dramaturgo. "Saulietis", seudónimo del dramaturgo y novelista Augusts Plikausis (n. 1869), "Pludonis", seudónimo del gran lírico Vilis Lejenieks (n. 1874). Y los más modernos poetas Peteris Ermains (n. 1893) y Janis Veselis, también excelente narrador.

V. Prampolini, S.: *Historia universal de la Literatura*. Buenos Aires, Uteha, 1941, tomo XIII.

LETRAS (BELLAS)

Esta expresión, que sustituyó, a partir del Renacimiento, la designación de *buenas letras, letras humanas (optimae, humaniores litterae)*, hoy, a su vez, ha sido reemplazada por la expresión abstracta de *Literatura* (V.).

LETRAS (Hombre de) (Gente de)

Con estas palabras se designa una clase de personas que no solo cultivan las letras—Literatura—por vocación y entretenimiento, sino que hacen de ellas una profesión.

LETRILLA

Es un poema breve, escrito en versos de ocho o menor número de sílabas. Tiene al principio un pensamiento, que sirve de tema a la composición, la cual se divide en estrofas simétricas terminadas con un mismo verso, llamado estribillo. Su fondo puede ser amatorio, religioso, satírico y burlesco. En España cultivaron la letrilla a la perfección Juan del Enzina, Villegas, Hurtado de Mendoza, Góngora, Lope, Quevedo, Iglesias de la Casa, Meléndez Valdés...

Martínez de la Rosa la define así:

Más rápida y sencilla
la amorosa letrilla,
parece el leve juego
del niño alado y ciego;
imita su donaire,
su planta fugitiva;
deslízase ligera,
graciosa nos cautiva.

Las características de la letrilla son la facilidad y la gracia; su estilo debe ser muy sencillo, y su versificación, fluida y caprichosa.

Madre, yo al oro me humillo:
él es mi amante y mi amado,
pues de puro enamorado
anda contino amarillo;
que, pues, doblón o sencillo,
hace todo cuanto quiero,
poderoso caballero
es don Dinero.

Nace en las Indias honrado,
donde el mundo le acompaña;
viene a morir en España
y es en Génova enterrado.
Y pues quien le trae al lado
es hermoso, aunque sea fiero,
poderoso caballero
es don Dinero.

Son sus padres principales
y es de nobles descendiente,
porque en las venas de Oriente
todas las sangres son reales;
y pues es quien hace iguales
al rico y al pordiosero,
poderoso caballero
es don Dinero.

¿A quién no le maravilla
ver en su gloria sin tasa
que es lo más ruin de su casa
doña Blanca de Castilla?
Mas, pues, que su fuerza humilla
al cobarde y al guerrero,
poderoso caballero
es don Dinero.

Es tanta su majestad,
aunque son sus duelos hartos,
que aun con estar hecho cuartos,
no pierde su calidad;
pero, pues da autoridad
al gañán y al jornalero,
poderoso caballero
es don Dinero.

Más valen en cualquier tierra
(mirad si es harto sagaz)
sus escudos en la paz
que rodelas en la guerra;
pues al natural destierra
y hace propio al forastero,
poderoso caballero
es don Dinero.

(Francisco de Quevedo.)

LETRISADO (Verso)

Epíteto que se da al verso antiguo, cuyas palabras empezaban con una misma letra:

*T*ú *t*ambién *t*endrás *t*u *t*rono...

Y en Ennio se lee:

O Tite, tute, Tati, tibi tanta tyranne tulisti...

L

LÉXICO

1. Diccionario. Vocabulario.
2. Giros o modismos de un autor o de una obra determinada.

LEXICOGRAFÍA

De λεξικός, léxico, y γράφω, escribir.

1. Arte de componer léxicos o diccionarios.
2. Arte de coleccionar voces propias de un idioma, fijando su sentido y señalando el empleo ortodoxo de cada una de ellas.
3. Arte y ciencia de considerar las palabras en su valor y en su sentido, con entera independencia de las reglas de la sintaxis.
4. Parte de la lingüística que trata de las reglas observadas en la composición de los diccionarios y de los medios por los cuales se llega a descubrir el verdadero y genuino sentido de las voces.
5. Parte de la gramática que trata de los elementos concurrentes en la formación, cambio y modificación de las palabras.

LEXICOLOGÍA

De γεξικος, diccionario, y λο˜ος, tratado

1. Arte de componer diccionarios.
2. Estudio de la etimología y analogía de los vocablos, con intención de incluirlos en un léxico o diccionario.

Tres son los métodos de la investigación lexicológica: el *empírico*, el *histórico* y el *genético*. El *empírico* registra las diferentes ideas que pueden expresar los vocablos de un idioma, ya en su acepción vulgar, ya en su acepción literaria o científica. El *histórico* elabora y ordena cronológicamente el material léxico en curso de evolución a través de los tiempos. Y el *genético* se sirve de las deducciones para reconstituir las palabras de las cuales derivan las que conocemos y utilizamos actualmente. (V. *Fonética* y *Semántica*).

LEYENDA

1. Relación de sucesos en los que lo maravilloso e imaginario superan a lo histórico y verdadero.
2. Composición poética cuyo tema es un suceso maravilloso, con escasa realidad.
3. Relación de la vida de un santo *(Leyenda áurea)*.
4. Forma narrativa breve—generalmente en verso—, con un asunto tomado de la tradición.

Algunas *gestas* medievales fueron llamadas *leyendas:* así, *Leyenda de Rodrigo, Leyenda de los infantes de Lara;* pero en ellas la denominación se aplicaba en su sentido histórico.

Literalmente se aplicó a la hagiografía, como en los *Milagros de la Virgen,* de Gauthier de Coincy, Gonzalo de Berceo y Alfonso X el *Sabio.*

El *romanticismo* devolvió a la *leyenda* su sentido de tema heroico, con mucho de inverosímil y algo de histórico.

Algunos poetas españoles románticos—el duque de Rivas, Zorrilla, Espronceda, Bécquer—, con sus *leyendas* con un vago sentido lírico, *interpretaron soñadoramente* temas con sustancia realista e histórica.

LIBELO

Sinónimo de *Folleto* (V.).

1. Libro pequeño.
2. Escrito—generalmente anónimo—en que se infama o se denigra a personas o cosas.

La palabra libelo, conforme a su etimología *(libellus,* libro pequeño), no entraña, pues, por su origen, una idea ofensiva. Designa un escrito de exposición corto, rápido, preciso; así, se dice: *libelo de proclamación, libelo de acusación, libelo de repudio.*

Poco a poco el sentido de *acusación escandalosa* se sobrepuso a todos los demás. Y se entendió, a partir del siglo XVI, por libelo un escrito esencialmente difamatorio, fuertemente escandaloso y, en general, anónimo; es arma de la cobardía y de la indignidad. "Las gentes honestas que piensan—dijo Voltaire—son críticas; las malignas, satíricas; los perversos componen libelos."

Los libelos, escritos generalmente en prosa, pueden estarlo en verso, y en este caso toman la forma de canción, y son a la literatura lo que al dibujo es la caricatura. Muchas de las canciones políticas contra los reyes y los gobernantes no son sino libelos.

El libelo, como el *panfleto* (V.), ha existido siempre. Ya las *Doce Tablas,* en Roma, pedían la pena de muerte para aquel que ridiculizaba a un ciudadano romano.

La literatura española tiene un famosísimo panfleto: el titulado *Spongia,* de Pedro de Torres Rámila contra Lope de Vega.

Pero, ordinariamente, los libelos tienen una intención política y revolucionaria. Algunos de estos han tenido una trascendencia capital. Luis XVIII de Francia *casi* debió el trono al libelo de Chateaubriand *De Buonaparte et des Bourbons.*

V. LINGUET: *Théorie du libelle, ou l'art de calomnier avec fruit.* Amsterdam [París], 1775.

LIBERALES (Artes) (V. Artes liberales)

LIBERALISMO

Orden de ideas que profesan los partidarios del sistema liberal.

Pero el liberalismo suma cuatro tendencias de absoluta independencia entre sí: la *jurídica,* la *económica,* la *política* y la *religiosa.*

El liberalismo jurídico, derivado del racionalismo filosófico, considera el Derecho como un producto de la voluntad humana; supone la razón individual absolutamente libre; niega la ley eterna como ordenadora de la vida social; no admite otra autoridad superior al Poder civil. El liberalismo jurídico cree que la sociedad no surge de un imperativo de la Naturaleza, sino de una paz mutua impuesta por las circunstancias y por el pacto, y considera la Iglesia como una sociedad sometida al Estado.

El liberalismo económico sigue una tendencia negativa, es decir, exige la menor intromisión posible en la vida económica, para dejar en libertad de juego a las que estima como únicas fuerzas económicas: la competencia y el afán de lucro. Fruto lógico del liberalismo económico es la teoría librecambista.

El liberalismo religioso suele confundir la libertad física con la libertad moral; no admite sino la razón y la ley positiva para encaminarse hacia el Ser Supremo, y no reconoce—para hacerlas cumplir—las normas contenidas en la ley eterna. El liberalismo religioso ha sido condenado por varios Pontífices en muy famosas Encíclicas: Clemente XII, en *In eminenti*—1738—; Gregorio XIV, en *Mirari vos*—1832—; Pío IX, en *Syllabus*—1864—; León XIII, en *Immortale Dei*—1885—y *Libertas*—1888.

El liberalismo político viene—en ocasiones—a sumar los restantes liberalismos. De aquí que cuando se habla, en general, de liberalismo, se circunscriba al político, *que lleva en sí* cualesquiera otros linajes de liberalismos.

"Siendo la independencia y dignidad personal de cada hombre piedra angular y cimborrio del edificio social, tal y como el liberalismo lo entiende, se le ha solido tildar de mecanicista, esto es, de que concibe la sociedad humana más como agrupación yuxtapuesta de sus elementos que como organismo armónico y viviente. Nada más lejos, sin embargo, del verdadero espíritu liberal. La concepción orgánica de la sociedad es tan evidente y palmaria, que para descubrirla no es menester recurrir al testimonio de los grandes filósofos, economistas ni teólogos; basta la simple intuición de un espíritu despierto.

"Es, pues, evidente la comunidad de los hombres mucho más que la agrupación de ellos, asociación viva que entrelaza los destinos de cada uno con el de todos, que enriquece la capacidad del presente con los tesoros del pasado e impele arrolladora hasta la creación del porvenir. Ahora bien: para el liberalismo, esta distinción que se hace entre la sociedad y los hombres que agrupados la constituyen, es puramente convencional, formal o aparente. Todos y cada uno de los hombres de la presente Humanidad constituimos la verdadera sociedad física y real, porque somos los hombres el ánfora viviente donde laten toda la tradición, toda la costumbre, la riqueza y la ley acumuladas por la Historia. El hombre es la realidad social, y suprimiéndole se diluye en la nada el mágico castillo de la república humana.

"Es cierto, por una parte, que la sociedad puede compararse al artista de invisibles manos, cincelador de estatuas, que son los hombres. Nacemos en el hogar, que, institución social, donde recibimos de nuestros padres, juntamente con caricias y cuidados, los primeros hábitos, costumbres, palabras, conceptos y emociones; nuestro pensamiento se nutre con las verdades que la varita mágica de la experiencia colectiva hizo brotar en la roca estéril de la Naturaleza y de la vida; nuestras emociones despiertan en el regazo materno, se empapan luego en la belleza de las artes, tiemblan en las estrofas de los poetas de nuestra raza, palpitan en las sinfonías de los músicos y ascienden transfiguradas al azul de los cielos entre los himnos de las plegarias que nos legara la religión de nuestros mayores. El hombre es en el ambiente social como esponja sumergida en el agua o como el cristal penetrado por un rayo de sol de la tradición. Con razón lo comparaba Juan de Salisbury al niño encaramado sobre la espalda de un gigante, cuyas perspectivas se ensanchan prodigiosamente, no por la propia elevación, sino por la ciclópea espalda que le sirve de pedestal. El liberalismo reconoce todo cuanto debe el hombre a la sociedad; pero, por otra parte, afirma que la sociedad no está fuera de los hombres. Su existencia radica en nosotros de tal manera, que si por una peste universal pereciéramos de repente todos los hombres, se esfumarían en la Naturaleza sin pensamientos cuantos tesoros constituyen el testimonio social: la sabiduría atesorada por millones de libros, que nadie leería; las fórmulas científicas no interpretadas; la poesía y el pentagrama; los cuadros y las estatuas que no hallarían espíritus para contemplarlos; los campos incultos, los templos vacíos, las supersticiones, los códigos y la tradición riquísima de la raza. Somos los hombres de carne y hueso quienes constituimos y perpetuamos la tradición, quienes formamos la sociedad viviente, atesoramos el opulento pasado y labramos el maravilloso porvenir del mundo en un fluir incesante y continuo.

"Precisamente por esta tendencia pertinaz de convertir la sociedad—que es un fantasma de nuestro pensamiento—en cosa real y sólida, a cuya sombra se cobijan todos los privilegios y en cuyo nombre se implantan todas las tiranías, ha sido menester proclamar paulatinamente los derechos del ciudadano para que sirvan de fundamento y base a los que podríamos llamar derechos colectivos o sociales; porque si cada hombre no posee derechos, la sociedad tampoco los disfruta, ya que la sociedad solo existe en el hombre, por el hombre y para el hombre. El criterio insiste en que únicamente hay justicia social cuando la disfrutan todos y cada uno de los ciudadanos; en que únicamente hay libertad en tanto que todos somos libres y en que la riqueza, perfección y felicidad de la república se logra y vive a la medida en que cada uno y todos nos sentimos ricos, felices y perfectos, de suerte que cuando en nombre de la sociedad, o de la tradición, del orden o de las instituciones, ya sean conservadoras o revolucionarias, se cercenan y suprimen los derechos del individuo, lo que realmente se hace es acrecentar los privilegios de una casta social con los despojos y menoscabo que padecen los demás hombres. O, conforme al ideario del partido radical socialista de Francia: "El progreso exige, para que lo sea, el desarrollo y expansión del individuo, único ser de carne y hueso que siente, que goza, que padece. El progreso no consiste en el dominio de la organización colectiva o comunal de la sociedad." (F. VALERA.)

De cuanto antecede se desprende la importancia de esta revisión histórica que se llama *Declaración de los Derechos del Hombre y del ciudadano,* principio, fundamento y gloria del liberalismo. "Los hombres nacen y permanecen libres e iguales en derechos, y las distinciones sociales no tienen más fundamento que la utilidad común" (art. 1.º). "El objeto de toda sociedad política es la conservación de los derechos naturales e imprescindibles del hombre, a saber: la libertad, la seguridad, la propiedad y la resistencia a la opresión" (art. 2.º).

Similarmente, en la proclamación de derechos del Congreso de Filadelfia, cimiento de la República de los Estados Unidos de América, se lee: "Todo americano tiene derecho *a la vida, a la propiedad y a la libertad,* y no ha cedido a ningún soberano la facultad de disponer de ellas sin su consentimiento" (art. 1.º). Es decir, poco más o menos, las mismas palabras que las expresadas en la *Declaración de los Derechos del Hombre* publicada por la Asamblea Nacional francesa en 1789.

En resumen: los derechos individuales, base del liberalismo, pueden reducirse a cuatro: ser libre, vivir seguro, disfrutar de lo que es propio de cada uno y defenderse contra quienes traten de oprimirle.

En el liberalismo, los derechos del hombre elevan al individuo por encima de la ley y de la colectividad, ya que la ley fue concebida y está integrada por y para los hombres. Sin embargo, la ley de cada hombre tiene un límite lógico: el sacrosanto derecho de los demás hombres.

Los *Derechos del Hombre* manifiestan el sentido liberal con respecto al origen y a la limitación de las leyes de la siguiente manera:

"Art. 3.º La ley es la expresión de la voluntad general. Todos los ciudadanos tienen derecho a contribuir a su formación, personalmente o por medio de sus representantes, y ya sea que proteja o que castigue, debe ser la misma para todos. Todos los ciudadanos, como iguales ante la ley, son del mismo modo admisibles a los cargos, dignidades y empleos públicos, según su capacidad, y sin más distinciones que las de la virtud y el mérito.

"Art. 4.º La libertad consiste en hacer todo lo que no perjudique a otro; por tanto, el ejercicio de los derechos naturales de cada uno no tiene más límite que los límites que afianzan a los demás miembros de la colectividad el goce de iguales derechos; solamente las leyes pueden determinar estos límites.

"Art. 5.º La ley *no puede* prohibir más acciones que las nocivas a la sociedad."

Y la Proclamación de Filadelfia exponía en su artículo 8.º: "Los ciudadanos de estas colonias tienen derechos a reunirse tranquilamente, a tomar en consideración los agravios recibidos y a dirigir peticiones al rey [de Inglaterra]; las causas formadas o encarcelamientos verificados para impedir el ejercicio de estos derechos *son ilegales.*"

Según el liberalismo, la autoridad, que representa los poderes del Estado, encargada de velar por el cumplimiento de las leyes, debe emanar de la nación—suma de hombres—y actuar dentro de ciertos límites, excediendo los cuales, ella misma se desautoriza por alejarse del fin para el que fue constituida. La *Declaración de los Derechos del Hombre* sienta esta doctrina afirmando en el artículo 5.º que "la autoridad no puede impedir que se haga lo que la ley no prohíbe, ni obligar a nadie a que ejecute lo que la ley no manda"; en su artículo 8.º, que "nadie puede ser detenido si no es en los casos y forma determinados por las leyes"; en el artículo 10, que "nadie puede ser molestado por sus opiniones", y en el 11, que a nadie se le puede coartar el derecho a la libre emisión del pensamiento, aun cuando, como es natural, haya de responder del abuso que hiciere de este derecho ante los Tribunales de Justicia.

El liberalismo cree que el fundamento de la libertad social del hombre radica en la propiedad privada, que le ofrece las posibilidades de sustento e independencia. Proudhon—en su *Résume de la question sociale*—reconoce que la propiedad de los frutos de trabajo y el ahorro constituye la esencia de la libertad y la autocracia del hombre sobre sí mismo. Macdonald afirma que le es preciso al hombre poseer y controlar algo si quiere "poseerse y controlarse" a sí mismo. El artículo 17 de la *Declaración de los Derechos* manda: "Siendo la propiedad un derecho inviolable y sagrado, no puede privarse de él a nadie sino cuando la pública necesidad, legalmente justificada, lo exija evidentemente y con la condición de una indemnización previa y equitativa."

El liberalismo aspira a que todos los hombres posean cuanto les pertenezca legítimamente; por ello combate las penas confiscatorias y aun la aprobación por el Estado de la propiedad individual. Rousseau—en su *Contrato social,* lib. I, cap. IX—definió la propiedad privada con un firme criterio liberal: "El estado social solamente es ventajoso cuando todos poseen algo y ninguno carece de todo." Resumiendo: los derechos del hombre son anteriores a todas las leyes y teorías, a todas las autoridades y organizaciones. Intentar quitar a esos derechos sus justas prerrogativas es impedir la formación de toda asociación, destruir la mutua confianza, socavar la sociedad humana. Por algo el artículo 16 de la *Declaración de los Derechos* establece claramente "que la sociedad donde no están afianzados los derechos, ni determinada la separación de los poderes, no está constituida".

A la *Declaración de los Derechos* alguien ha llamado el *decálogo político del liberalismo.*

El liberalismo cree que la soberanía no puede ni debe vincularse en ninguna clase, partido ni organización. Y reconoce los derechos de los organismos, colectividades, gremios e iglesias. "En toda agrupación empieza por definir los derechos individuales para deducir de ellos las normas sociales."

El liberalismo ha escogido un lema tan preciso como acabado: *Libertad, Igualdad, Fraternidad.* Tres palabras, tres conceptos, por ser tres las categorías de la vida política: el Hombre, la Comunidad, el Estado.

Tres hechos originaron, posiblemente, la exaltación del liberalismo a la categoría de movimiento espiritual: la emancipación de los Estados Unidos, la Revolución francesa y el levantamiento y la revolución de España y de sus antiguas colonias.

El liberalismo se extiende—históricamente—, primero, a la conquista de los derechos individuales; luego, a la de los políticos del varón; más tarde, a los de la mujer, y, en fin, a la libertad económica, a la cultura popular, a la organización de la Humanidad entera sobre las normas de la igualdad y de la justicia. Su raíz más honda y firme es la de la libertad como sistema de condiciones de la dignidad humana. Su éxito como doctrina política fue tal, que puede afirmarse que durante más de un siglo ha sido también la forma política por excelencia: el Estado liberal sometido a un orden jurídico. Croce ha llamado al liberalismo "la religión de la libertad".

"En el aspecto doctrinal e histórico han de considerarse, según la sugerencia de De Ruggiero, los siguientes elementos previos: En primer lugar, la experiencia inglesa de un acuerdo entre la burguesía y la nobleza, que hace fracasar el Estado absoluto; visión que ayuda a comprender en el Continente los métodos que exige la implantación de un régimen semejante. En segundo lugar, la tolerancia religiosa, que aparece ya consolidada a partir de la Revolución francesa y que acostumbra admitir la disidencia confesional dentro de una misma área de soberanía. Colaboran en este desarollo los principios de la escuela del derecho natural que conducen a la inserción de los ideales racionalistas en la vida política, la transformación industrial y el mimetismo de la práctica británica. Sobre tales bases, la Revolución francesa influye con sus declaraciones de derechos y por la definición de la libertad, y aun en el curso de la política francesa, derivada de la Revolución, han de notarse las repercusiones americanas e incluso la reacción antidemocrática posterior a 1848.

"Un campo semejante está particularmente preparado para la difusión de una ideología que convierta en mito el concepto de libertad. Si esta tiene por fin la defensa de la dignidad de los hombres, ha de considerarse su reflejo en ese mismo ambiente, ya que lo que en su formulación legal va destacando es la interpretación de la libertad como sistema de condiciones externas. La libertad, vista del lado positivo, se concertará, de otra parte, en el poder de hacer algo que sea digno de ser hecho por el hombre. Constituirá así un ideal dinámico que tomará aspectos diversos en cada momento y en cada circunstancia.

"El siglo XIX se encontró en su primera mitad con los obstáculos que a ese poder imponía el absolutismo, y la acción del ideal de libertad tendió a la formulación y a la defensa de los derechos individuales y políticos. En la segunda mitad, el absolutismo político había sido sustituido por una serie de presiones de carácter social, y entonces el ideal de libertad tendió a la vigorización de las clases medias.

"Bajo tales condiciones, el Estado liberal se puede considerar como instrumento histórico al que se adscribe la tarea de extender y defender las formulaciones del ideal de libertad. De ahí parten el desarrollo de los sistemas de garantías y la instalación de un constitucionalismo legal, que toma especial importancia y relieve en la política francesa a partir de la misma Convención. Había allí una exagerada abstracción racionalista, que, al tiempo que elevaba la eficacia del mito como tal, recortaba sus posibles actuaciones concretas. Frente a esa versión, el régimen constitucional inglés le dio, desde Burke especialmente, un sentido muy concreto de libertades determinadas. Inglaterra sabe filtrar muy agudamente las influencias románticas e historicistas, como hemos advertido, al tiempo que saca del utilitarismo reservas de reacción y de revisión y acoge las consecuencias del individualismo económico. El elemento mítico es más inferior en Inglaterra que en el Continente, y acaso se deba a estas circunstancias la mayor vigencia de sus formulaciones." (JUAN BENEYTO.)

V. BENEYTO, Juan: *Historia de las doctrinas políticas.* Madrid, Aguilar, 1948.—AYALA, Francisco: *El problema del liberalismo.* Méjico, 1942.—ELORRIETA, Tomás: *Liberalismo.* Madrid 1926.—HOBHOUSE, L. T.: *Liberalismo.* Barcelona, Labor, 1927.—LASKI, H. J.: *The rise of european Liberalism.* Londres, 1936.—RUGGIERO, G. de: *Historia del liberalismo europeo.* Madrid, 1944.

LIBRECAMBISMO

Nombre dado a la doctrina y al sistema que favorecen o franquean el comercio, principalmente el internacional.

También se llamó librecambismo una teoría liberal en el comercio que preconiza la supresión de tarifas y trabas para la entrada y salida de productos de los países, y la libertad de transacciones internacionales.

El librecambismo fue formulado en el siglo XVIII como reacción contra el *mercantilismo* (V.) y el intervencionalismo. Lo propugnaron algunos fisiócratas, en especial David Hume y Adam Smith, y fue desarrollado por la llamada escuela clásica.

Según Ricardo y Stuart Mill, el librecambismo tuvo dos principios fundamentales: la *libertad individual* y la *noción de la propiedad.* El librecambismo combatió enérgicamente toda restricción a la facultad de cambiar el hombre sus productos "con quien quiera y en las condiciones que le plazca". El librecambismo constituye una aplicación escueta del liberalismo económico, fundado en la fórmula fisiócrata del *dejad hacer, dejad pasar,* y aceptado por la escuela de Manchester.

El librecambismo se dividió en *absoluto* y *moderado.*

El *absoluto* defendió íntegramente todos los postulados del librecambismo, rechazando toda intervención del Estado en lo concerniente a la industria y esgrimiendo como principales argumentos:

1.º El hombre es dueño absoluto de sus facultades y de sus bienes; por ello nadie ni nada puede limitar su albedrío en relación con su trabajo y con su propiedad.

2.º Que la industria protegida, como carece de competencia, acaba por imponerse tiránicamente, elevando a placer los precios en perjuicio de los consumidores.

3.º Que la verdadera protección a la industria nacional se obtiene merced al librecambio, ya que la competencia hará perfeccionar las industrias, ensanchando sus campos de actividad y creando unos precios remunerativos, pero justos.

El librecambismo *moderado* o *restringido* admite numerosas restricciones a los principios implantados por el absoluto; acepta la intervención del Estado en ciertas materias de reglamentación, organización y hasta protección, que considera necesarias para el orden social.

"Según Adam Smith, el individuo, que mejor que nadie puede juzgar dónde y cómo sus fuerzas de trabajo son utilizables del modo más adecuado, debe ser hecho independiente y débesele garantizar la más completa libertad para comerciar. Pero, por otra parte, expresa sus temores de que los nobles y los ricos, que son quienes mayor influencia ejercen en el Estado, se prevalgan de esa misma libertad para utilizarla en interés propio y oprimir a los débiles. Procurando representar el interés individual y tomarlo como punto de partida, concibe el Gobierno estrictamente como un instrumento para favorecer el bienestar de cada cual, mientras, por el contrario, en los tiempos del policismo cameralista túvose al Estado como fin de sí mismo, al cual el bienestar individual era muchas veces supeditado de la manera más infame. Hay que advertir todavía que considera la completa libertad económica como un ideal inasequible por el momento, y cita algunos casos excepcionales, respecto a los cuales hay que aceptar determinadas trabas."

El principio liberal del librecambismo lo destaca debidamente Adam Smith así: "Partiendo de la base que en la vida económica actúan *leyes naturales,* a las cuales es preciso dejar en entera *libertad,* llega este autor, en política económica, a idénticas consecuencias que los fisiócratas. El *interés individual* de cualquier hombre conduce a este espontáneamente a obrar en forma que sea provechosa para la comunidad. El egoísmo miope está frenado por la *competencia;* pero, por lo regular, solo cuando existe libertad económica puede producir el debido efecto y ser provechoso; de lo cual se deduce que el Estado tiene el deber ineludible de acabar con los antinaturales obstáculos presentes. Con mucho detalle trata de los perjuicios que están ocasionando todos los monopolios y la supremacía de los grandes propietarios del suelo, del daño causado a la industria por el régimen gremial y de la limitación del comercio extranjero por medio de aduanas protectoras y prohibitivas."

Si de Adam Smith puede decirse que fue partidario de un librecambismo absoluto, de Bentham—ardiente admirador y partidario de Smith—puede afirmarse que fue un librecambista mitigado. Subrayó el valor de la competencia ilimitada y de la lucha contra los monopolios y las subvenciones. Se manifestó inclinado a la intervención mínima del Gobierno en lo relativo a la ley de la oferta y la demanda.

Del librecambismo cabe asegurar que fue un movimiento económico liberal surgido en Inglaterra como transición entre el mercantilismo y la fisiocracia.

V. ZEYSS: *Adam Smith...* Tubinga, 1889.—CLIFFE LESLIES *The political economy of Adam Smith.*—ONCKEN: *Die maxime "laissez faire, laissez passer".*—CONRAD, J.: *Historia de la Economía.* Trad. cast. Madrid, ¿1919?—POINSARD, León: *Libre-Echange et Protection.* París, 1903, 5.ª ed.—ESTASEN, Pedro: *La Protección y el Libre-Cambio.* Barcelona, s. a.

LIBRERÍA

1. Local donde se venden libros.
2. *Biblioteca* (V.).
3. Estante donde se colocan los libros.

Para los escritores clásicos, la palabra *librería* designaba lo mismo la *venta de libros* que la *biblioteca particular* o *de una comunidad.*

Según Jenofonte y Diógenes Laercio, en Grecia existían los *bibliographi*—copistas—, los *kalligraphoi*—ilustradores de libros, letras capitales—y *bibliofolae*—comerciantes de libros—. Con muchas librerías contó Grecia, en las que los literatos solían hacer sus tertulias. Se sabe que Platón pagó 100 minas (poco más de 9.500 pesetas) por los tres libros del pitagórico Filolao; y Aristóteles, tres talentos (unas 17.000 pesetas) por los libros del filósofo Espeusipo, sobrino de Platón. En Roma se anunciaban los libros en los pórticos del Foro y en las columnas del barrio de las Sigilarias; y había librerías junto a los templos de Vertumno y Jano y en el Argileto. Y han llegado a nosotros los nombres de algunos libreros y editores romanos famosos: Pomponio Atico—amigo de Cicerón—, los hermanos Sosii—amigos y editores de Horacio—, Valeriano Polio y Segundo Atrectus—editores de Marcial.

En España, y en el siglo x, ya existían librerías en la Córdoba musulmana, y aun una *calle de los Libreros,* según testimonio de León Africano.

Don Alfonso X el *Sabio,* en el título 31, ley XI de la *Partida II,* declara: "Como los estudios generales, debe haber estacionarios que tengan tiendas de libros para enxemplarios."

La fundación de las universidades determinó la apertura de innumerables librerías alrededor de aquellas. Los libros preciosos solían *subastarse.* Y en el siglo xv los libreros de Barcelona tenían ya su organización gremial reglamentada.

LIBRES (Versos)

Versos de diferentes medidas en una misma composición, y cuya distribución no está reglada por ningún ritmo particular. En Francia, La Fontaine, con sus *Fábulas,* consiguió sorprendentes efectos de armonía y expresión con los versos libres:

Même il m'est arrivé quelquefois de manger le berger.

Un intento muchísimo menos feliz fue el realizado por Corneille en su tragedia *Agesilas.* (V. *Verso libre.)*

LIBRETO

Se llama así el poema o el drama que sirve de recitado para ser declamado o cantado con música, dando lugar a la ópera, a la zarzuela, al sainete, a la opereta.

Para parte de la crítica—y aun de los públicos—, el libreto es una parte secundaria en las obras líricas, ya que es la música la que gana la gran batalla del éxito, hasta el punto que los compositores suelen exigir a los literatos—a la inversa de lo que se estilaba antes—la modificación del libreto *ajustándolo* a las necesidades de la partitura. Cierto que numerosísimas obras líricas han alcanzado éxitos rotundos pese a ser deplorables sus libretos; pero también es cierto que partituras excelentes han sido olvidadas por sus detestables libretos precisamente; así, *Manon Lescaut,* de Auber; *Psyche,* de Thomas; *Las dos noches,* de Boieldieu. Y, por el contrario, libretos magníficos salvaron partituras mediocres.

Las características del libreto son: la concisión, la flexibilidad para no servir de rémora a las inspiraciones melódicas, los versos fáciles de ritmos variados, las situaciones dramáticas bien definidas, el dibujo firme, pero rápido, de los tipos.

Se llama también *libreto* a un folleto de muy pocas páginas, donde se da un resumen del argumento y de las principales escenas de la obra, particularmente cuando la letra de la producción llevada a la escena está en idioma extranjero.

LIBRO

1. Según la Academia Española, libro es: "Reunión de muchas hojas de papel, vitela, etcétera, ordinariamente impresas, que se han cosido o encuadernado juntas con cubierta de papel, cartón, pergamino u otra piel, etc., y que forman un volumen."

2. Obra científica o literaria de extensión suficiente para formar un volumen.

3. Cada una de las partes principales en que suele dividirse una obra de gran extensión.

En la antigüedad, las inscripciones tenían el valor idéntico al de nuestros libros y periódicos. Se cincelaba en piedra o se rayaba en metal y se exponía al público lo así escrito: edictos, leyes, tratados, contratos, donaciones, fórmulas religiosas. Ejemplo: la piedra basáltica de Rosetta, descubierta en 1799. Esta piedra, minuciosamente estudiada, ha servido para descifrar la escritura ideológica de los egipcios. El rey Darío I de Persia (521-485 antes de Cristo), hizo grabar en un acantilado de mármol, de 540 metros de altura, en Behistan (Bagistana)—antigua ruta militar de Babilonia a Ecbatana—, a un nivel de metro y medio, una inscripción de cuatrocientas líneas relatando la victoria obtenida sobre los rebeldes de su Imperio. Los indios védicos escribían con pinceles sobre hojas de palmas. Los suevos, asirios y babilonios, en ladrillos de arcilla, rayándolos con un buril; y según Herodoto, en *cuero* con cañas afiladas muy semejantes a nuestras plumillas. Los egipcios, sirios, hebreos y sicilianos conocieron el *papiro*—planta que, despojada de su corteza, dividido su tejido celular en capas delgadas y sometidas estas a la acción del agua del Nilo, cruzadas luego con una trama sutil y firme, adoptando forma de hoja, de un tercio a un quinto de metro de altura, y una anchura, en general, de un cuarto a un medio, podía conservarse arrollada, en *volumen* o rollo. Y sobre el papiro escribieron con cañas de Egipto o Cnido (Asia Menor) o con plumas de ibis y ganso. Eumenes, rey de Pérgamo, usó el *pergamino*—piel de animal debidamente preparada—; mediante el raspado se la despojaba del pelo; se la empapaba en una disolución de cal; con piedra pómez se alisaba y, finalmente, con cola se tapaban las rayas y agujeros que tuviera. El pergamino se transmitió a Grecia e Italia, y con el transcurso del tiempo a los países del Norte. No desdeñaron los griegos el uso del plomo—en planchas pequeñas e iguales—para los escritos de mucha extensión. En plomo se conserva el calendario de los aldeanos griegos que Hesíodo compuso con el nombre de *Los trabajos y los días.* Los romanos, en sus orígenes, escribieron sobre un tejido libérico—capa vegetal intermedia entre la corteza y la madera: *liber,* significado de libro—, y los antiguos germanos sobre la madera de boj pulimentada, que tomó la palabra latina *codex*—caudex, tronco de árbol—. Y ya germanos y latinos cortaron la madera en tablillas, cuya superficie ceruseaban o enyesaban, y unían cada dos con charnelas, de manera que las partes escritas quedaran en las caras interiores. De esta manera se puede afirmar que, por vez primera, los escritos toman verdadera forma de libros, ya que poco a poco las tablillas fueron afinándose y uniéndose de tres en tres, de seis en seis. Sobre estas superficies ceradas o enyesadas se escribía con el *stylo* de metal o de hueso, uno de cuyos extremos, terminado en punta, se empleaba para grabar los signos, y el otro, provisto de una superficie ancha y plana, se empleaba para borrar lo escrito, pasándolo sobre la línea como una pala. No dejaron, sin embargo, de usarse el pergamino y el papiro. Cada materia escriptoria tenía su destino. Para los *edictos* de los emperadores, para los *senadoconsultos* y para los documentos oficiales, el pergamino de amplias dimensiones, que muchas veces se adornaba pintándolo de púrpura. Para los documentos privados, el papiro. Las tablillas de madera quedaron casi en absoluto destinadas al *diario* de los padres de familia y a las manifestaciones literarias. El pergamino llegó a estar tan escaso durante los siglos III, IV y V—sobre todo el más preciado, al que se refiere la palabra del antiguo francés *veel,* en latín *vitellus,* ternero—, que los monjes borraban las escrituras paganas para, sobre la misma superficie, redactar una obra de algún padre de la Iglesia. De aquí el nombre de palimpsestos—esto es, pergamino escrito de nuevo—. En tiempos modernos, gracias a los progresos de la Química, se ha conseguido la desaparición del segundo escrito y que sea de nuevo legible el primero, merced a lo cual se han obtenido numerosos fragmentos de Salustio, Tito Livio, Séneca, Cicerón... Desde luego, el primer *libro* que se conoce—libro con forma asemejada a los actuales—está escrito en papiro y es de final del siglo IV antes de Jesucristo. Contiene los escritos del poeta Timoteo de Mileto, procede de la Biblioteca alejandrina y se conserva en Berlín.

¿Y el papel? ¿De dónde o de qué toma el nombre? ¿Cuándo aparece por primera vez? Se está en lo cierto al suponer que *papyros, biblos* y *chartes* fueron palabras que se conocieron en Egipto. Por intermedio de los romanos pasaron a la mayor parte de los idiomas europeos. Así, del griego *biblión, libro;* de la griega *chartes,* la romana *charta* y la castellana *carta;* del griego *papyros,* la alemana *papier.* Seguramente, la materia sustitutiva del papiro tomó el nombre de este por semejanza. La invención del papel se debe, como tantas otras, a los chinos. De la mezcla de trapos, cortezas de árbol, fibras vegetales, hilos de cáñamo, gomas o resinas, Isai-Loun, funcionario palaciego, lo obtiene por primera vez en el siglo II después de Jesucristo. En Europa se conoce por importación de los árabes, que tuvieron fábricas en Samarkanda (714), Bagdad (794) y Damasco (820). Las plazas conquistadas por ellos fueron las primeras en conocerlo: Córdoba, Valencia, Sicilia, Génova... Sin embargo, es en Alemania donde aparecen los primeros centros productores: Raveuslarg, Nuremberg, Ausburg, Maguncia. En España, la primera fábrica de que se tiene conocimiento es la establecida en Játiva, y data del siglo XII. Otras: Toledo (siglo XII), Gerona siglo XIII). El documento español más antiguo en papel: el repartimiento de Valencia hecho por Jaime I de Aragón en 1257, guardado en el Archivo de la Corona de Aragón. El documento europeo, en papel, de fecha más avanzada: una orden, redactada en griego y en árabe, que una condesa Adelaida dirige a sus colonos en 1109; se conserva en el Archivo de Palermo.

Sobre el papel, en un principio, se escribió con pincel o con una caña, alisada su superficie con piedra pómez. Plumas de metal se han encontrado en las ruinas de Herculano, en Aragón y en Maguncia. Pero son manifestaciones esporádicas. Plumas de latón, *clavadas ya* sobre un manguillero de madera, se conocieron en Nuremberg hacia el año 1590. El mecánico francés Arnoux y el alemán Senefelder aplicaron el acero para las plumas en el siglo XVIII.

La forma de los libros hasta el año 300 fue la de un rollo con dos cintas, que solían atarlo, y en las que, a partir del siglo VII (antes de Jesucristo), solían escribirse detalles del contenido. Se colocaban en las estanterías como nuestros modernos rollos de música, guardados en estuches o en cofres de madera, colgantes las cintas del exterior. En el siglo IV se usa el *codex,* de formato cuadrado, colocado horizontalmente. El *codex* se solía escribir a dos y tres columnas, según el tamaño, y se doraban los cortes para evitar la introducción del polvo. El uso de los *reclamos,* o sea poner al final de la página, bajo líneas, a la derecha, la palabra con que empieza la siguiente, no aparece hasta 1300. La foliación, numeración de las hojas, hasta el siglo XIV; y al principio con números romanos; desde 1489, con árabes—con la numeración que estos conocieron de los indios y que aparece por vez primera en Europa, en un manuscrito procedente del monasterio de Albelda, año 976, conservado en la Real Biblioteca de San Lorenzo de El Escorial—; hasta el siglo XVI, el título se escribía en el canto superior. Al empezar a colocarse los libros en posición vertical—siglo XVI—, el bibliófilo francés Glorier introdujo la costumbre de escribirlo en el lomo.

Los romanos encuadernaron ya sus libros con maderas fuertes, forradas de ricas telas. Pero cuando la encuadernación adquiere categoría de arte es en los siglos IX, X y XI, coincidiendo con el florecimiento del monacato. Se conocen cubiertas de plata esmaltada, de marfil guarnecido con piedras, de cuero labrado. Las esquinas se protegían con cantoneras de metal y botones; y para que las hojas no se abarquillaran ni se salieran, se ponían cierres repujados.

De todas las divisiones que se han hecho del libro, reconocemos como la más racional la de *tomo, sección* en griego; *tomo* o *volumen,* del latín *volvere.* Sin embargo, en puridad, existe una distinción bastante importante entre *volumen* y *tomo.* Aquel es más comprensivo; este es más cuantioso. Así, dos *tomos* los encontramos muchas veces encuadernados en un *volumen.* Y un *volumen,* por el contrario, en ocasiones, se divide, cuando *la cantidad* lo exige, en varios *volúmenes.* Un *volumen* puede ser una obra completa, según el uso y decir. Pero en cuanto se habla de *un tomo* de una obra, esperamos la existencia de los siguientes.

Para la división de los libros, los franceses tienen estos términos eficacísimos. Al librillo que no pasa de cincuenta páginas: *pièce;* al que no alcanza las ciento: *plaquette; brochure* desde este número de hojas.

En España, las divisiones son estas: *folleto* y *libro.* Ni las *Instrucciones* para la catalogación de bibliotecas ni la Academia Española fijan el límite de uno y otro. La práctica, entre los que manejan libros, ha dado el primer nombre a la reunión de menos de cincuenta páginas, y el segundo, desde cincuenta y una. Pero la ley de Imprenta española de 1883 fija muy otros límites: *folleto* se considera hasta las doscientas páginas; desde doscientas una, *libro.* Para los efectos técnicos vale aquella división; para los jurídicos —*propiedad intelectual*—, esta.

Por *ejemplar* se entiende una obra completa, sin atender para nada al número de páginas y tomos. El *Quijote* comentado por Rodríguez Marín—edición *La Lectura*—tiene ocho tomos, y, sin embargo, es *un* solo ejemplar. Una biblioteca puede tener cincuenta mil volúmenes y solo veinte mil ejemplares.

También es muy frecuente confundir *edición* de un libro con *tirada* de un libro. Ambas actividades parecen ser las del editor al imprimir los volúmenes *equis* de una obra. La distinción no puede ser más clara.

Tiradas suelen ser sucesivas: mil, dos mil, dos mil quinientas..., y no implican modificación alguna en el texto. El ejemplar veinte mil es idéntico al ejemplar uno. Si acaso, el veinte mil denotará que el *tipo* de letra está *menos* nuevo.

Ediciones suponen modificación del texto, *composición* e incluso *tipo* distintos en cada *tirada.* Una primera edición no es nunca igual a la segunda. En la Sala Cervantina de la Biblioteca Nacional de Madrid es curiosísimo notar y denotar las múltiples diferencias de las ediciones casi coetáneas del libro inmortal.

Modernamente, los editores siguen una costumbre tan fea como inocente. *Tiran* cinco mil ejemplares de una obra. Pues bien: a los mil primeros les colocan la advertencia: primera edición; a los mil segundos: segunda edición; y así sucesivamente, para poder *reclamar* que de la obra del novelista Z se han vendido en un mes cinco ediciones.

La estructura íntima de los libros ha sufrido también hondas divisiones. Los romanos, al frente de sus obras únicamente, y no siempre, ponían una dedicatoria o una invocación. Los copistas de la Edad Media prescindieron de toda introducción en los libros de mero pasatiempo. Los incunables se nos presentan limpios de preliminares. A partir del siglo XVI—fines—, antes de la primera hoja de la obra habremos de encontrar *la* de la censura, *la* de la dedicatoria, *la* de la advertencia al lector, *la* de los versos liminares, *la* del prólogo.

En los libros contemporáneos no es raro encontrar en la cuarta o quinta edición que se copian los prólogos de la primera, segunda y tercera. Y no escasean los que llevan prólogo, intermedio y ultílogo.

Esta estructura interna tiene también sus divisiones, artificiales si se quiere. La más general es la de *capítulos,* acaso más que nada para suspender o mitigar la atención del lector; y no menos recurso del autor para aunar los diversos jalones de su esfuerzo.

Otras divisiones más caprichosas son: *jornadas, partes, estancias, secciones, párrafos.*

El *colofón*—fe del libro—se usó en todos los tiempos, al final del volumen. En él debe constar: nombre del autor, título de la obra, lugar, fecha y taller de impresión.

Las *tablas* o *índices* y la *fe de erratas* se pusieron luego del texto hasta principios de este siglo. Ahora se suele hacer distinción entre los libros de estudio y ensayo, que los llevan al principio, y los de amena literatura, que los mantienen al final.

En términos generales, la distribución del libro moderno es la siguiente: *guarda, anteportada, portada, preliminares*—numerados con alfabeto romano—, *texto,* numerado árabe—dividido en partes, capítulos, secciones, párrafos—, *índices* o *tablas de materias, colofón*—consiste muchas veces en un *ex libris:* dibujo y nombre del autor—, *cubierta* o *tapa.*

LIBROS XILOGRÁFICOS.—Son aquellos cuyas páginas están estampadas sobre planchas grabadas en madera, para diferenciarlos de los tipográficos, que se imprimen con tipos de metal fundidos sueltos.

Los libros xilográficos precedieron a la invención de la Imprenta y estuvieron en boga durante los siglos XIV y XV en Alemania y los Países Bajos. El texto—tipos inmóviles, tallados también—en estos libros era lo secundario; las laminas, como la medula, ya que se trataba de libros religiosos de divulgación. Se copiaron las láminas y se tradujeron los textos en Francia y España. Los principales libros xilográficos fueron el *Arte de bien morir* y la *Biblia de los pobres.* Actualmente, todos ellos constituyen verdaderas joyas de la bibliografía.

LIBROS ANAPISTÓGRAFOS.—Son los que tienen sus hojas escritas o impresas por una sola cara; esto es, tienen la lectura en las páginas impares y el blanco en el verso. En España, varios de los libros anapistógrafos más interesantes son los manuscritos de la Fundición Real de caracteres de imprenta, publicados en Madrid—siglo XVIII—. También lo son la mayoría de los libros japoneses y chinos, anteriores al 1900, impresos en tiras largas de papel, por una sola cara, dobladas estas, y cosidas a manera que solo quedan de manifiesto las estampadas.

LIBROS BECERROS.—Libros en que las iglesias y monasterios de la Edad Media copiaban sus privilegios y pertenencias para el uso manual y corriente. Recibieron el nombre de la piel con que estaban forrados. Los Sinodales los exigían a todas las circunscripciones eclesiásticas.

Eran de un tamaño infolio, difícilmente manejables. Son famosos los *becerros* de los monasterios de Sahagún, Samos, Sobrado y Miraflores.

TUMBOS.—Libros para igual destino que los anteriores, forrados en pergamino, mayores todavía, lo cual exigía, para leerlos, ponerlos "tumbados sobre mesas o colocarlos en facistoles".

CARTULARIOS.—V o l ú m e n e s manuscritos—siglos VI a XIV— en que se transcribían los documentos de derecho privado de los monasterios, catedrales, corporaciones municipales, instituciones de enseñanza y familias privadas. A veces los copistas no se atenían al original y modificaban los nombres y los significados del asunto. San Gregorio de Tours es el que, por vez primera—siglo VI—, habla del *chartarum tomi.* No obstante, el cartulario más antiguo que se conoce data del siglo X.

V. EGGER: *Histoire du livre depuis ses origines jusqu'à nos jours.* París, 1880.—BRUNET: *Manuel du libraire et de l'amateur des livres.* París, 1878.—CIM, Albert: *Le livre. (Historique fabrication. Achat. Classement. Usage et entretien.)* París, Flammarion, 1905. Cinco tomos.

LIBROS (Destrucción de)

Cuando se piensa en la parte mínima de las obras de la antigüedad que han llegado hasta nosotros, no cabe sino la irritación contra las frecuentísimas destrucciones de libros llevadas a cabo, vandálicamente, tanto en los tiempos clásicos como en la Edad Media.

En el siglo VIII antes de Cristo, el rey de Babilonia, Nabonasar, hizo destruir todas las historias de los reyes antecesores suyos.

En China, el emperador Chi-Hoang-Ti, en el siglo III antes de Cristo, mandó quemar todos los libros que fueran hallados en su Imperio.

Según Eusebio, los persas, que odiaban la religión de los egipcios y de los fenicios, destruyeron los numerosísimos libros que se referían a estos.

Los discípulos de Hipócrates quemaron la biblioteca de Cnido.

Los romanos destruyeron los libros de los judíos y de los cristianos.

Los judíos quemaron los libros de los cristianos. Durante la residencia de San Pablo en Efeso, los neófitos quemaron los libros paganos.

Una de las dos bibliotecas de Alejandría, la llamada *Brucchium,* pereció en el fuego cuando César se apoderó de la ciudad. Y la otra, emplazada en el *Serapeum,* que una fabulosa tradición afirma quemada por el califa Omar, fue saqueada y dispersa en el año 390 de nuestra Era, de resultas de una lucha entre los paganos y los cristianos de Alejandría; el historiador Beroso así lo cuenta.

La biblioteca del palacio de Tiberio pereció cuando el incendio de Roma, provocado por Nerón; y la del Capitolio, reinando Commodo. En el Imperio Romano de Oriente, León III hizo quemar la biblioteca imperial, que constaba de 35.000 volúmenes. Los turcos saquearon y destruyeron, en el siglo XI, la biblioteca de los califas de Egipto, en El Cairo, la más considerable y admirable del mundo musulmán, compuesta por 1.600.000 volúmenes.

Otras muchísimas destrucciones de libros se han llevado a cabo en el mundo. Solimán II quemó en Buda la maravillosa reunida por Matías Corvino, Y al tomar los turcos Constantinopla, en 1453, perecieron un millón de volúmenes. Enrique VIII de Inglaterra, al prohibir la vida monástica, dio motivo a la dispersión y destrucción—en parte—de las magníficas bibliotecas reunidas por los monjes.

LIBROS DE IMÁGENES

Reciben este nombre los libros impresos desde principios del siglo XV hasta el descubrimiento de la Imprenta por medio de *planchas de madera de tipos fijos.* No llevan indicación de autor, de lugar ni de año, y son de una gran belleza. Impresos por un solo lado del papel, con una tinta gris, presentan figuras dibujadas, a las que acompañan las explicaciones latinas en prosa rimada. A mitad de cada página se encuentra, generalmente, una letra del alfabeto, de carácter gótico, que indica la paginación.

Los más célebres de estos libros son: *Figurae tipicae Veteris atque antitipycae Novi Testa-*

menti, más conocida por *Biblia de los pobres; Historia Sancti Joannis evangelistae eiusque visiones apocalipticae; Historia, seu providentia Virginis Mariae ex Cantico Canticorum; Ars moriendi, sive de Tentationibus morientium; Ars memorandi notabilis per figuras Evangelistarum; Speculum humanae salvationis* o *Speculum salutis.*

Y se conocen algunos libros de imágenes posteriores al descubrimiento de Gutenberg; así, *El Anticristo* y los *Retratos sacados de la Biblia.*

V. HEINECKE: *Idée générale d'une collection d'estampes.*—LAMBINET: *Recherches sur l'origine de l'imprimerie.*

LICENCIA (V. Figuras de pensamiento)

1. Infracción que de las leyes del lenguaje y del estilo le está permitida al poeta por el uso y por la aprobación de los doctos.

2. Libertad que se toman los poetas para usar algunas frases, figuras y voces que no están comúnmente admitidas.

LICEO

Nombre que reciben algunas sociedades literarias y artísticas cuyos fines son la instrucción y el recreo de las personas que las componen.

El nombre está tomado de un lugar de Atenas consagrado a Apolo Liceo y destinado a la educación de la juventud, en el cual Aristóteles explicó su filosofía.

LIED

Género de poesía lírica alemana correspondiente al *lai,* y a la *chanson,* en Francia, y a nuestra *canción* y a nuestro *villancico.*

En la Edad Media significó todo recitado, cantado o declamado con acompañamiento de instrumentos musicales. En la *familia de los lieder,* como en la de la canción, se tratan temas de infancia, de colegio, de amor, de banquetes, de guerra, de danza...

V. SCHURÉ, Ed.: *Histoire du Lied.* París, 1868.—SCHNEIDER: *Das musicalische Lied in geschichlicher Entwinckelung.* Leipzig, 1864. REISMANN: *Das deutsche Lied.* Cassel, 1861.

LINGÜÍSTICA (V. Lengua)

1. Ciencia del lenguaje humano, de su desarrollo y de sus leyes.

2. Estudio comparativo y filosófico de las lenguas.

3. Estudio de las lenguas consideradas en sus relaciones genéricamente mutuas.

4. Ciencia de la gramática general aplicada de una manera comparativa a los diversos idiomas.

Es sumamente necesario distinguir la lingüística de la filología; esta comprende "el estudio literario e histórico de las lenguas humanas"; aquella, "el lenguaje humano en general, sin referencia a la estética del mismo". No son, pues, ciencias distintas, sino dos partes, dos puntos de vista, de una misma disciplina.

La lingüística no ha tenido calificación de *ciencia* hasta el siglo XIX.

V. DAUZAT, A.: *La Philosophie du Langage.* París, 112.—GARCÍA AYUSO, T.: *Ensayo crítico de gramática comparada de los idiomas indoeuropeos.* 1886.—MÜLLER, Max: *La ciencia del lenguaje.* 1876.—CURTIUS, George: *Zur Kritik der neuesten Sprachforschung.*—WUNDT: *Die Völkerpsychologie.* 1900.—HOVELACQUE: *La Linguistique.* París, 1876.

LIPOGRAMA

De λείπο, dejar, y γραμμα, letra. Se ha dado este nombre a la composición literaria en que el autor prescinde de una letra del alfabeto.

El lipograma se dio ya entre los griegos. Laso de Hermione, poeta del siglo VI antes de Cristo, compuso, prescindiendo de la letra σ, uno *Oda a los centauros* y un *Himno a Ceres.* Píndaro compuso una oda en la que omitió también σ. Néstor, en el siglo II, escribió una *Ilíada* en 24 cantos, suprimiendo en el primero la letra α; en el segundo, la β; en el tercero, la γ, y así sucesivamente una de las veinticuatro letras del alfabeto. Y lo mismo hizo el gramático Triofidoro, autor de una *Odisea.*

También se ejercitaron en este juego pueril los romanos. Fabio Planciades, Gordiano Fulgencio—siglo VI—escribió una obra en prosa, titulada *De Atatibus mundi et hominis,* dividida en 24 capítulos, a cada uno de los cuales le faltaba una letra distinta.

En el siglo XII, Pierre de Riga, canónigo de Saint-Denis, compuso el poema *La aurora* omitiendo diversas letras. En Italia, Vicente Cardona tituló uno de sus poemas la *R sbandita;* y Horacio Fidele otro la *R bandita;* y Riccoloni compuso varios escritos con exclusión de la *r.* El inglés lord Holland, en su *Eve's Legond,* únicamente usa la vocal *e.*

En España, Isidoro de Robles escribió cinco composiciones omitiendo en cada una de ellas una de las cinco vocales. Francisco Navarrete Ribera—siglo XVII—, en su novela *Los tres hermanos,* no utiliza la *a.*

LIRA

Estrofa de cinco versos, de los que son endecasílabos el segundo y el quinto, y de siete sílabas los restantes. Riman el primer verso y el tercero, y los otros tres con distinto consonante. También se ha dado el nombre de *liras* a las estrofas de cuatro o seis versos de dichas sílabas, diferentemente concretados; a las de mayor número de versos se las llama *estancias.*

Mil gracias derramando
pasó por estos sotos con presura;
y yéndolos mirando,
con solo su figura
vestidos los dejó de su hermosura.

(SAN JUAN DE LA CRUZ.)

Todo es silencio y paz. ¡Con qué alegría,
reclinado en la grama,
respira el pecho, y por la vega umbría
la mente se derrama!

(MELÉNDEZ VALDÉS.)

LÍRICA (Poesía)

Poesía lírica (subjetiva) es aquella—dicen los retóricos de profesión—en la que el poeta expresa el estado de su alma, sus impresiones, sus ideas, sus reflexiones y su entusiasmo, y los afectos más íntimos de su corazón.

Lleva el nombre de *lírica* porque los poemas que comprende estaban destinados en la antigüedad y en la Edad Media a ser cantados con acompañamiento de la lira.

Es *objeto* de la poesía lírica la expresión directa de los deseos, las alegrías, las tristezas, los temores y las esperanzas del poeta; la enunciación de los movimientos afectivos del alma juntamente con la pintura viva y animada de las imágenes que brotan de la fantasía. Será, pues, *asunto lírico* todo lo que produce entusiasmo, todo lo que excita bellos conceptos y conmueve el corazón.

La *forma* de la poesía lírica es la *subjetiva* o *enunciativa,* aun cuando accidentalmente puede admitir la objetiva y aun la dialogada y mixta.

Su *estilo* debe ser vivo y elegante, adornado y perfecto hasta en los más pequeños pormenores. Las *estrofas regulares* son la expresión preferida de su versificación.

El poema lírico es de muy poca extensión material, como hijo del entusiasmo o del arrebato de la pasión, que no puede sostenerse por mucho tiempo. Su *unidad* procede de la situación determinada del alma del poeta, más bien que del asunto.

El poema lírico no admite *transiciones* y se complace con las *digresiones.* La causa es porque las transiciones son hijas de la razón y del cálculo, y más propias del filósofo que del poeta; pero las digresiones suponen que el poeta canta movido del entusiasmo y agitado por la pasión a medida que la fantasía le ofrece distintos objetos y variadas imágenes de las cosas.

Entre las composiciones líricas están: *oda, elegía, canción, cantata, soneto, romance, balada, madrigal, letrilla, dolora, epigrama, copla, himno...*

Este género de poesía, que, como su mismo nombre delata, guarda relación íntima con la música, estuvo representado entre los griegos por un número considerable de poemas, los cuales debían su origen precisamente a su posibilidad de ser cantados o recitados. Los griegos establecieron para la poesía dos grandes grupos; uno, el de los recitados— τάξτη —; otro, el de los cánticos—τάμέλη—. La poesía recitada comprendía, con la epopeya, el género didáctico. La poesía cantada abarcaba todas las variedades de la oda, el himno litúrgico, la canción...

Modernamente, según Hegel, la epopeya y, en general, la poesía recitativa, y con ella la poesía dramática desarrollada sobre la escena, tiene como finalidad producir en el auditorio los mismos sentimientos que embargan el alma del poeta; en la poesía lírica, por el contrario, el objeto lo constituyen los sentimientos íntimos del poeta. La epopeya y sus afines tienen un carácter objetivo La poesía lírica lo tiene *subjetivo.*

Y el mismo gran estético afirma que la poesía lírica es independiente de la forma y del ritmo lírico propios de los diversos géneros poéticos; es ella el *fondo mismo del lirismo,* la *propia inspiración.* Para Jouffroy, el lirismo es la poesía; los géneros son únicamente *formas de expresión.*

Para los antiguos, los tres géneros de poesía lírica más importantes y más remotos en su nacimiento fueron el *himno,* la *oda* y la *canción.* El himno traslucía los sentimientos religiosos de amor y de respeto por la divinidad. La oda representaba los sentimientos más individuales. La canción buscaba la exaltación de los entusiasmos por cosas ajenas al individuo y amadas por él: la patria, los reyes, los antepasados, las ideas políticas, el trabajo, la fortuna...

Todos los críticos están conformes en que la poesía *lírica* fue la primera en brotar del hombre, precisamente por estar originada en él mismo, en su emoción y en su deseo, en cuanto pertenece al *humano egoísmo.*

V. HEGEL: *Curso de estética.*

LIRISMO

Con este nombre, de muy moderna aplicación, se designa en todas las obras literarias el entusiasmo, la inspiración, el patetismo, los sentimientos personales que son el patrimonio de la poesía lírica. El lirismo se encuentra lo mismo en la oratoria del púlpito que en la de la tribuna, en la poesía como en la prosa; y se manifiesta por ciertas modalidades del estilo que dan el calor y la fuerza a la obra literaria.

Eneas, aludiendo al caballo de Troya, se turba pensando en los males que llegan escondidos dentro de él *(Eneida,* II, v. 54):

Et si fata deum, si mens non laeva fuisset
Impulerat ferro argolicas faedare latebras;
Trojaque, nunc stares, Priamique arx alta maneres!

Y pocos versos después añade:

O patria, o divum domus Ilium, et inclyta bello
Moenia Dardanidum! Quater ipso in limine portae
Substitit, atque utero sonitum quater arma dedere.

El lirismo, con cierta moderación, es muy propio de las obras dramáticas. En la prosa, el lirismo es una de las características de la elocuencia.

El lirismo inmoderado y fuera de lugar lleva al énfasis, al melodramatismo, al relumbrón.

Si lirismo no fuera sino cuanto acabamos de escribir, nada tendría de *movimento humano* y sí, exclusivamente, de referencia poética. Pero lirismo es una tendencia, una efusión, un estilo. Lirismo es como un gran cosmos que encierra poetas y artistas, acciones y acontecimientos.

Lo primero que debemos señalar es que el lirismo no es coto cerrado de la poesía. El lirismo llega a todas las manifestaciones humanas de amor, de belleza, de exaltación emotiva. Así, el lirismo más genuino orea y vivifica las esculturas de los capiteles románicos, los lienzos de los primitivos flamencos e italianos, la pintura de Rafael, de Leonardo, de Rubens; el patetismo de los imagineros españoles de los siglos XVII y XVIII; la música de los *jubili,* de los *minnesinger*—cantores del amor—; la *chanson* francesa; las expansiones de los *virginalistas* ingleses y de los organistas españoles; los italianos *frottole, villanelle, balletti, canzonette* y *strambotti;* los operistas primitivos: Hidalgo, Schutz, Purcell; los *concerti grossi* de Corelli, Vitali, Torelli, Vivaldi...

El lirismo llega a ser como una religión apasionada, en la que fraternizan trovadores y caballeros, poetas y músicos, artistas y conquistadores de mundos, guerreros y aventureros, religiosos misioneros y religiosos místicos o ascetas. Porque conviene advertir que el lirismo tiende a manifestarse por exaltación; y que, dentro de esta exaltación, predomina —tétrica o alegre, dulce o desesperada—la nota amorosa. Por amor escribe sus poesías el poeta, y retrata el pintor, y conquista el audaz hombre de armas, y evangeliza el misionero, y se arroba el místico, y compone el músico. La dialéctica apasionada lo mismo fluye de los madrigales y de las baladas, que de las arias y de las cantatas, que de los pinceles y de los cinceles, que de las espadas y de los crucifijos. Posiblemente todas—o las mejores—creaciones humanas han surgido bajo el imperio del lirismo.

Acertadamente ha escrito Cirlot: "En su coordinación con el tiempo, el lirismo puede tender a recrearse con la contemplación temporalista de lo amado, como sucede en las largas composiciones románticas, en dibujadas figuras prerrafaelistas, o, por el contrario, ir desesperadamente en búsqueda de la destrucción del tiempo, mediante el éxtasis. Entonces propende hacia las formas simbolistas, o sea, sintéticas; su voluntad se cumple en el horizonte más reducido y la felicidad creacional se realiza en la imagen o en el tema musical. La imagen es un instante habitado. El tema, igualmente. De ahí su poder absoluto; son mundos completos a los que el desarrollo puede no añadir nada fundamental, ni siquiera interesante."

Es decir, que si quisiéramos señalar características esenciales del lirismo—como movimiento humano fecundo e ininterrumpido desde la más remota antigüedad hasta nuestros días, en cualquier humana manifestación—, podríamos mencionar, por de pronto, dos: el tema amoroso como *efusión* y la imagen como *expresión.* Y aún podríamos añadir otra casi fundamental: la explicación y la exaltación del *yo.* Esta característica nos llevaría a admitir que el lirismo está presente, palpitante y removedor en cada pensamiento, en cada sentimiento, en cada manifestación de los hombres.

LITERATURA

Por *Literatura* se entiende el conjunto de las obras literarias producidas en cualquier lugar y tiempo; las leyes o reglas a que están subordinadas, y las bases filosóficas sobre que tales reglas se fundan.

La literatura admite dos principales divisiones: una, por su *extensión* y *contenido;* otra, según su *objeto.*

La Literatura, por su extensión y contenido, se divide en *universal,* si comprende las obras de todos los siglos y países; *general* o *nacional,* si se limita a las de un pueblo *particular,* si solo trata de un género de composiciones o de una sola época literaria.

Por su *objeto,* la Literatura se apellida: *preceptiva,* si da reglas para las diversas composiciones; *filosófica,* si investiga la naturaleza de lo bello y los fundamentos de las reglas; *históricocrítica,* si presenta una serie de obras literarias, examinando su contenido, sus excelencias y defectos y su influencia en la sociedad.

Composición u *obra literaria,* en sentido lato, es toda serie ordenada de pensamientos expresados por medio de lenguaje oral o escrito, y destinados a un fin determinado, que en último término no debe ser otro que el bien del hombre.

Tres son los principales fines que en las obras literarias puede proponerse el escritor, a saber: *conmover y deleitar; investigar y enseñar verdades,* y *dirigir la voluntad hacia el bien.*

De aquí nace la división de las obras literarias en *poéticas, didácticas* y *morales.* Son obras *poéticas* las que aspiran a conmover y deleitar mediante la expresión de la belleza. Son obras *didácticas* las que se proponen investigar y enseñar verdades. Son obras *morales* las que tienden a dirigir la voluntad hacia el bien.

Cada uno de estos tres grupos de obras se subdivide en varios géneros, de la siguiente manera:

Obras poéticas ...	Género lírico. — épico. — dramático. — mixto.
Obras didácticas ...	Tratados elementales. — magistrales. — particulares o monografías. Oratoria académica.
Obras morales	Oratoria sagrada. — política. — forense. Libros de devoción. — de exposición y controversia religiosa.

Las obras literarias, por la *forma* en que se escriben, se dividen en obras en *prosa* y obras en *verso.* También se dividen en obras destinadas a la lectura, en obras destinadas a ser pronunciadas ante un auditorio y en obras destinadas a ser representadas ante un público.

Entran las obras de la inteligencia humana en el dominio de la Literatura en cuanto realizan o expresan, *directa* o *indirectamente,* la belleza; y en cuanto para ser perfectas, han de sujetarse a las reglas de la preceptiva literaria.

Compréndese en general bajo el nombre de *bellas letras, buenas letras* o *letras humanas (humaniores litterae)* cuanto abarca la Literatura, o sea la rama de los conocimientos humanos que se propone el conocimiento y apreciación de la belleza y su expresión artística por medio de la palabra. Pero bajo el nombre de bellas letras entiéndese de un modo más especial el estudio de los autores clásicos, tanto griegos y latinos como castellanos, con el cual se adquiere por medio de la imitación el buen gusto en el arte de hablar y de escribir.

La literatura preceptiva abarca el estudio de la Retórica y la Poética, según el siguiente cuadro:

LITERATURA PRECEPTIVA

I. Retórica:

A.—Tratado de la elocución ...	*a)* Pensamiento. *b)* Lenguaje. *c)* Cláusula. *d)* Figuras y tropos. *e)* Estilo.
B.—Composiciones en verso ...	*a)* Oratorias. *b)* Históricas. *c)* Doctrinales. *d)* Cartas. *e)* Novela.

II. Poética:

A.—Elocución poética	*a)* Concepto de la Poesía. *b)* Su fondo y su forma. *c)* Arte métrica.
B.—Composiciones en prosa ...	*a)* Líricas. *b)* Epicas. *c)* Dramáticas. *d)* Mixtas.

V. SCHLEGEL, FR.: *Historia de la Literatura antigua y moderna.* 1886.—JARRY DE MANCY: *Atlas historique et chronologique des littératures anciennes et modernes.* 1829.—STRUVE: *Introductio in noticiam historiae literariae.* Jena, 1754.—EICHHORN, J. G.: *Geschichte der Literatur...* Gotinga. Varias ediciones.—MUÑOZ SAMPELAYO, J.: *Literatura.* Zaragoza, 1903.—DUQUESNEL: *Historia de las letras. Curso de literaturas comparadas.*

LITIERSO

Canto pastoril de los griegos. Se entonaba en honor de Ceres, diosa de la agricultura, presidenta y protectora del campo. El nombre deriva, quizá, de Literses, hijo de Midas, a quien agradaban mucho las faenas campestres.

LITOTE (V. Figuras de pensamiento)

Litote o *atenuación* es una figura indirecta por la cual, en vez de afirmar positivamente una cosa, se niega en absoluto o se disminuye la contraria, aminorando la fuerza del pensamiento para presentarlo sin dureza, aunque dejando que el lector penetre la intención. Así, *No es muy avisado,* suele decirse de un simple. O *Creo que no es exacto lo que usted asegura,* cuando se acusa a alguien de mentiroso.

LITUANA (Literatura)

Durante muchos siglos, unida bien a Polonia, bien a Rusia, Lituania ha encontrado grandes inconvenientes para poder precisar con rigor las características autóctonas de su literatura.

Las vicistudes políticas influyeron decisivamente en el desarrollo de su literatura artística en lengua nacional, ya que esta tuvo que luchar con otras lenguas más evolucionadas y, lógicamente, favorecidas por los países dominantes, con el polaco, con el ruso, con el latín.

Felizmente, durante estas largas épocas de supeditación política, el pueblo logró conservar casi intacto el tesoro de sus cantos—*dainos*—y de sus cuentos—*pasakos*—. Este magnífico exponente de un folklore riquísimo y muy peculiar ha servido de firmísima base a la muy reciente formación de la literatura artística. Cantos y cuentos refiérense, casi generalmente, a episodios mitológicos, guerreros y costumbristas.

El primer libro escrito en lituano fue un *Catecismo,* obra del pastor Mashvidas, publicado—1547—en Könisberg. Pero hasta el siglo XVIII no surge el primer poeta auténtico: Kristijonas Duonelaitis (1714-1780), autor de un admirable idilio titulado *Metai (Las estaciones del año)* y redactado en hermosos hexámetros. Otros insignes poetas fueron: Antanas Etrazdas (1763-1833), Dijonizas Poshkas, Simancas Stanevichias, quienes se mantuvieron firmes en los temas folklóricos.

En la prosa se distinguieron: Simanas Daukantas (1793-1864), historiador y erudito, y Motiejus Valanchius (1801-1875), pedagogo y moralista.

Con el romanticismo y el realismo adquiere la literatura lituana una evidente fisonomía.

Antanas Baranauskas (1835-1902), prelado muy popular, escribió, en versos musicales y muy sentidos, el famoso poema *Anykshchiu Shilelis (La selva de Anykshchiu),* muchos de cuyos fragmentos eran recitados de memoria por el pueblo.

Jonas Basanavichius (1851-1926) fundó la revista *Aushra (El Alba),* órgano de una interesante promoción de poetas y prosistas, entre los que se cuentan los siguientes: Jonas Mairdnis-Machiulis (1863-1932), proclamado "poeta del renacimiento lituano" y autor dramático —*Didysis Vytantas*—. Vincas Pietaris (1850-1902) autor de la primera novela histórica: *Algimantas.* Marija Pechkauskaité (1878-1930), autora de novelas y cuentos con fines educativos y religiosos.

Vincas Kudirka, traductor de Schiller y de Byron, fundó la revista *Varpas (La Campana),* en la que se agruparon los escritores de la tendencia opuesta a la que prestigiaba la revista *Aushra.*

A esta promoción pertenecen: Julija Zhimantiene (1845-1921), narradora naturalista. "Lazdynu Peleda", seudónimo de las hermanas Ivanauskaites, Sofija, Pshibilauskiene (1867-1926) y Marija Lastauskiene (n. 1872), narradoras de costumbres campesinas y de temas sociales.

Las dos tendencias expuestas se funden en Juozas Tumas Vaizhgantas (1869-1933), crítico, polemista, autor de la gran novela *Pragiedruliai (Claridades).* Vilius Storastas, que usó el seudónimo "Vydunas" (n. 1868), crítico, filólogo, historiador, dramaturgo—*Probochiu shesheliai, Juro Varpai, Likimo bangos.*

Dentro ya del siglo actual han adquirido prestigio: Vincas Creve Mickevichius (nació en 1884), poeta, dramaturgo, narrador y folklorista—*Sharunas y Skirgaila,* tragedias, y el misterio *Likimo Keliais*—. El narrador humorista "A. Vienuolis", seudónimo de Antanas Zhukauskas (nació en 1882). Ignas Sheinius-Jurkunas (n. 1889), simbolista e impresionista—*Kuprelis*—. Liudas Gira (n. 1886), lírico superrealista.

Alexandras Jakshtas-Dambrauskas (n. 1860), director y fundador de diarios y revistas—*Draujija*—, poeta y crítico.

Vincas Mykolaitis Putinas (n. 1894), poeta, dramaturgo y novelista—*Altoriu sheshely (La sombra de los altares)*—. Petras Vaichiunas (nació en 1890), expresionista y superrealista; Faustas Kirsha (n. 1891), Kazys Binkis (n. 1893), Balys Sruoga (n. 1893), poetas vanguardistas...

V. PRAMPOLINI, S.: *Historia universal de la Literatura.* Tomo XIII. Buenos Aires, Uteha, 1941.

LITUANO (Idioma)

Uno de los más importantes de la familia eslava, hablado, con el nombre de *titewka,* en la antigua Lituania por más de un millón de habitantes. Relegado a un segundo lugar por el alemán, el ruso y el polaco, comprende tres dialectos: el *lituano* propiamente dicho, hablado en los palatinados de Vilna y de Troki; el *samogitiano* o *polacolituano,* muy semejante al polonés, y el *prusolituano,* hablado en la frontera con Prusia y en las márgenes del Niemen.

El lituano, idioma antiquísimo, dio origen al *viejo prusiano* o *borusiano.* Es de todas las lenguas eslavas aquella que más delata sus orígenes asiáticos. Posee en gran número las palabras cuya forma y cuyo significado aluden al sánscrito clarísimamente.

Entre las características del lituano se cuentan las siguientes: carece de regla fija para el acento, único para la intensidad y para la entonación; su declinación carece del caso ablativo y del género neutro, pero conserva, como el griego antiguo, el número dual entre el plural y el singular; sus tiempos son cuatro: presente, futuro, imperfecto y pretérito; sus modos son cinco: indicativo, optativo, imperativo, infinitivo y participio, supliendo el que le falta por medio de formaciones compuestas; forma la voz pasiva con aditamentos sustantivos a la activa; entre la activa y la pasiva posee una voz media, o refleja, que se forma con el sufijo *s* o *si,* que es un pronombre personal.

V. KLEIN: *Grammatica lithuanica. Koenisberg,* 1633.—SCHLEICHER: *Litauschi Grammatik.* Praga, 1856.—WIEDEMANN: *Handbusch der litanischen Sprache.* Estrasburgo, 1897.

LOA

1. Es una composición dramática de cortas dimensiones, que cumple alguno de esto dos fines: servir de prólogo preparatorio de otra obra dramática, o conmemorar algún suceso fausto o desgraciado, digno de recuerdo.

2. En el teatro antiguo, prólogo, introito o diálogo que precedía a las representaciones dramáticas, y en el que se encarecía a los autores de estas, a los farsantes o a las personas ilustres a quienes se dedicaban las obras.

La *loa* ha existido en todos los teatros y en todas las épocas. Su nombre, quizá, es netamen-

L

te español, como lo manifiesta Rojas Villandrando en su *Viaje entretenido*—1603—. La primera loa del teatro castellano parece ser la escrita por Juan del Enzina para su *Egloga de Plácida y Victoriano,* aun cuando en aquella época, y aun en años posteriores, no era llamada así, sino *Introito, Introducción* y *Argumento.*

Precisamente, Rojas Villandrando puso en boga la palabra *loa,* escribiendo cuarenta modelos del género, que insertó en el *Viaje entretenido.*

En el siglo XVII, el nombre de *loa* empezó a usarse en las comedias devotas y en los autos sacramentales. En pocos años su número e importancia fueron tan considerables, que motivaron se les diera una categoría literaria propia. Y hubo loas religiosas, y de fiestas y celebraciones familiares, y de presentación de compañías, y de conmemoración de sucesos notables de la nación y de las monarquías.

Escribieron loas, además de los autores mencionados, Calderón, Quiñones de Benavente —maestro en el género—, Salazar y Torres, Solís, Gil Enríquez, Enríquez de Fonseca, Villarreal, Zamora, don Ramón de la Cruz.

V. DÍAZ DE ESCOVAR: *Historia del teatro español.* Barcelona. Dos tomos. ¿1929?—SAINZ DE ROBLES, F. C.: *Historia del teatro español.* Madrid, 1943. Siete tomos.

LOANGO (Lenguaje)

Lengua hablada en el Congo francés, perteneciente a la familia bantú. (V. *Congolés, idioma.)*

LOCALISMO (V. Regionalismo)

LÓGICA

1. Conjunto de reglas para dirigir el entendimiento en busca de la verdad.
2. Arte de prescribir reglas y la ciencia de razonarlas para el fin de hallar la verdad.

Ciencia de las leyes del pensamiento, arte de pensar, no solamente se relaciona con la literatura, sino también con todos los estudios que son como sus afluentes, con sus reglas y con sus métodos, y de manera especial con la retórica. En efecto, en la elocuencia son indispensables las reglas de la demostración y de la refutación, es decir, los medios de ataque y de defensa *lógicos.* La lógica penetra en lo último de los argumentos, en los cuales las leyes naturales se disimulan con el nombre de pruebas oratorias. La lógica influye en la dicción, en el desarrollo de los incidentes, en los desenlaces.

LOGICISMO

Sistema que defiende el predominio de la lógica en el conjunto representativo de una creación.

Suele entenderse el logicismo como sinónimo de racionalismo, entendiendo por aquel toda idea estructurada y sometida a las leyes estrictas que presiden las formaciones intelectuales, independientes de los factores motrices y afectivos

LOGOAÉDICO (Verso)

Este nombre, que significa la mezcla de la palabra y del canto (λογος ἀοιδή), o de la prosa y el verso, se da también a los versos líricos y yámbicos de una composición en apariencia irregular, y en la cual entran pies extraños o un ritmo que no le es privativo.

LOGOGRAFÍA

1. Arte de reproducir sobre el papel, instantáneamente y sin abreviaturas, las palabras de un orador.
2. Parte de la gramática que prescribe las necesarias reglas representantes de las relaciones entre las palabras y cada proposición.
3. Nombre dado modernamente a la taquigrafía.

LOGÓGRAFO

1. Copista. Calígrafo. Taquígrafo.
2. Nombre de los primeros historiadores griegos.
3. Retórico griego que componía discursos o defensas para otros.

Logógrafos fueron los primitivos historiadores helénicos, que sintetizaban en prosa las tradiciones y los escritos, despojándolos de su retórica. Su intención fue recoger los anales verídicos, desdeñando cuanto pudieran ser imágenes o invenciones de los poetas. Ellos prepararon la *creación del estilo histórico* y fueron los precursores de Herodoto, como los aedas lo fueron de Homero. Se sirvieron del dialecto jónico, que hasta el siglo VI antes de Cristo parecía ser el más afecto a la prosa, luego de haber servido de base al estilo épico. El más antiguo logógrafo conocido es Cadmo de Mileto. Otros muy importantes fueron: Acusilao de Argos, Hecateo de Mileto, Ferecides de Leros, Chason de Lamsaco, Helánico de Mitilene, Xantho de Sardes...

V. SMITH: *Dictionary of greek roman biography.*—SCHOEL: *Historia de la literatura griega.*

LOGOGRIFO

Enigma que consiste en combinar distintamente las letras de una palabra para formar otras, cuyo significado, así como el de aquellas, queda confuso.

Los logogrifos fueron muy populares en Grecia y en Roma, hasta el punto de que se tienen referencias de haber escrito Apuleyo un *Liber ludicrorum et gryphorum*—hoy perdido—. De Cicerón se conoce un logogrifo. Y los franceses, durante el siglo XVIII, sintieron predilección por ellos, difundiéndolos por todo el mundo.

Se diferencia del *enigma* (V.), propiamente dicho, en que no se limita a la definición, que a propósito se deja oscura, del objeto que se propone para que se adivine, y en que descompone el nombre para encontrar otros muchos, siendo en esta multiplicidad de combinaciones en lo que se distingue de la *charada* (V.). Un logogrifo moderno, muy conocido, es el que copiamos:

Aunque en su dicha me afano,
hago derramar tal vez
lágrimas a la niñez,
que me juzga su tirano.
Y parece que es castigo,
que, aunque estoy de virtud lleno,
he de llevar en mi seno
a mi mortal enemigo.
Quiere aniquilado verme,
y le tengo que sufrir
sin poderle destruir,
porque el perderlo es perderme.
De mis pies en su poder
siete están ya; mas, por Dios,
que al juntar los otros dos
pueden doscientos valer.

La palabra de este logogrifo modelo, que tuvo el honor de ser citado en la antigua *Enciclopedia,* es CATECISMO; en efecto, sacando ATEÍSMO, no quedan sino las dos CC, que expresan el valor de doscientos en números romanos.

LOMBARDO (Dialecto)

Uno de los principales dialectos de Italia, hablado en el noroeste de este país, hasta los Alpes. Su centro oriental lo tiene en Bérgamo, y el occidental, en Milán. (V. *Italiana, Lengua.*)

LORENÉS (Dialecto, Patois)

Dialecto derivado de la lengua de *oïl* y llamado también *austrasiano* o *messinés.* Guarda una gran analogía con el borgoñón. Es hablado en la Lorena; y si en las regiones del Este el lorenés se mezcla con algunas formas alsacianas y germánicas, en las regiones del Noroeste participa de otras del dialecto picardo.

El dialecto lorenés tiene cierto rango literario, pues posee no solo *Noëls,* expresión de la poesía popular, sino también *Bucólicas messinesas,* "piezas muy curiosas de tiempos pretéritos y presentes"; *Le Franc-messin ou les Loisirs de Vendôme; Le Chanhuerlin ou les Fiançailles de Fanchon*—poema patois messinés en siete cantos—; la *Famille ridicule*—comedia messinesa—; *Les R'venans*—comedia en dos actos.

V. OBERLIN: *Essai sur le patois lorrain...* Estrasburgo, 1773.—FALLOT, J. F.: *Recherches sur les patois... de Lorraine et d'Alsace.* 1828.—PUYMAIGRE: *Poètes et romanciers de la Lorraine.* Metz, 1848.

LUGARES COMUNES

Los retóricos dieron este nombre a unas especies de *repertorios* donde podían ser encontrados por cada orador o escritor las pruebas o los medios de desenvolver la cuestión o el tema apetecidos. Los antiguos dieron gran importancia al estudio de estos *repertorios.* Aristóteles los hizo objeto de su tratado *Tópicos* (de τόπος, lugar). Cicerón escribió otro tratado sobre la misma materia: *Topica.*

En estos *lugares comunes* o *tópicos* se acumulaban no solo las frases hechas y las referencias eruditas tan necesarias a la elocuencia, sino miles y miles de noticias utilísimas para los literatos.

Los *lugares comunes* fueron divididos en *intrínsecos* y *extrínsecos.*

Los primeros afectaban al fondo mismo de la cuestión: *definición, enumeración de las partes, género, especie, comparación, contraste de pruebas, causas, efectos, antecedentes* y *consecuentes.*

Los *extrínsecos* se referían a detalles secundarios, ajenos al sujeto.

V. THIONVILLE: *De la théorie dex lieux communs...* 1851.

LULISMO

Nombre dado a las doctrinas filosóficas y teológicas de Raimundo Lulio.

Lulio nació—1235—en Mallorca. Y murió en 1315. Llevó una juventud tormentosa y pecadora, convirtiéndose a los treinta años. Abandonó patria y familia para dedicarse a la conversión de los infieles. Perteneció a la Orden de San Francisco. Viajó por las más apartadas regiones con un maravilloso espíritu misionero. Y se cree que murió a consecuencia de los tormentos que le dieron los sarracenos en Bujía. Entre sus obras más importantes están: *Ars magna, Libre de amic et amat, Blarquerna, Libre de ascensu et descensu intellectus, Libre de contemplació en Dieu...* Lulio fue llamado el *Doctor Iluminado.* Su formación filosófica está claramente definida por una base platónica y agustiniana, una formación claramente franciscana y una culminación en la mística.

En su *Arte Magna* creyó encontrar un mecanismo lógico para combinar cierta clase de ideas y resolver por este medio todas las cuestiones científicas; o más bien, para raciocinar de todo sin estudio ni reflexión. Unió a este sistema algunas ideas tomadas de los árabes y de la cábala.

Lulio afirma, en relación con la teoría de la doble verdad, no solo que no existen dos verdades opuestas, sino que existe una verdad única: la teológica, que puede y debe demostrarse filosóficamente. Y añade que allí donde llega la razón llega también la ciencia.

Otro valor del lulismo fue el serio intento de sistematizar la filosofía en un método rigurosamente deductivo, llegando a la *filosofía matemática,* que no culminaría hasta Leibniz.

V. RIBER, Lorenzo: *Raimundo Lulio.* Barcelona, Labor, 1935.—RIBERA, J.: *Orígenes de la Filosofía de Raimundo Lulio.* En el "Homenaje a Menéndez Pelayo", II, 191.—BOVÉ, S.: *El sis-*

tema científico de Raimundo Lulio. 1908.—ETCHEGOYEN, G.: *La mystique de Raimundo Lulio...* En "B. Hispan.", 1922, XXIV.

LUTERANISMO

Nombre dado a la tendencia doctrinal del protestantismo que siguió las premisas religiosas de Lutero.

Martín Lutero nació—1483—en Eisleben, de padres pobres. Hizo sus primeros estudios en la escuela latina de Magdeburgo y posteriormente en la de Eisenach. En 1501 ingresó en la Universidad de Erfurt, donde estudió Derecho y Filosofía. La muerte trágica de dos amigos suyos—uno víctima de un desafío y otro fulminado por un rayo—determinó su vocación religiosa. En 1505 ingresó en la Orden agustiniana de Erfurt, ordenándose sacerdote en 1507 y siendo nombrado profesor de Filosofía de la Universidad de Wittenberg.

En 1511 marchó a Roma para asuntos de la Orden. Y salió de la Ciudad Eterna escandalizado del lujo de la corte pontificia y de la inmoralidad del clero. En 1512 obtuvo el doctorado en Teología y se dedicó a la predicación con un celo impresionante. Lutero poseía una sensibilidad enfermiza y una fogosa imaginación. Y siempre vivió angustiado por el temor del pecado. Cuanto más rezaba y más se disciplinaba, más se multiplicaban sus escrúpulos. No encontrando la paz ni el dominio de las pasiones en el claustro, sacó la conclusión *de que la ley de Dios era impracticable.* Con ardor morboso se entregó al estudio de la Sagrada Escritura y de las obras de San Agustín. Y partiendo de un pasaje de una carta del apóstol San Pablo—*Romanos,* I, 16, 17—, en que se presenta la fe como principio de la justificación, llegó a la creencia de que el hombre *se justifica sólo por la fe y no por las obras. "Es Cristo quien ha satisfecho*—escribió Lutero—. *El solo es justo... Desde el momento en que se ha apropiado de mis pecados, dejo yo de tenerlos; estoy, pues, perdonado. Desde el momento en que hace mía su justicia, es que yo soy justo por la misma justicia que de El dimana."* Con tal creencia no importa que las acciones sean buenas o malas, mientras se tenga una fe absoluta en los merecimientos redentores de Cristo. La divisa de Lutero fue esta: *Pecca fortiter sed crede fortius (Peca mucho, pero cree más).*

En 1514, León X publicó una sentencia plenaria y encargó de su difusión en Alemania a los dominicos. Lutero, que buscaba una ocasión propicia para sublevar la opinión, hizo fijar—1517—en la iglesia del castillo de Wittenberg 95 tesis que, sin atacar el principio de las indulgencias, lo denunciaba como abusivo, exponiendo teorías contrarias a la doctrina tradicional de Roma. El dominico Tetzel, gran teólogo, atacó a Lutero. Lutero le contestó con su obra *Resoluciones,* que envió a Roma en unión de una carta, en la que ponderaba su sumisión a la Iglesia.

León X creyó que todo aquello era *una disputa de frailes,* y llamó a Lutero a Roma. Lutero no obedeció. Entonces León X publicó una bula, en la cual *definía la doctrina de la Iglesia sobre las indulgencias.* El gran teólogo dominico Juan Eck derrotó—1519—, en una polémica pública celebrada en Leipzig, a Carlstadt, discípulo de Lutero. La victoria de Eck fue reconocida por las Universidades de Leipzig, París, Colonia y Lovaina.

Lutero no se desanimó por este fracaso. Animado por el inteligentísimo, doctísimo y suave Melanchton, alma de la Reforma, publicó tres obras: *Del mejoramiento del estado de la Cristiandad, Del cautiverio de Babilonia* y *De la libertad cristiana,* en las cuales presentaba más audazmente sus oposiciones a la ortodoxia romana. León X, por su bula *Exurge Domine,* condenó tales errores y excomulgó a Lutero, el cual contestó al Pantífice con un libelo violentísimo, titulado *Contra la bula del Anticristo.*

La revolución había empezado. El emperador Carlos V convocó en Worms—1521—una Dieta, ante la cual debería comparecer y justificarse el heresíarca. Lutero se presentó ante ella, y no solo no se justificó, sino que acentuó con mayor violencia sus errores. La Dieta arrojó a Lutero del Imperio y condenó sus escritos a la hoguera.

El elector Federico de Sajonia salvó a Lutero escondiéndole en el castillo de Wartburgo. Durante dos años vivió en él Lutero bajo el nombre del *caballero Jorge,* escribiendo varios libelos contra el Papa y sus adversarios y comenzando su traducción de la Biblia.

La rebelión de Lutero ocasionó importantes *movimientos revolucionarios,* tanto en el orden religioso como en el orden político.

En el orden religioso, muchos agustinos de Wittenberg abandonaron el convento y declararon nulos sus votos; buen número de sacerdotes se casaron; el propio Martín Lutero contrajo matrimonio—1525—con Catalina de Bora, antigua religiosa cisterciense; los oficios religiosos dejaron de celebrarse en latín para celebrarse en alemán; quedó abolida la misa; se prohibió el culto de la Eucaristía, por creerlo práctica idolátrica; se administró la comunión bajo dos especies; se abolió la confesión; las universidades fueron cerradas tumultuosamente, ya que los más exaltados creíanse inspirados por el Espíritu Santo; algunos luteranos tomaron el nombre de *anabaptistas,* porque consideraban nulo el bautismo de los niños y exigían un nuevo bautismo llegada la mayoría de edad...

En el orden político aún fue más violenta la revolución luterana. Los grandes señores y el pueblo se mostraron ávidos por apoderarse de las riquezas de la Iglesia, ya que los luteranos exigían que la Iglesia "volviese a su primitiva pobreza". Y, lógicamente, empezaron las luchas terribles entre los que pretendían apoderarse del botín. Surgió la *guerra de los campesinos,* que exigían la supresión de los diezmos, la reducción de los censos, la abolición de la servidumbre, la predicación del verdadero Evangelio y el derecho a elegir por sí mismos a sus pastores. Los insurgentes asaltaron, robaron y quemaron más de mil castillos y conventos...

Entonces, Lutero, temiendo que su causa fracasase, persuadió a los príncipes para que se uniesen. En efecto, de acuerdo Jorge de Sajonia, Felipe de Hesse, Enrique de Brunswick y otros príncipes de menor importancia, decidieron tomar las armas y derrotaron por completo a los campesinos y a las numerosas bandas de aventureros en la batalla de Frankenhausen—1525—. Con esta victoria, Lutero aseguró su situación religiosa y política, ya que los príncipes decidieron apoyarle en absoluto.

Disgustado con los sucesos, Carlos V convocó —1529—una Dieta en Spira. En ella, los príncipes católicos, que contaban con la mayoría de los votos, decidieron que mientras un Concilio general no acabase con aquella discusión religiosa, *se toleraría el luteranismo en aquellos lugares en que se hubiese establecido;* pero que no podría propagarse a ningún otro lugar. Esta medida fue mal acogida por cinco príncipes y catorce ciudades, que redactaron *una protesta.* Cuantos se adhirieron a ella fueron llamados *protestantes.*

Siempre dando pruebas de una magnanimidad extraordinaria, el emperador convocó—1530—una nueva Dieta en Augsburgo y encargó a los protestantes que definiesen por completo y con claridad la doctrina luterana. Melanchton, la mejor inteligencia y el espíritu más moderado del luteranismo, fue encargado de redactar una profesión de fe, llamada *Confesión de Augsburgo,* que comprendía 28 artículos. No surgió avenencia alguna. Y Carlos V dio seis meses a los protestantes—hasta el 15 de abril de 1531—para que se sometieran. Pasado el plazo, se pondría en vigencia el *Edicto de Worms,* que condenaba a Lutero, su doctrina y a sus partidarios.

Los protestantes, cuyos jefes eran el elector de Sajonia y el landgrave de Hesse, formaron la Liga de Esmalcalda—1531—y se aliaron con Francia y Dinamarca. Como los turcos amenazasen Austria, Carlos V tuvo que pedir auxilio a los príncipes protestantes, y estos pusieron como condición para prestárselo que dejara sin efecto el *Edicto de Worms.* El emperador, obligado a ceder, firmó—1532—la *Paz de Nuremberg,* que concedía a la nueva religión el ejercicio de su culto. Desde entonces, Lutero y Melanchton pudieron dedicarse con tranquilidad a organizar la Iglesia protestante: dividieron la Sajonia electoral en cuatro circunscripciones, gobernadas por cuatro *subintendentes,* que dependían de la absoluta autoridad del príncipe. El sistema sirvió de modelo para los restantes estados alemanes. En 1537 se reunieron en Esmalcalda los teólogos y príncipes protestantes, y, bajo la inspiración de Lutero, redactaron *una profesión de fe en veintisiete artículos,* uno de los cuales rechazaba la autoridad del Papa.

Terminada la guerra contra los turcos, Carlos V resolvió terminar definitivamente con el protestantismo luterano. Primero deseó hacerlo pacíficamente por medio de los Dietas de Spira y de Nuremberg—1542—, obteniéndose en ellas mutuas concesiones. En 1542, Paulo III convocó el Concilio de Trento. Lutero contestó con un libelo y decidió predicar por toda Alemania contra el Pontificado. Pero en 1546 murió repentinamente en Eisleben.

La muerte del heresiarsa no puso fin a la implacable lucha.

Carlos V, con sus ejércitos españoles, venció decisivamente a los protestantes en Muhlberg —1547—y restauró el catolicismo. Pero la traición de Mauricio de Sajonia hizo posible la formación de un nuevo y más potente ejército protestante, que buscó la alianza con Francia. Una nueva guerra contra esta nación y contra los turcos obligó a firmar al emperador el Tratado de Passau, por el cual se concedía "temporalmente" la libertad de cultos. Tres años más tarde—1555—, reunida una nueva Dieta en Augsburgo, se convino:

1.º Que las dos confesiones religiosas, católica y protestante, quedaban autorizadas en Alemania.

2.º Que la elección de la religión correspondía a los príncipes y no a los súbditos, según el principio *Cuius regio, eius religio,* esto es: "la religión del príncipe es la del súbdito".

3.º Que ningún beneficio sería secularizado. Esto es: si un príncipe eclesiástico se pasaba al protestantismo, tendría que renunciar a los bienes anexos a su dignidad católica.

Quedó, pues, establecido el luteranismo en Alemania.

El luteranismo, además de los credos de los Apóstoles, del Concilio de Nicea y del llamado de San Atanasio, admite otras seis profesiones de fe, que le distinguen de las otras sectas protestantes, a saber:

1.ª La primitiva *Confesión de Augsburgo.*
2.ª La *Apología* de esta *Confesión.*
4.ª }
3.ª } Los dos *Catecismos* de Lutero.
5.ª Los *Artículos* de Esmalcalda.
6.ª La *Fórmula de concordia.*

Estos nueve escritos simbólicos constituyen *El Libro de la Concordia,* publicado por vez primera en 1580.

Para muchos críticos, en su *Comentario* a la *Epístola de San Pablo a los Romanos*—1515 a 1516—, Lutero ya marcó con claridad absoluta la mayoría de sus errores: la doctrina de la justicia imputativa; la enseñanza de que la concupiscencia es la esencia del pecado original, y de que el hombre peca en cuanto hace, pues la concupiscencia mancha todas las acciones; la nega-

L

ción de la libertad y la afirmación de la imposibilidad de cumplir la ley de Dios; la no distinción entre el pecado venial y el pecado mortal; la negación de todo mérito de la vida eterna en el justo...

Faltó en este *Comentario,* para completar la doctrina luterana, la teoría de la apropiación de la justicia de Cristo por la fe y la seguridad de la justificación que debe tener todo justo luterano. Es decir: que antes del conflicto de las indulgencias—pretexto ocasional—, ya tenía ideado Lutero un sistema doctrinal en pugna con las enseñanzas infalibles de la Iglesia romana.

Los puntos esenciales del luteranismo son:

1.º No admite la tradición ni la enseñanza de la Iglesia. Y declara que la *Biblia,* interpretada por la razón natural iluminada por el Espíritu Santo, es la única *fuente de fe* (libre examen). Pero el luteranismo rechaza como apócrifos los libros deuterocanónicos del Antiguo Testamento.

2.º El luteranismo—doctrina *individualista* que rechaza la comunión de los santos—sostiene *que no existe la libertad,* ya que el pecado original es una corrupción total de la naturaleza humana. Después del pecado original, el hombre no puede aspirar ni al mal ni al bien. Solamente por la Gracia puede alcanzar el bien, y la Gracia obra de una forma irresistible, "pero sin cambiar la mala inclinación de la naturaleza humana". De donde se sigue *que la justificación no es ni puede ser una transformación interior, sino solo exterior, y consiste en la imputación de los méritos de Cristo, la cual cubre los pecados de los hombres bajo su manto, pero no los borra.* ¿En qué forma puede obtenerse esta imputación? Simplemente, *por la fe.* Y no la fe en las verdades reveladas, *sino en la confianza del pecador en Dios, que, por los méritos de Jesucrito, no le imputará a aquel sus pecados.* Por esta doctrina se hacen inútiles la oración, las buenas obras, el culto de los santos, el purgatorio y las indulgencias, y se sienta la base de la negación de la libertad humana.

3.º Conserva únicamente dos sacramentos: el Bautismo y la Cena, no aceptando en este último la transustanciación. Para el luteranismo, los sacramentos *no son medios de justificación,* sino *signos de justificación.*

4.º La Iglesia es la *comunidad de predestinados,* y, por tanto, es *invisible,* porque en ella hay solo unión de corazones en una sola fe. Sin embargo, la Iglesia puede hacerse *visible* cuando los corazones se unen en comunidad para oír la predicación del verdadero Evangelio.

5.º *Jesucristo no instituyó la jerarquía.* Todos los cristianos tienen el mismo poder e idénticos derechos. *El Pontificado es obra del diablo. El Papa es el Anticristo.*

6.º Como la Cena no es un sacrificio, no son necesarios los sacerdotes.

7.º La comunidad nombra a sus ministros o *pastores,* que tienen la misión de predicar el Evangelio y de administrar los sacramentos.

El luteranismo rígido quiso apartarse por completo de la filosofía aristotélica y escolástica. Pero luteranos tan cultos como Melanchton, Hutter, Hunnius, Gerhard, Calov y Quenstedt comprendieron la necesidad de alguna filosofía, indispensable siquiera para defender el propio luteranismo de los ataques de los controversistas católicos. Y Melanchton, en sus *Loci Theologici,* adaptó el aristotelismo al dogma luterano.

El luteranismo no permaneció mucho tiempo puro en sus primitivas doctrinas. Aún viviendo Lutero, estalló la discordia entre él, Zuinglio y Carlstadt sobre la *presencia real de Cristo en la Eucaristía.* Y gran parte de los protestantes suizos aceptaron la doctrina de Calvino sobre la Eucaristía, hacia la cual se inclinó el propio Melanchton.

A fines del siglo XVII se produjo dentro del luteranismo el movimiento llamado *pietista,* que dirigió Spencer. Los pietistas creían en la necesidad *de una vida ascética, de pláticas piadosas sobre pasajes de la Sagrada Escritura.*

En el siglo XVIII, el racionalismo, filtrado en el luteranismo, llegó a negar todo elemento sobrenatural en la religión cristiana.

V. KÖSTLIN: *Martin Luther.* Dos tomos. 5.ª edición. Berlín, 1903.—KOLDE: *Martín Luther.* Dos tomos. Gotha, 1884-1893.—CHRETIEN: *Luther et le lutheranisme.* París, 1909.—DENIFLE - WEISS: *Luther und Luthertum.* Mainz, 1909.—GRISSAR: *Luther.* Tres tomos. 1911-1912.—WEIS: *Lutherpsychologie.* Mainz, 1906.

M

MACARRÓNEA

Composición burlesca, en que se mezclan y ensartan palabras de diferentes lenguas, alterando su genuina significación

El escritor italiano renacentista Merlín Cocaglio se hizo famoso con estas composiciones y las puso *de moda* en todo el Occidente europeo.

MACARRÓNICO (Género)

Variedad del género burlesco. Consiste en un lenguaje entremezclado de palabras latinas y otras de una lengua moderna, cuyas terminaciones se latinizan burdamente. Según Gabriel Naudé—cuya opinión acepta Carlos Nodier—, la palabra *macarrónico* tiene su origen en la italiana *macaroni,* y alude a los diversos ingredientes que sazonan esta pasta.

A las producciones en verso en estilo macarrónico se las denomina *macarrónicas.* Las primeras fueron compuestas en Italia. Y la más antigua que se conoce es la de Tifo Odasi—Rímini, 1490—, que lleva por título *De Patavinis quibusdam arte magica delusis.*

El género macarrónico fue cultivado con éxito por Merlín Coglio Folengo, ex monje benedictino, en sus *Macarronicis, libri XVII*—Venecia, 1517—, diatribas ingeniosas y llenas de gracia y de malicia contra los trabajos de los hombres y la vanidad de los poderosos. Otros muchos excelentes escritores se ejercitaron en este género, que se propagó a otros países europeos.

En Francia, los primeros ejemplos se deben a Antoine de La Sable ("Antonius de Arena"), quien compuso, entre otras obras, un poema contra Carlos I de España bajo el título: *Meygra entrepriza Catoliqui Imperatoris quando de anno Domini 1536 veniebat per Provensan, bene carrosatus in postam, prendere Frausam cum villis de Provensa, propter grossas et menutas gentes rejo hiri*—Aviñón, 1537—. El mismo autor escribió otro poema sobre la guerra de los hugonotes. Sobre este mismo tema. Remi Bellau escribió otro poema macarrónico: *Dictamen mirificum de bello hugonotico et rusticorum pigliamine ad sodales.*

En Alemania, el más antiguo poema macarrónico es la *Flohiade.* En Inglaterra cultivaron la poesía macarrónica Juan Skelton y Guillermo Drummond. En el tercer acto del *Malade imaginaire,* de Molière, se intercalan unos versos macarrónicos:

> *Savantissime doctores,*
> *medicinae professores,*
> *qui assemblati estis;*
> *est vos altri messiores,*
> *sententiarum facultatis*
> *fideres executores,*
> *chirurgiani et aphoticari,*
> *atque tota compani aussi...,* etc.

También se cultivó este género en la prosa, principalmente en Francia y durante los siglos XIII y XIV. Son famosas las obras de Ant. Hotman—*Anti-chopinus*—; en el *Gargantúa,* de Rabelais; la *Harangue de maître Janotus de Bragmardo, faicte à Gargantua pour recouvrer les cloches;* y las *Epistolae obscurorum vivorum*—Venecia, 1515.

En un manuscrito de 1262, conservado en la Sorbona, se lee: "Demoniacum matrem sanavit, et tunc lo *muz parle, lo poples s'en maravilhet.*" Y otras muchas muestras del género hállanse en los sermones de Ménot.

V. CUNNINGHAM: *Delectus macaronicorum carminum.* Edimburgo, 1801.—GENTHE, W.: *Geschichte du macaronischen Poesie und Sammlung.* Halle, 1829.—DELAPIERRE, A.: *Mélanges du littérature macaronique des differentes peuples de l'Europe.* París, 1852.—TOSI: *Maccherone di cinqua poete italiani del secolo* XV. Milán, 1864.—NODIER, C.: *Du langage factice appelé macaronique.* París, 1834.

MACEDONIANISMO

Nombre dado a la doctrina herética de Macedonio. Macedonio, patriarca de Constantinopla, nació en Tracia. Ejerció su patriarcado del año 341 al 362. Y fue el primero en negar la divinidad del Espíritu Santo; de aquí que fueran llamados macedonianos cuantos aceptaron la herejía señalada; herejía derivada del *arrianismo* (V.). Sin embargo, no fue Macedonio el principal defensor de la herejía, sino que le sobrepasaron con mucho Maratón de Nicomedia y, sobre todo, Eustacio de Sebaste. Otros macedonianos de prestigio fueron: Eleusis de Cycico, Basilio de Ancira, Soponio de Pompeyópolis, Silvano y Teófilo.

Los macedonianos disputaron indistintamente con los católicos y con los arrianos, aun cuando inclinándose más hacia aquellos, ya que creían también en la divinidad del Hijo, negada por los segundos.

El macedonianismo tuvo una vida harto efímera, ya que empezó—360—con la destitución de Macedonio y concluyó—381—con su condenación por el segundo Concilio de los ecuménicos y primero de los *constantinopolitanos*.

El macedonianismo no solo negaba la consustanciabilidad del Espíritu Santo, sino que aseguraba claramente que no podía ser Dios, ya que no es posible admitir en El sino el Padre y el Hijo. El aludido segundo Concilio de Constantinopla condenó esta herejía y completó el Símbolo de Nicea con el siguiente pasaje relativo al Espíritu Santo: "Creo en el Espíritu Santo, Señor y Vivificador, procedente del Padre, que es adorado y glorificado con el Padre, que habló por boca de los profetas."

El macedonianismo tuvo gran influencia en Constantinopla, aun cuando no llegó a supeditar ni a los arrianos ni a otras fracciones de semiarrianistas. Sin embargo, había conseguido debilitar allí el partido católico, como se desprende de las oraciones teológicas del Nacianceno. Fue combatida esta herejía por San Basilio, San Atanasio, San Gregorio Nacianceno, San Gregorio Niceno, San Hilario de Poitiers y Dídimo.

A los macedonianos se los llamó también *Pneumatomaquios*.

V. CEILLIER: *Histoire générale des auteurs sacrés et ecclesiastiques*. Tomo IV.—BARCLAY SWETE: *The Holy Spirit of the ancien Church*. Londres, 1912.—SCHWANE: *Histoire des Dogmes*. Friburgo, 1895, tomo. II.

MADECASIANO (Lenguaje)

Llamado también *malgacho*. Es un lenguaje aún muy imperfectamente conocido, y corresponde al tronco malayo-polinesio, y más particularmente a su rama occidental. En efecto, se le encuentran afinidades múltiples con el *batak*, el *javanés*, el *dayak* y las otras lenguas de la Malasia, y grandes analogías fonéticas con el primero de los citados lenguajes. El madecasiano comprende muchos dialectos, caracterizados únicamente por la diferencia de pronunciación. Los madecasianos se sirven del alfabeto árabe, profundamente alterado. Y tienen una interesante literatura, compuesta de leyendas y de canciones, que fueron publicadas—París, 1787—por Porny. También tienen tratados de Medicina, Astrología, piedras preciosas.

V. ELLIS, W.: *History of Madagascar*. Londres. Varias ediciones.—VAN DER TUNK: *Acerca de la lengua madecasiana*. En el "Diario de la Sociedad Asiática", de Londres. 1866.—CHALLAND: *Dictionnaire de la langue madécasse*.

MADRIGAL

Es un poema muy breve, en el que se expresa con gracia y espontaneidad un pensamiento delicado. Martínez de la Rosa lo definió así:

> Sin aguda saeta venenosa,
> el ala leve y ricos los colores,
> cual linda mariposa
> que juega revolando entre las flores,
> el tierno madrigal ostenta ufano
> en su voluble giro mil primores;
> mas si al ver su beldad tocarle intenta
> áspera y ruda mano,
> conviértese al instante en polvo vano.

Durante mucho tiempo la crítica sostuvo la semejanza entre el epigrama de asunto amoroso y el madrigal. Entre los epigramas de Marcial encuéntrase este:

> *Cum peteret dulces audax Leandrus amores*
> *et ferrus tumidis jam premeretur agnis;*
> *sic miser instante affactus dicitur nudas:*
> *parciter dum propero; mergiter dum redes.*

Pero las diferencias son muchas. El carácter del epígrama consiste en ser burlón y satírico; el del madrigal, en ser delicado y gracioso. El epigrama suele escribirse en versos de ocho o menor número de sílabas; el madrigal, en silva, aun cuando también puede tomar otras formas métricas. Parecidos, pues, el madrigal y el epigrama en la brevedad y estructura ingeniosa del pensamiento, se diferencian en *su intención*.

> Ojos claros, serenos,
> si de dulce mirar sois celebrados,
> ¿por qué, si me miráis, miráis airados?
> Si cuanto más piadosos
> más bellos parecéis a quien os mira,
> ¿por qué a mí solo me miráis con ira?
> Ojos claros, serenos,
> ya que así me miráis, miradme al menos.
>
> (GUTIERRE DE CETINA.)

El origen del madrigal es desconocido. Ni siquiera se conoce bien su etimología, aun cuando parece probable derive del italiano *mandriale* (de aquí *madriale, madrigal*), significando *canto de pastor*. Alguien lo ha hecho derivar del castellano *madrugar*, canto de la mañana, y de *martégal*, canto de Martégaux, montañés de la Provenza...

MAGAZINE

Palabra inglesa, cuyo significado es *almacén*. Se ha hecho famosa en el mundo de las letras como título de una publicación, similar a nuestras *revistas,* en la que se mezclan los artículos, los grabados, los anuncios, las poesías, los relatos novelescos, los ensayos históricos, las noticias de sociedad, las historietas...

El primer *magazine* apareció—1731—en Londres, con el título de *Gentleman's Magazine,* redactado por Edward Cave. En Francia fue la princesa Beaumont la primera que puso de moda el vocablo en su *Magasin des enfants* y en sus *Magasins* para todas las edades y los estados de la vida. A principios del siglo XIX, el sabio Millin dirigió el *Magasin Encyclopédique.* Y el *Magasin Pittoresque* dio origen, en Francia, a los periódicos ilustrados.

MAGIA (Teatro de)

Llámanse de magia aquellas obras escénicas en cuyos argumentos se mezcla la extraordinario y maravilloso.

Es difícil indicar el origen de este teatro de magia, aun cuando ya en los *misterios dramáticos* de la Edad Media intervenían los poderes sobrenaturales. Todo indica que la aparición de la *tramoya* escénica dio ancho campo a la *magia* de los argumentos, haciendo posibles los *trucos* de lo fantástico. En España, según Cervantes declara en el prólogo de sus *Comedias,* fue Pedro Navarro quien "inventó tramoyas, nubes, truenos y relámpagos", y después que hubo "figura que saliese o pareciese salir del centro de la tierra". Los italianos Lotti, Vaggio y Antonozzi, llegados a Madrid durante el siglo XVII, perfeccionaron "el ambiente propicio" para el género.

Antes, en el siglo XVI, en los autos sacramentales y en las comedias de devoción, aparecieron demonios, trasgos, fuegos misteriosos, lunas, soles, animales monstruosos, mares artificiales, vapores extraños, plantas maravillosas...

Lope de Rueda, en el *Coloquio de Timbria* y en *Armelina y Medora,* usa de las apariciones de ninfas, dioses y otros seres fantásticos, y transforma cosas y personas. Y el mismo Lope, en *El ganso de oro.* Pero fueron Calderón, Moreto, Solís, Diamante, Salazar y Torres, Bances Candamo, quienes cultivaron el género con más frecuencia y éxito, haciendo que, los públicos se entusiasmaran con él. En el teatro regio del Buen Retiro fueron representadas numerosas obras de magia: *El mayor encanto, amor*—de Calderón—, *La puente de Mantible, La fiera, el rayo y la piedra; El hijo del sol, El monstruo de los jardines, Eurídice y Orfeo*—de Solís—, *Tiempos de amor y fortuna*—de Solís—, *Júpiter y Sémele*—de Diamante—, *Duelos de ingenio y fortuna*—de Bances.

En el siglo XVIII escribieron obras de magia: don Ramón de la Cruz—*Marta abandonada* y *Carnaval de París*—, Antonio Zamora—*Duendes son los alcahuetes* y *Espíritu Soleto*—, José de Cañizares—*Los mágicos encontrados, Don Juan de Espina*—, Salvo y Vela, Ripoll, Merano y Guzmán, Agramont y Toledo, Valladares y Sotomayor, Laviano...

En el siglo XIX: Hartzenbusch—*La redoma encantada, Los polvos de la madre Celestina*—, Bretón de los Herreros—*La pluma prodigiosa*—, Pina—*La cola de gato*—, Liern—*La almoneda del diablo*—, Tamayo y Baus—*Don Simplicio Bobadilla...*

Modernamente, la aparición de la electricidad y los progresos de la óptica y de la mecánica han dado al género una precisión y una vistosidad de maravilla.

MAGIAR (Lengua) (V. Húngara, Lengua)

MAGISMO o MAGICISMO

Nombre dado a las doctrinas y artes de los antiguos sacerdotes persas, asirios, egipcios...

El magismo fue considerado como una religión en algunos pueblos de la antigüedad: Persia, Asiria, Egipto...

Frazer ha propuesto dos criterios para distinguir el magismo—la magia—de la religión: 1.º El ser los ritos mágicos de carácter simpático. 2.º El obrar por coacción, mientras el rito religioso obra por adoración y conciliación. Además, el magismo posee una acción mecánica inmediata. La religión tiene un efecto indirecto y obra por una especie de respetuosa persuasión: su agente es un intermediario espiritual. La religión supone la creencia en seres sobrenaturales que gobiernan y dirigen el mundo ,y por los ritos y las oraciones se intenta ganar su voluntad, pudiendo variar así el curso de la Naturaleza. El magismo, por el contrario, reputa la Naturaleza como rígida e invariable. La religión cree que las fuerzas que gobiernan el mundo son conscientes y personales. El magismo cree que son impersonales e inconscientes. La religión manda a su sacerdote que se coloque en posición humilde ante la divinidad. El magismo permite al mago que se presente orgullosamente, como dominador, ante los poderes invisibles.

Algunos historiadores creen que el magismo precedió a la religión entre los hombres. El hombre intentó primero someter la Naturaleza a sus deseos con el auxilio de los hechizos y encantamientos; cuando comprendió fracasados sus deseos, se resignó a conseguirlos por medio de la humildad, de la oración, de la adoración.

Tampoco cabe negar que el magismo estuvo mezclado con la religión en varios países. Y así se encuentra el magismo en los *Vedas,* en el brahmanismo, en el zoroastrismo, en el *Libro de los Muertos...* Y actualmente sigue mezclado con muchas religiones de Africa y de Oceanía. Los hechiceros conjuradores y los chamanes aún tienen gran influencia sobre millones de seres bárbaros o semicivilizados.

Las relaciones entre la religión y el magismo las resumió magistralmente Leuba: 1.º Sus orígenes fueron diferentes, no debiendo creerse derivados los fenómenos religiosos de los mágicos, ni viceversa. 2.° La magia no contribuye directamente a la formación de una religión. 3.° Las formas más sencillas de la magia fueron, probablemente, anteriores a la religión. 4.° Aunque para alcanzar los mismos fines los caminos empleados son diferentes, las prácticas religiosas y las mágicas tienen una acusada trascendencia. 5.° La religión es social y benéfica; la magia es individual y pecaminosa. 6.° La magia duró menos que la religión. 7.° La ciencia no se conexiona estrechamente ni con la religión ni con la magia, representando un tipo mecánico de conducta.

El magicismo es, ritualmente, irreligioso en absoluto, y no forma parte de los sistemas organizados que se llaman cultos.

Los egipcios creían que todas las cosas estaban animadas por un espíritu análogo al humano, y dotadas de conciencia y de voluntad. El alma de los dioses y de los hombres se llamaba lo mismo *ka*—doble o genio—. El mago egipcio, orgulloso de su poder y de su sabiduría, miraba con desprecio las oraciones y los sacrificios, porque los suponía una humillación. Todas las artes mágicas estaban en poder de Thot; y Thot transmitía sus secretos a sus discípulos los magos. Los talismanes y los amuletos iban acompañados de fórmulas mágicas—*hikau*—, de exorcismos —*tau*—, de conjuraciones—*shentiu*—y de encantamientos—*hosiu*—. Según Maspero, las *estelas* no eran otra cosa sino talismanes preservadores. Y el magicismo egipcio llegó a penetrar en el mismo culto de los muertos y de los dioses.

El magicismo asirio ha llegado a nosotros en colecciones compuestas de varias tablillas, y se empleaba casi siempre *para evitar el mal,* un mal exclusivamente físico: la enfermedad, el dolor. Los actos y los gestos mágicos iban acompañados de la recitación de unas palabras sacramentales. Y además de los ritos purificadores —abluciones, fumigaciones—, destructores y transmisores, la magia asiria conocía y daba capital importancia a los *preventivos.*

El magicismo mítico y legendario helénico tuvo sus centros en la Cólquida, la Frigia y las islas, la Tesalia y la Tracia. Entre los magos míticos figuran los *Telquinos,* de Rodas; los *Dáctilos,* del monte Ida, de Creta, y del monte Ida, de Frigia; los *Curetas,* de Arcaniana; los *Coribantos...*

El magicismo helénico poseía un método directo y un método indirecto en sus operaciones. El primero se inspiraba en el principio universal de la *magia simpática.*

El magicismo existió también en el pueblo hebreo. En el *Deuteronomio,* Moisés prohibió al pueblo elegido purificar al hijo o a la hija pasándolos por el fuego, consultar a los adivinos, creer en los agüeros y en los ensueños, pedir consejo a los encantadores y a los astrólogos, y averiguar la verdad por medio de los difuntos..., "pues el Señor acabará con los que creen en tales supersticiones" (XVIII, 9 a 11). En el *Exodo* (XXII, 18) se dice que Moisés mandó quitar la vida a la maga. Y en el *Levítico* (XX, 27) se aplicó la misma pena a los hombres y mujeres que tuvieran espíritu pitónico o de adivinación. Saúl consultó a los hechiceros *(Reyes,* XXVIII, 7 y ss.). En la *Profecía de Isaías* se hace referencia a varias prácticas de magia de la época. Y el rey Manasés hizo pasar a su hijo por el fuego... Los *Hechos de los Apóstoles* mencionan a Simón el *Mago,* nigromante de gran fama.

V. LENORMAND: *La magie...* París, 1874.—BRECHER: *Magie und magische.* Viena, 1850. HUBBERT Y MAUSS: *Théorie générale de la magie.* En "L'Année Sociologique". Año VII. París, 1904.—MARETT: *The treshold of Religion.* Londres, 1914.—BROS, A.: *La religion des peuples non civilisés.* París, 1907.

MAGREBÍ

Alfabeto árabe, usado en Africa juntamente con el alfabeto *neski* por las poblaciones del interior y del sur del continente.

El magrebí se aproxima más que el neski al *cúfico* (V.).

MAGUDHA (Lenguaje)

Lengua del Indostán, de procedencia sánscrita, hablada en el Bahar meridional, territorio célebre en la historia religiosa y literaria de la India como patria de Buda. Algunos orientalistas consideran el magudha como el tronco del *pali.* Otros creen que este es el mismo magudha perfeccionado por los escritos de los filósofos budistas.

MAHOMETISMO o MAHOMETANISMO

Nombre dado al *islamismo* (V.) desde los tiempos de Mahoma.

Acaso sea el mahometismo un término más restringido que el islamismo. En este están contenidas, con la religión, la política y la cultura. El mahometismo es un término puramente religioso. El mahometismo es la doctrina del *Corán.* Y conviene aclarar que, sin embargo, el *Corán* es fuente del derecho y el código civil de los muslimes.

El *Corán* contiene dogmas, leyenda, historia, fábulas, mezcla de superstición y de religión, preceptos o máximas de economía política y doméstica; descripciones imaginarias del cielo, del infierno, del Juicio final; doctrinas sobre la resurrección de los cuerpos, una amalgama de tradiciones judaicas y cristianas con las leyendas musulmanas.

Posiblemente, la rama más importante de la literatura árabe es aquella dedicada a la interpretación o explicación del *Corán.* Y fragmentos coránicos sirven de oraciones y aun de talismanes que fomentan la superstición.

El mahometismo se funda sobre cuatro principios:

1.° La fe.
2.° Las prácticas y el culto.
3.° La moral.
4.° Las lecciones morales, históricas y legendarias.

La primera calidad que marcó el mahometismo fue la de un monoteísmo riguroso, que probablemente los árabes imitaron de los hebreos. El carácter monoteísta del mahometismo se encuentra concentrado en la expresión que es la profesión de fe mahometana: *Lallah illa-l-lah,* esto es: *no hay otro Dios que Dios.* Y Mahoma se contentó con añadir: *Oua Mohammed resoul Allah,* esto es: *y Mahoma es el enviado de Dios.*

Muchos hechos históricos incontrovertibles atestiguan que la reforma religosa de Mahoma había estado precedida de tentativas análogas, que indicaban un deseo de renovación moral.

"Después de Abraham—escribe Barthélemy Saint-Hilaire—, en los pueblos árabes fueron encontrados algunos adoradores del Dios único, y el *Corán* los cita como los espíritus precursores del Profeta. Así, Hond entre los Aditas, y Saleb entre los Ramuditas, y Choalb entre los Madianitas. Estas nociones del Dios único, olvidadas por las grandes masas islamitas, llegaron hasta los tiempos de Mahoma, conservadas en espíritus selectísimos y muy escasos, llamados *hanifes* o *hanyfes.* Estos restos fieles a la fe de Abraham pretendían conservar los libros—*cohof*—y las tablillas que habían recibido de manos de Dios. En el *Corán* se citan algunos de tales libros que aún existían en tiempo del califa Harun-al-Raschid, y que entonces fueron traducidos del caldeo al árabe.

El *hanife* fue propiamente un hombre piadoso que creyó en un Dios único y que se sometió con absoluta abnegación a la voluntad divina.

M. W. Muir ha acusado al mahometismo de tres *enormidades* irremediables para la Humanidad:

1.ª Mantener la poligamia, el repudio y la esclavitud, envenenando así la vida doméstica y desorganizando la sociedad.
2.ª Destruir la libertad religiosa con una intolerancia implacable.
3.ª Levantar una barrera infranqueable contra toda posible adopción del cristianismo.

Según Muir, la espada de Mahoma y el *Corán* son los más funestos enemigos de la civilización, de la libertad y de la fe.

El juicio nos parece excesivamente apasionado. Y es que en España vivieron los árabes durante ocho siglos. (V. *Islamismo.)*

MAHRATA (Lenguaje)

Uno de los principales dialectos de la India derivados del sánscrito. Es hablado por los maharatas en una gran parte de la provincia de Gundwana y en ciertas regiones de Malwah, de Kandeisch, de Aureng-abad, de Bedjapur, de Guzerata y de Bérav.

Adelung ha clasificado el mahrata entre los idiomas malabares. Pero por su léxico y su gramática tiene lugar mejor en la familia sánscrita. La pronunciación es dura, sorda y chirriante. La versificación carece de rima, y se basa en la medida de las sílabas. Comprende el *mahrata* dos alfabetos: el *mur* o *mod,* para la escritura ordinaria, compuesto de cuarenta y cuatro letras, y el *balabandi* o *balbodh,* análogo al *devanagari,* para la escritura reservada a los sacerdotes y a los filósofos.

V. Carey: *Grammaire du mahratte.* Serampoure, 1808.

MALABARES (Lenguas)

Con este término genérico, muchos lingüistas designan una rama de lenguas indostánicas diferentes de la familia *indoeuropea,* y que, mezcladas con numerosas palabras sánscritas, parecen tener un origen más antiguo. Su antigüedad queda atestiguada por su fisonomía misma y por sus particularísimas formas gramaticales. Las lenguas malabares son: el *telinga,* el *tuluva,* el *kanara,* el *tamul* y el *malayalam* (V.).

V. Caldwell: *Comparative grammar of the Dravidian languages.* Londres, 1856.

MALAGUEÑA

Copla de cuatro versos octosílabos, que se canta con un aire popular y característico de la provincia de Málaga.

Los siete sabios de Grecia
no saben lo que yo sé...
Las fatiguitas y el tiempo
me lo hicieron aprender.

Si te quise, no lo sé;
si me quisiste, tampoco...
Pues borrón y cuenta nueva:
yo con otra, y tú con otro.

(M. Machado.)

MALASIAS (Lenguas)

Llamadas también *sumatrañas.* Son habladas en los diversos archipiélagos de la Malasia, en Java, al occidente de Madagascar, al oriente de Formosa, en la costa de China, en las islas Célebes, Molucas, (Carolinas, Marianas, Fidji, Amigos, Marquesas, Sonda, Navegantes, Sociedad, archipiélago de Mulgrave, en Nueva Zelanda, al norte de Sandwich...

Según Marsden, hay en estas lenguas cinco estilos diferentes, que pueden ser tenidos como dialectos: el *bhaza-dalam,* el más puro, empleado en los actos oficiales; el *bhaza-bangsawan,* estilo de las clases distinguidas; el *bhaza-dagang,* estilo de las relaciones familiares y comerciales; el *bhaza-kachukan,* estilo de las ciudades marítimas, con vocablos portugueses, holandeses e ingleses, y el *bhaza-javi,* estilo literario.

Otros dialectos son: el *asiático* o malayo de la

península, hablado en las costas de Malaca; el *sumatrano,* el *menangkado,* hablado en el interior de la península; el *javanés,* el *borneano,* el *bhazatimor.*

Adelung cree que el malasio debe ser colocado entre las lenguas monosilábicas, al lado del mogol y del manchú, para servir de transición entre las lenguas compuestas exclusivamente de monosílabos y las lenguas polisilábicas. Max Müller lo coloca entre las lenguas turanias.

Lengua cadenciosa y armoniosa, en la que las consonantes, separadas por muchas vocales, se articulan con dulzura. Su vocabulario, rico en expresiones propias, ha tomado de las lenguas de la India los términos abstractos. Su gramática es muy simple y de fácil aplicación las reglas de la sintaxis. El verbo no tiene formas particulares para las personas, los números, los tiempos y los modos; las personas y los números son señalados por los pronombres, los cuales verían según el rango de quienes hablan y escuchan. Los tiempos y los modos quedan marcados por partículas adverbiales. Las lenguas malarias se cree que tuvieron un alfabeto propio; hoy han adoptado el alfabeto árabe, impropio para unas lenguas donde abundan tanto las vocales. Por ello, a catorce caracteres del alfabeto árabe se han agregado seis nuevos para delatar las características de estas lenguas. También se usa el alfabeto javanés, y en las islas Molucas, el latino.

V. Leyden: *Sur la langue et la littérature des nations de l'Indo-Chine.* En el tomo X de "Recherches asiatiques".—Müller, Max; *La science du langage.*—Bopp, Fr.: *Ueber die verwandtschaft der Malaisch-polynesischen. Sprachen mit den Indesch-europanischen.* Berlín, 1841.

MALAYA (Lengua)

La lengua más pura de la India oriental, correspondiente al tronco sánscrito. Adelung—en su *Mithridates*—coloca al malayo a la cabeza de las lenguas polisilábicas. Su elemento fonético es igual al del javanés. En la formación de las palabras, las consonantes, que son todas de dulce y fácil articulación, se hallan separadas entre sí por numerosas vocales sonoras, lo cual, unido a la regla de que en las palabras de varias sílabas agrada el acento sobre la penúltima, da a la pronunciación una cadencia y armonía que recuerdan las del italiano y el portugués. Por lo que toca al vocabulario, es a la par rico y pobre, según el lado por el cual se considere. Si por una parte presenta gran abundancia de términos para la expresión de débiles matices en las ideas familiares, ofrece, por otra parte, en su fondo indígena, una ausencia casi perfecta de denominaciones generales. Las relaciones de los nombres se expresan por medio de partículas prepositivas. El verbo no admite formas particulares ni para las personas, ni para los números, ni para los tiempos, ni para los modos. Personas y números se indican por los pronombres. Por partículas adverbiales, los modos y los tiempos. Un prefijo particular da al verbo el sentido pasivo. Las reglas de la construcción suplen por sí en los demás casos las flexiones gramaticales que faltan. (V. *Malasias, Lenguas.*)

MALAYALA (Lengua)

Conocida con el nombre de *malabar,* que se da a un grupo de lenguas. Es una de las lenguas de la India denominadas *dravidianas,* y que forman una clase diferente de la familia indoeuropea, muy mezclada con vocablos indostánicos. Se habla en la costa malabar, en las riberas de Onoro, hasta el cabo Comorín, en Canoro, Calicut, Travancor, en la colonia francesa de Mahé, en los valles—habitados por cristianos—de Santo Tomás. La malayala tiene una pronunciación dulce y armoniosa. Tiene ocho casos, tres géneros y tres números para los sustantivos. Los adjetivos son indeclinables. La conjugación comprende tres tiempos: presente, pasado y futuro; y dos modos: indicativo e imperativo; los modos que faltan se indican con partículas—afijos—. Son defectivos los verbos en su mayoría. Tiene un alfabeto propio, con signos, de los cuales unos son comunes con el *tamul* y otros—*q, x, z* y *f*—. análogos a los europeos.

V. Robinson, W.: *An Attempt to elucidate the principles of the malayalam orthography.* 1823.

MALDIVIANA (Lengua)

Idioma hablado en el archipiélago de las Maldivas. Corresponde al grupo malayo, pero comprende una mezcla de palabras cingalesas, sánscritas, árabes, indostánicas y malasias.

MALEBRANCHISMO

Doctrina filosóifca de Malebranche.

Nicolás Malebranche, filósofo y teólogo francés, nació—1638—en París. Murió en 1715. Fue el décimo de los hijos del secretario de Luis XIII. Enfermizo y contrahecho, estudió en su hogar; después, en un colegio de la Marca y en la Sorbona. En 1660 entró en la Congregación del Oratorio. Explicó Historia eclesiástica y hebreo; pero la lectura del *Tratado del hombre,* de Descartes, determinó su vocación filosófica. En 1699 fue elegido miembro de la Academia de Ciencias.

Malebranche admitía como principio de toda certeza la razón, libre de la ayuda de los sentidos. Malebranche fue el jefe de la fracción más avanzada del cartesianismo. Le atacaron Fenelón, Bossuet y Arnauld; pero él se defendió con extraordinario talento y una dialéctica impecable y elegante. Al parecer, murió a consecuencia de un disgusto que le produjo una polémica que sostuvo con el filósofo Berkeley, que había llegado a visitarle. Según M. Cousin, Malebranche ha sido el "Platón del cristianismo". La relación entre el espíritu y el cuerpo la explicó por el *ocasionalismo.* Dios es la sede del espíritu y contiene las ideas de todas las cosas, y el hombre las contempla todas en El, cuando ha logrado por sus méritos llegar hasta El.

Entre sus obras sobresalen: *De la recherche de la vérité*—1674 a 1678—, *Conversations métaphysiques et chrétiennes*—1677—, *Traité de la nature et de la grace*—1680—, *Méditations chrétiennes et metaphysiques*—1683—, *Traité de morale* —1684—, *Entretiens sur la métaphysique* —1687—, *Traité de la communication du mouvement*—1692—, *Traité de l'amour de Dieu* —1697—, *Entretiens d'un philosophe chrétien et d'un philosophe chinois sur l'existence et nature de Dieu*—1708—, *Traité de la prémotion physique*—1715.

Malebranche se inició filosóficamente como discípulo de Descartes, recogiendo de este el problema de las relaciones del alma y del cuerpo, o, si se desea, el problema más general de la comunidad de las sustancias. Para resolverlo fundó dos teorías: la de las causas ocasionales—*ocasionalismo* (V.)—y la de la visión de Dios—*ontologismo* (V.).

Parte principal del malebranquismo está fundada en la distinción entre las ideas y los sentimientos. Las ideas son las cosas que ve el alma; y como solo es posible ver las cosas que existen, la idea no es una mera modificación del alma, sino la manifestación de objetos que realmente existen. No pasa lo mismo con los sentimientos. Nada percibe el alma por medio de estos; solo conoce su estado actual, sin explicarlo. El sentimiento es el eco confuso de una simple modificación del alma. Los objetos de las ideas son eternos, necesarios, inmutables. O no los percibimos o aparecen tales como son. El sentimiento corresponde a modalidades que pueden o no pueden ser.

Pero la almendrilla del malebranquismo reside en la teoría de la *incomunicación de las sustancias.* El problema estuvo iniciado por el *cartesianismo. Descartes* redujo la comunicación a pequeños movimientos y alteraciones de la glándula pineal. Pero Malebranche la negó radicalmente: los cuerpos y las almas no se comunicaban. El alma no puede actuar sobre el cuerpo. El cuerpo no puede actuar sobre el alma. Más aún: ni el alma ni el cuerpo actúan, no producen verdaderas causaciones. El propio Malebranche sostiene "que los cuerpos no son visibles por sí mismos, que se ven impotentes de actuar sobre nuestro espíritu y de representarse en él." Por ello resulta imposible el conocimiento directo del mundo. ¿Cómo, pues, llegamos a conocerlo? Malebranche dictamina—en *Recherche de la vérité,* lib. III, parte II capítulo VI—: "Dios está unido estrechísimamente a nuestras almas por su presencia, de suerte que se puede decir que es el lugar de los espíritus, así como los espacios son en un sentido el lugar de los cuerpos. Supuestas estas dos cosas, es cierto que el espíritu puede ver lo que hay en Dios que representa los seres creados, puesto que esto es muy espiritual, muy inteligible y muy presente al espíritu... Si no viéramos a Dios de alguna manera, no veríamos ninguna cosa."

Más preciso: cuando el alma alcanza una idea, Dios produce en el cuerpo el movimiento correspondiente. Y cuando se produce un movimiento en el órgano corporal, Dios mismo produce en el alma una afección equivalente. Es decir: voliciones del alma y movimientos del cuerpo "son meras causas ocasionales de la verdadera causación, solo producida por Dios".

Según Malebranche, hay tres maneras de conocer: *por conciencia*—el conocimiento que el alma tiene de sí misma—; *por las ideas*—el conocimento de las cosas por las ideas que representan su naturaleza—, y *por sí mismo*—el conocimiento que Dios tiene de sí.

Del segundo conocimiento, Malebranche saca las siguientes conclusiones: que las ideas—arquetipos de las cosas—ni son innatas, ni son creadas por el alma, ni proceden de la percepción sensible, ya que esta necesita de aquellas; que las ideas tienen que estar *forzosamente* en Dios. Dios, pues, es el recogimiento supremo de las ideas y de los espíritus. Y como el alma está en inmediata unión con Dios, el alma ve las ideas en Dios.

"Malebranche no se para aquí—escribe González Alvarez—. De la visión *en* Dios concluye la visión *de Dios.* Ya Arnauld objetaba a Malebranche que si las ideas están en Dios, y por ende forman parte de su esencia, ver las ideas en Dios equivale a ver la esencia misma de Dios. Malebranche se defiende distinguiendo entre lo infinito relativo e infinito absoluto (infinitamente infinito). Ver un infinito relativo en Dios es ver a Dios, pero no como es en sí mismo."

V. ANDRÉ, P.: *De la vie du R. P. Malebranche, avec l'histoire de ses ouvrages.* París, 1886.—BLAMPIGNON, Abbé: *Etude sur Malebranche...* París, 1862.—FONTENELLE: *Eloge de Malebranche.*—MARTÍN, J.: *Malebranche.* París, 1911.—LEWIN: *Die Lehre von den ideen bei Malebranche.* Halle, 1912.

MALGACHA (Lengua) (V. Madecasiano, Lenguaje)

MALTÉS (Idioma)

Lenguaje nacido de la mezcla de los diversos idiomas hablados por los conquistadores sucesivos de la isla de Malta: fenicios, cartagineses, griegos, romanos, godos, árabes italianos e ingleses. En su formación tiene raíces de lengua púnica, pero el elemento que domina en él y lo acerca al grupo semita es el árabe, al que corresponden el mayor número de vocablos y las principales reglas gramaticales del maltés. Su alfabeto es el latino, ligeramente modificado. Su literatura, aparte la traducción de la *Biblia,* se reduce a canciones populares, a moralidades y proverbios versificados.

M

V. Gesenius: *Essai sur la langue maltaise*. Traducción. Leipzig, 1810.—Vassali: *Gramática maltesa*. Trad. Malta, 1827.—Mai, J. H.: *Specimen linguae punicae in hodierna malitensium Superstite*. Marburgo, 1718.

MALTUSIANISMO

Doctrina económica y sociológica, ideada y defendida por Malthus, que preconizó la necesidad de restringuir el número de los nacimientos si se quería evitar la miseria de los vivientes.

Tomás Roberto Malthus nació—1766—en el Surrey (Inglaterra) y murió—1834—en Bath. Fue hijo de un caballero campesino. Estudió en Cambrigde, donde se graduó en 1788. Párroco protestante. Su padre, gran amigo de Hume y de Rousseau, adepto de la filosofía francesa, profesaba ideas muy avanzadas acerca de la cuestión social, opinando, como Godwin, que el mal material y moral tenía su origen en la mala organización social.

Para combatir las afirmaciones del anarquista Godwin, Malthus—que creía inútiles las reformas sociales y la eficacia de los esfuerzos individuales únicamente—publicó en 1798 y anónimamente su obra *An Essay on the Principles of Population as it affects the future improvement of Society,* pero que obtuvo tal éxito, que Malthus se dio pronto a conocer como su autor, publicando en 1805 una segunda edición, muy corregida y aumentada, con su nombre. Y se le equiparó a Smith y a Ricardo, no solo por su *teoría de la población,* sino también, entre otras, por *la de la renta* defendida—1815—en su obra *Inquiry into the nature and progress of rent.* En vida del autor se hicieron cuatro ediciones más del *Ensayo.* Mientras, él fue nombrado profesor del colegio de Haileybury. Y en él dio clases hasta su fallecimiento, y publicó, además de las obras mencionadas, otros muchos trabajos: *Definiciones de la Economía política*—1800—, *Efectos de las leyes sobre el trigo*—1814—, *Principios de Economía política considerados respecto a su aplicación práctica*—1820—. Sostuvo, además, varias controversias, siendo la principal la que le puso frente a J. B. Say—en 1820—para discutir la posibilidad de una superproducción general. Pero Malthus siguió siendo, ante todo, "el hombre del principio de población".

Su *Ensayo* está dividido en cuatro partes; dos de investigaciones históricas acerca "de los obstáculos que se han opuesto al aumento de población" en distintas épocas y en diferentes países; y otras dos de consideraciones sobre las consecuencias que se pueden deducir de tales datos y en cuanto al porvenir efectivo de los pueblos.

¿Cuáles son las llamadas *leyes de Malthus?*

1.ª La población, cuando no es detenida por ningún obstáculo, *crece en progresión geométrica,* doblándose cada veinticinco años.

2.ª Las subsistencias, aun en las mejores circunstancias, solo crecen en progresión aritmética. Así, mientras la población aumenta así:

1, 2, 4, 8, 16, 32, 64, 128...

las subsistencias solo crecen así:

1, 2, 3, 4, 5, 6, 7, 8...

Al cabo de los siglos la proporción sería, entre los habitantes del mundo y las subsistencias, de 256 a 9; y al cabo de tres siglos, de 4.096 a 13...

Malthus ya tuvo en cuenta que las guerras, las epidemias y los vicios impedían tales desproporciones; pero aun así, la desproporción resultaría catastrófica.

Siendo así—ya que no pueden vivir más hombres que aquellos que cuentan con alimentos—, es preciso que sea refrenada la actuación del principio de población. ¿Cómo? Lo es por muchos obstáculos, *preventivos* unos, otros *represivos,* que se pueden reducir a tres principales: el *vicio,* la *desgracia*—es decir: restricción de nacimientos o multiplicacicón de defunciones—y la *sujeción moral (moral restraint).* Este último no es un obstáculo puramente preventivo: "consiste en la limitación voluntaria del número de nacimientos, *pero unida a la castidad* y sin recursos prácticos viciosos, que Malthus *reprobó terminantemente.* La elección, según Malthus, debe recaer en la *sujeción moral,* porque "es el obstáculo menos perjudicial para la virtud y la felicidad. Evidentemente, constituye una violencia penosa; pero este mal es insignificante si se le compara con los que producen los otros obstáculos; es una privación del mismo género que otras muchas que tiene que imponerse un agente moral".

Las palabras terminantes de Malthus desmienten las insidiosísimas calumnias que le atribuyeron los enemigos de su doctrina, achacándole teorías antinaturales y consejos de suprema inmoralidad. Malthus entendió *sujeción moral* "la que un hombre se impone respecto del matrimonio, por un motivo de prudencia, cuando su conducta, durante este tiempo, es estrictamente moral".

El Maltusianismo tuvo numerosísimos discípulos y adeptos. Unos, como Rossi, Roscher, José de Maistre, Garnier, *atenuaron* el radicalismo de su maestro. Otros, como Robert Dale Owen, los hermanos Drysdale, Ziegler, Francisco Place..., fueron mucho más allá de lo que Malthus se propuso, y originaron el *neomaltusianismo,* caracterizado por las tendencias más materialistas con el fin de evitar el crecimiento de la población. En el neomaltusianismo se llegaron a aconsejar y a exponer diferentes métodos anticoncepcionistas; y aun ciertos autores propusieron "ahogar a los recién nacidos, sometiéndolos a una asfixia sin dolor *(painless extinction)*".

El maltusianismo ha quedado hoy absolutamente desvirtuado. Las estadísticas más minuciosas prueban que es inexacto que la población crezca en *progresión geométrica.*

Durante el siglo XIX, la población europea solo se elevó de 175 a 360 millones de habitantes. También han comprobado las estadísticas que las subsistencias han crecido en una proporción mucho mayor que aritmética. Por otra parte, Malthus no tuvo en cuenta la capacidad industrial del hombre, merced a la cual puede un individuo quintuplicar y hasta decuplicar la potencia industrial de su padre. Todas estas consideraciones permitieron a Enrique Carey proclamar la doctrina contraria al maltusianismo: la de que la densidad corriente de población equivale a una facilidad creciente de producción. Y Guyot, fundándose en estadísticas y gráficos de movimientos de la población y de la riqueza en Francia, Inglaterra y Estados Unidos, aún llegó a opinión más radical. Según Ives Guyot, los hechos formulan la ley de Malthus... *solo que al revés:* la población crece en *proporción aritmética,* y las subsistencias, en *proporción geométrica.*

V. MOLINARI: *Malthus, essai sur le principe de population.* París, 1889.—LORIA, A.: *Malthus.* Módena, 1909.—BUDGE: *Des Malthussche Bevölkerungsgesetz...* Carlsruhe, 1912. GONNARD, R.: *Historia de las doctrinas económicas.* Madrid, Aguilar, 1952.

MAN, POCOMÁN o POCONCHI (Lenguaje)

Idioma de la América Central, hablado en Guatemala, desde la frontera mejicana hasta el estado de San Salvador, y también en el estado de Vera-Paz. Guarda una gran semejanza con el *kachiquel* (V.). En el *man,* los sustantivos carecen de inflexiones para señalar el género y el número. Los adjetivos son indeclinables. Los infinitivos de los verbos pasivos se emplean también como sustantivos.

V. GAGE, Thomas: *Briève instruction pour apprendre la langue indienne appelée Poconchi.* París, 1676.—LUDEWIG, H. E.: *The literature of american aboriginal language.* Londres. Varias ediciones.

MANCHEGA

Copla seguida para cantar con un aire o tono especial originario de la Mancha.

MANCHÚ (Lenguaje)

Idioma hablado por los manchúes. Antiguamente fue el idioma no solo de la Manchuria, sino de parte de China. Hoy ha vuelto a quedar adscrito a su territorio.

Se han dado opiniones muy distintas acerca del origen y composición de esta lengua. Siebold hizo ver sus grandes analogías con el japonés. El escritor mogol Abugasi lo creyó un compuesto de mogol y de chino. Abel Rémusat, el gran sinólogo, ha encontrado en el manchú, en primer lugar, vocablos que son comunes a todos los idiomas tongusos, para expresar las ideas sencillas; en segundo lugar, vocablos mogoles, para expresar ideas secundarias; a estas voces deben agregarse también las que el manchú ha recibido de los *koïses* o turcos musulmanes, de los oletes, de los tibetanos y de los indios; en tercer lugar, voces tomadas al chino, que se refieren principalmente a objetos científicos.

El manchú, muy pobre en términos genéricos, posee, por el contrario, según el testimonio de Amyot, una prodigiosa cantidad de términos específicos; así, un gato recibe distinto nombre, según su edad, tamaño, pelo, cualidades buenas o malas.

En su origen, el manchú debió de ser lengua monosilábica, y se cree reconocer la prueba de este hecho en el de que las palabras, que aún conserva en gran número, tienen cada una en ella varias acepciones diferentes, y que a veces corresponden a partes diversas de la oración, como se verifica en aquellas lenguas que han conservado el monosilabismo.

Su pronunciación es dulce y armoniosa. Su gramática y su sintaxis dan lugar a características muy interesantes. El manchú carece de artículo y de género, y tiene signos especiales para designar el caso y distinguir los números. También posee afijosilábicos para marcar en los verbos los tiempos, los modos, las conjugaciones. Abunda en formas derivativas, que indican las diversas modificaciones de los verbos transitivos, colectivos, negativos, etc., todos los cuales comprenden cinco formas. El imperativo es la raíz de los verbos. Es inverso el orden de su construcción. El lugar invariable que cada palabra debe llevar en la frase hace la lengua monótona y el estilo literario uniforme.

Hasta el siglo XVIII no poseyeron escritura los manchúes; en esta época adoptaron el alfabeto mogol, completándolo por medio de ciertos signos destinados a expresar algunos sonidos muy particulares. Dicho alfabeto consta de treinta y nueve caracteres o grupos silábicos, que pueden reducirse a cinco vocales y trece consonantes.

V. RÉMUSAT, Abel: *Recherches sur les langues tartares.* París. Varias ediciones.—SCHOTT: *Versuch über die tartarischen Sprachen.* Berlín, 1836.—LANGLES: *Alphabet mandchou,* París, 1897.

MANDAMIENTO

Escrito, determinado por las prescripciones que un jerarca eclesiástico dirige a los fieles de su diócesis al tomar posesión de esta, en la época de los jubileos o con ocasión de algún acontecimiento religioso, y cada año al iniciarse la Cuaresma. Existen famosísimos mandamientos, en los que sorprenden el fervor y la violencia con que sus autores defienden las prerrogativas de la Iglesia contra el espíritu del siglo y las leyes del Estado. Y algunos de ellos alcanzan una indiscutible categoría literaria por la elevación de sus pensamientos y por la belleza de su forma. Son citados como modelos de *mandamientos* los de Bossuet y Fenelón, en Francia; los del santo fundador P. Claret.

MANDINGA (Lengua)

Lengua africana hablada en la Nigricia y que predomina de la Gambia al Níger. Comprende numerosos dialectos, entre los cuales tienen más importancia, por ofrecer más seguridades *de fijeza:* el *bambuk,* hablado en el estado de este nombre, y en el cual se advierten vocablos portugueses, mauritanos, del *wolof* y del *fulah;* el *bambara,* usado en el país de este nombre, que ofrece menos particularidades.

El *mandinga* es un lenguaje dulce y armonioso, a pesar de las numerosas guturales que posee; las vocales *a, i, o* tienen dos sonidos diferentes cada una; la *u,* tres; la *e,* cuatro. La conjugación regular es muy rica.

V. MACBRAIR, Maxwel: *Grammar of the mandingo language with vocabulary.* Londres, 1837, 1897.

MANIERISMO

Tendencia, principalmente artística, a limitar la libertad o personalidad, supeditándola a imitar a ciegas el estilo—la *maniera,* según los antiguos tratadistas italianos—de un maestro o de una escuela.

El manierismo tiende, pues, a petrificar una manera, más allá de sus límites significativos.

La tendencia manierista ha existido siempre. El arte oriental y el egipcio son buenas pruebas de ello. Pero el nombre surgió de la pluma de Vasari al comentar la *bella maniera* de Miguel Angel, tan comentado y seguida por sus innumerables discípulos e imitadores.

Muchos son los inconvenientes del manierismo. Contiene el torrente vital de la evolución artística. Endurece los moldes de la expresión. Estructura únicamente según las tendencias ornamentalistas. Descentraliza los motivos, "descoyuntando la figura humana, para acoplarla a cornisas, triángulos, recuadros y medallones". Determina el predominio absoluto de lo formal sobre el contenido. Fija un academicismo *sui generis* sometido a las condiciones de un estilo determinado, más de un artista que de una escuela.

El manierismo ha surgido siempre en épocas de transición y de incertidumbre. Cuando un movimiento artístico quedaba *agotado,* los artistas logrados en la máxima decadencia de él, no sabiendo qué camino nuevo tomar, limitábanse a imitar rigurosamente a una de las figuras más excepcionales del movimiento. Se comprende que *pasado de moda y de modo* el Renacimiento, y aún no precisadas las raíces del Barroco, los artistas giraron exclusivamente en la órbita de Miguel Angel, último y el más excelso de los idealistas renacentistas.

El manierismo artístico tuvo singular importancia en Italia: y es preciso admitir que no todos los manieristas italianos fueron imitadores de Miguel Angel. También Leonardo de Vinci, Rafael y el Correggio provocaron el manierismo.

Entre los más notables artistas de este movimiento figuran: Fra Bartolomeo della Porta (1475-1517), dominico, que supo infundir un decisivo valor arquitectónico a sus obras: *Madona con Santa Ana y santos*—Museo de San Marcos—, la *Pietá*—de la Galería Pitti—, *Madona entre San Juan Bautista y San Esteban*—catedral de Luca—y el retrato de *Savonarola*—San Marcos, de Florencia—. Fra Bartolomeo sufrió las influencias sucesivas de Leonardo, Miguel Angel y Rafael.

Estas mismas influencias las sufrió Andrea del Sarto (1486-1531), cuyo verdadero nombre era Andrea Vannucci, y cuyas obras más representativas son: el *Nacimiento de la Virgen*—claustro de la SS. Annunziata—y la *Madona de las Harpías*—en los Uffizi.

Discípulo de Andrea del Sarto fue Jacobo Carucci, *il Pontormo* (1494-1555), que se inclinó hacia Miguel Angel, y cuya principal obra es el *Santo Entierro,* en la iglesia de Santa Felicitá de *il Pontorme.*

Angelo Allori, *il Bronzino* (1502-1527), uno de los mejores retratistas del Cinquecento, se inclinó primero hacia Leonardo, más tarde hacia Rafael, y dejó una obra maestra en el retrato de *Leonor de Toledo,* que se conserva en los Uffizi.

En Lombardía, estrechamente relacionado con Leonardo, trabajó Bernardino Luini (1490-1532), autor del *Entierro de Santa Catalina, Santa Catalina*—en Brera—y la *Salomé* de la Galería Sforza, de Milán.

También *leonardista* fue Giovanni Antonio Bazzi, *il Sodoma* (1477-1549), con las *Escenas de la vida de San Benito,* en el convento de Monteoliveto, y el *San Sebastián* de la Galería Pitti, sus obras maestras.

Los más importantes continuadores del Correggio fueron: Francesco Mazzola, *il Parmigianino* (1503-1540), autor de la célebre *Madonna del cuello largo*—Pitti—y de los retratos *Antea*—Pinacoteca de Nápoles—y *Dama*—Museo de Viena—. Federico Flori, *il Barocci* (1528-1613), cuyo arte ya anticipa muchos de los aspectos barroquistas, autor de *La Cena*—Urbino—, *Huida a Egipto*—Vaticano—, *Madonna del Popolo*—Uffizi.

El manierismo "miguelangelesco" está representado por los escultores Jacopo Tatti, *il Sansovino* (1486-1570), autor de *Baco*—Museo de Florencia—, *San Ciácomo*—Duomo de Florencia—, *Madonna de San Agustín*—Roma—, los *Gigantes* —escalera del palacio de los Dux, Venecia—, la *Madonna del Arsenal*—Venecia—, los *relieves* de la puerta de bronce de la sacristía de San Marcos—Venecia—. Florencia Tribolo (m. 1550), con su *Fuente de Hércules,* en la villa de Castello; Baccio Bandinelli (1488-1560), con la decoración del coro de la catedral de Florencia; Bartolomeo Ammannati (1511-1592); Alejandro Vittoria (1525-1608), autor de los bustos del Museo Seminario en Venecia; Antonio Begarelli (m. 1523), de Módena; Guglielmo della Porta (m. 1577), autor de la admirable tumba de Paulo III, en San Pedro, de Roma; Giovanni da Nola (m. 1588).

Por dar un modelo del manierismo en España, mencionaremos a los discípulos e imitadores de Bartolomé Esteban Murillo (1617-1682), que fueron bastante numerosos y *no demasiado buenos,* a los que seguramente se debe el descrédito en que durante algún tiempo cayó la obra del maestro. Entre dichos "manieristas murillescos" destacaron: Francisco Meneses Osorio, Sebastián Gómez el *Mulato,* Juan Simón Gutiérrez, Esteban Márquez (¿1655?-1720), Bernardo Germán Llorente (1685-1757), Alonso Miguel Tovar (1678-1758) y Pedro Núñez de Villavicencio.

Insistimos en que el manierismo se ha dado siempre y en cualquier país. Y también insistimos en que puede señalarse igualmente en la música y en la literatura.

En el siglo pasado, el fenomenal Ricardo Wagner dejó "entronizado" uno de los más largos y vastos manierismos, que mereció, inclusive, propia denominación: el *vagnerismo.* Manierismo que excedió las fronteras de Alemania, estableciéndose en casi todos los países europeos, y que se basó exclusivamente en las normas y en los procedimientos de Wagner.

Entre los vagneristas más insignes se contaron: Hugo Wolf, Hans Pfitzner, Antón Bruckner, Vicent D'Indy, Max von Schilling, Alejandro Ritter, Hans Sommer, Weintgartner, Humperdinck...

Literariamente, el manierismo representa el triunfo del tecnicismo formalista, brillantísimo, pero torturador, sobre la inspiración y sobre la idea. Por ello puede afirmarse que dentro del manierismo quedan incluidos movimentos literarios como el *eufuismo* (V.), *gongorismo* (V.), *marinismo* (V.).

MANIFIESTO (V. **Proclamación**)

1. Escrito que sirve para enseñar o para justificar algo.

2. Escrito político o literario en que se determina un plan a seguir en todos sus puntos esenciales, con ánimo, por parte de su autor, de atraerse la afinidad espiritual y la simpatía de un gran número de personas. (V. *Proclama.*)

MANIQUEÍSMO

Doctrina filosófico-religiosa de los maniqueos, discípulos y adeptos de Manes o Maniqueo.

El maniqueísmo era la síntesis del *cristianismo* (V.) y del *parismo* (V.). Se caracterizó la herejía por su doctrina *dualista,* tomada del *gnosticismo* (V.) y de la religión de Zoroastro.

Manes, Manetos o Manichaeus, como tradujo San Agustín, no era nombre familiar, sino un apelativo: *el ilustre.*

Manes nació—215—en Nardinu de Babilonia. Su padre lo educó en el *mazdeísmo* (V.). Manes publicó su nuevo evangelio el 20 de marzo del año 242, en Gundesapor, en el palacio del rey Sapor I, el día en que fue coronado este monarca. Sin embargo, tuvo que huir de Persia, y posteriormente fue cogido prisionero por Sapor I, permaneciendo en la cárcel hasta la muerte de este rey—274—. Ormuz I fue su amigo y hasta profesó el maniqueísmo. Pero Bahram I se mostró enemigo implacable de la herejía, e hizo crucificar a Manes—276—y colgar sus miembros destrozados en las murallas de la ciudad.

El maniqueísmo se extendió rápidamente en Persia, Africa, Extremo Oriente y el Imperio romano. Sus adeptos llegaron a sumar muchos miles, y entre ellos se contó San Agustín antes que se convirtiera al catolicismo. Más de mil años perduró el maniqueísmo, y en la Edad Media renacieron vestigios de su doctrina en la herejía de los *albigenses.*

A la desaparición del maniqueísmo contribuyeron las predicaciones y los escritos de San Agustín, las decisiones de los Concilios católicos y las severas leyes de los emperadores Diocleciano, Valentinianos I, II y III, Teodosio el *Grande,* Honorio, Teodosio el *Joven,* Justino y Justiniano.

Según el maniqueísmo, existen dos seres eternos en constante hostilidad: Dios y Satanás. Dios es el principio del Bien, y Satanás, el del Mal. La Humanidad nació del principio del Mal y no puede desprenderse de la materia más que por el conocimento de la verdadera ciencia.

"La idea predominante del maniqueísmo es la oposición de la luz y de las tinieblas, que representan el Bien y el Mal. El mundo visible resulta de la mezcla de estos elementos eternamente enemigos. En el hombre, el alma es luminosa; el cuerpo, oscuro; en el fuego, la llama y el humo representan los dos principios rivales. De aquí se desprende toda la moral maniqueísta, que tiene por objeto la liberación de las partes luminosas, la de las almas que padecen en la cárcel de la materia. Cuando toda la luz cautiva, cuando todas las almas de los justos se hayan remontado al sol, llegará el fin del mundo, a consecuencia de una conflagración general. En la vida práctica, los hombres se dividen en *perfectos* o *elegidos* y en *simples fieles* u *oyentes.* Los primeros forman una especie de clero, deben abstenerse del matrimonio, de la carne animal, del vino, de toda ambición, de toda mentira. Los fieles están sometidos a las mismas reglas morales, pero pueden casarse y trabajar como los demás hombres; tan solo no deben acumular bienes ni pecar contra la pureza.

"La religión maniquea es muy sencilla. No tiene sacrificios ni imágenes, sino frecuentes ayunos, cuatro oraciones diarias al sol y a la luna, considerados, no como dioses, sino como las manifestaciones visibles de la luz; estas oraciones, de las que nos quedan ejemplos, son muy semejantes a las de determinados himnos babilónicos. Los maniqueos practicaban el bautismo, la comunión y una especie de iniciación, con frecuencia dada en trance de muerte, que suponía el perdón de los pecados, y que se llamó *consolación* en el Occidente latino.

"A los ojos de los maniqueos, el verdadero Jesús había sido un mensajero de la luz, cuyo cuerpo, el nacimiento y la crucifixión no fueron sino engañosas apariencias. Rechazaban, por errónea, una gran parte de los Evangelios, pero admitían y admiraban los sermones y las parábolas de Jesucristo. En cuanto al Antiguo Testamento, lo condenaban por entero. Moisés y los Profetas habían sido demonios. El Dios de los judíos era el príncipe de las tinieblas. Admitían también, como los persas, todo un ejército de genios buenos y malos, de dioses y de demonios; el jefe de estos últimos, Satán, tenía cabeza de león y cuerpo de dragón." (REINACH.)

La organización del maniqueísmo tuvo por modelo la de la Iglesia romana; admitió un jefe supremo, obispos, sacerdotes y diáconos.

San Agustín combatió el maniqueísmo por su falta de buen fondo filosófico, por la inmoralidad de sus miembros—a pesar de las apariencias de virtud con que se presentaban—y por su inferioridad en las polémicas con los católicos.

Para el maniqueísmo, Manes fue el último y el mayor de todos los profetas; y el Dios por antonomasia, la Luz increada, espiritual y simple en su ser, consta de cinco virtudes dobles, a saber: Mansedumbre, Ciencia, Entendimiento, Secreto y Visión, con sus correlativas Amor, Fe, Fidelidad, Heroísmo y Sabiduría.

V. SAN AGUSTÍN: *De moribus Ecclesiae catholicae et de moribus manicheorum, liber de duabus animabus, Acta sen disputatio contra Fortunatum Manichaeum, Liber contra Adymantum, Manichaei discipulum; Liber contra Epistolam Manichaei, quam vocant Fundamenti; De libero arbitrio, Contra Faustum Manichaeum, De actis cum Felice Manichaeo, Liber de natura boni contra Manichaeos, Liber contra Secumdinum Manichaeum.*—REINACH, S.: *Orfeo. Historia de las religiones.* Madrid, 1910.— BAUR: *Das manichäische Religionssystem.* Tubinga, 1836.—BEAUSOBRE: *Historie critique de Manichée et du Manicheisme.* París, 1734.—CUMONT: *Recherches sur le Manicheisme.* Bruselas, 1908.

MANUAL

Del latín *manualis,* lo que se tiene en la mano.

1. Libro breve, en el que se compendia lo más esencial de una materia.

2. Libro o cuaderno en que se hacen apuntamientos y se redactan bocetos o esquemas de futuras obras literarias.

3. Sinónimo de *abreviado* (V.).

Manual es un resumen—en formato cómodo a la mano—de ciencia, de arte, de historia, de moral, de literatura, etc., etc., y, antes que nada, como un "surtido de reglas prácticas" y de sus aplicaciones. Se cita, entre los antiguos, el *Manual* ('Εγλε ρὶδιον) de Epicteto. Antiguamente, la división del libro era *in-quarto* e *in-folio;* a la primera se le daba el nombre de *breviarium, compendium,* términos sinónimos de *manual.* La palabra alcanzó su boga en el siglo XVIII, y desde tal fecha no existe ciencia ni arte, oficio o religión, materia la más singular y extraña, que no tenga su respectivo *manual... Manual del librero, Manual del contable, Manual del pecador, Manual del automovilista, Manual de literatura...*

Modernamente, *manual* es sinónimo de *vademécum,* de *guía...*

V. BRUNET, J. Ch.: *Manuel du libraire.*

MANUSCRITO

1. Obra escrita a mano.

2. La primera forma del libro.

Los antiguos tenían dos clases de manuscritos: los *enrollados,* llamados *volumina* (de *volvere,* enrollar), y los designados con el nombre de *códices,* que tenían forma de libros cerrados—encuadernados o en rústica—. "Entre las pinturas de Herculano—escribe Géraud—, muchas representan los volúmenes en manos de personas que los leen. Todos ellos se desenrollan de arriba abajo, a excepción de uno, que lo es horizontalmente y de izquierda a derecha, en el sentido de su longitud. La escritura figurada aparece en pequeñas columnas perpendiculares... Se desenrollan poco a poco, con la mano derecha, conforme se avanza en la lectura y se enrollan poco a poco, con la mano izquierda, conforme se ha ido leyendo... Cuando los manuscritos son libros, se advierten las hojas pegadas cada una a continuación de las demás, y en la extremidad de la última una varilla, alrededor de la cual se enrolla el volumen. A esta varilla llamaban los romanos *umbilicus...*"

Los códices, que aparecieron mucho después que los volúmenes, estaban escritos generalmente por las dos caras de sus hojas—opistógrafos—. Cada página era dividida en dos o tres columnas, y tenían cuatro imágenes, pero carecían de numeración. Algunos códices estaban protegidos con cubiertas de madera o cuero—*unci* o *hamuli*—. Según los benedictinos, "las pieles de los animales, convenientemente preparadas; la seda, la lana, la madera, las hojas de las plantas, la cera, el yeso..., eran materias sobre las que se escribía..." Las sustancias que se han encontrado en las colecciones son: el *papiro,* el *pergamino,* la *vitela,* el *papel de algodón,* el *papel de tela vieja...* También las tablillas de marfil, llamadas *dípticos* o *polípticos,* según fueran dos o más las hojas. La Biblioteca de Dresde posee un manuscrito mejicano sobre piel humana. Pero el papiro y el pergamino fueron las materias más utilizadas para los manuscritos. El papiro, hojas de plantas debidamente preparadas, tenía grandes dimensiones, y servía más para los *volumina*, por su flexibilidad. El invento del pergamino, piel de cordero curtida, se atribuye a Eumenes, rey de Pérgamo. La vitela se fabricó con piel de ternera. El papel de algodón *(charta bombicina)* se usaba ya en Oriente durante el siglo XI. Pero la sustancia que iba a dar de lado a todas las conocidas fue el *papel de trapo*. Su invención parece ser que data del siglo XIII, y fue usado ya corrientemente en la siguiente centuria. Mabillón encontró el más antiguo manuscrito sobre papel de trapo viejo que se conoce: es una carta de Joinville a Luis X, conservada en la Biblioteca Nacional de Francia.

Se emplearon para la escritura de los manuscritos tintas de diferentes colores. Plinio el *Antiguo* creyó que la tinta negra de sus antepasados era un compuesto de negro de humo, goma y agua... La tinta de los clásicos estaba compuesta de tizne de sartén, de hollín, resina, pez, de marfil quemado, de carbón molido. También vemos en los manuscritos antiguos tinta encarnada, de extremada hermosura, la cual se emplea en trazar las letras iniciales, las primeras líneas y los títulos de los capítulos; por esta razón eran llamados estos títulos *rúbricas*, y las personas que los escribían, *rubricatores*. Escribíase también con tintas de oro y plata, y eran llamados *crisógrafos* los autores o copistas que utilizaban la tinta de oro. A la tinta encarnada se la llamó *minium*—de aquí, *miniar* los manuscritos—, y durante varios siglos estuvo prohibido su uso por los particulares, y reservado para los emperadores y reyes.

Las personas que ejecutaban los manuscritos eran generalmente entre los antiguos esclavos y manumitidos *(scribae librarii)*. Durante la Edad Media, los monjes se ocuparon de esto, particularmente los benedictinos, a quienes la regla de su Orden imponía este trabajo de copistas de las obras clásicas. Los correctores y los rubricadores corregían y adornaban los manuscritos que salían de las manos de los copistas.

Los instrumentos para la escritura fueron muy diversos. Se usaba el *buril* para las materias duras, y el estilete de hueso o hierro *(stilus, graphium)* para la cera. Para escribir con tinta y colores se empleaba la *caña*, que llevaba los nombres de *canna, iuncus, arundo, fistula*. A la caña sustituyó la pluma de ave, especialmente de ganso *(calumus)*. La pluma metálica es de invención muy moderna. Para las miniaturas y para la escritura en oro se utilizaba el *pincel* *(penicillus)*.

"Para determinar la fecha y el valor de los manuscritos, no basta considerar las circunstancias que hemos indicado, sino que se debe examinar más principalmente el género y la naturaleza de los caracteres. Sin embargo, es más difícil descubrir, atendiendo a la escritura, la antigüedad de un manuscrito griego que la de un manuscrito latino. En cuanto a los manuscritos griegos, es regla general que cuanto más ligeros, agradables y rápidos son los caracteres, más antigua es la obra, porque la escritura griega se ha hecho de siglo en siglo más pesada. La presencia o la falta de acentos griegos no decide nada con respecto a la edad del manuscrito. Los manuscritos sin división en capítulos o en otras secciones son siempre muy antiguos. El *reclamo (custos)* o la repetición de la primera palabra de un cuaderno debajo de la última línea del cuaderno anterior pertenece al siglo XII y a los posteriores. Cuantas menos abreviaturas tiene un manuscrito y menos considerables son, mayor es su antigüedad. En los manuscritos más viejos, las palabras no están separadas, sino que siguen sin interrupción alguna en las líneas. El uso de espaciar las palabras no se hizo general hasta el siglo IX. La forma de las cifras árabes, cuyo empleo no empieza a ser general sino en los manuscritos de la primera mitad del siglo XIII, puede también servir de guía en la apreciación de la edad de los escritos."

Naturalmente, uno de los mejores medios para indicar la fecha de un manuscrito está en el examen de *su escritura*.

En los manuscritos—copias de obras clásicas—de la Edad Media se precisan las siguientes clases de escrituras: *capital (cuadrada* o *rústica)*, que tuvo su apogeo en los siglos IV y V. La *uncial*—escritura redondeada y más pequeña que la *capital*—, de la que tenemos en España ejemplos del siglo VI. La *semiuncial*, derivada de la *uncial* y de la *cursiva romana*, verdadera escritura minúscula, cuya edad de oro se extiende del siglo V al IX. Entre las escrituras italianas: la *antigua cursiva*—siglo VI—, la *curial*—siglo VIII—, la *longobarda*—apogeo en el siglo XI—. La escritura *merovingia*, en Francia. La *scottica* irlandesa—*redonda* y *aguda*—. La *visigoda littera toletana*—española, cuyo desarrollo se extiende entre los siglos VIII y XII. *La minúscula carolina* —de Carlomagno—. La *minúscula gótica*, iniciada, con el estilo ojival arquitectónico, en el siglo XI. La *escritura humanística*.

Entre las escrituras clásicas están: la *cursiva griega*, con tres tipos: *el tolemaico* (antes de Cristo), *el romano* (siglos I, II y III de nuestra Era) y el *bizantino*. En los tres tipos se dan las letras *capitales, unciales* y *semiunciales*. La *cursiva romana*, que se remonta al primer siglo de la Era cristiana.

V. MABILLON: *De re diplomatica*. París, 1704.—HASSIN Y TOUSTAIN: *Nouveau traité de diplomatique*. París, 1750.—SYLVESTRE: *Paléographie universelle*. París, 1839-1841.—MUÑOZ Y RIVERO: *Nociones de diplomática española*. Madrid, 1881.—GARCÍA VILLADA, Z.: *Paleografía*. Madrid, 1923.—GARCÍA VILLADA, Z.: *Metodología y crítica históricas*. Barcelona, 1921.—MILLARES CARLO, A.: *Paleografía española*. Madrid, 1933.

M

MAQUIAVELISMO

Doctrina política de Maquiavelo. Sistema político puesto en práctica por Maquiavelo, y cuyo lema pareció ser: *El fin justifica los medios,* por amorales o inmorales que estos sean.

El maquiavelismo está contenido *esencialmente* en unas afirmaciones hechas por Maquiavelo en el capítulo XV de su obra *El príncipe:* "Algunos escritores han descrito repúblicas y gobiernos que no han visto jamás tal como si en realidad hubieran existido. Hay en verdad una gran diferencia entre el modo como los hombres viven y aquel otro en que sería justo que vivieran; por eso, el que *olvida lo que se hace,* para *seguir lo que debe hacerse,* corre inevitablemente a su ruina. El que quiere ser un hombre *perfectamente bueno,* está seguramente en peligro en medio de los que no lo son. Es, pues, necesario que un príncipe aprenda *a no ser siempre bueno,* a fin de aplicar o de no aplicar estas máximas, según las circunstancias."

Nicolás Maquiavelo (1469-1527) vivió en un momento crítico para la política europea. El espíritu del Renacimiento palpitaba en el Arte y en el Derecho, en la vida y en los Ideales. Muchos países—España, Francia, Inglaterra, Alemania—acababan de afirmar su nacionalidad, después de vencer al *feudalismo* (V.), a otros enemigos exteriores, y las últimas y caducas instituciones medievales. Italia, dividida en principados y repúblicas, era un semillero de perturbaciones políticas y diplomáticas. Y precisamente en lo más vivo e irritado de este avispero—en Florencia—le tocó vivir a Maquiavelo.

Por agudeza e ingenio, por sutilísimos dones de político y de diplomático, por audaz renovador de sistemas de gobierno, Maquiavelo alcanzó el primer lugar entre los gobernantes de su época. Y, lógicamente, el maquiavelismo fue tenido por la quinta esencia de la diplomacia y de la política *al uso,* la única doctrina y el único método capaces de sobreponerse a las más duras exigencias de las colectividades en trance de superación.

Las ideas políticas de Maquiavelo están contenidas, principalmente, en sus obras *El príncipe*—1513—y en los *Discursos sobre Tito Livio.* Maquiavelo desempeñó un papel activísimo en la compleja vida política de la Italia de su tiempo; y en sus agudísimas observaciones sobre el gobierno de su patria y de otros países de Europa y en las misiones difíciles que llevó a cabo, se reflejan, con método y carácter, las direcciones y los sentidos de su filosofía política.

A Maquiavelo no le interesaron ni los principios del Derecho natural, ni las pretensiones de la Iglesia con respecto al Estado, ni la enseñanza de las Sagradas Escrituras, ni las opiniones de los Santos Padres. Para él, en materia política, el único método aceptable fue el *histórico,* es decir, la posibilidad de enfocar los problemas del presente, y aun del porvenir, a la luz de los problemas del pasado. Maquiavelo no se sentía atraído sino por las cuestiones de su tiempo, en las que obtenía las deducciones convenientes, comprobando las tesis y conclusiones que había formulado con anterioridad, en relación con los recuerdos históricos. Maquiavelo prefería la *práctica política* a las cuestiones filosóficas; y la *maquinaria del gobierno* a la naturaleza del Estado. Para él, el Estado fue *un fin en sí mismo;* y la existencia y la conservación del Estado estuvieron muy por encima de las acciones privadas de los individuos, por ilustres que estos fuesen.

¿Cuál fue la posición del maquiavelismo en materias religiosas y morales? Separó por completo, audazmente, la Política de la Ética, llegando inclusive a la paradoja y al escándalo. Si durante la Edad Media la ciencia política fue una mera consecuencia de la Teología, el maquiavelismo estableció francamente la subordinación de los principios éticos al bienestar público y a las necesidades del Estado. La seguridad y la preponderancia de este *son los fines supremos y permanentes.* El maquiavelismo creyó escasa la influencia del Cristianismo en las costumbres políticas italianas, y como sus aspiraciones iban hacia la unidad de Italia, atacó al Papado por creerlo uno de los mayores obstáculos que se oponían a dicha unidad.

El maquiavelismo, en vez de formular una teoría del Estado, estableció una doctrina que conduce a su defensa y conservación; dedujo la conclusión—de la quiebra del idealismo abstracto con que fracasó Savonarola—"de que la fortaleza del Estado reside en la fuerza, en la habilidad y en la astucia de los gobernantes", de que "el arte de la política se funda en razones de egoísmo". Partiendo de su concepción, única y pesimista, de la naturaleza humana, halló la explicación del amor a la independencia en un individualismo materialista. El maquiavelismo no aprobó expresamente el dolo y la traición, "pero llegó a justificar, en la conservación del poder, procedimientos semejantes a los medios y formas con que se había adquirido".

El maquiavelismo encomió y recomendó la fuerza y la eficacia como los mejores atributos del gobernante; y, por el contrario, despreció la política vacilante y escrupulosa capaz de poner en peligro la seguridad del Estado.

El maquiavelismo consideró respetable y beneficiosa la existencia de una forma democrática de gobierno, cuando la igualdad económica prevalece entre los hombres; rechazó la aristocracia fundada en la propiedad territorial, por considerarla un semillero de luchas políticas; simpatizó con un gobierno mixto y con la monarquía electiva, de acuerdo con las circunstancias de su tiempo.

En *El príncipe,* Maquiavelo expone una serie de *reglas prácticas* para que el gobernante pueda conservar su situación privilegiada, triunfe, aun mediante el engaño, de sus adversarios, y detenga en todo momento los amagos de cualquier revolución.

Según Maquiavelo, el Estado tiene esta disyuntiva: perecer o extender sus dominios. ¿Métodos para extender sus dominios el Estado? Maquiavelo siente escepticismo por los *principios morales*. Y le parecen las bases esenciales del engrandecimiento estatal: la *fuerza física*, la *habilidad*, la *astucia*.

El maquiavelismo fue duramente combatido por los tratadistas, mientras... lo practicaban con éxito los monarcas: Fernando el *Católico*, Francisco I, Enrique VIII, Maximiliano de Austria, César Borgia... Pero al maquiavelismo se le deben dos éxitos fundamentales: haber devuelto a la política su *sentido realista*, perdido en las lucubraciones filosóficas de la Edad Media, y haber opuesto a la idea del Derecho natural la *concepción de la ley* "como una norma positiva, creada por el soberano y amparada por la fuerza física". Acertó, además, a distinguir con claridad y precisión—que aún perduran—entre la moral privada y la moral pública en las prácticas políticas y en las relaciones internacionales. Sus argumentos en favor de la conquista y de la expansión territorial son lícitos aun entre los Estados contemporáneos.

V. Macaulay, T. B.: *Machiavelli*. En "Essays". Nueva York, 1860.—Morley, J.: *Machiavelli*. En "Romanes Lecture". Londres, 1897.—Janet, P.: *Histoire de la science politique*. I, 463-595.—Villari, P.: *Niccolo Machiavelli and his times*. Londres, 1878.—Benoist, Ch.: *Le Machiavelisme et l'Antimachiavelisme*. París, 1915.—Burckhardt, J.: *El Renacimiento*. Barcelona, J. Gil, 1948.

MÁQUINAS DE TEATRO (V. Decorado)

MAQUINISMO

Sistema filosófico que sostiene que los animales son puras máquinas.

El maquinismo fue originado por las doctrinas de Gómez Pereira.

Antonio Gómez Pereira, filósofo y médico español, nació hacia el año 1500. Estudió mucho y bien en la Universidad de Salamanca. De gran ingenio y penetración científica. Según Menéndez y Pelayo, "robó a la escolástica sus propias armas para combatirla con ellas".

En su obra maestra, *Antoniana Margarita* —1554—, según el citado insigne crítico, se encuentran doctrinas originales en filosofía, que nos presentan al autor como un precursor de Descartes. Una de esas doctrinas originales es la del *maquinismo*. La obra mencionada comprende cuatro cuestiones principales: Automatismo de las bestias, Modos de conocimiento, Principio de las cosas naturales y Tratado de la inmortalidad del alma.

El maquinismo queda circunscrito en la primera cuestión. Según Gómez Pereira, no podía admitirse un intermedio entre el movimiento local, que percibimos por los sentidos, y el acto psíquico espiritual; y como los animales carecen de actos espirituales, "aun donde nos parece más claro que alcanza algún grado de conocimiento, este no puede tomarse en el propio sentido de la palabra". En el animal todos los actos están dirigidos por la *causa* que formó el animal.

Descartes amplió y perfeccionó la teoría del maquinismo. Según él, los animales son puras *res* extensas, autómatas, puras máquinas. Máquinas, claro está, perfectísimas, como obras de la mano de Dios, "pero sin semejanza alguna con la sustancia espiritual y pensante que es el hombre". Carece el animal de ese órgano impar, la glándula pineal, que es el punto en que el alma y el cuerpo pueden accionarse mutuamente.

El maquinismo fue combatido por el gran teólogo español Suárez, quien sugirió que si en el hombre existían actos de conocimiento no espirituales, o dotados de las propiedades de la materia, también en los animales podían admitirse conocimientos análogos.

V. Menéndez Pelayo, M.: *La ciencia española*. Madrid, 1879.

MARANISCH (Dialecto)

Dialecto árabe, hablado en otro tiempo en la mayor parte de la España dominada por los musulmanes. Hablábanlo también los cristianos más instruidos que se relacionaban con los invasores. (V. *Mozárabe, Lenguaje*.)

MARCIONISMO

Doctrina herética de los marcionistas, adeptos de Marción, hereje que vivió entre los años 100 y 165. Nació en Sínope del Ponto y fue hijo de un obispo. Vivió una juventud tan disipada, que su propio padre tuvo que excomulgarle. Luego de unos años de aventuras como navegante, Marción marchó a Roma con ánimo de que se le volviese a admitir en el seno de la Iglesia.

Indudablemente, fue perdonado y aun tuvo altos cargos eclesiásticos, ya que en el *Dialogus* de Adamantius se le llama obispo. Pero en Roma hizo amistad con el gnóstico Cerdón, y desde entonces se iniciaron sus errores, propagados rápidamente, ya que Marción fue un orador de extraordinarias condiciones. En su obra *Anthiteses* defendió el más radical dualismo: un Dios del Antiguo Testamento, el Malo, creador de la materia, y otro Dios del Nuevo Testamento, el Bueno. También admitía dos Cristos: uno, el profetizado en el Antiguo Testamento; y otro, bondadoso, que apareció inesperadamente en Cafarnaum el año 15 de Tiberio. Este Cristo no tenía cuerpo sustancial, y por ello ni padeció, ni murió, ni resucitó. Marción hizo resaltar la oposición que había entre la Antigua Ley y el Evangelio, entre la severidad de las leyes de Moisés y la benignidad de las de Jesucristo. Para defender sus doctrinas, Marción repudió el Antiguo Testamento, y de los cuatro Evangelios no admitió más que el de San Lucas, y aun quitaba los dos primeros capítulos, referentes a Jesucristo, haciendo lo mismo de las diez epístolas, únicas que consideraba auténticas.

Las doctrinas de Marción se extendieron por Italia, Arabia, Siria, Armenia, Egipto y Persia. Su fama en el Occidente fue oscurecida por el *maniqueísmo* (V.); pero en Oriente su influencia fue mucho más duradera.

Los marcionitas, siguiendo las doctrinas de su maestro, señalaron concretamente las *verdades* del marcionismo:

1.ª Condenaron el matrimonio, haciendo rigurosamente obligatorias la continencia y la virginidad.

2.ª Admitían el bautismo para los que sostenían aquellas virtudes; y para purificarse más y más, podía recibirse hasta tres veces.

3.ª Negaban la resurrección de los muertos.

4.ª Sostuvieron que Jesucristo no tuvo sino *la apariencia corporal*, y que, por ello, su nacimiento, pasión, muerte y resurrección no fueron *sino aparentes*.

5.ª Impusieron como obligatorio el ayuno el día del sábado.

El marcionismo muy pronto se dividió en sectas. Apeles y Luciano, discípulos de Marción, organizaron las de los *apelitas* y *lucianitas*. Otra secta admitió tres principios en vez de dos: un Dios bueno, un Dios justo y un Dios malo.

El marcionismo fue combatido implacablemente por Tertuliano, Ireneo, Melito de Sardes, Justino, Teófilo, Eusebio... Y fue proscrito por el emperador Constantino el *Grande*.

Las *huellas* del marcionismo se encuentran en las doctrinas de varios doctores y filósofos. Y en Arabia aún era predicado durante el siglo x.

V. TERTULIANO: *Adversus Martionem*.—EUSEBIO: *Hist. Eccles.*—HILGENFELD, V. H.: *Cerdon und Marcion*. En "Zeitschrift für Wissenschaftliche Theologie", 1881.—VOLCKMAR, G.: *Das Evang. Marcions*. Leipzig, 1852. ADHEMAR D'ALÉS: *Marcion. Leben und Lehre*. Leipzig, 1911.—MEYBROOM, H. U.: *Marcion und Marcioniten*. Leyden, 1888.

MARCYA

Es decir, *canto fúnebre*, y mejor aún, *lamentación;* género de poema indostánico. Se compone de cincuenta estrofas de a cuatro versos. Las estrofas llevan el nombre de *soz*, que designa también un género de poesía.

MARCHA

Poema breve, de circunstancias, y generalmente exaltador de las virtudes militares y de la guerra, compuesto para ser cantado por grandes coros durante los desfiles. Los autores de estos poemas, muy poco inspirados, suelen tener que adaptar la versificación a los imperativos de la música.

MARIANISMO

Culto o devoción a la Santísima Virgen María.

MARINISMO

Gusto poético, conceptuoso, barroco, recargado de imágenes y de figuras extravagantes, en el que la *musicalidad* fue sustituida por la *sonoridad*, todo él como juego y *divertimento*, ostentación de color—que no de colorido—, exasperación del descriptivismo de lo ornamental y decorativo, iniciado por el poeta Giambattista Marini. Se propagó rápidamente por toda Europa a principios del siglo XVII.

Como el *gongorismo* (V.), el marinismo era una preocupación obsesiva por el virtuosismo del estilo, por las metáforas prolongadas, por las forzadas antítesis, por las agudezas, por los dobles y aun los triples sentidos de las expresiones, por las distorsiones de la sintaxis, por la sutileza de un constante equívoco; todo ello movido conforme a las leyes de la más absoluta artificiosidad. El marinismo fue, pues, en los imitadores innumerables de Marini, un auténtico *manierismo* (V.).

Giambattista Marini nació y murió en Nápoles. Muy joven, huyó de su casa por no querer cursar los estudios de Leyes que le imponía su padre. Secretario del duque Bovino. Secretario del príncipe Conca, almirante de Nápoles. A causa de una aventura amorosa, tuvo que huir a Roma, donde encontró la protección del cardenal Aldobrandini. Secretario de Carlos Manuel, duque de Saboya. Gaspar Murtola, que había desempeñado antes el mismo cargo, siendo suplantado por Marini, dirigió violentos ataques contra este. Marini contestó con los treinta sonetos violentos de la *Murtoleida*. Murtola replicó con la *Marineida*. Los contrincantes llegaron a la agresión personal. Murtola fue encarcelado, viéndose libre gracias a la influencia de su enemigo. Sin agradecerle la noble mediación, Murtola acusó a Marini de haberse burlado del duque en el poema *La Cucagna;* pero el cardenal Gonzaga demostró la inocencia del poeta. Marini fue protegido también por María de Médicis y el duque de Alba. Perteneció a la Accademia degli Umoristi. En su época tuvo fama de poeta excelente. Sin embargo, su nombre ha pasado a la posteridad por ser el iniciador del estilo llamado *marinismo*.

Sobresalen entre sus obras: *Canzone de' baci*—1589—, *La strage degli innocenti*—1610—, *Rime*—tres partes, 1602 y 1614—, *Dicerie sacre*—1614—, *Epithalami*—1616—, *Il rapimento d'Europa*—1618—, *La Sampogna*—1620—, *L'Adone*, 1623, *Le Fischiate, Lettere pravi, argute, facete et piucevoli, con diverse poesie*—1626...

Fue inmensa la reputación alcanzada por Marini. Mientras sus numerosísimos partidarios afirmaban que solo él había osado penetrar en los tesoros de la imaginación y abandonarse a toda la presión de su inspiración poética, sus adversarios—también apasionadísimos—le acusaron de corruptor del lenguaje, de gusto estético depravado, de esconder en el confusionismo verbal la carencia total de fuerza creadora.

"Marini, gran pintor de los oídos", le llamó nuestro Lope de Vega. Admiráronle e imitáronle españoles y franceses. Fue considerado durante el siglo XVII por encima de todos los clásicos italianos. Todavía Juan Jacobo Rousseau —en su *Nueva Eloísa*—, con muestras del mayor entusiasmo, cita gran número de versos de Marini.

Los innumerables seguidores de Marini, sin el talento de este y exagerando la orientación del marinismo, contribuyeron eficazmente a desacreditarlo. Entre tales seguidores deben ser mencionados los dos más exagerados: Aquillini y Preti, gran sonetista el primero. Girolano Preti (1582-1626), el más ilustre de los dos, nació en Bolonia y murió en Barcelona. Fue secretario del cardenal Barberini. Entre sus obras sobresalen el idilio *Salmacis*—Milán, 1619—y sus *Poesías,* reunidas por primera vez en 1666.

Naturalmente, si hubo marinistas apasionados, también abundaron los antimarinistas furibundos, entre los que se contaron Bruni, Stigliani, Schettini, Redi, Menzini y Salvatore Rosa.

Antonio Bruni (1595-1635) fue en su juventud amigo e imitador de Marini. Habiéndose enemistado con él, convirtióse en el más enconado de sus adversarios. Entre sus obras cuentan: *Epistole eroiche, libri II*—Milán, 1626—, *Selva di Parnaso*—Venecia, 1615—, *Le Tre Grazie* —Roma, 1630—, *Le veneri*—Roma, 1633.

Tommaseo Stigliani (1545-1625) se hizo famoso por sus ruidosas controversias con Aprosio, Dávila, Marini y otros. Escribió: *Rime*—Venecia, 1601—, *Il mondo nuovo*—Roma, 1627—, *Dell' Occhiale, opera defensiva*—Venecia, 1627.

Pero el más formidable adversario de Marini fue Pirro Schettini (1630-1678), fundador de la Academia Cosentina, que inició la imitación de Petrarca.

Salvatore Rosa (1615-1673), también famoso pintor y autor de varias piezas cómicas para la escena. Sus *Sátiras* contra "el mal gusto" en la poesía, en la pintura y en la música fueron reimpresas numerosísimas veces.

Francesco Redi (1626-1698), notable naturalista, poeta y filósofo, fue médico de Fernando II, y de Cosme III, duques de Toscana. Escribió ditirambos, sonetos, poemas de extraordinaria claridad expresiva. Y su poema *Bacchus en Toscane* fue propuesto por la crítica como el modelo del antimarinismo.

Benedetto Menzini (1647-1704) fue clérigo y estuvo protegido por Cristina de Suecia y por el cardenal Albani—después Clemente XI—. Escribió contra Marini un *Arte poética* y trece *sátiras.*

V. BAIACCA: *Vita del cav. Marini.* Venecia, 1625.—MANGO: *Il Marini, poeta lirico.* Cagliari, 1888.—DAMIANI: *Sopra la poesía del cav. Marini.* Turín, 1899.—CROCE, B.: *Saggi sulla lett. ital. del Seicento.* Bari, 1911.—SANCTIS, F.: *Storia della lett. italiane.* Bari, 1912. Dos tomos.—HAUVETTE, H.: *Littérature italienne.* París, 1918. 2.ª edición.—VOSSLER, K.: *Historia de la literatura italiana.* Barcelona, Labor, 1925.

MARIONETAS

Muñecos de madera, de cartón, de marfil, de terracota, de trapo, que, figurando personajes reales o fantásticos y movidos por distintos procedimientos, logran sobre escenarios pequeños admirables representaciones dramáticas.

Posiblemente se creerá invención moderna la de las marionetas. Sin embargo, su origen no puede ser más antiguo, y sus juegos escénicos y su repertorio son de todos los tiempos y de todos los países. Ya las utilizó el ateniense Potin, contemporáneo de Eurípides. El nombre de estos curiosos comediantes es mucho más moderno. Es un diminutivo de María, y se empleó desde 1600 para designar a las pequeñas imágenes de la Virgen, y se extendió la denominación a las figuras grotescas colocadas en la proa o en la popa de las pequeñas embarcaciones. Esta etimología fue adoptada por Menáge. Para otros, marioneta deriva del latín *morio,* bufón, loco. Y no han faltado quienes crean que deriva de un actor italiano llamado Marion, que introdujo en Francia, durante el reinado de Carlos IX, el espectáculo de los muñecos actores.

Los antiguos griegos conocieron, como ya hemos indicado, las marionetas. Las llamaron *agabmata nevrospasta,* es decir, *figuras movidas por hilos.* Los romanos se sirvieron de los muñecos movibles para los recreos familiares y populares, y tuvieron muchos nombres para designarlos: *ligneolae hominum figurae, Nervis alienis mobile ligmun, Machinae gesticulantes,* y un nombre único, como *pupoe, sigilla, sigillaria, sigilliola, simulacra, homunculi...*

En Atenas, un juego de marionetas fue admitido para dar representaciones en el teatro de Baco. Y en Roma, Horacio, Petronio, Apuleyo, Aulo Gelio y los padres de la Iglesia hacen alusión a los muñecos representantes.

En Grecia, las marionetas representaban a los egipanes, a los sátiros, a los faunos, a las bacantes, a los silenos, a los tipos más extravagantes de cuantos hacían reír al pueblo. En Roma, representaban a los Maccus, a los Buccos, a los *Pappus,* a los *Manducus*

En la Edad Media tuvieron las marionetas sus dos antiguas formas: religiosa—imágenes—y teatral. Magnin creyó que las canciones narrativas de los siglos VII al X acerca de historias bíblicas, de leyendas de santos y de hechos profanos, de verdaderas *cantica,* estaban destinadas a servir de explicación oral a las pequeñas pantomimas que los juglares ambulantes representaban con las marionetas en las plazas públicas o en los atrios de los templos. En las grandes fiestas religiosas de París, Ruán, Amiéns, Lyon, Estrasburgo, Metz, Tarascón, Barcelona,

Madrid, Sevilla, Valencia, desempeñaban importantes *papeles* los grandes muñecos mecánicos: gárgolas, tarascas, dragones infernales, hidras...

El siglo XVI, en Italia, marca el entusiasmo máximo por las marionetas y su perfeccionamiento. Matemáticos insignes, como Commandino, D'Urbino, Gianello Turriani, se ocuparon de ellas. Las marionetas triunfaban al aire libre, en los *castelli* o teatros ambulantes. Cada ciudad tenía su marioneta preferida. *Cassandrino* y *Meo Pettaca* triunfaban en Roma; *Girolamo,* en Milán; *Pulcinella* y *Scaramuccia,* en Nápoles; *Gianduja,* en Turín. Estas marionetas o *fantochines* de doce pulgadas y movidos por hilos representaban en escenarios de diez pies de largo por cuatro de altura, y provistos de decorados excelentes.

España adoptó las marionetas con el nombre de *títeres;* el que los movía era llamado *titerero* en tiempos de Cervantes, de donde ha derivado *titiritero.* Polichinela fue llamado en España *Don Cristóbal.* Y conocida es la descripción maravillosa, en *Don Quijote,* de un espectáculo de marionetas: *el retablo de Maese Pedro.*

En Inglaterra, las marionetas fueron llamadas *puppet, mammet, drollery, motion;* y Pulcinella fue bautizado como *Punch* o *Punchinello.*

En Alemania, donde las marionetas triunfaban desde el siglo XII, recibieron el nombre de *Puppenspiel,* de *Tokkenspiel;* y Pulcinella el primer rango, con un aire nacional, bajo la figura de *Hanswurst* o *Jean Boudin.*

En Francia, las marionetas tuvieron sus tipos popularísimos: *Tabary, Juan de las Viñas, la Madre Cigüeña* y el *Capitán Fanfarrón:*

Je suis le fameaux Mignolet,
général des espagnolets,
quand je marche, la terre tremble, etc.

V. Rémond, Jules: *Polichinelle.* París, 1838. Magnin, Ch.: *Histoire des marionettes en Europe depuis l'antiquité jusqu'à nos jours.* París, 1852.

MARTINISMO

Nombre dado a las teorías heréticas del teósofo Martínez Pascual.

Escasas noticias se tienen de Martínez Pascual. *Se cree* que fue español, o portugués, o francés, de una familia de israelitas españoles. *Se cree* que nació—1715—en Puerto Príncipe de Santo Domingo o en Grenoble (Francia). Murió en aquella ciudad en 1779. Propagó sus doctrinas en Marsella, Toulouse, Burdeos, París... Y sus discípulos, que llegaron a constituir una verdadera secta, fueron llamados *martinistas* y *martinezistas.* El título de teósofo lo mereció Martínez Pascual porque el objetivo de sus ideas y enseñanzas esotéricas pareció dirigirse al conocimiento beatífico de la Divinidad.

El abate Fournié, uno de sus principales discípulos, declaró que los tres principales consejos de su maestro fueron estos: *Pensad en Dios, creed en la virtud* y *trabajad por el bien general.*

Todas las doctrinas del martinismo están contenidas en el libro de su fundador: *Tratado de la reintegración de los seres en sus primeras propiedades, virtudes y potencias espirituales y divinas.* Las doctrinas del martinismo están calcadas en el emanacionismo de las sectas gnósticas. Según el martinismo, los espíritus preexistieron a la creación de la materia, aunque anteriores a ellos fueron los ángeles. Los ángeles malos pervirtieron a los espíritus puros, llenándoles de soberbia, y entonces la Divinidad permitió que los espíritus quedaran presos en la materia que había creado el pecado. Entonces, Adán se humilló y reconoció a Dios.

Muerto Martínez Pascual, sus discípulos propagaron sus teorías por Francia y Alemania, tomando en aquella los nombres de *Grandes Profesos e Iluminados,* y en esta, de *Escuela del Norte.*

El martinismo admitió la caída de los ángeles, el pecado original, la encarnación del Verbo y la divinidad de las Escrituras. Pero no admitió la creación *ex nihilo,* sino la ordenación por Dios de la materia *preexistente.* Y afirmó que la verdadera fuente de conocimientos acerca de Dios está en la cábala de los judíos.

El abogado francés Claudio Saint-Martin, del que fue maestro Martínez Pascual, fue el más celoso defensor e intérprete del martinismo. Según Menéndez Pelayo, "Saint-Martin era algo más y algo menos que pensador y filósofo. No era cristiano, o lo era a su modo, y no afiliado en secta conocida, pero era místico, y con ser místico heterodoxo, no llegaba a panteísta, y se quedaba en el deísmo de su tiempo. La lectura de los libros del zapatero alemán Jacobo Boehme le hizo teósofo, pero tampoco se paró en la teosofía, sino que llegó a la teurgia, pretendiendo comunicaciones inmediatas y directas con los seres sobrenaturales, y luces y revelaciones extraordinarias".

El libro de Martínez Pascual no se publicó nunca entero. Pero entre tantos discípulos como tuvo, ninguno llegó a poseer todo el secreto de la enseñanza *esotérica.* Al mismo Saint-Martin no le hizo Martínez Pascual las *comunicaciones supremas.* Tampoco adelantaron mucho más el abate Fournié, el conde de Hauterive, la marquesa de Lacroix, el mismo Cazotte. A cada uno de ellos comunicó el maestro aquella parte de la doctrina que convenía a su disposición y alcance.

Y añade el gran polígrafo español—en su *Historia de los heterodoxos españoles,* tomo III, 1881—: "Necesaria era toda la espantosa anarquía y desorganización intelectual del siglo XVII, en que el materialismo había borrado todos los linderos del mundo inmaterial y del terrestre, sin calmar por eso la ardiente e innata aspiración a lo suprasensible que hierve en el fondo del alma humana, para que un dogmatismo como el de Martínez Pascual, parodia inepta del Antiguo y Nuevo Testamento, mezclada con los sueños de vieja de los antiguos rabinos, y con escamoteos y prestidigitaciones de charlatán de callejuela, lograra ese dominio y esa resonancia, y arrastrase detrás de sí tan claros entendimientos como el del autor de *L'homme de désir,* en quien había muchas cualidades nativas de un egregio filósofo cristiano."

V. FRANCK, Ad.: *La Philosophie mystique en France à la fin du XVIII*[e] *siècle. Saint-Martin et son maître Martinez Pascualis...* París, 1866.—BAADER, F. von: *Les enseignements de Martinez de Pasqually.* París, 1901.—MENÉNDEZ PELAYO, M.: *Heterodoxos españoles.* Madrid, tomo III, 1881.

MARXISMO

Doctrina política y económica de Carlos Marx. También se llama marxismo al socialismo materialista y de acción.

El marxismo fue iniciado en 1848. Hasta entonces había existido un *socialismo* (V.) idealista. Con el marxismo nació otro socialismo, nuevo en parte, que copiaría su filosofía del *hegelianismo* (V.). "Sin la filosofía de Hegel—confesó Engels—no hubiera nacido nunca el socialismo alemán, el único socialismo científico existente."

Carlos Marx, nacido en 1818, de una familia judía, parece un compilador o arreglador de ideas tomadas de otros. "¿Es posible hallar en Marx—escribe G. Richard—una idea que no haya sido expuesta antes, con igual claridad y más fuerza, por escritores del llamado período utópico? Lo hemos intentado inútilmente."

Marx inició su carrera de escritor publicando en 1847 la *Miseria de la Filosofía.* Y el *Manifiesto del partido comunista,* redactado de acuerdo con Federico Engels, en enero de 1848. En 1859 dio a la estampa la *Crítica de la economía política,* especie de introducción a su obra magna *El capital,* cuyo primer tomo salió a luz en 1867. En 1864 había fundado en Londres la Internacional, en la que Bakunin provocaría una escisión en 1872. Los demás libros de *El capital* aparecieron después de muerto Marx.

El capital es el único libro de Marx que tuvo una gran influencia, y es el que contiene la esencia del marxismo, en una serie de tesis, las principales de las cuales son las siguientes:

1.ª El *materialismo histórico.* Según el marxismo, todos los acontecimientos de la Historia estuvieron originados por los intereses económicos. Y estos mismos intereses provocarán cada uno de los hechos de la Historia futura.

2.ª La *lucha de clases.* Según el marxismo, la Humanidad siempre estuvo—y siempre estará—dividida en clases, y unas intentan, incesantemente, explotar a las otras, acaparando los elementos de la producción. En esta lucha continua, una minoría consigue, bien por fraude o bien por la violencia, eximirse del trabajo y lucrarse con el trabajo de los más.

3.ª La *teoría marxista del valor.* Para el marxismo, el trabajo es la sustancia del valor, y la medida de este, la cantidad del trabajo empleado. En las sociedades capitalistas, la forma elemental de la riqueza es la *mercancía,* es decir, el objeto producido para su venta. Pero como la mercancía no es sino el resultado del trabajo, de aquí que el trabajo sea para el marxismo la medida del valor. ¿Por qué, pues, se ha de retirar del trabajo una parte a beneficio del que no trabaja?

4.ª La *teoría de la plusvalía.* Para el marxismo, el dueño del dinero no hace más que ponerlo en circulación *para recogerlo aumentado* al final del proceso económico. Todo el dinero empleado así se convierte en *capital.* Y el aumento que el capital consigue en cada operación es la *plusvalía.* Para Deville, "la plusvalía no es, pues, más que la producción de valor prolongada más allá de cierto límite. Si la acción del obrero no dura más que hasta el punto en que el valor de la fuerza de trabajo pagada por el capitalista es reemplazada por un valor equivalente, no habrá más que simple producción de valor; si pasa de aquel límite, habrá producción de *plusvalía*". La *plusvalía* significa un exceso exigido al obrero y *no pagado.* Y un aumento de capital originado en la explotación de los trabajadores.

5.ª *Acumulación creciente de capitales.* El capital consigue *plusvalía;* la *plusvalía* aumenta el capital. Cuanto más acumula el capitalista, más posibilidades tiene de seguir acumulando. Para Deville, "si el proletario no es más que una máquina de producir plusvalía, el capitalista tampoco es más que una máquina de capitalizar dicha plusvalía". "La acumulación creciente de los capitales tiene graves consecuencias para la clase obrera, porque al progreso de la acumulación corresponde un cambio en la composición del capital. Este consta de dos partes: una, que se emplea en pagar la fuerza del trabajo, y que se reproduce sin cesar, con el aumento de la plusvalía: este es el *capital variable.* El otro, el que se emplea en elementos materiales de producción y no cambia de valor en el transcurso de esta, es el *capital fijo.* Su relación con el capital variable únicamente es la *tasa de la plusvalía.* No hay que confundirla con la *tasa de los beneficios,* que es la relación de la plusvalía con el capital total: solo la primera expresa el grado de explotación del trabajo. Siendo así, si la composición del capital no varía, la demanda de trabajo avanza con la acumulación capitalista; pero, en realidad, la masa de capital fijo aumenta cada vez más en proporción a la del capital variable, de lo cual resulta una disminución de la demanda relativa al trabajo, y una superpoblación, también relativa, que entorpece al ejército activo del trabajo con un "ejército de reserva" más o menos numeroso, deprimiendo con su presencia los salarios." (GONNARD.)

6.ª *Proletarización creciente.* La acumulación creciente de capitales provoca reiteradas crisis, el pauperismo de las masas, la reunión de las grandes fortunas cada vez en menos manos, la caída en el proletariado de individuos pertenecientes a la clase media.

7.ª *Tesis catastrófica.* Para el marxismo, el capital acumulado arrastra su propia negación y conduce al *colectivismo* (V.), y como las inmensas fuerzas creadas por la burguesía exceden hoy de *su poder de contención,* para restablecerse el equilibrio social es ineludible "el que los explotadores sean explotados", y el que la evolución "sea vuelta del revés por una revolución".

Para muchos tratadistas que han combatido las ideas políticas y económicas de Marx—estimándolas poco originales y bastante oscuras—, dentro del marxismo existen tres doctrinas:

1.ª La *hermética,* únicamente poseída por Marx, Engels y Kautsky, el gran teólogo del marxismo.

2.ª La *esotérica,* comentada por un escaso número de doctores.

3.ª La *exotérica,* para las reuniones publicas y la propaganda, y que, en no pocas ocasiones, está en desacuerdo con aquellas.

El marxismo llegó audazmente para transformar al socialismo utópico en un hervor irreprimible de sucesos a vivir y de hechos que calificar. Posteriormente fue superado en *audacia activa* por el *anarquismo* (V.) de Bakunin. Pero en la actualidad, el marxismo *se ha filtrado* en el comunismo de la Tercera Internacional. Es decir: ha filtrado sus audacias oscuras hacia unos ideales poco concretos; porque el actual comunismo ha repudiado—por encontrarlos *incompetentes*—los procedimientos y los métodos de la actvidad marxista.

Estamos por afirmar que el marxismo es hoy, en los países proletarizados, como un toldo impenetrable de colores llamativos que cubre una *maniobra misteriosa*—de técnica y de táctica—más *vuelta* hacia la explotación del trabajo que a su glorificación. (V. *Comunismo, Sovietismo, Socialismo.*)

V. GONNARD, R.: *Historia de las doctrinas económicas.* Madrid, Aguilar, 1952.—BLOCK, J.: *Karl Marx: Fictions et paradoxes.* En "Rev. Intern. de Sociologie". París, 1900.—BOURDEAU, C.: *L'évolution du socialisme.* París, 1901.—CROCE, B.: *Materialismo histórico y economía marxista.* 1908.—FOURNIÉRE: *Les systèmes socialistes au XIXe siècle.* París, 1904.—ABRIER: *Le marxisme...* París. 1906.—MACDONALD, Ramsay: *Socialismo.* Barcelona, Labor, 1927.

MÁSCARAS DE TEATRO

"Entre las máscares merecen una especial mención las de teatro, que tomaron origen del arte de la imitación. Se sabe que los primeros actores representaron sus farsas embadurnándose o pintándose la cara, y así fue como se representaron las piezas de Tespis. Después se discurrió hacer una especie de máscaras con las hojas de una planta llamada *arction,* que es nuestra bardana mayor o lampazo, *arction lappa.* A medida que el poema dramático se fue perfeccionando, la necesidad en que se encontraron los actores de representar personajes diferentes por su clase, edad y sexo, les obligó a buscar el modo que pudiesen cambiar de figura, y entonces fue cuando aparecieron las caretas, que, a más de los lineamientos de la cara, representaban también la barba, los cabellos, las orejas y hasta los adornos que usaban las mujeres en sus tocados. Esto es lo que dicen los autores antiguos que han hablado de las máscaras; pero no convienen acerca de quién fuera su autor. Suidas y Ateneo atribuyeron tal honor al poeta Cherilo, contemporáneo de Tepsis; al paso que Horacio cree que las inventó Esquilo. Aristóteles dice terminantemente, en su *Arte poética,* que en su tiempo no podía asegurarse a quién debían las caretas su primera invención.

"A pesar de esto, Suidas añade que el poeta Frinico presentó en el teatro la primera máscara de mujer, y Neofron de Sicione la de un pedagogo. Por otra parte, Diomedes asegura que Roscio Galo fue el primero que se sirvió de una máscara en el teatro para ocultar el defecto de sus ojos. A este propósito dice Ateneo que un actor de Megara, llamado Maison, inventó las mascarillas que representaban criados, sirvientes y cocineros. Ultimamente, Pausanias refiere que Esquilo introdujo el uso de las máscaras feas y espantosas en su obra de las *Euménides,* pero que Eurípides fue el primero que las presentó con serpientes encima de la cabeza. La materia de que se hicieron estas máscaras no fue siempre la misma. Las primeras no eran más que de cortezas de árboles; más tarde se hicieron de cuero, forradas de tela. Pero como estas caretas se destruían muy pronto con el uso, se discurrió, según Hesiquio, hacerlas de madera, y entonces los escultores las trabajaban con arreglo a la idea que les daban los poetas. Pólux distingue tres especies de máscaras de teatro: las *cómicas,* las *trágicas* y las *satíricas.* A cada una de ellas se daba, en lo posible, el carácter para que estaban destinadas. Puede añadirse a estas tres clases de máscaras las de los pantomimos o bailarines, que se diferenciaban de las demás en ser de un aspecto y proporciones regulares y agradables.

"Otras máscaras conocieron los griegos: las *prosopeia,* que representaban las personas al natural y eran las más comunes; las *marmolicheia,* que servían para figurar las sombras de los muertos, y tenían un aspecto tétrico y sombrío, y las llamadas *gorgoneio,* que servían para inspirar el terror, y no representaban sino figuras tales como las gorgonas y las furias. Todavía conocieron fuera de estas máscaras otra especie llamada *hermoneia,* de Hermon, su inventor.

De estas había dos especies: unas eran calvas por delante, con la barba muy poblada, el aspecto duro y las cejas fruncidas; las otras tenían la cabeza enteramente calva y la barba muy espesa y poblada.

"Cuando se introdujo la nueva comedia, las máscaras variaron de forma, confundiéndose todos los géneros. Las de los cómicos y la de los trágicos no se diferenciaron sino por el tamaño o por su mayor o menor deformidad; solo las máscaras de los bailarines se conservaron en su estado primitivo. En general, la forma de las máscaras cómicas tendían a lo ridículo, y las máscaras trágicas, a inspirar el terror. El género satírico, fundado en la imaginación de los poetas, representaba en las máscaras los sátiros, los faunos, los cíclopes y otros monstruos de la fábula. En una palabra: cada género de la poesía dramática tenía sus máscaras particulares. Con el tiempo, cada actor tuvo diferentes especies de máscaras, que usaban según exigía el papel de cuya representación estaba encargado.

"Los actores y poetas antiguos creían además que para dar una idea completa de este o del otro personaje debía representársele con una máscara que se le asemejase todo lo posible. Así es que al principio de los libretos de piezas cómicas o trágicas, después de poner el nombre y la definición de cada personaje bajo el título de *dramatis personae,* se hacía una descripción muy circunstanciada de las máscaras con que había de representarse.

"Estas máscaras de teatro solían ser también de doble aspecto. Un padre, por ejemplo, debía de estar algunas veces alegre y placentero, y otras enojado. Para esto tenía la máscara un lado de la cara dispuesto de modo que expresaba una pasión, y otro que indicaba distinto aspecto, teniendo cuidado el actor de presentarse siempre de perfil, de modo que los espectadores no vieran sino la parte de la cara que convenía a su situación.

"Entre las ventajas que las máscaras ofrecieron a los antiguos les proporcionaban las de hacer representar a los hombres el papel de las mujeres, que no se habían todavía introducido en el teatro. Suetonio nos cuenta que cuando Nerón representaba el papel de un dios o de un héroe llevaba una máscara análoga a la persona que figuraba; pero que cuando representaba alguna diosa o heroína, usaba una máscara parecida a la mujer que amaba entonces."

Las máscaras formaban la parte principal de los accesorios de la escena antigua. En cada teatro existían numerosas variedades. Las máscaras trágicas comprendían los grupos siguientes: máscaras de viejos, de jóvenes, de esclavos y servidores, de mujeres viejas y jóvenes, de esclavas y de criadas; pero variando los tipos, el color de los cabellos y de la tez, la expresión. Las máscaras cómicas eran aún más numerosas. La nueva comedia se interesó por los estudios fisonómicos, y tuvo las máscaras y los tipos de *pappus primus* (παππος πρῶτος) y de *pappus secundus* (πάππος ἕτερος), correspondientes a nuestros modernos tipos de viejos nobles, financieros, viejos decrépitos, jóvenes guapos y amables y laboriosos, rubios o morenos, cultos o rústicos...

El empleo de la máscara facilitó en ciertas obras la intriga, fundada sobre el parecido de las personas; así, *Anfitrión* y los *Ménechmos.*

En la Edad Media usáronse las máscaras en algunos misterios medievales y en el teatro italiano, como la *Commedia dell' Arte,* en la creación de sus popularísimos personajes: Colombina, Arlequín, Polichinela, Pantalón, Graciano.

Modernamente, la *caracterización* del actor ha sustituido al uso de la máscara.

V. BERGER: *De personis, vulgo barvis seu maschens dictis.* Francfort, 1723.—GENELLI: *Theater in Athen.* 1818.—FICORONI: *De barvis scenis et figuris comicis antiquorum Romanorum.* 1754.—BRINDIN: *Les masques.* En "Memorias de la Academia de Inscripciones", IV.—LORRAIN: *Histoire des masques.* París, 1900.

MASCARILLA

1. Máscara utilizada por los griegos y romanos, que cubría desde el labio superior hasta la frente.

2. Personaje de comedia. Tipo de criado bufón de la familia de los Crispines y Scapines, intrigantes y socarrones, que solían disfrazarse de marqueses o condes para lograr los grandes chascos.

MASNAVI

Masnavi o Mesnevi, una de las formas de la versificación persa, turca e indostánica. Entre los árabes fue llamada *muzdawij.* Con cualquiera de estos nombres se refiere al hemistiquio y designa un poema en el que los dos hemistiquios de cada verso riman entre sí. Esta forma, la más majestuosa de toda la lírica oriental, comprendía los *waz (avisos),* los *pand-nâmas (libros de consejos),* la epopeya, los grandes poemas históricos, didácticos, morales, místicos y narrativos. Tales composiciones dividíanse en cantos y en capítulos con el nombre de *bâb* o de *fasl* (división).

MASONISMO

Masonismo o masonería es el nombre dado modernamente a la unión de todas las fuerzas anticatólicas: *deístas, materialistas* y *librepensadores.*

Magistralmente ha sintetizado Boulenger el origen y el desenvolvimiento del masonismo:

"Los orígenes de la masonería son muy remotos. Según una leyenda, Hiram, arquitecto del templo de Salomón, había separado a sus obreros por grupos de oficios, siendo el de los albañiles (albañil, *maçon* en francés) uno de los más importantes. Según otra opinión, más lógica y muy extendida, los orígenes de la masonería deben situarse en el siglo VIII. Inmediatamente después de las invasiones de los bárbaros, cuando los pueblos fijaron definitivamente su asiento, se formaron muchas sociedades de albañiles, que se extendieron por Europa para la edificación de casas, palacios y templos, y luego para la construcción de las maravillosas catedrales góticas, gloria de la Edad Media. La masonería era, pues, en aquella época una simple *agrupación corporativa profesional,* que guardaba sus procedimientos secretos, que solo confiaba a los miembros de la corporación. Como estas asociaciones, con motivo de los servicos públicos que prestaban, habían recibido de los Papas y de los príncipes multitud de privilegios, como el de exención de impuestos, se conocieron con el nombre de *masones* o albañiles francos. Estas asociaciones, no teniendo después razón de existir, desaparecieron paulatinamente. Luego se formaron de nuevo en Inglaterra, después del formidable incendio de Londres—1666—. Cuando se hubieron terminado las reconstrucciones, la masonería perdió su carácter profesional y se convirtió en una *sociedad filantrópica y política,* que, en recuerdo del pasado, tomó como insignias los instrumentos del albañil, tales como el mandil, la escuadra y el compás. En 1717 se formó la *Gran Logia de Londres,* que vino a ser el centro del librepensamiento, y se constituyó según las normas del sacerdote inglés Anderson. Según esta constitución, los masones honran al *Gran Arquitecto del Universo,* o creador del orden natural, y no al autor del orden sobrenatural. En apariencia, su objeto es simplemente moral y filantrópico; pero, en realidad, pretenden destruir el orden religioso y moral.

"La masonería pasó de Inglaterra a Francia, fundando—1721—su primera logia en Dunkerque. En 1772 se fundó el *Gran Oriente de Francia,* que tiene su sede en París. La masonería, gracias a su programa filantrópico, sedujo a un buen número de nobles y sacerdotes que no habían adivinado el fin secreto de la sociedad. Los Papas, más clarividentes, no tardaron en darse cuenta de que se encontraban enfrente de un nuevo enemigo. Así, pues, la masonería fue condenada en distintas ocasiones: por Clemente XII en 1738, por Benedicto XIV en 1751, por Pío VII en 1821, por Pío IX en 1865, por León XIII en su encíclica *Humanum genus.*"

Y añade, no menos magistralmente, el padre Arturo García de la Fuente: "En el reinado de Fernando VI se instaura en España la masonería, gracias a algunos funcionarios ingleses que trabajaron en la Administración nacional en este tiempo. La primera logia que funcionó fue la *matritense,* en 1728, dependiente de la *Gran Logia* de Londres. La asociación se extendió rápidamente en todas las clases sociales. El padre Torrubia llegó a descubrir con la mayor astucia hasta noventa y siete logias establecidas en la Península, con cientos de asociados. El rey expidió un severísimo decreto de prohibición y de persecución; pero el resultado no fue satisfactorio, en cuanto que la asociación siguió viviendo en secreto. En el reinado de Carlos III creció extraordinariamente su importancia: en 1780 cambió el nombre de *Gran Logia Española* por el de *Gran Oriente,* con que aún es conocida. El conde de Aranda fue *Gran Maestre.* La masonería de entonces, lo mismo que la de ahora, fue la que dictó las leyes de persecución religiosa que se pusieron en práctica: expulsión de los jesuitas, limitación de la jurisdicción eclesiástica, etc. En el reinado de Carlos IV continuó sus tenebrosos manejos la sociedad en cuestión, uno de cuyos miembros más activos fue el conde de Montijo. Pero cuando la masonería alcanzó su mayor apogeo fue en el siglo XIX, en que logró extenderse también por América y que se produjeron en todas partes persecuciones religiosas y tumultos que costaron mucha sangre y muchas pérdidas económicas sin resultado positivo alguno."

Los caracteres más esenciales del masonismo son:

1.º Constituir una *sociedad secreta,* que exige de sus miembros el más riguroso sigilo acerca de cuanto ve y oye en la logia.

2.º Ser una sociedad que aspira a la *universalidad,* borrando las diferencias de nacionalidad. Es decir: el masón debe ser como un hermano para otro masón, *más allá de los intereses que puedan existir, contrarios, entre sus distintas nacionalidades.*

3.º Tener un *sentido político;* esto es: procurar el dominio gubernamental de los estados.

4.º Exigir *una absoluta y ciega obediencia* a sus afiliados.

5.º Prohibir toda disputa en materia religiosa y mandar la tolerancia.

La religión de la masonería se llama *de la Humanidad.*

En materia científica, no reconoce el masonismo ninguna *autoridad superior a la Razón Humana, bajo la disciplina del más omnímodo libre examen.*

El masonismo tiene sus *ritos, grados* y *símbolos.*

Entre sus *ritos* están: el *inglés,* el *francés,* el *escocés,* el *sueco,* el *ecléctico* de Francfort, el *Zinnendorf*—alemán...

Sus grados son 33: tres *simbólicos* (aprendiz, compañero y maestro), quince *capitulares,* doce *filosóficos* o *concejiles* y tres *sublimes.* El grado 33 es el titulado Soberano Gran Inspector General.

Las ceremonias *secretas* de la masonería son tan diversas como extrañas y aun absurdas.

V. BOULENGER, A.: *Historia de la Iglesia.* Barcelona, 1936.—TRUTH, John: *La Francmasonería.* Trad. cast. Madrid, 1870.—BOYENVAL, A.: *L'évo-*

lution de la francmaçonnerie, 1903.—GOULD, R. F.: *A Concise History of Freemasonry.* Londres, 1903.

MASOQUISMO (V. Sadismo)

MATERIALISMO

Sistema filosófico que admite como única sustancia la materia.

El materialismo niega la existencia de las sustancias espirituales distintas de las sustancias materiales. Sin embargo, no cabe llamar materialista a toda doctrina que repudie el dualismo y no admita más que una sola especie de sustancia: el monadismo de Leibniz, el idealismo de Berkeley, son opuestos al materialismo.

El materialismo consiste en no admitir ninguna sustancia *inextensa,* en concebir toda sustancia a imagen de los cuerpos *tales como nos los representamos,* y, especialmente, en considerar los fenómenos conscientes como funciones de los órganos nerviosos.

El materialismo, que concibe la materia como único principio del ser, implica la radical negación de los valores humanos: espirituales, intelectuales, morales, estéticos y sociales.

El materialismo es una doctrina que, ya *pura,* ya mezclada con otras teorías, vive y se desenvuelve desde los tiempos más remotos. Demócrito—siglo v antes de Cristo—fue llamado *Padre del materialismo;* pero, modernamente, materialistas son Hobbes, Strauss, Feuerbach, Schopenhauer, Carlos Marx, Vogt, Büchner...

Naturalmente, el materialismo fue combatido siempre por la Iglesia católica, y al definir el Concilio Vaticano—en su sesión III—que el hombre es un compuesto de sustancia corporal y espiritual, el materialismo quedó condenado.

Demócrito afirmó que el ser se reduce al ser material; que todo cuanto existe, inclusive el alma, es un agregado de átomos materiales; que en la formación de estos agregados no influye niguna causa intrínseca; que el movimiento se reduce al movimiento local; que el alma perece por la dispersión de los átomos que la integran; que estos átomos, que son eternos, vuelven a combinarse dando origen a nuevos seres.

Durante la Edad Media pareció desaparecer el materialismo filosófico. Pero volvió a reavivarse, a influir con la filosofía de Tomás Hobbes (1588-1679), el cual afirmó que no existe más que la materia; que todo acontece en el mundo según las leyes mecánicas; que el alma no puede ser inmaterial, y que lo espiritual es un concepto irrepresentable; que la voluntad no es libre; que todos los actos del hombre están sujetos a un determinismo natural; que la experiencia es la única fuente de conocimiento.

La teoría sensualista del conocimiento, la elevación de los sentidos y de los órganos sensibles corporales a única fuente del conocimiento, entra también como elemento integrante en la concepción *materialista* del Universo. Así lo intentaron probar y defender La Mettrie—en *El hombre máquina,* 1747—, Helvecio—en *Del Espíritu,* 1758—y el barón de Holbach—en *Sistema de la Naturaleza,* 1770.—; quienes, a la concepción materialista de la Naturaleza, añadieron la reducción de todo lo psíquico a mera actividad de los nervios y del cerebro.

David Federico Strauss (1808-1874) llevó el materialismo a su célebre obra *Vida de Jesús* —1835—. Luis Feuerbach (1804-1872), en sus libros *Pensamientos sobre la muerte y la inmortalidad* y *Rasgos fundamentales de la Filosofía del porvenir*—1843—, negó la supervivencia personal del alma después de la muerte; defendió el sensualismo radical; según él, los sentidos son los fundamentos de todo conocimiento, y el testimonio de la percepción nos ofrece el mundo real, que por su esencia es cuerpo, naturaleza.

Carlos Marx (1818-1883) realiza el tránsito del idealismo al materialismo, de Hegel a la ciencia de la Naturaleza, con más profundidad que Feuerbach. Para Marx, que defendió la *concepción materialista de la Historia,* los únicos medios y fines del individuo debían realizarse en la materia vital.

Federico Alberto Lange (1828-1875) concedió pleno derecho como principio de investigación y como medio de exposición no solo a la ciencia natural, sino también al *materialismo,* a la reducción de todo lo real a movimiento de elementos *materiales* en espacio y tiempo; aun cuando para Lange la materia no es ningún concepto en sí, sino un concepto en nuestra inteligencia.

En la actualidad, parece que el materialismo ha quedado excluido del seno de la filosofía.

V. LANGE, Federico Alberto: *Geschichte des Materialismus.* Leipzig, 1896.—LANGE, Federico Alberto: *Historia del Materialismo.* Madrid, 1885.—BERGSON, Henri: *Matière et Mémoire.* París, 1914. 11 ed.—BOSSU, A.: *Refutation du matérialisme.* Lovaina, 1890.—RIBOT, P.: *Spiritualisme et Matérialisme.* París, 1887.—TAINE, H.: *De l'intelligence.* París, 1905. 7.ª ed.—FERNANDES DE SANTANNA: *O Materialismo.* Lisboa, 1900.

MÁXIMA

1. Pensamiento moral expresado con brevedad.
2. Principio manifiesto e incontestable reconocido por cualquier doctrina.
3. Regla o idea que sirve de dirección en una empresa.
4. Principio práctico, norma de las acciones humanas.
5. *Sentencia, Apotegma, Proverbio...* (V.).

MAYA o YUCATECA (Lengua)

Lengua de la América Central y de Méjico. Se habla en el Yucatán, en la parte septentrional de Guatemala, en Honduras y en Haití. Tiene po-

M

cas afinidades con la lengua mejicana indígena, pero muchas con el *otomí*, y más aún con el *huasteque*. Posee numerosos monosílabos, con muy diversos matices cada uno. Abunda en sonidos guturales. No declina ni el sustantivo ni el adjetivo. El plural es indicativo por la terminación *ob* y el empleo del pronombre plural. Para los verbos tiene cuatro conjugaciones: una para los verbos neutros y los pasivos, y las restantes para los activos. Las preposiciones preceden siempre. El maya tiene cinco consonantes, tomadas del alfabeto latino; pero carece de los valores fonéticos de nuestras letras *d, f, g, j, r, s, v.*

V. Beltrán de Santa Rosa María: *Arte del idioma maya y Lexicón yucateco.* Méjico, 1760.—Ruiz de Mérida, J. *Gramática yucateca.*—Pérez, Pío: *Diccionario de la lengua maya.* Mérida, 1866.—Orozco y Berra: *Geografía de las lenguas de Méjico.* Méjico, 1864.

MAZDEÍSMO

Nombre dado a la forma posterior que tuvo la religión de Zoroastro. Dicho nombre lo tomó de la palabra *Mazda, Ahura-Mazda,* que significa *espíritu del Bien.*

El mazdeísmo aún exaltó el dualismo de Zoroastro, pero tributó culto a *un dios por excelencia,* que reunía todos los atributos contenidos en el monoteísmo más perfecto. Para el mazdeísmo, el Sumo Hacedor era omnisciente, omnipotente, soberano supremo, bueno, justo y bienhechor por excelencia. Era el creador de los astros, de la luz, del agua, del fuego, del aire, de la tierra. Para algunos críticos, el culto de Mazda tiene algún parentesco, siquiera no sea más que remoto, con aquel *adorar a Dios en espíritu y verdad.*

En el *Avesta* están recogidos los preceptos de alta moralidad del mazdeísmo, encaminados todos ellos a prestar respeto a Dios, reconocimiento y oración. (V. *Zoroastrismo.)*

V. Harlez, C. de: *Avesta, livre sacré du Zoroastrisme.* París, 1881.

MEDA (Lengua)

Lengua de Asia, hablada en toda la Persia Occidental, en la Media y en las riberas del Tigris. No es otra que el *pehlvi* (V.). El dialecto particular *medo* nos ha sido conocido por las inscripciones cuneiformes.

MEDALLA (V. Numismática)

Trozo de metal batido o acuñado en varias formas, con alguna figura, símbolo o emblema en sus caras. Su objeto era—y es—el de honrar a una persona o el de conmemorar un suceso.

Las monedas dieron origen a las medallas; estas no podían utilizarse en las transacciones mercantiles (salvo en épocas muy remotas).

La importancia *literaria* de las medallas es grande. Gracias a ellas nos han llegado los retratos de numerosos y famosos personajes históricos, muchas fechas importantes y las noticias capitales reveladas por sus inscripciones.

Además, las medallas tienen *el valor artístico,* que suele superar al valor económico de las monedas. Los dracmas de Siracusa inmortalizaron los nombres de los artistas que grabaron los cuños: Eucleidas, Eumenos, Euaneto, Cimón, Frigillus...

V. Patin: *Histoire des médailles.* París, 1695.—Bosselt: *Ueber die Kunst der Medaille.* Darmstadt, 1905.—Forrers *Biographical dictionary of medalits.* Londres, 1916.

MEDIDA (Versificación)

Cadencia que mueve y melodiza los versos. En la antigüedad, la cadencia fluía de la *combinación* de las sílabas breves y largas. En nuestro idioma depende del *número* de las sílabas.

En poética se mide como en gramática, pero hay que tener en cuenta las *licencias métricas* y el valor del acento en la palabra final del verso.

Las licencias son: *sinalefa, sinéresis* y *diéresis.*

Tiene lugar la sinalefa cuando una palabra termina por vocal y empieza con vocal la palabra siguiente. Si las sílabas correspondientes a dichas vocales se pronuncian en una sola emisión de voz, se miden como una sola sílaba:

Que despertand(o, a E)lisa v(i a) mi lado.

(Garcilaso.)

Gramaticalmente, las sílabas son catorce: métricamente, once. En ocasiones se reúnen hasta seis vocales:

El móvil ác(ueo a Eu)ropa se encamina...

Por la diéresis son separadas las vocales de un diptongo y pronunciadas con hiato:

Y el color dulce de *sü*/ave rosa.

(Herrera.)

Por la sinéresis se hace diptongo donde no lo hay fonéticamente:

N(o a) mi gusto s(ea) dado.

(Meléndez Valdés.)

Verso que gramaticalmente tiene nueve sílabas, pero que por la primera sinalefa *(o a)* y el diptongo formado con *(e a),* métricamente tiene siete sílabas y forma un heptasílabo.

Por el acento: si la palabra final es aguda, se miden diez sílabas y se cuentan once:

Posiblemente te hallarás mejor.

Diez sílabas; por ser *mejor* palabra aguda, se cuentan en ella tres sílabas.

Si la palabra final es esdrújula, se miden doce, pero se cuentan once nada más:

... y códices y mármoles.

Mármoles, palabra esdrújula, se cuenta como *de dos sílabas.*

Cuando la sílaba final es llana o grave, el cuento es normal, ya que el verso tipo en castellano es el acabado en esta clase de palabras.

V. Bloise, Pascual: *Diccionario de la Rima.* Madrid, Aguilar, 1946.

MEDIEVALISMO

Conjunto y características de la literatura y del arte medievales. Entre las características estaban: la persistencia de los temas heroicos, legendarios o históricos; la exaltación de los valores morales, sociales y religiosos; la honda inspiración cristiana; la afición a la alegoría; la evolución del lirismo en un sentido subjetivo; la supeditación de la forma al fondo; el carácter social de la sátira; deformación de la cultura clásica por imperio de las necesidades de una época en que se fijaban las nacionalidades; falta de originalidad y, por ende, indiferencia ante el plagio.

La denominación de medievalismo resulta, sin embargo, un tanto vaga, ya que ha de calificar un período de mil años, en cuyo tiempo se realizan las más inauditas variaciones. Y no bastan a concretar el término su división en *alto* y *bajo* medievalismo, comprendiendo aquel la fase antigua—siglos v a xii—y este la fase moderna —siglos xiii al xv—. Resulta casi imposible definir el medievalismo por medio de afirmaciones. En cualquier orden de cosas, más fácil es indicar *lo que no es.*

En realidad, el término nos sirve para definir sus *límites estilísticos* frente a los órdenes estrictos de estilos precisos, como gótico, renacentista, barroco, neoclásico, romántico.

Durante la Edad Media se ponen en contacto casi explosivo tres culturas diferentes: la grecorromana, la bárbara y la cristiana. Esta última tiende a armonizar aquellas dos, a templarlas, a darles un sentido fecundo y permanente. De la mezcla de los tres mundos, a lo largo de la Alta Edad Media, va surgiendo un cuerpo híbrido, al que incorpora *parcialmente* una cuarta potencia: el islamismo.

Fácilmente puede comprenderse que pese a la armonía que fue consiguiendo el cristianismo, el mundo medieval no llegó jamás a una completa unidad. Posiblemente, según han señalado algunos críticos, la floración más concreta y espléndida del medievalismo se da con la aparición del gótico. El estallido gótico tiene el acento más firme, la apariencia más bella, la sensibilidad más viva, el sentido más fecundo del medievalismo.

1. Medievalismo literario.—Los profesores Gándara y Miranda—en su *Historia universal de la Literatura*—han redactado una síntesis magnífica de las literaturas medievales; síntesis de la que recogemos algunos párrafos:

"Al pasar de las literaturas clásicas a las medievales atravesamos unas fronteras impalpables que separan dos grandes etapas del desarrollo espiritual de Occidente. Todo un mundo brillante y sugestivo, el mundo clásico, queda sumergido en el pretérito; nuevas formas de vida y de cultura incipiente se superponen en estratos de lenta y trabajosa sedimentación y representan, no obstante, el cimiento profundo que sirve de apoyatura al nuevo espíritu—el medieval—, en sus momentos de creatividad más sazonada: los siglos xiii al xiv.

"No es que haya que considerar al pasado grecorromano como totalmente olvidado durante el Medievo; existe, eso sí, una espesa niebla en el subsuelo medieval; pero, a veces, esporádicamente, aquí y allá, se percibe la emergente filtración de un rayo de luz antigua y meridiana que no logra, sin embargo, vencer la dorada y original luminosidad de la Edad Media, nutrida por la candela viva de la fe religosa. Así, pues, como ingrediente del nuevo mundo medieval, el espíritu grecorromano subsiste aún junto con los elementos originales de los pueblos que realizan la nueva etapa; y ambos factores culturales, el heredado y el autóctono, decisivamente informados por el espíritu cristiano que jerárquicamente los preside como su eje de simetría, constituyen las alas del tríptico medieval.

"La vinculación al pasado tiene su más alta expresión en el hecho de que el vínculo universal de la cultura del Medievo sea precisamente el latín. Y ello ya no solamente en momentos en que las lenguas romances y germánicas no están acuñadas literariamente, es decir, no solamente en los siglos de San Isidoro o de Beda, sino también en el de Dante. En este sentido, la prosa medieval es la parcela literaria más ligada a la tradición clásica, fenómeno perfectamente comprensible desde el momento en que sus principales cultivadores suelen pertenecer a círculos clericales y monásticos; los monasterios son durante la Edad Media el tabernáculo donde la antigua antorcha del clasicismo arde todavía emitiendo temblores de luz.

"La poesía, particularmente la épica, será la más rica aportación realizada por la vital exuberancia de los pueblos jóvenes que han de erigir el original edificio medieval. Las razas nórdicas, especialmente la germánica, con sus viejas características de ebria exaltación del combate, sentimiento del honor y aspiración heroica, harán, antes que nadie, su aparición en la escena de la épica medieval. Las epopeyas nacionales, después, exaltarán las individualidades egregias de cada pueblo, con expresión de particularidades raciales que revelan un sentimiento de la nacionalidad, embrionario aún, pero ya palpitante. El espíritu caballeresco, en fin, impregna las más sazonadas creaciones de la épica, que con el ciclo bretón, de oriundez francesa y de difusión universal, llegará a fusionar calidades de fuerza y de delicadeza, de valor y de galantería, forjando el ideal de un héroe perfecto, en el que la rudeza elemental aparece limada por el cristianismo, por la piedad y por la Humanidad.

"En cuanto a la lírica, como dominio que es de la subjetividad, su germinación será posterior a la de la épica, y más aún que ella, aparece penetrada por estas dos calidades esenciales: sentimiento religioso y caballeresco. De ahí brota la exaltación de la feminidad, uno de los fenómenos inexistentes en el mundo clásico y característico del arte medieval, pletórico de veneración a la Madre de Dios y de pleitesía a la dama. Ni las medievales innovaciones y representaciones plásticas de la Virgen han sido superadas nunca en profunda ternura, ni el morir de amor por la dama y señora ha sido jamás costumbre poética tan pura y perespiritualizada.

"Existe un género literario, el teatral, que la Edad Media creó absolutamente por sí misma, con total independencia de los modelos clásicos. Como si estos no hubieran existido jamás, el arte medieval volvió a inventar la poesía dramática. Por lo demás, este segundo nacimiento del teatro implica los mismos invariables factores que intervinieron en su primer alumbramiento de Grecia: el pueblo, como agente, y la religión, como cantera. Con sorprendente uniformidad, el drama religioso surge en Alemania y en España, en Francia como en Italia e Inglaterra, a expensas del culto litúrgico. Análogamente a lo ocurrido en Grecia, la comedia medieval es fruto nacido directamente de la entraña del pueblo, de su instinto poético figurativo y de sus necesidades de plasmación realista.

"La simple inspección del arte medieval evidencia el sentido religioso que absorbe e invade las restantes zonas de la vida, llenándolas de profundo sentido. Esta dimensión religiosa constituye el rasgo típico de lo medieval y la raíz de su original personalidad. Por lo demás, la Edad Media es un período lo suficientemente amplio como para albergar múltiples sinuosidades de espíritu y sensibilidad que se desarrollan y varían a lo largo del tiempo y a través del espacio."

Literariamente, la Baja Edad Media presenta fenómenos sumamente interesantes: la aparición y formación de las lenguas romances; la influencia poética francesa por medio de la escuela provenzal y de los ciclos épicos; la influencia italiana impuesta por las nuevas creaciones de Dante, Petrarca y Boccaccio; los albores del prerrenacentismo.

a) *Medievalismo literario francés.*—En el siglo VII quedó marcada perfectamente la diferencia entre el latín hablado por los romanos y el latín hablado por el vulgo; a este se le dio el nombre de *romance,* y sus primeros documentos oficiales escritos fueron los *Juramentos de Estrasburgo,* prestados por Luis el *Germánico* y Carlos el *Calvo* para aliarse con su hermano Lotario. Un siglo más tarde aparecen los primeros documentos literarios escritos en romance: *Cantilena de Santa Eulalia, Vida de San Alexis, Poema sobre la vida de San Léger* y *Relato de la Pasión.*

Pero al declararse el antagonismo entre la Francia del norte y el sur de Francia, el romance tiende a dividirse en dos idiomas distintos: los pueblos situados al norte del río Loira hablarán el romance valón o lengua *d'oil;* y los del sur, el romance provenzal o lengua *d'oc.* La primera —*d'oil*—comprende los dialectos normando, picardo, borgoñón y francés. La segunda—*d'oc*—, los dialectos languedociano, provenzal, gascón y lemosino. Por su riqueza y fuerza expresiva, el francés pasó a ser la lengua nacional.

En el sur de Francia, el trovadorismo galante y la poesía provenzal marcaron el interés máximo literario. Los trovadores enamorados, caballerescos y errantes fueron infinitos, siendo los más célebres: Guillermo de Poitiers, Bernat de Ventadorn, Bertrán de Born. Posteriormente, se mezclaron con los trovadores los *juglares* y los *cómicos.* La poesía lírica tuvo, pues, su máxima importancia en la Francia que hablaba la lengua *d'oc.* Las poesías se dividían en *canzone, sirvente, tenson, albes, balades, pastourelle...*

Por el contrario, la poesía épica tuvo su apogeo en la Francia que hablaba la lengua *d'oil.* Esta poesía épica tuvo sus monumentos inmortales en los relatos heroicos, divididos en tres ciclos: el *francés* o *de Carlomagno, el bretón* o *del rey Artur* y el *antiguo* o *de Alejandro.*

Los poemas del *Ciclo francés* fueron llamados *Canciones de gesta,* y se dividieron en dos grandes grupos: la *epopeya real* y la *epopeya feudal.* De estas epopeyas ha sido reconocida unánimemente como la mejor la *Canción de Rolando,* escrita en la segunda mitad del siglo XI por un autor que aún permanece anónimo. Su principal mérito consiste en haber inspirado numerosos poemas españoles, ingleses, italianos y alemanes.

El protagonista del *Ciclo bretón* es el rey Artur, que gobernó a los bretones en el siglo VI, fundador de la Orden de los Caballeros de la Tabla Redonda, cuya misión era ir a la conquista del Santo Grial, en el cual José de Arimatea había llevado a Bretaña el cáliz utilizado por Cristo en la última cena. El Santo Grial, que permanecía escondido en un bosque intrincadísimo, únicamente podría ser encontrado por un caballero limpio de todo pecado. Este tema inspiró numerosísimos poemas, que se diferenciaban radicalmente de las canciones de gesta en la forma y en el fondo. En cuanto a la forma, adoptaron los versos octosílabos pareados. En cuanto al fondo, fueron los primeros en exaltar las aspiraciones religiosas del espíritu francés.

El *Ciclo antiguo* o *clásico* tuvo como protagonistas a los héroes griegos y romanos... *traducidos al francés.* Es decir: Alejandro Magno o César realmente se convierten en héroes absolutamente franceses, no conservando de su verdad sino sus nombres y los nombres de los lugares en los que se sucedieron sus hazañas.

La poesía *satírica* francesa medieval está representada por el *Fabliau*, las *Fábulas* y el llamado *Roman de Renart*.

El *Fabliau* se diferencia de la fábula en que en aquel los personajes son hombres más bien que animales, y sus temas llegan a ser verdaderamente licenciosos. Generalmente son anónimos; destacaron entre ellos: *Le chevalier au barizel, Le vilain mire, Le tombeur de Notre-Dame.*

La primera colección de *Fábulas*—130—escritas en francés la hizo, en el siglo XIII, María de Francia. Esta colección, con temas tomados de Esopo y Fedro, lleva por título *Isopete.*

Pero el poema satírico más importante es el *Roman de Renart*, dirigido contra diversos personajes de la sociedad feudal, sutilmente disimulados con la apariencia de animales: el zorro, el lobo, el perro, el gallo, el oso...

Entre las composiciones didácticas eran las más poulares y frecuentes: los *Bestiarios*—fábulas de animales—, los *Lapidarios*—descripciones de minerales—, *Volucraires*—descripciones de aves—. *Le Roman de la Rose* es la obra más importante de la poesía didáctica medieval. De sus dos partes, la primera fue escrita por Guillaume de Lorris hacia 1230; la segunda, mucho más extensa, por Jean de Meung, hacia 1300. La obra es una especie de enciclopedia del amor, un "arte de amar".

Los siglos XII y XIII marcan los orígenes del teatro religioso francés, con el *drama litúrgico*, los *milagros*—siglo XIV—y los *misterios*—siglo XV.

El más antiguo modelo que se conserva del drama litúrgico es la *Representación de Adán*, escrito en romance, de autor desconocido. Al siglo XIII corresponden los dramas de Jean Bodel —*El juego de San Nicolás*—y de Rutebeuf—*El milagro de Teófilo.*

Al siglo XIV corresponden las cuarenta y tres piezas dramáticas que componen *Los milagros de Nuestra Señora*, representadas en pueblos, villas y ciudades, escritas en versos octosílabos pareados.

En el siglo XV aparecen los *misterios*, con temas del Antiguo y del Nuevo Testamento, escritos en versos octosílabos. Sus autores fueron varios, y el más célebre, Arnoul Greban. Se representaban los domingos, en los atrios de las iglesias o en las plazas públicas.

El origen del teatro francés profano hay que buscarlo en el siglo XIII. Los elementos primitivos de la comedia hállanse en las *disputas, debates* y *dichos* satíricos, amenos y graciosos, en forma dialogada, que los juglares desarrollaban públicamente.

En el siglo XV, el teatro profano francés cuenta con tres clases de composiciones escénicas: *moralidades, farsas* y *soties.*

Moralidad era una composición dramática, con personajes alegóricos que predicaban, alegóricamente, la virtud, la verdad, el castigo de los viciosos, la recompensa de los justos... Moralidades célebres son: *Avisé et malavisé, L'homme juste et l'homme mondain, L'omme pécheur, La condamnation de Banquet.*

Las farsas fueron composiciones burlescas, licenciosas, satíricas; pero, en el fondo, igualmente moralizantes. La más célebre de todas es la de *Maître Patelin*—1490—, de autor desconocido, cuyo protagonista es un abogado audaz, de escasa conciencia, ingenioso, víctima al cabo de una de sus tretas.

Soties fueron composiciones dramáticas satíricas representadas por bufones, o *tontos ingeniosos (sots).*

En los siglos XIV y XV la poesía lírica francesa alcanza una gran fortuna con el canto real, la balada, el rondó, el *lai* y el *vaudeville*. Y aparecen los primeros grandes líricos. Eustache Deschamps (1345-1410), autor de un poema a la muerte del célebre aventurero Bertrand Duguesclin. Cristine de Pisan (¿1363-1430?), autora del poema de la *Pucelle*, acerca de Juana de Arco. Charles d'Orléans (1391-1465), el último poeta del mundo caballeresco y heroico. Y, sobre todos, François de Villon (1431-¿1480?), el primer gran poeta francés de vida pícara, que le acarreó numerosas condenas judiciales, autor de *rondeaux*, lais y baladas de graciosa y fresca expresión, gran estilo humano y fuerza evocadora. Entre sus más famosas composiciones figuran: *Petit Testament*—1456—, *Grand Testament*—1461—, *Ballade des pendus, Ballade des dames du temps jadis, Ballade que Villon feist à la request de sa mère.*

M

La prosa francesa medieval tiene sus mejores modelos en las *Crónicas*, escritas en latín hasta el siglo XII. Entre sus cronistas sobresalen: Geoffroy de Villehardouin (1155-1213), que tomó parte en la cuarta cruzada a las órdenes del conde de Champaña, Tibaldo III, primero de los grandes cronistas franceses, autor de *La conquête de Constantinople.*

Jean Sire Joinville (1224-1317), colega de cautiverio de San Luis, rey de Francia; de regreso de la séptima cruzada compuso—1305—unas memorias tituladas *Histoire de Saint-Louis*, obra maestra del género por su fina observación y su gran naturalidad. Jean Froissart (1337-¿1410?), eclesiástico, viajero por Francia, Flandes, Inglaterra y Escocia, países en los que recogió las leyendas que trasladó a sus famosas *Chroniques.* Philippe de Commines (1447-1511), consejero y confidente de Luis XI, diplomático intrigante, que vivió encerrado en una jaula de hierro durante algunos meses; sus *Mémoires*, que comprenden los reinados de Luis XI y Carlos VIII, le colocan a la cabeza de los historiadores de su tiempo. Alain Chartier, gran poeta del siglo XV —murió hacia 1440—, escribió una amena *Histoire de Charles VII* y un diálogo entre personajes alegóricos titulado *Quadriloge inventif.*

b) *Medievalismo literario italiano*—Derrumbado el Imperio romano de Occidente, surgieron en todos sus territorios las divergencias lingüísticas, dando lugar a la aparición de las lenguas *romances* o *neolatinas*.

En Italia, la Iglesia siguió cultivando el latín corrompido; pero el pueblo hizo surgir el *italiano* o *lengua del sí* (del latín *sic* = "así es"). Naturalmente, el italiano no surgió como lengua *unificada*, sino *diversificada* en distintos dialectos: *siciliano, florentino, toscano, piamontés, napolitano*, etc. El italiano, como lengua nacional, tardó mucho en afianzarse. Debido a esta tardanza en cuajar una lengua nacional, en Italia, hasta el siglo XIII, la literatura es rica y abundante en *latín;* cuenta con una importante imitación del *francés*.

La literatura profana medieval cuenta con los nombres ilustres de Anicio Manlio Severino Boecio (480-524), autor de la famosa obra *De consolatione philosophiae*, y Magno Aurelio Casiodoro (¿477-562?), fundador de un vasto establecimiento monástico (el *Vivarium*) y autor de *De Institutione divinarum litterarum*.

La literatura latina religiosa medieval cuenta con el famosísimo *Liber Sententiarum*, de Pedro Lombardo, la obra más consultada en las Universidades hasta Santo Tomás de Aquino. La *lírica* religiosa cuenta con numerosísimos y bellísimos himnos, entre los que sobresalen: *Dies irae, Stabat Mater Dolorosa, Veni Creator Spiritus*.

El lirismo provenzal francés influyó decisivamente en la llamada "escuela siciliana"; y entre otros muchos trovadores y juglares italianos, el mantuano Sordello, citado por Dante en su *Purgatorio*, y cuya vida escribió el gran poeta inglés Browning en un largo poema, popularizó la *cançó*. La épica francesa—principalmente la del *Ciclo bretón*—fue igualmente muy cultivada por los primeros épicos italianos, hasta el punto de que en francés escribió Niccolo de Verona su poema *Prise de Pampeleune* acerca de unas batallas en torno a Pamplona. Rustico di Filippo y Cecco Angioliri fueron autores de composiciones muy semejantes a los *fabliaux* franceses.

El auténtico lirismo italiano del *Duecento* se inicia con la "escuela toscana" del *dolce stil nuovo* y la *poesía franciscana*. San Francisco de Asis (1182-1226) es autor del poema *Laudes Creaturarum* y del famosísimo *Himno del sol*. Jacopone dei Beneditti o Datodi (1230-1306), franciscano, compuso en italiano sus *Laudes*, que figuran con justicia entre las composiciones místicas de mayor pasión de la literatura medieval.

De la escuela del *dolce stil nuovo* fue el mayor poeta el gibelino Guido Guinizelli (m. 1276), del que Dante se declaró discípulo, autor de la canción *Al cor gentil ipara sempre amore*. Guido Cavalcanti (1250-1300), poeta y filósofo florentino, amigo de Dante, autor de elegías y madrigales. Cino dei Sigisbundi, gran versificador, a quien tomó como modelo el gran Petrarca.

La prosa latina adquiere gran relieve con las *Leyendas áureas* y los *Cronicones*, y con las obras de San Buenaventura y de Santo Tomás de Aquino.

La prosa latina hay que buscarla en la *Storia Fiorentina*, de Ricordamo y Gracotto Malespini, y en obras, generalmente morales, escritas por monjes.

El *Trecento*—siglo XIV—está representado por las figuras excepcionales de Dante, Petrarca y Boccaccio.

Dante Alighieri (1265-1321), florentino, gran político, autor de *La Divina Comedia (Commedia)*—poema escrito en *terzina* (tercetos) de su propia creación—; *Vita nuova*—1290—, poema de amor en veinticinco sonetos cuatro canciones y dos pequeñas poesías; *El convivio*, obra filosófica, compuesta de un proemio y tres canciones alegóricas, con sus correspondientes comentarios filosófico-morales; *Canzoniere*, suma de baladas, sextinas, sonetos, sátiras; los tratados—en latín—*De Vulgaris eloquentia* y *De Monarchia*, y *Cartas*.

Francesco Petrarca (1304-1374), de Arezzo, embajador, y gran enamorado de Laura de Noves, a la que inmortalizó en sus mejores poesías. En verso latino escribió: el poema heroico *Africa, Carmen bucolicum*—doce églogas imitadas de las de Virgilio—, *Epístola metrical*—sesenta y siete cartas en hexámetros, con noticias autobiográficas—. En prosa latina: *De viris illustribus*—veinticuatro biografías de reyes y emperadores romanos, desde Rómulo hasta César—, *Rerum memorandarum*—ejemplos históricos y anécdotas—; los tratados ascéticos *De contemptu mundi* o *Secretum, De vita solitaria, De otio religiosorum, De remediis utriusque fortunae;* los tratados polémicos *Invectivae in medicum, De sui ipsius et multorum ignoratia, Epistolae*. En italiano escribió: *Canzoniere*—trescientas sesenta y seis poesías entre sonetos, baladas, sextinas, madrigales, canciones—, y los *Trionfi*—poema alegórico, escrito en *terzina* (tercetos).

Giovanni Boccaccio (1313-1375), erudito, peritísimo en Jurisprudencia, comentarista admirable de *La Divina Comedia*, de Dante, escribió en latín dos obras de erudición, y en italiano, sus cuentos y poesías. Entre las primeras están: *De genealogiis deorum gentilium, De montibus, sylvis, lacubus, fluminibus*—especie de diccionario geográfico—, *De casibus virorum illustrium, De claris mulieribus, Epistolae*.

Entre las escritas en italiano: *El Filostrato* —poema—, *Teseida*—poema—, *Ninfale Fiesolano, Amorosa visione*—poema en *terzinas*—, *Filocolo*—novela—, *Ninfale d'Ameto*—novela pastoril—, *Corbaccio*—sátira contra las mujeres—, *Vida del Dante*, y el *Decamerón*, una de las más bellas colecciones de cuentos alegres e intencionados.

c) *Medievalismo literario inglés*.—En la formación lenta de la lengua inglesa se acusan tres influencias: la *celta*, la *anglosajona* y la *normanda;* siendo la segunda la más decisiva. En el idioma germánico que los conquistadores anglosajones introdujeron en la Gran Bretaña, idioma pobre y balbuceante, fueron escritos, sin embargo, cantos épicos, que recitaban los *scops* o trovadores, acompañándose con algún instrumento musical, durante los banquetes.

Entre las epopeyas paganas destacan: el poema *Beowulfo*—siglo VI—, dedicado al héroe escandinavo libertador de Dinamarca; la *Canción de Brunan-Burh, Batalla de Maldon*—siglo X.

Entre las epopeyas cristianas figuran: una *Vida de San Andrés,* la *Leyenda de San Guthlac* y el *Fénix*—alegoría.

Son célebres poetas de este período: Cynewulfo, cantor de profesión, que escribió una *Vida de Santa Juliana,* el poema *Cristo* y la *Invención de la Verdadera Cruz.* Y el poeta épico Cadmon —del que nos da noticias el Venerable Beda—, autor de diversos episodios del Antiguo y del Nuevo Testamento, poetizados, y de un *Himno a la Creación.*

Durante los siglos VII y VIII, la llamada "escuela de Northumbria" deja los más hermosos testimonios de la poesía lírica en composiciones como *El marino, El desterrado,* la *Lamentación de Deor,* la *Lamentación de la mujer.* También fue muy selecta la poesía didáctica.

Durante los siglos IX y X, el lirismo se desplaza del Norte para radicar en la "escuela de Wessex".

Los primitivos escritores ingleses en prosa latina fueron: Albino Alcuino (735-804), maestrescuela de la catedral de York, consejero imprescindible de Carlomagno, abad del monasterio de Tours. San Bonifacio (¿675?-754), nacido en Kirton (Devonshire), evangelizador de la Germania, fundador de la abadía de Fulda y arzobispo de Maguncia; autor de *Epístolas* muy interesantes desde el punto de vista histórico y dogmático.

El Venerable Beda (673-735), benedictino y erudito, sacerdote que rechazó todas las dignidades que le ofrecieron los Pontífices; fue autor de *Historia Ecclesiastica gentis Anglorum, Vitae 5 abbatum, De Natura Rerum.* A Beda le corresponde la gloria de haber creado la primera prosa inglesa, traduciendo al anglosajón el *Evangelio* de San Juan—735.

Posiblemente, por la influencia ejercida por San Bonifacio y Beda, la literatura religiosa alcanzó el mayor interés en obras como *Ancren Riwle (Anachoretarum regula)*—1150—; el *Poema morale*—1170—, imitación del septenario yámbico-latino; el *Ormulum*—1215—, colección de sermones versificados; la *Crónica* de Roberto de Gloucester; el *Handlyng Syme,* traducción del *Manual de pecadores,* de William Waddington; los *Cantos sagrados*—1317—, de un monje del monasterio de Leeds; *El estímulo de la conciencia,* poema, cuyo principal interés está en demostrar la lucha de la naciente lengua inglesa por "cuajarse".

La epopeya germánica influyó decisivamente en las primeras epopeyas inglesas: *King Horn, Havelok el "Danés", Guy of Warwick* y *Sir Bevis of Hampton,* escritas en los siglos XIII—las dos primeras—y XIV—las dos últimas—, todas de temas caballerescos.

Layamon, sacerdote del condado de Worcester, puso en versos épicos la crónica fabulosa del trovador normando Wace.

También influyó mucho en la épica inglesa la francesa en sus tres ciclos: de *Carlomagno, Bretón* y *Antiguo.* A la influencia del primero corresponden *Ferum-Bras (Fier-à-bras)* y *Sir Otuel,* versión de la leyenda francesa de Otinel. A la influencia del segundo: *Artur y Merlin, Sir Tristan*—ambas del siglo XII—; *El poema de Artur, Sir Galban* y *El Caballero Verde*—del siglo XIV—; *Golagras y Gawain* y *José de Arimatea*—siglo XV—. A la influencia del tercero: *Libro de Troya*—siglo XIV—y *Genérydes*—siglo XV.

La lírica tiene su máxima popularidad en las *baladas,* las cuales, hoy, han sido divididas: de *tradición,* de *imaginación,* de *historia,* propiamente *inglesas* y originarias de Escocia.

Las de imaginación crearon el tipo legendario de *Robin Hood.*

Dos poetas marcan su huella profunda en este período: Huchown, que escribió la *Muerte de Artur* y *Susana y dos viejos,* y a quien se atribuyen los poemas *Sir Galban* y *El Caballero Verde;* y William Langland (¿1330?-1408), escribano público, cuya obra principal, *Piers the Plowman (Pedro el labrador),* es una alegoría de motivos históricos y de virtudes y vicios, en que el protagonista es como el símbolo de la Humanidad. Viene a ser—ficción de un sueño y visión del poeta—un poema dantesco, un tanto confuso; es el más antiguo poema épico netamente inglés.

La influencia francesa e italiana se dejó sentir en dos ilustres escritores: Gower y Chaucer. John Gower (¿1325?-1408) fue un buen captador de la realidad de su tiempo; escribió en latín *Vox clamantis*—10.000 versos—; escribió en francés *Speculum Meditantis* o *Mirour de l'Omme*—30.000 versos—; pero escribió en inglés su obra maestra: *Confessio amantis,* historietas narradas a propósito de cada pecado, muy leídas e imitadas en toda Europa.

Geoffrey Chaucer (1340-1400), nacido en Londres, fue el gran poeta medieval de Inglaterra; viajó por Francia e Italia y se relacionó con Petrarca. Su obra más universal y admirable son los *Cuentos de Cantorbery,* serie de relaciones novelescas en verso, hilvanadas a la manera del *Decamerón* boccacciano. Los valores de esta obra son extraordinarios. Los *Canterbury Tales* forman una de las colecciones de cuentos más sugeridoras de todas las épocas.

Traduciendo el *Nuevo Testamento* y una parte del *Antiguo,* dio un gran impulso a la prosa John Wyclif (1320-1385), sacerdote y uno de los precursores del protestantismo.

d) *Medievalismo literario alemán.*—Durante la Edad Media, el alemán, *lengua germánica,* cuyos más antiguos caracteres, llamados *rúnicos,* se remontan al siglo V, se dividió en dos dialectos: el *alto alemán* y el *bajo alemán,* hablados, respectivamente, en la zona meridional y fértil y en la gran llanura del Norte, bañada por el mar. El bajo alemán fue llevado por los germanos a las costas del mar del Norte, surgiendo así el anglosajón y el neerlandés; pero su pervivencia en la propia Alemania fue mucho más breve. El alto alemán, genuinamente *nacional,* sufrió todas las vicisitudes de una lengua literaria, cuajando, ya en el siglo XVI, en el idioma único.

Las primeras manifestaciones literarias del pueblo alemán pertenecen a la poesía. Eckhart, monje del convento de San Gall, versificó en versos hexámetros—siglo X—, imitados de Virgilio, la leyenda épica de Walter de Aquitania. Y de esta época se conservan algunas poesías religiosas, como las tituladas *Muspilli*—acerca del Juicio final—y *Heliand* (Salvador), y el *Libro de los Evangelios,* en versos rimados.

La literatura medieval alemana puede quedar dividida en dos grandes períodos: *influencia del feudalismo* (1138-1254) e *influencia de la burguesía* (1254-1493).

El primer período se inicia con los poemas heroicos y caballerescos. Entre los heroicos sobresalen: *Los Nibelungos,* que comprende toda la mitología germana, una de las obras más gloriosas de Alemania, leída y comentada en universidades y colegios, y llevada—fragmentariamente—con posterioridad a numerosos dramas, entre los que destaca la *Tetralogía,* de Wagner. Y *Gudrun,* poema en tres cantos, que narra la vida de Hagen, hijo de un rey de Irlanda, en una isla desierta.

Entre los poemas caballerescos abundan los traducidos del francés—ciclos de Carlomagno, Bretón y Antiguo—; y genuinamente germanos son: *Tristán,* de Gotfrit de Estrasburgo, y *Percival,* de Wolfram de Eschenbach.

La poesía lírica fue exaltada por más de doscientos *minnesinger,* especie de trovadores o rapsodas, que cultivaron ciertas formas consagradas: *cantos de mensaje, misivas del caballero a su dama, cantos del vigilante anunciando la marcha del caballero, máximas de contenido religioso, acertijos de cortesanía y de galantería.* Entre los *minnesinger* se hicieron famosos: Dietmar de Ast—siglo XII—, Federico de Hansen—que enriqueció, complicándola, la versificación—, Walter de la Wogelweide, Otton de Botenlauben, Cristian de Hamle.

Y la leyenda, al ir sobreponiéndose a la historia, crea el tipo celebérrimo de *Tannhauser.*

La poesía religosa tiene sus mejores representantes en una *Vida de la Virgen María,* de Wernher; la *Infancia de Jesús,* de Conrado de Fussesbrunn; y en la *Canción de Annou,* curiosísimo poema, que es como un compendio de la historia universal.

La poesía satírica y didáctica estuvo muy influida, al principio, por la francesa. El *Poema del zorro* sugirió—siglo XII—a Enrique el Glichesaere su *Reinhart.*

El *Winsbecke,* poema de principios del siglo XIII, es el primer monumento de la poesía satírico-didáctica alemana; contiene los consejos dados por un padre a su hijo. Freidauk es el autor de *Bescheidenheit,* colección de máximas, epigramas, proverbios y fábulas. Al siglo XIII corresponde el poema *Meir Helmbrecht,* de Wernher der Gartenaere.

En el siglo X, la famosa monja Rosvita (Hrotswit), religiosa en el convento de Gandersheim, compuso en latín seis comedias en prosa, a la manera de Terencio, comedias hondamente religiosas, y precisamente para oponerse a la afición escandalosa que tenían los alemanes por el teatro del gran latino. También escribió dos poemas históricos: *De gestis imperatoris Ottonis I* y *De primordiis coenobii Gandersheimensis.*

El teatro popular se inició, dentro de las iglesias, con *Diálogos,* en los que se intentaba explicar al pueblo las verdades de la religión. La colección más antigua de estos *Diálogos* data del siglo X, y fue hecha en el monasterio de San Gall. Los *Diálogos* solían representarse acompañados de música y de algún canto. *El Anticristo*—siglo XII—es uno de los *Diálogos* más bellos que han llegado hasta nosotros.

Los primeros cronistas alemanes pusieron todo su interés en probar la continuidad entre el Imperio romano y el Imperio germánico. La *Crónica de los emperadores* comprende desde Julio César hasta Feedrico II. Y Rodolfo de Ems acometió la empresa gigantesca de una *Crónica del mundo;* murió cuando no había llegado sino hasta el reinado de Salomón.

En el segundo período de la literatura alemana—influencia de la burguesía—surgieron asimismo poemas heroicos, legendarios, históricos y caballerescos. Los héroes más populares de tales poemas son Sigfrido y el rey Teodorico; y destacan los poemas titulados *La batalla de Rávena* y *El jardín de las rosas.* Entre los poemas caballerescos son fundamentales los de Ulrico de Lichtenstein—*Frauendienst*—y Johan Hadlaub.

La poesía lírica, en este período, estuvo representada por el *lied*—canción popular, expresión de los primeros sentimientos de la conciencia nacional—, el *meistergesang*—asociación de los maestros cantores, poetas populares que se acompañaban con música—y algunos líricos excelentes, como Reimar de Zweter y Frauenlob.

La poesía religiosa popularizó leyendas versificadas. Una de estas es la relativa a la *Vida de San Oswaldo,* escrita en el siglo XII, pero refundida dos veces en el siglo XIV. Conrado de Wurzbourg es autor de *La recompensa del mundo* y *La forja de oro.* Un monje llamado Hermann se hizo popular durante la segunda mitad del siglo XIII por sus *Cánticos* en lengua vulgar. Y Enrique Laufenber se expresó con una auténtica inspiración ascética.

La poesía didáctica tuvo sus principales representantes en Hugo de Trimberg, autor de *El corcel,* especie de enciclopedia, muy popular en Alemania. Enrique el *Teichner,* que escribió numerosas fábulas, sátiras, epístolas y poesías sentenciosas. Ulrico Bonner, autor de un centenar de apólogos reunidos con el título de *Piedras preciosas.*

El teatro inicia su trascendencia con los *Juegos,* mezcla de verso y prosa, de religiosidad y de paganía, escenificados en las catedrales y en las universidades: el *Juego de la Pasión,* el *Juego de Noel,* el *Juego de Santa Catalina.* Posteriormente aparecieron los *Milagros* relativos a Cristo y a la Virgen María.

Paralelamente a este teatro religioso, los pueblos impusieron la *comedia de costumbres,* que solía representarse en las plazas públicas durante las ferias. Las comedias tenían como temas los satíricos, licenciosos a veces; los familiares, los incidentes del mercado, episodios novelescos. Nuremberg fue el centro de esta escuela dramática. Y entre los autores de estas piezas genuinamente realistas son dignos de mención: Hans Rosenblüd y Hans Folz.

La prosa alemana es hija feliz de la burguesía, y le dieron su debida importancia y su indiscutible trascendencia oradores y teólogos como los hermanos David y Bertoldo, monjes franciscanos; el maestro Johannes Eckhart (¿1250?-1327), dominico, representante máximo de la mística alemana; Johannes Taulero (1300-1361), dominico, discípulo de Eckhart, también místico excepcional. Los *Sermones* de estos predicadores y teólogos, las *Máximas,* de Eckhart y la *Imitación de la vida pobre de Cristo,* de Taulero, marcan la formación admirable de la lengua alemana.

e) *Medievalismo literario español.*—En la literatura medieval de España pueden marcarse cuatro grandes períodos: I. Literatura hispanolatina cristiana. II. Literatura hispano-judía e hispano-arábiga. III. Literatura castellana de los siglos XII y XIII. IV. Literatura castellana de los siglos XIV y XV.

I. *Literatura hispano-latina cristiana.*—En ella existen tres direcciones: la hispanorromana y visigoda, la mozárabe y la cristiana independiente.

En la hispanorromana y visigoda destacan los nombres de Paulo Orosio—siglo V—, que compuso *Historiarum libri VII contra paganos*—. Idacio (¿395-470?), autor de un *Chronicon,* en el que narra los sucesos del mundo desde el año 379 al 469. Juan de Biclara (¿540?-621), autor de otro *Chronicon,* continuación de la *Crónica* de Víctor Tunnunense. San Isidoro de Sevilla (¿570?-636), acaso la figura más representativa de la España visigoda, escribió *Originum sive Etymologiarum libri XX,* admirable enciclopedia de todos los conocimentos de su época; *Differentiae verborum et rerum,* diccionario de sinónimos; *Liber de natura rerum, Sententiarum libri III, De Summo bono.* San Braulio (m. hacia 646), obispo de Zaragoza, autor de una *Vida de San Millán,* utilizada luego por Berceo. San Eugenio, obispo de Toledo entre los años 646 y 657, poeta casi único de su siglo, notable por el uso de la forma antigua de la poesía clásica en epigramas elegíacos o satírico-didácticos. San Ildefonso, sucesor de San Eugenio en la diócesis de Toledo (657-667), continuador de la obra de San Isidoro *De viris illustribus,* y autor del tratado *De virginitate perpetuae S. Mariae.* Tajón (651), obispo de Zaragoza y discípulo de San Braulio, que compuso cinco libros de *Sentencias.* San Julián, obispo de Toledo (680-690), el pensador más profundo de la escuela toledana, autor de varias *Orationes,* de dos *Apologéticos,* del *Prognosticon futuri saeculi* y de la *Historia de la rebelión de Paulo contra Wamba.*

En la literatura mozárabe destacan los nombres de Elipando (717-808), obispo de Toledo, que difundió la idea del *adopcionismo* (V.). Juan Hispalense (839), que compuso en árabe unos comentarios a la Biblia. El abad Speraindeo, autor de un *Apologético* contra Mahoma. San Eulogio (siglo IX), de Córdoba, que redactó un *Documento martyriale,* en defensa de los mártires voluntarios, y de un *Apologético de los mártires.* Alvaro Cordobés (m. 861), el más culto de los mozárabes españoles, autor del *Indiculus luminosus,* un *Libro de cartas,* una *Vida de San Eulogio* y una *Confesión,* Samsón (810-890), abad de Peña Melaria, autor de un *Apologético* contra el *antropomorfismo* (V.), que, según Menéndez Pelayo, es la única obra de teología dogmática que nos queda de los mozárabes cordobeses.

En la literatura cristiana independiente son manifestaciones muy interesantes los *Cronicones* latinos: *Pacense,* que abarca desde el año 611 hasta el 754; *Crónica de Alfonso III* (672-866); *Sampiro,* obispo de Astorga (960-1041); *San Isidoro de León* o *Anales castellanos primeros* (618-939); *Albeldense* o *Emilianense,* obra de Vigilano, monje de Albelda, hacia el año 976; *Silense,* historia de reyes desde Pelayo hasta Fernando I (718-1054); *Complutense* (281-1065); *Cronicón de don Pelayo,* obispo de Oviedo (982-1109); *Anales Complutenses (o Castellanos segundos); Cronicón Compostelano* (362-1126); *Historia Compostelana,* dedicada principalmente a la vida de don Diego Gelmírez, obispo de Santiago, desde 1140; *Cronicón Lusitano* (311-1222); *Anales Compostelanos* (1-1248); *Cronicón Burgense* (1-1250); *Cronicón del Cerratense,* obra de Rodrigo Cerratense, que vivió en el siglo XIII (618-1252); *Cronicón Barcinonense,* desde 985—reconquista de Barcelona—hasta 1308; *Cronicón Conimbricense* (281-1404).

II. *Literatura hispano-judía e hispano-árabe.*—Escritores judíos insignes fueron, en esta época: Hasdai ben Chaprut (945-970), médico y ministro de Abderrahmán III, poeta y protector de los poetas. Samuel ben Nagrela (993-1055), visir del Habús de Granada, autor de un *Psalterio* y de una imitación del *Eclesiastés.* Salomón ben Jehuda ben Gabirol (1021-1070), llamado Avicebrón, filósofo insigne y restaurador de la poesía hebraica, autor de la *Corona Real*—himno en prosa rimada—, *Fuente de la vida.* Bakia

M

ben Pakuda (hacia 1060), autor de un libro titulado *Deberes de los corazones,* por el que ha merecido ser llamado "el Tomás de Kempis judío". Moisés ben Ezra (m. 1138) compuso la obra *Collar de perlas*—exaltación del vino, el amor, los placeres, la alegría, la poesía y la esperanza—y otra histórica, *Diálogos y recuerdos.* Albulhasán Jehuda Haleví (¿1085?-1143), poeta y filósofo, autor de *Sionidas,* poemas religiosos; *Himno a la Creación,* y el tratado filosófico *Cuzari.* Abraham ben David de Toledo (1110-1180), médico y filósofo, autor del *Libro de la tradición*—crónica de los hebreos españoles—, *La fe sublime*—de carácter filosófico—. Abraham ben Mair ben Ezra (1092-1167) comentó el *Pentateuco,* haciendo de los *Comentarios* una verdadera obra de arte en el fondo y en la forma. Jehuda ben Salomón Aljarizí (¿1170-1230?), último representante de la poesía neohebraica en España, compuso una especie de novela dramática titulada *Tachkemoni.* Moisés ben Maimón, Maimónides (1135-1204), el más alto pensador de la raza hebrea española, autor de *Aforismos de Medicina, Michné Torah*—una especie de refundición teológica del Talmud—, *Moreh Nebukim (Guía de los descarriados),* traducida a todas las lenguas del mundo, verdadera *Suma* teológico-filosófica del judaísmo.

La literatura árabe española medieval comprende nombres ilustres. Entre los historiadores: Abdelmelic Benhabib (m. 853), autor de una especie de *Historia universal del islamismo.* Ahmed Arrazí, Rasis (887-955), que compuso la famosa *Crónica del moro Rasis.* Abenalcutía (m. 977), autor de la *Historia de la conquista de España.* Aljoxaní, autor del libro titulado *Historia de los Jueces de Córdoba.* Abenhayán (987-1076), que compuso la obra *Almoctabis,* sobre historia de España. Abenjacán (m. 1134 o 1140), cuya obra principal se titula *Collares de oro,* siendo un conjunto de biografías acerca de príncipes, visires, jueces y nobles poetas. Abenbassam (entre 1084-1147), autor de *Adhahira (Tesoro de las buenas calidades de los españoles).* Abenaljatib (m. 1374), que escribió *Ihata (Círculo),* colección de biografías acerca de los árabes notables de Granada.

Filósofos insignes fueron: Abenmasarra (883-931), que introdujo el platonismo en la filosofía árabe. El cordobés Abenházam (994-1064), autor de *Tratado del amor, Los caracteres y la conducta. Historia crítica de las religiones, herejías y escuelas.* El zaragozano Avempace (¿1085-1138?), maestro de Averroes, autor de *Libro de la unión del entendimiento con el hombre* y *Régimen del solitario.* Abentofáil (m. 1185), autor de la célebre novela filosófica *Hay ben Yacdán* o *El filósofo autodidacto.* Abulwalid Mohamed ben Roxd, más conocido por Averroes (1126-1198), de Córdoba, el filósofo árabe más famoso del mundo; sus obras tuvieron una influencia grandísima entre los mismos filósofos cristianos escolásticos, y entre ellas merecen señalarse: *Tehafot attehafot*—historia de la Filosofía—, *Generación y corrupción, Del Cielo, Del Alma, Metafísica...* Mohidín Abenarabi (1164-1240), representante genuino del panteísmo musulmán, autor de *Fotuhat almekía (Revelaciones de la Meca).*

Entre los poetas: Abenabderrábihi (860-939) compuso el *Libro del collar* y una colección de poesías, *Almahasat,* donde se mezclan las eróticas con las religiosas. El sevillano Azzobaidí (m. 989), autor de poesías eróticas y morales. Abenzaidún (1003-1071), de Córdoba, de exquisita elegancia y sumamente licencioso. Almotámid (1040-1095), rey de Sevilla y célebre poeta en todo el mundo hispánico. Alwacaxi, autor de elegantes elegías. Abubequer Mohamed Avenzoar (1113-1199), poeta epigramático y médico insigne. La granadina Racunía. Abulbeca, autor de la elegía famosa a la pérdida de Sevilla y a la caída del Islam en España. Abensaid de Granada (1214-1286), autor de la notable obra histórica *Almogrib,* recuerdos poéticos de distintas ciudades españolas.

Biógrafos y cronistas ilustres: Abenalabbar (1198-1260), que compuso la *Tecmila* y *Alhollato essiyara (La túnica recamada de oro).* Alfaradí (m. 1013), autor de la *Historia de los sabios de España.* Abenpascual (murió en 1182), autor de la *Assila* (continuación de la anterior obra de Alfaradí) y de un *Diccionario biográfico.*

III. *Literatura castellana de los siglos XII y XIII.*—El latín vulgar se desenvolvió dentro de España, por motivos geográficos e históricos, en varias lenguas: las tres principales son el *castellano,* en el Centro; el *catalán,* en el Este, y el *gallego-portugués,* en el Oeste. El primero, extendido por el Sur a compás de la Reconquista, vino a ser el idioma hablado por la mayor parte de la población. Por ello, desde la Edad Media se han usado indistintamente los nombres de *lengua castellana* o *lengua española.* A partir de los primeros años del siglo IX se hallan algunas trazas de lengua vulgar o española en documentos oficiales. El primero en que se hace referencia a ella como independiente del latín híbrido —lengua literaria—es un edicto real del año 844. Del siglo X se conservan varios documentos en los que abundan las palabras castellanas. Pero el más antiguo monumento literario en lengua castellana es el *Poema del Cid,* hacia el año 1140. Durante el reinado de Fernado III el *Santo* (1217-1252), el latín fue reemplazado, como lengua oficial, por el castellano, reservándose aquel para los privilegios más solemnes. En el reinado de su sucesor, Alfonso X el *Sabio* (1252-1284), el castellano se emplea ya en las obras científicas. Poseía ya el idioma un completo desarrollo, aun cuando la construción sintáctica, con su inhábil yuxtaposición de cláusulas, careciese todavía de la soltura y gracia del español moderno.

Las primeras manifestaciones de la épica castellana fueron: *Cantar de Mio Cid*—hacia 1140—, *Gesta de los Infantes de Lara*—siglo XII—, *Gesta de Sancho II de Castilla, Roncesvalles*—siglo XIII.

Entre los poemas de origen francés o provenzal cuentan: *Vida de Santa María Egipciaca*—de ifnes del XII o principios del XIII—, *Libro dels tres Reis d'Orient,* y el *Libro de Apolonio*—siglo XIII.

El mester de clerecía estuvo representado por Gonzalo de Berceo (entre 1195 y 1270), el poeta castellano de nombre más antiguo conocido, autor de *Vida de Santo Domingo de Silos, Vida de San Millán de la Cogolla, Vida de Santa Oria, Loores de Nuestra Señora, Miracles de Nuestra Señora, Duelo de la Virgen el día de la Pasión de su hijo, El martirio de San Lorenzo, El sacrificio de la Misa, Los signos que aparecerán antes del Juicio.*

El *Poema de Alexandre,* de autor desconocido; *Poema de Fernán González,* que debió de ser escrito entre 1250 y 1271.

La poesía lírica tuvo sus primeras manifestaciones con *La razón de amor* y *Los denuestos del agua y del vino,* dos poemitas de autor anónimo *Elena y María o Disputa del clérigo y del caballero,* de autor anónimo, escrito a fines del siglo XIII*; Las Cantigas,* 420 composiciones del rey Alfonso X, escritas en lengua gallega y en alabanza de la Virgen; las composiciones contenidas en los cancioneros: *Cancionero de Ajuda, Canzoniere portuguez da Vaticana, Canzoniere portoghese Colocci-Brancuti, Cancionero de Martín Codax.*

Las poesías de estos cancioneros derivan de la lírica provenzal o están inspiradas en la poesía popular indígena.

Las primeras manifestaciones dramáticas corresponden al teatro religioso y *misterios* y *moralidades* que se representaban en las catedrales y en los monasterios. En la evolución del teatro religioso medieval pueden señalarse tres fases fundamentales: el drama litúrgico propiamente dicho, los juegos o representaciones escolares y las piezas totalmente escritas en lengua vulgar. El primero estuvo ligado íntimamente al culto y formó dos *ciclos:* el de Navidad—*La Adoración de los Reyes, La Adoración de los Pastores, Los Santos Inocentes*—y el de Pascua—*La Resurrección, Los viajeros de Emaús, La Pasión, La misión de los Apóstoles, La venida del Espíritu Santo.*

El teatro profano, representado fuera de los templos, recibió un gran impulso de los histriones, juglares, remedadores; y consistía en danzas en coro y pastorelas, trozos líricos y narrativos, que constituían el repertorio de los juglares, como los sermones jocosos y satíricos, los monólogos dramáticos y de charlatanes, los debates y las disputas, como *La razón de Amor con los denuestos del agua y el vino,* la *Disputa del Alma y el Cuerpo,* la *Revelación de un ermitaño,* la *Disputa de Elena y María,* la *Disputa entre un cristiano y un judío.*

La novela tuvo sus mejores representaciones en la *Disciplina clericalis,* del judío converso Pedro Alfonso—siglo XII—, colección de treinta y tres cuentos orientales no originales, sino arreglos o simples traducciones. El *Libro de Calila e Dimna,* mandado traducir del árabe al castellano por Alfonso el *Sabio* cuando aún era infante —1251—, colección interesantísima de cuentos orientales. El *Sendebar,* colección de cuentos hindúes, traducida—1253—del árabe al castellano por orden del infante don Fradique, hermano de Alfonso el *Sabio. Barlaam y Josafat,* cuentos orientales, traducidos y arreglados; la *Gran Conquista de Ultramar,* historia de las Cruzadas, traducida en tiempos de Sancho IV, en la que se intercalan magníficas leyendas, como la de *El Caballero del Cisne. El Caballero Cifar,* el libro de caballerías más antiguo, de fecha conocida, que debió de ser escrito entre 1299 y 1305, y que no es un libro de caballerías puro, sino una extraña mezcla de elementos hagiográficos, caballerescos y didácticos.

La Historia estuvo representada dignamente por los *Cronicones,* los dos de *Cardeña* y los tres *Anales Toledanos.* Lucas de Túy (murió en 1249), canónigo regular del convento de San Isidro, de Túy, que compuso *De altera vita fideique controversis adversus albigensium errores, libri III,* obra tejida de sentencias y ejemplos sacados de las obras de San Gregorio y San Isidoro; también escribió los *Milagros de San Isidoro* y el *Chronicon Mundi.* Don Rodrigo Jiménez de Rada (1170-1247), quien, además de un compendio de Historia sagrada, titulado *Breviarium Ecclesiae Catholicae,* escribió dos obras importantísimas y curiosas: la *Historia Gothica* o *De rebus Hispaniae* y la *Historia Arabum.* Alfonso X el *Sabio,* rey (1252-1284), con cuyo nombre se han hecho célebres la primera *Crónica general,* la *General Estoria* y *Las Partidas.*

La prosa didáctica cuenta con magníficos modelos. Los *Diez Mandamientos,* instrucción para los confesores; el *Fuero Juzgo,* traducido al castellano por orden de Fernando III, y algunos catecismos políticomorales, como los titulados *Libro de los doce sabios, Flores de la Sabiduría,* el libro de *Bomum* o *Bocados de oro, Poridat de Poridades,* traducción del famoso *Secretum Secretorum,* compilación de sentencias y máximas atribuidas falsamente a Aristóteles.

IV. *Literatura castellana de los siglos XIV y XV.*—Durante el siglo XIV, la poesía épica estuvo representada por el *Cantar de Rodrigo,* la *Gesta del abad don Juan de Montemayor* y el *Poema de Alfonso Onceno.*

El mester de clerecía, por la *Vida de San Ildefonso*—poema anónimo—, los *Proverbios del Rey Salomón*—poema en tetrástrofos alejandrinos aconsonantados—, el *Poema de Yuçuf*—escrito en estrofas de cuaderna vía y que pertenece a la literatura aljamiada—; Juan Ruiz, arcipreste de Hita (¿1283-1350?), extraordinario poeta lírico, enriquecedor sin límites del idioma, autor del inmortal *Libro de Buen Amor,* una de las obras cumbres de la literatura española, cuya parte lírica comprende deliciosas serranillas, trovas llenas de gracia, sátiras magníficas y composiciones religiosas encantadoras. Pero López de Ayala (1332-1407), canciller mayor de Castilla, autor del poema *Rimado de Palacio,* de contenido muy vario: cantares, cantigas, decyres, deytados, composiciones religiosas y morales. *Libro de miseria de omne,* de autor anónimo, muestra de mester de clerecía en sus últimas manifestaciones.

La poesía didáctico-moral tuvo sus mejores representastes en el rabino de Carrión Sem Tob (¿1290-1369?), que dedicó al rey don Pedro I el *Cruel* su libro *Proberbios morales* o *Consejos y documentos,* en cuartetas de versos heptasilábicos y en 686 estrofas. Pedro de Veragüe—siglo XIV—, autor de la *Doctrina de la Discrición,* 154 estrofas en tercetos monorrimos octosilábicos y con pie quebrado, de verdadera doctrina cristiana, pues explica el Credo, los diez Mandamientos, las catorce obras de Misericordia, los siete Pecados capitales, los Sacramentos...

La Historia, por el infante don Juan Manuel (1282-¿1349?), nieto de San Fernando, autor de la *Crónica abreviada,* la *Crónica complida* y un *Cronicón.* Juan Fernández de Heredia (¿1310? 1396), personaje de gran relieve en la corte pontificia de Aviñón, que compuso la *Gran Crónica de España,* la *Gran Crónica de los Conquiridores* y *Libro de los fechos et conquistas de la Morea.* Fernán Sánchez de Valladolid (entre 1315 y 1359), autor de una *Crónica de Alfonso XI* y, posiblemente, de las *Crónicas* de Alfonso X, Sancho IV y Fernando IV. Pero López de Ayala, que escribió las importantísimas *Crónicas* relativas a los reinados de Pedro I, Enrique II, Juan I y Enrique III.

La novela, por la *Crónica Troyana,* de autor anónimo, teniendo por tema la famosa guerra de Troya y pletórica de episodios novelescos. El infante don Juan Manuel, autor de *El Conde Lucanor o Libro de Patronio,* colección de 50 apólogos o cuentos interesantísimos, de tendencia educadora, modelo de la mejor prosa castellana.

La prosa didáctica, con el infante don Juan Manuel, autor del *Libro del Caballero y del Escudero,* el *Libro de los Estados. Castigos y documentos,* de Sancho IV de Castilla a su hijo. Y el *Libro de Montería,* atribuido al rey Alfonso XI.

Durante el siglo XV, la poesía épica tuvo un modelo tan admirable como inimitable: los *Romances viejos,* innumerables, divididos por Menéndez Pelayo en históricos, del ciclo carolingio, del ciclo bretón, novelescos sueltos y líricos.

La poesía lírica tuvo dos compilaciones fundamentales: el *Cancionero de Baena,* obra del judío converso Juan Alfonso de Baena, quien la dedicó al rey don Juan II de Castilla, y el *Cancionero de Stúñiga,* obra de Lope de Stúñiga, y dedicado a don Alfonso V de Aragón. El primero comprende 576 composiciones de 54 poetas, que se nombran, y unas 35 poesías anónimas; entre los poetas, casi todos del reino de Castilla, figuran: Pedro Ferrús, Alonso Alvarez de Villasandino, Garci Ferrandes de Jerena, Diego de Valencia, Pero González de Mendoza, Fernán Sánchez de Talavera, Macías el *Enamorado,* Micer Francisco Imperial, Ruy Páez de Ribera, Ferrán Manuel de Lando, Martínez de Medina. El segundo contiene composiciones de Carvajal o Carvajales, Torrellas, Lope de Stúñiga, Pedro de Santa Fe, Juan de Andújar, Juan de Tapia, Juan de Villalpando, Juan de Dueñas, Juan de Valladolid o Juan Poeta.

Entre los líricos mas insignes de este siglo figuran: Iñigo López de Mendoza, marqués de Santillana (1398-1458), gran erudito y gran militar, autor de serranillas, canciones y decires primorosos, de *La comedieta de Ponza, El infierno de los enamorados, La defunción de don Enrique de Villena. Coronación de mosén Jordi de San Jordi, Sonetos fechos al itálico modo, Diálogos de Bías contra Fortuna, Doctrinal de privados. Proverbios.* Juan de Mena (1411-1456), secretario de Juan II de Castilla, autor del *Laberinto de Fortuna,* conocido por las *Trescientas,* poema alegórico, cuyo modelo es el *Paraíso,* de Dante; *La coronación,* poema de 51 quintillas dobles, dedicado a exaltar al marqués de Santillana: *Coplas contra los pecados mortales,* y muchas composiciones sueltas. Fernán Pérez de Guzmán (¿1376-1460?), sobrino del canciller Ayala y tío del marqués de Santillana, señor de Batres, autor de varias poesías magníficas, entre las que destacan: *Cuatro virtudes cardinales, Que las virtudes son buenas de invocar e malas de platicar, Loores de los claros varones de España.* Antón de Montoro (1404-¿1480?), judío converso, sastre o ropero de Córdoba, que cultivó la poesía festiva y burlesca. Gómez Manrique (¿1412-1490?), de noble familia, gran señor de las armas y de las letras, tío del famosísimo Jorge Manrique, autor de *Consejos, Coplas del mal gobierno de Toledo, Debate de la razón contra la voluntad, Lamentaciones fechas para Semana Santa, Regimiento de Príncipes.* Jorge Manrique (¿1440?-1478), de Paredes de Nava, militar insigne, caballero ejemplar, uno de los más grandes líricos de la poesía castellana, autor inmortal de las inimitables *Coplas a la muerte de su padre,* verdadero doctrinal de filosofía cristiana, elegía la más conmovedora que se haya escrito; también escribió otras muchas composiciones llenas de elegancia y de hondura. Guillén de Segovia (1413 1474), sevillano, autor de *Decires contra pobreza, Siete pecados mortales, Decir sobre el amor, Querella de la gobernación.* Juan Rodríguez de la Cámara—vivía aún en 1440—escribió el *Triunfo de las donas, Cadira del honor* y varios romances y composiciones cortesanas. Alvarez Gato (¿1440-1509?), de la mejor nobleza madrileña, quien, según Gómez Manrique, "habló perlas y plata". Hernán Mexía se distinguió con composiciones de carácter satírico y amatorio. Fray Iñigo de Mendoza, uno de los poetas favoritos de la reina Isabel la Católica, autor de *Vita Christi* por coplas, y de himnos, villancicos, sátiras y romances. Fray Ambrosio de Montesino, franciscano, obispo de Sarda, en Albania, que se distinguió componiendo poesías populares. Juan de Padilla (1468-¿1522?), apellidado el *Cartujano* por haber sido monje profeso en la Cartuja de Santa María de las Cuevas, de Sevilla, escribió el poema *Laberinto del duque de Cádiz, Ponce de León, Retablo de la vida de Cristo* y *Los doce triunfos de los doce Apóstoles.* Garci Sánchez de Badajoz (¿1460?-1526), agudo y discreto cortesano, autor de excelentes poesías amatorias, decires y villancicos; de *Liciones de Job, Claro Escuro* y *Caminando por mis males.* El Comendador Escrivá (m. 1520), famosísimo por una breve poesía, *Ven, muerte, tan escondida...* y de veintiocho composiciones que figuran en el *Cancionero general.* Rodrigo de Cota (¿1405?-1470), toledano y de sangre judía, compuso versos burlescos, el *Diálogo del amor y el viejo,* y se le atribuyen las *Coplas de Mingo Revulgo* y las *Coplas del provincial.* Juan del Enzina (1468-1529), llamado "patriarca del teatro español", como poeta lírico alcanzó gran fama con sus villancicos, coplas y composiciones "a lo divino".

Para la poesía lírica tuvieron igualmente la mayor importancia otros *Cancioneros,* conocidos con los títulos de *Cancionero general* de Hernando del Castillo—Valencia, 1511—; *Cancionero general de obras nuevas hasta ahora impresas, Cancionero de Fernández de Constantina, o Guirnalda esmaltada de galanes y elocuentes decires de diversos autores*—antes de 1520—; *Cancionero de obras de burlas provocantes a risa*—Valencia, 1519—, *Cancionero general de Resende*—Lisboa, 1516—, con composiciones de autores portugueses.

La sátira social tuvo su mejor modelo en la *Danza de la muerte,* poema anónimo en setenta y nueve coplas de arte mayor, en forma dialogada, compuesto en los primeros años del siglo XV, cuyo tema es la comparecencia ante la muerte de las distintas personas representativas de los diversos estados, desde el Papa hasta el labrador.

La sátira política poseyó tres excelentes modelos: las *Coplas del provincial*—escritas entre 1465 y 1474—, las *Coplas de Mingo Revulgo* y las *Coplas de "¡Ay, Panadera!"*

En las primeras se supone que la corte es un convento, y un fingido provincial dirige a caballeros y damas—que se designan con sus propios nombres—las inculpaciones más afrentosas. En las segundas, graves y doctrinales, en forma alegórica, un profeta o adivino, *Gil Arrebato,* pregunta al pueblo—*Mingo Revulgo*—cómo se hallaba, pues le veía en mal estado. Las últimas ponen de relieve la cobardía de muchos personajes, designados por sus nombres, que se hallaron en la batalla de Olmedo (1445).

El género histórico tuvo magníficos representantes, lo mismo en las crónicas generales que en las crónicas particulares. En las generales: Pablo de Santa María (1350-1432), judío converso, autor de *Las siete edades del mundo,* o las *Edades trovadas.* Alfonso Martínez de Toledo (¿1398-1470?), que escribió la *Atalaya de las crónicas.* Galíndez de Carvajal (1472-1530), que publicó la *Crónica de Don Juan II.* Fernán Pérez de Guzmán, autor de *Generaciones y semblanzas,* la primera y admirable colección moderna de biografías, inspiradas en la manera de Salustio. Don Carlos, príncipe de Viana (1421-1461), que redactó la *Crónica de los reyes de* Navarra. Juan Rodríguez de Cuenca, autor de un *Sumario de los reyes de España.* Alfonso de Palencia (1423-1492), gran político y secretario de Enrique IV de Castilla, escribió unas famosas *Décadas,* es decir, *Gesta hispaniensa ex annalibus suorum dierum.* Diego Enríquez del Castillo (1433-¿1504?), capellán, consejero y embajador, autor de la *Crónica del rey Don Enrique IV de este nombre.* Mosén Diego de Valera (1412-¿1488?), doncel de Juan II de Castilla, caballero, diplomático, autor de la *Crónica abreviada o Valeriana,* el *Memorial de diversas fazañas* y la *Crónica de los Reyes Católicos.* Diego Rodríguez de Almella o de Murcia (¿1426?-1492), capellán de Isabel la Católica compuso el *Valerio de las historias escolásticas y de España* y una historia *Compilación de las crónicas et estorias de España.* Andrés Bernáldez (m. 1513), cura de Los Palacios, escribió la *Historia de los Reyes Católicos don Fernando y doña Isabel.* Alonso Flores fue autor de una *Crónica de los Reyes Católicos.* Hernando del Pulgar (¿1436-1493?), embajador de la Reina Católica en Francia, escribió una admirable *Crónica de los señores Reyes Católicos don Fernando y doña Isabel.*

Entre las más importantes crónicas particulares figuran: *Crónica de don Alvaro de Luna,* escrita entre 1454 y 1460, atribuida a Alvar García de Santa María. La *Crónica popular del Cid* —Sevilla, 1498—. *Crónica de don Pero Niño,* de Gutierre Díaz de Gámez (1379-1450). La *Relación de los fechos del condestable Miguel Lucas de Iranzo,* de Juan de Olid o de Pedro de Escavias. La *Historia del gran Tamorlán,* compuesta por Ruy González de Clavijo (m. 1412), madrileño y gran viajero. Las *Andanzas e viajes de Pero Tafur por diversas partes del mundo,* del cordobés Pedro Tafur (¿1410-1484?). *Libro del Paso honroso,* redactado por Pero Rodríguez de Lena, en el que se narra la famosa hazaña de Suero de Quiñones. *Seguro de Tordesillas,* episodio del reinado de Juan II de Castilla, escrito por Pedro Fernández de Velasco, "el buen conde de Haro". *Divina retribución sobre la caída de España en tiempo de don Juan I,* alusión a la batalla de Toro, por el bachiller Palma.

La novela contó con numerosos modelos de mucho interés. *Libro de los gatos o de los cuen-*

tos, coleción de 69 apólogos, traducidos de las *Narrationes* del monje inglés Odo de Cheriton (m. 1247), entre 1400 y 1420. El *Libro de los exemplos o Suma de exemplos por A. B. C.*, colección de 467 cuentos, de Clemente Sánchez de Vercial (¿1370?-1426). *Espéculo de los legos,* colección de 91 anécdotas y parábolas, traducción del *Speculum Laicorum,* obra moral ascética del inglés John Hoveden. Don Pedro, condestable de Portugal (1429-1466), primer portugués que escribió en castellano, autor de *Sátira de felice e infelice vida, Comedieta de Ponza*—novela amorosa autobiográfica—, *Tragedia de la insigne reina doña Isabel*—se refiere a la soberana de Portugal—. Pedro del Corral publicó hacia 1443 la *Crónica sarracina, o Crónica del rey don Rodrigo con la destruyción de España,* verdadera novela de caballerías.

Pero la novela más trascendental de esta época fue el *Amadís de Gaula,* libro de oscurísimos orígenes, de autor aún no determinado, pero que ha sido llamado "padre de los libros de caballerías" e imitado hasta la saciedad en todas las literaturas; su primera edición es la de Zaragoza, 1508, multiplicándose en seguida las ediciones en varias lenguas; las mayores probabilidades lo señalan como obra española. *Tirant lo Blanch,* novela de caballerías, empezada a escribir por mosén Joanot Martorell en 1460, y continuada por Martí Johan de Galba, y de la que dijo Cervantes—en *Don Quijote*—que "era tesoro de contento y mina de pasatiempos... y por su estilo el mejor libro del mundo". El bachiller Diego de San Pedro, que vivió entre 1430 y 1500, es el autor de *Cárcel de amor,* admirable "breviario de amor de los cortesanos", novela que alcanzó un extraordinario éxito en su época y que aún hoy se lee con gusto. Juan de Flores es autor de dos novelas interesantes: *Grimalte y Gradissa* e *Historia de Grisel y Mirabella, con la disputa de Torrellas y Braçayda.* Importantísima novela es la titulada *Cuestión de amor,* impresa en *Valencia*—1513—por Diego Gumiel, y que, en sentir de Menéndez y Pelayo, "es una novela clave, una pintura de la vida cortesana en Nápoles, una especie de crónica de salones y galanterías, en que los nombres propios están levemente disfrazados con seudónimos y anagramas".

La prosa satírica tuvo su mejor representante en Alfonso Martínez de Toledo, autor del famosísimo *Corbacho o Reprobación del amor mundano,* novela de incontables valores humanos, libro inapreciable para la Historia y un monumento para la lengua, según Menéndez Pelayo; libro antecedente de *La Celestina* y muy próximo en importancia al del Arcipreste de Hita.

La prosa didáctica presenta nombres tan eximios como los de don Enrique de Villena (1384-1434), descendiente de la Casa Real de Aragón, gran erudito y magnífico prosista, autor de *Los doce trabajos de Hércules, El Arte cisoria, Arte de trovar.* Don Alvaro de Luna, el famoso valido de Juan II de Castilla, se mostró gran prosista con el *Libro de las claras e virtuosas mujeres. El bachiller Alfonso de la Torre escribio, hacia* 1440, la *Visión delectable de la Filosofía y artes liberales.* Alfonso de Cartagena (1384-1456) obispo de Burgos y embajador, escribió *Doctrinal de caballeros, Genealogía de los reyes de España, Oracional o Tratado de la oración.* El padre Martín de Córdoba fue autor del libro *De próspera y adversa fortuna.* Juan de Lucena escribió—1463—su *Tratado de vita beata.*

En la literatura dramática descollaron: Juan del Enzina, con las églogas representables *Plácida y Victoriano, Cristino y Febea, el Auto del Repelón,* la *Trivagia, Mingo, Gil y Pascuala.* Lucas Fernández (¿1474?-1542), beneficiado y abad, escribió *Farsas y églogas al modo y estilo pastoril y castellano,* más un *Diálogo* para cantar.

La obra maestra del teatro en esta época, y una de las más admirables obras de la literatura castellana de todos los tiempos, es *La Celestina,* del bachiller Fernando de Rojas, nacido en La Puebla de Montalbán; consta de 21 actos, se intitula "acción en prosa" y es la obra más importante de nuestra literatura medieval, "libro, en mi entender, divino, si encubriera más lo humano", según Cervantes. *La Celestina* refleja ya todo el espíritu renacentista y es la base más firme de nuestra dramática. Y, según Menéndez Pelayo, "no es un libro peculiarmente español: es un libro europeo, cuya honda eficacia se siente aún, porque transformó la pintura de las costumbres y trajo una nueva concepción de la vida y del amor". Su influencia fue enorme dentro y fuera de España.

2. Medievalismo artístico.—a) *Arquitectura.*—La arquitectura medieval comprende tres estilos: bizantino, románico y gótico u ojival.

La arquitectura bizantina aparece ya formada en el siglo vi, durante el reinado de Justiniano. Sus características son: el empleo de la cúpula sobre pechinas y del ladrillo como material constructivo. Y comprende tres períodos: el antiguo —hasta el siglo viii—, el medio—del siglo ix al xii—y la tercera Edad de Oro—siglos xiii al xvi—. (V. *Bizantinismo.)*

La arquitectura románica florece en el Occidente cristiano entre los siglos xi, xii o xiii, según los países; y es como el resultado de la mezcla de las influencias orientales—recibidas bien mediante Bizancio, bien mediante los árabes invasores de España—con la tradición romana.

Ahora bien: puede señalarse un período prerrománico, que se extiende entre los siglos v y xi, y que queda dividido en dos períodos: hasta el siglo viii, limitado por la invasión musulmana y el comienzo del reinado de Carlomagno, y un segundo período, iniciado en Francia con el renacimiento carolino.

En España, el prerrománico enlaza con el llamado arte asturiano, del que, según textos literarios, existían construcciones anteriores al siglo IX.

Las características de la arquitectura románica son: sustitución de la cubierta de madera por bóveda de cañón o arista, que determina la consolidación de los muros, aumentando de espesor, con escasos vanos, y un sistema de contrafuertes adosados; bóvedas reforzadas de trecho en trecho por arcos torales; sustitución de la columna por gruesos pilares—rectangulares o cruciformes—, con columnas adosadas, sobre los que descansan los arcos de las bóvedas; vanos, puertas y ventanas, muy escasos y sencillos, hallándose constituidos por una serie de arquivoltas—ornamentadas con motivos vegetales y geométricos—sobre columnas. El románico, arte esencialmente monástico, comprende dos períodos: *alto románico*—siglos X al XII—y *bajo románico*—siglos XIII y XIV—. (V. *Romanicismo.)*

La arquitectura gótica se desarrolló en el mundo cristiano desde la segunda mitad del siglo XII al primer tercio del siglo XVI. Dos son sus elementos esencialmente característicos: la bóveda de crucería y el arco apuntado.

En la evolución del estilo gótico pueden señalarse cuatro períodos: transición—con el románico—, siglo XIII, siglo XIV y siglo XV. Su monumento capital es la catedral. (V. *Goticismo.)*

b) *Escultura y Pintura.*—Para estudiar la escultura y la pintura de los estilos señalados como medievales, puede acudirse a los ismos señalados también para la arquitectura: *Bizantinismo, Romanicismo* y *Goticismo.*

V. DAVIS, H. W. C.: *Europa medieval.* Barcelona, Labor, 1928.—JALLIFFIER Y VAST: *Histoire de l'Europe...* París, Garnier, 1929.—HENDERSON, E. F.: *History of Germany in the Middle Ages.* Londres, s. a.—FISHER: *Medieval Empire.*—OMAN: *Art of war in the Middle Ages.*—PIJOÁN, José: *Summa Artis. Historia general del arte.* Madrid, Espasa Calpe, 1942-1951.—VEDEL: *Los ideales de la Edad Media.* Barcelona. Col. Labor. Cuatro tomos.—HUIZINGA: *Otoño de la Edad Media.* Madrid, "Rev. de Occidente", 1948, 2.ª edición, en un volumen.

MEDITACIÓN

Escrito o disertación acerca de algún tema literario, filósofo, musical, histórico, científico, en el que se discurre con lógica y se hacen reflexiones más o menos profundas y acertadas acerca de él.

MEJICANA o AZTECA (Lengua)

Es la lengua principal del Méjico indígena. Aún hoy es hablada en concurrencia con el español y otros dialectos en los vastos territorios que van desde los Estados Unidos hasta Nicaragua. Es tan rica como el *peruviano*—peruano—, pero menos sonora. Le faltan las articulaciones correspondientes a las castellanas *f, g, r, s, j, ll, ñ;* la letra *l,* que es de un empleo frecuentísimo, jamás se encuentra al principio de la palabra. La repetición de las sílabas *tli, itl, atl* da dureza y monotonía a la pronunciación. Las palabras son muy largas; algunas contienen hasta diez y doce sílabas, estando formadas por la reunión de muchas radicales. El acento carga invariablemente sobre la sílaba final. La declinación carece de formas para marcar los géneros y los números de los objetos inanimados. El plural de estos se indica por la adición del vocablo *miec*—mucho—; para los seres animados se dobla la primera sílaba y se la añade la terminación *tin.* Son numerosos los aumentativos y los diminutivos. Puede convertirse un sustantivo en verbo y un verbo en sustantivo. La conjugación, que tiene una verdadera voz pasiva, carece de modo infinitivo, el cual queda suplido por una circunlocución. Las preposiciones están sustituidas por afijos y posposiciones. El español ha alterado notablemente el idioma mejicano o azteca, hasta el punto de que a finales del siglo XVI los mejicanos no comprendían los himnos de su antigua religión.

Independientemente del azteca o mejicano, propiamente dicho, se hablaron, y se hablan aún, por los indígenas de la meseta de Anahuac, cierto número de lenguas, siendo las principales: el *misteque,* el *zapoteca,* el *huastec,* el *tlapanec,* el *totanec,* el *otomí,* el *pima,* el *tarahumara,* el *tarasca,* el *mixo,* el *matlazingo...* En ellos participan, en general, los carácteres fonéticos y gramaticales del azteca.

Actualmente, las lenguas se agrupan en estas *familias: nahualt* o *azteca, otomi, huaxteca, mixteca, matlacinca, tarasca, opata, pache* o *yaripaiseri, guaicura* y *cochimi.*

V. ALVARADO, Fray Francisco de: *Vocabulario de la lengua azteca.* Sevilla, 1593.—ZUMÁRRAGA, Fray Juan de: *Arte de la lengua azteca.* Méjico, 1539.—MOLINA, Fray Alonso de: *Vocabulario en lengua castellana y azteca.* Leipzig, 1860.—OLMOS, Fray Andrés de: *Gramática de la lengua azteca.* París, 1875.—DÍAZ PANGUA, P.: *Arte y diccionario de la lengua azteca.* Méjico, 1631.— TAPIA, Carlos de: *Gramática de la lengua azteca.* Madrid, 1753.

MEJICANA (Literatura) (V. Mexicana, Literatura)

MELECIANISMO

Nombre dado a las doctrinas cismáticas de Melecio, obispo de Licópolis.

Melecio murió antes del año 335. También era llamado Melitus, y fue consagrado obispo de Licópolis antes que se iniciase la herejía de Arrio. Melecio fue acusado de haber adorado a los falsos dioses, ya que en época de violentísimas persecuciones contra los cristianos, mientras todos los obispos andaban huidos de sus dióce-

M

sis—entre ellos Pedro, obispo de Alejandría—, Melecio permanecía en la suya sin que nadie le molestase personalmente ni le impidiese ejercer su ministerio. Precisamente por esta libertad de que gozaba, Melecio marchó a Alejandría, cuyo obispado estaba vacante por haber huido Pedro, su prelado, y se apoderó de él, conduciéndose como si fuera el primado de Egipto. Contra su usurpación protestaron el patriarca Pedro—antes de ser martirizado en 311—, Esiquio, Fileas, Pacomio y Teodoro, quienes lograron que se reuniera una asamblea de obispos, que depuso a Melecio. Pero como sus enemigos iban muriendo poco a poco, víctimas de los más terribles martirios, Melecio fue adquiriendo una gran influencia.

En el año 325 se celebró el Concilio de Nicea. San Atanasio y Sócrates acusaron a Melecio de haber renegado de su fe y sacrificado a los ídolos. Y Melecio fue condenado a no usar de sus facultades episcopales.

Según varios historiadores, Melecio no se subordinó al mandato conciliar, ya que antes de morir nombró para sucederle en el obispado a un amigo llamado Juan, y un Concilio de Tiro de los Eusebianos confirmó la elección.

Uno de los primeros melecianos fue Arrio, cuya herejía, posteriormente, *absorbería* el melecianismo.

Según el historiador Teodoreto, el melecianismo no tenía para nada en cuenta el dogma, contentándose con las apariencias exteriores, como los judíos en tiempos de Cristo.

Cuando ocupó San Atanasio la silla episcopal de Alejandría, los melecianos, hasta entonces enemigos declarados de los arrianos, se unieron a ellos. Y pocos años después nadie se acordaba del melecianismo.

MELODÍA

Se llama *melodía* la agradable sucesión de los sonidos de la cláusula. Su calidad depende de la calidad de los sonidos. Como la armonía, la melodía depende también del *timbre,* del *tono,* la *duración* y la *intensidad* de las palabras.

> El aire se serena,
> y viste de hermosura y luz no usada,
> Salinas, cuando suena
> la música extremada
> por vuestra sabia mano gobernada.
> A cuyo son divino
> el alma, que en olvido está sumida,
> torna a cobrar el tino
> y memoria perdida
> de su origen primera esclarecida.
>
> (Fray Luis de León.)

MELODRAMA

De μέλος, música, y δράμα, drama, tragedia.

1. Drama puesto en música: ópera.
2. Pieza dramática, de acción ordinariamente compilada y jocoseria, y cuyo objeto principal es provocar en el auditorio un linaje de vulgar curiosidad y emoción.
3. Libreto para una ópera.

Cuando la música y el canto acompañan ininterrumpidamente a la acción, la composición melodramática se llama *ópera;* y cuando la música alterna con la declamación, *zarzuela.*

Acaso el *Pigmalión*—1775—, de Juan Jacobo Rousseau, sea el primer ejemplo de esta clase de composiciones. Pero precisamente por esta época es cuando se empezó a llamar melodramas a aquellas obras literarias—sin música—en que los autores acumulaban exageradamente sentimientos sensibleros y situaciones convencionales, aprovechando los recursos más fáciles para conmover al público sencillo y poco culto.

Dramones y *folletines* fueron vocablos de *melodramas.* En estos abundan los *latiguillos* y *frases hechas* del lenguaje; y su desenlace era el triunfo de la inocencia y el castigo del vicio; antes, fueron multiplicados los personajes odiosos y traidores, los lances truculentos, las escenas lacrimosas, los sufrimientos inmensos de los seres buenos.

La *masa popular* se entusiasmó con el género, enriqueciendo a muchos autores.

Hoy, dentro del género melodramático, quedan los dramas policíacos y de aventuras.

El siglo XIX marcó el ápice del melodrama. El romanticismo frenético lo ayudó a triunfar. En Francia alcanzaron gloria como autores melodramáticos: Sardou, Scribe, Ennery, Bouchardy, Ducange, Decourcelle; en Italia, Giacometti; en Inglaterra, Mackinson; en Alemania, Tieck; en España, Eguílaz, Camprodón, Echegaray, Pérez Escrich, Fernández y González...

Naturalmente, cuando el autor tiene verdadero genio consigue melodramas con *categoría literaria y grande. La Dorotea,* de Lope; *La Celestina,* de Rojas; el *Goetz de Berlichingen,* de Goethe; muchas obras de Víctor Hugo, de Byron, de Dickens... son verdaderos melodramas geniales.

Por tanto, el melodrama ha existido siempre, aun cuando apreciado únicamente el de calidades excelentes. La *Comedia de arte* italiana se nutrió de melodramas. En el teatro español del Siglo de Oro abundan igualmente, firmados por Lope, Tirso de Molina, Calderón. Melodramas son varias tragedias shakespearianas.

V. A. A. A. (A. Malitourne, Ader y A. Hugo): *Traité du melodrame.* París, 1817.— Díaz de Escovar y Lasso de la Vega: *Historia del teatro español.* Barcelona, 1929.

MELODRAMATISMO (V. Postromanticismo)

MELOPEA o MELOPEYA

1. Entonación rítmica con que puede recitarse un verso o una prosa.
2. Canturria rítmica con que se recita al son

de la música, sin elevar la voz ni modificar el tono.

3. Composición escrita para ser recitada de la anterior manera.

MEMORIA

1. Recuerdo. (Potencia del alma, por medio de la cual *se retiene* lo pasado.)
2. Una de las tres partes de la *acción* (V.)
3. Estudio o disertación escritos sobre alguna materia.
4. Lista. Catálogo.
5. *Relación* (V.) escrita de algunos sucesos particulares para aclarar algún punto histórico.
6. Fama. Gloria. Celebridad.

MEMORIAL

1. Libro o cuaderno con apuntaciones que sirven de recuerdo.
2. Escrito en que se pide una merced o gracia alegando méritos y servicios...

MEMORIAS

Composición histórica—y literaria—que tiene por objeto relatar los sucesos y describir las personas y cosas contemporáneas del autor.

Se distinguen de la *Crónica* en que el autor de las *Memorias* narra únicamente *lo que vio y vivió,* apostillando lo escrito con comentarios oportunos.

Lógicamente, las *Memorias* como fuentes históricas son poco seguras, ya que dependen del carácter, de la intención y aun del capricho de su autor.

La antigüedad nos ha legado dos *Memorias* admirables: la Anábasis, de Jenofonte, y los *Comentarios,* de Julio César; aun cuando acaso puedan ser incluidas en el género las *Cartas* de Cicerón y de Séneca.

La Edad Media nos da a Marco Polo, Clavijo, Windecke...

En la Edad Moderna, es Francia el país cuya literatura ofrece un mayor número de *Memorias* sencillamente prodigiosas: Margarita de Valois, Paradin, La Roue, Duplessis Mornay, Villeroi, el príncipe Luis de Condé, Brantôme, Rohán, Estrees, Bassompierre, Aubery, cardenal de Retz, Grammont, Saint-Simon, Catinat, Noailles, Duclos, Choiseul, duque de Richelieu, Nécker, La Fayette, madame Staël, madame Roland, Mirabeau, Desmoulins, Les Cases, duquesa de Abrantes, Eugenio Beauharnais, madame Rémusat, Chateaubriand, "Jorge Sand", Broglie...

En Inglaterra escribieron *Memorias* célebres: James Melville, Th. Birch, Clarendon, Whitelock, Bolingbroke, Walpone, Kers... En Alemania: Goetz de Berlinchingen, Viglius van Zwichem, Schärtlin de Burtenbach, Wolrad de Waldeck y Barth...

En España: Badía ("Ali-Bey"), Godoy, Alcalá Galiano, Mesonero Romanos, Mina, Argüelles, Narváez, Fernández de Córdoba, Zorrilla, O'Donnell, José Coroléu...

MENCHEVIQUISMO o MENCHEVISMO

Nombre dado a las doctrinas y tendencias de los mencheviquistas, grupo, de minoría dentro del socialismo ruso, sostenedor de un punto de vista revolucionario—social y económico—moderado, frente al grupo mayoritario, *bolcheviquismo* (V.), partidario de una política de terrorismo.

A fines del siglo XIX, el Partido de los demócratas sociales rusos, inspirado en las doctrinas de Carlos Marx y en los principios de los comunistas franceses de 1848, quedó dividido en mencheviquismo y bolcheviquismo, partidario aquel de la revolución con programa mínimo, y este de la revolución con todas sus consecuencias y con programa *máximo.* Aun separados por tendencias difíciles de conciliar, el mencheviquismo y el bolcheviquismo permanecieron unidos *por la organización* hasta 1917, año en que, a consecuencia de la derrota rusa en la gran guerra iniciada en 1914, estalló la Revolución del proletariado. Triunfante la Revolución, durante algunos meses se opuso el mencheviquismo a la dictadura implacable y sangrienta del bolcheviquismo, dirigido con fría inteligencia e indomable energía por Lenin. Pero terminó por ser vencido y absorbido por la mayoría. (V. *Bolcheviquismo.)*

M

MENIPEA (Sátira)

De Μένιππος. Filósofo y poeta griego del siglo I antes de Cristo. Según Diógenes Laercio, fue esclavo en su juventud y profesaba la doctrina cínica. Se hizo conocer por sus sátiras—hoy perdidas—, de las que se conocen algunos fragmentos gracias a Varrón, quien las denominó *Saturae menippeae* (sátiras menipeas).

Desde el siglo XVI tomaron el nombre de sátiras menipeas los panfletos en verso con carácter político y religioso.

MERCANTILISMO

Nombre dado a la doctrina económica, social y política de los mercantilistas, ilustres tratadistas de los siglos XVI y XVII, que intentaron dar normas de conducta a los gobiernos acerca de cómo habían de ser conseguidas las riquezas necesarias al Estado.

El mercantilismo surgió para oponerse a las teorías económicas de la Edad Media, del mismo modo que el espíritu del Renacimiento fue contrario al *escolasticismo* (V.), y el de la monarquía, al *feudalismo* (V.). Alguien ha dicho que el mercantilismo representó en el campo de las doctrinas económicas lo que el *humanismo* (V.) en el de las ideas.

El mercantilismo nació al mismo tiempo—y ello es sumamente significativo—que el capitalismo moderno y que la moderna monarquía. Y es sumamente significativo, porque con la fijación de los nuevos estados, fundidos en unidad política los diversos territorios y gobernando en ellos monarcas absolutos, se planteó el problema: *¿Como puede hacerse rica una nación? ¿Qué puede y debe hacer el Gobierno para fomentar el bienestar de su país?* Ha de tenerse en cuenta que en la mayor o menor riqueza que poseyera una nación se basaba la mayor o menor riqueza de su soberano.

El mercantilismo, sistema de política económica del Estado, no lo inventó ningún teorizador en la calma de su gabinete de estudio, sino que fue un conjunto de medidas de carácter práctico, aplicadas en distintos países por los gobiernos respectivos con objeto de fomentar y desarrollar la economía nacional. Mercantilistas insignes fueron los italianos Serra y Genovesi: los franceses Bodin, Necker, Forbonnais; los alemanes Becher, Justi, Seckendorff, Klock; los españoles Luis Ortiz, Damián de Olivares, Gracián Serrano, Jerónimo de Ustúriz, Bernardo de Ulloa.

Las principales proposiciones del mercantilismo son las siguientes:

1.ª El Poder público debe influir en la vida económica de la nación, e intervenir directísimamente en ella, no solo para dar el impulso y la dirección a la actividad económica, sí que también, en lo posible, para tomarla a su cargo y procurar el desarrollo de las explotaciones del Estado. (Esta concepción de la injerencia del Poder público era elementalísima en un época en que la mayor parte de los pueblos poseían una cultura ínfima.)

2.ª El dinero es imprescindible en la vida económica de un país. Si es el hombre más rico el que más dinero posea, también el país que cuente con más dinero será el más poderoso. (En aquella época, de escasa acuñación, la riqueza consistía en la posesión de los metales llamados preciosos.)

3.ª *La balanza de comercio debía ser favorable*, ya que como no abundaban los metales preciosos, era necesario procurárselos. Y el comercio internacional era el único método de conseguir circulación del oro y de la plata. Todos los esfuerzos de las naciones dirigíanse a aumentar el comercio con el extranjero y a constituirlo de manera que la balanza resultara lo más ventajosa posible.

4.ª *El progreso de la industria.* La fabricación de artículos de mucho valor, por ser los que permitían una ganancia más elevada, ya que su exportación era más fácil y su demanda mucha.

5.ª Aceptación de una disciplina industrial muy severa, apoyada en *premios* y *privilegios*, que debía traer un florecimiento artificial de la industria y orientarla en el sentido de obtener una *favorable balanza de comercio.*

6.ª Fomento del *incremento de la población*, ya que la industria requiere ante todo fuerzas de trabajo.

7.ª *Aislamiento* del país, apelando a una *rigurosa frontera aduanera*, como el más excelente medio para influir en la economía nacional entera y el comercio en particular. El proteccionismo aduanero estuvo siempre identificado con la significación mercantilista.

8.ª La idea—terriblemente falsa y origen de muchísimas guerras—de que el beneficio del país propio tenía como única base el perjuicio de los demás países.

9.ª Facilidades—en ocasiones—para ciertos dispendios en el consumo de los artículos de lujo, a fin de avivar la circulación del dinero, el cual debía actuar como elemento utilísimo a la producción entera.

En el transcurso del tiempo, el mercantilismo ha sido juzgado de muy diferente modo. Se dijo de él que estaba dominado por una insaciable sed de oro. Posteriormente se reconoció que aquella sed de oro solo formaba su *envoltura*, y que su verdadera sustancia se encontraba "en las aspiraciones de los gobiernos de fomentar la industria y el comercio nacionales". Hoy se reconoce que estos dos pensamientos que encierra el mercantilismo—el deseo del dinero y el fomento de la industria y del comercio—, no solo estuvieron completamente justificados en su época, sino también hoy, hasta cierto punto.

No debe olvidarse que la Edad Media solo conoció una forma de riqueza: la propiedad territorial, ya que la producción industrial estaba en manos de los artesanos.

El descubrimiento de América motivó un riquísimo caudal de oro, que desde aquel continente llegaba a Europa, y del que se aprovechaban los primeros españoles y portugueses.

La industria *costosa y fácil de exportación* surgió para que el oro circulase mucho y rápidamente...

Escritores relativamente modernos, como Schmoller y Bücher, ven en el mercantilismo —construcción de carreteras, supresión de las líneas aduaneras interiores y su implantación solo en las fronteras del estado—el tránsito de la economía medieval de la *ciudad* a la economía *nacional.* El mercantilismo goza, por tanto, no solo de una justificación histórica de época, sino que aún hoy sigue vigente en muchos de sus principios. Los metales preciosos—el oro principalmente—son el medio de pago del comercio internacional, mientras las deudas no se salden con el envío de las mercancías.

Lo que sí puede afirmarse es que el mercantilismo no es un sistema de economía política teórica, porque no se plantea el problema de "cómo proceden los hombres en la vida económica". Sin embargo, representa un progreso formidable y el comienzo de una ciencia de la economía política, pues al plantear el problema de "cómo se enriquece un pueblo", se expresa por primera vez la idea de que una nación forma un todo, integrado de partes que se relacionan entre sí; un organismo económico.

V. Kleinwachter, F. von: *Economía política.* Trad. cast. Barcelona, 1925.—Biedermann: *Ueber den Mercantilismus.* Innsbruck, 1902. 5.ª ed.—Gonnard, René: *Historia de las ideas económicas.* Madrid, Aguilar, 1952.—Conrad, Dr. J.: *Historia de la Economía.* Traducción cast. Madrid, s. a. [¿1919?].

MERCURIALES

1. Reuniones literarias que se celebraban los miércoles en casa del poeta, crítico y retórico francés Ménage *(Egidius Menagius),* nacido en Angers—1613—y muerto—1692—en París.

2. Nombre de ciertos discursos pronunciados en nombre del rey de Francia en ciertas asambleas, los miércoles precisamente, que tenían por objeto inculcar a los miembros de las mismas los deberes de sus cargos.

MESIANISMO

Denominación dada a la creencia en la venida del Mesías.

Aun cuando la crítica racionalista ha negado el mesianismo con una osadía sin límites, el mesianismo existió con absoluta certeza. Claro es que los racionalistas no pudieron negar que desde dos siglos antes de la Era cristiana existió en el pueblo judío una infinita expectación y un apremiante deseo de un libertador, enviado de Dios, que llevase al pueblo de Israel a una edad de oro. Pero añaden los racionalistas que tan febril anhelo no era sino una fantasía de orgullo nacional y de fanatismo religioso, que nada tenían que ver con las profecías consignadas en los escritos canónicos.

Pero para los historiadores ortodoxos, el mesianismo fue un fenómeno con unidad orgánica. El fenómeno mesiánico tuvo la unidad del hecho, la correlación entre la expectación y la promesa. En el Antiguo Testamento es clarísimo el sentido mesiánico de muchos de sus pasajes. Es decir: la esperanza en la venida del Salvador estuvo enraizada en muchas firmísimas anteriores promesas. Anteriores promesas que confirmó un magnífico escritor pagano, el historiador Tácito: *Pluribus persuasio inerat antiquis sacerdotum litteris contineri eo ipso tempore fore ut valesceret Oriens, profectique Judaea rerum potirentur* (Hist. 15, 13).

El mesianismo puede dividirse en *bíblico* y *extrabíblico,* y este subdividirse en *apocalíptico* y *rabínico.*

El mesianismo bíblico abarca dos períodos: el *patriarcal* y el *profético.* Los patriarcas todos se refirieron reiteradamente al Hijo de la mujer que aplastaría la cabeza de la serpiente; al Hijo de Abraham, de Isaac, de Jacob, que sería fuente de bendición para todos los pueblos; al Hijo de David, que reinaría eternamente en Israel.

Pero el más espléndido mesianismo lo desarrollaron los profetas. Isaías fue escogido por Dios para anunciar a Israel la salud mesiánica. Y se ponderaron la ciudad de Belén, donde naciera Jesús; la aparición del precursor, nuevo Elías, que prepararía los caminos del Señor. Isaías anunció también la concepción y nacimiento virginal del Mesías (VII, 13). David, su progenitor según la carne, cantó en himnos magníficos la generación eterna y divina del Mesías. Y, realmente, en el nombre de Mesías están condensadas todas las grandezas de rey, de profeta y de sacerdote. Porque el *Mashiakh* hebreo y el *Khristo's* griego significan lo mismo: *Ungido;* y aplicados al Mesías prometido significaban a un tiempo mismo *su majestad real, su dignidad profética* y *su santidad sacerdotal.*

Hijo del Hombre le llamó Daniel (VII, 13-14).

El mesianismo *apocalíptico* tuvo no poco de mesianismo histórico. Es el encerrado en el *Libro de los Jubileos,* en los *Testamentos de los doce Patriarcas,* en el libro de los sueños de *Henoc,* en el libro III de los *Oráculos sibilinos.*

Por algún tiempo, los videntes apocalípticos tuvieron esperanzas en que el Mesías apareciera después de las grandes victorias de Judas Macabeo y de sus hermanos. Pero estos eran de la tribu de Leví, y el Mesías esperado había de ser hijo de David, y, por tanto, de la tribu de Judá. Entonces, desengañados de su Mesías Macabeo, los videntes apocalípticos concibieron un Mesías puramente *escatológico,* "juez de los hombres en el juicio divino que iba a sobrevenir y jefe del mundo venidero".

El *mesianismo rabínico* se refirió siempre, machaconamente, al *tiempo del Mesías.* Grandes calamidades habían de preceder a la salud mesiánica. Pero para los rabinos, el Mesías esperado no era Dios, aunque sí un ser extraordinariamente favorecido con los dones sobrenaturales que exigía su dignidad. El mesianismo rabínico se negó a reconocer al *Hijo del Hombre,* de Daniel; al *Varón de dolores,* de Isaías; rechazó siempre los textos que presagiaban los sufrimientos del Mesías.

El mesianismo bíblico habló *de la venida del mismo Dios,* de una *Teofonía* y de la aparación de uno *como el Hijo del Hombre, rey glorioso hijo de David,* dolorido *siervo de Yahvé.*

El mesianismo apocalíptico no habló sino del *Hijo del Hombre.*

El mesianismo talmúdico se encerró tercamente en la tradición nacional *del hijo de David.*

V. Bover, P. J. M.: *Método para determinar los pasajes mesiánicos en las profecías del Antiguo Testamento.* 1910.—Lagrange, M. J.: *Le Messianisme chez les Juifs.* París, 1909.

MESOCRATISMO

Conjunto de las normas políticas y de las tendencias sociales de la mesocracia, es decir, de la *clase media* entre la clase aristocrática y la clase popular. La mesocracia ha sido también llamada *burguesía culta* o *tercer estado.*

Conocida es la frase de Sieyès cuando, para justificar el advenimiento de la mesocracia a la

M

vida política, exclamaba: "¿Qué es el tercer estado? Nada. ¿Qué debe ser el tercer estado? Todo." Y, en efecto, esta máxima, de que hizo la clase media el lema de su bandera, compendia las glorias y las debilidades del mesocratismo, porque si de un lado tiene el mérito de haber echado los cimientos del sistema representativo, por otro ha incurrido en los defectos del exclusivismo, queriendo sobreponerse a las demás clases sociales y pagando exagerado tributo a los intereses materiales.

Jules Grenier ha caracterizado perfectamente los vicios y las virtudes del mesocratismo con las siguientes palabras: "Consisten sus buenas cualidades en el acertado manejo de los negocios, en su amor al *self-government* y en su afición a fiscalizar los actos del Gobierno; en una palabra, en la práctica del sistema constitucional en las monarquías y de la democracia representativa en las repúblicas. Sus defectos consisten en el demasiado apego a sus peculiares intereses, y generalmente en una exagerada timidez de conceptos. Demuestra más habilidad en los pequeños cálculos que en los grandes, y más aptitud para la política *del día* que para la política del porvenir. El mesocratismo ha olvidado que no debe ser una clase particular, sino simplemente el medio común en que todos deben encontrarse."

¿Quiénes forman la mesocracia? No solo cuantos ejercitan las nobles profesiones *liberales,* sino los que cultivan las profesiones y las artes útiles. Según Blunstchli, en el tercer estado se integran:

1.° Los funcionarios públicos que no ejercen pública autoridad.

2.° Los eclesiásticos y los profesores.

3.° Los doctores, notarios, abogados, literatos, artistas...

4.° Los ingenieros, arquitectos, profesores técnicos.

5.° Los grandes fabricantes y los grandes negociantes.

6.° Los que desempeñan oficios elevados (artísticos).

7.° Los capitalistas.

8.° Los grandes propietarios que no pertenezcan a la aristocracia.

Gil Robles—en su *Tratado de Derecho político,* Salamanca, 1899—escribe: "La mesocracia ni es tan humilde y subalterna que justifique y provoque el desdén de los poderosos, ni está tan desarmada y desvalida que no pueda prevenir y resistir la injusticia, el despotismo y tiranía de la nobleza. Tampoco sobre el pueblo tienen los medianos tal superioridad que les tiente y mueva a ofenderlo con orgullosa arrogancia y a oprimirlo y explotarlo con medios y recursos siempre inferiores a los de la primera clase, excitando así la envidia y el odio de los populares. Entre estos y los aristócratas conviene, para el sosiego y bienestar generales, un orden cuyo nivel intelectual y moral y posición pública constituyan una zona intermedia de comunicación de ideas, sentimientos y propósitos, a través de la cual se entiendan y concierten los extremos, de modo que la opinión popular se aquilate y mejore por la acción y ministerio de la clase media, y a su vez ponga esta al alcance del pueblo las altas miras y benéficos planes de la aristocracia. Esto sin contar con que, si bien es cierto que el mérito superior de los miembros de la plebe puede y debe escalar de un salto la posición superior de la nobleza, lo natural y frecuente es una ascensión gradual de clase, y que así como la media recibe en su seno a los populares beneméritos y afortunados, así sea la que llene con individuos sobresalientes los huecos que abre el tiempo en las filas aristocráticas."

Ni en Grecia ni en Roma existió la mesocracia. Las luchas políticas se realizaron siempre entre patricios y plebeyos. Es preciso llegar a la Edad Media para encontrar en los primitivos pueblos germánicos, el germen de una clase que iba a tener parte principalísima en los destinos de aquella época. Al adquirir una importancia decisiva la *ciudad...* aparece el *burgués,* tipo paradigmático del *tercer estado.*

"Aunque, por su derivación etimológica (de *pyrgos,* torre, muro,), burgués es el habitante de cualquier núcleo de población agrupada al amparo de una fortaleza, significando burgués tanto como vecino, o sea el habitante con plenitud del estado jurídico-local, antonomásticamente recibió el nombre de *burguesía* la población libre, pero no hidalga, de los principales centros, especialmente urbanos. Después se fue, por arbitrio del uso, restringiendo la acepción desde la sinonimia de plebe ciudadana, hasta aquella parte del pueblo de posición más desahogada e independiente por el ejercicio de la industria fabril, y dentro de ella, de las más elevadas, *artísticas* (menos materiales) y con rendimientos proporcionados a su entidad y jerarquía, comprendiendo luego, por extensión, el término, no solo a este elemento de la clase media, sino a toda ella." (G. R.)

Una ciudad populosa medieval contenía: los príncipes eclesiásticos con sus cortes, los obispos, abades y el clero inferior, con sus grados y divisiones; los seglares de la alta nobleza; los caballeros y sus familias; las gentes al servicio de los clérigos y de los nobles; los *mittelfreies* (libres de en medio), con propiedades y cierta posición política; los simplemente libres; los libres sometidos voluntariamente a un servicio clerical o laico; otras gentes en los más diversos grados de dependencia personal; los artesanos. Pues bien: apartados, por *arriba,* los clérigos y los nobles, y por *abajo* cuantos vivían en dependencia de servicio, los demás formaron ese *tercer estado* que tan enorme fuerza llegaría a conseguir en la vida política y social de las naciones. La mesocracia se enfrentó valientemente con el *feudalismo* (V.), apoyando el derecho de los reyes. Y cuando los reyes, desaparecido o sin fuerza el feudalismo, quisieron ejercer el poder absoluto, el mesocratismo organizó Comunidades, Ligas y Gremios, con los que se opuso a los designios reales. Durante el siglo XVIII la mesocracia hizo suyas las doctrinas de la Enciclopedia, y surgió, después de la Revolución y del Imperio napoleónico, no reducida a un régimen local simplemente, sino ocupando la soberanía y haciéndose dueña de las instituciones. En Francia, Luis Felipe se llamó, orgullosamente, ante las cámaras, el *rey-burgués* y el *rey-ciudadano*.

Con el *parlamentarismo* (V.) y el triunfo de las constituciones, el mesocratismo alcanza su mayor fuerza. Y hoy, fuera de los llamados regímenes políticos totalitarios, la mesocracia impone su influencia política (Véase *Burguesismo)*, llevando a la democracia el espíritu de orden y de moderación, y a la aristocracia, el espíritu de libertad y de comprensión.

V.: BLUNSCHLI: *Derecho político universal*. Madrid, 2.ª ed., 1901.—GIL ROBLES *Tratado de Derecho político*. Salamanca, 1899.—ERSTRINE MAY: *La democrazia in Europa*. Turín, 1896.—DUPRAT: *Science sociale et démocratie*. París, 1900.—ROUGIER, L.: *La mística democrática: sus riquezas y sus ilusiones*. Traducción cast. Méjico, 1943.

MESTER

Deriva de *menester,* y esta palabra, de *ministerium*. Significa *ocupación* y también *oficio* o *arte*.

Literariamente, solo se usan las locuciones *mester de clerecía* (V.) y *mester de juglaría* (V.).

MESTER DE CLERECÍA

Se dio—y se da—este nombre a la escuela poética castellana de los siglos XIII y XIV. Su más antiguo representante es Gonzalo de Berceo (¿1198-1274?); y el último importante, el canciller Pero López de Ayala (1332-1407). Dentro de esta escuela poética pueden ser colocados: el *Libro de Apolonio,* el *Libro de Alexandre* y algunos fragmentos de la *Historia Troyana*—en el siglo XIII—; el *Libro del Buen Amor,* del Arcipreste de Hita; el *Poema de Yuçuf,* la *Vida de San Ildefonso,* los *Proverbios de Salomón,* el *Libro de miseria de omne*—en el siglo XIV.

Mester de clerecía significa "ministerio u ocupación de hombres cultos". El término fue usado por vez primera en el *Libro de Alexandre*:

> Mester trago fermoso—non es de ioglaria,
> mester es seu pecado,—ça es de clerezia,
> fablar curso rimado—por la quaderna via
> a sílavas cuntadas,—ça es grant maestria.

Tiene, además, esta estrofa dos curiosidades del más alto valor: una, el contraponer el arte sabio de los clérigos al arte popular de los juglares; y otra, determinar para el mester de clerecía la forma *cuaderna vía* o cuartetas monorrimas aconsonantadas.

Sin embargo de la primera afirmación, no debe creerse en la radical oposición del mester de clerecía y del de juglaría. Por el contrario, las dos técnicas se influyeron decisivamente; un mismo tema era tratado por poetas de uno y de otro *mester;* y así, el *Poema de Fernán González,* sometido al rigor del mester de clerecía, es, por su tema épico-heroico, un poema de índole juglaresca. Aún hay más: poetas que escribían, indistintamente, en uno y otro mester. Así, Berceo, poeta culto, dice:

> Quiero fer la pasion—de sennor Sant Laurent
> en romanz que la pueda—saber toda la gent.

Como Berceo, el Arcipreste de Hita escribió en los dos mester.

MESTER DE JUGLARÍA

Nombre dado a la epopeya española cantada *popularmente,* sin resabios eruditos, por los juglares. Cronológicamente, es anterior al *mester de clerecía* (V.) y es la primera manifestación del idioma romance.

Se desarrolló durante los siglos XIII y XIV, y cultivó no solo la poesía narrativa, sino también la lírica y la dramática, en estrofas amétricas, sin rima regular. Uno de los más importantes ejemplos del mester de juglaría es el *Poema o Crónica rimada de Alfonso Onceno*.

M

METÁBOLA (V. **Figuras de palabras**)

Figura que consiste en repetir en la segunda parte de una frase palabras de la parte primera, pero en un orden inverso.

> Se debe comer para vivir, no vivir para comer.
>
> Casi siempre puedes lo que quieres; casi nunca quieres lo que puedes.

METÁFORA

De μεταφορά, transportar. El primero y más usado de los tropos. Está fundado en la *semejanza,* y consiste en expresar una idea con el signo de otra con la cual guarda analogía o semejanza. Así, por ejemplo, un *guerrero valiente* y un *león* se asemejan en la fuerza y en la intrepidez, y fundados en esto, decimos: *el indomable guerrero era un león;* donde la palabra *león* está empleada en un sentido metafórico.

La metáfora se diferencia del *símil* en que este hace notar formalmente el parecido entre los objetos comparándolos expresamente, diciendo tal cosa es como tal otra; pero la metáfora no hace comparación expresa. En esta frase: *el arrepentimiento es la aurora de la virtud,* tenemos una metáfora; y en esta otra: *el arrepentimiento es como la aurora, porque así como esta precede al sol, él precede a su virtud,* tendremos un símil.

Hay tres especies de metáfora: *simple, continuada* y *alegórica.*

Metáfora *simple* es la traslación de una sola palabra en una frase: *El pecado es la (muerte) del alma.*

La metáfora *continuada* o *compuesta,* llamada también alegorismo, es la intercalación en una frase de algunas palabras metafóricas mezcladas con otras de significación literal o no trasladadas; verbigracia: *El arrepentimiento es la (aurora) de la virtud; en su seguimiento viene el (sol) de la gracia y la santificación del alma.*

En la metáfora *alegórica,* todas las palabras están trasladadas, ofreciendo el conjunto de la frase dos sentidos perfectos, uno literal y otro intelectual.

Las metáforas se pueden tomar de todos los objetos existentes o imaginados; y como todos ellos se pueden considerar como *animados* o *inanimados,* de aquí la división que muchos retóricos hacen de la metáfora *simple* en cuatro clases: 1.ª *De lo animado por lo animado,* cuando se dice: *Nerón era un (tigre).* 2.ª *De lo inanimado por lo inanimado;* así: *Las (perlas) del rocío.* 3.ª *De lo inanimado por lo animado: Atila fue el (azote) con que Dios castigó a Europa.* 4.ª *De lo animado por lo inanimado: El (gusano roedor) de la conciencia.*

Acerca de las palabras que pueden ser tomadas en sentido metafórico, notaremos que pueden serlo todas las partes de la oración que significan ideas de sustancia y modo, como son el nombre sustantivo, el adjetivo, el participio y el adverbio.

Otros retóricos han dividido las metáforas simples en dos clases: 1.ª Metáforas en que se expresa lo *ideal* por lo *material;* así: *Un buen hijo es el (báculo) de la ancianidad de su padre,* o *La juventud es la (primavera) de la vida.* 2.ª Metáforas en que se expresa lo *material* por lo *ideal;* así: *El (dios) del avaro son las riquezas; el interés es el (alma) de los negocios.*

Las metáforas deben ser exactas y coherentes, tomadas de semejanzas conocidas. Las metáforas continuadas deben ser sostenidas.

V. MÜLLER, Max: *Die Metaphern.* En "Vorlesungen über die Wissenschaft der Sprache", II, 315-361.—MARTÍNEZ DE LA ROSA, F.: *Arte poética.*

METAFORISMO

Tendencia literaria a dar un predominio en las obras—bien en prosa, bien en verso—al lenguaje metafórico.

Aun cuando esta tendencia es tan antigua como el hombre, el nombre de la misma, metaforismo, posiblemente es una traducción de *métaphorismo,* palabra inventada por Cuvillier-Fleury para designar el estilo del poeta Víctor Hugo, sumamente inclinado a la prodigalidad barroca de las metáforas.

Voltaire—en el término *Langue* de su *Dictionnaire philosophique*—ya combatió decididamente el metaforismo, acaso porque no fue un gran poeta.

Todos los grandes líricos han sabido aprovecharse de las grandes semejanzas que presenta la Naturaleza para producir efectos bellos. El metaforismo exige para su cultivo cierta audacia, cierta sutileza.

"La metáfora—ha escrito Ortega y Gasset—es, probablemente, la potencia más fértil que el hombre posee. Su eficiencia llega a tocar los confines de la taumaturgia y parece un trebejo de creación que Dios se dejó olvidado dentro de una de las criaturas al tiempo de formarla, como el cirujano distraído se deja un instrumento en el vientre del operado. Todas las demás potencias nos dejan inscritos dentro de lo real, de lo que ya es. Lo más que podemos hacer es sumar o restar unas cosas de otras. Solo la metáfora nos facilita la evasión y crea entre las cosas reales arrecifes imaginarios, florecimiento de islas ingrávidas."

Resulta casi inútil afirmar que el metaforismo es la tendencia poética más universal y permanente, jamás entibiada en ningún clima lírico por renovador o subversivo que se presentase. El metaforismo ha llegado a ser como el *motor* más original del impulso de creación. El metaforismo vino a desprestigiar las *comparaciones,* tan amadas por los clásicos. Cuando desapareció en la comparación todo nexo gramatical comparativo, todo eslabón entre los dos términos: el real y el imaginado, surgió entonces la metáfora, la cual constituyó un grado superior de la comparación primitiva, cuyos dos elementos ya no se comparan, sino que directamente *se relacionan, se identifican.*

Por el metaforismo se llega, a veces, a expresar lo material por medio de lo ideal, lo objetivo por lo abstracto. El metaforismo da realidad concreta a las cosas inmateriales. Y expresa lo ideal y abstracto por medio de lo físico y sensible.

El crítico argentino Eduardo González Lanuza ha determinado las etapas del metaforismo: "Hay todo un camino de perfeccionamiento antes de alcanzar una metáfora su plenitud de expresión mágica."

Y otro crítico hispanoamericano—en *Enciclopedia de la Literatura*—añade: "A veces, incluso, el modo de establecer una comparación puede anular por anticipación la posibilidad de la metáfora:

Mentían las luciérnagas instantáneos luceros.

Donde el verbo mentir destruye de entrada la relación que pudo querer intentar. Un poco más cerca, pero aún con timorata cautela, el poeta no afirma la identidad entre los dos términos de la metáfora, sino que los relaciona con el nexo del *como.* Véase el hermoso ejemplo de un soneto de Banchs:

... está el espejo
como un claro de luna en la penumbra.

Hay en esta manera una decisión mágica ya más marcada, pero se interpone en el recíproco de multiplicados reflejos la opacidad del *como,* que tiene la dureza mineral del cálculo dentro del organismo vivo. Un grado aún más allá, el poeta prescinde del *como* y simplemente afirma que A *es* B.

La vida es un único verso interminable.

Como dijera Gerardo Diego. Aún no se logra, sin embargo, la total identificación, porque la partícula *es,* aunque de mayor transparencia que el *como,* no llega a la completa invisibilidad. El *como* suponía un juicio estimativo. El *es* resulta de una reflexión ontológica y presupone todo un anterior conocimiento. Y la Poesía no es conocimiento, sino deslumbramiento. Sobra, por tanto, el *es.* La metáfora adquiere todo su valor mágico cuando nada se interpone al cruce de simpatías que cuajan en una evidencia, como en este verso de Mastronardi:

Cariñosas distancias, favores del silencio...

Claro que en este ejemplo las dificultades de análisis se multiplican, porque, en realidad, el poeta ha realizado el prodigio de metaforizar con dos metáforas, ya que *cariñosas distancias* es de por sí una bellísima metáfora, de tan sutil encanto casi como *favores del silencio.* Y nótese que no se compara aquí la distancia con el silencio, ni el cariño con el favor, sino el complejo metafórico *cariñosas distancias,* en el que ya *cariño* y *distancia* tienen un valor trascendental, con *favores del silencio,* donde también *favor* y *silencio* se han desbordado, se han influido recíprocamente."

METÁFRASIS

1. Interpretación de una obra escrita.
2. Traducción del *sentido original* de una obra.

METAFRASTA

El que interpreta una obra o escrito.

METAGOGE

Figura traslativa, que consiste en aplicar a cosas inanimadas cualidades o propiedades del sentido. Así: *Las sonrisas de la primavera, el lenguaje de las flores.*

METALEPSIS (V. **Figuras de palabras**)

Figura indirecta, consistente en tomar el antecedente por el consiguiente, o viceversa, o en dar a entender una cosa por medio de otra que necesariamente le precede, le acompaña o sigue. Por esta figura se traslada, en ocasiones, el sentido *de toda una oración,* y no de una sola palabra, como ocurre con la *metonimia* (V.).

Tú pensarás que guardaré tu puerta
desde que se recogen las gallinas
hasta que el ronco gallo las despierta.

(Argensola.)

Y así se dice: *No olvides los beneficios,* por *corresponde a ellos; Acuérdese usted de nuestro trato,* por *cúmplalo usted; Este enfermo morirá al caer la hoja,* por *morirá en el otoño.*

METAPLASMO

De μεταπλασμός, del verbo μεταπλάσσω, transformar. Es la denominación general aplicada a los cambios que experimenta una palabra por la adición, la supresión o la transposición de un letra o de una sílaba. Son varias, pues, las figuras de gramática y de retórica que caen dentro de la denominación de *metaplasmos;* entre las más importantes están:

Prótesis (de πρόσθεσις, adición). Consiste en la adición de una letra o de una sílaba al principio de una palabra. Así, en latín, *gnatus* por *natus.* Así, en griego, el aumento silábico.

Epéntesis (de ἐπένθεσις, inserción). Es la adición o reduplicación de una letra en medio de una palabra. Así, en latín, *prodest,* por *pro-est; relligio,* por *religio; quattuor,* por *quatuor.* El alargamiento de la vocal doble que resulta se llama *diástole* (V.).

Paragoge (de παραγωγή prolongación). Es la adición de una letra o de una sílaba al fin de una palabra. Así, en latín: *amarier,* por *amari; egomet,* por *ego; hicce,* por *hic.*

Aféresis (de αφαίρεσις, disminución). Es la supresión de una sílaba o de una letra al comienzo de una palabra. Así, decimos: *norabuena,* por *enhorabuena,* y *Colás,* por *Nicolás.*

Síncopa (de σνγκοπή, corte, separación). Es la supresión de una letra o de una sílaba en el medio de la palabra. Así, en latín: *amarunt,* por *amaverunt; valde,* por *valide;* y nosotros, *Navidad,* por *Natividad.*

Apócope (de αποκοπή, disminución). Es la supresión de una letra o de una sílaba al fin de la palabra. Así, *algún,* por *alguno; gran,* por *grande.*

Metátesis (de μετάθεσις, transposición). Es la transposición de una sílaba o de una letra en el cuerpo de una palabra. Así, *perlado,* por *prelado; dejalde,* por *dejadle.*

Sinéresis (de σναίρεσις,, contracción). Es la reunión de un diptongo de dos sílabas. Así, *ahora,* por *a-ho-ra.*

Crasis (de κρᾶσις, reunión, mezcla). Es una contracción en la cual el diptongo no reproduce las dos vocales primitivas. La *crasis* es particular de la lengua griega; y se forma entre la vocal final de una palabra y la inicial de la siguiente.

Diéresis (de διαίρεσις, división). Es la división del diptongo en dos sílabas. Así, en latín, *aulaï* por *aulae.*

METÁSTASIS

Figura que consiste en imputar o atribuir a otro aquellas cosas que el orador se ve obligado a confesar.

METÁTESIS

De μετάθεσις, transposición. Es un metaplasmo que consiste en transponer una letra o una sílaba en el cuerpo de una palabra. Así, *perlado,* por *prelado; dejalde,* por *dejadle.*

La metátesis puede ser *simple* o *recíproca.* Se llama *simple* cuando la letra transpuesta o alterada no es reemplazada por otra. Y *recíproca,* cuando las letras que se transponen ocupan cada una el lugar de la otra. (V. *Metaplasmo.)*

METODISMO

Doctrina de una secta de protestantes que afecta gran rigidez de principios, y se llama así porque pretende haber descubierto un *método* nuevo de vida para alcanzar la salvación.

Los fundadores del metodismo fueron John y Charles Wesley, estudiantes de la Universidad de Oxford, que reunieron, en 1730, a algunos de sus compañeros para dedicarse en común a los ejercicios de piedad y a las prácticas de penitencia, con el objeto de propagar entre sus compatriotas la *restauración de la fe.* Los Wesley admitieron el nombre de *metodistas* para designar que eran hombres que seguían un método de vida adaptado a las máximas del buen vivir expuestas en la Biblia. Antes de metodistas fueron llamados *Sacramentarians, Bible Moths, Holy Club, Supererogation men...*

Los metodistas adquieron gran influencia en seguida entre el bajo pueblo por sus predicaciones en la vía pública. Promovieron, además, un intenso movimiento filantrópico, fundando hospitales, reformando el régimen de prisiones, prohibiendo la trata de negros y observando rigurosamente el descanso dominical.

El metodismo es una rama desgajada del *anglicanismo* (V.), con el que siempre se manifestó respetuoso Wesley, y con el que nunca quiso romper. Su mejor deseo fue evangelizar o *despertar* a la Iglesia anglicana mediante la lectura de la Biblia, la regularidad de las prácticas y la purificación de la vida moral. Wesley ardía en ansias de la perfección de que creía capaz el sistema religioso del anglicanismo.

Los anglicanistas lamentaron más tarde no haber dado cabida en el seno de su religión a semejante reforma, que hubiese reanimado su espíritu. En verdad que Wesley no trataba de implantar ningún sistema nuevo de doctrina, "sino aprovechar lo que era del dominio de todos en teoría para llegar a la práctica". Los temas, las ideas de los sermones de Wesley eran siempre los mismos: *infelicidad de los pecadores; dicha de la verdadera piedad; necesidad de la conversión y del renacimiento.*

El punto más dogmático del metodismo es la *conversión.* Esta conversión viene a coincidir con la fe selvífica del luteranismo. La conversión, es, pues, lo propiamente esencial, y sin la cual no hay metodismo. Consiste dicha conversión "en una como conciencia de la filiación divina por medio de Jesucristo: la íntima convicción de que se nos aplican los méritos de Cristo, prescindiendo de todo lo demás: de las buenas obras, de los dogmas, de la teoría relativa a la gracia."

El metodismo, como el anglicanismo, reconoce de algún modo los misterios de la Trinidad y de la Encarnación; admite con escasas restricciones el *Credo* de los apóstoles y el *Credo* del Concilio de Nicea; conserva como cántico litúrgico el *Te Deum;* no reconoce el *Símbolo* llamado atanasiano; admite la palabra *inspiración* hablando de la *Biblia,* pero cada cual puede interpretarla a su manera; aconseja la frecuencia de los Sacramentos, sin exigir ninguna doctrina ofical acerca de los mismos.

El metodismo quedó fundado en Inglaterra, hacia el año 1740, por el elocuente y enérgico puritano John Wesley, su hermano Charles y su amigo Whitefield, que predicó más de 18.000 sermones. Sin dejar de cultivar principalmente la oratoria, permitida también a los laicos, los metodistas incitaban a la creación de sociedades religiosas, que llegaron a ser centros de propaganda. El metodismo ofrece ciertas analogías con el *pietismo* alemán; pero, a diferencia de este, se dirige, sobre todo, a las grandes masas populares, a las que quiere educar religiosa y moralmente. "Cierto charlatanismo convulsionista ha perjudicado las grandes reuniones del metodismo; pero se trata de un instrumento poderoso de evangelización y de conversión."

Felipe Embury, Tomás Webb, Francisco Asbury introdujeron y propagaron el metodismo en los Estados Unidos a partir de 1766, año en que Nueva York tuvo la primera sociedad metodista. El metodismo atrajo a la mayoría de los negros, que formaron comunidades independientes. Corresponde al metodismo la honra de haber protestado—dede 1784—contra la esclavitud. Mucho más que en Inglaterra, las sectas metodistas se han multiplicado en los Estados Unidos, agrupándose en dos ramas principales, tituladas: *episcopalistas* del Norte y del Sur. Los metodistas pasan hoy de los quince millones, de los cuales una quinta parte corresponde a Inglaterra.

John Wesley quiso evitar con energía toda división del metodismo. Sin embargo, esta se produjo. El *metodismo wesleyano* estuvo siempre unido al anglicanismo—con las escasas discrepancias ya apuntadas—. Pero Whitefield fundó otro metodismo muy difícil de distinguir del calvinismo.

A Wesley y a Whitefield los separó la doctrina referente a la *predestinación,* que ya hizo disputar a calvanistas y arminianos. Wesley, arminiano, se aproximó más a la concepción católica de la bondad de Dios. Whitefiel, calvinista, supuso una predestinación fatalista al mal.

En América surgieron otras ramas del metodismo separadas por cuestiones más independientes de la doctrina; y así, existen metodistas *bíblicos, protestantes, libres, unidos, evangélicos,* etc., etc.

El sistema de Wesley es ante todo *presbiteriano,* ya que él no fue sino presbítero. Posiblemente lo que más contribuyó al éxito del metodismo fue su carácter *popularista* y la rígida moral de sus predicadores. El metodismo luchó denodadamente por las conquistas que más deseaban las clases menesterosas: la abolición de la esclavitud, la igualdad *efectiva* ante la ley, la unidad amistosa entre los gobernantes y los gobernados, la incansable caridad, el celo evangelizador profundamente humano. Puede afirmarse que hoy, después del catolicismo, es el metodismo la religión que más por completo se ha entregado en todo el mundo a la conversión de los paganos.

V. ALEXANDER: *History of the Methodism Episcopal Church South.* 1894.—EAYRS, G.: *A new History of Methodism.* Dos tomos. 1909.—TYERMAN, L.: *Oxford Methodists,* 1863.—MCTYEIRE, M.: *History of Methodism.* Nashville, 1884.

MÉTODO

1. Modo de hacer o decir ordenadamente algo.
2. Modo de realizar una cosa.
3. Orden que se sigue para lograr una obra literaria o artística.
4. Orden que se sigue en las ciencias para hallar la verdad y enseñarla, y que puede ser: *analítico* o *sintético* (V.).
5. Título general de muchas obras de enseñanza.

Literariamente, científicamente, son famosos los métodos siguientes: *Método acroamático,* según el cual únicamente habla o dicta el profesor. *Método catequístico,* de preguntas y respuestas. *Método ciceroniano,* en el que se da gran importancia a los argumentos principales. *Método científico,* en el que se parte de hechos importantes o de proposiciones elementales. *Método dialéctico,* el propio para exponer y enseñar una teoría. *Método dogmático,* el que presenta la proposición, la demuestra, la divide, la define, se opone a las objeciones. *Método erotemático,* aquel en que el profesor dirige preguntas a los discípulos. *Método escolástico* (V. *Método científico*). *Método exegético,* el seguido por los profesores para explicar sin caer en el *erotemático. Método histórico,* el que expone los hechos, los abona y combate cuantos argumentos los atacan. El *Método oratorio* (V. *Método dialéctico*). *Método popular,* el que se utiliza para las nociones usuales y para los hechos de aplicación práctica. *Método práctico* (V. *Método popular*). *Método rapsódico,* el que trata de varios hechos no relacionados entre sí. *Método silogístico,* el que presenta los hechos en forma de silogismos. *Método sinóptico,* el que hace sinopsis del conjunto de una ciencia. *Método socrático,* el que consiste en ir reduciendo al adversario por medio de preguntas o concesiones provisionales, que luego se refutan radicalmente. *Método tablario* (V. *Método sinóptico*). *Método teórico* (V. *Método científico*). *Método tomístico,* el que empieza por una exposición general de la doctrina contraria a la que se quiere defender, se la refuta y se la sustituye por la verdad, rigurosamente demostrada.

V. BERNHEIM, Ernesto: *Lehrbuch der historischen Methode.* Leipzig, 1908.

METONIMIA

Metonimia o *trasnominación* es un tropo de dicción por *correlación* o *correspondencia,* que consiste en designar un objeto con el nombre de otro distinto en cuya existencia o manera de existir haya influido, o del cual haya recibido influencia.

Hay nueve especies de metonimia: 1.ª De la *causa* por el *efecto;* verbigracia: Resiste el *sol;* el *sol* le entró en la cabeza, es decir, el *calor* del sol. 2.ª Del *efecto* por la *causa;* verbigracia: cuando una madre dice a un hijo que es *su alegría, su contento,* porque es quien *produce* su alegría. 3.ª Del *instrumento* por la *causa;* así, aquel soldado era el mejor *corneta* del batallón. 4.ª Del *continente* por lo *contenido:* se comió *un plato* de ternera, se bebió *un vaso* de vino. 5.ª Del *lugar* por la *cosa* que de él procede; así, valen más el *jerez* y el *málaga,* que el *burdeos* y el *oporto.* 6.ª Del signo por la *cosa significada;* verbigracia: el *laurel,* por la *victoria;* la *oliva,* por la *paz.* 7.ª De lo *físico* por lo *moral;* así, el infeliz había perdido la *cabeza.* 8.ª Del *dueño* o *patrón* de la cosa por la *cosa* misma; verbigracia: oímos misa arrodillados *en Santiago,* por en la *iglesia de Santiago.* 9.ª Del *autor* de una composición literaria por la *obra misma;* así, leemos a *Virgilio,* a *Cervantes...*

METONOMASIA

Defecto que se comete cuando se traduce un nombre propio. En él incurrirían los españoles traduciendo *William Red* en *Guillermo Rojo;* el *P. Duchesne* en el *P. Encina; Le Pelletier* en *El Pellejero* o *El Peletero; Silíceo* en *Guijarro; Turrianus* en *Torre...*

MÉTRICA (Arte)

Arte métrica es el conjunto ordenado de preceptos acerca del mecanismo o estructura del verso, sus especies y combinaciones.

La *versificación* o distribución simétrica de una obra en períodos musicales de reguladas dimensiones y cadencias no es absolutamente esencial a la poesía, sino un brillante adorno suyo y la estructura más propia de su lenguaje, la cual contribuye a la mayor perfección de la forma externa artística. Se prueba que la versifi-

M

cación no es esencial en absoluto, con el hecho de haber poemas en prosa, como la *novela, algunas comedias, fábulas,* etc.

La sujeción del lenguaje a medidas fijas es muy antigua y data de los tiempos primitivos, y se funda en la propensión natural del hombre a dar al lenguaje sonoridad y armonía. De aquí nace también la *universalidad* de la versificación, no limitada a ningún país. La tradición y la historia nos muestran al hombre de las primeras sociedades cantando sus alegrías y tristezas, sus recuerdos y sus esperanzas con palabras cadenciosas y acomodadas al tono y compás de la música, hermana gemela de la poesía.

La versificación aumenta los encantos de la poesía, pues con la sonoridad del verso nos atrae, halagando más dulcemente nuestros oídos; multiplica también la fuerza expresiva del lenguaje, dándole más libertad y armonía, y más energía, claridad y nobleza.

Cual con mármol precioso o duro bronce,
no con plebeyo barro o blanda cera,
a la bella natura
imita el escultor, dándole gloria
los obstáculos mismos que supera;
tal con habla elevada, rica y pura
imítala el poeta,
y las voces indóciles sujeta
del riguroso verso a la *mensura.*

De do nace la música sonora
del habla de las Musas soberana,
y la interna dulzura encantadora
que colma de deleite a los mortales
al escuchar sus ecos celestiales.

Verso (pie o *bordón)* es una frase melodiosa, sujeta a una medida determinada; y también la palabra o palabras sujetas a cierta ley fundada en el número de sílabas y colocación de los acentos.

Metro es la ley o medida a que los versos se sujetan.

Los antiguos poetas *griegos* y *latinos,* cuyas respectivas lenguas eran tan flexibles y prosódicas, fundaban su versificación tan solo en la medida del tiempo necesario para recitar los versos, distinguiendo con la mayor exactitud las sílabas en *largas* y *breves.* Cada verso griego o latino constaba de cierto número de pies con cantidad fija. La sílaba larga valía dos breves, porque se tardaba doble tiempo en pronunciarla. Los idiomas modernos, de prosodia menos perfecta, no pueden determinar la cantidad silábica, y han tomado por base de su versificación el número de sílabas, la colocación de los acentos y pausas, y la rima.

Así, pues, para la medida de los versos en la poesía *española,* y para su clasificación, se atenderá al *número de sílabas* y a la *colocación del acento,* y también a las *cesuras* en determinados versos que las exigen; y en las combinaciones métricas se tendrá además presente la *rima.*

Mas el único juez es el oído.
Escucha, falla, ordena,
absuelve grato o rígido condena,
cual árbitro supremo a quien tan solo,
con el uso feliz aleccionado,
los versos mensurar concedió Apolo.

¡Ni quién tan necio os llamará poetas,
si os sorprendió solícitos, dudosos,
midiendo con los dedos codiciosos
de un verso vil las sílabas completas!

El *número de sílabas* de cada verso se cuenta por el de las *vocales* que tiene, exceptuando los casos de *diptongo, triptongo, sinalefa* y *sinéresis,* en los cuales entran en la sílaba métrica más de una vocal.

Diptongo es la combinación o reunión de dos vocales que se pronuncian de un solo golpe, formando sílaba dentro de la misma palabra; verbigracia: *ai*re, p*au*sa, conv*oy,* pl*ei*to, d*eu*da, lluv*ia,* d*ió*cesis, p*ié*lago, tr*iu*nfo, ag*ua,* resid*uo,* hij*ue*la, c*ui*ta. Se llama *triptongo* la combinación de tres vocales; verbigracia: apreci*ái*s, despreci*éi*s, amortigu*ái*s, averig*üéi*s.

Sinalefa es el concurso de dos, tres o cuatro vocales que se pronuncian de un golpe formando una sola sílaba métrica, y que pertenecen a distintas palabras del mismo verso. En virtud de la sinalefa, se cogen en una sola sílaba la última de una voz que acaba en vocal y la primera de la voz siguiente, si comienza por vocal o por *h* que no deba aspirarse, entrando ambas voces en el mismo verso, pues la sinalefa no pasa de un verso a otro. También pueden plegarse en sinalefa vocales pertenecientes a tres distintas palabras. En los diptongos y triptongos se reúnen vocales de una misma palabra; en la sinalefa, vocales pertenecientes a distintos vocablos.

SINALEFAS

Flor la vimos prime(ro her)mo(sa y) pura.

(RIOJA.)

Estos, Fa(bio, ¡ay) dolor!, que ves ahora campos de soledad...

(R. CARO.)

(Y a él) entreteni(do en) ver.

(L. F. MORATÍN.)

(Si a un) ruin miserable.

(IGLESIAS.)

Virgen y madre junto,
de (tu Ha)cedor dicho(sa en)gendradora,
a cuyos pechos floreció la vida.

(FRAY LUIS DE LEÓN.)

En la lectura de composiciones anteriores al siglo XVIII, especialmente en las de poetas andaluces, deberá tenerse presente que no siempre se comete sinalefa con las palabras que comienzan por *h*, lo cual nos prueba que, en tales casos, deberá pronunciarse aspirada esta letra; y es indudable que así la pronunciarían aquellos autores, porque, de lo contrario, no tendrían armonía ni fluidez los versos en que esto acontece, hipótesis insostenible tratándose de nuestros más ilustres poetas, que tan cuidadosos se muestran constantemente del número y sonoridad de los versos. Se aspiraban, pues, aunque no siempre, las voces con *h* inicial procedentes de otras latinas que llevan *f*, como *h*ermosura, *h*erido, *h*azaña, *h*echo, *h*umo, *h*oja, *h*abló, *h*uye, etcétera.

ASPIRACION DE LA H

Y por tu gran valor y (h)ermosura.

(GARCILASO.)

De la argentada quebradiza espuma
aves subir se vían voladoras,
de leves alas y (h)ermosa pluma,
y voces delicadas y sonoras.

(FRAY DIEGO DE OJEDA.)

Sinéresis es la reunión en diptongo, para formar una sola sílaba métrica, de dos vocales que pertenecían a sílabas distintas de una misma palabra.

SINERESIS

Alma r(ea)l en cuerpo hermoso
tres veces de imperio digna.

(IGLESIAS.)

También ser(ía) notada
el aspereza de que estás armada.

(GARCILASO.)

Diéresis es la separación de las vocales de un diptongo, para formar dos sílabas métricas; es lo contrario de la *sinéresis.*

DIERESIS

Agora que s(u)ave
nace la primavera.

¿No ves cómo las ondas
del ancho mar qu(ie)tas
aflojan los furores
y amigas se serenan?

(VILLEGAS.)

Acento es la mayor intensidad con que se hiere determinada sílaba al pronunciar una palabra; es el lazo de unión entre los varios sonidos o letras que constituyen un vocablo. La sílaba sobre la cual recae el acento es la predominante en la palabra, y queda marcada de un modo especial; verbigracia: delf*í*n, sost*é*n, marip*o*sa, n*u*men, p*á*jaro, m*ú*sica.

El acento es elemento *esencial* en la versificación española, y su colocación influye de tal manera en la estructura y medida del verso, que con solo variarla, por ejemplo, en los versos endecasílabos, quedan destruidos, desapareciendo su armonía.

Sean ejemplo los siguientes versos, tomados de la epístola de Martínez de la Rosa al duque de Frías, en la muerte de su esposa.

Tanto infeliz que socorrió piadosa,
tanto huérfano pobre y desvalido
de que fue tierna madre, los que un día
su bondad y sus prendas admiraron,
en largas filas, silenciosos, mustios,
tus pasos lentamente van siguiendo.

Si cambiamos la colocación de las palabras que componen cada uno de estos versos, de manera que resulte el mismo número de sílabas y sin que se altere su sentido, pero haciendo que caigan sus acentos en sitio distinto del que corresponde a los versos endecasílabos, desaparecerá su armonía y dejarán de ser tales versos:

Tanto infeliz que piadosa socorrió,
tanto pobre y desvalido huérfano
de que tierna madre fue, los que un día
admiraron su bondad y sus prendas,
silenciosos, mustios, en largas filas
van siguiendo lentamente tus pasos.

Las palabras, por el acento, se dividen en *agudas, llanas* y *esdrújulas.* Palabra *aguda* es la que lleva su acento en la última sílaba, como past*o*r, virt*u*d, carid*a*d, laur*e*l, tambor*i*l. Palabra *llana* o *grave* es la que trae su acento en la penúltima sílaba, como herm*a*no, caball*e*ro, pergam*i*no, tes*o*ro, perf*u*me. Palabra *esdrújula* es la que tiene su acento en la antepenúltima sílaba, como v*á*stago, hu*é*rfano, v*í*spera, l*ó*brego, br*ú*jula. Hay palabras sobresdrújulas, como *ú*nicamente, encontr*á*ndonosle.

Otras voces pueden considerarse como *atónicas* o sin acento para la armonía del verso; son atónicas, ordinariamente, todas las que no significando ninguna idea de sustancia ni de modo, sirven solo para expresar relaciones entre los conceptos, como los *artículos,* casi todos los adjetivos *no calificativos,* algunos casos *oblicuos* de los pronombres personales, el recíproco *se* y la mayor parte de las *preposiciones* y *conjunciones.*

Acento *final* es el último que lleva cada verso; y puede recaer sobre la *última, penúltima* o *antepenúltima* sílabas del mismo, influyendo, por tanto, en su medida, puesto que si recae sobre la última sílaba, esta vale por dos, y suena bien el verso al oído, aunque tiene una sílaba de menos; si recae sobre la última, resulta justo el número de sílabas del verso; y si recae sobre la antepenúltima, las dos últimas sílabas valen por una y suena bien el verso, aunque tiene entonces una sílaba de más.

Según el lugar que ocupa el acento final, se dividen los versos en *agudos, llanos* y *esdrújulos.* Verso *agudo* es el que tiene su acento final en la última sílaba, o sea el que acaba en palabra aguda; tiene una sílaba de menos. Verso *llano* es el que lleva su acento final en la penúltima sílaba, o sea el que termina en palabra llana; tiene justo el número de sílabas. Verso *esdrújulo* es el que trae su acento final en la antepenúltima sílaba, o sea el que acaba en palabra esdrújula; tiene una sílaba más.

Pueden servirnos de ejemplo los siguientes versos:

Joven ang(é)lico,
desde tu tr(o)no
oye mi v(o)z.

Estos tres versos son de los llamados de *cinco* sílabas; todos tres tienen su acento *final* en la *cuarta sílaba.* El primero es *esdrújulo,* y consta realmente de *seis* sílabas, pero resulta de *cinco* porque las dos últimas suenan a nuestro oído como una sola; el segundo es *llano,* y tiene justas las *cinco* sílabas; el tercero es *agudo,* y *tiene* realmente *cuatro,* pero resulta también de *cinco,* porque a la última sílaba nuestro oído la aprecia por dos. Adviértase que cuando decimos un verso de tantas sílabas, de ocho, por ejemplo, nos referimos siempre a los versos *llanos,* y con relación a estos mismos se dice, como regla general, que *el acento final del verso recae sobre la penúltima sílaba.*

Cesura es la pausa que llevan en el centro algunos versos, por la cual quedan cortados en dos partes, generalmente iguales.

Atendiendo a la cesura, se dividen los versos en *intercisos* y *no intercisos.* Versos *intercisos* o *bipartitos* son los que tienen cesura. Versos *no intercisos* o *no bipartitos* son los que no traen cesura. *Hemistiquios* se llaman las partes en que por la cesura quedan divididos los versos intercisos.

VERSOS INTERCISOS

En el nomne del Padre—que fizo toda cosa,
et de Don Jesu-Christo,—fijo de la Gloriosa,
et del Spíritu Sancto,—que egual dellos posa,
de un confessor Sancto—quiero fer una prosa.
Quiero fer una prosa—en román paladino,
en el cual suele el pueblo—fablar a su vecino;
ca no só tan letrado—por fer otro latino,
bien valdrá, como creo,—un vaso de bon vino.

(GONZALO DE BERCEO.)

Según el *número de sílabas* de que constan, hay versos desde *dos* hasta catorce *sílabas.* Es necesario en todos ellos que recaiga sobre la penúltima el acento final. Los versos de *ocho* y *menor* número de sílabas no necesitan, fuera de este, ningún otro acento en sílaba determinada; los demás acentos que lleven podrán recaer indiferentemente sobre cualquiera sílaba anterior a la penúltima. Serán, pues, versos de *ocho sílabas* todos los que lleven su acento final en la *séptima;* versos de *siete,* todos los que lo lleven en la *sexta,* y así sucesivamente.

VERSOS DE DOS Y TRES SILABAS

Tal, dulce,
suspira
la lira,
que hirió
en blando
concento
del viento
la voz;
leve,
breve
son.

(ESPRONCEDA.)

VERSOS DE CUATRO SILABAS

Señor mío,
de ese brío,
ligereza
y destreza
no me espanto,
que otro tanto
suelo hacer y acaso más.

(IRIARTE.)

VERSOS DE CINCO SILABAS

Ven, prometido,
jefe temido,
ven y triunfante
lleva delante
paz y victoria:
llene tu gloria
de dicha el mundo;
llega, segundo
legislador.

(L. F. DE MORATÍN.)

VERSOS DE SEIS SILABAS

Al Niño Jesús, recién nacido.

Soles claros son
tus ojuelos bellos,
oro los cabellos,
fuego el corazón.
Rayos celestiales
echan tus mejillas,
son tus lagrimillas
perlas orientales,
tus labios corales,
tu llanto es canción,
oro los cabellos,
fuego el corazón.

(RENGIFO.)

VERSOS DE SIETE SILABAS

Cantilena.

Yo vi sobre un tomillo
quejarse un pajarillo
viendo su nido amado,
de quien era caudillo,
de un labrador robado.
Vile tan congojado
por tal atrevimiento,
dar mil quejas al viento,
para que al cielo santo
lleve su tierno llanto,
lleve su triste acento.

Ya con triste armonía,
esforzando el intento,
mil quejas repetía;
ya cansado callaba,
y al nuevo sentimiento
ya sonoro volvía,
ya circular volaba,
ya rastrero corría,
ya pues de rama en rama
al rústico seguía,
y saltando en la grama
parece que decía:
"Dame, rústico fiero,
mi dulce compañía."
Y que le respondía
el rústico: "No quiero."

(VILLEGAS.)

VERSOS DE OCHO SÍLABAS

Sueña el rey que es rey, y vive
con este engaño mandando,
disponiendo y gobernando;
y este aplauso que recibe
prestado, en el viento escribe:
y en cenizas le convierte
la muerte, ¡desdicha fuerte!
¿Que hay quien intente reinar
viendo que ha de dispertar
en el sueño de la muerte?
Sueña el rico en su riqueza,
que más cuidados le ofrece.
Sueña el pobre que padece
su miseria y su pobreza;
sueña el que a medrar empieza,
sueña el que afana y pretende,
sueña el que agravia y ofende,
y en el mundo, en conclusión,
todos sueñan lo que son,
aunque ninguno lo entiende.
Yo sueño que estoy aquí,
destas prisiones cargado,
y soñé que en otro estado
más lisonjero me vi.
¿Qué es la vida? Un frenesí.
¿Qué es la vida? Una ilusión,
una sombra, una ficción,
y el mayor bien es pequeño,
que toda la vida es sueño,
y los sueños, sueños son.

(CALDERÓN.)

Los versos de *nueve sílabas* traen en la octava el acento final, y fuera de este tampoco les es preciso otro acento en sílaba *fija*. Son poco armoniosos y apenas se usan en la poesía castellana.

Si querer entender de todo
es ridícula pretensión,
servir solo para una cosa
suele ser falta no menor.
Sobre una mesa, cierto día,
dando estaba conversación
a un abanico y a un manguito,
un paraguas o quitasol;
y en la lengua que en otro tiempo
con la olla el caldero habló,
a sus dos compañeros dijo:
"¡Oh, qué buenas alhajas sois!
Tú, manguito, en invierno sirves;
en verano vas a un rincón;
tú, abanico, eres mueble inútil,
cuando el frío sigue al calor.
No sabéis salir de un oficio:
aprended de mí, ¡pese a vos,
que en el invierno soy para-aguas,
y en el verano, quita-sol!"

(IRIARTE.)

Hay dos clases de versos de *diez sílabas: bipartitos* y *no bipartitos.* Los decasílabos *bipartitos* constan de *dos hemistiquios* de cinco sílabas, recayendo sus acentos en la sílaba *cuarta* y en la *novena,* que son las penúltimas de cada hemistiquio. Los decasílabos *no bipartitos* no llevan cesura y tienen sus acentos en las sílabas *tercera, sexta* y *novena.*

VERSOS DE DIEZ SÍLABAS BIPARTITOS

Día terrible,—lleno de gloria,
lleno de sangre,—lleno de horror;
nunca te ocultes—a la memoria
de los que tengan—patria y honor.

(ARRIAZA.)

VERSOS DE DIEZ SÍLABAS NO BIPARTITOS

Pero si hoy por el hombre se inmola,
juez vendrá severísimo luego;
más terrible entre nubes de fuego
que entre nubes le vio Sinaí.
¡Ay entonces del que haya perdido
de esa sangre el divino tesoro!
Yo, Señor, tus piedades imploro:
yo pequé, ¡desgraciado de mí!

(HARTZENBUSCH.)

Las estrellas en torno se apagan,
se colora de rosa el Oriente
y la sombra se oculta a Occidente
y a las nubes lejanas del Sur;
y del Este en el vago horizonte,
que confuso mostrábase y denso,
se alza pórtico espléndido, inmenso,
de oro, púrpura, fuego y azul.
¡Cómo lucen las olas serenas
de tu ardiente fulgor inundadas!
¡Cuál sonriendo las velas doradas
tu venida saludan, oh sol!
Tuyas son las llanuras, tu fuego
de verdura las viste y de flores,
y sus brisas y blandos olores
feudo son de tu noble poder.

M

¡Sol! Mis votos humildes y puros
de tu luz en las alas envía
al Autor de tu vida y la mía,
al Señor de los cielos y el mar.

(D. J. M. HEREDIA.)

El verso de *once sílabas* o *endecasílabo,* llamado también verso *heroico, italiano* y *de soneto,* lleva su acento final en la *décima* sílaba; debe también tener acentuada la *sexta,* y si no, la *cuarta* y *octava.* Así es que no todo grupo de palabras que sumen once sílabas formará verso endecasílabo, sino solo los que traigan acentuadas las sílabas sexta y décima, cuarta, octava y décima.

VERSOS DE ONCE SÍLABAS

Cúbrese el rojo sol del pardo velo,
el viento helado al turbio mar azota,
su verde ropa deja el triste suelo,
comenzando el invierno su derrota;
mas aparece el sol y aclara el cielo,
cesa el viento, el mar calla, el suelo brota
su alcatifa de flores lisonjera
en mostrando su faz la primavera.

(HOJEDA.)

Yo quiero, mi Fernando, obedecerte
y en cosas leves discurrir contigo,
como quien de las graves se divierte;
por lo cual será bien que las que digo
no salgan fuera del distrito nuestro,
que al fin van de un amigo al otro amigo.
Y no soy tan soberbio ni tan diestro
en dar preceptos, ni advertir enmiendas,
que aspire a proceder como maestro.

(B. L. ARGENSOLA.)

Se llaman versos *sáficos* los endecasílabos que, teniendo acentuadas la cuarta, octava y décima sílabas, llevan *cesura* en la *quinta.* A cada tres sáficos suele juntarse un verso de cinco sílabas, al cual entonces se le da el nombre de *adónico.*

VERSOS SÁFICOS

Vuela al ocaso, busca otro hemisferio,
baje tu llama al piélago salobre,
délfico numen, y a tu luz suceda
pálida noche.
Manto de estrellas el Olimpo vista,
su gala oculten pájaros y flores,
sombras y nieblas pavorosas cubran
valles y montes.

(FR. DIEGO GONZÁLEZ.)

Hija de Ares, belicosa *fuerza,*
mitra de oro tus cabellos ciñe:
diosa potente, en la estrellada cumbre
moras de Olimpo.

Salud, oh reina: concedió a ti sola
poder inmenso la vetusta parca,
para que el cetro universal temido
rija tu mano.
Y tú encadenas con robustos lazos
mares y tierras al imperio tuyo,
y así dominas, de temor segura,
pueblos y reyes.
El tiempo mismo que ligero vuela
y corta el hilo de la humana vida,
no te conmueve, y al tocarte exhala
plácido aliento.
Porque tú sola los varones crías
armipotentes en la lid sañosa,
como de espinas Démeter fecunda
cubre los campos.

(ERINA DE LESBOS.—*Trad. de Menéndez y Pelayo.)*

Los versos de *doce sílabas* o de *arte mayor* son bipartitos, y se componen de dos hemistiquios de *seis* sílabas; tienen sus acentos necesarios en las sílabas *quinta* y *undécima.*

VERSOS DE DOCE SÍLABAS

A vos el apuesto—complido garzón,
asmándovos grato—la péñola mía,
vos face omildosa—la su cortesía
con metros polidos—vulgares en son;
ca non era suyo—latino sermón
trovar, e con ese—decirvos loores:
calonges e prestes—que son sabidores
la parla vos fablen—de Tulio e Marón.
Por ende sin tanto—la suerte me da,
magüer que vos diga—román paladino,
fiducia me viene—que lueñe e vecino
la gen acuciosa—mi carta verá:
e vuesas faciendas,—que luego dirá
gravedosa historia—por modo sotil,
serán de Castilla—mil eras e mil,
membranza placiente—que non finará.

(L. F. MORATÍN.)

Yo tiemblo a tus iras, cual grímpola leve,
que azotan los vientos en golfo profundo:
si truenas me escondo; mi pie no se mueve,
cual si desquiciases los ejes del mundo.
Yo al rayo que lanzas, distingo tu ceño
rasgando los lutos que esconde la esfera;
que entonces el hombre recuerda del sueño,
y el bronce del pecho se ablanda cual cera.
Si escucho a los euros rugir tempestades,
conozco que agitas las orlas del manto,
y el soplo produces que arranca ciudades
y allana los montes, Dios fuerte, Dios santo.
Si viertes la copa de airados furores
do el rey de los astros sus vuelos encumbra,
será mancha enorme de opacos colores,
final esqueleto del sol que hoy alumbra.

Sin hombres la tierra sus ámbitos solos
verá si te olvida con ciego idolismo;
si miras con ceño, vacilan los polos;
si el brazo levantas, ya todo es abismo.

(AROLAS.)

No hay, en rigor, versos castellanos de *trece* sílabas; los ejemplos que se citan son más bien versos de *catorce* con el primer hemistiquio agudo, o grave terminado en sílaba que forma sinalefa con la palabra inicial del hemistiquio siguiente, y con acentos en la *sexta* sílaba y en la *penúltima*. Véase, en comprobación de este aserto, la fábula que presenta Iriarte como modelo de versos de trece sílabas:

LA CAMPANA Y EL ESQUILÓN

En cierta catedral una Campana había
que solo se tocaba algún solemne día.
Con el más recio son, con pausado compás,
cuatro golpes o tres, solía dar no más.
Por esto, y ser mayor de la ordinaria marca,
celebrada fue siempre en toda la comarca.
Tenía la ciudad en su jurisdicción
una aldea infeliz de corta población,
siendo su parroquial una pobre iglesita,
con chico campanario, a modo de una ermita.
Y un rajado Esquilón, pendiente en medio de él,
era allí quien hacía el principal papel.
A fin de que imitase aqueste campanario
al de la catedral, dispuso el vecindario
que despacio, y muy poco, el dichoso Esquilón
se hubiese de tocar solo en tal cual función;
y pudo tanto aquello en la gente aldeana,
que el Esquilón pasó por una gran campana.
Muy verosímil es, pues que la gravedad
suple en muchos así por la capacidad.
Dígnanse rara vez de desplegar sus labios,
y piensan que con esto imitan a los sabios.

(IRIARTE.)

Los versos de *catorce* sílabas o *alejandrinos* son también bipartitos o intercisos y constan de dos hemistiquios de *siete* sílabas; llevan necesariamente acentuadas las sílabas *sexta* y *decimotercia*. Se los llama *alejandrinos* por hallarse escrito en estos versos el antiguo *Poema de Alejandro Magno,* compuesto por Juan Lorenzo Segura.

VERSOS DE CATORCE SÍLABAS

Quiero leer un libro—de un rey noble pagano,
que fue de grant esforcio,—de corazón lozano,
conquistó todel mundo,—metiólo so su mano;
terné, selo compliere,—que soe bon escribano.

(J. L. SEGURA.)

Yo maestro Gonzalvo,—de Berceo nomnado,
iendo en romería—caecí en un prado,
verde e bien sencido,—de flores bien poblado,
logar cobdiciaduero—para ome cansado.
Daban olor sobeio—las flores bien olientes,
refrescaban en ome—las caras e las mientes,
manaban cada canto—fuentes claras corrientes,
en verano bien frías,—en yvierno calientes.
Avie hy grand abondo—de buenas arboledas,
milgranos e figueras—peros e manzanedas
e muchas otras frutas—de diversas monedas;
mas non avie ningunas—podridas nin acedas.
La verdura del prado,—la olor de las flores,
las sombras de los árboles—de temprados sabores
refrescáronme todo—e perdí los sudores,
podrie vevir el ome—con aquellos olores.

(BERCEO.)

LA PARIETARIA Y EL TOMILLO

Yo leí no sé dónde que en la lengua herbolaria
saludando al Tomillo la hierba Parietaria,
con socarronería le dijo de esta suerte:
"Dios te guarde, Tomillo: lástima me da verte;
que aunque más oloroso que todas estas plantas,
apenas medio palmo del suelo te levantas."
El responde: "Querida, chico soy, pero crezco
sin ayuda de nadie. Yo sí te compadezco;
pues por más que presumas, ni medio palmo puedes
medrar, si no te arrimas a una de esas paredes."
Cuando veo yo algunos que de otros escritores
a la sombra se arriman, y piensan ser autores
con poner cuatro notas, o hacer un prologuillo,
estoy por aplicarles lo que dijo el Tomillo.

(IRIARTE.)

En las *combinaciones* que pueden hacerse con las diferentes especies de versos y con los de un mismo número de sílabas, deberemos tener presente la *rima* como un elemento importantísimo y casi esencial de nuestra métrica. La rima se divide en *consonancia* o rima perfecta, y *asonancia* o rima imperfecta.

Consonancia es la *igualdad* de todas las letras en que terminan dos o más palabras, a contar desde la vocal acentuada.

Son consonantes: aq*uí*, borceg*uí*, s*í*, escrib*í*; r*ed*, merc*ed*, ust*ed*, precav*ed*; ac*ero*, caball*ero*, hi*ero*, esp*ero*, fu*ero*; *alba*, *calva*, m*alva*, s*alva*; h*ijo*, f*ijo*, corr*ijo*, d*ijo*; *ola*, vi*ola*, amap*ola*, esp*añola*, trem*ola*; n*ube*, quer*ube*, t*uve*, and*uve*; an*álogo*, cat*álogo* dec*álogo*, di*álogo*; l*írico*, sat*írico*, emp*írico*, paneg*írico*; *émulo* tr*émulo*.

Para la consonancia se consideran como letras idénticas la *b* y la *v*, la *g* fuerte y la *j*; serán, pues, consonantes: v*ivo* y escr*ibo*, *teje* y prot*ege*.

Asonancia es la *semejanza* de sonido en la terminación de dos o más palabras, a contar desde la vocal acentuada; esta semejanza resulta de la igualdad de las vocales predominantes en la terminación, y juntamente de la diferencia total o parcial en los demás elementos fonéticos. Son vocales predominantes la que lleva el acento y la vocal fuerte *(a, e, o)* no acentuada de la última sílaba. En las palabras esdrújulas no se tiene en cuenta para la asonancia la penúltima sílaba, porque su sonido es muy débil y poco perceptible. Las palabras agudas no pueden asonar con las llanas ni con las esdrújulas; las llanas y las esdrújulas pueden asonar mutuamente.

Por la rima se dividen los versos en *consonantes, asonantes* y *libres*.

Versos *consonantes* son los que tienen igual terminación a partir desde el acento final.

CONSONANTES

Mothé se llama el jefe temer(ario)
que las provincias fértiles ag(osta);
su ejército atrevido y sanguin(ario)
se extiende como nube de lang(osta).
El bárbaro adalid tiene en su p(echo)
de vivo pedernal un triple m(uro);
a su ambición el mundo es muy estr(echo)
y en el mayor peligro está seg(uro).
¡Infeliz aquel blanco que él ac(echa)
en torva lid, al frente de su escu(adra)!
Donde la vista pone, va la fl(echa)
que a las aves encuentra y las tal(adra).

(AROLAS.)

Versos *asonantes* son los que acaban en asonancia o rima imperfecta.

ASONANTES

Tienen las flores
besos del (a)ur(a),
tienen las tardes
nubes de gr(a)n(a);
lirios los valles,
ovas las (a)gu(a)s.
Tiene el insecto
que zumba y v(a)g(a)
cáliz de rosa,
lecho de ac(a)ci(a);
la fuentecilla,
guijas de pl(a)t(a),
que pule y lame
con linfas cl(a)r(a)s;
que el Dios del cielo
con mano l(a)rg(a)
sin sus dulzuras
no dejó n(a)d(a).

(AROLAS.)

Versos *libres* son los que no riman entre sí, es decir, los que no son mutuamente consonantes ni asonantes.

VERSOS LIBRES

De ángeles llena la ciudad augusta
no, frágil mundo, tu rüina teme,
pues tantos dones que ofrecer a Cristo
lleva en su seno.

Cuando el Señor, sobre candente nube.
descienda, y vibre la fulmínea diestra,
y justo pese con igual balanza
todas las gentes.
Delante el Cristo, la cabeza erguida,
prestas del orbe las ciudades todas
irán llevando en azafates de oro
ricos presentes.

(PRUDENCIO.—*Trad. de Menéndez y Pelayo.)*

REGLAS PARA EL BUEN USO DE LA RIMA.—No se prodigarán los consonantes muy vulgares o abundanciales, a cuyo número pertenecen los en *ado, ido, oso, osa, ía, ante ente,* etc., ni se buscarán los muy raros, ásperos o desusados. Las últimas palabras del verso deben ser ordinariamente las de mayor importancia ideológica. Los homónimos puede rimar entre sí; pero convendrá evitar su empleo. No se emplearán más de tres consonantes seguidos, y ni aun tres, a no ser en determinadas combinaciones métricas. Ni aun interpolados con otros, deberán usarse por lo común más de cuatro consonantes concertando entre sí. Se buscará toda la variedad posible en los distintos consonantes. Usado un consonante, no volverá a emplearse si no media suficiente distancia. Nunca deberán asonar entre sí los diversos consonantes. En cuanto al uso de los asonantes, se advertirá que, elegido un asonante, debe seguirse en toda la composición, excepto en las seguidillas; y que en los poemas en asonantes la rima perfecta es un defecto. Los versos libres que se intercalan en la silva, en los romances y en algunas estrofas líricas deben ser enteramente libres, es decir, que no rimarán con ninguno de los versos próximos que los precedan, ni con ninguno de los que inmediatamente los sigan.

HOMÓNIMOS CONSONANTES

Que tan excelsa (llama)
a nueva gloria y resplandor te (llama).

(RIOJA.)

El tiempo nos convida
a los estudios nobles; y la fama,
Grial, a la subida
del sacro monte (llama)
do no podrá subir la postrer (llama).

(FR. LUIS DE LEÓN.)

Que si el pensamiento (mira)
un sujeto levantado,
contémplalo, y se retira;
por no ser caso acertado
poner tan alto la (mira).

(CERVANTES.)

Combinación defectuosa e inarmónica por asonar entre sí los diversos consonantes:

La juventud rom(ana)
no fue por tales padres engendr(ada),
cuando de la afric(ana)
gente dejó la mar ensangrent(ada).

(QUEVEDO.)

¡Oh!, suene de cont(ino),
Salinas, vuestro son en mis o(ídos),
por quien al bien div(ino)
despiertan los sent(idos),
quedando a lo demás amortec(idos).

(FR. LUIS DE LEÓN.)

Tú, Señor, que no sufres que tu gloria
usurpe quien su fuerza osado est(ima),
prevaleciendo en vanidad y en (ira);
este soberbio m(ira)
que tus aras afea en su victoria;
no dejes que los tuyos así opr(ima).

(HERRERA.)

Los versos se acomodarán en su fluidez y movimiento a la naturaleza del asunto y de las cosas, ideas y afectos que deban expresar.

Todo verso en sí propio llevar debe
su compás, sus reposos, su cadencia;
y ya grave, ya leve,
en fácil giro, lento o presuroso,
aspire artificioso
a imitar con su número y acentos
los varios movimientos;
ora rápido y vivo
al ciervo fugitivo,
ora acompañe lento y sosegado
al tardo buey con el fecundo arado.
Con plácidos acentos
y dulce melodía
nos retrata los tiernos sentimientos,
la blanda paz y cándida alegría:
si pinta a la apacible primavera,
aspira a remedar con el sonido
del arroyuelo el plácido murmullo,
del cordero el balido,
y de amorosa tórtola el arrullo;
mas si del crudo invierno
nos describe el horror, ya nos parece
que escuchamos rugir el ronco viento,
las ondas y el bramido
del Ponto embravecido
y al horrísono trueno,
que en las cóncavas bóvedas rodando,
del mar retumba en el profundo seno.

Se cuidará esmeradamente del número y armonía de los versos.

Al músico y cantor no ceda el vate
en estudiar con ansia noche y día
el mágico poder de la armonía;
que una voz, una sílaba, un acento,
si ingrato suena en importuno sitio,
desluce el más gallardo pensamiento.
Tanto con arte entrelazar importa
en apacible unión las varias voces;
y evitando los ásperos finales,
los ecos repetidos,
monótonos, iguales,
halagar dulcemente los oídos.

Haya oportunidad y arte en el empleo de la armonía imitativa. Los lectores descubren fácilmente los descuidos y desaciertos de un mal poeta.

El público sagaz fácil advierte
que aun sus mismos aciertos son debidos
a los ciegos caprichos de la suerte;
y que al acaso vano
arrojaba las voces el poeta,
cual suele el labrador el rubio grano.
Así tal vez con dulce melodía
canta el sangriento Marte y sus horrores;
y al ronco son de la guerrera trompa
al céfiro meciéndose en las flores.
¿Celebra por ventura en altos himnos
de regio triunfo la solemne pompa?
Ya un verso vil, cual barro mal tostado,
con su menguado son llega al oído;
ya ingrato suena, ronco y destemplado,
como roto broquel de hierro herido;
ora con grave carga andar parece,
como lenta tortuga perezosa;
ora que flojo, lánguido, adolece
de eterna fiebre y ni aun moverse osa;
si es que tal vez no intenta, cual Vulcano,
con el pie desigual correr ligero;
aunque, al mirarle, con coro placentero
las Musas rían de su esfuerzo vano.

Los poetas noveles deberán leer sus versos a un crítico imparcial, que los lime y corrija.

Oh jóvenes, buscad un juez severo,
un crítico imparcial, que no dé indulto
al raquítico verso mal nacido,
al bajo, al torpe, al áspero, al inculto;
y con pluma tremenda
a corrección o muerte los condene,
por más que vuestro orgullo los defienda.

Nunca se sacrificará el pensamiento a la ley del metro, ni al deleite del oído.

Mas si con largo afán dais a los versos
el fino temple de metal sonoro,
la tersa faz y el nítido bruñido
que lucir suelen el marfil y el oro,
hermanad el deleite del oído
con la austera razón: ni al grato acento
sacrifiquéis jamás el pensamiento.

Sin excusa se desechará todo ripio. Se llaman *ripios* las palabras impertinentes y expresiones ociosas con que se rellenan los versos para darles cabal medida, o satisfacer a la ley de la rima.

Si de inútiles voces recargados
completan vuestros versos su mensura,
¿qué vale la cadencia, la dulzura
de sus vanos sonidos concertados?
La voz más armoniosa,
si fuerza o gracia a la expresión no añade,
desluce el verso ociosa;
no así la que procura,
cual solícita abeja laboriosa,
unir la utilidad con la dulzura.

No haya afectación, sino espontaneidad, en el empleo de las palabras.

A par del fino oído
severa es la razón:
exige que las voces armoniosas,
para pintar la imagen clara y viva,
se ofrezcan voluntarias, oficiosas.

La razón deberá siempre dirigir a la imaginación, no dejándose nunca avasallar, sino venciendo y dominando las exigencias del metro y de la rima.

Así la rima halaga y lisonjea
fácil, grata, obediente;
no si pretende, altiva,
el sentido a su yugo encadenando,
ostentarse tirana, no cautiva.
Luzca el arte en buen hora
del metro, la cadencia y la armonía
la música sonora,
y hasta la rima añada
su dulcísima fuerza encantadora;
mas siempre en vuestras obras respetada
la severa razón, muéstrense en ellas
todos esclavos, la razón señora.

La diversidad de las *combinaciones métricas* o *estrofas* depende de la clase y número de versos que se mezclan en ellas y de la manera de disponer la rima.

Las principales combinaciones métricas españolas, más admitidas y autorizadas por el uso de excelentes poetas, son: los *pareados, tercetos, cuartetos, quintillas, liras, sextinas, seguidillas, octavas, décimas, coplas de arte mayor, sonetos,* la *silva,* los *romances menor, octosílabo* y *mayor* o *heroico,* las *endechas* y el verso *suelto, libre* o *blanco.*

Llámanse *pareados* dos versos juntos y con igual consonante. Pueden ser del mismo o diferente número de sílabas; pero son los que más se usan los endecasílabos, solos o mezclados con los de siete sílabas.

PAREADOS

Aunque se vista de seda
la mona, mona se queda.
El refrán lo dice así,
yo también lo diré aquí; etc.

(IRIARTE.)

Yo aquel que en los pasados
tiempos canté las selvas y los prados,
estos vestidos de árboles mayores
y aquellas de ganados y de flores;
las armas y las leyes,
que conservan los reinos y los reyes;
ahora en instrumento menos grave
canto de amor süave
las iras y desdenes,
los males y los bienes, etc.

(LOPE DE VEGA.)

El *terceto,* cuando se emplea solo, es una combinación métrica que consta de tres versos, consonando dos de ellos y quedando libre el primero o el segundo; si los versos son menores, se los suele llamar *tercerilla.* En composiciones largas, los *tercetos* son estrofas de tres versos endecasílabos y consonantes, de los cuales rima el primero con el tercero; el segundo concierta con el primero y último del terceto siguiente; y se continúa el mismo artificio hasta la conclusión, en la que se añade un verso concertado con el segundo del último terceto, con el cual forma un cuarteto para no dejar un verso sin consonante.

TERCERILLAS

Harta de paja y cebada,
una mula de alquiler
salía de la posada:
y tanto empezó a correr,
que apenas el caminante
la podía detener, etc.

(IRIARTE.)

Aquí enterraron de balde
por no hallarle una peseta...
—No sigas, era poeta.

TERCETOS

¿Es por ventura menos poderosa
que el vicio la virtud? ¿Es menos fuerte?
No la arguyas de flaca y temerosa.
La codicia en manos de la suerte
se arroja al mar; la ira, a las espadas;
y la ambición ríe de la muerte.
¿Y no serán siquiera tan osadas
las opuestas acciones, si las miro
de más ilustres genios ayudadas?

Ya, dulce amigo, huyo y me retiro
de cuanto simple amé; rompí los lazos;
ven y verás al alto fin que aspiro,
antes que el tiempo muera en nuestros brazos.

(RIOJA.)

Cuarteto es una combinación métrica que consta de cuatro versos, que ordinariamente son endecasílabos, consonantes el primero con el cuarto y el segundo con el tercero; o también el primero con el tercero y el segundo con el cuarto, y entonces se llama serventesio. Se pueden escribir cuartetos en versos iguales de cualquier número de sílabas; a los de ocho se los suele llamar *cuartetas, cuartillas* o *redondillas.*

CUARTETOS

Aquí yacen de Carlos los despojos;
la parte principal volvióse al cielo,
con ella fue el valor; quedóle al suelo
miedo en el corazón, llanto en los ojos.

(FR. LUIS DE LEÓN.)

En el fuego se prueba la fragancia
del incienso de Arabia delicioso;
y en las tribulaciones, la constancia
del varón esforzado y animoso.
Si el niño se entretiene recreando
su oído con la rima sonorosa,
muestra buen natural, corazón blando,
índole delicada y generosa.
Alma sublime tienes si divisas
postrado a tu enemigo, y a tus plantas,
y suspendes tu marcha, y no le pisas,
y la mano le das, y le levantas.
El osado, en la lid prueba su arrojo
buscando con furor al enemigo;
el sabio se conoce en el enojo,
y en la necesidad el buen amigo.

(AROLAS.)

CUARTETAS

Manso cordero ofendido,
puesto en una cruz por mí,
que mil veces os vendí
después que fuisteis vendido:
dadme licencia, Señor,
para que, deshecho en llanto,
pueda en vuestro rostro santo
llorar lágrimas de amor.
¿Es posible, vida mía,
que tanto mal os causé?
¿Que os dejé? ¿Que os olvidé,
ya que vuestro amor sabía?
Tengo por dolor más fuerte
que el veros muerto por mí,
el saber que os ofendí
cuando supe vuestra muerte.
Que antes que yo la supiera,
y dolor tanto os causara,
alguna disculpa hallara,
pero después no pudiera.
¡Ay de mí, que sin razón
pasé la flor de mis años
en medio de los engaños
de aquella ciega afición!
¡Qué de locos desatinos
por mis sentidos pasaron,
mientras que no me miraron,
Sol, vuestros ojos divinos!
Lejos anduve de Vos,
hermosura celestial,
lejos y lleno de mal,
como quien vive sin Dios.
Mas no me haber acercado
antes de ahora sería
ver que seguro os tenía,
porque estábades clavado.
Pero ¿qué fuera de mí
si me hubiérades llamado
en medio de mi pecado
al tribunal que ofendí?
Bendigo vuestra piedad,
pues me llamáis a que os quiera,
como si de mí tuviera
vuestro amor necesidad.
¿Para qué puedo importaros,
si soy lo que Vos sabéis?
¿Qué necesidad tenéis?
¿Qué cielo tengo que daros?

(LOPE DE VEGA.)

Del sol a la luz hermosa
brillan lanzas muy agudas;
bate el aura procelosa
las cimeras penachudas.
Forman polvorosa nube
los cascos de los trotones;
del clarín el eco sube
por las célicas regiones.
Y los pechos no sosiegan,
que crece en la detención
sed de lauros, que se riegan
con sangre del corazón.
De nobles va acompañado
don Carlos sobre un overo;
y distínguese a su lado,
por joven, un caballero,
que a un tordo rodado hostiga
con tal brío y tal fiereza,
que no hay nadie que no diga
que es flor de la gentileza.

(AROLAS.)

Quintilla es una estrofa de cinco versos octosílabos, rimados con dos consonantes combinados al arbitrio del poeta; pero no deberán concertar los dos últimos versos ni tres seguidos.

QUINTILLAS

Madrid, castillo famoso,
que al rey moro alivia el miedo,
arde en fiestas en su coso
por ser el natal dichoso
de Alimenón de Toledo.
Añafiles y atabales
con militar armonía,
hicieron salva y señales
de mostrar su valentía
los moros más principales.
No en las vegas de Jarama
pacieron la verde grama
nunca animales tan fieros,
junto al puente que se llama
por sus peces los Viveros,
como los que el vulgo vio
ser lidiados aquel día;
y en la fiesta que gozó,
la popular alegría
muchas heridas costó.
Sobre un caballo alazano,
cubierto de galas de oro,
demanda licencia urbano,
para alancear un toro,
un caballero cristiano.
Crece la algazara, y él,
torciendo las riendas de oro,
marcha al combate cruel,
alza el galope, y al toro
busca en sonoro tropel.
El bruto se le ha encarado
desde que lo vio llegar,
de tanta gala asombrado,
y alrededor le ha observado
sin moverse de un lugar.
Pero ya Rodrigo espera
con heroico atrevimiento;
el pueblo mudo y atento;
se engalla el toro y altera
y finge acometimiento,
la arena escarba ofendido,
sobre la espalda la arroja
con el hueso retorcido,
el suelo huele y le moja
con ardiente resoplido;
la cola inquieto menea,
la oreja diestra mosquea,
vase retirando atrás,
para que la fuerza sea
mayor y el ímpetu más.

(N. F. Moratín.)

Lira es una estrofa de cinco versos: son endecasílabos el segundo y el quinto, y de siete sílabas los restantes; y riman el primer verso con el tercero, y los otros tres con distinto consonante. También se ha dado el nombre de *liras* a las estrofas de cuatro o de seis versos de dichas sílabas, diferentemente concertados; a las de mayor número de versos se las llama *estancias.*

LIRAS

Mil gracias derramando
pasó por estos sotos con presura;
y yéndolos mirando,
con solo su figura
vestidos los dejó de su hermosura.

(San Juan de la Cruz.)

Si de mi baja lira
tanto pudiese el son, que en un momento
aplacase la ira
del animoso viento,
y la furia del mar y el movimiento;
y en ásperas montañas
con el süave canto enterneciese
las fieras alimañas,
los árboles moviese,
y al son confusamente los trajese...

(Garcilaso.)

Sextina o *sexta rima* es la octava real sin sus dos primeros versos. Úsase muy poco.

SEXTINAS

La Rana y la Gallina

Desde su charco una parlera Rana
oyó cacarear a una Gallina.
—Vaya—le dijo—, no creyera, hermana,
que fueras tan incómoda vecina.
Y con toda esa bulla, ¿qué hay de nuevo?
—Nada, sino anunciar que pongo un huevo.
—¿Un huevo solo? ¡Y alborotas tanto!
—Un huevo solo; sí, señora mía.
¿Te espantas de eso, cuando no me espanto
de oírte cómo graznas noche y día?
Yo, porque sirvo de algo, lo publico;
tú, que de nada sirves, calla el pico.

(Iriarte.)

La *seguidilla* consta de siete versos, distribuidos en esta forma: primero hay un cuarteto asonantado en los versos pares, que son de cinco sílabas, mientras que van libres los impares, que son de siete; y después, un terceto, cuyo primero y tercer versos tienen cinco sílabas y van concertando con asonante distinto del anterior; el sexto verso es heptasílabo y queda libre. También pueden escribirse en versos consonantes.

SEGUIDILLAS

La Zorra y el Busto

Dijo la Zorra al Busto,
después de olerlo:
—Tu cabeza es hermosa,
pero sin seso.
Como este hay muchos,
que, aunque parecen hombres,
solo son bustos.

(Samaniego.)

La *octava real* es una estrofa que consta de ocho endecasílabos, de los cuales riman el primero con el tercero y el quinto; el segundo con el cuarto y el sexto, y el séptimo con el octavo. Se pueden hacer también octavas endecasílabas con las rimas cruzadas de distinto modo y octavillas en versos de cualquier metro.

OCTAVAS REALES

Retrato de Cortés

Cortés, el gran Cortés... ¡Divina Clío,
tu alto influjo mi espíritu levante!
¿Quién jamás tuvo objeto como el mío,
ni tan glorioso capitán triunfante?
¡Con qué aspecto real y señorío
se presenta a su ejército delante!
¡Oh, qué valor ostenta y qué nobleza!
¡Y cuánta heroicidad y gentileza!
Deslumbra la finísima celada,
cual fúlgido cristal resplandeciente,
con plumajes y airón empenachada,
que el céfiro halagaba mansamente;
banda le cruza el pecho, recamada
con oro y perlas de la mar de Oriente;
pende la espada a la siniestra parte,
ministra de las cóleras de Marte.
La gruesa lanza istriada y rebutida
de barras de metal, lleva en la cuja,
y un pendoncillo o banderilla asida
que bordó con primor sutil aguja;
y al encuentro y veloz arremetida
hace corriendo que al impulso cruja,
cuando con duro y resonante callo
embiste el hermosísimo caballo.
El soberbio animal la crin extiende,
como quien sabe el dueño que pasea;
con agudo relincho el aire enciende
e indómito y ufano se pompea.
En cuanto, ¡oh Betis!, tu raudal comprende
por los fértiles campos que rodea,
animal no se vio de igual figura;
ni en tal ferocidad, tanta hermosura.

(N. F. MORATÍN.)

Hay, además, otras octavas llamadas *italianas,* que se escriben en versos iguales de cualquier metro, divididas en dos cuartetos y consonando ordinariamente el segundo verso con el tercero y el sexto con el séptimo, llanos los cuatro; el primero y el quinto son llanos o esdrújulos y quedan libres o conciertan los dos; el cuarto y el octavo son agudos y riman entre sí.

OCTAVILLAS ITALIANAS

Cuando en la noche sombría,
con la luna cenicienta,
de un alto reloj se cuenta
la voz que dobla a compás;
si al cruzar la extensa plaza
se ve en su tarda carrera
rodar la mano en la esfera,
dejando un signo detrás;
se fijan allí los ojos,
y el corazón se estremece,
que, según el tiempo crece,
más pequeño el tiempo es;
que va rodando la mano
y la existencia va en ella,
y es la existencia más bella
porque se pierde después.
Aquel misterioso círculo,
de una eternidad emblema,
que está como un anatema
colgado de una pared,
rostro de un ser invisible
en una torre asomado,
del gótico cincelado
envuelto en la densa red,
parece un ángel que aguarda
la hora de romper el nudo
que ata el orbe, y cuenta mudo
las horas que ve pasar;
y avisa al mundo dormido
con la punzante campana
las horas que habrá mañana
de menos al despertar.

(JOSÉ ZORRILLA.)

M

Décima o *espinela* es una estrofa cuyo inventor fue don Vicente Espinel, y consta de diez versos octosílabos, consonando el primero con el cuarto y quinto; el segundo con el tercero; el sexto y séptimo con el décimo, y el octavo con el noveno. En la espinela debe procurarse que el sentido exija punto, dos puntos o, al menos, coma, al fin del cuarto verso. Esta artificiosa combinación es muy adecuada para los asuntos festivos por su giro y corte especial y también para los muy reflexivos y conceptuosos.

DÉCIMAS

Admiróse un portugués
de ver que en su tierna infancia
todos los niños en Francia
supiesen hablar francés.
—Arte diabólica es
—dijo, torciendo el mostacho—
que para hablar el gabacho
un fidalgo en Portugal,
llega a viejo y lo habla mal;
y aquí lo parla un muchacho.

(L. F. MORATÍN.)

Compónense también las *décimas* de otros modos como *dos quintillas enlazadas.*

Que siempre lastime y hiera
mi estilo en prosa y en verso,
culpas, Lupo; mas espera;
si tú no fueras perverso,
di, ¿satírico yo fuera?
Hablar bien de la codicia,
disolución y malicia,
fuera calumnia mortal;
hablar mal del que obra mal,
Lupo, es hacerle justicia.

(FORNER.)

Copla de arte mayor es una combinación métrica que consta de ocho versos de arte mayor o de doce sílabas, concertando comúnmente el primero, cuarto, quinto y octavo con un mismo consonante, casi siempre agudo; el segundo y el tercero con otro llano, y el sexto y séptimo con otro. Caben también en estas coplas diferentes combinaciones. Suelen llevar una pausa o interrupción del sentido al fin del cuarto verso.

COPLA DE ARTE MAYOR

A ti, Diego Pérez Sarmiento, leal
cormano, e amigo, e firme vasallo,
lo que a los míos omes de cuita les callo,
entiendo decir plañendo mi mal;
a ti, que quitaste la tierra e cabdal,
por las mías faciendas en Roma e allende,
mi péndola vuela, escóchala dende,
ca grita doliente con fabla mortal.

(DON ALFONSO EL SABIO.)

Al *soneto* lo consideramos ahora como una *combinación métrica,* y después como *composición poética.* El soneto como *combinación métrica* es una estrofa que consta de catorce versos endecasílabos, distribuidos en dos cuartetos y dos tercetos. Consuenan en los cuartetos el primer verso con el cuarto y el quinto y con el octavo; el segundo concierta con el tercero y el sexto, y con el séptimo. En los tercetos se combinan dos o tres consonantes distintos, al arbitrio del poeta. Algunos sonetos tienen *estrambote,* que es una adición de dos o tres versos, uno de ellos heptasílabo, según se ve en el de Cervantes al túmulo elevado en las honras fúnebres de Felipe II.

SONETO

Un soneto me manda hacer Violante,
y en mi vida me he visto en tal aprieto:
catorce versos dicen que es soneto;
burla burlando van los tres delante.
Yo pensé que no hallara consonante,
y estoy a la mitad de otro cuarteto;
mas si me veo en el primer terceto,
no hay cosa en los cuartetos que me espante.
Por el primer terceto voy entrando,
y aún parece que entré con pie derecho,
pues fin con este verso le voy dando.
Ya estoy en el segundo y aún sospecho
que estoy los trece versos acabando:
contad si son catorce, y está hecho.

(LOPE DE VEGA.)

SONETO CON ESTRAMBOTE

¡Vive Dios que me espanta esta grandeza,
y que diera un doblón por describilla!
Porque ¿a quién no suspende y maravilla
esta máquina insigne, esta riqueza?
Por Jesucristo vivo, cada pieza
vale más de un millón, y que es mancilla
que esto no dure un siglo, ¡oh gran Sevilla,
Roma triunfante en ánimo y nobleza!
Apostaré que el ánima del muerto,
por gozar de este sitio, hoy ha dejado
el cielo de que goza eternamente.
Esto oyó un valentón y dijo: "Es cierto
cuanto dice voacé, seor soldado,
y quien dijere lo contrario, miente."
Y luego, incontinente,
caló el chapeo, requirió la espada,
miró al soslayo, fuese y no hubo nada.

(CERVANTES.)

Silva es una combinación métrica que no consta de un número determinado de versos, en la que se combinan libremente los de siete y de once sílabas, sin regularidad ninguna, ni en cuanto a su respectiva colocación, ni en cuanto al modo de concertar los consonantes; admitiendo versos libres, pero no asonantes.

SILVA

Fonseca, ya las horas
del invierno aterido,
aunque tarde, se fueron;
y su vez agradable permitieron
al céfiro florido.
Ya el verano risueño
nos descubre su frente,
de rosas y de púrpura ceñido.
Remite el aire al desabrido ceño,
y el sol libra sus rayos
de las nubes oscuras.
Y con luces más vivas y más puras
regalando la nieve,
al blanco pie de los parados ríos
las prisiones de hielo alegre quita,
y su antiguo correr les solicita.
Viste de hierba el suelo,
y de verdor lozano
frentes que desnudara el cierzo cano.
En la copia de flores que aparece
por los troncos desnudos
que rara y breve hoja cubre apenas,
esperanzas ofrece

del rústico al sudor; premio mal cierto,
bien que sabroso engaño,
de los frutos que espera
en el copioso ramo y en la era.

(RIOJA.)

Lo mismo que el soneto, puede ser considerado el *romance* como *composición poética* y como *combinación métrica*. En este sentido consta de un número indeterminado de versos de igual medida, quedando los impares libres, y concertando con un mismo asonante los pares. Cuando se compone de versos de menos de ocho sílabas, se llama *romance menor;* si es de versos de ocho sílabas, se llama *romance octosílabo* o simplemente *romance;* y si se compone de endecasílabos, se denomina *romance mayor* o *heroico*.

ROMANCES

Romancillo de cuatro sílabas

A una mona
muy taimada
dijo un día
cierta urraca:
—Si vinieras
a mi estancia
¡cuántas cosas
te enseñara!
Tú bien sabes
con qué maña
robo y guardo
mis alhajas.
Ven, si quieres,
y veráslas
escondidas
tras de un arca.
La otra dijo:
—Vaya en gracia.
Y al paraje
la acompaña.

Fue sacando
doña urraca
una liga
colorada,
un tontillo
de casaca,
una hebilla.
dos medallas,
la contera
de una espada,
medio peine
y una vaina
de tijeras;
una gasa,
un mal cabo
de navaja,
tres clavijas
de guitarra,
y otras muchas
zarandajas.

(IRIARTE.)

Las *endechas* son coplas de cuatro versos iguales de seis o siete sílabas, asonantados los pares y libres los impares. Pertenecen, por tanto, las endechas al romance menor. Se denomina propiamente endechas a las canciones elegíacas escritas en las expresadas formas métricas. Cuando el cuarto verso es endecasílabo y los tres primeros de siete sílabas, se llaman *endechas reales* o *endecasílabas*.

ENDECHAS

Ya no hay en mi casa,
ya no hay alegría;
el silencio solo
y el dolor la habitan.
Lirios y jazmines
son para mí ortigas,
y es el alba noche,
y la rosa espinas.

(RUIZ DE AGUILERA.)

ENDECHAS REALES

El labrador y la Providencia

Un labrador cansado
en el ardiente estío,
debajo de una encina
reposaba pacífico y tranquilo.
Desde su dulce estancia
miraba agradecido
el bien con que la tierra
premiaba sus penosos ejercicios.
Entre mil producciones,
hijas de su cultivo,
veía calabazas,
melones, por los suelos esparcidos.
"¿Por qué la Providencia
—decía entre sí mismo—
puso a la ruin bellota
en elevado preeminente sitio?
¿Cuánto mejor sería
que, trocando el destino,
pendiesen de las ramas
calabazas, melones y pepinos?"
Bien oportunamente,
al tiempo que esto dijo,
cayendo una bellota
le pegó en las narices de improviso.
"¡Pardiez!—prorrumpió entonces
el labrador sencillo—.
Si lo que fue bellota
algún gordo melón hubiera sido,
desde luego pudiera
tomar a buen partido,
en caso semejante:
quedar desnarigado, pero vivo."
Aquí la Providencia
manifestarle quiso
que supo a cada cosa
señalar sabiamente su destino.
A mayor bien del hombre
todo está repartido;
preso el pez en su concha,
y libre por el aire el pajarillo.

(SAMANIEGO.)

Aunque todo verso no rimado o concertado con otro es verso libre, se llama principalmente *versos libres, sueltos* o *blancos* a los endecasílabos que no llevan rima, esto es, que no son consonantes ni asonantes ninguno de ellos con los versos próximos. Su perfección resulta de su estructura armoniosa y de que no concierten con ninguno de los versos inmediatos ni con sus he-

M

mistiquios, es decir, de que sean enteramente libres, de manera que no perciba el oído ningún género de rima.

VERSOS SUELTOS

¡Ah!, ¡dichoso el mortal de cuyos ojos
un pronto desengaño corrió el velo
de la ciega ilusión! ¡Una y mil veces
dichoso el solitario penitente
que, triunfando del mundo y de sí mismo,
vive en la soledad libre y contento!
Unido a Dios por medio de la santa
contemplación, le goza ya en la tierra.
Regálanle las aves con su canto,
mientras la aurora sale refulgente
a cubrir de alegría y luz el mundo.
Nácele siempre el sol claro y brillante
y nunca a él levanta conturbados
sus ojos, ora en el Oriente raye,
ora del cielo a la mitad subiendo,
en pompa guíe el reluciente carro,
ora con tibia luz, mas perezoso,
su faz esconda en los vecinos montes.
Cuando en las claras noches, cuidadoso,
vuelve desde los santos ejercicios,
la plateada luna en lo más alto
del cielo mueve la luciente rueda
con augusto silencio, y recreando
con blando resplandor su humilde vista,
eleva su razón, y la dispone
a contemplar la alteza y la inefable
gloria del Padre y Criador del mundo.

(JOVELLANOS.)

Se dan otras combinaciones métricas de toda clase de versos enlazados al arbitrio del poeta, siendo su única ley que resulten estrofas agradables al oído y de buen gusto. Los versos de un número impar de sílabas se unen, en general, muy bien con otros de número impar: los de once con los de siete y cinco sílabas, los de siete con los de cinco. Los de un número par de sílabas no se enlazan tan bien con otros de número par, a no ser los de ocho con los de cuatro sílabas, para formar las coplas llamadas de *pie quebrado*.

COPLAS DE PIE QUEBRADO

Recuerde el alma adormida,
avive el seso y despierte,
contemplando
cómo se pasa la vida,
cómo se viene la muerte
tan callando.
Cuán presto se va el placer,
cómo después de acordado
da dolor;
cómo, a nuestro parecer,
cualquiera tiempo pasado
fue mejor.
Y pues vemos lo presente
cómo en un punto se es ido,
y acabado,
si juzgamos sabiamente,
daremos lo no venido
por pasado.

(JORGE MANRIQUE.)

Las estrofas más elegantes son las que resultan de mezclar los versos endecasílabos con los de siete, denominadas *liras* cuando no constan de más de seis versos, y *estancias* cuando son de mayor extensión. En toda composición suelen ser uniformes las estrofas, es decir, que adoptada al principio una forma determinada, suele seguirse hasta el fin, especialmente en las composiciones líricas.

ESTROFA LÍRICA

De la sierra eminente
baja el arroyo undoso,
y tuerce incierto por el valle herboso
en giros mil su plácida corriente.

(CASTRO.)

Observaciones sobre el uso de los versos agudos y esdrújulos.—Los versos llanos son los más frecuentes y regulares de nuestro Parnaso; pero el acertado empleo de los agudos y esdrújulos, unidos con ellos, contribuye a la mayor variedad y armonía de ciertas combinaciones métricas.

METRIFICACIÓN (V. Versificación) (V. Métrica, Arte)

METRO

1. Nombre dado a una o más sílabas de las que forman una de las divisiones del verso.
2. Número de sílabas de que consta un verso.
3. Ley o medida a que los versos se sujetan. (V. *Métrica, Arte.*)

MEXICANA (Literatura)

Como sucedió en las restantes Repúblicas hispanoamericanas, los primeros escritores que se dieron a conocer en México fueron españoles, religiosos, funcionarios o aventureros.

El primer poeta nacido en México fue Francisco de Terrazas—que debió de morir hacia 1583—, alabado por Cervantes en el *Canto a Caliope,* hijo del conquistador español del mismo nombre, autor del poema *Mundo y conquista* y de varias poesías líricas. Sor Juana Inés de la Cruz (1651-1695), que se llamó en el mundo Juana de Asbaje y Ramírez de Santillana, poetisa excepcional y mujer estraordinaria de fama universal. Compuso las comedias *Amar es más laberinto* y *Los empeños de una casa,* y los autos sacramentales *El divino Narciso, El cetro de José* y *San Hermenegildo.* Sus muchas poesías líricas la colocan entre los mejores poetas españoles de su época. P. Diego José Abad (1727-1779)—*Heroica de Deo Deoque Homine carmina*—. P. Francisco Xavier Alegre (1729-1788)—*Alexandriados*, poema—. Rafael Lafinur (1731-1793), nacido en Guatemala—*Rusticatio Mexicana*—. Fray Manuel de Navarrete (1768-1809), autor de letrillas y romances inspirados en Meléndez Valdés. José Manuel Sartorio (1746-1829), lírico seudomístico. Padre José Agustín Castro (1730-1811) —*Triunfo del silencio, Poesías sagradas y humanas*—. P. Anastasio de Ochoa (1783-1833), traductor en verso de Ovidio, Racine, Boileau y Alfieri. Juan de Dios Uribe, Joaquín Velázquez y Cárdenas de León...

México cuenta—exclusivamente por el nacimiento circunstancial—con un dramaturgo de la talla de Juan Ruiz de Alarcón (¿1575?-1639); pero su obra, pese a los esfuerzos de los mejores eruditos mexicanos por *nacionalizarla*, pertenece por completo a España .

La erudición cuenta con figuras insignes: Carlos de Sigüenza y Góngora (1645-1700), que también fue poeta y crítico, investigador de la historia antigua de México, geógrafo, matemático y gran prosista. José de Eguiara—bibliógrafo—, Fray Benito Díaz de Gamarra—filósofo—, José Agustín Aldama—filólogo—, Francisco Xavier Clavijero (1731-1787)—*Historia antigua de México*...

La Independencia mexicana—1810—determina la aparición de una literatura netamente nacional, aun cuando no libre de influencias bien españolas, bien francesas.

Entre los poetas de esta época sobresalen: Manuel Sánchez-Tagle (1782-1847), muy influido por Meléndez Valdés, Quintana, Boileau, La Harpe... Andrés Quintana Roo (1787-1851), el primer cantor de la Revolución con su *Oda al Dieciséis de Septiembre*.

Conviene unir a las corrientes neoclasicistas y a la influencia española a ciertos prosistas mexicanos de esta época. José Joaquín Fernández de Lizardi (1776-1827), que popularizó el seudónimo de "El Pensador Mexicano", autor de una excelente novela picaresca, de muy marcada línea hispana, titulada *El Periquillo Sarmiento*, y de otras novelas—*La Quijotita y su prima, Don Catrín de la Fachenda*—y de muchos cuentos, poesías y artículos periodísticos, más alguna obra teatral. Fray Servando Teresa Mier (1765-1827), autor de la primera historia del movimiento revolucionario. José Miguel Guridi y Alcocer (1763-1828), autor de unas *Memorias* amenas y bien escritas.

Con una influencia netamente española—de Espronceda, Zorrilla, el duque de Rivas, García Gutiérrez, Bécquer—se inicia el Romanticismo mexicano. Figuras sobresalientes en él fueron: Fernando Calderón (1809-1845), poeta y dramaturgo, autor de dramas y comedias: *El torneo, Hermán* o *La vuelta del cruzado, Ana Bolena*. Ignacio Rodríguez Galván (1816-1842), poeta —*Profecía de Guatimoc*—y dramaturgo—*Privado del virrey*—. Manuel Acuña (1849-1873), uno de los líricos románticos más admirables—*Nocturno a Rosario, Ante un cadáver*—y autor del drama *El pasado*. José Rosas Moreno (1838-1873), melancólico y tierno, muy influido por Bécquer. Manuel M. Flores (1840-1885), ardiente, colorista, voluptuoso. Juan de Dios Peza (1852-1910) —*Cantos de hogar*—, de una enorme popularidad. Guillermo Prieto (1818-1884), poeta del pueblo, filólogo, muy apegado al romancero español. Ignacio Manuel Altamirano (1834-1893), poeta y novelista; entre sus relatos mejores están *El Zarco, Clemencia, La Navidad en las montañas*. Ignacio Ramírez el *Nigromante* (1818-1879), José M. Bustillos (1866-1899), Luis J. Ortiz (1832-1894).

En esta generación de románticos conservaron su *tendencia neoclásica:* José Joaquín Pesado (1801-1861) y Manuel Carpio (1781-1860), poetas excelentes, muy conocedores del mejor castellano. Alejandro Arango y Escandón (1821-1883), lírico religioso, discípulo de Fray Luis de León. José Sebastián Segura (1817-1889), traductor de Virgilio, Horacio, Dante, Schiller... Joaquín Arcadio Pagaza (1839-1918), obispo de Veracruz, virgiliano por excelencia. Ignacio Montes de Oca (1840-1921), obispo de San Luis de Potosí, traductor de Teócrito, Bion, Mosco, y autor de muy discretas poesías. José María Vigil (1829-1909), traductor de Persio, Marcial, Petrarca y Schiller. Joaquín Casasús (1858-1916), traductor de Virgilio, Horacio, Catulo y Tibulo.

El romanticismo mexicano contó con muchos narradores, imitadores, en su mayoría, de Walter Scott, Víctor Hugo y Alejandro Dumas. Así: Juan Díaz Covarrubias (1837-1859)—*Gil Gómez el "Insurgente"*—. Florencio M. del Castillo (1828-1863). Luis S. Inclán (1816-1875)—*Astucia* o *Los Hermanos de la Hoja*—. Manuel Payno (1810-1894)—*Los bandidos de Río Frío, El fistol del diablo*—. José T. de Cuéllar, "Facundo" (1830-1894)—*Linterna mágica*—. Angel del Campo, "Micros" (1868-1908)—*Cosas vistas, Cartones*—. Vicente Riva Palacio (1832-1896)—*Monja casada, Virgen y mártir, Martín Garatuza*.

El teatro de esta época presenta dos únicas figuras: Manuel Eduardo Gorostiza (1789-1851), cuya obra es netamente española y corresponde, pues, a la literatura de este país, y José Peón Contreras (1843-1907), discípulo de Zorrilla, buen versificador—*Por el joyel del sombrero*.

Eruditos, historiadores, críticos de este período son: Carlos María Bustamante (1774-1848)—*Cuadro histórico de la Revolución de América, que principió en 1810*—. Lucas Alamán (1792-1853) —*Disertaciones, Historia de México*—. José María Luis Mora (1794-1850)—*México y sus revoluciones*—. Lorenzo de Zavala (1788-1836)—*Ensayo histórico de las revoluciones en México*—. Manuel Orozco y Berra (1818-1881)—*Historia antigua de México*—. Joaquín García Icazbalceta (1825-1894), humanista excepcional, autor de incontables obras de Historia, literatura, crítica y

M

erudición. José Gómez de la Cortina, conde de la Cortina (1799-1860), gran filólogo. José Bernardo Couto—*Diálogo sobre la historia de la pintura en México.*

La aparición de la *Revista Azul*—1894—marca el inicio del modernismo en la literatura mexicana; un modernismo muy francés, con dos mitos: el simbolismo y el parnasianismo.

Entre los mejores poetas del modernismo figuran: Manuel Gutiérrez Nájera (1859-1895), con vetas románticas aún, melancólico y escéptico, primoroso de musicalidad. Manuel José Othón (1858-1906), con una desbordante fuerza de naturaleza casi cósmica—*Poemas rústicos, El himno de los bosques*—. Salvador Díaz Mirón (1853-1928)—*Lascas*—. Amado Nervo (1870-1919), sensual y místico, creyente y escéptico, hondo, melancólico—*El estanque de los lotos, La amada inmóvil, Serenidad, Perlas negras*—. Luis G. Urbina (1868-1934), musical e íntimo—*El corazón juglar, Puesta de sol, El cancionero de la noche serena*—. Enrique González Martínez (1871-1951), "uno de los siete dioses mayores de la lírica mexicana", según Henríquez Ureña, autor de *Los senderos ocultos, La muerte del cisne, Silenter,* y uno de los líricos que primero se rebeló contra la influencia rubeniana. José Juan Tablada (1871), cultivador feliz del *hai-kai* japonés. Efrén Rebolledo (1871-1929), de forma parnasiana y de sensual inspiración. Manuel de la Parra (1878-1930). Alfonso Reyes (1889), además de excelente poeta—*Romances del Río de Enero*—, gran crítico y ensayista. María Enriqueta Camarillo (1875)—*Rincones románticos, Album sentimental.*—Francisco de A. Icaza (1863-1925), gran poeta—*Efímeras, Lejanías, La canción del camino*—y admirable ensayista y crítico. Ramón López Velarde (1888-1921)—*La suave patria, Zozobra*—. Enrique González Rojo (1899-1939), hijo de Enrique González Martínez, autor de *El puerto, Espacio, Viviendas en el mar.*

Entre los poetas actuales, de tendencias muy diversas, figuran: Jaime Torres Bodet (1901)—*El corazón delirante, Canciones, Los días*—. Xavier Villaurrutia (1903), de temática revolucionaria en *Reflejos, Nocturnos* y *Nostalgia de la muerte.* Salvador Novo (1904), original afirmación de regreso del ultraísmo. Bernardo Ortiz de Montellano (1899), irónico y melancólico. José Gorostiza (1901), muy apegado a la tradición española de los siglos XV y XVI. Alfonso Junco (1896), de conmovido y hondo acento religioso en la ortodoxia católica. Miguel M. Lira (1905), que ha sido para el "corrido" mexicano lo que García Lorca para el romance popular español. Carlos Gutiérrez Cruz (1897-1930), que cultivó la temática revolucionaria en un superrealismo excesivo. Manuel Maples Arce (1898), inicador del *estridentismo* en su libro *Urbe.* Efraín Huerta, Octavio Paz, Alberto Quintero, Enrique Guerrero, Jesús Zavala, Ramírez Arriaga, Esperanza Zambrano, Caridad Braco Adams...

En la prosa destacan—además de muchos de los poetas mencionados, como Nájera, Nervo, Urbina...—: Carlos Díaz Dufoo (1861-¿?), cuentista y dramaturgo. Manuel Flores (1853-1924). Manuel Puga y Cal (1860-1930). Rafael Delgado (1853-1914), imitador de José María de Pereda en sus novelas de costumbres *La calandria, Los parientes ricos* y *Angelina.* José López Portillo y Rojas (1850-1923), novelista—*La parcela*—. Emilio Rabasa (1856-1930), autor de las novelas *La bola, La gran ciencia, El cuarto poder* y *Moneda falsa.* Federico Gamboa (1864-1939), autor de las novelas *Suprema ley, Santa, Metamorfosis, La llaga, Reconquista...*

Fueron eruditos e historiadores excelentes: Justo Sierra (1848-1912)—*Juárez, su obra y su tiempo; México, su evolución social*—. Francisco Bulnes (1847-1924), erudito, orador y gran periodista. Luis González Obregón (1865-1938)—*México viejo*—. Carlos Pereyra (1871-1944)—*Historia de la América española, Las huellas de los conquistadores, La obra de España en América;* Pereyra fue, además, un hispanista admirable.

Entre los pensadores y ensayistas cuentan: Antonio Caso (1883), de enorme cultura, fino filósofo—*Conferencias*—. José Vasconcelos (1881) —*Ulises criollo, El desastre, La tormenta*—. El ya mencionado Alfonso Reyes—*Cuestiones estéticas, Visión de Anahuac, Simpatías y diferencias.*

En una última enumeración deben ser incluidos: Carlos González Peña (1885), autor de una *Historia de la Literatura mexicana* y de novelas como las tituladas *La musa bohemia, La chiquilla, De noche, La fuga de la quimera.* Martín Luis Guzmán, autor de dos novelas sensacionalistas: *El águila y la serpiente* y *A la sombra del caudillo.* Mariano Azuela—*Los de abajo,* novela—. Julio Giménez Rueda—*Historia de la Literatura mexicana*—. Artemio del Valle Arizpe, excelente narrador de leyendas de la época colonial. José Rubén Romero, novelista de la vida provinciana. Adolfo Teja Zabre, Romero de Terreros, Teodoro Torres, José de J. Núñez y Domínguez, narradores.

Entre los autores teatrales: Marcelino Dávalos (1871-1923)—*Así pasan, Jardines trágicos, Indisoluble, Aguilas y estrellas*—. José Joaquín Gamboa (1878-1931), Antonio Mediz Bolio, Francisco Monterde, Julio Jiménez Rueda, Díaz Barroso, Rodolfo Usigli, Catalina D'Erzell, Teresa Farías de Iosasi...

V. REYES, Alfonso; JIMÉNEZ RUEDA, Julio: *Literatura de México.* En el tomo XI de la "Historia universal de la Literatura", de Prampolini. Buenos Aires, Uteha, 1941.—GONZÁLEZ PEÑA, Carlos: *Historia de la Literatura mexicana.* México, 1940, 2.ª ed.—JIMÉNEZ RUEDA, Julio: *Historia de la Literatura mexicana.* México, 1942. 3.ª ed.—PIMENTEL, Francisco: *Historia crítica de la Literatura en México.* México, 1883.—LEGUIZAMÓN, Julio A.: *Historia de la Literatura hispanoamericana.* Buenos Aires, 1945. Dos tomos.

MEZOZEUGMA (V. Zeugma)

MIAMI (Lenguaje)

Uno de los idiomas algonquinenses o algonquinos hablado por los miamis, pueblo de la América septentrional, que habita al sur del lago Míchigan, en el Alto Wabash, en el Estado de Indiana y en el de Míchigan. Se vale de inflexiones para indicar el plural. No tiene verbo sustantivo, pero sí voz pasiva.

V. ADELUNG Y VATER: *Mithridates*. Tomo III.—LUDEWIG, H. E.: *The literature of American aboriginal languages*. Londres, 1858.

MICROLOGÍA

1. Llámase así a cualquier composición literaria, hablada o escrita, cuando es demasiado breve.
2. Discurso falto de energía. Discurso lacónico.
3. Se da el nombre de micrólogos a los comentaristas que dan una importancia excesiva a los detalles nimios.

MICTERISMO

1. Ironía insultante y prolongada.
2. Lenguaje o estilo desdeñoso.

MIEMBROS (De la cláusula)

Son las partes de la cláusula que por contener los pensamientos parciales que la constituyen hacen algún sentido, aunque imperfecto. Las partes de los *miembros* se llaman *incisos*.

Llámanse *bimembres, trimembres, cuadrimembres* las cláusulas, según consten de dos, tres o cuatro miembros.

MILAGROS (Teatrales)

Nombre dado a los más antiguos ensayos del drama religioso en la Edad Media. Eran representados en las catedrales y en los claustros de los monasterios; y sus temas se reducían a las vidas de los santos y a la exaltación de las instituciones de la Iglesia. Su acción era sucinta y pocos sus personajes. Cuando *se complicó y se alargó*, el *milagro teatral* confundióse con el *Misterio* (V.). (V. *Misterios dramáticos.)*

MILENARISMO

Doctrina errónea de aquellos cristianos que creían que, después de la primera resurrección, había de existir un reinado terreno del Mesías, en el cual los justos habían de triunfar de todos sus enemigos. Este reinado, que duraría *mil años* —de aquí el nombre de *milenarios* dado a sus creyentes—terminaría con la llegada del Anticristo, la segunda resurrección y el juicio universal.

"Este error—escribe Boulenguer—se debió a la *influencia de los judeos-cristianos* que seguían impertérritos en la esperanza de un reino mesiánico en la tierra. Se fudaban en un texto de Isaías (LXV, 17-25), en ciertas palabras del Evangelio relativas a la vuelta de Cristo, y particularmente en un pasaje del *Apocalipsis* (XX, 1-3), que equivocadamente interpretaban en sentido literal. En las horas terribles de la persecución, el error milenarista, que ofrecía tan bellas esperanzas para el porvenir, contribuyó muchísimo a dar fortaleza a los cristianos que acudían al martirio. No es, por tanto, de extrañar que contase entre sus partidarios a escritores tan virtuosos y ortodoxos como San Papías, obispo de Hierápolis; al filósofo y mártir San Justino, y al ilustre obispo de Lyón, San Ireneo. Este error nunca fue condenado por la Iglesia y desapareció a fines del siglo IV, después de los ataques de Orígenes, y aún más, después de la victoria de Constantino, que aseguró en definitiva el triunfo del cristianismo."

San Jerónimo estuvo plenamente persuadido de que no podía sostenerse la hipótesis del milenarismo ante los datos proporcionados por la revelación. Y, posiblemente, San Agustín—*De Civitate Dei,* I, XX, cap. 7—, cayendo en la cuenta del simbolismo que envuelven las misteriosas afirmaciones del texto del *Apocalipsis,* parece haber dado la ocasión principal de que después de él no hubiese ya, ni en Oriente ni en Occidente, otro padre de la Iglesia que favoreciese la doctrina milenaria.

El texto de San Juan en que se han apoyado los milenaristas dice así: "Y vi un ángel que bajaba del cielo, teniendo en su mano la llave del abismo, y una gran cadena. Y asió al dragón, la serpiente antigua que es el diablo y Satanás, y le amarró por mil años, y le lanzó al abismo, y echó la llave y puso el sello sobre él, para que no reduzca ya a las gentes, hasta que se hayan cumplido los mil años; y después de esto, conviene que sea desatado por poco tiempo. Y vi sillas y se sentaron en ellas, y se les dio potestad de juzgar; y vi las almas de los descabezados por el testimonio de Jesús y por la palabra de Dios y a los que no adoraron la bestia, ni la imagen de ella, ni recibieron la señal impresa en su frente ni en su mano; y *vivieron y reinaron con Cristo mil años. Los restantes de los muertos no vivieron hasta que se cumplieron los mil años.* Esta es la resurrección primera: en estos no tiene potestad la muerte segunda, sino que serán sacerdotes de Dios y del Cristo, y reinarán con él mil años. Y cuando se hayan cumplido los mil años, será Satanás soltado de su cárcel."

Aquel *vivieron y reinaron con Cristo mil años* fue el punto culminante de la aserción milenarista.

En toda la literatura teológica, a partir de la Edad Media, es unánime la opinión de los doctores católicos contraria al milenarismo. Actualmente tiénese el milenarismo por teoría contraria a la religión cristiana. Y no sería extraña su condenación *como herejía* por la autoridad docente de la Iglesia.

El gran teólogo español Francisco Suárez sostuvo la teoría antimilenaria no solo como proposición cierta, sino como de fe, en su libro *De Incarnatione,* tomo II, disp. 50, sect. 8.

V. Chiapelli: *Le Idee Millenarie dei Cristiani.* Nápoles, 1888.—Ermoni: *Les phases successives de l'erreur millenariste.* En "Revue des Questions Historiques". 1901.—Prager: *Das tausendjaehrige Reich.* Leipzig, 1903.

MILITAR (Elocuencia) (V. Proclama)

MILITARISMO

Predominio del elemento militar en el gobierno de un Estado.

En la actualidad, la doctrina del *imperialismo* (V.) aparece asociada, en correspondencia íntima, con las ideas *nacionalistas,* ya que los Estados creen firmemente en la superioridad de su cultura y en la necesidad de extender esta a los pueblos inferiores, y también aparece unida al militarismo, porque "el éxito de la expansión territorial exige, como es consiguiente, ejércitos y escuadras poderosos". La actual política del mundo, aun cuando dirigida por la política y la diplomacia, está apoyada firmente *en una eficacia militarista.*

La mayoría de los tratadistas de Derecho público estiman que el militarismo tiene mayores probabilidades de imponerse en los países monárquicos, ya que las tendencias ideológicas de las repúblicas—socialismo, comunismo, sindicalismo—rechazan abiertamente la intromisión militar en el campo de la política, y aun reducen el militarismo a una *disciplinada fuerza* para mantener el orden.

Sin embargo, en la antigüedad, fue una república, Esparta, la que ofreció un ejemplo perfecto del Estado militarista. Conocidísima es la frase de Pelletan: "Esparta era un pueblo al aire libre bajo el régimen del rancho."

El militarismo ha surgido potente, en determinados países y en determinadas épocas, por tres motivos: el haber alcanzado un gran éxito las armas, con el cual se ha entusiasmado el pueblo; cuando el pueblo llega a una angustiosa situación de la que sabe no le puede librar sino un ejército poderoso y eficiente; y cuando el jefe del Estado es militar o siente pasión por las armas. Esta tercera causa es la más frecuente.

Recuérdese Alemania bajo Federico el *Grande,* y Suecia bajo Gustavo Adolfo, y Francia bajo Napoleón, y Rusia bajo Pedro III.

En ocasiones, el militarismo ha sido consecuencia de un pronunciamiento, caso que se ha repetido en España varias veces, originado por las luchas catastróficas de los partidos políticos, incapaces de someter los intereses propios a los de la nación.

MIMESIS

Ironía que consiste en repetir lo dicho por otro—o lo que pudo decir—, imitando su gesto, su voz, sus ademanes, en el discurso, o su estilo y su vocabulario, en el escrito, siempre con ánimo de zaherirle o de dejarle en ridículo.

MÍMICA (Arte de la)

1. Acción y gesto de la declamación dramática y de la oratoria.

2. Arte de hacer sensibles, por la imitación, a los ojos de las personas reunidas en un teatro, en un ateneo, en una cátedra, en una tribuna, los gestos y las acciones de las personas que se quiere evocar.

3. Arte *de hablar,* a los ojos de un público, sin el auxilio de la palabra, utilizando únicamente los movimentos y las actitudes del cuerpo, los gestos de la cara...

El arte de la mímica es de una importancia capital en el género dramático y la piedra de toque de los buenos actores. Porque la mímica no es siempre remedo ni burla de una persona, sino la *expresión de la vida evocada en la obra dramática.* Un gran actor mil veces conmueve o hace reír a un auditorio, mejor que con las palabras patéticas o chistosas, con un gesto, con un ademán, con una mueca.

El artista que quiere *enseñar, conmover, persuadir, deleitar,* debe dominar la que los antiguos llamaban *ciencia del gesto,* que comprendía no solo este, sino también el *ademán,* la *actitud* o *manifestación externa,* la *emisión de voz.*

Hoy día, en todos los Conservatorios del mundo existen cátedras de *mímica.* Para Cicerón, la importancia de lo dicho por el actor no estaba *en lo que decía,* sino en *cómo lo decía.*

V. Cicerón: *De oratore* y *De claribus oratoribus.*—Quintiliano: *De Institutione oratoria.*—Sittl: *Die Gebärden der Grierchen and Rome,* 1890.

MIMO

1. Actor que representaba el mimo romano, y no solo en la escena, sino también en las reuniones públicas, como banquetes, cortejos religiosos, etc., etc.

2. Bufón que en las antiguas comedias hacía reír al pueblo con sus chistes, gestos y ademanes, mientras descansaban los demás actores.

3. De μιμέομαι, imitar. Nombre común de un género de composiciones dramáticas muy populares entre los griegos y los romanos. El *mimo* marca en los dos pueblos una época de decadencia teatral. Antes que la palabra *mimo* apareciera en Grecia, hacia el arcontado de Euclides, ya existían actores que representaban ni más ni menos que los mimos. Se los llamaba *sofistas, discelistas, paradoxólogos...* Tales cómicos improvisaban cortas escenas de bufonadas, como las de la comedia dórica. Las obras denominadas *mimos* fueron escritas en seguida. Pero en ellas siguió valiendo, más que las palabras, la mímica, como expresión de las ideas. Entre las piezas escénicas de este indudable género dramático inferior se

contaban: las *parodias,* las *hilarotragedias,* las *sillas*—pequeños poemas mordaces, que tenían algo de drama y de sátiras—, las *charadas* en acción... Los *mimos* eran, generalmente, representados con acompañamiento musical de flautas, lo que hizo llamarlos *mimaulos.* Los griegos escribieron *mimos* decentes y morales, que estaban destinados a un público selecto y restringido.

El género pasó a Roma, donde el *mimo* conservó su doble acepción, sirviendo para designar la pieza escénica y al actor que la representaba. Bajo el Imperio se denominó *mimo* a todo el teatro que no era comedia, tragedia o pantomima. Como en Grecia, en Roma recibieron los mismos diferentes nombres: *mimi ricinati, mimi centunculi, amicti, mimi communes,* preludio de los espectáculos, de los *emboliarii*—que distraían a los espectadores durante los intermedios—, de los *exodiarii.*

Las *atelanas,* que habían resistido en Roma la competencia de las comedias, fueron reemplazadas por los *mimos* en tiempo de Julio César. Los actores de mimos llevaban rapada la cabeza, y no usaban el coturno, y se vestían con túnicas de colores crudos.

V. CALLIAQUE: *De Ludis scenius mimorum et pantomimorum syntacma.* Padua, 1713.—ZIEGLER: *De mimus romanorum.* Gotinga, 1788.—MAGNIN, Ch.: *Les origines du théâtre.* París. Varias ediciones.

MIMODRAMA (V. Pantomima)

1. Drama ejecutado mimológicamente.

2. Obra escénica de las antiguas compañías de actores ambulantes.

MINIATURAS (V. Manuscritos)

De *minium,* minio, colorado bajo.

1. Letras de color encarnado, dibujadas a mano, que encabezaban los capítulos y los artículos de los manuscritos y libros antiguos.

2. Posteriormente, además de letras, fueron dibujos, que servían *de campo* a aquellos, y eran ejecutados con los colores más variados; entonces aparecieron esos manuscritos—rollos y códices—cuyas márgenes estaban adornadas de arabescos, con realces de oro, flores, frutas, pájaros, animales quiméricos, paisajes delicados.

3. Modernamente, la palabra miniatura designa especialmente los retratos y los cuadros diminutos y delicados; de aquí que Diderot creyera derivada la palabra miniatura de *mignard,* esto es, lindo, primoroso, gracioso, y otros autores, de *minutum,* cosa pequeña, menuda.

El adornar, iluminar, ilustrar los libros es una costumbre antiquísima. El ejemplo de libro miniado—ilustrado—más antiguo que se conoce es *El libro de los muertos*—texto ritual egipcio—, que data del siglo XV antes de Cristo.

Pero fue el arte bizantino el que puso en boga la miniatura en el libro. Su ejemplar más remoto es el *Calendario de 354,* ejecutado en Roma por un artista oriental.

Los siglos XII, XIII y XIV marcan el apogeo de las miniaturas librescas en Europa. La Imprenta y, antes aún, la xilografía eliminaron de los libros las miniaturas, y estas pasaron a definir un arte propio.

En España, los más antiguos manuscritos que presentan miniaturas son los códices litúrgicos mozárabes y bíblicos de los siglos IX al XII.

V. BASTARD, A. de: *Peintures et ornaments des manuscrits.* 1832. 1869.—HUMPHREYS-JONES: *The Illuminated Boocks the middle ages.* 1849.—BRADLEY: *Dictionary of miniaturists, illuminators, calligraphers and copysts.* Londres, 1887.—DOMÍNGUEZ BORDONA, J.: *Códices miniados españoles.* Barcelona, 1929.—DOMÍNGUEZ BORDONA, J.: *Manuscritos con miniaturas.* Madrid. Dos tomos.

MISCELÁNEA

Recopilación o conjunto de diversos escritos, más o menos inconexos.

Deriva de la palabra *miscellanea,* ya usada por Tertuliano en un sentido de recopilación de artículos, de disertaciones, de ensayos que no guardan relación entre sí.

Las *misceláneas* alcanzaron su apogeo en los siglos XVI, XVII y XVIII.

En España hay varias de un interés extraordinario: la *Silva de varia lección*—1540—, de Pero Mexía; la *Miscelánea*—¿1596?—, de Luis Zapata; las *Compilaciones,* de Ambrosio de Salazar; los *Diálogos de apacible entretenimiento*—1606—, de Gaspar Lucas Hidalgo, y los *Almanaques* y *Pronósticos,* de Torres Villarroel.

MISTERIOS DRAMÁTICOS

Con el nombre de *misterios dramáticos* fueron conocidos los ejemplos escenificados—durante la Edad Media—y tomados del Antiguo y del Nuevo Testamento, de la vida de los Santos, de los recuerdos de Tierra Santa y, principalmente, de la Pasión de Nuestro Señor.

Indudablemente, nacieron dentro de la liturgia cristiana, pero en su origen influyeron, y no poco, las tradiciones dramáticas de la antigüedad; y los abonaron admirablemente las ceremonias magníficas del culto, los actos simbólicos, en los que abundan los elementos dramáticos, el canto alternado con la recitación. Apenas, pues, si hubo que dialogar dichas impresionantes manifestaciones litúrgicas. Y ello debió de empezar a hacerse hacia el siglo V, con determinadas escenas de los Evangelios, para representarlas ante el público, en determinadas fechas, acompañándolas con un esbozo de acción, con un diálogo movido y con algunos cánticos.

Tales primeros ensayos—escenificados en las naves de las basílicas o en los claustros de los monasterios—estuvieron escritos en latín y fueron breves, sencillos, y carecieron de todo elemento cómico o grosero. Poco a poco, el entusiasmo con que los acogió el público hizo preciso que se celebraran en los cementerios anejos a los conventos o en las plazas públicas, introduciendo en los misterios la fuerza popular y otros elementos extraños al clero, y obligando poco a poco a que el latín fuera sustituido por los idiomas vulgares. En los siglos XIV, XV y XVI los *misterios dramáticos* tenían ya más de profanos que de religiosos, y abundaban en ellos las danzas populares, los juegos histriónicos, los diálogos ajenos al *misterio*.

Posiblemente, la más antigua muestra de misterio dramático—en latín—que se conoce, es el *Misterio de los Reyes Magos*, de la catedral de Nevers, copiado en un códice de 1060. Y en lengua vulgar—mezcla de *oil* y *oc*—, el *Misterio de las vírgenes prudentes y fatuas*, encontrado en un manuscrito del siglo XII, procedente de San Miguel de Limoges.

En Francia fue donde más abundaron los *Misterios dramáticos*. La lengua francesa tiene el primer ejemplo en el *Misterio de Adán*—siglo XII—. Y en el siglo XIII, el *Milagro de San Teófilo*, de Rutebeuf. Y en el siglo XIV, los cuarenta y dos *Miracles de Notre Dame*. Y en el XV, el *Misterio del Viejo Testamento*—60.000 versos—, las *Actas de los Apóstoles*—60.000 versos—y *La Pasión*, originales estos de Gréhan, y la *Vie de Montseigneur Saint-Didier*. Todos estos *Misterios dramáticos* franceses se caracterizaron por su extensión, por un *papel de loco* inevitable —precursor del *gracioso*—y por el empleo de *epílogos* para despedir al auditorio después de suplicarle la benevolencia.

El más antiguo *misterio dramático* en castellano es el titulado *de los Reyes Magos*, hallado en un códice bíblico de la Biblioteca del Cabildo de Toledo; corresponde a fines del siglo XII o principios del XIII; se conservan de él 147 versos en tres tipos métricos: pareados de siete, de nueve y de catorce sílabas. Tales versos corresponden a distintos fragmentos del drama. Otro ejemplo posterior es la titulada *Representación del Nacimiento de Nuestro Señor*, de Gómez Manrique, puesta en escena en el monasterio de Calabazanos, de donde era vicaria una hermana del poeta. El drama consta de 180 versos octosílabos, y comprende el nacimiento del Mesías, la adoración de los pastores, la presentación por los ángeles al Niño Dios de los instrumentos de la Pasión y un villancico final. Y en el siglo XVI, el bachiller Bartolomé Paláu escribió su *Victoria Christi*, gran misterio cíclico en donde se desarrolla todo el Antiguo y el Nuevo Testamento.

En Italia, los *Misterios dramáticos* fueron llamados *sacre-reppresentazione*, y entre estas sobresalen: *San Giovanni e San Paolo*, *Santa Teodora*, *San Giovanni Gualberto* y la *Pasione di Gesu Criste*, todas de fines del siglo XV.

El primer drama litúrgico alemán es del siglo XIV: *Spiel von den Klegen und Torichten Jungfrauen*, representado en Einsenach en 1322.

En Inglaterra fueron conocidos los misterios dramáticos con el nombre de *Miracle-Plays*, entre los que presentan un interés grande los *Wakefield Mysteries*, los *Chester-Plays*, los *Conventry-Plays*, los *York-Plays*, en total más de ciento cuarenta dramas, en los que aparecieron las llamadas *figuras abstractas* (la Religión, la Fe, el Pecado), con lo que se acercan al género de los *Autos sacramentales*. Para muchos críticos, este género tan español, y por los españoles llevado a su apogeo y gloria, deriva de los medievales misterios dramáticos.

V. BERRIAT-SAINT-PRIX: *Recherches sur les anciens mystères*. 1823.—MAGNIN, Charles: *Origines du théâtre en Europe...* (En "Revue des Deux-Mondes", diciembre 1834).—CLARKE: *The Miracle Plays in England*. 1897.—SAINZ DE ROBLES, F. C.: *Historia del teatro español*. Madrid, 1943. Tomo I.—WILKEN: *Gesch. der geistlichen Spiele in deutschland*. 1872.

MÍSTICA (Literatura)

Llámase así la inspirada en el sublime sentimiento religioso. (V. *Española, Literatura.*)

MISTICISMO

Doctrina religiosa o filosófica que busca la comunicación directa e inmediata entre el hombre y la divinidad, en la visión intuitiva o en el éxtasis.

El misticismo filosófico no es patrimonio exclusivo de la verdad revelada por el Cristianismo. En el *budismo* (V.), el que se ha librado de la "sed de vivir" penetra en el *Nirvana*, que es la carencia de todo deseo y dolor, la unión absoluta con el Bien. A este misticismo búdico había que llegar recorriendo ocho caminos: pensar recto, querer recto, hablar recto, obrar recto, vivir recto, pretender recto, reflexionar recto, profundizar recto.

En el *taoísmo* (V.), la intuición atenta y contempativa de los fenómenos celestes, vislumbrados *como el verdadero sentido de ellos*, era la suprema unidad del espíritu con la divinidad. Nadie puede dudar que es una manifestación mística el amor platónico de las ideas abstractas; y de este mismo misticismo participaron los neoplatónicos. Y la crítica filosófica estima que pueden quedar incluidos en el misticismo filosófico: los ontólogos, el *pietismo* (V.) protestante, el *sentimentalismo* (V.) de Schleiermacher, el *teosofismo* (V.).

Pero además de este misticismo filosófico existe otro vulgar, que "consiste en la exaltación del sentimiento religioso, fuera de los límites de lo racional, según la ilustración en materias religosas del individuo, y sin que sea obra del Espíritu divino". En esta clase de misticismo vulgar entran todas las degeneraciones del *ascetismo* (V.) cristiano y muchas del espíritu de todas las demás religiones.

La perfecta discriminación entre el falso misticismo y los verdaderos estados místicos es obra del análisis teológico y de la autoridad dogmática de la Iglesia católica.

Muchos filósofos han tratado con desdén la mística, quizá por no saberla diferenciar del misticismo, ya que este queda dentro del campo filosófico, pero no aquella, aun cuando muchos fenómenos naturales de la mística, consecuencia de los propios estados místicos, son del todo semejantes a los que se provocan dentro del misticismo.

Mucha más importancia tiene el misticismo teológico, "estado extraordinario de perfección religiosa, que consiste esencialmente en cierta unión inefable del alma con Dios por el amor, y que va acompañada accidentalmente del éxtasis y revelaciones".

Aun cuando no es raro que teólogos católicos prefieran a la simple palabra de misticismo—o de mística—la expresión de *Teología mística*, son sumamente fáciles y sensibles las diferencias que separan la teología del misticismo. Aquella procede por vía del entendimiento; esta, por vía del afecto. La primera se acerca a su objeto, que es Dios, en cuanto El es la verdad; la segunda se acerca a su objeto, que es Dios, en cuanto El es la bondad. La teología se sirve de los actos naturales del entendimiento y de todas las facultades cognoscitivas, al modo de las ciencias racionales, aunque mediante la fe y durante su investigación trasciendan en su objeto las demás ciencias. La mística busca la perfección del alma por el simple ejercicio de las virtudes morales.

Sin embargo de tales diferencias, el misticismo fraterniza con la teología, y aun se apoyan mutuamente, según prueban muchos grandes teólogos que fueron al mismo tiempo grandes místicos. Así, San Agustín, San Anselmo—el Padre de la escolástica—, San Bernardo, el maestro Eckhart. En sentido contrario, místicos excepcionales, como nuestra Teresa de Avila, obtuvieron el apoyo de los grandes teólogos.

Filosóficamente, para atribuir carácter místico a un fenómeno o estado de conciencia, es indispensable "que importe una comunicación directa con la divinidad". Sin embargo, discuten los tratadistas—filósofos y teólogos—acerca de "qué idea hay que formarse de la *comunicación*, la cual es para todos de orden sobrenatural". Para unos, la unión con Dios, por medio de las facultades superiores del alma, es un carisma solo concedido a pocos; para otros, dicho carisma —favor del cielo—no debe sus raras manifestaciones a voluntad de Dios, sino a falta de las disposiciones necesarias en los hombres.

La historia del misticismo ortodoxo ha quedado marcada por singularísimos hitos, de una importancia excepcional. Poco tiempo antes del nacimiento de Cristo, Filón de Alejandría, filósofo judío-helenístico, intentó conciliar la religión judía con la filosofía griega, e hizo famosa su teoría del *Logos*—el Verbo, o la inteligencia divina en cuanto contiene las ideas arquetipos de todas las cosas—. Con su doctrina de la trascendencia de Dios abrió el camino al *neoplatonismo* (V.). Filón ya expuso la aspiración a una sabiduría que importa la unión por voluntad y entendimiento con Dios por vía de experiencia inmediata e intuición directa. En esta aspiración de Filón están contenidos los gérmenes del misticismo ortodoxo.

Misticismo se encuentra igualmente—y muy digno de considerar por los cristianos católicos— en algunos pasajes de las *Ennéadas*, la magnífica obra de Plotino, filósofo griego del siglo III después de Cristo; principalmente en aquellos que se habla "de la purificación necesaria al alma para acercarse a Dios; de la virtud que levanta al hombre a lo divino; del alejamiento de lo impuro y sensible para llegar a la percepción de la eterna belleza; de aquel éxtasis, en fin, con que levantada el alma al único y soberano bien por una potencia superior a la inteligencia, descansa en la vista de Dios, que es su fin y centro donde todo se armoniza".

De San Pablo se sabe que fue arrebatado al tercer cielo, y que oyó palabras inenarrables, gozando de éxtasis, mas no quedando en trance de inconsciencia. San Clemente de Alejandría—siglo III—explicó una particular *gnosis* o conocimiento del soberano Bien, "a que no se puede llegar sin una insigne gracia que levanta al alma sobre sus naturales fuerzas".

Posiblemente, quien primero metodizó el misticismo fue el llamado seudo Areopagita en su obra *De Mystica Theologia*, reconociendo que existe una percepción de lo divino que no está en las condiciones naturales del hombre el obtenerla, y dando consejos acerca de cómo el hombre pudiera alcanzar los requisitos indispensables para su unión con la divinidad.

San Bernardo, Hugo de San Víctor y Gerson interpretaron certeramente el misticismo. Alberto Magno—en su tratado *De adhaerendo Deo*—y Santo Tomás de Aquino—en la *Summa*—aconsejan a las criaturas pasar de la contemplación de lo humano a la sublime contemplación de la divinidad. "Aunque no todos—dice el Doctor Angélico—lleguen a las alturas de la vida mística, todos deben tender a ella como a un término de perfección." *Puro tratado práctico de misticismo* fue el inefable Francisco de Asís. Y místicos y escritores místicos fueron el beato Enrique Susón, el venerable Juan Taulero, San Francisco Ferrer, San Pedro de Alcántara...

El misticismo encontró una *literatura maravillosa*, inigualable, en España: Fray Luis de Granada (1504-1588), Fray Francisco de Osuna, Fray Juan de los Angeles (¿1536?-1609), Santa Teresa de Jesús (1515-1582), Beato Alonso de Horozco (1500-1591), Pedro Malón de Chaide, Alejo Venegas del Busto, Fray Juan de Avila (1500-1569), Fray Hernando de Talavera, San Juan de la Cruz (1542-1591), Santo Tomás de Villanueva, Fray Diego de Estella, Hernando de Zárate, Luis de la Puente...

Místicos de gran trascendencia fueron: Ruysbrokio, nacido en los Países Bajos, conocido con el nombre del "Doctor Extático", cuyos escritos son de importancia capital para la literatura mística; San Francisco de Sales, Santa Juana Francisca Fremiot de Chantal, Santa Margarita María de Alacoque...

Pero el misticismo tiene también su historia entre los heterodoxos. Así, místicos han sido llamados los árabes Algazel y Abentofail, el luterano Santiago Boehme, los *pietistas* Spencer, Zinzendorf, Guillermo Law; los *moravos*, los cuáqueros Jorge Fox y Barclay...

En España, Miguel de Molinos (1627-1696) fundó la doctrina mística denominada *quietismo* (V.); Molinos creyó posible que la contemplación divina fuese la ocupación ordinaria de la vida, para lo cual bastaba la vida de la fe, siendo innecesarias las prácticas religiosas.

V. CRESPI, A.: *La filosofía del misticismo.* 1909.—BUBER, M.: *Ekstatische Konfessionen.* Jena, 1909.—SEISDEDOS, P.: *Principios fundamentales de la mística.* 1913-1917.—RICHEN: *Introduction à la psychologie des mystiques.* 1901.—LEJEUNE, P.: *Manuel de théologie mystique.* 1897.—AMES, E. S.: *The Psychology of Religions Experience.* Boston, 1910.—ARINTERO: *Cuestiones místicas.* En "Ciencia Tomista", 1914-1915.—PACHEU, J.: *Psychologie des mystiques chrétiens...* París, 1909-1911. Dos tomos.—PACHEU, J.: *Introduction à la pysichologie des mystiques.* París, 1901.

MITOLOGÍA

Mitología es la historia de los fabulosos dioses y héroes de la gentilidad. Esta es una definición ortodoxa y hasta académica. λυθολογια; de μῦθος, *fábula,* y de λογος, *tratado.* Pero Mitología, siendo esto, tan concreto y ceñido, es algo más. Porque es el caso que no todo, en tantos dioses y héroes, es fabuloso, es decir: inverosímil, caprichoso, deshumanizado. Algunos sucesos mitológicos descansan sobre fundamentos históricos. Y aun, como cree Humbert, "los hay que están sacados del Antiguo Testamento". Así, el diluvio de Deucalión recuerda al diluvio noémico. Así, la formación del hombre por Prometeo es un remedo del *Génesis.* Así, el sacrificio de Ifigenia alude vivamente a la historia de Jefté.

Sí, hay algo vivo, apasionado, singularísimo en la Mitología que escapa a esa inicial definición, tan ortodoxa y tan académica. Y *eso* palpitante, inmortal, que se escapa, es... la explicación que podamos darnos del *porqué* de innumerables obras de pintores, esculturos, orfebres y poetas de todos los tiempos, cuya técnica entra por los ojos, pero cuyo *sentido* nos lo aclara la Mitología. Es... la aclaración de la historia de las naciones paganas en sus orígenes, en cuanto afecta a su sensibilidad religiosa y a su sensibilidad artística, a su acomodo social y a sus afanes perdurables. Es... hasta esa conceptuación moral—moraleja del apólogo—en que, bajo el velo de la alegoría, se ocultan preceptos excelentes y reglas de conducta. La idea cristiana del remordimiento tiene una emotiva explicación en el buitre que roe las entrañas a Prometeo, o en las Furias que se ceban encarnizadamente con Orestes. La trágica muerte de Icaro es una soberbia lección para los hijos desobedientes. Eneas, no consintiendo en huir para salvarse sin llevar consigo a cuestas a su anciano padre, escribe el más hermoso poema del amor filial. Faetonte es el tipo de los petulantes castigados. Los compañeros de Ulises, convertidos en viles puercos, dicen muy a las claras adónde conduce al hombre la intemperancia y el libertinaje.

Insisto: en la Mitología no todo es mentira; en la Mitología no impera siempre lo imaginativo. Si fuera así, la Mitología habría dejado de tener interés hace mucho tiempo *como un todo* —venero y apoteosis—*de inspiración y de aspiración.* Después de miles y miles de años, la imaginación del hombre nuevo no logra encontrar un tema vital que no palpite aún en la Mitología lleno de gracia humana. Lo que demuestra el valor inmenso de la Mitología, su valor permanente y *actual,* su exigencia de ser estudiada con ahínco y con ilusión.

Pero aún es algo más y mejor la Mitología. Es como el cofre maravilloso que guarda los *mitos,* las primeras *creaciones* del hombre, los testimonios inmediatos del despertar de su pensamiento. Es, pues, la Mitología la única manifestación intelectual y artística tan antigua como el hombre, ya que responde a la parte mejor del hombre y nace con él y le absorbe y le boquiabre y le enseña el valor de su vida y el valor—lo que vale más—de su anhelo de superación.

La civilización le sirve al hombre moderno, como en bandeja, de explicación de cuanto ve y oye. No tiene, por tanto, sino que asombrarse *a medias.* Pero el asombro, seguido inmediatamente por la comprensión absoluta, no crea fantasmas; ni siquiera necesita espolear su imaginación hasta ponerla a esas cuarenta y dos calorías, que son las que producen los monstruos. Pero el hombre primitivo nace, despierta, mira... Todo a su alrededor es sencillamente maravilloso. Sin embargo, él no sabe nada, no comprende nada. ¿Qué es cuanto le rodea? ¿Cómo es? ¿Y por qué? El nacimiento y la muerte de semejantes suyos y de las bestias, los esplendores de la Naturaleza, el ritmo del tiempo, las tormentas, las escarchas, el crecimiento de las plantas, los frutos de los árboles, la armonía de algunos sonidos y lo horrísono de otros, el dolor y la alegría, el placer, el cansancio... ¿Qué es todo esto? El pensamiento del hombre primtivo llega a ser como un armadijo de interrogantes, en cada uno de los cuales queda a cepo, furiosamente inerme. El hombre —el de siempre—se somete a todo, más o menos conforme, menos a ignorar. Cada hombre es el Hércules que intenta enderezar la curva férrea del interrogante en la férrea columna de su admiración. Cuando el hombre sabe, *crea la historia.* Cuando el hombre ignora, *crea el mito.* Las dos creaciones responden a una misma ilusión de integridad espiritual. El hombre primitivo quiso explicárselo todo por un procedimiento que superaba a sus posibilidades, pero no a sus anhelos. Este procedimiento fue el mito; y al mito contribuyó también, y en no pequeña parte, un primario sentimiento religioso. La fe ciega en lo sobrenatural que logra cuanto se malogra en lo natural. En los mitos, en efecto, se delata la iniciación del fecundo afán primero del hombre hacia toda ciencia—deseo de explicarse cuanto le rodea—, hacia toda religión—deseo de explicarse a sí mismo y su origen y su destino—, hacia toda poesía—deseo de cumplir los sentimientos y de lograr las sensaciones irreprimibles—. Y por el mito, el hombre, que no sabía otra cosa sino que vivía, hizo vivientes a cuantas maravillas tenía al alcance de sus ojos o de sus manos. Y vivientes como él, persona de pasiones, de complicaciones y de interrogantes; sino que unas personas superiores a él en aquello de poder admirarle y de poder rendirle y de sujetarle a ellas por la necesidad. Y dioses fueron el Sol, la Luna, el Fuego, los Vientos, el Mar, las Montañas, el Rayo. Y dioses también—sino que personas sin rostro ni roce, sin voz y sin peso—a las que se *presentía* en torno, misteriosamente, influyendo sin descanso sobre el hombre. Dioses también fueron, personificadas por la evocación, cuantas abstracciones trascendían de la esfera de lo material y sensible, como los sentimientos, las emociones, los vicios, las virtudes. Los fenómenos psíquicos y los físicos, tanto la vida exterior como la interna, por el mito tuvieron su representación, y su significación.

Cuanto llevo apuntado no cabe, ciertamente, en esa precedente definición ortodoxa y académica. Mitología es algo más. Por ejemplo: es una *ciencia de los mitos.*

Cada pueblo de la antigüedad tiene sus mitos característicos, íntimamente relacionados con su religión ancestral y con su alma poética. Y así, existen una Mitología china, y otra hindúe, y otra egipcia, y otra griega, y otra escandinava, y otra ibérica. Pero existen y *coexisten.* Porque es curioso observar cómo, a pesar de la distancia que en el tiempo y en el espacio separa a los que llamamos pueblos arcaicos, y de su diversidad en mitologías, al comparar estas se hallan las mismas ideas cosmogónicas, representadas por divinidades análogas, así como idénticos conceptos teogónicos, relativos al origen, carácter y función de los dioses. El Osiris egipcio, el Júpiter griego, el Ormuz persa, el Brahma hindú, el Odín escandinavo, el Wotan teutónico resumen un mismo concepto religioso y filosófico. Son una misma concepción..., tamizada por distintas culturas, productos de distintos temperamentos. Y si la mitología griega nos parece hoy la más completa, la más bella, la más próxima a nuestro carácter, es porque fue "la creación armoniosa de una imaginación a la vez poética y plástica".

Ciencia de los mitos, sí. Porque ciencia, y mucha, se necesita, y se ha necesitado, para explicar y dar un cierto sentido racional y humano, siempre relacionándolos con cada época, y con cada pueblo, y con cada ciclo de cultura, a los mitos que nos han sido transmitidos por la tradición oral o escrita. Ciencia, porque modernamente se han sistematizado dichos estudios, basándolos en los datos y documentos reunidos por la arqueología, por la filología, por la etnología. Para el hombre primitivo fue una necesidad religiosa la creación de los mitos. Para el hombre moderno resulta una necesidad científica la interpretación de dichos mitos, porque en ellos está la raíz de cada cultura y hasta de cada historia particular. Muchos aspectos de la vida del hombre primitivo los conocemos, no por las manifestaciones artísticas—muy rudimentarias, si existen—, a veces desconocidas, por ser el hombre incapaz de expresar sus íntimos deseos y aspiraciones valiéndose de lo artístico, sino por medio del cuento, de la leyenda, de la fábula, medios muy pertinentes para llegar a la clave de problemas de interés vital para la Humanidad. De la *ciencia* con que interpretemos los mitos depende el mejor o peor conocimiento que tengamos de la conciencia y de la consciencia nacional de cada pueblo.

En la historia de todas las razas civilizadas se encuentra ese momento crucial en el cual el historiador o el curioso se preguntan: "¿Qué hay de verdad, qué hay de verosímil en las leyendas de mi patria? ¿Cómo y en qué sentido debo interpretarlas?"

Y lo que no cabe duda es que, para estudiarlas y para interpretarlas, tendrán que apelar, no al instinto o a la impresión poética, sino a la razón y a la apelación científica.

El hombre primitivo hizo de cada verdad—por no saberla tal, por no saber probarla como tal—un mito. Al hombre moderno le corresponde hacer de cada mito una verdad, porque el mito la encierra indudablemente.

En toda mitología se distinguen dos factores: el racional y el irracional. El primero es evidente. Los pueblos primitivos y los salvajes de hoy atribuyen algunos beneficios de la vida—el fuego, el arco, la pesca—a un ser muy sabio, casi maravilloso. Nada nos extraña de ello. Y lo comprendemos fácilmente. El bien lo suponemos *razonadamente* derivado de la bondad y del poder. Pero cuando esos pueblos atribuyen a una mujer un hijo centauro, o a un búho el dar consejos contra las enfermedades, la *razón* se rebela. En pueblos arcaicos civilizados, la India, se encuentra a un dios, Indra, señor del rayo, que, transportado en su carro, gana la victoria para los suyos y reparte las riquezas entre los necesitados. Bien está. Pero cuando contemplamos a ese mismo Indra borracho, adúltero, prevaricador, injusto, perverso, nuestro asombro es irremediable. ¿Cómo hacer compatibles estos dos factores, el racional y el irracional, en un mismo mito? El racional, que nos presenta a los dioses hermosos, munificos, morales, y el irracional, que, dándoles la vuelta, volviéndolos del envés, nos los muestra odiosos, inmorales, brutales. Y cabe preguntarse: ¿en este factor irracional no se ocultará un simbolismo? Porque no se puede admitir sin reservas, sin pensar en una clave, que si el hombre ha tenido siempre, en su sentido religioso, la necesidad de imaginarse a sus dioses como excepcionales—un Júpiter homérico, que todo lo ve y lo entiende, que protege a los buenos—, haya creído al mismo tiempo en esos mismos dioses miserables; un Júpiter chisgarabís que engaña obscenamente a Demeter valiéndose de un cordero, o que seduce a miles de mujeres transformándose en cisne, en cuclillo, en lluvia de oro, en toro.

Algunos mitólogos insignes, Max Müller, Lang, Meunier, creen que ese factor irracional responde exclusivamente a la grosería de los pueblos primitivos, que apenas han avanzado en una cultura determinada. Y para probar sus afirmaciones, se basan en cómo al llegar los mismos pueblos a un determinado momento de su vida psíquica, cuando controlan ya sus sentimientos en un sentido sutil de apetencias *racionales,* repudian ese factor irracional, luchan por que únicamente perdure y ejemplarice el factor racional. Así, Aristóteles, en su *Política,* aconseja a los gobernantes que oculten a la juventud los cuadros y las estatuas que perpetúen las acciones inmorales, *irracionales,* de los dioses. Y afirma Lang que en el *Rig-Veda* se omiten *intencionadamente* los mitos más groseros de la India.

Otros autores estiman que ese factor irracional *no lo es porque sí,* sino que oculta un simbolismo o una intención a los que todavía no hemos sabido llegar. Porque al estudiar los filósofos y gramáticos el estado del espíritu humano, en el cual pudo nacer el elemento absurdo de los mitos, han llegado a la conclusión de que estos mitos no fueron creados por espíritus simples, sino por filósofos y gramáticos como ellos, quienes no iban a contar *sin alguna razón* historias estúpidas e irreverentes. En sus orígenes, estas historias tuvieron que ser inofensivas, cuando no laudatorias... ¿Cuál fue su significación?

Entre los griegos, los dos métodos más famosos de interpretación mitológica fueron el alegórico y el histórico. El alegórico se utilizó porque se creía que los antiguos expresaron sus grandes verdades morales o físicas de una manera indirecta o por medio de un rodeo. Por tanto, empleando la interpretación alegórica, se transformaba el mito en un apólogo, cuyo fin es el de demostrar alguna cosa, ante todo moral. La interpretación histórica o pragmática partía de la hipótesis de que el mito encerraba una verdad fundamental, adornada con oropeles adventicios. ¿Por qué son repudiables estos dos métodos? Porque ninguno de los dos tiene en cuenta para nada las condiciones de clima espiritual en las cuales—o de las cuales—nacieron los mitos; porque los dos ignoran que la peor manera de explicar un mito es intentando eliminar de él su carácter mítico. La alegoría, según Joubert, cambiaba la mitología en un centón de ideas abstractas, y el pragmatismo, en otro de cuentos prosaicos. Durante la Edad Media se utilizó un método seudohistórico, en el que predominaba la tendencia alegórica, que, prestándose a los juegos de la fantasía, facilitaba la explicación de las leyendas más absurdas e inmorales. Los mitólogos modernos han seguido diversos métodos interpretativos. Autores como el español Garcilaso de la Vega el *Inca,* Durkheim, Reinach, Frazer, intentaron explicar muchos mitos griegos por medio del totemismo americano, y viceversa. Otros intentan ensayar un método comparativo entre la mitología de pueblos que hoy viven en la incultura—iroqueses, cafres—con la de los pueblos primitivos, ya que, según Fontenelle, la parte *irracional* de la mitología griega era la recibida por este pueblo culto de otro precedente en el mismo grado de barbarie que los mencionados cafres e iroqueses. Para cuantos mitógrafos siguieron el método de Fontenelle era una base firme la creencia de que todos los pueblos pasan por unas mismas etapas en su desarrollo intelectual y moral; y siendo los mitos verdaderas supervivencias de un estado social más antiguo y bárbaro, dichos mitógrafos creen ser sumamente útil ese ensayo comparativo, y mucho más cuando, como se demuestra fácilmente—recuérdense las mitologías de Asia Menor, Grecia, Roma y España—, los mitos están sometidos a una emigración perenne.

Durante el siglo XIX, el florecimiento de los estudios filológicos y orientalismos, los nuevos horizontes abiertos a la filosofía, han contribuido con diversos métodos a la aclaración de muchos de los mitos que permanecían herméticos. Unos autores explicaron algunos de estos mitos por su semejanza con leyendas y cuentos populares que contenían supersticiones y ritos ancestrales. Para Müller, que insistía acerca del realismo de los mitos, era preciso considerarlos "como actos inconscientes por medio de los cuales el espíritu del hombre, aún incapaz de la abstracción, delata sus ideas en una forma poética y precisa". Los partidarios del método filológico de interpretación han aceptado un punto de partida muy discutible: el de que, en la lengua común aria, gran número de palabras correspondían a los variados fenómenos de la Naturaleza, y que estos fenómenos estaban relatados de una manera figurada. Al escindirse del tronco común ario las distintas ramas—latinos, griegos, hindúes, germanos—, el sentido de los antiguos vocablos se hizo oscuro, relacionado con las nuevas influencias y con las nuevas costumbres. El fallo capital del sistema filológico está en desatender las evoluciones históricas. Y a este fallo debe añadirse el que es inexacto que las semejanzas sean exclusivas entre las mitologías de los grupos arios. La sociología comparada demuestra que se pueden tender los mismos paralelos mitológicos entre grupos separados geográfica y etnográficamente.

Si he mencionado superficialmente algunos de los muchos métodos de interpretación mitológica, ha sido para probar con cuánta razón puede definirse la Mitología como la *ciencia de los mitos;* con cuánta razón puede considerarse la Mitología como algo más que un centón de fábulas amenas.

Las fuentes de la Mitología son, principalmente, los textos de los autores clásicos—cuyas versiones revelan inclusive las variantes impuestas a un mito por las épocas y por los ambientes—, las inscripciones, las monedas y medallas, las pinturas y las esculturas, los papiros.

Pierret, en su *Manuel de Mithologie,* divide las mitologías en dos grandes grupos: 1.° Grupo indo-europeo, que comprende la mitología hindúe, la zenda o mazdeísmo, la griega, la romana, la gala, la ibérica y la escandinava. 2.° Grupo semítico, que abarca la mitología fenicia, la caldeo-asiria, la egipcia y la arábiga.

A estos dos grupos de Pierret hay que añadir otros tres, precisamente aquellos cuyas ideas religiosas y costumbres se apartan hoy más de los dos anteriores grupos, considerados como clásicos. Dichos tres grupos son: 3.° Mitología oriental (China, Japón, Birmania); 4.° Mitología americana; y 5.° Mitología totémica (núcleo oceánico y núcleo africano).

Siguiendo precisamente este orden, intentaré besquejar con rapidez, pero con precisión, el origen, contenido y simbolismo de cada una de las mitologías.

1. MITOLOGÍA HINDÚE.—Cinco momentos culminantes deben ser considerados en la mitología hindúe:

a) El *Vedismo.*
b) El *Brahmanismo.*
c) El *Visnuísmo.*
d) El *Sivaísmo.*
e) El *Budaísmo.*

La más antigua de las religiones profesadas en la India por los arios es el *Vedismo,* cuya lengua se perdió, pero cuyos vestigios permanecen en los diversos idiomas de sus descendientes. En el primero de los cuatro libros sagrados *Vedas* —el *Rig,* el *Sama,* el *Yadjur* y el *Atharva*—se contiene la enumeración de los dioses, que, en verdad, no eran sino las fuerzas, los agentes de la Naturaleza y, sobre todo, los agentes celestes personificados. Dichos dioses eran: Indra—nombre que significa *rey*—, dios del éter y del cielo; Agni, el fuego; los Aditias, o personificaciones solares, llamados Varuna, Suria, Savitri, Bhaga, Puchau, Mithra y Ahrimán; Uschas, o la Aurora; los Aswins, dioses caballeros y benéficos; Rudra y Vitra, dioses de la tempestad: Iama, dios de la muerte, y otras varias deidades de segundo orden.

El *Brahmanismo* modificó sensiblemente la mitología védica. Y la clasificación y jerarquía en el panteón deico variaron según las escuelas que se sucedieron. Los dioses eran: Brahma, dios supremo; Indra, Iama, Agni, Varuna, Kuvera, Niwiti, Vayu e Isana; Agni y Soma eran los dioses del sacrificio y de la libación; Rudra, padre de los vientos; los diez Maruts y los doce Aditias. Cada dios tenía una diosa por compañera, siendo las diosas más importantes: Indrani (esposa de Indra) y Prithivi o la Tierra (esposa de Kuvera). El culto de los richis o patriarcas tenía a Manú por el primer hombre que se convirtió en dios creador, subdividiéndose en siete Manús, y de quien procedían los diez Maharquis o Pratjapatis, antepasados de las familias brahmánicas.

Hay dos sectas o herejías del brahmanisno: el *Visnuísmo,* que admitía por dios supremo a Visnú, del cual se reconocían diez encarnaciones o manifestaciones distintas, y el *Sivaísmo,* o adoración de Siva, culto naturalista y bárbaro, que tenía por objeto el *lingam,* símbolo de la generación. La esposa de Siva es Parvati o Bhavani; su primer hijo, Genesa, dios de la inteligencia, y el segundo, Kartikeya, dios guerrero. La Trimurti o trinidad hindúe, compuesta de Brahma, Visnú y Siva, fue formada por los brahmanes para pactar con los herejes y evitar así la influencia del budismo.

Una nueva herejía representaba el budismo. Según este, Adibuda, el Brahma budista, produjo por su contemplación, los cinco Budas que representan los elementos cósmicos. Estos, a su vez, produjeron los Budsiativas, autores de mundos innumerables. Debajo del mundo metafísico de Adibuda está el mundo terrestre, que tiene forma de nave, cuyo mastil es el monte Merú. Este mástil está dividido en diez pisos, de los cuales los seis superiores están habitados por los dioses. Más bajos que los dioses van apareciendo los maharadjas, los reyes, los genios, los gigantes, los dragones, los hombres y los animales. Cada hombre emplea ochenta mil años en recorrer este mástil; es decir, en ir de lo terrestre a lo divino o a lo infernal, según sus meritos o sus pecados.

Ampliando el anterior resumen, importa decir que los Aryas, en la edad que he llamado védica, fueron monoteístas. Su gran dios, el único digno de alabanza, era Agni, simbolizado por la sustancia del fuego y adorado en el Sol. De aquí los sobrenombres que se le dieron: *Pragapati* (señor de las criaturas), *Asura* (espíritu viviente), *Paruhsa* (alma suprema), *Mitra* o *Aryaman* (el bondadoso, el dios amigo), *Ohatar* (el criador), *Savitar* (el productor). Esto es cuanto afirma el *Rig-Veda* al decir que los sabios dan muchos nombres al *Ser que es uno,* llamándole a la vez Indra, Mitra, Varuna, Agni, etc.

Primitivamente, pues, en la India la religión fue monoteísta, aun cuando desvirtuada por el simbolismo. Y, apoyados en este simbolismo, la credulidad y la superstición convirtieron en ídolos, en gigantes, en mostruos, y llenaron con ellos el panteón popular, precisamente a cuanto

M

no era sino aspecto distinto de una misma cosa. Así, al Sol, símbolo de Agni, considerado en tres momentos: como *Surya,* la luz brillante; como *Visnú,* el viajero incansable que mide el universo con tres únicos pasos—la Aurora, el Mediodía y el Ocaso—, y como *Pusán,* el vivificador; así, al Sol, repito, lo transformó en varios dioses. Y como el propio Agni, al circular por el cielo, tomase distintos sobrenombres, Mitra, Varuna, Indra..., cada uno de estos sobrenombres encubrió para la credulidad popular un dios distinto con particulares atribuciones.

Al influjo de este simbolismo se divide la nación en castas, multiplica la religión sus ídolos y se llega por los sabios a hipótesis naturalistas y panteístas. La unidad de dios se cofunde con el alma del mundo. Una tradición vaga de la trinidad, una esperanza de la encarnación, toman cuerpo en la *Trimurti* y en las numerosas *avataras* de las deidades salvadoras. Desde aquella edad, Brahm, o Brihm, o Brahma, será tenido por el dios supremo que se revela en la felicidad y en el goce. El Universo es Brahma, viene de Brahma, existe por Brahma y volverá a Brahma. Según la doctrina panteísta de los hindúes, como mera ilusión para la débil visión y la más débil entendedera del hombre, Brahma toma una cantidad innumerable de formas, desempeña un sinnúmero de papeles y forma diferentes grupos. Los dos principales son:

1.° Una *Trimurti,* cuyos tres principios se llaman Brahma, el creador; Visnú, el conservador, y Siva, el modificador.

2.° Una dualidad, "una sustancia más o menos adecuada al poder masculino, una fuerza que ora se distingue, ora se une con él; una fuerza merced a la cual la sustancia es y puede variar las apariencias del ser; una fuerza, en fin, más o menos identificada con el poder femenino. Esta fuerza toma distintos nombres, según el aspecto y según es considerada. Como energía, se la llama *Sacti;* cuando es simple percepción y, por lo mismo, ilusión, toma el nombre de *Maya;* cuando es madre de individualizaciones, es *Matri;* cuando es mujer por excelencia, *Sonacha*".

Cada Dios de la Trimurti es hermafrodita. De Brahma emana Sarasnati; de Visnú, Lakmi; de Siva, Bhavani. Brahma tiene cuatro rostros, pronunció cuatro palabras y creó cuatro castas. Visnú, siempre joven, ha salvado varias veces al mundo de perecer, con sus encarnaciones, y encierra en sí el vientre de oro que contiene el huevo del Universo. Siva, el dios terrible que destruye, es, sin embargo, el dios compasivo que *re-crea* y que con un símbolo impúdico explica a los hombres su potestad generadora.

Esta Trimurti era invocada con la palabra sagrada OUM, proferida por el criador, y que contiene todo el poder y toda la eficacia. Palabra que el devoto no se cansará de pronunciar mientras viva.

A la Trimurti se le ofrecieron tres grandes sacrificios: el del caballo *(Aswamedha),* el del toro *(Gomedha)* y el del hombre *(Neramedha).* Este último fue sustituido por el holocausto voluntario de las viudas, que aún hoy se arrojan a la hoguera que consume el cadáver del esposo.

Salido Brahma del huevo de oro, reflexionó que era necesario crear la dualidad de sexos. De su costado derecho se sacó al hombre *(Sivayambhuva Manú),* dotado de perfecta belleza, y de su costado izquierdo se sacó a la mujer *(Sataruppa).* Y después los bendijo y los mandó poblar la Tierra. Al padre del linaje humano, Brahma le hizo legislador. Pero debe tenerse en cuenta que este Manú Sivayambhuva fue el hombre que pereció en el primer diluvio universal y que había soportado la tiranía de los gigantes Asuras. El segundo Manú, Manú Satyavatra, continuador del primero, el hombre salvado del diluvio universal, es el que rehace el género humano, castigado por sus enormes crímenes.

Brahma, primera divinidad de la Trimurti, tuvo por cuna la flor de loto *(padma),* sagrada por dicho motivo en la India. Cierto día en que Visnú estaba muellemente tendido sobre la serpiente Amenta, la cual levantaba sus siete cabezas, formando con ellas como una especie de quitasol, y tenía a su lado a su esposa Lakmi, salió un tallo del ombligo del dios; del tallo brotó una flor de loto, y de la corola de la flor salió Brahma, principio creador. Después de cien años divinos de contemplación, Brahma inició la creación. Primero creó el cielo y el abismo; luego, los siete *Suargas* o esferas celestes, iluminadas por los cuerpos resplandecientes de los Deiotas; luego, la Tierra, con sus dos luminares: el Sol y la Luna; por fin, los siete *Patalas,* o regiones inferiores, que tienen por luminarias ocho carbúnculos colocados en las cabezas de otras tantas serpientes. Los siete Patalas y los siete Suargas forman los catorce mundos de que se habla de la mitología hindúe. Después inició Brahma la creación de los seres Primero, los espíritus puros, y entre ellos los gigantes, para que le ayudaran en la obra que iba a realizar; luego, los *Munis* o profetas; luego, los *Richis* o santos...

Algunos mitólogos clasifican los seres creados por Brahma del modo siguiente:

1. Siete Manús primitivos, el primero de los cuales, Suayambhuva, se confunde con el propio Brahma.
2. Siete Manús secundarios.
3. Siete Richis, los Maharchis, los Devarchis y los Radjarchis, todos ellos seres sobrenaturales y perfectos, de fisonomía semidivina, semihumana.
4. Los diez Brahmadikas o Pradjapatis, genios, obreros de Brahma, habitantes de la Luna.
5. Los Vasuas o Vazus, protectores o reguladores de las ocho regiones del mundo. Sus nombres son: Indra, Iama, Niruti, Agni, Varuna, Kuvera, Vayu e Isana.

Indra, dios del éter y del día y de los cielos, señor de las nubes, de las lluvias y el rayo, rey de los genios buenos, es en el brahmanismo el más grande de los dioses después de los que componen la Trimurti.

Iama es la divinidad de la noche, de los muertos y del mundo subterráneo. Y también el juez supremo de las almas.

Niruti preside a los genios malhechores.

Agni es la deidad del fuego, no solo físico, sino en toda su extensión.

Varuna preside el mar y todas las aguas así pluviales como marítimas, subterráneas como terrestres.

Kuvera es el dios de las riquezas y su distribuidor.

Vayu es el dios de los vientos, conductor de los sonidos y de los perfumes, padre de la música.

Isana es una especie de Siva en inferior esfera.

6. Las ocho Sactis o Matris, que corresponden exactamente a los ocho Vazus.

7. Los siete Munis, jefes de las siete esferas celestes, sacerdotes, profetas, cantores, verdaderos brahmanes.

8. Dakcha, considerado como primogénito de Brahma y de la creación, salido del pulgar del pie derecho del primer dios de la Trimurti.

9. Rudra, hijo de Brahma, de cuya frente salió.

10. Multitud de divinidades inferiores que poblaron los mundos, el cosmos, en número, según los himnos, de trescientos treinta y dos millones. Entre ellos, los Devas, los Devatas y los Suras, genios benéficos, y los Daitios, los Asuras, los Danavas y los Rakchacas, genios maléficos.

Para castigar un crimen incestuoso cometido por Brahma en la persona de su hermana o de su hija Sarasuati, Brahm le castigó a reencarnarse cuatro veces, durante cuatro épocas famosas. Así, Brahma apareció durante la *Satya-Yuga* encarnado en el cuervo-poeta Kakabhusuda; en la *Treta-Yuga,* en el paria Valmiki, penitente y comentarista de los Vedas; en la *Dwapara-Yuga,* en Viasa Muni, poeta, autor del *Mahabaratha;* en la *Kali-Yuga,* en Kalidasa, el gran poeta dramático, autor del *Sakontala.* El castigo de Brahma consistió, pues, en cantar las glorias de Visnú.

Junto al brahmanismo viven en la India, entre otras, dos sectas formadas por los adoradores de Visnú y por los de Siva. El sivaísmo llegó muy pronto a tener tanta popularidad como el brahamanismo. Siva, tercera persona de la Trimurti, en un sentido vulgar, es el dios que destruye, opuesto a Brahma, creador, y a Visnú, conservador. Teológicamente, Siva modifica, y, en su consecuencia, si destruye, hace nacer. Nada del mundo se pierde, nada pasa del ser al no ser, morir es perder la antigua forma y aparecer bajo otra nueva; la Historia no es otra cosa que una prolongada serie de metempsicosis. La gran alma que tiene el hilo de este laberinto es un Proteo. Este Proteo, cuando es hindú, recibe el nombre de Siva. Nada más generoso y potente, más fecundo y más excelso que Siva productor; nada más terrible y monstruoso que Siva ocupado en destruir. Siva tuvo de su sacti, Bhavani, dos hijos: Ganesa, dios de los años, de la inteligencia y de los números, y Skanda o Cartikeya, dios de la guerra. De Siva nacieron otros dos hijos: uno, Veiraba, nació de su respiración; otro, Virabhadra, nació de su sudor. Siva, como Brahma, tuvo también sus encarnaciones; vivía en el monte Merú, tenía cinco cabezas, cuatro manos y tres ojos en la cabeza principal; iba montado sobre el toro Nandi y empuñaba su *Trísula,* especie de tridente.

Visnú, segunda persona de la Trimurti, pasa por conservador de la creación, sacada de la nada por Brahma y destinada a ser algún día reducida a la nada por Siva. Visnú, deidad amable y benéfica, se encarna para bien de la tierra; sus encarnaciones llevan el nombre de *avataras* y constituyen uno de los puntos esenciales de las creencias religiosas de los hindúes. Fueron diez dichas encarnaciones y ocurrieron cada mil años divinos, o sea cada trascientos sesenta mil años humanos. Cuatro tuvieron lugar durante la edad *Satya-Yuga,* tres en la *Treta-Yuga,* dos en la *Dwapara-Yuga;* la última indicará el término de la época de tinieblas en que vive el mundo.

Durante la primera encarnación, Visnú se transformó en pez y bajó al fondo del mar para recobrar los libros sagrados Vedas que, aprovechando un sueño de Brahma, había robado el gigante Rakchasa. En su primera *avatara* se representa a Visnú mitad pez y mitad hombre.

En su segunda encarnación, Visnú se transformó sucesivamente en enorme tortuga, para sostener sobre su caparazón el gigantesco monte Merú, y en fascinante bayadera, en Mohini-Maya, para seducir a los Asuras, genios del mal, que habían robado la deliciosa *Amrita* (licor que comunicaba la inmortalidad), y devolverla a los dioses del bien.

La tercera encarnación de Visnú tuvo por objeto combatir al gigante Hiraniakcha, el cual, habiéndose apoderado violentamente del mundo, lo arrojó al mar. Visnú, transformado en jabalí, atacó al gigante y lo mató, sacando en seguida al mundo del océano en que estaba sumergido.

En la cuarta encarnación, Visnú, mitad hombre y mitad león, saliendo de una columna, mató al gigante Erunia, que se había erigido en vengador de su hermano Hiraniakcha, maltratando a Pragolata, piadoso hijo de Visnú.

En la quinta encarnación, Visnú se transformó en enorme gigante para humillar el poder del asura Bali, que se cría tan poderoso como los dioses, al que hundió en el infierno.

En la sexta encarnación, Visnú, sacerdote y guerrero, combatió a los Suryavansas (hijos del Sol), que se habían insolentado con los dioses.

La séptima encarnación de Visnú fue con el nombre de Ramah, hijo de Dasareta. Y venció en veinte batallas a Ravana, raptor de su esposa.

En la octava encarnación, la más noble y pura, en concepto de los hindúes, tomó Visnú el nombre célebre de Crisna, y sus hazañas han sido narradas en el *Mahabaratha*.

La novena *avatar* de Visnú fue Buda, del cual se supone que apareció poco después de desaparecer Crisna.

La décima y última *avatar* no se ha verificado todavía; con ella tendrá fin la *Kali-Yuga*, y quedará destruido el miserable mundo.

A Visnú, siempre joven y hermoso, lleno de vigor y de ímpetu, se le representa sosteniendo con sus cuatro manos la flor de loto, la flamígera saeta, el cetro y la clava del guerrero. En su pecho centellea el famoso diamante Kastrala. Su morada es el Vaikhonta, sublime paraíso del Oriente. Tiene a su lado al fantástico Garuda (hombre águila), al mono Hanuman y a la serpiente Adicecha.

2. MITOLOGÍA CALDEA.—Las ruinas imponentes de Babel, en las márgenes del *Forat* (Eufrates), conservan el recuerdo del formidable Nemrod, el *fuerte cazador,* y delatan el esfuerzo más imponente del orgullo humano, veintisiete siglos antes de Cristo, para llegar a la morada de los dioses.

Nemrod, hijo de Chus, principal héroe de una familia que reinó en Egipto, fundó, además de Babilonia, Ezek, Akad y Calneh. Evechus, hijo de Nemrod, introdujo, a decir de algunos mitólogos, la idolatría en el mundo. Al principio, la religión caldea fue el sabeísmo; los sacerdotes o astrónomos caldeos ocuparon las galerías superiores de la torre de Babel, y puede afimarse que de esta torre celebérrima descendió un sistema científico y religioso. El Oriente siempre propendió a extasiarse con la melancolía de las noches serenas de aquellos climas. En la regularidad de los movimientos celestes, en su admirable armonía, vieron los primitivos caldeos la norma y el orden del Universo todo. El lucero más brillante era quien dirigía todo aquel ejército celeste *(sabaoth,* de aquí *sabeísmo.)* Esta religión tuvo sus sacerdotes, divididos en cuatro categorías:

1.ª Astrónomos, conocedores de los astros y de sus símbolos.

2.ª Conjurantes, o amansadores de serpientes.

3.ª Magos, alucinadores del pueblo.

4.ª Profetas o astrólogos.

Las supersticiones y la convivencia con otros pueblos confusionaron, primero, y alteraron, después, la religión caldea. Como la idea íntima de un ser supremo jamás se desarraigó del alma de los caldeos, esta idea quedó asociada a la de una tríada, que después se multiplicó y desenvolvió en otras.

El primer lugar en el panteón caldeo lo ocupó Il o El, la luz increada, el eterno, el supremo dios. A continuación de Il quedaba la primera tríada, compuesta por Ana, Bel o Belo y Hoa. Ana era el dios de los espíritus y de los demonios, el soberano de las tinieblas y de la muerte. Bel era el rey de la tierra. Hoa era el rey del mar. Cada uno de estos dioses tuvo su esposa o compañera. La de Ana era Anat; la de Bel, Milita, madre de los dioses, reina de la fecundidad, la gran señora; la de Hoa era Daukina.

La segunda trinidad caldea estaba formada por Sin, dios-luna, cuya compañera era desconocida. San, dios-sol, cuya esposa era Anunit, señora de la vida, y Vul, dios de la atmósfera, cuya mujer era Shala Tala o Salambo, una especie de Venus helénica.

Detrás de estas dos tríadas iban cinco divinidades, representantes de los cinco planetas: Nin o Bar, deidad pez, dios del mar, representado por un hombre-toro con cuatro alas y correspondiente al planeta Saturno; Bel-Merodah, el planeta Júpiter, el más anciano de los dioses, supremo juez y custodio de los tesoros; Nergal, el planeta Marte, hombre-león alado, rey de las batallas, campeón de los dioses y guía de los guerreros caldeos; Isthar o Nana, el planeta Venus, símbolo de la feminidad, placer de los dioses, señora del cielo y de la tierra; y Nebo o Mercurio, dios de la inteligencia, vidente y profeta.

La religión caldea conserva su tradición del diluvio. Bel se apareció en sueños a Ksisuthro, le mandó que escribiera la historia y las leyes del pueblo caldeo y que escondiera las memorias debajo de tierra en la ciudad del Sol (llamada Sippara), y que se construyera una nave donde cupieran él y sus parientes, porque el día décimoquinto del mes *doessius* el linaje humano sería destruido por medio de un diluvio. Los parientes de Ksisuthro, el hombre justo, repoblaron el mundo, y él fue llevado al cielo y colocado entre las divinidades.

El culto de Bel, primera divinidad caldea, era orgiástico. Cada día, el gran sacerdote señalaba la doncella que aquella noche había de ser la esposa del dios junto a los altares de Milita. Todas las mujeres, al menos una vez en su vida, habían de ser llevadas al templo y pagar en él el tributo de su virtud.

Los cómputos caldeos de tiempo, *sosas, neras* y *saras* (sesenta, seiscientos y tres mil años, respectivamente), quizá estén confundidos con los días. Sus diez generaciones de príncipes antediluvianos están de acuerdo con los diez patriarcas del Antiguo Testamento.

3. MITOLOGÍA ASIRIA.—La muerte de su semilegendaria reina Semíramis corresponde a la Mitología. Hallándose en su aposento la reina, asomada a un ventanal, pasó una bandada de palomas, y con ellas tomó le reina el vuelo. Desde aquel día Babilonia la adoró como a una diosa. La paloma fue su símbolo. Y tuvo sacerdotes y altares.

Los dioses, ritos, dogmas y ceremonias de la mitología asiria han llegado a nosotros muy mezclados con los de Caldea. Un dios supremo—primordial—fue adorado en Nínive con el nombre de Asur. Otro dios, profeta y mediador, fue Thamuz, al que los helenos equipararon con Adonis. Adad era el dios-luz; su esposa Atargatis, divinidad-pez, era semejante a la Anfitrita griega; Mammón se llamaba el dios de las riquezas, el Pluto de los pueblos asirios; Adramelech, el dios del fuego, el Moloch fenicio; Patekes, los dioses lares de los romanos.

Sometida Asiria a los caldeos y después a los persas, no se sabe nada más de la mitología particular, aun cuando, al parecer, no tuvo tríadas ni un verdadero ciclo mitológico.

4. Mitología persa.—La mitología persa se llama también *Zenda* o *Mazdeísmo* (Mazda, igual a ciencia o ley suprema). La practicaron los antiguos persas y aún la practican los parsis o güelvos, y fue su fundador Zoroastro, quien la consignó en el *Zend-Avesta*. La base de la doctrina zoroástrica es el dualismo de dos principios opuestos. Ormuz (el *Ahramazda*) o el Bien, y Ahrimán (el *Agra magnius*) o el Mal, principios que salieron del infinito en el tiempo y en el espacio (*Zervana Akerena*). A Ormuz, en su tarea de implantar el bien en beneficio de sus criaturas, le ayudan unos genios benéficos llamados *amshapands, yaratas* y *fervers*. Y Ahrimán, a su vez, se vale, para pervertir y contristar al mundo, de otros genios maléficos, nombrados *darvands* y *devas* o demonios. Mithra, hijo de Ormuz, sirve de mediador, porque realmente, toda la mitología persa se basa en esta lucha imponente entre el Bien y el Mal.

Según Zoroastro, el Eterno, el dios supremo, invisible, incomprensible, sin comienzo ni fin, el señor del tiempo sin límites (*Zervan Akarena*), que se engendró a sí propio, creó dos principios, dos seres: Ormuz (*Ahura Mazda*), el bonísimo, el sapientísimo, y Ahrimán (*Ayra Manya*), el malvadísimo, el inteligentísimo. Aquel, la luz, la verdad, la felicidad. Este, las sombras, la mentira, el dolor. Aquel, la fecundidad de la Naturaleza y su conservación. Este, la destrucción de todo. Hijos de Ormuz son los siete Amshapands; esto es: hombres, animales, fuego, metales, árboles, agua y tierra; reyes de la luz, manantiales inagotables de la verdad y la belleza, modelos y dechados de las criaturas, llamados Bahman (rey y regulador del firmamento), Abutad (que lleva las almas a la morada eterna), Ardibehechet (que preside el fuego), Shariver (que preside los metales), Sapadomad (que preside la vida campestre), Khordad (que reina sobre las aguas) y Armaiti (que preside la vegetación). Bajo la autoridad de los Amshapands puso Ormuz a los Izeds, príncipes y capitanes, que ayudan a los hombres a triunfar y a bien morir. El más poderoso de los Izeds es Mitra, ministro predilecto de Ormuz, su gran guerrero leal. Mitra dirige a los Ferwers, arquetipo de los hombres. Mitra, con Zervan y Ormuz, forma como una tríada divina, representación del pensamiento, de la palabra y de la acción. Pero estas tres personas no se confunden en una, ya que de ellas la única eterna es Zervan.

Según Zoroastro, Ormuz creó el mundo con su palabra, y Mitra es el encargado de conservarlo, repitiendo sin cesar dicha palabra. Y el hombre fue creado puro y nació de Abudad, el toro primitivo, en quien Ormuz había depositado los gérmenes de todas las existencias físicas. El primer hombre se llamó Kaimorts, y fue unido a su *ferwer*, a su representación inmaterial, a su alma. Inmediatamente se inicia la lucha entre Ormuz y Ahrimán por la salvación o la perdición del hombre. Y así como del primero nació Mitra, de Ahrimán nace Mitra-Darnoj, enemigo encarnizado de Mitra. Para esta lucha, para este dualismo, de los que emanan todos los dogmas y los ritos de la mitología persa, el eterno Zervan tiene fijado un límite: fórmanlo cuatro milenarios divididos en cuatro edades de duración igual. En la primera época gobierna pacíficamente Ormuz. En la segunda se inicia la lucha entre Ormuz y Ahrimán. En la tercera, creado ya el hombre, Ahrimán pónese a la cabeza de los Devas para invadir el imperio de Ormuz. En la cuarta, arrojado Ahrimán a los sombríos abismos por la espada victoriosa de Mitra, el dios del mal, se dedica a perturbar la vida de Kaiomorts, el primer hombre. En el último milenario, una gran catástrofe borrará hasta las raíces del mal; y de la paz que suceda al cataclismo resucitarán Meskia y Meskianea, quienes repoblarán el mundo hasta el día glorioso del juicio universal. En este día todos los poderes se fundirán en Ormuz; el reino de Ahrimán quedará pulverizado. Y brillará la eterna dominical luz.

Los sacerdotes del mazdeísmo tomaron el nombre de magos. Y se dividían en: *heberds* (discípulos), *mobeds* (maestros) y *desturs-mobeds* (perfectos maestros). Todos estaban sometidos a la dirección del archimago o gran sacerdote, único que podía comentar y escoliar la doctrina de Zoroastro.

5. Mitología fenicia.—Muy poco es lo que se sabe del pueblo fenicio, el más aventurero y osado de todos los pueblos de la antigüedad, aquel "que separó las columnas de Hércules y que miró con ojos atónitos el Atlántico". Porque los griegos se movían mucho, pero era en su lago Mediterráneo, de isla en isla, tan cercanas, que los héroes saltaban de una a otra a pie enjuto. ¡Admirable pueblo, lleno de inquietudes y de atisbos! Los romanos, sus más implacables enemigos, se cuidaron de pulverizarlo; intentaron que no quedara de él ni una huella, ni un recuerdo. Y si de su historia se sabe poco—Plauto hace hablar en lengua púnica a una de sus máscaras, quedan fragmentos de una *Agricultura* de Magon y el relato del periplo maravilloso de Hannón—, mucho menos se sabe de su mitología, que debió de ser muy hermosa y compleja, ya que era exuberante la imaginación y el apasionamiento grande en los fenicios.

Cabe afirmar que las primeras creencias de

esta raza singular estaban dedicadas a un dios único, complicado quizá con la idea de una trinidad. Dicho dios único era conocido con dos nombres: con el de Il o El (Elim), en las comarcas del norte del país, y en las del sur, con el de Bel o Bhal, señor del cielo y soberano del mundo. Tal vez la distinción de nombres corresponda a cada una de las ramas de la raza, a los hijos de Canaán y a los nietos de Mezraim.

Las tríadas fueron, lógicamente dos. La del Norte estaba formada por El, Baaltis a Berut, y Adonai o Esmun. La del Sur, la popular en Tiro y Sidón y en todas las colonias fenicias, era la compuesta por Baal, Astarté y Melkarth.

Baal era "el poderoso señor", el más adorado. Por todas partes se elevaban sus estatuas *(habaalim)*, y en Tiro le estaba dedicado un templo suntuoso. Melkarth o Baal Melkarth era su hijo, "rey de la ciudad", dios activo y distribuidor de las riquezas, dios de la primavera. Su gran sacerdote no tenía sobre la suya otra autoridad que la del rey. Astarté o Asterot, reina del cielo, Venus o astro por excelencia, tenía dos caracteres bien distintos: ya era una diosa virginal—la Artemisa helénica—, ya una Afrodita Pandemos, deidad de los placeres nefastos, con cortesanas por sacerdotisas.

En la tríada del Norte o de Biblos, formada por El, Baaltis y Adonis, Baaltis reemplaza a Astarté, con idénticos atributos, y Adonis ("el sublime") acaba por ser el pretendiente impúdico de Astarté. Las fiestas licenciosas con las que era honrada esta pareja se propagaron a Egipto, Grecia y Siria.

Otras deidades de menor importancia hubo en la mitología fenicia, típicamente suyas, aun cuando luego, con otros nombres o con los mismos nombres corruptos, fueran incorporadas a otras religiones. Kabirim, dioses protectores de la navegación, hijos de Zadyk, la Justicia, en número de siete, cuyas imágenes eran colocadas en las proas de las naves. Kusor-Ptah, generador del orden y propagador de la paz. Kusarthis, el que dictamina la ley y el que logra la armonía. Thaut, consejero del ser supremo y autor de los ritos sacerdotales. Esmun, la deidad de la patria, el *patrium numen* de los romanos. Dagon, medio hombre y medio pez, rey de las aguas. Tannim, la serpiente, genio benéfico, cuyo modo de morir es concentrarse en sí misma.

Pero en la mitología fenicia se encuentran reminiscencias de otras mitologías, del sabeísmo de Caldea o Arabia. Así, la adoración del fuego se descompone en una tríada muy curiosa, compuesta por Phôs (la luz), Pur (el fuego) y Phlox (la llama). El fuego se simbolizaba en el Sol con su carro tirado por cuatro caballos fulgentes que guiaba la mano experta de Melkarth. Y eran adorados casi todos los planetas. La Luna o Astarté. Venus, la luz divina, *Astoret-Naama*. Júpiter, la estrella de Baal *(Baal Cocab)*. Marte, el fuerte, el terrible, *Aziz*. Mercurio, el pérfido, *Mokim*.

El culto que se rendía a los dioses fenicios era sangriento, sombrío, perverso. Los primeros altares, formados con piedras enormes superpuestas, se alzaron en las cumbres de las montañas. Los templos erigidos después estaban divididos en dos partes: el santuario del dios y el santuario para los adoradores. En aquel únicamente podían penetrar los sacerdotes, y en él eran inmoladas las víctimas: toros, machos cabríos, aves, niños y hombres. Baal-Samin, Melkarth y Moloch eran insaciables. Aun cuando parece ser que en épocas modernas los sacrificios humanos eran redimibles por dinero.

Una tradición asegura que el principio de todo fue el soplo o el espíritu y un caos terrible. El espíritu *(neuma)* se recogió en sí mismo con una afición llamada deseo *(Photos)*. Y tal fue el origen de todas las cosas. Porque de la unión del neuma y de photos nació *Moot* (limo o putrefacción acuosa), germen de la creación. De dicho limo nacieron Kolpiah (soplo de la boca de dios) y su esposa Baau (la noche primordial). De Kolpiah y de Baau macieron Eon (el ser) y Protógenos (el primer nacido). Eon engendró a Genos y a Genea, y estos poblaron la Fenicia y elevaron sus manos al Sol, señor de los cielos, Baal-Samin. La misma tradición refiere que a los anteriores semidioses se unieron Memrum y Usus. El primero de ellos introdujo la civilización en Fenicia; el segundo enseñó a los fenicios el arte de navegar.

Por otras tradiciones de no tan legítima procedencia como la anterior se señalan algunas divinidades fenicias muy relacionadas con otras griegas, romanas y egipcias. Así, Thaut es a los fenicios lo que Toth a los egipcios, el dios legislador, el inventor de la escritura, de las ciencias y de las artes. Los griegos lo designaban con el nombre de Cronos, y los romanos con el de Saturno. Kusor era el fuego que se comunicaba a los seres inanimados para darles vida y para imprimirles movimiento. De él y de Agd (la materia primordial) hacen nacer otros mitólogos a Eon y a Protógenos. Astarté, deidad tutelar de Tiro, virgen celeste de Cartago, diosa del amor, fue asimilada a Hera, a Afrodita y a Venus; Actoret y Astaroth fue llamada en otras colonias fenicias mediterráneas, como Malta, Cartago y Cádiz. La primera representación que de ella se hizo fue una piedra cónica; después diosa lunar, lleva este astro por corona y por peana, y su cuerpo, apenas desbastado, tiene varios pechos, como la Diana de Efeso. En ciertas comarcas fenicias era equiparada con Anohid, deidad de la Naturaleza. A Esmún se le comparaba con Esculapio; representaba el calor celeste, causa de la conservación de la vida. Esmún, endeble, insensible para el amor, suscitó una pasión inmensa en la diosa Astronoe, renovándose en sus amores la trágica fábula de Cibeles y Atys. Esmún, para resistirse a la diosa, se mutiló con sus propias manos. Astronoe le concedió la inmortalidad y le renovó el fuego conservador.

Melkarth puede ser el Poseidón fenicio, como dios de los navegantes y de los mares propicios. Pero el Melkarth tirio reúne los caracteres de Hércules y de Mercurio; es fuerza y sabiduría, guerrero y comerciante. Fue celebérrimo el templo de Melkarth en Cádiz, cuyas grandezas intactas aún admiró Aníbal. Pero entre todos los dioses fenicios niguno tuvo más adoradores ni más templos que Moloch, dios de los ammoneos, a quien se identificaba con Baal. Deidad maléfica, cuya estatua se levantaba en todos los puertos a los que alcanzaba la influencia fenicia. Se le inmolaban víctimas humanas durante ceremonias espantosas por sus aullidos y por sus livideces. Por el mismo Plutarco se sabe que los fenicios sacrificaban sus propios hijos a un dios que Plutarco llama Saturno, y que no era otro que el terrible e insaciable Moloch. Todavía a Aníbal le fue reclamado su hijo para ofrecerlo a la sanguinaria deidad. El famoso héroe contestó, a escribir de Silio Itálico, que enviaría romanos, cuya inmolación sería más agradable al dios. Todas las representaciones de Moloch eran espantosas, de un arte bárbaro y primitivo, generalmente en bronce y huecas, para que su interior pudiera ser el enorme brasero donde se achicharraran las víctimas engullidas por el dios.

Los *Patckoi,* dioses lares fenicios, eran representados en pequeñas estatuillas de vientre esférico y colocadas en las mesas, entre las viandas. También eran llevadas por los navegantes, para que los protegieran contra los riesgos del mar.

6. Mitología egipcia.—La mitología egipcia es sumamente confusa. Le faltaron, como tuvo la helénica, poetas que embellecieran sus poemas con los conocimentos mitológicos más profundos. En un principio la religión de los egipcios fue politeísta. Muchos dioses y de muy diversas procedencias y sin clasificación alguna. Los egipcios parecían sentir una singular complacencia en multiplicar sus dioses por cualquier medio imaginativo y circunstancial.

En esta época caótica se adoraba a Amon-Ra, el gran Ser, el Eterno, cuya compañera recibía distintos nombres, según las localidades, y ya era llamada Neith, ya Muth, ya Buto. Knufis o Knet era el espíritu creador del Universo, el gran demiurgo. Ftha pasaba por ser el gran organizador y el gran conservador. Menoes equivalía al Pan helénico; Suk, a Cronos; Dyom, a Jano o a Júpiter; Thme, a la Justicia; Thot, a Hermes; Athor, a Venus; Anuké, a Vesta. Pero, para aumentar la confusión, cada uno de estos dioses era adorado bajo diferentes formas, ya con forma humana, ya con cuerpo humano y la cabeza del animal que lo simbolizaba, ya bajo la figura de este mismo animal.

Para llevar cierta claridad y algún orden a la mitología egipcia, conviene dividir a sus dioses en tres clases:

1.ª Dios primordial y sus derivaciones.
2.ª Dioses siderales y físicos.
3.ª Dioses con formas humanas e históricas.

Al dios primordial se le llamó Piromi, el excelso; este dios vivía desde la eternidad inactivo. Cuando se decidió a crear fue llamado Knef. A Piromi, criador de la luz o transformado en luz, se le mencionó como Ftha. A Piromi Sol se le dio el nombre de Fre. Estos tres dioses, Knef, Ftha, Fre—en realidad uno mismo—, formaron la primera trinidad egipcia. Cada uno de ellos es Piromi. Los tres juntos son Piromi. Knef, criador, varón y hembra a la vez, se unió con la palabra divina, y de esta unión nació el segundo demiurgo, Ftha, dios del fuego y de la vida, quien, a su vez, creó la Tierra (Tho) y el cielo (Potiris). Como era también varón y hembra, se dividió y dio origen a Pan-Mendes, el poder masculino de la producción, y a Hefestóbula, el poder hembra de la generación. De la cópula divina salieron Pi-Re o Fre, el Sol, y Pi-Ioh, la Luna; aquel, el ojo derecho del cielo; esta, el ojo izquierdo. Por tanto, las ocho deidades principales del primitivo Egipto fueron: Piromi-Buto, Knef-Neith, Ftha-Athor y Fre-Athor, deidades eternas, emanaciones o transformaciones de la inteligencia suprema.

Knef, primera revelación de Piromi y primera deidad de la tríada suprema (Knef, Ftha y Fre), fue conocida con numerosos nombres: Nef, Nev, Nub, Nuf, Num, todos ellos sin la K inicial. Ejemplo, insisto, que, unido a los diferentes atributos asignados a un mismo dios en cada localidad, motivó que se creyeran que eran distintos dioses al que era uno mismo. Así, Ammón fue el propio Knef; y como los sacerdotes sabían que los tres dioses de la tríada eran un solo dios, dieron el nombre de Ammón a cada uno de ellos: Ammón-Knef, Ammón-Ftha y Ammón-Fre. Desde entonces Ammón resumió todos los nombres del dios más excelso para los egipcios. Y a Ammón se dedicaron los más soberbios templos en todo el país.

Ftha, segunda persona de la trinidad egipcia, era igualmente la segunda manifestación del dios primordial, Piromi; posiblemente se le creía hijo de Knef y Neith. En un orden de sucesión, Piromi es el dios preexistente; Knef, la voluntad creadora, y Ftha, el fuego primitivo. Del Ftha, organizador y artífice del mundo, salieron dos deidades: Ftha, varón, o Pan-Mendes, y Ftha, hembra, o Athor, la Venus áurea. Algo semejante que con Ammón pasó con Ftha-Athor. Se le confundió con Neith, con Buto y fue más tarde individualizada en Isis-Athor. Y ya con este nombre o con el de Isis asumió la representación del elemento femenino de la divinidad.

Fre, llamado también Ra, es el tercer demiurgo o la tercera manifestación del incomunicable Piromi. En el lenguaje teológico y trascendental de Egipto, Fre es el que emana de Ftha. Fre es el fuego individualizado, el fuego-luz, el Sol. De Fre emanaron: los planetas, los soles—de cada día, del saliente y del poniente, de cada estación del año—, los dioses terrestres cuyas aventuras reflejan fenómenos celestes, diversas personificaciones heroicas. Por ser de los grandes dioses el único visible, Fre fue considerado como el gran dios, y hasta algunos mitólogos le pusieron al frente de la primera tríada.

Inmediatamente después de estos tres dioses, pero antes que las restantes deidades, hallábanse las doce siderales, los seis Cabiros varones y los seis Cabiros hembras, cada uno de los cuales tenía una esfera o espacio para gobernar. Se les suponía hijos de Ftha, y estaban gobernados por Fre. Los Cabiros varones eran llamados: Djom, Pi, Ertosi, Surot, Pi-Hermón y Remfa. Los Cabiros hembras: Illit (la luna), Saté (el éter), Anuké (el fuego), Buto (la atmósfera), Athor (el agua) y Nefté (la tierra).

A continuación de los Cabiros estaban los *Decanos,* deidades inferiores, cada una de las cuales tenía bajo su influjo un tercio de signo zodiacal, y siendo, por tanto, en número de treinta y seis. Los doce Cabiros están representados presidiendo sendos signos zodiacales, y debajo de cada Cabiro un grupo de tres Decanos. Los Decanos eran los genios tutelares del horóscopo y les era atribuido un cierto poder lo mismo para el bien que para el mal. Genio tutelar de cada hombre era el Decano-Horóscopo que a su nacimiento regía.

Todas las anteriores deidades lo eran del cielo. Más populares lo fueron para los egipcios, y son más conocidas de la posteridad, las divinidades de la tierra. Entre estas fueron las más importantes aquellas que constituyen la tríada Osiris, Isis y Horo, las cuales forman una leyenda humana análoga a las fábulas de Grecia y Roma. ¿Cuál es el origen de esta leyenda? Fre se encarnó en Osiris, bajó a la tierra, y él y sus descendientes (los Osiríadas) reinaron treinta mil años. A Osiris se debe la conquista y civilización del valle del Nilo. Osiris inventó las ciencias y las artes y se las comunicó a los hombres. Osiris es el prototipo del monarca bienhechor. Y siempre estuvo acompañado por Thot, el escritor sagrado y confidente, el supremo sacerdote del culto osiriano. Esposa y hermana de Osiris era Isis. Hijos de aquel, Macedo y Anubis. Hijo de Osiris y de Isis, Horo. Osiris marchó a conquistar, acompañado de Anubis y Macedo; gobernando a Egipto dejó a Isis, asesorada por Thot y Djom (el Hércules egipcio). Para los griegos, Osiris fue hermano de Apolo. Osiris sometió toda la Etiopía, encauzó el río Nilo, atravesó la Arabia y llegó hasta la India. En la Tracia, después de haber dado muerte al rey, establecio a Marón en la costa occidental, donde levantó la ciudad Maronea, y dejó a Macedo en una región que por él se llamó Macedonia.

En su ausencia, Tifón, dios del mal, hermano de Osiris, había intentado apoderarse de Egipto; pero unas veces los consejos de Thot pararon la insidia, y otras los arrestos de Djom obligaron a Tifón a desistir de sus intentos. Ya en Egipto Osiris, Tifón le invitó a un magno banquete, durante el cual logró encerrar a Osiris en un cofre y arrojar este al Nilo, por cuya boca Tanita dio el cofre en el mar. Grandes fueron los dolores y mayores las aventuras de Isis, hasta encontrar el cofre. Ya dueña del cuerpo de su amado esposo, hace que lo embalsame Anubis, y ella se dirige a vistar a la diosa Buto, madrina y nodriza de Horo. De nuevo Tifón encuentra el cuerpo de su hermano; sañudamente lo despedaza en catorce trozos, que arroja a otros tantos puntos de la isla del delta. Nuevamente la dolorosa Isis se dirige en busca de esos pedazos amados por las siete bocas del Nilo; pero no logra encontrar sino trece trozos; le falta el órgano de la generación, que ha sido comido por los peces llamados lepidotes y oxirrincos, malditos desde entonces. Horo, inmortalizado por Buto, ya mayor, lucha y vence a Tifón y a los cómplices de este, recobrando la corona egipcia.

Isis, segunda divinidad de la tríada terrestre, viene a ser lo que entre las divinidades celestes fueron Buto, Athor, Neith y Pooh, y en su calidad de gran madre amamanta a su hijo Horo. Si Osiris representa al Nilo fecundante, Isis simboliza a la tierra propicia fecundada; si Osiris es el Sol, Isis es la Luna, recibendo de aquel astro la luz y el influjo.

Horo—llamado también Uro, Or, Ar—fue la tercera divinidad de la tríada terrestre. Vengador y sucesor de su padre, fue mirado como el propio Osiris, y en concepto de tal se le tributaron idénticos honores. Osiris era el Sol que muere cada día; Horo, el Sol que cada día nace. Los griegos, que consideraban a Horo como a su dios Apolo, dieron a aquel dios una hermana gemela, Bubasti, a semejanza de Diana, hermana gemela de Apolo. Anubis fue hijo de una involuntaria unión de Osiris con Nefté, esposa de Tifón. La piadosa Isis perdonó a Osiris y recogió a Anubis, educándolo al lado de Horo. Anubis, por haber embalsamado el cuerpo de Osiris, fue considerado como el dios que presidía el paso de la vida a la muerte; cuando llegaba la hora suprema en que el alma abandonaba su cuerpo, Anubis depositaba a este en el ataúd y llevaba al alma a las silenciosas y fantásticas regiones del Amenti. Anubis moraba en la línea fatal que separa el imperio de la luz del reino de las sombras, y era representado—por su fidelidad en la guarda—con cabeza de perro. Macedo, otro hijo de Osiris, tenía cabeza de lobo. En el ejército de Osiris iba a la vanguardia, emblema de la impetuosidad. Anubis, a la retaguardia, emblema de la vigilancia.

Tifón, hermano de Osiris y de Isis, personificaba todo lo funesto o maligno. En lo físico era la debilidad extrema, todas las formas monstruosas o contrahechas. En lo moral, prototipo del vicio, de la envidia, de la ambición, de la hipocresía, de la rebelión, de la calumnia. Los egipcios le creían el mar inmenso y tenebroso que se tragaba las aguas fecundantes del sagrado Nilo. Le estaban consagrados el verraco, el escorpión y, en general, todos aquellos animales cuya apariencia había tomado para realizar sus fechorías. Así, el cocodrilo, ya que para huir de la venganza de Horo se transformó en horrible saurio.

Thot, emanación del Thot celeste que ya he mencionado, era una deidad terrestre, el prototipo del sacerdote y del sabio. El fue quien dio a Isis los cuernos de vaca en sustitución de la diadema que le había quitado Horo. Se le atribuye la invención de la aritmética y del alfabeto, de la música, del comercio, de la moneda, de la lira de tres cuerdas.

Djom, que entre las deidades celestes representaba funciones de ejecutor de la justicia, entre las terrestres desempeñaba un cargo eminentemente guerrero. Hércules egipcio, era el encargado de mantener la paz y defender la tierra contra los enemigos de los dioses.

Sate o Na era la diosa de la verdad y de la justicia; Suan, diosa de los partos; Besa, diosa de los oráculos dados por medio de cartas cerradas; Salete, diosa e hija del Nilo; Ambo, la Isis subterránea, diosa de los infiernos; Anuké, símbolo del fuego celeste.

En la teogonía egipcia tuvo una importancia capital el sistema de las encarnaciones, y fue este el origen del culto tributado a los animales, ya que en estos se encarnaban los dioses. Osiris se encarnó en el buey Apis, de pelo negro, con una mancha triangular en el testuz, otra en el costado derecho en forma de media luna, y otra en el lomo. Se le representa a Osiris-Apis con el disco solar entre los cuernos. Sejet era la diosa gata, hija del Sol, castigadora de los culpables en el mundo infernal. Thot se encarnó en el ibis, anuncio de las inundaciones del Nilo y emblema de la sabiduría. Tifón se encarnó en el hipopótamo. La comadreja fue adorada en la Tebaida; la musaraña, en Buto; el macho cabrío, en Mendes; la cabra, en Coptos; el milano, en Hieracópolis.

Sin embargo, todas las divinidades egipcias quedaron relegadas a un segundo término al aparecer, durante la dinastía de los Lágidas, el culto de Serapis, dios equivalente, según las opiniones más autorizadas, a Osiris-Apis, o, mejor, a Apis muerto y adorado en Menfis y en una capillita erigida entre las rocas de la costa. Desde entonces Serapis sumó todos los atributos deicos; a Serapis se le rindieron, sumados, todos los honores. Serapis quedó asimilado con Ammón, con Knef, con Zeus, con Apolo, ya que desde el reinado de Tolomeo I todo el afán de los egipcios fue identificar sus divinidades con las de los griegos. Serapis formaba tríada con Isis y con Horo. El culto a Serapis se extendió por Asia, Tracia, Grecia e Italia. Solamente en Egipto tuvo, según declara el orador Arístides—siglo II de la Era cristiana—, cuarenta y tres magníficos templos.

Sus principales atributos eran la tiara cilíndrica, las flores de loto, los signos del Zodíaco y una serpiente en espiral que rodeaba su cuerpo. Su semblante tenía mucha semejanza con el de Zeus Olímpico.

De tal suerte, el pueblo egipcio, que empezó adorando a un solo dios, que después multiplicó sus dioses, que llegó a adorar a los animales y hasta a las plantas, volvió al punto de partida de sus creencias, adorando nuevamente a un solo dios, en el que resumía y compendiaba sus pasadas idolatrías.

7. MITOLOGÍA GRIEGA.—La mitología griega es la más importante y bella de todas las mitologías, acaso porque estas, todas, fueron reveladas por las profetas y sacerdotes, y la helénica fue dada a conocer por los poetas. Según Duruy, "hay dos especies de religiones: las del Libro revelado y las de la Naturaleza. Los cristianos, los judíos y los musulmanes profesan las primeras; el Oriente y Grecia, las segundas; aquellas tienen sus raíces en un dios único y celoso que no tolera nada fuera de su santuario; estas penetran en el seno de la Naturaleza, de donde surge la gran corriente de la vida universal, y sus templos se abren a toda idea revestidos de formas divinas. En los cultos procedentes del Sinaí, de Jerusalén y de la Meca, el desarrollo religioso se hace por el profetismo, comentario de un texto sagrado; en Grecia, los reveladores son los poetas".

¿Cuál fue el origen de todas las creencias religiosas griegas? Herodoto cree que los poemas de Homero y los escritos de Hesíodo. De la mitología griega, sin embargo, únicamente conocemos bien su última forma, la que formó una auténtica religión cuando el tiempo y la reflexión pusieron orden en el caos de las antiguas creaciones. Homero y Hesíodo, en efecto, nos dejaron una mitología sugestiva y muy compleja; pero nos la dejaron embarullada, imperfecta; en ella vivían los personajes divinos a través de ficciones, y realmente no lo parecían por completo, ya que todos ellos rebosaban pasiones, vicios, anhelos perfectamente humanos. Lo que Homero y Hesíodo crearon fue, en puridad, una raza de superhombres, en la que todavía no se ha eliminado el fallo de la carne y la excitación de los caracteres. Así, Juno, "la de las sandalias de oro", muéstrase malhumorada y vengativa, llega a pegar a Diana. Júpiter es un gran turco que no se preocupa sino de su harén. Mercurio enseña a los Autólicos el arte de engañar. Marte sufre furores brutales. Venus no tiene voluntad para negarse a cualquier amable requerimiento. Diana es una virago desviada. Vulcano tiene el papel cómico del Olimpo: el del marido ultrajado y en Babia. Sí, Homero y Hesíodo crearon una mitología un tanto bufa. Tan es así, que, según decía una tradición, Pitágoras había visto en los infiernos a entrambos en castigo de haberse burlado de los dioses; la sombra de Hesíodo estaba atada a una columna de bronce, y la de Homero, colgada de un árbol, en medio de serpientes. Heráclito hubiera deseado que abofetearan a Homero a causa de su impiedad. Lo que verdaderamente hicieron Homero y Hesíodo fue enseñar a los hombres cómo se puede luchar con los dioses y despreciarlos; cómo los dioses, para ser felices, necesitaban hacerse hombres.

Al principio, los pelasgos, los arcadios, honraron únicamente a un Ser supremo, sin templo ni imágenes. Según Herodoto, durante mucho tiempo no conocieron el nombre de ningún dios. Cuando se referían a dicho Ser supremo, llamábanle *Zeus Pater,* padre de las cosas vivientes. Esta adoración silenciosa y pura al *dios padre,* revelación de un culto monoteísta, no fue duradera. Siglos después la volvería a encontrar la filosofía socrática. Al culto del Cielo se unió en seguida el culto de la Tierra. Si el Cielo era el dios padre, la Tierra, donadora de frutos para la vida, era la *diosa madre,* y como tal había de sed adorada; y se la adoró con el nombre de *Demeter.* Y como Cielo y Tierra tenían, a los ojos de los mortales, muy diversas manifestaciones, cada una de estas tuvo, sucesivamente, un nombre, un símbolo, una apariencia. El antropomorfismo se desprendió casi insensiblemente del antiguo naturalismo, aun cuando, por el pronto, tardasen en llegar los enlaces y la generación de los dioses. La aparición de muchos dioses debióse a los cultos particulares en cada localidad. Una especie de emulación religiosa poseía a estas comarcas helénicas, cada una con intereses distintos y, alguna vez, incluso contradictorios. Tener dioses propios—o los mismos, pero con nombres diferentes—parecía ser como un orgullo indeclinable. En Lemnos quedó localizado el culto al fuego con el nombre de *Hefaistos* (Vulcano)—el *Agni* de los Vedas—, gran artesano del Universo. Arcadia, región de los pastores, adoró a Pan y a Hermes. Los fenicios propagaron el culto de Astarté, diosa del amor, a la que se dio el nombre de Afrodita en Ascalán, Chipre y Citerea. Poseidón (Neptuno), dios del mar, era el dios nacional de los jonios. Baco, dios de la vid, apareció en Naxos. Artemisa (Diana), la del culto homicida y de costumbres salvajes, como las de las Amazonas, tuvo en Efeso y en Táurida templos y altares famosos. El cretense Minos fue quien primero divulgó el culto de Apolo, el dios eternamente joven, personificación de la luz radiante.

Hesíodo, en su *Teogonía,* especie de génesis griego, trazó el cuadro de la familia de los Olímpicos: "Antes que nada existió el Caos; después, la Tierra, de extensa superficie, que se mantiene inmóvil para todos sus moradores; el tenebroso Tártaro, en las profundidades de la tierra inmensa, y el Amor, el más hermoso de los Inmortales, que reina igual sobre los hombres que sobre los dioses, enternece las almas, cambia los corazones y triunfa de las decisiones más sabias. Del Caos nacieron el Erebo y la Noche, la cual, fecundada por las caricas de aquel, engendró el Eter y el Día. La Tierra produjo primeramente a Urano, el Cielo estrellado, igual a ella en inmensidad, a fin de que la cubriera del todo y fuera morada eterna de las deidades y de los hombres bienaventurados. Después produjo las grandes montañas, moradas de las deliciosas Ninfas. También dio a luz, sin disfrutar de las delicias del amor, al Ponto, de turbulentas olas; y habiendo compartido el lecho con Urano, nacieron de esta unión Océano—que habita los abismos profundos—, Ceos, Creos, Hiperión y Japet, Teya y Rea, Temis y Nemosina, Febea—que ciñe la corona de oro—y la amable Tetis. Después puso también sobre el mundo al astuto Cronos (Saturno), el más terrible de sus hijos, que llegó a ser enemigo irreconciliable de su padre, y, por último, dio a luz a los cíclopes Brontes ("el Trueno"), Esteropes ("el Rayo") y Argés ("el Relámpago"), que fueron como los ministros de las altas potencias, y a los Titanes y Centímanos, que reinaron, unos bajo la tierra y otros en las profundidades del Océano."

Con una guadaña de bronce que forjó la Tierra, Saturno mutiló a su padre para que no pudiera engendrar más; pero la sangre de Urano era una fuente de vida que produjo otros dioses: los Gigantes, las Erinias y la graciosa Afrodita.

En el primer Olimpo, como en la tierra de los antiguos días, reinaba la violencia. Saturno mutiló a su padre, pero su hermano Titán le obligó a que devorase a sus propios hijos, Poseidón y Hades, para, por este medio, sucederle él. Rea, esposa de Saturno, salva a Júpiter y devuelve la vida a Poseidón y Hades. Júpiter, ayudado por los Titanes, destrona a su padre Saturno. Para conservar el trono, Júpiter ha de luchar y vencer a sus antiguos aliados en imponentes combates. La tierra tiembla y se agrieta. El Océano muge y lanza sus olas como trallazos terribles. Los Titanes se despeñan desde el Olimpo. Uno de estos, Atlas, es condenado a llevar perpetuamente sobre sus espaldas el Cielo, en que residen sus vencedores.

Debe tenerse muy en cuenta que los dioses helénicos no son los creadores del Universo, sino los que lo gobiernan. De aquí que no sean tampoco eternos. La maldición lanzada por Prometeo: "¡Moriréis!", se cumplió al cabo de algunos siglos. Estos dioses, inclusive, participaban de las miserias humanas. Los Aloides tuvieron encerrado a Marte, durante trece meses, en una prisión de bronce. Apolo y Neptuno fueron esclavos de Laomedonte. Durante la guerra de Troya sufrieron heridas Venus, Marte, Plutón y hasta Juno, reina del Olimpo. Por otra parte, el imperio de estos dioses, cada uno de los cuales representa un aspecto de la Naturaleza, es muy limitado. Cada uno de ellos reinaba plenamente en una comarca o en una ciudad; así, Minerva en Atenas, Baco en Tebas, Venus en Chipre, Apolo en Delfos. Pero cada uno, en otras muchas ciudades, era apenas conocido y hasta menospreciado. Así, Iolas, en las *Heráclidas,* de Eurípides, puede exclamar: "Los dioses que combatían por nosotros no les iban a la zaga a los dioses que combatían por los argios. Si a estos los protegía Hera, nuestra diosa era Atenea."

Con tantos dioses, el sentimiento religoso de los hombres quedó estragado; únicamente salió ganando el aspecto legendario de la poesía. Y fue la poesía precisamente la que llegó a confundir a numerosas divinidades con el elemento que cada una de ellas presidía. Una náyade era una ninfa; pero era, a la vez, la fuente misma en cuyo fondo se ocultaba, cantarina, ella.

Doce eran las divinidades más populares y adoradas entre los griegos. Un escoliasta de Apolonio de Rodas fue quien dio sus nombres, formando con las doce el Olimpo definitivo. Entre paréntesis escribiré los nombres con que dichas doce divinidades fueron conocidas por los romanos:

1. *Zeus* (Júpiter), dios supremo, a quien las demás deidades y los hombres obedecen. Dueño del rayo. Una especie de Jehovah mosaico, el Altísimo (ὕφιστος). Su símbolo era el águila.
2. *Hera* (Juno), esposa de Zeus, reina del Cielo. Su símbolo era el pavo real.
3. *Poseidón* (Neptuno), dios de las aguas. Su símbolo era el tridente.
4. *Apolo* (Apolo), el dios que ilumina y la inteligencia que inspira. Su símbolo era la lira o el arco.
5. *Atenea* (Minerva), diosa de la sabiduría y de la castidad.
6. *Afrodita* (Venus), diosa del amor y de la voluptuosidad.
7. *Ares* (Marte), dios de la guerra.
8. *Hefaistos* (Vulcano), dios de las artes útiles.
9. *Hestia* (Vesta), diosa de las virtudes domésticas.
10. *Demeter* (Ceres), diosa de la tierra fecunda.
11. *Artemisa* (Diana), diosa de la caza, hermana de Apolo.
12. *Hermes* (Mercurio), dios de la elocuencia y del comercio.

Había, además de los nombrados, otros grandes dioses, de categoría casi igual: *Hades* (Plutón), dios de los infiernos; *Dionisios* (Baco), dios de las viñas y de la música; *Asclepio* (Esculapio), dios de la medicina; *Leto* (Latona), amante de Júpiter, madre de Apolo y de Artemisa; *Coré* (Proserpina), esposa de Plutón, hija de Demeter, reina del mundo subterráneo; *Eos* (la Aurora); *Herakles* (Hércules).

Por fin, el caos divino se coordinó. El Universo se dividió en tres reinos: el Cielo y la Tierra, presididos por Júpiter; el Mar, presidido por Neptuno; los Infiernos, presididos por Plutón. Sin embargo, Plutón y Neptuno quedan subordinados a Júpiter, el cual, con un solo movimiento de cejas, hace temblar todo lo creado; Júpiter, señor del Universo, reúne a su alrededor, en el Olimpo, a los grandes dioses, su familia y su consejo. Precisamente de esta omnipotencia jupiterina, tiempo después, Sócrates, Platón y Aristóteles harán derivar su idea—y su ideal—de un dios único que mantendrá el orden y la armonía de los dos mundos del espíritu y de la materia. Todos los dioses, según las creencias helénicas, tenían un cuerpo de naturaleza particular, impalpable, incorruptible, que podía tomar las formas sin perder nunca la belleza, pero cuerpo al fin con necesidades perentorias como era el alimento. El néctar y la ambrosía eran los manjares de los dioses. Los dioses estaban en todas partes, sin que se los pudiera reconocer en ninguna. Cosa realmente extraña resulta la consideración de que, habiendo intervenido la poesía en la exaltación religiosa de los griegos, sea, sin embargo, la religión helénica un culto de interés y no un culto de amor. Se ofrecen a los dioses sacrificios, fiestas, juegos, templos, altares, no porque se los ame, sino porque se les piensa exigir una valiosa protección. Si Crises—en la *Ilíada*—exige de Apolo que le defienda, es porque puede alegar que ha sacrificado al dios muchas docenas de bueyes gordos.

Pero sobre todas estas divinidades del gran Olimpo, incluido Júpiter, reinaba un dios más fuerte, dios sin vida, sin leyenda, sin figura, sin templo ni altar: el Destino (Αἶσα, *la parte;* Μοῖρα *la porción que conviene*). Apolo nada puede hacer por Héctor, a quien el Destino le tiene los días contados. Júpiter contempla impotente cómo Patroclo tunde a golpes a su amado hijo Sarpedón. Las deidades, impotentes ante la fuerza del Destino, que les arrebata a los que ellas aman, "son la imagen de la impasible Naturaleza que asiste a nuestros funerales". Luciano de Samosata, que hace a las tres Parcas ejecutoras inexorables de los designios del Destino, cree que estas tres diosas están sobre el mismo Júpiter, ya que ellas juegan con el hilo vital del dios y hasta pueden cortarlo si llegara el mandato fatal. Al Destino, los griegos primitivos le llamaron Necesidad; y los romanos, Fortuna.

Según Hesíodo (en *Los trabajos y los días*), los dioses y los hombres nacieron al mismo tiempo, sino que estos eran mortales. Pero los hombres vivían felices, rodeados de toda clase de bienes, exentos de enfermedades y de la vejez, y morían como entregados a un sueño dulcísimo. Fueron estos los hombres *de la Edad de Oro*. Cuando desaparecieron, los dioses del Olimpo produjeron una segunda raza de hombres muy inferiores; eran los hombres *de la Edad de Plata*, que vivían muchos años y poseían grandes bienes, pero ya sujetos a la muerte; Júpiter los aniquiló por haberse negado estos hombres a rendir homenaje a los dioses. La tercera raza fue llamada de los hombres de bronce, de corazón duro como el acero y dotados de extraordinaria fuerza, que gozaban siguiendo al feroz Marte en sus aventuras guerreras. También murieron, y murieron con dolor. La cuarta raza humana fue la de los héroes, que la guerra segó delante de Tebas, la ciudad de las siete puertas, o delante de Troya, en defensa de la maravillosa Helena. Júpiter, apiadado de ellos, los colocó en los confines de la Tierra, exentos de toda inquietud; tres veces

M

al año, la fértil tierra dábales frutos deliciosos. Por tanto, de los primeros hombres, unos alcanzaron la inmortalidad por la justicia y otros por el valor.

¿De dónde y por qué llegó el mal a los hombres? Hesíodo es muy explícito. Por la envidia de los dioses. Los dioses se envidiaban unos a otros, pero también envidiaban a los hombres. Aprovechando la oportunidad de haber robado Prometeo el fuego celeste para dárselo a las criaturas creadas por él, Júpiter le lanza su vengativa maldición. Por mandato del padre de los dioses, Vulcano forma un cuerpo perfectísimo de mujer; Minerva le da un rico cinturón; la Gracia y la Persuasión, collares de oro; las Horas, una guirnalda de flores primaverales; Mercurio, el arte de mentir con seducción; Venus, la atracción infinita del sexo. Esta mujer, así creada y dotada, fue llamada Pandora. Por mandato de Júpiter, Mercurio la condujo ante Epimeteo ("el Imprudente"), hermano de Prometeo. Pese a los consejos de este, aquel aceptó el regalo. Pandora tenía una caja; abrióla, y salieron de ella, esparciéndose, todos los males. Como dice con acierto Duruy, "diríase que esto es un eco de la narración bíblica: la mujer perdiendo a la Humanidad, a la que encanta, por otra parte, con sus gracias y su abnegación maternal, y Dios condenando al hombre al trabajo, que ha sido su fuerza y su salvación". Por sencillas imágenes, sin teología ni metafísica, los poetas helenos explicaron así el origen del mal. La envidia de los dioses pasará a los hombres inexorablemente. La pena de ostracismo, tan en boga en Atenas y en Roma, no era otra cosa que un medio por el cual los hombres eliminaban de la comunidad a ciertos ciudadanos célebres por su talento o por sus riquezas. Jamás el hombre antiguo pudo quitar de su corazón la angustia que le producía la implacable Némesis, diosa encargada de cumplir los dictados terribles de los envidiosos dioses. Esta envidia deica dará los más patéticos temas de la sensibilidad humana. Recuérdese la dignidad con que Prometeo soportó que Vulcano le atase a la roca caucásica y que el cuervo le royese las entrañas, incansable. ¿Cuál era el crimen del titán? Haber amado a los hombres. Recuérdese el dolor inmenso, pero sin debilidad alguna, con que Niobe vio morir a sus hijos atravesados por las flechas de los hijos de la envidiosa Latona. ¿Cuál era el pecado de los nióbidas? Estar orgullosos de su naturaleza humana.

La religión helénica no tuvo libros sagrados, ni siquiera sacerdotes exegetas que la explicaran, conservando con rigor su esencia. La creencia, pues, sin fijarse en un texto inmutable, quedó entregada a los vaivenes y exorbitancias de la imaginación popular y a la fantasía de cuarenta y dos grados de los poetas y artistas. Los cuales, para acercarse siquiera por signifcación o simbolismo a los dioses, poblaron los alrededores del Olimpo y las tierras más felices de semidioses y de héroes. ¿Quiénes eran los semidioses? Seres nacidos de la unión carnal de un dios y de una mortal o de un mortal y una diosa. Seres con una naturaleza que mezclaba inmortalidades y miserias. A estos semidoses no se les podían dedicar libaciones ni sacrificios, pero sí oraciones y honras fúnebres. Héroes eran criaturas excepcionales por sus hazañas y servicios, jefes de expediciones audaces, fundadores de ciudades, patronos de familias o de corporaciones y hasta hombres que habían sido notables únicamente por su belleza física. Semidioses fueron Prometeo, Atlas, Hércules, Perseo, Jasón, Esculapio, Cástor y Pólux, Orfeo, Cadmo, Teseo, Belerofonte... Héroes fueron Edipo, Anfiarao, Néstor, Ulises, Eneas, Filotectes, Ajax, Príamo, Aquiles, Diómedes...

Los semidioses eran genios tutelares que velaban por sus adoradores socorriéndolos en las desgracias y enviándoles sueños proféticos. Los héroes, semejantes a los santos, intercedían a los dioses en favor de los mortales. Los griegos, en general, adoraban a todos aquellos seres que, a su parecer, habían traspasado la medida común de una manera o de otra. Las apariciones de estos semidioses y héroes a los mortales eran tan frecuentes como las de los santos durante la Edad Media. Y el signo más cabal de la amistad entre dos ciudades era que una y otra asociaran en el mismo culto a los héroes propios de entrambas.

La omnipotencia divina fue una idea confusa que tuvieron los griegos, separada por completo de tal o cual dios. Inclusive, a veces, como un poder al cual quedaban sujetos los dioses. A esa omnipotencia, Homero la llamó δαίμων y los latinos la llamaron *numen*. Homero no cree que divinidad alguna inspirara la obstinación a Aquiles, la prudencia a Telémaco; cree más bien en esa misteriosa inspiración, ajena a los dioses, que los devotos llamaron después Providencia, y Fortuna o Casualidad los indiferentes.

Para Homero eran los demonios—aparte los olímpicos mencionados—fuerzas supraterrenales, sin nombre y sin forma, que, sin tener jerarquía celeste, participaban de la divinidad. Hesíodo creía que los demonios eran personajes verdaderos, hombres, acaso, de la Edad de Oro, que alcanzaron la inmortalidad y que en número de "tres veces diez mil recorren la tierra fecunda rodeados de una nube. Júpiter los convirtió en guardianes de la justicia". En esta relación, Júpiter podía ser llamado "el Demonio bueno", sin que en ello hubiera paradoja alguna. Dar al sustantivo *demonio* su contenido maléfico fue obra de los filósofos posteriores.

A la religión que pudiéramos proclamar pública y oficial, los helenos agregaron otra religión: la doméstica, quizá guardada más celosamente. En el libro de las *Leyes* afirma Platón que el parentesco nace de la comunidad de los mismos dioses domésticos. El temor a una muerte definitiva fue la causa de que los antiguos pensaran que con la muerte se iniciaba una segunda existencia incorpórea y perenne. El lazo que en vida unía al alma con el cuerpo no se había roto, se había aflojado únicamente. Las almas, más libres sin la unión absoluta con la carne, vagaban por los lugares donde habían vivido, o bien paseaban por los inmensos campos de asfódelos, la flor dedicada a los muertos. Esta creencia hacía posible que Aquiles reinase en las sombras, mientras sus cenizas reposaban bajo el túmulo erigido en la llanura troyana, y que Ulises viera en los infiernos a Hércules, sabiendo que el héroe, convertido en dios, residía en el Olimpo. Y el alma de Flixos, según cuenta Píndaro en las *Píticas,* llega de la Cólquida para rogar a Pelías que lleve sus restos a Grecia. El pueblo amaba a sus muertos, y este amor fue la base firme del llamdo culto doméstico. Cada familia honraba las cenizas de sus antepasados, sabiendo que "la otra mitad" de estos vagaba alrededor del hogar. En este aspecto, los hombres fueron más grandes que los dioses, porque los dioses permanecían indiferentes ante la muerte, repugnaban de los muertos. Apolo abandona a Alcestes moribundo para no verle morir y no tener que purificarse. Artemisa se aparta de Hipólito, a quien la vida abandona, asegurándole "que no le está permitido contemplar muertos".

Los griegos conocieron dos especies de muertos, según que los ritos fúnebres se hubieran cumplido o no. Cuantas personas morían de muerte violenta—el criminal, el traidor—, cuyos cadáveres quedaban expuestos a las aves y a las bestias, andaban errantes y eran como sombras maléficas del hogar. Cuantos seres morían normalmente entre los suyos, recibiendo los honores fúnebres debidos, llegaban a ser protectores de los parientes y amigos que dejaron en la tierra. Estos acudían a ellos en demanda de socorro y protección. Platón respetó esta creencia de los *demonios protectores* y aseguró "que, indudablemente, las almas de los muertos tomaban alguna parte en los asuntos humanos". El culto de los muertos, observado solo en los aniversarios, era *la parte externa* de la religión doméstica; el culto del hogar fue *la parte íntima,* y se practicaba a todas las horas del día. En el hogar de cada casa, de día y de noche, debía brillar una chispa de aquel fuego divino, que, para los hombres, robó de los cielos Prometeo. Esa llamita perenne y hogareña aludía a Vesta, la diosa virgen y hermana mayor de Júpiter. Y confundiéndose la imagen con el ser representado, esa llamita era la misma Vesta, protectora de la famila, ante la que no podían pronunciarse palabras que ella no pudiera escuchar, ni hacer algo que ella no pudiera ver. El supremo sacerdote del culto doméstico era el *padre de familia;* él ofrecía a la diosa las primicias de las viandas y de las libaciones; él le ofrecía, al quinto día del nacimiento, cada uno de sus hijos llevando a la criatura en brazos, perdiendo el padre, desde este momento, el derecho a abandonar a su hijo; él cuidaba de la perennidad de la llamita. La religión doméstica tuvo la sanción del Estado, siendo una de las condiciones indispensables a la ciudadanía. El individuo que carecía de hogar no podía desempeñar cargos públicos. Y como la ciudad no era sino el conjunto de familias, la ciudad tuvo igualmente su culto hogareño, y toda la liga un hogar central: el de Delfos o el de Olimpia servían para toda la Grecia. El culto hogareño aún tenía un derecho mayor: el altar de Vesta era un asilo inviolable. El vencido, el desengañado, se retiraba a dicho altar, adonde no le llegarían ni la espada del vencedor ni la brutalidad del realismo triunfante. "Tus armas—apostrofa Hécuba a Príamo—no te defenderán; pero ese altar nos protegerá a todos." El hogar y la tumba fueron los dos ejes alrededor de los cuales permaneció y giró la religión doméstica de los griegos.

En la religión helénica hubo, indiscutiblemente, una moral. Y no era moral puramente externa, que consiste en guardar con celo el rito. ¡Extraño caso! Los dioses, llenos de vicios, vengativos, crueles, ¿qué moral podían ejemplarizar a los mortales? Una vez más, el hombre superó a la divinidad. Y si esta no se preocupó de aparecer moral, ni siquiera moralizante, el hombre atribuyó a la divinidad, por una feliz contradicción, la gran virtud de administrar la justicia *justamente.* Sí, el hombre consideró que los dioses velaban por la santidad de los juramentos y que sus altares eran asilos de los suplicantes. De suerte que la moral helénica nació del alma del hombre y no de la omnipotencia y rango de los dioses. Fueron los hombres los que necesitaron *crearse* una moral impotente; fueron los hombres los que *necesitaron* la creencia de unas Furias terribles que llenaban de espanto el alma de cuantos cometían una acción villana, deificaciones de los remordimientos. La moral de que nos hablan los grandes poetas es una moral puramente de *tejas abajo.* Hesíodo, en *Los trabajos y los días,* revela una moral muy pura, pues se castiga el vicio y se recompensa la virtud, pero *solo en esta tierra.* Nada dice de la vida de ultratumba, a no ser la paz de que gozan los bienaventurados en las islas Afortunadas. Píndaro inclusive *deforma* la moral de la *otra vida,* ya que únicamente abre las puertas de los Campos Elíseos a los poderosos y a los triunfadores, sin cuidarse de los pequeños, de los humildes, de los buenos. Y cuando hablan los poetas del sentido moral de los dioses, nos enseñan una moral subversiva o una moral inmoral—y valga la paradoja—, ya que para castigar el crimen cometido por un hombre castigan al criminal, pero también a sus hijos, a sus nietos, a su raza entera. Lo cual no puede ser más abusivo en concepto estricto de moral.

El origen del culto público entre los griegos fue la esperanza en la protección de los espíritus o de los dioses. Los griegos, como todos los pueblos antiguos, creyeron que podían aplacar a las divinidades y evitar sus castigos con oraciones y ofrendas, con votos y sacrificios. Si el olor de la víctima quemada era un perfume grato a la divinidad, el valor de lo inmolado ya aludía al arrepentimiento y al sacrificio del pecador. El sacrificio más completo, pero el más raro, era el holocausto en que la víctima se quemaba por entero. El más solemne, la hecatombe. El más eficaz, aquel en que se vertía la sangre más preciosa. El pobre, que no disponía de víctimas caras, ofrecía figurillas de barro; su sacrificio era no menos grato a los dioses. Pero con lo dicho no era aún suficiente para que el acto expiatorio surtiera los efectos apetecidos. Se requería que las ofrendas fueran puras y sus víctimas perfectas, que el sacerdote oferente no tuviera ningún defecto físico, que el suplicante no guardara en su mente ni un pensamiento malo. Para acercarse al altar era necesario haberse purificado con el agua, símbolo de la purificación moral. A la puerta del templo un sacerdote vertía el agua lustral en las manos y en la cabeza de los fieles. La purificación era un acto necesario precedente para acercarse a un dios en todas las religiones. Las mismas ciudades, para librarse de las calamidades, necesitaban de purificación. Poco a poco el agua dejó de ser el único modo de purificarse. En Samotracia, los Cabiros obligaban al pecador a que confesara sus pecados a los sacerdotes. Delfos siguió esta costumbre, pero estimó que era el sacerdote de Apolo quien únicamente podía escuchar la confesión.

La seguridad que tenían los griegos de que los dioses nacidos de la tierra estaban en comunicación constante con los hombres dio origen a la costumbre de los oráculos. Cada templo tenía el suyo. Por boca de los sacerdotes o sacerdotisas el dios hablaba y profetizaba o indicaba un término expiatorio. Otras veces, los designios del dios se manifestaban en señales visibles, pero necesarias de interpretación; así, en el vuelo de las aves, en el sonido del aire cerrado, en las entrañas de las víctimas, en la dirección del humo o de la llama, en el relámpago, en los sueños que Júpiter enviaba, en palabras pronunciadas al acaso. Los adivinos interpretaban los presagios y los sacerdotes suponían que los dioses les hablaban. Había, pues, como un diálogo continuo entre el Cielo y la Tierra; el griego creía tener en el oráculo una revelación permanente de la voluntad de los dioses.

Como resumen de estas nociones de mitología helénica, quiero dar un *cuadro de conjunto* de *la misma,* para que el lector aprecie rápidamente el valor y poesía de su contenido.

1. *Genealogía de los dioses. Creación del hombre.*
2. *Panteón helénico.*
3. *Divinidades del fuego.*
4. *Divinidades del mar y de las aguas.*
5. *Divinidades subterráneas.*
6. *Dionisios y el culto dionisíaco.*
7. *Divinidades de la Tierra.*
8. *Divinidades secundarias:* a) *El cortejo de los olímpicos.* b) *Deidades de los astros.*
9. *Los héroes y semidioses. Hércules.* a) *Héroes del Atica.* b) *Héroes tebanos.* c) *Héroes de Etolia y de Tesalia.* d) *Héroes corintios.* e) *Héroes del peloponeso;* y
10. *Las leyendas y los tipos legendarios.*

Brevemente quiero indicar el contenido de cada uno de estos apartados, para que el lector pueda, retenidos los nombres, buscar en el diccionario aquellos detalles que más le interesen.

1. *Genealogía de los dioses.*—Este apartado comprende: el Caos. "Primeramente—se dice en la *Teogonía*—existió el Caos; después, Gea (la Tierra), la del amplio seno, eterno e inconmovible sostén de todas las cosas, y Eros, el más hermoso de los inmortales, que domina los corazones y triunfa de los sabios consejos." De Gea y de Eros nació Urano; Gea hizo de este hijo su esposo. Y la unión fue fecundísima: los *Titanes,* en número de doce, seis masculinos—Océano, Ceo, Crío, Hiperión, Janeto y Cronos—y seis femeninos—Tetis, Tea, Temis, Mnemosina, Febe y Rea—; los *Cíclopes,* que eran tres, con un ojo único en la frente: Brontés, Astéropes y Arges; los *Hecatónquiros,* de cuyas espaldas salían cien invencibles brazos, eran también tres: Briareo, Coto y Gías. Titanes, Cíclopes y Gigantes formaban las dinastías de los *Uránidas.*

Gea, de acuerdo con su hijo-nieto Cronos (Saturno), castra a Urano. Cronos se desposa con su hermana Rea. Este matrimonio inicia la segunda dinastía olímpica. Cronos y Rea tienen numerosa descendencia: Hestia, Demeter y Hero son sus hijas; Hades, Poseidón y Zeus, sus hijos. Júpiter (Zeus) expulsó a Cronos y ocupó su lugar. Así estableció la tercera y última dinastía divina de los griegos, la de los Olímpicos. Para asegurar su trono, que le disputaban los Titanes, Júpiter se alió con los Cíclopes y con los Hecatónquiros. Los Titanes, derrotados, fueron arrojados al Tártaro. Más tarde tuvo que luchar contra los Gigantes, hijos de Gea, monstruos inmortales de aspecto aterrador. En este nuevo combate ayudaron a Júpiter otras divinidades: Atenea, Hera, Apolo, Hefaisto, Poseidón, Artemisa Hécate, Afrodita, las Parcas.

Uno de los Titanes, Japeto, de su unión con la oceánida Climene, tuvo cuatro hijos: Atlante, Menetio, Epimeteo y Prometeo. Prometeo robó el fuego celeste, burlando la sabiduría de Júpiter, y formó al primer hombre *con limo de la tierra,* enseñándole "lo que la tierra oculta en sus entrañas: sus riquezas, el bronce, el hierro, la plata y el oro". Para vengarse de Prometeo y de sus hombres, Júpiter les envía a Pandora, la cual destapa entre ellos su fatal cofrecillo que guardaba todos los males.

2. *Panteón helénico. Olimpo.*—Lo componían doce dioses, presididos por Júpiter: Juno, Vesta, Neptuno, Ceres, Minerva, Venus, Vulcano, Marte, Apolo, Diana y Mercurio.

Las principales diosas con las que Júpiter tuvo

amores fueron: Metis—¿la primera esposa?—, madre indirecta de Minerva; Temis—la primera esposa, según Píndaro—, madre de las estaciones que presiden la producción de los frutos y de las Parcas. Hera (Juno)—la verdadera esposa—, madre de Hebe y Ares (Marte), y quizá de Hefaisto; Mnemosina, madre de las nueve Musas; Eurinome, madre de las tres Gracias: Maya, madre de Mercurio; Letona, madre de Apolo y de Diana; Asteria, madre de Hécate; Demeter, madre de Coré o Proserpina.

De los poderes, facultades y atributos de cada uno de estos doce dioses ya he hablado en el preámbulo precedente.

3. *Divinidades del fuego.*—Vulcano (Hefaisto) es el principal dios del fuego. Es como el dios pobre y desdichado de una familia rica y feliz. Su madre le repudia, su mujer le engaña y él no tiene absoluta seguridad de ser hijo de Júpiter. ¿Cuál fue la esposa de Vulcano? ¿Minerva? ¿Afrodita? Homero le da como tal "a la bella Caris, adornada con elegantes cintas".

Según Hesíodo—*Teogonía*—, la primera deidad del fuego fue Vesta (Hestia), la mayor de las hijas de Cronos y de Rea. Representaba al fuego como alimento del hogar en que se sacrifica a los dioses. Otras deidades del fuego son los Cabiros, hijos de Vulcano y de Cabira, hija de Proteo; eran genios volcánicos y tres en número: Axieros, Axiocersa y Axiocersos. Su culto principal estaba en Samotracia. Los Telquines eran, igualmente, genios del fuego; se les tenía por magos y encantadores. Se decía que eran hijos del Océano, que eran los perros de Acteón, metamorfoseados después de haber devorado a su amo; que eran hijos de Némesis y del Tártaro, y, en fin, que, como las Erimias, habían nacido de las gotas de sangre caídas de la herida de Urano después de su mutilación por Cronos. Una leyenda dice que los Telquines eran tres: Crisón—descubridor del oro—, Argirón—de la plata—y Calcón—del bronce—. Se atribuía a los Telquines el *mal de ojo*.

4. *Divinidades del mar y de las aguas.*—Neptuno (Poseidón) era el supremo dios de todas las aguas. Su esposa era Anfitrite, hija de Nereo y Doris—según Hesíodo—, o del Océano y Tetis—según Apolodoro de Atenas—. De esta unión nacieron Tritón, Rodos y Bentesicima.

Sin embargo, no fue Neptuno la deidad marina más antigua. El Océano, hijo del Cielo y de la Tierra (Urano y Gea), tomó por esposa a Tetis, diosa de las aguas, naciendo de esta unión los Ríos y las Oceánidas.

Otro dios marino más antiguo que Neptuno es Nereo, que se desposó con Doris, hija del Océano y de Tetis, de cuya unión nacieron las Nereidas, en número de cincuenta, siendo las principales: Tetis, esposa de Peleo y madre de Aquiles; Galatea, amante de Acis; Casiopea, Madre de Andrómeda; Calipso, reina de Ogigia; Glauca, Aretusa, Climene. Según Hesíodo, una de las Nereidas, Anfitrite, fue la esposa de Neptuno.

Otro dios marino era Proteo—de origen egipcio, quizá—, como Nereo, "un viejo marino" que se casó con la ninfa Corónide. Tuvo el don de metamorfosearse de mil modos. Su principal misión era la de alimentar bajo las aguas las focas y los becerros marinos que formaban el rebaño de Neptuno.

Orco o Foscis, hijo de Neptuno, es más conocido por su descendencia que por él mismo. Engendró algunos de los monstruos fabulosos y principalmente a las Gorgonas (Estenia, Euriale y Medusa). Glauco era el más hermoso de los dioses del mar, hijo de Neptuno y de una náyade, o de Antedón y Alcilona. De simple pescador de Antedón, pequeña ciudad de Beocia, llegó a deidad marina. Estaba dotado de virtudes proféticas, y amó, sin ser correspondido, a Esala, hija de Orco.

En la *Teogonía* de Hesíodo aparece por vez primera el nombre de Tritón, hijo de Neptuno y de Anfitrite. Era el mensajero de su padre, formidable soplador en la caracola. La mitad superior de su cuerpo era de hombre hermoso, pero la mitad inferior era de monstruo marino.

Los Ríos, hijos del Océano y de Tetis, mencionados por Hesíodo, eran veinticinco, casi todos pertenecientes a la Eólida; dos de ellos, Aqueloo y Alfeo, tuvieron un carácter casi universal. Otros muy adorados fueron: el Asopo, el Iliso, el Escamandro, el Meandro.

Las Ninfas eran las pricipales divinidades de las aguas dulces. Eran, según Homero, hijas de Júpiter. Hesíodo las hace nacer de las gotas de sangre que cayeron de la herida de Urano cuando fue mutilado por Cronos. Muchas tradiciones las consideraban hijas de un dios fluvial. Según Ovidio, su número no era inferior al de un millar, y veinte de ellas eran hijas del río Asopo y otras veinte del río Amaso. Vivían en los remansos de los ríos, en las fuentes, en los lagos, en los charcos. Estaban subdivididas en:

Orestiadas o ninfas de los bosques.

Náyades o ninfas de los ríos y de las fuentes.

Dríadas o *Hamadríadas*, ninfas de los árboles.

Las más importantes de ellas eran las Náyades, que vivían—según Homero—en grutas próximas al mar y en las orillas de los riachuelos, sin desdeñar la fresca umbría de los bosques. Jóvenes y hermosas, sus cabezas iban coronadas de cañas. De tales grutas son famosas las de Coras, en el Parnaso; la de Esfragidión, en el Citerón, y la del puerto de Forcis.

5. *Divinidades subterráneas.*—Plutón (Hades), hijo de Saturno y de Rea, es la divinidad del mundo subterráneo. En un principio era un dios bienhechor y no terrible, amigo de los vivos, cuya existencia facilitaba con la fertilidad proporcionada a la tierra matriz. Poco a poco pasó a ser el dios de los muertos y de los Infiernos, "porque unos y otros quedan en el mundo subterráneo".

Los satélites de Plutón eran las Queres, las Arpías y las Erinias. De estos satélites, son las Queres las más difíciles de distinguir claramente, porque bajo varios aspectos se confunden con las Moiras. Según Hesíodo, eran genios de la muerte y de la venganza, "persiguen a los culpables, sean hombres o dioses, y no templan su cólera terrible hasta haber logrado imponer cruel pena al que ha faltado. Las Queres negras, haciendo rechinar sus dientes blancos, con ojos espantosos, sanguinolentos, insaciables, se disputaban a los que caían. Todas estaban ávidas de beber sangre negra. Cuando tenían cerca a un guerrero moribundo, hendían las uñazas en su carne, y su alma iba al Hades y al helado Tártaro". Se las denominaba, a veces, las perras hijas de Hades. La confusión entre ellas y las Moiras estribaba en que todo nacido tenía su Quer, que le seguía durante todo el curso de su vida y determinaba el instante de la muerte.

Las Arpías, "divinidades raptoras", eran, según Hesíodo, hijas de Taumante, hijo a su vez de Ponto y de Gea. Las Erinias, en algunos casos semejantes a las Queres y a las Arpías, desempeñaban muy importante papel entre las deidades subterráneas. Hesíodo las hace nacer de las gotas de sangre derramadas por Urano al ser mutilado por su hijo Saturno con la hoz de agudos dientes. Esquilo las hace hijas de la Noche. Sófocles, hijas de la Tierra y de las Tinieblas. Higinio, hijas de Orco o Forcis. Eurípides asegura que eran tres: Alecto *(la que no calma nada)*, Tisífone *(el espíritu de la venganza)* y Megerea *(el espíritu del odio)*. Su aliento era pestilente. Podían metamorfosearse y llevaban en las manos una antorcha o un látigo. Su principal misión era perseguir a los que no habían cumplido sus deberes filiales. La *Ilíada* nos cuenta cómo las Erinias persiguieron a Marte porque este protegió a los troyanos contra los deseos de la madre Juno. Las Erinias, guardadoras de los juramentos, se ensañaban también con los perjuros. Eran verdaderas diosas del destino. Sin embargo, eran accesibles a la idea del perdón. Transformadas en Euménides, eran diosas bienhechoras que sabían, llegado el momento, ahuyentar el peligro, desviar de un país los vientos perjudiciales, las epidemias, el calor abrasador, y llevarse la fertilidad, el bienestar en todas sus formas.

6. *Dionisio y el culto dionisíaco.*—Las fiestas celebradas en Atenas en honor de Baco (Dionisio) se dividían en *Antesterias, Leneas* y *Grandes Dionisíacas.*

Las Antesterias duraban tres días consecutivos, cada uno de los cuales tenía un nombre alusivo a la ceremonia que se verificaba en él: *Pitegio* (fiesta familiar de abrir los odres), *choes* (fiesta de la bebida en comunidad) y *chytres* (ofrecimientos). Las Leneas eran, según la hipótesis más generalmente admitida, fiestas conmemorativas del primer lagar. Las Grandes Dionisíacas duraban muchos días y comprendían varias ceremonias: el proagón, la procesión, el concurso ditirámbico, el comos, las representaciones dramáticas. En el cortejo de Baco figuraban las Ménades, los Sátiros, los Silenos, Pan, las Ninfas, Príapo, los Centauros.

7. *Divinidades de la Tierra.*—Las más importantes eran: Gea, Demeter (Ceres) y su hija Core (Proserpina), Triptolemo, Flora, Pales, Pomona, Fauno, Aristeo, Término y Príapo. Como divinidades de la Tierra podían considerarse igualmente los llamados dioses domésticos y los llamados alegóricos, ya que estos desarrollaban su significación entre los hombres.

Entre los dioses domésticos están: los Penates y los Lares, genios protectores de cada casa y custodios de cada familia. Su culto lo llevó a Italia el troyano Eneas; el Genio, guía y acompañante del hombre en todos sus actos y durante toda su vida, habiendo en el Genio un desdoblamiento: Genio *bueno* y Genio *malo;* Himeneo, hijo de Venus, que presidía los desposorios y las fiestas nupciales: los Manes, almas de los ascendientes que vagaban en torno del hogar familiar; Como, dios de los banquetes, de las danzas y de la alegría; Pluto, dios de las riquezas; Momo, dios del chiste y de las burlas.

Entre las deidades alegóricas estaban: la Fortuna, dispensadora de bienes y males, de placeres y penas; la Venganza, la Libertad, la Ocasión, la Fama, la Paz, el Trabajo, la Noche, el Sueño, la Muerte.

8. *Divinidades secundarias:* a) *El cortejo de los Olímpicos.* b) *Deidades de los astros.*—El genio griego inventó algunas figuras encantadoras, de las cuales casi todas revisten formas femeninas. Servidoras de los dioses mayores del Olimpo, contribuyen con frecuencia a alegrar el lugar residencia de los inmortales. Iris, la mensajera celeste; las Gracias, ante las cuales Píndaro exclama: "Todos los bienes, todos los placeres de que gozan los mortales son beneficio de vuestra bondad; la sabiduría, la belleza y la gloria a vosotras son debidas"; las Horas, guardianas de las puertas del cielo, según Homero; las Musas, Helios, el Sol, Eos (la Aurora), Selene o la Luna.

9. *Los héroes.*—Los más importantes fueron: Hércules; entre los del Atica: Teseo, Cécrope, Erictonio y Erecteo; entre los tebanos: Cadmo, Anfión, Zeto, Edipo, los Epigonos; entre los etolios y tesalios: Peleo, Aquiles, Jasón, Fineo; entre los corintios: Sísifo, Glauco, Belerofonte; entre los del Peloponeso: Asclepio, Macaón, Perseo, Atreo, Tiestes, Pélope, Tántalo, Tíndaro.

10. *Las leyendas y los tipos legendarios.*—De las leyendas más importantes y bellas cabe nombrar: la de las *Sirenas,* la de *Minos,* la de los *Dióscuros* y los *Afaridas,* la de *Dédalo* e *Icaro,* la de *Radamante* y *Sarpedón,* la de *Ulises,* las de *Hero y Leandro, Atalanta, Faón y Safo, Giges, Circe, Pigmalión, Ixión, Sísifo, Psiquis, Hipernestra, Epiménides, Fineo y las Arpías, Alcestes y Admeto.*

En la *Ilíada* y en la *Odisea* están contenidos los más admirables tipos legendarios: *Príamo,*

Paris, Helena, Aquiles, Ajax, Laocoonte, Antenor, Nauplio, Diómedes, Filoctetes, Néstor, Ulises, Nausicaa, Penélope. Telémaco, Hécuba, Andrómaca, Clitemnestra, Orestes, Casandra, Eneas, Dido...

Justo es consignar que la mitología helénica, perfectamente dada a conocer y embellecida por los poetas, ha tenido testimonios probatorios de su veracidad. Las excavaciones de Troya, Micenas, Amorgos, Melos, Creta, ejecutadas desde 1870 a 1900, han arrojado bastante luz sobre algunas de las ideas religiosas que prevalecieron en Grecia más de diez siglos antes de la epopeya homérica. Fueron halladas cerca de dos mil estatuitas de una diosa desnuda, de mármol, quizá imágenes de la Tierra madre, hospitalaria para los muertos. En Troya, en algunos vasos de barro, se veía una cabeza parecida a la del mochuelo, animal dedicado a Minerva, con el inicio del epítelo dado a esta diosa por Homero: *glaukopis.* En Micenas se descubrió una cabeza de ternera de plata, que recuerda igualmente la Hera *boopis* de Homero, "de ojos o de rostro de ternera". Creta ha dado piedras grabadas con figuras de demonios, de cabezas de animales, que hacen pensar en el Minotauro, en las Sirenas y en los Centauros.

Desde la época homérica, la religión griega se caracteriza por el *antropomorfismo;* los dioses toman figuras humanas y se mezclan familiarmente con los mortales. Después, el *animismo* aparece y presta alma y voluntad a las montañas, a los ríos, a las piedras, a la tierra, al cielo. Estos espíritus posteriormente son concebidos y representados con forma de animales, luego con forma humana. La fuente es un caballo, *Pegaso,* caballo de Apolo, que hace brotar en el Pegaso la fuente de Hipocrene. El laurel es Dafne. La encina es Júpiter. La tierra es Gea. El cielo, Urano. El animismo griego, secundado por el arte, da "cuerpo, espíritu, rostro" a todas las concepciones. Después de haber atribuido ideas a todos los cuerpos, atribuyó cuerpos a todos los pensamientos. Y, como es lógico, la idea del alma separada del cuerpo es una consecuencia del animismo. El *totemismo* dejó también huellas profundas en Grecia. Primero tuvieron una consideración máxima los animales familiares a los dioses: el águila de Júpiter, el mochuelo de Minerva, la cierva de Artemisa, el delfín de Poseidón, la palma de Afrodita. En seguida los dioses pudieron *transformarse* en animales: Júpiter, en cisne; *Apolo Sauróctono,* en lagarto. Por fin, los animales eran los *dioses mismos a los que representaban.* El totemismo llegó a tener importancia o encanto tal, que muchos pueblos helénicos llegaron a tomar nombres de animales: los *mirmidones* u *hormigas, arcadios* u osos, *ofogionos* a los que se creían descendientes de un dios serpiente.

En un principio hubo en Grecia una tendencia clarísima a subordinar lo espirtual a lo temporal, el sacerdote al magistrado. Los primeros reyes fueron al mismo tiempo sumos sacerdotes. Desde la época de Homero, los reyes pasaron a ser unos sacerdotes simbólicos. Los sacerdotes y sacerdotisas de cada culto *se hacían* en el tiempo de cada dios y no constituían *una clase,* como los de la India, Persia y la Galia. Los cargos se transmitían por herencia, por compra, por elección o por la suerte. Los sacerdotes eran muy respetados y debían ser personas sanas de cuerpo y de costumbres puras. Se dedicaban al rito y a la adivinación. La adivinación era practicada por medio de los oráculos, y era de dos clases, según que la voluntad del dios se revelara inmediatamente o que la interpretación hubiera de ser deducida de hechos casuales. Unos dioses hacían saber su voluntad por el susurro del aire; otros, por el humo de las víctimas sacrificadas, o por el vuelo de las aves, o por los sonidos, o por la forma y velocidad de las nubes. Y por el nombre que se daba a determinadas sacerdotisas o profetisas—*abejas* a las de Artemisa, en Efeso, y *palomas* a las de Dodona—se sabía en qué descansaba la expresión de los oráculos. No solamente como antes he indicado, las purificaciones de los fieles se hacían con el agua—la *salada* de mejor purificación que la *dulce*—, sino que el *sonido del bronce* pasaba por ser purificador. Con ruidos estrepitosos de campanas eran ahuyentados los demonios que atacaban a Selene (la Luna) durante la medianoche.

Las fiestas religiosas, famosísimas entre los griegos, recibieron el nombre de *Panhelénicas* u *Olímpicas,* en Olimpia; *Píticas,* en Delfos; *Nemeas,* en Nemea; *Ístmicas,* en Corinto. Además de estas, que pudieran llamarse *fiestas generales,* había otras locales, como las *Panateneas,* las *Eleusinas,* las *Dionisíacas.*

8. Mitología romana.—Algunos mitólogos opinan que la religión romana es una vieja religión itálica, acrecida más bien que modificada, en el curso de doce siglos, por las aportaciones de Etruria, Grecia y los países orientales. Verdaderamente, resulta insólito que el único pueblo que dominó a la vieja Roma, el etrusco, no le transmitiera su propia religión, sino las influencias helénicas de la religión etrusca. Así, por ejemplo, nada sabe Roma del dios más reverenciado en Etruria, el civilizador Tagés, que nació con los cabellos y la barba blancos; y, sin embargo, desde Etruria le llegó a Roma la costumbre de adivinar, observando las vísceras de las víctimas, la idea de una *Asamblea* de los dioses y el culto de la diosa Minerva.

Virgilio llama a Creta "cuna del pueblo romano". Parece, en efecto, como si, hacia el año 1200 antes de Cristo, gentes de Creta hubieran sido las primeras en llevar a Italia su cultura y su religión. Una leyenda lleva a Sicilia y a Cumas a Dédalo, constructor del laberinto de Cnosos. La ciencia moderna ha encontrado analogías evidentes entre los cultos de Creta, Arcadia y Roma. La crítica rechaza hoy la leyenda del troyano Eneas llegando a Lavinium y fundando

Alba; pero no así con los de Evandro "el Arcadio" y Diómedes "el Etolio", a quienes los relatos griegos empujan hasta las costas de Italia.

¿Cuál es el *fondo,* la *almendrilla* de la religión romana? Para conocerlo tenemos los siguientes vestigios: fragmentos de cantos salios y de cantos arvales, el ritual de la cofradía umbría de Iguvium, los calendarios de fiestas—comentados por Ovidio en sus *Fastos*—, extractos de la obra de Varrón acerca de las *cosas divinas.* Un moderno crítico, Reinach, traza el siguiente bosquejo del inicio religioso de los romanos: "El animismo italiano difiere del de los griegos por la falta de imaginación. Creó menos dioses y diosas que *potencias (numina),* sin enlaces genealógicos, sin historia. Para nosotros, no hay casi más que hombres, cuya exuberancia estéril es poco instructiva. Roma debía adoptar tanto más las leyendas de los dioses griegos cuanto menos había sacado de su propio fondo." "No hay lugar sin genio", escribe Servio, y el mismo gramático, inspirado en Varrón, dice "que dioses especiales presiden los actos todos de la vida. Estos dioses constituyen largas listas de epítetos, imperfectamente personificados, que figuraban en las letanías u oraciones: *Cuba* guardaba al niño acostado en la cuna; *Abeona* le enseñaba a andar; *Farinus,* a hablar. Todo hombre tenía su *Genio,* toda mujer una *Juno;* en tiempos del Imperio se rindió culto a los genios de los emperadores y hasta se habló de los genios de los dioses. Los de los campos y las casas se llamaban *Lares;* el lar familiar era el del hogar y la familia; se adoró posteriormente el lar imperial. Los *Penates* eran los genios de la despensa *(penus).* Los genios de los muertos eran los *Manes,* objetos por excelencia del culto familiar; antes de habitar las tumbas, fuera de las casas, sirvieron de protectores para la casa misma, porque los muertos eran enterrados primitivamente bajo el hogar. Los *Larvas* y los *Lemures* son de la misma naturaleza que los Manes, pero considerados más bien como enemigos; son espíritus que hay que calmar con ofrendas o mantener apartados con artificos mágicos".

Para los primitivos romanos, el objeto material en que moraba un espíritu era un fetiche. Roma sustituyó las ídolos por los fetiches. Un pedernal fue la primera representación de Júpiter. Otro fetiche era el famoso *Palladium* de Roma, que guardaban las vestales. Y si hemos de creer a Tito Livio y a Dionisio de Halicarnaso, tuvieron carácter religioso muchos vegetales y muchos animales. Los primeros samnitas, errantes por Italia, se llamaron *Hirpi* o *Hirpini,* es decir, *lobos.* El caballo sacrificado en el mes de octubre y el toro blanco inmolado en las *Ferias latinas* eran sagrados, y sus trozos repartidos como reliquias entre las ciudades del Lacio. Y el nombre de algunas familias nobles llamadas *Porcii* y *Fabii* explica que se admitía al jabalí y a las habas como los antepasados míticos de los clanes. Creían los romanos que un objeto cualquiera podía quedar transformado en fetiche por medio de la *consecratio,* y que un fetiche podía quedar transformado en objeto cualquiera por medio de la *profanatio.*

Este culto sucinto y bastante grosero, en el que más intervenía el interés social que la imaginación poética, quedó entonces definitivamente influido por la religión helénica desde el tiempo de los reyes. Tarquino I elevó en Roma un templo a Júpiter Capitolino, morada de la *tríada capitolina:* Júpiter, Juno y Minerva. En el siglo VI ante de Cristo empezó a formarse el Panteón romano. Y aparecen: Júpiter, dios del cielo y guardián del pueblo; Marte o *Quirino,* dios de la guerra; Fauno, el protector de los ganados; Vesta, la diosa del hogar; Jano, el dios de las dos caras. La identificación de los dioses romanos con los griegos debió de realizarse a fines del siglo IV. Ennio menciona en dos versos los doce dioses principales de Roma:

Juno, Vesta, Minerva, Ceres, Diana, Venus, Mars,
Mercurius, Jovis, Neptunus, Vulcanus, Apollo.

Estos doce dioses formaron en seguida como un consejo divino *(Dii consentes).* Repito que estas influencias helénicas les llegaron a los romanos antes que directas por medio de otros pueblos, como el etrusco. Las primitivas representaciones del Marte romano son las del Marte etrusco; el Mercurio primitivo romano tiene las mismas alas en la espalda con que se le representaba en Etruria. Y es la vieja Artemisa arcadia ante la que invocaron los primitivos pastores de las *siete colinas.*

Con los dioses griegos adoptaron los romanos las leyendas griegas y los ritos funerales. El Plutón romano *(Dis Pater)* estaba representado con una red, en la que recogía a los muertos. Los Sabios velaban por el culto de Marte; los Arvales, por el de la Dea Dia; los Lupercos, por el de Fauno Luperco. Se dice por varios autores latinos que en los libros oráculos quemados en el incendio del Capitolio el año 82 antes de Cristo se determinaban con precisión los requisitos indispensables para que pudieran ser introducidas en Roma las divinidades. Los Dióscuros fueron admitidos por el culto oficial el año 488; Apolo, el 430; Esculapio, el 290; Cibeles, el 204.

Luciano cree que la oposición sistemática del Senado romano a la introducción de los cultos nuevos se debía, más que a intolerancia religiosa, al temor de que las nuevas cofradías encubrieran a Asociaciones políticas. Tales cuidados no sirvieron para el caso. El helenismo invadió la tosca mitología latina, y también influyeron en ella otras religiones orientales. Atis, Isis, Mitra, Osiris, Serapis, Sabazio, Zeus Doliquenos tuvieron infinitos adoradores en todo el poderoso Imperio romano. Calígula autorizó el culto de Isis en Roma. Cómmodo se hizo iniciar en los misterios de Mitra. Heliogábalo y la dinastía de los emperadores sirios, desde Septimio Severo, abrieron por completo la puerta a los cultos orientales. Inútilmente pretendieron los emperadores librepensadores, como César y Augusto, auxiliados por escritores de la talla de Virgilio, Horacio y Tito Livio, reanimar, *por cuestión de patriotismo,* la vieja religión romana, inmune a dichas influencias greco-asiáticas. Las *Décadas,* de Tito Livio; los *Fastos,* de Ovidio; el *Canto secular,* de Horacio, fingieron bastante bien, ya que no una fe perdida en absoluto, cierta piedad patriótica muy estimulante. La *Eneida,* epopeya nacional, es un poema religoso. No obstante, el paganismo grecorromano, antes de morir, fue reanimado por la astrología babilónica, la cual hizo olvidar los burdos procedimentos adivinatorios y contribuyó al silencio definitivo de los oráculos.

Conviene ahora dar al lector una idea sucinta de lo que fue el Panteón romano, al que ya me he referido con anterioridad en este mismo bosquejo de la mitología latina.

Júpiter, Juno y Minerva formaron la primera trinidad, a la que estuvo dedicado el primer templo romano, en el monte Capitolino, por uno de los reyes Tarquinos. Este templo se dividía en tres santuarios, de los cuales el de en medio estaba consagrado a Júpiter. Según Plinio el *Viejo,* se veía en él una estatua del dios en barro, debida al veyense Vulca. Júpiter empuñaba el rayo en la diestra y el cetro en la zurda. Se le llamaba *Optimus Maximus,* el mayor y el mejor de los dioses, En su honor se celebraban los *Ludi romani* o *magni,* instituidos por Tarquino el *Viejo,* y fue asimilado al Zeus helénico.

La segunda deidad de la trinidad capitolina era Juno. Como protectora de la mujer, del matrimonio y del hogar, quedó asimilada a la griega Hera. Y se la llamó *Pronuba,* porque presidía las bodas; *Domiduca* o *Iterduca,* porque conducía a la novia desde la casa de los ascendientes a la del novio; *Unxia,* porque perfumaba la casa de los recién casados; *Cinxia,* porque desataba, en el lecho nupcial, el ceñidor de la virgen. El matrimonio de Juno con Júpiter (el *ieros gramos)* estaba simbolizado en el del *flamen dialis* (dedicado al culto del dios) con la *flamínica* (sacerdotisa de la diosa). Los romanos aplicaron los siguientes sobrenombres a Juno: *Sospita, Martialis, Moneta, Populonia, Caprotina...*

La tercera deidad de la trinidad capitolina, Minerva, tuvo un culto más antiguo en Roma. Según Varrón, los romanos tomaron su culto de los sabinos. Pero seguramente, según demuestra la crítica más severa, lo tomaron de los etruscos, quienes designaban con el nombre de Minerva a una diosa que tal vez, no tenía el mismo carácter que la Atenea helénica, sino que los romanos hicieron de las dos una misma. En un principio, se la creía en Roma protectora del comercio y de la industria.

Por medio de la ciudad de Cumas llegó a Roma el culto de Apolo; y muy pronto fue Apolo el más popular de los dioses entre los romanos; tuvo un templo, con oráculo famoso, en aquella ciudad, y su sibila correspondiente, con los usuales libros *sibilinos;* pero los romanos ricos preferían acudir al oráculo de Delfos.

El culto de Diana fue llevado—según Varrón—a Roma por el rey sabino Tacio. Diana tuvo un templo famoso en Campania con el nombre de *Diana Tifatina,* y otro en Aricia, cerca del lago Nemi. Fue al principio deidad de los bosques. En tiempo de los emperadores quedó asimilada con la Artemisa helénica.

El año 475, según una tradición, fue fundado en Roma el primer templo dedicado a Mercurio. Quizá los etruscos conocieron al Hermes griego y, por su mediación, entrara dicho culto en el Lacio. Su asimilación con el dios helénico se verificó en tiempo de la República. Hasta este momento era exclusivamente el dios del comercio. Los romanos creían que Mercurio había adquirido la inmortalidad—siendo hijo de Maya, criatura mortal—por haberse criado a los pechos de Juno.

Marte fue un dios muy apreciado de los romanos, siempre dedicados a guerras de conquista. Su culto, muy antiguo, tuvo mucha solemnidad en Etruria y entre los oscos, los sabinos y los umbríos. Sin embargo, al principio, no era una deidad puramente guerrera; llevaba sobrenombres que aluden a la agricultura: *Martius Silvanus, Martius Campestris, Custos, Rústicus;* y, como dios agricultor, dio su nombre al primer mes de la primavera. ¿Cómo se explica su transformación en dios guerrero? Breal cree que muy sencillamente: porque Roma se transformó de ciudad agrícola en ciudad batalladora. Según Ovidio, Marte fue engendrado por Juno sin el concurso de Júpiter, por el simple contacto que tuvo la diosa con una flor misteriosa de la llanura de Oleno. Los romanos hicieron de Marte el seductor de Rea Silvia y, por consiguiente, padre de Rómulo y Remo. También le hicieron padre de Fauno.

Venus fue primitivamente una sencilla diosa de los campos y de los jardines. "Venus, simple abstracción marcando el deseo—escribe Reinach—, su nombre falta en las listas antiguas de las divinidades griegas; fue sacada de la oscuridad cuando hizo falta hallar una diosa similar a la Afrodita griega, de la cual la leyenda de Eneas debía hacer el antepasado de los romanos." Desde Sicilia y Etruria, el culto de Venus se propagó a toda Italia. El santuario de Roma a la *Venus Erisina* fue elevado el año 215 antes de Cristo. Los romanos hicieron de *Venus Genitrix* la esposa de Marte. Y Luciano la celebró llamándola "voluptuosidad de los hombres y de los dioses". Una leyenda latina afirma que de las relaciones amorosas de Venus con un mortal, Aquiles, nació Eneas, del cual Virgilio hizo el héroe nacional de los latinos.

Tampoco Neptuno, en su origen italiano, fue divinidad del mar. Su culto nació en la ciudad de Tarento y llegó a Roma a pricipios del siglo

IV antes de Cristo. Conforme Roma se interesó por los problemas marítimos, adscritos a las conquistas militares, Neptuno fue adquiendo mayor relieve.

Vulcano aparece en Italia con el nombre de *Volcanus,* y no como deidad subterránea, sino como dueño del rayo y del trueno. Una leyenda latina le hace padre del rey Servio Tulio. Bajo la influencia helénica, Volcanus se asimila a Hefaisto, y ya no es el dueño del rayo, sino quien lo fabrica para Júpiter, y su reino se halla en el Etna e islas Lapari. Vesta desempeñó en Roma un papel muy superior al de Hestia, su similar, en Grecia. Era la deidad del fuego hogareño. Y, caso curioso, fue la Vesta romana la que modificó los caracteres de la Hestia helénica, haciendo de esta, que era una diosa ajena a la familia, la que presidía la intimidad ciudadana, juntamente con los Lares y los Penates. La Vesta romana, ante el mundo latino, eclipsa a la Hestia griega, que permanece abstracta y, por lo mismo, ajena a la emoción de las multitudes.

La Demeter de los griegos, con el nombre de Ceres, fue llevada al culto latino por medio de la Campania. El año 496 antes de Cristo, en una época de carestía terrible y de una terrible esterilidad de las tierras, fueron consultados los libros sibilinos. Estos ordenaron levantar un templo a la trinidad *Ceres, Liber* y *Libera,* nombres que corresponden a Demeter, Dionisios y Cora. En este templo no podían ejercer sino sacerdotisas originarias de la magna Grecia, y las oraciones debían pronunciarse en lengua griega.

El dios *Liber-Baco,* en su origen, fue dios de la fecundidad, como lo prueba una fiesta famosa: la *Liberalia.* El culto orgiástico de Baco se introdujo en Roma procedente de la Campania, y no con todo su desenfreno posterior, ya que las *Bacchanalias* no eran sino unas fiestas nocturnas, a las que únicamente eran admitidas las mujeres; poco a poco estas ceremonias degeneraron en asambleas secretas, en donde los dos sexos se entregaban a los más repulsivos excesos. Un Senadoconsulto del año 86 antes de Cristo prohibió las bacanales en todo el territorio romano.

Muy popular entre los romanos fue Saturno. Como casi todos los dioses de Italia, fue en su origen una deidad puramente agrícola. Sus fiestas, las *Saturnales,* tampoco tuvieron el carácter licencioso que en Grecia, sino otro casi religioso: se iniciaban con un sacrificio, terminado el cual todo el mundo se esparcía por las calles al grito de "Io Saturnalia!, bona Saturnalia!" Las fiestas de Saturno eran guardadas rigurosamente entre los romanos. Los niños no acudían a las escuelas. Se interrumpían los juicios. Las operaciones militares eran suspendidas en todas partes. En su origen, no fueron las Saturnales sino fiestas campestres celebradas en el otoño, en el momento de la siega.

Si los dioses helénicos tuvieron en Roma mucha menor importancia y trascendencia que en Grecia, debido al espíritu mucho menos religioso de los romanos, los semidioses y los héroes casi no representaron papel alguno de interés. "No parece—escribe Breal—sino que Italia no haya tenido héroes, en el sentido griego de la palabra; el espíritu, a la vez neto y abstracto del romano, no le ha permitido crear seres intermedios entre los dioses y los hombres. Sin duda, conoce genios de orden más o menos elevado que presiden las acciones humanas e intervienen en la vida; sacrifica a los manes de sus antepasados que, después de su muerte, han tomado asiento entre los dioses; pero semidioses, como Teseo, Perseo, Hércules, que participan a la vez del cielo y de la tierra, no se ven en la mitología latina."

Y dice bien Breal. Por ejemplo, el Hércules que conocieron los romanos era un simple dios campestre de la Sabina y del Lacio, un sencillo genio doméstico que velaba sobre el cercado y la casa. Lo prueban los sobrenombres que se le daban: *Agrestis, Domesticus, Rusticus.*

La asimilación de la mitología romana con la griega fue tan completa en la escasa parte mitológica admitida por los romanos, que insensiblemente perdió todo su carácter indígena.

9. MITOLOGÍA GALA.—Fue naturalista originariamente la religión gala. Los galos escogieron por primeros objetos de su adoración a los fenómenos y agentes de la Naturaleza: el sol, el trueno, el rayo, los vientos, las aguas, los árboles. Posteriormente se elevaron a la concepción de las divinidades que presidían el gobierno del mundo. Creyeron en la inmortalidad del alma, en la trasmigración de esta a cuerpos de naturaleza inferior, si era culpable, o si virtuosa, a un mundo de felicidades eternas. En la religión gala influyeron extraordinariamente la fenicia y otras orientales, propagadas entre los kymris y los galos de la Gran Betraña.

Según Pierret, el Panteón galo era el siguiente: Tarán (Júpiter), Tuistón Heus (dios de la guerra), Teutates (dios de las artes), Beleno (el Sol), Ogham (especie de Hércules Hermes), Belisana (diosa de la salud), Gargantúa, Camulus y Grannus.

Ampliando este esquema, cabe señalar que había en la Galia bosques sagrados de encinas, que servían de templos, "cuyos espíritus" eran objeto de culto. Tal *Abnoba* (la Selva Negra) y *Arduinna* (el de las Ardenas). La encina llegó a ser como el Júpiter de los galos. Y en los Pirineos fue adorado el *Marte Buxenus,* es decir, el *boj,* identificado, no se sabe por qué, con el Ares helénico. También los animales fueron adorados por los galos. Muchas tribus, ciudades e individuos llevaron nombres de bestias; así, los *Taurisu* (gentes del toro), los *Brannovices* (las del cuervo), los *Eburones* (las del jabalí), *Lugdunum* (la colina del cuervo), *Tarvisium* (ciudad del toro), *Artogenos* (el descendiente del oso). Se tienen noticias de una diosa *Epona* (yegua) y de *Rudiobus* (dios garañón). Se han encontrado en varias excavaciones toros *de tres cuernos*—por ende sobrenaturales—y un jabalí de bronce con tres colmillos. Todavía en el siglo I después de Cristo, en un altar en que están representados los doce dioses del Panteón romano, aparece esculpida una serpiente con cabeza de carnero, que debe de ser un gran dios galo. Los druidas aseguraban que los galos tenían por primer ascendiente común un dios infernal o nocturno, al que César llama *Dis Pater;* dios al que numerosas imágenes representan cubierto con una piel de lobo y un mazo de mango largo. Este dios era Sucellus, que significa "el que pega fuerte". La piel indica que originariamente era un lobo.

Bel o Beleno, el dios sol, formaba trinidad con Teautes o Teut (dios de la inteligencia y de las batallas) y con Tarán (dios del rayo y del fuego, principio del Mal, tal vez por oposición a Teautes, principio del Bien). De Beleno nació Mann, el primer hombre.

Kirck era la deidad de las tempestades, o el huracán personificado; con él recibían las adoraciones los genios de los ríos, de las montañas y de las selvas. Ogham era el dios de la elocuencia, a quien se representaba en doradas cadenas que, saliendo de la boca, sujetaban a sus adoradores. Onuava o Heria era la diosa Tierra. Belisana fue asimilada con Minerva; ella enseñó a los celtas la cultura y el uso de las aguas termales. Tarvos-Trigaranos—representado por un toro de bronce—era la deidad pronosticadora. Kermmon era llamado el dios de la caza, y Buljane, la deidad tutelar de los Nanettes. Pikolo, dios de los muertos, hacía acto de presencia cada vez que Dis, el Plutón galo, exigía una víctima. Las diosa Esterela remediaba la esterilidad de las mujeres. Andaté era la diosa de la victoria. De otras muchas divinidades galas no son conocidas sino por los nombres; así, Segomon, Belatucardo, Granno, Maguno—identificado con Apolo—, Sirona, Latobio, Visucio, Dulovio.

La conquista romana no solo introdujo en la Galia el culto de los dioses greco-latinos, sino que dio a los nacionales los nombres y los atributos de aquellos. En muchas partes, el nombre céltico, asociado al de la divinidad latina considerada como su correspondiente, fue poco a poco olvidándose y quedó solamente el último.

Los druidas de las Galias merecen una mención especial. Según Pomponio Mela, los puntos fundamentales de su religión se reducían a tres: adorar a los dioses, no dañar a nadie y ser valientes. El gran historiador Thierry hace una síntesis admirable del druidismo: "Los druidas enseñaban que espíritu y materia son eternos; que el Universo, aunque sometido a perpetuas variaciones de forma, permanece inalterable e indestructible en su sustancia; que el agua y el fuego son los poderosos agentes de tales variaciones, operando, por efecto de su predominio sucesivo, las grandes revoluciones de la Naturaleza, y, finalmente, que el alma humana, al dejar el cuerpo, va a imprimir vida y movimiento a otros seres. En su sistema de metempsicosis consideran los grados de transmigración inferiores a la condición humana como estados de prueba o de castigo. Creían, además, en otro mundo semejante a este, pero en el cual era la existencia continuamente dichosa. Al pasar el alma a aquella mansión afortunada, conservaba su identidad, sus pasiones y costumbres, y estaban ciertos que existían relaciones entre los moradores de aquel mundo y los de este. La llama de las funerarias piras era considerada como medio seguro de darles noticias de los vivos, y así es que durante los funerales se quemaban cartas que habían de ser leídas por el difunto o que había de entregar a otros muertos. La fe íntima y profunda que tenían los galos en el dogma de la otra vida enseña que la doctrina druida no era, como la de los misterios en Grecia, secreto peculiar de un corto número de iniciados, sino que, por el contrario, era patrimonio de todo el pueblo.

"De este modo, la teología druida formaba, por decirlo así, un solo cuerpo con las creencias populares, y estaba estrechamente unida al politeísmo que informaba las prácticas de la religión céltica. Además, la ciencia augural, muy en boga entre los etruscos, gozaba de igual favor entre los galos, y la ilimitada confianza que fundaba esta nación en sus imaginarias fórmulas para conocer lo futuro es claro testimonio de la popularidad de un arte que formaba una de las bases de la enseñanza sacerdotal."

Parece incuestionable que el culto de las divinidades celtas comportaba, en general, sacrificios humanos. Sin embargo, estas inmolaciones bárbaras eran sustituidas casi siempre con simulacros. Los sacerdotes sacaban de las víctimas unas cuantas gotas de sangre, o bien se figuraban las mismas con maniquíes, a los que se prendía fuego. En ocasiones, estos maniquíes llevaban dentro reos de traición o de delitos comunes. Julio César cuenta en sus *Comentarios* que el galo atacado de una grave enfermedad hacía promesa de inmolar a una víctima humana, persuadido de que los dioses no podían ser aplacados ni rescatada una víctima humana sino a cambio de otra.

10. MITOLOGÍA IBÉRICA.—Originariamente, los iberos conservaban la fe en un dios único y criador: el eterno Iaincoa ("Altísimo", en vascuence), en el que residía la inteligencia y el poder supremos. Esta pura noción del dios iba acompañada de un culto más o menos idolátrico. En las cumbres de las montañas eran invocados los genios mediadores entre el dios y los hombres. Circunstancialmente adoraban también al fuego (símbolo del *Agni* oriental) y al sol.

Extendidos los iberos por toda España, mezclados con los celtas y relacionados con los pueblos mercaderes o conquistadores del litoral, la religión sufrió mil influencias. Joaquín Costa, en su obra titulada *Mitología y literatura celtohispanas,* nos da a conocer a determinados dioses iberos cuando ya estos habían pasado a un politeísmo absurdo. Magnon era el Sol-Hércules, al que se le inmolaban toros. Neton era el Sol-Marte, al que, según Estrabón, se le inmolaban machos cabríos. Neta y Baudvhaeto, esposas de Neton, eran númenes o diosas de la guerra. Lugoves era el Sol también. Camal era Afrodita; Segolu, Apolo; Cabar Sul, la deidad de las aguas termales; Eaco, la Luna; Ataecina, semejante a Proserpina, una deidad infernal; Endovélico, el fuego creador y sustentador del mundo, el dios más popular en la España primitiva. Más que semejante a Plutón, cree Menéndez y Pelayo que Endovélico era el *dios ignoto,* el *dios anónimo* de que habla Estrabón. Y es que hay muchas razones que hacen sospechar que los iberos, que empezaron siendo monoteístas, terminaron por serlo igualmente, rechazadas todas las influencias politeístas. Porque es opinión muy extendida la de que los cultos extranjeros, traídos por fenicios y griegos, *no se mezclaron* con lo ibérico, sino que coexistieron con él. Así, Hércules tuvo un templo en Cádiz, y en Sevilla otro la Astarté fenicia, conocida con el nombre de *Salambó;* en *Ampurias* otro Diana.

11. MITOLOGÍA ESCANDINAVA-GERMÁNICA.—La mitología de la Europa nórdica comprende las creencias paganas de la península escandinava, Islandia y Germania. Ninguna de las tres difiere entre sí sino en detalles de escasísima importancia. Conocida la primera de ellas, se conocen por completo las otras dos. Como el paganismo escandinavo-germánico sobrevivió cinco siglos al celta, nos es aquel mucho mejor conocido que este. Las referencias que nos quedan se dividen en tres grupos: 1.º, los textos de autores clásicos (César y Tácito); 2.º, las obras que nos dan a conocer casi exclusivamente la mitología nórdica: *Sagas* y *Eddas.* 3.º, las tradiciones y usos populares.

Pero cuando César y Tácito hablan de los dioses nórdicos lo hacen identificándolos con los del Panteón greco-latino. Así, César no conoció sino a tres dioses germanos: el Sol, la Luna y Vulcano; este último como un dios guerrero incansable. Tácito se refiere a Mercurio como dios principal de los germanos. Dios al que los cronistas medievales identificaron con *Wodan, Woden* u *Odín.* Tácito habla, además, de otros dos dioses: Marte y Hércules. Thor, o Donar, podría quedar asimilado a Hércules; Tyr, a Marte. Al lado de Mercurio, Marte y Hércules. Tácito cita a la diosa Isis, llegada a Germania al cabo de uno de aquellos *paseos divinos,* en navío o en carro, a que tan acostumbrada estaba la diosa; y a la diosa del Schlesvig, llamada *Nerthus* ("la Subterránea"), a la que Tácito identifica con la Cibeles, diosa de los griegos del Asia. El mismo historiador sostiene que los germanos creían indigno de sus dioses erigirles templos y estatuas, y se contentaban con adorarlos.

Pero la verdadera fuente de la mitología nórdica se consigna en la *Edda,* obra atribuida a Segmundo Sigfusson, autor que vivió en el siglo XII. Se trata de una recopilación de poemas cosmogónicos, mitológicos e históricos, recibidos de tiempos antiquísimos por la tradición y recitados durante la Edad Media, de castillo en castillo, por los *escaldas,* bardos o troveros de los países septentrionales. Los cantos de carácter histórico llevaban el nombre singular de *Sagas.* Todavía una segunda *Edda,* en prosa, compuesta por Snorri Sturlusson, comenta y completa la primera. Con las *Eddas* puede darse una idea completa de la mitología nórdica, hasta el punto de ser esta mitología la más precisa que se conoce después de la helénica.

En el principio existían dos únicas regiones: la del fuego y la luz, llamada el *Muspilheim,* donde reinaba el ser absoluto y eterno, *Alfadir,* y la región de las tinieblas y el frío, llamada *Nifflheim,* dominada por *Surtur,* "el Negro". Entre una y otra región se extendía el Caos. Las chispas escapadas del Muspilheim fecundaron los fríos vapores del Nifflheim, y nació Imir, padre de la raza de los gigantes, para alimentar al cual de la misma manera fue creada la vaca Audumbla, de cuyas ubres manaron cuatro ríos de leche. Ahito, Imir se durmió. Y del sudor de sus manos nació una pareja, varón y hembra, de gigantes; de uno de sus pies, un monstruo de seis cabezas.

La vaca Audumbla sacó del hielo, en tres veces, durante tres días consecutivos, la cabellera, el cráneo y el cuerpo del fuerte y hermosísimo gigante Bure. Este engendró a Bor. Y Bor, uniéndose a la giganta nacida del sudor de Imir, dio a su vez existencia a Odín, Vili y Ve.

Estas tres deidades y sus descendientes, los treinta y dos Asas, lucharon contra todos los gigantes y los vencieron. La sangre derramada por Imir ahogó a todos los suyos con excepción de Bergelmer. Los dioses triunfadores formaron entonces el mundo, valiéndose del cuerpo de Imir. La carne fue la tierra; su sangre, el mar; sus huesos, las montañas; sus cabellos, las arboledas; su cráneo, la bóveda celeste, a la que fijaron los Asas las centellas escapadas del Muspilheim. Lo que no pudo aprovecharse del cuerpo de Imir fue roído por innumerables gusanos, los cuales dieron origen a la raza de los enanos, habitantes de las cavernas y guardadores de todos los tesoros escondidos.

Inmediatamente dicidieron los dioses crear la primera pareja humana. De un fresno formaron al hombre y le llamaron Askur. De un aliso formaron a la mujer y la llamaron Embla. Odín les dio el alma. Vili les dio el entendimiento. Ve les dio la belleza y los sentidos. Y los dioses, satisfechos de su obra, se retiraron a descansar y a gozar a su mansión del Asgard, situada en el centro del Universo.

El Asgard comprendía varias ciudades de refulgentes alcázares. En la llamada Gladeim residía Alfadir con los doce primeros dioses. Las doce primeras diosas vivían en la llamada Vin golf. Las hadas y los espíritus de luz moraban en el Elfheim. Un inmenso fresno, llamado Igdrasil, daba sombra a toda la región celeste; una de sus raíces se hincaba hasta lo más hondo del mundo subterráneo, hasta el mismo Nifflheim, donde la serpiente Nidhog la roía sin cesar; otra de sus raíces tomaba su eterna frescura del pozo de la prudencia; la tercera pasaba por la fuente de Urda, que blanqueaba cuanto se sumergía en sus linfas y que servía de refugio a la primera pareja de cisnes. El Igdrasil era cuidado y regado celosamente por las tres Normas o Parcas: Urda (lo pasado), Verandi (lo presente) y Escalda (lo futuro). Debajo de las primeras ramas milenarias del Igdrasil se reunía el consejo de los dioses, los cuales lo primero que oían era la noticia que les daba una incansable ardilla, encargada de vigilar la obra destructora de la serpiente Nidhog.

El Júpiter nórdico era Odín, creador y conservador del mundo, dios terrible de la guerra. Disponía en el Asgard de tres palacios maravillosos. Uno, el *Gladsheim,* en el que recibía a los dioses; otro, el *Walaskiaf,* desde cuyo trono contemplaba a todo lo creado; el tercero, el *Walhalla,* donde recogía a todos los héroes muertos en los campos de batalla para recompensarlos con una existencia llena de placeres. Odín acudía, "más veloz que el viento", a cualquiera parte, montado en su caballo de ocho patas, *Sleipner.* Y siempre le acompañaban sus dos lobos, *Geri* y *Ferki,* y siempre llevaba posados sobre sus hombros sus dos cuervos, *Hugin* (el espíritu) y *Munnin* (la memoria), los cuales le referían al oído cuanto no podía ver desde su trono con su único ojo luminoso y ardiente.

Freya, esposa de Odín, la Venus nórdica, personifica la Tierra, madre de todos. De Odín y de Freya nació Thor, dios de la tempestad, terrible guerrero, como su padre. Thor tuvo dos esposas: Iarnsaxa, la reja del arado, y Sif, la "de la dorada cabellera", o la mies. Hijo de Thor fue Magni, la fuerza productora de la Naturaleza.

Entre los restantes grandes dioses merecen destacarse: Balder, hijo de Odín y de Freya, hermoso cual ningún otro dios, benigno, luminoso; Bragé, hermano de Balder, dueño de la palabra bella; Tyr, hijo de Odín y de Freya, dios de la victoria; Niord, rey de los vientos y del mar; Foresti, deidad conciliadora; Vidar, hijo de Odín y de la giganta Gridur, numen del silencio; Vali, dios de la primavera; Dagur, dios del día, el Sol; Hermodio, mensajero de los dioses; Luno, dios del fuego; Heimdal, guardador del Asgard, cuyo oído percibía el crecer de la hierba y cuyos ojos alcanzaban cien leguas, lo mismo de día que de noche; Saga, diosa de la tradición; Iouna, esposa de Bragé, diosa de la juventud eterna; Elra, diosa de la medicina.

Deidades secundarias eran las doce *Valkirias,* vírgenes guerreras de ojos azules a las órdenes de Odín; ellas recogían las almas de los guerreros muertos en los campos de batalla y las llevaban al Valhala, paraíso de los valientes. Con los dioses y los gigantes compartían el dominio del mundo los Nibelungos, astutos enanos que custodiaban los tesoros escondidos. A los dioses servían unos espíritus del aire, invisibles, llamados Silfos. Había otros silfos maléficos que servían a los gigantes rebeldes.

Como los dioses no eran inmortales, había un día designado para que sucumbieran; ese día asaltarían el Asgard los gigantes, guiados por un dios descontento: Loki. Loki, desdeñado por los demás dioses, se había casado con una giganta, y de esta unión nacieron seres monstruosos: Hela, deidad de la muerte; la serpiente Iormungandur y el lobo Feuris.

En los *Eddas* se cuenta que, habiéndose ausentado Odín del Asgard, disgustado por una infidelidad de Freya, y habiéndole sido robada a Thor su clava, el malvado Tryrm, con la complicidad de Loki, ocupó el trono del supremo dios. Habiéndose disfrazado Thor de mujer, consiguió penetrar en el Asgard y asistir a un banquete dado por el coloso Tryrm. Este, encandilado por las miradas resplandecientes de la que creía una mujer, no tuvo inconveniente en enseñarle, muy ufano, la famosa clava. Al verla, el terrible Thor se apoderó de ella, y, esgrimiéndola con sus potentes manos, revestidas de manoplas de hierro, arrojó del Asgard a Tryrm y a todos los gigantes.

Sin embargo, los dioses no pueden impedir los progresos del mal en el mundo ni el día terrible en que ellos serán derrotados. Las Normas les han vaticinado que podrán evitar este día mientras viva con ellos Balder, el más hermoso y bondadoso dios. Freya se dirige a los cuatro elementos y a todos los seres animados e inanimados, haciéndoles jurar que velarán por la vida de su amado hijo. Pero Freya se olvida de una humilde planta, el muérdago, y de esta se vale el perverso Loki para sus fines. Decididos los dioses a probar la invulnerabilidad de Balder, cada uno de ellos le dispara una flecha; no le hieren. Pero Loki pone un dardo, hecho con una rama de muérdago, en manos del dios ciego Heder. Heder dispara, hirendo de muerte al hermoso dios. Poco después muere Nanna, esposa de Balder, consumida por un inmenso dolor. Desesperada Freya por la muerte de su hijo, se presenta a Hela, diosa de la muerte, ofreciéndole cuanto desee con tal de que vuelva la vida a Balder. Hela pide una lágrima de cada criatura. Freya suplica, angustiada, a la creación entera: dioses, hombres, fieras, vegetales, hasta las mismas peñas. La Naturaleza toda llora por Balder. Unicamente una cruel giganta niega su lágrima; ello basta para que Hela guarde su presa. Los Asas, que saben que la giganta es el propio Loki, se disponen a castigarle. Loki se transforma en salmón; pero Thor le apresa en su red. Sin embargo, el ocaso de los dioses aparece inminente. Loki recobra la libertad. El lobo Feuris devora al sol y a la luna. Los bosques se incendian. El mar se desborda. La tierra cruje y se abre, ahogada por los anillos de la serpiente *Iormungandur.* La muerte siega las cabezas de los hombres como guadaña implacable que abate la mies. Los enanos enloquecen en sus escondrijos. Surtur, "el Negro", al frente de sus gigantes, invade el Asgard y lo incendia. La tierra se sumerge en el mar. El día se hunde en las tinieblas. Pero...

¿Cuántos milenios después? Del caos surgirá, luminosa, una nueva tierra paradisíaca. Los campos producirán sin que se los siembre. La pareja predestinada que, alimentándose de rocío, se salvó de la catástrofe, será origen de una Humanidad más pura. Renacerán, inmortales, los dioses, y, presididos por Odín, se reunirán, *como siempre,* a la sombra del reverdecido Igdrasil para comentar la gloria de Alfadir, el principio absoluto y la verdad de sus oráculos.

12. Mitología eslava.—Con el nombre general de mitología eslava se comprenden las religiones paganas de los eslavos bálticos, de los eslavos nórdicos, de los rusos y de los polacos, pueblos que ocupan una inmensa extensión de territorio en Europa.

Muy pocas noticias tenemos de la mitología eslava. Y estas nos han llegado por medio de los sacerdotes que misionaron entre los eslavos desde mediados del siglo IX. La literatura pagana de los eslavos pereció. Ha sido necesario un intenso trabajo por parte de la crítica y de los folkloristas para recoger materiales mitológicos que aludan a los ritos y a la magia de los primitivos eslavos. "Las palabras que significan dios *(bog)*—escribe Reinach—, demonio *(besú),* oración *(modliti)* y paraíso *(raj)* son comunes en todas las lenguas eslavas. La palabra *boj* implica la idea de riqueza y de poder; *besú* se deriva de la raíz *bi:* herir. *Modliti* está relacionado con *modla,* que significa, a veces, oración, y otras, ídolo. El sacerdote, entre los eslavos, es "el sacrificador", el mago es "el que murmura palabras", "el que hace encantamientos" o "el que traza signos".

Y de Procopio son las noticias de que los eslavos adoraban a un dios productor del rayo y único dueño del Universo, al que sacrificaban bueyes, cabras y hasta víctimas humanas; de que no conocían el destino, y de que, cuando estaban amenazados de muerte, prometían un sacrificio para caso de salvarse; que también adoraban a los ríos y a las ninfas.

Entre los dioses más famosos de los eslavos están: Perunú, dios supremo; Volosú, dios de los rebaños; Perkunas, dios terrible de la tempestad; Svantovit, dios conservador y purificador; Porenutius, dios que tenía cuatro caras y una quinta en el pecho; Dabog o Dazbogú, "el dios que da", o, según otros, el demonio; Trojanú, dios de los eslavos balcánicos, al que algunos mitólogos creen el emperador Trajano; Triglav, "dios triple"; Bielbog, "el dios blanco", opuesto a Zcernoboch, "el dios negro"; Vilhs, nombre de las ninfas auxiliares y mensajeras de los dioses, a las que, entre los rusos y búlgaros, se llamaba Rusalkas. Entre los eslavos, un anciano misterioso, que durante el día se escondía detrás de la chimenea, era el equivalente al *Lar familiaris* de los romanos; este anciano, Domovoj, genio y alma de un antepasado, salía por las noches, en la oscuridad, en la soledad y en el silencio, a comerse los manjares que se le habían preparado. Cuando un aldeano cambiaba de casa, invitaba al Domovoj a seguirle a la nueva morada. Entre los eslavos, los bosques sagrados desempeñaban el mismo papel que entre los escandinavos, sobre todo los bosques de encinas y nogales.

Hemold, sacerdote de Zubeck en 1150 afirma que Svantovit era un dios-caballo; y Saxo, en 1170, alude a numerosos dioses de tres, cuatro y cinco caras, entre los que contaba a Svantovit, cuyo ídolo, en el templo de Arcona, en Rügen, tenía cuatro cuellos, cuatro cabezas; cerca de este ídolo se veían un freno y una silla, destinados al caballo blanco del dios, que solo el sacerdote podía montar.

13. Mitología arábiga.—Los principales dioses adorados por los árabes sabeístas eran: Yemen (el Sol), Sin (la Luna), Ilmakah, Yathaa, Haubas, Simdón, Dhamar y Dhu Samawi, a los que correspondían otras tantas diosas. En Hedjar, el dios supremo era Alláh-Toala; y había genios benéficos: los Djiinns; y espíritus malignos: los Ghuls. Los nabateos adoraban a Al y Allat y a ciertas divinidades de origen sirio-fenicio, como Baal-Samín, Jerhi Baal, Katsín y Aziz.

Varios textos clásicos y numerosas inscripciones dan alguna idea acerca de la mitología de las poblaciones pastoriles de la Arabia anteriores a la aparición de Mahoma. La primera religión de los minianos, nabateos e himiaritas fue el politeísmo. En los árboles, en las piedras, en las fuentes, en las nubes, se alojaban *djinn* (los espíritus). Pero sobre estos espíritus, benéficos o perversos, existía un supremo guardador del orden moral: Aláh (Al iláh), el cual tenía tres hijas, de una de las cuales se sabe el nombre: Alilat, diosa del temor honesto y perenne.

Para muchos mitólogos, Mahoma no fue el fundador del monoteísmo árabe. Se limitó a desembarazar a Aláh de todos sus parientes y acompañantes.

14. Mitología china.—La tradición china más antigua habla del Hoen-Tun o Caos primordial. Inmediatamente alude a las *tres grandes soberanías:* la del Cielo, la de la Tierra y la del Hombre. Durante la primera soberanía verificóse la formación del cielo actual, "la cual se hizo sucesivamente por medio del movimiento que la Gran Cumbre o el Ser Primordial imprimió a la materia, antes en completo reposo".

Las tres soberanías fueron personificadas en tres príncipes llamados Hoangs, cuyas apariencias y atributos los asemejaban a los monstruos colocados por Beroso en el caos caldeo: seres con cuerpo de serpiente, pies de caballo, cara de mujer y cabeza de dragón.

A la época de las tres soberanías sucedió la de los Ki, diez grandes períodos, durante los cuales los escasísimos hombres moraban en las cuevas y cabalgaban sobre grullas, ciervos alados y dragones. Al fin de los Ki aparece el famoso Fo-Hi, monstruo con cuerpo de dragón y cabeza de buey, dotado de un gran talento organizador. El nacimento de Fo-Hi fue milagroso. Paseándose una virgen llamada Hoa-Se (flor deseada) por las orillas del río Fo-Hi, puso su pie sobre la huella del *grande hombre;* inmediatamente se conmovió, viose rodeada de un resplandor maravilloso, y sus entrañas concibieron, y transcurridos doce años, el día cuatro de la décima luna, a medianoche, nació Fo-Hi, así llamado en memoria del río a cuyas orillas fue concebido. A Fo-Hi se deben los ocho símbolos (Kua), primeros signos gráficos de los chinos; él compuso el *I-King,* libro de las Leyes, y nombró ministros Dragones con cargo de cuidar los distintos ramos de la administración, y fundó los matrimonios. El nombre de Ti, aplicado al Ser supremo, le fue otorgado a Fo-Hi. A este le sucedió—en un lapso incierto—Chin-Nung, "el Divino hablador", descubridor de la Medicina, de la lira, de las artes, propagador de las buenas costumbres, gran juez. Después de varios descendientes de Chin-Nung apareció el famoso Hoang-Ti, el primer personaje humano de los anales chinos, que reinó cien años "como patriarca de la Tierra Amarilla", y que estableció seis ministros, a los cuales llamó Nubes *(Yun).* Durante su reinado se construyeron los primeros templos y palacios, se descubrió la música (el sonido armonioso) y se estableció el cómputo del tiempo. Tchuen-Hio, su sobrino y sucesor, devolvió la pureza al culto religioso y estableció ministros con el especial encargo de hacer la distinción entre los seres humanos y los espíritus celestes; y para destruir el culto doméstico, dispuso que únicamente el emperador tuviese derecho a hacer sacrificios al Ser supremo. Deidades interesantes de los chinos son: Dagún, criador del Universo; Ti-Kang, el rey de los infiernos; Chang-Ko, diosa de la pureza, a la cual se encomendaban los célibes, muy parecida a la Atenea helénica; Kuza, diosa equivalente a la Cibeles o a la Bhavani hindú, a la que se representa, sentada, en la flor de *padma,* con dieciséis brazos, teniendo en sus manos libros, espadas, frutos y flores; Nimifo, dios del mar; Kon-In-Pu-Tsa, diosa de la abundancia; Kuil-Kiabsti, dios del reposo, cuyo templo en Kang-Ton estaba lleno de camas para que descansaran los bonzos y los viajeros; Djosia, diosa de las emigraciones y de los largos viajes; Tiangno, la diosa-luna. Deidades de categoría inferior eran: Chin-Hoan, dios protector de las provincias y ciudades; Pusa, dios inventor de la porcelana; Felo, dios-sal; Konin, dios doméstico, cuidadoso de los hogares, de las granjas y de las alquerías; Jos, dioses penates chinos; Tching, genios benéficos; Gei, genios maléficos.

Fueron también muy venerados en China los montes y las colinas; creían los chinos que abrir hoyos o zanjas en sus laderas era como herirlos, por lo que los espíritus de unos y de otras acudirían a tomarse venganza. Creyeron igualmente que la felicidad "amasada por los dioses" llegaba a la tierra bajo la forma de corriente de dirección varia, a la que daban el nombre de *fomchué* (viento y agua). El racionalismo chino ha borrado en gran parte las huellas de las religiones primitivas; pero subsisten en las costumbres y creencias populares, profundamente animistas, que ofrecen variedad inmensa de hechos religiosos. Estos hechos han influido—en opinión de Groot—decisivamente en las religiones sabias y en los sistemas filosóficos.

15. Mitología japonesa.—"Según un escritor competente, de diez japoneses instruidos, nueve, interrogados acerca de la antigua religión nacional, llamada *Sinto* ("el camino"), responden que consiste en el culto de los antepasados. Históricamente, no es exacto. Aun cuando los libros sagrados del Sinto no se remontan más allá del siglo VIII de nuestra Era, dan fe de que el fondo de la religión es animista y naturalista, con supervivencias de totemismo. El Sinto enumera millares de espíritus o de dioses, entre los cuales se distingue la diosa de la Tierra alimentadora, la diosa *solar,* el dios *lunar,* el dios del fuego; el del Cielo, tan importante en China, es desconocido. El sol es femenino en el Japón, en tanto es masculino en China; esta diferencia es digna de atención cuando se piensa en el papel considerable que las mujeres desempeñaban en el Japón antiguo. Viejos libros chinos le llaman "el país de las reinas"; reinas hubo entre los primeros mikados. Muchos animales, como el caballo albino, el zorro, el perro, la rata, el gallo, han seguido siendo atributos de las divinidades. El de la diosa solar es un pájaro; de ella creen descender los mikados. Se ven también árboles sagrados. Otro elemento esencial del Panteón sinto son los héroes, los hombres divinizados por haber merecido el agradecimiento público. Son, si puede decirse, *los antepasados de elección,* los antepasados son todos venerados, pero mucho menos que en China y sin molestia para los vivos." (S. Reinach.)

La *rivobo Sintoo* fue la religión dominante en el Japón. Según ella, Amida (un Buda adulterado), es el supremo rey del Universo, ser soberano, inmutable, insensible, salvador de los hombres, por los que intercede ante Jemma o Jemao, sombrío monarca de *Disigik* o infierno. Amida, que abre las puertas de su paraíso *(Gokurak)* a sus devotos, dio cinco mandamientos: *Se-Seo,* no matar; *Tso-To,* no hurtar; *Ziaun,* ser casto; *Mogo,* no mentir; *Onciú,* no beber licores fuertes Guanon, hijo de Amida, era el dios de los ritos; Kanao, otro hijo de Amida, era rey de las aguas, de los peces y criador del sol y de la luna, y se le representaba saliendo de las fauces de un monstruo marino; Xikuani era el amor-himeneo, protegía también a los niños y a la gente moza; Jene era la divinidad que reinaba en las almas de los casados y ancianos, y era representada con cuatro caras y otros tantos brazos; Tositoku, protector de los mercaderes, quienes le invocaban al comenzar el año; el kami Topan presidía las tempestades, y surca volando, el etéreo espacio con yelmo en la cabeza y una clava en la mano, y cuando ruge el trueno, señal de su cólera, los sacerdotes, para aplacarlo, cúbrense la cabeza con cierto follaje sagrado, al cual el rayo no llega jamás y le ofrecen peces; Miristin, dios de la guerra; Miroku, dios de la riqueza; Suva, dios de la caza; Gotsitemo o Givon, dios que protege contra las enfermedades, caídas y malos encuentros; Daibot, una de las más veneradas diosas, es representada en figura de mujer sentada a usanza oriental, con las orejas muy largas, los cabellos largos y crespos, saliendo rayos de oro de su cabeza y brotando una llama de su frente; guardador y custodio de la fe jurada es Fu-Do; Isum, divinidad de horrible y espantoso aspecto, era el guía de las almás en las regiones subterráneas, donde debían ser purificadas por el fuego; Toranga ascendió al trono japonés después de emancipar al país de un tirano de ocho brazos.

Numerosos son, en la mitología japonesa, los dioses secundarios y los héroes. Entre los más venerados están: Isanagi, el Adán japonés, y su esposa, la bella Isanami; Dai-Mono-Gini, deidad sidérea, a la que estaba dedicado el mes de julio Perun, el justo salvado del Diluvio universal, que ha de volver a la tierra llegado que sea el fin de los tiempos; Fanna, célebre por su santidad; representado encima de una flor llamada *Toratá*, llevando en la cabeza una concha llena de arroz; Inga protector de las cosechas; Ten-Ka-Dai, divinidad profética. Los Arhans eran genios bienhechores; los Gonghems, espíritus celestes en forma humana; los Dirzoo, los Futoo, intermediarios entre los hombres y los dioses.

Pero igualmente aparecen adorados en la mitología japonesa varios animales fantásticos: el Koma-Inu, mitad perro y mitad león; el Pria, dragón de seis garras; el Taki-Maki, dragón espantoso, que habitaba en el fondo del mar, y cuya cólera producía el temido tifón; el Moolki, tortuga con cabeza de perro e inmensa cola, a la que van adheridos algas y musgo marino.

16. Mitología americana.—La mitología americana puede afirmarse que queda reducida a dos países: Méjico y el Perú. La de los restantes está casi por determinar; sus escasísimas noticias son confusas y contradictorias.

Las antiguas tradiciones tzendales conservan el nombre y los hechos de un personaje fabuloso: Votan, tenido como un dios, hombre extraordinario que sacó a los indígenas de la barbarie y les dio las primeras leyes y les enseñó los rudimentos de todas las artes. Votan fue reverenciado con los nombres de Gucumatz, Cukulcan y Quetzalcoatl, nombres que significan *serpiente emplumada* o *serpiente adornada con plumas de Quetzar*. La idea de la unidad de Dios no prevaleció mucho tiempo entre las gentes americanas y todas ellas cayeron en la más espantosa idolatría. Los nombres dados a aquella divinidad suprema por los distintos indígenas de la América septentrional (Méjico) y central prueban la alta idea que de ella tuvieron. En Méjico se le llamó Ipalnesnoaloni, "aquel en quien y por quien somos y vivimos"; en el Yucatán, Hunab-Ku, "solo santo"; en Guatemala, Hurakan, "la voz que grita o el corazón del cielo".

La mitología americana, como las de Grecia y Roma, reconoce diferentes clases o categorías de dioses. Unos, deidades celestes o espíritus superiores a los hombres, son increados y creadores; otros, deidades creadas, y, por ende, inferiores, y otros, por último, dioses humanos o héroes a quienes después de muertos se concedían en premio a sus hazañas los honores de la adoración y del culto. Entre los dioses mayores, increados y creadores, de los mejicanos estaban: Ometecuhtli o Citlalatonac y Omeci Huatel o Citlalicue, varón y hembra, "el astro resplandeciente" aquel y "el ropaje del astro" esta. Vivían en el onceno cielo, cuidaban del gobierno del mundo, ordenaban las cosas criadas, atendiendo cada uno a lo referente a su propio sexo. Téoti era el dios supremo de los aztecas, repartidor de los bienes y administrador de la justicia; por debajo de él había hasta trece divinidades principales y más de doscientas inferiores, que presidían a los elementos, al tiempo y a los diversos destinos humanos. Después de Téoti ocupaba el primer rango Tezcatlepoca, "el alma del mundo", dios hermoso y perpetuamente joven, al que cada año se le sacrificaba un hermoso mancebo. Quetzalcoatl, dios del aire, deidad bienhechora que enseñó a los hombres el uso de los metales, la agricultura y el ingenio de gobierno; Ixcuina, diosa del amor y del placer, la Venus mejicana, a la que se la suponían cuatro hermanas: *Chuosti* (el deseo), *Teigón* (la voluptuosidad), *Tlaco* (el goce) y *Tiacapón* (la satisfacción); Llamateuchtli, diosa de la senectud; Tazi, dios de la tierra; Tevaikaiohona, diosa de la fertilidad; Tlalic, dios terrible, vengador de los crímenes y causante del hambre, de la peste y de todas las calamidades; Huitzicopotchli, el Marte mejicano; Xiuhtecuhtli, divinidad del fuego, el Vulcano mejicano; Mictlanteuctli y su esposa Mictecacihuatl, jueces supremos, señores de la región de los muertos; Tyacatecuhtli, dios de los mercaderes; Zacatzontli y Tlacotzontli, deidades protectoras de los caminos; Tezcatzucatl, dios del vino, el Baco mejicano. Entre las deidades inferiores estaban: Mixcohuatl Mazatzin, guerrero intrépido, conquistador del Anahuac, príncipe legislador y prudente; Itzpapalotl, maga y adivinadora; Cilualohuatl o la mujer-serpiente, la Eva Mejicana, que parió a sus hijos de dos en dos, hembra y varón siempre; Centrolt, deidad de las cosechas; Tepatipaca, "el que limpia y lava", porque el perdón y la misericordia limpian y lavan las culpas; Nappatecuhtli, "el cuatro veces señor", el único dios que perdonaba las injurias que se le hacían; Paynal, deidad guerrera, semejante al Hércules helénico.

En la mitología americana no se observa el dualismo que existe en otras mitologías entre los dos principios del Bien y del Mal, perpetuos rivales, ya que el antagonismo entre los creyentes de Quetzalcotl y los devotos de Tetzcatlipoca provenía, no de oposición entre dos sistemas filosóficos, sino de mera diversidad de costumbres, prácticas, ritos y aficiones. No debe, pues, buscarse en la mitología americana *un sistema* de símbolo. Cada tribu tuvo su divinidad especial, y al constituirse varias en nación no hicieron sino ampliar, extender y organizar el culto de todas ellas, admitiendo además las de los pueblos inmediatos.

El calendario mitológico mejicano es sumamente curioso. Los años se dividían en meses de dieciocho o veinte días, empezándose a contar desde nuestro febrero de la siguiente forma:

Primer mes: *Atlacahualco* ("que carece de agua") y dedicado a Tlaloc y demás genios acuáticos.

Segundo: *Tlacaxipehualiztli.* Empezaba el 22 de febrero. Dedicado a Xipe-Totec, dios de los plateros, al que se atribuía el poder de afligir a los mortales con enfermedades.

Tercero: *Tozoztontli.* Empezaba el 14 de marzo y estaba dedicado a Tlatoc.

Cuarto: *Huey-Tozoztontli.* Empezaba el 3 de abril, y durante él se honraba a la diosa Centeotl ("la espiga de oro").

Quinto: *Toxcatl.* Empezaba el 24 de abril, y durante él le era ofrecido un collar de maíz al ídolo de Tetzcatlipoca.

Sexto: *Etzalquadiztli.* Empezaba el 14 de mayo.

Séptimo: *Tecuhuitutli.* Empezaba el 3 de junio. Estaba dedicado a Huitxtocihualt, la diosa de la sal.

Octavo: *Huey-Tecuhuitutli.* Empezaba el 23 de junio. Estaba dedicado a Xiluen, "la divinidad de la espiga tierna", que era un sobrenombre de Centeotl.

Noveno: *Tlaxochimaco.* Empezaba hacia el 13 de julio. Estaba dedicado a *Iycacolluhqui,* dios de los mercaderes.

Décimo: *Xocotlhuctli.* Correspondiente a la primera mitad de agosto y dedicado a Xiuhtecutli, dios del fuego y del año, convertido con el nombre vulgar de "cara roja".

Decimoprimero: *Ocpaniztli.* Correspondiente a la última mitad de agosto, y estaba dedicado a la diosa Teteuynan, "la made de los dioses", o Toci, cuyo templo se hallaba en la misma peña de Tepeyacae, donde los españoles erigeron el famoso santuario de Nuestra Señora de Guadalupe.

Decimosegundo: llamado *Teotleco.* Empezaba el 12 de septiembre y se dedicaba a Tetzcatlipoca.

Decimotercero: *Tepelhuiti.* Empezaba el 2 de octubre, y en él eran festejados los genios de las montañas, cuatro hembras y un varón.

Decimocuarto: *Quecholli.* Se iniciaba el 22 de octubre, y estaba consagrado a Mixcohuatl, guerrero divinizado y tenido por dios de los cazadores. Durante ese mes se servía de comer a los muertos, colocando manjares en sus tumbas, en la creencia de que las almas aspiraban su sustancia.

Decimoquinto: *Panquetzaliztl.* Se iniciaba el 11 de noviembre, estaba consagrado a Huitzilopoctli, dios de las batallas y fundador de la nacionalidad mejicana.

Decimosexto: *Atmoztli o* "de las aguas". Se iniciaba el 1 de diciembre, y estaba consagrado a los dioses acuáticos.

Decimoséptimo: *Titl.* Empezaba el 21 de diciembre, y se celebraba en él a la diosa Ilamatenetli o "del collar de maíz".

Decimoctavo: *Izcali.* Empezaba el 10 de enero, y estaba consagrado a Xuithtuctli, el dios del fuego.

Por tanto, no había mes en que no se celebraran grandes festejos religiosos, sacrificándose durante ellos alguna víctima humana.

"Imaginaron los aztecas tres estados distintos en la vida futura: los malos habían de expiar sus culpas en un lugar de tinieblas; los buenos, fallecidos de muerte natural, disfrutaban de una existencia negativa de indolente contento, y, como en todas las naciones guerreras, la felicidad suprema estaba reservada a los héroes que sucumbían en combate o en sacrificio. Estos pasaban en el acto al sol, donde vivían entre cánticos y danzas, hasta que pasaban sus espíritus a ser aves de brillante plumaje en los jardines del paraíso." (ROBERTSON.)

Menos importante que la mitología mejicana era la peruana, aun cuando en algunos aspectos sea más brillante. Por ejemplo: creyeron los incas en la imortalidad del alma, y que el ánima es espíritu inmortal y que el cuerpo está hecho de tierra, por lo que le llamaban *Alpacamasca* (tierra animada), y para diferenciar al hombre del bruto, llamaban al hombre *Runa* (ser de razón y de entendimiento), y al bruto, *Llama,* esto es, bestia.

Los incas creían en otra vida inmortal con gloria para los buenos y penas para los malos. Dividían el Universo en tres mundos: El Cielo *(Aanan Pacha),* el Mundo *(Humi Pacha)* y el Mundo inferior o infierno *(Ven Pacha).* Sin embargo, creían que *la otra vida* era corporal como esta misma.

Los incas reconocían un Ser supremo creador y conservador del mundo, adorado con el nombre de Pachacamac ("el que sostiene y vivifica el Universo"); también se le llamaba Viracocha ("espuma del mar"). Se le erigió un solo templo en una selva, a la que se dio el nombre de Pa-

M

chamac, no lejos de la ciudad de Lima. Los soldados de Pizarro demolieron este templo en 1533.

Para muchos mitólogos, el dios peruano más reverenciado fue el sol, con el nombre de Punchao. En casi todas las ciudades y aldeas del país tenía templos o altares. A la Luna se la adoró con el nombre de Killa; y a Venus, la más bella de las estrellas, con el de Chasca. El santuario más hermoso que tuvo el Sol estaba en Cuzco, y por su magnificencia era llamado *Coricancha* ("lugar dorado"). Al Sol se le ofrecían flores, granos y animales. Dios de la región infernal era Cupay.

De los restantes países americanos no se conoce sistema mitológico alguno, sino, sencillamente, los nombres de algunos dioses. Así, Manitú, Ser supremo entre todos los indígenas de la América septentrional, ya identificado con el Sol, ya con el poder misterioso que crea y conserva todo; en esta misma América, Matchi-Manitú (la Luna-espíritu), era una deidad aciaga que agitaba los mares y hería con la tristeza. Dioses brasileños eran: Agnián, el espíritu malo; Tupan, genio del trueno; Katchimana, dios lleno de bondades; Marakas, dioses lares. Deidades de los hurones y de los iroqueses: Alaentsic, madre del género humano y madre de Tharoniaugón, dios supremo y benéfico. Los indios de la América más septentrional veneraban a Totem, genio bueno que vela por cada hombre, y a Matkomek, dios del invierno. Toïa era el principio del mar para los indígenas de la Florida. Khiappén, el dios de la guerra en Panamá. Los araucanos veneraban a Guenupillán, "alma del cielo"; a Meulen, el Sol; a Antumalguen, esposa del Sol; a Epunamún, dios de la guerra; a Huekab, espíritu maligno.

*

Poco más cabe añadir en este estudio sucinto de sus principales mitologías, escrito para que los lectores del DICCIONARIO puedan alquirir en muy poco tiempo un concepto de lo mitológico en cada época y en cada país. Si acaso, insistir en cuáles son los factores principales de las mitologías.

1.º *El animismo.*
2.º *Lo tabú.*
3.º *El totemismo.*
4.º *La magia.*

Por *animismo* ha de entenderse la inclinación irremediable que siente el hombre, imaginativo y sensible a dar *materialización* a sus anhelos, y principalmente a los que quedan fuera de sus posibildades; a explicarse *por medio de imágenes* cuantos fenómenos se le presentan inexplicables. Así, del mar, que *sin porqué explicable* se agita y hace zozobrar las naves, el hombre *imagina* un ser potente y vengativo que, dueño de las olas, remueve estas a voluntad.

Tabú es lo que se sustrae al uso corriente. Un árbol que no pueda ser tirado es un árbol tabú, y se hablará del tabú de un árbol para designar el escrúpulo que detiene al que siente la tentación de llegarse a él, de derribarlo. "Este escrúpulo jamás se funda en una zona de orden práctico, como lo sería, tratándose de un árbol, el temor de herirse o pincharse. El carácter distintivo del tabú estriba en que la prohibición no está motivada y en que la sanción prevista, en caso de violación del *tabú,* no es una pena dictada por la ley civil, sino una desgracia tal como la muerte o la ceguera, que hiere al individuo culpable."

El *totemismo* es una especie de culto rendido por el hombre a los animales y a los vegetales, considerándolos como sus aliados y parientes, y propicios a *encarnar espíritus superiores, a voluntad de estos.* Paradisíacamente, el demonio habló dentro de la serpiente. Y Júpiter, transformado en toro o en cisne, amó a Europa y a Leda. El culto de los animales y el de los árboles o plantas se encuentra como supervivencia de todas las antiguas sociedades. Se le ve en el origen de las fábulas llamadas *metamorfosis.* El nombre, sin embargo, procede de los indios de América septentrional; *totem,* o, más exactamente, *otam,* marca o insignia que designa al animal, al vegetal, al cuerpo celeste reconocido en el clan como antepasado o protector.

Magia ha sido el medio de que se han valido los hombres para intentar ponerse en comunicación con los espíritus superiores. Por ser un procedimiento sensacional no lo dominaban todas las personas, sino aquellas calificadas por una virtud, por una elección o por una martingala cuya ficción escapaba a las generales entendederas. La magia podía ser de *evocación* o de *interpretación.* Como es lógico, la Humanidad no podía permanecer impasible en presencia de las mil fuerzas espirituales de que se creía rodeada. Para *reobrar* contra ellas, para dominarlas y sujetarlas a sus fines, halló el auxilio en los inicios sorprendentes de varias ciencias aliadas con la audacia de la imaginación; así, una falsa ciencia, la magia, llegó a ser la madre de todas las ciencias verdaderas. Como *la estrategia del animismo* ha sido definida la magia.

BIBLIOGRAFÍA GENERAL.—COX: *The mythology of the aryan nations.* Londres, 1903.—USENER, H:. *Nombres de los dioses.* Bonn, 1896.—MEYER, E. H.: *Mitos indo-germánicos.* Berlín, 1833.—MANNHARDT, B.: *Antiguos cultos de las selvas y de los campos.* Berlín, 1877. MÜLLER, O.: *Prolegómenos a una mitología científica.* Gotinga, 1825.—PREUNER, A.: [Ofrece una admirable bibliografía mitológica en el tomo XXV del anuario de Bursian.] BROS: *La religion des peuples non civilisés.* París, 1907.—SCHMIDT, Padre: *L'origine de l'idée de Dieu.* París, 1910.—CREUZER: *Symbolik und Mythologie.* Leipzig, 1836.—DUPUIS, Carlos Francisco: *Origine de tous les cultes ou religon universelle.* 1795.—BRYANT: *New sys-*

tem, or an analysis of amient mithology, wherein an attempt is made to diverst traditions of fable. 1774.—Banier, Abate: *La mythologie et les fables expliquées par l'histoire.* París, 1774.—Moreau de Jonnés: *Les temps mythologiques: essai de restitution historique.*—Gruppe: *Geschichte, Mythologie und Religion-geschichte.* Munich, 1906.—Reinach, S.: *Esquisse d'une histoire de l'exégèse mythologique.*—Müller, Max: *Lectures on the science of language.* Nueva York. 1884.—Lang: *Mythes, cultes et religion.* París, 1896. Lang: *The maknig of religion.* Londres, 1900.—Toutain: *Etudes de mythologie et d'histoire des religions antiques.* París, 1909.—Haddon: *Magic and fetichisme.* Londres, 1906.—Clood: *Anismism.* Londres, 1905.— Le Log: *La religion des primitifs.* París, 1909.—Lang: *Custom and myth.* Londres, 1910.—Schwartz, V.: *Der Ursprung del Mythologie.* Berlín, 1892.—Jacobi, Dr. E.: *Dictionnaire mythologique universel.* París, Didot, 1854.—Ciges Aparicio y Peiró: *Los dioses y los héroes.* Madrid, 1919.—Smith, Doctor: *Dictionnaire de... Mythologie.* París, Didot, 1865.—Chood, E.: *Animisme.* 1905. Frazer: *Le totémisme.* 1898.—Hubert y Mauss: *Théorie générale de la magie.* En "Année Sociologique", 1904.—Réville, A.: *Proleg. à l'hist. des religions.* 1881.—Haddon: *Magic and fetichism.* 1906.—Bertholet, M.: *Religionschichtliches Lesebuch.* 1908.—Reinach, S.: *Orfeo.* Madrid, 1910. Tylor, E.: *Primitive culture.* París, 1903.—Schurtz, H.: *Urgeschichte der Kultur.* 1900.—Sabatier, A.: *Esquisse d'une philosophie de la religion.* 1897.—Hérbert, M.: *Le Divin.* 1907.—Reinach, S.: *Cultes, mythes et religions.* Tres tomos. 1904.—Mannhardt, W.: *Mythol. Forschungen.* 1884.—Lang, M.: *Myth. Ritual and religion.* Londres, 1899.—Jastrow, M.: *The study of religion.* 1902.—Goblet D'Alviella: *Introduction à l'histoire générale des religions.* París, 1887.

Bibliografía americana.—Ehrenneich: *Die Mythen und Legender der südamerikanischen Urvölker.* Berlín, 1905.—Raynaud, G.: *Les Panthéons de l'Anmerique centrale.* En "Etudes de critique", 1896.—Hamy: *Croyances et pratiques des premiers mexicains.* En "Conf. Guimet", 1907.—Lehman: *Mexican Research.* 1909.—Spence, L.: *The Mythol. of ancient Mexico and Peru.* 1907.—Reville, A.: *Les religions du Mexique et du Pérou.* 1885.—Boast, F.: *The Indians of British Columbia.* 1898.—Dellenbaugh: *The Nort-Americans of yesterday.* 1907.—Brinton, D.: *Religions of primitve peoples.* 1897.—Brinton, D.: *Mythes of the new world.* 1896.

Bibliografía árabe.—Dussand: *Les arabes en Syria avant l'Islam.* 1907.—Wellhausen, I.: *Reste arabischem Heidentums.* 1897.

Bibliografía ario-hindúe.—Bloomfield, M.: *Religion of the Vedas.* 1908.—Oldenberg: *Die religion des Vedas.* 1894.—Bergaignes *Dieux souverains de la religion védique.* 1877.—Bergaigne: *La religion védique.* 1878-1883.—Milloué, L. de: *Métempsychose et ascetisme.* En "Conf. Guimet", 1901.—Henry, V.: *La magie dans l'Inde antique.* 1904.—Lévy, S.: *Hist. ancienne de l'Inde.* En "Journ. des Savants", 1905.—Hopkins, E. W.: *Religion of India.* 1895.—Hardy, E.: *Indische Religions-geschichte.* 1904.—Barth: *Les religions de l'Inde.* 1870.—Reinach, S.: *L'origine des Aryens.* 1892.—Zaborowski: *Les peuples aryens.* 1908.—Hirt: *Die Indogermanen,* 1905.—Bühler: *Grundriss der indoarischen Philologie.* 1896. [Fuente de excepcional importancia.]

Bibliografía babilónica-asiria.—Cumont: *Religions orientales dans l'Empire romain.* 1907.—Schrank, W.: *Babyl. Sühneriten.* 1908. Hing: *Babylonian magic and sorcery.* 1895. Fossey: *Magie assyrienne.* 1902.—Lagrange: *Etudes sur les religions sémitiques.* 2.ª edición. 1905.—Loisy: *Les mythes babyl, et la Genèse.* 1901.—Gunkel: *Schöpfung und Chaos.* 1895.—Delitzsch: *Das babyl. Weltschöpfungsepos.* 1896.—Pinches, J.: *The religions of Babyl. and Assyria.* 1906.—Jastrow, M.: *Die religion Babyloniens und Assyriens.* 1902.—Roscher: *Lexicon der Mythol.*

Bibliografía celta o gala e ibérica.—Costa, J.: *Mitología y literatura celto-hispanas.* Windisch: *Keltische Sprachen.* En la "Enciclopedia de Ersch y Gruber".—D'Arbois: *Epopée celtique en Irlanda.* 1902.—D'Arbois: *Les druides.* 1906.—Déchelette: *Manuel d'Archéol. préhistorique et celtique.* Tomo I. 1908. Jullian, C.: *Histoire de la Gaule.* 1907.—Squire, Ch.: *Mythol. of ancient Britain and Ireland.* 1906.—Renel: *Les religions de la Gaule.* 1907.—Holder: *Altkeltischer Sprachschatz.* 1896-1898.

Bibliografía china y japonesa.—Florenz, K.: *Die Religionen der Japaner.* En "Orientalische Religionen". 1906.—Aston: *Shinto.* 1907.—Groot, J. de: *Die religionen der Chinesen.* En "Orientalische Religionen". 1906.—Groot, J. de: *The religions systems of China.* 1892.—Giles: *Religions of amient China.* 1905.

Bibliografía egipcia.—De Brosses: *De culte des dieux fetiches, ou parallele de l'ancienne religion de l'Egipte avec la religion actuelle de Wigritil.* 1759.—Reinach, A. I.: *L'Egipte préhistorique.* 1908.—Frazer: *Adonis, Attis, Osiris.* 1907.—Moret: *Le rituel du culte divin journalier.* 1902.—Moret: *Caractère religieux de la royante pharaonique.* 1902.—Loret: *L'Egypte au temps du totémisme.* En "Conf. Guimet". 1906.—Budge: *The book of the Dead.*—Roscher: *Lexicon der Mythol.*—Lafaye: *Culte des divinités d'Alexandrie.* 1884.—Moret: *Au temps des Pharaons.* 1908.—Foucart, G.: *Religion dans l'Egypte ancienne.* En "Revue des Idées", noviembre 1908.—Petrie, F.: *Religion of ancient Egypt.* 1906.—Naville, E.: *La religion des Egyptiens.* 1906.—Maspero: *Etudes de mythol. et d'Archéologie égyptienne.* 1893.—Maspero: *Hist. anc. des peuples de l'Orient.* 1893-1899.—Erman, H.: *Die ägyptische Religion.* 1905.—Budge, I.: *Goas of the Egyptians.* 1902.

Bibliografía escandinava-germana-eslava.—Meyer: *Altgermanische Religionschichte.* 1910. Mannardt, Guillermo: *Germanische Mythen.* Berlín, 1858.—Léger, L.: *Mythol. slave.* 1901.—Pineau: *Vieux chants populaires scandinaves.* 1897.—Craigie: *Religion of ancient Scandinavia.* 1906.—Bugge, S.: *The home of the Eddic poems.* 1899.—Bray, Ol.: *The elder Edda.* 1909.—Vigfurson y Powell: *Corpus poeticum boreale.* 1883.—Chantepie de la Saussaye: *Religion of the Teutons.* 1903.—Mock, Eug.: *Germanische Mythol.* 1906.—Meyer, E. H.: *Germanische Mythol.* 1891.—Grimm, J.: *Deutsche Mythol.* 1875-1878.

Bibliografía griega y romana.—Ovidio: *Metamorfosis.*—Virgilio: *Eneida.*—Hesíodo: *Los trabajos y los días.*—Hesíodo: *Teogonía.* Homero: *Iliada. Odisea.*—Genest, E.: *Figuras y leyendas mitológicas.* Barcelona, 1941.—Decharme: *Mithologie de la Grèce.*—Müller, H. D.: *Mitología de las razas griegas.* Gotinga, 1857.—Preller, L.: *Mitología griega y romana.* Berlín, 1854 y 1855. Steuding, Dr. Hermann: *Mitología griega y romana.* Barcelona, [¿1919?]—Maury: *Histoire des religions de la Grèce antique.* París, 1857.—Humbert, Juan: *Mitología griega y romana.* Barcelona, 1928.—Richepin, Juan: *Nueva Mitología,* Barcelona, 1927.— Gebhardt, Víctor: *Los dioses de Grecia y Roma.* Barcelona, 1881.—Beurlier: *Le culture imperial.* 1891.—Boissier, G.: *Religion romaine d'Auguste aux Antonins.* 1874.—Cumogt: *Religions orientales dans le paganisme romain.* 1907.—Fowler, Warde: *The Roman festivals.* 1908.—Cagnart, R.: *Les vestales.* En "Conf. Guimet", 1906.—Reinach, S.: *Cultes, mythes et religions.* 1904-1908.—Roscher: *Lexicon der Mythologie.* 1882.—Saglio: *Dictionnaire Mythol.*—Wissowa: *Relig. der Römer.* 1902.—Nilsson, M. P.: *Griechische Feste.* 1906.—Mommsen, A.: *Heortologie.* 1883.—Deubner: *De incubatione.* 1900.—Leclerq, B.: *Hist. de la divination.* 1879-1881.—Foucart, P.: *Le culte de Dionysos et Attique.* 1904.—Foucart, P.: *Assoc. relig. chez les grecs.* 1873.—Foucart, P.: *Rech. sur les mystéres d'Eleusis.* 1900.—Anrich: *Das antike Mysterienwesen* 1904.—Burnet: *Early Greek philosophy.* 1892.—Dietrich: *Nekya.* 1893.—Rohde, E.: *Psyché.* Madrid, 1943.—Fustel de Coulanges: *La ciudad antigua.*—Bötticher, C.: *Baumcultus der Hellenen.* 1856.—Wisser: *Die nicht menschengestaltigen bölter des Griechen.* 1903.—Alviella, G. d': *Migration des symboles.* 1891.—Lagrange: *La Crète,* 1907.—Burrows: *Discoveries in Crete.* 1907.—Evans: *Mycenaean tree and pillar cult.* 1901.—Hogarth: *Aegean religion.* En Hastings, "Encycl. of Religion". Tomo I. 1908.—Girard, J.: *Le sentiment religieux en Grèce.* 1856.—Steuding, H.: *Griech. und röm. Mythologie.* 1905.—Harrison, J.: *Religion of ancient Grèce.* 1905.—Stengel, P.: *Griech. Sahralalterthürmer.* 1899.—Gruppe, O.: *Griechische Mythologie.* 1906.—Decharme, P.: *Traditions religieuses des grecs.* 1904. Decharme, P.: *Mythol. de la Grèce.* 1886.—Farnell, I.: *Cults of the Greek states.* 1896-1907.—Reinach, S.: *Cultes, mythes et religions.* 1904-1908.—Roscher: *Lexicon der Mytholog.*—Saglio: *Dictionnaire Mythol.*

Bibliografía persa.—Cumont: *Mystères de Mithra.* 1890-1896.—Söderblom: *La vie future d'après le mazdeisme.* 1901.—Söderblom: *Les fravashis.* En "Revue Hist. Relig.". 1899. Jackson, W.: *Zoroaster.* 1899.—Bréal: *Le Zendavesta.* En "Journ. des Savants". 1894.—Henry, V.: *Le Parsisme.* 1905.—Darmesteter, J.: *Ormaza et Ahriman.* 1876.—Geiger y Kuhn: *Grundriss der iranischen Philologie.* 1895-1904.

Bibliografía siria-fenicia.—Smith, Robertson: *The religion o the semites. Londres,* 1907.—Cumont: *Les religions orientales.* 1907. Hanck: *Encycl. Mythol.*—Dussaud, A.: *Notes de mythol. syrienne.* 1903.—Dhorme: *Les pays bibliques au temps d'El-Amarna.* En "Revue Biblique". 1908. Vincent, P.: *Chanaan.* 1907.—Lagrange: *Etudes sur les religions sémitiques.* 2.ª ed. 1905.

MITRAÍSMO

Nombre dado a la religión del dios solar indoiranio Mitra. El nombre de este dios está ensalzado en los *Vedas* y en el *Avesta.* Y, no obstante algunas diferencias de bastante importancia, el *Mitra védico* y el *Mitra iraniano* conservan tantos rasgos comunes, que es imposible dudar de la comunidad de su origen. Mitra estuvo considerado como una divinidad de la luz, y sus adoradores veían en él al protector de la verdad y de los contratos, el adversario de la mentira y del error. Su nombre significa en persa y en sánscrito *el amigo.* Algunos eruditos han creído que Apolo fue el Mitra de los helenos. En un himno del *Zend-Avesta* se encomia que Mitra está siempre preparado, despierto y observando con ojos cuidadosos todas las cosas. Es fuerte y acude siempre en defensa de los débiles. A Mitra nadie ni nada le engaña. Y su terrible poder siempre está dedicado a proteger a los hombres. El carácter de *mediador* que tuvo Mitra entre los dioses y los hombres le hizo sumamente querido de estos.

Resumiendo cuanto concierne al mitrismo, nosotros hemos escrito en un libro nuestro, *Ensayo de un Diccionario mitológico universal:* "Mitra es una deidad persa de la que el *Zend-Avesta* no habla sino de un modo muy vago, y a la que identifica ya con el Ized del planeta Venus, ya con el mismo Sol. Distinto de este astro, según la cosmogonía persa, Mitra está subordinado a Ormuz. Aparece en el espacio incesantemente y lo ve todo con sus infinitos ojos y lo oye todo con sus infinitos sutilísimos oídos. Intercesor de Ormuz, Mitra combate sin tregua con Ahrimán y los Devas, guarda a todas las criaturas, da la fertilidad a la tierra y la prosperidad a los hombres. Mitra pesa el alma de los hombres en el pasaje del puente Tchinevad, cuando los hombres se dirigen a la eternidad. Se debe invocar a Mitra tres veces al día. Un mes del año le está consagrado, e igualmente un día de cada mes. Según Herodoto, era Mitra el príncipe de las generaciones y de la fecundidad que perpetúa y rejuvenece al mundo. Su culto era de los más extendidos en el mundo antiguo. Las conquistas de Darío lo popularizaron en la Alta Asia y en las monarquías griegas del Oriente. Fue introducido en el Egipto, donde la escuela filosófica lo amalgamó con sus teorías místicas. Y penetró en el mundo latino después de las guerras pontinas y de Cilicia, extendiéndose hasta las Galias y Germania. En Roma, reinando Claudio y Nerón, Mitra tuvo un templo en el monte Capitolino, y sus misterios se celebraban en numerosas grutas socavadas en dicho monte. Los iniciados eran sometidos a pruebas muy rigurosas, al fin de las cuales se los bautizaba. Después eran coronados y armados; los asistentes los saludaban con el título de *hermanos de armas* (σνστρατ'ῶτα). Toda la cofradía mitrana se dividía en siete clases, formando como una escala de siete peldaños, de los cuales el primero (llamado *origen)* era de plomo; el segundo, de estaño; el tercero, de cobre; el cuarto, de cobre; el quinto, de mezcla; el sexto, de plata, y el séptimo, de oro. Cada uno de estos escalones estaba dedicado a una deidad diferente: Saturno, Venus, Júpiter, Mercurio, Marte, la Luna y el Sol. Los miembros del grado inferior se llamaban soldados; después venían los Leones (hombres) y las Hienas (mujeres), los Cuervos, los Persas, los Bromados, los Soles y los Padres. Al iniciado que obtenía el grado superior se le llamaba *Pater Patratus* o gran pontífice. Al parecer, cada clase se distinguía por una costumbre particular. Así, los *Leónticos* apenas podían probar el agua; los Pérsicos ofrecían miel al dios; los Cuervos le sacrificaban víctimas humanas. Adriano se esforzó en vano por que terminaran estas bárbaras ceremonias. Una de las fiestas más célebres dedicadas a Mitra era la de los *Grifos,* que se celebraba el 24 de abril. Los iniciados concurrían a ella vestidos de adornos extravagantes. En los bajorrelieves que perduran, Mitra está generalmente representado bajo la figura de un hombre joven cubierto con un bonete frigio, un manto flotante, una túnica corta y el pantalón llamado por los griegos *accaxynis;* Mitra sujeta con la rodilla a un toro, y mientras con la mano izquierda le oprime el morro, con la derecha le clava un puñal en el cuello. Un perro, una serpiente, un escorpión, una hormiga pululan alrededor del toro moribundo. Alguna vez se ve a Mitra con dos alas. Los monumentos más notables que aluden al culto de Mitra en Occidente son los de la Villa Albani, Mauls (en el Tirol) y Stix-Neusiedel."

V. CUMONT, F.: *Textes et monuments figurés relatifs aux mystères de Mithra.* Bruselas, 1894-1900.—REINACH, S.: *Cultes, mythes et religions.* París, 1909. Tomo II.—CUMONT, F.: *Les mystères de Mithra.* Bruselas, 1913.—OLDENBERG: *Die Religion des Veda.* Berlín, 1894.—MARTINDALE: *The Religion of Mithra.* En "Lectures on the Hist. of Religions", II, Londres, 1910.

MIURO (Verso)

Verso hexámetro que termina en un yambo o un pirriquio, en lugar de por un espondeo o un troqueo. De aquí le ha venido su nombre, que significa en griego *aquel cuyo final es menos largo* (μέιων οὐρα). Se le llama también, por la misma razón, *tetiambo,* es decir, que acaba en un yambo (τέλος ἴαμβος) (V. *Hexámetro, Diferentes especies de.)*

MIXTECO (Lenguaje)

Idioma hablado por los mixtecos en Méjico. Comprende seis dialectos: *tepozcolula*—el más puro—, *yanquitlán, tlantaco, mietlantongo,* el de la Baja Mixteca y el de la Costa.

MODALISMO

Nombre dado a la herejía de los *modalistas,* levantada durante los siglos II y III tanto en Oriente como en Occidente.

Los modalistas fueron también llamados: *neocianos, sabelianos*—según el nombre de sus jefes Noeto, Sabelio—, *monarquianos*—según los llamó Tertuliano—, *patripasianos...*

El nombre de modalistas ha llegado a ser, con todo, el más usual y, tal vez, el más indicado.

Según el modalismo, las tres personas de la Trinidad debían ser consideradas *como modalidades* de los distintos aspectos de la misma Sustancia. A Dios se le llama Padre, considerado como Creador; Hijo en cuanto Redentor, y Espíritu Santo en cuanto Santificador. Según el modalismo, Dios Padre fue crucificado en el Calvario. El modalismo procuró evidentemente salvar la unidad divina y al mismo tiempo sostener la plena divinidad de Jesucristo. Pero, desgraciadamente, por salvar aquello cayeron en el error de negar la distinción real de las divinas personas. Resumiendo: el Hijo es únicamente una modificación, un modo de ser, *una modalidad de la única persona divina.*

Los principales defensores y propagadores del modalismo fueron: Noeto, Práxeas, Epigono, Sabelio, Berilo y Comodiano.

Noeto, primer defensor del error, vivió entre los años 160 y 230. Nació en Esmirna, cuyo *Presbyterium* le citó dos veces para reprocharle sus predicaciones heréticas. Aun después de haber sido excomulgado, persistió en su propaganda y en la dirección de su escuela.

Práxeas, del Asia Menor, fue el primero que llevó a Roma la herejía. Más tarde marchó a Cartago, donde hizo muchos más prosélitos que en la Ciudad Eterna. En Cartago fue combatido por Tertuliano y obligado a retractarse.

Epigono predicó el modalismo en Roma hacia

el año 200, fundando una escuela bien ayudado por su discípulo Cleómenes. Su principal adversario fue San Hipólito.

A Epigono le sustituyó—desde el año 215—, como jefe del modalismo en Roma, Sabelio, oriundo de Libia. Excomulgado por el Pontífice Calixto, Sabelio regresó a su patria, donde siguió sumando adeptos. Y si en Occidente casi desapareció el modalismo, en Oriente adquirió una nueva efervescencia. Sabelio modificó bastante el primitivo modalismo. Para Sabelio, Dios era una mónada simple e indivisa, una única persona (Padre-Hijo), que tomaba diferentes nombres, aspectos de manifestarse. Era Verbo al manifestarse por la Creación, y este aspecto duraba mientras durase el efecto de la acción creadora. La mónada divina como Legislador en el Antiguo Testamento tomó el nombre de Padre; como Redentor en el Nuevo Testamento, tomó el nombre de Hijo; como Santificador de las almas, tomó el nombre de Espíritu Santo. Todos los nombres y los aspectos cesaban una vez terminado el acto respectivo. El Hijo, por cuanto tiempo estuvo entre los hombres, *dejó de llamarse Padre.* Para Sabelio, los diferentes semblantes *fueron transitorios;* luego ya no pudo decirse que el Padre padeciera y muriera. Sabelio introdujo el aspecto del Espíritu Santo. Y para él hubo igualdad entre los tres aspectos; así ya no manó el concepto de Hijo del Padre.

Berilo fue obispo de Bostra, en Arabia, y enseñó que "el Salvador no existió antes de encarnarse como ser independiente". Que no era Dios sino que Dios estaba en El, sustituyendo el alma. Se afirma que Orígenes convirtió a Berilo—244—durante un sínodo celebrado en Bostra.

Comodiano enseñó modalismo en Roma, poco antes de las persecuciones anticristianas desencadenadas por el emperador Diocleciano. Sus doctrinas fueron expuestas en varios *poemas didácticos-morales.*

V. San Hipólito: *Philosophoumena, contra Noetum.*—Tixeront, I.: *Histoire des Dogmes.* París, 1905.—Marx, J.: *Comp. de Hist. de la Iglesia.* Trad. cast. Barcelona, 1914.—Harnack: *Monarchianismus und Modalismus.* En "Realencyklopädie für pr. Theol. u. K.". Leipzig, 1903.

MODERANTISMO

Sistema político y técnica de gobierno del *partido moderado.*

El partido moderado es el que huye de los extremismos y de los radicalismos, lo mismo del absolutismo que de la demagogia, viniendo a tener su expresión, cuando gobiernan, en los llamados gobiernos mixtos.

Aristóteles dividió las formas de gobierno en *normales*—monarquía, aristocracia y democracia—y *anormales*—tiranía, oligarquía y demagogia—. Pues bien: ya Polibio hizo resaltar la dificultad de gobierno de una forma pura sin que terminase por caer en la forma impura correspondiente, llegando a ser tan natural esta transformación, "que no permite pensar en que no se produzca para daño de la libertad". Por ello, Polibio reputó como más perfecta forma de gobierno aquella que fuera capaz de armonizar las tres clásicas, "ya que el principio que inspire una de ellas servirá *para moderar* las demás", evitando así la descomposición de cada una de ellas.

Ciertamente que Aristóteles no habla de moderantismo; pero ya pareció presentirlo al aconsejar un gobierno *que interesase a todos* y al recordar la perfección del gobierno de los Lacedemonios, en el que existían dos reyes, un Senado y cinco éforos.

El moderantismo gubernamental, capaz de contener las demasías de los gobiernos, puros y de hacerlos duraderos y eficaces, ha sido defendido por Plutarco, Cicerón, Tácito, Santo Tomás de Aquino, Dante y Maquiavelo.

A partir del siglo xviii, el moderantismo ya no fue solo un equilibrio de las formas de gobierno, sino también *un equilibrio de los poderes dentro de cada gobierno.* La idea de la *representación,* base de los estados modernos, implica por sí sola el moderantismo. En los estados representativos, todos los ciudadanos, al ejercer sus derechos políticos, *moderan* la acción del poder. Y al jefe del Estado se le llama *poder moderador,* porque actúa como tal cuando surgen las discrepancias entre las Cámaras, o entre las Cámaras y los ministros, o entre los poderes del propio Estado. La división clásica de estos poderes del Estado—legislativo, ejecutivo y judicial—es, a la vez, elemento moderador; por ello se llamó desde su origen a esta doctrina defensora de la división de poderes, *del equilibrio, de la balanza.* "Todo estaría perdido—dijo Montesquieu—si el mismo hombre o el mismo cuerpo de los próceres o de los nobles o del pueblo, ejerciese esos tres poderes: el de hacer las leyes, el de ejecutar las resoluciones públicas y el de juzgar los delitos o las diferencias de los particulares."

La organización del moderantismo, por regla general, falta en las Repúblicas, ya que en estas se organizan los gobiernos a base exclusivamente de la democracia. En los estados monárquicos caben los gobiernos *mixtos,* a base de combinar la monarquía, la aristocracia y la democracia.

Pero el moderantismo, considerado como *actuación del poder,* puede darse lo mismo en las Repúblicas que en las Monarquías, ya que no son las formas de gobierno las que han de armonizarse, sino los ejercicios de los distintos poderes.

El moderantismo, ni en su organización ni en su actuación es *rigurosamente invariable,* ni responde a un criterio rígido.

El moderantismo lógico y útil en un siglo o en una nación puede resultar ilógico e inútil en otro siglo y en otro país. La Constitución francesa de 1791—que llegó a *moderar* los alardes revolucionarios de 1789—pareció insoportablemente exagerada a los amantes del antiguo régimen; sin embargo, fue combatida, por exageradamente tendenciosa *hacia la derecha,* no solo por los jacobinos exaltados, sino también por los girondinos templados dentro de la pura Revolución.

El moderantismo, pues, deberá evolucionar a compás de las evoluciones políticas de tiempo y lugar. Insistiendo en el ejemplo de Francia, el moderantismo creó el *doctrinarismo* (V.), que sirvió para suavizar la Revolución; el moderantismo hizo evolucionar el doctrinarismo hasta afianzar con él la suerte del *constitucionalismo* (V.).

V. HAURIOU: *Principes de Droit public.* París, 1910.—ORLANDO: *Principes de Droit public et constitutionnel.* París, 1902.—ERRERA, P.: *Traité de Droit public.* París, 1916.—DUGUIT, León: *Manuel de Droit constitutionnel.* París, 1922.—AZCÁRATE, G.: *El self-government y la monarquía doctrinaria.* Madrid, 1877.—FUZIER HERMAN: *La séparation des pouvoirs...* París, 1880.

MODERNISMO

¿Qué es el modernismo y cuál fue su origen? El modernismo se puede definir en muy pocas palabras. Es una nueva revolución literaria y espiritual. Nació como una negación categórica de la literatura precedente. Se reafirmó como una reacción contra ella. Generalizando más—porque es preciso—, no fue únicamente *una tendencia,* sino *una inclinación* general. Alcanzó a todo. A la política. A los estudios universitarios. A la pintura y a la escultura. A la música y a la arquitectura. A los procedimientos pedagógicos. Artistas y espectadores creyeron que el modernismo era un gran movimiento de entusiasmo y libertad hacia la belleza. Como cruzados de un ideal, los modernistas se lanzaron a rescatar dicha belleza, que la burguesa literatura finisecular había encerrado bajo siete estados de tierra.

¡Revisar! ¡Destruir! Eran estos los primeros credos del modernismo; eternos credos de todas las revoluciones.

El modernismo, en verdad, tuvo bien poco que hacer. Encontró frente a su ímpetu nada más que ruinas, languideces, infortunios. Su ansia de libertad ilimitada, su extremado subjetivismo, sus intentos renovadores, su intención de singularidad—perpleja en la extravagancia—, tuvieron inmediatamente que hacer crisis en su propio interés. Y dedicarse a proponer las tres principales características que traía: *exquisitez conceptuosa de pensamiento, libertad en la expresión* y *esmero casi afectado en las formas.*

¿Qué construyó el modernismo? Hay que afirmar, de una vez para siempre, que el modernismo, movimiento revolucionario, no fue *constructivo.* Su valor está en haber llevado al espíritu y a la sensibilidad de cada artista la *oportunidad* del más descarado subjetivismo; en haber hecho de la obra artística—diversa—de cada escritor *una unidad.* Por tanto, no cabe identificar el modernismo con ninguna de las modas y de los modos literarios que en él prevalecieron, ni aplicar su nombre a un tipo de literatura caracterizado por ciertas formas y espiritualidades individuales.

El modernismo fue, ante todo, *una oportunidad* brindada a cada espíritu para, al notarse sin las trabas ni las razones de un orden y de una tendencia—abolidas todas las tendencias y los órdenes todos—, poder entregarse a su libre albedrío y manifestarse en su radical capricho.

Y aún cabe pensar más: Ni se puede hablar de modernismo, que ya alude a cierto orden estatuido, sino de *modernistas,* ya que estos, relacionados únicamente por el afán de liquidar una situación estética agotada y de patentizar el pleno gozo de la individualidad, discrepan en todo lo demás, y no se producen por *normas,* sino por *sugestiones.*

¿Cuál fue el origen del modernismo o, mejor aún, cuándo y dónde se inicia la aparición de los modernistas? La crítica señala unánime a Francia. Los parnasianes y los simbolistas franceses, *impresionando subjetivamente* los valores permanentes del clasicismo helénico, habían dado—y ganado—la primera gran batalla al realismonaturalismo. Los simbolistas ejercían su presión con el juego de las metáforas. Los parnasianos, con la brillantez de su forma, *trabajada a capricho.* La exuberancia formal del romanticismo, la carencia imaginativa del realismo, habían de ser combatidas con tales armas sorprendentes: palabras luminosas y extrañas, audacias imaginativas, música ya estridente, ya perdida casi...

Si, como antes he indicado, mejor que hablar de modernismo cabe hablar de *modernistas,* resulta más fácil, por las características de los artistas y escritores, presumir el contenido del movimiento. Libertad absoluta—para los poetas—en la música y hasta en los ritmos; por ende, las más caprichosas y pasmosas combinaciones métricas. Creación de una esencialidad poética de base sensorial. Apasionamiento por el colorido de la palabra, de la frase. Valoración absoluta de cada palabra, a la que se hace resaltar en cada una de sus posibilidades fonéticas. Consagración de lo raro y aun de lo estrambótico. Cierto teatralismo, en el que las intenciones queden, en ocasiones, confusas, de modo que cada lector o cada espectador pueda y sepa encontrar diferentes sugestiones.

Alguien ha dicho que el modernismo tenía no poco de romanticismo, y que la verdadera diferencia de ambos—tan inexorablemente subjetivos—estaba en ser el romanticismo una delectación subjetiva en su momento de juventud, y el modernismo, esa misma delectación en su momento de madurez otoñal o *decadente.*

A esta afirmación cabe contestar—y contestan los modernistas—si no existen tanta belleza y más matices en el crepúsculo vespertino que en el matutino. Estilo ingenioso, sí, y complicado, y sabio, y lleno de refinamientos, es el modernismo. Y también los excesos de la palabra en los límites posibles del lenguaje. Y también todos los colores y las mezclas de la paleta. Y asimismo todas las notas de todos los instrumentos, acordadas o estridentes. Porque lo que busca el modernismo, en resumidas cuentas, es sacar a la idea lo más inefable que tiene en una forma lo más extraña y exótica de melodías.

El éxito del modernismo fue tal, que en poquísimos años liquidó del *ochocentismo*—en sus tendencias todas—*hasta las raíces.* Pero su boga no duró sino muy contados días. Lo que tenía de *estrepitoso* cansó en seguida. Cuantos escritores y artistas de primer orden hicieron del subjetivismo una intimidad, intentaron inmediatamente manumitirse de las estridencias del sonido y del color, sustituir lo puramente retórico por lo puramente sentimental. Esta primera reacción se llamó postmodernismo, se desarrolló entre 1905 y 1914, y en verdad no fue sino una *tímida tentativa* de delicadeza en los matices, de perfección y sencillez en los pormenores, de recogimiento interior, de desnudez lírica, de humorismo o ironía. En modo alguno quiso luchar el postmodernismo con el modernismo, sino que, comprendiendo sus defectos, intentó soslayarlos; sino que, regustando sus excelencias, intentó sobrepreciarlas.

El modernismo literario—como los restantes movimientos espirituales—nació antes en la poesía que en la prosa, para no desmentir la idea de que los poetas son los vigías más agudos y los heraldos más audaces. Las barricadas de todas las revoluciones se nutren de almas líricas.

¿Cuál fue el origen del modernismo literario español? Ya hemos dicho que la crítica señala unánime a Francia.

¿Fue realmente Rubén Darío quien recogió en Francia las mejores consignas de la revolución literaria y las llevó a su América y las trajo a nuestra España? Asusta un poco discrepar, aunque sea poco, de lo que parece ser un dogma de fe. ¿Sentar plaza de heterodoxo? ¡Cuán arriesgado es ello! Toda, toda la crítica, la profunda y la severa, la fácil y la florida, por una vez coinciden al señalar a Rubén Darío como quien descubrió al mundo poético hispanoamericano la *audición coloreada de Rimbaud,* el *arte de la transposición* de Gautier el *procedimiento alusivo y simbólico* de Mallarmé—cuyo simbolismo era más bien musical que pictórico—, el *impresionismo y sensacionalismo* de Hegel, Schopenhauer y Wagner, traducidos al francés.

Creemos, sin embargo, sin conceder a nuestro criterio un cerrado valor, que Rubén Darío fue únicamente—acaso por su aventurera vida cosmopolita—el sembrador más estrepitoso del modernismo francés. En España y en América ya se conocían y se apreciaban y se seguían las reacciones modernistas cuando aún Rubén Darío no era sino un poeta tradicionalista, mal discípulo de Bécquer, de Góngora, de Campoamor, de Núñez de Arce. En América, González Prada, Gutiérrez Nájera, Manuel José Othón, José Martí, Díaz Mirón, Julián del Casal y otros varios *ya eran modernistas* cuando aún Rubén Darío se afanaba por serlo. Y en España, Salvador Rueda, Manuel Reina, Rodolfo Gil, Fernández Shaw... El gran acierto de Rubén Darío fue el descaro con que se lanzó a la novedad. Nada de transicones lentas. Nada de evoluciones razonables. Era necesario jugarlo todo a una sola carta. Y ganó. La fecha de 1896—publicación y éxito fulminante de *Prosas profanas*—señala el triunfo rotundo, ruidoso, inopinado de tan rápido, del modernismo en la poesía castellana. Triunfo tan absoluto, radical y fecundo como efímero. En 1905 ya había quedado exhausto; y sin vigencia muy poco después.

Un muy competente crítico español moderno, Federico de Onís, se expresa así: "Júzguesele como se quiera—y muy pronto, desde que empezó la reacción contra él, hacia 1905, se empezaron a acumular en contra suya todo género de cargos y críticas—, es innegable que, como un nuevo romanticismo—que en gran medida es lo que fue—, tuvo fuerza para cambiar en tan pocos años el contenido, la forma y la dirección de nuestra literatura... Y no creemos aventurado afirmar que la poesía modernista es comparable tan solo a la del Siglo de Oro por el número y calidad de sus poetas y por su poder de creación de formas, sentimientos y mundos poéticos nuevos."

Si el *gongorismo* fue la extravagancia y el refinamiento, la afectación en las metáforas y en las palabras; si el conceptismo fue la extravagancia y el refinamiento y la afectación en los conceptos, los poetas modernistas hicieron del *modernismo* la extravagancia y el refinamiento y la afetación de las sensaciones. Aun cuando los poetas modernistas intentaron devolver a la musa helénica la gracia de su antigua mocedad, no consiguieron sino añadir a su caducidad un sensualismo *de París.* Con lo que se conseguía la extraña visión de un helenismo reavivado en el *boulevard.* El verdadero triunfo del poeta modernista fue entusiasmar a las masas *con la música de lo inesperado.*

Otro crítico, don Julio Cejador, ha juzgado al modernismo de modo poco piadoso: "Hínchase la parte musical o pictórica, la metáfora o el retruécano; rómpese la armonía o el sentimiento natural, desbocándose en sensaciones exquisitas o en rebuscados ritmos; amontónanse términos extraños; los floripondios ornamentales ahogan con su hojarasca a la idea, y la idea misma se saca de las filosofías menos comunes, de las heces anárquicas y disolventes antisociales y anárquicas."

Si, como también hemos indicado, entre 1905

y 1914 se desarrolló una reacción denominada *postmodernismo,* "tímida" tentativa de perfección íntima y formal, entre 1914 y 1920 se produce otra *tímida tentativa,* tampoco contra el modernismo, sino a favor de este, intentando llevarlo a sus últimas consecuencias: el ultramodernismo. Onís engloba en este dictado no solo esta tentativa, sino todos los movimientos subversivos posteriores, como el ultraísmo y el superrealismo.

No estimamos justo tal englobamiento. El postmodernismo y el ultramodernismo son *tentativas* cuyas consecuencias no exceden al modernismo, sino que lo rectifican. El ultraísmo y el superrealismo son *movimientos* ajenos y adversos al modernismo, movimientos subversivos. Otra diferencia: el postmodernismo y el ultramodernismo tienen cualidades positivas: crean, estiman, perfilan. El ultraísmo y el superrealismo tienen cualidades negativas: emborronan, desintegran, destruyen.

El ultramodernismo quiere la imagen más violenta, la palabra más cruda, los neologismos menos contrastados, la musicalidad más estridente —mejor la equivalencia a Ricardo Strauss que a Ricardo Wagner—, la temática más prosaica, siempre olvidada en la mejor poesía de siempre. Pero, insistimos: retuerce, excita, *no rompe moldes;* hincha hasta el límite máximo de resistencia el globo de colorines y vaivenes deliciosos que es el modernismo. Indudablemente, después del ultramodernismo, nada queda que hacer a la revolución poética iniciada en 1895. Ha agotado todas sus posiblidades; sus efectos ya no serán sino afectaciones.

Entre los principales poetas modernistas españoles figuran: Ramón María del Valle-Inclán (1869-1936), de Villanueva de Arosa (Pontevedra), autor de *Aromas de leyenda*—1907—, *La pipa de Kif*—1919—y *El pasajero*—1920—, Francisco Villaespesa (1877-1935), de Laujar (Almería), autor de una pasmosa fecundidad, figurando entre sus mejores obras: *Los remansos del crepúsculo, Tristitia rerum, La musa enferma, La sombra de los cipreses, Ajimeces de ensueño,* Manuel Machado (1874-1947), de Sevilla, de quien se ha dicho "que algo sutil e indefinible constituye su originalidad poética"; autor de *Alma*—1902—, *Caprichos*—1905—, *Los Cantares* —1907—, *Museo, El mal poema*—1909—. Eduardo Marquina (1879-1946), de Barcelona, autor de *Odas*—1900—, *Eglogas, Elegías, Las vendímias, Tierras de España*—1918—. Enrique Díez-Canedo (1879-1943), de Badajoz, compuso *Versos de las horas*—1906—, *La visita del Sol*—1907—, *Las sombras del ensueño*—1910—, *Algunos versos*—1924—, *Epigramas americanos*—1928—. Emilio Carrere (1880-1947), de Madrid, pintoresco y evocador, muy colorista y localista *en Románticas*—1902—, *El Caballero de la Muerte* —1909—, *Del Amor, del Dolor y del Misterio* —1912—. Enrique de Mesa (1879-1929), madrileño, hondo, tradicional y muy emotivo en *Cancionero castellano*—1911—, *El silencio de la cartuja*—1918—y *La posada y el camino*—1928—. Ramón Pérez de Ayala (1880), de Oviedo, autor de *La paz del sendero*—1903—, *El sendero innumerable*—1916—y *El sendero andante*—1921—. Juan Ramón Joménez (1881), de Moguer (Huelva), uno de los líricos más admirables y de más aguda influencia sobre las generaciones líricas posteriores, autor de *Ninfeas*—1900—, *Rimas* —1902—, *Arias tristes*—1903—, *Elegías*—1908 y 1909—, *Olvidanzas*—1909—, *Pastorales*—1911—, *Laberinto, Estío, Sonetos espirituales, Eternidades*—1918—, *Belleza*—1923—. Gregorio Martínez Sierra (1881-1947), de Madrid, autor de *La Casa de la Primavera.*

En modo alguno pueden ser considerados como poetas modernistas dos líricos de la más excelsa calidad: Miguel de Unamuno (1864-1936) y Antonio Machado (1875-1939); aquel de Bilbao, y este de Sevilla.

Otros importantes poetas modernistas son: Joaquín Montaner (1892), Luis Fernández Ardavín (1892), Ramón Goy de Silva (1890), Tomás Borrás (1891), Tomás Morales (1885-1921), Ramón de Basterra (1888-1928).

(Para el modernismo lírico francés, V. *Parnasianismo* y *Simbolismo.)*

2. *Modernismo religioso.*—Movimiento de reforma interna del catolicismo, iniciado en la segunda mitad del siglo XIX "en el sentido de adaptar la religión católica a las llamadas conquistas de la época moderna, en el terreno de la cultura y del progreso social, valiéndose para ello de la crítica histórica, la interpretación de la Biblia y la Filosofía".

En su genuina forma de ataque contra el verdadero concepto de la religión y del dogma, el modernismo se desarrolló principalmente en Italia y en Francia.

El sistema o conjunto de sistemas conocidos con el nombre de modernismo quedan perfectamente conocidos y estudiados en la Encíclica de Pío X *Pascendi dominici gregis,* del 7 de septiembre de 1907. En este precioso documento pontificio quedan condenadas la filosofía, la teoría de la fe, la teología, la crítica histórica y la apologética del modernismo.

Postulados del modernismo religioso fueron los siguientes: Negación del conocimiento de las cosas en sí consideradas. Afirmación de que no puede haber otra ciencia que la atea. Negación de la posibilidad del conocimiento de Dios por vía racional.

Conocimiento de Dios por vía del sentimiento, por la necesidad que experimenta el hombre en su subsconciencia de conocer a Dios.

Imposibilidad de distinción entre la religión natural y la sobrenatural, teniendo todas las religiones en cuanto existan igual fondo de verdad.

La conciencia será la suprema norma de verdad religiosa, sin que una autoridad eclesiástica extrínseca pueda ponerle normas.

La inmanencia y el simbolismo son los dos ejes alrededor de los cuales gira la fe.

Negación *a priori* de todo cuanto tienda a demostrar que la religión cristiana es algo que está fuera del mundo de los fenómenos que la ciencia investiga.

Filosóficamente, los modernistas aceptaron el *kantismo* (V.). Y, a partir de Loisy, se inclinaron a la exegética protestante.

El modernismo religioso, en escasos años, alcanzó un desarrollo enorme en todos los países católicos del mundo.

En Francia, el principal defensor del modernismo fue Alfred Loisy (1857-1940), teólogo y exegeta, sacerdote, profesor del Instituto Católico (de 1900 a 1904) y de la Ecole des Hautes-Etudes, excomulgado en 1908; de 1909 a 1932, profesor de Historia de las Religiones del College de France. Inició la defensa del modernismo en sus obras *L'Evangile et l'Eglise*—1902—, *Autour d'un petit libre*—1903—, *Le IV*[e] *Evangile* —1903—, *Les Evangiles synoptiques*—1907.

Muy inferior a Loisy fue Edouard Le Roy, que alcanzó popularidad con su artículo "Qu'est-ce qu'un Dogme"—publicado en *La Quinzaine*, 1905—y con su libro *Dogme et Critique*—1907—. La principal tribuna y el más fuerte baluarte de los modernistas franceses fue la revista *Annales de la Philosophie Chrétienne*, dirigida—entre 1905 y 1913—por Lucien Laberthonnière (1860-1932), fundador de un sistema religioso llamado por él mismo *dogmatismo moral*, en contraposición al escepticismo y al *dogmatismo ilusorio*. Laberthonnière asimiló muchos postulados del modernismo en sus obras *Essais de philosophie religieuse*—1903—y *Le réalisme chrétien et l'idealisme grec*—1904—, ambas puestas en el Indice Romano.

En italia, el modernismo religioso contó con muchos más representantes y muchas más publicaciones que en Francia. Entre aquellos fueron los más importantes: Fogazzaro, Murri y Minocchio.

Antonio Fogazzaro (1842-1911), famoso novelista, publicó *Il Santo*—1906—, novela en la que quiso demostrar los perjuicios irrogados por la práctica de la vida eclesiástica.

Romolo Murri (1870), sacerdote y político, excomulgado en 1908, defendió el modernismo en *Della religione, della chiesa e dello stato* —1910.

Entre las publicaciones, fue la más importante *Programma dei modernisti*, que representaba la oposición a la encíclica de Pío X *Pascendi*, y que defendía la necesidad de cambiar el concepto de inspiración y de revelación; de introducir el de evolución religiosa, y de distinguir, en lo que toca al Nuevo Testamento, entre la historia real y la historia interna, entre el *Cristo histórico* y el *Cristo místico* o de la fe. Otras publicaciones modernistas: *Studi Religiosi, Vita Religiosa, Nova et Vetera Rivista di Cultura, Rivista delle Riviste, Il Rinnovamento, La Qüercia, Il Savonarola, Anima Nova, La Riforma Laica, Coenobium, La Voce*...

En Inglaterra, el principal representante del modernismo fue el jesuita George Tyrrel (1861-1909), irlandés, convertido al catolicismo por el cardenal Newman. En 1906 fue expulsado de la Orden y excomulgado en 1907. Entre sus obras destacan: *Letter to a Professor of Anthropology, Lex orandi*—1903—, *Lex credendis*—1906—, *Through Scylla and Charybdis*—1907—, *Medievalism*—1908—, *Christianity at the Cross Roads* —1909—. Según el abate Bremon, el modernismo de Tyrrel fue mucho más moderado que el de franceses e italianos, y se basó, más que en la desconfianza hacia los dogmas, en la desconfianza hacia la autoridad de la Iglesia.

Sin embargo, quien echó los fundamentos del modernismo en Inglaterra fue Campbell con su libro *The New Theology*—1907.

La Iglesia católica condenó reiteradamente el modernismo y a los modernistas. Los documentos pontificios más importantes contra ellos fueron: el decreto *Lamentabili sane*, de 3 de julio de 1907; la encíclica *Pascendi munus*, de 8 de septiembre del mismo año, y la encíclica *Editae*, de 26 de mayo de 1910.

V. Dehô, L.: *La condanna del modernismo*. Roma, 1908.—Bourdeau, M.: *Pragmatisme et modernisme*. París, 1909.—Beaurredon: *Le modernisme et les bases de la foi*. París, 1908.—Bernardi: *Examen de fondamenti del modernismo*. Treviso, 1909.—Mercier, C.: *Le modernisme*. París, 1909.—Rosa: *L'enciclica "Pascendi" et il modernismo*. Roma, 1909.—Houtin, A.: *Histoire du modernisme catholique*. París, 1912.

MODISMO

Frase o locución adverbial que, apartándose del recto sentido gramatical, se vale del traslaticio o figurado. Según el padre Juan Mir, es "aquella manera de decir tan propia de una lengua, que suele traspasar las leyes comunes de la gramática o de la ordinaria construcción".

Cada una de las palabras que componen el modismo pierden su valor y su sentido habituales, para formar todas juntas el significado propio exclusivamente de la locución. Por ejemplo: en el modismo *aquí hay gato encerrado*, ninguna de las palabras posee su peculiar significado, ya que el sentido justo de la locución es *sospechoso, que se oculta algo, o creo que no es lo que parece ser*, o *creo que intentan engañarme*. No hay, pues, ni tal *gato, ni tal encierro*, ni tal *lugar*.

Formas análogas del modismo son el *refrán* (V.), el *adagio* (V.), el *proverbio* (V.), y todas ellas son consideradas como *populares*, ya que, generalmente, han nacido de una ocurrencia individual.

Los modismos suelen nacer cuando quien habla o escribe quiere sustituir una palabra que cree inexpresiva para su idea, *aun cuando esa palabra sea precisamente la expresión de esa idea;* y es que el modismo logra *intensificar la intención* de quien lo emplea. Nadie puede dudar de que el modismo *cerrar a piedra y lodo* posee mucha mayor fuerza expresiva que la palabra *impedir.*

En ocasiones, los modismos sustituyen a vocablos que atemorizan. Así: *morir,* que contiene una idea terrible, es sustituida por *largarse al otro barrio, liar los bártulos, hacer el petate, salir de penas...,* modismos a los que el humor despoja del fúnebre contenido. (V. *Idiotismo.)*

MOGIALÚA (Lengua) (V. Congolesas, Lenguas)

MOGOLA (Lengua)

Es uno de los idiomas asiáticos de la familia tártara; su nombre se aplica generalmente a todo el grupo. El mogol propiamente dicho es el idioma de los antiquísimos pueblos que, bajo Gengis-Khan, en el siglo XII poseyeron el más vasto Imperio de la Edad Media. Hoy los mogoles son vasallos de China, Turquía y Rusia. Posee todos los caracteres de los idiomas tártaros, con mayores analogías en relación con el *tibetano.* Su vocabulario contiene palabras sánscritas y turcas. Su gramática es muy pobre. Carece de artículo y no distingue los números; emplea raramente los pronombres y coloca el sustantivo detrás del verbo. Su conjugación es restringida: no tiene subjuntivo ni señala la persona ni el número. Sustituye las preposiciones con posposiciones. Es armoniosa porque multiplica las vocales y excluye las consonantes que mortifican el oído. Su alfabeto comprende un centenar de signos: seis vocales, diecisiete consonantes, y el resto, numerosas combinaciones entre unas y otras. Sus caracteres se escriben en columnas verticales, de arriba abajo y de izquierda a derecha.

V. RÉMUSAT, A.: *Recherches sur les langues tartares.* París, 1820.— SCHOTT, W.: *Versuch über die tartarischem Sprache.* Berlín, 1836, 1888.— KOWALEWSKI: *Chrestomatie mogole.* Trad. franc. París, 1836, 1898...—FEER, L.: *Tableau de la grammaire mogole.* París, 1866.

MOHAWK (Lengua)

Uno de los idiomas iroqueses. Es, según Emith Barton, el más perfecto de todos y el que posee el vocabulario más rico. Es hablado por los mohawks, que forman parte de la importante confederación "de las Cinco Naciones", nombradas *macquas* por los holandeses, e *iroquesas* por los franceses, que vivieron en el bajo Canadá y en los territorios al oeste de la bahía de Hudson. Hoy día apenas si existen mohawks. Una particularidad de su lengua es la carencia de las articulaciones *p* y *m.*

V. LUDEWIG, H. E.: *The Literature of american aboriginal languages.* Londres, 1858.

MOHICANO (Idioma)

Mohicano o mohegán, lengua de la América septentrional, de la Región de los Lagos y de la familia de los idiomas *algoquinenses,* poseyendo los caracteres generales de estos. Es lengua que fue hablada en vastísimos territorios; pero hoy se considera extinguida. Su gramática presenta una declinación muy simple. Distingue el número, pero no el género. Los participios se emplean en lugar de los adjetivos. Y aunque la conjugación tiene los tiempos presente, pasado y futuro, aquel alcanza una aplicación casi general.

V. EDWARDS, Jonathan: *Observations on the language of the muhhekaneew indians.* New-Haven, 1788.—LUDEWIG, H. E.: *The Literature of american aboriginal languages.* Londres, 1858.

MOJIGANGA

Era llamada así—en el siglo XV—una fiesta pública en la que las personas, disfrazadas con trajes ridículos—especialmente de animales—cantaban y bailaban y saltaban.

Posteriormente se llamó *mojiganga* a la representación teatral muy breve, con figuras grotescas, con que solían terminarse los espectáculos.

V. SAINZ DE ROBLES, F. C.: *Historia y antología del teatro español.* Madrid, 1943. Siete tomos

MOLDAVA (Lengua) (V. Rumana, Lengua)

MOLINISMO

Nombre dado al sistema definido por el padre jesuita Luis de Molina, en su *Concordia,* para explicar la eficacia de la gracia divina sin menoscabo de la libertad humana.

Luis de Molina, celebérimo y discutido teólogo, nació—1536—en Cuenca. Murió—1600—en el Colegio Imperial de Madrid. Estudió Gramática en Cuenca, Leyes en Salamanca y Súmulas en Alcalá. En 1553 ingresó en la Compañía de Jesús. En Coimbra cursó cuatro años de Artes y otros tantos de Teología. Enseñó en Coimbra y en Evora.

Su fama la alcanzó con uno de los libros teológicos más combatidos, perseguidos y ensalzados *Concordia Liberi Arbitrii cum Gratiae Donis, divina praescientia, providentia, praedestinatione et reprobatione,* editado—1588—en Lisboa y reimpreso en seguida en Cuenca—1592—, Venecia—1593—, Lyon—1593—y Amberes—1595.

El libro del padre Molina fue rudamente combatido por los dominicos, enzarzados estos en contínuas polémicas con los jesuitas. Hasta el punto de que el Pontífice Paulo V prohibió a unos y otros contendientes que tachasen de erróneas las doctrinas de sus adversarios teológicos.

En relación con la doctrina de la gracia di-

M

vina, los sistemas *tomista* (V.)—de los dominicos—y molinismo admitían la necesidad de la gracia y del libre albedrío, puntos los dos esenciales de la doctrina católica; no se diferenciaban, pues, sino en las explicaciones dadas para conciliar ambos extremos.

Para el padre Luis de Molina, el *tomismo* (V.), defendido por el gran teólogo dominico padre Domingo Báñez, no salvaguarda bastante la libertad humana. Por ello, ampliando la doctrina de su maestro Pedro Fonseca, Luis de Molina expuso: "que la gracia no es *eficaz* sino por medio de la *cooperación de la voluntad humana; por tanto, no hay premoción física determinada por Dios*—como creía el tomismo—, y la gracia es eficaz o ineficaz, según la secunde o la resista la libertad humana o no". Además, la *presciencia* no queda en mal lugar, ya que por virtud de lo que los molinistas "llaman su *ciencia media*, conoce todos los futuros condicionales y sabe, por consiguiente, desde la eternidad el uso que hará cada hombre de sus gracias".

Los dominicos acusaron al molinismo "de pretender destruir la noción de la gracia, de que exaltaban la libertad del hombre en detrimento de la omnipotencia de Dios, de que prescindían de la autoridad de San Agustín y de Santo Tomás, y de volver a los errores del *pelagianismo* (V.)".

La lucha fue enconada, y dividió al episcopado y las universidades. La cuestión fue llevada luego a la Santa Sede. En 1598, Clemente VIII instituyó la Congregación *De Auxiliis* para que examinase la cuestión La mayoría fue contraria al molinismo, y un año después condenó el libro de Luis de Molina. Pero el Pontífice no quiso ratificar la sentencia, dando motivo a que la discusión continuase apasionada. Pero Paulo V, en 1607, tomó una determinación parecida a la de *no a lugar,* ordenando cesase la controversia y prohibiendo que los adversarios calificasen de errónea la doctrina contraria.

V. Gayraud: *Thomisme et Molinisme.* Toulouse, 1890.—Wetzer y Welte: *Molina.* En el "Diccionario Enciclopédico de la Teología católica".—Schneemann: *Die Entstehung der thomistich-molinistichen Kontroverse.* Friburgo, 1879-1880.

MOLINOSISMO

Doctrina mística herética de Miguel de Molinos. (V. *Quietismo.)*

MOLOSO (Pie)

Pie de verso de la versificación griega y latina, compuesto de tres sílabas largas. Su nombre puede derivar de los cánticos en honor de Moloso, hijo de Andrómaca, en cuyas odas entraba este pie. O acaso de su inventor. Se le llamó también *trímacro.*

MONAQUISMO (V. Monasticismo)

MONARQUIANISMO

Nombre dado a una herejía nacida, en el siglo II—hacia el año 180—, en el Asia Menor, y que se propagó después por Italia y por el norte de Africa.

Tertuliano y Orígenes combatieron el monarquianismo y a sus principales defensores y propagandistas: Práxeas, Teodoto Coriario, Teodoto, Natal, Artemón, Pablo de Samosata.

El monarquianismo fue esencialmente *antitrinitario.* Consideró a Jesús como un simple *enviado divino* y como el más grande de los profetas. Alguien ha dicho que los monarquianos fueron los precursores de Arrio, que entraría en escena a principios del siglo IV.

El monarquianismo cuidó mucho de salvar ante todo la unidad, la *monarquía de Dios.* Por tanto, al evolucionar, comprendió que el concepto acerca de Jesucristo debería identificarse con el concepto de Dios. Con ello persistía su antitrinitarismo, ya que el dilema para él era defender este: el antitrinitarismo o negar la divinidad del Salvador.

Apenas divulgado, el monarquianismo quedó dividido en tres sectas: la de los *monarquianos dinamistas,* la de los *monarquianos subordinacianos* y la de los *monarquianos modalistas.*

Los monarquianos dinamistas enseñaban que Jesucristo era un puro hombre; la esencia de Dios no estaba en él, aunque sí solo su poder o su gracia. El monarquianismo dinamista fue, pues, el precursor del *adopcionismo* (V.).

Los monarquianos subordinacianos consideraban a Jesús como persona divina, aunque *subordinado* al Padre y con una divinidad disminuida.

Los monarquianos modalistas defendían la divinidad de Jesucristo, pero *negaban la diversidad de personas en Dios.* (V. *Modalismo.)*

V. Tixeront, L. J.: *Histoire des dogmes.* París, 1905.—Krüger: *Das Dogma von der Dreieinigkeit und Gottmenschheit.* Tubinga, 1905.—Duchesne: *Histoire ancienne de l'Eglise. Les témoins anténicéens du dogme de la Trinité.*

MONASTERIOS

Los monasterios merecen una mención en la historia literaria, no solo a causa de los hombres insignes—por su saber, por su elocuencia, por su talento y por su piedad—que los habitaron durante la Edad Media, sino también por los servicios inmensos que prestaron a la cultura. En los monasterios radicaron las primeras escuelas públicas, las más admirables bibliotecas de las naciones modernas, las copias multiplicadas y eruditas de todas las obras de la antigüedad clásica. Los monasterios de Monte Casino, de Saint-Gall, de Saint-Denis, de Claraval, de Silos, de Cardeña, de Poblet y tantos y tantos más, fueron puede afirmarse rotundamente, los fundamentos de toda la civilización moderna.

Casi todas las primitivas Ordenes monásticas se impusieron la obligación de recoger las ri quezas bibliográficas diseminadas por el mundo y en trance de perderse, para conservarlas y copiarlas y darlas a conocer.

V. PETIT-RADEL: *Recherches sur les bibliothèques anciennes et modernes*. París, 1819. SAINZ DE ROBLES, F. C.: *Monasterios de España*. Aguilar, S. A. Madrid, 1954.

MONASTICISMO o MONAQUISMO

Nombre dado a una forma de vida practicada por cuantos querían servir a Dios apartados de la vida social. A estos hombres y mujeres, que renunciaban a su vida mundana, los movía el deseo de llegar a un más alto grado de perfección y a un más puro amor de Dios. "Una selección de cristianos, deseando seguir los consejos de Nuestro Señor (*Mat.*, XIX, 11-21; *Lucas*, XVIII, 22) y de San Pablo (I *Cor.*, VII, 32), sin retirarse del mundo, practicaron las virtudes de la continencia y de la pobreza voluntarias: estos fueron los primeros *ascetas*. Cuando la persecución de Decio, fueron muchos los cristianos que se refugiaron en los desiertos de la Tebaida; allí practicaban una vida de *soledad*, que repartían entre la oración y la penitencia: estos fueron los primeros *anacoretas* o *eremitas*." (BOULENGER.)

No puede, sin embargo, hablarse de monasticismo, mientras los hombres—ascetas o eremitas—vivieron *aislados*, ya que monasticismo alude a un *conjunto* de monjes que viven *en comunidad* separados del resto de los mortales. No obstante, esos ascetas o eremitas fueron como los precursores del monasticismo.

Tampoco los ascetas o eremitas fueron los *únicos* precursores de la vida monástica. Los Santos Padres, los libros de los antiguos escritores eclesiásticos, nos hablan de los *dendritas* —que vivían en los árboles—, los *estilitas*—que vivían encima de una columna—, los *reclusos* —encerrados en una celda que comunicaba con el exterior por un pequeño ventanillo—, los *encadenados*—con hierros en pies y manos y descuidados en el vestido y en la higiene, descalzos, andrajosos, sucios—, los *renunciadores*—sin residencia fija, de soledad en soledad—, los *girógavos* o vagabundos...

Pero la vida *anacorética* tenía que convertirse en vida *cenobítica* o *monástica;* vida esta en común, bajo la autoridad de un superior, como medio más eficaz para practicar la virtud siguiendo los consejos del Evangelio.

La vida monástica empezó a practicarse en Oriente. Y, al parecer, fue San Antonio (251-356) quien, después de haber repartido sus bienes entre los hombres y vivido muchos años en los desiertos de la Tebaida (Egipto), para mejor vencer las tentaciones carnales y las dudas del espíritu, reunió a un buen número de anacoretas y les invitó a quedarse con él sometidos a unos ejercicios comunes de oración y meditación. Poco después, Pacomio (m. 346) fundó en Tabenna, a orillas del Nilo, el primer convento, en el cual todos los reunidos practicaban una misma *regla de vida*.

San Basilio fue un incansable propagandista del monaquismo en Capadocia y en el Ponto; redactó unas reglas, que fueron adoptadas por todos los conventos griegos, y *cuya principal norma era la obediencia a un superior*.

San Atanasio, durante su segundo destierro, pasó a Roma y propagó el monaquismo en Occidente. Siguiendo su ejemplo, San Ambrosio lo propagó en el norte de Italia; San Jerónimo, en Roma; San Agustín, en el norte de Africa; San Martín, en la Galia. Cerca de Marsella fundó Juan Casiano el doble convento de San Víctor, uno para religiosas y otro para religiosos. Pero el más ilustre exaltador del monaquismo fue San Benito, creador de una admirable regla, que aún pervive con lozanía inmarcesible en casi todos los países del mundo.

Pero debe tenerse en cuenta que el monasticismo no debe considerarse como patrimonio exclusivo del Cristianismo. El *druidismo* (V.) tuvo sus comunidades de sacerdotes y de sacerdotisas. Entre los judíos, en el siglo II antes de Cristo, aparecieron los *essenas*, que formaron una especie de tribu o comunidad religiosa, y que estaban obligados al celibato, a la oración, a la mortificación, al silencio, a la obediencia. También se hicieron famosos los *nazaritas*, que no se cortaban el pelo y se abstenían de la impureza, del vino y de los manjares exquisitos.

En el *brahmanismo* (V.), la vida monástica tuvo carácter eremítico; y en el *budismo* (V.), presenta forma cenobítica.

Archifamosos fueron los *kátojoi*, reclusos paganos que vivían en los templos de Serapis. En el Tibet, muchos cientos de años antes de la encarnación de Cristo ya existían monasterios con monjes en número crecidísimo. Los *derviches* del *mahometanismo* (V.) suelen vivir en pequeñas comunidades.

V. FEASEY, H. J.: *Monasticism*. Londres, 1898. HANNAY, J. H.: *The Spirit and Origin of Christian Monasticism*. Londres, 1903. HARNACK, A.: *Das Mönchtum, seine Ideale und seine Geschichte*. Giessen, 1895.

MONISMO

"Concepción común a todos los sistemas filosóficos que tratan de reducir los seres y los fenómenos del Universo a una idea o sustancia única, material y espiritual, de la cual derivan y con la cual se identifican." Opónese al *dualismo* (V.)—materia y espíritu—y a la pluralidad de las sustancias de Leibniz.

El monismo por excelencia se ha dado, al parecer, en la filosofía de Haeckel.

El vocablo *monismo* fue invención de Cristián Wolff, quien designaba así "toda concepción del mundo que considerase ya el espíritu puro, ya la pura naturaleza como substrato último de las cosas. En la filosofía hegeliana, el monismo toma

M

otro sentido, y significa: sistema general de filosofía que concilia las antítesis en una síntesis superior. Hamilton llama *unitariens* o *monistas* a cuantos no admitiendo la percepción inmediata de un yo y de un no-yo simultáneamente dados en la conciencia, es decir, una dualidad primitiva, cuyos dos términos son conocidos en igual grado y reales en igual grado, admiten una sola especie de sustancias, bien el yo (idealistas), bien el no-yo (materialistas), bien la identidad del Espíritu y la Materia (Schelling).

En sentido vulgar, monismo viene a ser sinónimo de *panteísmo* (V.), doctrina que afirma *que Todo es Uno.*

El monismo metafísico se divide en *ontológico* e *ideológico.* El primero admite un ser único; el segundo, una única idea. El ontológico se subdivide en *trascendental*—si encuentra la unidad absoluta fuera de lo fenoménico—y *fenoménico real*—que prescinde de la sustancia de las cosas o la niega—. Igual el fenoménico que el trascendente, pueden ser materialistas o espiritualistas, según que la unidad sustancial se exprese con nombre de materia o espíritu.

El monismo ha sido muy combatido y puesto fuera del campo ortodoxo por la Teología. Realmente, su tesis es sumamente frágil y aun absurda, porque o niega la sustancia, dejando solo en la naturaleza la serie de fenómenos sin conexión entre sí, o, afirmando la sustancia, no admite más que una indistinta en todos los sujetos; sujetos que, según la experiencia, son completamente distintos. Y en esta unidad identifica la causa con el efecto, lo finito con lo infinito, la materia con el espíritu, Dios con la criatura.

El monismo es, desde el punto de vista teológico, puro panteísmo y puro ateísmo, con sus variedades de materialismo e idealismo.

V. Carus, P.: *Monism and Meliorism.* Nueva York, 1885.—Bloehlaum, E.: *Christentum oder Monismus.* Jena, 1907.—Worsley, S.: *Concepts of Monism.* Londres, 1907.—Fluegel: *Monismus und Theologie.* Coelten, 1908. Klinke: *Der Monismus.* Friburgo, 1911.

MONODÍA

1. De μονῳδία, nombre dado por los antiguos a una composición en verso cantada o recitada por una sola persona.

2. Lamentación o canto lúgubre a una sola voz.

3. Monólogo en las obras dramáticas, principalmente en las tragedias.

En las monodías líricas quedan al desnudo los sentimientos personales del poeta; en las dramáticas, los del personaje al que el actor representa. Algunos idilios de Teócrito—*La maga, El cabrero*—son ejemplos magníficos de monodías dramáticas.

Se llamó también monodía dramática al canto improvisado por el coro ditirámbico y ejecutado sobre una plataforma llamada ἐλεός, mientras descansaban los demás coros cantantes o danzantes. Acaso por ser Tespis quien primero organizó los coros ditirámbicos, ha sido considerado como el creador del género trágico.

En la antigüedad recibieron igualmente el nombre de monodías los cantos fúnebres en honor de un muerto.

MONOFISISMO

Nombre dado a la doctrina herética debida a Eutiques, archimandrita de un convento de Constantinopla.

Eutiques nació probablemente en Constantinopla hacia el año 378. A los quince años se dedicó a la vida monástica. A los treinta era ya sacerdote y dirigía una comunidad de trescientos religiosos. Eutiques ganó fama de sabio y de austero. Combatió implacablemente la herejía de Nestorio, quien sostenía la dualidad de personas en Cristo. Pero poco después Eutiques fue acusado de herejía por Eusebio de Doritea. Y, en efecto, por combatir mejor el *nestorianismo* (V.), Eutiques cayó en el extremo opuesto, es decir: se negaba a reconocer dos naturalezas en Cristo.

En el año 448, Eutiques compareció ante Flaviano, siendo condenado y depuesto del sacerdocio y de todos sus grados y honores. León I aprobó la sentencia, pero accedió, a instancias del emperador Teodosio II, a que se reuniera un Concilio en Efeso, presidido por Dióscoro, patriarca de Alejandría. Fue tan escandalosa la conducta del mencionado Concilio, por el que Eutiques quedó absuelto y restablecido en sus dignidades, que León I lo calificó como el *Latrocinio de Efeso.*

Muerto Teodosio II, al subir al trono su hermana Pulqueria, Eutiques fue desterrado y condenado—451—por el Concilio de Calcedonia. Sin embargo, aún hoy, sus errores subsisten y los profesan gran número de cristianos orientales: armenios, coptos, abisinios...

Sin embargo, la Iglesia católica hizo grandes esfuerzos por atraer a su seno a los monofisistas. Los primeros ensayos de reconciliación degeneraron en el cisma de *Acacio.* La segunda tentativa tuvo lugar—553—durante el Concilio de Constantinopla, quinto de los ecuménicos, que, aun cuando condenó los *Tres Capítulos,* o sea los escritos de carácter nestoriano, hizo algunas concesiones, según había rogado al Pontífice Vigil el emperador Justiniano. No obstante, la herejía siguió medrando. Los monofisistas organizaron los patriarcados de Antioquía, de Jerusalén y de Alejandría, constituyendo tres Iglesias, que, como ya hemos indicado, aún subsisten: la *Iglesia jacobita,* introducida en Siria y Mesopotamia por Jacobo Zangalus; la *Iglesia armenia,* cuyo patriarca reside en Erzerum, y la *Iglesia copta,* que tiene por jefe al patriarca de Alejandría, con sede en El Cairo.

El monofisismo enseñó la *unidad de la naturaleza* de Cristo, afirmando "que la naturaleza humana había sido absorbida por la naturaleza divina, de la misma manera que una gota de agua en el mar". De esta afirmación nace el nombre de la herejía: de *monos,* solo, y *fisis,* naturaleza. El monofisismo no fue ni siquiera una herejía *original:* volvía a la anterior de los *docetas.*

El monofisismo tuvo defensores de indudable talento. Entre ellos destacan: Severo de Antioquía, que discrepó de Eutiques, dando a su monofisismo el nombre de severianismo; Julián de Halicarnaso, que creó la teoría de los *corrupticolas,* en oposición de los *incorrupticolas,* creados por Severo de Antioquía; Timoteo Ailurus, autor de una *Cristología* que se hizo famosísima y que combatió a Eutiques porque este negó la consustancialidad—o unidad de e s e n c i a—del cuerpo de Cristo con el cuerpo humano de todo hombre; Jacobo Sarug, que compuso más de setecientas homilías rimadas; Timoteo III y Teodosio, patriarcas de Alejandría; Basilio de Cilicia; Juan el *Egeata,* uno de los primeros historiadores del monofisismo; los filósofos Juan Filipono y Temistio...

V. CHABOT: *Documenta ad origines monophysitarum illustrandas.* París, 1908.—LEBON: *Le monophysisme sévérien.* París, 1909. TILLEMONT: *Mémoires pour servir à l'histoire ecclésiastique des six premiers siècles.* Venecia, 1732.

MONOGRAFÍA

De μόνος, solo, y γράφω, escribir. Nombre particularmente aplicado en la Historia Natural a la descripción especial y detallada de una especie o de un género. Después tomó el arte el vocablo para designar con él la descripción de un edificio. Posteriormente ha alcanzado un interés excepcional en la literatura y en la crítica, significando el estudio *particular* y *profundo* de un autor, de un género, de una época.

MONÓLOGO

De μόνος, solo, y λογος, discurso.

1. Discurso de uno solo en voz alta.
2. Soliloquio.
3. Obra teatral escrita para un solo actor.
4. Escena o aparte en una composición teatral, en que habla un solo personaje, "como si estuviera pensando en voz alta". Cuando el personaje está solo en la escena, su expresión recibe el nombre de *monólogo.* Si está con otros y estos fingen no oírle, recibe el nombre de *aparte.*

El monólogo es sumamente difícil que *encaje* en la pieza dramática, ya que quita realidad a esta y fatiga casi siempre a los espectadores. Los antiguos lo utilizaron muy poco, porque el coro, siempre en el escenario, no lo hacía propicio. En el *Ayax,* de Sófocles, el héroe, moribundo, recita su monólogo mientras el coro permanece en un bosque inmediato.

Los monólogos alcanzaron consideración a partir del siglo XVI. Son famosos, por lo naturales y bellos, el de *Hamlet—To be or not to be—,* de Shakespeare, y el de Segismundo en *La vida es sueño,* de Calderón.

El monólogo inserto en las obras teatrales tuvo su apogeo con el Romanticismo. Los personajes apasionados, vibrantes, de su teatro, desahogaban sus cuitas adelantándose hacia las candilejas y volcándolas ante el auditorio emocionado.

El monólogo como pieza teatral independiente pudiera ser consecuencia de las *loas* (V.) declamadas antes de iniciarse la representación del drama. También tuvo su apogeo a partir de 1850, ya que los grandes actores, recitando los monólogos, probaban más cumplidamente sus facultades y virtudes.

En España, contemporáneamente, apenas hay un escritor teatral que no haya compuesto varios monólogos especialmente dedicados a ciertos actores y actrices para *su exclusivo lucimiento.*

MONÓMETRO

Poema compuesto en un solo metro, o con una única especie de versos.

MONORRIMA

Es llamada así la obra poética cuyos versos todos tienen la misma rima.

De versos monorrimos hay muchos ejemplos en lo poesía árabe. Ibn-Zeidun, poeta del siglo XI, escribió un poema en el que todos los versos terminaban en la sílaba *na.* Su contemporáneo Omar nos ha legado una composición en la que cada estancia tiene como rima única una de las letras del alfabeto. Las antiguas canciones de gesta francesas estuvieron compuestas en *laisses* o *tiradas monorrimas.*

En España son monorrimas, por estrofas, muchas de las composiciones de Gonzalo de Berceo, del Arcipreste de Hita... y casi todos los primitivos poemas épicos.

MONOSILÁBICAS (Lenguas)

Lenguas en las cuales las palabras constan de una sola sílaba. Cada palabra contiene una idea absoluta, y por su posición en la frase llega a convertirse en sustantivo o en verbo. Las lenguas monosilábicas tienen una cantidad restringida de vocablos; pero están afectados por acentos que modifican su entonación, de manera que un mismo vocablo con cada entonación expresa una idea distinta. La gramática de las lenguas monosilábicas queda reducida a la sintaxis. Por su simplicidad, se las creyó algún tiempo a las lenguas monosilábicas como el tipo lingüístico primitivo. Investigaciones minuciosas de sinólogos eminentes sobre dialectos chinos han demostrado que son restos de idiomas polisilábicos.

Entre las lenguas monosilábicas están: el chino y sus dialectos, el tibetano, el birmano, el siamés, el annamita, varias lenguas de la región del Himalaya y otras del Sudán occidental.

MONOSÍLABO

De μόνος, solo, y συλλαβή, sílaba. Palabra formada por una sola sílaba. Los filólogos más eminentes admiten que las raíces o elementos irreducibles de las palabras son monosílabos.

En algunas lenguas, como la catalana y la francesa, es fácil versificar con monosílabos. El poeta francés J. de Rességuier es el autor del siguiente soneto en versos monosílabos:

Fort
Belle,
Elle
Dort.
Frêle
Sort:
Quelle
Mort!
Rose
Close,
La
Brise
L'a
Prise.

En un solo verso de *Le Cid,* de Corneille (III, VII), todas las palabras son monosílabos:

J'ai fait ce que j'ai dû, je fais ce que je dois.

En castellano resultan mucho más difíciles los versos monosílabos. Zorrilla, en *Alhamar el Nazarita,* tiene esta estrofa:

Salvo
fue,
¡oh!,
ya.
¿Quién
ve
dó
va?

V. POMMIER, Am.: *Colifichets et jeux de rimes.* París, 1860.

MONOTEÍSMO

Nombre dado a la doctrina teológica de los que reconocen un solo Dios. El monoteísmo tiene como raíz un auténtico teísmo; y como su más radical antagonista, el *politeísmo* (V.), adoración de varios dioses. El monoteísmo concentra todos los atributos de la divinidad en un solo ser, y es la única concepción que pone en claro y a salvo los atributos divinos.

El concepto que el monoteísmo tiene de Dios es el de un ser superior en orden y en grado, y colocado a una distancia infinita sobre el hombre; a cuyo concepto se le ha dado el nombre de *trascendencia* de Dios, con un doble aspecto de distinción y de superioridad.

El monoteísmo—teísmo lógico y completo—incluye la idea de poder creador y la afirmación del hecho de la creación. El monoteísmo es exclusivista, absoluto y universal; el Dios del monoteísmo es sencillamente Dios, y no el Dios de un país, de un pueblo, de una tribu.

Algunos autores equipararon las palabras *monoteísmo* y *henoteísmo* (V.). Sin embargo, la distinción no puede ser más clara y precisa. El primero cree en un solo Dios, no admite la existencia de otro Dios. El henoteísmo también cree en un solo Dios, pero no se opone a la existencia de otras divinidades. Ciertos himnos védicos están dirigidos a una divinidad *aparte de las demás;* pero este fenómeno, que Max Müller bautizó con el nombre de *catenoteísmo,* igualmente se aparta radicalmente del monoteísmo. Lo más que prueban el catenoteísmo y el henoteísmo es que la idea de adoración por un Dios único ha existido en muchos pueblos de la antigüedad.

Tampoco tiene relación alguna con el monoteísmo el denominado *politeísmo monárquico;* en este existe la jerarquía de los dioses, y hay un gran dios, padre de los dioses, que domina en el cielo no menos que en la tierra. Recordemos a Júpiter en la mitología helénica o a Odín en la escandinava.

El monoteísmo, repetimos, es exclusivista, absoluto y universal. Para el monoteísmo no hay otro Dios que Dios; todos los atributos divinos El los posee y su dominio se extiende sobre todos los seres.

Las religiones claramente monoteístas son tres: la de Israel, el Cristianismo y el mahometismo.

El pueblo de Israel, caso único entre las religiones antiguas, persistió en el monoteísmo, pese a la vecindad de pueblos politeístas que en ocasiones, y solo momentáneamente, le hicieron prevaricar. Desde la emigración de Abraham, en todos los períodos de su evolución religiosa, Israel no se aparta del monoteísmo. Los libros del Antiguo Testamento son la prueba irrefutable de la anterior afirmación. ¿Cómo explicar este fenómeno, que siempre ha parecido tan sorprendente? Javhé es el principio de la unidad nacional de los israelitas, el Dios de sus ejércitos victoriosos, el Dios que les alcanzará un reinado supremo de prosperidad y de paz.

El monoteísmo—o jahveísmo—de Israel se caracteriza: por la elección hecha por Dios de Abraham y de sus sucesores como pueblo suyo escogido; por la universalidad de su dominio, manifestada precisamente en la *ley de la Alianza* (Ex., 19, 5); por la santidad de Dios, como separado e inaccesible y como vengador y remunerador; por la conquista de la tierra de Promisión; por la idea de Dios santo, que castiga el pecado dondequiera se halle, en Israel y en Asur, en Edom y en Moab; por la idea de la bondad y de la ternura de Dios.

El Cristianismo, que recogió como herencia divina la herencia religiosa de Israel, lógicamente asentó en el monoteísmo ético su portentoso edificio dogmático. Cada página del Nuevo Testamento, con la misma fuerza que cada página del Antiguo Testamento, afirma expresivamente la unidad de Dios. Y puede asegurarse que la lucha secular que el Cristianismo sostuvo inexorablemente, irreduciblemente, contra el paganismo y sincretismos de toda clase, tuvo por causa el testimonio unánime de toda la tradición cristiana, cuyo primer artículo era la expresión de su monoteísmo exclusivista, absoluto y universal.

El monoteísmo del mahometismo tiene una explicación sumamente fácil; nada hay en él de original. Mahoma tomó su dogmatismo de las fuentes judío-cristianas, mezclándolas en proporciones siempre iguales. La Biblia, el Talmud y los Evangelios apócrifos fueron las principales. Pero el mahometismo careció de dogmática; y solo muchos años después de muerto Mahoma se iniciaron entre sus prosélitos algunos trabajos intelectuales sobre datos dogmáticos. Pero el monoteísmo mahometano representa un retroceso en la concepción de la divinidad, principalmente por su olvido del elemento ético y por su idea de Dios, diametralmente opuesta a la del Cristianismo. Para los mahometanos, Dios es un auténtico déspota oriental, que, caprichosamente, salva o condena a sus criaturas, con cuyas vidas juega sin piedad.

V. D'ALÉS: *Dictionnaire apologétique de la foi catholique.* París, 1911.—BROGLIE: *Monothéisme, henothéisme, polythéisme.* París, 1905.—BRICOUT [y otros]: *Histoire des Religions.* París, 1911.—HASTINGS: *Encyclopaedia of Religion and Ethics.* Edimburgo, 1906. HUBY [y otros]: *Christus. Manuel d'Histoire des Religions.* París, 1916. MÜLLER, Max: *Ensayos sobre la Historia de las Religiones.* Traducción castellana. Madrid, 1916.

MONOTELISMO

Nombre dado a una herejía—siglo VII—que admitía en Cristo las dos naturalezas, divina y humana, pero una sola voluntad divina.

Reconocidas por el Concilio de Calcedonia —451—la unidad de persona y las dos naturalezas de Cristo, lógico era suponer—aun cuando el Concilio no reparó en ello—las dos voluntades.

Sergio, patriarca de Constantinopla, fue el principal mantenedor de una herejía que, en realidad, no era sino un retoño del *monofisismo* (V.).

En verdad, el monotelismo no negaba en rotundo las dos voluntades en Cristo; pero enseñaba que la voluntad humana de Jesucristo no era sino como un órgano o instrumento de que se valía la divina; de suerte que la voluntad humana de Cristo no quería ni hacía nada por sí, y solamente obraba según la movía o impelía la divina.

También afirmaba el monotelismo que no había más que una sola voluntad personal y una sola operación en Jesucristo, porque sola la Naturaleza como divina era señora, era la que quería y obraba.

Al parecer, fue el emperador Heraclio quien —en 630—provocó esta herejía. Su deseo fue noble: quiso reducir a la Iglesia católica a los eutiquianos o monofisistas, y discurrió que se debía tomar un medio entre la doctrina de aquellos y la de los católicos. Creyó que se les podría reconciliar afirmando que en Cristo había dos naturalezas, pero una sola voluntad, la divina. En el año 630 publicó un edicto mandando admitir tal doctrina. Atanasio y Ciro, patriarcas de Antioquía y de Alejandría, se sometieron al edicto. Pero Sofronio, patriarca de Jerusalén, reunió en 634 un Concilio, en el que hizo condenar como herético el monotelismo. Los monotelistas acudieron al Pontífice Honorio, quien, engañado por una carta ambigua de Sergio, aprobó la doctrina. Sin embargo, como todos los católicos aplaudiesen la firmeza de Sofronio, Heraclio, en 639, publico otro edicto, llamado *ectesis* o exposición de la fe, que Sergio había compuesto. Por él se prohibía discutir la cuestión de si había una o dos voluntades en Cristo, pero que solo había una: la del Verbo divino.

Juan IV, que había sucedido a Honorio en la silla pontificia, congregó en Roma un Concilio, que desechó la *ectesis* y condenó a los monotelistas. Heraclio se disculpó con el Pontífice y echó la culpa de la herejía a Sergio.

Pero la discordia continuó. En 648 el emperador Constante, aconsejado por Pablo de Constantinopla, monotelista, dio otro edicto llamado "tipo o fórmula", por el cual se abolía la *ectesis.* En 649, el Pontífice San Martín I organizó en Roma un Concilio de quinientos obispos, que condenó la *ectesis,* el tipo y el monotelismo. Indignado el emperador por lo que creía una afrenta, se dedicó a perseguir al Pontífice con los más ridículos pretextos, llegando a atentar contra su vida. Por fin mandó conducirle a la isla de Naxos, donde le tuvo preso un año; más tarde le condujo a Constantinopla, y, por fin, le relegó al Quersoneso Táurico—hoy Crimea.

El emperador Constantino Pogonato, hijo de Constante, por dictamen del Papa Agatón, convocó el VI Concilio ecuménico de Constantinopla, donde fueron condenados *nominatim* Sergio, Pirro y demás corifeos del monotelismo. En este Concilio defendió la causa de la herejía, con toda la elocuencia posible, Macario de Antioquía. Treinta años después, el emperador Filipo tomó de nuevo la defensa de los monotelistas. León el *Isáurico,* con la herejía de los iconoclastas, se olvidó por completo del monotelismo, y los escasos adeptos que este tenía se unieron a los eutiquianos.

V. CHILLET: *Le monothelisme, exposé et critique.* París, 1911.—OWSEPIAN: *Die Entstehungsgeschichte des Monothelismus nach ihren Quellen geprüft?* Leipzig, 1897.—TIXERONT: *Hist. des Dogmes dans l'Antiquité chrétienne.* Tomo III.

MONROÍSMO

Doctrina política internacionalista de Monroe.

James Monroe (1758-1831), quinto presidente de los Estados Unidos, nació en el condado de

Westmoreland (Virginia) y murió en Nueva York. Desde muy niño fue educado en el odio a los ingleses. Se unió a los primeros insurrectos, siendo herido en la acción de Trenton y alcanzando por su valor y pericia el grado de coronel. Fue durante muchos años delegado en la Asamblea Nacional y miembro del Consejo ejecutivo del Estado de Virginia. Tomó parte muy activa en el IV, V y VI Congresos de la Confederación. Embajador en París, de donde regresó en 1796. Gobernador de Virgina un año después. En 1803 volvió a París, enviado por el presidente Jefferson, para negociar la adquisición de la Luisiana por ochenta millones de francos. Secretario de Estado en 1811. Y secretario de la Guerra en 1812, durante la lucha contra Inglaterra. Presidente de la República desde 1817 hasta 1825. En 1819 adquirió La Florida, mediante el pago a España de veinticinco millones de pesetas, y admitió en la Confederación los Estados de Missouri y Maine. Cumplido su mandato presidencial—que fue sumamente beneficioso y brillante para su patria—se retiró de la política. Fue rector de la Universidad de Virginia. Y murió en la mayor pobreza.

¿En qué consiste el monroísmo?

Monroe expuso su doctrina política internacionalista en una declaración de su mensaje al Congreso norteamericano con motivo de la inauguración de la segunda reunión de este el 2 de diciembre de 1823.

El monroísmo puede resumirse en los siguientes principios:

1.° Ninguna potencia europea tiene derecho a intervenir en los asuntos internos de cualquier país americano.

2.° Toda intervención de Europa en América será considerada como un acto hostil para los Estados Unidos.

3.° La fundación de colonias europeas en América, a partir de entonces, es inadmisible, por hallarse ya repartido todo el Continente americano entre estados civilizados.

Los anteriores tres principios quedaron resumidos, entonces, en el célebre aforismo: *América para los americanos.* En la actualidad este aforismo ha quedado *ligeramente modificado,* así: *América para los norteamericanos.* El primer aforismo gustó mucho a los americanos y disgustó bastante a los europeos. El segundo aforismo ha disgustado bastante a todos, exceptuados lógicamente los Estados Unidos.

La doctrina de Monroe, ya de por sí exagerada, se ha venido exagerando por los Estados Unidos. Monroe afirmó que serían respetadas las colonias europeas subsistentes en América. Afirmación que desmintieron los norteamericanos con hechos múltiples. Acordémonos de su insidiosa intervención armada contra España a favor de Cuba y Puerto Rico.

Monroe afirmó la no injerencia de los Estados Unidos en los asuntos interiores de los demás países libres americanos. Afirmación que desmintieron—y siguen desmintiendo—los norteamericanos con hechos múltiples. Acordémonos de los estados arrebatados a Méjico por Norteamérica. Acordémonos de la intervención de Norteamérica en el conflicto armado chileno-peruano—1881—, ganado por Chile, nación a la que prohibieron los yanquis sacar fruto alguno de su victoria.

Monroe afirmó que los Estados Unidos no intervendrían—por su concepto de recíproca justicia—en los asuntos europeos. Los norteamericanos han conculcado tal afirmación cuantas veces lo han creído oprtuno. Acordémonos de su intervención en la gran guerra de 1914-1918, y en la gran guerra de 1939-1945... y de los pactos internacionales surgidos a consecuencia de las mismas.

Los norteamericanos suelen disculparse de sus violaciones al monroísmo diciendo que tal doctrina no constituye sino la opinión personal de un jefe del poder ejecutivo de los Estados Unidos en 1823, y que ellos pueden aceptarla en cuanto les conviene y rechazarla en cuanto no les interesa. Naturalmente, tal declaración conduce a la ilegalidad absoluta del monroísmo, ya que resulta inadmisible su aplicación en la práctica, pues como ha dicho el gran tratadista italiano de Derecho internacional Fiore: "El principio de la no intervención europea en los asuntos americanos, de una manera absoluta, conduciría a que un estado americano pudiera conculcar los principios de la justicia en sus relaciones con los individuos extranjeros, violar la ley moral, negarse a tomar en consideración las justas reclamaciones de los extranjeros perjudicados, crear de este modo un estado de cosas anormal e ilícito, según los principios del Derecho común y de la moral internacional, y rechazar después cualquier forma de injerencia para hacer cesar tales manifiestas violaciones de los principios de la justicia, atrincherándose en el principio de su independencia y de la doctrina de Monroe."

Contradiciendo los principios de Monroe, interpretándolos mal o tergiversando maliciosamente su contenido, los Estados Unidos pretenden ejercer una supremacía absoluta en toda América. Basta recordar que, haciendo caso omiso del tratado Clayton-Bullwer—1850—con Inglaterra, los Estados Unidos pusieron todo su empeño en ejercer la inspección exclusiva sobre el canal de Panamá, y lo han conseguido. Todavía en 1917, el presidente Wilson pretendió que la doctrina de Monroe fuese aceptada por todo el mundo.

V. PEREYRA, Carlos: *El mito de Monroe.* Madrid, Aguilar, 1931.—MARTENS: *Tratado de Derecho internacional.* Trad. cast. Madrid.—FIORE: *Il Diritto internazionale codificato.* Turín, 1909, 4.ª ed.—PETIN, H.: *Les Etats-Unis et la doctrine de Monroe.* París, 1900.—PLAZA, Manuel de la: *La doctrina de Monroe.* En la"Rev. Gen. de Jurisprudencia y Legislación", vol. 108.—EDGINTON:

The Monroe Doctrine. Boston, 1904.—KASSON: *Evolution and History of the Monroe Doctrine.* Boston, 1904.—TUCKER: *The Monroe Doctrine.* Boston, 1914, 5.ª ed.

MONTANISMO

Nombre dado a la herejía del sacerdote de Cibeles Montano.

Montano nació en la primera mitad del siglo II, en Ardabau (Frigia). En el año 170 se convirtió al cristianismo. Aun cuando algunos autores afirman que fue ordenado presbítero y nombrado obispo, no existen pruebas de tales extremos. Unido a dos mujeres, Priscila y Maximila, formaban en la terminología de la secta el profético *Trifolium.* Las dos mujeres—casadas y separadas de sus maridos—fueron admitidas en la comunión montanista, y con frecuencia caían en extraños éxtasis, durante los cuales *veían* extraordinarios acontecimientos y profetizaban. Montano aseguraba que eran divinas sus profecías.

Según Montano, se habían dictado tres leyes para regir el mundo: la primera, el *judaísmo,* dictada por Dios Padre; la segunda, el *cristianismo,* dictada por Dios Hijo. La tercera, la más perfecta, se había manifestado por el Espíritu Santo, el cual residía en Montano y hablaba por su boca. Esta tercera ley se diferenciaba de las anteriores por una disciplina más severa: ayunos frecuentes y rigurosos; prohibición de contraer segundas nupcias y de huir en caso de persecución; la no remisión de algunos pecados, como el homicidio, la idolatría, la lujuria, la negación de la fe..., siempre que se cometieran después del bautismo; la abstención de los baños y del vino.

El montanismo era milenarista y trastornaba la jerarquía eclesiástica, concediendo un poder excepcional a Montano y admitiendo las intromisiones de las profetisas.

Según el montanismo, la revelación no había terminado con los apóstoles y era admisible la rebautización.

El montanismo se extendió rápidamente por Italia, las Galias y Africa, en donde tuvo en Tertuliano uno de sus más entusiastas propagadores. El rigorismo de la doctrina produjo gran entusiasmo entre los cristianos más fervorosos.

Hacia el año 192, los montanistas tenían sus asambleas enteramente separadas de los católicos, dándose a sí mismos el nombre de *espirituales —neumáticos—*y tildando a los demás cristianos de *psíquicos* o animales. En el mismo año enviaron emisarios a Roma, donde, sorprendiendo la buena fe del Papa Víctor, lograron que les concediera cartas de comunión, "devolviendo así —escribe Tertuliano—la paz a las iglesias de Frigia y de Asia".

El montanismo fue combatido por Melito de Sardes, el apologista Milcíades y, probablemente, por San Clemente de Alejandría; y condenado por los Pontífices Eleuterio, Víctor y Ceferino.

Con sus propias divisiones, los montanistas prepararon la ruina de su doctrina. Primero se dividieron en *esquinistas* y *proclianos;* después hubo *priscilistas,* partidarios de la profetisa Priscila; y *pepucianos,* de la ciudad de Pepuzo, donde profetizaba Maximila; y los *artotiritas,* que ofrecían en sus misteriosas ceremonias pan y queso; y los *pasalorinquitas,* que oraban poniéndose el dedo en la nariz; y los *quartodecimanos,* que celebraban la Pascua el 14 de la luna.

V. GOTTWALD: *De Montanismo Tertullani.* 1862.—LABRIOLLE, P. de: *La crise montaniste.* París, 1913.—LABRIOLLE, P. de: *Les sources de l'histoire du Montanisme.* París, 1913.

MORALEJA

Nombre dado a la *enseñanza provechosa* que un autor desea explicar por medio de un cuento, un ejemplo, una fábula, una anécdota, etc.

La moraleja suele concluir las narraciones del género didáctico-gnómico. Pero también, en ocasiones, como en los apólogos del *Libro de los Enxemplos,* puede ir delante de los relatos.

La moraleja parece ser indispensable en la fábula y en el apólogo.

Dijo la Zorra al Busto,
después de olerlo:
"Tu cabeza es hermosa,
pero sin seso."

Moraleja:

Como este hay muchos,
que, aunque parecen hombres,
solo son bustos.

(SAMANIEGO)

Oyendo un Tordo hablar a un Papagayo,
quiso que él, y no el hombre, le enseñara;
y con solo un ensayo
creyó tener pronunciación tan clara,
que en ciertas ocasiones
a una Marica daba ya lecciones.

Moraleja:

Así salió tan diestra la Marica
como aquel que al estudio se dedica
por copias y por malas traducciones.

(IRIARTE.)

MORALIDAD LITERARIA

La cuestión de las relaciones entre el arte y la moral, en las obras literarias, ha sido muy debatida en todas las épocas, y ha dado lugar a exageraciones en el sentido afirmativo y en el negativo. Unos críticos han creído que en todo escrito debe haber una intención moral; que la poesía tiende a elevar las almas; la narración, a encaminar al bien; la historia, a enseñar la verdad, el derecho y el deber; el teatro, a hacer que triunfen la justicia y la razón. Otros críticos encomian el *arte por el arte* y hasta reclaman su derecho a la inmoralidad. A nuestro entender, tanto yerran los unos como los otros. La primera condición del arte literario es *la verdad;* y esta verdad se cumple, a veces, en lo moral, y otras veces en lo inmoral. El escritor no debe buscar ni moralidades ni inmoralidades. Ha de limitarse a tomar y a describir *un trozo de vida,* en el que puede abundar más el bien que el mal, o viceversa. El artista no tiene por qué rehuir ninguno de los motivos ni de los aspectos vitales. Y su arte puede servirle para velar con elegancia, no la verdad, sino la *crudeza* del mal.

Naturalmente que si no es admisible que el escritor siempre se someta a una intención moral, mucho menos lo es que ensalce y propague la inmoralidad *como fin* o *como medio lícito.* El artista no debe *sacar consecuencias* sino en las obras deliberadamente encaminadas a la propaganda.

MORALIDADES

Se dio este nombre a unos dramas religiosos en los que dominaba la intención moral mezclada con elementos alegóricos y satíricos.

Su origen data del siglo XIII, en Francia. Y el ejemplo más antiguo que se conoce es un drama de Esteban Lagton, en el cual la Verdad y la Justicia acusan del pecado original a Adán ante el tribunal de Dios, defendiéndole la Paz y la Misericordia. Y a esta misma época pertenece *El hidus paschalis de adventu et interitu Antechristi.*

Dos siglos después, la cofradía de los *Clercs de la Bazoche* dedicó sus actividades a la exaltación y multiplicación de las *moralidades;* las cuales llegaron a dejar en un segundo término los *misterios dramáticos.* Algún tiempo después se confundieron con las *farsas* y las *soties.*

En España, aun cuando sin dicho nombre, escribieron *moralidades* don Enrique de Villena —1414—para las fiestas de la coronación en Zaragoza del rey don Fernando de Antequera; y en el siglo siguiente, Juan del Enzina, Gil Vicente, Sánchez de Badajoz y otros varios, con el nombre de *farsas, farsas morales, autos, tragicomedias alegóricas* y *representaciones.*

Lope de Vega, combinando las *moralidades* con las *alegorías* y los *misterios,* inició el triunfo del *auto sacramental* con sus obras *El viaje del alma, El hijo pródigo, La boda entre el alma y el cuerpo...*

V. LE PETIT DE JULLEVILLE: *Histoire du théâtre en France: les mystères.* París, 1880. LUMINI, A.: *Le Sacre Reppresentazioni italiane.* Palermo, 1877.—POLLARD: *English miracle plays, moralities and interludes.* Londres, 1904.—VALBUENA PRAT, A.: *Calderón y su teatro.* Barcelona, 1941.—VALBUENA PRAT, A.: Ed. *Autos sacramentales de Calderón.* Biblioteca de Clásicos Castellanos "La Lectura". Dos tomos.

MORALISMO

Doctrina filosófica puramente práctica, ya que se dedica exclusivamente a la moral, prescindiendo de las otras partes de la ciencia.

El moralismo más estudiado es aquel que, separándose de la Metafísica y de la Religión, tiene como únicos fin y fundamento las acciones morales del hombre independiente de todo lo criado y aun del mismo Dios.

Lógicamente, el moralismo tiene sus principios fundamentales.

La conciencia íntima de todos los hombres distingue en el mundo dos órdenes perfectamente definidos: el *físico* y el *moral.* Estos dos órdenes están encaminados armónicamente—según la filosofía cristiana—a la consecución del fin último de la criatura: Dios; ahora bien, el orden físico supeditado al moral.

La distinción entre el bien y el mal es universal y está arraigada profundamente en el corazón de los hombres; pero la moralidad de las aciones no depende de la libre voluntad humana, ni de algo pasajero y mudable; trae su origen de la misma esencia de las cosas, que no puede alterarse ni dejar de ser. Para los filósofos cristianos, las buenas acciones, moralmente, convienen a la naturaleza racional como racional; y las malas acciones, por su misma ciencia, son contrarias a la naturaleza racional. Puede, pues, señalarse como *norma constitutiva* de las acciones morales la naturaleza misma del hombre. Y el orden natural, sabiamente establecido por Dios, es conservado por la voluntad eficaz del Supremo Hacedor mediante una ley eterna denominada *norma preceptiva.*

La moralidad de nuestros actos tendrá que ajustarse a la armonía con dicha preceptiva. La moralidad tendrá que moverse dentro de la amplia esfera sometida a tal preceptiva. Naturalmente, Dios nos lleva al conocimiento de su orden natural no solo por la luz de la razón, sino también por la inclinación innata hacia el bien que infunde en nuestra voluntad.

La contradicción de los principios ortodoxos apuntada es lo que se conoce con el nombre de moralismo.

Los sistemas de moralismo que contienen las desviaciones que han exagerado los conceptos morales ortodoxos son dos: el *moralismo racionalista* y el *moralismo independiente.*

El moralismo racionalista ha encontrado su fundamento en la escuela de Kant. Kant no fue, ciertamente, ateo, pero su moral es atea en el fondo y en la forma.

La ética de Kant es *autónoma;* la ley está dictada por la conciencia moral misma, "no por una instancia ajena al yo".

La ética de Kant es *formal* y no *material,* ya que no prescribe nada *concreto,* sino únicamente la *forma* de la acción: el obrar por respeto al deber, hágase lo que se quiera. Sí, se debe hacer lo que *pueda querer* la voluntad racional.

La ética de Kant culmina en el concepto de *persona moral;* exige al hombre que sea lo que es: un ser *racional.*

Para Kant, las leyes morales—el imperativo categórico—proceden de la legislación de la propia voluntad. Del absolutismo de la moral libre deriva Kant la primera fórmula de la ley moral: *Obra de suerte que trates en todas las ocasiones la voluntad libre y razonable, en ti y en los demás, como un fin y no como un medio.*

¿Cuáles acciones estarán conformes con tal ideal? Kant ofrece la norma para saberlo: *No obres nunca sino con arreglo a máximas que puedan ser convertidas en leyes universales.*

Del moralismo así entendido deduce Kant tres consecuencias—no demostrables por la razón especulativa—: la *posibilidad del supremo bien,* la *inmortalidad del alma* y la *existencia de Dios.*

El moralismo designa especialmente la moral kantiana del deber, fundada exclusivamente en la intención y en la buena voluntad, abstracción hecha de toda otra circunstancia.

El *moralismo independiente*—que tanto ha influido en la creación del derecho moderno—afirma que en la Naturaleza únicamente el hombre es libre y solo él tiene consciencia de su libertad; que de esta consciencia de su libertad derivan los fenómenos morales, que para el hombre forman una esfera de actividad desconocida de los demás demonios de la Naturaleza. En la libertad del hombre queda constituida la individualidad, el derecho y la obligación, la igualdad y la reciprocidad en las obligaciones. El moralismo integra tales derechos y obligaciones, y obliga no solo a reconocer el derecho, sino también a hacerlo prevalecer, reparando las desigualdades debidas a la Naturaleza o a la suerte.

El moralismo en religión es una doctrina que, eliminando las prácticas religiosas, confía únicamente la felicidad y la salvación en el respeto estricto de los imperativos morales.

V. Renouvier, Ch.: *La morale independante.* París, 1894.—Duprat, M.: *La morale.* París, 1901. Guyau: *Esquisse d'une morale sans obligation ni sanction.* París, 1909, 2.ª edición.—Fouillée: *Crítica de los sistemas morales contemporáneos.* Madrid, 1906.

MORALISTAS

Nombre dado a los escritores en cuyas obras se describen las costumbres de la sociedad—*mores hominum*—con la intención de su perfeccionamiento moral.

Escritores moralistas famosos fueron: Epicteto, Séneca, Marco Aurelio, Teofrasto, Boecio, Montaigne, Gracián, La Bruyère, La Rochefoucauld...

MORMONISMO

Nombre dado a la secta milenarista y a la doctrina que originó—1830—en los Estados Unidos Joe Smith.

Joe Smith nació—1805—en Sharon, estado de Vermont, y murió—1844—en Cartago, estado de Illinois.

El mormonismo es uno de los fenómenos religiosos más curiosos del siglo XIX. Fue una de esas epidemias espirituales, calificadas de *revivals* o *despertares,* a que los pueblos sajones parecen más expuestos que los demás a causa de la lectura directa y muchas veces hecha en común de las Sagradas Escrituras.

Joe Smith, buhonero visionario, contó a las gentes—1830—haber tenido una revelación que enlazaba a los americanos con la familia del patriarca José, y anunciaba la próxima aparición del Mesías. La revelación le había sido hecha por un ángel, quien se la dejó grabada con caracteres egipcios en unas planchas de oro. Pese a lo burdo del relato, las gentes se lo creyeron, y la nueva secta, después de varios cambios de lugar, fundó en el estado de Illinois un establecimiento provisto de un gran templo—1841—: la *Iglesia de los Santos de los últimos días.* Se les dio el nombre de mormones, porque uno de los supuestos descendientes del patriarca José, emigrado hacia 600 años antes de Cristo a América, se había llamado Mormón, y redactó el libro santo de la secta, traducción de las supuestas tablas de oro, y conocido desde entonces por el *Libro áureo.*

El libro santo no es sino un torpe plagio de la *Biblia* y de una *Historia manuscrita* original del sacerdote anglicano Spaulding, muerto en 1816. Smith procuró que el extraordinario libro no fuera visto por sus adeptos, e hizo constar su existencia por un documento firmado y rubricado por once testigos que, como él, decían haber visto con sus propios ojos el misterioso libro, y que juzgaban que era fiel la traducción de Smith. Esta traducción era la que se multiplicó entre los mormones. Sin embargo, tres de aquellos testigos, Cowdery, Whitmer y Harris, revocaron poco después su testimonio y abandonaron el mormonismo. Sin embargo, esta secta se propagó con una rapidez extraordinaria. En 1836, en Jackson de Missouri, fundaron una ciudad, llamada Nueva Sión, que contó con 12.000 habitantes. En 1843, la nueva ciudad de Nauvoo encerraba 20.000 mormones. Estos, constituidos en república agrícola e industrial, se dejaron guiar dócilmente por su *profeta,* que, queriendo restaurar las costumbres patriarcales, autorizó —1843—la poligamia. Esta decisión escandalizó al pueblo de Illinois. El gobernador encarceló a Joe Smith y a su hermano Hiram; pero las turbas asaltaron la prisión y lincharon a los dos hermanos—1844.

Los mormones, guiados por el discípulo predilecto de Smith, el carpintero Brigham Young, emigraron hacia el gran Lago Salado (Utah) y fundaron una nueva ciudad—1847—. Cuando Young murió—1877—, dejó 17 esposas, 56 hijos y una fortuna de doscientos dólares.

En 1901, el jefe de los mormones era José F. Smith, sobrino del *profeta;* se calculaba en

M

300.000 el número de adeptos, más otros 15.000 dispersos por Europa.

Joe Smith redactó—1830—el primer símbolo de la fe en trece artículos:

1.º Creemos en Dios Padre Eterno, en su Hijo Jesucristo y en el Espíritu Santo.

2.º Creemos que los hombres son castigados por sus propios pecados, y no por el pecado de Adán.

3.º Creemos que si se observan los preceptos del Decálogo y los del Evangelio, los hombres obtendrán la salvación por los méritos de la expiación de Cristo.

4.º Creemos que los preceptos del Evangelio son: 1.º Fe en Cristo; 2.º Penitencia de los pecados; 3.º Bautismo por inmersión; 4.º Imposición de las manos comunicando el Espíritu Santo.

5.º Creemos que para predicar el Evangelio y administrar los sagrados ritos instituidos en él se precisa la vocación divina por medio de la profecía y la imposición de las manos, hecha por quienes tengan la autoridad competente.

6.º Creemos en la organización de la Iglesia primitiva: apóstoles, profetas, pastores, doctores, evangelistas...

7.º Creemos en el don de lenguas, revelación, profecías, visiones, curaciones, interpretación de las lenguas...

8.º Creemos que la *Biblia* es la palabra de Dios, y que es asimismo palabra de Dios el *Libro de Mormón.*

9.º Creemos cuanto Dios ha revelado y en que habrá nuevas revelaciones.

10. Creemos en la unión literal de Israel y en la restauración de las diez tribus; y que Sión será reconstruida en el continente americano; y que Cristo vendrá a reinar con los justos antes de la postrera resurrección.

11. Creemos en que es necesaria la tolerancia para todas las demás religiones.

12. Creemos en la necesidad de la obediencia al poder civil.

13. Creemos en la necesidad de amar con la mayor intensidad todas las virtudes.

Cuando el Congreso de los Estados Unidos prohibió la poligamia en todo el territorio de la Unión y ordenó—1884—persecuciones por este motivo, los mormones renunciaron—1890—a este legado de los patriarcas de Israel.

La jerarquía del mormonismo se constituye así:

1.º Tres grandes apóstoles: el presidente y dos grandes consejeros.

2.º El Colegio de los doce apóstoles, consejeros del presidente, electores del nuevo presidente y gobernantes mientras el nuevo presidente no ha sido elegido.

3.º El Colegio de los sumos sacerdotes, que en número de tres presiden cada diócesis—*stake*—, y en número de doce son consejeros de la presidencia de cada distrito.

4.º El Colegio de los setenta.

5.º El Colegio de ancianos.

6.º El patriarca.

Los obispos bautizan y dirigen las *wards*—parroquias—. Los sacerdotes predican y bautizan. Los doctores enseñan el catecismo. Los diáconos son auxiliares de los anteriores.

Hoy día, la mayor parte del estado de Utah está habitado por los mormones, en número que pasa de los 250.000.

V. Hyde: *The mormonism, its leaders and desings.* Nueva York, 1857.—Kennedy: *Early days of mormonism.* Nueva York, 1888.—Ryley: *The founder of mormonism.* Nueva York, 1902.—Talmage: *Story of mormonism.* 1907.

MOSAÍSMO

Nombre dado a las leyes e instituciones mosaicas.

Las leyes mosaicas no están reunidas en un código o compilación única, sino en el *Pentateuco,* es decir, en los únicos primeros libros del Antiguo Testamento—*Génesis, Exodo, Levítico, Números* y *Deuteronomio,* redactados por Moisés.

Tampoco cada uno de estos libros contiene unas determinadas leyes. Así, las *leyes morales* están en el *Exodo*—XX, 1-17—, en el *Levítico* —XIX, 3, 11, 12, 13, 18—, en el *Deuteronomio* —V, 1-21.

Y las *leyes judiciales,* en el *Deuteronomio,* en el *Levítico,* en el *Exodo.*

Y las *leyes penales,* en el *Exodo,* en el *Levítico,* en el *Deuteronomio.*

Salteadas, en los mismos libros y en el *Números,* hállanse las leyes que protegen la personalidad, la propiedad, las relativas a la herencia, al decoro, higiene y limpieza, a las ceremonias...

Este conjunto de leyes contenidas en el *Pentateuco* llámanse *dibre Jahveh*—palabras de Jehová—, *torot*—leyes—, *hukkim*—decretos—, *mispatim*—juicios—, *mitsot*—mandatos—, etc., etc.

El libro del *Génesis* refiere las tradiciones de los hebreos desde la fundación del mundo hasta la muerte de José. La idea predominante es la de la alianza íntima de Dios con la posteridad de Abraham.

El libro del *Exodo*—salida de Egipto—refiere la multiplicación de la familia de Jacob, la personalidad de Moisés y Aarón, la cautividad del pueblo de Israel; las diez plagas de Egipto; el abandono de Egipto por los israelitas; el paso del mar Rojo; el episodio del Sinaí, durante el cual recibió Moisés las leyes de Dios; la erección del Tabernáculo...

El libro *Levítico* encierra la legislación relativa al sacerdocio, la consagración de Aarón y de sus hijos y la oblación de los primeros sacrificios.

En el libro de los *Números* hay dos enumeraciones de Israel y comprende muchas prescripciones religiosas y civiles; su tendencia es claramente sacerdotal; en él adquieren todo su valor la importancia y los privilegios del sacerdocio.

El *Deuteronomio* significa en griego la segunda Ley o la recapitulación de la Ley. Contiene las últimas órdenes de Moisés a los hebreos antes del paso del Jordán y el relato de los postreros días de su vida.

El *origen* del mosaísmo es divino. En cuanto a la confección y a la fuerza obligatoria, la ley mosaica es obra de Dios y dictada o inspirada a Moisés por Dios.

El *fin* que se propuso Dios al dar la ley mosaica fue doble: uno individual y nacional respecto de los israelitas; otro, universal, para todas las gentes.

La *obligación* de las leyes mosaicas fue únicamente para los israelitas. Las demás gentes podían agregarse al pueblo de Dios por medio de la circuncisión y tomar sobre sí el yugo de las leyes mosaicas y participar del culto, sacrificios y ceremonias de Israel; pero no estaban obligadas.

La *excelencia* de las leyes mosaicas queda patente con ser obra de Dios y significar una preparación de la salud mesiánica para todo el mundo.

Las leyes mosaicas fueron *imperfectas,* porque Dios quiso, al dictarlas, acomodarse a la rudeza de aquellos tiempos primitivos y a la dureza de los corazones israelíticos. Por eso dichas leyes permitieron la poligamia, la esclavitud, la venganza de sangre.

Las leyes mosaicas fueron *ineficaces,* porque eran impotentes para justificar al hombre. Por eso dijo San Pablo—en su *Epístola a los Romanos*—que la ley no hacía sino acrecentar y multiplicar los pecados; que imponía la obligación, mas no daba fuerzas para cumplirla; que mostraba y daba a conocer el pecado, pero no daba vigor para evitarlo. La justificación y la gracia no se daban en virtud de la ley, *sino en virtud y en previsión de los méritos de la Pasión de Cristo y del sacrificio del Cordero de Dios que borra los pecados del mundo.* Tenía la ley antigua sacrificos y sacramentos; pero estos no daban ni conferían la gracia. La ley separaba a los israelitas de los demás pueblos, dándoles conocimiento del Dios verdadero, transmitiéndoles las promesas del Mesías verdadero.

Las leyes mosaicas tuvieron un *carácter figurativo.* Los sacrificios y ceremonias mandados en ella eran *figuras* del sacrifcio de Cristo y como *sombras* de las cosas futuras.

Con la encarnación de Cristo, que venía a cumplir la ley, las leyes mosaicas no desaparecieron por completo. Sus *preceptos morales* fueron ratificados y perfeccionados por el Salvador, quien mandó su exacto y perfecto cumplimiento. Pero sus preceptos judiciales y ceremoniales cesaron en la vigencia, ya que eran solo *una preparación* para Cristo, y con la llegada de El cesaron las figuras y las sombras, y con el sacrificio de El dejó Dios de complacerse en el sacrificio de los animales, sacrificio que únicamente le agradó en cuanto prefiguraban el de su muy amado Hijo.

El mosaísmo, aun con sus imperfecciones inevitables, fue la ley más extraordinaria de la Antigüedad.

V. SANTO TOMÁS DE AQUINO: *Summa Theol.* 1.ª, 2.ª quaest. 98-105-107.—SUÁREZ, P. Francisco: *De legibus.* Lib. IX.—HOTTINGER, J. H.: *Juris Hebraeorum leges.* Zurich, 1655.—VOG: *The mosaic origin of the pentateuchal Codes.* Londres, 1886. PELT: *Histoire de l'Ancien Testament.* París, 1897.

MOSQUITO (Lenguaje)

Mosquito o *miskito,* idioma de la América central—Nicaragua—, hablado por tribus indias. Pertenece al grupo *isturco,* de lenguas polisintéticas.

V. HANDERSON, Alex: *Grammar of the mosquito language.* Nueva York, 1846.—BARD, A.: *Waikna or adventures on the mosquito shore.* Nueva York, 1855.

MOTETE

Composición poética muy breve, de versos cortos, que se canta con música en las iglesias. Sus temas, generalmente, se sacan de las cláusulas de la *Sagrada Escritura.*

MOXO (Lenguaje)

Lengua de la América meridional, hablada en el Perú y en parte de Bolivia. Se encuentra aislada entre otros muchos idiomas y guarda semejanza con la lengua *maipura* del valle del Orinoco. Es armoniosa y dulce; carece de las articulaciones *d, f, l.*

V. MARBÁN, Pedro: *Arte de la lengua moxa.* Lima, 1701.

MUSA

1. Inspiración. Numen poético.
2. Cada una de las deidades de la mitología griega, que, presididas por Apolo, protegían las ciencias y las artes liberales. Eran hijas de Zeus y de Mnemosine y en número de nueve. *Clío,* musa de la historia; *Euterpe,* musa de la comedia; *Melpómene,* musa de la tragedia; *Terpsícore,* musa de la danza; *Polimnia,* musa del himno; *Erato,* musa de la poesía erótica; *Urania,* musa de la astronomía; *Calíope,* musa de la poesía épica; *Talia,* musa de la poesía dramática y del idilio.

MÚSICA

Extraordinaria e importantísima es la relación que existe entre la literatura y la música. Dicha relación no es únicamente *externa,* esto es: *colaboración* de la música con ciertos modelos literarios, como la ópera, la zarzuela, la canción; sino también *interna,* esto es: inspiración de la música en las concepciones ideales de los distintos géneros literarios. Muchas composiciones líricas medievales—*albas, mayas, serenatas, decires*—fueron escritas para llenar con la palabra humana las provocaciones sentimentales de las músicas populares.

En la poesía lírica, la *canción* ocupa el más antiguo rango; y la canción es una armonía inefable entre la letra y la música. *Cancioneros* han sido llamadas las primeras colecciones de poesías líricas. Y *Cantares de gesta* las primeras fórmulas de la poesía épica. Los trovadores medievales *cantaron* sus poemas. Y el valor musical de las *Cantigas* de Alfonso el *Sabio* no cede a su valor poético. Con música fueron recitados los *romances* de los siglos XV y XVI. Los más extraordinarios dramaturgos del Siglo de Oro "pusieron" letra a muchos de los bailes que introducían en sus obras escénicas. Y son incontables los grandes compositores dedicados a armonizar su música con los poemas dramáticos y, a la inversa, los grandes poetas inspirados en temas musicales.

Baudelaire defendió la famosa teoría: *les parfums, les couleurs et les sons se répondent.* El *cante jondo y el cante flamenco* de España son incomprensibles a falta de música o de letra. A Chopin se le ha llamado "el poeta del piano". Y el modernismo literario implantó el metro *sinfónico*—tan valorizado por Rubén Darío—y la prosa *polifónica,* de la que han abusado los superrealistas. (V. *Canción, Cantar, Copla...*)

MUSKOGHI (Lenguaje)

Lengua de la América septentrional, región de los Alléghanys, hablada por un gran pueblo indígena. Como en la mayor parte de los idiomas de los pieles rojas, las consonantes abundan y las palabras están formadas por numerosas sílabas.

V. LUDEWIG, H. E.: *The Literature of american aboriginal languages.* Londres, 1855.

MUTACIÓN (Teatral)

Se llama así el cambio *de decoración,* que puede ser *a telón corrido* o *a la vista del público.* Normalmente, cuando el telón no baja, son apagadas las baterías, para evitar al público el *mal efecto* de ver cómo los tramoyistas cambian la escena.

N

NABATEA (Lengua)

Una de las lenguas semíticas; ofrece grandes semejanzas con el caldeo o lengua de Babilonia. Como los idiomas arameos, el nabateo se diferencia del árabe y del hebreo por la abundancia de los monosílabos, por la mayor pobreza aún de las formas gramaticales y el número muy restringido de palabras.

La hablan los aldeanos que habitan en los terrenos pantanosos de Wasith, entre Bagdad y Basora, y principalmente a las orillas del Eufrates.

V. Quatremere, Etienne: *Mémoire sur les Nabathéens.* En el "Journal Asiatique". París, 1835.

NACIONALISMO

Doctrina que exalta en todos los órdenes la personalidad nacional completa, o lo que reputan como tal los partidarios de ella.

En el desarrollo político del siglo XIX influyen decisivamente el *liberalismo* (V.) y el nacionalismo, dos elementos fundamentales que han de tenerse muy en cuenta en el proceso de la matización del Estado europeo.

Indiscutiblemente, la doctrina nacionalista se inicia sobre las primeras ideas montadas en torno a la imagen de la nación a fines del siglo XVIII. Ya en 1772 vibra el nacionalismo polaco hasta turbar toda Europa. El nacionalismo, indiscutiblemente, culmina en el Congreso de Viena, y sus avances inmediatos quedan señalados en jalones inolvidables: 1821, los griegos ganan su independencia a los turcos; 1830, se separan Bélgica y Holanda; 1831, los esfuerzos polacos frente a Rusia logran algún éxito; 1870, Bismarck unifica el Imperio alemán, y Cavour y Mazzini unifican el reino de Italia... Sí, el nacionalismo de mayor fecundidad se centra en el siglo XIX, época de las revoluciones nacionales y hasta del lirismo romántico nacionalista con Lamartine, con Dahlmann, con Kossuth, con Renán, con Waitz... Sin embargo...

Sin embargo, mucho antes, durante el Renacimiento, comienzan a florecer las diferencias nacionales. Y el primer nacionalista de tipo moderno fue Maquiavelo, que quiso convertir su ciudad en un Estado italiano, y que soñó con la unidad de Italia como instrumento político de defensa que sirviera para resistir los ataques de españoles y franceses. Sí, el nacionalismo existe de una manera inconsciente y difusa hasta la terminación del siglo XVIII. Ya hemos indicado que se le reconoció como hecho político con el reparto de Polonia en 1772. Poco después, Jefferson, en la *Declaración de la Independencia* de los Estados Unidos, afirmó que "un pueblo debe ocupar, entre los poderes del mundo, el puesto desigual y correspondiente a que ha sido predestinado, con arreglo a los designios de Dios y a las leyes naturales". Napoleón, pretendiendo sojuzgar a Europa, proporcionó a Francia un estímulo considerable del sentimiento nacional; y, a la inversa, las invasiones napoleónicas enardecieron el espíritu nacionalista de Alemania, de España, de Rusia... El Congreso de Viena ha de declarar solemnemente el respetable principio de las aspiraciones de las naciones a fijar en definitiva sus fronteras. Desde 1815 hasta 1870, diríase que no se respira en el aire de Europa sino vientos de nacionalismo cálido y apremiante.

Cierto es que si el nacionalismo acentúa la independencia de los Estados soberanos, conduce al individualismo en las relaciones internacionales. Las ambiciones, sin límites, de los Estados nacionales, sus rivalidades constantes, quedan plasmadas en las apetencias coloniales y comerciales del moderno *imperialismo* (V.).

"El nacionalismo resulta de una combinación de la idea de la soberanía y la doctrina de la revolución. Asociado a la independencia del Estado soberano, aparece el derecho de cada pueblo al ejercicio del control sobre su gobierno propio; y de aquí nace la doctrina que permite a cada grupo distinto y permanente, con un carácter nacional, la dirección exclusiva de sus destinos políticos. Fortaleció a esta idea la doctrina que considera al Estado como una persona u organismo, tendencia que predomina, sobre todo, entre los tratadistas de Alemania; puesto que si el pueblo, de manera gradual, ve desarrollar en su seno cierta peculiaridad nacional y un sentimiento unitario, es lógico que se le reconozcan los caracteres de una entidad legal y corporativa." (Gettell.)

Y el ilustre profesor español Beneyto aclara:

"El mundo político liberal empieza a ver la nación como el resultado de un cierto estado de conciencia. Precisamente, esta conciencia de nación es lo que imprime la tendencia autonomista, la busca de una estructura estatal propia. La comunidad cultural se hace política. Bluntchli de la fórmula con su frase: "A cada nación, un Estado." Y por ahí brilla una nueva ideología: la del principio de las nacionalidades. Se cree, con Mazzini, que la comunidad política solo por el robustecimiento de los vínculos de nación puede resolver con justicia los problemas económicos y sociales. El camino se despeja con el reconocimento de que la soberanía está vinculada a la nación, idea que presiona los espíritus desde que en 1789 se declara que nadie puede ejercer autoridad que no dimane de la nación, *en quien reside la soberanía.* Sus consecuencias llevan al planteo del tema de las minorías étnicas y nacionales, se complican con el factor racial y constituyen uno de los núcleos de gestación de los movimentos que han implantado las formas totalitarias fascistas. Culmina así una evolución que encuentra su más directo punto de partida en la parificación rusoniana de la nación y el pueblo. Ya aplicándola, fue Napoleón un dictador popular. Su mayor empuje se debe al movimiento romántico, que sustituye el cosmopolitismo de la ilustración por un nacionalismo que cobra tinte democrático y se hace corolario natural del individualismo. Justo Moeser reprocharía a Federico "el Grande" que el atraso alemán no era culpa de la insuficiente imitación de los modelos franceses, sino de no haberse inspirado en el propio genio de la nación."

Posiblemente, una de las causas originarias de la gran guerra mundial de 1914-1918 fue el no haberse encontrado antes una fórmula satisfactoria para calmar los apetitos nacionalistas de los pueblos. La paz de Versalles procuró reconstruir la nueva Europa, ateniéndose lo más escrupulosamente posible a las justas reivindicaciones de cada nación. Así, Francia y Dinamarca recobraron sus antiguas provincias. Así, Italia alcanzó las que creía sus fronteras naturales. Así, Polonia quedó restablecida. Así, los checos y los yugoslavos se constituyeron en Estados. Así, Inglaterra aceptó el Estado libre de Irlanda y reconoció las aspiraciones nacionalistas de la India y Egipto. Así, el sionismo recibió un nuevo impulso y se pretendió hacer de Palestina un centro nacional judío.

En el mismo siglo XIX, el nacionalismo presentó distintas y muy contrarias tendencias. Al principio fue democrático y revolucionario, y arrancó del pueblo. Pasadas las culminaciones del año 1870, se presentó constructivo y arrancó de los gobiernos. Al principio, el nacionalismo pareció la *concepción instintiva* de un pueblo. Posteriormente, dicha concepción fue sustituida por una creencia colectiva, en un destino señalado gloriosamente por la unidad de raza, de geografía y de historia.

Naturalmente, el nacionalismo no es una apetencia, ni una doctrina caprichosa. Tiene su raíz. Mejor dicho, según distintos escritores, tiene *sus raíces.* ¿Cuáles son estas raíces nobles y eternas del nacionalismo? ¿La misma raza? ¿La misma lengua? ¿Idénticas instituciones? ¿Comunes lazos psicológicos y biológicos? ¿La unidad geográfica? ¿La unidad espiritual, como resultado de la experiencia común, de la tradición, del patriotismo y de la unidad política? ¿El sentimiento y la voluntad?

Fichte, por ejemplo, sostuvo la opinión "de que el idioma moldea a los hombres; y encuentra en la pureza de la lengua alemana como un signo de superioridad frente a otros pueblos, en cuyos medios de expresión se advierten los elementos más diversos". Savigny encontró "en el derecho nacional la revelación jurídica de la unidad interna del grupo político". Indiscutiblemente, el paneslavismo y el pangermanismo tienen un fundamento lingüístico y etnográfico.

Una atención máxima ha merecido la *influencia del medio físico.* ¿Deben ser naciones las *unidades geográficas?* Hegel sugiere "que una idea geográfica, claramente definida, tiende a convertirse en el perímetro de un Estado". De ser la *unidad geográfica* la raíz de la nacionalidad, ¿quién podría aceptar las distintas nacionalidades, por ejemplo, de España y Portugal, con los mismos ríos, con los mismos sistemas orográficos, con los naturales límites idénticos?

Algunos escritores y pensadores ilustres han negado que la geografía y la lengua sean las raíces del nacionalismo. Y se han fijado más en el desenvolvimiento gradual de la unidad espiritual. Ernesto Renán afirmó que en muchas naciones, lógicamente nacionalizadas, se mezclan distintas razas y se hablan diversos idiomas. Exacto: basta que recordemos el caso de Suiza, donde se hablan tres lenguas—francesa, alemana e italiana—y se unifican a la perfección suizos de varias razas. La virtualidad de la nación se encuentra, según Renán, "en el recuerdo colectivo de los hechos o sufrimientos comunes; en la voluntad consciente del pueblo, cuando aspira a vivir juntamente y transmite su herencia a las generaciones venideras".

"Cuando se relaciona la doctrina nacionalista con la existencia de las nacionalidades constituidas en minoría, dentro del Estado, se presentan dos diversos puntos de vista, opuestos entre sí. Si se examina el problema desde el lado del grupo en minoría, se aboga resueltamente por la autonomía y la libertad en la dirección de los destinos propios. Esta fue la actitud de los que patrocinaban los derechos de los Estados en América, de los que apoyaban el sentido localista en Alemania, de los nacionalistas irlandeses y de las pequeñas naciones de Europa a la terminación de la gran guerra de 1914. En apoyo de esta posición se puede aducir el argumento de Calhoun, cuando afirmaba el derecho de la voluntad de la comunidad en la terminación autónoma de su estatuto político. Por otra parte, la mayoría puede servirse de las ideas nacionalistas, precisamente como un instrumento inapelable para absorber, asimilar o subordinar a la minoría, con vistas a la unidad común. Stahl, en Alemania, y Mulford, en América, aseguran que los esfuerzos de un grupo en minoría, dentro del Estado, vinculados en la pretensión de conquistar su reconocimiento político, representan una violación del orden natural y moral. Piensan, además, que la población que vive dentro de un área geográfica perfectamente definida, con unidad étnica, está predispuesta, de manera providencial, para constituir un Estado; y justifica las determinaciones de los Estados en pro de la unidad interna ,aun en contra de los deseos de una parte considerable de la población."

Bastantes tratadistas de Derecho político niegan que exista una relación esencial entre la nacionalidad y la organización política. Para ellos, la nacionalidad es un *estado subjetivo*, un modo de sentir y de pensar, una espiritual condición; mientras la ley y el gobierno se producen en el campo de los actos y de las relaciones exteriores. Y aducen, en pro de su teoría, que Estados multinacionales, como Suiza y los Estados Unidos, disfrutan de mayor libertad que aquellos otros en que se perfila una marcada unidad nacional.

V. BLUTSCHLI: *Teoría del Estado.* Traducción cast. Madrid, s. a.—RENÁN, E.: *Qu'est-ce qu'une nation?* París, 1882.—BENEYTO, J.: *Historia de las doctrinas políticas.* Madrid, Aguilar, 1952.—BARNÉS, E.: *Nationalism.* En la "Encyclopedia Americana". 1919.—BEER, L.: *Nationalism.* En la "Political Quarterly", VIII, 13-26, septiembre 1916. GOOCH, G. P.: *Nationalism.* Nueva York, 1920.—ROSE, J. H.: *Nationality in modern history.* Nueva York, 1916.

NACIONALSINDICALISMO (V. Falangismo)

NACIONALSOCIALISMO (V. Nazismo)

NARRACIÓN

La narración estaba considerada por los antiguos retóricos como una de las partes esenciales del discurso, y se colocaba entre la proposición o división del tema y la confirmación.

Narración, en general, es toda relación de hechos reales o fabulosos. La narración puede ser *histórica*—cuando se refiere a hechos verdaderos—y *poética*—cuando cuenta hechos imaginarios o hechos reales expuestos con adornos y galas poéticas o en forma alegórica.

Narración *oratoria* es la parte del discurso en que se refieren los hechos necesarios para la inteligencia del asunto y la consecución del fin que se propone el orador.

La narración debe ser clara, precisa, verosímil e interesante. No excluye los adornos, pero admite solamente los que son compatibles con la brevedad y claridad.

La narración afecta a casi todos los géneros literarios, pero en especial a la *oratoria,* a la *poesía épica,* al *género epistolar,* a la *novela,* a la *poesía dramática* y al *género histórico.* En este último la narración entra como *elemento integrante,* puesto que la misión primordial del historiador consiste en *contar* con *brevedad, claridad, interés* y *verosimilitud* los hechos acaecidos. (V. *Epica, Novela, Historia, Epistolar, Género, Teatro, Oratoria...*)

NARRAGANSETT (Lengua)

Lengua de la América del Norte, de la familia algonquina, que fue hablada en tiempos pasados por numerosos pueblos, entre los cuales era el más importante el de los narragansetts, y que hoy ha caído en desuso.

V. WILLIAMS, Roger: *A Key to the language of America.*—LUDEWIG, H. E.: *The Literature of American aboriginal languages.*

NATIVISMO

Teoría epistemológica, o criteriología, que interpreta las formas del pensamiento como innatas, constitucionales e independientes de la experiencia. (V. *Innatismo.)*

La forma más clásica del nativismo es la de Platón, quien afirma que las ideas—modelos arquetipos de las cosas sensibles—preexisten a las cosas y no quedan afectadas por la mutabilidad inherente al mundo sensible; que cada cosa reproduce imperfectamente, como copia infiel al modelo, su idea; que el alma no puede conocer por medio de los sentidos del cuerpo la realidad suprasensible de las ideas.

Aun cuando el nativismo fue combatido por Aristóteles, sobrevivió en las corrientes del pensamiento medieval y refloreció en la gnoseología cartesiana y leibniziana.

Según Descartes, la idea de Dios es un concepto sembrado por Dios en nuestra razón, es una idea innata. Además de la idea de Dios, son innatas, para Descartes, las ideas de los principios fundamentales lógicos, el concepto de sustancia y causa, de extensión y de número.

Para Leibniz, todas las ideas son innatas no ya en el sentido psicológico, sino hasta en un sentido metafísico; las ideas proceden de la actividad interna, de la *vis repraesentativa* de la mente.

El nativismo dejó de tener importancia al surgir el *empirismo* (V.) y el *sensismo* (V.).

NATURAL (Lo)

Lo natural no es simplemente una de las más preciosas calidades del estilo; es también, en la invención de los temas, de los caracteres y de las cosas a desarrollar en la composición, una de las primeras leyes de la obra literaria o artística. Es la correspondencia exacta de las ideas y de los sentimietnos con la realidad, pues da palabras para representar esos sentimientos y esas ideas.

Lo natural es una cualidad esencial en todos los géneros; es la verdad de la expresión, de las imágenes, de los sentimientos, mas una verdad perfecta, que parece haberle salido al escritor o al artista de lo más hondo de sí, con una absoluta facilidad, sin el menor esfuerzo, ajena a la más ligera afectación.

No debe creerse que lo natural es una cualidad de juventud. Todo lo contrario. Lo natural precisa del ejercicio del pensamiento, como el cuerpo del ejercicio material. Cuando se empieza a escribir, como cuando se empieza la esgrima, la equitación, la danza, todo es esfuerzo, nervio, *antinaturalidad*. Lo natural fluye únicamente del *ánimo sereno* y ya ejercitadísimo en el arte. Así, el gran Horacio lo dice en su *Epístola a los pisones* (240-242):

> *... Ut sibi quivis*
> *speret idem, sudet multum frustraque laboret,*
> *ausus idem.*

> Cuando encuentro un estilo natural—escribió Pascal—, en el que todo es sencillo y nada arrebatado, me doy cuenta de que, además de a un escritor, me he encontrado a un hombre.

Sin embargo, los escritores no renuncian tan fácilmente a los adornos superfluos, a los excesos de colorido, a las ideas recargadas, a las imágenes brillantes, a las comparaciones enfáticas, a las antítesis...

NATURALIDAD

Calidad de la elocución, que permite que expresemos nuestras ideas y nuestros sentimientos sin necesidad de ningún esfuerzo ni estudio. Dice Navarro Ledesma: "Cuando los pensamientos surgen espontáneamente o brotan de la idea o de los hechos que forman el fondo, trabándose y engranándose sin esfuerzo alguno unos con otros, y comunicándose mutuamente sus valores respectivos para formar el todo o conjunto de la obra, es cuando la *naturalidad* resplandece en ellos y se muestra en el asentimiento que todos, sin querer ni pensarlo, damos al escritor, creyendo que nosotros no hubiéramos pensado ni escrito la obra de manera distinta. La *naturalidad* contiene en sí todas las demás calidades del pensamiento; sin ella no hay pensamiento verdadero, ni claro, ni oportuno, ni sólido, ni profundo, ni nuevo. Gracias a ella, el escritor puede hablar y expresarse, no como se han expresado este o aquel maestro, sino como la misma Naturaleza hace que se expresen los hombres; gracias a ella, el escritor es hombre antes que nada, y esto es lo mejor, lo más artístico y lo más recomendable."

No debe confundirse la *naturalidad* con la *facilidad,* aun cuando se haya hablado mucho de la *difícil facilidad* de escribir con *naturalidad;* porque un escritor puede escribir *fácilmente* en su ya rebuscado y barroco estilo, siendo en él *natural* la *falta de naturalidad.*

Se oponen a la naturalidad: la *afectación,* la *exageración* y la *hinchazón* (V.). Y nosotros añadimos: la *oscuridad* y el *énfasis.*

Montaigne, como resumiendo cuanto afecta a la naturalidad, escribió: *Si j'étais du métier, je naturaliserait l'art autant comme ils naturalisent la nature.*

Generalmente, los más grandes escritores de todas las épocas y de todas las lenguas han sido los más *naturales.* Homero, Sófocles, Esquilo, Aristófanes, Anacreonte, Dante, el Arcipreste de Hita, Cervantes, Shakespeare...

NATURALISMO

"Movimiento espiritual", el naturalismo es tan viejo como el mundo. Todas las tendencias artísticas y literarias del hombre, salvo muy contadas excepciones—también antiquísimas y reiteradas de época en época—, han pretendido la *reproducción de la Naturaleza.* Sino que, en ocasiones, el literato, el artista, obcecado por su temperamento o por su idealismo, ha alterado, ha desfigurado, ha transformado *las sensaciones* naturales *que había captado.* La Naturaleza ha servido de "punto de apoyo" a todos los movimientos literarios; sino que estos se han servido de ella de muy diversos modos, ya para copiarla servilmente, ya para tomarla como modelo y en seguida abandonarla, entregándose a la imaginación, ya para ridiculizarla.

Han imitado a la Naturaleza, la han copiado, lo mismo el clasicismo que el neoclasicismo, el naturalismo que el idealismo. El primero intentó *mejorarla;* el segundo la reprodujo con una impasible fidelidad, tan aguda a lo más como a lo menos; el idealismo tomó de ella algunos de sus elementos para, combinándolos en torno *a una idea,* alcanzar algo *fuera de la Naturaleza;* el naturalismo copió lo externo, pero también intentó llegar a la *almendrilla* de lo natural.

El naturalismo, como "movimiento literario" —enraizado en "su movimiento espiritual"—es una "exageración" del siglo XIX.

Para gran parte de la crítica, el naturalismo es una consecuencia del realismo insatisfecho. El realismo no atiende, no estima sino cuanto alcanza con los sentidos. Para él, la Naturaleza es una expresión. Cuando los realistas comprendieron que la Naturaleza tenía un secreto misterio, una *cara interna,* una impresión, dieron vida al naturalismo y se hicieron naturalistas. Al referirse a la Naturaleza toda, tanto la interna como la externa, la visible como la invisible, el literato, el artista, presenta *una doctrina.* Al valerse de la Naturaleza como una forma de reacción, y aun de revolución, el artista, el literato, origina *una escuela.*

Extraña paradoja: el naturalismo, como el romanticismo, es una protesta violenta contra las reglas, los preceptos y las imposiciones de la tradición clásica; patentiza el espíritu de libertad que lo anima. Y, sin embargo, mientras el romanticismo se apoyaba para su ataque en una espiritualidad desaforada, el naturalismo "enarboló la misma bandera que el clasicismo: la imitación de la Naturaleza".

La idealidad para el romántico es *deshumanizar lo natural;* para el naturalista, la emoción de *dar forma a la realidad captada por el derecho y por el revés.*

Las reglas infalibles del naturalista son: reproducir fielmente la realidad, bella o no bella; expresar con originalidad la emoción que en nosotros produce acertar a poner palabras en la representación mental que de lo natural tenemos; gozar no solo por el objeto reproducido, sino por el acierto de su reproducción.

La primera obra donde el realismo se mostró inconforme con la sola Naturaleza externa acaso haya sido la *Introducción al estudio de la Medicina experimental,* de Claudio Bernard. Comentando este libro originalísimo y audaz, Emilio Zola—que pasa por ser "el padre del naturalismo literario"—, en unos estudios reunidos con el título de *La novela experimental,* admitió que la obra de Bernard era el "manifiesto del naturalismo", en el que trataba de sustituir la palabra *médico* por la de *escritor.*

La *experimentación* y el *determinismo* son los goznes sobre los que gira el movimiento espiritual y literario que comentamos.

Y Emilia Pardo Bazán lo sintetiza así: "Someter el pensamiento y el amor a las mismas leyes que determinan la caída de la piedra; considerar exclusivamente las influencias físicoquímicas, prescindiendo hasta de la espontaneidad individual, es lo que se propone el naturalismo y lo que Zola llama en otro pasaje de sus obras *mostrar y poner de realce la bestia humana.* Por lógica consecuencia, el naturalismo se obliga a no respirar sino del lado de la materia..." Exacto. La fiebre del amor tiene para el naturalista un cuadro de síntomas y de evolución y de crisis igual al de unas fiebres tifoideas. Sujetar el arte a las reglas del método experimental será el triunfo máximo del naturalista. Por ello, lo feo, lo repelente, es lo que *tienta más* para hacerlo *obra artística.*

1. Naturalismo literario.—El naturalismo prendió rápidamente por toda Europa. Pero fue Francia el país donde primero enraizó, floreció y fruteció con abundancia.

Conviene advertir que el naturalismo literario no afectó sino a todos los géneros de la *prosa,* salvándose la *poesía* de esta tendencia tan en pugna con la exquistez y con el idealismo.

a) *El naturalismo francés.*—Fue determinista en su carácter y experimental en su método. Balzac representó el paso del romanticismo a la primera etapa del objetivismo o del realismo; la etapa naturalista se vincula desde Flaubert a Zola y su escuela. Flaubert, determinista ya, y con el experimentalismo de su arqueología en los temas—como *Salambó* y *Las tentaciones de San Antonio*—, o de la observación cotidiana—como *Madame Bovary*—, es todavía un gran artista y un estilista que delata, a veces, resabios y resonancias de un romanticismo decadente. La verdadera escuela *naturalista* queda constituida al final del segundo Imperio y bajo las ideas literarias de Taine. En él y en Claudio Bernard se inspiró Zola, para quien la novela "es una experiencia que produce unos hechos de los que se induce una ley determinada y necesaria. Considera su arte como un experimento real, si bien, como dice de su *Rêve,* es una *experiencia científica* llevada a pleno vuelo de imaginación".

El naturalismo llegó a una mecánica de los tipos y de las acciones.

Por la brecha que abrieron en el *romanticismo-realista* Flaubert, los Goncourt y Daudet, pasó Emilio Zola (1840-1902), nacido en París, de ascendencia paterna italiana y griega, el verdadero implantador del más audaz naturalismo francés. Sí, Zola es el "padre de la novela naturalista". Su influencia fue inmensa en todo el mundo. Le combatieron con saña, pero le imitaron con ahínco. Indiscutiblemente, es un novelista de primer orden entre los mejores de cualquier época. Poseyó una fuerza de observación portentosa, una maestría inigualable para narrar, humanidad y patetismos impresionantes. Sus novelas son unas pinturas subyugantes de motivos, de pasiones, de ambientes, de personas... Su afán, implacablemente detallista, llegó a extremos que producen estupor. Para Zola, nada de cuanto existiese—por sucio, bajo, deshonroso que fuese—carecía de importancia. Llevó a sus novelas la llamada "fórmula experimental" de Claudio Bernard. Y si algunas de ellas llegan a producir verdadero horror en quienes las leen, todas ellas contienen valores literarios indiscutibles. Sin ser el novelista más grande del mundo, Zola es el novelista que más ha revolucionado no solo el género novelesco, sino también otras artes ajenas a la literatura.

Zola se propuso escribir con el "ciclo de los *Rougon-Macquart*" la "comedia humana" del segundo Imperio; pero así como la "comedia humana" de Balzac fue más intuitiva que científica, la ciencia más que la intuición proporcionó a los *Rougon-Macquart* su idea dominante, o sea: Taine, la noción del determinismo; Claudio Bernard, la de la práctica experimental; Darwin, la de la herencia. Y, en su conjunto, es la más sólida fundamentación del *naturalismo épico;* épico por su movimiento oratorio; épico por los lugares comunes, los epítetos previstos, la redundancia de palabras, de explicaciones, de claridades; épico por la preponderancia de los conjuntos, de los grupos, de los seres colectivos; épico por la adopción que ha hecho de él una parte evolucionada del pueblo, por la ausencia o la pobreza de los valores de cultura delicada.

La fortune des Rougon, La conquête des Plassans, Son excellence Eugène Rougon, L'assommoir, Nana, Germinal, La terre, Le rêve, La débâcle, Le docteur Pascal... y tantas otras novelas enormemente atractivas son los jalones firmes y fecundos del género.

Desde 1875, algunos escritores jóvenes, Guy de Maupassant, Henry Céard, Huysmans, Hennique, Alexis, que admiraban a Zola, tomaron la costumbre de reunirse en la casa de este—calle de Saint-Georges—o en ciertos figones modestos. Después de una comida en el restaurante Trappe, el día 16 de abril de 1877, se inició la costumbre de hablar de una "escuela naturalista". Y en 1879, luego de vistar la casa que en Médan había comprado Zola, Hennique propuso que cada uno escribiera una novela corta con el obligado tema de la guerra de 1870. La colección de estas seis novelas apareció—1880—con el título de *Les soirées de Médan*. En esta colección, la única novela hondamente patriótica fue la de Zola, *L'attaque du moulin;* las otras cinco fueron casi casi como unos panegíricos de la paz, como unas parodias de la guerra; y la mejor de todas ellas, *Boule de suif,* de Maupassant, acaso la novela corta más perfecta de la literatura francesa.

Los *medanianos* fueron, pues, los legítimos representantes del naturalismo novelesco francés. Guy de Maupassant (1850-1893), bohemio impenitente, el verdadero maestro del cuento, el clásico del cuento, superior a Mérimée por la solidez y la variedad de los seres vivientes, que él amasa con pasta de pintor; superior a Daudet, no solo por la riqueza de la producción, sino por un arte más varonil, más técnico, más directo. Entre sus novelas grandes figuran *Bel Ami* y *Une vie,* una vida de un hombre y una vida de una mujer; y entre las colecciones de sus cuentos: *La maison Tellier, Contes de la Bécasse, Clair de lune, Les soeurs Rondoli, Le horla, Contes du jour et de la nuit*...

Henri Céard (1851-1924), periodista y crítico, autor de *La saignée*—1881—, *Une belle journée* —1881—, *Terrains à vendre du bord de la mer, Mal Eclos*... Paul Alexis (1847-1901), de Aix, autor de *Madame Meuriot*. Léo Hennique (nació 1852), de la Academia Goncourt, autor de *La dévouée*—1878—, *Elisabeth Couronneau* —1879—, *L'accident de M. Hébert*—1883—, *Un caractère*—1889—. Joris Karl Huysmans (1848-1907), de París, que se hizo pronto célebre con sus novelas *Les soeurs Vatard, A rebours, Làbas!, En rade, En route, L'oblat, La cathédrale*.

Una de las últimas muestras del naturalismo puro fue *Autour d'un clocher,* novela de Louis Desprez, muerto en 1885, a los veinticinco años.

El naturalismo francés se descompuso bien pronto. Algunos de los mismos que habían escrito *Les soirées de Médan,* Huysmans, Alexis, abandonaron a su maestro Zola. Y apareció el archifamoso *Manifiesto de los Cinco,* el principal de cuyos firmantes, Paul Margueritte, había sido discípulo apasionado de Zola. También se iniciaron dentro del naturalismo otros famosos novelistas: J.-H. Rosny, Georges Lecomte, Abel Hermant, Marcel Prévost, Pierre Hamp, Paul Adam...

b) *El naturalismo español.*—La "teorizante" del naturalismo novelesco español fue Emilia Pardo Bazán (1851-1921), de La Coruña, novelista eximia y admirable crítico, la cual, en su famosa obra polémica *La cuestión palpitante* —1883—, defendió el naturalismo francés... y el español. Sin embargo, inútilmente se buscará el *naturalismo puro* en ninguna de sus novelas: *Los pazos de Ulloa, La madre Naturaleza, La Tribuna, Insolación, Doña Milagros*...

El naturalismo español novelesco se *inicia* en las novelas de Jacinto Octavio Picón (1851-1923): *Dulce y sabrosa, La hijastra del amor, El enemigo.* Y *cuaja* en *La carnaza,* novela de un escritor de segunda categoría: José Zahonero.

Pero los auténticos novelistas naturalistas españoles son: Eduardo Zamacois (n. 1876), autor de *Consuelo, La enferma, Punto negro, Tick-Nay, Loca de amor;* Felipe Trigo (1864-1916), médico, héroe militar en Filipinas, el más famoso y admirable de los naturalistas, autor de *Las ingenuas, La sed de amar, Las Evas del paraíso, El alma en los labios, La bruta.* Rafael López de Haro (nació en 1876), autor de *Dominadoras, El salto de la novia, La imposible, Floración, Entre todas las mujeres.* Eduardo López Bago (1855-1931), autor de *Los amores, La soltera, Carne de nobles, La señora de López, La prostituta, La buscona*... Alberto Insúa (nació en 1885), autor de *La mujer fácil, El demonio de la voluptuosidad, Las neuróticas, Las flechas del amor.*

Pero es preciso advertir que el naturalismo español tiene muy poco que ver con el francés. El español es mucho más sano, mucho menos pesimista, mucho más *natural,* mucho menos despreocupado de las reacciones del alma.

c) *El naturalismo literario en otros países europeos.*—Sin poder aludir a *escuelas naturalistas,* como en Francia o en España, en todos los países de Europa cabe señalar ilustres representantes de la tendencia.

Así, en Portugal, Camilo Castello Branco (1826-1890); José María Eça de Queiroz (1846-1900), con *Crime do Padre Amaro, O primo Basilio, O Maias;* Teixeira de Queiroz (1848-1919), autor de *Comedia no campo, Comedia burguesa;* Julio Lorenzo Pinto (1842-1907), autor de *Esthética naturalista, Vida atribulada, O senhor deputado, O bastardo.* Abel Botelho (1854-1917), autor de una serie de novelas agrupadas con el título de *Pathología social.*

En Alemania: Hermann Sudermann (1857-1928), con *Die Ehre, Frau Sorge, Sodoms Ende, Heimat, Johannes, Iolanthes Hochzeit;* Gerhardt Hauptman (1862-1946), con *Vor Sonnenaufgang, Ein Familienkatastrophe, Das Friedensfest, Florian Geyer, Michael Kramer;* Heinrich Mann

(1871-1950), autor de *Das Wunderbare, Profesor Unrat, Die Göttinnen, Madame Legros;* Thomas Mann (1875), Premio Nobel 1929, autor de *Buddenbrooks, Tonio Kröger, Tristan, La montaña mágica;* Jakob Wassermann (1873-1934), autor de *Caspar Hauser, Der Moloch, Der Fall Maurizius;* Max Kretzer (n. 1854), con *Depravados, Maestro Timpe, La faz de Cristo;* Frank Wedekin (1864-1918), con *Despertar de primavera, El espíritu de la tierra, Francisca.*

En Inglaterra: Georg Meredith (1828-1909), autor de *El egoísta, Lord Ormont and his Aminta, The amazing marriage;* Thomas Hardy (1840-1928), autor de *Teresa la de Urbervilles, Judas el Oscuro.*

En Italia: Giovanni Verga (1840-1922), autor de *Il marito d'Elena, Pane nero, La lupa, Don Candeloro;* Ada Negri (1870-1945), autora de *Fatalità, Maternità, Tempeste, Esilio;* Gabriele D'Annunzio (1864-1938), autor de *El placer, El triunfo de la muerte, El fuego, Las vírgenes de las rocas;* Grazia Deledda (1875-1936), Premio Nobel 1926, autora de *Fior di Sardegna, La via del male, L'ospite, Le tentazioni, Odio vince...*

En Rusia: F. M. Dostoyevski (1821-1881), con *Crimen y castigo, El idiota, Los hermanos Karamazov;* León N. Tolstoi (1828-1910), con *Ana Karenina, La sonata a Kreutzer, Resurrección, Guerra y Paz;* F. M. Reshetnikov (1841-1870); Gleb. J. Uspensky (1840-1899); V. G. Korolenko (1853-1921); A. P. Chéjov (1860-1904), autor de *El tío Vania, Los campesinos, La sala número 6, Historia triste, El obispo;* L. N. Andreyev (1871-1919), autor de *Los siete ahorcados, La risa roja, Judas Iscariote, Sachka Yegulev, La vida de un hombre,E l abismo, Dies irae, Las tinieblas...*

V. Zola, Emile: *Le roman expérimental.* París, 1886.—Brunetiere, Ferdinand: *Le roman naturaliste.* 2.ª ed. 1892.—Deffoux et Zavie: *Le groupe de Médan.* París, 1920.—Taine, H.: *Essais de critique.*—Pardo Bazán, Emilia: *Literatura francesa del siglo XIX: el Naturalismo.* Madrid, 1909.—Lepelletifr, Ed.: *Emile Zola: sa vie, son oeuvre.* París, 1908.—González-Blanco, Andrés: *Historia de la novela en España.* Madrid, 1909.

2. Naturalismo filosófico.—Se ha llamado así al "sistema que consiste en atribuir todas las cosas a la Naturaleza como primer principio". También puede definirse así "la tendencia a concebir y sistematizar la realidad universal bajo el tipo de la naturaleza física".

El naturalismo filosófico se confunde, a veces, con el *materialismo* (V.)—ya que los dos niegan y excluyen lo sobrenatural—; con el *determinismo* (V.)—ya que ambos niegan la acción de Dios como agente exterior al mundo—; con el *panteísmo* (V.)—ya que uno y otro consideran a Dios como un espíritu inmanente en el mundo sensible y totalmente dependiente de la materia—; con el *deísmo* (V.)—pues que, como este, el naturalismo concibe a Dios *como alma del mundo,* pero niega a Dios una intervención particular en el mundo.

Modernamente, muchos filósofos niegan que el naturalismo sea una doctrina científica ni un sistema filosófico. Admiten que resulte una tendencia o una posición especial del espíritu en un punto de vista muy particular, que es el de la Naturaleza. De aquí que, en ocasiones, el naturalismo niegue la existencia de Dios, o niegue únicamente la acción de Dios como agente exterior al mundo, o venga a parar en un puro materialismo al negar la existencia del espíritu.

El naturalismo es una tendencia o un sistema antiquísimo que afirmó siempre que el universo sensible debe contener en sí la razón de su existencia y de todos los fenómenos que en él se dan. Por ello, el naturalismo buscó siempre las últimas leyes y los últimos elementos del ser material para lograr por su medio darse cabal noción del desarrollo del mundo.

Naturalistas fueron Epicuro, Diógenes y Lucrecio. Y modernamente, La Mettrie, el barón d'Holbach y casi todos los enciclopedistas franceses. Y, en la actualidad, son naturalistas todas las teorías y doctrinas atomistas.

V. Ueberweg, F.: *Grundriss der Geschichte der Philosophie.* Tres tomos. 1862, 1864 y 1866. Foulliée, A.: *Histoire de la Philosophie.*—(V. La bibliografía referente a *Deísmo, Determinismo, Panteísmo, Materialismo...*)

NATURISMO

N

Doctrina religiosa y filosófica que se funda en el culto y adoración de la Naturaleza. (V. *Panteísmo.)*

No debe confundirse el naturismo con el *naturalismo* (V.)—sistema de filosofía atea—, ni con la religión natural—que establece las verdades acerca de Dios y de las relaciones del hombre con Dios basadas "en la sola luz natural".

La Naturaleza—con sus diversidades, fuerzas y fenómenos—arrebató la primera admiración del hombre. Y los hombres primitivos hicieron un dios de cada uno de los fenómenos y aspectos de la Naturaleza. Así, Indra fue la lluvia; y Agni, el fuego; y Mitra, el cielo diurno; y Siva, la tempestad implacable y destructora; y Apolo, la serenidad del ambiente y la suma de rumores agradables; y Neptuno, el mar...

Para los estoicos, el Universo fue un animal de considerables dimensiones; las almas de los dioses, las de los genios y las de los hombres fueron emanaciones del fluido primitivo; todo estaba subordinado a las leyes de la fatalidad; porque Dios o el fluido primitivo inteligente no podía obrar sino conforme a la Naturaleza; por ello, las almas emanadas del alma universal obedecían a leyes fatales dentro de la esfera de su propia actividad; y, perecederas por naturaleza, se desvanecían al entrar de nuevo en el alma universal. El mundo mismo formado por el fuego terminaría en un incendio general.

El naturismo ha quedado anegado en el panteísmo.

NAZISMO

Nombre vulgar dado a la doctrina política y económica, a la técnica del golpe de Estado y a la táctica de Gobierno del Partido Nacionalsocialista Alemán, cuya influencia en el mundo actual ha sido enorme.

El nazismo, designación del movimiento llamado oficialmente *Partido Nacionalsocialista Obrero Alemán* (N. S. D. P. A.), tuvo su cuna en la Hofbraühaus, cervecería de Munich, en 1920, y tuvo su gran artífice, impulsador, definidor, jefe supremo indiscutible, en el austríaco Adolfo Hitler; pero sus antecedentes hay que buscarlos antes, a raíz de la derrota alemana de 1918. La guerra perdida trajo para este país males sin cuento: desilusión y amargura para todos los alemanes, manifestaciones furibundas antimilitaristas, brotes violentos de comunismo, indisciplina en todas las manifestaciones de la vida pública, propagandas subversivas de distintos extremismos, hambre en las clases más humildes, carestía... Para contrarrestar la indisciplina de los cuarteles, algunos jefes y oficiales de la guarnición de Munich decidieron dar conferencias a los soldados con intención de devolverles la fe. Entonces apareció Hitler; porque Hitler fue uno de los conferenciantes, el más entusiasta, el más convincente.

Adolfo Hitler no era alemán. Nació—1889—en Braunau-am-Inn, pueblecito de Austria próximo a la frontera bávara. El propio Hitler, en su obra *Mein Kampf (Mi lucha)*, escribe: "Una feliz predestinación me hizo nacer precisamente en una población de la frontera de estos dos Estados alemanes (se refiere a Baviera y Austria), cuya fusión me parece el objetivo esencial de mi vida." El nombre de su pueblo natal lo dio a la *Braun Haus*, la Casa parda de Munich, donde radicaba su estado mayor, así como a los *Braune Hemden* o Camisas pardas, por el color de la que distinguía a sus adeptos.

Su padre fue aduanero en Passau y en Lambach. De niño estudió en una escuela gratuita de Benedictinos. A los dieciséis años quedó huérfano de padre y, dos años después, de madre. Vivió en Viena, donde no consiguió ser admitido en la Academia de Bellas Artes. Ejerció oficios pesados y mal retribuidos. Vendió por las calles acuarelas y dibujos, obras suyas. En 1912 marchó a Munich, atraído por su ambiente artístico. Al declararse la guerra de 1914, sentó plaza en un regimiento bávaro, haciéndose notar bien pronto por su bravura. En 1915 resultó herido de tal gravedad, que tardó un año en volver a las fronteras. En 1918 cayó víctima de los gases asfixiantes en Ypres, y a punto estuvo de quedar ciego. Terminada la guerra—y perdida—, sin recursos, siguió viviendo en el cuartel y fue encargado de instruir reclutas y de hacer informaciones por cuenta de la oficina de la Reichswehr. Pero una obsesión única le movía: el engrandecimento de Alemania unida a Austria. Se pasaba los días escribiendo libros y artículos y frecuentando las cervecerías donde se discutía de temas políticos. Dio algunas conferencias, en las que atacó con igual saña a los judíos, a las izquierdas y a los Habsburgos.

En enero de 1919, para hacer una información secreta, tuvo que relacionarse con un partido político fundado en Munich por Antón Drexler, y cuyo título era *Partido Obrero Alemán*. En realidad, este partido no era sino la Junta directiva—*de un posible partido*—formada por seis individuos. Hitler fue el séptimo. El teorizante del grupo era el ingeniero Gottfried Feder. Meses después el partido sumó 700 afiliados. Y Hitler, transformado en el orador y en el animador del grupo, cambió el nombre de su partido, al que bautizó con el más rimbombante de *Partido Obrero Alemán Nacionalsocialista*. El primer periódico de este flamante partido fue el *Völkischer Beobachter*.

En 1920, el *Partido Obrero Alemán Nacionalsocialista* contaba con más de 20.000 afilados. Y celebró una asamblea, durante la cual Hitler hizo aprobar un *programa* de 25 puntos:

1. Reunión de todos los alemanes en un solo Estado.
2. Abolición de los Tratados de Versalles y de Saint-Germain.
3. Recuperación de las colonias.
4. Creación de una comunidad nacional, de la cual solo podría ser miembro quien tuviera sangre alemana.
5. Negación de los derechos políticos a los judíos, que serían tratados como extranjeros y expulsados de Alemania los llegados a ella después de 1914.
6. Formación de una clase media sana con igualdad de derechos y deberes.
7. Garantía de trabajo y subsistencia a todo ciudadano.
8. Emancipación de la esclavitud de los intereses.
9. Abolición de rentas no procedentes del trabajo.
10. Confiscación de los beneficos de guerra.
11. Nacionalización de las grandes empresas.
12. Municipalización de los grandes almacenes en provecho de los pequeños comerciantes.
13. Apoyo a las pequeñas industrias.
14. Reforma agraria, con expropiación del suelo en benefico del interés general.
15. Sustitución por un Derecho germánico del Derecho romano individual y materialista.
16. Reforma de la instrucción, que se pondría al alcance de todos los alemanes.
17. Difusión del deporte.
18. Seguro de vejez, de maternidad, de trabajo, de enfermedad.
19. Eliminación de la literatura y del arte disolventes.

20. Creación de una Prensa alemana, con exclusión de los judíos.
21. Libertad de todas las comunidades cristianas mientras no lesionasen los derechos del Estado y las costumbres germánicas.
22. Formación de un fuerte poder central del Reich.
23. Subordinación del individuo a los intereses de la comunidad.
24. Lucha contra el parlamentarismo.
25. Creación de una Cámara de Estamentos.

Entonces adoptó Hitler los colores blanco y rojo para su bandera, sirviendo de fondo a la cruz gamada o svástica. "El *rojo*—explicó Hitler—representa nuestras aspiraciones sociales; el *blanco,* la idea nacional, y la cruz gamada, la misión de combate de la raza aria."

En muy pocos meses se agruparon alrededor de Hitler, atraídos por los ideales nacionalistas de su programa, periodistas—como Rosenberg, Eckart, Esser—, ex oficiales del ejército—como Goering y Röhm—, estudiantes—como Hess y Goebbels.

En 1923, Hitler se unió con Ludendorff y se pronunció contra el Gobierno de Berlín para restaurar el poder en Baviera y proclamar el *Reinado del pueblo alemán.* Al día siguiente—9 de noviembre—los manifestantes fueron ametrallados por la Polícia, teniendo veinte muertos y cuatrocientos heridos. Hitler, herido, fue detenido y condenado a cinco años de reclusión en la fortaleza de Landsberg. Durante su prisión, ayudado por Hess—magnífico escritor y extraordinariamente culto—, Hitler empezó a escribr *Mein Kampf (Mi lucha),* que es la Biblia del Nacionalsocialismo. Fue amnistiado el 20 de noviembre de 1924. Desde esta fecha hasta 1930, el nazismo se convirtió en un movimiento de grandes masas, cuyas juventudes fueron organizadas militarmente. Eran continuas sus luchas contra el comunismo. Las predicaciones de Hitler y de sus amigos giraban, entonces, en torno al lema: "Un solo pueblo, un solo *Reich* y un solo *Führer.*" Para garantizar la propaganda nacionalsocialista, Hitler fundó los grupos de asalto (las S. S.), que tenían por misión defender las reuniones y las manifestaciones del partido y atacar o estorbar las de los enemigos. En las elecciones de 1928 obtuvo el nazismo 800.000 votos, doce puestos en el Reichstag, seis en la Dieta y nueve en la de Baviera. Hitler tuvo el acierto, entonces, de inscribir en su programa la lucha contra el paro forzoso, decisión que atrajo hacia su partido a más de 3.000.000 de obreros desilusionados de las doctrinas extremistas. Goebbels fundó el *Angriff,* periódico de vanguardia. Y Schirach, con su Liga de estudiantes, convertía las Universidades y Escuelas Politécnicas en ubérrimos campos para la propaganda nacionalsocialista. En 1929 ya existían asociaciones nazis nutridísimas de abogados, de ingenieros, de médicos, de maestros, etc. Y hasta las mujeres proclamaron la aceptación de la parte antifeminista del programa nazi que les imponía la vuelta al hogar.

En las elecciones de septiembre de 1930, el nazismo consiguió 6.500.000 votos y sacó 107 diputados. Hitler fue nombrado consejero del Gobierno de Brunswick, con lo cual obtuvo definitivamente la ciudadanía alemana. En 1932, Hitler presentó su candidatura a la presidencia de la República, siendo derrotado por el mariscal Hindenburg; pero las elecciones del mismo año le dieron 230 diputados. Hindenburg tuvo que nombrarle canciller, formando Gobierno el 30 de enero de 1933. Disolvió el Reichstag, y en las inmediatas elecciones ganó la mayoría parlamentaria. En julio de 1934, Hitler *liquidó* brutalmente—y personalmente—una escisión peligrosa en el nazismo. Súbitamente fueron detenidos y fusilados 77 jerarcas del movimiento, entre ellos Röhm, colaborador de Hitler desde los primeros tiempos, que era ministro; Ernst, jefe de las tropas de Asalto de Berlín; el ex canciller Schleicher, su esposa y algunas personalidades ilustres del Centro católico. Hitler justificó las ejecuciones acusando a los muertos "de complot que ponía en peligro la existencia del nazismo", y, a varios de ellos, de costumbres depravadas.

A la muerte de Hindenburg—2 de agosto de 1934—, Hitler asumió su sucesión como *Canciller* y *Führer,* a la vez, del Reich. El nazismo había triunfado rotundamente. Desde entonces gobernó con mano terrible al pueblo alemán, imponiéndole sus consignas. Justo es reconocer que el nazismo encumbró a Alemania a cimas que jamás pudo escalar antes. Entre 1934 y 1944, decir Alemania equivalía a nombrar la potencia más fuerte y temible de Europa; y decir nazismo significaba aludir al Partido más homogéneo, disciplinado, duro y fecundo en ideales patrióticos. Explotando los derechos de las llamadas *minorías alemanas,* residuos en otras naciones, el nazismo se fue infiltrando poderosamente en Austria, en Checoslovaquia, en Hungría, naciones a las que acabó por absorber, logrando por fin la unión tan deseada de la *Gran Alemania,* centralizada en Europa, con más de 100.000.000 de habitantes galvanizados en la creencia de una superioridad indiscutible de raza, de cultura, de organización, de fuerza sobre las demás naciones del mundo.

"El nacionalsocialismo fue instaurado en Alemania en 1933, y se explica por tres razones: Tiene un fondo nacionalista como el fascismo, pero descuella en él el elemento social. Se ofrece así como una crítica del sistema marxista, una recusación del régimen de partidos y una exaltación de los elementos patrióticos y productivos, frente al capitalismo y el comunismo. Llevado al terreno de las formas, este ideario dota al Estado de poderes político y militar con fuerza efectiva y recogiendo una población racialmente cerrada. El nacionalsocialismo se opone al parlamentarismo y quiere renovar instituciones germánicas plebiscitarias y caudillistas donde la aclamación de una comunidad de combatientes sustituya a las votaciones de los Parlamentos." (J. BENEYTO.)

Naturalmente, el ideario del nazismo no nació espontáneamente en la mente de Hitler y de sus colaboradores. El nacionalsocialismo, como doctrina política, tuvo sus precursores y sus definidores.

Entre los primeros cuentan los exaltadores de una patria alemana "en situación de privilegio": Stefan George, Arthur Moeller, Treitschke, C. Schmitt... y hasta Nietzsche con sus exaltaciones bélicas y con sus idealismos supurados de violencia. Pero, *políticamente,* el nazismo ha sido teorizado por C. Schmitt, con su construcción trimembre: Estado, Movimiento y Pueblo, en cuya unidad reside la del Estado, fundido en tres series distintas, cada una de las cuales puede ser considerada como la totalidad. *Prácticamente,* el nazismo tiene la totalidad de sus raíces en *Mein Kampf,* de Hitler, hombre de una sobriedad espartana, de enorme capacidad de trabajo, de indiscutible gran talento, formidable orador, energía maravillosa, capaz de las mayores locuras si con ellas creía servir su *ideal.* Hitler quedó convertido en el jefe único e indiscutible, en el ídolo de la Gran Alemania. Sus decisiones eran acatadas como las de un dios. Y era él quien proclamaba las directrices del nazismo ante el Reichstag o en las grandes conmemoraciones del 9 de noviembre—aniversario *del golpe de Munich,* en 1923—y de 30 de enero—aniversario *de la conquista del Poder,* en 1933—. Pero Hitler *no fue todo* en el nazismo. El nazismo tuvo otros grandes constructores en el conde de Reventlow, fundador de una religión alemana anticristiana; en Rosenberg, adalid del antisemitismo y del paganismo alemán; en Ley, organizador sutil de la organización laboral; en Schirach, director extraordinario de las Organizaciones Juveniles; en Goebbels, escritor magnífico y polemista excepcional, inspirador de una propaganda tan sugestiva como eficaz...

Cree, quien escribe estas líneas, que aún es pronto para juzgar con posibilidades de acierto el Movimiento alemán nacionalsocialista, vulgarmente llamado nazismo. Por una parte, se le ve levantar a Alemania a cumbres no alcanzadas en los tiempos actuales por niguna otra nación europea. Por otro lado, se le ve llevar a Alemania, en ciego instinto de feroz orgullo, a una guerra espantosa, de la que ha salido derrotada, dividida, sojuzgada indefinidamente por sus vencedores. Si el nazismo impulsó la ciencia y la mecánica a consecuciones admirables, relegó el arte y la literatura—el derecho "a pensar"—a un estado lamentable de pobreza y de servidumbre. El fenómeno-nazismo ha de empezar, desde ahora, a ser examinado con atención y sereno espíritu crítico.

V. SCHMITT, C.: *Die Diktatur von den Anfaengen des Modernen Souveranitaetsgedankes bis zum proletarischen Klassenkampf* Munich, 1921. SCHMITT, C.: *Staat, Bewegung. Volk.* Hamburgo, 1933.—BENEYTO, Juan: *Nacionalsocialismo.* Barcelona, 1934.—HITLER, Adolfo: *Mi lucha.* Trad. cast. 1947.

NECROLOGÍA

De νεκρός, muerto, y λόγος, tratado.

Reciben este nombre los estudios o discursos escritos o pronunciados en honor de las personas notables a raíz de su fallecimiento. Pertenecen, por no pocas cualidades, al género biográfico.

Estas producciones literarias, también llamadas *elogios,* corresponden principalmente al *género académico,* ya que es costumbre en todas las Academias que el escritor que llega a ocupar el puesto—o sillón—vacante por la muerte de un académico, en su discurso de recepción haga el *elogio* de su predecesor. Igualmente en todos los *Boletines* o *Revistas* publicados por las Academias, a raíz del óbito de uno de sus miembros, se publica la *necrología* correspondiente.

En todas las literaturas abundan estos *elogios póstumos,* que constituyen una fuente inapreciable de noticias rigurosamente históricas.

La *necrología* tiene otro campo de excelente cosecha en la *oratoria sagrada.* Durante las honras fúnebres celebradas por el alma de personajes destacados, pronúncianse *panegíricos* de mucha trascendencia histórica, y aun literaria.

NEGACIÓN (Retórica) (V. Refutación)

NEGRISMO

Nombre dado a la tendencia de expresar literariamente, artísticamente, los sentimientos, las ideas y las costumbres de los negros. Las canciones, las danzas, los ritmos musicales de los negros invadiendo los países blancos, han logrado la categoría artística y literaria del negrismo.

Ingeniosamente, ha dicho Ramón Gómez de la Serna—en su curioso libro *Ismos*—: "La civilización negra es la más antigua, aunque no esté contenida en libros, pues no ha querido que se corrompa ni que se limite. Toda esa antiquísima experiencia es como una confidencia silenciosa que se transmite a través de sus ídolos y de unas generaciones a otras."

El negrismo inició su auge literario y artístico después de la guerra mundial de 1914-1918. Sin embargo, siglos antes, al iniciarse la esclavitud de los negros, siendo arrancados estos del Africa para ser llevados a distintos países americanos, empezaron a ser conocidos los más sugestivos aspectos de su folklore. El ídolo negro y la danza negra empezaron a producir sus efectos irresistibles hace dos o tres siglos. La poesía lírica, los llamados cantos afroamericanos, alcanzaron ya una gran popularidad, desde principios del siglo XIX, en países distintos: Cuba, Puerto Rico, Santo Domingo, Haití, Luisiana, Florida, Carolina...

"Está naciendo, entre la desorientada angustia del mundo, una nueva y auténtica literatura: la de los negros. Tiene su base en civilizaciones extinguidas y remotas, nacidas y enterradas bajo la pompa misteriosa de los bosques africanos. Sobre todo, la que floreció en Africa ecuatorial por los siglos XIV a XVI. Al desarrollo del arte negro en el mundo le darán impulso y brillo millones de hombres de color que hoy tienen acceso a las Universidades y Escuelas de Bellas Artes más prestigiosas del mundo, de las que salen diariamente escritores, poetas, dramaturgos, actores, músicos, escultores y pintores de fama universal. Humor, dolor, melancolía y vitalidad sensual son las características más acusadas de la literatura negra.

"La poesía negra, tal como hoy la entendemos, es nueva en España y en América. Hace un siglo, los poetas de color trataban de imitar a los blancos, de copiar lo más posible las formas y el pensamiento europeo. De pronto, con el apogeo del llamado "arte negro", con la locura del "jazz" africano, de la pintura negrista, del canto y del son hispanoafroamericano, nació la literatura negra, la poesía negra de España y América." (J. SANZ Y DÍAZ.)

León Frobenius, en el prólogo a su libro el *Decamerón negro,* afirma: "El pueblo de los Sahel, que habita en las estepas, entre el borde del Sahara y la gran selva del Níger, ha sido una raza aristocrática, de usos y de ética feudales. Una ley antiquísima disponía que la sucesión de los señoríos—castillo, aldea, pueblo, tierra—recayese, no en el hijo del señor, sino en el vástago del hermano de la madre. Así, la línea femenina mantenía su preponderancia. Los hijos de las familias nobles veíanse, pues, obligados, una vez terminada su educación principesca y guerrera, a abandonar la corte de sus padres y a buscar lejos las aventuras, la gloria, el amor y la fortuna.

"El caballero andante sale al campo. Va armado con todas sus armas. Le seguía su *diali,* bardo o cantor, que conoce a fondo el *Pui,* la epopeya de las grandes hazañas realizadas por los antepasados. El *diali* lleva colgado del hombro su rabel, con el que acompaña la recitación épica. El *diali* ambiciona presenciar los hechos heroicos de su joven señor y añadir un cantar nuevo a los famosos cantares del *Pui...*"

No cabe dudar de la antigüedad de la poesía y de la música negras. También acerca de los negros se empezó a escribir hace muchos años. El *negrismo*—como humano tipismo—interesó a los más grandes dramaturgos españoles del Siglo de Oro.

Lope de Vega escribió dos obras teatrales tituladas: *El negro de mejor amo, el Antiobo de Cerdeña,* y *El Santo negro Rosambuco, de la ciudad de Palermo*—vida de San Benito de Palermo—. Antonio Mira de Amescua (1570-1640) escribió otra comedia con el mismo título de *El negro de mejor amo.* Juan Bautista Diamante (1625-1687) fue autor de *El negro prodigioso.* Y de *El negrito hablador,* Luis Quiñones de Benavente (¿1589?-1651).

Harriett Beecher Stowe (1811-1892), novelista norteamericana, publicó en 1852 la tan celebrada *Cabaña del tío Tom (Uncle Tom's Cabin),* que fue traducida a todos los idiomas y produjo inmensa sensación por sus tendencias antiesclavistas. Esta obra introdujo en forma amplia el tema negroide en las letras universales.

Pero algo antes, entre 1840 y 1850, empezaron a surgir en Norteamérica poetas de raza negra. En 1841, en la revista *Liberator,* apareció un magnífico poema negro original de Daniel Alejandro Payne. Y a fines del siglo XIX adquirieron justa fama los poetas negros Júpiter Hammon y George Moses Horton.

Y añade Sanz y Díaz: "Pero el origen inmediato, el tono de esta nueva poesía, se encuentra indiscutiblemente en las composiciones de la música moderna. La *rumba,* de auténtico origen hispanoamericano, fue el primero y más grande hallazgo del *son* negro. Y el *son* es, a la vez, música y letra, melodía y poema. Sin distinción de razas, el idioma español acoge estas manifestaciones de un pueblo amparado por su cultura. Le presta su asombrosa ductilidad, su riqueza y su armonía. Sobre él, como sobre una rica tela, el poeta negro borda su poesía con hilos de color, engarza exóticas piedras, centelleantes gemas y gamas del Africa misteriosa y profunda. La desbordante alegría, el secreto temblor, la sensual tristeza, el ritmo congénito de la raza africana, se han revelado en castellano ante la milagrosa fuerza de los poetas negros de Hispanoamérica y de los poetas blancos españoles a quienes inspiró lo entrañable del tema. Dice Ramón Guirao, en el breve prólogo de sus *Cuentos y leyendas negros de Cuba,* que la propaganda abolicionista olvidó recoger, porque no convenía a sus fines inmediatos, lo mejor y más cuajado del alma negra, sus más propios y variables brotes estéticos. Lamenta así la falta de mitos, fábulas, cuentos, invocaciones, cantos y farsas en jerga africanoide.

"Como antecedentes de este florecimiento de las letras negroides, afirma Mauricio Delafosse en su libro sobre *Las civilizaciones negroafricanas,* que, a pesar de que carecen de un lenguaje escrito propio, los negros tienen una literatura oral popular, muy rica y bastante variada, compuesta a base de cantos de guerra, de amor, leyendas cosmogónicas, cuentos y fábulas de animales que alcanzan su origen remoto y desconocido. Esta prehistoria de la literatura negra, si así se le puede llamar al acervo de composiciones africanas que jamás fueron escritas, pues solo cuentan los negros con un dialecto escrito que compuso a principios del siglo actual un reyezuelo ilustrado del Camerún, y, con cierta modificación del alfabeto árabe, se transmite de generación en generación y de país en país. Hasta que un día los indígenas educados en los centros universitarios y culturales de Europa y América las recogen y transcriben en idiomas cultos: español, francés, portugués e inglés, principalmente.

"Parece que los negros son buenos narradores de viva voz, que están dotados de un gran sentido musical y que hubo una floración intelectiva, escrita en árabe adulterado, en el Tombuctú del siglo XVI, que produjo en prosa y en verso obras de Historia, Hagiografía, Teología y Derecho. En Abisinia se encuentran ejemplares de literatura negra escrita en amárico. El inglés Mac Michael señala que los negros *vai* de Liberia y Sierra Leona usan una escritura silábica de su invención; que los *bamún* del Camerún se sirven de un alfabeto ideado en 1900 por Ñoya, rey de Fumban (al que aludimos), y que en las regiones africanas de Korosko y Mahas hay un alfabeto gráfico derivado de cierta lengua oriental. Delafosse confiesa haber recogido en Liberia —entre 1897 y 1899—varios manuscritos en caracteres *vai;* Hérissé, Montei y Cremer hallaron anales negros remotos de escritores sudaneses. Y André Demaison, en su obra *Diato,* recoge innumerables muestras de literatura negra escrita, recogidas en Angola, el Bajo Níger, Ghena, Etiopía, Congo, Sudán, Segú, Tokoror..."

Y ya advierte el gran crítico, poeta y antólogo Emilio Ballagas que en la poesía y en el arte negros se manifiestan dos corrientes bien distintas: una, superficial y colorista; otra, íntima o de esencia. Y Nicolás Guillén, acaso el mejor poeta actual de raza negra, señala en el prólogo de su libro *Sóngoro-Cosongo* "que el negro aporta esencias muy firmes al cóctel de la lírica cubana actual; pero que estas esencias afroantillanas están dichas por negros y mulatos en versos de vieja y robusta estirpe blanca española". Y Juan Marinello hace notar—en uno de los ensayos de su *Poética*—que "al primitivismo delicioso de la selva africana, la palabra española ha entregado sus posibilidades sin condiciones, abiertas de par en par, vencida de antemano al ataque certero de las flechas negras".

Justo es consignar que los más admirables líricos negros contemporáneos han nacido en Puerto Rico, Santo Domingo, Haití, Chile, Norteamérica, Cuba, Venezuela, Méjico, Honduras, Brasil, Argentina...

Entre ellos merecen ser destacados: Casildo G. Thompson (¿1896?-1928), de Buenos Aires, autor de *Canto al Africa.* Luis Gama (1830-¿1885?), brasileño, llamado "el Juvenal del Brasil", denodado abolicionista—fue esclavo en su juventud—, fundador de los periódicos *El Diablo Cojo* y *El Radical Paulitano,* autor de *Primeras trovas burlescas.* Cruz e Souza (1862), del Brasil, hijo de dos esclavos africanos del mariscal Xavier e Souza, autor de *Broqueis.* Renato Maran, del Congo francés, en 1921 obtuvo en París el famoso Premio Goncourt con su novela *Batuala.* Nicolás Guillén (1904), de Camagüey (Cuba), abogado, crítico, gran poeta, autor de *Motivos de son*—1930—, *Sóngoro-Cosongo*—1931—, *West Indies Ltd.*—1936—, *Sones para turistas y cantos para soldados*—1937—. Marcelino Arozarena (1912), de La Habana, Regino Pedroso (1903), de Matanzas (Cuba), de raza negroamarilla, autor de *Nosotros.* Langston Hugues (1902), de Joplin, en el Estado norteamericano de Missouri, autor de *Lánguidas tristezas, Atavíos de lujo para el hebreo y Viejo Sur.* Paul Laurence Dunbar (1872-1906), de Dayton, en el Estado norteamericano de Ohío, autor de *Roble y marfil, Mayores y menores, Lirismos de la vida baja, Lirismos del corazón, El poder de Gedeón, El juego de los dioses.* Carlos McKay (1889), de Jamaica, autor de *Cock-tail negro, La vuelta a Harlem.* Countee Cullen (1903), de Nueva York, bachiller y maestro, autor de *Color, Balada de una muchacha morena, Sol de cobre.* Carrie Williams Clifford, norteamericana, la mejor representante de la intelectualidad negra femenina. Roland Chassagne (¿1903?), de Haití, en 1933 publicó *Le tambourin voilé.* Jacques Roumain (1906), de Haití, fundador y director de *La Revue Indigène.* Oswald Durand (1840-1906) fue llamado "el Mistral de Haití". Luis Pales Matos (1898), de Puerto Rico, lírico de fama mundial, uno de los más excelsos representantes de la escuela poética negra afroantillana, autor de *Azaleas*—1915—y *Tuntún de paso y grifería*—1937.

En España han cultivado los *temas negros* poetas tan ilustres como Evaristo Silió, Manuel Machado, Federico García Lorca, José Méndez Herrera, Alfonso Camín, Rafael Duyós, José María Uncal... Y Alberto Insúa hizo universalmente famosa su novela *El negro que tenía el alma blanca,* llevada al teatro y a la pantalla.

V. SANZ Y DÍAZ, José: *Prólogo* a la antología *Lira negra.* Madrid, Colec. "Crisol", número 21, 1945.—DELAFOSSE, Mauricio: *Las civilizaciones negroafricanas.*—GUIRAO, Ramón: *Cuentos y leyendas negros de Cuba.*—FROBENIUS, León: *Decamerón negro.* Madrid. "Revista de Occidente", 1925.—GÓMEZ DE LA SERNA, Ramón: *Ismos.* Madrid, Biblioteca Nueva, 1931.

NEOBUDISMO

Nombre dado a las modernas tendencias del budismo, en las que han penetrado el materialismo y el racionalismo.

El neobudismo ha sido dividido por algunos comentaristas en *mitigado* y *riguroso.*

El neobudismo mitigado es aquel al que han sido llevadas—absurda amalgama—algunas ideas cristianas y muchos rasgos, caracteres y prácticas del *teosofismo,* del *ocultismo* y del *espiritismo* (V.). Con tales ingredientes, el neobudismo moderado ha conseguido matices y sentidos a cuya atracción no pudieron resistirse inteligencias superiores como Schopenhauer, Hartmann, Nietzsche y Wagner. El neobudismo moderado logró numerosos prosélitos en Francia, Inglaterra, Alemania, Suiza, Austria, los Estados Unidos y el Japón durante el siglo XIX.

El neobudismo riguroso, más radical, rechaza las ideas espiritistas y teosofistas, y rechaza igualmente todos los dogmas, ya que las ideas y las tendencias materialistas y racionalistas mezcladas con él niegan la existencia del alma. El único ideal del neobudismo riguroso es enaltecer la ética del hombre.

NEOCATOLICISMO

1. Nombre dado a la doctrina que intenta introducir en el catolicismo las creencias y las ideas modernas.

El neocatolicismo intenta conciliar el catolicismo con la democracia. El más relevante defensor de esta doctrina fue Buchez.

Felipe Buchez, economista, filósofo e historiador francés, nacido—1796—en Matagne-la-Petite (Namur) y muerto—1865—en Rhodez, después de numerosas y audaces aventuras políticas—fue el fundador del *carbonerismo* francés—, se dedicó a la propaganda religiosa-filosófica, publicando en *L'Européen,* entre 1831 y 1848, sus ideas y abandonando el sansimonismo. Buchez estableció una especie de neocatolicismo llamado *buchesismo,* sistema nebuloso, en el que se combinan malamente ideas católicas, liberales y hasta brahmánicas. Según Buchez, una serie de revelaciones sucesivas explican el progreso de la Humanidad.

2. Pero el neocatolicismo tiene una segunda significación.

En 1870, el Concilio Vaticano declaró el dogma de la infalibilidad pontificia. El doctor Döllinger, acaudillando un grupo de los que se negaron a admitir el dogma, dio a este grupo el nombre de *Viejos Católicos.* Los *Viejos Católicos* llamaron a cuantos habían aceptado las decisiones del Concilio Vaticano el nombre de *neocatólicos.*

Por ello, el neocatolicismo vino a señalar las doctrinas de los que tenían el dogma de fe definido por el Concilio Vaticano.

NEOCLASICISMO

Movimiento espiritual, literario y artístico, dominante en Europa en el siglo XVIII, que aspiró a restaurar el gusto y las normas del clasicismo.

El neoclasicismo fue un café *colado por tercera vez.* Las dos anteriores habían sido el *clasicismo* (V.) y el *renacentismo* (V.). Naturalmente, aun cuando del neoclasicismo pueda afirmarse que *aún es café,* resulta un café con escaso sabor, con tenuísimo aroma, casi nulo para la excitación.

En el siglo XVIII, el *barroquismo* (V.) a todo pasto había llegado a empachar. ¿Cómo liberarse de su enjundia y cómo eludir su trascendencia? La reacción fue inesperada. Ninguna revolución; las revoluciones son las que traen los modos, las maneras y los ideales *nuevos.* El siglo XVIII fue una época pobre de espíritu. Y como no sabía revolucionar, y como quería evolucionar, no encontró otra reacción que el *salto atrás.* Contra la pasión y la acción del barroco, de nuevo el culto clásico de lo formal.

El *humanismo* (V.) tuvo con el clasicismo la fidelidad del idioma: el latín. El neoclasicismo perdió tal fidelidad. Cada neoclasicismo—hubo el alemán, el inglés, el francés, el italiano, el español—tuvo su lenguaje. Unicamente el cultivo de las formas literarias griegas y latinas, el gusto informador y los modelos servilmente imitados hicieron del neoclasicismo... un *café colado por tercera vez.*

Este servilismo de imitación puramente formal tomó, la mayoría de las veces, un carácter tan apriorístico y sistemático que, en lugar de elevar el nivel de la producción literaria, fue reflejándolo hasta el punto de producir, casi siempre, obras desmayadas y frías, *cuerpos bellos sin alma.*

El neoclasicismo fue *ponderación* pedantesca, fraseología puritana y enfática, intento frío de clasificar las acciones, crítica jamás definitiva y siempre dejando libres las apelaciones, un *buen parecer* nada ajeno a las hipocresías, un caminar a pequeños compases de rigodón cortesano, una perpetua sonrisa *estereotipada,* una carencia de afanes y una afición de *estados* elegantes, una rigurosa actitud crítica, una falta absoluta de inventiva, la mueca compuesta mejor que el gesto descompuesto...

Sí, el neoclasicismo pensó mucho en ser forma excelsa en el Museo y expresión correcta en la Academia. Pero jamás en ser vida desvivida en la Vida.

Por ello, el neoclasicismo no tuvo genios, sino ingenios. Careció de ideales y abundó en ideas. No supo reír ni llorar, sino risotear y gimotear. No presentó *originales*—buenos o malos—, sino *copias* bastante perfectas de lo bueno y de lo malo.

Para el neoclasicismo, como para el clasicismo y el renacimiento, no tuvo importancia lo humano en su excelsa realidad, sino lo humano en cuanto pudiera escabullirse de su cálida y atractiva imperfección y aproximarse a una apariencia estática, burladora del tiempo. En el neoclasicismo todo lo vital se desintegró en fórmulas, en recetas, convertidas inflexiblemente en píldoras doradas. Rigidez, frialdad, simetría, imitación, énfasis, crítica edulcorada en el estilo pomposo..., todo esto fue el neoclasicismo. Y ni crear ni creer. Escepticismo, ironía sutil, epicureísmo, medida, corrección.

Los clásicos crearon y amaron *una forma* por ellos hecha canon. Los neoclásicos se contentaron con hacer de esa forma de expresión una *fórmula* de inhibición. Y, como es lógico, por muy grandes que ellos fueran, por muy hermosas que fueran sus obras, aquellos no tuvieron los nombres de coloso de un Homero o de un Horacio; estos carecieron de esa prestancia sugerente que sustituye—aunque malamente—a lo vital, y que tuvieron la *Ilíada* o la *Eneida.*

No pueden señalarse límites exactos al neoclasicismo. No comprende, en modo alguno, el siglo XVIII únicamente. Teniendo en cuenta su aparición en Francia, podrían colocarse sus orígenes al iniciarse el segundo tercio del siglo XVII. El neoclasicismo tiene duración distinta en Francia, Inglaterra, Alemania, Italia y España. En este último país, hacia 1830, *aún colea* un neoclasicismo adulterado por los primeros síntomas del romanticismo. En Francia y Alemania ha periclitado mucho antes.

Si a Italia le cabe la gloria de haber originado el humanismo y el renacimiento, es Francia la primera que reacciona contra el barroco, acaso porque es el país donde el barroco tuvo una vida más efímera y precaria. No me parece ningún dislate afirmar que en Francia el neoclasicismo de Molière y Corneille y el renacentismo de Ronsard y Rabelais podrían *encadenarse* sin necesitar ningún eslabón barroco intermedio.

En pleno siglo XVII dejó Francia en *teoría* (Boileau) y en la *práctica* (tragedia clásica de Racine) un tipo diverso del barroco y que orientó el típico neoclasicismo del siglo siguiente.

1. NEOCLASICISMO LITERARIO.

a) *Neoclasicismo literario francés.*—Aun cuando el segundo período—comprendido entre 1661 y 1714—del llamado *Gran Siglo* pudiera muy bien considerarse dentro de neoclasicismo francés, preferimos excluirlo del movimiento literario para reducir este a los límites del siglo XVIII; siglo que nos servirá de pauta para referirnos a las literaturas de los demás países europeos. Es, pues, necesario que advirtamos que quedan fueran de nuestra referencia autores como Molière, Racine, Boileau, La Fontaine, Bossuet, Fenelón, La Rochefoucauld, La Bruyère, madame de Sévigné, madame de Maintenon, el cardenal De Retz, Luis de Rouvroy, duque de Saint-Simon, Scarron, Madeleine de Scudery, la condesa de La Fayette, Honoré D'Urfe, Cyrano de Bergerac, y algunos más, quienes, en verdad, prepararon el neoclasicismo y aun lo vivieron con ciertas salvedades.

En el triunfo rotundo y fecundo del neoclasicismo francés desempeñaron un papel importantísimo los *salones literarios,* algunos de los cuales—como los de madame de Tencin, de madame de Deffand y de mademoiselle Lespinasse—agruparon sólidamente las tendencias más fuertes y expresivas del movimiento.

Entre los prosistas neoclásicos figuran en primer término:

Bernard Le Bovier, señor de Fontenelle (1657-1757), de Ruán, sobrino de Corneille, miembro de la Academia Francesa y de la Academia de Ciencias, de la que fue secretario perpetuo; autor de *Dialogues des morts*—1683—, *Lettres du chevalier D'Her*—1683—, *Eloges des académiciens*—1708—, *Digression sur les anciens et sur les modernes*—1688—, *Le jugement de Pluton, Histoire du théâtre français jusqu'à Corneille, De l'origine des fables. Entretiens sur la pluralité des Mondes*—1686—, *Reflexions sur la politique, Discours sur l'églogle...*

Pierre Bayle (1647-1706), protestante, profesor de Filosofía de la Universidad de Sedán, fundador de la revista *Nouvelles de la République des Lettres;* su *Dictionnaire historique et critique* le alcanzó una gran fama y fue el modelo de la famosa *Enciclopedia* francesa; obras suyas importantes son: *Commentaire philosophique sur les paroles de Jésus-Christ* y *Réponses aux questions d'un Provincial.*

Charles Louis de Secondat, barón de Montesquieu (1689-1755), de La Brède, cerca de Burdeos, miembro de la Academia Francesa, político, viajero por toda Europa, espíritu profundo y equilibrado, autor de *L'esprit des lois, Lettres persanes*—1721—, *Réflexions sur la monarchie universelle*—1724—, *Considérations sur les causes de la grandeur des romains et de leur décadence* —1734—... Sus ideas y sus ideales informaron los de los principales redactores de la *Enciclopedia.*

François Marie Arouet de Voltaire (1694-1778), de París, gran amigo y consejero del gran Federico II de Prusia, miembro de la Academia Francesa; su fama fue inmensa, y extraordinaria su influencia literaria; es la figura más representativa literariamente del siglo XVIII en Francia; su espíritu rebelde contra toda traba dio la calificación al mundo del *espítiru volteriano.* Escribió novelas, dramas, ensayos, filosofía... Entre sus más célebres obras están: *Œdipe*—1718—, *La Henriade*—1723—, *Zaïre*—1732—, *Zadig*—1733—, *Mérope*—1743—, *Le siècle de Louis XIV*—1751—, *Micromegas*—1752—, *La Pucelle*—1755—, *Candide*—1759—, *Dictionnaire philosophique*—1764—, *L'ingenu*—1767—, *Abrégé de l'histoire universelle, Annales de l'Empire, Commentaire sur Corneille...*

Jean Jacques Rousseau (1712-1778), de Ginebra, descendiente de una familia francesa protestante; desempeñó en su juventud algunos oficios bajos—aprendiz de grabador, lacayo, caballerizo—; viajó por Europa; le protegieron Holbach, madame D'Epinay—de quien fue amante—, David Hume, el príncipe de Conti. Sus ideas influyeron decisivamente en el pensamiento mundial, nutriendo la llamada política liberal. Su única religión fue la Naturaleza, a la que comprendió, amó y exaltó morbosamente. La lengua francesa le debe tesoros de precisión y de elegancia. Su filosofía se redujo a un deísmo naturalista, saturado de escepticismo. Entre sus mejores obras figuran: *La nouvelle Héloïse*—1760—, *Julie* —1761—, *Le contrat social*—1762—, *Emile* —1762—, *Lettres écrites de la montagne*—1764—, *Confessions*—1782—... La *Enciclopedia,* el *gran Diccionario de las ciencias, las artes y los oficios,* apareció—sus dos primeros volúmenes—en 1751. Su mérito literario y científico no es muy grande. En la redacción tomaron parte Voltaire, Montesquieu, Buffon, Guin, Condillac, D'Alembert, Diderot...

Jean Le Rond D'Alembert (1717-1783), de

París, físico, matemático y literato, se hizo famoso con su *Discurso preliminar* a la *Enciclopedia.* Miembro de la Academia Francesa. Como literato fue frío, poco interesante. Escribió: *Misceláneas de filosofía, historia y literatura* —1755—, *Elogios.*

Denis Diderot (1713-1784), de Langres, filósofo de cortos vuelos y literato interesante, enciclopedista, protegido de Catalina II de Rusia y de Federico el *Grande.* Fue, en verdad, el alma y el símbolo de la *Enciclopedia.* Escribió: *Pensées philosophiques*—1743—, *Lettres sur les aveugles, Promenade d'un esceptique*—1747—, *Paradoxe sur le comédien*—1770—, *Jacques le fataliste* —1779—, *La religieuse*—1779—, *Le neveu de Rameau, Le fils naturel, Le père de famille...*

George Louis Leclerc, conde de Buffon (1707-1788), de Montbard, naturalista, historiador y literato; de la Academia Francesa y de la Academia de Ciencias; como literato tuvo un estilo magnífico, riquísimo. Además de su *Historia Natural,* escribió *Discurso sobre el estilo* y *Correspondencia.*

El teatro tuvo sus principales representantes en Chénier, Marivaux y Beaumarchais.

Marie-Joseph Chénier (1764-1811), hermano del poeta André, miembro de la Convención, de los Quinientos y del Tribunado, miembro del Instituto, autor de las tragedias *Charles IX, Tiberio, Henri IV...*

Pierre Carlet de Chamblain de Marivaux (1688-1763), de París, espíritu refinado, exquisito y preciosista; el término *marivaudage* (para designar lo sutil, ingenioso y alambicado) ha quedado como usual en Francia. Fue como el Watteau del teatro, para el que escribió *Arlequin poli par l'amour*—1720—, *Le Jeu de l'amour et du hasard*—1734—, *L'épreuve*—1740—. Escribió también novelas: *Marianne* y *Le Paysan parvenu.*

Pierre Augustin Caron de Beaumarchais (1732-1799), de París, secretario de Luis XV, aventurero en España, duelista impenitente, traficante en negros y en armas, diplomático secreto en Inglaterra, autor de encantadoras e ingeniosas obras teatrales: *Eugénie*—1767—, *Les deus amis* —1770—, *Le barbier de Séville*—1775—, *La folle journée ou le mariage de Figaro*—1783.

En la poesía destacaron: Gilbert, Jean-Baptiste Rousseau, André Chénier, Louis Racine y Claris de Florian.

Nicholas Joseph Gilbert (1751-1780) fue un poeta bohemio y sumamente desgraciado. Hizo famosas sus poesías líricas *El poeta desdichado* y *El Juicio Final* y sus sátiras *El siglo XVIII* y *Mi apología.*

André Chénier (1762-1794) nació en Constantinopla y murió guillotinado en París; de familia noble; secretario de embajada en Londres; ayudó a Malesherbes en la preparación de la defensa de Luis XVI. Sus poesías fueron publicadas, después de su muerte, por su hermano Marie-Joseph. Entre ellas destacan: *La jeune captive, Iambes, La jeune tarentine, Le serment de Jeu de Paume, Hymne aux suisses, Odes.*

Louis Racine (1692-1763), hijo del gran trágico, escribió dos elegantes poemas acerca de *La Religión* y *La Gracia.*

Jean Pierre Claris de Florian (1755-1794) está considerado como el segundo fabulista de Francia, a continuación de La Fontaine.

La novela está representada por Lesage y Saint-Pierre.

Alain René Lesage (1668-1748), de Bretaña, imitó genialmente a los españoles en sus famosísimas novelas *Gil Blas de Santillana* 1715 y 1735—y *El bachiller de Salamanca*—1736—. Otras obras suyas son: *Turcaret*—1709—, *Don César Ursin, Le chevalier de Beauchesne, Théâtre de la Foire*—1721 y 1737.

Jacques Henri Bernardin de Saint-Pierre (1737-1814), ingeniero, viajero por todo el mundo, caballero de mundo, espíritu prerromántico, enamorado sin tregua, escribió *L'Arcadie,* la inmortal novela *Pablo y Virginia, La chaumière indienne*—1790—, *Etudes de la Nature*—1784 a 1791—, *Voyage en Silésie*—1807—, *Essai sur les journaux*—1808—, *Le café de Surate...*

La oratoria tuvo insignes representantes en Vergniaud, Dantón, Robespierre, Abate Maury, Barnave y, sobre todos, en Honoré Gabriel Riquetti, conde de Mirabeau (1749-1791), que llegó a pronunciar en dos años ciento cincuenta discursos, entre los que fueron superiores: *Derecho de paz y de guerra, Sobre la sanción real, Constitución civil del clero.*

La crítica tuvo sus mejores modelos en La Harpe, Marmontel, Chamfort y Rivarol.

Jean François La Harpe (1739-1813), de París, crítico de la gran revista *Mercure,* se hizo famoso por su cultura y por el rigor de su crítica. Escribió: *Cours de littérature*—1799—, *Correspondance littéraire*—1801—, *Mélanges inédits de littérature*—1810.

Jean François Marmontel (1723-1799), miembro de la Academia Francesa, historiógrafo de Francia, polemista excepcional; sus críticas tuvieron una gran influencia en su época. Escribió: *La poétique française*—1763—, *Eléments de littérature*—1787—, *Fables*—1792...

Sébastien Chamfort (1741-1794), miembro de la Academia Francesa, conservador de la Biblioteca Nacional, sus dichos ingeniosísimos fueron recopilados bajo el epígrafe de *Chamfortiana.* Obras: *Elogios, Diccionario de anécdotas dramáticas.*

Antoine Rivaroli, llamado Rivarol (1753-1801), combatió con saña la Revolución y fue combatido con saña por Robespierre, salvando la vida casi milagrosamente. Vivió en Alemania y en Bélgica. Poseyó un estilo tan personal y elegante y puro, que causó celos a Voltaire. Entre sus obras figuran: *Petit almanach des grands hommes*—1788—, *Lettre à la noblesse française* —1792—, *Discours préliminaires à un Diction-*

naire français—1793—, y el gran *Discurso sobre la universalidad de la lengua francesa.*

b) *Neoclasicismo literario inglés.*—Puede quedar señalado entre los años 1660 y 1800; y estuvo influido por los modelos franceses.

En el teatro triunfan los nombres de Dryden, Otway, Southerne, Collier, Congreve, Vanbrugh, Sheridan...

John Dryden (1631-1700), el poeta más importante de su siglo, después de Milton, fue *poeta laureado* del Reino, escribió para el teatro: *Don Sebastián*—1698—, *Amphitryon*—1699—, *Amboyna, Tyrannic Love, Arungzebe.*

Thomas Otway (1652-1685), autor de *Venice preserved*—su mejor obra—, *Don Carlos, Titris and Berenice, The Cheats of Scapin*... Thomas Southerne (1660-1746), irlandés, autor de *The Fatal Marriage, The Loyal Brother, or the Persian Prince*... William Congreve (1670-1729), autor de *Love for love, The Mourning Bride, The Old Bachelor, The Judgement of Paris.* Richard Brinsley, Butler Sheridan (1756-1816), de Dublín, abogado, actor, director de teatros, famoso autor de *The Duenna*—en opinión de Byron, la mejor ópera inglesa—, *The Rivals critic, The School For scandal, Pizarro*...

En la poesía se hicieron famosos, además del ya mencionado Dryden, Butler, Oldham, Pope, Thomson, Young, Macpherson, Percy, Cowper, Burns, Coleridge, Southey y Wordsworth.

Sam Butler (1612-1680) fue un gran satírico en *Hudibras.* John Oldham (1653-1683) se hizo igualmente famoso por sus sátiras, una de las cuales atacaba a la Compañía de Jesús. Alexander Pope (1688-1744), correcto, perspicaz, mordaz, de versificación impecable, traductor de la *Iliada* y de la *Odisea,* promulgó un Código del Parnaso en su *Ensayo sobre el criticismo,* escribió *The Rape of the Lock,* poema heroico-cómico; *Epístolas, Ensayos morales* e imitaciones de Horacio. James Thomson (1700-1784) se hizo célebre con su alegoría imitada de Spencer, *The Castle of Indolence,* y con un poema a las cuatro estaciones del año. Edward Young (1681-1765), doctor en Leyes, sacerdote, capellán de Jorge II, amigo de Voltaire, de Diderot, de madame Staël, escribió: *Force of Religion*—1714—, *The Universal Passion*—1728—, *The Complaint or Night Thoughts on Life, Death and Inmmortality* —1742—, *The Last Day, The Late Queen's Death, Ocean*—1728—, *Resignation, The Instalment.* Macpherson (1736-1796) publicó en 1760 sus *Fragments et Ancient poetry traslated from the Galic or Erse Language,* que completó con las epopeyas *Fingal* y *Temora.* Thomas Percy (1729-1811), obispo de Dromore, publicó también *Reliques of Ancient English Poetry.* William Cowper (1731-1800), de vida aventurera y que acabó loco, logró un gran suceso con su poema descriptivo *The Task.* Robert Burns (1759-1796), escocés, agricultor en su juventud, publicó *Poens chiefly in the Scottish Dialect,* entre los que se hicieron famosos: *Tam o'Shanter, To a Mouse, To a Mountain Daisy, A man's a man for a'that.*

Entre los famosísimos líricos llamados *lakistas*—de lagos—por el fervor con que exaltaron la Naturaleza, figuran: Samuel Taylor Coleridge (1772-1834), cultísimo, gran orador, diplomático, crítico insigne, que murió envenenado por el opio, autor de *Poems, The Friend, Sibyllene Leaves, Aids to Reflection, Literary Remains, Confessions of an inquiring Spirit*... Robert Southey (1774-1843), poeta, historiador, coronado públicamente en 1813, político ilustre, canciller de Hacienda de Irlanda, autor de *Wat Tyler* —tragedia , *Thalaba the destroyer*—poema, 1801—, *Joan of Arc*—poema, 1795—, *The curse of Kehama*—su mejor poema, 1810—, *Carmen triumphale, Colloquies*... William Wordsworth (1770-1850), gran viajero en su juventud, vivió tranquilamente los últimos años de su vida en Rydal-Mount; en 1842 fue consagrado públicamente *poeta laureado;* autor de *Lyrical Ballads with Pastoral and other Poems*—1802 a 1805—, *Sonnets*—1838—, *The Prelude* 1850.

En la narración sobresalen: Defoe, Swift, Arbuthnot, Richardson, Fielding, Walpole Sterne, Goldsmith. Daniel Defoe (1661-1731), de Londres, comerciante y viajero, que alcanzó gran popularidad mundial con *Robinson Crusoe, Captain Singleton, Moll Flan ders, Captain Calton.* Jonatham Swift (1667-1745), de Dublín, aventurero, extravagante, capellán de lord Berkeley, panfletista escandaloso, procesado repetidas veces, poseyó inmenso talento y hiel inagotable que vertió en sus obras *Miscellanies, Gulliver's Travels*—1726—, *Journal to Stella, Cadenus and Vanessa*... John Arbuthnot (1637), médico de Jorge de Dinamarca y de la reina Ana, fundador con Swift, Prior, Gay y Pope de un club o sociedad secreta, mordaz en sus *History of John Bull* y *Memoirs of Martinus Scliberus.* Samuel Richardson (1689-1761), autodidacto, impresor, que a los cincuenta años se hizo célebre con su primera novela *Pamela.* Laurence Sterne (1713-1768), irlandés, cura de Sutton y de Coxwold, tuberculoso y escéptico, vivió algún tiempo en Francia, donde amistó con Crebillon, Diderot y Choiseul; autor de *Tristam Shandy*—1759—, *A Sentimental Journey Through France and Italy* —primor de ingenio, de sentimentalidad y de ironía—, *Letters Grom Jorik to Eliza.* Oliverio Goldsmith (1728-1774), doctor en Medicina, dependiente de farmacia, corrector de imprenta, autor de *El vicario de Wakefield, The Deserted Village, She Stoops to Conquer, History of England, Retaliation, The Traveller*... Henry Fielding (1707-1754), llamado por Walter Scott "padre de la novela inglesa", de existencia aventurera y atormentada, juez de paz de Westminster y de Midlesex; autor de *Love in several* —1728—, *Don Quixote in England, The Wedding Day*—1743—, *History of Joseph Anarews* —1742—, *Tom Jones*—su mejor obra, 1749—, *Amelia*—1752—, *History of Jonathan Wild.*

La prosa y el periodismo estuvieron representados por Richard Steele (1672-1728), autor dramático, editor de la *London Gazette* y autor de *Tatler (El Hablador)*, que aparecía tres veces por semana. Joseph Addison (1672-1719), poeta y ensayista, publicó el *Tatler* con Steele, y en 1711 *The Spectator*, periódico famosísimo que presentaba un cuadro crítico de las costumbres de la época. Samuel Johnson (1709-1784), árbitro de las letras inglesas durante el siglo XVIII, publicó las revistas *The Rambler (El Vagabundo)* y *The Idler (El Ocioso)*, compuso un famoso *Diccionario* de la lengua inglesa, dio numerosas charlas en el *Literary Club* y escribió incontables ensayos en *The Gentleman's Magazine*.

En este siglo contó Inglaterra con tres grandes filósofos: John Locke (1632-1704), autor de *Essay concerning human understanding, Treatise on Government* y *Some thoughts on education*. George Berkeley (1685-1753), doctor en Teología, exaltador del idealismo, autor de *Treatise concerning the Principles of Human Knowledge* —1710—. David Hume (1711-1776), comerciante, historiógrafo, abogado, iniciador del escepticismo, autor de *A treatise of human nature* —1739—, *Essays moral and political*—1741—, *The history of Great Britain*, en siete tomos —1754 a 1763.

Entre los historiadores, además de David Hume, Gilbert Burnet (1643-1715), obispo de Salisbury, autor de una *Historia de mi tiempo*. William Robertson (1721-1793), autor de una historia de América, otra de Escocia—durante los reinados de María y de Jaime VI—y otra del reinado de Carlos I de España. Edward Gibbon (1737-1794), autor de *History of the decline and fald of the Roman Empire*—1782 a 1788.

Oradores famosísimos fueron el conde Chatham y su hijo William Pitt.

c) *El neoclasicismo literario alemán.*—El siglo XVIII coincide en Alemania con su *literatura clásica*, algo así como el siglo XVI (1550)-XVII (1680) para España, o el siglo XVII para Francia. Se inició este clasicismo alemán con dos escuelas literarias: la *sajona*, representada por Gottsched, Schlegel y Weisse, y que seguía el gusto francés, y la *suiza*, representada por Bodmer, que admiraba la literatura inglesa.

J. Christoph Gottsched (1700-1776), profesor de Lógica en Leipzig, polemizó con Bodmer y Breitinger, autor de *Ausführliche Redekunst* —1728—, *Der sterbende Cato*—1732—, *Deutsche Schaubühne*—1740—, *Grundlegung einer deutsche Sprochkunst*—1748—. Johan Elias Schlegel (1718-1749), discípulo predilecto de Gottsched, alcanzó triunfos escénicos con *Hermann*—1741—, *Kanut*—1742—, *Der Triumph der guten Frauen* —1744—. Christian Weisse (1726-1804), uno de los principales mantenedores del teatro alemán con *Die matrone von Ephesus, Edward III, Richard II, Crispus, Mustapha und Zeangir*.

Jean Jacques Bodmer (1698-1783), nacido en Suiza, fundó el semanario *Diskurse der Maler*, tomando como modelo *The Spectator* de Addison; provocó una revolución en la literatura alemana, atacando la imitación de los autores franceses y estimulando el gusto por Shakespeare y Milton; autor de *Noachide*—poema, 1752—, *Die Klage*—1757—, *Zeitpunkte*—1758—, *Poesie des 13 Jahrhunderts*—1748.

La poesía tuvo dos precursores en Albrecht Haller (1708-1777), célebre anatomista, botánico y poeta, autor del famoso poema *Die Alpen* —1729—. Friedrich von Hagedorn (1708-1754), autor de graciosas canciones, fábulas y cuentos, compuso *Versuch einiger Gedichte*—1729—, *Versuch in poetischen Fabeln und Erzählungen* —1738—, *Sammlung neuer Oden und Lieder* —1742—, *Moralische Gedichte*—1750—. Edwald de Kleist (1715-1759), autor del poema descriptivo *Der Frühling*—1749—y de la popular *Ode an die preussischen Armee*—1757.

Y aun cuando no fue propiamente un poeta, conviene mencionar aquí a Johan Joachim Winckelmann (1717-1768), crítico de arte y arqueólogo, cuyo fervor por el arte griego y romano consiguió para la poesía alemana más espléndidos horizontes.

La renovación de la poesía alemana, y su esplendor, la marcó Friedrich Theophilus Klopstock (1724-1803), quien, estudiando Teología en Jena y Leipzig, formó parte del grupo poético cuyo órgano de expresión era el *Bremer Beiträge* y consiguió fama universal con *Ode an Gott* —1748—, *Messias*—1749, uno de los poemas épicos más perfectos y grandiosos—, *Der Tod Adams*—1757—, *Geistliche Lieder*—1758—, *Salomo*—1765—, *David*—1772—, *Lieder*—1776—, *Ode an den Kaiser*—1782—... Klopstock reformó prodigiosamente la lengua alemana, enriqueciéndola para el uso de la poesía.

Aun cuando sus genios abarcaron panoramas más amplios de la poesía lírica, hay que mencionar entre los grandes poetas de esta época a Lessing y a Wieland.

Gotthold Ephraim Lessing (1729-1781), sajón, hijo de un teólogo luterano, estudió lenguas clásicas y Teología, miembro de la Academia de Berlín, enemigo de Voltaire, director de la Biblioteca Real berlinesa, gran poeta, gran crítico, gran filósofo y gran dramaturgo; su influencia literaria fue inmensa. Sus obras pueden quedar divididas en tres grupos: *dramáticas, críticas* y *polémicas*. Entre las primeras sobresalen: *Miss Sara Sampsom, Clarissa, Emilia Galotti, Minna de Barnhelm*. Entre las segundas: el *Laocoonte*, la *Dramaturgia de Hamburgo* y las *Cartas sobre la literatura contemporánea*. Entre las terceras: *los Anti-Goez*—llamados "las *Provinciales*" de Alemania—, *Natán el Sabio* y la *Educación del género humano*.

Christian Martin Wieland (1733-1813), hijo de un pastor protestante, estudió en Tubinga; vivió en Zurich, al lado de Bodmer; su genio surgió en la revista mensual *Der Teutsche Merkur;* ocupó una cátedra en Erfurt; su forma y su influencia fueron inmensas en Alemania, siendo llamado "el Voltaire alemán". Entre sus mejores obras figuran: *Noah*—poema, 1751—, *Lady Johanna Gray*—tragedia, 1758—, *Cyrus*—tragedia, 1759—, *Clementina von Poretta*—tragedia, 1759—, *Don Silvio von Rosalva*—novela, 1764—, *Musarion*—poesías, 1768—, *Die Grazien*—1770—, *Herkules*—drama lírico, 1771—, *Alceste*—drama, 1773—, *Oberon*—1781—, *Geschichte der Abderiten*—1781...

A fines del siglo XVIII surgió en Alemania una escuela llamada *Sturm-und-Drang*, cuyo principal designio fue la *originalidad* o "el genio interpretando libremente la Naturaleza". La escuela rechazó toda imitación extranjera; y sus miembros llamábanse a sí mismos *genios originales*. Entre ellos destacaron: Friedrich Maximilian von Klinger (1752-1831), amigo de Goethe, director y autor de la compañía teatral de Seiler, militar de alta graduación y esposo de una hija natural de Catalina II de Rusia; autor de *Sturm und Drang (Tempestad e inquietud)*, drama que dio su título a la escuela; *Faust Leben; Der Fauts Morgenländer*—1797—; *Die Zwillinge* —drama—. Jakob Michael Reinhold Lenz (1751-1792), discípulo de Kant, amigo de Goethe y Herder, compuso *Die Landplagen*—poema, 1769—, *Die Soldaten*—drama, 1776—. Johan Christian Friedrich Holderlin (1770-1843), gran amigo de Schelling, Hegel y Schiller; en 1806 se volvió loco; aclimató definitivamente los antiguos metros en la literatura alemana, y escribió *Hyperion*—novela, 1799—, *Empedokles*—drama, 1800—, *Lyrische Gedichte*...

Invadieron el campo de la lírica, y el del teatro, y el del ensayo, y el de la novela, dos figuras excepcionales, que pudieran calificarse como de *transición* entre el clasicismo y el romanticismo: Schiller y Goethe.

Johann Christoph Friedrich von Schiller (1759-1805) nació en Marbach y murió en Weimar. Estudió Medicina sin vocación, y fue agregado a un regimiento como cirujano. Profesor de Historia en Jena. Gran amigo de Humboldt y de Goethe. El duque de Weimar le otorgó el título de consejero. Alcanzó éxitos de apoteosis en todos los géneros literarios, y su influencia fue intensa y honda en la Alemania de su época. Entre sus obras escénicas figuran: *Los bandidos, La conjuración de Fiesco, Intriga y amor, Wallenstein, María Estuardo, La doncella de Orleáns, La novia de Mesina, Guillermo Tell, Don Carlos.* Otras obras no teatrales: *Los dioses de Grecia, Educación estética del hombre, Lo sublime, Sublevación de los Países Bajos contra el gobierno de los españoles, Canto de la campana*...

Johann Wolfgang Goethe (1749-1832), nació en Francfort del Main y murió en Weimar; él, la cumbre más alta de la literatura alemana. Tuvo una existencia maravillosa de amores, de triunfos literarios y sociales, de poder político y de influencia. Dominó todos los géneros literarios. Rara paradoja: el espíritu clásico de Goethe le situó en franco antagonismo con el romanticismo iniciado por los hermanos Schlegel, y, sin embargo, los jóvenes románticos siguieron viendo su maestro en el autor de *Werther* y de *Wilhem Meister*. Entre las obras dramáticas más hermosas figuran: *Goetz de Berlichingen, Torcuato Tasso, Ifigenia en Tauride, El amante caprichoso, Los cómplices, Egmont, Fausto.* Otras obras no dramáticas: *Werther, Mignon, Wilhem Meister, Las afinidades electivas, Viaje a Italia, Teoría de los colores, Metamorfosis de las plantas, Elegías romanas, Hermann y Dorotea, Epigramas venecianos*...

Críticos, filósofos y prosistas ejemplares fueron Herder, Kant, Wolf.

Emmanuel Kant (1724-1804), al que no queremos referirnos aquí como filósofo, llevó la prosa alemana a una concisión, a una precisión asombrosas. Johann Gottfried von Herder (1744-1803), de una cultura fenomenal, ejerció una de las mayores influencias en las letras alemanas; estudió Medicina, Filosofía y Teología; predicador y maestro en la escuela de la catedral de Riga; amigo de Goethe y traductor magnífico del *Romancero del Cid.* Entre sus mejores obras figuran: *Ideas sobre la Filosofía de la Historia de la Humanidad, Sobre el origen del lenguaje, Ensayo de una historia de la poesía, Fragmentos acerca de la literatura alemana moderna, Silvas críticas, Del espíritu de la poesía hebraica, Voces de los pueblos.*

Un gran polígrafo fue Johann Paul Friedrich Richter (1763-1825), miembro de la Academia de Munich, doctor en Filosofía por la Universidad de Heidelberg, pensador original—aun cuando algo extravagante—, novelista vigoroso, sugestivo filósofo y prosista elegante. Entre sus obras figuran: *Die unsichtbare Loge, Hesperus, Leben des Quintus Fixlein, Flejeljahre*—novelas—, *Die Vorschule der Aesthetik*—teorías estéticas...

En el período clásico alemán aún cabe hacer mención justa de humoristas como Lichtenberg y Hippel, y de historiadores como Schloezer y Johann von Müller.

d) *El neoclasicismo literario italiano.*—El llamado *Settecento*, en realidad, no abarca un siglo completo. La primera mitad del siglo XVIII, literariamente, está más vinculada al *Seicento*. Y los últimos años de la misma centuria corresponden más bien al Romanticismo. Es decir, el *Settecento* apenas comprende un tiempo de cincuenta años: de 1745 a 1794. Pero estos cincuenta años marcan el *resurgimiento* de la literatura italiana, desligándola de influencias francesas, españolas e inglesas.

En el teatro, sirviendo de lazo de unión entre la *commedia dell'arte* y la producción goldoniana, aparecen los nombres de Metastasio, Gigli y Nelli.

Pietro Metastasio (1698-1782), cuyo verdadero nombre fue Pietro Trapassi, ajustando el teatro a los gustos del público, creó el drama heroicomusical, con *Catón en Utica, Temístocles, Attilio Regulo* y cien obras más.

Carlo Goldoni (1707-1793), de Venecia, doctor en Derecho, cónsul, actor, director de compañías teatrales, de original invención, lleno de gracia e ingenio, llamado "el Molière italiano", puso las hondas raíces del teatro italiano con obras inmortales como *Il colosso*—1725—, *Belisario* —1734—, *Don Giovanni Tenorio*—1736—, *Il prodigo*—1739—, *La donna di Garbo*—1742—, *Pamela nubile*—1750—, *La Locandiera*—1753—, *Gli innamorati*—1759—, *Pamela maritata, La serva amorosa, La donna volubile...*

La tragedia tuvo su cumbre en Alfieri; pero fueron dignos precursores de este: Jacopo Martelli (1655-1725) y Scipione Maffei (1675-1755).

Vittorio Alfieri (1749-1803), piamontés de noble familia, conde, gran enamorado, verdadero ídolo de sus compatriotas, cultivó la prosa—*De la tiranía*—, la lírica—*La Etruria vengada, Misogallo, Sátiras*—; pero su fama e inmortalidad han quedado unidas a sus tragedias: *Antígona, Agamenón, Orestes, Octavio, Bruto, Virginia, Abel, Saúl.*

La poesía lírica tuvo su principal representante en Giuseppe Parini (1729-1799), nacido en Bolonia, de noble familia, profesor de Elocuencia y redactor de la *Gazeta* oficial de Milán, compuso: *Il giorno,* poema didáctico en cuatro partes: *Il mattino*—1763—, el *Mezzo giorno* —1765—, *Il vespro*—1801—y *La notte*—1801—; *Odi*—1805—, *Dei principii delle belle lettere...*

La erudición tuvo su mejor representante en Antonio Muratori (1672-1750), archivero y sacerdote, autor de *Rerum italicarum scriptores,* obra en 22 volúmenes, que abarca del año 500 al 1500, fuente inagotable de noticias curiosísimas.

La prosa y la filosofía destacan el nombre de Giambattista Vico (1688-1744), hijo de un librero napolitano, catedrático de Filosofía, autor de un libro excepcional: *Principios de una ciencia nueva en torno a la naturaleza de las naciones.*

Posiblemente, no quedarían totalmente fuera de este período literario nombres como los de los poetas Ippolito Piudemonti (1753-1828), Cesare Arici (1782-1836), Vincenzo Monti (1754-1828); los de los prosistas Carlo Botta (1766-1837), Pietro Colletta (1775-1831), Antonio Cesari (1760-1828), y el del gran poeta y novelista Hugo Foscolo (1776-1871). Pero la crítica moderna ha dictaminado que todos ellos integran el llamado *período napoleónico* (1794-1820).

e) *Neoclasicismo literario español.*—Sí; el siglo XVIII, como todos los siglos, tiene su arte propio y su propia poesía; mejor aún: el siglo XVIII sabe ser artista y sabe ser poeta con una singularidad manifiesta. Pero, como ya advertimos en relación con siglos anteriores, el neoclasicismo, manifestación poética y artística de la centuria aludida, no coincide por completo con los límites estrictos del tiempo histórico. Esta falta de sincronización entre los dos tiempos, el histórico y el literario, ya quedó remarcada con ahínco. Así como el siglo XVII—el barroco—tenía sus raíces en el XVI y sus frondas más secas caedizas—por distanciadas del tronco—penetran en el XVIII, este siglo de neoclasicismo empieza realmente en 1737, cuando Luzán publica su *Poética,* y termina en 1830, al llegar a España —por medio de sus desterrados políticos—los aires románticos que soplaban en vorágine desde Inglaterra a Alemania, habiendo ya cogido en su vértice a una Francia escandalosa para todo.

No podía el neoclasicismo librarse de esa zona de interferencias en que coexisten—y aun conviven—las esencias a punto de evaporarse y las nuevas fórmulas que inician su efectividad. Conviene, por tanto, tener muy en cuenta esas dos fechas, 1737 y 1830, que cierran como un paréntesis el *tiempo artístico* neoclásico. Porque muy entrado el siglo XVIII, en 1718, aún León y Mansilla publica con éxito su *Soledad tercera,* continuación e imitación de las *Soledades* gongorinas; y muy corrida la centuria diecinueve, todavía Quintana y Martínez de la Rosa poetizan con la voluntad puesta en la retórica.

Atendiendo a las consideraciones precedentes, pueden ser reunidos en tres grupos los poetas del siglo XVIII—aparte la consideración de que unos hayan nacido en el XVII y otros hayan muerto en el XIX—. Forman el primero los que aún mantienen *como rescoldos* del barroquismo, aun cuando ya pugnen—tal vez involuntariamente—por moverse en otro ambiente menos enrarecido y decadente. Y entre estos tenemos a Lobo, Alvarez de Toledo, conde de Torrepalma, Porcel, Torres Villarroel, León y Mansilla, Montiano. El segundo grupo lo integran aquellos poetas totalmente desligados del barroquismo y que ya representan la nueva tendencia en su máxima espectacularidad. Son los más importantes Luzán, Nicolás F. de Moratín, Cadalso —en parte—, Iriarte, Samaniego, García de la Huerta, fray Diego González, Hervás, Trigueros, Iglesias de la Casa, Vaca de Guzmán, Jovellanos, Salas, Torner, Meléndez Valdés, Sánchez Barbero y fray Juan Fernández Rojas. En el tercer grupo pueden quedar incluidos *los que promiscuan* con el regusto—ya con heces—neoclásico y con el afán por una revaloración de los siglos precedentes, más del renacentista que del barroco; y sí también con un como azoguillo que ellos sufren y que no saben qué es, pero que ya nosotros sabemos que es el prurito de lo romántico larvado. Entre estos poetas cuentan el conde de Noroña, Leandro F. de Moratín, Cienfuegos, Vargas Ponce, Quintana, Gallego, Arriaza, Reinoso, Lista, Maury, el duque de Frías, Mármol, Martínez de la Rosa, Marchena, Blanco Crespo, Somoza, Solís, José Joaquín de Mora...

Aún cabría hacer una subdivisión en el primer grupo: poetas que permanecen fieles al ideal poético del siglo XVII, aun cuando ya con los síntomas fatales *de una nueva forma,* como León y Mansilla, Porcel, Torrepalma, Villarroel,

Lobo; y poetas cuya fuerza expresiva neoclásica desdibuja aquel ideal poético, como Montiano, Alvarez de Toledo, Luzán.

El primer grupo neoclásico corresponde, aproximadamente, a los reinados de Felipe V y Luis I; el segundo, a los de Fernando VI y Carlos III; el tercero, a los de Carlos IV y Fernado VII. El primer grupo pudiera quedar calificado por su *formación* en la *Academia del Buen Gusto,* presidida por la condesa de Lemos—doña Josefa de Zúñiga y Castro—en su palacio de la calle del Turco. El segundo, por su *concreción* en la *Fonda de San Sebastián.*

No cabe discutir que para que España cayera en el neoclasicismo hubieron de concurrir al hecho varios factores de mucha fuerza: El establecimiento de una monarquía francesa en su territorio. La hegemonía política europea ejercida por Luis XIV. Las frecuentes traducciones de escritores franceses en boga—Voltaire, Corneille, Racine, Lesage, La Fontaine...—. La fundación de algunas instituciones oficiales por influencia francesa, como la Biblioteca Nacional y las Academias. El gusto por los salones eruditos. La carencia de verdaderos genios—como Góngora y Quevedo—que se opusieran a la patentización absoluta de restaurado clasicismo.

En efecto, Felipe V trae al trono de España todas las preocupaciones y los gustos franceses, aún sin traducir, y, por ende, difíciles de adaptación en la vieja piel de toro ibérica. Y más los gustos que las preocupaciones del monarca pasan en seguida a ser los de la Corte. Se habla mucho el francés. Se lee mucho el francés. Parece como si lo francés fuera un nuevo mundo descubierto de pronto y cuando se iba, por ir, caminando a ninguna parte. En 1712 se funda la Biblioteca Nacional, cuyo lote más importante fue traído de Francia por Felipe V. La Real Academia Española nació en 1714, y su primer director, don Juan Manuel Fernández Pacheco, marqués de Villena, fue un afrancesado empedernido. En 1737 nació la Real Academia de la Historia, y fue amamantada por los literatos redactores del *Diario de los Literatos,* "sucursal" del francés *Journal des Savants.* Todo, todo francés. No tuvo Felipe V que intentar españolizarse demasiado. Porque los buenos españoles habían descubierto *el Mediterráneo* al otro lado de los Pirineos. Descubrimiento que simplificaba y explicaba mucho y bien muchas cosas. En España se decidió por consenso unánime de las clases media y alta, y con el visto bueno de la Iglesia, que todo cuanto no viniera de Francia no valía nada, porque no era nada. Así se explica que el teatro de don Ramón de la Cruz, protesta airada contra el afrancesamiento, no tuviera buena acogida sino entre el populacho y la chulanganería; porque era el honrado y sentimental pueblo español el que permanecía fiel a su tradición gloriosa, el que repudiaba los modos y las modas extranjeras, el que, cuando llegara el caso, levantaría la marimorena de un Dos de Mayo, precisamente contra los franceses. Porque lo curioso del caso histórico está en que se llamaba *patriotas* en 1700 a los que seguían las banderas del monarca francés, y *antipatriotas* en 1808 a los que veían con buenos ojos todo lo francés. Claro está que el instinto del pueblo es el que no falla nunca y sentencia en definitiva.

La influencia clasicista francesa queda explicada. ¿Cómo explicar la influencia clasicista italiana, que para Menéndez Pelayo fue superior a la francesa en España? Pensemos en Isabel de Farnesio, segunda esposa de Felipe V, dama muy culta y muy absorbente. Pensemos en que su hijo, el madrileñísimo Carlos III, reinó en Nápoles y se italianizó un tanto. Pensemos en que Luzán, el autor del perfecto manifiesto neoclasicista, se educó en Sicilia y en Nápoles y quedó influido por el pontífice del neoclasicismo italiano, Muratori.

Pensemos en las numerosas traducciones de Alfieri y Goldoni, que circularon por España entusiasmando a los enamorados *de las tres unidades.*

La madurez del neoclasicismo, aprendido un poco de memoria, y sin que la sensibilidad y la imaginación intervengan demasiado, se marca en el año 1737. En este año publica Luzán su *Poética o reglas de la poesía en general y de sus principales especies.* La *Poética* de Luzán es el banderín de enganche del nuevo estilo, es su manifiesto oficial, es su legislación inviolable y hasta le sirve de falsilla. La crítica ha creído siempre que la doctrina de Boileau informó el neoclasicismo preconizado por Luzán en su *Poética;* pero, sin negar la influencia francesa, la nueva crítica, con mejores ojos, ve una inclinación más aguda del preceptista español hacia el neoclasicismo italiano del "doctísimo Ludovico Antonio Muratori", tal vez basándose en que *L'art poétique,* de Boileau, da hoy la impresión de una retórica hueca y muerta, y, sin embargo, las obras de Muratori y de Luzán—más artistas los dos que el francés—encierran recodos de aguda comprensión, fácil de reafirmarse por cualquier poeta de nuestros días.

La *Poética* de Luzán fue un clarinazo de alerta que conmovió a las falanges de los literatos hasta cuadricularlas en una disciplina rigurosa. De la *Poética* de Luzán nos interesa aquí cuanto en ella se refiere a la poesía y a los poetas. ¿Qué era poesía para Luzán? ¿Qué concepto tenía Luzán de los poetas? Para Luzán, poesía es la "imitación de la Naturaleza en lo universal o en lo particular, hecha con versos para utilidad o para deleite de los hombres o para uno y otro juntamente". Para Luzán, el fin de la poesía era el mismo que el de la filosofía moral, sino que expuesto con cierta amenidad y con rigurosa musicalidad concertada. Si la poesía no alecciona, no tiene *razón* de existir, porque la moral es la única *verdad.* Para Luzán, la poesía es un género *imitativo*—jamás creador—, cuyo instrumento es el verso. Pero para Luzán, como para Muratori, con más comprensión que Boileau—que no admitía otros mundos poéticos que el humano y material—, los mundos poéticos eran tres, los dos de Boileau y un tercero, más importante, que es el celestial. En poesía, para Luzán, cabía hablar de Dios y de los ángeles. ¿Qué concepto tenía Luzán de los poetas? Eran seres que debían hacer un sacerdocio de su oportunidad inspiradora y dedicarla *preceptivamente* a la única exaltación de las verdades y de la razón.

La *Poética* de Luzán decidió decisivamente la culminación del nuevo estilo, pese a la opinión de Leandro F. de Moratín, asegurando que "celebrada de los muy pocos que quisieron leerla y se hallaban capaces de conocer su mérito, no fue estimada del vulgo de los escritores, ni produjo por entonces desengaño ni corrección entre los que seguían desatinados la carrera dramática". El neoclasicismo español no quedó extático. Al comerciar ideológicamente con Europa, el neoclasicismo español fue impregnándose de los restantes neoclasicismos europeos, variables con respecto del modelo francés en la temática y en los ritmos. La influencia neoclásica inglesa de Pope y de Young se manifestó en España en la tendencia "a la poesía del nocturno sepulcral". La suiza de Salomón Gessner se manifestó en la sensiblería al concebir la poesía bucólica.

Al imputar al neoclasicismo la afirmación de ser el fin de la poesía el mismo de la filosofía moral y la felonía de *negar el arte en sí*, la crítica literaria lo ha combatido implacablemente. ¿Son todos inconvenientes y negaciones en el neoclasicismo? "El tono característico de la poesía dieciochesca—escribe Díaz-Plaja—ha de ser el entusiasmo *limitado por reglas*. No encontraremos un solo poeta genial en este tiempo; pero esta poesía culta, basada en la tradición, aferrada a un modelo, poesía menor, en suma, es la que salva las esencias de la continuidad cultural, seriamente amenazada por la incomparecencia de los grandes creadores; este auténtico servicio a la civilización lo prestan estos oscuros poetas neoclásicos, que no poseen ni la brillantez de los barrocos ni el fuego los románticos... El siglo XVIII no es un siglo poético, según se repite por ahí; pero es, acaso, la época en que a través del artista puede vislumbrarse la tempestad más formidable que han provocado las más nobles preocupaciones que, a lo largo de la Historia, ha tenido la Humanidad." Magnífica insinuación, muy digna de desarrollarse con la amplitud necesaria.

Conviene señalar un detalle muy significativo: el neoclasicismo español no fue exclusivamente europeo—francés o italiano—, no. Buscó también su gusto y aun su regusto en la savia del más clásico Renacimiento español; porque combatió lo barroco, pero admiró con fervor las escuelas poéticas del Quinientos. Luis José Velázquez reimprimió—1753—las poesías de Francisco de la Torre, atribuyéndoselas, eso sí, a Quevedo. José Nicolás de Azara publicó—1765—las obras de Garcilaso en un texto muy discreto, siendo reimpresas tres veces antes de acabarse el siglo. Gregorio Mayáns dio nuevamente a luz —1761—las un tanto olvidadas poesías de fray Luis de León. Y a Garcilaso, a fray Luis y a Herrera tuvieron como modelos los más grandes poetas del neoclasicismo. No resulta, pues, ningún disparate afirmar cierta continuidad entre el Renacimiento y el neoclásico en España, aun cuando en ambos sea muy visible la influencia extraña de dichos movimientos artísticos y literarios de índole y traza universales.

Finura—de apreciación, de exposición—y *criticismo* son los dos aspectos esenciales del siglo XVIII. Y con ellos cierta afectación de acento, cierto empaque de gesto, mucha frialdad—o cierta pasión contenida—, mucha falta de imaginación, mucha sobra de admiración por lo extranjero. En suma: *escasa simpatía.*

*

En la poesía neoclásica española hay que destacar a los siguientes poetas: Gabriel Alvarez de Toledo (1662-1714), don Eugenio Gerardo Lobo (1679-1750)—*Selva de las Musas* 1717—, José Gerardo de Hervás (1682-1742)—*Sátira contra los malos escritores*—, Diego de Torres y Villarroel (1693-1770), Alfonso Verdugo y Castilla, conde de Torrepalma (1720-¿?)—*Fábula de Alfeo y Aretusa, Acteón y Diana*—, Nicolás Fernández de Moratín (1737-1780)—*La fiesta de toros, Las naves de Cortés, destruidas; Romances*—, José Cadalso (1741-1782)—*Noches lúgubres, Ocios de mi juventud*—, José María Vaca de Guzmán (1750-¿1802?)—*Granada, rendida; Fastos del Cristianismo*—, Tomás de Iriarte (1750-1791)—*Fábulas*—, Félix María de Samaniego (1745-1801) —*Fábulas morales*—, Leando Fernández de Moratín (1760-1828)—*Odas, Sátira acerca de los vicios introducidos en la poesía castellana, A las Musas*—, Gaspar María de Nava, conde de Noroña (1760-1815)—*Omniada, La Quicaida*—, Cristóbal de Beña (¿1777-1833?)—*Fábulas políticas*—, José de Vargas Ponce (1760-1821)—*Proclama de un solterón*—, Juan Bautista de Arriaza (1770-1837)—*Ensayos poéticos, Poesías patrióticas, Poesías líricas*—, fray Diego Tadeo González (1731-1794)—*Poesías*, 1796—, fray Juan Fernández de Rojas (1750-1819), fray Andrés del Corral (1784-1818—*Las exequias de Arión*—, José Iglesias de la Casa (1748-1791)—*La niñez laureada, La Teología, Anacreónticas*—, Gaspar Melchor de Jovellanos (1744-1811)—*Letrillas, romances, idilios, sátiras y letrillas, Juan Pablo* Forner (1754-1797), Juan Meléndez Valdés (1754-1817)—*Poesías*, 1785—, Manuel José Quintana 1772-1857)—*Odas, Didácticas*—, Nicasio Alvarez de Cienfuegos (1764-1809), Francisco Sánchez Barbero (1764-1819)—*A Trafalgar, Retórica y Poética*—, Tomás González Carvajal (1753-1834) *Salmos*—. José Somoza y Muñoz (1781-1852), Manuel María de Arjona (1771-1820)—*Las ruinas*

N

NEOCLASICISMO

de Roma, La diosa del bosque—, José María Blanco y Crespo—*A la noche*—, José Marchena 1768-1821)—*A Cristo crucificado.*

El teatro neoclásico tuvo sus más ilustres representantes en Agustín de Montiano y Luyando (1697-1764)—*Virginia, Ataulfo*—, Vicente García de la Huerta (1734-1787)—*La Raquel,* la mejor tragedia de su siglo—, José Clavijo y Fajardo (1730-1806), Ramón de la Cruz Cano y Olmedilla (1731-1794)—genial sainetero en *El careo de los majos, La maja majada, Las castañeras picadas. El sarao, El fandango del candil, Las tertulias de Madrid, La Petra y la Juana, o La casa de Tócame-Roque, Manolo, El muñuelo, El Rastro por la mañana, La pradera de San Isidro, Los bandos del Avapiés* y cien otras más preciosas—, Juan Ignacio González del Castillo (1763-1800)—sainetero en *La feria del Puerto, El café de Cádiz, La casa de vecindad, Los majos envidiosos, El día de toros en Cádiz*—, Luciano Francisco Comella (1751-1812)—*La familia indigente, El menestral sofocado*—, Cándido María Trigueros (1736-¿1801?)—*El poeta filósofo, Sancho Ortiz de las Roelas*—, Leandro Fernández de Moratín—*El barón, La comedia nueva o El café, El viejo y la niña, La mojigata, El sí de las niñas*—, Dionisio Solís (1774-1834)—gran refundidor del teatro clásico español—, Nicolás Fernández de Moratín—*La petimetra, Lucrecia, Hormesinda, Guzmán el "Bueno"*—, José Cadalso—*Sancho García*—, Tomás de Iriarte—*El señorito mimado, La señorita mal criada*—, Gaspar Melchor de Jovellanos—*El delincuente honrado* y *Munuza* (luego titulada *Pelayo)*—, Manuel José Quintana—*El duque de Viseo, Pelayo.*

En el género novelesco destacaron: José Francisco de Isla (1703-1781)—*Historia del famoso predicador fray Gerundio de Campazas, alias "Zotes"*—, Diego de Rejón y Lucas (m. 1796) *Aventuras de Juan Luis*—, Fernando Gutiérrez de Vargas—en 1778 publicó *Los enredos de un lugar*—, Pedro Montengón y Paret (1745-1826) —*Eusebio.*

En la prosa (didáctica, ensayo, erudición) sobresalieron: Ignacio Luzán Claramunt de Suelves (1702-1754)—*Poética o Reglas de la poesía en general y de sus principales especies*—, fray Benito Jerónimo Feijoo (1676-1764)— *Teatro crítico universal,* en diecinueve tomos, y *Cartas,* en cinco tomos—, fray Martín Sarmiento (1695-1771))—*Memorias para la historia de la poesía y poetas españoles*—, Juan Ferreras (1652-1735)—*Sipnosis histórica cronológica de España*—, Padre Andrés Marcos Burriel (1719-1762), Gregorio Mayáns y Siscar (1699-1781)—*Orígenes de la lengua española, Retórica*—, Padre Enrique Flórez (1692-1773)—*España Sagrada, Clave historial, Las Reinas Católicas*—, Francisco Cerdá y Rico (1739-1800), Juan Bautista Muñoz (1745-¿1803?)—*Historia del Nuevo Mundo*—, Juan Francisco Masdeu (1744-1817)—*Historia crítica de España y de la cultura española*—, Blas Antonio Nasarre (1689-1751), Luis José Velázquez, marqués de Valdeflores (1722-1772—*Ensayo sobre los alfabetos de las letras desconocidas, Anales de la nación española*—, fray Rafael y fray Pedro Rodríguez Mohedano— *Historia literaria de España*—, Javier Lampillas o Llampillas (1731-1810)—*Ensayo histórico apologético de la literatura española contra las opiniones preocupadas de algunos escritos modernos italianos*—, Padre Juan Andrés (1740-1817)—*Del origen, progreso y estado actual de la Literatura, Cartas sobre la música de los árabes*—, Antonio de Capmany Suris y de Montpaláu (1742-1813) —*Memorias históricas sobre la marina, el comercio y artes de Barcelona, Filosofía de la elocuencia, Teatro historicocrítico de la elocuencia castellana*—, Padre Esteban Arteaga (1747-¿ ?) —*Investigaciones filosóficas sobre la belleza ideal, Memorias para servir a la historia de la música española*—, Lorenzo Hervás y Panduro (1735-1809)—*Historia de la vida del hombre, Viaje estático al mundo planetario, Catálogo de las lenguas de las naciones conocidas*—, Pedro Rodríguez de Campomanes (1723-1802) —*Disertaciones sobre el Orden y Caballería de los Templarios*—. Rafael de Floranes (1743-1801)—*El fuero de Sepúlveda, Vida literaria del canciller Ayala, Vida de Galíndez de Carvajal, Apuntes sobre las behetrías.*

V. Sainz de Robles, F. C.: *Los movimientos literarios.* Madrid, Aguilar, 1948.—Sainz de Robles, F. C.: *Diccionario de la Literatura.* Madrid, Aguilar, 1949. Tomo I: *Conceptos y términos literarios.*—Martens, Charles: *Néoclassicisme.* París, 1901.—Valbuena Prat, A.: *Historia de la Literatura española.* Barcelona, 1950, 3.ª edición.

2. Neoclasicismo artístico.

a) *Arquitectura.*—José María Azcárate dice en su *Historia del Arte:* "Múltiples son las causas determinantes de la vuelta a la antigüedad, que se inicia en el segundo tercio del siglo xviii. La influencia de las ideas expuestas por los filósofos de la Ilustración y la Enciclopedia, en contra de las costumbres dominantes en la corte de Luis XV. El renacimiento de la arqueología por los hallazgos de Herculano y Pempeya; la atención que por entonces se prestaba al arte etrusco, reputado como anterior al griego, y que encontró gran difusión en Inglaterra merced a la obra de los hermanos Adam. Los viajes y estudios del arte griego en obras como la de J. Stuart y Revett o en la de David Leroy. Y un nuevo concepto de la estética que proclama las excelencias del arte griego, a cuyas normas debían someterse los artistas, que divulgan Winckelman, Lessing, Mengs, Zoega y Francisco Milizia, entre otros. Créase, en consecuencia, un arte internacional, basado en los modelos de la antigüedad clásica, que persiste durante el primer tercio del siglo xix, y a cuya difusión contribuyó en no poca medida la gloria napoleónica."

En Italia se distinguieron los arquitectos Alessandro Galilei (1691-1731)—fachadas de *San Giovanni dei Fiorentini* y *San Giovanni in Laterano*—, Ferdinando Fuga (1699-1784) *Palazzo Corsini, Palazzo della Consulta,* fachada de *S. Maria Maggiore*—, Giuseppe Piermarini (1734-1808)—*Palazzo Belgioioso y Teatro alla Scala,* en Milán—, Luigi Cagnola (1762-1833)—*Arco de la Paz*—, Carlo Amati (1776-1832)—iglesia de *San Carlos,* inspirada en el *Panteón.*

En Francia: Gondoin y Lepère—*Columna Austerlitz*—, Barthélemy Vignon (1762-1828) —*iglesia de la Magdalena,* la preferida por Napoleón—, Charles Percier (1764-1838) y Pierre-François Fontaine (1762-1853)—*Arco del Carrousel,* en París—, Raymond y Abel Blouet (1795-1853)—*Arco de la Estrella.*

En Alemania: Langhans (1733-1803)—*Puerta de Brandeburgo,* en Berlín—, Thouret (1767-1845)—*Teatro de Weimar*—, Karl Friedrich Schinkel (1771-1841)—*Viejo Museo y Teatro de Berlín* y el *castillo de Babelsberg,* Leo von Klenze (1784-1864)—*Gliptoteca* y *Pinacoteca,* de Munich, y los *Propyleos* y el *Walhalla,* cerca de Ratisbona—, Friedrich von Gärtner (1792-1847).

En Inglaterra: Thomas Harrison—*Castillo de Chester*—, William Imwood (1771-1843)—*Iglesia de San Pancracio,* en Londres—, William Wilkins (1778-1839) *National Gallery,* de Londres—, Decimus Burton (1800-1881)—*Arco de Wellington*—, sir Robert Smirke (1781-1867)—*British Museum*—y John Nash.

En España: Ventura Rodríguez (1717-1785) —*Capilla del Palacio Real, San Marcos,* en Madrid; *Capilla del Pilar,* en Zaragoza; *Iglesia de los Agustinos,* de Valladolid; *fachada de la Catedral de Pamplona, Palacio de Altamira,* en Madrid—; el italiano Francisco Sabatini (1722-1797) —*Puerta de Alcalá, Real Aduana, tumbas de Fernando VI* y *Bárbara de Braganza,* en Madrid—, Juan de Villanueva (1739-1811)—*Casa del Príncipe* y *Casa del Infante,* en el Escorial; *Iglesia del Caballero de Gracia, Observatorio Astronómico, Museo del Prado, Jardín Botánico,* en Madrid—, fray Francisco Cabezas (1709-1773) —autor de la traza de *San Francisco el Grande,* en Madrid—, Juan Soler (1731-1794)—*Lonja de Barcelona*—, Isidro González Velázquez (1765-1829)—*Casita del Labrador,* en Aranjuez—, Antonio López Aguado—*Teatro Real, Puerta de Toledo, Palacio de Villahermosa,* en Madrid.

(V. *Churriguerismo* para la arquitectura y la escultura españolas durante el siglo XVIII.)

b) *Escultura.*—En Italia: el escultor más representativo del neoclasicismo fue Antonio Canova (1757-1822)—*Dédalo e Icaro* (Venecia), *Monumentos de Clemente XIV* (iglesia de los Santos Apóstoles, Roma) y *Clemente XIII* (San Pedro, Roma), *Amor y Psiquis* (Louvre, París), *Venus vencida* (Galería Borghèse), *Carlos III de Borbón* (plaza del Plebiscito, Nápoles), la *Magdalena* (Museo Ermitage, San Petersburgo); el danés Alberto Thorwaldsen (1770-1844), rival de Canova, cuyo arte maduró en Italia—*Monumento a Pío VII* (San Pedro, Roma), *estatua ecuestre de Maximiliano I* (Munich), *Cristo y los doce apóstoles* (Copenhague), estatuas de *Mercurio, Adonis, Marte, Hebe, Cupido* y *Psiquis,* bustos de *Walter Scott* y *Lord Byron*—, el toscano L. Bartolini (1777-1850)—*Caridad* (Pitti. Florencia), *La confianza en Dios* (Museo Poldi-Pazzoli, Milán).

En Francia: Chandet (1763-1810)—*Amor* (Louvre), *Napoleón* (Louvre)—, Chinard (1756-1813) —*Madame Récamier* (Museo de Lyón)—Bossio (1768-1845)—*Ninfa Salmacis* (Louvre)—, Pradier (1792-1852)—*Atlante, Safo* (Louvre) y *Victorias* (sepulcro de Napoleón, en los Inválidos).

En Alemania: Johann Heinrich Dannecker (1758-1841)—*Safo* (Museo de Stuttgart), *Muchacha con un pájaro* (Museo de Francfort), *Ariadna* (Museo Bethmann, Francfort)—, Johann Gottfried Schadow (1764-1850)—*Cuadriga de la Victoria* (Puerta de Brandeburgo, Berlín)—, Frederick Tieck (1776-1851)—escultor del *Gran Teatro* de Berlín—, Daniel Christian Rauch (1777-1857)—*sepulcro de la reina Luisa de Prusia* (Charlottenburgo), *estatua de Federico el Grande* (Unter der Linden, Berlín)—, August Kiss (1802-1865), Johann Schilling—monumento a la *Unidad Alemana* (Niederwald).

En Inglaterra: Thomas Banks (1735-1805) —*tumba de Sir Eyre Coote* (abadía de Westminster, Londres)—, John Flaxman (1755-1826)—*sepulcro de Nelson* (Catedral de San Pedro) y de *Lord Mansfield* (abadía de Westminster)—, Richard Westmacott (1775-1856)—*sepulcros de Pitt y Fox* (Catedral de San Pablo, Londres)—, Francis Chantrey (1782-1841), William Behnes (1794-1864)—*busto del doctor Babington* (Catedral de San Pablo)—, John Gibson (1791-1866)—la *Reina Victoria* (Palacio de Westminster).

En España: Felipe de Castro (1711-1775)—estatuas de piedra que habían de coronar el palacio Real de Madrid—, Luis Salvador Carmona (1709-1767)—*San Sebastián* (iglesia del mismo nombre, en Madrid), *Virgen de las Angustias* (Oratorio del Olivar, Madrid)—, Juan Pascual de Mena (1707-1784)—*fuente de Neptuno* (Madrid)—, Francisco Gutiérrez (1727-1782)—*estatua de la Cibeles* (Madrid)—, Manuel Alvarez (1727-1797)—*fuente de Apolo* (Madrid)—, Roberto Michel (m. 1786), francés—*Virgen del Carmen* (parroquia de San José, Madrid)—, Manuel Tolsá—*estatua ecuestre de Carlos IV* (Méjico).

c) *Pintura.*—En Francia: Jacques-Louis David (1748-1825)—*El juramento de los Horacios, El juramento del Juego de Pelota, Paris y Helena, Madame Récamier* (los cuatro en el Louvre)—, François Gérard (1770-1832)—*Amor y Psiquis, Isabey y su hija* (Louvre)—, Jean Baptiste Regnault (1754-1829) *Tres Gracias* (Louvre)—, Jean-Auguste-Dominique Ingres (1780-1867) —*Apoteosis de Homero, La fuente, Baño turco,*

Odalisca (Louvre)—, Anne-Louis Girodet—*El sueño de Endimión, Entierro de Atila* (Louvre)—. Jean Baron Gros—*Apestados de Jaffa, Napoleón en Eylau* (Louvre).

En Italia: Andrea Appiani (1754-1817)—*Apoteosis de Bonaparte* (Milán)—, Pietro Benvenuti (1769-1844)—frescos del Palacio Pitti (Florencia)—, Francesco Hayez (1791-1882)—*Las Vísperas sicilianas* (Gal. Arte Moderno, Roma) y *El beso* (Gal. Arte Moderno, Milán)—y Vittorio Camuccini.

En Inglaterra: John Constable (1776-1837) —*Arco Iris* (Louvre), *Campo de trigo* y *Quinta en un valle* (National Gallery, Londres)—, J. M. W. Turner (1775-1851)—*Peregrinación de Child-Harold, Fin del Temerario, El golfo de Baics, El naufragio, El sol saliendo de la niebla.*

En Alemania: Cartens (1754-1798), Genelli (1798-1868), Fréderick Johann Overbeck (1789-1869)—*Historia de José* (Museo de Berlín)—, Peter von Cornelius (1783-1867).

En España: Aparte los pintores extranjeros de los reyes Felipe V—Juan Ranc, Luis Miguel Van Loo, Miguel Angel Houasse—, Fernando VI —Santiago Amiconi, Corrado Giacquinto—y Carlos III—Juan Bautista Tiépolo y Antonio Rafael Mengs—, destacaron: Antonio González Ruiz (1720-1785)—*Alegoría del reinado de Fernando VI* (Academia de Bellas Artes, Madrid)—, Andrés de la Calleja (1705-1785), los González Velázquez, Luis (1715-1764), Alejandro (1718-1772), Antonio (1729-1793) y Zacarías (1763-1834), trabajando los tres primeros en las iglesias madrileñas de las Salesas, San Justo, la Encarnación; Luis Meléndez (1716-1780)—maestro en los *bodegones*—, Mariano Maella (1739-1819), Gregorio Ferro (1742-1812)—altar mayor de *San Justo* (Toledo)—, Ramón Bayéu (1746-1793), Francisco Bayéu (1734-1795), José Luxán (1710-1785), Luis Paret y Alcázar—delicadísimo maestro en flores y cuadritos de género—, Antonio Villadomat (1678-1755)—*Vida de San Francisco* (Museo de Barcelona)—, Juan de Espinal (¿?-1783), Joaquín Inza (¿-?), Antonio Carnicero (1748-1814), Agustín Esteve (1753-¿1822?), José Ribelles (1778-1835).

Y... el inmenso, el incomparable Francisco de Goya y Lucientes (1746-1828), llamado el "padre y el genio de la pintura contemporánea", cuya influencia fenomenal en todo el mundo y sobre todas las escuelas *aún perdura;* en algunas de sus mejores obras—las *pinturas negras* de la Quinta del Sordo, Madrid—Goya rompe con toda fórmula para llegar tan lejos como los más avanzados pintores contemporáneos; su sordera, como a Beethoven, le elevó a las más altas esferas de inspiración y de fuerza creadora. Jamás han sido superados sus *Caprichos*—de un humorismo formidable y angustioso—, sus *Grabados* de los *Desastres de la Guerra de la Independencia* o su *Tauromaquia* genial, algunos de sus *Retratos*—*La familia de Carlos IV, Bayéu,* las *Majas,* la *condesa de Chinchón,* la *duquesa de Alba,* el *conde de Fernán Núñez,* el *marqués de San Adrián, La Bella y la Celestina, San Juan de Calasanz...*

V. PIJOÁN, José: *Historia del Arte.* Barcelona, Salvat, 1923.—AZCÁRATE, José María: *Historia del Arte.* Madrid, Epesa, ¿1946?—LAFUENTE, Enrique: *Breve historia de la pintura española.* Madrid, 1936.—GÓMEZ-MORENO, María Elena: *Breve historia de la escultura española.* Madrid, 1935.

NEOCRITICISMO

Doctrinas y sistemas filosóficos inspirados en el *criticismo* (V.) de Kant, cuyo ideal era la unión de dos extremos: el escepticismo teórico y el dogmatismo práctico. El neocriticismo, haciendo caso omiso de la idea de sustancia—nóumeno—de Kant, intenta juntar el apriorismo kantiano y el fenomenismo de Hume.

El neocriticismo—intento de superación del positivismo—está representado, sobre todo, por la escuela de Marburgo, cuyas figuras principales son Hermann Cohen, Paul Natorp y Ernst Cassirer. Pero también son neocriticistas ilustres: Renouvier, Brochard y Milhaud, en Francia; Galluppi, Colecchi, Testa y Credaro, en Italia; Green, Bradley y Bosanquet, en Inglaterra.

Con relación al conocimiento, el neocriticismo realiza una original síntesis: no examina los conocimientos, sino el mismo acto de pensar y establecer—eliminando el *apriorismo*—de una manera *deductiva* las leyes del conocimiento; y prescindiendo de la crítica de las sensaciones y de todo conocimiento *particular,* intenta saber lo que existe de *constante* en todos nuestros actos cognoscitivos. Para el criticismo, pues, solo de *representaciones* cabe hablar. En la representación existen dos aspectos: *representativo*—objeto—y *representado*—sujeto—, los dos inseparables. Todo lo que existe queda reducido a pura representación, y, por ende, es *relativo;* y como lo absoluto es incognoscible, el conocimiento queda reducido "a un principio de relatividad".

Para el criticismo, a excepción del hecho de conciencia en cuanto existe y durante el tiempo que existe, todo es duda; y el criterio de la verdad y el fundamento de la certeza es la *voluntad libre,* admitida libremente.

Para el criticismo, el alma es inmortal; pero su inmortalidad no consiste *en no perecer,* sino en el cambio de sujetos, mejor aún, en el cambio de redes de representaciones en que eternamente ha de estar; es, pues, una metempsicosis extravagante.

Para el criticismo, Dios "es un orden moral que garantiza la inmortalidad de las personas y el acuerdo final entre la dicha y la virtud"; y el mundo es una monadología "en que cada mónada es un ser viviente y cognoscitivo, cuya esencia es ser una relación o representación".

El neocriticismo ha sido una de las más importantes y fecundas orientaciones filosóficas del siglo XIX, tanto por el número de sus seguidores ilustres como por los afanes que exaltó en el comentario y en la interpretación del pensamiento de Kant.

German von Helmholtz (1821-1895) propugnó la necesidad de una investigación filosófica de la Naturaleza y de un esclarecimiento de los conceptos fundamentales de la teoría del conocimiento.

Oton Liebmann (1840-1912), en su obra *Kant y los epigonos,* censuró la labor de los primeros discípulos del genio del criticismo y excitó *una vuelta ortodoxa* a Kant.

Hermann Cohen (1842-1918) se dedicó, con espíritu sutilísimo, a interpretar el pensamiento kantiano puro en sus numerosas obras: *Teoría del conocimiento de Kant, Fundamentación de la Etica de Kant*—1877—, *Fundamentación de la Estética de Kant*—1889—, *Lógica del conocimiento puro*—1902—, *Etica de la voluntad pura* —1904—y *Estética del sentimiento puro*—1912—; para Cohen, la empresa gigantesca de la Filosofía es comprender el sentido y el fin de la cultura humana en sus tres aspectos esenciales: ciencia, derecho y arte.

Federico Alberto Lange (1828-1875), en su *Historia del Materialismo*—1866—, defendió la crítica del conocimiento de Kant, ampliando la teoría de que la materia no es ninguna cosa en sí, sino un concepto de nuestra inteligencia, y, por tanto, que la materia presupone la conciencia que percibe y que conoce.

Discípulos de Cohen, en la escuela de Marburgo, fueron Pablo Natorp (1854-1924), Gualterio Kinkel, Alberto Görland y el catedrático de Hamburgo Ernesto Cassier, quienes intentaron demostrar que la filosofía kantiana entroncaba con grandes filósofos anteriores, sobre todo con Platón.

Guillermo Windelband (1848-1915) y Enrique Rickert (n. 1863) defendieron el idealismo filosófico *apoyándose* en Kant, afirmando que no debía hablarse de objeto, *sino en cuanto objeto para un sujeto,* para una conciencia pensante.

Alberto Ritschl (1822-1889), basándose en la teoría de la personalidad autónoma y del único valor incondicionado de la buena voluntad de Kant, proclamó la separación neta de la ciencia y de la fe, fundamentando esta en la conciencia del valor.

Carlos Renouvier (1815-1903) atacó el determinismo de los positivistas, y con Kant colocó el concepto de libertad en el centro de su filosofía.

Julio Luchelier (1832-1918) declaró que las leyes de la Naturaleza no son extraídas de los hechos, siendo leyes que la inteligencia humana pone en las cosas, leyes del pensamiento, conforme a las cuales ordena las cosas y las somete a las exigencias del ser pensante.

En la escuela de Oxford, Tomás Hill Green (1836-1862), Francisco Herberto Bradley (1846-1925) y Bernardo Bosanquet (1846-1923) orientaron su formación idealista hacia un enlace con las filosofías de Platón, Hegel y Kant.

V. Messer, Aug.: *Historia de la Filosofía.* Madrid, "Rev. de Occidente". Cinco tomos.—Vorlander, K.: *Historia de la Filosofía.* Madrid, Beltrán. Dos tomos. ¿1918?.—Aster, Ernst von: *Historia de la Filosofía.* Barcelona, Labor, 1935.

NEOESCOLASTICISMO

Nombre dado al movimiento renovador de la filosofía escolástica medieval originado en el siglo XIX.

El neoescolasticismo surgió de la encíclica de León XIII *Æterni Patris* y de los impulsos del cardenal Mercier y de los demás profesores de la Escuela de Lovaina (Bélgica), expuestos en la famosísima *Revue Néoscholastique.*

El neoescolasticismo tuvo dos misiones esenciales:

1.ª Oponerse a las filosofías *positivista* y *materialista*—que renuncia a la síntesis ontológica al rechazar el valor científico de la metafísica—y *kantiana* e *idealista.*

2.ª Salvar los principios inmutables del *escolasticismo* (V.), poniéndolos nuevamente en vigencia trascendental.

El neoescolasticismo tuvo eximios precursores durante todo el siglo XIX: en España, Jaime Balmes, Donoso Cortés, fray Ceferino González; en Francia, Luis Veuillot, el célebre dominico Goudin, Du Lac; en Italia, Cayetano Sanseverino, Alfonso Travaglani, Cornoldi, Liberatore, Venturoli... El carácter del neoescolacticismo de esta época es su lema: "No hay ni puede haber oposición entre la Ciencia y la Fe"; lema que ya proclamó—1862—Pío IX en su encíclica *Gravissimas inter.*

Para exaltar y defender el neoescolasticismo, se crearon numerosas Universidades, Sociedades y revistas. Francia tuvo Institutos o Universidades católicas en París, Lila, Lyon, Toulouse, Angers... Bélgica, en Lovaina y en Bruselas; Italia, en Roma, en Florencia, en Milán... En Coblenza (Alemania)—1876—quedó fundada la *Sociedad Científica Goerres*—nombre del famoso historiador y polemista—"para el cultivo de la ciencia y de la fe en la Alemania católica". Otra Sociedad científica fue fundada—1875—en Bruselas, cuya divisa fue: *Nulla unquam inter fidem et rationen vera dissensio esse potest.* En España alcanzaron fama enorme las revistas *Ciencia Cristiana,* fundada—1877—por Ortí y Lara, y *La Ciudad de Dios*—1870—, dirigida por los agustinos.

Otras publicaciones célebres fueron—y son, algunas—: la *Civiltà Cattolica,* romana; *Annales de la Société Scientifique de Bruxelles*—1877—, *La Scienza Italiana*—1876—, de Bolonia; *The Catholic University Bulletin*—1895—, de Washington; *The Catholic Encyclopedia*—1907—, *The Month Catholic Review*—1868—, *Archiv. für Litteratur und Kirchengeschitte des Mitelalters*—1885 a 1900—, *Revue Thomiste*—1893—, *L'Academia Romana di S. Tommaso d'Aquino*

—1881—, *Revue de Sciences Philosophiques et Théologiques*—1907, en Bélgica—, *Bolcseleti Folyoirat*—1890, en Hungría...

Suiza, que ya contaba con una famosísima Universidad Católica en Friburgo, estableció otra en Lucerna, poniendo al frente de ella al célebre Kaufmann, canónigo y profesor de Filosofía.

Y se dio el curiosísimo caso de que en la Universidad protestante de Amsterdam quedó establecida una cátedra de Filosofía de Santo Tomás, desempeñada por el dominico P. Groot.

El neoescolasticismo alcanzó una influencia excepcional en contados años, realizando una labor eficacísima para revalorizar los valores eternos e irrefutables de la Filosofía cristiana aliada con la Teología.

Pero, repetimos, el neoescolasticismo tuvo su vaticano en la Universidad de Lovaina, gracias a la dirección del cardenal Mercier, que supo dar a los estudios filosóficos un giro de indiscutible originalidad. Exigió una adecuada preparación en las ciencias fisicoquímicas y naturales antes de cursar la Cosmología y Psicología; permitió el uso de las lenguas nativas en sustitución del latín; estableció un método expositorio en que se diluía un tanto la rigidez del silogismo; creó los llamados trabajos de *Seminario,* que no eran sino prácticas escritas acerca de los diferentes puntos filosóficos debatidos; y pospuso la lógica a la Psicología.

El neoescolasticismo fue el arma de que se valió Pío X para combatir el *modernismo* (V.), al que había condenado en su encíclica *Pascendi.*

V. Mir, Miguel: *Harmonía entre la ciencia y la fe.* Madrid, 1885, 2.ª ed.—Mercier, Card.: *Cours de philosophie.* Lovaina, 1879-1894. Cuatro tomos.—Mercier, Card.: *Les origines de la psychologie contemporaine.* 1898.—Wulf, M. de: *Introduction à la philosophie Néo-scolastique.* Lovaina, 1904.—Balmes, J.: *Filosofía fundamental.* 1846. Cuatro tomos.—González, Card.: *Estudios sobre la Filosofía de Santo Tomás.* 1864. Menéndez Pelayo, M.: *Ensayos de crítica filosófica.* 1892.—Weddingen, Van: *L'Encyclique de S. S. León XIII et la restauration de la philosophie chrétienne.* 1880.—Arnáiz, M., O. S. A.: *El Instituto Superior de Filosofía en la Universidad de Lovaina.* Madrid, 1901.—Márquez, G., S. I.: *Compendio de Filosofía escolástica.* Madrid, 1915

NEOGONGORISMO

Nombre dado a la tendencia de la lírica española que surgió en 1927, con motivo de la celebración del tercer centenario de la muerte de Góngora.

El neogongorismo pretendió revalorizar el estilo del gran poeta cordobés, creando así un movimiento poético "neoclásico" que se opusiera a la confusión sembrada por los *ismos: dadaísmo* (V.), *creacionismo* (V.), *ultraísmo* (V.).

En 1927, al cumplirse el tercer centenario de la muerte de Góngora, *estalla* una expectación que estaba preñada de asombros. Dámaso Alonso publica las *Soledades* del gran cordobés precedidas de un prólogo lleno de sugestiones. Aparecen también los estudios gongorinos de Alfonso Reyes, de Miguel Artigas, de José María de Cossío, de Gerardo Diego. Para los nuevos poetas, el *espectáculo Góngora* es sencillamente subyugante. Y el *filón Góngora* los convirtió en esforzados buscadores del oro eterno. El ambiente poético español se *gongorizó* cálidamente. Y surgieron a centenares los poetas gongorinos. Era la moda. Y la facilidad. Porque no había sino que respirar. En el neogongorismo militaron durante algún tiempo poetas como Dámaso Alonso, Gerardo Diego, Luis Cernuda, Emilio Prados, Vicente Aleixandre, Rafael Alberti, Manuel Altolaguirre, Quiroga Pla... Aun cuando conviene advertir que el neogongorismo propugnó decididamente *el Góngora con un estrofismo modernizado y aun separado del estrofismo.*

Este movimiento había dejado de tener trascendencia hacia 1931. En esta fecha triunfaba ya el neopopularismo *casi folklórico* y apuntaba el *retorno a Garcilaso.*

NEOGRAFÍA

De νέος, nuevo, y γράφειν, escribir. Es el arte de escribir con una ortografía nueva y contraria a las reglas establecidas.

NEOHEBRAÍSMO

Fue llamada así, desde el siglo XVIII, la restauración de la cultura hebrea con un carácter absolutamente nacionalista, muy distinta a la cultura *rabínica* o *medieval.*

Acaso haya que buscar los precursores del neohebraísmo en la época del Renacimiento; en León de Módena, en Azariah de Rossi (1514-1588). Pero fue Moisés Mendelssohn quien, en la centuria dieciocho, inició la revolución literaria de la que surgiría potente el neohebraísmo. Y fue en el siglo XIX cuando las ideas modernas penetraron en los *ghettos,* haciendo reaccionar a cuantos vivían aún con una mentalidad medieval.

Literariamente, el neohebraísmo tuvo su raíz en la *Haskalah*—escuela creada para la pureza de la lengua y el renacimiento de las letras—, fundada por Naftalí Hartwig Wessely (1725-1805), cuyo órgano literario fue el periódico *Ha-Maasef,* establecido—1785—en Breslau.

El neohebraísmo cuenta con figuras notabilísimas en todos los géneros literarios. Poetas como Abraham Bär Lebensohn; su hijo Micah-Josef; S. D. Luzzatto, Firkowitch, Isaac Bär Lebensohn, Eichenbau, Menahem Mendel Dolitzky, Mardoqueo Zebi, Naftalí Hirz Imber, C. A. Chapira, Salomón Mendelkern, I. L. Peretz, H. N. Byalik, Saúl Tchernikowsky... Novelistas como Abraham

Napu. Satíricos como Abrahamowitsch y J. L. Gordon.

Lo antecedente puede ser como una síntesis del neohebraísmo; pero conviene ahora ampliar algunos de sus extremos.

Moisés Mendelssohn (1729-1786), nacido en Dessau y muerto en Berlín, pensador que experimentó la influencia de Maimónides, Locke y Leibniz, que como israelita sostuvo el judaísmo confesional—sobre todo en su obra *Jerusalem oder über religiöse Macht und J u d e n t u m,* 1783—, que influyó en las ideas de Kant y de Schiller, y estuvo en relación con las figuras más representativas del *Aufklärung,* causó una tremenda conmoción revolucionaria en el mundo israelita, intentando modernizarlo. El momento fue de gran peligro para el hebraísmo, pues pudo quedar destruido a consecuencia de las doctrinas asimiladas de un mundo absolutamente, radicalmente distinto. Afortunadamente, el hebreo—*alma mater* del judaísmo—continuó cultivándose; y la *Wissenschaft des Judenthums*—la ciencia del judaísmo—llegó a fundamentar, a dar corporeidad, a concretar la idea de *nacionalidad,* permitiendo que posteriormente Teodoro Herzl pudiera formular el ideal sionista.

Naftalí Hartwig Wesseley (1725-1805) fundó la *Haskalah,* tendencia o escuela que si literalmente quiere decir *juicio* o *sabiduría,* en neohebraico significa *liberalismo* o *ilustración.* El movimiento *Haskalah* se inició en los últimos veinte años del siglo XVIII. Su *prototipo* fue Mendelssohn; su profeta, Hartwig; sus padrinos, los riquísimos Daniel Itzig y David Friedländers. El movimento se extendió rapidísimamente por Austria, Polonia, Rusia, Suecia, Holanda, Francia... Tuvo una primera revista—1783—, titulada *Ha-Meassef;* y sumó numerosas sociedades de cultura, como la *G e s e ll s c h a f t der Freunde* —1792—y la *Verein für Cultur und Wissenschaft des Judenthums*—creada por los sabios Zunz y Rapoport—. Los partidarios del movimiento se llamaron *maskilim,* y tenían como obligación escribir con gran elegancia y riqueza la lengua hebrea, a la que tradujeron obras de Kant, de Goethe, de Klopstock, de Milton, de Leibniz, de Descartes, de Erasmo.

En Rusia iniciaron el movimiento Mendel Levin de Satanov (1740-1819), amigo y discípulo de Mendelssohn, y Tobías Feder, Manasés Iliyer y Asher Ginzberg.

Con el tiempo, la *Haskalah* llegó a fundirse con el *sionismo* (V.), es decir, con el *nacionalismo judío.*

El neohebraísmo, perfectamente orientado en su interés cultural, histórico y político, ha dado figuras excepcionales a las letras universales. El gran poeta místico Jeiteles (1773-1838), los líricos Abraham Bär Lebenssohn (1794-1880) y su hijo Micah-Josef (1828-1852), dotados de sensibilidad exquisita y de extraordinario refinamiento; S. D. Luzzatto (1800-1865); Eichenbaun; Isaal Bär Lebensohn; Peretz Smolenskin (1842-1885), quien dirigió los periódicos *Ha-Haluz* en la Galitzia y *Ha-Xahar* en Viena; Menahem Mendel Dolitzky (n. 1856-¿?), primer gran poeta que reanudó la tradición de los Siónidas; C. A. Chapira, Salomón Mendelkern, Josef Halevy, uno de los mejores conocedores de la lengua; Naftalí Hirz Imber, que cantó en su *Bankai (El Alba)* los principios de la colonización israelita en Palestina; H. N. Byalik, uno de los más excelsos líricos contemporáneos, autor del poema épico *Meté Midbar (Los muertos del desierto)* y de *Ha-Dabar (La casa);* Saúl Tchenikowski, autor de *Agadot Abib (Cuentos de primavera, Cantos del hombre y Suspiros de la lira.)*

Entre los novelistas figuran Abraham Mapu (1808-1867), autor de una admirable *reconstrucción novelesca* del Israel de los profetas; Abrahamowitsch—*Los padres y los hijos*—; Ben Avigdor—*Menahem ha-Sofer.*

(No nos referimos aquí sino a los autores israelitas que escribieron en hebreo, cooperando así al movimiento literario neohebraísta. Son incontables y admirables los escritores judíos que escribieron y escriben en los idiomas de los respectivos países en que nacieron o han nacido.)

V. SLOUSCH, N.: *La Renaissance de la Littérature Hébraïque.*—JOST: *Neuere Gesch. der Israelitem.* III, 33.—ANÓNIMO: *The Jewish Encyclopedie.* Vol. 6.° Nueva York, 1906. KLAUSNER, S.: *Hebrew Literature in the XIXth Century.* Londres, 1909.

NEOHEGELIANISMO

Doctrinas filosóficas derivadas de Hegel y expuestas a principios del siglo XX. No debe creerse que el neohegelianismo comprende doctrinas que, *arrancando* de Hegel, derivan en sentidos bien distintos. Por el contrario, las doctrinas que forman el neohegelianismo son como *ampliaciones,* como *sugestiones* de cualquiera de los magníficos y jugosos motivos ofrecidos por la filosofía de Hegel. Cada discípulo de Hegel—y todos ellos, exceptuados los epigonos—, luego de estudiar y comprender el sistema íntegro del maestro, quiso detenerse en algún punto particular para dilucidarlo con la máxima precisión.

El neohegelianismo no ha tenido gran influencia en el campo auténticamente filosófico. Se ha dejado sentir más su influjo en la historia de la filosofía—con sus famosas leyes del *devenir* o *por llegar*—, en la historia de las religiones y en la estética.

También el neohegelianismo amplió las tendencias de Hegel en el campo doctrinal de la política, aseverando la fórmula hegeliana, según la cual, la forma política de una comunidad es "lo que asigna al Estado su puesto en la historia de la cultura, porque la forma decide sobre las relaciones entre el individuo, la autoridad del Estado y la unidad de cultura, sobre la cooperación del espíritu subjetivo, objetivo y absoluto."

El neohegelianismo, tributario de las corrientes evolucionistas, dejó bien preparado el camino al *modernismo* (V.) filosófico.

Entre los neohegelianistas más famosos están: en España, Fabié, Pi y Margall, Fernández y González, Contero y Ramírez; fuera de nuestra patria: Lasson, Kern, Heiberg, Monrad, Weber, Spaventa, Möller, Lachelier, Clifford, Cohen, Cousin...

V. MAC TAGGART, J.: *Studies in the hegelian dialectic.* Cambridge, 1896.—STIRLING, J. H.: *The secret of Hegel.* Edimburgo, 1898. GENTILE, J.: *La riforma della dialettica hegeliana,* Mesina, 1913.—MESSER, Aug.: *Historia de la Filosofía.* Madrid, "Rev. de Occidente", 5 tomos.

NEOIMPRESIONISMO

La doctrina filosófica impresionista afirmaba: "Que en la sensación no hay sino la única modificación del sujeto, que confundiéndose con ella la advierte."

El neoimpresionismo llevó aún más allá el cumplimiento de la idea apuntada en el campo de la moral y del arte. El neoimpresionismo rehúsa someterse a la adecuación del principio senciente con el objeto y busca las ocasiones de suscitar las modificaciones subjetivas.

Los neoimpresionistas intentan suscitar las propias imágenes por medio de semejanzas generales o aprensividades vagas; y estas leyes de asociación no son normales ni analizables, ya que se refugian exasperadamente en la vaguedad radical de otras sensaciones apoyadas en el gran sentido último táctil.

El neoimpresionismo pictórico apareció —1886—durante una famosa exposición impresionista, en París. ¿Qué une y qué separa el *impresionismo* (V.) y el neoimpresionismo? Los une el mismo afán de expresar la luz y el color. Pero mientras el impresionismo se vale, para alcanzar su designio, "de lo reflexivo y permanente", el neoimpresiomo se vale exclusivamente "de las tintas puras, separadas, equilibradas y en mezcla óptica según razonado método".

Algo más se propuso el neoimpresionismo pictórico: combinar en cada tela las líneas dominantes y las líneas intermedias—productoras de evocaciones—con el juego policromo—productor de sensaciones—; a la combinación había de preceder, en la imaginación del artista, la *idea total* excitada por la sensibilidad.

Se estima como el iniciador del neoimpresionismo pictórico a Georges Seurat con su cuadro *Un dimanche à la Grande- Jatte.* La vida de Seurat (1859-1891) fue un rosario de hallazgos cromáticos; poseyó una palpitante luminosidad multicolor, y, en efecto, fue él quien primero reaccionó contra el desorden de elementos compositivos de los impresionistas, poniendo en regla la intuitiva yuxtaposición de los tonos simples.

Alrededor de Seurat formaron un grupo importantísimo: Camille Pissarro, Paul Signac, Henri-Edmond Cross, Maximilien Luce, Théo van Rysselberghe...

Justo es consignar que la reacción del neoimpresionismo tomó sus mejores armas de Delacroix, de quien Seurat había sido discípulo, y de las experiencias sobre el color del físico Chevreul.

NEOKANTISMO (V. Neocriticismo)

NEOLATINAS (Lenguas)

Es decir: nuevas lenguas latinas. Este nombre se ha dado a los idiomas derivados del latín bajo la influencia de los idiomas indígenas o al contacto de las lenguas de los invasores del Imperio romano. Comprende esta denominación genérica el *italiano,* el *español,* el *francés,* el *portugués,* el *rumano helvético* o *románico* y el *rumano-valaco* (V.).

Los caracteres distintivos de las lenguas neolatinas—que coexistieron durante muchos siglos con el latín—, comparadas con el latín clásico, son: la existencia del *artículo,* el empleo frecuente de los *verbos auxiliares* para marcar los tiempos pasados de la voz activa, la multiplicidad de las *preposiciones* y una *construcción de frases* de inversión. En una palabra, el latín, que era una lengua sintética, se ha transformado en más y más analítica, en cada una de las lenguas derivadas de ella. Las lengus *neolatinas* forman parte del grupo de las *indoeuropeas.*

V. SCHELEICHER: *Langues de l'Europe moderne.* Trad. del alemán. París. Varias ediciones.—FUCHS, A.: *Die romanischen Sprachen in ihrem verhaeliniss zum Lateinischen.* Halle, 1849.—BOURGOING, J.: *De origine, usu et ratione vulgariun vocum linguae gallicae, italiae et hispanicae.* París, 1583.

NEOLOGÍA

1. Arte de crear palabras nuevas.

2. Uso de voces o palabras nuevas en un idioma. (V. *Neologismo.*)

NEOLOGISMO

De νέος, nuevo, y λογισμός, palabra, significado.

1. Vocablo o giro nuevo en un idioma.

2. También puede llamarse neologismo el usar en una nueva acepción una voz antigua.

Paralelamente a cómo decae y se descompone una lengua, surge pujante un movimiento de transformación y de reparación de la misma. *Arcaísmos* son llamadas las palabras cuyo uso periclita, y *neologismos,* los vocablos que llegan a inyectar nueva savia al idioma. Estos neologismos sustituyen a menudo cumplidamente a los arcaísmos desechados; pero, la mayoría de las veces, sirven para representar *nuevas ideas.*

Naturalmente, con el uso inmoderado de los

neologismos podría llegarse a la *descomposición de un idioma.*

Es preferible que sea el pueblo, con su instinto magnífico, quien cree el neologismo útil para el lenguaje corriente. Y únicamente puede permitirse a los eruditos la utilización del llamado *neologismo técnico.*

Existen *neologismos fonéticos* o de pronunciación, *neologismos ortográficos* y *neologismos retóricos.* (V. *Arcaísmo, Barbarismo, Casticismo, Modernismo.)*

El neologismo tiene dos procedencias: una, la formación espontánea y autóctona del vocablo nuevo, sin precedentes etimológicos, la cual es rarísima; otra, la derivación del mismo de otra lengua, más o menos relacionada con la que admite el neologismo.

"Por cierta cosa hemos de tener—escribe el P. Mir en su *Prontuario de Hispanismo y Barbarismo*—que la novedad en las lenguas no solamente es recomendable por útil, sino también por necesaria. Porque si el vestido se ha de acomodar al cuerpo de la persona para quien se hizo, so pena de quedar muy a peligro de desconcertarse la hechura. Si se ha de ajustar a otra, de igual suerte, a cosas nuevas cumplirá buscarles vocablos nuevos que los distingan de los ya conocidos, siquiera haya necesidad de acudir por ellos a otros idiomas antiguos o extraños. En esta parte, los clásicos castellanos no se andaban con melindres en el admitir vocablos extranjeros, hasta que lograron con ellos tener cabalmente enriquecida la lengua patria, que fue el intento que en usurpar las voces los guió. Mas, una vez colmada la medida de sus esfuerzos, conseguida la fecundidad, ornato y primor de la lengua castellana, el inventar vocablos ha de ser asunto de gran prudencia, guiada por la hidalguía de agudo ingenio."

La esencia del neologismo está en adoptar una voz, giro o frase enteramente nuevos y desconocidos en aquel idioma al cual se los pretende incorporar. Solamente cuando la necesidad lo exija imperiosamente es admisible la aceptación del neologismo. Y acerca de esta consideración se ha escrito atinadísimamente: "Ningún provecho mayor puede considerarse en el fingir nueva frase y vocablo, que en declararse de este modo lo que sin él quedara no entendido, ni mayor conveniencia, después de esta, que una más clara noticia de la cosa, o más viva energía para mover la voluntad, o dulzura mayor para regalar el oído, que todas son causas de cosiderable conveniencia para la invención de frases y vocablos." (Jerónimo de San José: *Genio de la Historia.)*

Felizmente, ante el peligro de los neologismos *porque sí* o *sin porqué,* las lenguas más perfectas tienden a fijarse más y más, a presentar como una coraza contra los vocablos invasores. Unicamente el progreso de las artes, de las industrias, de las ciencias, constantemente en transformación, *obliga* a la admisión de palabras cuya misión es expresar los resultados múltiples de aquel progreso.

V. Müller, Max: *La ciencia del lenguaje.* Madrid, 1908.—Smith, Adam: *Ensayo sobre el origen del lenguaje.* Madrid, 1909.—Hervás y Panduro: *Catálogo de las lenguas.* Roma, 1789.—Hall, Edward: *Science of the language.* Londres, 1902.—Burnouf, E.: *Gramática comparada de las lenguas indoeuropeas.* París, 1890.—Gilly: *La science du langage.* París, 1892.—Mir, P. Juan: *Prontuario de Hispanismo y Barbarismo.* Madrid, 1908.—Cejador, Julio: *Tesoro de la lengua castellana.* Madrid 1908.

NEOLUTERANISMO

Nombre dado a la doctrina luterana que, modificada por las ideas racionalistas de la Revolución francesa, intentó volver a los principios más ortodoxos del luteranismo.

El neoluteranismo se inició en los primeros años del siglo XIX en Alemania y Escandinavia. En su aspecto doctrinal, el neoluteranismo no se apartó demasiado del luteranismo positivo; pero en su aspecto moral y práctico se transformó en una especie de *pietismo* (V.)

El campeón del neoluteranismo fue el filósofo Schleiermacher.

Fiedrich Ernest Daniel Schleiermacher, teólogo protestante, predicador elocuente y sutil filósofo, nació—1768—en Breslau y murió —1834—en Berlín. Desde 1810 fue profesor de Teología de la Universidad berlinesa, y afirmó que la verdadera revelación tiene lugar "en el santuario de la conciencia individual".

Schleiermacher se esforzó por independizar la religión de la metafísica, y abogó por la vuelta decidida a la doctrina de los Santos Padres. Quiso adaptar a los principios dogmáticos del luteranismo el marcado sbjetivismo y el creciente racionalismo de la época, pero siempre subordinándolos a la ética primitiva del luteranismo y confesando la subordinación de la razón a la fe. Para él, el dogmatismo era el principio y el fin de la religión.

El neoluteranismo fue acogido con entusiasmo en Alemania y Escandinavia, colaborando a su éxito los poderes civiles y administrativos. Sin rechazar la razón, se predicó "la vuelta" al flexible dogmatismo protestante. Y se creyó contribuir mejor a dicha vuelta llevando a la práctica con un pietismo que era exponente de la concordancia entre el testimonio interior del alma con el exterior de su historia.

Para muchos críticos, el neoluteranismo se aproximó al catolicismo en puntos "como la transmisión del poder sacerdotal por la imposición de las manos" y el valor de los sacramentos.

V. Frank: *Geschichte u. Kritik der neueren Theologie.* Leipzig, 1908.

NEOPITAGORISMO

Nombre dado a una corriente de filosofía especulativorreligiosa, desarrollada entre los siglos I antes de Cristo y II después de Cristo, y en el cual se intentaba refundir eclécticamente el primitivo pitagorismo con elementos filosóficos tomados de las escuelas platónica, peripatética y estoica. El neopitagorismo prosigió, en lo fundamental, la tendencia numerista de Pitágoras, identificando los números con las ideas.

El neopitagorismo, a semejanza del *neoplatonismo* (V.), integró en sí elementos heterogéneos, tales como religión, poesía, magia, hermetismo.

Entre los principales neopitagóricos estuvieron: Nigidio Figulo, Apolonio de Tiana, Nicómaco de Gerasa y Numenio de Apamea.

Se ha creído encontrar gérmenes de neopitagorismo en la cábala y en las supersticiones numéricas de la filosofía medieval. (V. *Pitagorismo.)*

NEOPLATONISMO

Nombre dado a una doctrina filosófica que no era sino una renovación de la de Platón, transformada *ligeramente* bajo la influencia del pensamiento oriental.

El neoplatonismo nació en Alejandría, en el siglo III después de Cristo. Su iniciador fue Plotino, famoso filósofo griego, nacido—205—en Licópolis (Egipto) y muerto—270—en Campania. Estudió en Alejandría con varios maestros. Pero particularmente con Amonio Saccas. A la edad de treinta y nueve años siguió a Mesopotamia al emperador Gordiano, para iniciarle en las doctrinas de los persas y de los indios. Llegó a Roma en 245 y abrió una escuela, a la que acudieron, entre otros, Longino y Porfirio. Pidió a Galiano que reedificase la ciudad de Campania, que se llamaba *Platonópolis,* para que fuese gobernada según los principios de la *República* de Platón.

Los escritos de Plotino fueron recogidos por Porfirio, que los distribuyó en seis partes. llamadas *Enéadas*—novenas—, porque cada una de ellas comprende nueve libros. Su sistema filosófico se resume en una palabras que pronunció poco antes de expirar. "Voy a llevar lo que hay de divino en nosotros a lo que hay de divino en el universo." Se propuso sujetar lo subjetivo y lo objetivo a la identidad, la cual tiene por base la identidad absoluta. "Vio en las simpatías del cuerpo y del alma el secreto de la magia que une un alma con otra, como se fecundan plantas lejanas entre sí."

En suma, su doctrina fue un intento de conciliar a Platón y Aristóteles, pero inclinándose hacia el misticismo de Oriente.

Sus obras revelan al poeta, al místico, al apasionado. Nada hay, pues, en ellas de precisión ni de sencillez.

Volviendo al neoplatonismo, cabe señalar que son características suyas: el dualismo entre Dios y Materia, Bien y Mal en el mundo, en oposición al Pórtico y al Epicureísmo; una demonología que colma el vacío existente entre el hombre y Dios, con espíritus de toda clase; aceptación de la transmigración de las almas; teoría de que la Naturaleza está dominada por fuerzas *espirituales;* tendencia lógica a una explicación y dominio mágico de la Naturaleza, ya que la magia significa la influencia de las fuerzas espirituales del hombre sobre las fuerzas espirituales de lo natural; afirmación de que conocer no es persistir y conducir, sino intuir y sentir; creencia de que el hombre, con la raigambre de su ser, penetra en las profundidades de las cosas y alcanza lo trascendente.

"El sistema plotiniano—escribe Julián Marías—está regido por dos caracteres capitales: su panteísmo y su oposición al materialismo. El principio de su jerarquía ontológica es el Uno, que es al mismo tiempo el ser, el bien y la Divinidad. Del Uno proceden, por *emanación,* todas las cosas. En primer lugar, el *nus,* el mundo del espíritu, de las ideas. El *nus,* supone ya una vuelta sobre sí mismo, una reflexión, y, por tanto, una dualidad. En segundo lugar, el alma, reflejo del *nus;* Plotino habla de un "alma del mundo", vivificadora y animadora de todo él, y de las almas particulares, que guardan una huella de su unidad como principio de ellas. Estas almas tienen una posición intermedia en el mundo entre el *nus* y los cuerpos que informan. Y el grado ínfimo del ser es la materia, que es casi un no-ser, lo múltiple, lo indeterminado, lo que apenas es, sino solo en el último extremo de la emanación. El alma ha de libertarse de la materia, en la que tiene una serie de recaídas mediante las reencarnaciones que admite la teoría de la transmigración. Hay la posibilidad —muy frecuente—del *éxtasis,* es decir del *estar fuera de sí,* en que el alma se liberta enteramente de la materia y se une y se funde con la Divinidad, con el Uno, y se convierte en el Uno mismo. Recogiendo una idea de Platón, Plotino da una gran importancia a la belleza; lo bello es la apariencia más visible de las ideas, y en ello se manifiesta el mundo suprasensible en forma sensible.

"El neoplatonismo es panteísta. No hay en él una distinción entre el mundo y Dios; el mundo procede del Uno, pero no por creación —idea ajena al pensamiento griego—, sino por emanación. Es decir, el *mismo* ser del Uno se difunde y manifiesta, se explicita en el mundo entero, desde el *nus* hasta la materia. Plotino emplea metáforas de gran belleza y sentido para explicar esta emanación. Compara el Universo, por ejemplo, con un árbol, cuya raíz es única y de la cual nace el tronco, las ramas y hasta las hojas; o también, de un modo más agudo y profundo, a una luz, a un foco luminoso, que se esparce y difunde por el espacio, disminuyendo progresivamente, en lucha con la tiniebla, hasta que se extingue de un modo paulatino; el último resplandor, al apagarse ya entre la sombra, es la materia. Es siempre la misma luz, la del foco único; pero pasa por una serie de grados en que se va debilitando y atenuando, desde el ser plenario hasta la nada. Se ve el parentesco que tiene la doctrina neoplatónica con algunos motivos cristianos—tal vez por la influencia del maestro de Plotino, Amonio Saccas—; por esto ha ejercido tan gran influencia en los padres de la Iglesia y en los pensadores medievales, sobre todo en los místicos. Un gran número de los escritos de estos son de inspiración neoplatónica, y ese panteísmo ha sido un grave riesgo que ha tenido que bordear constantemente la mística cristiana."

El neoplatonismo fue la última fase del pensamiento filosófico grecorromano. Con él surgió—aparte la profunda influencia platónica—la tensión metafísica perdida con la muerte de Aristóteles: tensión vigorizada al ponerse en contacto con las civilizaciones orientales y vitalizada con su especulación religiosa. Cabe afirmar que el éxito rápido y fecundo del neoplatonismo se debió en buena parte al escenario en que surgió: Alejandría, ciudad donde se habían contrastado y lucido esplendorosas viejísimas culturas, punto crucial de razas y de creencias, centro de estudios—por su biblioteca—inigualable en aquella época, lugar donde se habían refugiado los sabios griegos barridos por el feroz cesarismo de Roma.

Aun cuando hemos declarado a Plotino como alentador y maestro del neoplatonismo, debemos consignar que, antes de él, en el siglo I de la Era Cristiana, la primera gran síntesis platónica fue elaborada por el filósofo judío Filón, llamado "el Platón hebreo", quien quiso armonizar el platonismo con el judaísmo. Sin embargo, resulta sumamente arriesgado llamar a la doctrina de Filón neoplatonismo, ya que Filón rechaza el panteísmo y afirma que el mundo tiene su origen en Dios, no por emanación, sino por creación.

El neoplatonismo fue cultivado de un modo fecundo, brillante y concluyente, hasta el siglo VI. Y entre sus principales cultivadores estuvieron Porfirio (232-304), Yámblico, Edesio, Juliano "el Apóstata", Proelo...

Porfirio, discípulo de Plotino, escribio una de las obras que más influencia tuvieron sobre el pensamiento medieval: *Isagoge,* comentario de la lógica aristotélica, en el que estudió los cinco predicables, origen externo—a través del comentario de Boecio—del planteamiento, en la Escolástica, del famoso problema de los universales.

Yámblico, discípulo de Porfirio, implantó el neoplatonismo en Siria; y Edesio, discípulo de Yámblico, lo llevó e hizo triunfar en Pérgamo.

En el año 529, por orden del emperador Justiniano, fue clausurada la escuela de los neoplatónicos: signo exterior del fin de la filosofía antigua. Nada más que signo exterior, porque el neoplatonismo prende—de una manera ortodoxa—en el espíritu de San Agustín, y por medio de este admirable filósofo cristiano se filtra en las tendencias filosóficas de la Edad Media, para medrar más aún durante el *humanismo* (V). y ya no desaparecer ni aun en nuestros días. Diríase que el pensamiento occidental de hoy sigue dependiendo, en lo esencial, de Grecia.

V. PORFIRIO: *Vida de Plotino.* En la edición de Madrid, 1930, "Nueva Biblioteca Filosófica".—GUTHERIE, K. S.: *Plotinos, his life, times and philosophy.* Chicago, 1909.—INGE, W. R.: *The philosophy of Plotinos.* Londres, 1918.—RICATTER, A.: *Neuplatonische studien.* Halle, 1864-1867. Cinco tomos.—MARÍAS, Julián: *Historia de la Filosofía.* Madrid, 1943, 2.ª ed.—HAINEMANN, F.: *Plotinos Forsch.* Leipzig, 1821.—WUNDT, M.: *Plotinos.* Leipzig, 1919.

NEOPOPULARISMO

Tendencia lírica surgida en España, hacia 1923, como reacción radical contra los excesos de los *ismos subversivos—dadaísmo* (V.), *creacionismo* (V.), *ultraísmo* (V.)—, nacidos, a su vez, para acabar con el *modernismo* (V.), ya impotente, amanerado y fofo.

Convendría no olvidar que, en pleno éxito del modernismo, uno de los más grandes poetas que ha tenido España, Antonio Machado, ya se refugió no pocas veces en el más hondo y emotivo popularismo.

Sin embargo, el neopopularismo como movimiento de reacción lírica, al que se sumaron incontables poetas, tuvo sus primeros guías expertísimos en Rafael Alberti y en Federico García Lorca.

El neopopularismo fue el primero y el más eficaz movimiento poético de reacción no solo contra el moribundo modernismo, sino igualmente contras los *ismos destructores* de este. Al modernismo moribundo opuso una temática tradicional y un juego precioso de imágenes nuevas. A los *ismos* destructores—que intentaron sacar poesía de lo esencialmente antipoético: maquinismo, industrialismo, urbanismo—, opuso un lenguaje claro y sencillo, una reafirmación en las genuinas inspiraciones líricas de la Naturaleza, del alma, del carácter, del ambiente y hasta de los sentidos.

El neopopularismo combatió la complicación, la mecánica, el cerebralismo. Y exaltó la gracia, el color y el ingenio. La culminación del neopopularismo está en la metáfora. Y su *abismo de perdición* precisamente en el folklorismo aceptado como estética. Desgraciadamente, ya en 1950, el neopopularismo se había perdido en aquel abismo.

Los valores máximos de este movimiento de reacción se hallan en Federico García Lorca (1898-1936), nacido en Fuente Vaqueros (Granada). Hijo de familia acomodada. Licenciado en Derecho por la Universidad de Granada. Pianista folklorista de personalísimo estilo. Dibujante y pintor de extraordinaria delicadeza. Viajero por Europa y toda América. Dramaturgo excelso, de alientos renovadores. García Lorca es autor de los libros líricos *Libro de poemas* —1921—, *Canciones*—1927—, *Romancero gitano* —1928—, *Poema del cante jondo*—1931.

Debo señalar que, tardíamente, y sin prescindir de las formas neopopulares, García Lorca penetró en el mejor superrealismo con *Poeta en Nueva York* y *Niña ahogada en el pozo*. Y tampoco cabe olvidar el intento de *contención clásica* realizado por el gran poeta con un tipo de oda en alejandrinos: *Oda a Salvador Dalí, Oda al Santísimo Sacramento del Altar, Oda a Walt Whitman, Llanto por Ignacio Sánchez Mejías.*

Como todo genial creador o innovador, García Lorca, uno de nuestros más excelsos poetas, ha causado un mal fabuloso a nuestra poesía y a nuestro teatro. En el *clima folklórico* donde él se movió con garbo y gracia, desde 1930, se angustian, berrean, a miles, poetas y autores escénicos y cómicos malos, contribuyendo a estragar el gusto de lectores y de públicos con grotescas parodias de cuanto de lamentable posee el folklore..., que es mucho, tópicos aparte.

El otro gran maestro del movimiento fue Rafael Alberti, que nació—1901—en el Puerto de Santa María (Cádiz). Cursó el bachillerato en el colegio de los jesuitas. No lo llegó a terminar. Ni volvió a estudiar. En 1917 llegó a Madrid con una hermosa vocación de pintor cubista. Empezó a sentirse poeta en 1923. En 1925 obtenía el Premio Nacional de Literatura con su libro de poesías *Marinero en tierra.* Desde entonces no ha sido sino poeta. Y gran poeta. Para parte de la crítica, tan gran poeta como Lorca. Para la otra parte y para el público selecto, muy inferior a Lorca.

Alberti, como Lorca, se inició en el neopopularismo. Alberti, como Lorca, tiene de modelos *mediatos* a Gil Vicente, a Lope de Vega, a Góngora; y de modelo *inmediato,* a Juan Ramón Jiménez. Sin embargo, sería absurdo creer que Alberti y Lorca son poetas semejantes. La poesía popular de Alberti no mana del pueblo mismo, como la de Lorca, sino que deriva de las imitaciones cultas, de la tradición restringida y selecta. Federico de Onís ha juzgado con singular precisión a Rafael Alberti: "Ha sido el más acabado gongorista, avanzado ultraísta, cantor de los temas de la vida moderna, humorista cinematográfico, poeta puro y sugeridor de lo subconsciente. Cada libro suyo parece que viene a negar al anterior, afirmando al mismo tiempo su enorme potencia, su facundia—o labia, podíamos decir—inagotable en posibilidades para la expresión natural y espontánea de lo más vario y lo más difícil." *Marinero en tierra, La amante*—1926—, *El alba del alhelí*—1927—y *Cal y canto*—1929—son los libros de Alberti que corresponden a su modalidad de lírico neopopulista y gongorino. Y también: *Verte y no verte* —1935.

> Mi corza, buen amigo,
> mi corza blanca.
> Los lobos la mataron
> al pie del agua.
> Los lobos, buen amigo,
> que huyeron por el río.
> Los lobos la mataron
> dentro del agua.

Otros excelentes poetas adscritos—en parte, o por cierto tiempo—al neopopularismo son: Dámaso Alonso (n. 1898)—*Poemas puros, poemillas de la ciudad,* 1921, y *El viento y el verso,* 1925—; Gerardo Diego (1896)—*Soria, Versos humanos,* 1924—; José María Pemán (n. 1898)—*De la vida íntima, Señorita del mar, El barrio de Santa Cruz, Nuevas poesías*—; Agustín de Foxá (n. 1903)—*La niña del caracol, El almendro y la espada*—; Fernando Villalón (1881-1930)—*Romances del 800, Andalucía la Baja, La toriada*—; Adriano del Valle (n. 1895)—*Arpa fiel*—; Rafael Laffón (1900)—*Romances y madrigales*—; José Carlos de Luna (n. 1890)—*El Cristo de los gitanos, La taberna de los Tres Reyes, El Café de Chinitas...*

V. SAINZ DE ROBLES, F. C.: *Los movimientos literarios.* Madrid, 1948.—SAINZ DE ROBLES, F. C.: *Diccionario de la Literatura.* Tomo I. 1949.—SAINZ DE ROBLES, F. C.: *Historia y antología de la poesía española.* Segunda edición. 1951.

NEORROMANTICISMO

Reacción literaria contra las teorías y los excesos del *naturalismo.* Se inició en los últimos años del siglo XIX por toda Europa.

NEOTOMISMO

Nombre dado al resurgimiento de las doctrinas de Santo Tomás de Aquino, que tuvo lugar hacia 1840, por especial esfuerzo del jesuita Liberatore, quien deseó oponer a las filosofías racionalistas, en auge entonces, la segura filosofía del Doctor Angélico. Liberatore fue secundado por filósofos tan insignes como Taparelli y Sanseverino, y apoyado por la famosa revista *Civiltà Cattolica.* El neotomismo quedó refrendado por León XIII en su encíclica *Æternas Patris*—1879—. (V. *Neoescolasticismo.)*

El neotomismo, como el tomismo, se divide en *riguroso* y *flexible.* El primero—exigido por los dominicos—es la doctrina tomista a través del comentario de Báñez. El segundo perpetúa la tradición tomista a través de Vitoria, Soto, Cano y Suárez...

El neotomismo cuenta con figuras sobresalientes: Pecci, Zigliara, Palmieri, Billot, Kleutgen, Costa-Rossetti, Fröbbes, Ortí Lara, Balmes, Pidal y Mon, Arintero, Urráburu, Mendive, Blanc, Hulst, Hugon, Mercier, Wedingen, Munnynck, Commer...

V. Mercier, Card.: *Orígenes de la psicología contemporánea*. Madrid, 1901.—Gómez Izquierdo: *Historia de la Filosofía del siglo XIX*. Zaragoza, 1903.—Saitta, J.: *Le origine del neotomismo nel secolo XIX*. Bari, 1912.

NEOVITALISMO

Doctrina filosófica—aparecida a fines del siglo xix—que rechaza la teoría de que las fuerzas físicoquímicas del organismo son suficientes para provocar los fenómenos vitales. El neovitalismo es una teoría radicalmente antimecanicista; y, como el vitalismo, defendía la existencia de un *principio vital* distinto, por una parte, del alma personal, y, por otra del puro mecanismo del mundo físico. (V. *Vitalismo.)*

NEOZELANDÉS (Idioma)

Idioma de la familia malasia, hablado en Oceanía. Ofrece diferentes dialectos en las dos grandes islas que forman Nueva Zelanda. Según el gramático Kendall, parece más artificial que cualquier otro lenguaje malasio y tiene grandes afinidades con los idiomas de la Polinesia oriental. De una extraordinaria pobreza gramatical, ni tiene declinación, ni conjugación, ni distingue los géneros. Marca estos añadiendo a los sustantivos la calificación de macho o hembra. Su alfabeto, que comprende nuestras cinco vocales, carece de más de la mitad de nuestras consonantes.

V. Kendall: *A Grammar and vocabulary of the language of the New-Zealand*. Londres. Varias ediciones.—Gaussin, B.: *Du Dialecte du Tahiti, de celui des îles Marquises et de la langue polynésienne*. París, 1863.—William, D.: *A Dictionary of the New-Zealand of Maori language with a concise grammar*. Londres, 1899. 4.ª edición.

NEPOSIANISMO

Nombre dado a la doctrina milenarista del obispo Nepos.

Nepos vivió en el siglo iii y nació, probablemente, en Arsinoe, Egipto central. Fue varón de mucho talento y de muchas virtudes, hasta el punto de que San Dionisio de Alejandría, que combatió el neposianismo—en su libro *De las promesas*—, cuando ya Nepos había muerto, afirmó su afecto por él, proclamó su austeridad y su sencillez y aseguró que, de vivir Nepos, le hubiera sacado de su error con una sencilla conferencia.

El neposianismo, cuyo error consistió en la interpretación literal del *Apocalipsis* de San Juan, está contenido en la obra de Nepos *Refutación de las alegorías.*

El neposianismo ganó muchos adeptos en Egipto, más que por tal doctrina, por el prestigio de su defensor. Pero pocos años después de muerto Nepos, los principales defensores de su error, a cuya cabeza estaba Coración, fueron convencidos—254—por San Dionisio y abjuraron públicamente de su doctrina.

NESKI (Alfabeto)

Uno de los alfabetos árabes. Su nombre quiere decir *escritura de copias,* y es del que se sirven los árabes de Asia y del Africa oriental para escribir su lengua, y el que, con la adición de algunos signos, ha llegado a ser común de turcos y persas. Es una escritura más cursiva y a la vez más completa que la *cúfica* (V.), de la que aquella deriva y a la que aquella suplantó.

Se atribuye la invención del alfabeto *neski* al visir Ibn-Mocla, en la primera mitad del siglo x; pero su uso es anterior a esta época, como lo prueban las leyendas de más antiguas monedas.

NESTORIANISMO

Nombre dado al sistema cristológico y crítico de Nestorio.

Nestorio, de origen persa, nació en Behedín, al lado de Germanicia del Eufrates. Estudió en Antioquía, siendo discípulo predilecto de Teodoro de Mompsuestia, que fue el verdadero iniciador de la herejía llamada nestorianismo, acaso porque Nestorio fue su principal defensor. Durante algún tiempo Nestorio vivió en un monasterio. Y después de ser ordenado sacerdote, se dedicó a la predicación con el mayor entusiasmo y con los resultados más lisonjeros. La fama de su talento y de su virtud movieron al emperador Teodosio II a promoverle para la silla patriarcal de Constantinopla, siendo consagrado en abril del año 428. Inmediatamente inició una lucha implacable contra los herejes, persiguiendo casi con ferocidad a los arrianos de Constantinopla, a los macedonianos de Helesponto, a los cuartodecimanos de Lidia y Caria. Unicamente mostró una invencible benevolencia con los pelagianos, los mismos que más tarde le ayudarían en su herética misión.

Obtuvo del emperador Teodosio rigurosos edictos contra los herejes. Pero poco después se declaró por Anastasio, sacerdote amigo, que predicaba la separación de la naturaleza humana de la naturaleza divina de Cristo.

Tuvo Nestorio numerosos adversarios, entre los que destacaron Cirilo de Alejandría y el Pontífice Celestino. Condenado y depuesto en el Concilio de Efeso—431—, se retiró a un monasterio, desde donde continuó propagando su herejía. Posteriormente fue desterrado a Petra (Arabia), y, finalmente, al desierto de Libia, donde murió. Dejó escritas algunas homilías y un *Evangelio para la infancia*—atribuido.

Posiblemente ocasionó a la Iglesia más graves dificultades el misterio de la Encarnación que el misterio de la Trinidad. El Concilio de Nicea definió que Jesucristo era *igual* al Padre, que le era *consustancial,* y, por consiguiente, *verdadero*

Dios en el sentido estricto de la palabra. Pero quedaba por determinar "en qué *forma* se efectuaba en Cristo *la unión* de los dos elementos, divino y humano. ¿Habían de admitirse *dos* personas o *una* sola? ¿Dos naturalezas y dos voluntades, o bien, una sola naturaleza y una sola voluntad?" Sobre estos puntos tan sutiles aparecieron, por este orden, tres herejías: el *nestorianismo,* el *monofisismo* (V.) y el *monotelismo* (V.). Estas tres herejías motivaron que la Iglesia concretase su doctrina cristológica en los Concilios de Efeso—431—, Calcedonia—451—y Constantinopla—680—, definiendo "que en la *sola persona* de Cristo subsistían *dos naturalezas* y *dos voluntades*".

Nestorio predicó que en Jesucristo había dos personas: una divina y otra humana, y que la Virgen María, al ser madre de la persona humana, no podía ser llamada *Madre de Dios.* Contra tal herejía, el Concilio de Efeso resolvió "que ambas naturalezas, divina y humana, estaban unidas *hipostáticamente* en Jesucristo, o sea que las dos naturalezas subsistían en la *sola y única persona* del Verbo Encarnado". Podía, pues, decirse que *María es la Madre de Dios* porque es la madre de una persona que es Dios.

El nestorianismo ya estaba incubado en las lecciones y en las predicaciones de Teodoro de Mompsuestia, pero fue Nestorio quien *lo vitalizó* en tres sermones predicados en el año 428, y en uno de los cuales negó a María el título de *Madre de Dios,* alegando "que no había dado a luz a Dios, sino a un hombre, en el cual residía, como en un templo, el Verbo de Dios".

El escándalo en el clero y en el pueblo de Constantinopla fue grande. Oían decir a su patriarca algo que repugnaba a sus más delicados sentimientos y fe.

Entonces, San Cirilo de Alejandría combatió a Nestorio y le probó, por medio de una sencilla analogía de nuestro lenguaje corriente, que no podía negarse a María el título de *Madre de Dios.* Según San Cirilo, la Santísima Virgen no podía ser distinta de las demás madres, las cuales engendran los cuerpos de sus hijos, pero no las almas, y, sin embargo, son madres de las personas que en sí reúnen cuerpo y alma.

Con la muerte de Nestorio no acabó su herejía. El nestorianismo se refugió en Persia, y sus prosélitos perduraron, y perduran aún, con el nombre de *secta cismática de los caldeos.* Se los llama también *cristianos de Santo Tomás.*

Hoy existe nestorianismo en Persia, Arabia, India, China, Kurdistán... Durante el siglo XVII se pasaron bastantes nestorianos a la fe católica.

En el siglo XIX, Antón Gunther, filósofo y teólogo alemán (1783-1863), reavivó el nestorianismo con una nueva teoría sobre la unidad personal de Cristo. Antón Gunther formuló su teoría diciendo que la unidad personal de Cristo no es *numérico-real,* sino *formal-dinámica.* No es *numérico-real* porque en Cristo hay dos naturalezas conscientes de sí mismas, la divina y la humana, y, por ello, dos personas simples y absolutas. Y es la unidad *formal,* porque cada naturaleza "se conoce siempre unida inseparablemente a la otra, y así, de las dos conciencias resulta una conciencia compuesta y relativa". Y es *dinámica,* porque la del Verbo es *subordinante,* y la de Jesucristo, *subordinada.*

La doctrina de Gunther fue condenada —1857—por la Congregación del Indice, y más claramente por Pío IX en cartas a los obispos de Colonia y de Breslau.

Gunther y sus discípulos se sometieron dócilmente a Roma.

V. DOUCIN: *Histoire du Nestorianisme.* París, 1906.—FEND: *Die Cristologie des Nestorius.* Munich, 1910.—BOULENGER, A.: *Historia de la Iglesia.* Barcelona, 1936.

NICARAGÜEÑA (Literatura)

Escritores nativos de Nicaragua, y muy interesantes, fueron: el obispo Huerta Caso, el jurista y prosista Miguel Carreinaga (1771-1847) y el poeta y dramaturgo Francisco Quiñones Sunzín, que en 1826 publicó sus *Poesías.*

La gloria máxima de la literatura nicaragüeña es Rubén Darío (1867-1916), cuyo verdadero nombre fue Félix Rubén García Sarmiento, lírico de una fuerza arrolladora y de una influencia fenomenal en todo el mundo de habla castellana, implantador del modernismo poético, innovador felicísimo de los metros y de los ritmos, brillante y sensacional, sugestivo e inimitable, de vida meteórica y luminosa, una de las figuras más grandes en la literatura universal de todas las épocas, a la que se han dedicado incontables estudios e interpretaciones—*Azul, Prosas profanas, Poemas de otoño, El canto a la Argentina, Cantos de vida y esperanza, El canto errante.* Fue, además, un prosista excepcional, de colorido impresionante, y un finísimo crítico—*Cabezas, Los raros, Tierras solares, Cuentos, La caravana pasa, España contemporánea, Viaje a Nicaragua...*

Santiago Argüello (1872-1940), poeta y prosista, saludado jovialmente por Rubén Darío—*El martirio de Santa Agueda, Habla Safo de sus tres amores*—; Salomón de la Selva (1893), poeta hondo y esencial, que escribe en castellano y en inglés; Azarías Pallais, de un modernismo turbador y personalísimo; Hernán Robleto (1895), gran novelista—*La mascota de Pancho Villa, Obregón, Sangre en el trópico, Los estrangulados.*

V. HENRÍQUEZ UREÑA, Pedro: *Literatura de Centroamérica.* En el tomo XII de la "Historia universal de la Literatura", de Prampolini. Buenos Aires, Uteha, 1941.—LEGUIZAMÓN, Julio A.: *Historia de la Literatura hispanoamericana.* Buenos Aires, 1945. Dos tomos.—ORTIZ, Alberto: *Parnaso nicaragüense. Barcelona,* Maucci, 1912.

NIETZSCHISMO

Nombre dado a las doctrinas filosóficas de Nietzsche.

Friedrich Nietzsche, famoso filósofo alemán, nació—1844—en Röcken (Sajonia) y murió —1900—en Weimar. Hijo de un pastor protestante de Turingia. Estudió Filosofía en Bonn y en Leipzig, bajo la dirección intelectual de Ritschl. A los veinticuatro años fue profesor de Filosofía en Basilea. En Lucerna conoció a Wagner, y nació entre ellos una gran afinidad de ideales musicales y culturales. En 1878 se inició su enfermedad mental, que le convirtió en un *judío errante*. Pasaba los veranos en Engadina y los inviernos en la Riviera. En 1889 su razón se ofuscó definitivamente; desde entonces vivió en Hamburgo, al cuidado de su madre y su hermana, y después en Weimar.

En su Filosofía existen tres períodos: 1.°, el sereno, clásico o apolíneo, y el dinámico, orgiástico o *dionisíaco;* en él la voluntad es la fuerza primera de la Naturaleza. Tras la ruptura con Wagner, se inicia el 2.° período, racionalista y positivo, traducido en las formas apotegmáticas o sentenciosas. El 3.°, o de la plena originalidad y madurez, es el llamado de *Zaratustra,* humanidad y cultura del superhombre *más allá del bien y del mal.* Nietzsche exaltó la fe en sí mismo, la dureza contra el fracaso y las doctrinas igualitarias, la moral de raza y el odio al cristianismo. Su doctrina es la de un *anarquista aristocrático.*

Mucha, inmensa, ha sido su influencia en casi todos los pensadores germanos contemporáneos y en algunos extranjeros. Su fama es universal y firme.

Entre sus principales obras están: *Homer und die klassische Philologie*—1869—, *Die Gebürt der Tragödie*—1872—, *David Strauss*—1873—, *Unzeitgemässe Betrachtungen*—1873-74—, *Vom Nutzen und Nachtheil der Histoire für das Leben* —1874—, *Schopenhauer als Erzieher*—1874—, *Richard Wagner in Bayreuth*—1876—, *Menchliches Allzumenschliches*—1878-79—, *Morgenröte* —1881—, *Die fröhliche Wissenschaft*—1882—, *Also sprach Zarathustra*—1883-91—, *Jenseits von Gut und Böse*—1886—, *Zur Genealogie der Moral*—1887—, *Der Fall Wagner*—1888—, *Der Wille zur Macht*—1888—, *Der Antichrist*—1888—, *Ecce Homo*—1888—, *Götzendämmerung*—1889—, *Gedichte und Sprüche*—1889...

"La naturaleza artística de Nietzsche—escribe Messer—, con su poderoso impulso creador, no podía hallar a la larga una plena satisfacción en el conocimiento científico; el último y más importante período de su obra está dedicado al descubrimiento de un nuevo ideal del hombre, el *superhombre.* Este período ostenta, por tanto, un sello predominantemente *ético,* a pesar de todas las seguridades que da Nietzsche de estar "más allá del bien y del mal". En la figura de Zaratustra diseña la del descubridor del nuevo ideal y, a la vez, su encarnación. En este período sostiene, además, una teoría positivista, del conocimiento. Combate toda metafísica, toda teoría de un "mundo verdadero". El mundo de los sentidos es para él el único mundo; todos los mundos de la metafísica y de la fe religiosa son "trasmundos" ensoñados. Dios está para él *muerto.* Nietzsche siente fuertemente la profunda revolución que la pérdida de la fe en Dios significa para la vida espiritual humana. Nietzsche rechaza también una inmortalidad personal como pervivencia tras la muerte; en cambio, enseña el *eterno retorno* de todas las cosas. Como, en su opinión, el mundo consta de un número finito de elementos, y solo contiene una cantidad finita de energía, la suma de los estados cósmicos que se suceden causalmente ha de ser finita. Luego, cuando las combinaciones posibles de los elementos cósmicos estén agotadas, comenzarán de nuevo y transcurrirán eternamente del mismo modo. La gran rueda del *devenir* gira eternamente. En el *Zaratustra* esta doctrina del eterno retorno (con la que, por lo demás, Nietzsche debió de tropezar cuando estudiaba la filosofía antigua) no está demostrada racionalmente, sino revelada como una creencia mística. Nietzsche pinta de un modo impresionante el aspecto depresivo de esta creencia; todo lo pequeño, ínfimo y vulgar, retornará también eternamente. Lo que le hace soportable esta creencia es la convicción de que el hombre tiene en sí poder para dirigir la evolución hacia adelante, hasta el superhombre. Y en la actitud del hombre, que en atención a este ideal, y a pesar de todos los pesares, quiere la vida, no una vez solo, sino innumerables veces, descubre la más resuelta y enérgica *afirmación* de la voluntad de vivir que se pueda pensar. Pero Nietzsche (ahora en completo antagonismo al pesimismo de Schopenhauer) ve en ella la suprema, la más heroica labor del hombre.

"En su *transmutación de los valores* cree que la valoración fundamental es la que se verifica en la biología; el supremo bien, el sumo fin, es la vida misma, no alguno de los bienes asequibles en la vida, como el conocimiento o la felicidad (en el sentido de un estado de bienestar lo mayor posible). Pero no toda vida, pura y simplemente, es para él valiosa; no lo es la vida de los enfermos, débiles y degenerados, sino únicamente la vida sana, fuerte; es decir, aquella en que predomina la tendencia que él estima como la *más honda,* la *más esencial.* La esencia de todo ser vivo, incluso de todo ser, es para él (en esto sigue siendo descípulo de Schopenhauer) impulso, voluntad; no voluntad de placer y goce, sino voluntad de acción, de superación de obstáculos, de apropiación de cuanto conserva y realza la vida; en suma, *voluntad de poderío.* Así obtiene su tabla de valores. ¿Qué es bueno? Todo cuanto eleva en el hombre el sentimiento de poderío, la voluntad de poderío y el poderío mismo. ¿Qué es malo? Todo cuanto nace de la debilidad... Los débiles y los fracasados deben sucumbir: primer principio de nuestra filantropía; y, además, se les debe ayudar a perecer. Hay algo más nocivo que todo vicio: es la compasión hacia los fracasados y los débiles. Todos los instintos que afirman y fomentan la vida, la voluntad de poderío, son para él buenos, sanos; todos los que tienden a menospreciar la vida son malos, enfermizos, y revelan decadencia."

Nietzsche distingue dos estimativas morales, esencialmente distintas, según procedan de una clase dominante o de una clase dominada; de las dos estimativas resultan dos tipos fundamentales de moral: la *de los señores* y la *de los esclavos*.

La *moral de los señores*, de los fuertes, es creadora de valores, desdeña a los seres de rango inferior, y la compasión representa la afirmación de los valores de la vida, y en ella habla el soberbio y sano egoísmo que emana de los espíritus poderosos creados para el placer y la victoria.

La *moral de los esclavos*, de los miserables y de los oprimidos, es destructora de valores y pesimista, aun cuando también utilitaria.

Para Nietzsche, debe triunfar la moral de los señores. Nietzsche combate apasionadamente contra el Cristianismo—porque exalta la compasión y asegura la igualdad de todos los hombres—. Combate también contra la moral eudemonista y utilitaria—porque reclama la felicidad para la *mayoría* de los seres humanos—. Combate, por último, contra las tendencias democráticas y socialistas—porque intentan que los parias alcancen el nivel superior de los elegidos.

Para Nietzsche, es el *dolor* quien mejor crea todas las superioridades del hombre, lo que define las jerarquías; por ello estima la lucha y la guerra como el medio más idóneo para elevarse a la perfección. "La guerra y el valor—exclama Nietzsche—han hecho cosas más grandes que el dolor." Y añade: "¿Decís que es la buena causa la que santifica la guerra? Yo os digo: La buena guerra es la que santifica la causa."

Son escasamente congruentes las tesis *epistemológicas* de Nietzsche. Se inclina a reducir el conocimiento al contenido de la conciencia; si, por un lado, ve en las categorías tan solo disposiciones subjetivas, instrumentos humanos, por otro defiende concepciones enteramente realistas.

Al poner el concepto del *valor* en el centro de su filosofía, construye Nietzsche una filosofía de los valores. Y creyó poder derivar estos valores de la vida misma y así llegar a entender el sentido de esta. Errónea búsqueda, ya que la vida, despojada de los valores, es un puro vegetar. Debió buscar el sentido de la vida no en ella, sino, precisamente, en los valores.

"Hay que reconocer, en efecto, que Nietzsche ha traído nuevas ideas directrices a la investigación del origen y desarrollo de la moral, y que ha planteado con energía la cuestión al valor biológico de la moral misma. Todavía es más valiosa la contribución de su obra creadora para formar la conciencia moral y el ideal del hombre moderno." (MESSER.)

V. MESSER, Aug.: *La Filosofía en el siglo XIX.* Madrid, "Rev. de Occidente", 1926. FÖRSTER-NIETZSCHE, Elisabeth: *The Young Nietzsche.* 1912. FOSTER, G. B.: *Friedrich Nietzsche.* 1931.—BERTRAM, Ernest: *Nietzsche.* 1933.—JASPER, Karl: *Nietzsche...* 1936.—MORGAN, G. A.: *What Nietzsche Mean.* 1941.

NIHILIANISMO

Nombre dado a una secta religiosa derivada de las especulaciones de Abelardo, cuyos adeptos negaban la realidad de la naturaleza humana de Cristo.

El nihilianismo quedó sintetizado en la proposición *Christus secundum quod homo, non est aliquid.*

El nihilianismo fue refutado en el Concilio de Tours—1163—y condenado por el Pontífice Alejandro III.

V. PORTALIÉ, E.: *Adoptionisme au XIIe siècle.* En el "Dict. de Théologie" de Vacant. París, 1903.—GHELLINCK, J. de: *Le mouvement théologique du XIIe siècle.* París, 1914.

NIHILISMO

Doctrina política que niega el orden social. Para algunos autores, esta negación *no es definitiva*. El nihilismo niega el orden social *actual*, pero tiene fe en un futuro mejor, en el que la libertad individual conseguirá su propio orden.

El nihilismo, considerado sociológicamente, es la negación de todo principio de organización (V. *Anarquismo); considerado desde el punto de vista moral, es la negación de todo principio de conducta *(amoralismo);* metafísicamente, es la negación de toda realidad y de toda verdad, o la afirmación de la imposibilidad absoluta de conocerlas.

El nihilismo, movimiento político y antisocial, se inició en Rusia en la segunda mitad del siglo XIX, reinando el zar Alejandro II. Y posiblemente debió su nombre a Basarov, protagonista de la novela de Turgueniev *Padres e hijos* —1861—, que se llamaba a sí mismo *nihilista*, negador sistemático absoluto de todo. Los primeros nihilistas se hicieron famosos y temidos en Rusia, y dieron origen a ser perseguidos implacablemente, a causa de que negaban todo principio moral, toda autoridad y todo orden social.

Posiblemente, el nihilismo apareció concretando el desaliento del pueblo ruso al ser anuladas las reformas democráticas. Lógicamente, los primeros nihilistas fueron los intelectuales, aquellos que tenían *motivos concretos* para dudar ya de toda posible mejora y para concentrar en el zar y en sus satélites la causa de todas las pesadumbres sociales.

Algunos tratadistas de Derecho político creen

que el nihilismo es una derivación de la idea anarquista iniciada en el siglo XIX por Proudhon y llevada al mayor radicalismo precisamente por dos rusos: Bakunin y el príncipe Kropotkin.

Del fanatismo libertario de los anarquistas, el paso al nihilismo es casi natural; de pretender destruir el orden social a negarlo, la distancia es escasísima. En cuanto a los medios de conseguir sus fines, el nihilismo, como el anarquismo, preconiza la violencia sobre todo; en la violencia que no retrocede ante niguno de los actos que la moral corriente califica de crímenes. Exactamente lo mismo que los teóricos alemanes de la guerra declaraban que esta era "fresca y jovial", purificadora y moralizadora, Bakunin y Kropotkin veían en la revolución violenta y sangrienta una condición de rejuvenecimiento, de renovación, de restablecimiento moral.

El nihilismo delató su expresión anárquica y revolucionaria con el atentado—1866—de Kavakosof contra el zar. Y tomó como lema: *Nihil. Nada* de familia, ni de propiedad, ni de jerarquía. *Nada* asimismo de orden ni de Gobierno. *Nada* de religión dogmática. Y para llegar a ese *nada* era preciso destruir, destruir, destruir..., sin pensamiento alguno de lo que habría de edificarse sobre las ruinas.

En muy pocos años el nihilismo perpetró innumerables atentados contra ministros, altos funcionarios... Y no se crea que al nihilismo se afiliaron únicamente los desesperados, los parias de la vida. Nihilistas fueron muchos aristócratas, catedráticos, hombres de ciencia, médicos, abogados, ingenieros..., a los que presidió Sergio Netchaieff, que trajo consigo a Rusia las enseñanzas del Congreso que la Internacional había celebrado en Ginebra—1866.

El socialismo anárquico vino a ser la quinta esencia del nihilismo. Muy pronto la *Asociación Internacional de Trabajadores* fue oscurecida en sus procedimientos por los que entrañaba la *Alianza Universal de la Democracia Socialista,* obra de Bakunin, y cuyo lema fue "la negación de Dios y la destrucción de todo lo existente".

Entre 1878 y 1882 el nihilismo en Rusia obró sin piedad y fue perseguido con saña impía. Cada nihilista era considerado como una auténtica fiera, a la que había que perseguir, acorralar y ajusticiar ejemplarmente.

Aun cuando el nihilismo tuvo su mayor fuerza en Rusia, los fines del nihilismo tenían mucha mayor trascendencia, ya que se proponía atacar el orden establecido en los demás países europeos.

El nihilismo tuvo su precursor en uno de los más grandes ingenios que produjo Rusia durante el siglo XIX, en el socialista Alejandro Herzen, nacido—1812—en Moscú, estudiante de Filosofía y enamorado de las doctrinas de Hegel. Tuvo que vivir muchos años fuera de su patria, a causa de sus ideas políticas y sociales. En 1847 publicó en Roma su escrito filosófico-político *Antes de la tempestad,* que ha sido considerado como el evangelio primitivo del nihilismo. Delirante, Hertzen invoca el torbellino de la ira, de la venganza y de las represalias, que, según sus deseos, había de arrastrar a su tumba al mundo que sofocaba al *nuevo hombre,* al socialista; al mundo que le impedía vivir, al mundo que estorbaba el advenimiento del porvenir, y, en su demencia, no vaciló en exclamar: "¡Viva el caos y la destrucción! ¡Viva la muerte! ¡Paso al porvenir!"

Herzen pasó a Londres—1851—, donde abrió un establecimiento tipográfico destinado a lanzar sobre Rusia toda suerte de escritos políticos inspirados en el mayor ardor revolucionario y del género de los que reciben el epíteto de *incendiarios.*

Las ideas de Herzen ganaron a hombres verdaderamente excepcionales; a Bielinski, el gran crítico; a Katkof, el futuro y popular director de *La Gaceta de Moscú* y de *El Mensajero Ruso;* a Aksakof, jefe elocuente de los paneslavistas; a Ogarev, el poeta del desengaño... En 1857 fundó Herzen, en Londres, el periódico ruso que tenía por título *Kolokol (La Campana),* "el periódico de más circulación, el más influyente de todos en los comienzos del movimiento—para la obtención de mejoras obreras—", según declaró Mackenzie Wallace. Herzen murió en 1870. Y sembró en la juventud ardiente de Europa muchos de los elementos que más tarde llegaron a constituir el nihilismo, cuyos principios podemos sintetizar en las siguientes fórmulas:

Adopción sistemática del principio de negación.

Fusión de la filosofía y de la ciencia, con predominio de esta sobre aquella, a la cual debe añadirse la predilección, norma en favor de los filósofos a la usanza de Feuerbach, que negó la inmortalidad del alma, y de los llamados sabios que, apoyados en este último personaje, convirtieron la filosofía en desprecio de todo lo pasado, mirándolo tan solo como objeto de estudio para la filosofía social, en desasimiento completo, absoluto, abstracto, sin tradiciones de ese mismo pasado, y, por consiguiente, sin estima de ningún género para con la vieja Europa, para con el corrompido Occidente y para con sus conquistas en el campo de la civilización.

Desprecio en suma hacia una revolución puramente política, hacia una revolución por vía de transformación, unido al deseo de la revolución social, de la completa destrucción del mundo antiguo, tanto en la esfera civil como en la moral, del advenimietno, en fin, de una nueva fase del *perpetuum mobile* de la Humanidad, la del socialismo.

Todas estas que llamamos fórmulas las encontraremos tales como suenan, o quizá llevadas a la exageración en el nihilismo.

Debe declararse que la palabra *nihilismo,* invocada en la novela de Turgueniev, no era nueva en Europa. Ya había escrito Royer-Collard: "El esteticismo o el nihilismo que caracteriza la filosofía de estos últimos tiempos se deriva de la saciedad."

Víctor Hugo, por su parte, había dicho: "La negación de lo infinito conduce directamente al nihilismo." Pero, poco a poco, como en otros tiempos los rebeldes de Holanda habían aceptado por ostentación el título de *gueux* (o mendigos), y los revolucionarios franceses el de *sans-culottes* (o descamisados), los *hombres nuevos* de Rusia adoptaron la denominación de nihilistas, y, poco a poco, fueron dando a esa palabra significado que tendría un lugar destacado en las páginas de la historia de su patria.

Justo es consignar que el nihilismo provocó una copiosa y muy interesante literatura. En 1853, Cerniscervski publicó su famosa novela *¿Qué hacer?,* en la que desarrolló los principales problemas del nihilismo. En el mismo año, Pisemski publicó otra novela de nihilistas: *Mar agitado. Crimen y castigo,* de Dostoyevski, una de las mejores novelas de todas las épocas, pinta la lucha de las necesidades imperiosas de la vida real con las doctrinas nihilistas. En *Demonios,* el propio Dostoyevski generalizó la enfermedad psicológica llamada nihilismo.

Turgueniev, el escritor—¡conservador y burgués!—llamado *biógrafo del nihilismo,* presentó en otra novela suya, *Tierras vírgenes,* nihilistas ya más humanos y simpáticos.

El *Reichbote,* de Berlín, y el *Vaterland,* de Viena, publicaron los siguientes estatutos de los nihilistas, atribuidos a Bakunin, que reproduzco por su gran interés.

"Los Hermanos Internacionales se dividen en tres grados:

1.° Hermanos internacionales.

2.° Hermanos nacionales.

3.° Hermanos de la organización semipública de la democracia internacional.

El Reglamento de los Hermanos Internacionales contenía artículos tan curiosos como los siguientes:

1.° Los Hermanos no conocen otra patria que la revolución general, ni otro enemigo que la reacción.

2.° Los Hermanos rechazan toda conciliación, y consideran como reaccionario todo movimiento que no tenga por fin directo el triunfo de los principios revolucionarios.

3.° Los Hermanos no pueden atacarse unos a otros, ni reconocen más tribunal que el Jurado del Honor, escogido por igual por las dos partes. Dicho Jurado decide soberanamente.

4.° Los Hermanos son inviolables entre sí, y cada uno está obligado a hacer todo lo que le sea posible en defensa de cada uno de sus Hermanos.

5.° Solo podrán ser Hermanos internacionales los que acepten el programa revolucionario con todas sus consecuencias, y tengan inteligencia, energía, honradez y firmeza en el grado máximo que se requiera.

6.° El servicio de la Revolución debe ser mirado por cada Hermano como el primero y más santo de los deberes y de los intereses.

7.° El Hermano puede excusarse de prestar los servicios exigidos por el comité o los comités locales; pero si esta negativa fuese constante, podrá ser privado de los derechos de Hermano.

8.° Ningún Hermano podrá ejercer cargo público alguno sin la autorización especial del comité local, ni puede tomar parte en ninguna manifestación hostil a nuestra causa. Siempre que se reúnan más de dos Hermanos deben ocuparse de los asuntos públicos.

9.° Todos los Hermanos internacionales deben conocerse, y no debe haber entre ellos ningún secreto político. No podrán pertenecer a otra sociedad sin permiso especial del comité local, y están obligados a descubrir al comité central todos los secretos de la otra sociedad que puedan interesar directa o indirectamente a la sociedad internacional."

El famoso publicista francés Leroy-Beaulieu, maestro en ciencia política y económica, se atrevió a dar una sencilla y eficaz receta contra el nihilismo: "Contra la epidemia revolucionaria, la ciencia no posee preservativos ni específico seguro. Para los pueblos contemporáneos, el espíritu revolucionario es un mal al que hay que acostumbrarse. La cuestión está, lo mismo en Rusia que en todas partes, en tener fuerza para soportarlo, y el medio más seguro para ello *es la libertad política.* Aunque la receta parezca vieja, y para ciertas gentes sea peor el remedio que la enfermedad, es la única eficaz. Todos los Gobiernos que la han empleado sincera y pacientemente, han obtenido resultado satisfactorio. Ahora bien: en Rusia lo que más falta hace es la libertad política. Si se quiere evitar una explosión terrible, es preciso abrir una salida legal a las vagas aspiraciones que se despiertan en la juventud y en la sociedad. Esto debilitaría mucho, ya que no aniquilase por completo, las fuerzas del nihilismo."

V. ARNAUDO, G. B.: *El Nihilismo.* Trad. cast. Madrid, 1882.—GOLOWIN, M.: *Der russische Nihilismus.* Leipzig, 1880.—OLDENBERG: *Der russiche Nihilismus.* Leipzig, 1888.—BAUER, E.: *Aus den Tagen der Nihilistengefahr.* Londres, 1897. LÓPEZ PANDO, J.: *Nihilistas y revolucionarios.* Madrid, 1893.—KROPOTKIN: *Palabras de un rebelde.* Trad. cast. Valencia, Sempere, s. a.—KROPOTKIN: *La conquista del pan.* Trad. cast. Valencia, Sempere, s. a.—GRAVE, J.: *La sociedad futura.* Trad. cast. Madrid, s. a.—RECLÚS, Eliseo: *La Anarquía.* Trad. cast. Madrid, 1899.

NOBILIARIO

1. Libro, cuaderno o documento en que se trata de la nobleza de una o más familias.

2. Libro en el que se estudia la nobleza y genealogía de las familias de una nación, de una región, de una provincia, de una ciudad. (V. *Armorial.*)

V. Atienza, Julio: *Diccionario nobiliario español.* Madrid. Editorial Aguilar, 1948.—Hübner, J.: *Biblioteca genealógica.* Hamburgo, 1729.—Gündlach: *Bibliotheca familiarum nobilium.* Berlín, 1886.—Rietstap: *Armorial général.* París, 1882.

NOBLE (Estilo)

Se llama así al estilo en que se reúnen, armoniosamente, la pureza de las palabras, la perfección de la sintaxis, la gravedad del tono y la dignidad de la idea.

El estilo noble es el más propio para la oratoria académica y para la alta crítica de literatura y arte.

NOÉLICOS (Cánticos)

Cánticos, pastorales o idilios sacros en honor de la Natividad de Cristo. Es como el *recitado* evangélico del nacimiento del Mesías en un lenguaje rimado o rítmico, de una simplicidad casi rústica y con todos los sentimientos de una fe intacta. Se acompañaron en cada país con los más antiguos *aires campestres* y con rondas y danzas. De aquí el nombre de *Christmas carols* en Inglaterra y de *Pastorelas* en Italia y Francia, y de *Villancicos* en España...

Primitivamente, estas pastorelas, cuando estaban dialogadas, eran representadas en el coro de las iglesias, con los actores necesarios para significar los personajes tradicionales y con el concurso gozoso y brillante de todo el pueblo. El cántico daba a la representación escénica *un sentido de misterio.* Este género apareció en todos los países muy pronto, mitad en latín y mitad en romance.

V. Brunet, J. Ch.: *Manuel du libraire. (Graus et Noels,* tomos II y IV.)

NOMBRES PROPIOS

Los nombres de personas y de lugares tienen cierta importancia literaria colocados en las obras de los autores de diversas épocas, y un interés histórico y arqueológico muy considerable, del que ellos son protagonistas u objetos, comunicándonos detalles de la vida de los individuos, de la constitución de la familia y del estado general de la civilización. Los nombres propios son uno de los temas más instructivos de los estudios etimológicos.

V. Salverte, Eus.: *Essai historique et philosophique sur les noms d'hommes, des peuples et de lieux.* París. Varias ediciones.—Forsteman: *Die Deutschen Ortsnamen.* Nordhausen, 1883.—Cocheris, H.: *Origen y formación de los nombres de lugares.* Madrid, 1880.—Sabatier, J.: *Encyclopédie des noms propres.*

NOMENCLATURA

1. Lista de nombres.
2. *Diccionario, Onomasticón* (V.).
3. Conjunto de voces propias de una ciencia, de un arte, de una facultad.
4. Nombres genéricos, específicos e individuales aplicados a los objetos comprendidos en una ciencia para clasificarlos metódicamente. (V. *Terminología.)*

NOMINALISMO

Doctrina filosófica según la cual los géneros no tienen ninguna existencia, ni en sí—como afirmaba el *realismo* (V.)—, ni en el espíritu —como creía el *conceptualismo* (V.)—, y no son sino *nombres* aplicables a un número indefinido de voces diferentes. Es más, la significación del nombre general no es un concepto actual, sino un *saber virtual.*

El nominalismo es una de las cuatro teorías ideadas para resolver el problema de los Universales.

¿Qué son los Universales?

Su problema quedó planteado cuando los escolásticos estudiaron la obra del neoplatónico Porfirio, *Isagoge,* en la traducción latina de Boecio. Porfirio formuló, sin contestarlas, tres preguntas sobre los Universales; estas:

1.ª ¿Existen en la Naturaleza géneros y especies, o consisten en puros pensamientos?

2.ª Si existen en la Naturaleza, ¿son corpóreos o incorpóreos?

3.ª ¿Están unidos o separados de los objetos sensibles?

Responder a tales preguntas equivalía a fundar una filosofía.

Ha de tenerse en cuenta que los Universales son los géneros y las especies, y que se oponen a los individuos.

Los escolásticos se dividieron en dos grupos: *realistas* y *nominalistas.* Entre los primeros estaban Escoto Erígena, Fredegiso de Tours, Guillermo de Champeaux, San Anselmo. El nominalismo fue defendido sutilmente por Roscelino de Compiègne.

Según los realistas, los Universales son *cosas,* géneros y especies, tienen existencia real y quedan realizados en la Naturaleza; están presentes en todos los individuos que caen bajo ellos, y, por tanto, solo existen entre ellos diferencias accidentales. En realidad, quien existe es la especie. Lo cual equivale a bordear el panteísmo y a negar la existencia individual.

En el realismo encontraron sus defensores la interpretación de algunos dogmas; por ejemplo, el del *pecado original;* porque sin esencia no existe más que un solo hombre, Adán, el pecado de este afecta a la esencia humana, a todos los Adanes posteriores.

El nominalismo defiende la tesis contraria: los Universales no existen en ninguna parte. Solo existen los individuos. Los Universales son meros nombres, *flatus vocis.* (Las otras dos tesis que intentaron la solución de los Universales fueron: el *conceptualismo* (V.), defendido por Abelardo,

N

y el *realismo moderado,* defendido por Santo Tomás de Aquino.)

Pero si el realismo estaba demasiado próximo al panteísmo, el nominalismo, aplicado a la Trinidad, conducía al *triteísmo* (V.). Esta aplicación nominalista al dogma trinitario fue condenada en el Sínodo de Soissons—1092.

Aun cuando fue Roscelino quien completó la doctrina del nominalismo en el siglo XI, antes que él ya lo insinuaron Rabano Mauro—siglo IX—y Enrique de Auxerre—siglo X.

Aun cuando con la vaguedad de quien no ha meditado con la precisa claridad acerca del problema, Rabano Mauro se manifestó inclinado al subjetivismo de las esencias genéricas y específicas. Enrique de Auxerre, de grandes alientos polemistas, manifestó un nominalismo más bien virtual e implícito.

Pero también, después de Roscelino, el nominalismo—más o menos adulterado—tuvo sus defensores, entre los cuales destacó Guillermo de Occam (1300-1350), filósofo y erudito inglés, que combatió duramente el realismo moderado de Santo Tomás. Occam resucita la tesis de Roscelino: los Universales son meros *nombres,* meros *términos.* Solo existe el individuo. Solo el individuo es objeto de la ciencia.

"Esta afirmación fundamental llevaba implicada toda una teoría del conocimiento. Para explicar el conocimiento, ya sea de intuición sensible, ya un conocimento abstracto, bastan el objeto y el entendimiento. Cuando formulamos una proposición cualquiera, todos los términos se refieren en última instancia a una realidad individual. Hay palabras, sin embargo, que no parecen significar inmediatamente las cosas, sino los conceptos. Mas, examinando detenidamente la cuestión, y habida cuenta de que el concepto, el universal, no tiene existencia, estas palabras habrán también de significar cosas. Lo que sucede es, viene a decir Occam, que hay dos maneras de significar cosas, correspondientes a dos modos de nuestro conocimiento. Un objeto, en efecto, puede ser conocido distintamente, y la palabra que entonces le aplicamos le corresponde directa e inmediatamente. Pero también puede ser conocido de una manera confusa, como acontece cuando no puede distinguírsele de otros objetos, y la palabra que en este caso le aplicamos designa el objeto, pero se aplica al mismo tiempo a todos aquellos con los que el conocimiento se confunde. Si veo a Pedro en un grupo de personas, tengo de él un conocimiento confuso que no puedo representar por la palabra Pedro, pero sí por la palabra hombre. La palabra hombre designará entonces a Pedro, pero sin que me lo haga distinguir de Juan y de Luis. La palabra hombre designa aparentemente un concepto, pero realmente designa una cosa. Por el contrario, si veo a Pedro y le distingo de los demás, le doy este nombre, *Pedro,* que no se refiere ya a un concepto, sino que designa directamente un objeto. En resumen: la palabra que designa aparentemente un concepto designa en realidad un objeto confusamente conocido. De aquí se deduce que el entendimiento para conocer lo singular no necesita intermediarios de ningún género. Las especies inteligibles, los determinantes cognicionales, son entes fantásticos e inútiles." (GONZÁLEZ ALVAREZ.)

El nominalismo de Occam, que surgió en la Universidad de Oxford, se difundió pronto en Francia, teniendo como defensores a Nicolás de Autrecourt, Juan Buridán y Nicolás de Oresme.

En la época moderna, el nominalismo encontró defensores en Hobbes, Locke, Condillac, Comte, Stuart Mill...

Para Tomás Hobbes (1588-1679), los Universales no existen ni en la mente ni fuera; son nombres que designan colecciones de cosas. No existe más que la materia; y todo acontece en el mundo según leyes mecánicas.

Juan Locke (1632-1704) admite, aun dentro del mundo corpóreo, una realidad incognoscible: la sustancia. "La idea que de hecho el entendimiento se forma de la sustancia se reduce a una mera colección de notas cualitativas, simples de suyo, pero que, agrupadas en la imaginación, reciben un nombre cualquiera diferente de cada uno de los nombres con que se designan dichas cualidades."

V. EXNER: *Ueber Nominalismus und Realismus.* Berlín, 1841.—LEVI: *La resurrezione del Nominalismo.* En "Cultura Filosófica", 1907.—PICAVET: *Roscelin, philosophe et théologien.* París, 1896.—GONZÁLEZ ALVAREZ, A.: *Historia de la Filosofía.* Madrid, E.P.E.S.A. (¿1946?).

NOMO

1. Canto o melodía que se someten a una cadencia.

2. Poema griego compuesto y cantado en honor de Apolo, con acompañamiento de flauta o cítara.

Los nomos se dividían en *aulódicos* y *citaródicos*—cuando eran cantados—y en *auléticos* y *citarísticos*—cuando eran recitados acompañados por una melodía.

Los segundos, más antiguos, aparecieron en el siglo VIII antes de Cristo. Los primeros fueron organizados por Terpandro de Esparta, en el siglo VII, originando la poesía lírica dórica.

Fueron tan populares los nomos en toda Grecia, que se los diferenciaba con el nombre de los lugares en que tenían su exaltación; así, había nomos eolios, nomos frigios, nomos jónicos...

NORMANDA (Rima)

Falsa rima que resulta de hacer consonantes los vocablos terminados en *ér* y en *er.* Así, *Lucifer* y *chauffer;* pues los normandos pronuncian igualmente *chauffér, Lucifér, aimér.*

NORMANDO (Dialecto)

El normando, que no es hoy sino uno de los siete principales dialectos en que se considera dividido el dominio lingüístico francés, fue en su origen y durante mucho tiempo el más importante dialecto romance del Norte o lengua de *oil*. Se formó por la fusión de esta última con el sajón o normándico traído a las costas norteñas de Francia por los invasores. Se llamó el nuevo lenguaje romanonormando o franconormando. Estas dos procedencias quedan perfectamente marcadas por las terminaciones de los nombres de ciudades, de pueblos, de caseríos, derivadas de raíces latinas o escandinavas. El franconormando fue llevado a Inglaterra por Guillermo el *Conquistador,* y allí se usó como lengua de los vencedores, oficial y de la aristocracia. Con el nombre de anglonormando sirvió para una interesante cultura, no solo en Inglaterra, sino en las costas francesas próximas a la Gran Bretaña.

La conquista de Normandía por Felipe Augusto impuso el francés en esta comarca. En Inglaterra, la decadencia de la lengua y de la literatura anglonarmandas fue el resultado del predominio reconquistado por el sajón sobre la lengua de los vencedores. Los dos elementos del anglonormando, combinados en una nueva proporción, formaron la lengua inglesa. Algunas frases puramente romanas subsistieron en la lengua política y heráldica de la Gran Bretaña: fórmulas oficiales o divisas hereditarias conservadas por el espíritu formalista y el respeto a la tradición.

Reducido el normando en Francia a la condición de *patois,* conservó una gran fuerza como lengua popular. Se distinguen en él muchas variedades: el de las ciudades, el de las campiñas, el de la costa... El primero toma el nombre de *gros norman* o *purín.* Bajo esta forma, el normando tiene aún su literatura, como el *picardo,* como el *borgoñés...*; cuentos, proverbios, diálogos, sátiras, canciones.

V. Duméril, Alfred: *Dictionnaire du patois normand.* Caen, 1849.—Dubois y Travers: *Glossaire du patois normand.* Caen, 1857.—Bordeaux, R.: *Essai sur le dialecte normand.* (Memoria premiada por la Academia de Ruán.)—La Rue, Abbé: *Ensayos históricos sobre los bardos, juglares y trovadores normandos y anglonormandos.* Madrid, 1889.

NORUEGA (Lengua y Literatura)

Uno de los tres principales idiomas derivados del *normánico* o *norreno,* antigua lengua de la gran familia escandinava; el noruego, por la larga dependencia de Noruega a Dinamarca, se distingue apenas como lengua escrita del danés; como lengua hablada, ya alude más al idioma primitivo, si bien las obras antiguas escritas en islandés aún son comprendidas por el pueblo. El noruego es, de los tres idiomas escandinavos, el que marca mejor su parentesco con el sánscrito.

En el siglo IX se inicia la literatura noruega con una fuerza extraordinaria, profundidad dramática, sentido épico y afirmación poderosa de su singularidad. La transmisión literaria escrita data del año 1000. Pero durante el reinado del rey Haroldo—fines del siglo IX—ya existía una poesía análoga a la de los eddas. El propio rey Haroldo fue un poeta distinguido y protegió a los *escaldas,* poetas andariegos parecidos a los bardos y trovadores.

Entre los grandes poemas primitivos sobresalen: el *Lokassena*—lucha entre Loke con los dioses—y el *Voluspá,* en el que se mezclan lo histórico y lo mitológico de manera magistral. Los escaldas popularizaron la poesía tanto épica y lírica como amorosa y satírica. Entre estos escaldas se hizo famoso—siglo X—Egill Skallagrimson.

En el siglo XI, la conversión al cristianismo del rey Olaf II y la influencia de los escaldas cristianos islandeses paralizaron la poesía mística pagana de los noruegos. Un siglo después con el poema *Geisli,* de Einar Skulason, compuesto en honor de Olaf el *Santo,* triunfa la poesía religiosa cristiana. En esta época empieza a transmitirse la literatura escrita y se iniciaron las influencias extranjeras. Are Frode (m. 1148), poeta formado en Francia, escribió en latín.

Los *sagnamenn* llenan los siglos XII y XIII de Noruega e Islandia. La literatura de *sagas,* como la *éddica,* es anónima. Sin embargo, son conocidos los nombres de algunos poetas: Sturla y Tordsson, Jonsson, Magnus Lagaböter y, sobre todos, Snorre Sturlason (m. 1241), poeta excelente y autor de *Heimskringla,* fuente preciosa para la historia de su patria.

La cultura latina penetra en Noruega en el siglo XIII y da origen a cuentos, leyendas, narraciones. En este período la literatura indígena está representada por el *Draumkvaedet* (Poema de ensueño), la *Saga de los Volsungos* y los poemas del fraile islandés Eystein Asgrimsson —siglo XIV.

En 1319 Noruega queda unida a Suecia. Y en 1397 la Unión de Calmar da origen a la influencia danesa, que *casi asfixia* el sentido literario autóctono.

La Reforma fue impuesta en Noruega por Federico I y Cristián III de Dinamarca. El Humanismo penetró en el país y produjo buenos latinistas. Pero inicio una reacción hacia los valores nacionales de la tradición. Este movimiento tuvo como figuras representativas a Absalón Pederssön Beyer—*sobre el reino noruego*—, Peter Clausen Friis (murió en 1614), cantor de las viejas glorias y autor de una *Descripción de Noruega.*

Más interesante literariamente fue el siglo XVII. Queda formada una cultura *dániconoruega* y predomina el gusto por las letras extranjeras y los libros de viaje. Una gran figura aparece en

N

esta época: Petter Dass (m. 1707), uno de los poetas noruegos más admirables, y también costumbrista; todas sus obras resplandecen de sencillez, de intensidad y de emoción.

Pero el auténtico resurgimiento nacional literario se inicia con Ludvig Holberg (1684-1754), de cultura extraordinaria, viajero por toda Europa; entre sus obras figuran: *Peder Paars*—poema satírico—, *Erasmus montanus* y el *Viaje subterráneo de Nils Klim*—novela.

El renacimiento poético del siglo XVIII presenta nombres de primer orden en la poesía: Christen Tullin—*El día nuevo*—, Hermann Wessel, Claus Fasting, Jenes Zetlitz, los hermanos Frimann, Nordahl Brun (m. 1816), que marca la transición al despertar nacional con su *Tambeskjelver*, de tema medieval; Jonás Rein, orador y poeta; Niels Treschow, poeta y filósofo kantiano.

Muy a principios del siglo XIX surge la figura del gran poeta nacional Henrik Arnold Wergeland (1807-1845), místico racionalista, romántico y crítico; ningún género le fue extraño; se le ha comparado con Shelley y con Novalis; entre sus obras figuran: *La creación, el hombre y el Mesías; El hombre, La judía, El piloto inglés, El jardín de Jan van Hysums, La golondrina...*

Sebastián Cammermeyer Welhaven (1807-1873), reflexivo y refinado, crítico, poeta y prosista, adversario acérrimo del que fue su amigo de juventud Wergeland—*El crepúsculo de Noruega, Ganimedes, Protosilaos, Glaukos*—. J. Ch. C. Dahl, pintor y poeta. Peter Christen Asbjörsen (1812-1885), poeta folklorista. Jörgen Moe (1813-1882), poeta folklorista. Magnus B. Landstad (1802-1880)—*Cantos populares*—. Sophus Bugge (1883-1903), filólogo y folklorista.

Dentro ya del romanticismo figuraron destacadamente: Andreas Munch (1811-1884), poeta fecundísimo—*Las nupcias de la princesa, Dolor y consuelo*—. Autores teatrales fueron: Peter Andreas Jensen y Claus Pavels Riis; y novelistas: Bernhard Herre—*Memorias de un cazador*—, N. Ramm Ostgaar (1812-1873)—*Una aldea en la montaña*—y Harald Meltzer.

El idioma noruego debió su fijación, en esta época, a los estudios filológicos de Knud Knudsen (1812-1895) y de Ivar Aasen (1813-1896).

Lo figura más representativa del "romanticismo nacional" fue Camila Collett (1813-1895), hermana de Wergeland y novia durante algún tiempo de Welhaven, novelista de gran popularidad—*Las hijas del alcalde, Durante las largas noches, Contra la corriente.*

Aasmund Olafsen Vinje (1818-1870), fundador de periódicos, poeta, novelista—*Trigo y centeno, Storegut, Recuerdos de un viaje.*

Figura sensacional en el mundo entero es la de Henrik Ibsen (1828-1906), uno de los dramaturgos más admirables de todas las épocas, de enorme influencia dentro y fuera de su patria, creador extraordinario, "padre del teatro de ideas"—*Comedia de amor, Casa de muñecas, Espectros, Peer Gynt, Brand, Emperador y Galileo, Los pilares de la sociedad, Un enemigo del pueblo, El pato salvaje, La dama del mar, El constructor Solness, El pequeño Eyolfi, John Gabriel Borkman, La Casa Rosmer, Hedda Gabler...*

También universal, Premio Nobel, fecundo, fuerte, el dramaturgo Björnstjerne Björnson (1832-1910), también novelista, figura ingente y muy influyente en promociones posteriores. Eutre sus dramas destacan: *Sigurd Slembe, Entre las batallas, Los recién casados, El redactor, Las columnas de la sociedad, El rey, Leonarda, El guante, Superior a nuestras fuerzas, Paul Lange, Laboremus.* Entre sus mejores novelas: *La colina roja, Mary, El mozalbete alegre, La niña del pescador, La marcha nupcial, Arne, Ondean banderas en la ciudad y en el puerto, En el camino de Dios...*

El creador de la novela contemporánea noruega fue Jonás Lie (1833-1908), de fama universal, vigoroso pintor de caracteres y de costumbres, de humanísima ternura y de fino humor—*El velero de tres palos "El Porvenir", El visionario, El piloto y su esposa, El carnicero Tobías, El esclavo de la vida, Maisa Jons, Una vida en común, Potencias malvadas, Niobe, Cuando el sol se pone, Un remolino...*

Narradores de segundo orden fueron: Magdalene Thoresen (1819-1903), suegra de Ibsen, y Kristofer Janson (1841-1917)—*Nuestros antepasados.*

En el naturalismo se distinguieron: el anarquista Hans Jaeger (1854-1910)—*La bohemia en Cristianía*—. Christian Krogh (1852-1925)—*Albertina*—. Kristian Elster (1841-1881), pesimista, discípulo de los rusos—*Gente peligrosa*—. Alexander Kielland (1849-1906), novelista y dramaturgo refinado—*Garman & Worse, El capitán de navío Worse, Veneno, Fortuna, Trabajadores, Nieve*—. Amalie Skram (1847-1905), pesimista y naturalista "integral"—*Constance Ring, La fiesta de Navidad, Traicionada, Señora Inés, Verano, La gente del pantano, El profesor Jerónimo.*

Gunnard Heiberg (1857-1929), admirable dramaturgo—*La tía Ulrica, El rey Midas, La gran lotería, El gobierno del pueblo, El amor hacia el prójimo, El lecho de gala, El balcón, La tragedia del amor.*

Arne Garborg (1851-1921), erudito, narrador, ensayista, crítico, filólogo—*Un librepensador, Estudiantes campesinos, Juventud, Varones, Al lado de la madre, Hombres cansados, En el reino de los muertos, El maestro, El padre perdido*—. Per Sivle (1857-1904), narrador. Ivar Mortensson, narrador y biógrafo de Gasborg. Jens Tvedt (n. 1857), novelista.

El neorromanticismo se inició en Noruega hacia 1890. Su más ingente figura es Knut Hamsum (1859-¿1952?), novelista de fama mundial, Premio Nobel de Literatura 1920, admirable pintor de tipos y costumbres, de natural y sencilla expresión—*Tierra nueva, Misterios, Pan,*

Hambre, El juego de la vida, Vida que lucha, El redactor Lynge, Siesta, En el país de las fábulas, La reina Tamara, El coro salvaje, Argonautas de cristal, Victoria, Un vagabundo toca con sordina, El último capítulo, Bajo las estrellas de otoño, Pero la vida vive, Augusto, La ciudad de Segelfoss, La última alegría, El crecimiento del suelo...

Hans Ernst Hinck (1865-1925), psicólogo, filósofo, narrador, ensayista—*La ninfa de los bosques, Cuando el amor muere, Alas de murciélago, Murmullo, La víbora, La señora Anny Porse, El doctor Gabriel Jahr, Los espíritus de la vida, Las tentaciones de Nils Brosme, La época de la grandeza.*

Sighjörn Obstfelder (1866-1900), místico a veces, a veces erótico, muy próximo en ideas y en angustias a Kierkegaard—*La llanura, La cruz, Las gotas rojas, Vida, El diario de un sacerdote, Korset.*

Nils Collett Vogt (1864-1927), de copiosa labor, narrador y poeta enamorado de la Naturaleza —*Retorno, Bajando del monte*—. Tryggve Andersen (1866-1920), morbosamente romántico —*Hacia la tarde, Retorno a casa, El tesoro de la infelicidad, Gente vieja*—. Thomas Krag (1868-1913), novelista de ambientes provinciales *La serpiente de cobre, Gunvorg Kjeld*—. Vilhelm Krag (1871-1933), hermano del anterior, también novelista de costumbres. Theodor Madsen, de gran pesimismo—*El dedo de Dios, A la deriva, Bajo el árbol de la conciencia*—. Gabriel Finne (1866-1899), discípulo apasionado de Strindberg, novelista de los instintos más brutales—*Jóvenes pecadores, El búho*—. Arne Dybfest (1868-1892), anarquista y narrador. Hans Aanrud (n. 1863), cuentista y humorista excelente—*Una noche de invierno, Sidsel Sidsaerk, Sölve Solfeng*—y dramaturgo—*La cigüeña, El gallo*—. Rasmus Loland (1861-1907), delicado novelista. Anders Hovden (n. 1860), sacerdote y poeta. Nils Kjaer (1870-1924), dramaturgo—*El día de rendir cuentas*—y prosista—*Epístolas,* cinco tomos.

Destacadísimo lugar en la literatura noruega ocupa Sigrid Undset (1882-1949), que en 1928 recibió el Premio Nobel de Literatura, novelista admirable, de fama universal, de fina psicología, gran analizadora de las pasiones de la mujer. En 1929 se convirtió al catolicismo—*La señora Marta Oulie, La edad feliz, Jenny, La primavera, Destinos miserables, El trocito del espejo mágico, Las vírgenes discretas, Cristina, hija de Lorenzo; La Corona, La dueña de la casa, La cruz, La orquídea silvestre, La zarza ardiente, Ida Elisabeth...*

Johan Bojer (n. 1872), novelista igualmente de fama mundial, de tendencias popular y moralizadora—*Una cruzada de pueblo, Una peregrinación, La fuerza de la fe, La gran hambre, Nuestra estirpe, El prisionero que cantaba, El último Vikingo, El poder de la mentira, El templo nuevo*—. Peter Egge (n. 1869), novelista de gran popularidad, psicólogo sutil, gran prosista—*El corazón, Dentro de los fiords, J. y su dios, El y sus hijas, Nuestras acciones, Huéspedes, Hausiene Solstad, El loco*—. Gabriel Scott (nació 1874), novelista de gran fuerza—*La generación de hierro, La fuente, El sendero o Cristóbal con la rama*—. Andreas Haukland (n. 1873), cuyas novelas han sido calificadas como "epopeyas de la Naturaleza"—*Historias de campesinos, Los grandes bosques*—. Christian Skredsvig (1854-1924), pintor y autor de dos buenas novelas autobiográficas—. Hjalmar Christensen (1869-1925), ensayista y dramaturgo—*Una vida*—. Johan Fredrerik Vinsnes (n. 1866), polemista y ensayista. Sigurd Matthiensen (n. 1871), de tendencias místicas "a lo ruso". Hans Wiers Jenssen (1866-1925), durante muchos años director de teatros en Bergen y Oslo, autor dramático—*Anne Pedersdatter*—y novelista. Karl Schöyen (nació 1877), poeta y narrador. Hulda Garborg (nació 1862), novelista y autora dramática—*Aflicción que duerme.*

También son excelentes autores de novelas: Ragnild Jölsen (1875-1908), Regine Normann (1867), Nini Roll Anker (n. 1873)—*El sexo débil*—, Bárbara Ring (n. 1870)—*El amor, Navegando a vela, Antes que llegue el frío, Hermanas, La valla*—. Johan Falkberget (n. 1879) —*Campos negros, Claridad de antorcha*—. Oskar Braaten (n. 1881), autor dramático—*El joven, Mientras las ruedas están inmóviles*—y novelista—*La pequeña alcoba, La madriguera de lobos.* Matti Aikio (1872-1929), narrador—*Con abrigo de pieles.*

Olav Duun (n. 1876), por escribir en el dialecto natal no goza de la fama de Hamsum o de la de Undset, y, sin embargo, la crítica la reputa como novelista acaso más admirable que aquellos—*De través, La cima nebulosa, Tres amigos, La buena conciencia, Las grandes nupcias, A ojos cerrados, En la juventud, En la tormenta, El prójimo*—, Kristofer Uppdal (n. 1878), gran novelista—*El vigilante de la mina, Los picapedreros, La vieja montañesa, El rey, La migración*—y gran poeta—*El fuego del altar*—. Olav Hoprekstad (n. 1875), autor teatral. Sigurd Eldegard (n. 1866), comediógrafo. Henrik Rytter (nació 1876), dramaturgo ibseniano y poeta—*La ola, La isla, El hijo de la tierra, El miedo.*

La promoción de 1910 tiene su tríada máxima en Wildenwey, Bull y Overland.

Herman Wildenwey (n. 1886), poeta y prosista irónico y antiburgués—*Secretos, Mago de la palabra. La orquesta de fuego, Satisfecho de cardos*—. Olav Bull (1881-1933), poeta y narrador extraordinario—*Las estrellas, Metope, Ignis ardens, Cinos y Eros*—. Arnulf Overland (nació 1889), ironista, poeta, narrador de mucha personalidad—*Los cien violines, Pan y vino, Mesas de casa, El monte azul.*

Otros poetas de esta promoción son: Rolf Hiort-Schöyn (1887-1932), Tore Orjasaeter (nació 1886), Olav Aukrust (1883-1929), Alf Larsen (nació 1885).

Después de la Gran Guerra de 1914-1918 han adquirido justa fama: Charles Kent n. 1880), elegíaco—*La buena lucha*—. Gunnard Reiss-Andersen (n. 1896)—*Lluvia con sol, Escritura divina*—. Helge Krog (n. 1889), dramaturgo. Ronald Fangen (n. 1895), dramaturgo—*El pecado original, El enemigo, El hijo libre*—. Nordahl Grieg (n. 1902), poeta y prosista.

Johan Ellefsen (1888-1921), novelista; Hans Lyche (n. 1885), Alf Harbitz (n. 1880), Gösta af Geijerstam (n. 1886), narradores; Kristian Elster, hijo (n. 1881), historiador y crítico; Finn Halvorsen (n. 1893), Axel Krogh (n. 1890) y Sigurd Hoel (n. 1890), líricos.

Personalidad admirable de narrador tiene Sigur Christiansen (n. 1891)—*Cerca del Gólgota, La iniciación, Nuestra propia vida, El sueño y la vida, Un viaje en la noche, Dos vivos y un muerto.*

Kari Glöersen (n. 1871), novelista de temas feministas. Katharina Gjesdahl (n. 1885), novelista y cuentista. Axel Sandemose (n. 1897), novelista psicólogo—*Un fugitivo vuelve sobre su pista.*

Novelistas importantes en "landsmál" son: Sjur Bygd (n. 1890), Tergei Vesás (n. 1897)—*Los caballos negros.*

En "riksmál" escriben: Olof Benneche (nació 1883), Ole Lie Singdahlsen (1876-1926), Theodor Dahl (n. 1886), Ingeborg Refling Hagen (nació 1895), Mikkjel Fönhus (n. 1894), Edvard Welle-Strand, Jens Hagerup (n. 1884), Lars Hansen (n. 1869), Ole Edvard (n. 1876), Knut Werswick...

V. Beyer, Harold: *Litteratura noruega.* Barcelona, Ed. Labor, 1931.—Jaeger, Henrik: *Illustreret norsk Literaturhistoire.* Oslo, 1896-1905.—Elster, Christián: *Norsk Literatur-historie.* Oslo, 1924.—Prampolini, S.: *Literatura noruega.* En el tomo X de la "Historia universal de la Literatura". Buenos Aires, Uteha, 1941.

NOVACIANISMO

Nombre dado al cisma provocado por las doctrinas de Novaciano, presbítero de Roma, y de Novato, presbítero de Cartago. Y nombre también dado a las mismas doctrinas heterodoxas.

Novaciano nació en Frigia, a principios del siglo III, y en su juventud perteneció a la secta de los estoicos. En el año 248 pasó a Roma, donde abrazó el Cristianismo, siendo ordenado presbítero. Al ser elegido Pontífice San Cornelio, Novaciano, que se creía más digno de ocupar la cabecera de la Iglesia, se hizo consagrar y se constituyó antipapa. Luego empezó una campaña de calumnias contra la conducta que seguía San Cornelio con los *lapsos,* dando con ello origen al novacianismo. Fue autor de un *Tractatus de Trinitate* y otros escritos.

Algunos autores antiguos—Eusebio, San Epifanio, Teodoreto, Focio, Sozomeno—identificaron como un mismo personaje a Novaciano y Novato, distintos en realidad, como probaron San Cornelio, San Paciano, San Jerónimo y San Cipriano.

Al cisma iniciado por Novaciano se unió la herejía. Novaciano calificó a San Cornelio de *libelático,* esto es, de haber redimido a precio de oro su vida en tiempo de la persecución, comprando un documento oficial en que constaba haber él sacrificado a los dioses.

La cuestión de los llamados *lapsi* dio motivos a Novaciano para iniciar su cisma y su herejía. Fueron llamados *lapsi* los cristianos que para librarse del martirio habían renegado de su fe. Pasada la persecución de Decio, muchos de aquellos apóstatas desearon entrar de nuevo en el seno de la Iglesia.

Con relación a estos *lapsi,* los jerarcas de la Iglesia se dividieron en dos tendencias. Los más rígidos pretendían negarles para siempre la absolución en el tribunal de la penitencia y excluirles para siempre de la Iglesia. Según estos rigoristas, la Iglesia no debía estar integrada más que por personas puras—*catharos*—, y que los que pecaban después del bautismo no podían ser readmitidos en el seno de la Iglesia, pues el poder de perdonar no pertenecía sino a Dios. Los cristianos de corazón, en cambio, querían admitirlos sin exigirles ninguna o casi ninguna reparación.

Novaciano y Novato iniciaron una campaña difamatoria contra el Papa San Cornelio y otros muchos obispos, acusándoles de mostrarse benévolos con los *lapsi.*

Al principio, el novacianismo mantuvo todo su bárbaro rigorismo contra los *apóstatas;* pero, posteriormente, los discípulos de Novaciano extendieron la severidad implacable de su maestro *a toda clase de pecados mortales.* Es decir, que, según el novacianismo, la Iglesia no podía perdonar jamás el alma caída en pecado grave después del bautismo.

Combatieron enérgicamente el novacianismo el Pontífice San Cornelio, San Epifanio, San Jerónimo, San Cipriano, quienes hicieron resaltar la inmensa soberbia y la máxima hipocresía de Novaciano, Novato y sus secuaces, almas llenas de pecados, y que buscaban el encumbramiento material por medio de alianzas con los enemigos de la Iglesia.

En el año 251 reunió el Papa San Cornelio, en Roma, a setenta obispos, y por unanimidad fue fulminado el anatema contra el novacianismo y sus adeptos. Muchos de estos—Máximo, Urbano, Macario, Sidonio, entre los más ilustres—se sometieron con la mayor humildad, y San Cornelio los acogió bondadosamente a la comunión y los restableció en sus dignidades.

Novaciano murió en el año 257. Hay quienes afirman que víctima de las persecuciones de Valeriano.

V. Jordan: *Die Theologie der neuentdeckten Predigten Novatians.* Leipzig, 1902.—Butler: *Novatianism.* En "Journal of Theol. Studies", III, 113, 1901.

NOVECENTISMO

1. Término empezado a usar en Italia para significar el *estilo* y las *tendencias*—en literatura y arte, principalmente—del siglo XX.

El término no puede ser admitido sino con muchas reservas. Parece demasiado audaz *rotular* una época *con anterioridad* a su desarrollada existencia y a su conocida persistencia.

Verdad es que conocemos la vida y la inmortalidad de otros tiempos por términos semejantes: el Cuatrocientos, el Ochocientos; pero no es menos cierto que la titulación les fue otorgada a las épocas con posterioridad a su aventura íntegra.

Más lógica nos parece la explicación dada al término novecentismo por algunos autores italianos: fecha de liquidación y crítica del siglo XIX y de reacción en su contra; y, también, anhelo de rectificación hacia sentidos y destinos menos tópicos e imaginativos y más realistas y originales.

Nos parece sin interés—y los años que van de siglo corroboran nuestra opinión—la aspiración inicial más apremiante del novecentismo, señalada por Massimo Bontempelli—en su libro *L'avventura novecentista*—: "El repudio de la realidad por la realidad y de la fantasía por la fantasía." Al parecer, Bontempelli quiso augurar que el destino artístico y poético del novecentismo sería la *simplificación y la mezcla de realidad y fantasía*. Destino que, en verdad, no puede negarse a la literatura y al arte de las épocas precedentes, en la que variaron únicamente las proporciones de la mezcla y los grados de la simplificación.

Posiblemente, en 1950 ya nos sería poco arriscado el dar una opinión *con certidumbre* de la técnica y de la táctica, de la inspiración y de las tendencias del arte y de la literatura del novecientos.

Sí, hoy podemos apuntar que el novecentismo es una tendencia egoísta a las realizaciones individualistas; una inspiración antipoética y "como industrializada" para servir en todos los meridianos y en todos los paralelos; una táctica de envidia, de hipocresía y de resentimiento; una técnica maestra en el procedimiento y sietemesina en el resultado.

Sí, hoy podemos apuntar que el novencentismo—hasta 1950—es un puro destino de violencias y, por ende, de fracasos estrepitosos. Un período de *intentonas*—bajo el signo de la audacia—, de procacidades—enraizadas en la propaganda—, de "posturas incómodas" y escasamente expresivas, de coitos monstruosos con abortos tremendos, de añagazas y de "pastiches" de "tremendismos" alharaquientos y huecos.

El novecentismo—insisto: hasta 1950—no ha encontrado éxitos—pocos—sino en las subversiones sin desenlace o en los retornos a la imitación más desvergonzada. Justo es decir que se ha lanzado—enloquecido de oratoria y de cánticos abusivos de intemperancia conquistadora—por todos los caminos; justo igualmente declarar que no supo o no tuvo paciencia para llegar al fin de ninguno de ellos.

Todo el arte, toda la literatura del novecentismo—¡qué escasas excepciones encontraría Diógenes con su linterna!—*rima* con un clima musical de "jazz". Con esto creo haberlo dicho todo.

2. Nombre dado en España a la tendencia de la promoción literaria inmediatamente posterior a la llamada "generación del 98". Tendencia que representó un apartamiento de lo tradicionalmente hispánico y un acercamiento a lo ideológicamente y a lo formalmente europeo.

Entre los *novecentistas* podrían quedar incluidos los filósofos Ortega y Gasset y Eugenio d'Ors; los novelistas Valle-Inclán y Pérez de Ayala; los dramaturgos Linares Rivas y Martínez Sierra; los prosistas Julio Camba y José María de Salaverría; los críticos Gómez de Baquero ("Andrenio") y Andrés González-Blanco...

Las características del novecentismo son, pues, la europeización y lo conceptual. El novecentismo excluye lo tradicional y lo sentimental; aquello con más absolutismo que esto.

NOVELA

Novela es la narración ordenada y completa de sucesos humanos ficticios, pero verosímiles, dirigida a deleitar por medio de la belleza.

Llámase *narración* por ser esta su forma propia, en lo que conviene con la historia, y se distingue del drama, que es representación. *Ordenada y completa,* porque entre sus hechos ha de existir enlace regular, constituyendo entre todos una sola acción íntegra y cabal. *De sucesos humanos,* porque solo nos interesan verdaderamente las narraciones de las costumbres humanas, los efectos de la virtud y del vicio, las felicidades, las desgracias, las pasiones, los hechos heroicos y las ridiculeces de la Humanidad. *Ficticios,* porque los sucesos son, en general, inventados por el mismo autor, aunque en ocasiones tengan base histórica. *Pero verosímiles,* porque deben tener verdad relativa o poética; y la tendrán, aun cuando no sean copia de lo que comúnmente acontece en la sociedad, si expresan con belleza cuanto se concibe en el mundo de la fantasía. Finalmente, *dirigida a deleitar por medio de la belleza,* porque su aspiración constante es el recreo del espíritu y la manifestación de lo bello.

El fin principal de la novela es deleitar el ánimo de los lectores con la narración de sucesos humanos; pero si la novela juntamente instruye y moraliza, será más perfecta.

La *novela* se distingue de la *historia* en que esta refiere hechos reales o verdaderamente acaecidos, pero la novela cuenta hechos ficticios o imaginarios. La novela es una verdadera obra *poética,* aunque se escribe generalmente en prosa, porque se propone la expresión de la belleza mediante la narración de hechos que solo tienen una verdad poética y son una creación de la fantasía.

La novela se divide por su tema en *caballeresca, histórica, heroica, pastoril, satírica, de costumbres, moral, filosófica, política, religiosa, científica, de misterio...*

En toda novela hay que considerar el *argumento,* los *personajes,* el *estilo* y las diversas *formas* de que es susceptible el relato. Estas formas son: *narrativa, dramática* o *dialogada* y *epistolar.*

Hasta aquí lo que pudiéramos calificar de *novela* considerada desde el punto de vista de la retórica. Pero debemos añadir extremos de mucha importancia.

Algunos críticos han añadido, como divisiones de la novela, la *objetiva* y la *subjetiva;* en aquella, el autor se limita a contar, inhibiéndose por completo de cuanto sucede en el relato; en esta, el autor *se retrata* en alguno de los personajes novelescos, o infunde en varios de estos porciones de su ideario, de su moral, de su sensibilidad. Para otros críticos no hay novela absolutamente objetiva ni novela absolutamente subjetiva, porque los autores, aun sin querer, más o menos, *se reflejan* en ciertos personajes, en ciertas decripciones, en ciertas consideraciones.

No hay género literario que esté sometido a menos reglas precisas que la novela. "Su acción escribe Coll y Vehí—debe ser una, íntegra e interesante; pero la unidad admite todavía mayor amplitud que en la epopeya. Pueden ser más los incidentes y más variados, y se tolera mayor difusión en los pormenores. En cuanto al carácter de los hechos y al modo de conducir el enredo, la novela dista mucho menos del drama que de la epopeya; los caracters tienen una fisonomía más individual; la forma dialogada alterna con la narrativa. El estilo admite todos los colores y tonos, desde el más vulgar y jovial hasta el más elevado y vehemente; la novela se escribe, generalmente, en prosa. En cuanto a la extensión material de la obra, hay tanta variedad como en la elección de asuntos." En esencia, solo cabe exigir a la novela dos calidades: *unidad* e *interés.* Y al novelista: fuerza creadora, maestría para dibujar los tipos de los personajes y un estilo llano, fácil, natural.

El relato de *sucesos imaginados* es tan antiguo como la imaginación. Pero la novela *integra el grupo narrativo* juntamente con la *novela breve,* el *cuento,* la *fábula,* la *leyenda,* el *apólogo,* el *chascarrillo...* (V.).

(V. *Española, Arabe, Persa, Griega, Latina, Japonesa, Alemana, Inglesa, Francesa, etcétera,* etcétera, *Literatura.)*

V. DUNLOP: *History of fiction.*

NUMEN

Inspiración poética.

NÚMERO (Literario)

1. Medida proporcional, cadencia que hace armoniosos los períodos músicos y los de la poesía.

2. Verso, porque consta de un *número determinado* de sílabas.

Los latinos llamaban *número,* tanto en relación con las obras poéticas como con las obras en prosa, la combinación artificiosa de las sílabas y las palabras, de donde resulta la cadencia y la armonía de los versos y los períodos; pero no confundían el número *poético* con el *oratorio,* cuyas leyes eran bien distintas. El número poético se consideraba como un defecto en la prosa. La poesía estaba sujeta a una medida más fija, menos variada, porque la armonía poética debe ser mucho más sensible que la de la prosa.

El *número oratorio*—armonía y cadencia de la palabra—fue sujeto a normas por los más insignes oradores clásicos: Aristóteles, Cicerón, Quintiliano.

Entre los griegos se perfeccionó antes el número *poético* que el *oratorio;* pero en Roma sucedió lo contrario. Cuando Lucrecio, el primero de los poetas latinos que hicieron versos hexámetros *numerosos,* publicó su poema *De natura rerum,* hacía mucho tiempo que habían impuesto el número oratorio Craso y Marco Antonio, quienes lo habían aprendido del retórico Carnéades.

Para muchos retóricos, el número es a la prosa lo que el ritmo a la poesía.

Entre los griegos y romanos, el número poético dependía de la sucesión de las sílabas breves—un tiempo—y de las sílabas largas—dos tiempos—. Así, el espondeo equivalía a cuatro tiempos. El verso hexámetro tenía veinticuatro tiempos y el pentámetro, veinte. En realidad, el *número* es uno de los elementos del ritmo.

V. HERMANN, G.: *Handbuch der Metrik.* Leipzig. Varias ediciones.—JULLIEN, B.: *Thèses de musique et de métrique anciennes.* París, 1861.

NUMISMÁTICA

De νόμισμα, medalla, moneda. El estudio de las monedas y de las medallas—principalmente de las antiguas—se estima, juntamente con la *Epigrafía* (V.), como una de las ciencias auxiliares de la *Historia* (V.).

Por el estudio de las monedas y de las medallas se han conocido fechas, personajes, rasgos anecdóticos, estimaciones artísticas, datos documentales...

NUNISMO

Del griego *nun* = ahora. Fue su iniciador el literato francés Pierre Albert-Birot. Según su autor, el *nunismo* aspira "a la cristalización lírica del momento emocional fugaz... Busca la verdad poética en la realidad pensada y no en la realidad aparente; las obras de arte no deben ser una representación objetiva de la Naturaleza, sino una transformación objetiva y a la vez subjetiva de ella misma".

El *nunismo* aspira también a la creación "de una belleza autónoma y de una emoción automática, más allá de la realidad objetiva" (EZQUERRA).

El *nunismo* tiene semejanzas innegables con el *cubismo*.

Pierre Albert-Birot (n. 1885) alcanzó su máxima fama y su más decisiva influencia entre 1917 y 1920. Pertenecía al grupo de Apollinaire, Reverdy, Max-Jacob, Blaise Cendrars, y su inquietud siempre en vilo le llevó al *calligramismo* (V.) al *dadaísmo* (V.), al *futurismo* (V.), al *cubismo* (V.). Por fin... descubrió el nunismo. Albert-Birot necesitaba pontificar apasionadamente. Y lo hizo desde su alta cátedra de innovador.

Sus postulados más inexorables fueron los siguientes:

1.° No se renovaría el objeto de la estática, pero sí la manera de concebir tal objeto.

2.o El objeto tendría que estar siempre de acuerdo y en armonía con el *momento subjetivo*, con el "ahora" de quien lo concibe.

3.o El nunismo desdeña el *pensamiento ordenado* y busca únicamente el *pensamiento concentrado* en un tiempo que siempre será el "ahora".

4.o Se hacen imprescindibles: la libertad de las palabras, la dislocación de la sintaxis y el olvido absoluto de los signos de puntuación.

El primer libro nunista de Albert-Birot apareció en 1917, con el título de *Trente et un poèmes de poche* y un prólogo jaculatorio de Guillaume Apollinaire. El libro provocó un nuevo escándalo en una época en que los escándalos literarios y artísticos se cuajaban cada día.

Otras obras de Albert-Birot son: *Poèmes quotidiens*—1918—, *La joie des sept couleurs* —1920—, *La triloterie*—1923—, *Opéra*—1924, antología poética—, *Matoum et Tévibar*—drama para títeres—, *L'homme coupé en morceaux* drama cómico—, *Laruntala*—polidrama—, *Les femmes plaintes*...

En todas estas obras, Albert-Birot permaneció fiel a su credo de que "el artista es el único juez de la medida de las proporciones entre lo objetivo y lo subjetivo".

El nunismo tuvo algunos seguidores en Francia. Pero ya en 1928 había dejado de tener influencia y aun interés; quedó absorbido por el *superrealismo* (V.).

V. FALQUIERE, Albert: *Le nunisme*. Conf. París, 1917.—PÉREZ-JORBA, J.: *Pierre Alber-Birot*. París, 1920.— ANTHOLOGIE DE LA *Nouvelle Poésie Française*. París, 1925.

Ñ

ÑAQUE

Nombre dado a un grupo de dos personas, que constituía una de las ocho compañías teatrales mencionadas por Agustín de Rojas Villandrando en su *Viaje entretenido*. "Ñaque es dos hombres...; estos hacen un entremés, algún poco de un auto, dicen unas octavas, dos o tres loas, llevan una barba de zamarro, tocan el tamborino y cobran a ochavo, y en esotros reinos a dinerillo... Viven contentos, duermen vestidos, caminan desnudos, comen hambrientos y espúlganse el verano entre los trigos, y en el invierno no sienten con el frío los piojos..."

O

OBITUARIO (V. Necrología)

OBJECIÓN

1. Réplica, protesta, reparo, razón en contra.
2. Dificultad propuesta en contra de una opinión.
3. Razón mantenida frente a otra razón.
4. Prueba contra lo afirmado.
5. Razón que se ocurre o se discurre y propone en contrario de una opinión, o para impugnar alguna proposición.

OBJETIVIDAD

Carácter real independiente de las obras literarias, en las que nada influyen las ideas y el genio de su creador.

OBJETIVO (Método)

1. En gramática, la voz pasiva.
2. Forma del verbo árabe.
3. Lo que pertenece al objeto del pensamiento, esto es, al *no yo*.

Descartes daba a la palabra objetivo un sentido diferente del que hoy se le da, llamando realidad objetiva a la realidad de la idea sola o de la cosa, considerándola en nuestro pensamiento.

En literatura se llama *método objetivo* aquel que utiliza un autor para escribir una novela, una composición dramática, inhibiendo su personalidad y atribuyendo a los personajes una original razón de ser y una vitalidad independiente.

OBRA

1. Cualquier trabajo literario.
2. Volumen o volúmenes de que consta una composición literaria completa.
3. Trabajo o parte de trabajo de un escritor.
4. Conjunto de la producción literaria de un autor.
5. Cualquier producción del entendimiento en letras, artes o ciencias.

OBSECRACIÓN (V. Figuras de pensamiento)

Figura retórica que se comete cuando se implora la asistencia de Dios, de su Santísima Madre, de los santos, de una persona, de una sombra, de un recuerdo...

> ¡Oh María, Madre de la gracia, alcanzádmela cumplidamente para que publique al mundo lo que Vos estimáis más que ser Madre de Dios! ¡Oh santos, serafines y querubines, asistidme para que sepa engrandecer lo que es más grandeza que la de vuestras altísimas naturalezas! (P. NIEREMBERG.)

(V. *Deprecación.*)

OBSERVACIÓN

1. Comentario. Reflexión. Consideración. Objeción. Reparo.
2. Comentarios o notas que se ponen a los escritos de alguna persona para explicarlos o juzgarlos.
3. Explicación—exegética o no—del pasaje de un libro.

La observación es la base de la *literatura narrativa,* de la filosofía natural y de la metafísica. (Aun cuando algunos filósofos y estéticos como Scheling, Hegel, Schopenhauer, procediendo *a priori,* prescindieron de la realidad.)

OBTESTACIÓN

Es una figura patética que consiste en poner por testigos de lo que se afirma o niega a Dios, a los hombres, a las cosas animadas o inanimadas, a los muertos, etc.

> Testigos son esta cruz y clavos que aquí parecen; testigos, esas llagas de pies y manos que en mi cuerpo quedaron; testigos, el cielo y la tierra, delante de quien padecí; testigos, el sol y la luna, que en aquella hora se eclipsaron. (FRAY LUIS DE GRANADA.)

OC (Lengua de)

Es la antigua *lengua provenzal* (V.) hablada en la parte sur de Francia, y opuesta a la que se hablaba en el Norte, lengua de *oíl*. Según los eruditos, estas denominaciones provienen de dos modos de producirse la afirmación *sí*. *Oc,* del latín *hoc,* esto es, *va bien; oíl,* del latín *hoc ille,* de donde deriva el francés *oui.*

La lengua de *oc* tuvo, durante la Edad Media, su auge y su apogeo al sur del río Loira. (V. *Provenzal, Lengua* y *Literatura.*)

OCASIONALISMO

Nombre dado a la doctrina filosófica que intentó solucionar el *dualismo* (V.) cartesiano de las sustancias, por medio de la remisión a Dios de la causa de las relaciones entre dichas sustancias: espíritu y cuerpo. A la causa aludida se le dio el nombre de *ocasión,* de donde toma su nombre la doctrina.

El ocasionalismo debe su afirmación a Malebranche, quien la basó en el siguiente raciocinio: "No hay sino una verdadera causa, porque no hay sino un verdadero Dios; la Naturaleza, o la fuerza de cada cosa, no es sino la voluntad de Dios; por lo cual, las causas naturales no son verdaeras causas, sino únicamente causas *ocasionales,* que no obran si no es por la fuerza y eficacia de la voluntad de Dios."

Pero antes de Malebranche, el ocasionalismo ya tuvo sus defensores. El alemán Clauberg (1622-1665) y los franceses De la Forge y Cordemoy consideraron el origen de la sensación como un resultado de la excitación de los nervios, y el movimiento mediante la voluntad del hombre como un milagro divino. "Dios es quien hace que con *ocasión* del estímulo en el sistema central aparezcan en nuestra conciencia los contenidos, como percepciones de color, de sonido, de forma, etc., y quien hace que cada vez que nosotros *queremos,* las corrientes nerviosas tomen en el cerebro aquella dirección que corresponde al movimiento deseado por el cuerpo."

También fue ocasionalista Arnoldo Geulincx (1625-1669), profesor en la Universidad católica de Lovaina y, más tarde, en la Universidad protestante de Leyden. Para Geulincx, "Dios ha creado también la materia, y su voluntad pone los movimientos y los contenidos de conciencia en aquella relación regular mutua que hace de unos no *causas,* pero sí *ocasiones* de otros".

Pero el defensor principal del ocasionalismo fue Nicolás Malebranche (1638-1715), nacido en París, estudiante de Teología en la Sorbona y que perteneció a la Congregación del Oratorio. Entre sus obras principales cuentan: *Recherche de la verité, Conversations chrétiennes, Méditations chrétiennes, Traité de la nature et de la grâce, Entretiens sur la Métaphysique et la Religión, Traité de morale.*

En la primera de las referidas obras, Malebranche expone en primer lugar, extensamente, "que la percepción sensible solo conduce a un conocimiento confuso y lleno de contradicciones; no son los sentidos, sino únicamente los conceptos matemáticos los que pueden constituir el fundamento de la enseñanza relativa al mundo de los cuerpos. Las percepciones de los sentidos son modificaciones de la conciencia que solo confusamente representan el mundo exterior; mas los fenómenos del mundo exterior, incluso los procesos nerviosos causados por los estímulos en los órganos de los sentidos, no son sus *causas,* sino tan solo las condiciones ligadas con ellos conforme a reglas establecidas por Dios, es decir, *causas ocasionales.* Pero avanzando más allá de Geulincx, transfiere Malebranche también este concepto a las conexiones que se dan fuera del mundo de los cuerpos: en el choque de un cuerpo con otro no se desprende del uno una cantidad del movimiento y pasa al otro, sino que un movimiento, la *causa,* cesa, y otro movimiento, el *efecto,* aparece, y estos dos movimientos diferentes, y que se siguen regularmente, son cuantitativamente iguales entre sí. La Física comprueba tales *relaciones* regulares, es decir, leyes que expresan relaciones de condiciones, dependencias *ocasionales,* no *causas. Causa* solo es Dios y el alma".

Y comenta Balmes—en su *Historia de la Filosofía*—: "La teoría de Malebranche es la exageración de una doctrina cierta; pero, al fin, es una exageración, y bastante peligrosa. No cabe duda en que el origen de toda verdad está en Dios; que Dios es la luz de todas las inteligencias; que no se puede explicar el orden intelectual y la comunidad de la razón sin suponer una comunicación de todos los espíritus con la inteligencia infinita; pero si esto se exagera hasta el punto de quitar a los espíritus criados la actividad propia, de suponer que no tienen verdadera causalidad, y que todo cuanto hay en ellos de causado lo hace Dios solo; si se añade que Dios es el lugar de los espíritus como el espacio de los cuerpos; si se sostiene que aun ahora, aquí en la tierra, vemos a Dios en Dios mismo, y que hasta los cuerpos los vemos en Dios, muy temible es que la idea de *creación* se transforme en *emanación*: que la comunidad de razón degenere de visión en Dios en identidad de sustancia, y que el sentido íntimo se convierta en un fenómeno de la conciencia única. Así nos hallaríamos conducidos al panteísmo... Sin embargo, es preciso convenir en que hay inmensa distancia entre Malebranche y los panteístas: quien admite la creación en toda su pureza; quien niega la causalidad verdadera a las criaturas, por temor de hacerlas participantes de la omnipotencia del Criador; quien, a pesar de las dificultades de su propia teoría, defiende la libertad de albedrío; quien reconoce la existencia de la otra vida, con todos los dogmas católicos; quien admite una conciencia individual en que el alma se conoce a sí misma; quien divide el mundo en dos clases de sustancias *esencialmente* distintas, cuerpos y espíritus; quien reconoce una muchedumbre de sustancias finitas, distintas, diferentes entre sí y dependientes

O

todas de Dios, que las ha sacado de la nada y las conserva con su voluntad omnipotente, ese tal no puede ser contado entre los panteístas sin una grosera calumnia."

El ocasionalismo ha sido combatido radicalmente por los filósofos católicos contemporáneos, ya que se opone a varias verdades de nuestra fe. Por ejemplo, *al libre albedrío,* pues no se concibe que el hombre sea libre y responsable en unos actos de los cuales Dios es el único autor. Por ejemplo, *a la santidad divina,* que no puede quedar a salvo si Dios solo, sin la cooperación humana, produce en nosotros los actos pecaminosos.

El ocasionalismo se opone, además, al dualismo de operaciones divinas y humanas que los Concilios distinguen en la Persona de Cristo; a la distinción fundamental entre los órdenes natural y sobrenatural.

V. GROETHUYSEN, B.: *Die Entstehung der bürgerlichen Wett und Lebensanschauung in Frankreich.* Halle, 1827.—BALMES, Jaime: *Historia de la Filosofía.*—ASTER, Ernst von: *Historia de la Filosofía.* Barcelona, 1935.—DAMIRON: *La Philosophie en France au XVIIe siècle.*—GAONACH: *La théorie des idées dans la philosophie de Malebranche.* Brest, 1908.—LEWIN: *Die Lehre von den ideen bei Malebranche.* Halle, 1912.

OCCITANO (Dialecto, Patois)

Se conoce con este nombre cierto dialecto de la antigua lengua de *oc,* hablado en el Agenais o territorio de Toulouse, en el Languedoc, región que recibió el nombre de Occitania; y nombre que los poetas conservaron muchos siglos. En el siglo XVIII, Rosset, en su poema de *L'Agriculture,* aún escribe:

Heureux, trois fois heureux, célèbre Occitanie,
celui qui dans ton sein pourra fixer sa vie!

Rochegude publicó, con el título de *Parnasse occitanien,* una selección de poesías de los trovadores de la Occitania, con un *Glossaire.*

OCCITANOS

Países cuyos lenguajes proceden del grupo de *oc,* en Francia.

OCEANÍA (Lenguas de)

Estas lenguas se dividen en dos ramas: 1.ª Lenguas de la familia malasia; 2.ª Lenguas de los negros oceánicos.

Su radio de uso comprende Australia, Asia y Africa y suma los idiomas javaneses, sumatranos o malasios propiamente dichos, los sumbava-timoranos, moluquenses, borneanos, filipinos o tagalos, australianos, polinésicos, formosienses, madagascáricos, lenguas de Nueva Guinea, Nueva Caledonia... (V. Por sus nombres, cada uno de estos lenguajes.)

OCTAVA

Estrofa de ocho versos isosilábicos. Tiene curiosas variantes.

Octava de arte mayor.—Se compone de ocho versos dodecasílabos, divididos en dos hemistiquios iguales, con rima consonante. Esta octava fue llamada también *de Juan de Mena,* por la frecuencia con que la empleó este autor:

No bien formadas—sus vozes serían
quando robada—sentí mi persona,
e llena de furia—la Madre Belona
me toma en su carro,—que dragos trayan;
e quando las alas—non bien remeçían
ferialos esta—con duro flagelo,
tanto que fizo—fazerlos tal buelo
que prexto me dexan—a donde querían.

Octava italiana.—Se escribe en versos iguales de cualquier metro, dividida en dos cuartetos y aconsonantando ordinariamente el segundo verso con el tercero y el sexto con el séptimo, llanos los cuatro; el primero y el quinto son llanos o esdrújulos y quedan libres o conciertan entre sí; el cuarto y el octavo son agudos y riman ambos.

Cuando en la noche sombría,
con la luna cenicienta,
de un alto reloj se cuenta
la voz que dobla a compás;
si al cruzar la extensa plaza
se ve en su tarda carrera
rodar la mano en la esfera
dejando un signo detrás...

(ZORRILLA.)

Octava real.—Estrofa que consta de ocho versos endecasílabos, de los cuales riman el primero con el tercero y el quinto; el segundo, con el cuarto y el sexto; y el séptimo, con el octavo (A B A B A B C C). Se pueden hacer también octavas endecasílabas con las rimas cruzadas de distinto modo y *octavillas* en versos de cualquier metro.

Cortés, el gran Cortés... ¡Divina Clío,
tu alto influjo mi espíritu levante!
¿Quién jamás tuvo objeto como el mío,
ni tan glorioso capitán triunfante?
¡Con qué aspecto real y señorío
se presenta a su ejército delante!
¡Oh, qué valor ostenta y qué nobleza!
¡Y cuánta heroicidad y gentileza!

(NICOLÁS F. DE MORATÍN.)

OCTONARIO

1. Los poetas latinos llamaron versos *octonarios* al *yámbico tetrámetro* y al *trocaico tetrámero* (V.).

2. Verso de dieciséis sílabas, compuesto de dos octosílabos. Cada uno de estos hemistiquios

da lugar a un verso nuevo: el octosílabo de romance.

Niño: un día serás hombre—y has de hacer la [cosa misma.
Ya de grado, ya a desgana,—te has de ver siempre [a la orilla
del abismo, en la ribera—de un mar que te atrae [e incita.
El suelo bajo tu paso—será arena movediza...

(Ramón Pérez de Ayala.)

OCTOSÍLABO

El verso más usado de arte menor, lo mismo por la poesía popular que por la poesía culta. En España, primitivamente, hubo dos versos octosílabos, uno de raigambre gallega y provenzal, y otro como resultado del desdoblamiento del verso largo de los cantares de gesta.

El octosílabo lo popularizaron inmensamente Juan Ruiz, el marqués de Santillana y los romances. Desde entonces es el metro predilecto nacional para la poesía lírica y aun para la dramática, por su ligereza, por su soltura, por su gracia.

A mis soledades voy,
de mis soledades vengo,
porque para andar conmigo
me bastan mis pensamientos.
¡No sé qué tiene la aldea
donde vivo y donde muero,
que con venir de mí mismo
no puedo venir más lejos!

(Lope de Vega.)

OCULTISMO

Ciencia de las cosas misteriosas o que han sido obtenidas por medio de las artes mágicas. (V. *Hermetismo* y *Esoterismo.)*

También se ha llamado ocultismo al conjunto de conocimentos teóricos y prácticos de las llamadas ciencias ocultas. (V. *Magismo, Teosofismo.)*

En la antigüedad ya existió el ocultismo, *complicado* con la astrología, con el demonismo, con la medicina milagrosa, con los augurios y los oráculos. Los caldeos y los egipcios fueron los pueblos maestros de las *artes mágicas,* complicadas con lo sobrenatural.

Sin embargo, el ocultismo—en su nombre y en su contenido—data del siglo XIX. En 1875 fue fundada en Nueva York una secta llamada *teosófica* u *ocultista.* Sus fundadores fueron el coronel Olcott y Elena Blavatsky.

Henry Steel Olcott (1832-1907), espiritista en un principio, bajo el influjo de la señora Blavatsky abrazó el ocultismo y la teosofía, y fundó con ella la Theosophic Society.

Elena Petrovna Hahn Blavatsky era rusa, nacida—1831—en Ekaterinoslav. Murió—1891—en Londres. Vivió mucho tiempo en la India y aseguró haber aprendido de ciertos sabios el budismo esotérico, que predicó después.

El ocultismo, como ya hemos indicado antes, estuvo relacionado con gran número de antiguas escuelas filosóficas, por ejemplo, las del Egipto, las de los cabalistas, las de los neoplatónicos. Pero en el siglo XIX se relacionó con el teosofismo, y tuvo sus distintas teorías, cuyo único lazo de unión es un positivismo trascendente. Entre aquellas teorías están: la metempsicosis, el nirvana, el plano astral... Esta última es la más importante, ya que trata de explicar naturalmente desde las maravillas del mundo físico y psicológico hasta las relaciones del alma humana con el Ser Supremo, del mundo visible con el invisible.

El ocultismo ha trabajado en la misma dirección que el irracionalismo, desacreditando la lógica y el sentido común como fuentes únicas o valederas del conocimiento y de la creación, y apoyando todas aquellas tendencias encaminadas contra la estabilidad de las concepciones rígidas del pensamiento.

¿Cómo explicar las manifestaciones ocultistas? Y se han lanzado contra el ocultismo las más variadas hipótesis: el engaño consciente o inconsciente; la mala observación a causa de la deficiencia de los órganos sensorios; la ilusión de los sentidos; la perversidad sexual; las alucinaciones; las afecciones morales y físicas; las capacidades supernormales, como la sensitividad, la telepatía, la telenergía, las fuerzas desconocidas, en el hombre y en la Naturaleza.

El ocultismo ha sido constantemente condenado por la Iglesia católica, ya que supone—sistema o arte—la intervención diabólica y soberbia humana que pretende alcanzar, ver, aprovecharse de cosas y acciones expresamente prohibidas por Dios así en la ley natural como en la positiva.

La falsedad de las doctrinas ocultistas queda bien patente en cuanto se examinen las numerosas sectas que comprende, hasta tal punto contrarias, que unas niegan lo que es para las otras un dogma de fe.

En la actualidad, el ocultismo suele ir unido al teosofismo.

V. Bertrand: *L'occultisme ancien et moderne.* París, 1900.—Godard: *L'occultisme contemporain, ses doctrines et ses divers systèmes.* París, 1900.—Wilson, B.: *Occultism and Common Sense.* Londres, 1908.—Behre: *Spiritisten, Okkultisten, Mystiker und Theosophen.* Leipzig, 1914, 3.ª edición.

OCUPACIÓN (V. Figuras de pensamiento)

Anteocupación o *anticipación,* en griego, *prolepsis* (πρόληψις, anticipación), es una figura retórica que consiste en prevenir una objeción que se puede hacer al orador, adelantándose este a mencionarla para rebatirla cumplidamente. El orador *ocupa* así el lugar de su adversario o de su jueces.

O

Si dijeres: Señor, yo no juré, dirá el Juez: Juró tu hijo o tu criado, a quien tú debieras castigar.

(Fray Luis de Granada.)

ODA

De ᾠδή, canto. Nombre dado por los griegos a un poema cantado con acompañamiento de lira. Por ello se llamó también a la oda *poema lírico.*

La *oda* tiene la misma antigüedad que la poesía helénica. Orfeo no temió descender a los infiernos en busca de su amada Eurídice, confiando que con su *poesía cantada con la lira* bastaría para aplacar a las divinidades infernales. Pero fue Píndaro, el príncipe de los poetas líricos griegos, quien dio a la oda toda su magnificencia. Horacio, imitador y émulo de Píndaro entre los latinos, consagró al elogio de su maestro una oda:

Monte decurrens velut amnis, imbres
Quem super notas aluere ripas
Fervet, immensusque ruit profundo
Pindarus ore.

Los romanos ya no cantaron las *odas,* y aunque alguna que otra vez lo decían en ellas, esto no era más que imitar una fórmula que solían usar sus maestros. Horacio mismo nos da una prueba de que sus odas no estaban destinadas al canto, dejando suspenso el sentido de algunas estrofas...

Districtus ensis cui super impia
Cervice pendet, non siculae dapes
Dulcem elaborabunt soporem;
Non avium citaraeque cantus.
Somnum reducent: somnus agrestium
Lenis virorum non humiles domos
Fastidit, umbrasamque ripam,
Non Zaphyris agitata Tempe.

Se da el nombre de *oda* en las literaturas modernas a las composiciones líricas que por su pensamiento y estructura se parecen a las que en Grecia y Roma se designaron con el mismo nombre, y especialmente las que imitan las formas clásicas de las que escribió Horacio.

La oda no debe tener mucha extensión; las estrofas o partes iguales en que se divide no deben pasar de seis ni ocho versos, para que tengan así la fluidez y rapidez que tanto conviene al género.

Lo que caracteriza a la oda en general es el entusiasmo y lo mucho que resalta en ella la personalidad del poeta.

Casi todos los preceptistas dividen las odas en cuatro clases: *sagradas, heroicas, filosóficas* o *morales* y *anacreónticas.*

La *oda sagrada* canta las glorias de Dios, su omnipotencia, su misericordia; las alabanzas de la Virgen y de los santos, los misterios de la religión y los triunfos de la Iglesia.

¿Y dejas, Pastor santo,
tu grey en este valle hondo, escuro,
con soledad y llanto,
y Tú, rompiendo el puro
aire, te vas al inmortal seguro?

(Fray Luis de León.)

La *oda heroica* es la que canta las hazañas ilustres, a los grandes hombres que las llevaron a cabo, las invenciones gloriosas y las maravillas de la Naturaleza. Y así, nuestro Martínez de la Rosa escribe, refiriéndose a ella:

Con mayor pompa, fuego y osadía
que la tierna Elegía,
dioses, hazañas, ínclitos varones,
la oda sublime entusiasmada canta;
ya al claro son de la armoniosa lira
Píndaro arrebatado
la Olímpica palestra abrirse mira,
los carros ve volar; oye el estruendo,
de cien pueblos escucha los clamores,
y en cánticos de gloria
del triunfador ensalza la victoria.

La *oda filosófico-moral* es la que expresa en tono templado los afectos que nacen de la tranquilidad de conciencia y de la generosidad del corazón, así como también las reflexiones que se agolpan a la mente del poeta al considerar la inestabilidad de la fortuna, la conducta de los hombres, sus esperanzas, etc.

Menos libre y audaz, pero al par noble,
si la santa virtud al vate inspira,
dulces himnos cantando en su alabanza,
con grave majestad pulsa la lira.
Así Horación y León cantan suaves
la blanda libertad y paz serena
de la inocente vida,
de ambición libre y de temor ajena;
mas si la horrenda faz aborrecida
les muestra el vicio y su furor provoca,
inflámase su mente,
la voz airada truena,
y al crimen insolente
a eterno oprobio y confusión condena.

Odas anacreónticas, a las que dio nombre Anacreonte, son las que consideran la vida bajo su aspecto agradable, cantando los placeres del amor, de los festines y el vino, la música y el baile, y cuanto es recreo y pasatiempo.

¡Con qué diverso tono
de Anacreón la lira
placeres solo canta,
tan solo amor respira!
Ya el néctar de Lieo
celebra en son festivo,
y sigue nuestra planta
su canto alegre y vivo;

ya expresa con dulzura
de amor sus falsos bienes,
su gozo y su ventura,
sus ansias y desdenes.

En España escribieron magníficas *odas sagradas:* Prudencio, fray Luis de León, San Juan de la Cruz, Arolas, Reinoso, Lista, fray Jerónimo de San José...; *odas heroicas:* Herrera, fray Luis de León, Quintana, Gallego, Heredia...; *odas filosófico-morales:* fray Luis de León, Rioja, Lope, Francisco de la Torre, Meléndez Valdés...; *odas anacreónticas:* Meléndez Valdés, Villegas, Cadalso, Iglesias de la Casa.

En Italia escribieron *odas magistrales:* Tasso, Alamanni, Trissin Fóscolo, Leopardi, Manzoni, Carducci...

En Francia: Ronsard, Bellay, Lamartine, Hugo...

En Inglaterra: Spenser, Ben Jonson, Cowley, Tennyson, Moore, Shelley...

OÍL (Lengua de)

Nombre dado a la lengua romance del norte de Francia en la Edad Media. La lengua de *oil,* es decir, *oui,* fue hablada entre el río Loira y Flandes. La alteraron muchos dialectos, pero tuvo un desenvolvimiento regular en su gramática y en su sintaxis. Nacida bajo la influencia de las leyes y de las analogías del latín, conservó el carácter del sistema de las lenguas sintéticas, y no fue, como el francés actual, puramente analítica. Su tendencia fue llegar a la claridad por el orden de las palabras, guardando el uso de las inflexiones y desinencias que afectan a las declinaciones latinas y facilitan las inversiones.

Los progresos de la lengua de *oíl* están marcados netamente en las *Lois de Guillaume le Conquérant*—siglo XI—. Entre este texto y las más antiguas poesías que se conocen media una centuria.

El más antiguo monumento poético de la lengua de *oíl* es la *Cantilena en honor de Santa Eulalia,* correspondiente al siglo X. En ella ofrece ya los caracteres de una lengua constituida a la perfección, mientras en los *Juramentos de Luis el "Germánico"*—año 842—se muestra en plena formación. A principios del siglo XII da una obra de importancia capital: la *Chanson de Roland.* A los textos poéticos mencionados hay que añadir: el *Bestiaire,* de Felipe de Thaun —del siglo XI al XII—y la *Vie de Saint-Alexis,* de la misma época.

De la prosa de aquel tiempo únicamente queda una traducción de los *Quatre livres des Rois,* publicada por M. Leroux de Lincy—1841—en la colección *Documents inédits relatifs à l'histoire de France.*

V. CHEVALLET: *Origine et formation de la langue française.*—BURGUY: *Grammaire de la langue d'oïl.*

OLIGARQUISMO

Forma *impura* del Gobierno de la aristocracia. En la *Política,* de Aristóteles, el oligarquismo es el modo que tienen de gobernar los nobles o los ricos *en provecho de ellos.*

Antes de Aristóteles se habían hecho ya algunas clasificaciones de las formas de gobierno. Y Píndaro, Herodoto, Tucídides y Platón señalaban las diferencias de la gobernación, según el poder estuviese en manos de uno, de varios o de muchos. Pero la clasificación hecha por Aristóteles es mucho más exacta, y puede afirmarse que no ha sufrido modificación trascendental alguna hasta nuestros días. Primeramente examinó los Gobiernos "en relación con el número de personas en quienes descansa el poder soberano". Después, los examinó "de acuerdo con los fines que persiguen en la realidad". Esta última clasificación comprende las formas de gobierno *puras* e *impuras,* según que los gobernantes atiendan al bienestar de todos los ciudadanos o a su propio y exclusivo interés.

La clasificación de Aristóteles es esta: *formas puras,* en que se atiende al bienestar general: *monarquía*—gobierno de uno—, *aristocracia* —gobierno de una minoría selecta—y *constitucional*—gobierno del pueblo—. *Formas impuras,* en que se atiende al exclusivo interés de quien gobierna: si es *monarquía,* degenera en *tiranía;* si es *aristocracia,* degenera en *oligarquía;* si es *constitucional,* degenera en *democracia.* Las formas impuras caen bajo el imperativo de la política práctica. Y Aristóteles, que defendió los *gobiernos mixtos* como la forma más natural y duradera, creyó la mejor combinación la de los elementos democráticos y oligárquicos. Sí, en su *Política* considera la república como una transacción entre la oligarquía y la democracia. Naturalmente, Aristóteles no aconsejó poner frente a frente tales formas de gobierno, sino escoger de cada una de ellas los principios que resultan vitales para ellos, combinándolos prudentemente. Así, propio de la oligarquía es el principio de la elección, y propio de la democracia es el de la exención o rebaja del censo, y "en la república deben darse estos principios, convenientemente armonizados".

Parece extraño que Aristóteles defendiese la oligarquía y la democracia que él estimaba como *formas impuras* de gobierno. A tal objeción respondió el propio Aristóteles que la oligarquía y la democracia—o la *demagogia,* como hoy se llama a esta—no son malas en sí, sino solo en lo que tienen de *formas exclusivas.*

Aristóteles distinguió cuatro clases de oligarquía:

1.ª La que se caracteriza por la fijación de un censo muy elevado para poder ser elegible a las magistraturas, evitando así que la mayoría pudiera pagarlo.

2.ª La que se caracteriza por no exigir censo alguno, pero que ordena que el cuerpo de los

O

magistrados sea el que nombre a los que han de ocupar las plazas vacantes.

3.ª La que se caracteriza por permitir que las magistraturas sean hereditarias.

4.ª La que se caracteriza por combinar las magistraturas hereditarias con la soberanía de los magistrados sustituyendo la de la ley.

La oligarquía, tan conocida por los pueblos antiguos y tan bien estudiada por Aristóteles, es un gobierno de todos los tiempos y se da en todas las circunstancias. Y, caso curioso, modernamente la oligarquía se produce independientemente de las formas de gobierno, pero presionando sobre ellas *desde fuera* y estorbando en su propia vida a las instituciones fundamentales del régimen político. El gran pensador Macías Picavea afirmó que, en su tiempo y en España, no existía el oligarquismo de una aristocracia, pero sí el oligarquismo del *caciquismo* (V.), el cual gobernaba en interés propio *desde fuera del Gobierno.*

"Yo tengo para mí—escribió otro gran español: Joaquín Costa—que eso que complacientemente hemos llamado y seguimos llamando *partidos* no son sino facciones, banderías o parcialidades de carácter marcadamente personal, caricaturas de partidos formados mecánicamente, a semejanza de aquellas otras que se constituían en la Edad Media y en la corte de los reyes absolutos, sin más fin que la conquista del mando, y en las cuales la reforma política y social no entra de hecho, aunque otra cosa aparente, más que como un accidente, o como un adorno, como insignia para distinguirse, o como pretexto para justificar la pluralidad. Ahora, aun el pretexto ha desaparecido, quedando reducidos a meras agrupaciones inorgánicas, sin espíritu, sin programa, sin eso que les daba semblante de cosa moderna y europea."

V. SANTAMARÍA DE PAREDES, V.: *Tratado de Derecho político.* Madrid, 1899.—COSTA, Joaquín: *Oligarquía y caciquismo.*—ARISTÓTELES: *Política.*

ONEIRISMO

Tendencia literaria y artística que compromete y deforma la realidad, llevando a ella los monstruos, fantasmas y maravillas creadas por los sueños o las imaginaciones febriles.

El sueño y la imaginación poseen un *modo de vivir* capaz de descentrar y de revolcar el sentido insobornablemnte naturalista de lo cotidiano. El sueño y la imaginación febril *desenfocan* la visión normal y engendran caprichos y aquelarres, en los que se *vitalizan* y *valorizan* los sentimientos, los deseos y los ideales malogrados en la realidad.

El mundo onírico, con sus límites asombrosamente imprecisos y con sus contraluces asombrosamente variables, aporta a la creación literaria y artística un interés de sugestión y de trascendencia fenomenal inagotables.

No creemos, como algunos críticos, que el material onírico, con sus múltiples valores, y desde un punto de vista interpretativo, caiga en los dominios de lo mitológico y sea, por ende, puro simbolismo. En la imaginación y en el sueño existen unas *porciones de vida*—las más genuinas—que sus sujetos no supieron o no pudieron desarrollar dentro y de acuerdo con el fenómeno social circundante. Porque no todo, en el sueño y en la imaginación febril, se compone de alucinaciones, de fantasmagorías, de incomprensibles reacciones emotivas... El inmenso secreto de nuestra susceptibilidad, de nuestra vergüenza, de nuestro afán angustiosamente callado, se *desvela* íntegramente en el sueño, en el ensueño. No, no resulta una mera frase bonita eso de *soñar la verdad.*

Muchos escritores y artistas contemporáneos pretenden que el oneirismo es una radical consecución de nuestro siglo, en su aplicación al arte y a la literatura. Y creen de buena fe que el oneirismo lo ha valorizado el *superrealismo* (V.), apropiándoselo después, para sus fines escasamente concretos, otros muchos *ismos* de subversión y de reacciones irreales: futurismo, cubismo, caligramismo, creacionismo, simultanismo, dadaísmo, ultraísmo, etc.

No cabe negar que a partir de 1905 el oneirismo adquiere íntegramente su *valor de necesidad* en el arte y en las letras; pero sería absurdo no admitir que el oneirismo es tan viejo como el arte y la poesía. ¿Negará alguien lo que hay de sueños y de imaginación febril en la *Iliada* o en la *Odisea?* Puros ensueños son *La utopía,* de Moro; *La Ciudad del Sol,* de Tommaso Campanella. El oneirismo más absoluto se patentiza en las pinturas—extrañas y fantásticas—del holandés Jerónimo van Acken Bosch, el "Bosco"; en las pinturas *negras, aguafuertes* y *caprichos* de nuestro Goya... ¿Y para qué alargar la enumeración? No creemos que el oneirismo pictórico se haya superado actualmente por Chirico, Picasso, Dalí, Delvaux, Kay Sage...

Desde siempre, hoy y para siempre, los sueños y las imaginaciones febriles darán la batalla—perpetuamente indecisa—al realismo.

ONOMASTICÓN

De 'Ονομαστικός, que nombra, que designa, corresponde al vocablo latino *nomenclatura.* Fue el nombre dado por los clásicos griegos y romanos a un repertorio—o registro—de notas y reseñas distribuidas bajo los nombres de personas o de cosas. Es sinónimo de *diccionario* (V.).

Hubo en Grecia y en Roma un gran número de complicaciones de este género. Ha llegado a nosotros la de Julius Pollux, que vivió en tiempos de los emperadores Marco Aurelio y Commodo. El autor no sigue un orden alfabético, pero divide su obra en diez libros, y trata en ellos, con cierto determinado orden, de los dioses, del hombre, de la familia, de los conocimientos científicos, de las artes, de las leyes, de las ciudades, del campo, de los objetos mencionados por los escritores, a partir de Homero. Es una verdadera *enciclopedia* metódica de la antigüedad.

Muchos eruditos modernos han tomado el título para algunos diccionarios especiales. Así, el *Onomasticón de la historia romana,* de Glandorp—Francfort, 1589—; el *Onomasticon litterarium* o *Nomenclator historicocriticus,* de Cristóbal Saxe—Utrecht, 1775—; el *Onomasticon Tullianum,* de Orelli, dedicado exclusivamente a las obras de Cicerón.

Igualmente se dio ese nombre, durante la Edad Media, a santorales y martirologios, a tratados de derecho natural comentando el *Digesto* y las *Pandectas.*

V. BRUNET, J. Ch.: *Manuel du libraire.*

ONOMATOPEYA (V. Figuras de palabra)

De ὄνομα, nombre, y ποιέω, hacer. Imitación de un sonido por una palabra. Y también: formación de una palabra con cuyo sonido se imitan las cosas significadas.

Para los griegos, *onomatopeya* equivalía a *crear, formar un nombre.* En algunos tratados de Retórica se encuentra la onomatopeya en el número de las figuras; Marsais la trató en el libro de los tropos, reconociendo, sin embargo, que no debía confundirse con estos, por ser una palabra que se usaba siempre en sentido propio y no en el figurado.

A la onomatopeya se la llama también *armonía imitativa;* y su acción se reduce a imitar los *sonidos,* el *movimiento de los cuerpos* y el *movimiento del ánimo.* La primera imitación se logra casi a la perfección, ya que el lenguaje no es otra cosa sino una serie de sonidos que corresponden más o menos directamente con los demás de la Naturaleza que queremos expresar. La imitación del movimiento de los cuerpos puede alcanzarse por medio del ritmo auxiliado por la melodía. Los del ánimo, igualmente por medio de la armonía imitativa.

La onomatopeya debe surgir naturalmente como consecuencia del ímpetu del sentimiento y de la inspiración que el escritor posea, y no de premeditadas y frías combinaciones. En las lenguas antiguas existe un mayor número de voces imitativas que en las lenguas modernas, lo cual se debe a que al pasar de un idioma a otro se van modificando y alejándose cada vez más del tipo primero.

De Brosses—en su *Tratado de la formación mecánica de las lenguas*—dice: "Cuando se conoce un objeto que hace impresión en nuestro oído, con el cual tiene inmediata relación el órgano de la voz, y se trata de ponerle nombre, no se vacila, ni se reflexiona, ni se compara; el hombre canta con su voz el ruido con que sus órganos auditivos han sido impresionados, y el sonido que resulta de esta imitación es el nombre que da a las cosas que quiere denominar."

Las palabras imitativas, en su mayor parte, han sido tomadas de las voces de los animales: bramido, aullido, maullido, rugido, rebuznar, balar, piar... El movimiento del cuerpo puede imitarse con el ritmo y la melodía; su lentitud o velocidad se expresa por medio de sílabas largas e incisos largos, que retardan el curso de la frase, o por sílabas breves, esdrújulas y de fácil pronunciación. También pueden imitarse las conmociones del alma; las agradables, por medio de sonidos blandos, suaves y claros; la tristeza, con sonidos oscuros y palabras largas; las pasiones vivas y fogosas, con voces breves y sonidos agudos.

Virgilio, en la *Eneida,* descubriendo la naturaleza de los vientos y el poder que los dioses habían concedido a Eolo sobre ellos, usa de palabras que imitan, por una parte, el ruido de los vientos, y por otra, su agitación y su estado de reposo.

Illi indignantes magno cum murmure montis
circum claustra fremunt; celsa sede Aoelus arces
sceptra tenens: mollitque animos, et temperat iras
ni faciat, maria ac terraes caelumque profundum
quippe ferant rapidi secum verrantque per auras.

Considérase la onomatopeya como la fuente más abundante de raíces en todas las lenguas del mundo. Y Carlos Nodier—en su *Diccionario razonado de las onomatopeyas...*—declara "que es el tipo de las lenguas pronunciadas, como el jeroglífico lo es de las lenguas escritas". (V. *Harmonía imitativa.)*

O

ONONDAGA (Lenguaje)

Lengua indígena de la América septentrional y de la familia de los idiomas iroqueses. Se habló hasta el pasado siglo en el Estado de Nueva York por los últimos representantes del antiguo pueblo de los onondagas. Esta lengua tiene los caracteres generales de los idiomas a los cuales está unida. (V. *Iroquesa, Lengua.)*

ONTOLOGISMO

Sistema criteriológico que defiende la idea de que todas las cosas creadas *las vemos en Dios,* de quien tenemos esencialmente una intuición directa e inmediata.

Al ontologismo, en todas las épocas, se le han añadido o suprimido o transformado determinados rasgos; pero jamás dejaron de constituir las raíces del ontologismo—fondo y alma de la teoría—estas dos afirmaciones: 1.ª Todo espíritu humano posee esencialmente una visión directa e inmediata del Ser Infinito; 2.ª Por medio de esa visión descubrimos e intuimos en el mismo Dios, *al menos,* las verdades universales y, según algunos filósofos, aun las contingentes y particulares. (V. *Ocasionalismo.)*

Dice Branchereau: "El conocimiento de Dios

es el *substratum* inteligible de todo conocimiento humano." Y añade Fabre: "Nuestras percepciones intelectuales son visiones parciales de Dios."

Malebranche afirmó radicalmente: "No hay niguna cosa que nosotros veamos con una vista inmediata y directa, si no es Dios mismo. Según mi sentir, nosotros vemos a Dios cuando vemos las verdades eternas. Creo también que se conocen en Dios las cosas mudables y corruptibles. Creo, por fin, que todos los espíritus ven en Dios tanto las leyes eternas como las demás cosas." *(Rech. de la vérité,* lib. IV, 2.ª part., caps. VI y VII.)

El ontologismo, viejo en sustancia, moderno en el nombre y hoy ya inservible, motivó largas y agrias controversias, durante el siglo XIX, entre filósofos seglares y el clero de Italia, en la Universidad belga de Lovaina y en varios seminarios de Francia.

El ontologismo ha sido combatido por la propia conciencia, por la Teología y por la Filosofía.

Según Liberatore, la propia conciencia desmiente la verdad del ontologismo con una *evidencia invencible,* contra la cual se estrellan todos los apriorismos y las metafísicas del ontologismo más sutil. "Si dijésemos a un pobre —añade— que tiene el bolsillo lleno de oro, él podría desmentirnos con solo mostrárnoslo vacío. No de otro modo el ontólogo que nos felicita diciendo que llevamos en el espíritu la visión preciosa del Infinito, bástanos para hacerle callar mostrarle la conciencia vacía del tesoro que nos atribuye." *(Della conoscenza intellectuale.)*

La Teología rechaza abiertamente el ontologismo: 1.º Porque otorga al entendimiento una intuición inmediata y directa de Dios—aun suponiéndola confusa e imperfecta—que corresponde al orden sobrenatural, y que no poseeremos sino, como premio eterno, en la gloria celestial; 2.º Porque el ontologismo ha sido condenado—18 de septiembre de 1861—por la Sagrada Congregación del Santo Oficio; 3.º Porque el ontologismo cree imposible que podamos conocer a Dios—en orden inverso al que él defiende—, naturalmente y con certeza, por el previo conocimiento de las cosas creadas, lo cual se opone a una de las definiciones del Concilio Vaticano: *Deum rerum omnium principium et finem, naturali humanae rationis lumine e rebus creatis certo cognosci posse.*

La Filosofía rechaza igualmente el ontologismo. Por la Lógica admite un criterio de certeza natural distinto de la visión de Dios. Por la Psicología niega que dicha visión sea el origen de nuestras ideas. Por la Teodicea demuestra cómo encierra un germen de *panteísmo* (V.).

V. JÉHAN: *Ontologisme.* En "Dict. de la Philos. Catholique".—ZIGLIARA: *Della luce intellectuale.* Roma, 1896.—BOEDDER: *Natural theology.* Londres, 1902.

OPATA (Lenguaje)

Lengua de la América central y de la República mejicana, hablada en el Estado de Sonora. Está emparentada con los diversos idiomas en uso sobre la meseta del Anahuac. Natal Lombardo publicó—Méjico, 1702—un *Arte de la lengua opata.*

V. LUDEWIG, H. E.: *The literature of american aboroginal languages.*

ÓPERA

1. Palabra italiana que significa *obra.*
2. Poema dramático, fundido todo él en la música.
3. Poema dramático compuesto *para la música,* es decir, letra o libreto de ópera.

Se designa especialmente con el nombre de ópera la obra dramática por excelencia, en la cual todas las artes se prestan un mutuo y eficaz concurso, y en la que la poesía y la música se unen de una manera íntima, y en la que las danzas, con sus gracias exquisitas, y la escenografía, con sus esplendores, sostienen un sugestivo interés.

El origen de la ópera está en la Italia del siglo XVI; pero sus antecedentes son mucho más antiguos. Como que se encuentran en el teatro griego con la aparición de los coros y la entonación de los distintos *cánticos:* los *threnoi-trenos,* de duelo; los *peans,* de alegría; los *georgon asmata,* de los trabajos rústicos, y otros diversos; y también con las danzas del cortejo de Dionisios: la *emmeleia,* de carácter grave; la *tyrbasia* o tumultuosa, y la *sikinnis,* danza de los sátiros.

Para celebrar el culto de Dionisios eran necesarios, según sabemos por Plutarco, cuando habla de Eurípides: 1.º, el texto de un drama; 2.º, una música; 3.º, la disposición de los cánticos y las danzas; 4.º, los ensayos de conjunto, y 5.º, la designación de los personajes.

La inserción de los coros en los dramas líricos dio a estos un carácter muy parecido al de la ópera.

En Italia, y en el siglo XV, empezó a aplicarse la música a las obras de teatro. Así, la *Conversión de San Pablo,* con música de Francesco Baverini, fue representada en Roma de 1440 a 1480. El *Orfeo,* de Angelo Policiano, alcanzó un gran éxito en 1475. En el siglo XVI, Alfonso della Viola, maestro de capilla en Ferrara, estrenó en esta ciudad—1541—una ópera, aprovechando el drama, *con partes cantadas,* de Giraldi Cinthio, *Orbecco.* En 1594 alcanzó un éxito inmenso la pastoral *Dafne,* del florentino Ottavio Rinucci, con música de Jacopo Peri. Esta fue la primera *ópera auténtica.* La segunda, *Euridice,* del compositor Caccini—1600.

En España, el famoso cantante Farinelli estrenó las primeras óperas italianas sobre el escenario del teatro del Buen Retiro: *Angélica y Medoro*—1722—. Acaso la primera ópera, con libreto, española, fue *La cautela en la amistad,* letra de Juan Agramont y Toledo, música de Francisco Corselli—1735—; y la primera con música española, *La Casandra,* del compositor Mateo de la Roca—1737—. Literariamente, los llamados *libretos* de ópera tienen escaso valor, ya que deben someterse en absoluto al imperio de la música.

Las *óperas* pueden ser: *sagradas, serias, semiserias* y *bufas,* según las dividieron los italianos.

La ópera, por su argumento, puede ser: *trágica, cómica* y *dramática.* Se llaman *oratorias* cuando su asunto está sacado de la Sagrada Escritura; *óperas bufas,* si los caracteres se hallan exagerados y puestos en caricatura, como en las comedias de figurón, y *fantásticas* o de *espectáculo,* si, aparte de la música y el poema, se proponen divertir y admirar con el lujo y pompa de las decoraciones y trajes, como las de *magia.*

En la *ópera* existen el *recitado*—declamación más acentuada que la ordinaria, sostenida por notas musicales y acompañada de uno o varios instrumentos—y el *canto.*

Al *canto* pertenecen el *aria*—una sola voz—, *dúo, terceto, cuarteto, quinteto, sexteto, concertante*—todas las primeras voces—y *coros.*

V. MÉNESTRIER, P.: *Des représentations en musique anciennes et modernes.*—SAINT-EVREMONT: *Reflexiones sobre las óperas.* Traducción. Madrid, 1882.—SUTHERLAND: *History of the "Opera".* Londres, 1861.—CARMENA Y MILLÁN: *Crónica de la ópera italiana en Madrid.* Madrid, 1878.—PEÑA Y GOÑI, A.: *La ópera española y la música dramática...* Madrid, 1885.

OPERETA

1. Composición literaria—*libreto*—para una partitura musical de poca extensión o de menor importancia que la de la ópera.

2. Texto literario de una obra musical de *sentido cómico,* en la que alternan la letra y la música o se combinan ambas.

La *opereta* nació en Francia con Offenbach y Hervé, hacia mediados del siglo XIX.

En España, el auge de la *zarzuela* (V.), de origen netamente español, que guarda muchas analogías con la *opereta,* ha impedido el amplio desarrollo de esta. Sin embargo, han alcanzado celebridad operetas como *Bohemios* y *La generala*—de Vives—, *El príncipe bohemio* y *Las alegres chicas de Berlín*—de Millán—, *La corte de Faraón*—de Lleó—, *Molinos de viento* y *Los cadetes de la reina*—de Luna...

OPORTUNISMO

Nombre dado a una doctrina política y económica que admite como regla de conducta *para obrar* la necesidad impuesta por las circunstancias y la conveniencia del momento en determinados casos. Según Nafftzer, "la política es esencialmente la ciencia del oportunismo".

"Así como en la ciencia del Derecho—ha escrito Giner de los Ríos—muestra este en primer término su naturaleza esencial, sus principios reales y constitutivos *(Ciencia del Derecho natural* o *Filosofía del Derecho);* después, la serie temporal de sus evoluciones, sus hechos y estados individuales, transitorios, concretos *(Historia del Derecho),* y, por último, la relación entre ambos modos de ser, el temporal y el eterno, para estimar en qué conforman o no y a qué debe aspirarse según este juicio en el momento actual *(Ciencia filosóficohistórica del Derecho),* así también hay una *Filosofía política* o ciencia de la naturaleza del Estado, del eterno ideal, cuya realización debe proponerse todo Estado particular en su vida; una *Historia política* que considera esta institución hasta el instante mismo presente; y una *Política filosóficohistórica,* en fin, que, aplicando aquella idea a estos hechos, juzga su relación y determina qué ha de hacerse en cada época en vista del ideal que le corresponde y con el auxilio de los medios y las fuerzas efectivas que a la sazón para su cumplimiento ofrece la sociedad humana."

Ni que decir tiene que el oportunismo, como doctrina política y económica, y aun como táctica de gobierno, cae de lleno dentro de la llamada por Giner *Política filosóficohistórica,* ya que la esencia del oportunismo es "aplicar la idea del Estado a la concreción del mismo en un momento histórico determinado". Y los hombres que sepan, con prudencia y con sutileza, aprovechar esa coyuntura que ellos mismos han provocado, podrán ser llamados, quizá despectivamente, *oportunistas;* pero el calificativo no va en merma de sus condiciones indudables de políticos. Porque en la política cuenta—posiblemente lo que más—la oportunidad de la acción desarrollada en un ambiente propicio y en un momento climatérico de la psicología de las masas.

Ya en tiempos de Pericles y de Cicerón se hablaba *del imperio de las circunstancias,* de la *prudencia de la política,* de la *razón de Estado.* Pues bien: tales consideraciones, tan reales como indiscutibles, no son otra cosa sino invocaciones al oportunismo. La regla política puede ser creada en cualquier momento. Pero no en cualquier momento puede ser aplicada. El llevarla a la práctica precisa *una situación* que le sea favorable. La vida del Estado se desenvuelve por momentos *de distinta manera;* por ello, a esos momentos hay que llevar las leyes *de manera distinta,* y solo así tendrán eficacia y encontrarán justificación. Con *los mismos resortes* en el Poder fracasan unos gobernantes y triunfan otros. Puede afirmarse que los fracasados carecieron de *oportunismo* o de *visión política del momento,* que es frase más elegante y que molesta menos.

Algunos tratadistas de Derecho político han creído palabras sinónimas *oportunismo* y *maquiavelismo* (V.). Creencia absolutamente equivocada. El oportunismo no está reñido jamás con la ética; el maquiavelismo, muchas veces, sí. El maquiavelismo crea la ley o desarrolla su tendencia con premeditación de sus efectos.

El oportunismo obra *como lo aconseja cada momento.* El político oportunista tiene en su mano *todo el remedio,* pero sabe aplicarlo como le aconsejan las reacciones del enfermo. En el oportunismo el fin puede servir *para determinar los medios*—no para justificarlos, como enseñaba Maquiavelo—. En la recta—moral—y eficaz elección de esos medios inside el oportunismo.

Y por nuestra cuenta afirmamos algo más: una ley política, una ley económica, pueden ser creadas por hombres apolíticos; pero para aplicarlas con tino solo sirven los políticos de naturaleza y de gracia.

OPTACIÓN (V. Figuras de pensamiento)

Es una figura patética, consistente en la manifestación de un vivo deseo bajo forma de exclamación.

> ¡Abreme, Señor, esa puerta; recibe mi corazón en esa tan deleitable morada; dame por ella paso a las entrañas de tu amor; beba yo de esa dulce fuente; sea yo lavado con esa santa agua y embriagado con ese precioso licor! ¡Adormézcase mi alma en ese pecho sagrado; olvide aquí todos los cuidados del mundo; aquí duerma, aquí coma, aquí cante dulcemente, con el Profeta, diciendo: "Esta es mi morada en los siglos; aquí moraré, porque esta morada escogí!"
>
> (Fray Luis de Granada.)

OPTIMISMO

Doctrina filosófica que consiste, no (como se ha creído por algunos) en negar la existencia del mal, sino en sostener que el mundo, tal cual es, es el mejor de los mundos posibles.

El optimismo es una doctrina que se encuentra, más o menos desarrollada, en todos los sistemas filosóficos de la antigüedad. Platón dijo que era propio de Dios *hacer lo mejor.* Séneca —en su *Epístola 65*—manifiesta: *Dios hizo el mundo lo mejor que pudo, ya que fue el Bien la causa de que lo hiciera.* Cicerón—en su tratado *De Natura,* libro II—establece el optimismo de los estoicos así: "Nada hay mejor, ni más estable, ni más limpio que este mundo. Y no solo no hay nada mejor, sino que ni puede pensarse que lo pueda haber."

El optimismo invadió el Pórtico y la Escuela de Alejandría, y pasó a la filosofía medieval con toda su fuerza. Pero, justo es proclamarlo, recibió su máximo desarrollo como doctrina en las teorías de Descartes y de Leibniz. Y, naturalmente, el optimismo prendió en los panteístas y en cuantos juzgan que Dios obra necesariamente, ya que las causas que así obran "producen siempre efectos los más perfectos que pueden". Optimistas—en este sentido—fueron Wolf, Malebranche, Rosmini...

Debe tenerse en cuenta que la perfección del mundo que defiende el optimismo es la *esencial,* ya que en lo *accidental* el mundo aún puede perfeccionarse. Tampoco dicha perfección se discute en el acto operativo de Dios, quien, según el Doctor Angélico, "no puede obrar mejor que como obra, porque no puede obrar con mayor sabiduría y bondad".

Para los optimistas, Dios ha creado el mejor mundo posible, y niegan la posibilidad de que pueda ser mejorado, ya que Dios, la misma perfección, únicamente puede obrar en sentido de esa perfección.

Ahora bien: los filósofos han dado distintas interpretaciones a la anterior afirmación.

Unos han creído que dicha perfección de creación era aplicable a cada individuo en particular. Otros han referido la perfección a las distintas especies, a la Humanidad entera y a la tierra en que la Humanidad habita. Muchos han aplicado la perfección al Universo referido *a un tiempo determinado.* Algunos, al Universo también, pero considerando el Universo en la serie indefinida de todos los grados posibles de perfección.

Nótese que las cuatro anteriores interpretaciones hacen caso omiso—y aun se muestran adversarias—*de la experiencia y de la razón.*

Fue Leibniz quien desarrolló con más sutil atención la doctrina del optimismo. Leibniz representa en forma sucesiva lo que Dios ha visto intuitivamente, resuelto y ejecutado desde toda la eternidad. Y si en virtud de su omnipotencia pudo realizar, indiferentemente, un mundo mejor o peor, en virtud de su sabiduría "no podía realizar más que el mejor posible". Con todas sus imperfecciones es, pues, el mundo el mejor de los posibles mundos... considerado en conjunto. Con lo que Leibniz parece coincidir con Santo Tomás. Sino que Leibniz añade: si la Humanidad hubiera sido el fin único buscado por Dios, podría argüirse que en su obra no puso a prueba su sabiduría infinita. Pero ¿qué es la Humanidad imperfecta ante los mundos maravillosos que forman el Universo?

El optimismo filosófico ha sido rebatido con muy distintos argumentos. Para unos filósofos es falso porque se opone a la *libertad de Dios,* para quien no existe *lo mejor* y que no pudo elegir el mejor de los mundos entre otros tantos posibles. A dar por bueno este argumento, tendríamos que creer igualmente que no tienen fijeza ni inmutabilidad alguna las verdades que admitimos; que la sabiduría de Dios no ve la desigualdad de las criaturas entre sí, ni su desigualdad en relación con la perfección infinita de El.

El optimismo ha de ser combatido con dos consideraciones sumadas: la libertad de Dios y su infinito poder. Si Dios no tuviese un poder infinito, cabría pensarse en que este mundo es el mejor de los posibles. Pero ¿qué grado de perfección es ese que Dios no puede aumentar indefinidamente en nuevos grados? ¿Cuál es el límite puesto a la sabiduría y a la omnipotencia de Dios?

Y contestan los discípulos de Leibniz: el grado máximo de perfección en el cual Dios se determina, "no es un grado fijo y determinado de perfección, sino una serie indefinida de todos los grados posibles de perfección, cuyo encadenamiento constituye el plan del Universo". Tal serie—añaden—no limita el poder divino, ya que no contiene grado supremo alguno de perfección, pues que el mejor de los posibles mundos está en los términos de la serie indefinida.

El optimismo más ortodoxo y sensato podría ser este: Dios no está obligado a producir siempre lo mejor en absoluto, *sino lo más perfecto en relación al fin.* Es así que es El—y su gloria—el fin de las criaturas y el destino del Universo; luego cabe suponer que, *en atención a dicho fin,* Dios hizo el mejor de los mundos posibles. Sí, *es preciso* que este mundo, en su grado más perfecto, tienda a manifestarse en su fin: la gloria de Dios, que Dios se propuso al crearlo. No cabe razón superior a esta; ni siquiera la de San Agustín, quien decía "que es propio de Dios hacer siempre lo mejor posible", ya que el gran doctor de la Iglesia se refería *al obrar subjetivo* de Dios, siempre el más perfecto, ya que procede de una sabiduría y de una omnipotencia infinitas.

V. GUTTMACHER: *Optimism and Pessimism...* Baltimore, 1903.—ENGLER: *Darstellung und Kritik des Leibnitzsischen optimismus.* Jena, 1883.—KELLER, M.: *Optimism.* Nueva York, 1903.—PRANTL, von: *Ueber die Berechtrgung des Optimismus.* Munich, 1908, 3.ª edición.

ORACIÓN FÚNEBRE

Discurso pronunciado en el púlpito en honor de una persona ilustre acabada de morir; tiene tanto de elogio como de sermón, y un doble objeto, según afirmó La Harpe: proponer a la admiración, al reconocimiento y a la emulación las virtudes y los talentos que resplandecieron en el elogiado y destacar todo lo perecedero de las grandezas del mundo.

La oración fúnebre, en el verdadero sentido de la expresión, apareció con el cristianismo. Pero también en Grecia y en Roma fueron conocidos los *elogios fúnebres.* Pericles pronunció uno magnífico en honor de los soldados atenienses muertos durante el primer año de la guerra del Peloponeso; Demóstenes elogió a los muertos en Queronea; Hipérides, a Leóstenes y sus compañeros de armas muertos en la guerra Lamíaca. El *Menexenos,* de Platón, ha sido calificado de elogio fúnebre. En Roma, Valerio Publícola hizo el elogio de Bruto; Julio César, el de Julia; Antonio, el de César; Tiberio, el de Augusto; Calígula, el de Tiberio; Nerón, el de Claudio; Marco Aurelio, el de Antonino; Tácito, el de Luccio Rufo Virginio.

La oración fúnebre la inician los Padres de la Iglesia en toda su instrucción moral y religiosa, en toda su pureza y su grandeza. San Ambrosio, San Gregorio Nacienceno, San Gregorio de Nissa, escribieron memorables oraciones fúnebres. (V. *Elogio fúnebre* y *Necrologia.)*

ORATORIA (Arte)

1. Parte de la Retórica.
2. Arte que enseña a ser orador.
3. Arte que enseña a hablar con propiedad y elegancia.
4. Arte de hablar con elocuencia.
5. Arte de deleitar, conmover y persuadir por medio de la palabra.

La oratoria comprende las composiciones pronunciadas de viva voz. Para Capmany, "no es otra cosa, hablando en propiedad, sino el don feliz de imprimir con calor y eficacia en el ánimo de los oyentes los afectos que tienen agitado el nuestro". Y para Blair: "... el arte de hablar de manera que se consiga el fin para que se habla."

La oratoria constituye un hecho natural, que nace con el hombre; por ello, apenas hay un hombre que en los momentos supremos de su vida, cuando el sentimiento desborda su corazón, no sea capaz de conmover el ánimo de sus semejantes por medio de las palabras. Pero añade Coll y Vehí: "A pesar de su origen natural, de obedecer a poderosos móviles naturales, es preciso acudir a los recursos del arte, pues es evidente que sin ellos no se conseguiría el fin que la oratoria se propone... Es indudable que los hombres rudos, los pueblos salvajes, ofrecen modelos de elocuencia natural, o, más bien, de expresiones elocuentes; pero ni Demóstenes, ni Cicerón, ni Bossuet habrían podido componer el menor de sus discursos sin la constancia, sin el amor al estudio y al arte, que no los abandonó un solo momento."

Discurso oratorio es todo razonamiento dirigido a convencer y persuadir. También se define: una ordenada serie de pensamientos, pronunciados de viva voz, con objeto de conseguir un fin determinado.

Al discurso oratorio se le han dado también los nombres de *elocución, disertación, oración* y *arenga,* aunque este último nombre de arenga se reserva más especialmente para designar los discursos que se intercalan en la Historia y los discursos militares.

Pueden ser *objeto* del discurso oratorio todos los objetos del pensamiento, siempre que se trate del logro de un fin, es decir, que se tienda a un resultado de utilidad práctica, justo y conveniente, como son todos los que se relacionan con los intereses *religiosos, políticos, civiles, artísticos* y *literarios* de la sociedad.

El *fin* del discurso oratorio es *convencer* a los oyentes de la verdad, utilidad y justicia de lo que se les propone; *persuadirles* con moción de afectos y excitación de la voluntad a que obren en consecuencia, y *deleitarlos* con la belleza de la expresión y la galanura de las imágenes.

Muchos retóricos dividen el discurso oratorio en cuatro partes: *exordio, proposición, confirmación* y *epílogo*. Otros distinguen hasta siete partes: *exordio, proposición, división, narración, confirmación, refutación* y *peroración* o *epílogo*.

El *exordio* podrá faltar en los discursos breves y cuando el orador está seguro de la atención y benevolencia del auditorio. La *proposición,* cuando el asunto sea conocido de antemano por los oyentes. La *división,* cuando la proposición sea simple y haya de probarse con un solo orden de pruebas. La *narración,* cuando no haya necesidad de referir ningún hecho, por tratarse de un asunto puramente doctrinal, moral o político, que no tenga relación inmediata con hechos o acontecimientos determinados. La *refutación* no será necesaria sino cuando hayan de contestarse los argumentos que se hayan hecho o pudieran hacerse contra la proposición. Finalmente, el epílogo se suprimirá en los discursos breves. Solo, pues, la *confirmación* es parte absolutamente necesaria.

La *narración* y la *división* no son, en rigor, partes distintas de la proposición, porque la narración va comprendida o puede comprenderse, en la proposición ilustrada, y la división, en la proposición compuesta. La refutación pertenece a la confirmación. El *exordio*—que tiene por objeto preparar el ánimo de los oyentes para que presten atención y benevolencia—puede ser de cuatro clases: *simple* o *explicativo, exordio por insinuación, exordio pomposo y exordio ex abrupto*—que es el que comienza moviendo vivamente las pasiones, por nacer de la indignación o de la mal reprimida ira—. Naturalmente, las circunstancias indicarán la clase de exordio necesario; así, el *por insinuación* se empleará cuando el auditorio esté prevenido en contra del orador; y el *pomposo* se podrá usar en los discursos que se pronuncien por grandes acontecimientos y solemnidades.

Proposición es la enunciación breve, clara y completa del asunto de que ha de tratar el discurso. Puede ser de tres clases: *simple*—si abarca un solo punto, que no se puede o no conviene distribuir en partes—, *compuesta*—que abarca un punto complejo distribuible en partes—e *ilustrada*—cuando para su cabal inteligencia exige la exposición de ciertos hechos que la expliquen.

División es la ordenada distribución de las partes de la proposición, es la enumeración formal de los varios puntos que el asunto comprende, y de los cuales trata luego el orador separadamente por el orden en que los enunció. La proposición debe colocarse, juntamente con la división, después del exordio e inmediatamente antes que la narración y la confirmación.

Narración, en general, es toda relación de hechos reales o fabulosos. Puede ser *histórica* si refiere hechos verdaderos—y *poética*—si refiere hechos imaginativos.

Narración oratoria es la parte del discurso en que se refieren los hechos necesarios para la inteligencia del asunto y la consecución del fin que se propone el orador. Debe ser *clara, precisa, interesante y verosímil.*

La *confirmación oratoria* es la parte del disdiscurso en que se prueba la proposición. Es la parte más importante, pues mediante ella se logra el fin que se propone el orador. Debe cuidarse mucho del buen orden y colocación de las pruebas y del modo de exponerlas. Nunca se mezclarán las de distinta naturaleza, y se pondrán según sus grados de fuerza probativa, ajustándose a esta ley de Quintiliano: *Ne a potentissimis ad levissima decrescat oratio.* No todas las pruebas se expondrán del mismo modo: las fuertes y convincentes se presentarán distintas y separadas; las presuntivas, reunidas; las débiles se tratarán de pasada.

Refutación es la parte del discurso en que se contestan y destruyen las objeciones que se han hecho o pudieran hacerse contra la proposición que se defiende.

La *peroración* es la última parte del discurso, y su objeto es reforzar las impresiones producidas y presentar las cosas desde el punto de vista más favorable, ya recapitulando las principales razones, ya moviendo definitivamente los afectos. Puede tener dos partes la peroración: *epílogo,* o recapitulación de las razones, y *peroración* propiamente dicha, o moción última y definitiva de los afectos y pasiones.

Elocución oratoria es la manifestación del pensamiento en el discurso oratorio por medio del conveniente lenguaje oral. Tiene la forma subjetiva o enunciativa, y se combina en ella el elemento filosófico con el poético.

La oratoria exige un lenguaje más elevado y noble que la prosa vulgar; pero no usa las voces y licencias poéticas. La construcción de su lenguaje es más libre que la de las obras didácticas, pero no tanto como las de las composiciones poéticas, ni es tan artificiosa. El estilo oratorio emplea de preferencia las figuras lógicas y las patéticas; usa con más sobriedad las pintorescas, las de dicción y los tropos, y se complace con la amplificación, y aunque desecha la versificación y la rigurosa armonía imitativa, aprecia mucho la sonoridad de la cláusula y busca los períodos numerosos y rotundos.

Pronunciación oratoria es la actuación del discurso ante un auditorio. Es como la exteriorización del pensamiento del orador mediante la *elocuencia.*

La pronunciación oratoria difiere de la representación dramática; habrá de ser convenientemente animada y oportuna, y deberá parecer que el orador crea o improvisa la obra a medida que la pronuncia. La pronunciación tiene dos partes: *voz* y *acción*. La voz ha de ser *clara, pura, natural* y *melodiosa*. Debe articularse bien, pronunciarse correctamente cada palabra y marcarse los acentos y las pausas.

La *eufonía* exige que se le elija el tono apropiado a lo que se dice.

La *acción* ha de tener consonancia con la voz y con el gesto; pero nunca deberá ser violenta. *Elocuencia* es el don de comunicar a otro, por medio del lenguaje oral, con brillantez de colorido, nobleza y vigor, nuestras ideas y sentimientos. Entiende Cicerón por elocuencia el don natural de persuadir por medio del arte, y así dice: *Non eloquentiam ex artificio, sed artificium ex eloquentia natura.* Para San Agustín, el orador elocuente debe procurar: *Ut veritas preteat, ut virtus mulceat, ut veritas moveat.* La *retórica,* en su significación estricta, es la teoría o arte preceptiva de la oratoria y la elocuencia; así como la *poética* es la teoría o arte de la poesía.

El orador deberá reunir caulidades *morales, intelectuales* y *físicas.*

Entre las morales están: la *honradez de alma y de conducta,* la *serenidad de espíritu,* el *imperio de sí mismo,* el *valor contenido y juicioso,* la *sensibilidad,* la *dignidad* y la *modestia.*

Entre las intelectuales: *razón sólida; espíritu generalizador, analítico y metódico; juicio rápido y seguro; ingenio y cautela del dialéctico; memoria firme; imaginación rica viva; cultura vasta.*

Entre las físicas: *voz agradable y dominio de la voz; gestos y movimentos bien estudiados; presencia noble.*

La *educación oratoria comprende:* 1.º, el *cultivo simultáneo de las diferentes facultades;* 2.º, el *estudio de los modelos;* 3.º, *ejercicios de composición y de improvisación;* 4.º, *estudio de la teoría.*

Una frase latina famosa asegura que: *poeta nascitur, orator fit.*

Los antiguos retóricos dividían la oratoria en tres géneros: *demostrativo, deliberativo* y *judicial.* Los modernes, en: *sagrada, política* o *parlamentaria, forense* o *judicial, literaria, didáctica, académica, militar...*

De los grandes oradores de los tiempos antiguos merecen destacarse:

En Grecia: Solón, Temístocles, Pericles, Cleón, Alcibíades, Ctesias, Terámenes, Protágoras de Abdera, Gorgias Leontino, Antifón, Lisias, Demóstenes, Hipiades, Dinarco, Démades, Licurgo, Esquines...

En Roma: los Gracos, Catón, Fabio, Escipión, Metelo, Labeón, Cicerón, Druso, Flamminio, Léntulo, Catón el *Censor,* Rutilio, Escauro, Emilio Lépido, Lucio Licinio Craso, Hortensio, Calvo, Asinio Polión, César, Bruto.

Entre los Padres de la Iglesia: San Justino, Clemente de Alejandría, Tertuliano, Arnobio de Lucca, Lactancio, San Jerónimo, San Basilio, San Juan Crisóstomo, San Ambrosio, San Agustín, San Gregorio, San Leandro, San Isidoro...

V. PLATÓN: *Gorgias.*—ARISTÓTELES: *Retórica.*—CICERÓN: *De Oratore. Brutus.*—TÁCITO: *Diálogo de los oradores.*—FENELÓN: *Dialogues sur l'éloquence.*—KLENTGEN: *De arte dicendi.*—ROUDOLET: *L'art de parler.* París, 1879.—FURIO CERIOL: *Institutiones oratoriae,* Valencia, 1554.—CAPMANY MONTPALÁU: *Filosofía de la elocuencia.* Madrid, 1777.

ORDEN (Retórico) (V. Oratoria, Arte)

ÓRDENES LITERARIAS

En Francia fueron llamadas así las reuniones literarias que se celebraban en un hotel, en un salón, en un café, bajo los auspicios de una dama influyente o de algunos escritores de renombre. Se establecieron con un sentido burlesco e imitaron los estatutos, los usos y las insignias de las Ordenes de Caballería. Lalanne se refiere a más de treinta, entre las que están: la de la *Boisson,* instituida en Aviñón, en 1700, que tuvo su periódico; la de la *Calotte,* la de *Lanturelus,* fundada por la marquesa de Croismare, en 1771, y de la que fue presidenta madame de la Ferté-Imbault, y a la que envió su adhesión la emperatriz Catalina II de Rusia; la de la *Malice,* que impuso como condición a sus miembros:

... l'aimable politesse;
l'esprit fin, la délicatesse;

la de la *Mouche à Miel,* famosa en la historia de la pequeña corte de Scéaux y de la duquesa de Maine.

En el extranjero también se fundaron algunas de estas *Ordenes literarias*—mitad en serio y mitad de guasa—; entre ellas se hizo famosa la de *Los pastores y de las flores,* de la Pegnitz, en Alemania, que ejerció una gran influencia en las letras de este país.

V. LALANNE, Lud.: *Curiosités littéraires.*

ORFISMO

Nombre dado a las ideas, teogonía, himnos sagrados y colección de fórmulas mágicas y purificadoras atribuidas a Orfeo. A Orfeo se le creyó el primer padre de la poesía griega. Posteriormente, se convirtió en el supuesto fundador de un culto misterioso contemporáneo de los mismos orígenes de la civilización helénica, y que luego de haber vivido mucho tiempo entre las sombras, surgió finalmente en la luz para ofrecer a los hombres doloridos los preceptos de una moral más pura y la esperanza de una inmortalidad dichosa.

Brevemente vamos a indicar algunas noticias para el mejor conocimiento de Orfeo:

Según las tradiciones vulgares, cantor tracio,

hijo de Apolo (o de Eagro) y de la musa Calíope. Se le cree también rey tracio, hijo de Clío y padre de Museo. En los poemas *Argonáuticos,* que llevan su nombre, se le califica jefe de los ciconios, gentes ricas en ganados. Inventor de la cítara, cantaba y recitaba con tal encanto, a compás de la lira, que los árboles y las rocas se removían, los ríos se paraban, las bestias feroces le rodeaban, amansadas repentinamente. Designado por los Argonautas para acompañarlos en su viaje a la Cólquida, en seguida se hizo célebre por los hechos más maravillosos. La nave "Argos", que estaba varada en la playa, descendió por sí misma hasta el agua apenas la lira de Orfeo empezó a vibrar sus sonidos, y recibió en sus flancos a los jefes rebeldes que habían intentado resistirse al mando de Jasón. En Lemnos fue el canto de Orfeo el que sacó a los Argonautas de su inanición; después del combate contra los cizicienses, él aplacó la cólera de Rea, suspendió la agitación de los Simplegades y conmovió a Hécate, cuya intervención abrió a Jasón el camino del bosque sagrado y durmió al dragón. Al regreso, Orfeo encantó la atención de los Argonautas, librándolos así del hechizo de las sirenas; y cuando Medea hubo matado a Absirto, él ofreció a los dioses un sacrificio expiatorio. Una leyenda, inmortalizada en los versos de Virgilio, nos representa a Orfeo unido a la célebre Eurídice, con la que se había casado en el país de los ciconienses. Habiendo muerto Eurídice, Orfeo, que la adoraba, descendió a los infiernos, y con sus cantos logró admirar a las potencias infernales y obtener de ellas que volviera Eurídice a la vida, con la condición de que no la mirara hasta haber salido de los límites infernales. Orfeo, impaciente, se olvidó de la condición, y Eurídice volvió a los infiernos definitivamente. Su muerte se refiere de diversas maneras. Según unos, Orfeo se mató por no poder vivir separado de Eurídice. Otros afirman que Júpiter le fulminó por haber divulgado en sus cánticos algunos secretos de los dioses. En opinión de Platón, murió por haber querido morir en lugar de su esposa. La leyenda más general le hace morir linchado por las mujeres tracias, dolidas del desdén con que Orfeo trataba al sexo femenino. La cabeza y la lira de Orfeo fueron llevadas por las olas a Lesbos; aquí, la cabeza cayó por la hendidura de una roca y dio misteriosos oráculos. La lira fue colocada en un templo, y Luciano afirma haberla contemplado. Transportada a los cielos, fue transformada en constelación. En castigo del crimen de las mujeres tracias, una peste terrible asoló el país; consultado el oráculo, respondió que era necesario encontrar la cabeza de Orfeo y rendirle honores. Un pastor la halló en la ribera del Melés y la conservó para sí, porque aún emitía cantos maravillosos. Homero y Hesíodo no hablan de Orfeo. Aristóteles cree que fue un mero símbolo de la armonía que vibra en el aire y en el mar y en cuantas partes existan ondas sonoras. Platón atribuyó a Orfeo poesías teogónicas. Más tarde, los místicos y neoplatónicos resucitaron la leyenda de Orfeo, y fue este un sabio, un sacerdote, un gran pontífice, el iniciador de los misterios de Eleusis, el inventor del alfabeto, del arte medical y del ritmo. Las obras que llevan su nombre están en contradicción evidente, ya por las doctrinas que le atribuyen, ya por el sentido del mito primitivo. Los poetas llamados *órficos* debieron de pertenecer a distintas épocas. El arte plástico ha representado a Orfeo con Eurídice y Mercurio rodeado de bestias fascinadas por su canto, amansando al can Cerbero, auxiliado por los Ménades. En los más antiguos monumentos, Orfeo viste según la moda griega; solamente muchos siglos después aparece vestido a la frigia.

La idea de la metempsicosis, consecuencia última del totemismo, fue en Grecia, como en la India, una creencia popular, y encontró su expresión mística y poética en el orfismo, y filosófica en la secta de Pitágoras. Este personaje extraño, mitad sacerdote y mitad curandero y mago, pretendió recordar sus antiguas encarnaciones. A sus ojos, Orfeo fue un héroe civilizador, que había apartado a los tracios de la antropofagia y les había enseñado las artes útiles. Su muerte violenta y su resurrección constituían los artículos de fe de un culto místico. Y este culto tuvo un extraordinario éxito, extendiéndose por todo el mundo griego, Egipto, Italia meridional, e inspirando a filósofos como Pitágoras y Platón para que dieran forma más o menos científica a sus conceptos y concepciones.

El orfismo poseyó su doctrina del pecado original. El alma del hombre era de origen divino, y la Tierra era una morada indigna de su excelsitud. El alma estaba encerrada en el cuerpo como en una tumba o prisión, en castigo de una falta muy antigua cometida por los titanes, antepasados del hombre, que dieron muerte traidoramente al joven dios Zagreo. Según el orfismo, el alma no podía regresar a su gloriosa patria primera sino por medio de la expiación o de la purificación; las cuales podían cumplirse de dos maneras: por los castigos infernales y por el cielo de las reencarnaciones.

La iniciación en los misterios órficos, que conferían los sacerdotes encantadores y curanderos, tenía por objeto ahorrar a las almas el "ciclo del renacimiento". Para *no renacer* era preciso haber aprendido ciertas fórmulas mágicas. Así, el muerto al que se le permitía beber agua de una fuente "perdía su naturaleza carnal, donde moraba el pecado, y purificado de esta suerte, *reinaba entre los héroes*".

De todas las ceremonias del orfismo, las más importantes fueron los *misterios.* Se celebraban durante la noche. Y comprendían: las purificaciones y las plegarias—algunas de estas eran himnos cantados—, los sacrificios incruentos y las libaciones; la revelación o las representaciones de ciertas leyendas sagradas; el rito de la omofagia y la revelación de las fórmulas litúrgicas que debían guiar el alma a los infiernos. La omofagia consistía en degollar y despedazar un toro y comer su carne cruda. Con las fórmulas aprendidas por los iniciados, estos lograrían calmar la furia de los demonios, evitar los tormentos y salir pronto de los infiernos. Y como la caída en los infiernos había evitado "el ciclo del renacimiento", las almas, para siempre, gozarían de una felicidad ilimitada.

En el orfismo se repudiaba la sangre derramada; se ejercía la justicia en nombre de los débiles y desvalidos; se prometía la paz del alma a cuantos se purificasen de sus pecados; se aconsejaba la suavidad en la palabra y la nobleza en la acción.

Indiscutiblemente, entre todas las religiones paganas fue el orfismo la más espiritualista, la más humana, la más hermosa. Los misterios órficos fueron la única fuerza importante que encontró a su paso el cristianismo, ya que estaban llenos de indudables emociones religiosas y, a pesar de sus prácticas pueriles, contaban con una noble filosofía.

V. Reinach, Salomón: *Orfeo. Historia de las Religiones.* Madrid, 1910.—Abel: *Orphica.* Leipzig, 1885.—Schuster: *De veteris orphicae Theogoniae indole atque origine.* Leipzig, 1869.—Maas: *Orpheus,* Munich, 1895.—Rhode: *Psyche...* Tubinga, 1907.—Allo, P. B.: *L'évangile en face du syncrétisme païen.* París, 1910.

ORIENTAL

Composición poética exponente de un orientalismo pintoresco. Las puso de moda en Francia Víctor Hugo. En España escribieron *orientales* Zorrilla y Arolas.

ORIENTALISMO

Un excelente poeta y crítico agudo, Juan Eduardo Cirlot, ha escrito: "El orientalismo es la tendencia a lo oriental y, como nosotros lo comprendemos, es también la esencia de lo propiamente oriental. Geográficamente, es este un concepto hecho de relatividades constantes. Culturalmente, Oriente termina en Asia Menor, en las estepas de Escitia, en Egipto. Africa misma, a pesar de ser, en este caso, un tercer mundo, centra más bien en el concepto de lo occidental, y solo las invasiones semíticas de su zona norte entroncan con un orientalismo que, con los iberos y árabes, entra en España para decidir buena parte del modo de su cultura. Lo oriental se va fijando a medida que se entra en Asia. No puede confundirse con una cuestión racial. Orientales son los persas, tan arios como los alemanes, y orientales son los sumerios, tan semitas como los bereberes. El orientalismo es así, mejor, un concepto histórico, o sea temporal. Oriente termina virtualmente cuando Grecia acaba de transformar y transfigurar sus esencias bárbaras y arcaicas en lo que entendemos por universo clásico; cuando de las intuiciones hace tratados, de los terrores y del animismo primigenios forma mitos; allí termina todo el sistema que se expresa a través de tantas culturas y naciones extinguidas o vivientes. Worringer considera al oriental como situado en un estadio intermedio entre el hombre clásico y el primitivo. Por sus condiciones y retraso ante el latino, el nórdico es, a su vez, el enlace entre el oriental y el clásico. En las concreciones artísticas—dice el autor citado—, "el trascendentalismo abstracto del arte oriental le aleja de lo clásico. Como el arte del hombre primitivo, el arte oriental es rigurosamente abstracto, atenido a la línea rígida, inexpresiva, y a su correlato, el plano. Pero supera con mucho al arte primitivo por la riqueza de sus formaciones y la consecuencia de sus soluciones", o sea, por la suma de valores de universalidad y calidad que residen en su obras. En sus relaciones totales con el universo, el oriental "percibe el dualismo como un sino sublime, y, sin palabras ni deseos, se inclina ante el gran enigma indescifrable del Ser."

El orientalismo es, pues, una tendencia literaria y artística que jamás se ha interrumpido, aun cuando haya tenido, por épocas, una mayor o menor importancia. Conviene, sin embargo, insitir en que el orientalismo es un concepto más bien *cultural* que geográfico.

La primera influencia oriental sobre el Occidente fue la religiosa. Las referencias antiguas de León—acompañante de Alejandro Magno—, de Hecateo de Abdera, de Plutarco, y las de los modernos Champollion, Maspero, Botta, Rawlinson, Morgan y Moret, nos han dado a comprender cómo los dioses y los mitos orientales se propagaron por todo el Occidente.

Isis y Serapis tuvieron sus templos en Atenas, en Roma, en Pompeya. Isis y Serapis, Dea Syria, Mithra... llevaron sus cultos a Numidia, Bretaña, las orillas del Danubio y del Rin, la llanura de Transilvania. Emperadores como Adriano, Cómodo, Septimio Severo, Heliogábalo y Alejandro Severo, contribuyeron personalmente a la popularidad y al éxito de los cultos orientales en el inmenso mundo romano. Los ritos en honor de Cibeles y de Atis, la dendroforia, la mutilación de las gallas, el taurobolo y el criobolo alcanzaron gran trascendencia en el norte de Africa, en el Levante español, en el sur de Francia, en Germania y hasta en Escocia.

La literatura oriental tuvo una enorme influencia en Europa durante la Edad Media.

España, en su lucha continuada y contacto con el mundo árabe durante la larga Reconquista, sintió como ningún otro país la atracción de lo oriental. Las influencias orientales de *origen indio,* llegadas a España por conducto persa y arábigo, se ven en las colecciones de cuentos del judío converso Pero Alfonso, en el

Calila y el *Sendebar,* continuándose esta tradición en el *Conde Lucanor,* en el *Libro de los gatos* y en el *Libro de los enxemplos.* Las influencias *arábigas* se observan en las producciones de la Escuela de los traductores de Toledo, en la *Historia arabum,* de Jiménez de Rada; en la música y en la métrica de las *Cantigas* y en otras obras científicas del Rey Sabio; en el *Pugio fidei,* de Raimundo Martí; en el *poema aljamiado de Yuçuf* y en otras obras análogas; en la *Elegía* de Alwacaxí... Después, ya terminando la Edad Media, ya durante la Edad de Oro, y aún más tarde, en los *Romances moriscos,* en las *Guerras de Granda* o del *Abencerraje,* en las comedias de cautivos de Argel o Constantinopla, cuyos ambientes se escenifican con *colorido local.*

Durante el siglo XVIII el orientalismo cristalizó como una moda literaria. Y aparecieron las *Cartas persas,* de Montesquieu; *Zadig,* de Voltaire; las *Cartas marruecas,* de Cadalso. En la poesía de Goethe, en la de Víctor Hugo, en las de nuestros Zorrilla y Arolas, alcanzaron fortuna las composiciones *orientales.* Y sería inacabable enumerar siquiera los más importantes libros de viajes publicados en Europa exaltando los temas orientales, desde el importantísimo *Viaje de Turquía,* de Cristóbal de Villalón.

En arte se multiplicaron las colecciones de porcelanas de Oriente; y en los palacios reales y en las mansiones nobiliarias se hicieron imprescindibles las *salas chinas,* las *salas hindúes,* las *salas persas,* las *salas egipcias...*

Eugène Delacroix (1798-1863) inició el gusto por el orientalismo en la pintura del siglo XIX con sus famosos cuadros *Las matanzas de Scio, La muerte de Sardanápalo, La entrada de los Cruzados en Constantinopla.*

Ya en pleno siglo XX, el gran escritor Rudyard Kipling volvió a poner de moda la literatura oriental, siguiendo sus ejemplos autores tan notables como Conrad, Pierre Loti, Miriam Harry, Trappa, Bromfield...

Cabe señalar que, a partir de principios del siglo XIX, el orientalismo ha seguido dos direcciones perfectamente definidas: una, de estricta y diversa especialización con rigurosidad científica; y, otra, de *puro capricho* literario o artístico; orientalismo este último bastante adulterado en no pocas ocasiones.

V. DUSSAUD: *Les civilisations préhéléniques.* París, 1915.—MASPERO: *Les contes populaires de l'Egypte ancien.* París, 1914.—JONES, M.: *The dawn of european civilisation.* Londres, 1903.—MENÉNDEZ PELAYO, M.: *De las influencias semíticas en la literatura española.* En "Estudios de crítica literaria", 1941.—MUNK, S.: *Mélanges de philosophie juive et arabe.* París, 1857.—GONZÁLEZ PALENCIA, A.: *Historia de la literatura arábigo-española.* Barcelona, Labor, 1928.—MENÉNDEZ Y PELAYO, M.: *Orígenes de la novela.* Tomo I.

ORIGENISMO

Nombre dado a las doctrinas heterodoxas atribuidas a Orígenes.

Orígenes *Adamancio*—que quiere decir *hombre de acero*—nació—184 ó 185—, probablemente en Alejandría (Egipto) y murió—253—en Tiro de Fenicia. Fue educado por su padre, el santo mártir Leónidas. Frecuentó la escuela catequística de Alejandría, donde fue alumno aventajado de Panteno y Clemente. A los quince años conocía a la perfección las Sagradas Escrituras. Durante la persecución contra los cristianos por Septimio Severo, su padre fue encarcelado y condenado a muerte. Lleno de fervor religioso, Orígenes, mozalbete aún, quiso presentarse al prefecto, declararse cristiano y morir en el martirio con su padre. Para evitarlo, su madre le escondió los vestidos. Providencialmente, no murió entonces. Con verdadera abnegación atendió al sutento de su madre y de sus seis hermanos menores. Demetrio le confió la dirección de la escuela catequística, pues Orígenes, con sus dieciocho años, "era ya un gran hombre". Bien pronto su escuela fue plantel de magníficos discípulos, entre los que destacaron: Plutarco, Sereno, Heráclides, Herón y la catecúmena Herais. Providencialmente salvó varias veces su vida, pues odiábanle los gentiles por su sabiduría, por su virtud y por la fortaleza indomable con que defendía el cristianismo. Asistió y dio el ósculo de paz a muchos mártires ante los mismos tribunales paganos. Dejó los estudios literarios, vendió su biblioteca por una renta diaria de 4 óbolos—50 céntimos—y descalzo, con unos harapos y en la más absoluta pobreza, se dedicó con mayor ahínco a la enseñanza. "Y con celo de Dios, pero interpretando mal lo que dijo Cristo acerca de los eunucos—esto es, célibes—, se mutiló a sí mismo con hierro, castrándose por sus mismas manos." Viajó por Palestina. Estuvo en Atenas. Estudió el hebreo, necesario para sus estudios de la Escritura. Y por todas partes admiró con su ciencia, con su virtud, con el ímpetu con que combatía las herejías, con la bondad maravillosa con que enseñaba y asistía a los cristianos. También vivió en Roma y recorrió la Arabia. A pesar de su estado lego, Teoctisto de Cesarea y San Alejandro de Jerusalén le hicieron predicar en sus iglesias. Expulsado de Alejandría, fijó su residencia en Cesarea de Palestina, donde fundó una nueva escuela teológica, que pronto sumó varios centenares de discípulos ilustres, entre los que se contó San Gregorio Taumaturgo, que siempre permaneció fiel y admirador de Orígenes.

Su actividad fue pasmosa. Su discípulo Ambrosio de Nicomedia puso a su disposición siete taquígrafos, con otros tantos escribientes y algunas calígrafas. Casi diariamente predicaba homilías al pueblo. Durante la persecución de Decio—249 a 251—fue encarcelado y atormentado bárbaramente. Recobró la libertad, pero murió poco después a consecuencia de las calamidades que en su cuerpo dejaron los tormentos recibidos.

Sus obras son muchas y admirables: *Contra Celso*—ocho libros—, *Sobre el Evangelio de San Juan, Comentario sobre los Profetas menores, De resurrectione, De principiis, Comentario sobre el Génesis, Exhortación al martirio, Hexapla*—biblicocrítica—, los *Escolios,* las *Homilías, Stromata, Sobre la oración...*

¿Cuáles fueron los errores de Orígenes que dieron lugar al origenismo? Abusar de las *alegorías* para explicar los textos de la Sagrada Escritura. Confundir frecuentemente el sentido literal e histórico con el moral o místico.

Fue partidario de la *eternidad de la materia* y de la *preexistencia de las almas.* Admitió, en escatología, la *reconciliación general de todas las almas* con Dios, después de la expiación de los pecados.

Los más ilustres doctores de la Iglesia han reconocido que Orígenes cometió sus graves errores de buena fe. Y que el martirio que coronó su vida le absuelve de su credulidad errónea. Y todos ellos admiran sus obras, llenas de sabiduría, de emoción espiritual, de energía indomable.

En tiempo de Justiniano fue condenado el origenismo, y la fama de Orígenes pareció eclipsada. Pero en el siglo XVI, la imprenta multiplicó sus obras y reavivó el entusiasmo por ellas.

V. HUET, P. D.: *Origeniana.* En la edición del propio Huet de las obras de Orígenes. Ruán, 1668.—REDEPENNING: *Orígenes.* Bonn, 1841-1846. Dos tomos.—DIEKAMP: *Die origenistichen Streitigkeiten in 6 Jahrh.* Münster, 1899.—DENIS: *De la philosophie d'Origène.* París, 1884.

ORIGINAL

1. No común. Singular. Raro. Extraño.
2. Lo que, literalmente, no se parece a nada y tiene una propia significación.
3. Obra literaria, artística o científica, producida directamente por su autor, sin influencia ni imitación de otra.
4. Creación espontánea, con carácter de novedad.
5. Manuscrito o copia a máquina de una obra, preparados para ser impresos.
6. Cualquier escrito que se tiene a la vista para sacar de él una copia. (V. *Originalidad.*)

ORIGINALIDAD

1. Carácter de lo nuevo, no imitado ni influido.
2. Cualidad en el escritor o en el artista de producir con espontaneidad y sin copiar o imitar.

La originalidad puede ser de dos modos: 1.º, *inventando* elementos nuevos; 2.º, *combinando* los elementos conocidos de *un modo nuevo.*

La originalidad de una obra afecta a la *idea* o *pensamiento capital* y al *modo* o *forma* de desarrollarlos. La primera originalidad es la más importante; la segunda, sin embargo, imprime un más acusado relieve en el escritor o artista.

Desdichadamente, en el campo literario abunda muy poco la *originalidad por invención.* Virgilio imitó en su *Eneida* a Homero y en sus *Églogas* y *Bucólicas* a Teócrito. Plauto y Terencio, a Esquilo; Eurípides, a Aristófanes; Fedro, a Esopo; La Fontaine, a Fedro y a Esopo; Iriarte y Samaniego, a Esopo, Fedro y La Fontaine; Corneille, a Guillén de Castro y Alarcón; Molière, a Tirso de Molina, Alarcón y Moreto; Calderón, Vélez, Solís, Candamo, Cañizares y tantos otros, a Lope de Vega; Shakespeare, a Marlowe. La lista de las imitaciones sería interminable. Para encontrar originalidad en la poesía hay que acudir a los *Cantares de gesta,* a los *Romanceros,* a los nombres de Dante y Milton, de los primeros dramaturgos y de los líricos y épicos griegos, a los *cuentos* de la India y de Persia, al teatro medieval sacroprofano, a las leyendas chinas, a los místicos españoles.

Naturalmente, en todos los grandes escritores, aun en aquellos más influidos, de cuando en cuando se encuentran magníficos ejemplos de originalidad.

ORTOGRAFÍA

De γράφειν, escribir, y ὀρθός, regularidad.

1. Parte de la Gramática que enseña a escribir correctamente un idioma.
2. Manera de escribir las palabras.

"La ortografía, hija del uso, juez del lenguaje, y que se cultiva y perfecciona más con la práctica y la lectura de los buenos autores que por ningún otro medio, tiene, sin embargo, reglas fijas que no deben perderse de vista, y que conviene formular y reunir en tratados para que allí las busquen los que carecen de aquella práctica y para que sirvan de autoridad decisiva en los casos en que hay duda razonable sobre algún punto relativo a la escritura."

OSAGA (Lenguaje)

Lengua de la América del Norte, región de Missouri-Columbia, correspondiente a la familia sioux y hablada por los osagas. Tiene muchos dialectos, entre los cuales están: el *winebago,* el *ottoes,* el *missouri,* el *kansas,* el *omauhau,* el *minetaro,* propios de las tribus de estos nombres. El lenguaje osaga tiene un estudio dificilísimo. Abunda en sonidos ásperos y guturales.

V. LUDEWIG, H. E.: *The Literature of american aboriginal languages.*

OSCO (Lenguaje)

Una de las principales lenguas habladas en la península italiana, anteriormente a la fundación de Roma, por los *oscos,* pueblo establecido en la Campania, que Niebuhr identifica con los opici, haciendo considerar que Estrabón llamó oscos a los pueblos ansones no mezclados con otros. Mirali consideró a los oscos, a los opici y a los auruncos como formando el tronco principal de la gran raíz itálica primitiva. Cuando hacia el año 425 antes de Cristo los samnitas descendieron del norte de la península a la Campania, recibieron el nombre de oscos y adoptaron la lengua que estos usaban. La lengua osca fue llamada también lengua samnita.

La época de la mayor propagación del lenguaje osco fue hacia mediados del siglo IV antes de Cristo.

"El osco—ha dicho Niebuhr—es para nosotros un misterio tan impenetrable como el etrusco; y si nosotros tenemos una idea de este idioma, es aquella única de que los romanos entendieron con facilidad las comedias compuestas en este lenguaje."

El osco ocupó un rango superior al de un dialecto, porque era la expresión hablada de un pueblo que tuvo su literatura y que cultivó las artes. Los poetas calabreses Ennio y Pacuvio, y el poeta de la Campania Lucilio, son los representantes del espíritu literario de esta región italiana. Las concesiones de los derechos de la unidad que los romanos otorgaron a los pueblos itálicos hacia el año 88 antes de Cristo, y el *empleo oficial del lenguaje osco,* tienen innegable importancia. En tiempos de Varrón aún se hablaba el osco en los campos. Su alfabeto tuvo mucha afinidad con el etrusco, y, según Müller, aún se encuentran inscripciones con caracteres oscos en la Campania. El conocimiento de este lenguaje se basa exclusivamente en un pequeño número de inscripciones en medallas, en las del *Cippus abollanus,* encontrado en el siglo XVII en las ruinas de Abolla, y en las de la *Tabula Bantona,* descubierta en Bantia (Apulia) en 1793.

V. BARDETTI, Stan.: *Della lingua di primi abitatori dell' Italia.* Módena, 1772.—AVELLINO: *Escrizioni sannite.* Nápoles, 1841.—RABASTÉ: *De la langue osque.* París, 1867.

OSIÁNICOS

Nombre dado a los cantos del bardo escocés Ossian. Ejercieron una influencia decisiva en las literaturas europeas *prerrománticas.*

OSSETE (Lenguaje)

Lengua hablada por los ossetes o irones, tribus de los altos valles del Cáucaso, al oeste de Imericia. Pertenece a la familia persa o irania, y guarda grandes semejanzas con el grupo uraliano. Klaproth ha probado que los ossetes son los descendientes de una antigua colonia de medos y los restos de la nación de los alanos, que invadieron Europa en los comienzos de la Edad Media.

El ossete comprende tres dialectos: el *ossete* propiamente dicho; el *duguriano,* propio de los dugures, tribu muy importante, y el *tagahure.* En los tres dialectos faltan el artículo y los géneros; la declinación es por flexión; la conjugación es muy rica en tiempos con el empleo de los verbos auxiliares; tienen cuatro modos diferentes de negación; la construcción sigue el orden natural; la reunión frecuente de letras guturales y de consonantes silbantes hace muy dura la pronunciación.

V. SJÖGREN: *Grammaire et dictionnaire ossète.* Trad. San Petersburgo, 1844.—ROSEN, Dr. G.: *De la langue ossète.* Lemgo, 1846.—MÜLLER, Fr.: *Beitraege zur Lautlehre des ossetischen.* Viena, 1833.

OSTÍACO (Lenguaje)

Idioma siberiano usado en los gobiernos de Tomsk y de Tobolsk. Klaproth distingue en él los dialectos hablados en los territorios de Berezoff, Jugan, Wass, Lumpokiel y Narym. Este último contiene un gran número de palabras samoyedas.

V. CASTREN: *Ensayo sobre la lengua asiática.* En alemán. San Petersburgo, 1850.

OTOMÍ (Lenguaje)

Una de las lenguas de Méjico, la más extendida después del azteca. Está caracterizada por un monosilabismo casi absoluto. En compensación, contiene una variedad de tonos indispensables para modificar la significación de las palabras. Carece de la articulación *b.* No tiene géneros ni flexión en los nombres. El sentido indica si una palabra es verbo, sustantivo, adjetivo o adverbio. En ocasiones, las partículas *na* y *sa* preceden al sustantivo o al adjetivo. En la conjugación de los verbos, los modos, los tiempos y las personas se determinan por medio de partículas. Las cinco vocales *a, e, i, o, u* se transforman en catorce por la variación del tono con que se pronuncian. Tiene dieciocho consonantes.

V. LÓPEZ YEPES, J.: *Vocabulario otomí.* Méjico, 1826.—PICCOLOMINI: *Gramática de la lengua otomí.* Roma, 1841.—PICCOLOMINI: *Elementos de la gramática otomí.* París, 1863.

OVILLEJOS

Composición métrica, que consta de versos octosílabos, seguido cada grupo de ellos de un *pie quebrado,* con el que forma consonancia, y de una redondilla cuyo verso último se compone de tres pies quebrados.

¿Quién menoscaba mis bienes?
¡Desdenes!
¿Y quién aumenta mis duelos?
¡Los celos!
¿Y quién prueba mi paciencia?
¡Ausencia!

De ese modo, en mi dolencia,
ningún remedio me alcanza,
pues me matan la esperanza,
desdenes, celos y ausencia.

¿Quién mejorará mi suerte?
¡La muerte!
Y el bien de amor, ¿quién le alcanza?
¡Mudanza!
Y sus males, ¿quién los cura?
¡Locura!
De ese modo no es cordura
querer curar la pasión,
cuando los remedios son
muerte, mudanza y locura.

(CERVANTES.)

OXÍTONA

Palabra que lleva el acento tónico en la última sílaba. Se llama también *aguda* e *icti-última*.

En la métrica, a efecto del número de sílabas, cada palabra oxítona cuenta, a partir del acento, como dos *sílabas*, y equivale a una rima llana o pie troqueo.

O

P

PACIFISMO

Conjunto de doctrinas encaminadas a mantener la paz entre las naciones.

Movimiento social y político que persigue como ideal la supresión de la guerra mediante la organización jurídica de la paz.

También se ha llamado pacifismo al conjunto de *doctrinas, proyectos* y *actos* encaminados a evitar las guerras y a mantener las relaciones de amistad fecunda entre las naciones.

Las ideas pacifistas son tan antiguas, lógicamente, como las guerras. Siempre hubo espíritus privilegiados que repudiaron la guerra y que cantaron las excelencias de la paz. Pero tales espíritus se comportaron *románticamente,* esto es, se limitaron a hablar, a escribir. Eran, como señaló Lagorgette, *pacíficos.*

Pero para que el pacifismo tuviera *contenido* y *eficacia* era preciso que aparecieran los *pacifistas* o *pacificadores,* es decir, los que buscasen los medios precisos para que no estallase la guerra, o para que, en vez de la guerra viva, se impusiera una paz justa.

En verdad que no puede hablarse de doctrinas pacifistas hasta la aparición del Cristianismo. En el Antiguo Testamento, el *Decálogo* entregado a Moisés sobre el Sinaí, ya tiene un precepto categóricamente pacifista: *¡No matarás!* Con el Cristianismo llegó el concepto más exacto y hondo de la paz, pues su ley suprema es la de la caridad o amor operativo entre los hombres. Las doctrinas de San Pablo y de San Agustín influyeron decisivamente en la suavización de los medios de guerra, en la llamada *tregua de Dios,* en el arbitraje pontificio para evitar la belicosidad, en la limitación de la llamada *legitimidad* de la guerra en los casos de ser justa y necesaria.

A partir del siglo XVI, el pacifismo volvió a ser un motivo de *declamación romántica.* La guerra ganaba las nacionalidades. La guerra defendía las dinastías. La guerra consolidaba el comercio terrestre y marítimo. La guerra aumentaba los ingresos de la Hacienda pública. (Recuérdense las guerras de la piratería.) La guerra fijaba los intereses de la religión, de la raza y de la lengua. La guerra, sí, parecía una necesidad.

En el siglo XIX el pacifismo volvió a ser un tema de candente interés; pero, en ocasiones, tomó aspectos poco simpáticos, y se llamó *socialismo* o *antimilitarismo.* Desde la mitad del siglo XIX se han propuesto para conseguir los fines del pacifismo diferentes medios, desde el desarme de las potencias o la reducción de los armamentos, hasta el establecimiento de un *Tribunal Internacional de Arbitraje.* Se han fundado numerosas instituciones y sociedades pacifistas, entre las cuales cabe señalar: *Primer Congreso para la Paz Internacional*—1843—, la *Unión Interparlamentaria*—1889—, la *Oficina Internacional de la Paz,* en Berna—1892—, la *Conferencia de la Paz,* en La Haya—1899—, el *Tribunal permanente de Arbitraje*—1899—, el *Premio Nobel de la Paz*—1901—, la *Fundación Carnegie para la Paz Internacional*—1911—, la *Sociedad de Naciones*—1918—, y la actual *O. N. U—Organización de las Naciones Unidas*—, creada al final—1946—de la segunda gran guerra mundial. Y, sin embargo, las guerras siguen surgiendo. Algunos espíritus ilusos alegan que, en efecto, las guerras siguen estallando, pero que... más de tarde en tarde. Sin comprender, quienes así opinan, que si las guerras se distancian entre sí, sus efectos son cada vez más terribles y desoladores, y que una guerra hoy, cada treinta, cada cincuenta años, produce efectos mucho más desastrosos en el espíritu, en la moral y en la economía de los pueblos que las guerras de antes, casi ininterrumpidas, pero de consecuencias harto menos *totalitarias.*

No; las doctrinas pacifistas no faltaron jamás. Justo es señalarlo. Ni tampoco los *proyectos.*

Los proyectos pacifistas han sido, y son y serán de tres clases:

1.º Los que aspiran a una *paz perpetua* entre los hombres, tanto en el interior de los Estados como en el orden internacional, por medio de organizaciones o de concepciones que transformen la idiosincrasia bélica de las actuales sociedades.

2.º Los que aspiran a una *paz perpetua* en el orden internacional por medio de organizaciones especiales de Estados.

3.º Los que, más prácticos, buscan los medios para alcanzar, cuando menos, que las guerras se distancien...

Entre los que aspiran a la paz perpetua interior y exterior, de los Estados, están todos los escritores idealistas de todas las épocas, todos cuantos desde la antigüedad ensalzaron un fraternal comunismo. Así, Platón con su *República,* y San Agustín con su *Ciudad de Dios,* y Tomás Moro con su *Utopía,* y Campanella con su *Ciudad del Sol.*

Todavía a finales del siglo XVIII publicó Manuel Kant su famoso ensayo *Proyecto para una paz perpetua,* donde demuestra que el mantenimiento de la paz está unido a la creación de instituciones republicanas y representativas en todos los Estados; la definición de un Derecho internacional, a base de una federación de Estados libres, y el establecimiento de la ciudadanía universal. Pensaba que los hombres ecuánimes y razonables desecharían la guerra por motivos económicos, y que la ley natural serviría de garantía, en último término, a la paz perpetua y a la unidad del mundo.

Poco después, Fourier—en su obra *Teoría de los cuatro movimientos*—afirmó que esperaba el advenimiento de la Humanidad universal, con la institución de una omniarquía y un congreso. Todo, todo, idealismo puro.

Los proyectos del grupo segundo, en busca de una paz perpetua universal, no son menos utópicos. Tales de Mileto propuso ya una Federación de Repúblicas jónicas. Enrique de Gante, en el siglo XIII, predicó una Federación europea; y en el XV, el rey de Hungría propuso al de Francia Luis XI reunir un Parlamento de reyes y de príncipes que reorganizaran Europa en una paz absoluta. Emérico Cruceos—en su libro *Nuevo Cineo,* 1623—propuso una paz general con la libertad universal de comercio; paz y libertad que defendería una Dieta de delegados de todas las naciones. En 1660, el landgrave Ernesto de Hesse propuso—en *Le Catholique discret*—el establecimiento de un Tribunal de soberanos católicos. El cuáquero William Penn —en su *Essay on the present and future Peace of Europe,* 1693—preconizó el establecimiento de una Dieta o Parlamento de Estados europeos, cuyas sentencias serían impuestas de no cumplirse voluntariamente por los Estados adheridos. Y los grandes filósofos e historiadores Fichte, Schelling, Fallati, Thierry sostuvieron la necesidad apremiante de una Confederación de Estados libres.

Al principio de este artículo me he referido a varias instituciones y sociedades modernas cuyas doctrinas buscan la garantía de la paz en reformas jurídicas, que no alteren fundamentalmente el estado de las cosas existentes. Este tercer grupo de proyectos pacifistas es el único que tiene posibilidades de eficacia. Podrá ser *casi imposible* una paz perpetua; pero nadie duda de que es *casi posible* que las guerras vayan surgiendo más de tarde en tarde. A las ya apuntadas *teorías jurídicas* garantizadoras de la paz pueden sumarse: el *arbitraje pontificio*—ya lo ejerció León XIII entre Alemania y España—; la denominada del *equilibrio europeo*—recordemos, con anterioridad a 1914, la *Entente* y la *Alianza,* formada aquella por Inglaterra, Francia y Rusia, y esta por Alemania, Austria-Hungría e Italia, *equilibrio* que se desequilibró en seguida—; la *pentarquía*—Rusia, Austria, Prusia, Francia e Inglaterra—que se puso en práctica, después del Congreso de Viena, para cuidar de la paz europea; paz que los miembros de la pentarquía fueron los primeros en violar.

Desdichadamente, en relación con el pacifismo, lo mejor que se puede aspirar es *a una paz general duradera.* ¿Cómo conseguir esta paz duradera? Los internacionalistas han propuesto dos clases de medios: *preventivos* y *curativos.*

Entre los primeros están: la *educación* de los pueblos en el sentido de la justicia inviolable; la *libertad política,* mediante un régimen constitucional con Asamblea representativa; la *publicidad de los tratados y de las negociaciones diplomáticas;* el *severo castigo* de los que promuevan conflictos; la *abstención de ingresar en el Ejército o en la Armada;* el *desarme de los Estados.*

Entre los métodos curativos están: los *buenos oficios* de alguna o algunas potencias; la *mediación*—prescindiendo de las *represalias,* de la *retorsión* y del *bloqueo,* que son medidas violentas—; el *arbitraje* por medio de una Federación o Sociedad de Naciones.

V. GRASSERIE, R. de la: *Des obstacles imprévus au pacifisme.* En "Rev. Intern. de Sociologie", 1914.—LAGORGETTE: *La guerra.* Traducción castellana. Madrid, "La España Moderna". Dos tomos.—PERIN: *El orden internacional.* Traducción castellana. Barcelona, 1890.—VACCARO: *Il problema della pace.* Turín, 1917.

PAGANISMO

Así como los judíos llamaron *gentiles*—de *gentes, naciones*—a todos los que no eran judíos (V. *Gentilismo*), así los cristianos, a partir de los últimos años del siglo II después de Cristo, dieron el nombre de *paganos* a cuantos seguían fieles a la antigua religión grecorromana; a esta religión le dieron el nombre de *religio paganorum,* religión de los habitantes de los campos, de *pagus,* el campo.

Gentilismo y *paganismo* eran palabras sinónimas: significaban las religiones de las falsas divinidades.

Ahora únicamente hemos de referirnos al *paganismo,* religión del Imperio romano *no cristiano.*

Conviene resaltar que para los cristianos únicamente eran paganos los habitantes no cristianos del Imperio romano, es decir, los que vivían limitados al Norte por el Rin y el Danubio; al Sur, por el desierto de Sahara; al Este, por el

Océano Atlántico; y al Oeste, por el Eufrates y el Tigris. Los demás seres no cristianos que vivían fuera de estos límites eran *bárbaros:* germanos marsomanos, dacios, partos.

Según Boulenger: "*Desde el punto de vista religioso,* el paganismo estaba en plena decadencia. El culto de los ídolos, empero, parecía más floreciente que nunca. El pueblo entraba en masa en las ceremonias oficiales, más que por convicción, para gozar de los espectáculos y de los juegos que las acompañaban. Las clases dirigentes eran casi escépticas por completo; creían hasta cierto punto en la grosera mitología politeísta. Afortunadamente, gracias a las conquistas romanas, las *religiones orientales* entraban por todas partes y *despertaban el sentimiento religioso.* Tolerante sobre este particular, Roma concedía el derecho de ciudadanía a las religiones de los pueblos que sometía a su poder. Así es que los cultos de *Cibeles,* diosa frigia; de *Isis* y *Serapis,* dioses egipcios; de *Adonis* y *Astarté,* dioses asirios, y especialmente de *Mithra,* diosa persa, tenían adoradores en todas las clases de la sociedad. Todos estos cultos vivían en buena armonía y en una especie de fusión que se designó bajo el nombre de *sincretismo grecorromano.*"

Conviene tener muy en cuenta, al hablar del paganismo grecorromano, que este no opuso la menor resistencia a la penetración en su culto de otras religiones igualmente paganas. En la época de los Severos, el paganismo ofrecía al observador el espectáculo de una variedad inmensa. Las viejas divinidades indígenas convivían con las extranjeras y aun eran desplazadas por estas. Divinidades ibéricas, celtas, africanas, asiáticas se habían establecido victoriosamente en ciudades y regiones del Imperio romano.

Y también importa consignar que no fue el paganismo grecorromano el que opuso la mayor resistencia al Cristianismo, sino aquellas doctrinas importadas de los más lejanos países. La Historia ha comprobado fácilmente que el judaísmo, tan extendido durante el reinado de los primeros emperadores, hacía menos prosélitos a medida que la influencia del paganismo asiático aumentaba su importancia a expensas del helenismo.

El Edicto de Milán—313—, promulgado por Constantino el *Grande,* fue un golpe rudísimo para el paganismo, ya que este no conservaba otra fuerza que la que le transmitían las decisiones oficiales. El Edicto de Milán declaró la libertad de religión. Y el caduco paganismo, entregado a sus ya escasísimas energías, no hizo sino languidecer rápidamente, agonizar...

Pero no morir. Porque hoy se llaman paganismo todas las religiones que no son cristianas. Y así, el agustino P. Arturo García de la Fuente ha podido escribir—en sus complementos a la *Historia de la Iglesia,* de Boulenger—: "El *paganismo* se muestra en multitud de formas, desde el grosero fetichismo hasta las ritualistas y misteriosas religiones asiáticas. Unos 590 millones de personas están todavía sumidas en las tinieblas y errores paganos. El misionero tiene que luchar, en su propaganda religiosa, contra la grosera moral, las prácticas supersticiosas y los vanos prejuicios, como los del *tabú* y del *totem,* de los pueblos *animistas;* contra la soberbia y, sobre todo, contra el prejuicio de la distinción de castas, de los hindúes, y contra las apariencias cientificofilosóficas de los budistas, taoístas, shintoístas, etc. Algunas de estas doctrinas seudocientíficas del Oriente se han propagado a Occidente en forma de doctrinas ocultas, teosóficas, etc..."

V. CUMONT: *Les Religions orientales dans le paganisme romain.* París, 1909.—ALLO, Bernardo: *L'évangile en face du syncretisme païen.* París, 1910.—BOULENGER, A.: *Historia de la Iglesia.* Barcelona, 1936.

PÁGINA

Cara o plana de hoja de cualquier escrito en que haya más de una.

PAGINACIÓN

1. Serie de números en las páginas de un libro que indican su orden correlativo.
2. Serie de páginas en un libro, folleto o cuaderno, cada una de las cuales lleva un número, que se refiere a la correlación entre ellas.
3. Acción de señalar con un número cada página o cada plana. (V. *Libro.)*

V. MAGNÉ DE MAROLLES: *Recherches sur l'origine... de chiffres des pages dans les livres imprimés.* Lieja, 1782.

PALABRA (V. Lenguaje)

Para algunos filólogos, deriva de las raíces hebreas *paláh* y *baráh,* que significan *maravilla* y *creación* u *obra;* reunidas así, *palabara* significaría *maravilla de la creación.*

1. Voz articulada. Dicción significativa.
2. Sonido y conjunto de sonidos articulados que expresan una idea.
3. Representación gráfica del sonido o sonidos que expresan una idea.
4. Facultad de hablar.

"La palabra, racionalmente considerada, es el elemento analítico del lenguaje oral humano, determinado en la escritura por el conjunto de letras que forman grupo separado. En verdad que de este modo reunimos en una sola palabra partes dobles de la oración, como cuando decimos *llevóle* en lugar de *llevó a él, patituerto* en vez de *tuerto de patas;* pero esta dificultad no desaparecía ni aun considerando como palabra a cada sílaba o término que representan una parte distinta del discurso, pues hay voces de esta naturaleza, como las derivadas, declinadas y conjugadas y aun las de mil modos afectadas por modificaciones gramaticales, que en su origen fueron formadas o resultaron de la unión o concurrencia de dos o más partes distintas de la oración. Y, en efecto, en la lengua hay que considerar el *vocablo* propiamente dicho, la *parte de la oración* y la *palabra*. *Trae* es un vocablo, *tráe-me-lo* son tres partes de la oración, *tráemelo* es una palabra. No hay lengua que no manifieste su carácter especial y propio suyo en el modo de constituir sus vocablos, en el modo de representar las partes de una oración, y en la mayor o menor composición y complicación de sus palabras."

PALEOGRAFÍA

De παλαιός, antiguo, y γραφή, escritura.

Arte de leer la escritura y signos de las inscripciones, libros y monumentos antiguos.

Pero la paleografía es *ciencia* cuando se ocupa del origen de la escritura, de las diversas formas que los distintos pueblos del mundo han dado a sus signos gráficos, de los diferentes documentos que se han empleado para escribir, trazar o materializar de algún modo las concepciones de nuestra alma...

Para el gran paleógrafo español P. Zacarías García Villada, "la paleografía es la ciencia que trata de las escrituras antiguas. Presenta dos aspectos, el genético y el práctico. Si se considera desde el punto de vista genético, es una verdadera ciencia aparte, que tiene por fin estudiar el origen y desarrollo de la escritura, como producto del entendimento humano. Si se considera desde el punto de vista práctico, no es más que un instrumento auxiliar de la Historia, y tiene por fin enseñar: 1.° A leer las escrituras antiguas correctamente y sin defectos; 2.° A determinar la edad y el lugar en que fue escrito el manuscrito, y 3.° A ver y eliminar los errores que han ido introduciendo en los manuscritos los copistas a través de los siglos".

La paleografía proporciona los *principios* y *reglas* para leer los manuscritos correctamente. Las escrituras necesarias de lectura pueden hallarse en las *inscripciones* (medallas, monedas, monumentos, etc.), en los *documentos* y en los *códices*. De las inscripciones trata la *epigrafía* (V.). De los documentos, la *diplomática* (V.). De los códices, la *paleografía*.

Para otros eruditos, limitada la paleografía a fijar la edad de una carta o de otro título cualquiera de la Edad Media por la naturaleza del acto que la motivó, por la escritura, por el estilo, por la nomenclatura, por la ortografía, por las fórmulas, por los sellos empleados, etc., deriva de otra ciencia llamada *diplomática*. Es esta la que estudia los caracteres intrínsecos de los documentos, mientras la paleografía trata de los materiales sobre los que se escribe, de las tintas, de los colores, de los instrumentos con los que se escribe, de los caracteres distintos de las escrituras.

La paleografía nació en Francia, en tiempo de Luis XIV, con motivo de la polémica sostenida entre el bolandista Daniel Papebroch —que rechazaba como apócrifos casi todos los documentos de la primera mitad de la Edad Media—y Juan Mabillón. El libro de Mabillón *De re diplomatica, libri VI*, puede ser considerado como el primer jalón de la ciencia paleográfica y diplomática.

Entre los grandes paleógrafos extranjeros sobresalen: P. J. Hardouin, P. B. Germán, el benedictino Coustan, Bernardo de Montfaucón —que introdujo el método para fijar la edad de los códices por siglos—, el marqués Scipione Maffei de Verona—que estableció que no existen escrituras nacionales, y sí únicamente la mayúscula, la minúscula y la cursiva romana con modificaciones—; los maurinos Tassin y Toustain; Tardiff, Giry, Chatelain, Omont César Parli, Carini, Massmann, Pertz, Traube, Watenbach, Jaffé, Ewal, Sickel, Zangesmeister, Delisle, Monacci, Loew, Burnam, Upson Clark, Steffens...

Entre los españoles: Juan de Iziar, Cristóbal Rodríguez, S. J.; Velázquez, P. Burriel, Esteban de Terreros, P. Andrés Merino, Paluzie y Cantalozella, Muñoz y Rivero, Colomera, García Villada, Millares Carlo... (Véase *Escritura, Libro, Diplomática.*)

V. MERINO, P. Andrés: *Escuela paleographica...* Madrid, 1780.—MUÑOZ Y RIVERO: *Manual de Paleografía diplomática española de los siglos XII al XVII.* Madrid, 1889.—TERREROS Y PANDO: *Paleografía española...* Madrid, 1758.—MILLARES CARLO, A.: *Paleografía española.* Barcelona. Col. Labor. Dos tomos. ¿1929?—FUMAGALLI: *Paleografía.* Manuales Hoepli. Milán, 1880.—BARONE, N.: *Storia degli studi paleografici.* Prem, 1912.

P

PALIMPSESTO

De παλίμψηστος, de πάλιν, nuevamente, y ψάω, borrar.

Se llamaba así a los antiguos pergaminos que, lavados para borrar lo que se había escrito en ellos, eran nuevamente utilizados para escribir otra obra, conservándose algunos vestigios de la primitiva.

La escasez del pergamino y los altos precios que este elemento escriturario alcanzó dieron origen a los palimpsestos. Primitivamente no se llamaron así, sino *codices rescripti*.

Los primeros estudios y descubrimientos sobre palimpsestos datan del siglo XVIII. Su iniciador fue el cardenal Angelo Mai, bibliotecario de la *Ambrosiana* de Milán y de la *Vaticana* más tarde. Eruditos insignes, tras penosos esfuerzos y con el auxilio de ciertos recursos de la Química—reactivos que *entonaban* de nuevo las tintas borradas siglos atrás—, llegaron a descubrir, leer y copiar aquellos incopiables trazos, indescifrables antes.

La costumbre de *lavar* los pergaminos debió

de ser muy antigua, pues un Sínodo del año 691 prohibió borrar las Biblias y los escritos de los Santos Padres.

Entre los palimpsestos más célebres están: la *República,* de Cicerón—siglo IV—, *bajo* un *Comentario de San Agustín a los salmos*—siglo VII—. Fragmentos de *Tito Livio.* Las *Instituciones de Gayo*—siglo V o VI—, *bajo* escritos de San Jerónimo. El *Código Teodosino* y la *Lex Romana Bongnudionim,* sobre los que se habían escrito las *Collationes* de Casiano. Fragmentos del *Codex Theodosianus*—siglo VI—, *bajo* una *historia de Alejandro,* puesta en latín por Julio Valerio. Fragmentos de la *Lex Romana visigothorum, bajo* el *Tractatus de viris illustribus* de San Jerónimo. Fragmentos de las *Instituciones de Justiniano, bajo* varios opúsculos de Sulpicio Severo.

Beer descubrió el famoso palimpsesto de la catedral de León, cuya escritura primitiva contiene cuatro quintas partes de la *Lex Romana visigothorum*—siglo VI—, borrada para escribir —siglo X—una traducción latina de la *Historia Eclesiástica,* de Eusebio, con la continuación de Rufino.

En otros palimpsestos han aparecido fragmentos de Eurípides, Plauto, Estrabón, Dionisio de Halicarnaso, Símaco, Themisto...

V. PAOLI, Cesare: *Programma scolastico di paleografia latina e d i p l o m a t i c a.* Florencia, 1894.—THOMSON-FUMAGALLI: *Paleografia.* Manuales Hoepli. Milán, 1911.

PALINDROMA

1. Epíteto dado antiguamente a los escritos que podían leerse de izquierda a derecha, o de derecha a izquierda, presentando siempre el mismo sentido.

2. Composición en verso o en prosa cuya sentido no se altera, ya se lea de izquierda a derecha o viceversa.

Por ejemplo: *Dábale arroz a la zorra el abad.*

PALINODIA

De παλινωδία, canto en sentido contrario. Retractación.

Nombre dado a un escrito en el que su autor delata sentimientos e ideas contrarias a las que expuso en una obra precedente.

Fue aplicado el nombre, por los antiguos, a una composición escrita por Estesícoro en honor de Helena, quien en uno de sus poemas había atacado a la hermosa mujer de Menelao. Según la leyenda, los hermanos de Helena, los Dioscuros, habían castigado al poeta a la ceguera por sus injurias. Estesícoro, reconociendo la causa de su mal, reemplazó en sus versos las injurias por las alabanzas. Helena, agradecida, habíale devuelto la vista.

La palinodia, por la exageración irónica de sus alabanzas, puede ser una forma sutilísima de la sátira.

PALIQUE

1. Charlatanería.

2. Conversación de escasa importancia.

3. Nombre dado por muchos autores a ciertos artículos breves, generalmente críticos o de humor. En España los popularizó Leopoldo Alas "Clarín". En Francia, Sainte-Beuve, con el título de *Causeries du lundi.*

PAMPSIQUISMO

Doctrina que sostiene que todo el Universo es de naturaleza psíquica. Es decir: que no solo los animales y las plantas viven, sino también los cuerpos anorgánicos.

Naturalmente, es sumamente importante considerar la diferencia que nace de que la psique cósmica sea considerada como animación o vivificación de la materia, o como identificación de la misma. El pampsiquismo—precisemos—asimila toda la realidad a lo espirtual, constituyendo así una tesis antípoda del *materialismo* (V.).

El pampsiquismo es una teoría iniciada en la antigüedad helénica por Tales, Anaximandro, Anaximenes, Heráclito, Parménides, el atomista Empédocles...

El pampsiquismo consideró *siempre* que todo ser, orgánico o no, es un alma, capaz o no de conciencia, o bien posee, junto con las propiedades mecánicas de la materia, propiedades psíquicas, tales como el sentimiento y el deseo. El hilozoísmo de los antiguos filósofos jónicos, el monadismo de Leibniz, la metafísica monista de Haeckel son formas bien diferentes de pampsiquismo.

Fue Platón uno de los que más contribuyeron al pampsiquismo, al concebir poéticamente el mundo y al creerlo informado por su alma correspondiente, considerándolo así *como animal viviente.*

En la Edad Media resucitó el pampsiquismo Escoto Eriugena, quien unió a las teorías helénicas otras aprendidas en fuentes orientales, principalmente en el libro de Karika, antiguo monumento de la filosofía sanc'hya. Y siguieron a Escoto Eriugena: David de Dinant—y en la época del Renacimiento—, Paracelso, Cardano, Telesio, Giordano Bruno, Campanella...

Son innumerables los filósofos contemporáneos que hablan, aunque sin precisar, del sentido, del apetito, de la voluntad de los seres anorgánicos, atribuyendo a los mismos cierta vida cognoscitiva. Bacon decía "que en todas partes hay percepción". Y aseguraba Spinoza "que todas las cosas están animadas, aunque en grado distinto". Para Leibniz, cada mónada tiene vida y cierta representación en el Universo. Haeckel consideró todo átomo material como provisto de un alma; de las combinaciones de los átomos se forman las almas-moléculas y las almas de los protoplasmas moleculares, orgánicas, de donde resultan las almas-células; y así, toda la Naturaleza es consciente.

El pampsiquismo se encuentra igualmente en las doctrinas de Fechner, Lotze, Hartmann, Wundt, Darwin, Izonet.

Esta teoría ha sido combatida en todas las épocas por eximios filósofos y pensadores. Contra ella se han dado sutiles y decisivos argumentos. En el hombre se da la voluntad, porque tiene el conocimiento intelectual necesario para ella. En los brutos se da el apetito sensitivo, porque gozan de conocimiento sensitivo. Pero en las plantas y seres inorgánicos únicamente se da el apetito, inclinación meramente natural *que ningún* conocimiento requiere.

Aristóteles—en su tratado *De Anima*—y todos los escolásticos en perfecto acuerdo, se oponen al pampsiquismo, negando la vida al mundo anorgánico. Y apoyan su opinión en el siguiente y sólido fundamento: en los seres anorgánicos hay un defecto absoluto de operaciones vitales; sus operaciones no son inmanentes, sino todas transeúntes; si crecen es porque exteriormente se les añade una nueva materia, nunca intrínsecamente por introsuscepción, como sucede en los vivientes. En los seres anorgánicos tampoco hay movimientos espontáneos, ni locales, procedentes de la interna naturaleza del mismo ser, y mucho menos acciones que delaten inteligencia o voluntad; ni se encuentra tampoco en ellos aquella organización observada en los animales y en las plantas que es necesaria para la vida.

¿Cómo, pues, ha podido ser defendido el pampsiquismo por grandes filósofos, para quienes no podía pasar inadvertida su falsedad inicial? Posiblemente por conveniencias egoístas y para poder sostener otros sistemas: el *monismo* (V.) o la unidad en la composición de los seres, y el *evolucionismo* (V.) o la unidad en el origen de los mismos.

V. FECHNER: *Zend-Avesta.* Leipzig, 1906, 3.ª edición.—LOTZE: *Mikrokosmos.* Leipzig, 1906, 6.ª edición.—HAECKEL, E.: *Die Welt rätsel.* Berlín, 1910, 10.ª edición.—ARISTÓTELES: *De Anima.*—REINKE: *Einleitung in die theorische Biologie.* 1911, 2.ª edición.—FLOURNOY, Th.: *Le panpsychisme.* En "Ac. del Congreso Inter. de Filosofía de Ginebra", 1904.—STRONG, C. A.: *Quelques considérations sur le panpsychisme.* En "Act. del Congreso Inter. de Filosofía de Ginebra", 1904.

PANAMEÑA (Literatura)

Las letras panameñas tienen un interesante precursor en el poeta y pintor religioso Fernando de Rivera (1591-1646). Pero su interés autóctono empieza en el siglo XIX, con los poetas de espíritu y de forma románticos. Tomás Martín Feuillet (1834-1862), Amelia Denis de Icaza (1836-1910), José María Alemán (1830-1887) —*En el Valle de Pacora*—, Federico Escobar (1861-1912)—*Cantares panameños.*

Prositas interesantes de esta época fueron: Gil Colunje (1831-1899) y Pablo Arosemena (1836-1920), Cristóbal Martínez (1867-1914), que popularizó el seudónimo de "Simón Rivas".

Ya dentro del siglo actual: Ricardo Miró Denis (1883), figura realmente excepcional, llamado "el poeta nacional de Panamá", romántico, parnasiano y modernista—*Poema del ruiseñor, La hora romántica, Crepúsculos interiores, Frisos, Caminos silenciosos, La leyenda del Pacífico, Portobelo*—; Darío Herrera (m. 1914), Demetrio Fábrega (1881-1931), Nicolle Garay (1873-1928), Enrique Geenzier (1887).

La nueva sensibilidad está representada en Panamá por "Rogelio Sinán" (1904), seudónimo de Bernardo Domingo Alba, que ha revolucionado la forma lírica con su libro *Onda;* Demetrio Herreras (1902), lírico superrealista; Roque Javier Caurenza (1910), Ricardo J. Bermúdez (1914), José Adolfo Campos (1916), todos ellos igualmente envueltos en la misma ola tempestuosa de los *ismos* subversivos; Demetrio Korsi (1899), representante de la tendencia afrocubana con *Cumbiá;* Guillermo Andreve, ensayista original; Octavio Méndez Pereira, erudito e historiador—*Vasco Núñez de Balboa...*

V. HENRÍQUEZ UREÑA, Pedro: *Literatura de Centroamérica.* En el tomo XII de la "Historia universal de la Literatura", de Prampolini. Buenos Aires, Uteha, 1941.—LEGUIZAMÓN, Julio A.: *Historia de la Literatura hispanoamericana.* Buenos Aires, 1945. Dos tomos.—MÉNDEZ PEREIRA, Octavio: *Parnaso panameño.* Panamá, 1916. MIRÓ, Rodrigo: *Indice de la poesía panameña contemporánea.* Santiago de Chile, 1941.

PANAMERICANISMO

Doctrina política que atribuye a América la gestión de los intereses americanos, con exclusión de los derechos que sobre algunos territorios de América pudieran tener otros países *no americanos,* y muy principalmente europeos, por causas de descubrimiento o de colonización.

P

El panamericanismo, tal como fue iniciado doctrinalmente, no ha llegado *a cuajar.* Iniciado con la denominada *doctrina de Monroe* (V. *Monroísmo),* su cumplimiento quedaba sujeto a que todos los países americanos *se dejasen guiar por* los Estados Unidos. El panamericanismo, en su origen, no fue ni más ni menos que la máscara con que los yanquis quisieron disimular sus afanes de dictadores de América.

¿Contra quién se fundó el panamericanismo? Exclusivamente contra la influencia europea en América. Contra España, descubridora de América y admirable colonizadora desde Méjico hasta la Patagonia. Contra Inglaterra, Holanda y Francia, colonizadoras del Canadá y de los futuros Estados Unidos; contra Portugal, colonizadora del Brasil.

Con la doctrina de Monroe y con la fiscalización exclusiva del canal de Panamá, los Estados Unidos airearon orgullosamente el panamericanismo. "¡América para los americanos!", gritaron amistosamente, al parecer, las demás Repúblicas del continente. En realidad, debieron gritar: "¡América para los yanquis!" Pero... este grito se daría más adelante.

El panamericanismo tuvo su primer tropezón... precisamente en América. Inopinadamente apareció el bloque sudamericano, conocido con el nombre de A B C, para significar la confluencia de aspiraciones de Argentina, Brasil y Chile, tendentes a oponerse radicalmente a la hegemonía de los Estados Unidos. Este bloque puso de manifiesto lo que de confuso, egoísta y peligroso había en el panamericanismo, fundado—todo hay que aclararlo—más en la proximidad geográfica y en los intereses económicos que en la homogeneidad de raza o lengua.

El ilustre catedrático español Vicente Gay ha escrito: "El panamericanismo fue interpretado por los Estados Unidos como una fórmula de tutela norteamericana sobre el resto del continente, acompañada de pretensiones de privilegios mercantiles en la América latina, es decir, influencia política y económica, seguida de anexiones territoriales a favor de la República norteamericana, y en detrimento de las Repúblicas latinas." Y añade, luego de recalcar la diferencia entre el idealismo latino y el interés material yanqui: "La doctrina de Monroe, tan falsamente interpretada tantas veces, ha sido revisada en el sentido de evitar las intervenciones europeas, pero también para descartar la tutela de los Estados Unidos en provecho suyo en América; el argentino Drago puntualizó su alcance en lo relativo a las intervenciones por cobro de deudas internacionales; el norteamericano Porter intentó dejar un portillo abierto para la intervención yanqui; el profesor norteamericano Burgess negó eficacia a la doctrina en la Universidad de Berlín; el argentino Zeballos declaró la suficiencia de la República Argentina para salvar su personalidad sin la tutela norteamericana; y, por último, otro argentino ilustre, Leopoldo Lugones, desde la *Revue Sud-Américaine,* afirma que hay, por lo menos, cuatro Estados americanos que pueden adoptar la doctrina de Monroe, aunque no la necesitan para existir, como son la República Argentina, Brasil, Chile y Méjico, todo lo cual supone una conciencia más firme del propio valer de los Estados sudamericanos, una cesación de la hostilidad contra Europa y una renuncia al encubierto protectorado norteamericano."

Naturalmente, el bloque A B C practicó un panamericanismo fraternal en América y amistoso en relación con Europa.

De cualquier forma, este movimiento político y económico no llegó a ser jamás una realidad. Y, hoy, apenas es el recuerdo de una intentona grotesca, egoísta y humillante.

V. MUIR, R.: *Nationalism and Internationalism.* Londres, 1916.—GAY, Vicente: *Impresiones de la América española.* 1915.—GAY, Vicente: *El Imperialismo y la guerra europea.* 1915.—BURGESS, J. W.: *The reconciliation of government with liberty.* 1915.—BURGESS, J. W.: *Recent changes in american constitutional theory.* 1923.

PANCALISMO

Tendencia filosófica a llegar a una interpretación de la realidad desde el punto de vista personal y subjetivo de la estética, no de la verdad objetiva. El pancalismo se decide a la contemplación del mundo como una ordenación absolutamente bella.

Algunos críticos modernos han denominado pancalismo a cualquier doctrina que se caracterice por equiparar en importancia los intereses y movimientos afectivos—como determinantes de las ideas—a las representaciones intelectuales.

En verdad que pancalismo puede hallarse en algunas teorías de Aristóteles, Kant y Schelling. Sin embargo, el pancalismo ha sido metodizado por el filósofo norteamericano J. Mark Baldwin (1861-1934), profesor de Psicología en las Universidades de Lake Forest, Toronto y Princeton, y autor de muchas y muy interesantes obras. Mark Baldwin utilizó el término pancalismo —de *pan,* todo, y *calos,* bello—para caracterizar su *Genetic Theory of Reality*—Nueva York, 1915—. Según Mark Baldwin, el mundo de la estética está situado entre los hechos vitales y los hechos mecánicos, y es como el nexo de unión entre ellos y el método para armonizar la disonancia que entre ellos se produce. Señala Mark Baldwin que el artista es el tipo humano intermedio entre el hombre de la abstracción—científico—y el hombre rítmico—primitivo.

V. BALDWIN, J. Mark: *Le pancalisme.* Traducción francesa. París, 1918.

PANEGÍRICO

De πανηγυρικός, asamblea para escuchar.

1. Discurso oratorio en alabanza de una persona.

2. Encomio de una persona, o de una acción suya, de palabra o por escrito.

El panegírico entre los griegos tuvo por objeto exaltar la gloria nacional, como el *Panegírico de Atenas,* por Isócrates. Pero entre los romanos se aplicó primero al elogio de un personaje; en los últimos tiempos de la República, al elogio dedicado a los muertos; bajo el Imperio, a la alabanza incondicional del emperador.

Entre los numerosos panegíricos que tuvieron popularidad en la época de la decadencia romana, el más célebre es el *Panegírico de Trajano,* de Plinio el *Joven.* También tienen un interés grande: los de Eumenes de Autun, en honor de Constancio Cloro y Constantino; el de Nazario de Burdeos, en honor de Constantino; el de Claudio Mamertino, en honor de Juliano; el de Drepanio, en honor de Teodosio. Los discursos de todos estos retóricos fueron reunidos con el título de *XII Panegyrici veteres* en un tomo publicado en Venecia a fines del siglo XV y reeditado en París—1643—con el modificado título de *XIV Panegyrici veteres,* pues que se le habían añadido a esta edición el panegírico de Graciano, por Ausonio, y el de Teodorico, rey de los ostrogodos, por Enodio.

Entre los retóricos griegos merecen citarse: Elio Arístides, que hizo la alabanza de Marco-Aurelio; Eusebio, la de Constantino; Juliano el *Apóstata,* las de la emperatriz Eusebia y Constancio; Libanio, la de Juliano; Themisto—al que los griegos llamaron "el magnífico panegirista" (πανηγυριστής)—, las de veinte personajes, entre los que se cuentan Constancio, Valente, Valentiniano, Graciano, Teodosio II.

El panegírico pasó a la oratoria religiosa, pero ya no como elogio de un personaje, sino más bien como la enseñanza de una proposición religiosa de gran interés para los fieles.

V. FENELÓN: *Dialogues sur l'éloquence.*— WALCH: *Disertatio de Panegyricis veterum.* Jena, 1721.—THOMAS: *Essai sur les Eloges.* Varias ediciones.

PANENTEÍSMO

Nombre dado a una doctrina filosófica, defendida por Malebranche, Spinoza, Krause, diferente en detalles del *panteísmo* (V.) y menos radical. Según este, en el mundo está contenido Dios. El panenteísmo no llega a tan impresionante y absoluta afirmación. Según Malebranche, "no está Dios en el mundo, sino el mundo en Dios".

Según Spinoza, Dios es una sustancia absolutamente infinita; por tanto, "además de Dios no puede darse ni concebirse otra sustancia". Para Krause—en su obra *System der Philosophie,* 1828—, "el mundo está en Dios y es Dios, pero es *trascendido* por Dios y *no es todo* Dios, la *totalidad* de Dios".

PANESLAVISMO

Doctrina—más política y étnica que económica—cuyo ideal es la unión en un bloque de todos los pueblos eslavos.

Y—¡curiosa paradoja!—el paneslavismo, que fue iniciado por la Rusia de los zares, con los poco nobles propósitos de someter al zar todos los países eslavos, fue roto en añicos por la Rusia soviética de hoy, que está muy lejos de preconizar la raza como esencial en la organización nacional y política, y que proclamó como suyos los acuerdos del Congreso maximalista panruso de julio de 1918.

Pero nos interesa ahora señalar los países a los que apuntaba la Rusia zarista con el índice inexorable del paneslavismo: Polonia, Rumania, Bulgaria, Servia, Eslovaquia, la hoy República checa, parte de Hungría... Estas aparentes apetencias paneslavistas no coincidían con la distribución geográfica de la raza eslava. Los búlgaros no son eslavos. Los rumanos tienen hondas raíces de latinidad.

El paneslavismo *con las directrices rusas* no llegó a cuajar. A su fracaso contribuyeron el odio de Polonia a Rusia, la intromisión turca en los Balcanes, la desconfianza de los eslavos sometidos al imperio austrohúngaro en la capacidad política y económica rusa, las hábiles gestiones diplomáticas de algunas grandes potencias europeas occidentales, las diferencias religiosas de los propios eslavos según vivieran en Rumania, en Polonia, en Austria, en Bulgaria... Posiblemente, lo que buscó ardientemente Rusia con su paneslavismo fue una salida al Mediterráneo, su sueño de siglos.

En 1848, un Congreso celebrado en Praga reavivó el casi moribundo paneslavismo. En realidad, este Congreso se preocupó únicamente de la alianza íntima de todos los eslavos de Austria, que eran no pocos: checos, moravos, rutenos, dálmatas, croatas, eslovenos... Pero ni en labor, al parecr, tan relativamente fácil, tuvo éxito aquel Congreso, alabado por personajes tan famosos como el ruso Bakunin, el servio Zarch y el polaco Liebelt... Desde mediados del pasado siglo el paneslavismo tomó direcciones distintas: la rusa, que sirvió de un aglutinante más en la unidad del inmenso Imperio moscovita; la austríaca, en un verdadero mosaico de nacionalidades, no sirvió sino para separar más radicalmente los diversos intereses políticos y etnográficos. Pero la tendencia rusa y la austríaca tuvieron un fin idéntico: la desintegración, después de 1918, en el derrumbamiento del zarismo y en la invasión sustitutiva de la política bolchevique aquella, y esta en el desmembramiento absoluto del Imperio y en el nacimiento de exasperadas nacionalidades.

V. GETTELL, Raymond G.: *Historia de las ideas políticas.* Barcelona, 1930.

PANFLETO (V. Libelo)

1. Librillo. Folleto.
2. Escrito breve de características satíricas o injuriosas.

Características del panfleto son: *brevedad, mordacidad, maledicencia, intención ofensiva.*

Como panfletos pueden ser consideradas las *Filípicas,* de Demóstenes; el *Apokolokyntosis,* de Séneca; el *Satiricón,* de Petronio; las *Provinciales,* de Pascal.

Famosos *panfletistas fueron* Luciano, Menipo, Rabelais, Voltaire, Swift, Rochefort.

Modernamente, los panfletos han quedado reducidos casi a la esfera de la política.

PANGERMANISMO

Doctrina y sistema que tienen como ideal la fusión en un mismo organismo político de los diversos Estados de origen germánico.

La idea del pangermanismo es mucho más antigua que la palabra representativa. Aquella surgió en la Edad Media, con el ejemplo del Imperio de Carlomagno y el prestigio de la herencia del Imperio romano, expresado en aquellos siglos con la formación del imperio romano-germánico. Pero el *feudalismo* (V.) debilitó la fuerza expansiva del Estado en la Edad Media. Y lo mismo hicieron las monarquías absolutas en los siglos del XV al XVIII.

Posiblemente, el pangermanismo hubiera tenido una gran ocasión de acreditarse a principios del siglo XVI, con Maximiliano de Austria, Felipe el *Hermoso* y Carlos V; pero la aparición del *protestantismo* (V.) contribuyó a su desintegración.

La palabra pangermanismo es mucho más moderna. Empezó a utilizarse entre los años 1860 y 1870.

¿Cuáles eran los países a los que pretendía unir el pangermanismo? Alemania, Austria, Holanda, Bélgica—en sus elementos flamencos—, Luxemburgo, la Suiza alemana, Dinamarca, Suecia y Noruega.

La adversidad más dura para el triunfo del pangermanismo estuvo siempre en el confuso montón de principados, archiducados, ducados, landgraviatos, electorados, obispados y hasta pequeños reinos en que Alemania apareció dividida. En el siglo XVII aún había en Alemania 370 Estados, y en 1815 aún contaba con 39.

La paz de Westfalia, reconociendo la personalidad política de 300 Estados alemanes, simbolizó la época menos propicia al pangermanismo.

Napoleón, al formar la Confederación del Rin, exigió que quedaran fuera de ella Austria y Prusia, que podían constituir la fuerza de cohesión de un gran Imperio germánico. Pero el Congreso de Viena fortaleció a aquellos países. Cierto es que Austria perdía a Bélgica, pero recobraba muchos de sus antiguos dominios y se adueñaba de vastas posesiones en Italia. Y Prusia adquiría la mitad del reino de Sajonia y el gran ducado de Posen.

Para Burgess, desde 1818, Prusia inició un plan eficaz de pangermanismo, cumplido el cual, la hegemonía prusiana sería absoluta y más que suficiente para consolidar definitivamente en la esfera política el ideal de unión. Desde 1818, diversas fueron las tentativas para formar una Confederación que comprendiera a todos los alemanes de raza y que sustituyera ventajosamente a la desaparecida del Rin. El rey de Prusia quiso asumir la dirección, y los demás pueblos germánicos se negaron a ello. Austria quería entrar en la Confederación con todo su Imperio, pero Prusia rechazaba a los eslavos y húngaros. Entonces se vieron reaparecer los dos partidos de 1848: el partido prusiano de la *Kleindeutsche*—pequeña Alemania—y el partido austríaco de la *Grossdeutsche*—gran Alemania—. Cada uno de estos partidos tenía, en el aspecto político y social, la más diversa significación. Los alemanes del Norte blasonaban de un pangermanismo racial; deseaban una Austria alemana, pero rechazaban Bohemia y Hungría, de raza distinta. Los alemanes del Sur daban a su pangermanismo un sentido más amplio y rebajado, en el que cabían las partes más heterogéneas en el sentido étnico. Naturalmente, el auténtico pangermanismo era el de la pequeña Alemania.

Bismarck trabajó con éxito por la unificación *por el hierro y por la sangre*. Después de la paz de Viena—1865—, hizo que pasaran a poder de Austria y Prusia los ducados de Holstein y Schleswig, pertenecientes a Dinamarca. Poco después estallaba la inevitable guerra entre Austria y Prusia, a causa de anhelar las dos la direción de la nueva Confederación. En julio de 1866 los prusianos ganaban la decisiva batalla de Sadowa. Austria, Baviera, Sajonia, Hannover, Württemberg habían sido vencidas. El anhelo de Bismarck empezaba a cumplirse. Prusia iba a llevar a cabo un plan de pangermanismo mínimo: la agrupación federal de todos los Estados alemanes situados al norte del río Main, excluida Austria, y bajo hegemonía prusiana. Y quedó flamante la Confederación de la Alemania del Norte. El nuevo compuesto no era *una unión de Estados* como la que existió entre 1815 y 1866, sino un *Estado de unión,* cuyos órganos eran: un presidente—el rey de Prusia—, un Consejo federal *(Bundesrat)* y una Asamblea democrática *(Reichstag)*. Esta Federación novísima encontró su apogeo durante la guerra con Francia en 1870. La posibilidad de vencer a Francia transformó el *Bund* en *Reich* (Imperio).

Vencedor en la guerra francoprusiana, constituyó Bismarck la Confederación de los Estados alemanes bajo la orientación prusiana, cuyo rey fue proclamado emperador en 1871. Desde esta fecha, temido el Imperio alemán en toda Europa, su pangermanismo fue sinónimo de imperialismo y de militarismo.

Lógicamente, Europa impidió por todos los medios a su alcance que triunfara plenamente el pangermanismo, y lo combatió en sus dos aspectos ya apuntados: el étnico—impidiendo que se uniera a Austria—y el político—provocando el fallo de los resortes diplomáticos que lo favorecieran.

Posiblemente, el desmedido orgullo pangermanista empujó a la Gran Alemania a la gran guerra de 1914-1918. El Tratado de Versalles —1919—pareció dar un golpe muy fuerte a las aspiraciones de unión de los pueblos de raza germánica. Pero la caída de las dinastías de los dos Imperios centrales facilitó la tarea de unificación política, según afirmó Hitler en su libro *Mein Kampf,* llevándola más tarde a la práctica.

El Tercer Reich (V. *Nazismo)* logró la unión de todos los pueblos germánicos del centro de Europa, recurriendo, ya al trasiego de las minorías que vivían en naciones no germánicas —como Italia, Polonia—, ya anexionándose audazmente varios países: Austria, Checoslovaquia,

Hungría... Hitler creó también en Stuttgart un Instituto para dirigir la acción unificadora de los alemanes esparcidos por todo el mundo.

Estallada la gran guerra de 1939-1945, Alemania se anexionó rápidamente la denominada Polonia alemana, Dinamarca y Noruega. El sueño del *íntegro* pangermanismo parecía ir a cumplirse. Pero... la derrota terrible sufrida por el Tercer Reich deshizo nuevamente todo el ideal. ¿Hasta cuándo?

V. BENEYTO, J.: *Nacionalsocialismo*. Barcelona, 1934.—BENEYTO, J.: *Historia de las doctrinas políticas*. Madrid, Aguilar, 1952.—HOBSON, J. A.: *Imperialism*. 1905.—HUARD, A., y CASTLE, H.: *German sea power*. Londres, 1913.—OAKESMITH, J.: *Race and nacionality*. Londres, 1919.

PANHELENISMO

Sistema político que tiende a unir en un grupo de nación todos los pueblos de raza griega.

El panhelenismo puede considerarse en dos momentos bien distintos y alejados entre sí: en la Edad Antigua y en la época contemporánea.

En la Edad Antigua, el panhelenismo tardó muchos siglos en manifestarse. Y es que para los griegos no hubo amor más grande que el que profesaron a su ciudad. La ciudad fue para ellos, al mismo tiempo, Estado, iglesia y escuela. La religión aparece asociada a la ciudadanía. La personalidad de los individuos se deducía, exclusivamente, de su participación como miembros en la vida del Estado, del cual recibían, a la vez, todos los valores sociales. Era la ciudad la que guerreaba contra otra ciudad. Este amor a la independencia de la ciudad impidió la formación de la unidad en el mundo helénico. Y sin un gran núcleo de helenismo, ¿cómo podía surgir el panhelenismo?

El panhelenismo en la antigua Grecia se inicia con Filippo y Alejandro Magno; aquel, gran político; este, gran conquistador. Los dos plantean la ruptura entre la *polis* y la organización que la sobrepasa. Los dos tocan el nuevo ideal: el panhelenismo, por el cual es la cultura helénica y no la adscripción a una *polis* lo que califica la ciudadanía.

El panhelenismo del mundo antiguo sembró su propia ruina futura extendiéndose al Asia Menor. De este lugar surgió la avalancha turca que hizo estremecerse a Europa entera, y que en 1453, con la toma de Constantinopla, terminó con la independencia de Grecia.

Hasta fines del siglo XVIII Grecia vivió sometida a los turcos sin dar la menor prueba de su amor a la independencia. Este amor da su primer grito de resurrección en 1820, año en que se sublevaron a la vez los griegos en el Epiro, en la Morea y en las islas. De 1821 a 1825 pusieron a prueba su patriotismo y su valor, venciendo varias veces a los turcos y sosteniendo con heroísmo casi sublime los sitios de Patrás y Misolongui. Pero hubieran sucumbido definitivamente si no acuden en su ayuda Inglaterra, Francia y Rusia, cuyas escuadras derrotaron a la turca—1827—en Navarino.

En 1830 obtuvo Grecia en la Conferencia de Londres el reconocimiento de su independencia. Desde este mismo año surgió el nuevo panhelenismo, ya que una nación—la griega—no correspondía a un solo Estado—el griego—, pues faltábanle a este nada menos que Tesalia y Creta y muchas islas Jónicas. Hizo su aparición el *irredentismo,* heraldo de todos los movimientos políticos raciales.

En 1848, la población griega de las islas Jónicas inició ruidosas manifestaciones de su deseo de incorporarse a la nación helénica, ya que estaban sometidas a Inglaterra. La Constitución de 1864 y el triunfo del partido demócrata permitieron la exaltación del panhelenismo; exaltación que coincidió con la crisis del Imperio otomano. Tesalia le fue, al fin, incorporada. Creta se liberó de los turcos, logrando, merced a las grandes potencias occidentales, un régimen autónomo; pero poco después se unió a Grecia.

En 1913, vencida Turquía por los Estados balcánicos, Grecia sumó a su territorio Salónica, Cavalla y las grandes islas del archipiélago. El Tratado de Bucarest de aquel año marcó el punto más alto del panhelenismo; triunfo al que había contribuido el gran político cretense Venizelos. La gran guerra de 1914-1918 contuvo la expansión del patriótico movimiento.

V. WILKEN, U.: *Philipp II von Makedonien und die panhellenischen Idee.* "S. B. Berl. Akad.", 1929.—WILKEN, U.: *Alexander der Grosse.* Leipzig, 1931.—SEIGNOBOS, Ch.: *Histoire grecque.* París. 1907.—SEIGNOBOS, Ch.: *Evolution des partis et des formes politiques.* París, 1924.

PANISLAMISMO

Tendencia política y religiosa de los pueblos musulmanes a lograr, mediante la unión de todos ellos, su independencia cultural, religiosa, política y económica respecto de las demás naciones.

El panislamismo, iniciado por Mahoma, tuvo sólidos fundamentos, entre los que destacaron: la afirmación de la unidad de Dios, rechazando lo mismo la Trinidad cristiana que la pluralidad de dioses pagana; el concepto fatalista de la vida y de la Historia, que permite moldear casi automáticamente la masa social; la guerra santa y política a la vez impuesta por Mahoma a sus adeptos.

El panislamismo se convirtió, con tales fundamentos, en *una necesidad,* según sus creyentes. Mahoma no se recató en decir que él no hacía milagros, "pero que imponía su religión por las armas". Y asegurando en su ley que al que moría peleando le sería concedida la inmortalidad en el Paraíso, logró poner en movimiento—que ya no se interrumpiría nunca—al panislamismo. El cual, para alcanzar pronto triunfos grandes y deslumbrantes, tuvo la suerte de encontrar un mundo caduco, minado por las guerras continuas, por las discrepancias religiosas, por las traiciones y por los fatalismos.

Pero la primera figura gigantesca del panislamismo y su verdadero animador fue el gran califa Omar, quien convenció a sus súbditos en una fe ciega de que el mundo entero había de ser musulmán. Y en muy poco tiempo el panislamismo influyó en Siria, Mesopotamia, Persia, Egipto, Chipre y Rodas.

El panislamismo puso en relación a los árabes con los pueblos de Occidente y mezcló su cultura con la bizantina y la romana. Su poder creció de manera tan extraordinaria, que le fue fácil, absorbiendo todo el Norte africano, penetrar en el Occidente europeo por la Península Ibérica—siglo VIII.

Durante la Edad Media, el panislamismo no estuvo siempre exaltado por árabes propiamente tales; a estos sucedieron en la dirección de aquel los turcos—mucho menos civilizados—; a los turcos, los buidas—persas—. Y en focos independientes del califato de Damasco o de Bagdad, los musulmanes de España, los edrisitas, los fatimitas, los aglobitas. Inminente la Edad Moderna, volvieron a tornarse en la hegemonía del panislamismo los árabes, los seléucidas—turcos—, los mogoles, los turcos otomanos.

En el siglo XVI, con Mohamed II, conquistador de Constantinopla—1453—, y Solimán el *Magnífico,* invasor triunfante de Hungría y Austria, el panislamismo alcanzó su culminación. La victoria católica de Lepanto, gloriosamente alcanzada por don Juan de Austria, contuvo la expansión del Islam en Europa. Sin embargo, sus sueños fanáticos siguieron haciéndose realidad en Asia—hasta más allá de la India—y en Africa—hasta más allá del Sudán—. El panislamismo conservó, sin embargo, entre sus garras algunas porciones europeas de tanta tradición como Grecia. Pero después de una larga lucha—1820 a 1827—, la patria de Homero y de Aristóteles logró independizarse.

El Tratado de Bucarest—10 de agosto de 1913—, que puso fin a la guerra balcánica, desfavorable para Turquía, mermó considerablemente la esfera de acción del panislamismo. Y como Turquía entrara en la gran guerra de 1914-1918 aliada con los Imperios centrales, que terminaron vencidos, llegó el momento de asegurar que el panislamismo no se extendería jamás por dominios europeos.

Terminada la gran guerra de 1939-1945, los pueblos árabes tienden a unirse estrechamente; pero más que para reavivar un panislamismo arcaico, para dar a su destino racial y religioso una potencia capaz de ser respetada en el concierto de las naciones.

V. HUART, C.: *Histoire des arabes.* París, 1912-1913.—MARGOLIOUT: *El islamismo.* Barcelona, Editorial Labor, 1925.—MONTET, E.: *L'Islam.* París, 1921.

PANLOGISMO

Doctrina filosófica que identifica el pensamiento—la razón—con el ser, el λογος con el παν.

El término panlogismo fue inventado por el filósofo J. E. Erdmann—en su *Geschichte der neueren Philosophie,* 1853—para caracterizar a cuantas doctrinas filosóficas—desde los estoicos hasta Hegel—propugnaran un panteísmo lógico o absoluto. Sin embargo, Couturat—en su *La Logique de Leibniz,* 1901—cree que el término panlogismo caracteriza aún mejor la metafísica de Leibniz.

PANPSIQUISMO (V. Pampsiquismo)

PANTALÓN

Personaje famoso de la *comedia italiana de arte.* Pantalón es la personificación del viejo avaro, crédulo, libertino, meticuloso, víctima de todos los Arlequines de Italia y de los Escapines de Francia. Según unos autores, su nombre deriva de *pianta-leone;* según otros, de San Pantaleón, patrón de Venecia, ya que a Pantalón le hicieron, en la comedia italiana, burgués veneciano. Corresponde también al *pappus* y al *casnar* de las atelanas antiguas, y al *barba* de las comedias españolas.

Las variedades de su *tipo* son las siguientes: *Zenobio, Facanappa, Cassandro,* el *Barón,* en la *Commedia dell' arte; Collofonio, Pandolfo, Coccolin, Bartolo,* en la *Commedia sostenuta; Garguille, Géronte, Orgón, Harpagón, Gorgibus...,* en las farsas francesas y en las comedias de Molière.

V. SANZ, Maurice: *Masques et bouffons.* París, 1859.

PANTALONADA

Farsa burlesca y grosera, cuyo protagonista es *Pantalón* (V.). El género quedó reducido a los teatros de feria a partir del siglo XVIII.

También se ha dado este nombre a la *palinodia* (V.) excesivamente *baja* y *miserable.*

PANTEÍSMO

Doctrina filosófica que tiende a identificar totalmente con Dios todas las cosas.

El panteísmo es una de las más antiguas teorías filosóficas del mundo. Se dio en la India, en Persia, en Grecia, en Alejandría, en Roma. Se dio durante la Edad Media; entre los árabes y judíos, entre los escolásticos. Pasó a la filosofía del Renacimiento por medio de Nicolás de Cusa; Krebs, Miguel Servet y otros protestantes lo inyectaron en la filosofía moderna, defendiéndole, entre otros, Giordano Bruno, Campanella, Dinant, Spinoza, Lessing, Herder, Kant, Schelling, Hegel, Fichte, Krause...

El panteísmo hindú es el más antiguo que se conoce. En la filosofía brahmánica, el éxtasis, el desprecio por todo lo terreno... conduce al alma al *nirvana,* unidad absoluta con Dios.

En Grecia, en la escuela eleática, surgió el panteísmo con extraordinaria fuerza. Su primer propagador fue Jenófanes de Colofón; su doctrina panteísta fue el preludio de la unidad del ser de los eleáticos propiamente dichos.

Parménides fue un panteísta radical. Para él, la verdadera realidad es el ser, esto es: la unidad, la inmovilidad, la eternidad. Solo el ser es, y el no ser no es. El ente es uno: la multiplicidad de las cosas es aparente y no atenta contra la unidad del ente. Las cosas quedan envueltas por el ente, quedan reunidas, *unas.* El ente es como una esfera, sin huecos de no ser.

Y si panteísta es la teoría de Parménides de la univocidad del ente, no menos panteísta es la de Heráclito de la plurivocidad del ente. Heráclito niega el ser de las cosas, ya que no encuentra nada permanente y fijo en la realidad; las cosas nunca son; siempre se hacen; "el agua se hace nube; la nube se hace lluvia; la lluvia, hielo..."

La física de los estoicos descansa sobre el fundamento de un monismo panteísta: todo lo real es corpóreo; pero esta única realidad corpórea está penetrada, gobernada, animada por el fuego primitivo, razón del Universo, el *Logos,* al mismo tiempo racional y divino, que encierra en sí el *germen* de todos los seres naturales.

Plotino (204-269), fundador del *neoplatonismo* (V.), fue también defensor de una teoría panteísta. Según él, todo lo que es, todo lo que es uno, todo lo que es bueno, presupone un tal ser *Uno,* el *Unico* y el *Bien.* "Al Uno sigue el mundo del *nus,* del espíritu pensante y de las ideas por él pensadas, el mundo de la unidad estricta, que, sin embargo, tiene que dividirse al propio tiempo en la dualidad del sujeto y objeto, y en cuanto objeto, en la pluralidad de objetos ideales, que es al mismo tiempo el mundo del ser eterno, ideal y consiguientemente intemporal." El destino del alma es fundirse con la divinidad por medio del éxtasis, y así volver al camino de las *emanaciones* de Dios. (V. *Emanatismo.)*

Del panteísmo—la raíz helénica—participaron el emanatismo y el monopsiquismo semíticos, desde Alkendi hasta Avicena. E igualmente alcanzó a los judíos el estrago de la *gnosis* y el emanatismo alejandrino...

El panteísmo latino medieval fue iniciado por Escoto Eriugena (810-877), según el cual, el acontecer del Universo se convierte en un período que sale de Dios y a Dios vuelve; este período tiene su principio en Dios, "naturaleza creadora y no creada", cuyo espíritu se derrama en grados inferiores, en la "naturaleza creada y creadora" de las ideas divinas, de las ideas universales y modelos de las cosas; en la "naturaleza creada y no creadora" de los seres particulares procedentes de esos modelos... para volver luego ese espíritu a Dios en cuanto "naturaleza ni creada ni creadora".

Aún más radicalmente panteístas fueron: Amalrico de Bêne (m. 1204), David de Dinant, Teodorico de Friburgo, Juan Eckart...

Sintetizando: el panteísmo tiene dos concepciones notables: la *oriental*—que inmerge a Dios en el mundo—y la *occidental*—que inmerge al mundo en Dios—. También pueden señalarse otras concepciones panteístas más restringidas: la *materialista,* para la cual lo que constituye el uno-todo (Dios) es la simple materia del Universo; la *idealista,* que hace de todos los entes inmateriales—tiempo, espacio, fuerza, divinidad—creaciones del espíritu; la *sustancialista,* que afirma la existencia de un poder espiritual que opera en la forma material: poder infinito y eterno, que es la razón de todo.

La crítica moderna señala cuatro principales sistemas panteístas:

1.º El *estoico,* que afirma ser el Universo un organismo penetrado de una Sustancia eterna, de la que han salido todos los seres.

2.º El *alejandrino,* según el cual Dios genera la mente, de la que dimana el alma universal, la que, a su vez, produce las almas individuales.

3.º El *spinoziano,* según el cual, pensamiento y extensión no son sino los atributos de una sola sustancia infinita: Dios.

4.º El *hegeliano,* en el que lo absoluto, el todo, la divinidad, es la *idea,* la cual, mediante un proceso de eterno *devenir,* se desarrolla, primero, como potencia y germen; luego, como naturaleza; finalmente, como espíritu consciente.

Pueden considerarse igualmente panteísmos más comprensivos: el *cosmológico,* que considera al Universo y a Dios como un solo y mismo Ser; el *ontológico,* que considera una única Sustancia eterna, manifiesta en el pensamiento o en la extensión; el *psicológico,* que considera a Dios como alma del mundo, y al mundo como cuerpo de la divinidad.

El panteísmo ha sido combatido reflexivamente, incansablemente, por los filósofos católicos. La refutación más trascendental del catolicismo contra el panteísmo pudiera ser esta: ¿cómo Dios, Ser infinitamente perfecto, puede contener las imperfecciones ni identificarse, por tanto, con el conjunto de tantos seres cuyas deficiencias han preocupado a las filosofías de todos los tiempos, dando ocasión al *pesimismo* (V.)?

Dios es la *depuración* de todas las perfecciones, ya que en El existencia y perfección son simultáneas, mientras en todo lo que no es El cabe distinguir perfección y existencia.

V. VACANT, V. A., y MANGENOT, E.: *Dictionnaire de théologie catholique.* París, 1911, tomo IV.

P

PLUMTRE, C. E.: *General sketch of the history of pantheism*. Londres, 1881.—MENÉNDEZ PELAYO, M.: *Historia de los heterodoxos...* 2.ª edición, tomo I, 1911.—BALMES, Jaime: *Filosofía fundamental*. 5.ª ed., Barcelona, tomo IV.—MAYER, J. B.: *Theismus und Pantheismus*. Friburgo de Brisgovia, 1889. 3.ª edición.—PICTON, J. H.: *Pantheism*. Londres, 1905.—DESDOUITS, T.: *Le panthéisme*. París, 1897.—URQUHART, W. S.: *The fascination of pantheism*. Filadelfia, 1911. SCHULER, G. M.: *Der Pantheismus*. Wurzburgo, sin año.

PANTELISMO

Doctrina metafíscia, especie de *panteísmo* (V), según la cual la Sustancia del Mundo es una Voluntad, identificando el ser con la fuerza a imagen de la voluntad humana.

Pantelismo ha sido llamada la filosofía de Schopenhauer, "en cuanto pone como fondo sustancial e invariable de todo ser la *voluntad*, punto central y clave de sus conclusiones filosóficas".

Arturo Schopenhauer nació—1788—en Danzig y murió—1860—en Francfort del Main. Su padre fue un rico comerciante y su madre una mujer cultísima y novelista muy personal. Estudió Filosofía en Gotinga y Berlín. Y en 1818 terminó su obra principal e inmortal: *Die Welt als Wille und Vorstellung (El mundo como voluntad y representación)*. Desde 1820 ejerció la enseñanza privada en Berlín.

Schopenhauer es el filósofo del pesimismo. Para él, la ley del sufrimiento es la ley de la vida. Defendió una metafísica en la que la voluntad desempeña el primer puesto, junto con una resignación ilimitada y una caridad universal, que recuerdan el espíritu de las religiones de la India. La voluntad, esencia única del mundo, es una fuerza infinita que evoluciona según leyes necesarias; la inteligencia no es sino un accidente de ella. De la voluntad dependen toda la realidad y toda la apariencia.

Schopenhauer es uno de los filósofos que más han influido—e influyen—en el ideario contemporáneo del mundo. Todos su escritos están traducidos a todos los idiomas.

Ampliando la doctrina del pantelismo, podemos indicar que Schopenhauer no se conforma con la visión del mundo de Kant y de Hegel. Movido por una necesidad metafísica, busca una realidad más profunda. Pasando del mundo a la consideración del yo, Schopenhauer afirma *que nos aprehendemos* como *voluntad*, como algo inespacial e intemporal, es decir, como algo no fenomenológico. La *cosa en sí* es voluntad, *voluntad de vivir*. Cada cosa del mundo, el mundo entero—pues que Schopenhauer transpone la intuición del yo al mundo—es voluntad de ser. El fondo último de toda realidad y de toda la realidad es la voluntad.

"Ahora bien, la voluntad es querer siempre más; por consiguiente, *insatisfacción*, y, por lo mismo, constante dolor. Mientras el placer es transitorio, el dolor es permanente. La vida en su última esencia es dolor. El placer es meramente negativo, es carencia de dolor; se convierte pronto en hastío, y el dolor, lo positivo de la vida, reaparece pronto.

"Sobre esta concepción metafísica funda Schopenhauer la ética. La voluntad de vivir es un mal, es un dolor. El hombre debe tender a aliviar el dolor tanto en sí mismo como en los demás. Por eso, el sentimiento moral es la *compasión*, que tiende a mitigar el dolor propio y la miseria de todos los seres. Esto se verifica también por el cultivo de la ciencia, de la filosofía, del arte. Pero todos estos remedios son remedios pasajeros de nuestra servidumbre a la voluntad de vivir. La salvación solo se alcanza negando esta voluntad misma, aquietando el querer. El suicidio no consigue nada, porque, más que negar la voluntad, la afirma, y la voluntad encarnará de nuevo. Solo negando radicalmente la voluntad de vivir, mediante un acto de la libertad inteligible, podemos hacer que pase de cosa en sí a fenómeno, y, llegada la muerte, la voluntad no se encarnará otra vez, y el individuo entrará en la nada, en el *nirvana*. Solo así puede ponerse fin al dolor y alcanzar la verdadera salvación. El voluntarismo irracionalista de la metafísica conduce de esta manera a Schopenhauer al pesimismo moral." (GONZÁLEZ ALVAREZ.)

Del pantelismo de Schopenhauer se deducen consecuencias desconsoladoras. La inmortalidad del hombre es un contrasentido, y la metempsicosis es un hecho necesario y constante. El *nirvana* extingue toda actividad cognativa de la *voluntad* por los más dolorosos caminos. La voluntad *objetivada* es reabsorbida totalmente por la eterna inconsciencia.

V. WALLACE, W.: *Life of Arthur Schopenhauer*. Londres, 1891.—WUNDT, Max: *Schopenhauer, seine Kreiss und Seine Werke*. 1921. BOSSERT, A.: *Schopenhauer...* París, 1920.—GWINNER, W.: *Arthur Schopenhauer*. Leipzig, 1863. DOLLFUS, Ch.: *Arthur Schopenhauer et sa philosophie*. En "Rev. Germanic.", 1859.—DOERING, W. O.: *Schopenhauer*. Lübeck, 1919.—CORVOTTI, A.: *La vita e il pensiero di A. Schopenhauer*. Turín, 1909.

PANTOMIMA

De πᾶν, todo, y μιμέομαι, imitar.

Representación escénica en la que no intervienen sino figuras *que utilizan únicamente los movimientos y los gestos*.

Con este nombre fueron conocidas en Grecia y Roma, a partir del siglo I de nuestra Era, unas representaciones en las que los comediantes expresaban el *sentido* y los *sentimientos* de una acción *bailando, gesticulando,* sin hacer uso de la voz.

Pantomimos fueron llamados los actores que las representaron. En Roma tuvieron una popularidad enorme Pílades de Cilicia y Bathillo de Alejandría, quienes—aquel, con una danza grave muy expresiva, y este, con sus gestos elocuentísimos—crearon un nuevo género dramático.

Los pantomimos fueron adulados por la juventud romana, su amistad buscada por las mujeres y su mérito ensalzado por los poetas. Bien pronto sus espectáculos estuvieron establecidos en toda Italia y en las provincias romanas más alejadas, en Iliria, en Siria, en Antioquía, en Bizancio, en Corinto, en Atenas, en Cartago...

Cuando las pantomimas adquirieron su inmensa popularidad, los actores empezaron a introducir alusiones—siempre de mímica y de movimiento—lo más crudas posible contra los emperadores; por ello, Augusto mandó flagelar a Hilas y desterró a Pílades, famosos pantomimos. Tiberio, Calígula, Nerón y Trajano desterraron a todos los pantomimos. Pero la influencia de estos era tal, que cuando Domiciano cerró todas las escenas, ellos se refugiaron y representaron en las casas de los ricos. Los más admirables de ellos procedían del Asia Menor, de Egipto y de Cádiz (España).

Los pantomimos usaban máscaras apropiadas a sus papeles. Estas máscaras no tenían abiertos los labios como las de los trágicos y cómicos; y por ello eran llamadas máscaras mudas. Su atuendo consistía en un manto corto llamado *pella* y en la *tunica talaris.* Los pantomimos aparecen, en muy diversas posturas, en las pinturas de Pompeya.

Según Plutarco, la danza pantomima estaba compuesta de tres partes: el *paso* o la *marcha,* viva representación de una acción o de una pasión; la *figura* o *actitud escultural* que adoptaba el bailarín al terminar la marcha o el paso; y la *demostración con el gesto* de sus ideas satíricas, amorosas, burlescas, trágicas, etc. Para muchos eruditos modernos, entre ellos Ch. Magnin, los pantomimos se servían, además del gesto, de un *alfabeto digital* sumamente fácil de traducir a los espectadores.

Las obras escritas para los pantomimos, llamadas *mimodramas* (V.), eran representadas por un solo actor, que desempeñaba todos los *papeles* de la obra, apareciendo y desapareciendo de la escena y cambiándose rápidamente las máscaras.

No siempre fueron *mudos* los mimodramas. Durante mucho tiempo admitieron el *Canticum,* que era entonado por un corifeo en la orquesta o por el coro desde el *pulpitum.* El juego de las pantomimas era acompañado por una música de flautas, con la adición, a veces, de siringas y de címbalos. Más tarde fueron agregados el salterio, el arpa siria y los crótalos.

Algunos poetas famosos escribieron especialmente los *cantica* para las pantomimas. Filón, según recuerda Séneca, compuso tragedias para los pantomimos. Estacio vendió su tragedia *Agave* al pantomimo Paris. Pero la mayor parte de aquellos *ballets* o pantomimas no eran otra cosa que las tragedias griegas y latinas reformadas y privadas de sus diálogos *(diverbia).*

También fueron logradas pantomimas de las obras de los poetas épicos Homero, Hesíodo, Virgilio... Las *Metamorfosis,* de Ovidio, fueron una *cantera inagotable* del género. Normalmente, los *cantica* estaban escritos en griego, por lo que se hacía indispensable—no en Roma, pero sí en las provincias—el empleo de un traductor-anunciador escénico—*enunciador ab scaena graeca*—. Cuando los *cantica* fueron suprimidos, el anunciador fue el encargado de contar al público los incidentes y el tema de la pantomima.

Durante la Edad Media las pantomimas casi desaparecieron. Y volvieron a surgir pujantes a partir del siglo XVII (fines), cuando la *música espectacular*—de ópera, de bailables—inició su apogeo en Italia y en Francia. En este país, y en el siglo XIX, Gaspar Debureau y su discípulos, con un arte exquisto, llevaron al *teatro de los Funámbulos* un apogeo glorioso de la pantomima. Escritores como Gautier, Catulo Mendès, Paul Margueritte, Champfleury escribieron argumentos deliciosos para el género.

Desde fines del siglo XIX, los famosísimos *bailes rusos* y los *ballets* mantienen la belleza indiscutible de la pantomima. Músicos de la talla de Strawinsky, Ravel, Debussy, Strauss, Falla, Dukas, Granados, Schmitt... han contribuido a su éxito espectacular.

V. MEURSIUS: *De orchesta sive de saltationibus veter,* 1618.—FERRARIUS: *De pantomimis et mimis.*—LESSING: *Abhandlung von den Pantomimen del Alten.*—GRYSAR: *Ueber die Pantomimen der Römer.* En "Rheinmuseum", de Bonn, 1833.—MAGNIN, Ch.: *Les origines du théâtre antique...* París. Varias ediciones.—BROADBENT: *A history of pantomime.* Londres, 1901.

PAPEL

Es el papel, hoy, un elemento indispensable para la literatura. Los libros—con escasísimas excepciones, y por motivos *de lujo,* en las que se utiliza el corcho, la tela, etc.—siempre se imprimen sobre papel, y antes, naturalmente, se escriben sobre papel.

El nombre de papel deriva de *papyros,* planta lacustre de cuyo tallo confeccionaron los egipcios—tres mil quinientos años antes de Cristo—hojas para escribir sobre ellas.

Modernamente, el papel se obtiene de trapos viejos de lino, algodón, cáñamo y de toda clase de tejidos de desperdicio; y también de la madera, de la paja, del esparto y otras clases de fibras vegetales.

A los chinos se debe la invención del papel formado de fibras vegetales. Tsailun, ministro chino hacia el año 123 después de Cristo, enseñó la elaboración de la hoja de papel de la fibra del *morus papyrifera,* del bambú y de la hierba china *Boehmeria.* Los árabes conocieron su fabricación en el siglo VIII y la introdujeron en España en el siglo IX. En Europa se propagó por intermedio de España. Uno de los documentos en papel más antiguos que se conocen es un *Registro notarial,* orignal de Juan de Silva, que comienza en 1154 y sigue hasta 1214. Lo posee el Archivo del Estado de Génova.

Desde el siglo XIII se empezó a poner en el papel la marca de fábrica—una letra, un fruto, una figura geométrica, un animal—. Esta marca es de suma importancia para determinar la procedencia de los documentos; tarea que ha facilitado enormemente la magnífica obra de C. M. Briquet *Les filigranes. Dictionnaire historique des marques du papier dès leur apparition vers 1282 jusqu'à 1600 avec 16.112 facsimiles.* París-Ginebra, 1907. Cuatro tomos.

En 1154 establecieron los árabes en Játiva (España) una importantísima fábrica de papel de calidad extraordinaria. Pocos años después funcionaba otra en Toledo.

El documento oficial de papel más antiguo que se conoce en España data del año 1237, y es el Repartimiento de Valencia, extendido reinando don Jaime I el *Conquistador.* (Véanse *Libro, Manuscrito.)*

V. FUMAGALLI: *Paleografia.* Manuales Hoepli. Milán, 1916.—WATTENBACH, W.: *Das Schriftwesen im Mittelalter.* Berlín, 1896.

PAPIRO

A tiempos antiquísimos se remonta la costumbre de escribir en las cortezas y en las palmas de los árboles. De aquí proviene la denominación de *folium* (hoja), conservada hasta nuestros días, y de *liber,* que, según San Isidoro —en sus *Etimologías,* lib. IV, cap. XIII—, *est interior tunica corticis.*

"Entre los materiales de esta índole ninguno estuvo más en boga que el papiro, especie de planta palustre, semejante a un junco, de tronco triangular, de unos tres metros de altura y terminada por una copa finísima. Esta planta se criaba en el Nilo, en Abisinia, en Siria y en las islas Canarias, habiendo sido trasplantada a Sicilia en la Edad Media.

"La manera de prepararlo para la escritura nos la cuenta Plinio *(Naturalis Historia,* libro XIII, caps. XXI-XXIII), aunque con alguna oscuridad. Sin embargo, de su texto se puede deducir que se cortaba el tronco a la larga en tiras finísimas, las cuales se alineaban sobre una tabla mojada en agua del Nilo, de modo que formasen un conjunto plano, llamado *scheda.* Encima de esta *scheda* se ponía otra transversalmente, impregnada también en agua. Se prensaba luego, de modo que quedase adherida a la de abajo, y así se formaba el folio de papiro, denominado *plagusa.* Con estos folios se formaban los rollos *(scapus)* que se vendían al público." (P. GARCÍA VILLADA.)

Los papiros existentes en la actualidad proceden de Egipto, de Herculano y de la Edad Media. Los primeros nos han transmitido fragmentos de Homero, Eurípides, Platón, Aristóteles, etc.; los segundos, algunos trozos de filósofos epicúreos; los terceros, varios códices y documentos.

Las Bibliotecas Nacionales de Berlín, París, Viena y el Museo Británico poseen la mayoría de los papiros más notables. El más antiguo —dos mil años antes de Cristo—, llamado *Prisse,* se encuentra en París.

En España se conservan algunos documentos en papiro de pontífices y reyes en la catedral de Gerona, en el Museo episcopal de Vich, en la catedral de Urgel, en el Archivo de la Corona de Aragón.

V. WESSELY, C.: *Studien zur Palaeographie und Papymskunde.* Leipzig, 1901, 1903.—GRENFELL, HUNT y HOGART: *Fayum tows and their papyri.* Londres, 1900.—FUMAGALLI: *Paleografia.* Manuales Hoepli. Milán, 1916. 3.ª ed.

PARÁBASIS o PARABASIA

De παράβασις, digresión.

Era llamado así el intermedio de la vieja comedia ateniense durante el cual el coro quedábase solo sobre la escena, se adelantaba hacia el público y le hacía directamente alguna alocución. En la parábasis, el autor de la obra representada solía hacerse su apología, se encaraba con la crítica de sus rivales y exponía sus puntos de vista acerca de los negocios públicos. El corifeo, despojándose de la máscara, se encaraba ya no con los espectadores y sí con los ciudadanos. Tal libertad de opinión se permitió en la parábasis, que cualquier extranjero llegado a Atenas que quisiera enterarse de los sucesos más recientes e importantes debía acudir al teatro, donde los actores cómicos le informarían cumplidamente en los intermedios.

La supresión de la parábasis, como consecuencia de la ruina del poder popular por la victoria de Lisandro, marca la decadencia del coro cómico.

La parábasis normal comprendía siete partes: 1.ª La *Kommation,* fragmento en verso anunciando que la parábasis va a ser recitada; 2.ª La *Parábasis* propiamente dicha; 3.ª El *Makron,* compuesto de dímetros anapésticos, que se recitaba "de un solo asiento"; 4.ª La *Estrofa,* trozo lírico cantado por parte del coro; 5.ª El *Epirrema,* cuplé de tetrámetros trocaicos, que recitaba o cantaba el corifeo; 6.ª La *Antiestrofa,* otro fragmento lírico cantado por parte del coro; 7.ª La *Antipirrema,* fin de la parábasis con otro cuplé, cantado por el corifeo. Estas siete partes no eran rigurosamente exigidas. Muchas parábasis tomaban formas arbitrarias, como las famosas de *Las aves* y *Lisistrata,* y no eran meras digresiones, sino que tenían un argumento propio.

En ocasiones, se llamó a las parábasis *anapésticas,* por ser este metro el dominante en ellas. Así lo dice Aristófanes en *Las aves.*

PARÁBOLA

De παραβολή, comparación, semejanza. Una de las variedades de la *alegoría.*

1. Narración de un suceso fingido, del que se deduce, por semejanza o comparación, una enseñanza moral o una verdad importante.

2. Cuento ficticio que encierra una sentencia.

Algunos eruditos y críticos han creído sinónimos parábola y alegoría. Otros han afirmado que ambas pueden considerarse como un género y cada una de ellas como una especie diferente. El abate Girard, explicando la diferencia entre la parábola y la alegoría, dijo que la primera tenía como objeto las máximas de la moral, y la segunda los hechos históricos; que tanto una como otra son una especie de velo más o menos transparente con que se cubre el sentido principal, presentándolo bajo la apariencia de otro; que esto solo se hace en la parábola sustituyendo un asunto por otro y pintándolo con los colores del sustituido; y en la alegoría, introduciendo personajes extraños y arbitrarios o cambiando el objeto verdadero de la descripción por algún objeto imaginario.

Los escritores que han tratado de la literatura sagrada dicen que las parábolas que se leen en los libros santos son instrucciones indirectas y comparaciones por rodeos, emblemas que ocultan una lección moral, a fin de excitar la atención y curiosidad de los lectores. Este modo de enseñar, tan del gusto de los orientales, y del cual han usado siempre los sabios y filósofos de Oriente, sirvió también a los profetas para hacer más sensibles a los príncipes y a los pueblos las reprensiones, las promesas y las amenazas que en nombre de Dios les hacían.

La parábola tuvo una fortuna inmensa entre los pueblos de raza semita, acaso por el estímulo de las que llenan las páginas de la Biblia. En la India, en Persia y en China se llamaron *apólogos* y *fábulas* (V.), como puede verse en los *Avadanas* y en el *Hitopadecas* y en el *Yu-Lin (Bosque de semejanzas).* Modernamente, los alemanes Lessing, Herder, Krummacher han cultivado la parábola.

V. GIRADEAU: *Historia de la parábola.* Traducción castellana. Madrid, 1910.

PARABÓLICA (Poesía)

Esta denominación fue dada por Bacon a todas las alegorías y mitos de la antigüedad. La poesía, según este filósofo, es narrativa, dramática o parabólica. La fábula de Pan es un poema parabólico relativo a las ciencias naturales, y figura el Universo; la de Perseo es política, y emblema de la guerra; la de Baco es moral, y representa las pasiones.

PARADA

Término teatral equivalente a *farsa* (V.). Pequeña escena que representaban antiguamente los cómicos en las plazas públicas, destinadas a anunciar la comedia principal que sería escenificada más tarde.

En Francia, las paradas tuvieron mucho éxito. Tabarín, el más ingenioso autor de dichas escenas, las representó con su compadre Mondor sobre el Puente Nuevo de París. Otros autores famosos de este género fueron Brioché, Scuderi, Bobéche, "el padre Rousseau", Galimafré... Los más antiguos teatros de *boulevard* cultivaron con frenesí *esta especie de anuncio* a las puertas mismas de los locales.

V. CORBIE: *Théâtre des boulevards ou recueil de parades.* París, 1756.

PARADIÁSTOLE

Figura retórica que consiste en reunir voces sinónimas haciendo resaltar su diferencia y aquilatando o fijando su sentido.

El amor es infinito
si se funda en ser honesto;
y aquel que se acaba presto
no es amor, sino apetito.

(CERVANTES.)

PARADIGMA

Sinónimo de *ejemplo* (V.) y de ejemplar.

PARADOJA

Es la *paradoja—antilogia* o *endiasis*—una figura lógica (según muchos autores, es un tropo de sentencia), que consiste en juntar con cierto enlace artificioso dos ideas al parecer inconciliables, y que encerrarían un absurdo si se tomasen al pie de la letra.

Este que llama el vulgo estilo llano
encubre tantas fuerzas, que quien osa
tal vez acometerle, suda en vano.
Y su facilidad dificultosa
también convida y desanima luego
en los dos corifeos de la prosa.

(B. L. DE ARGENSOLA.)

Vivo sin vivir en mí,
y tan alta vida espero,
que muero porque no muero.

(SANTA TERESA DE JESÚS.)

Los latinos usaban la voz *paradoja,* que tomaron del idioma helénico (de παρά, a un lado, y δόξα, opinión), para significar las cosas inauditas, admirables y fuera de común opinión, ya se dijesen de palabra, ya por escrito.

PARADOJISMO (V. **Figuras de pensamiento**)

Figura que consiste en reunir sobre un mismo objeto, en forma de paradoja, atributos que parecen inconciliables, pero combinados de manera que la inteligencia no vea en ellos a primera vista más que una verdad incontestable. Así: *puso él todo su honor en deshonrar a los demás.* O: *cuanto más andaba hacia su destino, más se daba cuenta de que se iba alejando de él.*

PARÁFRASIS

De παράφρασις, desenvolvimiento, aclaración.

Explicación de un texto con más extensión de la que tiene el texto mismo. La paráfrasis, para hacer comprender el sentido de una cosa, se vale de sus equivalentes. Los filólogos la distinguen de la *glosa* (V.), que explica la palabra, y del *comentario* (V.), que lleva al punto oscuro de la cuestión cuantos razonamientos puedan esclarecerla. La paráfrasis ha sido usada principalmente para las *Sagradas Escrituras* y en particular para los *Salmos*. La paráfrasis más famosa de los Libros Santos es la hecha en caldeo, que los judíos llaman *targum, interpretación* o *traducción;* versión que tuvieron que hacer los levitas después del destierro en Babilonia para que la plebe pudiera entender el sagrado texto, ya que durante los setenta años que duró la esclavitud había llegado a olvidar su lengua nativa.

Paráfrasis de los *Salmos* realmente excepcionales son las que salieron de la pluma de nuestro fray Luis de León. Igualmente son célebres paráfrasis la del *Genésis,* de Cedmon; la del *Nuevo Testamento,* de Erasmo; la de Massillon sobre los *Salmos.*

PARAFRASTE

1. Autor de paráfrasis.
2. Interpretador de textos por paráfrasis.

PARAGOGE (V. **Metaplasmo**)

Figura de dicción que consiste en añadir una letra o una sílaba al fin de una palabra: así, *felice,* por *feliz.*

PARÁGRAFO

Sección o división de un capítulo o discurso. Se nota generalmente con este signo tipográfico §, y puede contener uno o varios párrafos.

PARAGUAYA (**Literatura**)

Antes de iniciarse la literatura autóctona paraguaya, el Paraguay tuvo algunos escritores aislados sumamente interesantes. Rui Díaz de Guzmán, quien en 1616 escribió *La Argentina,* primera historia del Río de la Plata. Pedro Vicente Cañete (siglo XVIII)—*Impresiones jesuíticas*—. Mariano Antonio de Molas (1787-1844)—*Descripción histórica de la provincia del Paraguay*—. Juan Andrés Gelly—*El Paraguay: lo que fue, lo que es, lo que será*—. Natalicio Talavera, Manuel Pedro de Peña, Juan Crisóstomo Centurión—*Reminiscencias históricas*—, Gregorio Benítez.

Con el siglo XIX—Romanticismo—se inicia la literatura paraguaya. Entre los eruditos, pensadores e historiadores de la época sobresalen: José Segundo Decoud (1848-1909)—*Recuerdos históricos, La Literatura en el Paraguay*—. Juan Silvano Godoi (1850-¿?—*Monografías históricas, Mi misión a Río de Janeiro, El barón de Río Branco*—. Cecilio Báez (1862-¿?), que ejerció enorme influencia en la cultura nacional—*Cuadros históricos del Paraguay, La tiranía en el Paraguay, Política americana, Introducción a la Sociología*—. Manuel Gondra, humanista y crítico de gran influencia en su patria—*En torno a Rubén Darío, Alberdi*—. Blas Garay—*Historia del Paraguay, La independencia del Paraguay*—. Fulgencio R. Moreno—*La ciudad de Asunción, Estudio sobre la Independencia del Paraguay*—. Manuel Domínguez, gran maestro de la juventud (1866-1935)—*La escuela en el Paraguay, Raíces guaraníes, Cartas sobre Menéndez y Pelayo, El alma de la raza*—. Arsenio López Decoud—*Oscar Wilde*—. Héctor F. Decoud—*Dos páginas de sangre, La matanza de Concepción*—. Arturo Rebaudi—*Guerra del Paraguay*—. Gregorio Benítez—*Anales diplomáticos*—. Diógenes Decoud—*La Atlántida*—. Juan F. Pérez, Enrique Solano López, Gómez Freire Esteves, Silvano Mosqueira... Natalicio González, poeta—*Baladas guaraníes*—e historiador ilustre—*El Paraguay eterno, Solano López y otros ensayos*—; Ramón I. Cardozo; Manuel Riquelme—*Filosofía y educación*—; Juan Vicente Ramírez—*Introducción al estudio de la Filosofía*—; Adolfo Aponte, Efraim Cardoso—*La Audiencia de Charcas, El Chaco y los virreyes*—; Justo Pastor Benítez—*Bajo el signo de Marte, La Constitución del 70*—; Justo Prieto—*Síntesis sociológica*—; Alejandro Marín Iglesias—*Cartas a la juventud paraguaya*—; H. Sánchez Quell—*Política internacional del Paraguay*—; Carlos R. Centurión—*Los hombres de la Constitución del 70*—; E. Bordenave, Policarpo Artaza, Marcos Moriñigo, Roberto Velázquez, Angel Vargas Peña, Juan S. Bazán, Benjamín Vargas Peña, Pedro P. Samaniego, G. Gardús Huerta, Luis de Gásperi, Félix Paiva, Teodosio González, Luis A. Argaña, Ovidio Rebaudi, Enrique A. Sosa, Alberto Rojas, Juan Stefanich—*Hacia la cumbre...*

Entre los poetas más insignes cuentan: Natalicio Talavera (1837-¿?), el "Tirteo paraguayo". Victoriano Abente, nacido en España—*La sibila paraguaya, El oratorio, Balada*—. Juan E. O'Leary—*El alma de la raza*—. Natalicio González (1897)—*Baladas guaraníes, Cantos paraguayos*—. Ignacio A. Pane (1880-1920)—*Oda al Paraguay, La mujer paraguaya*—. El ya mencionado Fulgencio R. Moreno—*Neblinas*—. Alejandro Guanes, llamado "el poeta" por antonomasia, de extraordinario valor y de enorme popularidad en su patria—*Mi Cristo, Las Siete Palabras, De paso por la vida, Del viejo saber olvidado*—. Eloy Fariña Núñez (1885-1929), otro admirable lírico—*Cármenes, Canto secular, Bucles de oro*—. Manuel Ortiz Guerrero (1897-1933), poeta máximo de la canción popular paraguaya: la guarania—*Pepitas, Surgente*—. Facundo Recalde—*Virutas celestes*—. Pablo M. Insfrán (1894)—*Cántico inmortal, A un hombre*—. Heriberto Fernández (1903-1927)—*Voces de ensueño*—. Francisco Ortiz Méndez (1901)—*Santa María de la Asunción*—. Arnaldo Valdovinos—*El mutilado del agro*—. Hérib Campos Cervera (1908), poeta, pensador y crítico de altura. Vicente Lamas, director de la revista *Guarán*. Narciso R. Colmán, poeta en lengua guaraní, creador de "Ñande-ypy-cuera". Jorge Báez—*La canción de la epopeya*—. Federico García—*Mosaico*—. Darío Gómez Serrato, autor de *Yasyyateré*—. Toranzos Bardel—*Piedras vacilantes*—. Dora Gómez Bueno de Acuña—*Quimera de carne, Fusión, Lo magnífico*—. Y Guillermo Molinas Rolón, Leopoldo Ramos, Julio Correa, Anselmo Jover Peralta, Carlos A. Jara, José Concepción Ortiz, Julián Villamayor, Raúl Battilana, Leopoldo A. Benítez, Teresa Rodríguez Alcalá, Ida Talavera de Fracchia, Enriqueta Gómez Sánchez—*Oro y acero, Ofrendas*—, Josefina Sapena Pastor—*Naranjos en flor*—, Concepción Leyes de Chaves, Basiliano Caballero Irala, Hugo Rodríguez Alcalá, Manuel Campaya...

En el teatro triunfan: Julio Correa, propulsor del drama y de la comedia en lengua guaraní; Eusebio Lugo—*La Chala*—. Eloy Fariña Núñez—*El santo, El soñador, La ciudad silenciosa*—. José Arturo Alsina (1900), argentino de nacimiento—*La marca de fuego, El derecho de nacer, La tempestad*—. Luis Ruffinele—*Sorprendidos*—. Arnaldo Miriel, Leopoldo Centurión, Antonio Ortiz Mayaus, Facundo Recalde...

V. Díaz Pérez, Viriato: *Literatura del Paraguay*. En el tomo XII de la "Historia universal de la Literatura", de Prampolini. Buenos Aires, Uteha, 1941.—Buzó Gómez, Sinforiano: *Indice de la poesía paraguaya*. Buenos Aires, 1943. Rodríguez Alcalá, José: *Antología paraguaya*. Asunción, 1911.—Decoud, José Segundo: *La literatura en el Paraguay*. Asunción, 1889.

PARALELISMO

Forma de estilo y de ritmo empleado en las literaturas de los hebreos, árabes, chinos y de algunos otros pueblos orientales. El paralelismo es la forma esencial de la poesía hebrea, en la que el ritmo es libre, y se funda sobre el tono del discurso, y combinando la asonancia con "la rima del pensamiento".

Hay tres clases de paralelismo: 1.ª El *sinónimo*, cuando en los dos miembros paralelos se presentan dos ideas análogas: *mi doctrina goteará como la lluvia; mi palabra fluirá como el rocío;* 2.ª El *antitético*, cuando en los miembros paralelos se expresan ideas opuestas o contrapuestas: *los golpes del amigo son cariñosos; los abrazos del enemigo son pérfidos;* 3.ª El *sintético*, cuando el segundo miembro paralelo se limita a completar el sentido del primero: *Con mi voz al Señor clamé, y escuchóme desde el monte de su santidad.*

Entre los árabes, el paralelismo fue introducido no solo en la poesía del período literario anterior al islamismo—poesía caracterizada por la unión artificial de las frases, los juegos de palabras y de letras, la aliteración y la asonancia—, sino también en la prosa. Los árabes fueron aún más allá que los hebreos y se impusieron reglas rigurosas, entre otras el *corte de la frase contrapuesta*.

En la literatura china, el paralelismo se erizó de vanas dificultades. La disposición paralela de las ideas por sinonimia, antítesis o síntesis se complicó con la distinción entre las ideas abstractas y las concretas y la consideración de sus relaciones con un objeto exterior o con el espíritu. Los chinos llamaron *palabras llenas* a aquellas que exprimían una idea concreta, una realidad; y *palabras vacías* a las que se referían a una idea abstracta; y las *llenas* y las *vacías* habían de corresponderse de un verso al otro en las cuartetas.

V. Loth, Dr.: *De sacra poesia hebraeorum*. Oxford, 1753.—Hervey de Saint-Denis: *Introduction* a las *Poésies de l'époque des Thang*. París, 1862.

PARALELO

Semejanza prolongada entre dos personas o dos objetos con la ayuda de dos figuras de pensamiento: la *antítesis* y la *comparación* (V.).

Cuando la comparación tiende a poner de relieve la oposición, la antítesis busca el contraste.

Son famosísimos paralelos los comprendidos en las *Vidas* de Plutarco; el de Turena y Condé en la *Oraison funèbre du prince de Condé*, de Bossuet; el de Corneille y Racine, en *Des ouvrages de l'esprit*, de la Bruyère; el de Mazarino y Richelieu, en la *Henriade*, de Voltaire; el de Sully y Colbert, en el *Eloge de Sully*, de Thomas; el de Bossuet y Fenelón, en el *Eloge de Fénelon*, de La Harpe; el de Sófocles y Eurípides, en el *Voyage du jeune Anacharsis*, del abate Barthélemy.

PARALIPSE (V. Figuras de pensamiento)

Figura de pensamiento que consiste en hacer que se fije la atención sobre un objeto fingiendo descuidarlo o desdeñarlo. (V. *Preterición.*)

PARALOGISMO (V. Sofisma)

1. Razonamiento falso.
2. Conclusión mendaz.

Es necesario, sin embargo, no confundirlo con el *sofisma*. Este va revestido de una forma capciosa y se hace con intención bien marcada de engañar, llegando a ser un arma de mala fe. El *paralogismo* dimana de la debilidad de nuestro espíritu. Para hacer paralogismo basta eliminar los intermediarios o suponer una relación que no existe.

Citaremos el célebre paralogismo de *El enfermo imaginario,* de Molière: "¿Por qué el opio hace dormir?—Porque tiene una virtud dormitiva.—¿Y por qué tiene una virtud dormitiva?—Porque hace dormir."

Los paralogismos pueden ser: por *inducción* y por *deducción*. Los primeros comprenden el *non causa pro causa* (el tomar por causa lo que no lo es), y la *fallata accidentis* y la *enumeración imperfecta*. Los segundos comprenden: la *ignorantia elenchi,* la *petición de principio* y el *círculo vicioso*.

PARÁSITO

Tipo teatral de la comedia griega y latina que representaba una clase muy numerosa de la sociedad de la época: la de los decididos a vivir a costa de los parientes y amigos ricos. Los parásitos se dividían en *derisores,* que pagaban con ingenio sus gratuitos hospedajes y comilonas; los *adulatores,* que pagaban con lo que hoy denominamos *coba;* los *planipatidi* o *laconici,* que se dolían de sus muchas miserias para alcanzar sus fines.

En el *Curculio,* de Plauto, se funde el parásito con el estafador.

Modernamente, el parásito queda asociado al pedante y *sablista*.

V. BEAUFILS: *De parasitis apud veteres.* Tesis doctrinal. París, 1861.

PAREADO

Lo forman dos versos juntos y con igual consonante. Pueden ser del mismo o de diferente número de sílabas; pero son los que más se usan los endecasílabos, solos o mezclados con los de siete sílabas.

Yo, aquel que en los pasados
tiempos canté las selvas y los prados,
estos revestidos de árboles mayores
y aquellas de ganados y de flores;
las armas y las leyes
que conservan los reinos y los reyes;
ahora en instrumento menos grave
canto de amor süave
las iras y desdenes,
los males y los bienes...

(LOPE DE VEGA.)

PARELIPSIS

Omisión que suele hacerse de una consonante cuando figura doble en una misma palabra: *sacratisimo* por *sacratissimo*.

PAREMIA

1. Proverbio. Adagio. Apotegma. Parábola. *Sentencia* (V.).
2. Alegoría breve.
3. Locución proverbial.

PAREMÍACA

Cesura de versos utilizada principalmente en los proverbios.

PAREMÍACO (Verso)

Verso griego y latino que comprendía un anapéstico dímetro cataléctico. (V. *Anapesto.)*

PAREMIOGRAFÍA

Colección de paremias o frases proverbiales.

PAREMIOLOGÍA

1. Tratado de los refranes.
2. Tratado expositivo de los apogtemas proverbiales.
3. Explicación de las paremiografías. (Véase *Proverbio.)*

PAREMPTOSIS

Género de epéntesis que consiste en añadir una letra en una palabra, no para formar una sílaba, sino con la intención de modificar la cuantidad de la palabra, como cuando se escribe *relligio* por *religio*.

PARÉNESIS

1. Exhortación. Amonestación.
2. Discurso moral.
3. De παραίνεσις, exhortación. Nombre dado a una parte de la elocuencia sagrada, que se circunscribe a la instrucción moral. Comprende las *homilías,* las *pláticas* y los *sermones* (V.).

PARENÉTICA

Elocuencia del púlpito, limitada a la moral. Cuando los discursos del púlpito versan sobre el dogma, se llaman *dogmáticos;* los que explican los misterios, *místicos;* los que tratan de las prácticas religiosas, *ascéticos;* los que versan acerca de cuestiones morales, *parenéticos*.

PAREQUESIS

Falta de lenguaje o artificio de armonía imitativa, que consiste en acumular sílabas que tienen un mismo sonido. Se emplea con frecuencia para producir efectos de armonía imitativa.

(Si) (si)quiera (si)guieras mi consejo...

PARIAMBO

Pie de la métrica griega y latina, compuesto de una sílaba larga y cuatro breves: — ∪∪∪∪

Pie de la misma métrica, compuesto de una sílaba breve y dos largas: ∪ — —. (V. *Pirriquio.*)

PARLAMENTARIA (Elocuencia)

Lenguaje comedido y digno, fácil y brillante, el más propio de las discusiones en el Parlamento. (V. *Elocuencia. Discurso. Oratoria.*)

PARLAMENTARISMO

Sistema político representativo en que todas las funciones públicas se ejercen en nombre del pueblo. Y también: régimen en que no existe más soberanía que la del pueblo. Y también: poder del pueblo, expresado de manera directa.

El parlamentarismo ha sido definido por algunos tratadistas "como el ejercicio de una influencia exagerada y funesta del Parlamento sobre los Gobiernos". Según esta definición, el parlamentarismo llega a la anulación del principio de separación de poderes, y se organiza como *una fuerza única,* que confunde la política con la adminstración, aprovechándose de esta en beneficio de aquella, y constituyendo el *oligarquismo* (V.) y el *caciquismo* (V.).

¿Cuál ha sido el origen del parlamentarismo? Montesquieu—en el *Espíritu de las leyes*—afirma que tan bello sistema "había sido hallado en los bosques". Gibson y Robertson afirmaron que la raíz del mismo se encuentra en las tribus salvajes de América. Pero tales opiniones no pasan de ser lucubraciones demasiado caprichosas. La mayoría de los historiadores y tratadistas de Derecho político designan a Inglaterra como la cuna del parlamentarismo, o sea, la primera que supo encarnarlo en un organismo. En el siglo XIII—1215—, la *Magna Carta* recogió las libertades del pueblo y se organizó el Parlamento como un freno frente a la arbitrariedad monárquica.

"En la mayor parte de los Estados feudales del occidente de Europa se establecen determinados cuerpos para conceder los tributos y formar las leyes, mediante la representación de los tres Estados—clero, nobleza territorial y estado llano—, nacidos de las Cortes feudales de los grandes señores. Muchos de estos Estados medievales eran de extensión reducida y fueron absorbidos más tarde en el seno de otros mayores, desapareciendo en este proceso las Asambleas representativas. Unicamente en Inglaterra se produce el fenómeno histórico de un Parlamento medieval, que perdura hasta los tiempos modernos. Inglaterra es también el único Estado que sale de la Edad Media con un derecho nacional perfectamente definido." (GETTELL.)

Posiblemente, este parlamentarismo modelo de Inglaterra cegó a ciertas naciones europeas, que pretendieron acomodar las instituciones inglesas a sus patrias respectivas, copiándolas en un todo, sin tener presente la diversidad de costumbres y de condiciones que entre los pueblos existen. Así, mientras Inglaterra exhibe vigorosa su inconmovible Constitución, Francia y España han tenido innumerables Constituciones, ninguna de las cuales tuvo una eficacia decisiva.

Todos los pueblos cultos, lo mismo monarquías que repúblicas, han adoptado ya el sistema parlamentario como representación del gobierno de la nación por la nación. Algunos críticos han confundido el *constitucionalismo* (V.) con el parlamentarismo; y, sin embargo, la diferencia no puede ser más clara: en el primer sistema existe una menor intervención de las Asambleas en el gobierno, ya que no hacen sino votar las leyes y aprobar los presupuestos.

El parlamentarismo puede presentarse en forma *pura* y *mixta,* según se combine o no con la monarquía. Parlamentarismo mixto lo hay aún en Inglaterra. Parlamentarismo representativo puro, en Suiza y en los Estados Unidos. Representativo constitucional mixto lo hubo en España, en Alemania, en Austria, en Portugal durante el siglo XIX y parte del XX.

El parlamentarismo tiene como principio la *soberanía nacional,* el *self-government;* e implica la negación radical de la monarquía de derecho divino, legítima y patrimonial, ya que estos atributos son incompatibles con el derecho inconcuso que tienen los pueblos a gobernarse a sí mismos, a regir sus propias vidas, a ser dueños de sus destinos. El parlamentarismo lucha por igual con el absolutismo que con el constitucionalismo entendido al modo de la Edad Media.

Contra el parlamentarismo—*sistema genuino de la representación popular del pueblo en el Gobierno*—luchan hoy la *democracia directa,* el *doctrinarismo* (V.) y el *cesarismo* (V.); sistemas que desconocen, tuercen o mutilan el concepto de la representación. Y escritores como Minghetti, Laveleye, Röder y Thornton afirman "que la desnaturalización del principio en que se basa el parlamentarismo, y aun su mixtificación en la práctica, han engendrado un conjunto de errores, vicios y corruptelas atribuidos al sistema por su enemigos más encarnizados". Y añaden tan doctos tratadistas: ¿Qué culpa tiene la teoría de que los partidos se conviertan en facciones? ¿Qué culpa tiene de que las elecciones se sujeten al imperio de dos divinidades como el cinismo y la impudencia? ¿Qué culpa tiene de que los Parlamentos, en ocasiones, no sean sino fábricas de intrigas y de serviles complacencias? ¿Qué culpa tiene de que uno de los poderes se convierta en amo y señor de los otros?

Es preciso, pues, insistir en la defensa del parlamentarismo, liberado de los pecados que no le son imputables, para que no se crea que es un sistema exclusivo de la Gran Bretaña, incapaz de fructificar en otras naciones con parecido esplendor.

El parlamentarismo, desde sus orígenes, tuvo un lugar propio donde actuar: el Parlamento.

La palabra *parlamento* expresa, en su origen, una conversación. Los monjes, en su forma latina, la aplicaron a ciertas conversaciones habidas entre ellos, en los claustros, después de la cena. A mediados del siglo XIII se usó para designar ciertas conferencias solemnes entre el Pontífice y algún rey, o entre reyes. Así, se llamó *parlamento* a la conversación que tuvieron—en 1245—el Papa Inocencio IV y Luis IX de Francia. Y un cronista de la época, cuando Enrique III convocaba un consejo o conferencia de magnates para discutir agravios, lo denominaba "tener un parlamento".

La palabra adquirió su significado "político" en Inglaterra, aplicándose pronto con regularidad a las Asambleas nacionales convocadas de cuando en cuando por Eduardo I, el gran sucesor de Enrique, adquiriendo cierto carácter definitivo en lo que fue denominado después "Parlamento modelo" de 1295.

El parlamentarismo inglés puede ser dividido en cuatro grandes períodos: el de los Parlamentos medievales, de los cuales el de 1295 fue modelo y tipo; el de los Tudor y los Estuardos, calificados por su conflictos con la corona; el comprendido entre la revolución de 1688 y la ley de Reforma de 1832, y el moderno período. El "Parlamento modelo" de 1295 estableció el tipo general para el porvenir. El rey Eduardo convocó, separadamente, a los prelados, a dos caballeros por cada condado y a dos ciudadanos por cada ciudad y por cada villa.

En este "Parlamento modelo" deben anotarse precisamente dos extremos. En primer lugar, *no eran Cortes feudales ni una reunión de terratenientes del rey,* sino *una Asamblea nacional.* En segundo lugar, el Parlamento fue, con fines transitorios, una prolongación del Consejo permanente del rey.

"Sin embargo, el poder político del Parlamento creció rápidamente en los siglos XIV y XV. En 1327, un Parlamento, que había sido reunido en nombre de Eduardo II, decidió, en procedimiento sumarísimo, su renuncia al trono, forzándole a abdicar. Pero el procedimiento seguido en el destronamiento de Ricardo II fue más solemne. Ricardo se vio obligado a convocar un Parlamento y a firmar en él su renuncia al trono. El Parlamento reunióse en el salón de Westminster, que el propio Ricardo había reconstruido, y que se hallaba en forma parecida a como se encuentra hoy. Aquella Asamblea aceptó la renuncia, y después de largas deliberaciones, declaró que el monarca quedaba depuesto, y resolvió que Enrique de Lancaster sería rey en su lugar. Un Parlamento que podía hacer y deshacer reyes era, sin duda alguna, una institución formidable."

Conviene advertir que el Parlamento inglés no fue jamás, como en España o Francia, una Asamblea de tres clases o estamentos, sino de dos Cuerpos colegisladores: el formado por los señores espirituales y temporales, y el que representaba al resto de la nación: la *Cámara de los Lores* y la *Cámara de los Comunes.*

"Los Comunes—dice Stubbs—son las comunidades, las corporaciones organizadas de hombres libres de los condados y pueblos, y el estado de Comunes es la corporación general formada por tales comunidades para fines parlamentarios."

Lo que puede ser afirmado sin discusión es que el parlamentarismo jamás tuvo mayor importancia en país alguno que en Inglaterra, donde aún hoy, felizmente para ella, conserva toda su fuerza creadora y gobernante.

Al hablar de *constitucionalismo* (V.) ya indicamos que España, antes que Inglaterra, llevó a sus Cortes la representación del *estado llano*—o tercer estado—; pero en este mismo artículo hemos hecho la clara y precisa distinción entre constitucionalismo y parlamentarismo. Por ello, al aludir ahora al parlamentarismo español no haremos sino referirnos a una imitación —como en Francia se hizo—del modelo inglés. Por ello es imposible reconocer parlamentarismo —en su genuino significado—ni en los Concilios de Toledo; ni en las Cortes de Castilla, que surgen como una evolución lógica de aquellos; ni en las Cortes aragonesas habidas en el siglo XI—que marcaron profundamente su tendencia constitucional—, en las que se presentaron los Municipios como verdaderos baluartes contra los abusos de los monarcas y de la nobleza.

Para dar con el auténtico parlamentarismo español, hay que llegar al siglo XIX. El 17 de marzo de 1812 se juró en Cádiz, por los patriotas que luchaban contra la invasión francesa, una nueva Constitución, en la que ya apuntan los rasgos más acusados de un auténtico parlamentarismo; es decir, donde se sienta tímidamente el principio "del rey reina, pero no gobierna". El parlamentarismo, pues, empezó *a gobernar* en España.

En 1834 fue publicado el *Estatuto Real,* en el que se organizaban las Cortes *en dos estamentos:* el de Próceres y el de Procuradores del Reino; Cámara alta, aquella; Cámara baja, esta. Más tarde: Senado, la de Próceres; Congreso, la de Procuradores. Y ya tenemos implantado el bicamerismo parlamentario inglés. Al Congreso o Cámara de los Diputados, como en Inglaterra, se le dio el rango de institución legislativa iniciadora de las leyes. El Senado fue más bien una fuerza reguladora que afianza y depura el poder legislativo de la primera Cámara.

V. STUBBS: *Constitutional History of England.* Londres, 1895. Tres tomos.—ERSKINE MAY: *Parliamentary Practice.* 15.ª edición. Londres, 1910.—RICO Y AMAT: *Historia política y parlamentaria de España.* 1860.—BLOCH, M.: *Dictionnaire de la Politique.*—"AZORÍN": *Parlamentarismo español.* Madrid, 1919.—COURTENAY P. ILBERT: *El Parlamento.* Trad. cast. Barcelona, Labor, 1926.

PARNASIANISMO

Movimiento literario originado por el afán de imitación hacia la poesía del antiguo Parnaso helénico. Nació este movimiento en Francia, 1886, al publicarse, bajo el título de *Parnasse contemporain,* una colección de producciones poéticas de poetas que coincidían en la admiración por Víctor Hugo. Su jefe fue Leconte de Lisle. Los parnasianos representaban una reacción contra el subjetivismo poético y un desprecio contra la emoción poética. Trataban de crear "una poesía impersonal, objetiva, plástica, de una impecable perfección formal"; y tomaron sus temas de las antiguas mitologías —clásicas, orientales y escandinavas—, de la historia medieval y del Renacimiento.

El parnasianismo extendió su influencia por toda Europa y América. El movimiento tuvo su órgano de expresión en la *Revue Fantastique,* fundada por Catulo Mendés, autor que dio el lema de los parnasianos: "Proscritos los sollozos humanos en el canto del poeta." Más tarde, el propio Catulo Mendès definió el parnasianismo como el triunfo *de la impasibilidad.*

El éxito de este movimiento—integrado por más de cien poetas, Heredia, Villehervé, Signoret, Mallarmé, Coppée, Mérad, Lemogne, Renaurd, Dierx, Cazalio, Blemont, Verlaine, etcétera—impulsó al librero Alphonse Lemerre a imprimir la revista en verso *Le Parnasse Contemporain*—1866, 1869 y 1876.

Restaurar la poesía tradicional, heredada a través de los poetas del siglo XVIII*;* oponerse a la personalidad poética, desterrar los temas patéticos... Tales eran los intentos de los parnasianos.

En España, el parnasianismo penetró en los versos—algunos—de Salvador Rueda y de Rubén Darío. El parnasianismo mezcló su savia con la del naciente modernismo.

Según Enrique Díez-Canedo, "este movimiento significa, ante todo, una disciplina. A una generación de geniales improvisadores sucede otra de artistas conscientes y equilibrados. Llevaron el verso y el estilo a insuperable punto de precisión y plenitud. Su poética fue severa e inflexible".

"El arte y la ciencia—proclamó Leconte de Lisle—, largo tiempo separados por esfuerzos divergentes de la inteligencia, deben tender en adelante a unirse estrechamente, aunque no a confundirse."

Charles-Marie-René Leconte de Lisle (1820-1894) nació en Saint-Paul (Isla de la Reunión) y murió en Voisins (Louveciennes), formándose en el ambiente literario de Víctor Hugo y de la "Jorge Sand". Fue un poeta erudito; tradujo a Homero, a Esquilo, a Sófocles, a Horacio; y resulta interesante sorprender en él este afán por un retorno a la antigüedad griega, coincidente con su esfuerzo por objetivar el sentimiento lírico. Leconte de Lisle pidió a la erudición la materia para su poesía; sus poemas son "como una historia de las religiones"; y encontró todas las formas que utilizó la Humanidad para expresar el sueño de un ideal, la concepción de la vida universal, de sus causas y de sus fines: leyendas indias, helénicas, bíblicas, escandinavas, polinésicas, celtas, germánicas...; todos los dioses de todas las creencias desfilan en sus versos de una imponente precisión. Entre sus obras destacan: *Poèmes antiques*—1853—, *Poèmes barbares*—1859—, *Poèmes tragiques, Derniers poèmes* —1895—. Leconte de Lisle amó las fugitivas apariencias del ser. De cada fenómeno captó la peculiar belleza. Y así, el poeta de las religiones fue también un pintor de paisajes y de animales. Las descripciones de Leconte de Lisle son extraordinariamente objetivas, de una intensidad de colores, de una energía de dibujo sin par en la poesía contemporánea. Su personalidad de poeta se afirma por la elección de la forma: una forma bella y larga, impecable y precisa, cegadora en ocasiones a fuerza de luminosidad y dura a fuerza de firmeza. Esta poesía, en su continua perfección, alcanza una solidez y un brillo de mármol precioso.

Con Leconte de Lisle la poesía marchó hacia la arqueología y la historia. Con Sully Prudhomme—otro parnasiano—, la poesía se une a la filosofía y a la ciencia. Una tercera dirección existe, en la cual también se encuentra la poesía objetiva parnasiana: consiste en que la poesía reciba de la percepción exterior la materia del verso, de modo que el *yo* tenga su mejor representación por el *no-yo.*

En España, el parnasianismo *se mezcló* con el simbolismo y con el modernismo impuesto por Salvador Rueda y Rubén Darío. Pero, realmente, ni tuvo demasiado éxito ni numerosos adeptos. Precisando más: no hubo ningún lírico parnasiano *en absoluto,* y sí muchos poetas que escribieron algunas poesías parnasianas: Rueda, Rubén, Manuel Machado, Villaespesa, Marquina, López Alarcón, Goy de Silva...

Mucho mayor éxito alcanzó el parnasianismo en la América española, donde tuvo ilustres representantes como Lugones, Santos Chocano, José María de Heredia, Guillermo Valencia, Gutiérrez Nájera, Díaz Mirón, Manuel José Othón, Herrera Reissig, Ricardo Jaime Freyre, Luis G. Urbina...

V. BOURGET, Paul: *Essais de psychologie contemporaine.*—BRUNETIERE, Ferdinand: *Evolution de la poesie lyrique.*—ARY-LEBLOND, Marius: *Leconte de Lisle.* París, 1906.—CALMETTES, F.: *Leconte de Lisle et ses amis.* París, 1907.—ESTEVE, H.: *Leconte de Lisle.* París, 1922.—LEGUIZAMÓN, J. H.: *Historia de la Literatura hispanoamericana.* Buenos Aires, 1945.

PARNASO

1. Célebre montaña de la Fócida (Grecia). Apolo y las Musas lo habían elegido para su morada. La fuente Castalia, cuyas aguas fecun-

daban sus laderas, comunicaba la inspiración a los poetas.

2. Nombre dado al conjunto de los poetas de una nación. Así: Parnaso español, Parnaso italiano...

3. Título que suele emplearse para las antologías poéticas y aun para algunas obras originales, como la de Miguel de Cervantes *Viaje del Parnaso,* o la de Castillo Solórzano, *Donaires del Parnaso.*

PARODIA

De παρωδία, contracanto, canto "en otro aire".

1. Imitación jocosa—casi siempre en verso—de una obra literaria seria.

2. Imitación burlesca del estilo de un autor o de un género literario.

3. Representación burlesca de algún tema tratado con seriedad antes.

4. Pieza teatral festiva, socarrona, satírica, que intenta ridiculizar otra producción escénica de un género elevado.

Para Marmontel, "el mérito y objeto de la parodia, cuando es buena, es hacer sentir, además de las más grandes cosas y de las más pequeñas, una relación que, por su naturaleza y novedad, nos cause una gran sorpresa. Contraste y semejanza: he aquí las fuentes de las buenas burlas, y en ella radica la picardía y el ingenio de la parodia. Pero si en el asunto cómico no se presentan naturalmente las mismas ideas, casi los mismos caracteres y las mismas pasiones que en el asunto serio, la parodia resulta forzada y fría. Son la exactitud de las relaciones, lo propio, lo natural, la verosimilitud lo que constituyen la sal, la gracia y la finura de la parodia".

La parodia fue conocida en tiempos remotísimos. Griegos y romanos practicaron dos clases de parodias: la *de la epopeya*—nuestro poema heroicocómico—y la *de la dramática.* En la primera es famosa la *Batracomiomaquia,* guerra entre las ranas y los ratones, falsamente atribuida a Homero.

Aristóteles atribuye la invención de la parodia dramática a Hegemón. *El Cíclope,* de Eurípides, es una parodia del canto IX de la *Odisea.*

En España contamos con muchas y buenas parodias. *La pelea de don Carnal et doña Quaresma,* del Arcipreste de Hita; *La Gatomaquia,* de Lope de Vega; *La Mosquea,* de Villaviciosa; *La Asneida,* de Cosme de Aldana; *La Asinaria,* de Rodrigo de Herrera...

V. SALLIER, Abbé: *Discours sur l'origine et sur le caractère de la parodie.* En las *Mémoires* de la Acad. de Inscripciones, tomo VII.

PAROMOLOGÍA (V. Figuras de pensamiento)

1. Figura retórica que consiste en aparentar hacer alguna concesión al adversario para sacar una mayor ventaja de lo concedido.

2. Asentimiento a una cosa contraria a nuestro propósito y a nuestras convicciones, con el objeto de rebatirla después con mayor fuerza.

> Mira, Sancho, no te digo yo que parece mal un refrán traído a propósito; pero cargar y ensartar refranes a trochemoche, hace la plática desmayada y baja. (CERVANTES.)

(V. *Concesión.*)

PARONIMIA

Semejanza o relación que tienen dos o más vocablos entre sí, bien por su etimología, bien por su forma o por su sonido.

PARONOMASIA (V. Figuras de palabras)

Es una figura de dicción que consiste en reunir dos palabras que, sin ser equívocas, solo se diferencian en alguna letra o sílaba.

> Para (orador) te faltan más de cien,
> para (arador) te sobran más de mil.
>
> (FRAY DIEGO GONZÁLEZ.)

> Tu (alma) en su (palma).
> (Poco) a (poco) hilaba la vieja el (copo).
> El (seno) está (sano).

PAROXÍTONA

Palabra acentuada en la penúltima sílaba.

PARROQUIA (Reunión literaria La)

Nombre dado a una tertulia literaria que a fines del siglo XVIII se reunía en el convento de las Hijas de Santo Tomás, en París, presidida por madame Doublet de Persan. Concurrieron a ella Piron, Chauvelin, Mirabaud, D'Argental, Falconet, Voisenon, Mairan... Las reuniones se celebraban por la tarde y terminaban con una cena. Dos registros estaban dispuestos para recoger las discusiones de las sesiones. Estas actas han sido reproducidas, en parte, en las *Mémoires secrets* publicadas bajo el nombre de Bachaumont.

V. SAINTE-BEUVE: *Causeries du lundi.* Artículo "Bachaumont", tomo IX.

PARSI (Idioma)

Idioma particular—grupo iranio—del país de Tars o Taristán, hablado en tiempo de los sasánidas. Para muchos eruditos, el parsi fue contemporáneo del pelhvi, al que sobrevivió varios siglos, y fue a la vez lengua vulgar y lengua literaria. El parsi es el *lenguaje transición* entre el persa antiguo y el persa moderno. Tenía un alfabeto peculiar, conocido con el nombre de *letras sirianas.* (V. *Persa, Idioma.*)

PARSISMO

Religón de los parsis, adoradores de Ormuz y discípulos de Zoroastro. El *parsismo* es la última fase de expansión contemporánea de la idea religiosa del *mazdeísmo* (V.), nacido y desarrollado en el Irán y que hoy afirma su vitalidad en el suelo de la India—territorio de Gugerat—, donde se refugiaron muchos miles de persas huyendo de la intransigencia religiosa de los árabes.

Los persas fugitivos aceptaron para su religión algunas influencias del budismo y del brahmanismo, pero recalcaron su adoración del Ahura-Mazda y se comprometieron a no abandonar ninguna de las grandes observancias que les imponía su religión: conservar el fuego sagrado, honrar a los antepasados con ceremonias anuales, hacer las abluciones con el *gaomutra*...

El parsismo quedó completamente desconocido para la ciencia occidental, hasta que en 1762 Anquetil-Duperron encontró un manuscrito del *Avesta*. Este manuscrito permitió conocer a fondo el parsismo, cuyos sacerdotes habían ocultado, durante siglos, sus doctrinas religiosas.

El moderno parsismo está considerado como el transmisor de los dogmas del *zoroastrismo* (V.) tal como se comprendían en la época de la dinastía sasánida.

El parsismo moderno tiene sus dogmas fundamentales: la inmortalidad del alma y la creencia en la vida futura.

De los elementos espirituales del hombre, los más importantes son: el *urvan* y la *fravashi*. El *urvan* es el alma responsable de sus acciones, por las que recibirá el premio o el castigo. La *fravashi* es la forma espiritual del ser, independiente de la vida material; es anterior al hombre, su prototipo, y le sobrevive; y por medio de ella, cada ser justo, durante diez días del año —el *Muktad*—, entra en comunión con las almas de sus antepasados.

Para el parsismo existen los estados de recompensa y de castigo. Las almas de los justos penetran en el abismo de la pureza y de la luz; las de los malvados caen en los infiernos. Pero el castigo, como la recompensa, duran hasta que se cumpla el *Frashokerebi*, o renovación del mundo. Entonces todas las almas volverán a unirse a su cuerpos, se reconciliarán todos los hombres y el Mal desaparecerá de la faz de la tierra. Ormuz habrá vencido definitivamente a Ahriman.

El parsismo considera como una calamidad sin precedentes la extinción de la Atash-Bahram, la sutancia ígnea suprema; impone la monogamia, aunque permite los matrimonios entre consanguíneos; desaprueba el enlace del parsi con infieles; ordena llevar los cadáveres a los lugares más elevados, donde han sido construidas las *Torres del Silencio*, con la finalidad de que los cuerpos corrompidos no impurifiquen la tierra; impone las purificaciones, que son tres: el *padyab*, que consiste en lavarse con agua la cara, las manos y los brazos hasta el codo y los pies hasta los tobillos; el *ghosel* o lavatorio con orines de vaca, y el *barashnum* o retiro durante diez días.

Según Anquetil-Duperron, "las leyes purificadoras constituyen, en realidad, la base de la liturgia parsi; pero si los materiales purificadores no están bien limpios, no hay purificación, ni purificador, ni sacerdote, ni parsi".

El parsismo es *dualista*, pero no porque admita dos divinidades contrarias y hostiles, ya que ensalza a un dios único: Ahura-Mazda, el creador y el conservador por excelencia, sino porque considera los dos imperios de la luz, verdad y pureza, y el de las tinieblas, mentira e impureza, como adversarios.

V. Anquetil-Duperron: *Zend-Avesta*.—Laing: *A modern zoroastrian*. Londres, 1888.—Darmesteter: *Parsism, its place in history*. Bombay, 1887. Moulton: *The treasure of the magi; a study of modern zoroastrianism*. Londres, 1917.

PASCALISMO

Doctrinas filosóficas de Blas Pascal (1623-1662).

"Pascal fue—escribe von Aster—defensor convencido del ideal cartesiano de conocimiento a base de la *claridad* y *distinción* y del *método matemático*. Pero esta claridad y distinción a que nos conduce la única ciencia digna de este nombre tiene un límite infranqueable: con ella jamás podemos comprender la esencia del infinito, al conocimiento del cual, sin embargo, se encamina siempre y en último término nuestra aspiración; tampoco con ayuda de aquellos conceptos claros y distintos podemos aprehender la *esencia* de nuestro propio *yo* que se encuentra entre el infinito y la nada, entre Dios que vive en la eternidad y el animal que vive por el momento (una nada en comparación con Dios, todo en comparación con la nada), inconcebible sin Dios y sin la nada, y, sin embargo, incapaz de comprender ni el uno ni la otra.

"El pensamiento de Pascal se caracteriza por cierta tendencia a la paradoja, a la construcción de agudos contrastes, pero con el fin de jugar ingeniosamente con estas paradojas; su escepticismo, si así le queremos llamar, en Pascal, que tiene como ideal la claridad y la distinción, es una especie de ascética intelectual y humillación de sí mismo. A la evidencia luminosa de las matemáticas contrapone su completa incapacidad de conocer aquello que en su último término es lo único necesario. Pero también para la paradoja de un dogma como el del pecado original tiene Pascal una visión no menos clara que la inteligencia crítica de un Bayle, para luego, sin embargo, después de haber expuesto esta paradoja, concluir con el pensamiento de que esta enseñanza, aparentemente absurda, es la única que nos hace comprensible nuestro propio ser. Pero en el sentimiento de esta culpa, que afecta esencialmente a todo nuestro ser y que nos hace más desgraciados que a ninguna otra criatura del Universo, experimentamos al mismo tiempo la grandeza que nos separa de todos los demás seres terrenos, y es que conocemos a Dios y conocemos nuestro verdadero destino, que consiste en ponernos por completo humildemente en sus manos. Y en este conocimiento de lo único que nos queda para hacer, habla en nosotros el sentimiento incapaz de engañarnos, el corazón, que tiene su propia razón, que la *razón* no conoce."

V. PASCAL, Margaritte: *Vie de Pascal.* 1687. STROWSKI, F.: *Pascal et son temps.* París, 1907. COUSIN, V.: *Du scepticisme de Pascal.* En "Rev. des Deux Mondes", 1844 y 1845.—MORRIS BISHOP: *Pascal.* Trad. cast. Méjico, 1947.

PASILLO

Pieza teatral de muy poca extensión—un acto breve—y generalmente *de costumbres;* nunca representada por más de cuatro personas.

Fue una forma aún más sucinta del *paso,* del *entremés* y del *sainete* (V.).

PASIÓN (Dramas de la)

Especie de dramas religiosos que, con el argumento de la muerte de Jesús, fueron representados durante la Edad Media.

El más antiguo que se conoce en lengua vulgar es el de Saint-Gall—siglo XIV—. Pero su apogeo coincidió con los finales de la Edad Media. Su inspiración no siempre procedía de los Evangelios, sino también de las leyendas y de las máximas de los teólogos contemplativos.

En París, y en 1398, fue fundada la *Confrérie de la Passion,* con la obligación de organizar la representación de los dramas durante la Semana Santa. (V. *Misterios de la Pasión.)*

PASIONES

Tienen un papel muy importante en todos los géneros literarios, en el teatro, en la novela, en la elocuencia. Los antiguos retóricos las consideraban, juntamente con las costumbres y las pruebas, como una de las tres partes de la *invención,* e intentaron someterlas a reglas precisas.

Alguien las ha califcado "de motor" de la literatura. Sin amor, piedad, dolor, odio y demás pasiones, difícilmente se comprende ningún género literario. Las pasiones *juegan* en todas ellas como un verdadero *pathos,* motivo esencial, causa irresistible. Las pasiones, en distintos grados, marcan la *emoción* y el *sentido* de las obras artísticas que busquen la perdurabilidad.

PASO

Representación muy breve que se intercalaba en las funciones teatrales para dar más variedad al programa.

El paso era un cuadrito realista de costumbres, satírico, chistoso. Su acción era elementalísima, o carecían de ella. Intervenían en él escasísimos personajes de condición humilde (pastores, lacayos golosos, valentones, ladrones, gitanas, criados...)

Su precedente pudieron ser las *Eglogas* de Juan del Enzina. A su vez, dieron el tipo de *gracioso* que alcanzaría su forma definitiva en las comedias del siglos XVII, y se transformaron en los *entremeses* de Cervantes, Moreto, Quiñones de Benavente..., y luego en los *sainetes* de don Ramón de la Cruz.

Lope de Rueda fue el gran artífice del *paso escénico,* lleno de gracia y de fuerza satírica; género eminentemente español, en el cual está, quizá, el germen más inmediato de la novela picaresca.

PASQUÍN

1. Escrito anónimo y breve, de carácter satírico, contra las autoridades o contra determinada persona o corporación, expuesto públicamente o repartido con clandestinidad.

2. Periódico o publicación de carácter satírico impreso clandestinamente.

El nombre deriva acaso de una antigua estatua mutilada—Hércules o Ayax—que hay en Roma, en la cual se acostumbraba pegar los escritos anónimos, satíricos e insultantes. Algunos críticos afirman que proviene el nombre de un zapatero mordaz, llamado Pasquino, que tenía su establecimiento precisamente en el lugar donde aquella estatua fue hallada.

He aquí el motivo de que se aplique este nombre entre nosotros los españoles a todo escrito que se fija en un paraje público, con expresiones satíricas, con alusiones más o menos veladas al Gobierno o autoridades constituidas, con insultos o manifestaciones a alguna persona, etc...

Creemos que el nombre Pasquín o Pasquino fue dado a la estatua. Y cuando en el siglo XVI fue encontrada en el Campo de Marte otra estatua, fue llamada *Marforio—a foro Martis—,* y en ella se pegaron las réplicas violentas a los pasquines. Total, que aquello fue como un diálogo epigramático feroz entre las estatuas Marforio y Pasquino.

El pasquín más antiguo que apareció en la estatua Pasquino iba dirigido contra el Pontífice Urbano VIII (Barberini), quien había mandado fundir bronces antiguos y artísticos para construir cañones, y decía así: *Quod non Barbari fecerunt, Barberini fecere.* Otros muchos Papas fueron atacados por medio de los pasquines; y Clemente VII mandó arrojar al Tíber las dos estatuas, pero sus órdenes no pudieron ser cumplidas ante la resistencia de una muchedumbre airada.

En 1510, y en Roma, se publicó la primera colección de estos antiguos pasquines con el sencillo título de *Pasquillus.*

El pasquín tuvo un éxito fulminante en toda Europa. Su fuerza era y es terrible. Porque aún es arma utilizada frecuentemente.

V. MARY-LAFON: *Pasquin et Marforio.* París, 1861.—GNOLI: *Le origine di maestro Pasquino.* Roma, 1890.—BRUNET, J. Ch.: *Manuel du libraire.* Tomo IV.

PASTICHE

Del italiano *pasticcio,* pastel.

1. Imitación perfecta.
2. Plagio.

Existen dos clases de *pastiches:* 1.ª Aquella imitación seria, minuciosa, feliz, que se realiza del estilo de un autor *con un propósito de engaño;* 2.ª La imitación realizada exclusivamente para satirizar al autor que se imita o para probar el ingenio del autor imitante.

PASTORAL (Literatura) (V. Pastoril, Género)

PASTORELA

1. Composición poética breve, especie de *églogla* o *idilio* (V.).
2. Poema pastoril en forma de drama.

Pequeña poesía inventada por los trovadores del siglo XIII. Sus estrofas son de versos cortos y muy vivos. Constan ordinariamente de un recitado y un diálogo entre un pastor y una pastora; o de un caballero que hace proposiciones amorosas a una pastora.

Las pastorelas tuvieron mucha boga en las literaturas provenzal y gallega. A veces eran acompañadas por una música de zampoñas, flautas o caramillos.

Escribieron pastorelas notables: Giraud Riquier, Jean Esteve de Béziers, Moniot de París, Poulet de Marsella y Froissard.

PASTORIL (Género)

Género de poesía y de prosa cuyo objeto es representar la vida campestre y las costumbres de los pastores, ya según la Naturaleza los muestra, ya conforme a unas ideas y a unas imágenes de convención.

La antigüedad de este género poético, según algunos críticos, data del *Libro de Rut,* en el Antiguo Testamento, entre los hebreos, y de *Los trabajos y los días,* de Hesíodo, entre los griegos. Sin embargo, como tal género literario, nace indiscutiblemente con Teócrito.

Indiscutiblemente que antes de Teócrito existieron poetas que cantaron los campos; pero sus cuadros de la vida pastoral, así como las canciones de los pastores y de los agricultores, no formaron un *género aparte;* y cuando se menciona al pastor Dafnis *como inventor de lo pastoril,* o cuando se acude a otro nombre mítico para señalar al inventor de tales poesías bucólicas, realmente no cabe señalarles un lugar en la *historia literaria.*

Teócrito, como poeta pastoril, no ha sido jamás igualado. El representó como nadie la vida de los campos con toda su verdad y con toda su rudeza. En sus *idilios,* que sacan a escena a los pastores de ovejas, de cabras, de vacas, nada hay que no sea inmensamente natural, sencillo, sereno.

Bión y Mosco, sucesores inmediatos de Teócrito y sus contemporáneos, también conservaron en sus poesías el mismo espíritu de verdad y de simplicidad; pero prefirieron las descripciones a los diálogos. Virgilio, en sus *Bucólicas,* mezcla ya ideas ajenas a la Naturaleza y referentes a la religión, a la política, a los propios sentimientos. Calpornio, imitador de Virgilio, compone églogas declamatorias.

De los idilios de *Ausonio* únicamente merece el nombre de tal el de las *Rosas.*

La pastoral latina fue restaurada en los siglos XV y XVI por muchos poetas italianos, entre los cuales sobresalieron Pontano, Sannazaro y Vida. Los tres utilizaron el verso latino con una admirable habilidad, aun cuando el exceso de perífrasis y la elegancia estudiada restaron *verdad* a sus producciones.

En Italia, y en la lengua nacional, también cultivaron el género pastoril numerosos y notables poetas. Las principales obras del género fueron: *Aminta*—1573—, de Tasso; el *Pastor Fido*—1590—, de Guarini; *Alceo*—1591—, de Antonio Ongaro; la *Filli di Sciro*—1607—, de Guidubaldo Bonarelli; la *Fidalma*—1642—, de P. Bonarelli.

En Francia—siglo XVI—, Ronsard y Desportes compusieron algunas églogas; pero el verdadero maestro francés en el género fue Vauquelin de La Fresnaye. En el siglo XVIII alcanzó gran celebridad la novela *Astrea,* cuya exaltación de la vida campestre era ya completamente afectada. Racan, en sus *Bergeries*—1625—, y Mairet, en su *Silvie*—1621—y su *Silvanire*—1625—, ofrecieron modelos dulzones, verdaderos *pastiches.*

En España causaron verdadera sensación—siglos XVI y XVII—la *Diana,* de Jorge de Montemayor; la *Diana enamorada,* de Gil Polo; *La Galatea,* de Cervantes; *La Arcadia,* de Lope de Vega...

En Portugal fueron famosos: Antonio Ferreira, Saa de Miranda, Andrade Cominha, Bernardes y Lobo.

En Inglaterra sobresalieron Spenser, con *Shepheard's Calendar*—1579—; Sidney, con la *Arcadia;* Phineas Fletcher, con *Piscatory Eclogues* —1633—, y Milton, con *Lycidas.*

En el siglo XVIII, el gran poeta Gessner, "el Teócrito de Zurich", con sus *Idyllen*—1758, 1762—, reavivó el gusto por el género. Inglaterra dio los nombres ilustres de John Philips —*Cidre*—, Thomson, Robert Bloomfield, Pope... España tuvo un verdadero maestro en Meléndez Valdés. Y Francia, en André Chénier. Y Alemania, en Kleits y J. H. Voss. Y Holanda, en Tollens...

V. NAEKE: *De Theocrito inventore poesis bucolicae.* Bonn, 1828.—MEUSEL: *De Theocrito et Virgili parte bucolica.* 1766.—FONTENELLE: *Discours sur la nature de l'égloque.*—RENNERT,

P

Hugo, A.: *The Spanish Pastoral Romances,* 1892.—Menéndez y Pelayo, Marcelino: *Orígenes de la novela.* Tomo I. 1905.

PATAGÓN (Lenguaje)

Lengua de la región austral de la América del Sur, hablada por los patagones y por algunos pueblos conocidos con el nombre de Tehuelhetos. Poco se conoce de los caracteres de esta lengua; y apenas unos vocablos recogidos por Pigaffeta.

En la Patagonia occidental se habla un idioma que parece ser una mezcla del chileno indígena y del tehuelheto.

PATHOS

De παθος, pasión. Término usado antiguamente por los retóricos para designar la parte del arte oratorio relativa a las pasiones, y a la cual se la llama hoy *patética.*

Hoy, el término *pathos* no se emplea sino para significar el calor, el énfasis afectado en una obra literaria.

PATOIS (V. Dialecto)

Palabra francesa sinónima de dialecto, aun cuando tiene un menor *rango* que el que este representa. El *patois* viene a representar la etapa más baja en la descomposición de un idioma.

PATRAÑA

Noticia, suceso, mentira de pura invención. El nombre lo puso en moda Juan de Timoneda, llamando *patraña* a cada una de las narraciones contenidas en su colección de cuentos *El Patrañuelo* (1576).

PATROLOGÍA

Patrología o *patrística* es una rama de la Teología que trata de la vida y de las doctrinas de los Santos Padres.

La primera *patrología* se debe a San Jerónimo, que la tituló *De viris illustribus,* y que la escribió en Belén el año 392. Continuaron esta rama teológica: Gennadio, presbítero de Marsella; San Isidoro de Sevilla, San Ildefonso de Toledo, Sigeberto, benedictino de Gembloux (Bélgica); Honorio, presbítero de Autun.

La patrología, en su acepción actual, no comenzó hasta la segunda mitad del siglo XVIII, con Guillermo Wilhelm, profesor de la Universidad de Friburgo, que editó su *Patrología* en 1775.

Otros patrólogos insignes han sido: Schleichert, Tobenz, Macario de San Elías, Wiest, Lang, Winter, Ruess, Kaufmann, Locherer, Möhlers, Fessler, Alzog, Rézbanyay, Cruttwell, Godet, Mercati, Shahan, Juan María Solá...

V. Gerhard: *Patrología.* Jena, 1653.—Lang: *Patrología.* Buda, 1809.—Möhlers: *Patrologie.* Ratisbona, 1840.—Rézbanyay: *Compendium patrologiae et patristicae.* Fünfkirchen, 1894. Sánchez, Miguel: *Los Santos Padres.* Madrid, 1864.—Monegal: *Compendio de patrología y patrística.* Barcelona, 1913. 3.ª edición.—Solá, Juan María: *Patrología.* Barcelona, 1910.

PATRONÍMICO

De πατήο, padre, y ἄνομα, nombre.

1. Entre los griegos y romanos, nombre que, derivado del perteneciente al padre u otro ascendiente y aplicado al hijo o descendiente, denotaba en estos la calidad de tales.

2. En España, el apellido que tomaban los hijos derivado del nombre de sus padres: *Ferdinandi, Fernández,* de Fernando; *Martini, Martínez,* de Martín.

PAULINISMO

Nombre dado a un sistema y a un partido de carácter universalista formado—según Ferdinand Christian von Baur—por los primeros cristianos para contrarrestar la influencia de otro partido particularista—según el mismo Baur—llamado *petrinismo.*

Ferdinand Christian Baur (1792-1860), teólogo protestante alemán, fue durante muchos años profesor de Teología en la Universidad de Tubinga y maestro del célebre Strauss.

Fundó la famosa escuela teológica llamada de Tubinga, cuyas doctrinas expuso en su curiosísima obra *Christentum und die christliche Kirche der ersten 3 Jahrhunderten.*

Baur pretendió con su paulinismo y su petrinismo explicar la constitución definitiva del cristianismo y probar la autenticidad y fecha de composición de los libros del Nuevo Testamento. Y así como su discípulo Strauss, en su *Vida de Jesús,* llegó a poner en duda el relato evangélico, Baur apoyó sus afirmaciones en las epístolas de San Pablo, cuya autenticidad estaba fuera de todo litigio. Baur admitió la existencia de dos partidos opuestos en el seno del cristianismo, que correspondían a las tendencias judaizante y cristiana: el *petrinismo* o *ebionismo* y el *paulinismo.*

Para Baur, el cristianismo no salió perfecto del espíritu de Cristo, ni descendió ya elaborado del cielo por medio de Cristo, sino que fue lentamente perfeccionándose, y, primitivamente, se confundió con el judaísmo cristiano, con el ebionismo, representado por los doce apóstoles, principalmente por Pedro, Santiago y Juan. Este fue el *petrinismo,* cuya doctrina condensábase en este único punto de fe: "Jesús es el Mesías en quien se han cumplido todas las predicciones de los profetas."

Para Baur, el petrinismo genuino no rompió en nada con el judaísmo, al cual *rejuveneció.* Pero pronto hubiera perdido la vitalidad a no haber surgido, con energía maravillosa, el *paulinismo.* Este, universalista, fusionándose con el petrinismo, particularista, constituyó definitivamente el cristianismo. El mismo nombre de *Iglesia católica* con que se designa al cristianismo alude a la mencionada fusión. La palabra *católica* indica la parte introducida por San Pablo. La palabra *Iglesia* tiene un sentido y un color judaizantes.

Esta lucha y posterior armonía entre el *petrinismo* y el *paulinismo* sirvió a Baur para determinar la fecha y autenticidad de los libros del Nuevo Testamento, los cuales divide así: *a)* escritos *petrinistas; b)* escritos *paulinistas; c)* escritos de *fusión* y *conciliación* entre los dos partidos. Todos estos escritos son de *tendencia;* así que es suficiente estudiar esta *tendencia* para fijar la fecha aproximada de cada escrito.

Para Baur, el *petrinismo* está contenido en los evangelios apócrifos de los hebreos, de Pedro, de los ebionitas, de los egipcios y en el *Apocalipsis;* y el *paulinismo,* en las epístolas de San Pablo a los Romanos, a los Gálatas y en las dos a los Corintios. Los *Hechos de los Apóstoles* son el intento más admirable para reconciliar y fusionar el petrinismo y el paulinismo.

La teoría de Baur alcanzó durante algunos años una gran resonancia europea. Pero rápidamente, aún en vida de su fundador, fue desechada por la mayor parte de cuantos la habían defendido. La evidencia *a priori* de Baur, su eliminación de los documentos históricos —mejor aún: su animadversión hacia tales documentos—motivaron que muy pronto y bien claramente se comprendiera lo que había de caprichoso *subjetivismo* en su teoría, que no pasaba de ser *una construcción imaginativa,* más o menos *curiosa.*

V. MACKAY: *The Tubingen School and its antecedents.* Londres, 1863.—ZELLER-RITTER: *Chr. Baur et l'Ecole de Tubingue.* París, 1883.—VIGOUROUX: *Les livres saints et la critique rationaliste.* París, 1901.—JACQUIER: *Histoire des livres du Nouveau Testament.* París, 1910, 7.ª edición.

PAUSA MÉTRICA

Nombre dado a la suspensión de voz en la recitación de un verso, como descanso respiratorio. La pausa métrica no suele faltar nunca, pero sí puede retrasarse o suprimirse a efectos del patetismo o de la mayor expresividad del verso. Y no suele responder tampoco, exactamente, a la puntuación; aunque lo más lógico es que coincidan esta y aquella.

Además de la pausa métrica existe la *pausa lógica* o *de sentido,* que puede marcarse cuando el verso lo exija, o la voluntad del recitador, sin que forme parte del tiempo métrico.

PAWNÍES (Lenguajes)

Grupo de lenguas de la América septentrional, hablado por diversos pueblos indígenas diseminados entre Kansas y Nebraska. El grupo comprende: el *pawnie,* propiamente dicho; el *arrapohe,* el *kaskaia,* el *aiawa,* el *ricara.* Todos ellos muy poco conocidos.

V. LUDEWIG, H. E.: *The Literature of American aboriginal languages.*

PAYADOR

Poeta popular de la pampa argentina. El payador es un lírico errante, algo así como los bardos medievales, que va de pueblo en pueblo, acompañándose las recitaciones o cantos con vihuela o guitarra.

Las letras recitadas corresponden a los metros más sencillos y populares: endecasílabos, octosílabos. Y toman nombres netamente indígenas: *cielitos, vidalitas, milongas, tristes...*; aun cuando delatan muy a las claras su ascendencia hispánica.

La poesía del payador dejó de ser oral, para pasar a la literatura impresa, a fines del siglo XVIII, dando entonces lugar al llamado *género gauchesco.* (V. *Argentina, Literatura.)*

PEÁN

1. Nombre griego de un canto o himno al dios Apolo.
2. Canto fúnebre entre los griegos.

PEGNITZ (Sociedad de Pastores de la)

Una de las más célebres Sociedades literarias alemanas del siglo XVII. Se llamó también *Orden de las Flores y Coronación de los Pastores.* Fundada en Nuremberg—1644—por Harsdoerfer y Clay, tuvo como principal misión mantener la pureza de la lengua y estimular la poesía pastoril. Los miembros de la Sociedad recibían el nombre de un pastor famoso: *Mirtilo, Dafnis, Damon, Amaranto.* Tenía por divisa una flor pasionaria, con la flauta del dios Pan y las leyendas: *Mit nutzen erfreulich* (Lo útil combinado con lo deleitable) y *Alle zu einem ton einstimming* (Todos acordes en un mismo tono). Las sesiones se celebraban al aire libre, en un bosque cercano a Naunhof. En 1794 quedó reducida a simple Asociación literaria.

V. TITTMANN: *Die Nürnberger Dichtergesellschaft.* Gotinga, 1847.—AMARANTES: *Historische Nachricht von des löblichen Hirtenund Blumenordens an der Pegnitz.* Nuremberg, 1744.

PEHLVI (Lengua y Literatura)

Idioma formado por las relaciones entre las lenguas semitas e iranias. Su formación data del siglo III de nuestra Era cristiana. Y su aparición tuvo lugar en las provincias occidentales de Persia, y, según Spiegel, más particularmente en la provincia nabateana de Sévad. El *zenda* quedó como lengua sagrada, siendo reemplazada como lengua vulgar por el pehlvi. Sin embargo, el pehlvi jamás llegó a ser hablado generalmente; a partir del siglo V, fue empleado para la escritura literaria, y así continuó hasta la conquista árabe. Los quebros o parsis, sectarios de

P

Zoroastro, lo conservaron durante siglos. Según Anquetil-Duperron, el vocablo pehlvi significa lengua de los fuertes y de los héroes. Algunos filólogos han creído que pudiera tener su origen en el idioma medo, empleado en el segundo de los tres sistemas de escritura cuneiforme.

El pehlvi tiene por base el zenda; pero la penetración del arameo ha modificado profundamente su gramática y su léxico; de modo que el pehlvi pertenece, por sus raíces arias y su vocabulario iranio, a la familia de las lenguas indoeuropeas, y por su gramática, a la familia semita.

El pehlvi es menos rico en vocales que el zenda. Su alfabeto comprende veintiséis letras, tomadas del alfabeto zenda y modificadas por el alfabeto sirio.

El idioma pehlvi se ha empleado en las medallas y en los monumentos epigráficos de los sasánidas, que Silvestre de Sacy, Longpérier, Olshausen y Dorn han intentado descifrar. El único modelo literario que presenta el pehlvi es el conjunto de los libros atribuidos a Zoroastro, el *Boundehec,* parte del *Zend-Avesta.*

V. MÜLLER: *Mémoires sur le pehlvi.* En el "Journal Asiatique", abril 1839.—HAUG: *Ueber die Pahlewi-Sprache.* Gotinga, 1854.—RENÁN, E.: *Histoire des langues sémitiques.* París, 1855. SPIEGEL: *Grammatik der Huzwaresch-Sprache.* Viena, 1856.

PELAGIANISMO

Nombre dado a la doctrina herética contra la gracia de Pelagio.

Pelagio (360-430) nació en Inglaterra. Orosio, San Jerónimo y San Agustín—su implacable adversario—alabaron su cultura, su vida austera y su ingenio, muy pronto y agudo. Se le llamó monje, aunque siempre fue seglar, porque hacía en su casa vida monástica. Pelagio llegó a Roma antes del año 384, y hasta el 400 gozó de bonísima fama y hasta de la estima de San Agustín. Pero sus doctrinas acerca del pecado original, de la gracia y del libre albedrío merecieron los ataques durísimos del gran obispo de Hipona. Fue absuelto Pelagio en los Sínodos de Jerusalén y Dióspolis—415—; pero San Agustín y sus amigos reunieron dos nuevos Sínodos en Mileve y Cartago—416—, donde se le condenó, en virtud de lo cual y de las instancias de San Agustín, el emperador Honorio le desterró —418—. A partir de este año cayó Pelagio en las tinieblas del más profundo olvido.

Pelagio, para luchar contra las doctrinas de las herejías *gnóstica* y *maniquea,* que afirmaban ser la naturaleza humana impotente para lo consecución del bien, porque, según ellas, la materia es mala, inició su campaña de predicación y escritos que culminaría en una nueva herejía. Para su empresa contra las doctrinas que, al negar al hombre la plenitud de su libre albedrío, le excusaban de la responsabilidad de su pecado, ninguna doctrina de la Iglesia le pareció mejor que la *de la gracia.*

Enseñó, pues, que el pecado original *no es transmisible;* que sin la gracia divina el hombre puede salvarse, ya que su salvación depende en todo *de la libertad humana* y de la forma en que el hombre emplee su libertad.

Los tres puntos esenciales del pelagianismo son:

1.° *No hay pecado hereditario.* El pecado de Adán únicamente perjudicó a este.

2.° *La gracia no es necesaria para nuestra salvación,* ya que la fuerza de esta gracia en el hombre va contra su libertad.

3.° *El bautismo no se recibe, pues, para la remisión de los pecados* sino como rito de iniciación en la sociedad de la Iglesia y en la comunión de Cristo.

A tales puntos doctrinales, San Agustín opuso los siguientes:

1.° El hombre, desde el instante de su creación, recibió de Dios gracias sobrenaturales; podía pecar, *pero estaba exento de la inclinación al mal.*

2.° Como consecuencia del pecado de Adán, todos los hombres *nacen privados de la gracia e inclinados al mal.* No pueden tener la inclinación al bien que tenía Adán antes de su pecado.

3.° *La gracia borra las consecuencias del pecado original.* Esta gracia debe ser *interior* y ha de obrar directamente sobre la voluntad. La gracia *exterior* no sería suficiente.

4.° A pesar de ser interior la gracia, no destruye nuestro libre albedrío, ya que este la puede *aceptar* o *rechazar.*

El pelagianismo se desarrolló en Roma entre los años 401 y 410. En el 411, Pelagio se trasladó a Cartago, donde San Agustín le combatió enérgicamente y logró que le condenara el primer Concilio de Cartago. Pelagio marchó a Palestina, donde le fue muy fácil propagar su doctrina entre los nestorianos. Pero el Concilio de Efeso—431—condenó el *nestorianismo* (V.) y el pelagianismo, concretando en su condena que la teoría de Pelagio no era sino la *negación del pecado original,* y que representaba, al mismo tiempo, la inutilidad *de la gracia* y *de la Redención.*

Además de Pelagio, defendieron la doctrina de este: Celestio, Juliano y Ananiano. Los Pontífices Inocencio I y Zósimo la combatieron.

El pelagianismo no desapareció por completo, sino que evolucionó en una nueva herejía llamada *semipelagianismo* (V.).

V. WOERTER: *Der Pelagianismus nach seinem Ursprunge und seiner Lehre.* Friburgo, 1866. ROHRBACHER: *Hist. universal de la Iglesia.* Madrid, 1903, tomo V.—JACOBI: *Die Lehre des Pelagius.* Leipzig, 1892.

PELÁSGICAS (Lenguas)

Grupo de idiomas *indoeuropeos* (V), que, según Herodoto, se diferenciaban esencialmente del griego.

PENSAMIENTO

1. Idea.
2. Idea fundamental en una obra literaria.
3. Cada una de las ideas o sentencias profundas de un escrito.

Se han dado muchos preceptos para la *invención* de los pensamientos, y a este efecto se han escrito los tratados de los *tópicos* o *lugares comunes*, cuya utilidad no negamos; pero la regla más útil para hallar los pensamientos consiste en que *se conozca bien el asunto* que se vaya a tratar y se medite detenidamente.

Nacen los pensamientos de la instrucción científica y artística del escritor u orador; de su talento, más o menos profundo y vasto, y del estudio que haya hecho del asunto; por eso se ha dicho: *Scribendi recte sapere est et principium, et fons.*

PENTACRÓSTICO (V. Acróstico)

1. Epíteto dado a los versos que tienen cinco acrósticos.
2. Trozo de una composición en la que se halla cinco veces el nombre que forma el acróstico, dividiéndose, por tanto, en cinco partes, de arriba abajo.

PENTÁMETRO (Verso)

Pentámetro o *elegíaco* es un verso griego y latino que consta de cinco pies: los dos primeros, dáctilos o espondeos; el tercero, espondeo, del cual la primera sílaba forma cesura; los dos últimos, anapestos.

Nosotros dividimos el pentámetro en dos hemistiquios, terminando cada uno de ellos por una cesura. El primero forma una cesura pentamínera-heroica, y el segundo, una cesura pentamímera-dactílica:

Sorte nec / ulla me / a tristior / esse sp po / test.

(OVIDIO.)

Los eruditos han atribuido su invención a Teocles, Arquíloco, Terpandro, Calino... Horacio declaró indecisa la cuestión:

Quis tamen exiguos elegos emiserit auctor,
Grammatici certant et adhuc sub iudice lis est.

El pentámetro es un verso que jamás se emplea solo. Su corte uniforme, en dos partes iguales, con las dos cesuras indispensables, le da cierta monotonía. Sin embargo, existen algunas excepciones; así, consta de pentámetros una composición anónima contra el emperador Cómodo, y de veinticuatro pentámetros una poesía de Marciano Capella dedicada a Orfeo, Arión y Anfión, y de siete pentámetros un parágrafo de una composición de Ausonio acerca de los Siete Sabios.

Normalmente, el pentámetro va combinado con el hexámetro, formando un dístico y consiguiendo un ritmo de gran armonía. Primitivamente, el pentámetro estuvo consagrado al tono elegíaco; poco a poco se extendió su dominio a la expresión de otros afectos. Propercio lo utilizó para describir los misterios de la Naturaleza; Tibulo, para referirse a los tormentos de Tártaro; Eurípides lo introdujo en algunos pasajes de su *Andrómaca.*

El pentámetro, por su uniformidad, por la rapidez de su corte, no es apropiado a los temas grandiosos ni a los poemas épicos y trágicos. Ovidio, que se sirvió de él para escribir los *Fastos* de Roma, reconoció la anterior afirmación:

Quid volui, demens, elegis imponere tantum
Ponderis? heroi res erat ista pedis.

Entre los latinos, el pentámetro, lo mismo que el hexámetro, estuvo sometido a reglas minuciosas, de las que supieron librarse felizmente los griegos, mucho más amplios en su sistema de versificación. Así, en el siglo de Augusto, los latinos defendieron vigorosamente que terminara el pentámetro en una palabra de tres sílabas; regla que fue desconocida por los griegos. Los primeros poetas latinos, imitadores escrupulosos de aquellos, fueron no menos amplios que estos; pero Ovidio, el más admirable modelo de la versificación elegíaca en Roma, ofrece en sus numerosas obras cinco o seis pentámetros terminados por una palabra de tres sílabas.

Los versos pentámetros son, frecuentemente, *leoninos* (V.), respondiendo ciertamente el epíteto al sustantivo, de una cesura a otra.

Mollia sunt (parvis) prata terenda (rotis).

(PROPERCIO).

Tellus in (longas) est patefacta (vias).

(TIBULO.)

Et suberat (flavae) jam nova (barba) comae.

(OVIDIO.)

V. HERMANN, G.: *De metris graecorum et romanorum poetarum.*—QUICHERAT, L.: *Traité de versification latine.*

PENTASÍLABO

Verso de cinco sílabas. Puede llevar los acentos en las sílabas segunda y cuarta o en la primera y cuarta.

Ven, prometido,
jefe temido;
ven, y triunfante
lleva adelante
paz y victoria;
llene tu gloria
de dicha el mundo;
llega, segundo
legislador.

(L. F. DE MORATÍN.)

El pentasílabo entra a formar parte, como hemistiquio, del verso de diez sílabas:

Cendal flotante—de leve bruma,
rizada cinta—de blanca espuma.

(BÉCQUER.)

Y también, igualmente de hemistiquio, en el de quince sílabas.

Yo no te quiero—ni te he querido—ni te querré.
Nuestro cariño—fue solo un sueño.—Ya desperté.

PEÓN

Pie de la versificación griega y latina, que consta de cuatro sílabas: tres breves y una larga. La combinación puede ser:

— ∪ ∪ ∪ peón primero.
∪ — ∪ ∪ peón segundo.
∪ ∪ — ∪ peón tercero.
∪ ∪ ∪ — peón cuarto.

(V. *Pie, Peónico, Verso.*)

PEÓNICO (Verso)

Verso griego, compuesto de cuatro *peones primeros,* o de cuatro *peones cuartos,* o de tres *peones primeros* seguidos de un crético.

Este verso fue empleado por los poetas griegos, trágicos y cómicos; los latinos no lo usaron; sin embargo, Marius Victorinus nos ha dejado el siguiente modelo:

Sic Tiberis / implacidus / in maria / labitur.

También se llamó peónicos a todos aquellos versos cuyo pie fundamental tenía el valor de cinco semipiés: *créticos, baquios y dogmaicos.*

PERCEPCIONISMO

Doctrina que sostiene la percepción inmediata e intuitiva del mundo exterior por los sentidos externos. (V. *Intuicionismo* e *Interpretacionismo.*)

El percepcionismo se opone al *concepcionismo* (V.), según el cual, no habiendo percepción inmediata, sino de los hechos subjetivos, la idea de la exterioridad y la creencia en la realidad de las cosas no vendría de la percepción inmediata de estas, sino de la actividad de la conciencia.

Percepción "es el fenómeno psicológico provocado por la excitación de un órgano de los sentidos que tiene un carácter doble: es a la vez afectivo e intelectual. En tanto que es afectivo, se le llama *sensación;* en tanto que es intelectual, se le llama *percepción*". Sensación y percepción no son fenómenos distintos, sino dos aspectos de un mismo fenómeno; y este fenómeno es, por uno de sus aspectos, la raíz de toda la sensibilidad, y por el otro, la raíz de toda la inteligencia.

Para Reid y otros filósofos de la escuela escocesa, se llama percepcionismo a la sensación acompañada del juicio de exterioridad. Para Maine de Biran, percepcionismo es la *sensación atenta.* Para unos filósofos modernos, "es un fenómeno intelectual, un conocimiento; la conciencia añadiéndose a la modificación afectiva y constituyendo la percepción". Para otros, "se confunde con el fenómeno psicológico; sentir es tener conciencia de alguna modificación; desde entonces, lo que se añade a la sensación para convertirla en percepción debe ser otra cosa que la conciencia; por ejemplo, el juicio de exterioridad o el esfuerzo de atención del sujeto".

Leibniz llama *percepción* toda modificación de la mónada, y le opone: "1.º, *a apetecimiento,* que es la tendencia, la fuerza interna de que las percepciones son los efectos; 2.º, *a la apercepción,* que consiste en adquirir conciencia de las percepciones."

Señalemos que se llama percepcionismo tanto la *facultad* de percibir como el *acto* de percibir, y también el *conocimiento* que se deriva de este acto.

Descartes designa con el vocablo *percepción* todo fenómeno intelectual, y le opone a *volición,* que es todo acto de voluntad o de deseo. Percepciones y voliciones son para él *hechos de conciencia.*

PERGAMINO

Piel de alguna res—oveja, cabra, ternera, becerro, etc.—que, adobada, raída, curtida, estirada, sirve para escribir en ella.

En la antigüedad se hizo famosa la ciudad de *Pérgamo* como centro manufacturero y productor de *pergaminos,* más de trescientos años antes de Cristo. Cicerón vio un ejemplar de la *Iliada* transcrito en una banda de pergamino finísima.

En *Osca*—Huesca (España)—existió un centro pergaminero famosísimo, que competía con los mejores de Italia.

Se atribuye al rey de Pérgamo, Eumenes, la invención—siglo II antes de Cristo—del modo de servirse de las pieles para la escritura de libros y de documentos. Ya hemos dicho que el pergamino ya se usaba con anterioridad. Hesiodo alude a que los jonios escribían sus libros *diphteros* en pieles de cabra o carnero, cuando el *biblos*—papiro—escaseaba.

Según Estrabón, el pergamino era empleado en Asia como material para escribir. Y Diodoro de Sicilia afirma que sobre pieles escribieron los antiguos persas. La atribución de Eumenes descansa en un texto de Plinio, según los críticos; sin embrago, Plinio se limitó a escribir: *Varro membranas pergami tradidit repertas.* Posiblemente, lo que hizo Eumenes fue perfeccionar y ampliar la preparación del pergamino. (V. *Libro. Códice. Palimpsesto.)*

V. LA LANDE: *Art de faire le parchemin.* 1762.—MAUNDE THOMPSON: *Parchment.* En la "Encyclop. Brittanica". 1911.—PEIGNON, G.: *Essais sur l'histoire du parchemin et du Velin.* 1912.

PERÍFRASIS (V. Circunloquio)

Es una figura retórica indirecta, y, según muchos, descriptiva, que consiste en expresar por medio de un rodeo y de un modo más enérgico, elegante o delicado, lo que podía haberse enunciado con pocas palabras o con una sola. Así. *Rey profeta,* por David; el *Descubridor de un nuevo mundo,* por Colón.

Agora que el Oriente
de tu belleza reverbera, agora
que el rayo transparente
de la rosada aurora
abre tus ojos y tu frente dora;

antes que la dorada
cumbre de reluciente llama de oro,
húmida y argentada,
quede inútil tesoro
consagrado al errante y fijo coro...

vendrá la temerosa
noche de nieblas y de vientos llena,
marchitará la rosa
purpúrea, y la azucena
nevada, mustia tornará de amena.

(F. DE LA TORRE.)

PERIÓDICO

1. Publicación periódica.
2. Prensa periódica.
3. Obra, escrito, papel impreso, que se publica diariamente o por tiempo determinado. Se usa también como sustantivo, sobre todo hablando de papeles políticos, literarios, religiosos, artísticos, de modas, comerciales. (Véase *Periodismo. Diario. Revista.)*

PERIÓDICO (Verso)

Hexámetro latino en el que alternan los dáctilos y los espondeos.

PERIODISMO

1. Profesión.
2. Conjunto de periodistas.
3. Prensa periódica.

En todas las naciones y tiempos se han conocido dos literaturas: una, eterna y monumental; otra, efímera por su naturaleza, y, como decimos hoy, de *circunstancias;* esta segunda es la que integra el periodismo.

El periodismo tiene tres características muy acusadas: 1.ª, una inmensa fuerza social, que pesa sobre el mismo poder del Estado (se le ha llamado el *Cuarto Poder);* 2.ª, un instrumento de cultura eficacísimo por su difusión, mucho más completa que la de los libros; 3.ª, un género literario, ya reconocido

El periodismo es hoy una indiscutible *necesidad social.* Su evolución responde a estos cinco períodos: 1.º *Periodismo relato,* simple mención de noticias de interés local o nacional en determinado momento. 2.º *Periodismo crítico,* en el que las noticias arrancan el comentario a que es tan aficionada la naturaleza humana. 3.º *Periodismo ideológico,* cuando circunscribe su misión a la defensa de una doctrina, de una política... 4.º *Periodismo informativo,* el desligado de intereses políticos y económicos, y que intenta la amenidad objetiva. 5.º *Periodismo de negocios,* el sujeto a la defensa de intereses particulares.

¿Cuándo nació el periodismo? La necesidad social de comunicación es tan antigua como el hombre. La generalización, la universalización de esta comunicación, dentro de los límites del tiempo, nace con la Imprenta. En relación con el hecho histórico de la Prensa, conviene declarar que esta tuvo su origen en Roma. Los *Comentarii pontificum* y los *Annales Maximi,* que se redactaban por el gran Pontífice, aun antes del Imperio, tenían carácter de *publicación periódica.* César, durante su primer consulado, dio una amplia información pública mediante las *Acta senatus* y *Acta diurna populi romani,* cuya redacción se hacía en tablillas enceradas, que eran expuestas al público, "con derecho a sacar copias", que se enviaban a los romanos que residían en las provincias. El *Acta diurna,* según Boissier, era una especie de *gaceta oficial,* en la que se daban toda clase de noticias políticas, de noticias acerca de la "Casa imperial" y de noticias diversas: oficios, juegos, teatros, nacimientos y defunciones de personas notables, accidentes, progreso urbano, etc., etc. Algunos *Anales, Efemérides, Relatos, Crónicas* (V.) de la Edad Media tienen un positivo carácter periodístico.

Inventada la Imprenta, en los principales centros de negociaciones—Alemania, Italia—nacieron *organizaciones profesionales* para difundir las noticias. En Venecia apareció la palabra *gazzetta,* como sinónimo de periódico. Y desde mediados del siglo XV existían en Italia las *Notizie Scritte* o *Soglie d'Avissi,* colecciones informativas. Y, naturalmente, apareció la corporación de los *Scrittori d'Avissi,* y poco después la de los *Novellanti* o *Gazzettanti.* La política internacional y los intereses de las ricas casas comerciales dieron un incremento fantástico a la *propagación de las noticias de gran interés por toda Europa.*

Las *gazzettas* (urraquillas, de *gazza,* urraca), hojas volantes impresas, eran difundidas por los mercaderes y diplomáticos, por los aventureros y los correos.

Dichas hojas volantes se multiplicaron en todos los países: *Zeittingen,* en Alemania; *Mercurys,* en Inglaterra; *Courriers* y *Journaux,* en Francia; *Avisos, Relaciones* y *Cartas,* en España.

El primer periódico diario inglés lo fundó —1720—Buckley, con el título de *Daily Courant.* Antes, entre 1711 y 1712, apareció diariamente el famoso *The Spectator,* de Adisson, que luego se publicó tres días a la semana.

En España fueron verdaderos periódicos las *Relaciones de las cosas sucedidas en la corte de España desde 1599 hasta 1614,* de Cabrera, colección de 159 hojas sueltas; y los *Avisos,* de Barrionuevo. A partir del año 1614 publicóse en Barcelona un semanario titulado *Gazeta.* A principios de 1661 apareció la *Gaceta de Madrid,* que cambió de título numerosas veces, y unas veces fue diario y otras semanario. Aparte de la *Gaceta,* el periodismo español nació—1758—con el *Diario noticioso, curioso, erudito y comercial, público y económico,* de Ruiz de Urive, primer diario que da noticias de sucesos, críticas de política, anuncios, etc.

V. Gayangos, Pascual: *Del origen del periodismo en España.* En "Rev. Universidad", Madrid, 1869.—González-Blanco, E.: *Historia del periodismo desde sus comienzos hasta nuestra época.* Madrid, 1919, "Biblioteca Nueva".—Jouvenel, Robert de: *Le journalisme en vingt leçons.* París, 1920.

PERIODISTA

1. El que escribe en los periódicos.
2. Autor, editor o compositor de un periódico.

PERÍODO

Conforme al sentido de la palabra griega περίοδος, período es una frase—o cláusula—bien redondeada y construida, cuyas oraciones están perfectamente enlazadas, constando: de una parte, en la que se presenta y desenvuelve el pensamiento que debe contener, y de otra, en la que se completa el pensamiento y se cierra cadenciosamente la cláusula.

Se llama *rodeo periódico* al período largo, que consta de más de cuatro miembros.

Conviene distinguir de los *miembros* propiamente del período los *incisos,* pequeñas frases que forman un sentido parcial y que se ajustan ya al sentido de uno de los miembros del período o al sentido total del período. Cicerón—en su *De oratore,* XXIV—expone la utilidad de estos incisos y recomienda su uso.

La primera parte del período fue llamada por los retóricos griegos *prótasis* (πρότασις), y en ella se desenvuelve el pensamiento, dejándose como en suspenso el sentido; y la parte segunda fue denominada *apódosis* (ἀπόδοσις) y en ella se completa el pensamiento y se cierra cadenciosamente la claúsula. Llamaron *antapódosis* (ἀνταπόδοσις) a la correspondencia que existe entre las dos partes del período, en la primera de las cuales se presenta una semejanza, y en la segunda se intenta explicar algo con la ayuda de dicha semejanza. *Tasis,* vocablo griego que significa *intensión* o *vehemencia de la voz,* es todo el período que, por ser muy largo y numeroso, exige gran esfuerzo, intensión y vehemencia en su pronunciación. Será defectuosa la tasis si la extensión del período es tal que fatiga al que lo pronuncia o lee.

Podrían darse muchas reglas para la extensión de los períodos, pero las más útiles son las dos siguientes: 1.ª, que la extensión se acomode al carácter de la composición y a la naturaleza e importancia del pensamiento; los pensamientos sencillos producirán períodos breves; los complejos, períodos largos; y 2.ª, que cuando sea posible se procure mezclar los períodos breves con los de mayor extensión, para evitar la monotonía y el amaneramiento.

Las cualidades esenciales del período son: *claridad, pureza, unidad* y *variedad, energía* y *armonía.*

Para conseguir la *claridad* se tendrán en cuenta las reglas siguientes: 1.ª Colocación precisa de los adjetivos, adverbios y frases adverviales de modo que se vea con evidencia cuál es la palabra que modifican. 2.ª Los complementos y las circunstancias de la oración se pondrán donde mejor expresen los conceptos que signifiquen. 3.ª Hágase lo mismo con los pronombres relativos. 4.ª En general, toda palabra se colocará en el lugar que más claramente haga ver la idea a que se refiera, y la significación e importancia mayor o menor que tenga el pensamiento, pues la oscuridad del período nace ordinariamente de la mala elección y colocación de las palabras.

La *pureza* del período consiste no solo en que todas las palabras y expresiones de que conste pertenezcan a la lengua que se habla, sino también en que la combinación y construcción de las mismas se acomode a la naturaleza del idioma y se eviten los giros anticuados, los nuevos y los propios de un idioma extraño *(solecismos, neologismos, barbarismos).* Deben seguirse cuidadosamente las reglas de la sintaxis, así en la concordancia como en el régimen y en la construcción del período.

Consiste la *unidad* del período en que sus partes estén tan estrechamente ligadas entre sí, que produzcan en el ánimo la impresión de un solo objeto, por referirse todas al pensamiento dominante.

La *variedad* consiste en que haya en el período número y distinción de partes. La variedad no es contraria a la unidad; no habrá oposición entre ellas si se enlazan felizmente; antes bien, resultará la armonía, que es elemento de belleza.

La *energía* o *fuerza* del período reside en que el pensamiento esté tan gráficamente expuesto, que excite la atención y deje profunda huella en nuestra memoria, donde permanezca como grabado.

Hay tres clases de períodos: *a)* los *bimembres* o *dikolos; b)* los *trimembres* o *trikolos,* y *c)* los *cuadrimembres* o *tetrakolos.*

Los retóricos señalan tres principales reglas para lograr la perfecta composición del período oratorio: 1.ª Que los miembros del período aparezcan trabados con cierto enlace y relación de ideas. 2.ª Que el sentido total del pensamiento no se delate hasta el mismo final del período. 3.ª Que el período termine con rotundidad y cadencia. (V. cualquier tratado de *Retórica.)*

PERIPATETISMO

Sistema filosófico de Aristóteles. Se le llamó así porque el gran filósofo, en su Liceo de Atenas, enseñaba a sus discípulos paseando por las alamedas del lugar. A estos discípulos se los llamó *peripatéticos* (los *paseantes).*

PERIPECIA

De περίπέτεια, acontecer. La palabra designa en general y en el poema épico, en la novela, en el drama, todo acontecimiento que cambia la faz de las cosas y modifica la misma acción, la situación de los personajes y el interés; es decir, una especie de súbita revolución. Etimológicamente, la palabra *peripecia* es sinónima de *incidente.* Aristóteles—en su *Poética,* II—llama peripecia "a aquella mutación en contrario de las cosas que se ponen en acción".

Los retóricos señalan tres cualidades a la peripecia para que tengan interés e importancia: *magnitud de la mutación,* que sea *súbita e inesperada,* y que sea *verosímil.*

En el género dramático, la peripecia puede surgir por *reconocimiento,* por *natural desenvolvimiento de los sucesos* y por *cambio de voluntad de los personajes.*

PERIPLO

De περιπλέο, navegar alrededor. Nombre dado por los antiguos a las relaciones de viajes marítimos realizados alrededor de un continente o simplemente a lo largo de unas costas.

Los más importantes periplos de que nos hace mención la Historia son: el del cartaginés Hannón, que, siguiendo las costas de Africa, llegó hasta Gabón o hasta las bocas del Gambia; Plinio—en su *Historia Natural*—nos da noticias de este periplo: *Hanno Carthaginensium dux, punicis rebus florentissimis, explorare ambitum, Africae inssus...* El periplo debió de verificarse hacia el año 570 antes de Cristo.

Otro periplo fue el ordenado por Necao, rey de Egipto, a unos navegantes fenicios; estos se embarcaron en el mar Rojo, dieron la vuelta al Africa, siguiendo las costas, y volviendo por el estrecho de Gades y el Mediterráneo.

Arriano nos ha conservado un extracto del diario de Nearca, que dirigió un periplo por el mar de las Indias, desde las bocas del Indus hasta el Eufrates.

El periplo de Pytheus, de Marsella, llevado a cabo en el siglo IV antes de la Era cristiana, por las costas occidentales de Europa hasta el mar Báltico. Este viaje ha sido declarado fabuloso por varios eruditos.

Por último, el periplo de Arriano, que hace una descripción de las costas del mar Negro y nos da noticias de los ríos, pueblos y montañas de los países vecinos.

También se dio el nombre de periplos a los *viajes imaginarios* referidos por los autores griegos. Ejemplos notables de estos periplos son la *Atlántida,* de Platón, y la *Ciropedia,* de Jenofonte.

V. DODWELL, HUDSON y WELLS: *Geographiae veteris scriptores graeci minores.* Oxford, 1698-1712.—AVEZAC: *Grands et petits géopraphes grecs et latins.* París, 1856.

PERISOLOGÍA (V. Tautología)

1. Redundancia.
2. Repetición viciosa de una idea.
3. Superfluidades en el lenguaje.

PERMIO (Lenguaje)

Nombre de una de las ramas de las lenguas urálicas o finesas; todavía se habla en algunas regiones de los Urales.

Las leguas *permianas* son tres: el *permio,* el *siriaíno* y el *votiako.*

El permio, hablado por los komi-murt, permios o bsarmios, no tiene más que una declinación en cinco casos; su conjugación es muy rica, porque tiene presente, imperfecto, perfecto, pluscuamperfecto y futuro, cuyos tiempos se forman por flexión y sin recurrir a ningún verbo auxiliar.

El permio propio es el único idioma de esta familia que posee un alfabeto particular, compuesto de 24 caracteres, inventado por Esteban el *Permio* en 1375, que fue el primero que predicó a este pueblo el cristianismo y tradujo a su lengua los libros más importantes de la religión cristiana.

PERMISIÓN (V. Figuras de pensamiento)

Es una figura indirecta que consiste en dar licencia a otro para que haga aquello mismo de que nos estamos quejando con despecho amargo, o que conocemos ser inevitable, o comprendemos ser justo y necesario, pero que se nos hace muy costoso consentir o sufrir.

> ... Segad esta garganta,
> siempre sedienta de la sangre vuestra;
> que no temo la muerte, ni me espanta
> vuestra amenaza y rigurosa muestra.
>
> (Ercilla.)

> Castigadme, Señor, que yo confieso que cualquier pena, por grande que sea, es debida a mis culpas; cualquier castigo es corto; el mismo infierno es castigo menor de lo que ellas merecen.
>
> (P. Villegas.)

PERORACIÓN

Es la última parte del discurso y su objeto es reforzar las impresiones producidas y presentar las cosas desde el punto de vista más favorable, ya recapitulando las principales razones, ya moviendo definitivamente los afectos.

La *peroración* puede tener dos partes: *epílogo* o *peroración* propiamente dicha. *Epílogo* es la recapitulación de las razones con que se ha demostrado la proposición. *Peroración,* propiamente dicha, o en sentido estricto, es la moción última y definitiva de los afectos o pasiones.

PERSA (Lengua)

Comprende esta denominación especialmente la lengua moderna de Persia, principal tipo actual de las lenguas persas o iranias. El persa deriva del *parsi* (V.), una de las lenguas iranias, y se formó durante la dominación de los árabes en Persia con una mezcla del idioma de estos invasores y del parsi.

El persa es hablado por los persas o tadjicks, habitantes indígenas que dominan Fars, Kerman, Sistan, Adzerbaidjan y Khorocan, y que son muy numerosos en el Irak, el Mozanderan, el Kandahar y el Kuhistan. También es hablado el persa en una gran parte de la India, principalmente donde residen musulmanes, en las provincias de Agra y Aurengabad; y en algunas regiones del Imperio del Gran Mogol. Y con ciertas modificaciones, el persa —reducido a categoría dialectal— es el idioma de los bukharos, de las ciudades de Kasan, Tobolsk, Tara, Tomsk y Kiachta, de algunas provincias chinas y otras del Tibet...

Como lengua literaria, el persa se utiliza entre las poblaciones mahometanas de Persia, del Beluchistán, de Bukharia y del Imperio otomano.

El persa se desdobla en numerosos dialectos, que son aún muy poco conocidos. Entre ellos están: el *valaat,* derivado del *devi,* que es la forma más pura del persa; el *tatt,* hablado en Baku, en Leukoran y el Daguestán; el *bukhare,* hablado por el pueblo de este nombre; el *dehwar,* hablado por los dehwares o dekhanes que viven en el Beluchistán; el *mazanderan* y el *adzerbaidjan,* hablados en las provincias persas de tales nombres.

Ya no existen otros antiguos dialectos como el *soghdy,* hablado en Samarkanda; el *hezwy,* del territorio de Hérat; el *zawely,* de Kandahar; el *sagzy,* del Sedjestán; el *khoazy,* del Khuzistán, y el *adévy,* del Adzerbaidjan.

El persa es una lengua sumamente armoniosa; ha merecido ser calificada "el italiano de Asia". Su genio consiste en una simplicidad, una dulzura y una sonoridad que la hacen propia para la poesía. Tiene ciertas analogías con las lenguas germánicas y eslavas; cuatro mil palabras de su vocabulario, es decir, una sexta parte, se encuentran también en la lengua alemana; pero no solo en las palabras se asemeja a las mencionadas lenguas; también en las inflexiones y en las formas gramaticales; y por tales razones, el persa ha servido para solucionar el problema del origen común de los idiomas de Europa y de Asia central y occidental.

El persa carece de artículo; no distingue los géneros en los sustantivos y en los adjetivos; la conjugación es muy rica en tiempos, pero no en modos, ya que cuenta con el indicativo, y para señalar el optativo y el conjuntivo ha de utilizar partículas añadidas al indicativo. Los tiempos compuestos y la voz pasiva se forman con ayuda de los verbos auxiliares. La sintaxis es muy simple. Los compuestos son muy numerosos y se forman con la yuxtaposición de radicales, sin ninguna flexión. El persa, que ha tomado numerosas palabras del árabe, ha adoptado también su alfabeto, sometiéndolo a ligeras modificaciones y añadiéndole algunos caracteres para representar sonidos que no existen en el árabe. Los alfabetos persas diversamente combinados llevan los nombres de *nesky, kikany, taalik.*

V. Burton: *Historia veteris linguae persiae.* Londres, 1657.—Anquetil-Duperron: *Recherches sur les anciennes langues de la Perse.* En las *Mémoires* de la Academia de Inscripciones. Tomo XXXI.—Frank, O.: *De Persidis lingua et ingenio.* Nuremberg, 1809.—Spiegel: *Einleitung in die traditionellen Schriften der Persen.* Leipzig, 1856-1860.—Duncan Forbes: *A Grammar of the persian language.* Londres. Varias ediciones.—Wullers, J. A.: *Lexicon persico-latinum.* Bonn, 1898, 3.ª edición.

PERSA (Literatura)

Cabe señalar cinco períodos en la historia de la literatura persa:

1.º El de las inscripciones cuneiformes. (Reyes Aqueménidas.)

2.º El del *Avesta* y los *Gathus.* (Dialecto arcaico.)

3.ª Literatura pehlvi e inscripciones sasánidas.

4.º Literatura neopersa. (A raíz de la conquista musulmana de Persia.)

5.º Contribución de la literatura persa a la literatura árabe.

Y debe tenerse muy en cuenta que entre estos períodos no existe relación alguna de continuidad, como sucede en las demás historias literarias de otros países.

Los más antiguos monumentos de la literatura persa son los libros sagrados atribuidos a Zoroastro, escritos en lengua zenda, que componen la colección *Zend-Avesta.* Los libros restantes de la antigüedad persa no han llegado hasta nosotros, porque los árabes, al conquistar el país, en el siglo VII, destruyeron con saña los vestigios literarios de la tierra dominada. Aparte de algunas obras de *magia,* hay que llegar a la dinastía de los sasánidas (902-999) para encontrar ejemplos de la literatura persa; la cual se inicia con las marvillosas *fábulas* de la India, atribuidas a Bidpai, que han pasado a todas las literaturas de Asia y de Europa hasta bien entrada la Edad Media. Balami hizo una traducción de la *Crónica* árabe de Tabari. Inmediatamente surge una serie fecunda de poetas. En el siglo X: Firduci, autor de *Shah-Námen,* poema que tiene la gloria de ser la epopeya persa. En el siglo XII: Amic o Amac, Anvari, Nisami, Férid-ud-Din Attar. En el siglo XIII: el célebre Saadi, Djelal-Eddin-Rumi el *Místico,* Avadi de Maragha. En el siglo XIV: el anacreóntico Hafiz, Djami, Alí Chyr. En el siglo XV: Benai. En el XVI: Ashik. En el XVII: Mohsin-Fani. En el XVIII: Bédil.

La poesía persa es casi exclusivamente lírica o elegíaca. Esta última tiene como temas las sugestiones místicas, el amor y el vino.

La lírica comprendía cuatro *formas* tomadas a los árabes y una de origen netamente persa. Aquellas son: la *casida*—de 12 a 99 estrofas de dísticos—, empleada en los panegíricos; la *gazal* —de 12 estrofas cuando más—, consagrada al amor y al vino; la *kitla;* la *mazanaui,* largo poema épico, místico o didáctico, con estrofas de pareados. La forma persa es la *ruba'i,* cuarteta usada para los epigramas.

Las novelas y los cuentos son numerosos en la literatura persa, pero de escasa variación en cuanto a los temas. Los persas, mucho más imaginativos que el resto de los escritores orientales, crearon los elementos novelescos que abundan en las literaturas india y turca. Muchas de tales obras narrativas fueron escritas en forma poética. Y novelistas y narradores insignes fueron los poetas Amic, Attar, Djami... Obras excepcionales: las versiones de *Calila y Dimma,* el *Tûti Nameh* (o *Historia del papagayo),* el *Baktijâr-Nameh (Historia del príncipe Baktijar),* y algunas narraciones educativas.

Los persas tuvieron también una considerable literatura dramática. Sus obras primeras recuerdan los antiguos misterios y alegorías, y tienen grandes proporciones, señaladas por un agudo sentido crítico, que falta entre el resto de los escritores orientales. En el género histórico, excepción hecha del poema histórico de Firduci, el cual es propiamente una crónica rimada, están las obras de Raschid-Eddin y de Schérif-Eddin-Jesdi, en el siglo XIII; las de Mirkhond y de su hijo Khóndemir, en el siglo XV; las de Férichtah y las de Wassaf, historiador, en el XVII; la *Wakhiati Baburi,* o vida de *Babur,* contada por él mismo; el *Akbar-Nameh,* escrito en persa por el escritor indio Abu-Fazl.

A las obras de los citados historiadores pueden añadirse otras modernas, escritas ya en verso, ya en prosa, como el *Libro de los Reyes,* consagrado a la historia de Persia; la *George-Nameh,* sobre la conquista de la India por los ingleses; la *Measiri Sultanijje,* historia de las últimas dinastías.

Un cierto número de obras literarias sirven de instrucción para uso de las escuelas: *Gulistan* y *Bostan,* de Saadi; el *Diwasi,* de Hafiz; el *Mesnevi,* de Djelal-Eddin-Rumi; *Tchel Tûti (Los cuarenta papagayos), Iskender-Nameh,* de Nisami.

La historia del Irán ha sido estudiada en *Tarikh-i mo'djen, Kitab Alem-ara, Tarikh-i Guzideh* y en la *Historia de los mogoles,* de Wassaf.

La historia santa y "el punto de vista de la religión musulmana" se halla en obras como *Rauzet es-saffa,* de Mirkhond, y *Habid es-seïr,* de Khondémir.

Aún podría hablarse en la historia de la literatura de otros dos períodos: el *sexto,* entre 1492 y 1591, y el *séptimo,* hasta nuestros días, de franca decadencia.

En el siglo XIX hizo célebre su nombre Qaani, poeta y erudito.

V. LEVY, R.: *Persian Literature.* Oxford, 1923. PIZZI, P.: *Storia della poesia persiana.* Turín, 1894.—BROWNE: *A Literaty History of Persia.* Cambrigde, 1928.—ETHÉ, H.: *Neupersische Litteratur (Grundriss der. iran. Philologie, II).* Estrasburgo, 1904.

PERSAS o IRANIAS (Lenguas)

Grupo de idiomas pertenecientes a la familia indoeuropea y que comprende el *zenda,* el *pehlvi,* el *parsi* o *farsi,* el *persa moderno,* el *armenio,* otras lenguas caucasianas y los idiomas de Afganistán, Kurdistán y Beluchistán.

Las lenguas persas tienen un origen común:

el lenguaje hipotético y poco conocido aún de los arios. W. Jones y Fred. de Schlegel, basándose en el zenda, la más antigua de estas lenguas, han llegado a señalar una filiación de ellas con el *sánscrito.* Posteriormente, Adelung ha señalado que las lenguas persas, como el sánscrito, forman parte de la gran familia indoeuropea, a la que igualmente pertenecen los idiomas célticos, eslavos, germanos y tracio-pelásgicos; que todas ellas, derivadas paralelamente de la lengua de los arios, se han desarrollado independientemente.

V. ADELUNG: *Mithridates.* Varias ediciones. KLAPROTH: *Asia polyglotta.* Varias ediciones. VATER: *Tableaux comparatifs des grammaires des langues de l'Europe et de l'Asie.*

PERSONAJES (Teatrales)

Comprende esta denominación los *tipos* que en el lenguaje teatral desempeñan generalmente determinados *papeles* en las obras escénicas. Algunos de estos *tipos* fueron creados e inmortalizados por grandes autores; otros los popularizaron grandes actores, dejándolos a la posteridad como *prototipos* de determinadas virtudes o de vicios determinados.

En el teatro antiguo ya existieron estos *personajes,* que aparecían como fundamentales sobre la escena: el *parásito,* el *confidente,* la *nodriza,* en el teatro griego; el *miles gloriosus,* el *avaro,* el *cortesano,* los *esclavos astutos,* el *vejete ridículo,* los *bufones,* en la comedia latina; el *mucchus,* el *bucco,* el *pappus,* el *casuar,* en las fábulas atelanas.

Los *tipos* más célebres en la historia de la literatura dramática son los que inmortalizó la *commedia dell' arte* en Italia: *Pantalón,* viejo avaro y simple; el *Doctor* pedante, el *Capitán* fanfarrón, *Arlequín, Pierrot, Polichinela, Colombina, Scaramuche, Crispín...*

En los demás teatros europeos contemporáneos también se han inmortalizado algunos de estos tipos: el *Gracioso,* en el teatro español; el *clown,* en el inglés; *Hanswurst* (Juan Budino), en el alemán; *Jodelet, Mascarilla, Fígaro,* en el francés.

V. SAND, M.: *Masques et bouffons.* París, 1859. BABAULT: *Annales dramatiques.* Nueve tomos. París. Varias ediciones.

PERSONALISMO (V. Egoísmo)

PERSONIFICACIÓN (V. Prosopopeya)

Es una figura patética, y, según muchos retóricos, tropo de sentencia, que consiste en personificar o en atribuir cualidades propias de los seres animados o corpóreos, particularmente de los hombres, a los inanimados y abstractos.

> La poesía es una bellísima doncella, casta, honesta, discreta, aguda, retirada, que se contiene en los límites de la discreción más alta. Es amiga de la soledad, las fuentes la entretienen, los prados la consuelan, los árboles la desenojan y las flores la alegran. (CERVANTES.)

PERSUASIÓN

Es la finalidad de la elocuencia; la parte de la retórica en que se trata de la invención consiste, hablando con propiedad, en el conocimiento y elección de los medios para convencer. Siendo la dialéctica y el razonamiento los instrumentos especiales de la convicción, estos serán los que el orador manejará con frecuencia para persuadir, aunque también puede hacer uso de las pasiones y de lo patético.

Platón da por base esencial de la persuasión el estudio de la Filosofía.

Fenelón—en sus *Diálogos sobre la elocuencia*—distingue claramente la persuasión de la convicción. "Para orador—dice—deberá elegirse a un filósofo, esto es, un hombre que sepa probar la verdad y añadir a la exactitud de sus razonamientos la vehemencia y belleza de un discurso variado... En esto consiste la diferencia de la convicción de la Filosofía y de la persuasión de la Elocuencia... El metafísico os hará una simple demostración de que no va más que a la especulación, mientras que el orador añadirá todo lo que pueda excitar vuestros sentimientos y os hará amar la verdad probada; es lo que se llama persuasión... La persuasión, pues, se halla por encima de la simple convicción, porque no solo hace ver la verdad, sino que la pinta amable y hace conmover a los hombres en su favor..."

PERUANA (Literatura)

"Cabe precisar en el proceso literario del Perú—escribe el fino crítico Estuardo Núñez—diversas épocas, pero sin que sea posible, no obstante, establecer muy exactas fronteras entre ellas. Convencionalmente, tendríamos así una *época precolombina* (más propiamente debería adjetivarse *quechua,* por haberse creado obra literaria en esta lengua, y porque ella se prolonga sobre los tiempos subsiguientes de la colonización hispánica), la *época de la conquista y el virreinato,* la *época de la emancipación y de la República.*"

A la primera época corresponden varias obras anónimas y otras atribuibles, como el célebre drama *Ollantay,* en quechua, y otros dos, hoy perdidos, el *Huascar-Inca* y el *Titu-Cusi-Yupanqui. El pobre más rico,* auto sacramental de Gabriel Centeno de Osma. *El hijo pródigo,* del padre Juan de Espinoza Medrano, conocido con el mote de "El Lunarejo". Estos autos estuvieron escritos en quechua; por ello es preciso incluirlos en la primera época, aun cuando su fecha de redacción fuera muy posterior.

Durante la *época de la conquista* únicamente sobresalió el género "crónica", ya historia narrativa, ya novela histórica. Las crónicas, pues, son muchas, y muy importantes los cronistas. Garcilaso Inca de la Vega (1539-1616), hijo de un capitán español y de una princesa incaica, nacido en el Cuzco y muerto en Córdoba (España). Su gran obra *Los comentarios reales*, por su calidad y por la cronología, "corresponde a la producción del Siglo de Oro de la literatura española". Huamán Poma de Ayala, indio puro, escribió *Nueva Crónica y Buen Gobierno* (1583-1613), alegato valiente contra el sistema colonial español. Fray Antonio de la Calancha (1584-1645), nacido en Chuquisaca, autor de *La Crónica moralizada de la Orden de San Agustín*, en un estilo alambicado y gongorino. Fray Juan Meléndez, dominico limeño —*Tesoros verdaderos de Indias* (1681-1682).

En la *época del virreinato* "la literatura del Perú se torna, en gran parte, un eco de la literatura metropolitana". Dejando aparte a escritores españoles como Dávalos y Figueroa, Diego de Hojeda, o el oriundo de Chile Pedro de Oña, merecen ser citados, en esta época: Juan de Miramontes y Zuazola, de quien se ignora la fecha y el lugar de su nacimiento, autor del poema *Armas antárticas*, escrito, probablemente, entre 1615 y 1620. Diego Mejía de Fernangil, autor de un *Parnaso antártico*, y probablemente nacido en Sevilla. La famosísima poetisa Amarilis Indiana, tan alabada en el *Laurel de Apolo* por Lope de Véga, con quien mantuvo curiosa correspondencia, dueña de un aliento lírico profano no igualado durante todo el virreinato. Juan de Espinoza Medrano (1632-1688), que popularizó el seudónimo "El Lunarejo", clérigo mestizo, gongorista acérrimo, autor de *Apologético en honor de Góngora* y *Novena maravilla*. Juan del Valle y Caviedes (1655-1695), criollo limeño, gongorino, satírico —*Diente del Parnaso*.

Ya en el siglo XVIII, refugiada la literatura en salones y academias, destacaron: Pedro José Bermúdez de la Torre y Solier (1665-1745), rector de la Universidad de San Marcos. Pedro de Peralta Barnuevo y Rocha (1663-1743), de enciclopédica cultura, cuya obra capital es el poema épico en octavas *Lima fundada o Conquista del Perú*. El famoso y misterioso viajero mestizo, no identificado, que se esconde bajo el seudónimo de "Concolorcorvo", autor de un delicioso *El lazarillo de ciegos caminantes*, escrito a fines del XVIII, libro de un costumbrismo realista y satírico. José Baquijano y Carrillo, autor de un memorable *Elogio* del elemento criollo. Hipólito Unanue (1755-1833), sabio médico y escritor castizo—*Observaciones sobre el clima de Lima*...

Con la *época de la emancipación y de la república* se inició la historia de la literatura peruana autóctona. Mariano Melgar (1791-1815), mestizo de español e india, poeta de la revolución y del erotismo—*Carta a Silvia, A la libertad, Al autor del mar*—. José Joaquín Larriva (1780-1832), poeta satírico y un tanto neoclásico. Felipe Pardo y Aliaga (1805-1869), poeta—*El espejo de mi tierra*—, autor dramático *Don Leocadio, Una Huérfana en Chorrillos*—. Manuel Ascencio Segura (1806-1871), poeta satírico—*La Pelimuertada*—, comediógrafo—*Un juguete, Ña Catita, La moza mala, El sargento Canuto*—. Pedro Paz Soldán y Unanue (1839-1895), que popularizó el seudónimo de "Juan de Arona", poeta romántico, gacetillero, filólogo—*Rimas, La Pinsonada, Cuadros y episodios peruanos, Diccionario de peruanismos*—. Manuel Atanasio Fuentes (1820-1886), que hizo famoso el seudónimo "El Murciélago", costumbrista y articulista—*Aletazos del murciélago, Biografía del murciélago*—. Ricardo Palma (1833-1919), poeta costumbrista admirable, autor de las famosísimas e incomparables *Tradiciones peruanas* y de los libros de poemas *Armonías* y *Pasionarias*.

Poetas románticos excelentes fueron: Manuel Nicolás Corpancho (1830-1863), discípulo apasionado de Zorrilla—*Ensayos poéticos*—y dramaturgo—*El poeta cruzado* y *El Templario*—. Carlos Augusto Salaverry (1831-1890), llamado el poeta "de la nostalgia de lo desconocido" *Diamantes y perlas, Cartas a un ángel, Albores y destellos*—. José Arnaldo Márquez (1830-1903), lírico triste y hondo—*Notas perdidas, Prosa y verso*—. Clemente Althaus (1835-1881), pesimista esencial—*El último canto de Safo*—. Luis Benjamín Cisneros (1837-1904), novelista—*Julia, Edgardo, Amor de niño*—, autor dramático—*El pabellón peruano, Alfredo el sevillano*—, poeta admirable—*Aurora Amor*—. Constantino Carrasco (1841-1877) tradujo en verso, del quechua, el drama *Ollantay*; sus *Trabajos poéticos* aparecen póstumamente. Manuel Castillo, Adolfo García...

Pasado el Romanticismo como guía lírico de la generación postromántica, surgió Manuel González Prada (1848-1918), apasionado, vibrante en la polémica, poeta y crítico—*Páginas libres, Horas de lucha, Bajo el oprobio, Nuevas páginas libres, Minúsculas, Trozos de vida, Baladas peruanas, Exóticas*.

De "El Círculo Literario", que dirigió y animó González Prada, surgió una promoción muy interesante de poetas y prosistas. Mercedes Cabello de Carbonera (1845-1909), narradora naturalista—*Blanco Sol, Los amores de Hortensia, El conspirador, Las consecuencias*—. Clorinda Matto de Turner (1854-1909), autora de la primera novela de ambiente indígena—*Aves sin nido*—, de las *Tradiciones cuzqueñas* y del drama *Hime Sumac*. Germán Leguía y Martínez (¿1861?-1928), poeta descriptivo y erudito historiador—*Historia de Arequipa*, el drama *El Manchaypuito*—. Carlos Germán Amézaga (1862-1906), fino poeta de tono menor—*Cactus*, y los dramas *El juez del crimen, El suplicio de Antequera, Sofía Parewskaia*—. Víctor G. Mantilla, autor de poemas patrióticos. Abelardo Gamarra

(1857-1924), conocido por "El Tunante", costumbrista de claro acento criollo un tanto desmañado—*Novenario de "El Tunate", Costumbres del interior, Rasgos de pluma, Cien años de vida perdularia.*

José Santos Chocano (1875-1934), romántico y modernista, tumultuoso, desorbitado, brillante, marca una época en la poesía del Perú—*Iras santas, Cantos del Pacífico, Alma América, Fiat Luz, El Hombre Sol, Ayacucho y los Andes.*

Dentro del modernismo lírico hay que mencionar a José Gálvez (1886), el más característico representante de la "promoción modernista de 1910", discípulo de Chocano y, en cierto modo, reaccionando contra él *Estampas limeñas, Bajo la luna, Jardín cerrado, Canto jubilar a Lima*—. Alberto J. Ureta (1887), melancólico y cuidadoso de la forma—*Rumor de almas, El dolor pensativo, Elegías a la cabeza loca*—. Luis Fernán Cisneros, elegíaco y decadente. Leónidas Yerovi (1881-1917), satírico, poeta y comediógrafo—*La gente loca.*

Mención especial merece José María Eguren (1882-1942), de refinamiento imaginativo y formal, espíritu selecto y sensibilidad exquisita —*Simbólica, Sombra, Rondinelas.*

A partir de Eguren, el lirismo peruano sigue tres *caminos* del mayor interés: el *intimismo subjetivo* (Xavier Abril, Enrique y Ricardo Peña, Carlos Oquendo, "Martín Adan", E. A. Westphalen, José A. Hernández); el *expresionismo indigenista* (César Vallejo, Emilio Armaza, Emilio Vázquez, José Varellanos); y el *impresionismo* (Ricardo Peña, Alcides Spelucín, Alberto Guillén, Alberto Hidalgo, Luis F. Xammar).

Pero la realidad más viva de la nueva poesía la constituye César Vallejo (1898-1938), creador de originalidades, exquisito de las imágenes, audaz de las formas, diverso y apetente insaciable—*Los heraldos negros, Trilce, Poemas humanos, España: aparta de mí este cáliz.*

Entre los novelistas y narradores figuran: Abraham Valdelomar (1888-1919), poeta y novelista—*El caballero Carmelo, La ciudad de los tísicos, La ciudad muerta, Los hijos del sol*—. Ventura García Calderón (1886), poeta—*Cantilenas*—, ensayista—*Semblanzas de América*—y narrador—*Color de sangre, Relatos americanos, La venganza del cóndor*—. César Falcón—*El pueblo sin Dios*—. Luis E. Valcárcel—*Tempestad en los Andes*—. Augusto Aguirre Morales —*El pueblo del sol*—. Ernesto Reyna—*El Amauta Atusparia*—. Enrique López Albújar (1875)—*Cuentos andinos, Matalaché*—. José María Arguedas—*Agua*—. Carlos Parra del Riego—*Sanatorio*—. Angélica Palma—*Uno de tantos*—. Clemente Palma—*Cuentos malévolos, Historias malignas*—. Manuel Beingolea—*Cuentos pretéritos*—. César Vallejo—*Tungsteno*—. Héctor Velarde—*El diablo y la técnica, El circo de Pitágoras*—. Fernando Romero—*Doce novelas de la selva, Mar y playa*—. José Díez Canseco —*Estampas mulatas*—. Ciro Alegría (1909), el más universal de los novelistas peruanos de hoy, fuerte y colorista—*La serpiente de oro, Los perros hambrientos*—. Jorge Basadre, Aurelio Arnao, Eduardo Martín Pastor, Aurelio Miró Quesada, Arturo Jiménez Borja, Luis Alayza, María R. Macedo—*Rastrojo...*

Entre los biógrafos y ensayistas: Rosa Arciniega—*Pizarro, el conquistador del Perú, Mosko Strom, Engranajes*—. Juan Seoane—*Hombres y rejas*—. María Wiesse de Sabogal—*Mariano Melgar*—. José de la Riva Agüero—*Carácter de la literatura del Perú independiente*—. Ventura García Calderón—*Del romanticismo al modernismo*—, Luis Alberto Sánchez— *La literatura peruana*—. Francisco García Calderón (1883)—*Hombres e ideas de nuestro tiempo, Las corrientes filosóficas en la América latina, Profesores de idealismo*—. Víctor Andrés Belaúnde (1883), orador e internacionalista. Javier Prado, Raúl Porras, Guillermo Lohmann, J. Uriel García, Juan Bautista Lavalle, Guillermo Leguía, Mariano Ibérico, José Jiménez Borja...

Entre los dramaturgos: Manuel A. Bedoya —*La ronda de los muertos*—. Leónidas Yerovi *La gente loca*—. Julio Baudoín—*El cóndor pasa*—. José Carlos Mariátegui—*Las tapadas*—. Ladislao F. Meza, Ismael Silva, Antonio Garland, Leónidas Rivera, Felipe Rotalde, Angela Ramos, José Chioino, Felipe Sassone—autor cuya obra es netamente española, realizada y estrenada en España...

V. Estuardo Núñez: *Literatura del Perú.* En el tomo XII de la "Historia universal de la Literatura", de Prampolini. Buenos Aires, Uteha, 1941.—García Calderón, V., y Barbagelata, H.: *La Literatura peruana.* En "Revue Hispanique", París, 1914, tomo XXI.—Sánchez, Luis Alberto: *La Literatura peruana.* 1936. Tres tomos.—Yepes Miranda, Alfredo: *Pasado y presente de las letras peruanas.* Cuzco, 1942.

PERUVIANAS (Lenguas)

Idiomas hablados en el Perú son: el *quechua* o *peruviano*, el *aimará*, el *moxo*, el *chiquito* y los secundarios el *mocobis* y el *abipon.*

El *quechua* fue hablado—o comprendido, al menos—en el Imperio de los Incas. Para algunos filólogos, el *quechua* fue una lengua particular de los Incas, pueblo que detentaba el poder tiránico del país. Cuando llegaron los españoles al Perú ya era una lengua muerta. Los peruanos se sirvieron durante mucho tiempo de un sistema de escritura muy imperfecto, llamado *quippos.*

V. Anchorena: *Gramática quechua.* Lima, 1874.—Bertonio: *Arte y gramática de la lengua aimará.* Roma, 1603.—Huerta: *Arte de la lengua quechua.* Lima, 1616.—Ludevig: *The Literature of american aboriginal languages.* Londres, 1858.—Olmos: *Gramática de la lengua general del Perú.* Lima. 1633.

PESIMISMO

Sistema filosófico que sostiene que el Universo y la vida humana son sumamente malos, o, cuando menos, más malos que buenos.

La teoría vital del pesimismo es sumamente antigua. Se encuentra ya en el *budismo* (V.) y en el *brahmanismo* (V.). Pero únicamente alcanzó categoría filosófica con Schopenhauer y su discípulo Eduardo Hartmann. Para aquel, "el mundo es un inmenso infierno, la obra de un demonio que lanzó los seres a la vida para recrearse con el espectáculo de sus males". El pesimismo de Schopenhauer es *absoluto*. El de Hartmann ha sido denominado *relativo*, por creer este filósofo que, aun siendo malo el mundo, "es el mejor mundo posible".

El pesimismo de Schopenhauer deriva de su teoría *de la voluntad* (V. *Pantelismo)*, de la cual hizo Menéndez Pelayo una primorosa síntesis:

"Completando, pues, a su manera la crítica kantiana, declara que el *nóumeno*, la *cosa en sí*, la incógnita del problema metafísico no es otra que la *voluntad (der Wille)*, realidad única, tendencia ciega a vivir, fondo y principio esencial de las cosas, fuerza absoluta de la cual son manifestaciones particulares y diversas los fenómenos de la Naturaleza lo mismo que los de la inteligencia. El mundo es una objetivación progresiva de la voluntad, o, dicho en términos más claros, de la fuerza. Si Schopenhauer prefiere el primer nombre, es porque el concepto de voluntad nos es dado en la propia conciencia, sin distinción de sujeto ni objeto. El principio inteligente queda rebajado por Schopenhauer a la categoría de un fenómeno secundario, no solo respecto de la voluntad, sino respecto del organismo. La voluntad es metafísica, la inteligencia es física; la inteligencia es un accidente, la voluntad es la sustancia del hombre. La inteligencia es una función del cuerpo, y el cuerpo es una función de la voluntad. Por un procedimiento que, tratándose de Schopenhauer, no nos atrevemos a comparar con el proceso de la *idea* hegeliana, va elevándose la voluntad desde el reino inorgánico hasta el hombre, adquiriendo cada vez un grado más alto de *objetivación*, hasta producir la inteligencia, por cuyo mecanismo el mundo nos aparece como *representación (Vorstellung)* con todas sus formas, con la distinción de objeto y sujeto, con las categorías de tiempo y espacio, causalidad y pluralidad. Entonces la voluntad pasa de las tinieblas a la luz y adquiere la conciencia de su miseria."

En tal conjunto de verdades y de aberraciones late el más desolador pesimismo. La voluntad derrocha un ansia infatigable de existencia; pero en esta existencia únicamente el dolor, el mal, tienen fuerza. Todos los seres no hacen otra cosa sino tomar parte en una interminable y feroz batalla, donde perecen unos y aparecen otros "entre angustias, gritos y aullidos, y esto sin respiro alguno hasta el fin de los siglos".

¿Cabe mayor pesimismo que el que late en esta frase de Schopenhauer: "Yo soy, y fuera de mí no hay nada, puesto que el mundo es mi representación misma"?

Para Schopenhauer—cuya voluntad de vivir no se logra sino en la angustia de la propia vida—, el amor, la gloria, el amor sexual, los bienes terrenos no son sino trampas en cuyo fondo nos espera la más impresionante de las desilusiones. Añadamos que para el gran filósofo germano, toda la máquina del Universo, con todos los bienes y los seres que en él nos imaginamos, no es más que una pura ilusión, formada para hacer más terrible nuestro desengaño.

V. SULLY, James: *Pessimism, a history and a criticism*. Londres, 1890, 2.ª edición.—CARO, E.: *Le pessimisme au XIX*ᵉ *siècle*. París, 1879.—JOUVIN, L.: *Le pessimisme*. París, 1902.—CALAS, Th.: *Schopenhauer, Pessimisme-athéisme*. Montauban, 1909.—RENOUVIER, Ch.: *Schopenhauer et la métaphisique du pessimisme*. En "Année Philos.", II, 1893.—PERRIN Y RIBOT: *La philosophie de Schopenhauer*. París, 1909.—MENÉNDEZ PELAYO, M.: *Historia de las ideas estéticas*. Tomo IV.

PETRARQUISMO

Estilo poético de Petrarca. Se extendió rápidamente por Europa, triunfando plenamente durante el siglo XVI. En España se introdujo en el siglo XV.

Refiriéndose a Petrarca y al petrarquismo, escribe Van Tieghem: "Petrarca, cuyo talento es vario y fecundo, es, ante todo, para la posteridad, el amante de Laura: amor apasionado y respetuoso, que idealiza el objeto amado hasta ver en él algo divino, que durante veintiún años llenó toda el alma del poeta, y que la muerte de Laura depura aún más sin abolirlo. La uniformidad de este tema invita al poeta a ahondar hasta lo infinito en sus sentimientos, a distinguir todos los matices de esos sentimientos: sutilidad que en sus imitadores acabará por convertirse en rebuscamiento. Por otra parte, esta idealización del amor, que llega a ser culto rendido a las perfecciones morales del ser amado, tenía que llevar al petrarquismo de las edades siguientes un sentimiento tan delicado y quintaesenciado que pierde todo contacto con la realidad. Por último, Petrarca busca, asimismo, renovar su tema mediante la expresión: de ahí las sutilezas, las metáforas extremadas, los pensamientos más ingeniosos que verdaderos, incluso los juegos de palabra sobre el nombre de Laura; de modo que este gran poeta es el primer responsable de los *concetti* o pensamientos brillantes, pero sin consistencia ni verdad, de las *agudezas* que tan de moda estuvieron dos y aun tres siglos después de él."

"El petrarquismo—escribe Menéndez Pelayo en su *Boscán*—fue un delirio, una verdadera epidemia en todas las literaturas vulgares. Casi todos los *Cancioneros* publicados en Italia, especialmente los que salían de las prensas de Venecia, patria de Pedro Bembo, el gran corifeo y legislador de esta secta, reproducen hasta la saciedad los temas poéticos tratados por el amador de Laura, calcan servilmente sus maneras de decir, la construcción de sus versos y de sus estrofas, sus comparaciones y metáforas, los ápices de su estilo, y hasta le roban a veces sus rimas, aplicándolas a diverso propósito y tejiendo verdaderos centones. Todos los accidentes y episodios de su enamoramiento, el encuentro en Viernes Santo, la cuenta minuciosa de los años, meses y días; los paisajes que evoca el poeta, el color de los ojos y de los cabellos de la dama, todo se lo apropian al pie de la letra los discípulos, como si todos ellos puntualmente hubiesen visto y sentido las mismas cosas. Solo un genio como Miguel Angel, que hasta en sus poesías dejó algún destello de la llama inmortal que le consumía; o una mujer de tanto corazón y entendimiento como Victoria Colonna; o un poeta tan genial como el Ariosto; o algún artífice de versos, culto y discreto, como el mismo Bembo o monseñor Juan de la Casa, se salvan de la universal monotonía y dan alguna nota personal en este insípido concierto."

Posiblemente, fue España la nación que antes se sometió a la influencia del petrarquismo, y de España, Cataluña, siempre con los ojos ávidos puestos en el mundo mediterráneo. Bernart Metge (¿1350-1412?) tradujo su *Historia de les belles Virturts (Válter e Griselda),* no del *Decamerón,* sino de la versión latina—1387—de Petrarca; escribió *Lo somni*—con plagios de Cicerón y de Boccaccio—. Como humanista, se asimiló sin esfuerzo el primer Renacimiento italiano, y puede ser considerado como el primer petrarquista de las letras hispanas. Francisco Alegre, humanista barcelonés del siglo XV, escribió el *Jardinet dels orats*—obra en la que introduce a Laura y a Petrarca—; tradujo al catalán las *Metamorfosis* de Ovidio y la *Primera guerra púnica,* del Aretino. Bajo la influencia de los *Triunfos,* de Petrarca, Antonio Valmanyá escribió la *Sort feta en lahor de las monjes de Valldoncella.* Jordi de San Jordi (m. hacia 1429), que combatió y fue hecho preso en Italia, muestra un acentuado petrarquismo en sus versos amorosos catalanes. Ausias March (1397-1459), valenciano, hijo del poeta catalán Pere March, que tomó parte en las empresas militares de Alfonso el *Magnánimo* en Italia, imitó a Petrarca en sus *Cants d'amor, Cants de mort* y *Cants morals;* más decisivamente en los primeros. La amada de March llamábase *Teresa,* y, como Petrarca a Laura, Ausias la conoció en *Viernes Santo;* y como Petrarca a Laura, perdió a *Teresa,* y quedó obsesionado por el destino de esta mujer en la otra vida.

No fue menor que en Cataluña la influencia del petrarquismo en Castilla, siendo aquí el primer petrarquista Iñigo López de Mendoza, marqués de Santillana (1398-1458), como lo demuestra en sus obras *Comedieta de Ponza, El infierno de los enamorados* y, sobre todo, en los cuarenta y dos *Sonetos fechos al itálico modo,* en los que abundan las imitaciones directas del *Canzoniere* de Petrarca. Posteriormente, el petrarquismo es patente en Juan Boscán (¿1493?-1542)—en sus noventa y dos sonetos y en sus diez canciones—; en Gutierre de Cetina, en fray Luis de León—algún soneto y dos canciones—, en Fernando de Herrera, en Lope de Vega—*Triunfos divinos con otras rimas sacras*—, en Bernardo de Balbuena—*Siglo de oro en las selvas de Erifile...*

En Portugal fueron petrarquistas Camoens, Saa de Miranda, Pedro de Andrade, Manuel de Portugal, Jorge de Montemayor, Antonio Ferreira, Diego Bernardes, Andrés Folcao de Rezende.

En Francia: Clemente Marot—traductor de Petrarca—, Ronsard, Héroët, Mauricio Seéve y casi todos los poetas de la *Pléiade.*

En Inglaterra: Chaucer, Wyatt, Surrey, Watson, Lidney, Spenser... Y ya en el siglo XIX: Dante Gabriel y Cristina Rossetti y Shelley, cuya obra *Triumph of Life* es una entusiasta y feliz imitación de los *Triunfos.*

Pero conviene advertir que la influencia del petrarquismo en Europa, a partir del siglo XVI, estuvo dirigida por el "gran movimiento petrarquista italiano", iniciado por Bembo, y al que se sumaron Sannazaro, Aníbal Caro, Alamanni, Francisco Molza y otros muchos.

Para nuestro Menéndez Pelayo, el petrarquismo tuvo tres características fundamentales: la renacentista de la revalorización de la antigüedad romana, la cristiana y la idealización del amor.

V. MENÉNDEZ PELAYO, M.: *Boscán.* Tomo XIII de la "Antología de poetas líricos castellanos". Madrid, Biblioteca Clásica, 1927.—SANVISENTI, B.: *I primi influssi di Dante, del Petrarca ed del Boccaccio sulla letteratura spagnuola.* Milán, 1902.—FARINELLI, A.: *Sulle fortune del Petrarca in Spagna nel cuatrocento.* 1904.—TERRALD, M. F.: *Francesco Petrarca.* Londres, 1909. BORGHESSI: *Petrarch and his Influence on English Literature.* Bolonia, 1906.—WYNDHAM, G.: *Rosard et le Pléiade.* Londres, 1906.

PETRINISMO (V. Paulinismo)

PIAMONTÉS (Dialecto)

Uno de los principales dialectos del idioma italiano, hablado por los habitantes del Piamonte, región al norte de la península apenina, cuya capital es Turín. En este dialecto se mezclan con los italianos numerosísimos vocablos franceses.

PICARDO (Dialecto y Patois)

Patuá hablado en la Picardía, y uno de los tres principales dialectos de la lengua de *oil* alterada por el tiempo. Se formó con una mezcla del antiguo celta nacional con el latino. La invasión de los normandos llevó a él, en su expresión rústica, palabras y formas de las lenguas nórdicas. El picardo tiene *nombres sajones* para muchas de sus ciudades, villas y aldeas. Se distingue del normando tanto por las diferencias de pronunciación derivadas de las diferentes ortografías, como por el léxico y las divergencias gramaticales. Estos dos dialectos reunidos representan toda una época de la lengua y de la literatura francesa.

El dialecto picardo posee numerosos poemas, canciones, fábulas, proverbios, cuentos satíricos. Entre estas obras se hicieron famosos: el poema dialogado de *Eniollement de Coula et de Miquelle sur le sujet des diablotins qu'il disait qu'elle avait dans le ventre,* con las *Chansons de Miquelle,* los *Plaintes* de su madre Marion Flosan...; la *Satire d'un curé picard sur les vérités du temps,* por un religioso jesuita, y las *Pièces récréatives.*

V. GREGORIE D'ESSIGNY: *Mémoire... sur l'origine de la langue picarde.* París, 1811.— GORBLET, G.: *Glossaire du patois picard ancien et moderne.* Amiéns, 1851.

PICARESCO (Género)

Género literario netamente español. La filología no ha dicho aún su última palabra acerca del origen del vocablo *pícaro.* Se le ha querido hacer derivar, absurdamente, de la raíz *pic* (Körting); *de pinche de cocina* o *picador* (Morel-Fatio); de *pica* (Covarrubias); de *Picardía* (Covarrubias); de *picario* (S. de HOROZCO).

Según Haan, hay que buscar su origen en donde se encontró el de *ganapanes,* de procedencia morisca. Para Bonilla, *pícaro* puede venir de los vocablos árabes *bikaron*—madrugador—, *bokaron*—mentira—, *baycara*—emigrante aventurero—, *bacara*—abrir, cortar.

Lo que está perfectamente claro es el significado de *pícaro*: muchacho ingenioso, aventurero, pobretón, holgazán, egoísta, socarrón, algo rufián, cínico... Para Bonilla, la *picaresca* es una filosofía que suma la de dos famosas escuelas clásicas: el *estoicismo* y el *cinismo.*

El *género picaresco* nació como tal género —es decir, con el vocablo de *pícaro*—en el siglo XVI. Sin embargo, sus antecedentes son mucho más remotos. *Vida picaresca* se halla en el *Libro de Buen Amor,* del Arcipreste de Hita, y en el *Corbacho,* del Arcipreste de Talavera, y en la *Propaladia,* de Torres Naharro, y en *La Celestina,* de Rojas, y en la *Recopilación,* de Sánchez de Badajoz. Pero en tales obras no aparece jamás la palabra *pícaro;* y lo que es más extraordinario: tampoco aparece en el *Lazarillo de Tormes,* "príncipe y cabeza de la novela española", según frase de Menéndez Pelayo. Inútilmente se buscará la palabra en el diccionario de Antonio de Nebrija.

¿Cuándo y dónde aparece por vez primera la palabra *pícaro?* Bonilla la encontró en la *Farsa Custodia,* de Bartolomé Paláu, escrita hacia 1541, y en la *Farsa Salmantina,* del mismo autor; las dos veces empleada como sinónimo de *tunante* o *bellaco.* Haan—en su estudio *Pícaros y ganapanes,* publicado en el *Homenaje* a Menéndez Pelayo—afirma que por primera vez se usó en la *Carta del bachiller de Arcadia al capitán Salazar*—1548—, y en un sentido opuesto a *cortesano,* dando a entender un género de personas de escasa importancia y dignidad.

Los *pícaros* formaron una *categoría social,* dando como subespecies los *murcios, birladores, floreros, pulidores, cucos, rufianes, truhanes, avispones, ondeadores...*

El antecedente del *género picaresco* habría que buscarlo en la denominada *literatura lupanaria,* cuyos protagonistas suelen ser mujeres. A esta literatura pertenecen las comedias *Tebaida, Hipólita* y *Serafina,* de autor anónimo; *La Celestina,* la *Segunda comedia de Celestina,* de Feliciano de Silva; la *Tercera Celestina,* de Gómez de Toledo; la *Cuarta Celestina,* de Sancho Muñoz; *La lozana andaluza,* de Francisco Delicado...

Los autores del *género picaresco* quisieron presentar escenas realistas de la vida vulgar, escenas de costumbres populacheras, en las que figuraban meretrices, vagabundos, capitanes cesantes, estudiantes alocados o sutiles, zurcidoras de voluntades, ensalmistas, etc., etc.

En el año 1554 apareció la primera *obra picaresca: La vida del Lazarillo de Tormes y de sus fortunas y adversidades.* Su éxito fue inmenso. Y aún lo es. Y lo será siempre. Se desconoce el autor.

El primer *autor conocido* de una novela picaresca fue Mateo Alemán, que publicó su *Guzmán de Alfarache* en Madrid, 1599.

A partir de esta fecha, el género adquirió inmensas fortuna y popularidad, hasta convertirse en uno de los más felices e importantes de la literatura española, imitado y plagiado en todos los países del mundo.

Entre las obras más importantes del mismo cabe señalar: *Rinconete y Cortadillo*—1613—, de Cervantes; *Marcos de Obregón,* de Espinel; *Alonso, mozo de muchos amos*—1624—, de Jerónimo de Alcalá Yáñez; *La desordenada codicia de los bienes ajenos*—1619—, del doctor Carlos García; *Vida y hechos de Estebanillo González*—1646—; *La pícara Justina*—1605—, de Ubeda; *El Lazarillo de Manzanares*—1620—, de Juan Cortés de Tolosa; *La hija de la Celestina*—1612—, de Salas Barbadillo; *Las harpías en Madrid, La niña de los embustes, Teresa de Manzanares, Aventuras del bachiller Trapaza* y *La garduña de Sevilla,* de Castillo y Solórzano; *El Buscón*—1626—, de Quevedo; *Vida de don Gregorio Guadaña*—1644—, de Enrique Gómez; *Guía y aviso de forasteros*—1620—, de Liñán y Verdugo; *El diablo cojuelo,* de Vélez de Guevara; *Periquillo el de las gallineras*—1668—, de Francisco Santos... Y muchas más de extraordinario interés.

Pero, además, existen otras obras admirables en las que sin ser pícaros sus protagonistas, el *elemento picaresco* entra en una importantísima ponderación. Así: en *El viaje entretenido,* de Rojas; en *El pasajero,* de Suárez de Figueroa; en *Los sueños,* de Quevedo; en *Día y noche en Madrid* y *Vida del conde Matisio,* de Zabaleta; en *La bella malmandada, Santiago el Verde, Los melindres de Belisa,* de Lope de Vega...

El *género picaresco* tuvo igual fortuna en el resto del mundo que en España. Se le tradujo. Se le plagió. Se le imitó. El francés Lesage acertó en dos obras imperecederas: *Gil Blas* y *El bachiller de Salamanca.*

En el realismo novelesco español jamás faltan los pícaros desde el siglo XVI. Autores de la categoría de Galdós, Fernández y González, Alarcón, Baroja, Palacio Valdés, Valle-Inclán han creado *tipos picarescos* que en nada ceden a los mejores de los siglos XVI y XVII.

V. VALBUENA PRAT, A.: *La novela picaresca española.* Madrid, Aguilar, 1945.—ARIBÁU, B. C.: *La novela picaresca.* En el tomo III de la "Biblioteca de Autores Españoles".—GILES RUBIO: *El origen y desarrollo de la novela picaresca.* 1890.—CHADLER, F. Wadlerg: *The picaresque novel in Spain.* 1899.—RODRÍGUEZ MARÍN, F.: *Prólogo a la edición de Rinconete y Cortadillo.* Madrid, 1905.

PICTOGRAFÍA

Se llama *pictografía* a la representación directa de las ideas por medio de signos gráficos *que no tienen sonido.* La escritura fonética representa directamente el sonido, indirectamente la idea. Acaso pudiera llamarse más propiamente *ideografía.*

Por medio de la pictografía se designan toda clase de objetos. La pictografía como representación de ideas fue muy utilizada por los indígenas—*pieles rojas*—de la América septentrional, por los de Méjico, Colombia, Guayana, Venezuela y muchas regiones de Africa y Asia. Los signos eran pintados sobre pieles de animales, en tablas de madera, en huesos, en lápidas sepulcrales y en las superficies de las rocas *(petroglifos).* Cuando Hernán Cortés desembarcó en Méjico, Moctezuma y sus súbditos practicaban la pictografía. Y todavía en 1849, los pieles rojas enviaron un *escrito pictográfico* al Congreso de Washington reclamando del presidente de los Estados Unidos la posesión de ciertos terrenos en el lago Superior.

El *Walam-Blum* o tabla pintada del Lenape-Indiano, uno de los más bellos ejemplos de la pictografía, describe el origen y las vicisitudes por que pasó este pueblo americano septentrional.

V. DOMENECH, Abbé: *Notice sur l'idéographique des Peaux-Rouges.* París, 1860.—DOMENEC, Abbé: *La vérité sur le Livre des sauvages,* París, 1861.—MALLERY: *Pictographs of the North-American Indians.* En "Annual Reports of the Bureau of ethnologie", IV, Washington, 1886.—LUBBOCK: *The origin of civilisation.* 6.ª edición. 1901.

PIE

La reunión de sílabas que forman una de las medidas del verso. Los pies difieren entre sí según la cuantidad—*breve o larga*—de las sílabas que los componen. En la prosodia griega y romana se conocieron los pies siguientes:

De dos sílabas:

Espondeo	— —	(dos sílabas largas)
Yambo	∪ —	(breve y larga)
Coreo o troqueo	— ∪	(larga y breve)
Pirriquio	∪ ∪	(dos breves)

De tres sílabas:

Dáctilo	— ∪ ∪
Anapéstico o antidáctilo	∪ ∪ —
Moloso o trimacro	— — —
Tríbaco y braquisílabo	∪ ∪ ∪
Anfíbraco o braquicoreo	∪ — ∪
Anfímacro o crético	— ∪ —
Baquio	∪ — —
Antibaquio o palimbaquio	— — ∪

De cuatro sílabas:

Dispondeo	— — — —
Diyambo	∪ — ∪ —
Dicoreo o ditroqueo	— ∪ — ∪
Coriambo	— ∪ ∪ —
Antipresto	∪ — — ∪
Procelecesmático	∪ ∪ ∪ ∪
Jónico mayor	— — ∪ ∪
Jónico menor	∪ ∪ — —
Peán o Peón 1.º	— ∪ ∪ ∪
Peán o Peón 2.º	∪ — ∪ ∪
Peán o Peón 3.º	∪ ∪ — ∪
Peán o Peón 4.º	∪ ∪ ∪ —
Epítrito 1.º	∪ — — —
Epítrito 2.º	— ∪ — —
Epítrito 3.º	— — ∪ —
Epítrito 4.º	— — — ∪

De cinco sílabas:

Docmio	∪ — — ∪ —

V. HERMANN, God.: *De metris graec. et roman. poetarum.*—QUICHERAT, L.: *Traité de versification latine.*

PIE QUEBRADO

Nombre dado a la combinación de versos de ocho y de cuatro sílabas. Esta combinación de versos desiguales es la única que se popularizó durante la Edad Media. La emplearon Gonzalo de Berceo, Alfonso X, algunos de los poetas reunidos en los *Cancioneros,* Pedro de Veragüe...

Non fablando con letrados,
freyres, monjes e perlados
de quien somos enformados
en la ley.

(VERAGÜE.)

Santa María, ualed, ai Sennor
Et acorred a nosso trobador
Que mal le uai.

(ALFONSO X.)

Pero es Jorge Manrique quien da su gran fama y su gran prestancia al pie quebrado.

Recuerde el alma dormida,
avive el seso y despierte
contemplando
cómo se pasa la vida,
cómo se viene la muerte
tan callando...

PIETISMO

Nombre dado, dentro del luteranismo, a un movimiento de reacción contra la rutina y la falta de autoridad del mismo.

El pietismo tuvo como su más decidido propagandista y teorizador a Felipe Jacobo Spener. Pero justo es consignar que antes que este ya iniciaron la necesidad de una *vivificación luterana* Juan Arnd—muerto en 1624—, Teófilo Grossgebauer y Enrique Müller, estos dos últimos predicadores y teólogos de Rostock, quienes, con razón, son considerados como los precursores del pietismo.

Spener nació—1635—en la Alsacia superior. En 1660 era ya clérigo y predicador famoso. Desarrolló su actividad en Estrasburgo, en Francfort del Mein, en Dresde—donde estuvo protegido por el elector de Sajonia Jorge III—y en Berlín, ciudad en la que fue preboste de San Nicolás y en la que murió—1705.

Desde 1666, dondequiera que tuviese su residencia, Spener organizó en ella reuniones devotas, que él llamó *collegia pietatis;* de aquí el nombre que tomó su reforma.

Spener criticó en el luteranismo:

1.º Falta de solidez y de autoridad dogmática.

2.º Falta de moralidad en la práctica del luteranismo.

3.º Excesiva *frialdad* y *rigidez* doctrinaria.

Las ideas y los afanes reformistas de Spener están contenidos en su obra *Pia desideria.* Posiblemente, hay en esta obra más de enfermizo y estrambótico que de auténtico espíritu de verdad. Pero en ella se combate el primitivo luteranismo en sus dogmas, en su moral, en su disciplina y en sus instituciones.

Según el pietismo, las criaturas son emanaciones de Dios; el estado de gracia es una participación real de los atributos divinos; se puede tener fe sin los auxilios sobrenaturales; ningún error perjudica al alma con tal que la voluntad obre rectamente; el efecto de los sacramentos depende de la virtud del ministro.

Spener recomendó la restauración del ejercicio del sacerdocio; la entrega diaria a una oración fervorosa; gran diligencia en la investigación de la Biblia; la reforma de los estudios académicos para quienes iban a dedicarse a la predicación.

En vida de Spener, su reforma degeneró en un seudomisticismo, rayano en el panteísmo, que anteponía la vida interna al estudio de los textos bíblicos. El pietismo convirtió a sus primeros adeptos en verdaderos fariseos, que se tenían por muy santos, desdeñando el cumplimiento de sus deberes religiosos en unión de los demás luteranos.

En el año 1689 fundaron los pietistas en Leipzig un colegio filobíblico, y consiguieron que protegiese el pietismo el célebre Tomasio. Un proceso escandaloso motivó el cierre del colegio y el destierro de los pietistas de Leipzig, los cuales marcharon a Halle, en cuya Universidad crearon una nueva cátedra de la doctrina. Este hecho originó el desencadenamiento de una ofensiva terrible de los luteranos contra el pietismo. Los doctores de las Universidades de Leipzig y de Wittemberg publicaron—1695—un largo memorial, en el que se acusaba a Spener de 264 errores graves. Spener estableció en la iglesia berlinesa de San Nicolás las *horas de devoción.*

Los discípulos de Spener fueron muchos y muy famosos: Franke, Francisco Buddens, Bengel, Oettinger, Fricker, Felipe Matías Hahn, Jacobo Boheme...

A la muerte de Spener, el pietismo se extendió, pero con la difusión se dividió al adoptar sus secuaces nuevos errores. Sin embargo, tres pietistas ilustres: Watteville, Spangenberg y Zinzendorf, emprendieron la tarea de unir en un mismo grupo a los luteranos con los calvinistas y los hermanos moravos; los cuales, separados por altas barreras dogmáticas, encontraron en el pietismo un aglutinante muy eficaz.

V. RITSCHEL, Alb.: *Geschichte des Pietismus.* Bonn, 1880-1886.—SCHMID: *Die Geschichte des Pietismus.* Nördlingen, 1863.—GRÜNBERG: *Ph. J. Spener.* Gotinga, 1893-1906.—HERGENRÖTHER-VOGEL: *Historia de la Iglesia.* Madrid, 1889, tomo VI.

P

PINDÁRICO (Dialecto)

Nombre dado al dialecto de Píndaro, mezcla armoniosa de los dialectos épico, dórico y eólico. Fue llamado también *eoliodórico*.

PINDÁRICO (Estilo)

La voz pindárico, que pertenece, si podemos decirlo así, al tecnicismo literario, es la calificación del estilo poético semejante al de Píndaro. Horacio dice en una de sus odas:

Servet, immensusque recit profundo,
pindarus ore.

Estrofa que ha confundido a muchos críticos haciéndoles decir que *la pasión* era lo que principalmente caracterizaba el estilo de Píndaro. Y, sin embargo, no es así. Estilo pindárico es aquel en el que resalta lo vivo y animado de la pintura, lo noble del pensamiento, la abundancia y brillantez de las imágenes.

Los poetas que imitaron el *estilo pindárico* han sido muchos y brillantes. Entre los latinos, Horacio, acaso el que más se aproximó al modelo, igualándole a veces. Entre los españoles: Herrera, fray Luis de León, Arguijo, Rioja, Cienfuegos, Arjona, Tassara, Quintana, Núñez de Arce...

Entre los franceses: Chénier, Vigny, Víctor Hugo, Rostand, Coppée... Entre los alemanes: Klopstock, Schiller, Herder, Wieland, Koerner. Entre los ingleses: Moore, Shelley, Byron, Tennyson...

PINDÁRICO (Verso)

Calificativo dado a una especie de *trímetro braquicataléctico*.

PIRRIQUIO

Pie de verso griego y latino, que consta de dos sílabas breves.

PIRRONISMO

Nombre dado a la filosofía de Pirrón que, en verdad, fue el fundador del *escepticismo* (V.). Sin embargo, en las doctrinas pirrónicas hay matices muy peculiares que no deben ser encerrados dentro de un escepticismo absoluto.

Pirrón (ap. 360-270 antes de Cristo) nació en Elis. Recorrió Asia, formando parte del séquito de Alejandro Magno. Fue enemigo de académicos y peripatéticos y sentó la doctrina de que la sabiduría se halla en la duda y en la incertidumbre. En esta duda especulativa—y no universal, sino exclusivamente referida a los *objetos*, materia de contradicción entre los filósofos—basó su sistema práctico de la indiferencia.

No dejó escritos Pirrón; pero sus discípulos sistematizaron su filosofía, basándola en tres tesis fundamentales:

1.ª *Acataleusia* o imposibilidad de que la razón o los sentidos lleguen a comprender las cosas.

2.ª *Epoca* o necesidad de suspender los juicios acerca de las cosas.

3.ª *Ataraxia* o moral de la apatía y de la indiferencia.

En el fondo del pirronismo late un *pesimismo* (V.) extremado, casi salvaje, que se impone al escepticismo.

El pirronismo—que fue también una ética—aconsejó que debían ser rechazados todos los dogmas; y que, así como en el terreno teórico renunciamos a la verdad, en el terreno práctico debemos renunciar al ideal.

El pirronismo tuvo una gran influencia en la llamada *Academia media,* segunda etapa de la *antigua* de Platón, dirigida desde el año 270 por Arcesilao.

V. Ueberweg, F.: *Grundriss der Geschichte der Philosophie.* Cinco tomos, 1926-1928, 12.ª edición.—Gomperz, Th.: *Griech. Denker,* 1912. 3.ª edición.

PISCATORIA

Nombre dado en la literatura italiana a las églogas cuyos interlocutores eran pescadores o marinos, teniendo lugar en las orillas del mar. Este género lo pusieron en boga el napolitano Rota y el siciliano Meli.

PITAGORISMO

Sistema filosófico de Pitágoras. Y también: conjunto de principios, máximas, preceptos y prácticas de los pitagóricos.

Pitágoras nació, probablemente, en Samos, en fecha incierta, y murió en Metaponto en 497-496 antes de Jesucristo. Hacia el año 532, huyendo de las persecuciones del tirano de Samos Policrates, pasó a la Magna Grecia, fundando una escuela en Crotona, que llegó a contar con quinientos ilustres alumnos, de los cuales muchos llegaron a magistrados en Grecia e Italia. Recorrió Lesbos, Mileto, Fenicia y Egipto, en donde estuvo veintidós años—547 a 525—, iniciándose entre los sacerdotes en el conocimiento de la religión y de las ciencias del país. Vivía en Babilonia cuando la invasión de Cambises. Tuvo amistad con sacerdotes caldeos, magos y sabios indios. De regreso a Grecia, recorrió Creta, el Peloponeso, Delfos. No pudiendo fundar una escuela en Samos, marchó a Crotona, donde se le otorgó el derecho de ciudadanía y le ofrecieron el empleo de censor de las costumbres. Jefe del partido noble, contribuyó a la guerra que terminó—509—con la destrucción completa de Síbaris. Como botín de guerra le otorgaron una propiedad, donde él estableció una escuela para la juventud, en la que se enseñaba Filosofía, Moral, Música, Matemáticas... Una nueva guerra civil arruinó la escuela de Pitágoras; el edificio fue incendiado y la mayor parte de los discípulos perecieron. Pitágoras, a la edad de más de ochenta años, se vio obligado a huir, sin poder llevar nada consigo; murió miserablemente.

De las obras literarias y filosóficas de Pitágoras no quedan sino fragmentos. Las máximas pitagóricas están contenidas en los *Versos dorados,* impresos infinitas veces y traducidos a todos los idiomas.

En el sistema pitagórico entra como factor el más importante la *idea de número.* Así, el pitagorismo viene a ser como una cosmología en que todo queda reducido a números. El número es el principio del ser. El número es el principio del orden universal. Cada ser es como una armonía de unidades; y el conjunto de los seres forma la armonía universal: armonía de causas y efectos, de medios y fines, de formas y de movimientos.

Para el pitagorismo, el mundo celeste y el mundo terrestre forman una soberana *armonía musical.* Y el alma es la armonía del cuerpo.

Para el pitagorismo, el "principio de las cosas es la unidad absoluta que todo lo comprende. Le llama *mónada,* sinónimo de Dios. La mónada contiene el espíritu y la materia, pero sin separación: están ambos confundidos en la unidad absoluta de la sustancia. De la unidad sale lo múltiplo; y lo múltiplo es el universo, en el cual lo que antes existía en Dios en estado de unidad, se convierte en multiplicidad. Al separarse de Dios la materia se transforma en *dyada,* principio de lo indeterminado, de las tinieblas, de la ignorancia, de la inconstancia, de la discordia, de la desigualdad, y, por punto general, de todo lo imperfecto.

"Los seres espirituales, emanados de Dios y envueltos en la dyada, vienen a quedar reducidos a la condición de lo imperfecto inherente a aquella. Aunque la palabra mónada expresa el espíritu y la materia contenidos en la unidad absoluta, se usa especialmente para significar lo que hay de esencial en Dios, esto es, el espíritu; al paso que la dyada, cuya significación abarca igualmente el espíritu y la materia, designa a esta con preferencia, porque como es el principio de imperfección, es en tal concepto lo que hay más de esencia en todas las cosas imperfectas. El movimiento de la creación tiene por fin supremo librar gradualmente a los espíritus de los lazos de la dyada; la inteligencia y la voluntad deben luchar contra la tiranía que en ellos ejerce la dyada. La inteligencia, en cuanto recibe las imágenes de lo múltiple y transitorio, está implicada en la dyada. Todo lo múltiple y transitorio es un ser falso, una ilusión; así, para emanciparse, ha de prescindir de la ciencia de lo inconstante, para alcanzar la de la verdad inmutable por esencia. Para llegar a esta ciencia hay diversos caminos. Las matemáticas, que comprenden la aritmética; la música fundada en la armonía de los números; la geometría y el conocimiento de la esfera forman el primer grado de esa escala, porque son intermediarios entre lo variable y lo invariable, puesto que bajo formas materiales tratan de relaciones necesarias y no sujetas a variación. Concebir la unidad es el término de la ciencia. Llegando a ella queda libre la inteligencia de los brazos de la dyada."

En el pitagorismo se encuentra el doble sello de las escuelas en que se había formado: el espíritu místico y simbólico de los orientales, y el carácter positivo y bello de los griegos. Posiblemente, el dar tanta importancia al número, intentó encubrir a los profanos los misterios de la ciencia. Con este objeto, el pitagorismo tuvo dos maneras de expresarse: una, para el público, y otra, para los iniciados.

Entre los principales discípulos de Pitágoras —pitagóricos—estuvieron: Aristeo de Crotona, Teléoges, Mnesarco—hijo de Pitágoras—, Alcmeón de Crotona, Hipo de Regio, Hipaso de Metaponte, Ecfanto de Siracusa, Epicarmo de Cos, Ocelo de Lucania, Timeo de Locres.

El pitagorismo admitió la existencia de seres intermediarios entre los dioses y los hombres y la metempsicosis. Para el pitagorismo, la vida era un período de prueba y de expiación. El hombre indigno, al morir, sufriría torturas en el Tártaro. El hombre bueno alcanzaría la inmortalidad de su alma.

El pitagorismo—con sus simbolismos y pretendidos misterios—irradió su influencia a las filosofías posteriores. La *unidad* de Pitágoras se transformó en la *idea* de Platón y hasta en la *forma* de Aristóteles. El pitagorismo tuvo no poca parte en la fundación de la escuela de Alejandría.

V. PORFIRIO: *Vida de Pitágoras.* Ed. Holstein. París, 1630.—YÁMBLICO: *Vida de Pitágoras.* Editorial Obrecht. Amsterdam, 1707.—REICHE, A.: *Pythagoras.* Leipzig, 1883.—LLOYD, W.: *A Chronical Accourt of the Life of Pythagoras...* Londres, 1699.—BURNET, V.: *Die Anfänge der griechischen Philosophie.* Leipzig, 1913.—RODHE, E.: *Psiche.* Trad. Castellana. Dos tomos. ¿1935?

PLAGIO

Hurto o apropiación de conceptos, de obras, de libros o tratados ajenos y publicados con el nombre de otro escritor.

Para calificar de *plagio* la obra de un autor, es necesaria una justa apreciación de esta obra en relación con la plagiada. Un pensamiento aislado presentado con originalidad y en un estilo personal... no es plagio, aunque el pensamiento se haya tomado de otro autor. Tampoco lo es un mismo tema tratado distintamente y sacando de él consecuencias diferentes.

El plagio se reduce a *una copia* o a *una imitación servil.*

En España ha hecho fortuna el dicho de que "en literatura solo es lícito el robo cuando va seguido del asesinato". Lo que quiere decir que si el plagio resulta más perfecto y eclipsa la obra plagiada..., *es un acto benéfico y laudable*

(Valera). Shakespeare consiguió dramas maravillosos recogiendo asuntos expuestos mal o medianamente. Calderón de la Barca plagió su *Alcalde de Zalamea* del de Lope; pero consiguió hacer olvidar el de este con el suyo, realmente muy superior.

V. THOMASIUS: *De Plagio litterario*. Leipzig, 1678.—DUAREN: *Traité des plagiaires*.—VOLTAIRE: *Diccionario filosófico*.—QUÉRARD: *Les supercheries littéraires dévoilées*.

PLAN

1. Proyecto. Intento.
2. Extracto literario de una obra.
3. Apuntes que sirven para desarrollar una obra literaria.
4. Conjunto de medios de acción, de episodios, de caracteres que un autor recoge y escribe con brevedad para posteriormente desarrollarlos en una obra.

PLANIPEDIA

Entre los griegos y latinos, título de una obra teatral en cuyo argumento no intervenían dioses ni héroes.

PLANIPEDIO

En el teatro griego y latino se dio este nombre a los actores que representaban sus papeles con los pies desnudos. No representaban sino las comedias breves y sencillas llamadas *planipedias*, del género de las *saturae*.

PLANY

Composición poética de los trovadores catalanes. Servía para lamentar la pérdida de una persona importante y para evocar elegíacamente su memoria.

PLÁSTICO

Escrito en verso o en prosa, en el que únicamente *se cuida de la forma*.

PLÁTICA

1. Conversación entre varias personas.
2. En el género oratorio sagrado, discurso que pronuncian los predicadores para instruir en la doctrina cristiana, exhortar a los actos de virtud o reprender de los abusos y vicios de los fieles.

PLATÓNICA DE FLORENCIA (Academia)

Sociedad de eruditos que, fundada por Cosme de Médicis en 1460, tuvo su apogeo dirigida por Lorenzo el *Magnífico*. Marsilio Ficino la presidió desde su fundación. Y contribuyó a utilizar adecuadamente las inmensas riquezas literarias que los Médicis acumularon, desde que los turcos tomaron a Constantinopla, gracias a sus relaciones comerciales con Europa y Asia. La Academia se preocupó del perfeccionamiento de la lengua italiana y de la difusión de una filosofía neoplatónica mezclada con algunas ideas peripatéticas.

La Academia quedó sin vigencia en 1521. A ella pertenecieron Pico de la Mirandola, Policiano y Maquiavelo.

V. SIEVEKING, R.: *Geschichte der Platon. Academie zu Florenz*. Gotinga, 1812.

PLATONISMO

Doctrina y sistema filosófico de Platón, el más famoso de los filósofos griegos. Uno de los pensadores más grandes que ha tenido la Humanidad. El *hombre genio* por excelencia. Nació—428 antes de Cristo—en Atenas. Murió en 347. Se dice que descendía de Codro, por su padre Aristón, y de Solón, por su madre Perictiona. Primero fue llamado *Aristocles*, pero Sócrates le llamó Platón por la anchura de su frente y de sus hombros. Siendo casi un niño, compuso un poema épico. A los veinte años conoció a Sócrates, y se dedicó exclusivamente a la filosofía. Después de la trágica muerte de su maestro, marchó a Megara, donde oyó a Euclides el *Dialéctico*. En Italia siguió las lecciones de los pitagóricos Arquitas de Tarento y Eudoxio de Cnido. Estuvo en Cirene y, probablemente, en Egipto. En 390 pasó a Sicilia, en donde Dionisio el *Viejo*, disgustado por los reproches de Platón, le vendió a un comerciante lacedemonio, que se lo llevó a Egina. Rescatado por Dión—o por Anniceris de Cirene—, fundó en Atenas una escuela a la sombra de los árboles de la Academia—388—. Y allí enseñó durante veinte años. A instancias de Dión, volvió Platón a Siracusa—367—, pero para no tardar en ver a su amigo condenado al destierro por Dionisio el *Joven*. En 365 abandonó Sicilia, para volver en 361, con ánimo de obtener el perdón de Dión. Engañado por el tirano, se volvió a embarcar, no sin gran pena, para Atenas.

La forma de los escritos de Platón es el diálogo; los caracteres de los personajes se trazan en él como en un drama. Empieza con algunas digresiones, que hacen olvidar la pureza maravillosa de la dicción y la forma literaria más correcta. El pensamiento vago, que apenas se percibe al principio, se desprende y aclara poco a poco luminoso, sorprendente, sugestivo.

Platón es el pensador más original, profundo, noble y espiritual que ha tenido la Humanidad. Su influencia inmensa persiste viva y fecunda a lo largo de los tiempos. Platón desarrolló de modo inigualable las doctrinas de Sócrates.

Se han conservado, felizmente, casi todos los escritos de Platón. Entre ellos, son los más famosos: *Apología de Sócrates; Critón*—sobre el deber de obediencia a la ley—; *Ión*—acerca de la inspiración poética—; *Protágoras*—acerca de la virtud—; *Eutifrón*—acerca de la santidad—; *Gorgias*—acerca de la retórica—; *Banquete*

—acerca del amor—; *Cratilo*—acerca del lenguaje—; *Menón*—acerca de la virtud—; *La República*—sobre la justicia y el estado ideal—; *Fedón*—acerca de la inmortalidad—; *Fedro* —acerca del alma humana—; *Teetetes*—acerca del conocimiento—; *Timeo*—acerca de la naturaleza del Universo—; *Parménides*—acerca de la unidad y de la pluralidad—; *El Político* —acerca del hombre público—; *Sofista*—sobre el ser y el no ser.

Platón establece que la filosofía consiste en el conocimiento de lo universal y de lo necesario, y en el de las relaciones y la esencia de las cosas. Desecha como orígenes de la ciencia el testimonio de los sentidos, que solo da idea de lo variable, y el entendimiento y el raciocinio, asignando aquel oficio a la razón, que tiene por objeto al ser inmutable, al que existe por sí mismo. Hay en su sentir ciertas nociones anteriores a la percepción de los sentidos, que denomina ideas, tipos eternos o modelos de las cosas, y principios de nuestros conocimientos, a los cuales refiere la mente la indefinida variedad de los seres individuales, deduciéndose de aquí que las ideas que de ellos tenemos no proceden de la experiencia, pues esta no es más que la ocasión de que se produzcan en nuestra mente.

El alma recuerda las *ideas* o *tipos eternos* a medida que percibe las copias hechas a su imagen, que son los objetos que pueblan el Universo; de manera que las percepciones la traen a la memoria otro estado de existencia anterior a la unión con el cuerpo. Con tal que los objetos correspondan en parte siquiera a las ideas, habrá de deducirse la existencia de un principio común a los objetos y al alma que de ellos adquiere conocimiento. Este principio es Dios, que formó los objetos por el modelo de las ideas. He aquí cómo Platón distinguía *los conocimientos empíricos de los racionales*. Puede atribuírsele la división de la filosofía en lógica—dialéctica—, metafísica—fisiología o física—y moral—política.

Platón habla en varios pasajes de sus diálogos de la psicología. El alma, según enseña, "es una fuerza activa que tiene en sí propia el principio de sus movimientos, y consta de dos partes: una racional y otra animal. La primera adquiere conciencia de las ideas, y obedeciendo sus inspiraciones, nos encaminamos a la suprema felicidad. La segunda es origen de los apetitos y de las pasiones, y su impulso nos arrastra a los vicios y a los crímenes".

Platón divide la lógica en *absoluta, probable* y *entimemática*. La primera corresponde a las *ideas* o *tipos eternos*, y se refiere a lo invariable, a lo necesario. La probable tiene por fin las nociones deducidas de la comparación de unos individuos con otros. La tercera se dirige a los individuos.

"La lógica hace que la mente imite el *logos*, el *verbo divino*, puesto que nos conduce a la idea eterna e inmutable por medio de las diferencias y las contrariedades de las ideas individuales: así, percibimos la belleza ideal contemplando las copias imperfectas que de ella conocemos; porque el alma, con ocasión del objeto que descubre por el misterio de los sentidos, se eleva a la idea acabada y perfecta de ese mismo objeto."

Para Platón, las ideas son realidades permanentes y absolutas que, lógicamente, no pueden existir en un mundo relativo y mudable. Existen únicamente en un mundo suprasensible. Para Platón, los mundos son dos: *cosmos noetós* —el de las ideas—y *cosmos aiszétos*—el de las cosas sensibles—. Estos dos mundos se relacionan, porque cada cosa del *cosmos aiszétos* tiene su idea en el *cosmos noetós*. La idea platónica es sustante y sustantiva; tiene consistencia en sí misma; goza de existencia absolutamente real.

De todo lo dicho se deduce que las ideas preexisten a las cosas, y que no les afecta la mutabilidad inherente al mundo sensible.

Para Platón, el verdadero conocimiento ha de versar sobre la verdadera realidad. Y aunque las cosas carecen de verdadero ser, conocemos estas cosas por medio de un conocimiento de segundo grado, llamado por Platón *doxa*. Por ende, el verdadero conocimiento viene a ser como un recuerdo, anámnesis. Para completar su teoría del conocimiento, Platón ha de admitir que el alma tiene una existencia anterior en el *cosmos noetós*, donde, por intuición intelectual, captó las ideas. Unida el alma al cuerpo, olvida estas ideas, y las recupera por medio de las percepciones sensibles.

Respecto de las cosas, Platón creyó que eran una mezcla de ser y de no ser. ¿Cómo *eran?* Como participación de las ideas. ¿Cómo *no eran?* En cuanto eran mera participación. Su participación de las ideas es *su forma*. Su mera participación es *su materia*. A la idea de la participación añadió Platón otra aún más sutil, pero *necesaria*. Pongamos un ejemplo. Sócrates es: ser viviente, animal, racional. Sócrates, ¿es Sócrates porque participa de *una* de las cuatro ideas? Platón resuelve el conflicto con el concepto de la *comunidad*. Sócrates es Sócrates porque participa de la idea de Sócrates; pero esta idea forma comunidad con las ideas de ser, de viviente, de animal, de racional.

"El origen del hombre—escribe González Alvarez—no es explicado por Platón en el *Fedro* con el mito del carro alado. El alma está representada por un carro alado tirado por dos corceles, uno blanco y otro negro (el ánimo y el apetito), y guiado por un auriga (la razón). Llega un momento de su carrera en que el carro se despeña y el alma cae en este mundo sensible, encarnándose en un cuerpo. El alma, pues, está compuesta por tres fuerzas o partes: la razón o alma inteligible, el ánimo o alma irascible y el apetito o alma concupiscible, que

Platón sitúa, respectivamente, en la cabeza, en el corazón y en el vientre. El alma irascible y la concupiscible quedan tan estrechamente vinculadas al cuerpo, que se contagian de todos sus caracteres; mas el alma inteligible, más independiente, puede elevarse por ministerio del conocimiento a una vida superior, *teorética*. El alma inteligible, hecha para la contemplación de las ideas, no nace ni perece, se une accidentalmente al cuerpo, al cual preexiste y sobrevive. Admite también Platón la transmigración de las almas, idea tomada de los pitagóricos y muy difundida por el Oriente. En resumen, pues, la antropología de Platón se reduce a —

"*a)* Origen mítico del hombre en una caída.

"*b)* Unión accidental del alma y del cuerpo.

"*c)* Composición del alma a base de tres partes o fuerzas: razón, ánimo y apetito.

"*d)* Preexistencia del alma en un lugar celeste.

"*e)* Transmigración del alma hasta purgar totalmente el pecado de su pecado.

"*g)* Innatismo de las ideas en el hombre, contempladas por visión intuitiva en el cosmos *noetós*.

"*h)* Explicación del conocimiento intelectual como simple reminiscencia."

Según Platón, la moral enseña las leyes que han de regir al alma considerada como activa y capaz de amor. El alma ha de procurar por todos los medios acercarse a su Criador. Dios ama las ideas con amor infinito, y para realizarlas ha formado todas las cosas. El hombre ha de supeditar su deseo de los objetos a su amor por las ideas o por el Bien absoluto, encaminando todas sus acciones a que se realicen las ideas divinas. El principio fundamental de la moral es la imitación de Dios. El bien supremo consiste en lograr que la verdad especulativa se convierta en verdad real. La belleza es el adorno de este mismo bien.

En Cosmología admite Platón dos principios: uno, espiritual, que es el alma del mundo; otro, material, cuerpo del alma, que es el mundo mismo. Al individualizarse el alma del mundo forma las almas de los dioses, de los demonios y de los hombres.

En la Naturaleza existen innumerables centros de acción que pueden reputarse como emanaciones particulares del alma del mundo, y que desempeñan en cada parte de la Naturaleza los oficios que el alma del hombre desempeña en el organismo al cual está unida. El conjunto de las almas, de las inteligencias, tiene un centro común: el alma del mundo, del mismo modo que las facultades humanas se reúnen en el punto central que constituye la personalidad.

El principio material se subdivide en otros dos principios: el terrestre—sólido—y el ígneo—la luz—. Aquel es origen de las cosas tangibles; este, de las cosas visibles. Como unión de estos dos principios, existen dos elementos: el agua y el aire, ambos poseedores de fluidez.

Pasa Platón por ser el descubridor de las cuatro virtudes cardinales. Asigna a cada parte del alma una virtud particular. La virtud del alma inteligible es la prudencia; la del alma irascible es la fortaleza; la del alma concupiscible es la templanza. La justicia es como la armonía de las otras tres virtudes.

La sociedad, para Platón, se divide en tres castas: la de los sabios—filósofos—, que son la inteligencia social y que deben hacer las leyes; la de los guerreros, depositarios de la fuerza pública, y la de los trabajadores—artesanos—, que se concentran en las necesidades públicas, y son, en relación con la sociedad, lo mismo que las sensaciones para el alma.

Platón enseña que Dios es sustancia y causa juntamente. Como sustancia, contiene en sí las ideas o tipos eternos de las cosas. Como causa, produce las formas que constituyen el orden del Universo. Las almas humanas, en cuanto están unidas con las ideas, participan de la naturaleza divina y son inmortales. "Pero en fuerza de la bondad y de la justicia de Dios, han de ser premiadas las almas que han imitado la acción divina, y castigadas las que se han sometido a los impulsos de la materia."

"La filosofía platónica se extiende a todo el ámbito de los conocimientos humanos, sin perder por eso su unidad, porque refiere las ideas de que trata a un corto número de concepciones que abrazan y comprenden cuantas materias hace Platón asunto de sus meditaciones. Si es cierto que se aprovechó de los descubrimientos de sus antecesores, lo es también que supo aumentarlos y modificarlos según sus principios, en términos que puede reputársele autor de aquello mismo que aprendió de otros.

"En toda su filosofía se reproduce bajo distintas formas la teoría de las ideas. La moral de Platón es pura y desinteresada. Muchos Santos Padres de la Iglesia adoptaron sus doctrinas, adelantándose San Agustín hasta decir que el platonismo es el proemio del Evangelio. Se leen con encanto los elogios que tributa a la virtud; y como se vale de imágenes tan expresivas como bellas para pintar la lucha interminable de las pasiones y la razón, al propio tiempo que deja la inteligencia convertida, embelesa la fantasía y conmueve el ánimo disponiéndolo a abrazar las inspiraciones nobles de que él estaba poseído. Los filósofos espiritualistas de las épocas posteriores apenas han hecho sino reproducir la teoría de las ideas, que es una de las más sublimes concepciones de la mente humana." (GARCÍA LUNA.)

Puede afirmarse tranquilamente que el platonismo no ha desaparecido jamás de la historia de la Filosofía, aun cuando, en ocasiones, haya aparecido mezclado con doctrinas afines. Aunque los discípulos de Platón, faltos de profundidad metafísica, se apartaron bien pronto de sus doctrinas, no tardó en resurgir triunfalmente en los movimientos poderosos del *neoplatonismo* (V.), de la Patrística y del *escolasticismo* (V.) primerizo. Y desde el siglo XIII, el platonismo arrastra la mitad más espléndida de la Filosofía. Durante el Renacimiento fue como la antítesis del *aristotelismo* (V.); en los siglos XVI y XVII quedaron reconciliados ambos. Y en el siglo XIX, después de Hegel, se inició la revisión historicocrítica de la doctrina platónica.

V. WILAMOWITZ, U. von: *Plato.* Berlín, 1919-1920, 2 tomos.—RITTER, E.: *Die Kerngedanken der platonischen Philosophie.* Munich, 1931. SINGER, K.: *Platon. Der Gründer.* 1928.—STENZEL, I.: *Platon. Der Erzieher.* Leipzig, 1928. MESSER, A.: *Historia de la Filosofía.* Madrid, "R. de Occidente", 5 tomos.—ZELLER, E.: *Die Philosophie der Griechen.* 6 tomos.—ANANT, O.: *Plato and the true enlightener of soul.* Londres, 1912.—ZELLER, E.: *Platonische Studien.* Tubinga, 1839.—KING, H. C.: *Plato and his time.* Haag, 1895.—PEABODY, A. P.: *Life and times of Plato.* 1905, 4.ª ed.—MARÍAS, Julián: *Historia de la Filosofía.* Madrid, 1943, 2.ª ed.—RITTER, C.: *Platons-Dialoge Inhaltsdarstellungen.* Stuttgart, 1903-1909.

PLAYERA

Canción popular andaluza, variante de la seguidilla.

PLEONASMO (V. Figuras de palabra)

Consiste esta figura retórica en emplear palabras superfluas, en cuanto al sentido, pero que dan a la frase más fuerza, más claridad, más belleza. Pleonasmo son las frases: *Lo vi con mis ojos, Tu propio padre, Yo mismo lo pedí, Su casa de usted...*

Benot—en su *Arquitectura de las lenguas*—afirma que "los verdaderos pleonasmos son una gala de decir cuando se usan para *reforzar* un *pensamiento* o para darle mayor *claridad...*; pero cuando los pleonasmos no *refuerzan* ni *aclaran*, constituyen uno de los vicios más deplorables de la elocución".

> Caballero soy y caballero he de morir.
>
> No, no, Sancho; huye, huye destos inconvenientes.
>
> El ventero acabó de creerlo cuando acabó de oír semejantes razones. (CERVANTES.)

PLÉYADE

Nombre dado a un grupo de escritores de una misma época, quienes formaban, en el número tradicional de siete, una especie de constelación literaria.

El nombre fue aplicado por vez primera, reinando Tolomeo Filadelfo, a una reunión de poetas griegos que aquel rey había llevado a Egipto. Los más célebres de tales poetas fueron: Calímaco, Teócrito, Arato, Apolonio de Rodas y Licofrón.

También ha sido considerado como una *pléyade* el grupo de escritores que asesoraron al emperador Carlomagno: Alcuino—llamado Flaccus Albinus—, Angilberto—bajo el nombre de Homero—, Adelardo, Riculfo, Warnefrid...

En el siglo XIV—1323—se hizo famosa la *pléyade tolosana,* formada por siete trovadores franceses, mantenedores de concursos poéticos, que se llamaban Bernardo de Panassac, Guillermo de Lobra, Berenguer de Saint-Plancart, Pedro de Menajaserra, Guillermo de Gontaud, Pedro Camo y Bernardo Oth.

En la misma ciudad francesa de Tolosa, a principios del siglo XVI, existió otra *pléyade* formada por siete damas jóvenes y poetisas de mérito: Bernarda Deupié, Claudia Ligonnes, Catalina Fontaine, Juana Perla, Francisca Marrie, Esclaramonda Spinéte y Audiette Peschaira.

Pero la más famosa *pléyade francesa*—siglo XVI—fue la formada por Pierre de Ronsard, Frachim de Bellay, J. Dorat, Remi Belleau, Jodelle, Antoine de Baïf y Pontus du Thyard. Según algunos críticos, Jamyn y Du Bartas sustituyeron a los dos últimos. Estos siete poetas se reunieron—1548—en el Colegio Coqueret. Los principios de su *manifiesto* eran: escribir en francés y no en latín; resucitar los géneros creados por los antiguos: poema épico, sátira, tragedia, epístola, etc.; e imitar a los antiguos, copiándolos inclusive.

Aún en el siglo XVIII se intentó formar otra *pléyade* de poetas latinos con los nombres de Rapin, Commire, De La Rue, Santeul, Ménage, Du Perrier y Petit, escritores muy ingeniosos, muy hábiles, pero *sin talla ni luz propia.*

V. BAILLET: *Jugements des savants.*—SAINTE-BEUVE: *Tableau historique de la littérature française au XVIe siècle.*

PLOTINISMO

Doctrina y sistema filosófico de Plotino. (Véase *Neoplatonismo.*)

Plotino (204-270) nació en Egipto. Muy joven aún intentó marchar a Oriente, a Persia, a India, con el emperador Gordiano. Propuso a este mismo emperador que reedificase una antigua ciudad de Campania, que la poblase de filósofos y realizara la idea de la *República* de Platón, denominándola por esto Platonópolis.

Durante más de veinticinco años vivió en Roma. En su juventud fue discípulo durante mucho tiempo de Amonio Saccas. Abrazó la Filosofía no por el mero placer de multiplicar sus conocimientos, sino por efecto de una vocación religiosa que le impelía a estudiar las facultades del alma, para usarlas de modo que todos los actos de su vida se encaminaran al perfeccionamiento de su virtud. "Su existencia terrena fue la de un ángel en un cuerpo humano."

Sus escritos fueron recopilados por su dilecto discípulo Porfirio en seis grupos de nueve libros cada uno, que se llamaron por ello *Enéadas.*

El plotinismo está regido por dos caracteres capitales: un *exaltado espiritualismo* y un *panteísmo emanatista.*

El principio de su jerarquía ontológica es el Uno, que es, al mismo tiempo, el Ser, el Bien, la Divinidad. Del Uno proceden por *emanación* todas las cosas. El Uno no encierra en sí composición alguna. No contiene materia, ya que la materia está formada por partes extensas. No es tampoco espíritu, porque en este ha de darse la dualidad sujeto-objeto en función del conocimiento. El Uno está por encima del espíritu y de la materia; y sin el Uno no podrían existir ni la materia plural ni el espíritu dual. El Uno, por su infinita perfección, se coloca fuera de toda determinación concebible, y únicamente puede ser expresado por vía de *negación,* esto es, negando en el Uno toda perfección *finita.* De esta aseveración nace la *teología negativa* del plotinismo. El Uno, que es el *primero,* representa—y es—la máxima energía, la máxima plenitud de vida. Y su desbordamiento da origen a todas las cosas. Este origen procede por emanación, merced a un proceso de causaciones en degradación creciente, y que va del Uno a la materia, del Bien al Mal. Del Uno procede el *nus*—espíritu—; en el *nus* se alojan las ideas; del *nus* procede el alma cósmica, y el alma recibe las ideas del *nus;* del alma preceden la materia y el mundo sensible. Y así se ha pasado de la suprema perfección—el Uno—a la simperfección—la materia—. Inmediatamente de desarrollado este proceso *descendente*—a modo de eficiente causalidad—, surge el proceso *ascendente,* teleológico. Si por la causalidad eficiente *descendemos* de Dios, por la causalidad final *ascendemos* a Dios.

El plotinismo—siguiendo al *platonismo* (V.)—acepta la idea del origen del hombre en una caída y de la posible reintegración del alma a los lugares celestes. El alma, habitante en un cosmos inteligible, queda sujeta a la materia, esto es, a la imperfección, al pecado. El alma aspira a unirse con el Uno. Al morir el cuerpo, si el alma se sometió a los impulsos de la materia, transmigrará a otro cuerpo, o a un animal, o a un vegetal. Solo las almas que supieron dominar su cuerpo regresarán a unirse con el Uno.

Para Plotino, la virtud esencial ha de culminar en la unión con Dios. Esta unión con Dios se verifica por medio de tres grados: la renuncia de las cosas sensibles—*ascesis*—; la *contemplación* de la verdad y de la belleza, realizando las virtudes *teoréticas,* y el *éxtasis,* es decir, el estrecho y permanente contacto con la Divinidad.

"En rigor—escribe Julián Marías—, Plotino es la primera mente griega que se atreve a pensar el mundo—sin duda bajo la presión de las doctrinas cristianas—propiamente como *producido,* y no simplemente *fabricado* u *ordenado.* El mundo tiene un ser recibido, es producto de la Divinidad—el Uno—; pero el pensamiento helénico no es capaz de enfrentarse con la *nada;* el mundo ha sido producido por el Uno, pero *no de la nada,* sino *de sí mismo.* El ser divino y el del mundo son, en última instancia, idénticos. De ahí el concepto de *emanación,* la forma concreta del panteísmo neoplatónico, que es, en definitiva, el intento de pensar la creación sin la nada. Esta es la reacción característica de la mente griega ante la idea de la creación, introducida por el pensamiento judeo-cristiano."

V. Wundt, M.: *Plotinos.* Leipzig, 1919.—Heinemann, F.: *Plotinos Forsch.* Leipzig, 1921. Lettich, F.: *Della sensazione al pensiero nella filosofia di Plotino.* Trieste, 1911.—Inge, W. R.: *The Philosophy of Plotinus.* Londres, 1918. Müller, H. F.: *Plotinische studien.* En "Hermes", 1913-1917.—Travaglio, C.: *La vera conoscenza secondo Plotino.* Turín, 1911.—Fuller, G.: *The Problem of Evil in Plotinus.* Cambridge, 1912.—Schroeder, E.: *Plotins Abhandlung "Poden ta kaka", Enneades.* Rostock, 1916.

PLURALISMO

Doctrina filosófica que admite la diversidad de los seres y que se opone al *monismo* (V.) en todos los sentidos del vocablo.

El pluralismo afirma que el Universo está formado de seres independientes unos de otros. Aun cuando es una tendencia natural del espíritu la búsqueda de la unidad, ya sea en la sustancia de las cosas, ya sea en sus leyes, ello no prueba que haya en las cosas tal unidad; el mundo puede ser una multitud y una diversidad irreducibles.

El pluralismo es un término introducido por W. James, y título de una de sus obras. Sin embargo, el pluralismo como doctrina fue defendido primeramente, al parecer, por el filósofo alemán Rudolph Hermann Lotze (1817-1881), médico de profesión, profesor de Filosofía en Gotinga y en Berlín, quien en sus obras *Seele und Seelenleben*—1846—, *Mikrokosmos, Metaphysik, Ideen zur Naturgeschichte und Geschichte der Menschheit,* desarrolló la mayor parte de sus tesis espiritualistas—existencia de Dios, necesidad de la religión, irreducibilidad de las fuerzas intelectuales a las fuerzas físicas y químicas, etcétera—apoyándolas felizmente en sus partes psicológicas sobre irreprochables pruebas científicas.

El pluralismo puede dividirse en varias clases: *materialista, espiritualista, dualista...* En ocasiones, algunos filósofos—Wolf, Kant—han utilizado la palabra pluralismo para significar la doctrina filosófica opuesta al *egoísmo* (V.).

El pluralismo filosófico fue también defendido por William James y Renouvier.

POEMA

Es toda poesía o composición poética en general, y especialmente las de alguna extensión, sea cual fuese su género. Por ello hay poemas *épicos, dramáticos, didácticos, filosóficos, líricos...* (V.). (V. *Poesía, Epopeya.)*

POESÍA

Poesía es la manifestación de la belleza artística por medio del lenguaje oral. La palabra *poesía* viene de la voz griega ποίησις que equivale a las voces españolas *creación, invención, ficción.* Muchas otras definiciones se han dado de la poesía; se ha dicho que es *imitación de la Naturaleza; "fingimiento de cosas útiles, cubiertas* o *veladas con muy fermosa cobertura"*; el lenguaje del entusiasmo y la obra del genio; pensar alto, sentir hondo, hablar claro, etc.

Lo que constituye la poesía es la expresión oral de la belleza, sus creaciones, sus imágenes, su fervor. Aunque se hubieran escrito en verso las *historias* de Herodoto o del P. Mariana, no serían poemas; por el contrario, el *Quijote* está escrito en prosa y es, sin embargo, una composición poética.

Deben considerarse en la poesía su *fondo* y su *forma.*

Las ideas, las imágenes, los afectos y sentimientos expresados por el poeta son el *fondo* de la poesía, pudiendo ser asunto suyo todas las cosas que han existido, existen y suponemos que puedan existir en el mundo real y en el imaginario, contempladas desde el punto de vista de la belleza.

Forma es la particular e íntima distribución y mutuo enlace de los pensamientos poéticos *(forma interna),* y su conveniente expresión mediante el lenguaje poético *(forma externa.)*

De la armónica relación del fondo con la forma nace la obra poética; por lo cual la poesía no está ni en el fondo solamente ni en la forma de la composición, sino que resulta de su feliz enlace.

El fin que se propone la poesía es *deleitar* con la manifestación oral de la belleza; pero indirectamente puede instruir y moralizar, y entonces será más perfecto el poema. *Omni tulit punctum, qui miscuit utile dulci, lectorem delectando pariterque monendo.*

Se dice que la poesía es una *ficción* en el sentido de que sus creaciones no exigen la *verdad real e histórica,* bastando solo la *verdad relativa,* lo *verosímil* e *imaginario;* si bien puede tratar asuntos reales, pero embelleciéndolos con las galas de la fantasía, el sentimiento y los afectos.

Tiene su origen la poesía en la naturaleza del hombre, el cual, dotado de sensibilidad, inteligencia y voluntad, no puede menos de tener amor a lo bello y ser capaz de apreciar y expresar de algún modo el resplandor armónico de lo verdadero y lo bueno, en que consiste la poesía. Esta inclinación del hombre a la poesía es tan antigua como el hombre mismo.

El *fondo* de la obra poética lo constituyen los objetos, las narraciones, las ideas, las imágenes y los afectos que en ella se expresan. Nace, pues, el fondo poético de las cosas mismas, consideradas desde el punto de vista de la belleza.

Constituyen la *forma interna* de un poema su plan y su estructura íntima, que exigen haya en la obra *unidad, integridad, sencillez, orden...*

Los elementos de la *forma externa* de la poesía son: el *lenguaje poético,* la *versificación* y la *rima.*

Lenguaje poético es el propio y peculiar de la poesía. *Versificación* es la forma del lenguaje en frases o partes sujetas a un ritmo regular y medida determinada y musical, llamadas versos, y cuya agrupación forma las distintas combinaciones métricas. *Rima* es la igualdad o semejanza de sonido en la terminación de dos palabras, a contar desde la vocal acentuada.

La poesía, por razón de la forma de su elocución, se divide en tres géneros: *lírico, épico* y *dramático.*

En la poesía lírica (poesía *enunciativa* o *subjetiva)* se halla reflejada la personalidad del poeta con sus ideas y afectos, y su manera especial de ver las cosas.

En la *épica* o *narrativa* (u *objetiva)* aparece el poeta como narrador entusiástico de grandes hechos, ocupando la parte individual y psicológica un lugar secundario.

En la *dramática* (poesía *dialogada* o *subjetivo-objetiva),* el poeta desaparece y solo figuran ciertos personajes, ya históricos, ya ficticios, entre los cuales empieza, prosigue y termina una acción total, cuyos hechos parciales no se expresan en relato, sino que se verifican a la vista del público.

Comprende el género mixto las composiciones que no son rigurosamente líricas, épicas ni dramáticas, sino que participan a la vez de los tres géneros.

Los cuatro géneros de poesía que resultan de los *tres primitivos* y el *mixto,* subdividiéndose, comprenden las siguientes composiciones:

Género *lírico* .... {
Oda.
Elegía.
Canción.
Cantata.
Romance.
Soneto.
Balada.
Madrigal.
Epigrama.
Letrilla.

P

Género *épico*	Epopeya. Poema burlesco. Poema histórico. Poema descriptivo. Leyenda. Cuento.
Género *dramático* ...	Tragedia. Comedia. Drama. Opera. Melodrama. Zarzuela. Sainete. Entremés. Pasillo. Loa. Auto sacramental.
Género *mixto*	Sátira. Epístola. Fábula. Poesía didascálica. Poesía bucólica.

Constituyen el lenguaje y el estilo poético muchos elementos: el *hipérbaton,* las *imágenes,* los *epítetos,* las *figuras,* las *nuevas acepciones* de las palabras, los *arcaísmos,* los *neologismos,* las *licencias* y *voces poéticas* (V.). (V. Cualquier *Preceptiva literaria.)*

POETA

1. El que *crea.*
2. El que *hace poesía.*
3. El hombre de numen, de vena, de genio, que compone obras poéticas por estar dotado de las facultades necesarias.

Solo merecerá el nombre de *poeta* el artista que, dotado de clara inteligencia, fantasía, numen creador, conciba la belleza y la exprese convenientemente en obras cuyo medio manifestativo sea el lenguaje.

Cualidades del poeta son las dotes que debe reunir; unas, *naturales,* y otras, *adquiridas por el estudio.* Entre aquellas están la *sensibilidad,* la *fantasía,* la *inteligencia perspicaz,* el *entusiasmo,* la *calidez humana.* Entre las adquiridas: el *conocimiento de la preceptiva literaria,* la *cultura poética,* la *posesión del idioma.*

El poeta nace, pero no se hace... Es la única verdad absoluta acerca del poeta.

POÉTICA (Arte)

Obra o tratado en que se dan las reglas y los preceptos necesarios para la mayor corrección y perfección de las composiciones poéticas.

Se le ha llamado impropiamente *Arte,* cuando su intención es establecer reglas generales y estudiar y comparar modelos, objetos ambos de una *Ciencia.*

Como *el poeta nace y no se hace,* según ya dijimos, el *Arte Poética* les sirve de muy poco a los poetas verdaderos; apenas para saber que lo que han escrito es una elegía, o un soneto, o un romance.

La más antigua *Poética* que ha llegado a nosotros, completa, es la de Aristóteles. Después encontramos la célebre epístola de Horacio *Ad Pisones,* considerada por los humanistas como un *Arte Poética.*

En España se escribieron muy notables *Poéticas.* San Isidoro dedicó a la poesía algunos capítulos de sus *Etimologías.* Ramón Vidal de Besalú escribió *Regles e dreita manera de trobar.* Juan del Enzina, *Arte de trovar*—1423.

A principios del siglo XV, Juan Luis Vives compuso un extenso tratado de *Retórica y Poética.* En el siglo XVI escribieron acerca de la materia: Miguel Sánchez de Lima, Jerónimo de Mondragón, Juan Díaz Rengifo, Luis Alfonso de Carvallo, Juan de la Cueva.

Posteriormente: el obispo Caramuel, Luzán, Masdéu, Berguizas y Estala, Sánchez Barbero, Montiano, Jovellanos, Martínez de la Rosa, Quintana, Lista, Pérez del Camino, Hermosilla, Francisco Sánchez, Navarro Ledesma, Méndez Bejarano, Campillo, Coll y Vehí.

En Francia escribieron acerca del *Arte Poética:* D'Aubignac, Le Bossu, Boileau, Raspin, La Motte, el abate Batteux, Fontenelle, Voltaire, D'Alembert, La Harpe, Guyau...

En Inglaterra: Dryden, Pope, Shelley...

En Italia: Muratori, Manzoni.

En Alemania: Mendelssohn, Winckelman, Lessing, Gottsched, Breitinger, Wolf, Schiller, Goethe, Richter, Hegel, Schlegel.

POLACA (Lengua)

Lengua que pertenece al grupo de las lenguas eslavas y que hablan más de veinticinco millones de polacos. Los diferentes dialectos del polaco presentan entre ellos diferencias que, si bien son ligeras, permiten a los lingüistas determinar *su singularidad.* Entre tales dialectos están: el de la *Gran Polonia,* hablado al norte de Polonia, cuyas formas dominan más que la lengua literaria; el de la *Pequeña Polonia* o *cracoviano;* el de *Prusia occidental;* el *kassube,* hablado en el extremo oriental de la Pomerania y que es una mezcla de polaco y alemán; el *mazuve,* dialecto inculto y corrompido de la Mazovia; el *polaco silesiano;* el *goraliano,* hablado por los Goralis, montañeses de los Krapaks, en la Galitzia.

El polaco se distingue de otras lenguas eslavas por el empleo frecuente de sílabas silbantes y siseantes; crea asimismo los aumentativos y diminutivos en una cantidad exagerada. Su construcción posee grandes facilidades para la inversión, por lo que alcanza una riqueza, un vigor y una variedad admirables. Su vocabulario es abundante; un cierto número de palabras latinas, alemanas y rusas se han introducido en él. Su gramática ofrece grandes semejanzas con la gramática latina. No tiene artículo Su declinación consta de siete casos; el ablativo del latín se halla dividido en instrumental y locativo. Como el griego, posee tres números y tres géneros. En las conjugaciones, las desinencias tienen lugar de pronombres personales, con la particularidad que las desinencias del verbo indican, sin el auxilio de los pronombres, no solo las personas y los números, sino también el género de las personas que hablan y de las que escuchan. El polaco tiene dos conjugaciones que admiten el empleo de los verbos auxiliares. Los verbos son perfectos e imperfectos, según que se refieran a un hecho actual o a un hecho habitual. En los verbos falta el futuro anterior, y los futuros simples se forman con los auxiliares. Todas estas reglas y un gran número de excepciones hacen sumamente difícil el estudio de la lengua polaca.

La versificación ha adoptado la rima. El polaco se escribe con el alfabeto latino con estas singularidades: las vocales *a* y *e* marcadas con *cedilla* toman los sonidos *in* y *en;* la *v* cambia en la *w* alemana; las reuniones *cz, dz, rz, sc* y de la cuádruple consonante *szcz*. La ortografía está reglamentada por la pronunciación.

V. MALCZEWSKI: *Idea general de la lengua polaca.* Riga, 1687. (En alemán y polaco.)—KAULFUS: *Tableau de l'esprit de la langue polonaise.* Trad. francesa. Halle, 1804.—LAVROSKY, P. A.: *Particularidades de la antigua lengua polaca.* 1865. (En polaco, ruso y alemán.)—SZRENIAWA: *Tratado de la etimología de la lengua polaca.* Lemberg, 1848. (En polaco.)

POLACA (Literatura)

Esta literatura es una de las más importantes entre las eslavas, pero al mismo tiempo de las menos originales. Latina de religión, clásica de educación, ha tomado sus modelos de las literaturas de Grecia y de Roma. Su historia puede quedar dividida en tres grandes épocas:

1.ª La *de los monjes,* que abarca un período de cuatro siglos, desde Martín Gallus—1110—, primer cronista latino, hasta Stanislaw Orzechowski—1543—, historiador y publicista.

2.ª La *de los caballeros,* desde Jan Kochanowski—1550—hasta Juljan Ursyn Niemcewicz —1800.

3.ª La *del pueblo,* preparada por Woroniz y Brodzinski—1800 a 1820—, gloriosamente continuada por Adam Mickiewicz y por Bogdan Zaleski—1824 a 1830—, hasta nuestros días.

Con anterioridad al primer período no se encuentra sino una *literatura popular,* con escasos monumentos de importancia y reducidos estos a cantos e himnos, como la *Lamentación por el infortunio de Ludgarda* y el *Canto de bienvenida a Casimiro el monje.*

Con la introducción en el siglo X del cristianismo en Polonia, los clérigos compusieron en la lengua del pueblo los cánticos religiosos; algunos de estos cánticos son los ejemplos más antiguos de la literatura polaca. Así, un *Himno a la Virgen Madre de Dios—Piesn Bogurodzica—,* que San Adalberto, arzobispo de Gesna, su autor, transmitió por testamento a Boleslas el *Grande.* Durante los siglos XI, XII, XIII y XIV, los monjes eruditos enseñaron la cultura latina, influyendo con esta notablemente en las obras polacas. En el siglo XIII destacaron ya notables cronistas e historiadores: Boguphal, Martín el *Polonés,* Baczko, Mateo Cholewa, Kadlubec.

En 1364, Casimiro el *Grande* fundó la Universidad de Cracovia, la primera establecida en el norte de Europa.

El *Antigameratus,* poema didáctico de Provinus, canónigo de Cracovia, se hizo famoso en el siglo XIV. Por este tiempo Juan de Wislika cantó la *Guerra de Rusia.*

En la segunda mitad del siglo XVI aparecieron los primeros escritores en lengua y espíritu nacional. Mikolaj Rej (1505-1569), autor de la famosa sátira *Breve disputa entre tres personas: el señor, el alcalde y el cura,* publicada en 1543, año que se inicia la literatura polaca autóctona, rota la servidumbre a que la tenía sometida el latín. También compuso Rej, convertido al protestantismo, el largo poema didáctico *Retrato preciso de la vida de un hombre honrado* y la semiautobiografía *Espejo.*

Marcin Bielski y Marcin Kromer, historiadores. Andrzej Modrzewski (1503-1572), ensayista —*En torno al mejoramiento del Estado*—. Stanislaw Orzechowski (1513-1566), polemista político. Lukasz Górnicki (1527-1603), imitador en su obra *Dworzanin polski* del *Cortigiano* de Castiglioni. Pero la figura central y de máxima importancia en el renacimiento polaco fue Jan Kochanowski (1530-1584), el primer lírico auténtico en lengua nacional, elegante, preciso, erudito—*Inepcias,* epigramas y sátiras; el drama *Fracaso de los embajadores griegos* y los *Cantos*—. M. Sep Szarzynski (1551-1581), autor de himnos y sonetos patrióticos. Sebastjan Klonowicz (1550-1602), autor de los poemas *Flis* y *La bolsa de Judas.* Reinhold Heidenstein (nació en 1553), historiador. Piotr Skarga Poweski (1536-1612), jesuita y orador—*Sermones de la Asamblea.*

Durante el siglo XVII alcanzaron celebridad: Szymon Szymonowicz (1558-1629), poeta elegante y refinado—*Idilios (Sielanke)*—. Maciej Sarbiewski (1505-1640), jesuita, cuyos versos latinos le valieron el dictado de "el Horacio polaco o cristiano". Sz. Zimorowicz, poeta de temas populares. Andrzej Morsztyn (1613-1693), traductor del *Cid,* de Corneille, y afrancesado en sus gustos. Waclaw Potocki (1626-1696), poeta épico, que llegó a escribir cerca de 300.000 versos, y cuya mejor obra es el poema *Wojna Chocimska,* en que narra la guerra—1621—contra los turcos. Wespazjan Kochowski (1633-1700), que cultivó una prosa bíblica en los *Psalmodja pols-*

ka. Jan Pesek (1630-1701), autor de unas interesantes *Memorias,* no publicadas hasta 1836.

De menor importancia fueron: Sz. Starowolski (1601-1656), estético y orador. Cr. Opalinski, poeta satírico. Piotr Kochanowski, sobrino de Jan, traductor de *Orlando furioso* y *La Jerusalén libertada.* Samuel Twardowski (1600-1660), épico y lírico.

Menor importancia tuvo para la literatura polaca el siglo XVIII, durante el cual la influencia francesa fue notoria, impidiendo la trascendencia de la fisonomía autóctona. Entre los más destacados escritores cuentan: Elzbieta Druzbacka (1695-1765), poetisa delicada, pero de escasa originalidad. El rey Estanislao Leszczynski, que reinó entre 1764 y 1795, autor de escritos patrióticos y gran mecenas de la literatura patria. Estanislao Konarski (1700-1773), pedagogo y ensayista. El jesuita Adam Naruszewicz (1733-1796), poeta e historiador—*Historja narodu polskuiego*—. El arzobispo Ignacy Krasicki (1735-1801), llamado "el Voltaire polaco" —*Guerra entre los monjes, Guerra entre gatos y ratones, Fábulas y parábolas, Aventuras de Nicolás Doswiadczynski* (novela), *El señor mayordomo* (novela)—. Estanislao Staszyc (1755-1826), polemista y satírico. Hugo Kollataj (1750-1812), escritor político y poeta mediocre. Juljan Ursyn Niemzewicz (1757-1841), de gran popularidad, amigo del héroe Kosciuszko, autor de *Cantos históricos* y de la comedia *El retorno del diputado.* Adam Czartóryski (1770-1861), gran poeta patriótico y político, de agitada vida, prerromántico en su mejor obra *Bard polski (Bardo polaco).*

Figuras de menor interés fueron: Fr. Zablocki, comediógrafo, adaptador de obras francesas. Francisco Karpinski (1741-1825), lírico prerromántico. Francisco Kniaznin (1750-1807), que alcanzó gran popularidad con su idilio escénico *Cyganie.* El actor Wojciech Bogulawski (1757-1829), autor de la primera comedia de contenido genuinamente nacional: *Krakowiacy i Górale (Gente de Cracovia y campesinos).* Tomás Wegierki, satírico mordaz y agresivo.

Durante el período 1801-1831 coexisten las últimas manifestaciones neoclasicistas y las primeras románticas. El conde Alexander Fredro (1793-1876), imitador de Molière, comediógrafo —*Promesas de doncella, La venganza, La contradote.*

Entre los primeros románticos cuentan: Kazimierz Brodzinski (1791-1835), crítico—*Clásicos y románticos*—, novelista en verso—*Wjeslaw*—. El byroniano Antoni Malczewski (1793-1826), que se hizo célebre con su poema *Marya.* Sweryn Goszczynski (1801-1876), seudomístico, revolucionario. Bohdan Zaleski (1802-1886), cosaco de la estepa, exaltado cantor de su tierra natal.

El período 1830-1863, durante el cual se impuso el romanticismo en la llamada "literatura de los emigrados", tiene su compendio admirable en la tríada Mickiewicz-Slowacki-Krasinski.

Adam Mickiewicz (1798-1855) es uno de los máximos poetas polacos, amigo de Goethe, patriota exaltado, que hubo de vivir casi toda su vida fuera de su patria; también fue novelista insigne. Entre sus mejores obras—cuya influencia fue enorme en Polonia—están: *Dziady (Los antepasados), Konrad Wallenrod, Intelecto y fe, Coloquio vespertino, Don Tadeo o La última excursión a Lituania, Sonetos de Crimea, Pan Tadeusz.*

Juliusz Slowacki (1809-1849), tuberculoso, desterrado en París, amigo de Chopin—muy semejantes sus vidas—, lírico y autor dramático admirable—*Balladyna, Fantazy, Kordjan, Beatriz Cenci, Anhelli, Beniowsk, El abate Marek, El sueño plateado de Salomé, El espíritu rey.*

Zygmunt Krasinski (1812-1859), nacido en París y educado en distintas ciudades de Francia y Alemania, poeta y autor dramático de tendencias filosóficas—*Nieboska Komedija (Comedia no divina), Salmos del futuro, Iridion, La hora antelucana.*

Andrzej Towianky (1799-1878), de acentos mesiánicos. Cyprjan Norwid (1821-1883), poeta y pintor de un romanticismo exaltado y extravagante—*Promethidion, Flores blancas, Flores negras, El estigma.*

El conde Henryk Rzewuski (1791-1866), autor de la novela histórica *Memorias del dignatario Soplica*—. Ignacy Kraszewski (1812-1887), narrador fecundísimo, discípulo de "George Sand" y del alemán Auerbach, y autor dramático—*Witolarauda*—. Zygmunt Milkowski (1824-1915), quien, bajo el seudónimo "T. T. Yez", escribió novelas patrióticas y sociales. Ignacy Chodzko (1795-1861), narrador de la vida hidalga polaca. Wladyslaw Kondratowicz (1823-1862), quien, con el seudónimo de "Syrokomla", cantó la sencillez del hidalgo campesino polaco. Wincenty Pol (1807-1872), cultivador de la poesía descriptiva. Kornel Ujeiski (1823-1897), autor de unas aparatosas *Jeremíades.* Mieczyslaw Romanowski (1826-1896), lírico elegíaco. L. Kaczkowski (1826-1895), novelista histórico. F. Trentowski (1807-1869), estilista y filósofo, discípulo de Hegel. A. Cieszkowski (1814-1894), moralista y sociólogo. J. Lelewel (1786-1861), historiador. Józef Korzeniowski (1793-1863), autor de los dramas *Los montañeses de los Cárpatos, Hebreos, Parientes.* Teofil Lenartowicz (1822-1893), poeta y escultor. "Gabriela", seudónimo de Narcyza Zmichowska (1819-1876), pedagoga y novelista a lo "George Sand". "Deotyma", seudónimo de Jadwiga Luszczewska (1834-1908), poetisa y novelista, también discípula de la famosa francesa Aurora Dupín.

El período 1863-1890 marca la decadencia del romanticismo y el triunfo del naturalismo. Todavía fueron postrománticos: Adam Asnyck (1838-1897), poeta de forma perfecta. Leonard Sowinski (1831-1887), nacido en Ucrania. Felicjan Falenski (1826-1910), de simbolismo vago. Wiktor Gomucicki (1851-1919), cantor de la vida urbana de Varsovia. María Konopnicka (1846-1910), autora de una narración fuertemente socializante: *El señor Balzer en Brasil.*

"Romántico modernizado" ha sido llamado uno de los más admirables escritores polacos: Henryk Sienkiewicz (1846-1916), novelista de fama universal—*Quo vadis?, A sangre y fuego, El diluvio, Pan Wolodyjowski, Familia Poloniecki, En el campo de la gloria, Las legiones, El torbellino...*—, a quien en 1905 le fue otorgado el Premio Nobel.

Ya pertenecen al realismo: Ignacy Maciejowski (1839-1901), que usó el seudónimo de "Sewer", crítico y publicista de cultura europea. Elisa Orzeszkowa (1842-1910), narradora de temas referentes a los pequeños burgueses y feminista entusiasta. Gabriela Zapolska (1860-1921), naturalista afrancesada en sus dramas y comedias. "Boleslaw Prus", seudónimo de Alexander Glowacki (1847-1912), humorista y novelista de primera calidad—*El puesto avanzado, Emancipadas, La muñeca, Hijos*—. Adam Szymanski (1852-1916), novelista de las trágicas deportaciones a Siberia. Adolf Dygasinski (1837-1902), novelista, a lo Kipling, de los animales.

Entre los autores teatrales: Wl. Anczyc (1824-1884), de tendencias populares. I. Blizinski (1827-1893), de tesis sociales. Aleksander Swietochowski (1850-¿1908?), que popularizó el seudónimo "Okonski" y derrochó una sátira violenta.

En el último decenio del siglo XIX, un movimiento estético del grupo denominado "La Joven Polonia" consiguió atraerse a escritores de los temperamentos más diversos. El teorizador del movimiento fue Stanyslaw Przybyszewski (1868-1927), crítico, ensayista de cultura netamente alemana, poeta narrador fecundo—*Sobre el mar* (poemas), *La nieve, El féretro* (dramas), *Los hijos de Satanás, Los hijos de la miseria, El hombre fuerte, Los hijos de la tierra*—. Stanyslaw Wyspianski (1869-1907), poeta, pintor y escultor de mucho mérito—*Legiones, Acrópolis, La maldición, La varsoviana*—. Jan Kasprowicz (1860-1926), poeta simbolista—*Himnos, Balada del girasol, Instantes, Libro de los humildes*—. Antoni Lange (1862-1929), lírico simbolista. "Miriam", seudónimo de Zenón Przesmycki (nació 1861), poeta de atildado academicismo. Andrzej Niemojewski (1864-1921), lírico revolucionario. Jan Lemánski (n. 1866), fabulista satírico. Edward Slonski (1874-1926), lírico patriota. Arthur Oppman (n. 1867), más conocido por el seudónimo "Or-ot", autor de baladas históricas. Kazimierz Przerwa-Tetmajer (n. 1865), poeta épico y cuentista—*Skalue Podhale*—. Leopold Staff (n. 1878), poeta y miembro de la Academia Polaca—*El ojo de la aguja.*

Entre los autores dramáticos: Adolf Nowaczynski (n. 1875), muy diestro en las comedias satíricas y en los dramas históricos. Lucjan Rydel (1870-1918), Wlodzimiers Perzynski, Tadeusz Micinski (1873-1919).

Mención aparte merecen tres autores admirables, de fama universal: Zeromski, Reymont y Berent.

Stefan Zeromski (1864-1925), poeta, dramaturgo y novelista de fecundidad y de originalidad extraordinarias—*La canción de gesta del atamán, El viento del mar, El Vístula, Entre dos navíos, La soledad de los abetos* (evocaciones epicolíricas), *Cenizas, El río fiel, Gente sin techo, Historia de un pecado* (novelas); *Sulkowski, La rosa* (dramas).

Wladyslaw Reymont (1868-1925), novelista, Premio Nobel de Literatura 1924, intenso, emotivo, pintor incomparable de tipos y de costumbres—*La tierra prometida, Los campesinos, El vampiro, Rok 1794.*

Waclaw Berent (n. 1873), novelista, estilista, miembro de la Academia Polaca—*El especialista, Madera apolillada, La siembra otoñal.*

Figuras de menor importancia son: Jerzy Zulawski (1874-1915), lírico, dramaturgo y novelista. Józef Weissenhoff (1860-1930), que alcanzó fama con su novela *La vida y las opiniones del señor Podfilipski.* "Orkan", seudónimo de Wlad. Smreczynski (1876-1930), cuentista y novelista—*En la noche de los tiempos*—. Wacalw Sieroszewski (n. 1858), novelista, que usó el seudónimo de "Sirko", revolucionario, pintó en sus obras los ambientes exóticos de China, Japón, Corea, donde había vivido desterrado. "Andrzej Strug", seudónimo de Tadeusz Zelenski-Boy (nació en 1874), crítico literario y teatral, traductor de numerosos escritores franceses: Rabelais, Villon, Ronsard, Molière, Balzac, Stendhal... Gustavo Danilowski (n. 1871), autor de novelas legendarias e históricas. Karel Irzykowski (n. 1873), autor de la novela analítica *Paluba,* en la que se expusieron doctrinas después analizadas por Freud. Piotr Choynowski (n. 1877), miembro de la Academia Polaca y novelista. El dramaturgo K. H. Rostworowski (n. 1877)—*Calígula, Judas Iscariote, La sorpresa, Caridad*—. El comediógrafo sentimental y fantástico Jerzy Szaniawski (nació en 1887).

Son escritores que han adquirido prestigio en el siglo actual, participando de todos los movimientos literarios europeos: Juljan Tuwin (nació en 1894), poeta y prosista de refinada técnica, traductor y discípulo de Rimbaud—*El acecho de Dios, El séptimo otoño, Palabras en la sangre*—. Antoni Slonimski (n. 1895), poeta y dramaturgo—*La torre de Babel*—. Jan Lechón (nació en 1899), poeta intelectualista—*Plata y negro, El poema carmesí*—. Kazimierz Wierzynski (nació en 1894), poeta ultraísta y creacionista—*La primavera y el vino, La Osa Mayor, Pájaros en el techo*—. Jaroslaw Iwaszkiewicz (nacido 1896), poeta, novelista y dramaturgo muy popular. Kazimiera Illakowiczówna (n. 1892), delicada cantora de la infancia—*Rimas para niños, Placzacy ptak*—. Marja Pawlikowska (n. 1885)—*El abanico*—. Emil Zegadlowicz (n. 1888), folklorista y cantor de la Naturaleza. Stefan Napierski, Jósef Wittlin, Estanislao Balinski...

Entre los narradores de esta misma época: el académico Juljusz Kaden-Brandowski (n. 1885), novelista de fama—*El polvo, El arco, Las alas negras, Misterios, La ciudad de mi madre*—. Zofja Nalkowska (n. 1885), de la Academia, ha sido llamada "la Colette polaca". Ferdynand Antoni Ossendowski (n. 1879), narrador de aventuras de fama mundial—*Bestias, hombres, dioses; La sombra aterradora del Este, Más allá de la gran muralla, El hombre y el misterio de Asia*—. Ferdynand Goetel (n. 1890), novelista—*A través del Oriente en llamas, La Humanidad*.

Otros narradores importantes son: Juljan Woloszynowski, Juljan Ejsmond, Stefan Kiedrzynski, Kornel Makuszynski, Zofja Kossak-Szczuka, María Dabrowska—*Las noches y los días, La gente de allá abajo*—, León Kruczkowski, Michal Choromanski—*Los hermanos blancos*—, León Chwistek, Tadeusz Peiper...

V. BRÜCKNER, Aleksander: *Dzieje literatury polskiej*. Varsovia, 1902.—CHMIELOWSKI, Piort: *Historja literatury polskiej*. Lwow. Seis tomos. FELDMAN, Wilhelm: *Wspólczesna literatura polska*. Lwow, 1903.—LOBODOWSKI, Jósef: *Literatura polaca*. En "Historia de la Literatura universal". Madrid, Atlas, 1946.—PRAMPOLINI, Santiago: *Literatura polaca*. En el tomo XIII de "Historia universal de la Literatura". Buenos Aires, Uteha, 1941.

POLÉMICA

Controversia, disputa, por escrito, sobre materias literarias o cualesquiera otras.

Las polémicas entre escritores son antiquísimas. Se ha dicho siempre que las gentes de letras son irascibles: *genus irritabile vatum*. Y en verdad que tales polémicas son *casi necesarias*, porque cuando toman como causa un objeto noble de ellas, suelen sacarse conclusiones admirables. Lo peor es que casi todas las polémicas literarias han tenido por motivo minucias despreciables, estúpidos rencores, necias envidias.

Recordemos que el filólogo Denis Lambin y el gran impresor y erudito Manucio se pegaron con saña, siendo el motivo la ortografía de la palabra *consumptus*. También llegaron *a las manos* Jorge de Trebizonda y Poggio; y Poggio, Bracciolini y Filelfo; y Filelfo y Marsilio Ficino; y Filelfo y Timoteo, por el valor de una sílaba griega.

Pero han existido numerosas polémicas *fecundas*: las de ciertos humanistas—entre ellos J. C. Escalígero—y Erasmo acerca del valor de las obras de Cicerón; la del gramático alemán P. H. Parens y Gruter, acerca de los trabajos del primero sobre Plauto; las de los filósofos italianos del siglo XVI Mazzoni y Patrizzi, a propósito del poeta griego Sosita; en el siglo XVIII, la cuestión de la originalidad del *Gil Blas de Santillana*, de Lesage, negada por los españoles—Llorente, el P. Isla—y afirmada por los franceses, con la excepción de Voltaire...

Pero sería inútil llenar muchas páginas aludiendo a tan numerosas y estridentes polémicas, casi siempre insensatas. Quienes deseen ampliación acerca de tan curiosa materia...

V. IRAILH, Abbé: *Querelles littéraires*. París, 1761, 1896.—AUBLET DE MAUBUY: *Histoire des démelés littéraires*. París, 1779.—LALANNE, Lud.: *Curiosités littéraires*. París, 1853.—RIGAULT, H.: *Histoire de la querelle des anciens et des modernes*. París, 1856.—NISSARD, Ch.: *Los gladiadores de la República de las letras en los siglos XV, XVI y XVII*. Traducción. Madrid, 1892.

POLIARQUISMO

Doctrina política de los partidarios de la forma de gobierno en que la soberanía reside en una colectividad más o menos amplia.

Considerando la soberanía como una posesión, es decir, en una situación *estática*, no puede hallarse sino en dos formas: monarquía o poliarquía, soberanía poseída por uno—aquella—o por varios—esta.

Ahora bien: considerando la soberanía *dinámicamente*, ya no en su posesión, sino *en su ejercicio*, la monarquía es una también, pero la poliarquía es varia: aristocracia u oligarquía, democracia o demagogia, ya se trate de formas puras o impuras de gobernar varios. La *unidad* de la monarquía y la *variedad* de la poliarquía implican un algo *cualitativo* que las distingue, ya que en la monarquía se revela lo *individual* y en la segunda lo *social;* y aun cuando en lo social y en lo individual está la idea de *personalidad*, se distinguen no solo como lo uno y lo vario, sino también como lo físico y lo abstracto o metafísico. En la monarquía existe un hombre concreto que la encarna: Felipe II, o Luis XIV, o Catalina la *Grande*. En la poliarquía no existe ningún hombre concreto, sino un Gobierno, donde lo moral y lo colectivo—que no son ficciones—cuentan únicamente.

Con lo apuntado no quiere decirse que la poliarquía, como ente social, no reúna las notas características de la personalidad, "porque, además de ser sustancia generadora de dicha personalidad, es *indivisible* y *racional*".

Para el poliarquismo, las formas gobernantes, *por razón del espíritu*, son: *aristocracia, mesocracia* y *democracia*, a las que debe añadirse la *teocracia*.

Algunos tratadistas han confundido los términos *poliarquía* y *república;* confusión fácilmente aclarable, ya que si desde el punto de vista político ambos términos son *simpliciter convertibles*, desde el punto de vista social la poliarquía no se concibe, y, en cambio, la república cae en él de lleno y por completo.

"La más restricta significación de república, como equivalente a poliarquía, debe su origen, fundamento y generalización a la forma política del Estado romano, que fue poliarquía durante la máxima parte de su vida e historia, y cuando dejó de serlo hasta en apariencia, fue para convertirse en monarquía de contextura dictatorial cesárea, no en monarquía verdadera consolidada sobre las naturales bases de ella y con la plenitud de sus condiciones y atributos. El Estado o República que llenó casi todo el período de la historia clásica pagana y legó, así en derecho privado como en público, multitud de elementos a la posteridad, fue una poliarquía nunca totalmente reformada; y de aquí que, identificadas históricamente poliarquía y república durante tantos siglos en la nación que fue en el transcurso de ellos el centro y el escenario del drama de la vida, se llame república a la forma igual o semejante a la de aquel Estado." (GIL ROBLES.)

Hoy se encuentran generalizadas las poliarquías democráticas, ya en formas directas republicanas, ya en formas representativas—se trate de monarquías o de repúblicas—. Unas y otras son reveladoras de dos puntos trascendentales: la institución del hombre elector o legislador y el influjo de la llamada opinión pública.

Por estos puntos trascendentales no puede sorprender que lo mismo que se dan los Gobiernos de *elección* se den los Gobiernos de *opinión.*

Nadie ha dudado de la legitimidad de la poliarquía como forma de gobierno. Sin embargo, para Gil Robles, su legitimidad es *per se* inferior a la de la monarquía.

"En cuanto a la poliarquía, también es indudable que pueden reunirse variedad de sujetos con iguales, análogas o equivalentes condiciones de superioridad sobre los demás ciudadanos, y que por razón de ella, no destacada ni legalmente determinada de un modo visible y considerable en uno de los poliarcas, tengan varios los mismos títulos personales y legales de soberanía. La unidad por el acto para el fin, que es todo lo que tienen las personas morales, sean cuales fueren su naturaleza y jerarquía, no falta tampoco a la colectividad soberana, y si se arguyera que, como toda sociedad, necesita la poliarquía un principio complementario de unidad, una autoridad superior a los iguales para ordenarlos concordemente, se contesta que entre los iguales, a quienes se supone de igual capacidad para el fin, la autoridad reside en el conjunto social, por ejemplo, en una sociedad mercantil o en una academia en que entran todos los socios bajo el pie de la misma aptitud y cooperación para el bien común e idéntica participación en los bienes y derechos sociales. Pues en la poliarquía o colectividad soberana los miembros son superiores a los otros asociados, a los súbditos; pero los poliarcas son entre sí igualmente superiores, y por razón de esta superioridad, cuando menos presunta, más fácil es el acuerdo, la unidad de acto para el ejercicio de la soberanía, en proporción de la cultura y virtudes de los imperantes, sobre todo si son pocos, y, en razón inversa del número, más sosegada, ilustrada y recta la deliberación entre los poliarcas y menos expuesta al nocivo influjo de la ignorancia, de la iniquidad y de las pasiones." (G. R.)

Una de las ventajas que asigna el poliarquismo a su doctrina es la de llevar en sí moderaciones trascendentes que alejan la idea del abuso absolutista. Tal ponderación se basa en hallarse el poder dividido; en compartir su eficacia y alcance con otras sociedades—municipios, regiones, universidades, entidades sociales de finalidad especializada.

En la actualidad, las formas de gobierno más admitidas son las poliarquías; y dentro de estas, las *democráticas,* y dentro del continente poliárquico y el contenido democrático, las *representativas.* El poliarquismo basa su triunfo en el principio "de que *los más* deben intervenir en la vida pública, pero que el Estado es tanto más perfecto cuanto más reducido es el núcleo de la masa neutra".

V. GIL ROBLES, A.: *Derecho político.* Salamanca, 1902.—GIL ROBLES, A.: *El absolutismo y la democracia.* Salamanca, 1891-1892.

POLICHINELA

Polichinela—*Pulcinella*—, personaje de la comedia italiana. Espiritual, insolente, fanfarrón, sarcástico, con su hinchada nariz y su joroba y su barriga y su hablar imitando el chillido de algunos pájaros, se ha hecho cosmopolita.

Pasó a Inglaterra con el nombre de *Punchinello* o *Puch;* a Alemania, con el nombre de *Hanswurst* (Juan Budin); se naturalizó en Francia; y en Italia *tuvo toda una familia: Sitonno* en Nápoles, *Meo Petacca* y *Marco* en Roma, *Birrichino* en Bolonia; en Persia le llamaron *Pendj;* en Austria, *Gaspard* o *Casperl;* en Constantinopla, *Karagueuz;* en España, *don Cristóbal Pulichinela.*

Acaso el precedente de Polichinela sea el *Maccus* de las *Atelanas* del teatro latino.

Pero su nombre no deriva—como creyó Maindron—de *pullus gallinaceus* (polluelo), por la semejanza de la nariz de Polichinela con el pico de este animal. Deriva, es lo más lógico, de *Pablo Pinella,* personaje que representaba farsas del *género polichinela* en Nápoles en tiempos de Carlos de Anjou.

Naturalmente, al pasar *el tipo* a las distintas literaturas ha sufrido hondas transformaciones en sus características. Así, el *Polichinela* francés es bravucón, fanfarrón y perdonavidas; y el alemán, bobalicón; y el inglés, agudo y sinuoso.

V. MAINDRON, E.: *Marionettes et guignols.*

París. Varias ediciones.—DIETERICH: *Pulcinella, Pompeganische Wandbilder.* Leipzig, 1897. SAND: *Masques et buffons de la comédie italienne.* París, 1862.—RICCOBONI: *Histoire du théâtre italien.* París, 1828-1831.—POUGIN, A.: *Dictionnaire du théâtre.* París, 1880.

POLINESIAS (Lenguas)

Lenguas oceánicas, que se dividen en *orientales* y *occidentales.* Entre las del primer grupo están: el *tongo,* el *taitiano,* el *neozelandés* y las lenguas de las islas Marquesas, Fiji o Viti y Sandwich. En el grupo *occidental:* el *chamorro* (islas Marianas), el *eap* (islas Carolinas), el *uléa,* el *radak* (archipiélago de las Mulgraves).

Todas estas lenguas están más o menos relacionadas con las lenguas malasias. (V. *Malasias, Lenguas.)*

POLIPOTE (V. Figuras de palabra)

Es una elegancia que consiste en repetir un mismo nombre en distintos casos, o un mismo verbo en diferentes tiempos.

> Presumo que tus (consejos)
> tienen mucho de (consejas).
>
> Que tiene muchos (amigos)
> porque es (amigo) de todos.
>
> A cartas, cartas; a palabras, palabras.

POLÍPTICO

Nombre dado a las tablillas ceruseadas, cuando eran más de dos, sobre las que escribían los antiguos.

POLIPTOTE o POLIPTOTON

Figura de dicción por consonancia, que consiste en repetir en un período una misma palabra bajo varias de las formas gramaticales de que es susceptible.

> (Errado) lleva el camino,
> (errada) lleva la vocación.

(V. *Polipote.)*

POLISÍNDETON (V. Figuras de palabra)

Polisíndeton o *conjugación* es una elegancia que multiplica las conjunciones en la cláusula con el fin de presentar los objetos como aislados para que hieran más vivamente la imaginación.

> ¿Quién es el que esto mira,
> (y) precia la bajeza de la tierra,
> (y) no gime (y) suspira,
> (y) rompe lo que encierra
> el alma, (y) de sus bienes la destierra?
>
> (FRAY LUIS DE LEÓN.)

> Vuestro es el cielo (y) la tierra que me sustentan, (y) vuestro es el sol, (y) la luna, (y) las estrellas, (y) los campos, (y) las aves, (y) los peces, (y) todas las otras criaturas que por vuestro mandamiento me sirven.
>
> (FRAY LUIS DE GRANADA.)

POLISINTÉTICAS (Lenguas)

Son llamadas así aquellas lenguas que han llegado al grado máximo de la aglutinación. Tales son la mayor parte de los idiomas americanos; tal es el groenlandés. En estas lenguas se encuentran palabras de veinte, de treinta, de cuarenta letras, que *encierran una idea,* para expresar la cual nosotros necesitamos una docena de palabras, o tres o cuatro proposiciones con sus complementos. Los verbos tienen formas de una increíble multiplicidad. Además de las tres personas, la conjugación posee desinencias diferentes según la naturaleza del régimen.

V. MÜLLER, Max: *La ciencia del lenguaje.*

POLITEÍSMO

Doctrina o sistema religioso que reconoce la existencia de numerosos dioses.

El politeísmo es un auténtico *teísmo* (V.) que se opone al *monoteísmo* (V.), doctrina y adoración de un Dios único, y al *panteísmo* (V.), verdadera difuminación y aniquilamiento de la idea de Dios.

Las formas del politeísmo son numerosas:

1.ª *Animismo* (adoración de los poderes activos elementales).

2.ª *Totemismo* (adoración de los animales-dioses).

3.ª *Magia* (inclinación a someterse a lo misterioso).

4.ª *Sabeísmo* o *astrología* (adoración de los astros-dioses).

5.ª *Naturismo* (adoración de los elementos naturales).

6.ª *Antropomorfismo* (adoración de los dioses hombres).

7.ª *Fetichismo* (adoración de las representaciones *materiales* de los dioses).

8.ª *Localismo* o *tribalismo* (adoración de los señores o dioses de una tribu).

9.ª *Emanantismo brahmanista.*

El politeísmo tiene *un valor absoluto* filosófico *nulo,* por la interna contradicción que encierran sus términos *muchos dioses.* Pero filosóficamente puede tener *un valor relativo:* probar las dificultades que encierra el contenido total de la existencia de Dios.

Algunos autores afirman que el politeísmo es consecuencia *de la degeneración de la idea de Dios.* Pero la base del politeísmo ha sido siempre el *dualismo cósmico* y el *dualismo moral.* El principio del Bien y el principio del Mal. La idea de un Dios creador y de otro Dios conservador.

En todas las religiones politeístas se encuentran tres clases de dioses: *mayores, menores* y *perversos.*

Los *dioses mayores* son de naturaleza emanantista. Y quedan personificados según las tendencias filosóficas y artísticas de cada pueblo. Cada uno de ellos tiene su mitología y sus leyendas. Y al frente de todos está el *padre* o *jefe.* Recuérdese Zeus en Grecia, Ormuz en Persia, Odris en Escandinavia.

Los *dioses menores* son representaciones de los fenómenos naturales. Recuérdense, en cualquier mitología, los dioses del fuego, del aire, de las aguas, de la tierra... Vulcano, Eolo, Neptuno, Ceres...

Los *dioses perversos* son verdaderos seres infernales, cuya única misión es llevar a los hombres al dolor y al mal.

El politeísmo carece *de moral.* Rota la unidad divina, único freno en el orden moral, en la práctica de la vida irrumpe la corrupción. (V. *Paganismo.)*

V. Bibliografía de *Paganismo, Fetichismo, Brahmanismo, Sabeísmo, Parsismo, Totemismo, Panteísmo...*

POLÍTICA (Elocuencia) (V. Deliberación)

POLO

Aire popular andaluz perteneciente al llamado *cante grande.*

POPOLUCA (Lenguaje)

Idioma de Méjico, hablado en los Estados de Chiapa y Oaxaca por los indígenas popolucas. Esta lengua, por su léxico y por su gramática, guarda grandes analogías con otros idiomas indígenas mejicanos.

En Guatemala y en El Salvador se habla un idioma popoluca diferente del anterior.

V. LUDEWIG: *The Literature of american aboriginal languages.* Londres, 1856.

POPULARISMO

Tendencia literaria cuya principal característica es la de basarse en tradiciones, formas o tipos populares.

El popularismo se diversifica en cuatro direcciones:

1.ª La de las *formas impersonales.* En ella, el autor prescinde de su personalidad para convertirse en un intérprete del alma del pueblo. (Gestas, baladas, canciones, coplas...)

2.ª La de la *interpretación* por el poeta de los cantos, leyendas o personajes del pueblo. (Obras escénicas de Lope de Vega: *Fuenteovejuna, Peribáñez.)*

3.ª La de la *evocación emocional* de lo popular como recurso de reacción contra lo rígido, reglamentado y frío, (El *Romanticismo,* en su lucha contra lo *neoclásico,* acudió a la exaltación de los temas, de las pasiones más populares.)

4.ª La del *propósito artístico,* entre estilizado e irónico, de utilizar las formas populares en los períodos cultos literarios. *(Romances* y *Letrillas* de Góngora; el *Romancero gitano* de García Lorca.)

El popularismo es una tendencia muy marcada en la literatura española. Porque resulta difícil admitir que el pueblo, la *masa,* sea capaz de crear, espontáneamente, una letrilla, un romance, un poema, una canción. Por tanto, hay que admitir que el popularismo es un *consciente afán* de los escritores de aceptar, de revalorizar las expresiones, las reacciones, las inquietudes del pueblo y de—como ya proclamó Gonzalo de Berceo—usar de un lenguaje.

en qual suele el pueblo fablar a su vecino.

El popularismo no ha dejado jamás de estar vigente en lo más granado de la poesía y de la prosa castellana, a partir de Berceo y del infante don Juan Manuel, los más antiguos modelos del lirismo y de la prosa en Castilla.

"El arraigo de lo popular en las letras medievales es muy frecuente. Se observa en los elementos propiamente épicos (las gestas) y en sus derivaciones (crónicas, romances); en la incorporación de lo popular a obras artísticas, por la inspiración o tendencia de escritores, tales como don Juan Manuel o el Arcipreste de Hita: en remedos felicísimos de lo popular, hechos por poetas cultos; verbigracia, Santillana, fray Ambrosio Montesino, Juan del Enzina; en los *Adagios que dicen las viejas tras el fuego,* que recogió y ordenó el mismo marqués; en el *Corbacho,* del Arcipreste de Talavera, tan rico en elementos folklóricos y en modos de decir expresivos y felices tomados de la boca del pueblo, y en *La Celestina,* donde se observa el mismo fenómeno, en forma aún más profunda y con mayor depuración y eficacia estéticas." (HURTADO Y PALENCIA.)

El popularismo alcanzó sus mayores éxitos en los *juegos escolares* que fueron, durante el siglo XII, casi la única manifestación del teatro público; en el teatro religioso, en lengua vulgar, con los dos ciclos primitivos de Navidad y de Pascua; en las recitaciones públicas de histriones, juglares, remedadores; en los *romances viejos,* como la *Bella mal maridada, Tres morillas me enamoran, Fontefrida* o *La Infantina*—; en las *Serranillas* del marqués de Santillana; en los cantares y villancicos de Gómez Manrique y Alvarez Gato; en las famosas *Coplas de Mingo Revulgo, Coplas del Provincial* y *Coplas de "Ay, Panadera!";* en las églogas, pasos, farsas, entremeses y tragedias de Juan del Enzina, Lucas Fernández, Torres-Naharro, Gil Vicente, Timoneda y Lope de Rueda; en algunos tipos del teatro del Siglo de Oro, como el *gracioso,* la *azafata* y la *dueña;* en la novela picaresca, desde el *Lazarillo de Tormes* al *Estebanillo González;* en algunos modelos de poesía narrativa burlesca, como la *Gatomaquia,* de Lope de Vega, o la *Mosquea,* de Villaviciosa; en las novelas breves de Cervantes, Céspedes y Meneses, doña María de Zayas, Alcalá y Herrera, Eslava, Sebastián Mey, Carlos García, Alcalá Yáñez, Castillo Solórzano, Salas Barbadillo; en los entremeses de Cervantes, Moreto, Cáncer y Velasco, Quiñones de Benavente; en los sainetes de don Ramón de la Cruz... Y, sobre todo, en el género costumbrista de Agustín de Rojas, Jerónimo de Barrionuevo, Francisco Santos, Juan de Zabaleta, el P. Isla, "Fígaro", Bretón de los Herreros, Estébanez Calderón "el Solitario", Mesonero Romanos... (V. *Costumbrismo.*)

El popularismo—en literatura y en arte—viene a ser como "una tabla de salvación" a la que se acude para librarse de naufragar en los mares embravecidos de las innovaciones, de las extravagancias, de las audacias en los temas y en los procedimientos, de las influencias demasiado implacables de lo extranjero.

PORT-ROYAL

Comunidad de mujeres, célebre por la influencia moral y literaria que sus dirigentes ejercieron durante el siglo XVIII sobre la sociedad francesa. Fundada en 1204, cerca de Chevreuse, por Matilde de Garlande, esposa de Mateo I de Montmorency, con ocasión del regreso de los componentes de la cuarta Cruzada, fue sometida a la regla de San Benito. La Comunidad sufrió mucho durante las guerras con Inglaterra y las guerras de religión, cayendo, al fin, en un terrible relajamiento. En 1608 fue reformada por la madre Angélica Arnauld. Y en 1626, por insuficiencia e insalubridad del antiguo monasterio, se trasladó a París, arrabal de Saint-Jacques. La abadía, que sumaba veinticuatro religiosas, quedó sometida al arzobispo de París, luego de renunciar la abadesa a los privilegios pontificios. Las religiosas, que al principio se dedicaron a la adoración perpetua del Santísimo Sacramento, más tarde abrieron un colegio distinguido, en el que se educaron las hijas de la nobleza y del dinero.

Por este tiempo, en la abandonada abadía de Chevreuse empezaron a vivir una existencia de estudio y de paz varios insignes hombres de letras: Arnauld d'Andilly y su hermano Antoine—"el gran Arnauld"—, Antoine Lemaistre, Sacy, Séricourt, Nicole, Lancelot, Nicolás Fontaine, Tillemont, etc.

Esta *Comunidad* de hombres ilustres realizó, en el siglo XVII, el *doble* tipo de sabio cristiano y de hombre de letras, y defendió hasta la exageración las ideas de Descartes, tan inminentes en su espiritualismo. De Port-Royal salió para invadir el mundo del pensamiento el *gran movimiento cartesiano.* La fuerza intelectual y espiritual de Port-Royal ejerció una influencia inmensa dentro y fuera de Francia. En este país, Corneille—en *Polyeucte*—, Racine—en *Phédre*—, madame de Sévigné, Boileau, Bossuet, Pascal—en las *Provinciales*—acusan la ideología de Port-Royal.

Acusados de jansenismo los hombres de Port-Royal, se inició la decadencia de su prestigio. Péréfixe, arzobispo de París, dijo de ellos "que eran puros como santos y orgullosos como demonios". En 1708, Luis XIV obtuvo del Pontífice Clemente IX una Bula de supresión del monasterio, y la hizo ejecutar, dispersándose los religiosos.

V. RACINE: *Histoire de Port-Royal.*—SAINTE-BEUVE: *Port-Royal.* 1840-1846. Seis tomos. CLÉMENCET: *Histoire générale de Port-Royal.* Amsterdam, 1755.

PORTORRIQUEÑA (Literatura)

Vale la pena—aun sin poder hablar aún de una genuina literatura portorriqueña—mencionar los primeros escritores nativos. Diego de Torres Vargas (1590-1649)—*Descripción de la isla y ciudad de Puerto Rico*—. Francisco Ayerra y Santa María (1630-1708), poeta culterano y sacerdote.

A partir de 1843, estimulado por la aparición del primer *Aguinaldo Portorriqueño* y otros *Aguinaldos, Almanaques* y *Cancioneros,* se inicia el primer movimiento literario auténticamente indígena. Y empiezan a darse a conocer muy estimables poetas y prosistas. Bibiana Benítez (1783-1875), autora del drama *La cruz del Morro.* Alejandrina Benítez Arce de Gautier (1819-1879)—*El paseo solitario, Mi pensamiento y yo*—. Alejandro Tapia y Rivera (1827-1882), poeta—*La Satánida*—, dramaturgo—*Camoens, Vasco Núñez de Balboa*—, novelista,— *La antigua sirena, La leyenda de los veinte años*—. Manuel Antonio Alonso (1822-1883)—*El jíbaro, La gallera*—. Narciso Foxá (1822-1883), de ascendencia dominicana, excelente poeta—*Aliatar y Zaida, Al descubrimiento de América*—. Juan Gualberto Padilla (1829-1896), poeta que popularizó el seudónimo de "El Caribe", autor del poema *Puerto Rico.* José Julián de Acosta (1825-1892), articulista de costumbres. Francisco Mariano Quiñones (1830-1907), autor de las novelas *Nadir Shah, Fátima y La Magofonía.* Ramón Emeterio Belances (1827-1898)—autor de la comedia *La botijuela*—. Segundo Ruiz Belvís (1829-1867) y Julián E. Blanco (1830-1905), prosistas y periodistas.

El más ilustre literato portorriqueño, según la crítica, es Eugenio María Hostos (1839-1903), poeta, ensayista, pensador—*Moral social, Sociología, Plácido,* la novela *La peregrinación de Boyoán, Hamlet.*

Poetas excelentes fueron: Ramón Marín (1832-1902), Francisco Alvarez (1847-1881), Rafael del Valle (1847-1917), Manuel Padilla Dávila (1847-1898), José María Monge (1840-1891) —*Viajes por Italia*—, Francisco Javier Amy (1837-1912)—*Ecos y notas, Musa bilingüe*—, Manuel de Elzaburu (1851-1892), fundador del Ateneo Portorriqueño; Manuel María Sama (1850-1913), autor, además, de la primera *Bibliografía portorriqueña*—, José Mercado (1863-1913), poeta humorista—*Momo*—, Francisco Gonzalo Marín (1863-1897)—*El ruiseñor*—, José Gautier Benítez (1850-1880), llamado "poeta nacional"—*La barca, Puerto Rico: ausencia, Puerto Rico: regreso*—, Carmen Hernández de Araújo (1832-1877), autora de poemas y dramas; Lola Rodríguez de Tió (1847-1925), alabada por Menéndez Pelayo—*La vuelta del pastor, Claros y nieblas, Mis cantares.*

Prosistas: Ana Roqué de Duprey, autora de cuentos y estudios sociales; Federico Asenjo (1831-1893), historiador y pedagogo; Julio L. de Vizcarrondo (1830-1889), periodista y costumbrista; Mario Braschi (1840-1891), periodista e ideólogo liberal; Eduardo Neuman Gandía (1851-1913)—*Benefactores y hombres notables de Puerto Rico, Historia de la ciudad de Ponce*—; José Antonio Daubon (1837-1922), costumbrista de mucho vigor—*Cosas de Puerto Rico*—; Manuel Corchado (1840-1884), poeta, dramaturgo y periodista; Rosendo Matienzo Cintrón (1855-1914), creador del tipo representativo de Hispanoamérica "Pancho Ibero"; Salvador Bráu (1837-1912), autor del drama *Los horrores del triunfo* y de una *Colonización de Puerto Rico: 1493-1550*—; Cayetano Coll y Toste (1850-1930) —*Historia de Puerto Rico, Colón y Puerto Rico*—; Manuel Fernández Juncos (1846-1928), nacido en Asturias, fundador de la *Revista Portorriqueña;* Enrique Alvarez Pérez, también nacido en España, autor de *Ciencia del lenguaje, Gramática histórico-comparativa de la lengua latina.*

La generación que surge entre los últimos años del siglo XIX y los primeros del XX cuenta con nombres ilustres. Entre los poetas: Luis Rodríguez Cabrero (1860-1915)—*Mangas y capirotes*—, Virgilio Dávila (¿1880?)—*Patria, Viviendo y amando, Aromas del terruño*—, Trinidad Padilla de Sanz—*La hija del caribe, De mi collar*—, Fernando R. Cestero, Quintín Negrón Sanjurjo...

Entre los novelistas: Félix Matos Berdier (¿1881?)—*Puesta de sol*—, Matías González García (1867-1929)—*La primera cría, El escándalo*—, José González Ginorio—*Tanamá*—, Federico Degetau González (1862-1914), Manuel Zeno Gandía (1855-1930)—*Piccola, Rosa de mármol, La charca, Redentores...*

Entre los prosistas: José de Diego (1866-1918), que fue, además, un gran poeta en *Jovillos* y *Pomarrosas;* Luis Muñoz Rivera (1859-1916), también excelentísimo lírico en *Tropicales:* Eugenio Astol (1872-1929) y Mariano Abril.

La última generación también cuenta—y no queremos mencionar sino a los muertos—con magníficos escritores. Nemesio R. Canales (murió en 1923), novelista, dramaturgo y ensayista. José de Jesús Esteves (1882-1918), lírico—*Rosal de amor, Crisálidas*—. Antonio Salvador Pedreira (1899-1939), poeta y biógrafo—*Insularismo, Biografía de Hostos...*

V. HENRÍQUEZ UREÑA, Pedro: *Literatura de Puerto Rico.* En el tomo XII de la "Historia universal de la Literatura", de Prampolini. Buenos Aires, Uteha, 1941.—LEGUIZAMÓN, Julio A.: *Historia de la Literatura hispanoamericana.* Buenos Aires, 1944. Dos tomos.—VALBUENA BRIONES, A.: *La nueva poesía portorriqueña.* Tesis doctoral. Madrid, 1952.

PORTUGUESA (Lengua)

La lengua portuguesa deriva del latín vulgar, militar y rústico, que originó todas las lenguas románicas. Morfológicamente, tiene extremas afinidades con el gallego, hasta el punto de que en el período de su formación—siglos XII al XIV—fueron casi idénticos, escribiendo los poetas portugueses y gallegos indistintamente en ambos idiomas. Sin embargo, el portugués tiene elementos originales que le han logrado una perfecta *fisonomía propia;* entre tales elementos están los arábigos, que solo indirectamente llegaron a Galicia. También delata el portugués la influencia del castellano; pero las dos lenguas ibéricas se separaron por el vocabulario y por la gramática. Aquella, por *su convivencia* con el árabe, acepta numerosos vocablos de este idioma. En Portugal, con Enrique de Borgoña, se introducen numerosas palabras francesas. La pronunciación y la ortografía modifican los nombres comunes a ambas lenguas. El portugués tiene entonaciones nasales desconocidas en castellano; y no solo *blandea* las vocales y las consonantes, sino que suprime estas últimas, a veces; así, *Afonso* por *Alfonso, dor* por *dolor, pai* por *padre, mai* por *madre.*

Entre las principales características del portugués están: la conservación fiel del vocalismo latino, manteniendo la distinción, en las tónicas, de vocales abiertas, cerradas y diptongos; en las átonas, la distinción se mantiene más irregularmente: elisión de las vocales protónicas y postónicas; pérdida de la vocal final en algunas palabras; evolución normal de las consonantes, pero no en la palatización de las consonantes agrupadas; pérdida de las consonantes *n* y *l* en algunas palabras: *imigo, taboa,* de *inimicu* y de *tabola;* conversión de los diptongos *au* en *ou* y *ai* en *ei;* en los grupos iniciales de consonantes, la palatización es *ch;* así, *chanto* de *plantu;* simplificación de las consonantes iguales, siendo puramente ortográfica la conservación de la doble: *panno, vacca;* en los grupos heterogéneos de consonantes, *ns* se transforma en *s, mn* en *n, nf* en *f, pt* en *t, ps* en *ix, ct* en *it, gn* en *nh, gm* en *gd;* por fenómenos lo-

P

cales, a veces se asimilan las vocales, como *tenaz, tenace,* o se desasimilan; frecuente anaptixis de la *r;* así, *févera* por *fibra;* conservación de muchos plurales neutros tratados como femeninos; producción bigenérica de nombres de una sola forma original, como *telha, telho,* de *tegula.*

V. NÚÑEZ DE LIAO: *Ortographia da lingua portugueza.* Lisboa, 1576.—FRANCO BARRETO: *Ortographia da lingua portugueza.* Lisboa, 1676. CORNU, J.: *Grammatik der Portugiesischen Sprache.* Inserta en la "Grundis der romanischen Philologïe", de Gröber.—SOUZA, Paulino: *Grammatica portugueza.* Varias ediciones.—NUNES, José Joaquín: *Phonética historica portugueza.*

PORTUGUESA (Literatura)

En el estudio de la literatura portuguesa se pueden señalar cinco períodos:

1.° *Desde los orígenes hasta el siglo XV.*
2.° *Siglo XVI.*
3.° *Siglos XVII y XVIII.*
4.° *Siglo XIX.*
5.° *Siglo XX.*

PRIMER PERÍODO: DESDE LOS ORÍGENES HASTA EL SIGLO XV.—El más antiguo de los documentos redactados totalmente en portugués data de 1192, y procede de la región de *Entre Duero y Miño;* no es un documento literario. La primera poesía en portugués pertenece a finales del siglo XII.

Toda la poesía medieval portuguesa está contenida en tres famosas colecciones: el *Cancioneiro de Ajuda,* el *Cancioneiro de la Biblioteca Nacional de Lisboa*—antes, por su poseedor, de *Colocci-Brancuti*—y el *Cancioneiro da Vaticana.* El primero es el más antiguo; el segundo, el más importante; entre los tres reúnen más de *dos mil poesías,* atribuidas a más de doscientos poetas, aun cuando no todos estos sean portugueses, ya que los hay castellanos, gallegos, aragoneses... Tales *Cancioneros* nos dan los nombres de excelentes poetas portugueses: Don Dionís—el rey que fundó la Universidad de Lisboa—y sus hijos don Pedro y don Alfonso Sanches, País Gomes Charinho, Martín Codax, García de Guilhade, Aires Carpancho, García Esgaravunha... Las poesías líricas portuguesas de este período se agrupan en *Cantigas de amor* y *Cantigas de amigo* y *Cantigas de escárneo e mal dizir.*

También se encuentran muestras de la lírica portuguesa en dos colecciones posteriores: el *Cancioneiro galego-castellano* y el *Cancioneiro Geral,* de García de Resende. En ellos saltan los nombres de Duarte Brito, don Joao Manuel, Diego Brandao, Luis Enriques, Rodrigues de Saa.

Los primeros textos en prosa son los *livros de linhagens,* de los conventos de Alcobaza y Santa Cruz de Coimbra. Y prosistas insignes fueron: el cronista del rey don Duarte Fernao Lopes, autor de las *Crónicas* de don Pedro I, don Fernando y don Joao I; el rey don Juan I (1365-1433), autor del *Livro da montaria;* su hijo don Duarte (1391-1438), quien escribió el *Leal conselheiro* y el *Livro de ensinança de bem cavalçar;* Gomes Eanes de Zurara (1410-¿1474?)—*Crónica de don Joao I* y *Crónica do descobrimiento e conquista da Guiné*—; Frei Joao Alvares—*Crónica do Infante Santo*—; Rui Pina (m. ¿1523?).

SEGUNDO PERÍODO: SIGLO XVI.—Constituyen acaso el más brillante período de la literatura portuguesa los reinados de Juan II, Manuel el *Afortunado* y Juan III. La poesía rompe los moldes de la *medida velha*—el octosílabo tradicional—y acepta el endecasílabo italiano.

En la poesía sobresalieron: Bernardim Ribeiro—autor del famosísimo romance *Menina e moça*—; Cristovao Falcao, inspirado autor de églogas; Francisco Saa de Miranda (1495-1588), "el Virgilio portugués", erudito, que escribió admirables églogas, sonetos y elegías, y dos comedias: *Estrangeiros* y *Vilhalpandos;* Antonio Ferreira (1528-1569), autor de epigramas, epístolas, elegías, sonetos, odas, la tragedia *Castro* y las comedias *Cioso* y *Bristo,* en prosa; Diego Bernardes (1530-1605)—*Varias rimas ao bom Jesus, Flores do Lima* y *Lima*—; Pero de Andrade Caminha (1520-1589); Fray Agostinho da Cruz.

La más excelsa figura de la época y acaso de las letras portuguesas fue Luis de Camoens (1524-1580), nacido en Lisboa, estudiante en Coimbra; en 1547 pasó a Ceuta y perdió el ojo derecho en una batalla. Vivió en Goa y en Macao ocupado en cargos administrativos. Sufrió prisiones y naufragios. Tras muchas peripecias, consiguió regresar a Lisboa en 1570, y allí publicó su poema *Los Lusiadas* dos años más tarde. Escribió también tres obras de teatro sobre temas clásicos y caballerescos: *Anfitroes, El rei Seleuco* y *Filodemo;* y numerosas y admirables poesías líricas: *vilancetes,* endechas, glosas, cantigas...

Pero su obra genial y universal es el poema épico *Los Lusiadas*—en diez cantos—, con el tema del primer viaje de Vasco da Gama a la India. El poema suma mil ciento dos estancias de ocho versos decasílabos. Toda la historia de Portugal está palpitante en este poema, que representa "el espíritu de la audacia descubridora, de la curiosidad aventurera, de los hombres del siglo XVI, tanto en la acción como en el pensamiento y en el arte". De *Los Lusiadas* ha dicho el insigne crítico español Navarro Ledesma: "Es el único poema épico en el cual la belleza conjunta y total de la acción supera a la que se admira en los episodios..."

Los principales imitadores de Camoens fueron: Jerónimo Corte Real, autor de *O naufragio do Sepúlveda*—1594—y *O segundo cerco do*

Diu—1574—; Pereira Brandao—*Elegíada,* 1588, sobre la batalla de Alcazarquivir—; Francisco de Andrade—*O primeiro cerco do Diu*—; Mosinho de Quevedo—*Alfonso V el "Africano".*

Gil Vicente (¿1460-1536?) es otra gran figura literaria, "el Padre del teatro portugués", filólogo insigne, poeta facilísimo. Hablaba y escribía con igual corrección el castellano que el portugués. Durante treinta y cuatro años fue dando a conocer sus cuarenta y cuatro composiciones conocidas, unas en castellano y otras en portugués y otras bilingües—*Nao de amores, El viudo, La divisa de Coimbra, Floresta de engaños*—. Entre sus obras escénicas hay autos de devoción—*La sibila Casandra, Los Reyes Magos, La Visitación, La barca de la gloria*—; tragicomedias—*Don Duardos, Amadís de Gaula, Romagen d'agravados*—; comedias—*El viudo, La divisa de Coimbra*—; farsas—*Las gitanas*—. Casi todas estas producciones fueron representadas en las fiestas palaciegas, pues estuvo muy protegido por la reina doña Leonor, viuda de don Juan II, y por don Juan III.

Cultivadores afortunados del teatro fueron: Jerónimo y Antonio Ribeiro, Baltasar Díez, Antonio Prestes, Vicente G. Almeida, Saa de Miranda, Ferreira de Vasconcelos—*Ulissipo, Aulegrafia, Eufrosina.*

La prosa portuguesa adquirió su perfección y armonía supremas. En la *novela*—géneros caballeresco y pastoril—triunfaron: Francisco Moraes—*Palmerín de Inglaterra*—; Fernao Alvares do Oriente—*Lusitania transformada*—; Ferreira de Vasconcelos—*Memorial dos cavaleiros da Segunda Tavola Redonda.*

Entre los historiadores: Jerónimo Osorio (1506-1580), obispo de Silves—*Crónica de don Manuel, Cartas*—; Joao Barros (1496-1570), de genial inspiración y asombrosa cultura—*Asia, Panegíricos, Gramática de la lengua portuguesa, Diálogo da viciosa vergonha* y la novela *Crónica do Imperador Clarimundo*—; Damiao de Gois—*Crónica de don Manuel.*

Otros prosistas ilustres: Mendes Pinto—*Peregrinaçao*—; Duarte Galvao—*Crónica de don Alfonso Henriquez*—; Gaspar Fructuoso, Nunes de Leao, Braz de Alburquerque (1500-1580) —*Comentarios do Grande Afonso de Alburquerque,* su padre—; Gaspar Correia—*Lendas da India*—; Lopes de Castanheda—*Historia do descobrimiento e conquista da India pelos portugueses*—; Antonio Galvao—*Tratado dos descobrimientos*—; Samuel Usque—*Consolaçio as tribus de Israel*—; Heitor Pinto—*Imagen da vida crista*—; Amador Arrais—*Diálogos*—; Tomé de Jesús—*Trabalhos de Jesús.*

TERCER PERÍODO: SIGLOS XVII Y XVIII.—Epoca de franca decadencia, de imitación abusiva, pese a las numerosas Academias literarias que aparecieron. La de los *Ambientes*—1615—; la *Sestoria,* de Evora—1637—; la de los *Generosos* —1647—; la de los *Singulares*—1633—; la de los *Solitarios de Santarem*—1664—; la de *Conferencias discretas*—1646—. El *mal gusto* se apoderó de las letras portuguesas.

En el siglo XVII hubo, sin embargo, algunas figuras interesantes: Fray Luis de Sousa (1555-1632)—*Annais de don Joao III, Historia de Santo Domingo*—, calificado por Almeida Garret "como el más perfecto prosista de la lengua"; Manuel Bernardes (1644-1710)—*Luz e calor, Nova Floresta*—; Antonio Vieira (1608-1697), gran propagador de la cultura portuguesa en el Brasil—*Sermoes, Cartas*—; Francisco Manuel de Melo (1608-1666), que escribió admirables obras en portugués y en castellano —*Apólogos dialogoris, Carta de guía de casados, Cartas familiares, Epanóforas de varia historia portuguesa* y, su mejor obra, *Historia de los movimientos y separación de Cataluña.*

El principal poeta del siglo fue Francisco Rodrigues Lobo, y también excelente prosista, autor de las novelas pastoriles *Primavera, Pastor peregrino y desengaño,* del poema épico *Condestable, la Corte de Aldeia,* y de églogas y otras poesías líricas muy notables. Bras García de Mascarenhas—*Viriato trágico*—; Frei Antonio Brandao, uno de los autores de la *Monarquía Lusitana;* Luis de Meneses (1632-1690) —*Historia de Portugal restaurado*—; Frei Manuel da Esperança; Freire de Andrade (1597-1667)—*Vida de don Joao de Castro.*

En el siglo XVIII aún decae más la literatura portuguesa... y aparecen nuevas *Academias: Arcadia Lusitana*—1756—y *Nova Arcadia*—1790—. Y, naturalmente, las tendencias neoclasicistas imperan con su retórica. Y algunos escritores ilustres, pocos. Diniz da Cruz (1731-1799), autor del *Hissope,* el mejor poema cómico de la literatura portuguesa; Reis Quita (1728-1770) y Correia Garçao (1724-1772), autores de obras escénicas de imitación francesa; Basilio da Gama (1740-1800), autor del poema *Uruguay;* Tomás Antonio Gonzaga (1744-1810), gran lírico brasileño, autor del poema *Marilia de Dirceu;* líricos interesantes fueron Barbosa du Bocage, José Anastasio da Cunha y Francisco Manuel do Nascimiento; el satírico Nicoláu Tolentino de Almeida; el poeta y polemista José Agostino de Macedo; la poetisa marquesa de Alorna (1750-1839); los historiadores Antonio C. de Sousa (1674-1759)—*Historia genealógica de la Real Casa portuguesa*—; Barbosa Machado (1682-1772)—*Biblioteca Lusitana*—; Ribeiro dos Santos, Antonio C. de Amaral, Frei Francisco A. Lobo, Frei Manuel Cenáculo de Vilas Boas; los eruditos y pedagogos Francisco Xavier de Oliveira. Luis Antonio Verney—*Verdadero método de estudar*—, Ribeiro Sánchez—*Cartas sobre a educaçao da mocidade.*

CUARTO PERÍODO: SIGLO XIX.—El romanticismo en Portugal tiene como hito de partida el *Camoens* del vizconde Almeida Garret (1799-1854), de quien se dijo que "era una nacionalidad que resucita", insigne poeta, orador, erudito, pedagogo, periodista y dramaturgo; de vida agitadísima y aventurera, sufrió destierros y vivió por Europa y América; entre sus obras más importantes cuentan: el lirismo de *Flores sem fruto, Folhas caídas, Lírica de Joan Mínimo;* los dramas *Mérope, Catao, Frei Luis de Sousa;* el poema *Dona Branca;* la novela *O arco de Santa Ana;* las *Odes anacreónticas.*

Alejandro Herculano (1810-1877), otro gran romántico, poeta, novelista, historiador de mucho mérito—*Eurico, O monje de Císter, O Boso, Lendas e narrativas, Historia de Portugal, Opúsculos, A Harpa de Crente*—; Antonio Feliciano de Castilho (1800-1875), fino poeta romántico en *Cartas de Eco e Narciso, Primavera, Amor e melancolía, A noite do Castelo;* Joao de Lemos y Soares de Passo, dos líricos románticos interesantes.

En la novela romántica—histórica o de costumbres—, iniciada por Herculano, sobresalieron: Arnaldo Gama, Rebelo da Silva, Silva Gaio, Camilo Castelo Branco (1826-1890), de vida agitada, pesimista, magnífico narrador en *Amor de perdición, Amor de salvación, Eusebio Macario, La inclusera, A brasileira de Prazin;* Julio Dinis (1839-1871), novelista insigne, optimista, amable, gran pintor de costumbres en *Las pupilas del señor rector, Una familia inglesa, Los hidalgos de la casa morisca;* Francisco María Bordalo—*As navelas marítimas*—; Celestino Soares—*Quadros navais.*

Entre los historiadores del período romántico cuentan: el vizconde de Santarem—*Memoria sobre a prioridade dos descobrimientos portugueses*—, Latino Coelho, Luz Soriano, Pinheiro Chagas.

La reacción contra el romanticismo, la pauta del realismo la marcó el gran poeta y filósofo Anthero de Quental (1842-1892), quien, acaudillando a un grupo de estudiantes de la Universidad de Coimbra, inició la transformación literaria de su patria; entre sus obras están *Raios de extinta luz, Odes modernas, Sonetos, Primaveras románticas, Tendencias geraes da filosofia na segunda metade do século XIX.*

Otros poetas: Joao de Deus (1830-1896) —*Campo de flores, O livro de amor de Joao de Deus*—, Gonçalves Crespo, Joao Penha, Gomes Leal, Tomás Ribeiro, Cesario Verde. Mención especial merece el admirable Guerra Junqueiro (1850-1923), uno de los más insignes poetas portugueses de todos los tiempos y también de los más universales, autor de *Morte de don Joao,* la *Velhice do Padre Eterno,* el *Fin do mundo,* los *Simples, Prometeo.*

Entre los novelistas: José María Eça de Queiroz (1845-1900), acaso el novelista más importante de la literatura portuguesa, el más universal, humanista y satírico, implacable en su sarcasmo, de sensibilidad exquisita, gran creador de personajes y de caracteres; empezó como imitador de Balzac, de Flaubert, de Maupassant, pero no pocas veces los supera; su estilo es bellísimo y su prosa, brillante; entre sus obras, traducidas a todos los idiomas, están: *La reliquia, Los Maias, El crimen del padre Amaro, La capital, El primo Basilio, Fradique Mendes, El mandarín, Las ciudades y las sierras, San Onofre, San Cristóbal, El conde de Abraños, Alves y Compañía.* Teixeira de Queiroz (1849-1919), excelente narrador en *Amor divino, Dom Agostinho, Salluscio Nogueira;* Jaime Magalhaes Lima (1857-1916), Simón Dias—*As maes*—, Fialho D'Almeida (1857-1912)—*Os ceifeiros*—, Ramalho Ortigao (1836-1915), gran amigo y colaborador de Eça de Queiroz en *El misterio de la carretera de Cintra,* autor de *As Farpas;* Abel Botelho (1856-1917)—*El barón de Lavos*—, Trindade Coelho (1861-1908)—*Os meus amores*—, Alberto Braga.

Entre los historiadores: Gama Barros (1833-1925)—*Historia da Administraçao pública em Portugal*—, Ramos Coelho (1832-1911), Costa Lobo (1840-1913)—*Historia da Sociedade em Portugal no século XV*—, Alberto Sampaio (1841-1908)—*Villas do norte de Portugal*—. Sousa Viterbo (1845-1910).

Lugar destacado ocupa Oliveira Martins (1845-1894), de Lisboa, el más literato de los historiadores, novelista—*Phebus Moniz*—, poeta—*Batalha, Belem, Mafra*—y autor de la famosa *Historia de la civilización ibérica* y de *Hellenismo e a civilizaçao christa.* Teófilo Braga (1843-1924), gran crítico literario erudito, sociólogo, poeta, filólogo, folklorista, filósofo, político, etnólogo, antropólogo, de una capacidad de trabajo prodigiosa—*Visao dos tempos, Tempestades sonoras, Ondina do lago, Historia da civilizaçao portuguesa.*

En el teatro realista sobresalieron: Salvador Marques—*Campinos*—, Juan de la Cámara —*Velhos*—, Marcelino de Mesquita, Antonio Ennes—*Lazaristas*—, Pinheiro Chagas—*Señorita de Valflor*—, Lopes Mendoza—*Duque de Vizeu*—, Andrade Corvo, Caldeira, Lopes Vieira, Augusto de Castro, Alberto Braga.

En la literatura *de viajes:* Adolfo Loureiro y Venceslau Morais. Gran crítico literario fue Moniz Barreto.

QUINTO PERÍODO: SIGLO XX.—No cabe juzgar aún a los escritores portugeses contemporáneos. Por ello nos limitaremos a enumerar los nombres de aquellos que juzgamos más importantes.

Entre los poetas: Antonio Nobre—*So*—, Antonio Feijó, Eugenio de Castro (1862-1917), uno de los poetas portugueses más admirados en todo el mundo—*Caristos*—; Augusto Gil, Sa Carneiro, Camilo Pessanaha, conde de Monsaraz, Fernando Pessoa—*Mensagem*—, Lopes Vieira, Teixeira de Pascoes...

Entre los novelistas: Ferreira de Castro—*Emigrantes*—, Manuel Ribeiro, Paço D'Arcos, Raúl Brandao—*Los pobres*—, Julio Dantas—*La severa*—, que también es el más ilustre dramaturgo contemporáneo—*La cena de los cardenales.*

Prosistas, poetas, ensayistas, narradores de mérito son: Leonardo Coimbra—*La alegría, el dolor y la gracia*—, Teixeira Gomes, Carlos Malheiro Dias, Silva Gaio, Antonio Patricio, Antonio Sardinha, Eça de Queiroz, hijo del famoso novelista; Antonio Ferro, Fidelino Figueiredo, Hernani Cidade, Raúl Proença.

V. FIGUEIREDO, Fidelino: *Historia de la Literatura portuguesa*. Barcelona, Labor, 1927. FIGUEIREDO, Fidelino: *Historia literaria de Portugal*. Coimbra, 1944.—MENDES DOS REMEDIOS: *Historia da Literatura portuguesa*. Coimbra, 1930.—LOPES, Oscar, y MARTINS, Julio: *Breve historia da Literatura portuguesa*. Lisboa, 1945. GOMES BRANCO, José: *Literatura portuguesa*. En "Historia de la Literatura universal". Madrid, Atlas, 1946.

POSIBILISMO

Movimiento político fundado en España por Emilio Castelar, que pretendía ir conquistando, paso a paso, por medio de una *lucha legal*, todas las reformas que comprendían el credo de la democracia, hasta alcanzar el triunfo de la República.

El posibilismo político español equivalía al *oportunismo* francés, instaurado y definido por Gambetta.

POSITIVISMO

Sistema filosófico que admite exclusivamente el método experimental, rechazando toda noción *a priori* y todo concepto universal y absoluto. Para el positivismo no cuenta sino el *hecho* como única realidad científica. La experiencia y la inducción son los métodos exclusivos de la ciencia, según el positivismo.

En realidad, el positivismo es uno de los intentos más serios que se han hecho para eliminar la metafísica.

El positivismo fue fundado por Comte, y defendido por Locke, Hume, Stuart-Mill, Spencer, Russel, Taine...

Augusto Comte, el famoso filósofo, nació —1798—en Montpellier. Murió—1857—en París. De 1814 a 1816 estudió en la Escuela Politécnica de París. Antes de cumplir los veinte años, su espíritu independiente rompió todos los lazos de sujeción: la familia, las creencias... Para ganarse la vida dio clases particulares de Matemáticas. En 1825 contrajo matrimonio con Carolina Massin. El matrimonio fue un completo fracaso, y los cónyuges se separaron violentamente. En 1826, debido al excesivo trabajo, Comte, víctima de un ataque de locura, hubo de ser recluido en el manicomio del doctor Esquirol, del que salió en 1829. En 1845 conoció a madame Clotilde de Vaux—muerta al año siguiente—, por la que sintió una verdadera idolatría, no terminada sino con su propia muerte. En 1848 fundó la Sociedad Positivista. No logró que Guizot creara para él una cátedra de Historia de la Filosofía positivista en el Colegio de Francia.

Entre sus obras destacan: *Cours de philosophie positive*—1830—, *Discours sur l'esprit positif*—1844—, *Ordre et progrès*—1848—, *Discours sur l'ensemble du positivisme*—1848—, *Calendrier positiviste*—1849—, *Catéchisme positiviste* —1852—, *Système de politique positive*—1852—, *Appel aux conservateurs*—1855—, *Synthèse subjective*—1856...

Realmente, el positivismo—al menos, un *especial* positivismo—había surgido antes de Comte. Así, Kant defendió la *necesidad de la experiencia* para el conocimiento de los *objetos metafísicos*. Comte, más radical, afirmó que lo incognoscible *no es*.

El positivismo alcanzó una enorme influencia en toda Europa. Así, puede hablarse de un positivismo francés, de un positivismo inglés, de un positivismo alemán, de un positivismo italiano...

Lógicamente, varían los matices y las formas del positivismo en cada país; sin embargo, en todos ellos persisten las más acusadas características: la confianza absoluta en la validez de la ciencia; la admisión de las leyes naturales absolutamente necesarias y constantes; la uniformidad de las estructuras de la realidad; la continuidad en el enlace de una ciencia con otra; la tendencia invencible a la matematización y al mecanicismo.

Comte defendió su *ley de los tres estados*, según la cual el hombre—el espíritu humano— ha pasado sucesivamente por esos tres estados distintos: el *teológico*, el *metafísico* y el *positivo*.

El estado *teológico* o ficticio es preparatorio y provisional, y consta de tres fases distintas: *fetichismo*, *politeísmo* y *monoteísmo*. En la fase del *fetichismo* se consideran las cosas como personificadas y se les atribuye un *poder* mágico o divino. En la fase del *politeísmo* las cosas dejan de ser animadas, pero son admitidos numerosos dioses, cada uno de los cuales posee un *poder* mágico e irresistible. En la fase del *monoteísmo*, todos los dioses quedan reunidos o concentrados en uno solo, llamado Dios. En el *estado teológico* domina la *imaginación*, y corresponde—dice Comte—este estado a la *infancia* de la Humanidad.

En el *estado metafísico*—crítico esencialmente y de transición—se busca la explicación de los seres, su esencia y sus causas, no por medios sobrenaturales, sino por *entidades* abstractas que le confieren su nombre de *ontología;* y es entonces el gran Dios de la Naturaleza. El estado metafísico es "una especie de crisis de pubertad en el espíritu humano, antes de llegar a la edad viril".

El *estado positivo* o *real* es el definitivo. En él, la imaginación queda sometida por completo a la *observación*. En él, la mente humana únicamente da importancia a las cosas, a los hechos y a sus leyes. En él no tienen cabida las causas ni los principios de las sustancias. En él se renuncia a conocer lo que es incognoscible. En él se niega todo valor al absolutismo.

Según Comte, el espíritu positivo se atiene a lo que le es dado por la experiencia y es *relativo;* e insiste en que la pérdida o adquisición de algún sentido alteraría por completo nuestro mundo y nuestra ciencia de él.

Comte afirmó que las ideas gobiernan el mundo, y que existe una gran y sutil relación entre lo mental y lo social, con predominio de esto; que para que se constituya un saber positivo es indispensable que exista una autoridad social suficiente; que el sistema que explique el pasado será dueño del porvenir; que el equilibrio social en la continuidad histórica ha de realizarse con su lema: *ordre et progrès;* y que el imperativo de la moral debe ser: *vivre pour autrui* (vive para el prójimo).

Comte es—se dice—el fundador de la *Sociología,* ciencia a la que llamó primeramente *física social.* La sociedad, objeto de esta ciencia, con su organización y sus leyes, es un *hecho positivo,* con un método igualmente positivo. Y en la sociedad se da también la ley de los tres estados: *militar, jurista* e *industrial,* según el predominio de la fuerza, del derecho y de la economía.

Comte estableció la religión de la Humanidad como Gran Ser. Este Gran Ser constituye el fin del individuo. Junto al Gran Ser coloca Comte el Gran Medio y el Gran Fetiche. E ideó una organización para su religión, con su Iglesia, sus sacramentos, sus sacerdotes y hasta sus santos—los grandes bienhechores de la Humanidad—y sus ángeles tutelares—encarnados en las mujeres—; una religión en la que únicamente faltaba Dios.

"¿Qué es, pues—resume Julián Marías—, la filosofía para el positivismo? Aparentemente, una reflexión sobre la ciencia. Después de agotadas estas, no queda un objeto independiente para la filosofía, sino ellas mismas; la filosofía se convierte en *teoría de la ciencia.* Así, la ciencia positiva adquiere unidad y conciencia de sí propia. Pero la filosofía, claro es, desaparece; y esto es lo que ocurre con el movimiento positivista del siglo XIX, que tiene muy poco que ver con la filosofía.

"Pero en Comte mismo no es esto así. Aparte de lo que cree hacer, hay lo que efectivamente hace. Y hemos visto que, en primer lugar, es una filosofía de la historia (la ley de los tres estados); en segundo lugar, una teoría *metafísica* de la realidad, entendida con caracteres tan originales y tan nuevos como el ser social, histórica y *relativa;* en tercer lugar, una disciplina filosófica entera, la ciencia de la sociedad; hasta el punto de que la Sociología en manos de los sociólogos posteriores no ha llegado nunca a la profundidad de visión que alcanzó en su fundador. Este es, en definitiva, el aspecto más *verdadero* e interesante del positivismo, el que hace que sea realmente, a despecho de todas las apariencias y aun de todos los positivistas, filosofía."

Entre los más ilustres positivistas franceses cuentan: Pedro Laffitte (1823-1903), Emilio Littré (1801-1881), Hipólito Taine (1828-1893), Ernesto Renán (1823-1892), Teódulo Ribot (1839-1916), Emilio Durkheim (1858-1917), Luciano Lévy-Bruhl (n. 1857), Carlos Maurras (1868-1953).

El positivismo inglés presenta caracteres muy peculiares: su conexión con el *empirismo;* el predominio de los problemas éticos que desembocan en el *utilitarismo* (V.), y, finalmente, en el *pragmatismo* (V.); el interés por las cuestiones lógicas; su derivación hacia las teorías evolucionistas.

Positivistas ingleses ilustres fueron: John Stuart Mill (1806-1873), Jeremías Bentham (1748-1832), Herbert Spencer (1820-1903), Charles Darwin (1809-1882), William James (1842-1910).

El positivismo alemán también tiene su peculiar característica: su propensión al *naturalismo* (V.) y al *monismo* (V.).

Positivistas alemanes de mérito fueron: Ludwig Feuerbach (1804-1872), Moleschott, Büchner, Vogt, Haeckel, Ostwald.

Entre los positivistas italianos únicamente merece mención Roberto Ardigo (m. 1920), quien aplicó a toda la realidad el concepto de *formación natural,* es decir, el paso de lo indistinto a lo distinto.

V. GRUBER: *Aug. Comte...* Friburgo, 1889. STUART MILL, J.: *Auguste Comte.*—DEHERME: *A. Comte et son oeuvre.* París, 1909.—WEBER: *Histoire de la Philosophie europ.* París, 1905. 7.ª edición.—LITTRÉ, E.: *A. Comte et la philosophie positive.* París, 1863.—LÉVY-BRULH: *La Philosophie de A. Comte.* París, 1900.—SAUVAGE: *Positivism.* En "The Catholic Encyc.", Nueva York, 1911.—ROCCO: *Scienza e Positivismo.* Roma, 1910.—MONNIER: *Exposé populaire du positivisme.* París, 1911.—BOULAY: *El positivismo de A. Comte.* Traducción cast. Madrid, 1908.

POSTISMO

Movimiento literario y artístico que surgió —1945—en España. Su primer manifiesto apareció en la revista *Postismo.* En realidad, nadie puede precisar en qué consistió el postismo, ni siquiera sus pontífices y sus primeros propugnadores. En el postismo, como en algunos productos alimenticios, casi todo era envoltura, papel de colorines; casi nada era lo comestible.

Los manifiestos fueron tantos, tan altisonantes y tan agresivos, que dieron que sospechar en si habría realmente nueces luego de tanto ruido. Pero no...

Según uno de estos manifiestos, el postismo, "a diferencia del surrealismo (¡ !), no admite automatismo absoluto; *selecciona* el material subsconsciente y, también a diferencia del surrealismo (¡!), no elude la Estética, sino que, por el contrario, la busca, (una Estética especial, libre de cánones y prejuicios); tampoco rehúye la Lógica, la convierte en técnica; ni la Moral, la traslada al entusiasmo, a la alegría de los sentidos, la acerca a su expresión intuitiva e instintiva; propugna la más amplia libertad (poniéndole freno allá donde esta conduzca a lo anodino, a lo no puro, a lo antiarte), el juego frenético de la imaginación, el imperio de la forma (morfología) y el decorativismo rítmicoanimal (euritmia), y, por ende, la exaltación expresivosensorial".

Leídos y releídos los distintos manifiestos postistas, era sencillo sacar varias conclusiones categóricas:

1.ª Que no sabían lo que querían. (Sabiendo solo que querían llamar la atención, fuera o dentro del circo... y "como fuera".)

2.ª Que no sabían escribir en castellano... acaso por no convenirles que se los entendiera.

3.ª Que no presentaban "modelos" ni "pruebas" de la belleza o de la eficacia de su "ismo", y sí, únicamente, teorías en clave y algarada críticomanifestante.

4.ª Que era menester la creencia en el postismo bajo palabra de honor "de que este se proponía algo, haría algo e influiría en algo".

La única verdad, hasta hoy, es que el postismo sigue sin haber hallado un auténtico camino nuevo.

El postismo no es, pues, sino una pedante postura, una violenta dialéctica, alrededor de una canica hueca.

POSTMODERNISMO

El gran crítico literario español Federico de Onís—en el prólogo a su *Antología de la poesía española e hispanoamericana*—ha definido así este movimiento, cuya existencia transcurrió entre 1905 y 1915: "Es una reacción conservadora, en primer lugar, del modernismo mismo, que se hace habitual y retórico como toda revolución literaria triunfante, y restauradora de todo lo que en el ardor de la lucha la naciente revolución negó. Esta actitud deja poco margen a la originalidad individual creadora; el poeta que la tiene se refugia en el goce del bien logrado, en la perfección de los pormenores, en la delicadeza de los matices, en el recogimiento interior, en la difícil sencillez, en la desnudez prosaica, en la ironía y en el humorismo. Son modos diversos de huir sin lucha y sin esperanza de la impotente obra lírica de la generación anterior en busca de la única originalidad posible dentro de la inevitable dependencia. Solo las mujeres alcanzan en este momento la plena afirmación de su individualidad lírica, que se resuelve en la aceptación o liberación de la sumisión y la dependencia. Pero la poesía sumisa de los hombres de este tiempo produjo una variedad de tendencias y una riqueza de modos de sensibilidad que en vano buscaríamos en la poesía más fuerte del modernismo. Por eso se agrupan naturalmente los muchos poetas menores que entonces surgieron, a veces de insustituible valor individual, en torno a la tendencia que prefirieron seguir."

Entre los poetas que Onís sitúa en las filas del postmodernismo y en diferentes direcciones y reacciones *(tradición clásica, romanticismo, sentimentalismo, preciosismo...)*, figuran Díez-Canedo, Enrique de Mesa, Alfonso Reyes, Salvador de Madariaga, "Alonso Quesada", Héctor Pedro Blomberg, Arturo Capdevila, y las poetisas Alfonsina Storni, María Enriqueta, Gabriela Mistral, Juana de Ibarbourou, Delmira Agustini.

"El modernismo—escribe el mismo investigador—no solo removió profunda y radicalmente el suelo literario, sino que echó los gérmenes de muchas posibilidades futuras. Estas son las que se han desarrollado después, durante el siglo XX, en una multiplicidad de tendencias contradictorias que hemos tratado de agrupar según signifiquen un intento de reaccionar contra el modernismo, *refrenando sus excesos (postmodernismo)*, o de superarlo, llevando más lejos su afán de *innovación y de libertad (ultramodernismo)*."

En efecto, el postmodernismo fue contra todos los excesos—orgía melodiosa y verbal, derroche de imágenes y de metáforas brillantes, ritmos grandiosos, concepciones complejas—del modernismo, por los caminos más sencillos, con la intención más natural, ya propugnando la sencillez lírica y la melodía íntima, ya la vuelta hacia el romanticismo más discreto, ya un refugio en la tradición clásica, ya la eficacia de un prosaísmo sentimental.

No estamos de acuerdo con Onís ni con otros varios críticos que afirman contar únicamente el postmodernismo "con poetas menores"... "según el fenómeno que sigue a los momentos de gran apogeo poético". Y no estamos conformes, porque, a nuestro entender, el maestro del postmodernismo es Juan Ramón Jiménez, uno de los más grandes e influyentes líricos que ha tenido España.

En la poesía juanramoniana se dan todos los preceptos—o los motivos—de la reacción contra el modernismo: la preocupación por los temas íntimos, la búsqueda de la más remota y trascendental melodía, renuncia a los metros largos, renuncia—en ocasiones—a la rima, *desnudez* del pensamiento—que constituye la sencilla, la dificilísima, la flagelada poética de Juan Ramón Jiménez—, el afán por la severa depuración de elementos superfluos...

Una poesía admirable de Juan Ramón Jiménez prueba—creemos—nuestra anterior afirmación; el gran poeta alude con rencor a la aparición del modernismo y a cómo—él—logró librarse del movimiento fenomenal y recobrar su acento íntimo:

> Vino, primero, pura,
> vestida de inocencia;
> y la amé como un niño.
> Luego se fue vistiendo
> de no sé qué ropajes;
> y la fui odiando, sin saberlo.
> Llegó a ser una reina
> fastuosa de tesoros...
> ¡Qué iracundia de yel y sin sentido!
> ...Mas se fue desnudando.
> Y yo le sonreía.
> Se quedó con la túnica
> de la inocencia antigua.
> Creí de nuevo en ella.
> Y se quitó la túnica
> y apareció desnuda toda...
> ¡Oh pasión de mi vida, poesía
> desnuda, mía para siempre!

V. ONÍS, Federico de: *Antología de la poesía española e hispanoamericana*. Madrid, 1934.—DÍEZ-CANEDO, E.: *Juan Ramón Jiménez en su obra*. México, 1944.

POSTROMANTICISMO

Movimiento literario y artístico que, hacia 1860, marcó la decadencia del romanticismo en una mezcla curiosa con los primeros "síntomas" del realismo.

El postromanticismo aún cultivaba, tímidamente, algunas de las fórmulas románticas; pero ya ensayaba, tímidamente, algunas de las primeras recetas realistas. El postromanticismo fue, pues, una *zona* de "confluencia", un *campo* de "experimentación", un *asilo* para quienes creían ya agotadas las posibilidades del romanticismo, y un *refugio* para quienes buscaban unos caminos de salvación.

El postromanticismo fue como las *barras* de los ríos, donde dos corrientes se encuentran, sin que lleguen a confundirse por completo, y donde la dulzura y la sal aparecen por capas y a trechos.

El postromanticismo vivió entre 1860 y 1890; y *convivió* con el romanticismo—de 1870 a 1880—y con el realismo, ya triunfante—de 1875 a 1890.

En España, el postromanticismo tuvo un nombre propio y sumamente significativo: *melodramatismo*. Un género literario marcó sensiblemente en España el paso del romanticismo de Rivas, Zorrilla y García Gutiérrez al realismo de Galdós: el melodrama. Entre los meses de septiembre de 1860 y junio de 1861 se estrenaron en los teatros de Madrid 106 obras; pues bien, de ellas fueron melodramas 68. En el melodrama cabe todo. Bien agitado. Bien mezcladas las dosis de los diversos ingredientes. La tesis audaz de un irreprimible realismo; pero la forma aún detonante de un romanticismo auténtico. La moraleja embozada o esbozada. Ante un melodrama puede el público reaccionar siempre. Hay en él para todos los gustos. No se prescinde de lo antiguo y ya se echa mano de lo moderno. El melodrama es una lección experimental.

Pero no se crea que el melodramatismo se proyectó y triunfó exclusivamente sobre la escena; igualmente invadió la novela, el ensayo, la poesía, el periodismo... Sin embargo, el postromanticismo melodramático, al menos en España, surgió primeramente en el género escénico. Y sus primeros cultivadores fueron: Adelardo López de Ayala (1828-1879)—*Un hombre de Estado, Rioja, El tanto por ciento, El tejado de vidrio, Consuelo, El nuevo don Juan*—; Manuel Tamayo y Baus (1829-1898)—*Locura de amor, La bola de nieve, Un drama nuevo, Lo positivo, Lances de honor*—; José Echegaray (1832-1916)—*En el seno de la muerte, El gran galeoto, O locura o santidad, Mancha que limpia, La muerte en los labios, Mariana, Vida alegre y muerte triste, El loco dios*—; Eugenio Sellés (1844-1926)—*El nudo gordiano*—; Leopoldo Cano (1844-1934)—*La pasionaria*—; José Felíu y Codina (1847-1897)—*María del Carmen, La Dolores, La real moza.*

En la novela: Enrique Pérez Escrich (1829-1897)—*El cura de aldea, El corazón en la mano, La caridad cristiana, Las obras de Misericordia, La envidia, La calumnia*—; Julio Nombela (1836-1919)—*La maldición de una madre, El señor Pérez, La flor de nieve, La parricida, La dicha de un desdichado*—; Manuel Martínez Barrionuevo (1857-1917)—*Juanela, La condesita, Amapola, La generala, La Quintañones, Cómica y mártir*—; José Selgas y Carrasco (1822-1882)—*Deudas del corazón, Nona, La manzana de oro, Un rostro y un alma, Una madre, Las dos rivales*—; Antonio de Trueba (1819-1889)—*La paloma y los halcones, Redentor moderno, El gabán y la chaqueta.*

En la poesía—donde el postromanticismo cayó, a veces, en el *prosaísmo*—: Antonio Arnao (1828-1889)—*Himnos y quejas, Melancolías, rimas y cántigas*—; Vicente Barrantes (1829-1898—*Baladas españolas, Días sin sol*—; Manuel Cañete (1822-1891)—*Poesías, El árbol seco*—; Antonio Fernández Grilo (1845-1906)—*El invierno, Las ermitas de Córdoba*—; Ramón de Campoamor (1817-1901)—*Doloras, Humoradas, Pequeños poemas*—; Ventura Ruiz Aguilera (1820-1881)—*Elegías, Las estaciones del año*—; Gaspar Núñez de Arce (1834-1903)—*La última lamentación de lord Byron, Gritos de combate, Maruja, La visión de fray Martín*—; José Velarde (1849-1892)—*Alegría, A orillas del mar, La velada*—; Emilio Ferrari (1850-1907)—*En el arroyo, La musa moderna, Pedro Abelardo*—; Manuel del Palacio (1831-1906)—*Cien sonetos, Veladas de otoño*—; Vicente Wenceslao Querol (1836-1889)—*Rimas, Las fiestas de Venus*—;

Joaquín Bartrina (1850-1880)—*Algo*—; Manuel Reina (1856-1905)—*La vida inquieta, Cromos y acuarelas, Andantes y allegros*—; José Selgas (1822-1882)—*El estío, Flores y espinas.*

En Francia, el postromanticismo suma los nombres de Octavio Feuillet, Paul Bourget, Ernesto Daudet, René Bazin, "Pierre Loti", Pierre Decourcelle, Victorien Sardou, Scribe, Ennery, Ducange, Bouchardy, Henri Bordeaux...

V. SAINZ DE ROBLES, F. C.: *Los movimientos literarios.* Madrid, Aguilar, 1948. — LE-ROY, Jean: *Notice sur le post-romanticisme.* París, 1903.

POSTULADO

Principio de una claridad y evidencia tales, que no exige demostración.

PRÁCRITO (Lenguaje)

Lenguaje popular de la India, derivado del sánscrito, o, por mejor decir, *alteración del sánscrito;* su mismo nombre significa *inferior, imperfecto.* El *prácrito* tuvo literatura propia en el clasicismo brahmánico. En el período búdico, el prácrito quedó relegado a *lengua literaria,* ajena al dominio del pueblo. Algunos lingüistas han creído hallar en este lenguaje los restos de antiquísimos idiomas hablados en la península antes de la conquista aria.

V. COLENBROOKE: *On the sanscrit and pracrit languages.* En el tomo VII de "Recherches Asiatiques".—COLENBROOKE: *On the sanscrit and pracrit poetry.* En el tomo X de "Recherhes Asiatiques".—DELIUS: *Radices pracriticae.* Bonn, 1839.—HOEFER: *De Prakrita dialecto, libri II.* Berlín, 1836.

PRAGMÁTICA

1. Ley.
2. Disposición.

Se llama *historia pragmática* a la que presenta los hechos de modo que ofrezcan inmediatamente conclusiones aplicables a la práctica.

PRAGMATICISMO

Nombre adoptado—1905—por Peirce para el pragmatismo filosófico, cuando se dio este nombre de *pragmatismo* a un conjunto de teorías doctrinales políticas.

El cambio de términos no obtuvo éxito alguno. (V. *Pragmatismo.)*

PRAGMATISMO (Filosófico)

Sistema filosófico según el cual el único criterio válido para juzgar de la verdad de toda doctrina científica, moral o religiosa, se ha de fundar en sus efectos prácticos.

El pragmatismo, nacido en América, aplicó el *utilitarismo* (V.) y el concepto de adaptación a la teoría del conocimiento y al concepto de verdad.

El concepto del pragmatismo fue formado —1878—por Carlos Sanders Peirce (1839-1914), e inmediatamente encontró un defensor incansable y sutilísimo en William James (1842-1910). En Inglaterra, el movimiento se apoyó en las teorías de F. C. S. Schiller (n. 1864), tomando el nombre de *humanismo.* Conviene advertir que ya James había denominado al pragmatismo *filosofía del sentido común.*

El pragmatismo angloamericano se opuso a la separación entre pensamiento y acción, a la idea de una verdad meramente teórica y de un conocimiento separado de toda práctica. Para el pragmatismo, la verdad de un juicio consiste en que dé resultados la actitud práctica que él determina respecto del mundo. *Verdad es utilidad.*

"William James une este concepto pragmatista de la verdad con un empirismo libre de prejuicios: el fin de todo conocimiento es la condensación de la experiencia pura en un cuadro de conjunto del Universo, útil para la vida, fomentador de la vida. Ese empirismo le hace defender expresamente el derecho de una concepción religiosa del Universo, porque la conciencia religiosa presenta también sus experiencias características. Por otro lado, está el hombre, no por cierto como una inteligencia contemplativa, sino como un ser que actúa en el centro *del,* es decir de *su* mundo. Su *cuadro del Universo* es el mundo, que se presenta como correlato, como contrapolo de su acción; y solamente es cognoscible como contrapolo, y no como un ser en sí. Solamente existe un mundo, una verdad para el hombre, o, más exactamente, para este tipo de hombres. De esta manera, el pragmatismo conduce a un relativismo filosófico que recuerda fuertemente la teoría del antiguo sofista Protágoras. Con la teoría darviniana de la selección se relaciona esta teoría, en cuanto los tipos de los hombres y sus concepciones del Universo están sometidos en la lucha por la existencia a la selección natural; verdadera es en último término aquella concepción del Universo que triunfa y se conserva como la más útil entre los hombres, para los cuales, por decirlo así, ha sido cortada a la medida." (VON ASTER.)

En su origen, el pragmatismo es un método que consiste—según W. James—"en interpretar cada concepción por sus consecuencias prácticas". Para James, la actitud pragmatista era, ni más ni menos, "volver la espalda a los principios y el rostro a los fines".

El punto más original y más importante del pragmatismo consiste en su *teoría de la verdad.* ¿Qué es verdad para el pragmatismo? Lo que es *útil.* Es verdadero todo aquello que nos inspira una *conducta eficaz* y que *favorece la vida.* El criterio de la verdad no puede ser otra cosa sino el éxito práctico en el mundo. La verdad puede, pues, ser considerada como un *instrumento* de la acción. Y William James no tiene inconveniente en admitir esta definición vulgar de la verdad: *conformidad con la realidad.* Naturalmente, la admite luego de aclarar qué entiende por *realidad* y qué por *conformidad.*

Realidad, dice, es lo que el sentido común entiende por tal, ya que el sentido común es el que pone la realidad en las cosas en sí independientemente de nuestras ideas y de nuestros sentimientos. *Conformidad* es lo mismo que verificación, validación, corroboración de la idea.

La fórmula de James es, machaconamente, esta: "Es útil porque es verdadero y es verdadero porque es útil; lo mismo exactamente significa una cosa que otra; la verdad es una idea que se realiza y puede verificarse; lo verdadero consiste simplemente en lo que es ventajoso; solo debe considerarse el punto de vista práctico de los resultados." Y así justifica el carácter instrumental de la verdad, que es "un modo de medir la superficie de los fenómenos para encerrar en una simple fórmula todas sus variaciones".

El pragmatismo, apenas nacido, fue combatido duramente por insignes filósofos: Lovejoy, Bradley, Montague, Poincaré... Se le echaba en cara su extremada vaguedad y falta de precisión en las ideas, junto con una radical inversión de los conceptos más fundamentales.

Sin embargo, el pragmatismo encontró numerosos e ilustres defensores y propagandistas en Francia: Blondel, Bergson, Le Roy, Wilbois... Aun cuando justo es confesar que el pragmatismo francés no aportó nuevos elementos decisivos al angloamericano.

V. HÉBERT: *Le Pragmatisme.* París, 1908.—TONQUEDEC: *La notion de vérité dans la Philosophie nouvelle.* París, 1908.—SCHINZ: *Antipragmatism.* Nueva York, 1909.—PRATT: *What is Pragmatism.* Nueva York. 1909.—BOURDEAU: *Pragmatisme et modernisme.* París, 1909.—CALDWELL: *Pragmatism and Idealism.* Londres, 1913. DRÍSCOLI: *Pragmatism and the problem of the idea.* Londres, 1915.—SOREL: *De l'utilité du Pragmatisme.* París, 1921.—ASTER, Von: *Historia de la Filosofía.* Barcelona, 1935.—JAMES, W.: *Principles of psychology; Pragmatism; Textbook of psychology...*

PRAGMATISMO (Político)

Sistema de política personal llevado al campo de la ordenación jurídica. Sistema sinónimo de *legalismo,* y una de las múltiples formas que ofrece la organización del gobierno impuro.

Cuando quien ejerce la soberanía no lo hace con el asenso de sus súbditos, y erige su propia voluntad en facultad legisladora, y el famoso aforismo *quod principi placuit* es elevado a categoría de suprema norma, entonces aparece el pragmatismo.

Para muchos tratadistas políticos el pragmatismo no solo comprende el vicio de la tiranía, de la oligarquía y de la demagogia, sino también el gravísimo defecto del *absolutismo* (V.).

El pragmatismo existe desde las más remotas épocas. En realidad, desde que se presentó la primera detentación del Poder. Y continuó su vigencia, a través de la fragmentación feudal, hasta nuestros días.

Pragmatismo fue el oriental y antiquísimo régimen de castas. Pragmatismo fueron las famosas Constituciones de los príncipes, en Roma, definidas por el jurisconsulto Gayo como otras tantas formas de expresar los emperadores su voluntad tiránica, convertida en la más eficaz fuente de derecho.

Durante la Edad Media, la creencia de que la constitución real de los Estados y su propia finalidad derivaban directamente de la voluntad de Dios, contuvo la tiranía y el absolutismo exteriorizados por medio del pragmatismo. Durante la Edad Media, el gobierno de la Cristiandad se confió a dos espadas, una espiritual, colocada en manos del Pontífice; otra temporal, colocada en manos del emperador. Ni en este ni en aquel podía concebirse el pragmatismo. Sin embargo, al formarse los partidos ultramontano—partidarios del Papa—y cismontano—partidarios del emperador—, reaparecieron los efectos del pragmatismo, del que acusaba cada partido al adversario.

Durante el Renacimiento, Maquiavelo hizo resaltar el divorcio existente entre la doctrina del Estado—derecho natural—y el arte práctico de constituir el Estado—lo que en puridad es política—. El pragmatismo fue una consecuencia obligada del régimen del Estado, sea este monárquico o republicano. La voluntad del gobernante—insiste Maquiavelo—no tiene traba alguna que la limite, "porque el fin justifica los medios".

Como lógica consecuencia de tales enseñanzas, el pragmatismo exteriorizó, ya en la época moderna, el caso típico de flagrante absolutismo, pasando más tarde a exteriorizar la verdadera tiranía. Recuérdense los reinados de Enrique VIII de Inglaterra, de Solimán "el Magnífico", de Pedro III y Catalina II de Rusia, de José II de Austria.

El pragmatismo juega su momento más interesante al surgir el régimen constitucional. En este régimen se combinan dos poderes: el legislativo y el ejecutivo. El primero emana de la voluntad popular; el segundo responde a la soberanía del rey. ¿Cuál de estos dos poderes es el más fuerte? Porque, señalando el poder predominante, podremos conocer dónde se engendra el pragmatismo.

Para Locke, uno de los primeros definidores y defensores del *constitucionalismo* (V.), en este no podía darse el pragmatismo, ya que el pueblo sólo tiene el derecho de darse leyes, y el rey no puede hacer otra cosa sino ser el ejecutor de dichas leyes; por ende, rey y pueblo tienen *una limitación* que impide cualquier impureza. La Revolución francesa, dejando en el pueblo los dos poderes, hizo posible una nueva exaltación del pragmatismo. Y este triunfó plenamente con la Convención. Comentando este hecho, escribió Gil Robles en su libro *El absolutismo y la democracia*: "De las filosofías, que, por falta de fin y motivo de orden, no pueden fundamentar moralidad ni rectitud alguna, surgen esos escepticismos y positivismos prácticos, esos pragmatismos que solo procuran el bien material y sensible, no de todos, sino de los que tienen la fuerza y recursos físicos para lograrlos en su provecho, bien sea el imperante soberano, bien sus paniaguados, parientes y amigos (nepotismo), u otras clases y colectividades. En una palabra, las filosofías y las jurisprudencias nuevas engendran las varias especies y grados de tiranía que, si en las sociedades antiguas procedió de ignorancia y error, tiene hoy el fundamento sistemático de una metafísica, ética y derecho impotentes para fundamentar un orden dirigido a un armónico pro común."

Actualmente, el pragmatismo es la oligarquía del tercer estado, de la burguesía—repúblicas y repúblicas socialistas—, o es, como en Rusia, *oclocracia*.

V. GIL ROBLES, A.: *El absolutismo y la democracia*. Salamanca, 1891-1892.—FISCHBACH, G.: *Derecho Político*. Barcelona, Labor, 1928.

PREADAMISMO o PREADAMITISMO

Nombre dado a la herejía de los preadamitas, adeptos de Isaac de la Peyrére, en el siglo XVII.

Isaac de la Peyrére nació—1594—en Burdeos. Murió—1676—en el Seminario de Nuestra Señora de las Virtudes, cerca de París. Su familia era calvinista. Desde muy joven sirvió al príncipe de Condé, quien no dejó de protegerle. Con él estuvo en España y en los Países Bajos. Leyendo las *Epístolas* de San Pablo, en el capítulo V de la dirigida a los romanos, creyó haber encontrado la prueba de que habían existido hombres antes que Adán. Y en 1655 publicó su obra *Praeadamitae, sive exercitatio super versibus 12, 13 et 14, cap. V, ep. P. ad Rom., quibus indicuntur primi homines ante Adamum conditi.*

A este opúsculo siguió en el mismo año otra obra mucho más extensa: *Systema theologicum ex Prae-Adamitarum hypothesi.* Las opiniones de Peyrére provocaron un escándalo mayúsculo. El vicario general del arzobispo de Malinas le mandó encarcelar—1656—y ordenó que sus libros fueron quemados en la plaza pública. El príncipe de Condé logró ponerle en libertad, haciendo la promesa de que su favorito iría a Roma y se retractaría. En efecto, Peyrére fue a la Ciudad Eterna, donde el Pontífice Alejandro VII le recibió con benignidad. Se retractó y abjuró del calvinismo. Pero aun cuando el Papa le ofreció un beneficio eclesiástico, prefirió volver con el príncipe de Condé, quien le nombró su bibliotecario.

Según Peyrére, hubo dos Creaciones hechas en épocas muy remotas la una de la otra. En la primera, que fue una Creación general, Dios creó el mundo según es. Mucho tiempo después, queriendo *crearse un pueblo particular*, crió a Adán, para que fuese el primer hombre y el patriarca y cabeza de su pueblo. Esta fue, según Peyrére, la segunda Creación.

Para el preadamismo:

1.° El diluvio no fue universal y no inundó más que la Judea.

2.° No descienden de Noé todos los pueblos del mundo.

3.° Los gentiles o pueblos de la primera Creación no recibieron de Dios ninguna ley positiva, no cometiendo pecados propiamente dichos, aun cuando cometieran toda clase de vicios.

4.° La muerte de los gentiles no era en castigo de sus pecados, sino porque tenían sus cuerpos sujetos a la corrupción.

Para su teoría preadamita se fundó Peyrére en el siguiente pasaje de San Pablo: "Porque hasta la ley, el pecado estaba en el mundo, mas luego no era imputado el pecado cuando no había ley." Y discurrió así: "En este pasaje no habla San Pablo de la ley dada a Moisés, pues se sabe de cierto por la Escritura que antes de Moisés hubo pecados imputados y castigados, como los de Caín, los sodomitas, etc...; luego habla de la ley dada a Adán; luego se debe colegir que antes de Adán había hombres a quienes no se imputaban los pecados."

La explicación de Peyrére es sumamente caprichosa: "Hasta la ley de Moisés hubo pecados que imputaba Dios a los culpables; es así, que no pueden imputarse los pecados cuando no hay ley; luego antes de la ley de Moisés existió la ley dada a Adán."

Peyrére defendió que el pecado de los preadamitas fue un defecto natural—*vitium naturae*—, y él, y no el pecado de Adán, es el origen de donde proceden las enfermedades, las guerras, las miserias de esta vida. Adán fue el único que quebrantó *una ley particular;* por ello su pecado fue un *pecado legal,* que se transmitió únicamente a sus descendientes: los judíos.

También anunció Peyrére el próximo restablecimiento del pueblo de Dios en la Tierra Santa, afirmando que sería el rey de Francia quien llevaría a cabo la restauración, y que los judíos abrazarían en Francia el cristianismo antes de marchar a la tierra de Canaán.

V. LE PRIEUR [Eusebio Romano]: *Animadversiones in librum praeadamitarum, in quibus confutatur nuperus scriptor, et primum omnium hominum fuisse Adamum defenditur.* París, 1656.

PREÁMBULO

Del latín *prae,* delante, y *ambulare,* caminar. Especie de *exordio* (V.) o *prefacio* (V.) colocado al principio de un escrito. Los antiguos le llamaron *proemium* (de πρo, delante, y οτμος, camino).

El preámbulo difiere del prefacio en que este está más íntimamente ligado con el tema de la obra. El preámbulo es una aclaración preliminar más o menos útil, en la que se suele resumir la intención de lo escrito a continuación.

PREANIMISMO (V. Preexistencianismo)

PRECEPTISMO

Se ha llamado preceptismo a "la formulación concreta del formalismo en el campo de la literatura"; y, también, a "la práctica continuada de las enseñanzas académicas derivadas de la *Retórica* y *Poética* clásicas".

Normalmente, los preceptistas tienden no a formular—lo que sería discutible—, sino a dogmatizar—lo que resulta intolerable.

El preceptismo es una tendencia literaria y artística que se opone a todo desorden de escuela, a toda anarquía individual, pretendiendo *encauzar* nuevamente la producción artística y literaria entre los límites de lo preceptuado con vigor, y dando reglas al pensamiento, al sentimiento y a la expresión. Sí, el preceptismo es la reacción contra toda explosión de subjetivismos; a su vez, cada movimiento nuevo tiende a destruir, a violar—cuando menos—el preceptismo, aun cuando, paradójicamente, cada proclama de rebeldía sea como la entronización de un nuevo preceptismo. El espíritu dogmático es tan propio de los escritores y artistas "de orden" como de los "de desorden". Pero mientras estos crean un dogmatismo peculiar y absolutamente individual, aquellos se someten a un dogmatismo *exterior y anterior a ellos,* a un dogmatismo que pretende deducir leyes, e imponerlas sin excepción *a todos y por todo.*

A este segundo preceptismo es al que nos referimos aquí. Y podemos afirmar de él que es sumamente antiguo. Movimientos preceptistas son: el *Clasicismo* (V.), el *Humanismo* (V.), el *Renacentismo* (V.), el *Neoclasicismo* (V.).

Los códigos de este preceptismo académico abundan en todas las lenguas. De la antigüedad clásica, griega y latina, nos quedan: la *Poética* y la *Retórica* de Aristóteles; las *Enéadas* de Plotino; las *Epístolas* y alguna *Sátira* de Horacio; las *Institutiones oratoriae* de Quintiliano; los trabajos de Zoilo y Aristarco acerca de Homero.

De la Edad Media: las *Etimologías* de San Isidoro de Sevilla; *El Autodidacto* de Ben Tofail; la gran enciclopedia *Del Crestiá* de Eximenis; *Dreita manera de trobar* de Vidal de Besalú; el código poético *Leys d'amor* de Guillermo Molinier; las *Regles de trobar* de Jofre de Foxá...

Del Renacimiento: tres *Artes Poéticas* de Escalígero, Jerónimo Vida y Jacobo Sannazaro; los "consejos preceptistas" de Erasmo de Rotterdam, Budeo, Mureto y el cardenal Bembo; *De Arte dicendi* de Gretser...

Después..., en Francia, el *Cours de littérature* de La Harpe, el *Art Poétique* de Boileau, las obras de Villemain, Blair y Batteaux, y hasta el prefacio de Víctor Hugo a su *Cromwell.*

En Italia: las obras de Hugo Fóscolo, de Leopardi, de Carducci, de Manzoni.

En Alemania: las de Lessing, Winckelmann, Fichte, Hegel, Schilling, Richter.

En Inglaterra: los tratados de estética de Herbert Spencer, de Emerson, de Atkinson, de Sheridan.

En España: *Los Problemas y Diálogos* de Francisco de Villalobos; *Diálogo de la Lengua* de Juan de Valdés; *República literaria* de Saavedra Fajardo; *Examen de Ingenios* de Huarte de San Juan; *Agudeza y arte de ingenio* de Gracián; *Cartas eruditas* de Feijoo; *Poética* de Luzán; *Teatro crítico de la elocuencia española* de Capmany; *Tratados* de Montiano y Luyando, Nasarre, Huerta, Sedano, Nifo, Forner, Samaniego, Hervás y Panduro, Andrés y Llampillas...

Pero aún aumentaron los preceptistas en el siglo XIX... Quintana, Reinoso, Alberto Lista, Blanco White, Juan Nicasio Gallego, Berguizas, el P. Estala, Martínez de la Rosa—*Arte Poética,* en verso—, Hermosilla—*Arte de hablar*—, Gil y Zárate—*Principios de Literatura*—, Revilla, Narciso Campillo—*Retórica y Poética o Preceptiva literaria*—, Milá y Fontanals—*Estética* y *Principios de literatura*—, José Coll y Vehí —*Diálogos literarios* y *Elementos de Retórica y Poética*—, Francisco Navarro y Ledesma, Mario Méndez Bejarano—*La ciencia del verso* y *Doctrinal de Preceptiva Literaria.*

V. MENÉNDEZ Y PELAYO, Marcelino: *Historia de las ideas estéticas en España.* 1940.

PRECEPTIVA

Conjunto de normas o reglas que sirven para la creación de cualquier obra. En un sentido amplio, es como un *canon literario* que debe ser tenido muy en cuenta para escribir, aun cuando no debe coartar la inspiración espontánea y libre. (V. *Preceptiva literaria.)*

PRECEPTIVA LITERARIA

1. Conjunto de reglas y preceptos que el escritor ha de tener en cuenta cuando quiere expresar sus ideas por medio del lenguaje con propósito de crear una obra artística.

2. Tratado o código literario.

La preceptiva literaria suma dos tratados: el de *arte poética,* cuando se refiere a obras en verso, y de *arte retórica,* cuando se refiere a obras en prosa. (V. *Poética, Arte,* y *Retórica, Arte.)*

Tratados de preceptiva literaria son, desde la *Poética* y la *Retórica,* de Aristóteles, hasta los más modernos textos de segunda enseñanza.

El número de tratadistas ha sido extraordinario en todos los tiempos y en todas las naciones. Los países de Oriente, aun cuando se desconoce si tuvieron un cuerpo de doctrina metódico, se sabe que poseyeron elementos de crítica y preceptiva literaria.

En España se encuentran los primeros elementos de la preceptiva en las *Etimologías* de San Isidoro. Y escribieron sobre las reglas y métodos literarios San Eulogio, Esperaindeo, Alvaro, Cipriano...

Existen importantes alusiones a la materia en los *Diálogos,* de Villalobos; en el *Diálogo de la Lengua,* de Valdés; en la *República Literaria,* de Saavedra Fajardo; en el *Examen de ingenios,* de Huarte de San Juan; en *El pasajero,* de Suárez de Figueroa, y en *Agudeza y arte de ingenio,* de Gracián. Ya en el siglo XVIII, en las *Cartas eruditas,* de Feijoo; *Poética,* de Luzán; *Teatro crítico de la elocuencia española,* de Capmany.

En el siglo XIX escribieron tratados de *Preceptiva literaria:* Martínez de la Rosa, Hermosilla, Gil y Zárate, Revilla, Campillo, Milá y Fontanals, Coll y Vehí, Méndez Bejarano. (V. *Literatura, Crítica.)*

PRECEPTO

Norma o regla a la que, según los graves tratadistas de la Retórica y Poética, ha de ajustarse el escritor si desea componer una obra armónica y paradigmática. El *clasicismo* (V.) y el *neoclasicismo* (V.) se ajustaron excesivamente a los cánones, perdiendo *en humanidad* lo que ganaron *en armonía puramente formal.*

Los movimientos literarios y artísticos de reacción contra las normas—el medievalismo, el barroquismo, el romanticismo—fueron siempre los más fecundos y fenomenales, porque únicamente tuvieron como medidas la vida y la pasión, los dos destinos espirituales más refractarios a fórmulas rigurosamente intelectualizadas. (V. *Preceptiva literaria, Retórica...*)

PRECIOSISMO

Movimiento literario cuyo lema fue "el arte por el arte". Sus características fueron: el refinamiento de las expresiones y la sutileza de los pensamientos.

Se produjo este movimiento en Francia, al *desintegrarse las esencias renacentistas* por las influencias, en parte, de las literaturas italiana y española. El *preciosismo (préciosité)* originó unos afanes inmoderados por todo lo refinado, lo delicado y lo sutil.

El preciosismo nació en el famoso Salón literario de Catalina de Vivonne, marquesa de Rambouillet (1588-1665). En este celebérrimo hotel surgió, como una monomanía contagiosa, el horror por todo lo vulgar. Y los asistentes a aquellas veladas crearon modismos, circunloquios, metáforas de raro ingenio para evitar el verdadero nombre de las cosas. Al *sol* se le llamó *flambeau du jour;* a los *ojos—yeux—, miroirs de l'âme.*

En el preciosismo influyeron decisivamente las ideas del poeta napolitano Giambattista Marino y del francés Francisco de Malherbe.

Entre los primeros prosélitos del preciosismo figuraron: Antonio Godeau, Claudio de Malevile, Carlos de Montausier.

Según el gran crítico Faguet, para los preciosistas el principio de la belleza y su originalidad no están en lo que dicen, sino en *cómo lo dicen,* en el empleo de las palabras y en la forma de las frases. Para Brunetière, la característica principal del preciosismo consistió "en el placer de la forma, después de haber vencido la dificultad para llegar a la suprema consideración y expresión de la misma".

El preciosismo, moda de su tiempo, fue conocido en mayor o menor escala en toda Europa y con distintos nombres: cultismo, eufuismo, gongorismo, marinismo. Y su influencia fue grande no solo en la literatura—depurando y enriqueciendo el lenguaje—, sino también en las costumbres, desterrando de estas la corrupción y el libertinaje y presentando el platonismo como ideal. Para Taine, el preciosismo no tuvo valor literario, y representó únicamente la inopia mental, la esterilidad y la decadencia de una época. Y Molière lo ridiculizó en sus inmortales sátiras *Les précieuses ridicules*—1659—y *Les femmes savantes*—1672.

Catalina de Vivonne Savelli, marquesa de Rambouillet (1588-1665), nació en Roma, gran dama francesa, famosa por su talento e ingenio, y más aún por haber reunido en su casa la célebre Sociedad conocida con el nombre de *Hôtel Rambouillet,* que alcanzó su apogeo de 1617 a 1645. Esta histórica mansión, cuyos muros—según Sainte-Beuve—"rezumaban literatura e ingenio", desapareció para la construcción del Louvre. Entre las personas ilustres que concurrían en ella estaban: Richelieu, De Balzac, Sarasin, Racau, Condé, Voiture, Gombault, Cospeau, Benserade, Calprede, Chapelain... Igualmente acudían damas famosas: la duquesa de Longueville, la marquesa de La Fayette, Julia d'Angennes, madame Aubry, mademoiselle de Sévigny, madame Saintot... La marquesa de Rambouillet, en su famosa cámara azul, cubierta de terciopelo con adornos de oro y plata, presidía las reuniones, en las que se derrochaba el ingenio, se lanzaban las modas y los modos, se hacía la crítica implacable de las costumbres y eran leídas las obras literarias antes de ser impresas. Aquí leyó Corneille su *Polyeucte.* En dichas reuniones los concurrentes adoptaban sobrenombres caprichosos y "preciosos". Así, Chapelain, *Chrysante;* y Sarasin, *Sésostris;* y la propia marquesa de Rambouillet, *Arthrénie.* La afectación más insoportable llegó a envenenar la atmósfera del Hôtel Rambouillet.

Las dos figuras máximas y más representativas del preciosismo francés fueron Voiture y Malherbe.

Vincent Voiture (1598-1648) nació en Amiéns y murió en París; fue administrador general de la casa de Gastón de Orleáns, hermano del rey, mayordomo de este y protegido del cardenal Mazarino; llegó a reunir una renta de 20.000 libras, que dilapidaba con las mujeres y en el juego; entre sus obras figuran: *Lettres sur la prise de Corbie, Lettres de la Berne, de la Carpe au Brochet.* Y en las antologías líricas francesas figuran sus sonetos *La belle matineuse* y *Uranie.* Perteneció a la Academia Francesa.

François de Melherbe (1555-1628) nació en Caen; Luis XIII le regaló 500 escudos por un soneto, y Richelieu le nombró tesorero de Francia; fue uno de los reformadores de la lengua y de la poesía francesas y, según un crítico, "el tirano de las palabras y de las sílabas". Entre sus obras figuran: *Larmes de Saint-Pierre, Ode à Louis XIII allant châtier la Rebellion des Rochelois, Ode à Marie de Médicis...* Y, sobre todas, su famosa *Investigaciones acerca de la elocuencia francesa y de las razones por las cuales ha quedado tan baja,* donde Malherbe expuso las reglas más precisas y preciosas acerca de los géneros literarios. Se cuenta la anécdota de que Malherbe, una hora antes de morir, reprendía a su enfermera por una palabra que no le parecía de un francés bastante puro.

V. VINCENT, L.: *Hôtel Rambouillet.* Boston, 1900.—ROEDER, M.: *Mémoire pour servir à la hist. de la société polie en France pendant le XVIIe siècle.* París, 1890.—LIVET, Charles: *Précieux et précieuses.* París, 1859. SOMAIZE, Louis: *Le Dictionnaire des précieuses.* París, 1856.

PRECISIÓN (De estilo)

Concisión y exactitud rigurosa del lenguaje, del que quedan excluidos el énfasis, el preciosismo, etc.

PREDESTINACIONISMO

Nombre dado a un error, acerca de la predestinación, que surgió en el siglo V.

Los defensores de este error afirmaban:

1.º Que Dios no quiere sinceramente salvar sino a los predestinados.

2.º Que Cristo no murió sino por estos predestinados.

3.º Que la gracia concedida a los predestinados les mueve a obrar el bien y a perseverar en él, ya que los hombres no pueden resistirse a la gracia interior.

4.º Que los réprobos se hallan imposibilitados para obrar el bien; o están positivamente determinados al mal por la voluntad de Dios; o están privados de las gracias para conseguir aquel.

Las anteriores afirmaciones le fueron atribuidas maliciosamente a San Agustín, en el siglo V, por los predestinacianos; en el siglo IX, por Gotescalco y sus secuaces; en el XII, por los albigenses; en el XIV y en el XV, por los wiclefitas y los husitas; en el XVI, por Lutero y Calvino; en el XVIII, por Jansenio.

El predestinacionismo nació, probablemente, en el monasterio africano de Adrumeto, cuyos monjes interpretaron erróneamente varias expresiones del gran doctor de la Iglesia latina.

Poco tiempo después, en las Galias, un presbítero llamado Lucido defendió con elocuencia las siguientes proposiciones:

1.ª Que con la gracia el hombre no tiene nada que hacer.

2.ª Que el libre albedrío de la voluntad humana quedó enteramente destruido después del pecado de Adán.

3.ª Que Jesucristo no murió por todos los hombres.

4.ª Que Dios fuerza a determinados hombres a la muerte.

5.ª Que todo el que peca después del bautismo muere en Adán.

6.ª Que unos hombres están destinados a la vida—gloria—y otros a la muerte—infierno.

Las proposiciones de Lucido fueron condenadas por Fausto, obispo de Riez (Provenza) y por los Concilios de Arlés y de Lyón—475.

Jansenio y los jansenistas negaron la existencia del predestinacionismo en el siglo V. Y acusaron de semipelagianos a cuantos figuraron en la pretendida herejía: Lucido, Primacio, Genadio, Arnobio el *Joven* y Fausto de Riez. Negaron que existieran los Concilios aludidos. Y creyeron que todo fue una maniobra para condenar la doctrina de San Agustín.

La apología del predestinacionismo hecha por Jansenio—como si defendiera una teoría propia y original—la renovó Mauguin.

El P. Deschamps, que escribió contra Jansenio, demostró que este no había hecho sino copiar del *calvinismo* (V.) todo cuanto dijo y escribió para justificar el predestinacionismo. Y Basnage—en su *Historia de la Iglesia*—probó la ortodoxia de Fausto de Riez; la celebración —475—del Concilio de Arlés, al que acudieron treinta obispos; que en tal fecha la doctrina de San Agustín ya había sido aprobada por la Iglesia, y que el Pontífice San Celestino ya había escrito a los obispos de las Galias para que impusieran el silencio a los detractores de San Agustín; que en nada se parecía la doctrina de Lucido a la del gran doctor de Hipona; que era perfectamente clara la diferencia entre los predestinacionistas y los semipelagianos; que existía una radical diferencia entre los predestinacionistas rígidos o herejes—a quienes mejor convendría el nombre de *reprobacianos*—, que condenaban todo el género humano, y los predestinacionistas mitigados o católicos que defienden la predestinación absoluta, en el sentido de que Cristo murió por todos los hombres y de que la gracia no falta a ninguno, y de que esta gracia no merma el libre albedrío para aceptarla o para rechazarla.

V. SIRMOND: *Historia del predestinacionismo.* Traducción cast. Madrid, 1882.—MAFFEI: *Hist. theol. dogmatum et opin. de divina gratia.*

PREEXISTENCIALISMO

Nombre dado a la doctrina errónea según la cual las almas fueron creadas antes de ser infundidas en los cuerpos.

El preexistencialismo puede ser de tres clases: *rígido, mitigado* y *metempsicosis.*

El *rígido* afirma que las almas fueron creadas al mismo tiempo que los ángeles; que cuando gozaban de bienes exclusivamente espirituales, empezaron a desear el goce de bienes groseros; que, entonces, Dios, para castigarlas, las infundió en los cuerpos como si las encerrase en cárceles.

Esta teoría, muy atractiva, tuvo muchos defensores, entre ellos el gran Orígenes, quien la defendió en su *Periarchon.*

Pero este *preexistencialismo* rígido fue rechazado por la Sagrada Escritura y por la tradición, y condenado por la Iglesia.

La defensa que de él hizo Orígenes escandalizó a los buenos cristianos, y contra ella alzaron su voz los más esclarecidos Padres de la Iglesia, entre ellos San Gregorio Nacianceno y San Gregorio Niseno, pese a la amistad y a la admiración que sentían por Orígenes. San Jerónimo calificó de *herejía* la opinión de Orígenes —en *Apolog.,* 1, I—. San Agustín—en *De Anim.,* 1, 3, capítulo 7—sentencia: "Que el alma haya tenido mérito bueno o malo, antes de unirse a su carne, no es en manera católico." Y San Juan Damasceno—en *De fide orthodoxa.* 1, II, capítulo XII—: "El cuerpo y el alma fueron creados juntamente, no como deliberó Orígenes, esta primero y aquel después."

En la Sagrada Escritura, el *Génesis* es terminante: "Formó, pues, Jehová Dios al hombre del polvo de la tierra, y alentó en su rostro soplo de vida; y fue el hombre en alma viviente."

La Iglesia condenó solemnemente—543—a Orígenes, pronunciando contra él diez anatemas. Y el canon 6.º del Concilio de Braga —561—dice: "Si alguien dice que las almas humanas pecaron primeramente en la morada celeste y que por esto fueron lanzadas en cuerpos humanos, sea anatema."

El *preexistencialismo mitigado* no afirma *que las almas pecaran* antes de ser infundidas en los cuerpos, sino que, creadas al tiempo que los ángeles, una tras otra son enviadas a informar los cuerpos.

Este preexistencialismo mitigado, *ciertamente falso,* no es en rigor una herejía. Pero contra él van todos los argumentos señalados contra el *rígido* y algunos otros que Santo Tomás de Aquino incluye en la *Suma contra Gentiles.*

La *metempsicosis,* que afirma el paso de un alma de un cuerpo a otro, naturalmente admite la preexistencia del alma, aun cuando no sea sino en relación con el segundo y sucesivos cuerpos. El tránsito de un alma de un cuerpo a otro es doctrina herética.

Contra la metempsicosis se han lanzado infinitos anatemas. San Pablo—en su *Epístola a los Hebreos,* cap. 9, v. 27—dice: "Está decretado para los hombres *el que mueran una sola vez."* San Ireneo—*Contra haeret,* capítulo 34—afirma: "*Plenísimamente enseñó el Señor* no solo que perseveran las almas (después de la muerte) sin pasar de un cuerpo a otro..." Y Santo Tomás de Aquino la combate denodadamente en la *Suma contra Gent.,* 1, II, caps. 73, 75 y 81, y en la *Summa Theol.,* I, q. 76. a. 5.

El preexistencialismo lo profesó Leibniz; para este filósofo, "Dios creó desde el principio todas las almas unidas a diminutos corpúsculos organizados, junto con las leyes naturales que deberían regular y asegurar la propagación de los seres vivientes. En forma de corpúsculos organizados existieron en el esperma o en el semen de Adán. En rigor, no hay muerte. El alma, aun la irracional, es inmortal; y siempre va unida o envuelta en un cuerpo más o menos desarrollado y metamorfoseado."

Esta teoría ha sido brillantemente desechada *filosóficamente* y *teológicamente.*

V. URRÁBURO: *Institut. Philos.* Valladolid, 1898.—WILLEMS: *Instit. Philos.* Tomo II: *Psych.* Tréveris, 1906.

PREFACIO

De *prae,* delante, y *fari,* hablar. Discurso colocado al principio de un libro para dar a conocer el plan de este y prevenir cualquier objeción que pudiera presentar la crítica.

PREFORMISMO

Teoría filosófica que pretende explicar el origen individual de los vivientes humanos, afirmando que en el germen de cada uno de tales seres se halla ya—en miniatura—el organismo construido y con la misma forma que tendrá en el estado adulto, y, por tanto, que no tendrá otra necesidad que la de ir creciendo con los años.

Las teorías que se refieren a tan sutil problema son dos: la ya mencionada de preformismo y la de la *epigénesis.* Mientras la primera afirma que el organismo está constituido *formaliter* ya en el germen, la *epigénesis* defiende que en el germen del nuevo individuo está contenido su organismo futuro únicamente *virtualiter*—en potencia o simbólicamente.

El vocablo *preformación* lo formó Leibniz para referirse al acto inicial del Creador, por el cual organiza el primer estado del Universo, cuyo desarrollo ulterior está desde entonces completamente determinado. "No admito lo sobrenatural sino al comienzo de las cosas, con respecto a la primera formación."

El preformismo, a su vez, es de dos clases: el ya aludido y otro que consiste en la creencia de que el germen preformado es producido inmediatamente por los padres del nuevo individuo.

El primer preformismo fue defendido y propagado por Bonet, discípulo de Leibniz. El segundo preformismo es mucho más antiguo, ya que lo defendieron Hipócrates y Empédocles.

Modernamente, el preformismo ha sido defendido de una manera mucho más moderada. No—dicen modernos biólogos y filosófos—; en el germen no se hallan formadas y diferenciadas las distintas partes del organismo; pero en el germen existen, sí, puntos o partes representativas de los órganos del futuro organismo.

El preformismo filosófico ha sido combatido siempre por los filósofos católicos, los cuales se apoyan en las teorías de San Agustín y de Santo Tomás, partidarios de la epigénesis.

V. Urráburu, S. J.: *Institutiones Philosophicae.* Tomo IV, 1.ª parte, lib. I. Valladolid, 1894.

PRELECCIÓN

"Interpretación o declaración de un pasaje de una obra clásica, en prosa o en verso, con el intento de hallar sus bellezas y de conocer su técnica literaria, poniendo de manifiesto sus partes constitutivas de invención, disposición y elocución."

La prelección estuvo muy de moda durante el Renacimiento.

PRELIMINAR

1. Preámbulo. Proemio (V.).
2. Sinónimo de *preludio, prolegómenos, prolusiones, pródromos* y también de *introducción.*

PRELUSIÓN

Recitado que precede a una composición dramática, y en el que se declara algún extremo importante de esta.

PREMIOSO (Estilo)

El que carece de flexibilidad, de facilidad y de soltura.

PRERRAFAELISMO

Movimiento literario y artístico exaltador de los valores espirituales de la Edad Media, en oposición a los renacentistas.

Apareció vehemente, vibrante, en Inglaterra. Sus características fueron: *espiritualismo, idealismo* y *simbolismo.* Intentaba reaccionar contra el naturalismo implícito en el romanticismo. Tomó su nombre del famoso pintor y poeta Dante Gabriel Rossetti, quien intentó resucitar el arte pictórico de los primitivos italianos. De la pintura se extendió muy pronto el gusto a la literatura, con la influencia del gran crítico Ruskin...

Alguien ha dicho que el prerrafaelismo es el desenvolmiviento del primitivo romanticismo inglés. En este movimiento se suman: la admiración por la poesía del *dolce stil nuovo,* los amores platónicos de Dante por Beatriz y de Petrarca por Laura, la pintura de los inmediatos antecesores de Rafael Sanzio principalmente, Botticelli—, la romántica caballeresca medieval, el ornamentalismo céltico, el superestilismo ideal y formal...

Los primeros prerrafaelistas se agruparon alrededor de William Blake—espiritista, vidente—, formando la *Poetic Brotherhood* (Hermandad Poética). Las ideas prerrafaelistas, en literatura y en arte, fueron defendidas desde la revista *The Germ*—1850—y desde el *Oxford and Cambridge Magazine.*

Dante Gabriel Rossetti (1828-1882), famoso poeta y pintor, hijo del crítico y poeta italiano Gabriel. Nació—1828—en Londres y murió —1882—en Birchington-on-Sea. Personaje genial y extraño. De él dijo Ruskin: "Rossetti no era verdaderamente inglés, sino un gran italiano, atormentado por el espíritu de Londres." Su genio presentó rasgos absurdos y complejidades explicables por aquella mezcla explosiva —en su temperamento enfermizo—de sangres y de culturas. Y Dixon proclamó: "Su voz tenía un gran encanto, tanto por el timbre como por las singulares cadencias. Su conversación era prodigiosamente fácil, precisa, feliz. Su obra es grande. El hombre era mayor aún." Y Watts: "Era el hombre más irresistible. Sin él no hubiera existido la hermandad prerrafaelista." Su fama como pintor fue inmensa, y su influencia, enorme.

Como poeta, fue igualmente grande. Mourey definió su poesía "como pasión humana transfigurada, exaltada, sublimada al soplo del ideal más puro". En la poesía de Rossetti revive en toda su pureza, encanto y ardor pasional el alma de la Edad Media italiana, que, sin embargo, aparece a través de las galas de su lira intensamente moderna.

A semejanza de cuanto aconteció con su pintura, su poesía provocó infinitas imitaciones, formó escuela, excitó reacciones. La poesía de Rossetti es una llama viva. Muerta su esposa y musa, Elizabeth Siddal, Rossetti se retiró a su finca de Cheyne Walk, en Chelsea, donde le visitaban sus grandes amigos Swinburne, Meredith, Burne-Jones... Ganó el dinero a manos llenas, y a manos llenas lo derrochó, con una generosidad sin límites para sus amigos y los necesitados.

Obras literarias: *The early italian poets* —1861—, *Ballads and sonets*—1881—, *Poems* —1870—, *The house of life, Collected poems, Letters*—póstuma, dos tomos, 1895—, *R. papers 1862-1870*—póstuma, Londres, 1903...

Como pintor, creó una de las más perfectas iconografías del ensueño amoroso; pintó objetiva y simbólicamente *modelos-estados de ánimo,* eternizando así a *Lilith, La amada, Beata Beatrix, Lucrecia Borgia, Francesca, Desdémona...* Dante Gabriel amó apasionadamente a Elizabeth Siddal—primero su amiga y más tarde su esposa—, y su rostro bellísimo le sirvió al pintor para evocar varios aspectos de la Beatriz dantesca.

Los siete hermanos prerrafaelistas (de la *Pre-Raphaelite-Brotherhood)* fueron: William Holman Hunt, John Everett Millais, James Collinson, Dante Gabriel Rossetti, William Michael Rossetti, F. G. Stephens y Thomas Woolner.

William Michael Rossetti (1829-1919), poeta y crítico de arte, hermano de Dante Gabriel, nació y murió en Londres. Siguió a su genial hermano en toda su evolución, escribió la mejor biografía de este y atrajo al prerrafaelismo al famoso crítico y estético Ruskin. Entre sus obras figuran: *Criticism ou Swinburne's Poems and Ballads*—1866—, *Fine Art, chiefly contemporary*—1867— *Life os Keats*—1887—, *Dante Gabriel Rossetti as Dessigner and Writer* —1889—, *Ruskin, Rossetti, Preraphaelism* —1898—, *Preraphaelite Diaries and Letters* —1900...

William Holman Hunt (1827-1910) alcanzó la fama en 1854 con su cuadro *La Luz del Mundo,* Cristo luminoso y como transparente de divinidad. John Everett Millais (1829-1896) triunfó en París—1855—con tres cuadros pintados según los cánones de la escuela prerrafaelista: *Orden de libertad, La paloma vuelve al arca* y *La muerte de Ofelia.* Edward Burne Jones (1833-1898), posiblemente el más imaginativo y el más refinado de los prerrafaelistas. Estudió con Morris y Dante Gabriel; en 1859 visitó Italia, de la cual se trajo grandes influencias, sobre todo de Botticelli, convirtiéndose en la figura más representativa del grupo, tanto por su sensibilidad como por su fantasía; entre sus mejores cuadros figuran: *Melín y Vibiana, El día y la noche, Canto de amor, Las cuatro estaciones, El rey Copethua y la mendiga, La escala de oro...* Sobresalió también como pintor de tapicerías y de vidrios de colores. George Watts (1817-1904) fue un verdadero poeta, a cuyo juicio la pintura es un medio y no un fin. Watts marca la transición al simbolismo, con el que expresa toda suerte de ideas didácticas. Alcanzó una enorme fama entre sus contemporáneos, a los que entusiasmó tanto con la belleza de su forma clásica como con el encanto de su misterio. Entre sus pinturas sobresalen: *Diana y Endimión, Paolo y Francesca, Orfeo y Eurídice, Amor y Muerte...*

Los teóricos del prerrafaelismo fueron Ruskin y William Morris.

John Ruskin (1819-1900), filósofo, crítico y estético de gran cultura y de asombrosa sensibilidad; viajó por toda Europa. Para Menéndez y Pelayo, "el nombre de Ruskin es hoy sinónimo de estética inglesa". Sus obras representan lo más importante que hasta ahora ha producido la filosofía del arte fuera de Alemania. De ellas sobresalen: *Modern Painters, Letters and Notes, Ariadne Florentine, Elements of Drawing, Sesame and Lilies, Munera pulvis, Love's Meinie, The Art of England, The Crown of Wild Olive, Fors Clavigera, Biblie of Amiens...*

William Morris (1834-1896), poeta, prosista, crítico de arte, pintor, coadyuvó a fundar la famosa revista *Oxford and Cambridge Magazine* y tomó la dirección artística de los exquisitos libros que salieron de las prensas de Kelmscott. Fue un verdadero maestro en el arte tipográfico. La moda de su estilo decorativo ha dominado durante muchos años en la decoración inglesa. Como literato, denota las influencias de Ruskin, Burne Jones, Rossetti... Hay en sus escritos y en sus pinturas una mezcla de medievalismo y de modernismo, de romanticismo decadente y de realismo turbador en su tembloroso iniciamiento. Entre sus obras literarias figuran: *The defence of Guinevere, The Earthly Paradise, The life and death of Jason. Love is enough...* Como dibujante e ilustrador, su obra fundamental la constituyen las estampas iluminadas con que ilustró la edición—1896—de los *Cuentos* de Chaucer, una de las impresiones más admirables de la tipografía moderna.

El prerrafaelismo no ejerció apenas influencia fuera de Inglaterra; y a principios del siglo XX había dejado de tener vigencia apreciable.

V. ROSSETTI, William M.: *Dante G. Rossetti as Designer and Writer.* Londres, 1889.—JESSEN, J.: *D. G. Rossetti. Bielefed,* 1905.—FORMAN, M.: *The books if W. Morris described.* Londres, 1897.—COOK, E. T.: *Studies in Ruskin.* Londres, 1890.—MENÉNDEZ Y PELAYO, M.: *Historia de las ideas estéticas...* Madrid, 1940.

P

PRERROMANTICISMO

Movimiento literario que sirvió de *transición* entre el neoclasicismo del siglo XVIII y el romanticismo del siglo XIX. Su vigencia puede señalarse entre 1775 y 1830, variando los años de su eficacia en los distintos países. El prerromanticismo nació en Suiza y en Escocia, países agrestes y montañosos, donde la Naturaleza hizo ver antes a los hombres de ingenio la *verdad suprema* de lo natural frente al artificio de lo enfático y estudiado.

"Bajo el nombre de *prerrománticos*—escribe Van Tieghem—pueden agruparse una serie de escritores muy diferentes, poetas en su mayor parte, que hacia el final de la época clásica se distinguen de sus contemporáneos por ciertos rasgos que anuncian el romanticismo de la época moderna, bien que sigan siendo clásicos en muchos respectos. Son innovadores, sobre todo, por sus tendencias morales, por sus gustos literarios, por sus fuentes y modelos. A la razón, que domina antes de ellos y en torno suyo, prefieren el sentimiento y aun el sentimentalismo, y frecuentemente se dejan llevar de la melancolía. Prefieren a la vida social el campo, e incluso la Naturaleza salvaje... Algunos sufren ya con las trabas sociales y aspiran a la libertad, a la igualdad de las diversas condiciones. Creen volver a hallar el sentimiento verdadero, la vida natural y libre, en el hombre primitivo, bárbaro o salvaje, y, en nuestros días, en el pueblo. Los recuerdos nacionales son de nuevo reverenciados; la Edad Media empieza a surgir del olvido y desdén en que la habían tenido los clásicos puros. Estas nuevas tendencias explican ciertos gustos literarios nuevos. Manifiéstase predilección por aquello que los clásicos desconocen o desprecian: una poesía *natural,* que es preferida a la poesía *artística;* pónese el genio por encima del gusto. En la novela y en el teatro se buscan los sentimientos enérgicos; empiézanse a batir en brecha las reglas. Descúbrense nuevas fuentes, destinadas a completar o sustituir a los griegos y romanos, y entre los modernos, inspíranse los autores en nuevos modelos. Esas fuentes y esos modelos están tomados principalmente del norte de Europa. La mitología escandinava y la antigua poesía de los escaldas son mejor conocidas desde 1756; en 1765 se publica una importante colección de viejas baladas inglesas. Singularmente, MacPherson, escocés de las montañas (1736-1796), al dar como traducciones del bardo gaélico Ossian unos poemas en prosa inglesa (1760-1763), que eran en grandísima parte obra personal suya, pareció abrir un mundo desconocido—el mundo céltico—a las búsquedas del historiador, a las reflexiones del filósofo, a las ensoñaciones de los poetas. Ossian, el viejo bardo ciego, evoca paisajes melancólicos, sentimientos tiernos y tristes, meditaciones sobre la ruina y sobre el destino humano; da cuerpo a las aspiraciones sentimentales y literarias de dos o tres generaciones, se le pone en parangón con Homero, ejerce en toda la Europa culta una acción inmensa y prolongada. En Alemania se despierta el interés por las poesías de la Edad Media alemana; en España, por los romances viejos; en la misma Francia, por los trovadores. Los poetas ingleses que precedieron a la época clásica, Spenser y Milton, tornan a ser venerados, y Milton se convierte, para los alemanes, en el dechado de la poesía moderna. A Shakespeare se le descubre en el continente, y lo encumbran hasta las nubes sus entusiastas, particularmente en Alemania. En Italia, Dante vuelve a ser objeto de un verdadero culto. Gran número de estos rasgos tan diversos se deben a Rousseau o se desarrollan bajo la influencia de este; Rousseau es el maestro al que rinden culto los prerrománticos de toda Europa. Algunos concilian este culto con la imitación de Voltaire. Los mismos rasgos u otros proceden de la influencia inglesa, preponderante en los tiempos que estudiamos. El prerromanticismo es, en muchos aspectos, la situación del ideal francés y latino, que domina la época neoclásica, por el ideal inglés."

Y añade el docto catedrático español Montolíu: "Si Inglaterra fue el país en el que, gracias a su aislamiento y superior independencia espiritual, se manifestó con más pujanza el ambiente sentimental precursor del romanticismo, Alemania fue, en cambio, el país donde surgieron los primeros teorizadores y definidores del movimiento. Pero también en Alemania existe una producción literaria precursora del romanticismo, y esta es la significación que tiene el movimiento del *Sturm und Drang.* Francia, por su parte, contribuyó a preparar la escuela romántica con las críticas acerbas que dedicaron al teatro clásico francés Perrault, La Motte, Fontenelle y, sobre todos, Diderot, y de una manera positiva, con la obra de Juan Jacobo Rousseau, escritor en el que domina en absoluto la sensibilidad y la pasión, y al que, por tanto, puede calificarse ya de romántico si prescindimos de ciertos aspectos esenciales del romanticismo."

En Inglaterra destacaron como prerrománticos: Edward Young (1681-1765), considerado como el precursor del romanticismo inglés, autor de *The Complaint or Night Troughts on Life, Death and Immortality*—1742—, *The Last Day*—1714—, *Resignation*—1762—; MacPherson (1736-1796), quien en 1760 publicó sus *Fragments et Ancient poetry traslated from the Galic or Ers Language,* los cuales iniciaron el gusto por lo medieval y la reacción contra el neoclasicismo; Th. Percy (1729-1811), que también publicó *Reliques of Ancient English poetry.*

Aun cuando los tres anteriores poetas son los más destacados prerrománticos ingleses, no poco de prerromanticistas tienen otros grandes líricos como Will Cowper (1731-1800)—*The Task,* poema descriptivo—; Robert Burns (1759-1796)—*Poems chiefly in the Scottish Dialect, To a Mouss, To a Mountain Daisy*—; Crabbe —*The Village*—y los tres famosos *lakistas* (véase *Laquismo*): Coloridge, Southey y Wordsworth.

En Alemania fueron prerrománticos cuantos poetas formaron el *Sturm und Drang* ("Asalto e impulso"): Klinger, Lenz, Hoelderlin y—en su juventud—Schiller, Goethe, Wieland...

En Francia, los prerrománticos fueron muchos y muy ilustres; además de Rousseau—el iniciador y modelo—, André Chénier, Jean-Baptiste Rousseau, Claris de Florian, Bernardin de Saint-Pierre, madame de Staël, Louis Bonald, Joseph de Maîstre, Javier de Maîstre.

En España, el prerromanticismo tiene su mejor representante en José Cadalso (1741-1782), de existencia absolutamente, angustiosamente romántica, pero en cuyas obras se delata la lucha del escritor entre *lo que siente* y lo que reconoce como *intangible*—las reglas neoclasicistas—; en las *Noches lúgubres,* elegía en prosa, de fondo intensamente lírico y semidramático, imitó al inglés Young.

También fueron prerrománticos: Juan Meléndez Valdés (1754-1817)—en sus églogas, letrillas y romances—; Manuel José Quintana (1772-1857)—en sus poesías *El Panteón de El Escorial* y *La fuente de la mora encantada*—; Nicasio Alvarez de Cienfuegos (1764-1809)—en *Mi paseo solitario en primavera, A un amigo en la muerte de un hermano, La rosa del desierto, La escuela del sepulcro*—; Francisco Sánchez Barbero (1764-1819)—*A la muerte de la duquesa de Alba, La invasión francesa en 1808*—; José Somoza y Muñoz (1781-1852)—*El sepulcro de mi hermano, La sed de agua, A una novia en el día de su boda*—; José María Blanco y Crespo (1775-1841)—en sus *Letters from Spain*—; Juan Nicasio Gallego (1777-1853)—*Elegía a la muerte de la duquesa de Frías, Plegaria al Amor, Elegía al Dos de Mayo*—; Cándido María Trigueros (1736-1801)—exaltador y adaptador de las obras dramáticas más románticas de Lope de Vega—; Dionisio Solís (1774-1834)—exaltador y adaptador de obras dramáticas de Lope, Tirso de Molina, Calderón y Rojas—; Juan María Maury (1772-1845)—*La ramilletera ciega*—; Manuel de Cabanyes (1808-1833)—*Preludios de mi lira*—; Agustín Durán (1793-1862), el mejor teórico que preparó el triunfo del romanticismo con la publicación del *Romancero...*

En todos los autores mencionados se sorprende *vivísimo* alguno de los caracteres principales del romanticismo: ya el olvido y desprecio de la Mitología clásica, ya la rehabilitación del espíritu de la Edad Media, ya la proscripción de las unidades neoclásicas, ya la afición a lo nebuloso y a lo fúnebre, ya la combinación de lo alegre y de lo triste, ya la afición al *sentimentalismo* y a la *melancolía*, a la *misantropía* y al *arrepentimiento*, ya la afición a determinadas *formas literarias*—que habían de ser peculiarísimas del romanticismo—como la *novela histórica*, el *drama histórico* y la *leyenda*.

V. BLANCO GARCÍA, P. Francisco: *La literatura española en el siglo XIX*. 2.ª ed. Madrid, 1899. Tres tomos.—VALERA, Juan: *La poesía lírica y épica en la España del siglo XIX*.—THOMAS, K.: *Le poète Edouard Young*. París, 1901.—GARCÍA MERCADAL, J.: *Historia del romanticismo en España*. Barcelona, Labor, 1943.—DÍAZ-PLAJA, Guillermo: *Introducción al estudio del romanticismo español*. Madrid, Espasa-Calpe, 1936.

PRESBITERIANISMO

Nombre dado a la secta protestante—desgajada del *anglicanismo* (V.)—de los presbiterianos.

Según el presbiterianismo—en el que concurren todos los errores comunes a las sectas disidentes en el *protestantismo* (V.)—, la Iglesia ha de ser regida y gobernada, no por los obispos, como en el *catolicismo* (V.) y en el anglicanismo, sino por Juntas o Asambleas constituidas por presbíteros y otras personas laicas de la parroquia, designados por elección popular.

El presbiterianismo se inició en Escocia, y fue su principal informador y protagonista Juan Knox (1505-1572), que en 1552, a raíz de la subida al trono inglés de María Tudor, huyó a Ginebra, donde fue discípulo de Calvino y tradujo la *Biblia*. En 1559 regresó a Escocia y obtuvo el cargo de predicador de St. Giles (Edimburgo) y fortaleció la actividad del partido protestante escocés contra María Estuardo. Su obra fundamental fue la titulada *The history of Reformation in Scotland*.

El presbiterianismo, pues, rechaza toda jerarquía eclesiástica; solo admite simples ministros del culto, sin que ninguno sea superior a otros. De aquí que a los adeptos de esta secta se les llamara *presbiterianos*, y que se aplicase el calificativo de *episcopales* a los que seguían la liturgia anglicana y admitían la jerarquía.

Durante mucho tiempo el presbiterianismo fue perseguido implacablemente. En 1580, Jacobo VI de Escocia y I de Inglaterra adoptó el presbiterianismo, y con él todo el pueblo escocés. Desde entonces, todos los soberanos de la Gran Bretaña, al ceñirse la corona, confirman todos los derechos y los privilegios de la Iglesia presbiteriana, reconocida como nacional en Escocia.

El gobierno espiritual de esta Iglesia pertenece a las Asambleas llamadas *presbiterios*, que se componen de clérigos y de ancianos de cada parroquia. En Edimburgo se celebra una Asamblea general anualmente. La Iglesia es administrada por trece Sínodos.

En 1843 se originó un cisma dentro del presbiterianismo, al cual siguió el establecimiento de la *Iglesia libre de Escocia*, bajo la dirección de un jefe llamado *moderador*. Los disidentes recibieron el nombre de *independientes* y se aproximaron a la secta de los puritanos.

El *culto* presbiteriano es de una suprema sencillez. Consiste en himnos, oraciones y lecturas de las Sagradas Escrituras. El sermón ocupa la parte principal del servicio, y la comunión se distribuye a intervalos determinados o bien en los días designados por los encargados de la Iglesia.

La organización del presbiterianismo es ya más complicada. La autoridad—de menos a más—reside en la *Kirk Session*, Asamblea parroquial compuesta por todos los cabezas de familia, los cuales nombran al ministro predicador o *pastor* de la parroquia.

La *Kirk Session* está subordinada al *Presbiterio*, compuesto por los ministros de las parroquias y un anciano de cada una de las congregaciones situadas en el área presbiterial.

El *Presbiterio* depende del *Sínodo*, que forman representantes de todos los Presbiterios situados en los límites del Sínodo.

Los *Sinodos* se hallan bajo la dependencia de una *Asamblea general* o *Suprema Corte Eclesiástica,* presidida por el ya aludido *moderador (Chairman-Moderator).* Esta Asamblea está integrada por los ministros y ancianos delegados de los Presbiterios, y se renueva cada año. Para convocarla es necesaria la sanción del Estado.

El presbiterianismo cuenta en la actualidad con cerca de seis millones de afiliados, diseminados por Inglaterra, América del Norte, Australia, Canadá y algunos dominios ingleses.

V. STORY, R. H.: *The Church of Scotland past and present.* Cinco tomos. Varias ediciones. SMITH: *The Creed of the Presbiterian.*

PRÉSTAMOS LITERARIOS (V. Imitación, Plagio)

PRETERICIÓN (V. Figuras de pensamiento)

Es una figura indirecta por la cual fingimos pasar por alto lo mismo que estamos diciendo claramente y aun con más energía.

PRETORIANISMO

Influencia política abusiva ejercida por algún grupo militar. También se llama pretorianismo al gobierno ejercido por los militares con abuso de la fuerza, con origen ilegítimo y en beneficio de la clase. Para que exista el pretorianismo basta con que exista uno de los apuntados vicios.

Tomó este nombre del *poder abusivo* de los pretores en Roma. Pretor era un magistrado que ejercía su jurisdicción en Roma o en las provincias. Durante la República fue un auténtico magistrado civil, mayor y permanente, nombrado por los comicios centurianos. Durante el Imperio, el pretor adquirió un caráter y unas funciones marcadamente militares. Los pretores, en sus provincias, llegaron a ser, simultáneamente, jefes militares, civiles, legislativos y de la Hacienda. Muchas veces una comisión militar especial, que les confiaba el Senado, absorbía su carácter judicial, y eran únicamente generales en jefe de segundo orden.

Durante los dos primeros siglos de la Era de Cristo, el jefe del pretorio fue como el ayudante primero del emperador, su auxiliar más eficaz. Y tanto poder llegaron a tener los pretorianos, que no pocas veces llegaron a resolver la suerte de Roma, pues varios emperadores fueron asesinados por ellos, y otros varios a ellos debieron el Imperio. (Véase *Militarismo.)*

PRIAMEL

Género de poesía alemana, muy popular, del siglo XII al XV. Por el fondo tenía semejanzas con la poesía gnómica, y por la forma, con el epigrama; y se componía de máximas de un orden mismo, agrupadas en versos rimados, con una observación satírica en el verso final. Así:

Ein junge Maid ohn Lieb,
Und ein grosser Jahrmarkt ohn Dieb,
Und ein alter Jud ohne Gut,
Und ein junger Manns ohne Mut,
Und ein alte scheur ohn Mäus,
Und ein alter Peltz ohn Läus,
Und ein alter Bock ohne Bart:
Das is alter Widernatürlich Ar.

(Una muchacha sin amor, una gran feria sin ladrones, un viejo judío sin oro, un muchacho sin corazón, una vieja granja sin ratones, una vieja piel sin gusanos, un cabrón sin barbas... son cosas contra la Naturaleza.)

V. ESCHENBURG: *Denkmaeter* (pág. 394 y siguientes).

PRIÁPEO (Verso)

1. Verso de la lírica griega y romana compuesto de un glicónico y un ferecracio.
2. Hexámetro cuyos tres primeros pies se hallan separados de los tres últimos por el sentido y la puntuación.
3. Verso dedicado al dios orgiástico Príapo.

PRIMITIVISMO

1. Como "movimiento" literario y artístico, primitivismo es una tendencia a evocar, a copiar, a imitar lo primitivo.

¿Qué es lo *primitivo?* Hasta fines del siglo XVIII, lo primitivo fue únicamente lo grecorromano. Lo primitivo, para el siglo XIX, fueron el arte y las letras medievales desde el siglo XII al XV. Para algunos críticos y artistas de hoy, lo auténtico primitivo es aquello *mentalmente* diferente del hombre civilizado, y hasta es preciso distinguir el primitivismo *historicista* (como el reconstruido por Flaubert, por Ebers, por Sienkiewicz) y el *geográfico* (exaltado por Gauguin).

La tendencia hacia lo primitivo ha sido efectiva en cualquier época, ya en arte, ya en literatura, y recomendada, como liberación contra el amaneramiento, por Michelet en *La Biblia de la Humanidad.* La recomendación "rousseauniana" de "regreso a la Naturaleza" no es sino una exaltación del primitivismo, buscando los sencillos y auténticos valores humanos de este como antídoto contra una superabundancia de razonamiento y de complejidad espiritual.

Afanes de primitivismo son: el interés por el estudio de las llamadas *culturas muertas* (babilónica, sumeria, egipcia); la "entronización" en el mundo actual de la poesía, de los cantos, de la música de los negros; la exploración de los eruditos por el folklore de las tribus salvajes de Africa y de Oceanía; la continuada publicación de novelas que intentan *reconstruir* escenarios, tipos y costumbres de la antigüedad; así, *Quo vadis...?*, de Sienkiewicz; *Salambó,* de Flaubert; *Los últimos días de Pompeya,* de Bulwer-Lytton; *La hija del rey de Egipto* y *Uarda,* de

Ebers; *Sonnica la cortesana,* de Blasco Ibáñez; la continuada composición de novelones sensibleros añorando un retorno a la vida natural y sencilla, como *Robinson,* de Defoe; *Pablo y Virginia,* de Saint-Pierre; *Atala,* de Chateaubriand; *María,* de Jorge Isaacs, y tantos otros.

Creemos, sin embargo, que aún hoy no se tiene un concepto concreto de lo que sea primitivismo como *modelo* para una reacción literaria o artística. Para algunos, primitivismo es un "puro tema escenográfico"; esto es: añoran el ambiente que rodea al primitivo—de hace miles de años—y a su semejante de hoy, el salvaje, pero no admiten su mentalidad ni su posición vital, desprovista casi por completo de conocimientos y de recursos para vivir con las máximas comodidades y garantías de nuestro siglo. Para otros, el primitivismo no alude a lo *prehistórico,* en demasía oscuro y poco atractivo, sino a lo *protohistórico,* cuando los mitos otorgan poesía y grandeza a los hechos humanos, y ya no es protagonista de la Vida—como en lo prehistórico—el hombre de la clava, de la piel de animal como vestidura, hirsuto y gutural, sino el astuto Ulises, o el indomable Aquiles, armados por Minerva y embellecidos por Apolo, y a quienes cantó el inmortal Homero. Muchos opinan que el primitivismo corresponde a la primera etapa formativa de la Humanidad, señalada por Compte: a la *mitologicoteológica,* cuya capacidad fundamental humana es la del *sentimiento-imaginación,* considerándola superior a las etapas segundas *(metafísica = imaginación e intelecto),* y tercera *(científico-experimental = intelecto y objetividad).* Y no han faltado quienes piensan que el primitivismo tuvo "no una cultura simple e incompleja, sino una tanto o más complicada que la civilización actual". También es una respetable opinión acerca del primitivismo aquella que equipara las creaciones de los pueblos prehistóricos con las de los actuales pueblos bárbaros y con las de los niños civilizados menores de doce años.

Para los pintores, el problema del primitivismo posee tres únicas fórmulas:

1.ª La de *prescindir* cuanto sea posible de los recursos de la técnica, para alcanzar así la apetecida *simplicidad* expresiva.

2.ª La de *cultivar los temas primitivos.* (Recuérdense las pinturas de Gauguin, las de Picasso, las de Paul Klee, las de Juan Miró.)

3.ª La de *recuperar* lo primitivo, es decir, la consecución de un resultado estilístico que asimile las actuales creaciones, que las *hermane,* con las primarias, o con las propias de los pueblos bárbaros. Ejemplo: Henri Rousseau (1844-1910), que logró dar a sus pinturas el mismo inocente decorativismo de los aborígenes de la América española.

2. Se dio el nombre de "primitivismo" a una escuela literaria que apareció—1911—en Toulouse para combatir el *futurismo* (V.) de Marinetti. En el "programa" o manifiesto de los primitivistas se ensalzaban la paz, el trabajo, el orden, la vida sencilla, la necesidad de la claridad y de la precisión en las ideas y en las formas. Y así como el futurismo ordenaba el *olvido* de toda la belleza tradicional, el primitivismo *cultivó la voluntad del recuerdo.*

Fueron los fundadores del primitivismo literario francés Lerys, Gaudrin y Marc Dhano.

PRÍNCIPE (Edición)

Primera edición de un libro.

PRISCILIANISMO

Nombre dado a la herejía de Prisciliano; herejía derivada del *gnosticismo* (V.) y del *maniqueísmo* (V.).

Su herejía tuvo una gran importancia en la historia eclesiástica de España, escribe Menéndez Pelayo, "por su larga y contrastada vida, sus repetidas condenaciones, el suplicio en Tréveris de sus principales secuaces, el movimiento de ideas religiosas que en su oscurísimo proceso se reflejan, las vagas y aun contradictorias noticias que acerca de él nos transmiten los contemporáneos, y, finalmente, el misterio que envuelve todos los actos y las opiniones de la secta".

Lo poco que se sabe de Prisciliano se debe a las noticias de Sulpicio Severo. Nació Prisciliano, probablemente, en Galicia, de una familia noble y de grandes riquezas. Fue atrevido, erudito fecundo, maestro en la declamación y en la disputa, nada codicioso, sumamente parco. Pero muy vanidoso. En su juventud practicó la magia. Se afilió a la secta de los *elegidos,* que trajo a España un tal Marco, llegado de Egipto y natural de Menfis; y le adoctrinaron el retórico Helpidio y Agape, mujer de no oscuro linaje. Con su elocuencia, prestancia y simpatía, Prisciliano ganó muchos adeptos para su doctrina, entre ellos los obispos Instancio y Salviano. El primero de estos consagró a Prisciliano como obispo de Avila. El priscilianismo arraigó profundamente en Galicia, Portugal y Andalucía. Condenada su doctrina por los Concilios de Zaragoza—380—y de Burdeos—384—, Prisciliano fue llamado a Tréveris por el emperador Máximo, y en Tréveris fue juzgado, encarcelado y ejecutado en unión de seis de sus compañeros—385—. Contra esta ejecución protestaron vigorosamente San Martín de Tours, San Ambrosio y el Pontífice San Siricio, acusando al poder civil de no respetar el fuero eclesiástico.

"Prisciliano—escribe el P. García de la Fuente en sus *Apéndices* a la *Historia de la Iglesia,* de Boulenger—es uno de los personajes de la Iglesia antigua española más importantes y más estudiados en los tiempos modernos. La razón está en que es considerado por muchos como el precursor de la Reforma, librepensador acerca de las Sagradas Escrituras y la primera víctima de ambas potestades, civil y religiosa, por el crimen de herejía. De aquí los numerosos estudios publicados por protestantes y católicos sobre esta interesante figura histórica."

¿Cuáles fueron los errores del priscilianismo? Menéndez Pelayo los ha resumido excelentemente:

1.º Era antitrinitario. No admitía la distinción de personas, sino solo de atributos o modos de manifestarse en la esencia divina.

2.º No creyó que el demonio fuese creado por Dios, sino que, intrínsecamente malo, nació del caos y las tinieblas, siendo creador del mundo sometido a su imperio y autor en él de todos los fenómenos físicos y meteorológicos.

3.º Afirmó que el alma humana es, como todo espíritu, parte de la sustancia divina, a quien Dios imprime su sello al educirla de su divina esencia.

4.º Sometió el cuerpo al influjo de los astros, repartiendo las partes de aquel entre los doce signos del Zodíaco.

5.º Atribuyó a Cristo no una personalidad real, sino fantástica.

6.º Negó la resurrección de la carne.

7.º Admitió a los misterios del altar a los legos y a las mujeres.

8.º Admitió la metempsicosis de las almas como medio de que estas vayan purificándose de sus pecados al pasar por diferentes cuerpos.

El Concilio de Braga—567—acabó con los últimos residuos del priscilianismo.

Hasta fines del siglo XIX no se conocían más obras de Prisciliano que el fragmento de una carta y una colección de cánones o de sentencias tomadas de las *Epístolas* de San Pablo. Pero en 1884 fueron encontrados en Würzburgo once opúsculos del heresíarca, que han dado más luz acerca de su ideología.

Las mejores fuentes para el estudio del priscilianismo son las obras de Orosio, Sulpicio Severo, Idacio, Santo Toribio, San León Magno, San Jerónimo, San Agustín, San Dámaso, San Isidoro y los cánones de los Concilios de Zaragoza y de Braga.

V. MENÉNDEZ PELAYO, M.: *Heterodoxos españoles.* Tomo II, 1917.—LÓPEZ FERREIRO: *Estudios historicocríticos sobre el priscilianismo.* Santiago, 1878.—BABUT, E. C.: *Priscilliem et le Priscillianisme.* París, 1909.—BONILLA SAN MARTÍN, A.: *Historia de la Filosofía española.* Tomos I y II.

PROBABILIORISMO

Sistema teológico moral, según el cual, en caso de duda especulativa respecto de si una cosa o un hecho cae o no dentro del dominio de la ley, "solo es lícito en la práctica optar por la negativa cuando los motivos en que esta se apoya son *más probables—probabiliores*—que los de la afirmativa".

El probabiliorismo parece tener su fundamento en un enunciado del Doctor Eximio—P. Suárez—que dice así: "En primer lugar, afirmamos que la voluntad, para que sea recta, *es necesario* que siga el juicio cierto de la conciencia práctica acerca de la honestidad del objeto y de la acción. Así lo dicen todos los doctores." Pero otros doctores creyeron, contra lo afirmado por el gran teólogo jesuita, que para obrar lícita y honestamente "basta que la voluntad siga al juicio práctico, prudente, al juicio probable o, por lo menos, más probable".

El probabiliorismo cayó en desuso al triunfar la doctrina del *probabilismo* (V. núm. 1).

PROBABILISMO

1. Teológicamente, el probabilismo es el sistema moral de los que defienden que, en la calificación de la bondad o de la malicia de las acciones humanas, se puede lícita y seguramente seguir la opinión probable, en contraposición de la más probable.

El probabilismo teológico defiende la licitud de una acción que tiene en su favor una opinión sólidamente probable, es decir, que reúna razones intrínsecas y extrínsecas tales, que merezcan el asentimiento de toda persona prudente.

El probabilismo teológico es considerado, en conjunto, como doctrina de la Compañía de Jesús; por tanto, debe señalarse su inicio en el siglo XVI. Sin embargo, frases probabilistas pueden hallarse en teólogos de la categoría de Santo Tomás de Aquino, San Antonino, Juan Nieder, Domingo de Soto.

Ahora bien: el primer filósofo y teólogo que propuso claramente la fórmula probabilista, en 1577, fue el dominico español Bartolomé de Medina. Poco después aclararon y ampliaron la doctrina los jesuitas Suárez, Lugo, Castropalao, Vázquez... Pero, inmediatamente, el probabilismo hubo de ser combatido, precisamente porque cuantos lo alababan o lo denostaban cayeron en excesos lamentables; y así, aparecieron el *tutiorismo* o celo excesivo en favor de la ley, y el *laxismo* o defensa excesiva en favor de la libertad. Ambos extremos fueron condenados pública y respectivamente por los Pontífices Alejandro VII e Inocencio XI.

Durante el siglo XVII, como los jesuitas defendieran el probabilismo, los jansenistas—enemigos implacables de aquellos—lo atacaron con verdadera saña.

Posiblemente fue San Alfonso María de Ligorio el teólogo que más contribuyó al triunfo del probabilismo dentro de la Iglesia, al menos hasta 1762. Poco después, la Iglesia dio su explícita aprobación al probabilismo, dejando este de ser combatido a partir de la respuesta dada por la Sagrada Penitenciaría en 1831.

V. TERILL: *Fundamentum totius theologiae sen tractatus de conscientia probabili.* Lieja, 1668.—DÖLLINGER-REUSCH: *Geschichte der Mo-*

ralstreitigkeiten. Nordlingen, 1889.—LE BACHELET: *La question ligourienne.* París, 1899.

2. Filosóficamente, probabilismo es una doctrina que afirma que, al no poderse conseguir la certeza en ningún caso, es preciso que busquemos la probabilidad en la solución de los grandes problemas, principalmente de los morales.

A este probabilismo—ni más ni menos que el *escepticismo* (V.) helénico—se le ha llamado *criteriológico.*

Pero existe otro probabilismo como *teoría filosófica científica,* desarrollado por Cournot y antecedente directo del escepticismo pragmático de hoy.

Antoine Augustin Cournot (1801-1877), matemático y economista francés, profesor en Lyon, director de la Academia de Grenoble, no hizo sino reducir a una suma probabilidad el concepto de la física.

En el probabilismo no existe la certeza absoluta, sino únicamente opiniones más *probables,* es decir, más verosímiles que otras. La Lógica no tendrá ya entonces por objeto discernir lo verdadero de lo falso, sino medir o apreciar las probabilidades de verdad de las ideas.

El probabilismo defiende *un posible* que tiene más probabilidades de ser que de no ser. "La probabilidad es la relación del número de posibles de una especie determinada con el número de posibles de un género que comprende esta especie."

V. MENTRÉ: *Cournot et la renaissance du probabilisme au XIX*e *siècle.* París, 1908.

PROCELEUSMÁTICO (Verso)

Verso griego y latino compuesto de dos pirriquios—cuatro sílabas breves—. Fue llamado así por ser el usado en los cantos con que los remeros se excitaban en el trabajo (προ, κέλευσμα). Hefestión no menciona entre los griegos sino el proceleusmático tetrámetro cataléctico (único también entre los latinos):

Animula / miserula / properiter / obiit.
(SEP. SERENUS.)

Pero en Eurípides se encuentra alguna vez el proceleusmático tetrámetro acataléctico.

PROCLAMA

1. Discurso dirigido por un jefe militar a sus soldados o a los habitantes de las poblaciones en tiempos de guerra.

2. Discurso—hablado o escrito—dirigido por un escritor al público defendiendo una teoría o una posición literaria.

PRÓDROMO

1. Sinónimo de *prefacio, proemio, preliminar* (V.)

2. Introducción a un estudio.

PROEMIO

1. Prólogo (V.)

2. Cualquier prefacio, preliminar o aclaración a una obra.

PROGRAMA

1. Declaración preliminar acerca de una materia literaria.

2. Sistema y distribución de la materia literaria objeto de una obra.

PROGRESISMO

Doctrina política desenvuelta frente al *moderantismo* (V.).

Ideas y formas políticas del partido político denominado *progresista.*

El progresismo fue una doctrina política genuinamente española, nacida en el primer tercio del siglo XIX. Progresismo significó, al principio, exaltación de la libertad frente al absolutismo. Y, poco después, audacia de la renovación frente a la política *moderada.* Y, en seguida, liberalismo frente a realismo anticonstitucional.

El progresismo lanzó con entusiasmo, en España, las palabras *libertad* y *progreso,* cuando la única palabra que parecía ortodoxa era *tradición.*

El progresismo nació "cuando las Cortes de Cádiz", en 1812.

Los políticos españoles que concurrieron a ellas se dividieron en *doceañistas* o *moderados* y *exaltados.* Los primeros eran partidarios de una Constitución, la de 1812—de aquí su denominación de doceañistas—en la que se conjurara una auténtica libertad—sin extremosidades—con un culto ferviente de espíritu tradicional. Los segundos no daban importancia sino a la libertad humana en sus máximas consecuciones. Pues bien, estos exaltados liberales fueron los primeros progresistas.

En 1814 y en 1823, cuando Fernando VII abolió la Constitución, volviendo al más feroz absolutismo, moderados y exaltados hicieron causa común, ya que ambos, separados por matices y formas, tenían un culto común: la libertad. Pero desde 1833, ya muerto Fernando VII e iniciado un período constitucional—con el Estatuto Real de 1834—que ya no había de interrumpirse *oficialmente* en todo lo que restaba de siglo, los moderados y los exaltados separaron sus destinos.

Estos tomaron definitivamente el nombre de progresistas, y aquellos el de moderados o constitucionalistas. Y el progresismo, como teoría política y programa de gobierno, acentuó su vigorosa defensa de los derechos individuales frente a los del Estado. Las primeras y más célebres tribunas del progresismo fueron las mesas de los cafés madrileños llamados: *Lorenzini, La Fontana de Oro, La Cruz de Malta.* Los primeros jefes del moderantismo fueron Martínez de la Rosa y el conde de Toreno. Y los primeros del progresismo fueron Joaquín María López y Mendizábal. Los progresistas combatieron con saña aquel Estatuto Real—disfrazado de Carta otorgada y con resabios de Constitución—, en el que faltaba la *tabla de los derechos individuales.* Precisamente, por la defensa de la *Tabla,* el progresismo alcanzó por vez primera el Poder, dirigiendo el Gobierno don Juan Alvarez de Mendizábal, quien, lógicamente, gobernó sin derogar el Estatuto Real, pero sin hacerle maldito el caso.

En 1837, otra vez en el Poder el progresismo, pero dirigido ahora por don José María Calatrava, uno de cuyos ministros era Mendizábal, fue publicada la Constitución de aquel año, en la que, sin embargo, no estereotipó el progresismo español todas sus radicales afirmaciones, acaso porque estando en el Poder no se atrevió a tanto.

La verdadera importancia del progresismo se la alcanzó el general Espartero, el cual, sin titubeo alguno, desde el comienzo de su vida política, se lanzó por el camino de aquella doctrina, y luego de amparar algunos Ministerios de tal matiz—que turnaban con otros moderados—acabó por adueñarse del Poder y, lo que es más aún, de la Regencia de Isabel II, niña, el 11 de septiembre de 1840. Tres años después, al embarcar Espartero para Inglaterra, después de haber sido vencido por los generales Narváez y Azpiroz, el progresismo sufrió un rudo golpe que le tuvo inconsciente durante la llamada *Década moderada.*

Esta *Década* fue cerrada violentamente por el general O'Donnell, representante de un nuevo partido—*Unión Liberal*—formado por las izquierdas del moderantismo y por las derechas del progresismo. Y entonces empezó el *Bienio progresista*—1854 a 1856—, durante el cual gobernaron O'Donnell, el duque de Frías y el general Espartero. En la cuenta de este último Gobierno progresista hay que escribir: reorganización de los Milicianos; reintegro de los *ayacuchos*—fieles soldados de Espartero, con el que habían combatido en América—; convocatoria de las Cortes Constituyentes que redactaron la Constitución *non nata* de 1856; abolición del tan odiado por el pueblo impuesto de Consumos; la desamortización general, civil y eclesiástica, a pretexto de no haberse cumplido el Concordato de 1851.

En 1856, al subir al Poder el general O'Donnell, jefe de la Unión Liberal, casi todos los progresistas ingresaron en este flamante partido. Sin embrago, el progresismo no desapareció por completo. En 1868 fue el alma de la Revolución que privó del trono español a Isabel II. Y con la Restauración borbónica, el progresismo se dividió en dos ramas: una se unió al partido liberal de Sagasta y otra dio origen al partido republicano progresista, que presidió Zorrilla.

A fines del siglo XIX, para hacer frente al partido conservador de Cánovas, el progresismo se unió por entero al liberalismo sagastino.

En verdad, el ideario del progresismo español fue el del liberalismo más radical conocido en nuestra patria, pero que jamás llegó más allá de la declaración de los derechos individuales *inviolables,* de la separación de la Iglesia y del Estado, de la tolerancia de cultos. (V. *Reformismo.)*

V. ALTAMIRA, R.: *Historia de España.* Barcelona, Gili, 1914, tomo IV.—ZABALA, Pío: *Historia de España. Epoca contemporánea.* Barcelona, Gili, 1930.—SANTAMARÍA DE PAREDES, V.: *Derecho político.* Madrid, 1903, séptima edición.

PROLEGÓMENOS

Introducción muy extensa a una obra, y en la que se trata de establecer los fundamentos generales de la materia que luego va a ser tratada.

PROLEPSIS (V. Figuras de pensamiento) (V. Ocupación)

PROLIJIDAD (De estilo)

Aquel estilo recargado por un cuidado o esmero excesivo que toca en lo pesado e impertinente.

PRÓLOGO

De προ, antes, y λογος, discurso.

1. Primera escena de una obra dramática.
2. Introducción o prefacio con el que se encabeza un libro.

En el género teatral, el prólogo afecta al resto de la obra, sirviendo para exponer rápidamente el conflicto o para presentar, también con rapidez, los personajes principales que intervendrán en la obra.

En los demás géneros literarios, cuya expresión es el libro, el prólogo se refiere principalmente al autor de la obra, y suele estar escrito, en su alabanza, por otro escritor.

En el teatro griego, el prólogo tuvo una gran importancia, y fue ya aprovechado por Eurípides. Aún mayor la tuvo entre los latinos, ya que por vivir en Roma miles de personas extranjeras resultaba imprescindible que un actor, antes de iniciarse la representación, se dirigiera al público *para situarle* en el sentido de la acción que seguiría inmediatamente. El prólogo, desde entonces, estuvo *encarnado* por un actor, que recitaba el texto aclaratorio.

PROLOQUIO

1. Proposición (V.)
2. Sentencia (V.)

PROLUSIÓN (V. Prelusión)

PRONTUARIO

1. Resumen.
2. Apuntamiento.
3. Compendio de las reglas de una ciencia o de un arte.
4. Sinónimo—literariamente—de *abreviado.*

PRONUNCIACIÓN

Parte de la Retórica que enseña a moderar, a arreglar, a perfeccionar el gesto, los movimientos y la voz del orador.

PROPAROXÍTONA

Nombre que recibe la palabra esdrújula. En castellano deben quedar acentuadas todas las palabras proparoxítonas. En la métrica, estas palabras corresponden a la estructura de un pie dactílico, con la excepción de si van ante una pausa, contando entonces como un pie troqueo—o de dos sílabas a partir de la acentuada.

PROPIEDAD (De estilo)

Aquel en el que el escritor no se aparta del significado o sentido peculiar y exacto de las voces o frases. (V. *Estilo.)*

PROPIEDAD LITERARIA

"Dominio exclusivo que el hombre tiene sobre los productos de su inteligencia para publicarlos o reproducirlos y para autorizar a otro esta publicación o reproducción en la forma que crea conveniente y por cualquiera de los medios posibles."

Muchos sociólogos y tratadistas jurídicos han negado el derecho de propiedad intelectual basándose: 1.°, en que las ideas son patrimonio de la Humanidad; 2.°, en que las ideas, como inmateriales, no son susceptibles de apropiación; 3.°, en que el autor literario carece del *ius utendi et abutendi,* característica fundamental del dominio.

Otros autores, por el contrario, lo admiten, basándose: 1.°, en que si las ideas son patrimonio de la Humanidad, no lo son los signos sensibles por los cuales se expresan; 2.°, que el aire, la luz, la tierra, en una palabra, son patrimonio de la Humanidad entera, lo cual no obsta a la justa constitución de la propiedad; 3.°, que el autor *usa* y *abusa* de su derecho permitiendo la publicación y reproducción de su obra, disfrutando de sus utilidades, destruyendo los ejemplares y rectificando cuanto quiera sus escritos en sucesivas impresiones.

Hoy, todos los países del mundo tienen reconocida la propiedad literaria *como un privilegio* otorgado al autor. Varía, sin embargo, el plazo de duración de tal privilegio a partir del fallecimiento del escritor, ya que mientras este vive jamás caduca su derecho. En Argentina, el plazo es de diez años luego de muerto el causante; en Austria, de treinta; en Estados Unidos, de veinte; en Francia, de sesenta y tres; en Portugal, de cincuenta; en Inglaterra, de siete, o de cuarenta y dos desde que la obra se publicó por primera vez. El plazo más largo es el de España: ochenta años.

La Propiedad intelectual española está regida por la Ley de 10 de enero de 1879 y el Reglamento de 3 de septiembre de 1880.

El Derecho internacional en la materia está sujeto a la Convención de Berna del 9 de septiembre de 1886.

A España le cabe el honor de haber sido uno de los primeros países en reconocer el derecho de propiedad intelectual por la pragmática de 1764.

PROPOSICIÓN

1. Oración breve en que se afirma o se niega una cosa.
2. Es la enunciación breve, clara, sencilla y completa del asunto de que ha de tratar el discurso.

La proposición puede ser de tres clases: *simple, compuesta* e *ilustrada.*

Simple es la que abarca un solo punto que no se puede o no conviene distribuir en partes; *debemos aceptar la paz; amad a vuestros enemigos.*

La proposición *compuesta* es la que abarca un punto complejo que puede distribuirse en varias partes.

> Ahora no hay que dudar que esta arte y ejercicio (el de las armas) excede a todas aquellas y aquellos que los hombres inventaron, y tanto más se ha de tener en estima cuanto a más peligros está sujeto. (CERVANTES.)

La proposición *ilustrada* es la que para su cabal inteligencia exige la exposición de ciertos hechos que la expliquen.

PROSA

1. Forma natural del lenguaje para expresar las ideas.
2. Forma natural del lenguaje no sujeta, como el verso, a medida y cadencia determinadas.
3. Lenguaje carente de lirismo dentro de la poesía.

Sin embargo, la prosa, considerada como *forma artística,* está sujeta a normas que regulan su acertado empleo.

Y, en ocasiones, la poesía puede escribirse *en prosa.* En España tenemos *Platero y yo,* de Juan Ramón Jiménez, uno de los más primorosos ejemplos poéticos redactados en prosa.

El hombre, para expresar sus ideas y sus sentimientos, posee dos formas esenciales: la *conversación elemental,* sin sometimiento a cálculo alguno de número o medida de las sílabas; y la *expresión sometida* a leyes particulares. Esta segunda forma puede ser: sin leyes rítmicas—prosa—o con leyes rítmicas—verso.

La prosa de la conversación, tan pronto como se convirtió en un género literario, quedó sometida a ciertas reglas de elevación, flexibilidad, claridad, naturalidad, brillantez, etc. Y estas reglas fueron las que transformaron la prosa literaria en *estilo* (V.).

En España, la prosa castellana se inicia en 1151 con el *Fuero de Avilés,* dado por don Alfonso VII. Inmediatamente pasó a los *Cartularios, Santorales* y *Necrologías.* Los *Anales toledanos,* en la primera mitad del siglo XIII, presentan una prosa *de pretensiones.* Sin embargo, la obra en la que la prosa castellana alcanzó su indudable categoría literaria fue el código de las *Siete Partidas,* de don Alfonso X.

PROSA MÉTRICA.—Aquella compuesta por una sucesión de sílabas breves y largas semejante a la empleada en la métrica clásica.

PROSA RIMADA.—Aquella en la que la colocación de las palabras en el período se realiza en función de su acento.

PROSAÍSMO

1. Se llama así a la falta de entonación, armonía e inspiración poética que surge en una obra en verso o en cualquiera de sus partes.
2. Llaneza de expresión, insulsez, trivialidad de concepto dentro de una obra poética.
3. Vulgaridad de expresión o de ideas en la obra en prosa.

PROSAÍSMO (Literario)

Tendencia literaria a eliminar sistemáticamente de las obras—en prosa o en verso—todo elemento de índole poética. No cabe, pues, confundir el prosaísmo *circunstancial,* en que puede caer cualquier escritor, con el prosaísmo *intencional* de muchos escritores, quienes intentan reaccionar contra una época de excesivo lirismo, o a quienes preocupa una ideología determinada, que sojuzga la verdadera y libre inspiración del poeta.

Para Revilla, el prosaísmo significa: indigencia de fantasía creadora, falta de discernimiento crítico, impotencia en los medios expresivos. Y Forner—en sus *Exequias de la lengua castellana*—caracterizó así el prosaísmo: "La agudeza se ha convertido en frialdad; el ornato, en desnudez; la sutileza, en vulgaridad; la cultura de estilo, en infecundia y desaseo; la sofistería, en verdades de Pero Grullo; las imágenes atrevidas, en humildad servil; los vuelos insolentes, en abatimiento; el exceso de invención, en copias e imitaciones rateras; en suma, la demasía de elocuencia se ha mudado en penuria, pasando el abuso del extremo de la prodigalidad al de la miseria."

Insistimos en que el prosaísmo, como defecto o vicio literario—que afecta tanto al contenido como a la forma de una obra escrita—, es tan antiguo como el hombre escritor. Este que pudiéramos calificar de *desfallecimiento* estilístico se encuentra, casi sin excepción, en todos los más admirables autores. Otra cosa es el prosaísmo-tendencia, que en España ha tenido dos momentos de apogeo: durante todo el siglo XVIII y en el último tercio del siglo XIX.

"El prosaísmo es nota característica de la literatura y de la poesía del siglo XVIII; llevan a ello el espíritu crítico, las tendencias filosóficas, la transformación política (el centralismo uniformador), el olvido o postergación entre los hombres cultos de ciertas manifestaciones genuinas del carácter nacional y popular (que, por lo que se refiere a las letras españolas, bastará indicar la producción medieval, los romances y el teatro) y hasta una especie de protesta contra los excesos líricos y el barroquismo de forma de los culteranos y contra las agudezas y alardes ingeniosos de los conceptistas; así, don Francisco Gregorio de Salas y don Tomás de Iriarte, entre otros muchos, llegaron en sus versos al extremo de lo prosaico, y se pretendió desterrar la viveza de la fantasía, el calor de la expresión y los rasgos líricos del campo de lo poético." (HURTADO Y PALENCIA.)

Y algo más llevó al prosaísmo: el empacho de didáctica, a la que se sometieron la mayoría de los escritores del siglo, y la multiplicación de los diarios y revistas cuya redacción parecía exigir el prosaísmo más auténtico. En *El Duende de Madrid, El Diario Noticioso, Curioso, Erudito y Comercial*—Madrid, 1758—, *El Pensador* —Madrid, 1762—.*El Censor*—Madrid, 1781—, *Memorial Literario y Curioso de la Corte de* Madrid—1784 a 1808—, *El Belianis Literario, El Diario Noticioso Universal*—1763—y en tantos periódicos más, el prosaísmo cundió, triunfó, quizá sirviendo fielmente a los afanes de una época y de una sociedad faltas de los ideales del espíritu.

Hasta tal punto el prosaísmo fue una tendencia obsesiva de nuestro siglo XVIII, que resulta mucho más fácil enumerar las escasísimas *excepciones* de dicho prosaísmo; así, el drama *La Raquel,* de García de la Huerta; algunos sainetes de don Ramón de la Cruz; alguna comedia de Leandro Fernández de Moratín; poesías de Iglesias de la Casa y Meléndez Valdés... ¿Y... nada más? Nada más.

En el siglo XIX, el prosaísmo surge para oponerse a la exuberancia de un romanticismo insano, imprudente y alharaquiento; un romanticismo que ya tenía un nombre peculiar: *neoromanticismo* (V.) o melodramatismo, cuyo principal representante era don José Echegaray. El prosaísmo del siglo XIX—reacción ya finisecular—tuvo muchos representantes, algunos de los cuales adquirieron gran popularidad: Ramón de Campoamor (1817-1901), en quien la ausencia de fantasía lírica se unía a una versificación ripiosa y a los más graciosos "lugares comunes" y tópicos; Emilio Ferrari (1850-1907), principalmente en su poema *Pedro Abelardo,* tan duramente criticado por "Clarín"; Joaquín Bartrina (1850-1880), quien llevó a sus versos el prosaísmo detonante de la fisiología y de la mecánica; sin que se libraran de *fenomenales* prosaísmos poetas como Zorrilla—ripioso más de la cuenta—, Núñez de Arce, Grilo y Velarde.

El prosaísmo teatral estuvo representado, casi siempre, por los libretistas de zarzuela: Francisco Camprodón (1816-1870)—*Marina, Espinas de una flor*—; Luis de Eguílaz (1830-1870) —*El molinero de Subiza, El salto del pasiego*—; Luis Mariano de Larra (1830-1901)—*Las campanas de Carrión, El barberillo de Lavapiés*—; Miguel Ramos Carrión (1845-1915)—*La bruja, La tempestad*—; Manuel Pina Domínguez (1840-1895); José Picón (1829-1873—*Pan y toros*—; Luis de Olona (1823-1863)—*El juramento, El postillón de la Rioja, Los magyares*—; Marcos Zapata (1845-1914)—*El anillo de hierro, El reloj de Lucerna...*

También fue un prosaísta fundamental el fundador de la moderna comedia de costumbres, Enrique Gaspar (1842-1902), algunas de cuyas obras llevan títulos bien significativos: *La lengua, El estómago.*

El prosaísmo novelesco lo cultivaron: Torcuato Tárrago y Mateos, Ramón Ortega y Frías, Julián Castellanos y Velasco, Florencio Luis Parreño, Julio Nombela...

Pero donde verdaderamente "se cebó" el prosaísmo fue en la oratoria y en los escritos de famosos políticos como Nicolás Salmerón, Sagasta, Martos, Ríos Rosas, Moret, Nocedal, Ruiz Zorilla, Pi y Margall, Aparisi y Guijarro, Alejandro Pidal, José Canalejas, Francisco Silvela, Romero Robledo...

En el siglo actual, el prosaísmo ha tenido dos momentos de actualización en la poesía: entre 1918 y 1923; el primero, enraizado en los "ismos subversivos"—dadaísmo, ultraísmo, creacionismo, etc.—, y después, a partir de 1940, el segundo, *filtrado* en un "supuesto superrealismo", encubridor de una penuria absoluta de imaginación, de emoción y de sensibilidad en unos "supuestos poetas", quienes, en número impresionante, intentan sustituir los valores eternos de la poesía con un intelectualismo casi morboso.

PROSCENIO

Se llamaba así, en los teatros de Grecia y Roma, al lugar comprendido entre la escena y la orquesta, más bajo que la primera y más alto que la última.

En los teatros modernos se llama proscenio la parte del escenario más próxima al público e inmediata *a la batería de boca,* delante de la cual cae el telón.

PROSCRITOS ARGENTINOS

Nombre dado a los escritores de la llamada *generación de 1837,* la mayoría de los cuales, por haber combatido al Gobierno del tirano Rosas, hubo de huir de su patria, emigrando a otros países hispanoamericanos.

Los proscritos argentinos—de ideas liberales y de formas renovadoras—influyeron hondamente en la cultura de aquellos países donde residieron hasta 1853.

Entre ellos destacaron: José Mármol, Juan María Gutiérrez, Juan Cruz Varela, Florencio Varela, Florencio Balcarce, Luis L. Domínguez, José Rivera Indarte, Marco Manuel Avellaneda, Claudio Mamerto Cuenca, José María Cantilo...

V. ROJAS, Ricardo: *Los proscriptos.* En su "Historia de la Literatura argentina". Buenos Aires, 1924.—LEGUIZAMÓN, Julio A.: *Historia de la Literatura hispanoamericana.* Buenos Aires, 1945, tomo I, págs. 487-508.

PROSIFICACIÓN

Literariamente, para España, la prosificación de ciertos poemas adquiere una importancia capital. Gracias a su prosificación, en las *Crónicas* medievales han podido ser reconstruidos algunos de ellos, de excepcional valor.

Don Ramón Menéndez Pidal ha reconstruido el *Cantar de los siete infantes de Lara,* prosificado en la *Crónica General* de Alfonso X. También fueron prosificados: en la *Crónica General* de 1289 y en la *Crónica*—refundición de aquella—de 1344, el *Cantar de Mio Cid;* y en la de Alfonso X, el *Cantar de Bernardo del Carpio.* El *Cantar de Sancho II de Castilla* quedó prosificado, fragmentariamente, en la *Crónica General* y en la *Crónica particular del Cid.*

La crítica estima que fue El Tudense, que acabó su crónica en 1236, quien implantó las prosificaciones de los cantares de gesta. También en la *Crónica General* se encuentra el breve y novelesco *Cantar de Zamora.*

V. MENÉNDEZ PIDAL, Ramón: *Historia y epopeya.* Madrid, 1934.—MENÉNDEZ PIDAL, Ramón: *Poesía juglaresca y juglares.* Madrid, 1924.—MENÉNDEZ PIDAL, Ramón: *Poesía popular y romancero.* En "Rev. Filología", 1916, III, 233.—MENÉNDEZ PIDAL, Ramón: Edición de *Mio Cid.* Madrid, Clásicos Castellanos, 1908 y 1913.—MENÉNDEZ PIDAL, Ramón: *La leyenda de los infantes de Lara.* Madrid, 1896. PUYOL, Julio: Edición del *Cantar de Sancho II.* Madrid, 1912.

PROSODIA

1. Pronunciación y acentuación debidas de las letras, sílabas y palabras.

2. Conjunto de reglas relativas a la cantidad silábica.

La prosodia tiene una mayor importancia en aquellas lenguas cuya métrica está fundada en la *cuantidad* de las sílabas que en aquellas otras cuya versificación se funda en el acento.

PROSODÍACO

Himnos compuestos en honor de los dioses, y particularmente de Diana y Apolo.

PROSOPOGRAFÍA

Nombre dado a la descripción exterior de una persona, de un animal o de una cosa.

PROSOPOPEYA (V. Figuras de pensamiento)

Prosopopeya o personificación es una figura patética, y, según muchos retóricos, tropo de sentencia, que consiste en personificar o en atribuir cualidades propias de los seres animados y corpóreos, particularmente de los hombres, a los inanimados y abstractos. También cuando el escritor u orador ponen palabras o discursos en boca de personas fingidas o verdaderas, vivas o muertas.

El dinero es alcalde et jues mucho loado,
este es consejero et sotil abogado,
alguacil et merino bien ardit esforzado;
de todos los oficios es muy apoderado.

(ARCIPRESTE DE HITA.)

La codicia en las manos de la suerte
se arroja al mar; la ira, a las espadas,
y la ambición se ríe de la muerte.

(FRANCISCO DE RIOJA.)

PRÓSTESIS (V. Metaplasmo)

Es una figura de dicción que consiste en añadir alguna o varias letras al principio de una palabra: *aqueste* por *este, elucubración* por *lucubración.*

Esta figura se llama también *prótesis.*

PROTAGONISTA

De πρῶτος, primero, y ἀγωνιστής, actor.

Personaje principal de cualquier género literario. En el teatro griego, aquel cuya vida o hazañas constituían el tema de la producción dramática; el actor que representaba el papel de protagonista tenía derecho a ocupar el centro del escenario.

PRÓTASIS

Protásis, epítasis y *catástasis* son términos por los cuales los críticos antiguos designaban la división de una obra dramática en las tres partes correspondientes a las que nosotros llamamos *exposición, nudo* y *desenlace.*

En la prótasis (προτασις, proposición), el tema es anunciado e inicia su desenvolvimiento; es, pues, como nuestro primer acto, aun cuando la división del drama en Grecia no estaba sujeta a una distribución material. En la prótasis figuraban algunos personajes encargados de iniciar el argumento, y que ya no volvían a aparecer. Eran llamados *personajes protáticos.*

En la epítasis (ἐπίτασις, tensión), se completaba el enunciado del tema y surgía la intriga, es decir, nuestro acto segundo—o actos centrales, si la obra tiene más de tres.

La catástasis (κατάστασις constitución) terminaba la intriga con su esclarecimiento y resolución, es decir, nuestro último acto.

La palabra prótasis tenía para los retóricos otras acepciones por su etimología (προ-τεινω, ir delante). Significaba también *proposición* (véase).

Modernamente se llama también prótasis a la primera parte de un período en que queda pendiente el sentido de lo que se quiere expresar, completándose o cerrándose este en la segunda parte, llamada *apódosis* (V.).

PRÓTESIS (V. Próstesis)

PROTESTANTISMO

Nombre dado al conjunto de acontecimientos y doctrinas que más o menos directa o indirectamente han procedido de la rebelión y apostasía de Martín Lutero.

Algunos autores han creído más propias que la de *protestantismo* las palabras *Reforma* o *Seudorreforma.* (V. *Luteranismo, Calvinismo, Anglicanismo, Zuinglismo...)*

El nombre de protestantismo tiene "su pequeña historia". El 19 de abril de 1529, el príncipe elector de Sajonia, el margrave Jorge de Brandeburgo-Kulmbach, el landgrave Felipe de Hesse, los duques Ernesto y Francisco de Luneburgo y el príncipe Wolfango de Anhalt y catorce ciudades alemanas *protestaron* contra los artículos establecidos en la Dieta de Espira, abierta el 15 de marzo del mismo año. En dicha Dieta no se pretendió ya la represión de la Reforma, sino solamente la tolerancia de la fe y del culto antiguo. El legado pontificio Juan Tomás Pico de la Mirandola se mostró francamente transigente, y prometió, en nombre del Papa, que la Iglesia ayudaría a los alemanes contra los turcos, que procuraría la paz de la cristiandad y que convocaría un nuevo Concilio.

En la Dieta se comprometieron los reformistas a observar el edicto de Worms (V. *Luteranismo),* a no estorbar que se dijese y oyese misa, a no predicar contra la Eucaristía.

Pero tres años después, los novadores ya mencionados, y no convencidos, *protestaron...* Y desde entonces se los llamó *protestantes,* y *protestantismo* a la doctrina de los reformadores intransigentes.

V. NEY, V. J.: *Geschichte der Reichstags zu Speier in Jahre in 1529.* Hamburgo, 1880.—GRISAR, H.: *Luther.* Friburgo de Brisgovia, 1911.

PROTOPASQUITISMO

Nombre dado a la doctrina de los protopasquistas, cristianos que, durante los siglos III y

IV, celebraban la Pascua antes del equinoccio de la primavera, y no después, según doctrina de la Iglesia católica.

A sus adeptos dióseles el nombre de protopasquistas, porque fijaban dicha solemnidad *el día 14 de la luna de marzo,* el 14 del mes de Nisán. Fueron también llamados *sabacianos* y *cuartodecimanos.*

El protopasquitismo ordenaba celebrar la Pascua con los judíos y usar el pan sin levadura como ellos.

Las controversias acerca de cuándo había de celebrarse la Pascua duraron mucho tiempo. Y se iniciaron en el siglo II. En este siglo, parte de la cristiandad la celebraba—principalmente en el Asia Menor—el 14 del mes de Nisán, cualquiera que fuese el día de la semana. Otra parte de la cristiandad—en Egipto, en Grecia, en Italia—la celebraba el *domingo* siguiente al 14 de Nisán. El Pontífice Víctor (189-198) quiso unificar la celebración. Se llegó al acuerdo de que había de celebrarse en *domingo.*

Pero dificultó la armonía el cómputo del tiempo que hacían los judíos. Los judíos contaban por años lunares, y como quiera que estos son más cortos que el año solar, suplían este déficit por un mes intercalar, de suerte que la Pascua cayera siempre en el mismo tiempo. Además, el mes de Nisán—marzo—era el primer mes del año para los judíos.

Al iniciarse el siglo IV, las diferencias en el tiempo de celebración de la Pascua eran muy considerables.

El Concilio de Arlés—314—ordenó en su canon primero que la Pascua se celebrase por toda la cristiandad el mismo día. Su mandato no tuvo éxito. Tampoco lo tuvo la misma decisión del Concilio ecuménico de Nicea. Entonces, el emperador Constantino publicó una carta, en la que se ordenaba: 1.º Celebrar siempre la Pascua en domingo, con lo cual repudiaba a los cuartodecimanos; 2.º Que jamás se celebrase el mismo día en que la celebraban los judíos; 3.º Que los cristianos no celebrarían dos veces la Pascua en un mismo año, como lo hacían los judíos y los protopasquistas.

Desgraciadamente, tampoco entonces se entendieron los cristianos, ya que entre estos existían dos cómputos de la Pascua: el *romano* y el *alejandrino.* Los dos indicaban que la celebración sería después del equinoccio de la primavera. Pero el cómputo *romano* de Hipólito fijaba el equinoccio en el día 18 de marzo, y el *alejandrino* de Anatolio, obispo de Laodicea, en el 21 del mismo mes.

Después de la publicación de las *tablas pascuales* de Teófilo de Alejandría, Cirilo, Víctor de Aquitania y Dionisio el *Exiguo,* se llegó a la conclusión de que era más perfecto el cómputo alejandrino.

En el año 525 aceptó Italia dicho cómputo. Y Francia, en tiempo de Carlomagno. Y España, al convertirse Recaredo al catolicismo.

V. HEFELE-LECLERQ: *Histoire des Conciles.* París, 1907.—IDELER: *Handbuch der Chronologie.*

PROTOZEUGMA

Se llama así a la figura *zeugma* cuando las palabras sobretendidas por esta se han colocado al principio de la frase.

PROVENZAL (Lengua)

Una de las lenguas neolatinas. Es propiamente el dialecto romance que se formó en el mediodía de Francia, del Loira al Mediterráneo y de los Pirineos a los Alpes, en la misma época en que, en el norte del país, la lengua latina se transformaba en el romance de *oíl.* La partícula *oc,* derivada del demostrativo latino *hoc,* significaba *oui,* como *oíl* en el romance del Norte. como *sí* en el italiano y en el español. El provenzal fue denominado, pues, lengua de *oc.* El provenzal se extendió por Aragón, Cataluña y por Italia, hasta cerca de Venecia. También se conoció el provenzal literario por *lemosín,* y sus dialectos parecen haber sido muy numerosos; el hablado en Tolosa pasó por el más armonioso.

Le pérdida de la independencia política del sur de Francia, en el siglo XIII, motivó una rápida decadencia del provenzal, evolución lingüística mucho más antigua que el francés.

V. MORF, H.: *Von Ursprung der provenzalischen Schriftsprache.* Berlín, 1912.—CRESCINI V.: *Manualetto provenzale.* Verona, 1905.—KOSCHWITZ, E.: *Grammaire historique de la langue des Félibres.* Greifawald, 1894.

PROVENZAL (Literatura)

P

La lengua provenzal posee una antigua y rica literatura, iniciada aun antes del año 1100, fecha en que el idioma estaba formado perfectamente. A su origen y desarrollo excepcional contribuyeron los trovadores, quienes llevaron su lirismo por todas partes, penetrando en España, Italia y Alemania.

Las poesías trovadorescas, según su forma y contenido, eran de varias clases: la *canço*—lírica palaciega con temas de amor y de fe—, la *endreça*—dedicatoria—, la *tornada*—despedida—, *cançonetes, mitjas cançons*—medias canciones—, el *serventesio*—composición satírica—, la *tenço*—debate en el que el trovador defendía un tema—, *plany*—lamentaciones—, *albades* y *serenes*—himnos al día y a la noche—, *albades religiosos*—himnos a la Virgen—, *freçicança* —canto para exhortar—, *retroencha*—coplas con estribillo—, *escanding*—defensa que el trovador hacía de sus composiciones—, *epistoles, lletres*—cartas de amor—, *balada y dança*—para los bailes...

El apogeo de la literatura provenzal comprendió los siglos XII y XIII, siendo crecidísimo el número de los trovadores, entre los que fueron famosos: Marcabrim, Jaufre Rudel, Guillem de Cabestany, Bernat de Ventadour, Arnaut de Masenil, Arnaut Daniel, Guirant de Bornelh, Pere Vidal, Pons de Capdall...

En Cataluña hubo magníficos poetas que escribieron en provenzal: Arnáu el *Catalán,* Cerveri de Gerona, Guillem de Cervera, Guillem de Mur, Olivier el *Templario,* Pere Saltvage, Bernat Auriac, Ameneo de Escás, Palassoll, Pons d'Ortaflá, don Fadrique—rey de Sicilia—, el conde de Ampurias...

El más antiguo monumento de la literatura provenzal es un fragmento de un poema sobre Boecio. Poco después, la *Nobla Leyczon,* de Vaudois, escrita probablemente el año 1100. Francisco I, al exigir—1525—el empleo de la lengua francesa para los actos públicos, acabó con la literatura provenzal.

En el siglo XIX—1854—, con la creación de la *Federación de Félibres,* renació espléndidamente la literatura provenzal, cuyos principales cultivadores fueron: Roumanille, Aubanel, Federico Mistral—poetas—, Félix Gras—poeta y novelista—, Monné—dramaturgo y poeta—, Tavan, Aréne, Clodoveo Hugues, Antonieta Rivière, Alejandrina Brémonde...

V. BALAGUER, Víctor: *Los trovadores.* 1878. MILÁ Y FONTANALS, M.: *De los trovadores en* España. 1871.—PORTEL: *Letteratura provenzale i moderni trovatori.* 1905.—RESTORI, A.: *Letteratura provenzale.* Milán, 1891.—BARTSCH: *Grundius zur Geschichte der provenzalischen Literatur.* 1872.—JOURBANNE: *Histoire du félibrige.* 1896.

PROVERBIO

Cervantes lo definió así: "Sentencia cierta, fundada en una larga experiencia." (V. *Aforismo, Adagio, Refrán.)*

En Francia fueron llamados *proverbios* ciertas composiciones dramáticas en las que se desarrollaba una sentencia o refrán. Alfredo de Musset es autor feliz de algunos de estos proverbios teatrales.

PROVINCIAL (Ciclo)

Grupo muy importante de canciones de gesta francesas, de carácter provincial, y que fueron añadidas a los tres grandes grupos del género, en los que quedaron con el nombre de sus ciclos. Dichas gestas son: Gesta de *Lorrains (Hervis de Metz, Garin le Lohérain, Girbert de Metz, Anséis fils de Girbert);* Gesta *del Norte (Raoul de Cambrai, Gormond et Isembard);* Gesta *Bourgnonne (Girart de Rousillon, Aubery le Bourgoing);* Gesta *de Blaives (Amis et Amise, Jourdain de Blaives);* Gesta *de Sainte-Gilles (Elie de Sainte-Gilles, Aiol et Mirabel).*

PRUEBAS ORATORIAS

Razones o argumentos alegados y expuestos para convencer a los oyentes. Constituyen la quinta parte del discurso, llamada *demostración* y también *confirmación.* Cicerón definía la prueba oratoria "como una razón probable dicha con el propósito de hacerla creer".

Entre las pruebas oratorias: el *silogismo,* el *entimema,* el *epiquerema,* el *dilema,* la *sorites,* la *analogía,* el *ejemplo* y el *argumento personal* (V.).

PRUSIANO (Dialecto)

Corresponde este dialecto a la rama *lética* de las lenguas eslavas, y dividido en once subdialectos muy diferentes; es hablado por los prusianos y otros muchos pueblos situados entre el Vístula y el Prégel. Este dialecto adquirió su importancia bajo la dominación de los margraves de Brandenburgo.

El dialecto prusiano se distingue de los demás idiomas léticos por el predominio en él del alemán sobre el eslavo, sobre todo en las declinaciones y en las formas de los participios. Tiene dos artículos; el número de sus casos es el de seis, más limitado que el lituano. Su sintaxis se parece mucho a la alemana.

V. VATER: *Langue des anciennes Prussiens.* Traducción francesa, 1825.

PSICOLOGÍA

Ciencia o tratado—parte de la Filosofía—que trata del alma, sus facultades y operaciones.

PSICOLOGISMO

Tendencia literaria que cree ser los elementos fundamentales de la obra lo *psíquico* y lo *psicológico.*

El psicologismo se estuvo "cuajando" en Alemania desde los primeros años de la segunda mitad del siglo XIX, y no ciertamente en un sentido espiritualista, sino en un sentido materialista, intentando explicar los hechos por el instrumento, y no inversamente.

El psicologismo tiende a considerar como raíz última de su trascendencia el más absoluto individualismo. Los psicologistas consideran que únicamente tiene importancia literaria cuando es consecuencia legítima de su *yo,* y que todo: ámbito, ambiente, personas, instituciones, costumbres, adquiere su valor únicamente en cuanto se relaciona con el sujeto que piensa y escribe.

El resultado inmediato del psicologismo es la *egolatría* más feroz. Ególatras geniales fueron los sucesivos implantadores y directores del psicologismo: Dostoyevski, Nietzsche, Sigmund Freud. *Crimen y castigo* es la obra maestra del psicologismo.

Debemos reconocer que la actual influencia de la tendencia aludida es fenomenal en todo el mundo. Raro es el escritor que no ha publicado *la novela de su vida,* considerándose "no como un modesto espectador o partícipe del espectáculo-mundo", sino como *eje* o *quicio* del mismo. "Hablar en primera persona" es una consecuencia del psicologismo, a la que no es fácil que renuncien los escritores, cada vez más poseídos de su propia importancia y fenomenalidad vital.

PUBLICACIÓN

1. Obra literaria impresa y en circulación.
2. Acción y efecto de publicar.

PUBLICIDAD

1. Calidad de público.
2. Sitio o paraje donde concurre mucha gente, de suerte que lo que allí se hace es preciso que sea público.
3. Propaganda que se hace de una producción literaria por medio de anuncios, discursos, ensayos, etc.

PUBLICISTA

Autor de libros o de cualquier otra producción literaria.

PÚBLICO

1. Conjunto de personas reunidas en un determinado lugar para asistir a un espectáculo o con cualquier otro fin semejante.
2. Conjunto de personas que participan de unas mismas aficiones.
3. Conjunto de lectores de la obra literaria.
4. Conjunto de personas que siguen con su atención la producción de determinado autor.

Según Menéndez Pelayo, la influencia del público en la literatura es muy considerable. "El artista recibe del público la primera materia, y a él se la devuelve estéticamente transformada, aspirando, como es natural y loable, a la aprobación y al sufragio, ya del mayor número, ya de los más selectos entre sus contemporáneos."

Por *dar gusto* al público, por necesitar del aplauso y de la *asistencia económica* del público, infinitos escritores han sacrificado—y sacrifican—sus ideales, *sometiéndose* a los gustos de la masa.

PÚLPITO

En una significación figurada: predicación u oratoria sagrada.

PUNTILLISMO

Tendencia pictórica que se proponía reducir a puntos las pinceladas, y con la yuxtaposición de tales puntos de colores primarios alcanzar una limpia luminosidad.

El puntillismo nació en Francia, hacia 1880, como una exageración del neoimpresionismo; los artistas jóvenes llevaron a sus últimas posibilidades y audacias la pintura de toques cortos de Monet, alcanzando nuevos valores en el extremo iridiscente. En 1886 se concretó aquel "fermento doctrinario" y se formuló el puntillismo como un método científico del color, siendo los principales promotores Seurat y Signac.

Georges Pierre Seurat (1859-1891), nacido y muerto en París, muy intrigado y experto en las experiencias sobre el color del físico Chevreul, llegó a poseer una técnica propia, siendo su corta vida una sucesión curiosísima de hallazgos cromáticos. Supo valorar como pocos las oscuras cercanías; reaccionó contra el desorden de la composición de los impresionistas; puso en regla la intuitiva yuxtaposición de los tonos simples. Entre sus principales cuadros figuran: *La baignade à Suresnes, La grande Jatte, Le chahut, La parade, Music-hall.*

Paul Signac (1863-1935) fue un verdadero maestro en la aplicación de los colores puros, obteniendo mediante la práctica del divisionismo, del puntillismo, es decir, mediante pequeñas y precisas pinceladas, efectos de soberana luminosidad.

Seurat y Signac intentaron, con el puntillismo, dar la clave para que cada neoimpresionista pudiera obtener la resultante de su temperamento, fiándose únicamente de la percepción individual. Posiblemente la clave resulta eficaz y exacta, pero reduce el cuadro "a una especie de teorema que excluye lo que constituye el valor y el encanto de un arte, es decir, la fantasía, el capricho, la espontaneidad".

El puntillismo—nueva resolución de los colores naturales a las seis bandas del espectro—privó al *impresionismo* (V.) de su naturalidad. Porque lo natural en las pinceladas cortas es ser dadas en la dirección de los planos, como lo hizo Monet, y no en *medidas distancias,* como lo hicieron los puntillistas, y teniendo en consideración únicamente el divisionismo lineal. El puntillismo quiso inútilmente conseguir la resolución del problema de la luz y de las vibraciones cromáticas; problema que resolvió el impresionismo hacia 1900.

El puntillismo se puso en moda en toda Europa; pero fue efímera la duración de su influencia. Justo es consignar que tuvo ilustres representantes, como Camille Pissarro, Maximilien Luce, Henri Edmond Cross, Maurice Denis, Paul Baum—en Francia—; Angelo Dall'oca Bianca—en Italia—; Lemmen, Verstraete, Vesheyden, Ana Boch, Van Rysselberghe, Morren—en Bélgica.

Los neoimpresionistas y los puntillistas introdujeron la novedad de que la mezcla de los colores se produjera ópticamente *no en el lienzo, sino en la retina del contemplador;* pero los neoimpresionistas utilizaron para ello los puntos de tonos contrapuestos, complementarios o detonantes, mientras los puntillistas utilizaron los puntos de un mismo color dentro de cada zona coloreada.

V. MAUCLAIR, C.: *L'impressionisme; son histoire, son esthétique, ses maîtres.* París, 1904.—LECOMTE, Georges: *L'art impressioniste.* París, 1907, 2.ª ed.—RAPHAEL, Max: *Von Monet zu*

P

Picasso. Munich, 1913.—BENÉDITE, Louis: *La peinture au XIX*e *siècle.* París, 1924.—FAURE, Elie: *Historia del arte. El arte moderno.* Madrid, 1928, tomo IV.

PURANAS

Vocablo sánscrito que significa *antigüedades* y que designa un género de *poemas* compuestos para enseñanza de las castas inferiores. Entre los puranas están los *Vedas,* el *Mahabharata,* el *Ramayana.*

Se conocieron hasta dieciocho grandes puranas o *mahâpurânas.* Los principales fueron: el *Bhâgarata purana,* atribuido a Vopadeva; el *Visnú purana,* el *Mâtsya purana,* el *Agneyâ purana,* el *Mârkandêya purana,* el *Padna purana,* el *Brahmâ purana*... En total comprendían 1.600.000 versos. Los puranas eran obras de los *sûtas,* que formaban una casta india de caballeros en la guerra y de bardos en las épocas de paz. Los puranas han sido traducidos a numerosos idiomas.

V. NEVE: *Les Pourânas (Etudes sur les derniers monuments de la littérature sanscrite).* París, 1852.

PURISMO

Tendencia literaria que alardea de una extremada pureza en el lenguaje.

Uso, en el lenguaje oral o escrito, de aquellas voces y locuciones sancionadas por los gramáticos y por los buenos escritores. El purismo tiende a limpiar el idioma de *barbarismos:* giros, voces, locuciones tomadas de otras lenguas.

Un *purismo* demasiado intransigente, que proscriba del lenguaje voces, giros y locuciones que con el tiempo han adquirido carta de naturaleza y han sido sancionados por el uso, queda transformado en defecto de mucha consideración.

También se ha llamado purismo a la imitación de un estilo en boga siglos atrás. Modernamente, dos escritores españoles, Ricardo León y Diego San José, han querido imitar los giros y los vocablos de más uso durante el siglo XVII.

Quienes se acogen al purismo para evitar la degradación del idioma, alcanzan un bien inestimable para este; pero quienes lo hacen para oponerse a todo intento lógico de enriquecer y de refrescar el idioma, atraen sobre este un progresivo anquilosamiento, una permanencia apergaminada, impropia y ridícula.

En ocasiones son—y han sido—confundidos el purismo y el casticismo. Sin embargo, son términos de comprensión bien distinta. Los casticistas, reconociendo la riqueza del idioma, pugnan por remozar aquella parte de riqueza inoperante. Los puristas se niegan con la mayor intransigencia a la aceptación de los neologismos.

El purismo se ha producido, con mayor o menor intensidad, en distintas épocas de la Historia. En Roma fue llamado *aticismo,* y alcanzó su plenitud en el siglo I antes de Cristo. En Inglaterra, durante el reinado de la gran Isabel, se denominó *eufuismo* (V.). Y en Florencia, desde el siglo XVI, *cruscantismo,* por haberlo defendido tenazmente la famosa Academia *della Crusca,* cuyo reglamento data del año 1587, y a la que se debe la redacción del primer *Diccionario* crítico de la lengua italiana.

En no pocas ocasiones, un inexorable purismo ha llegado a empobrecer lamentablemente un idioma.

Los puristas abundaron en todos los países y en todas las épocas; pero, en general, más afectos a la salvaguardia del idioma que a la imitación del idioma en una época determinada. (V. *Academismo.*)

Q

QUECHUA o PERUANO (Lenguaje)

Lenguaje de la América meridional, hablado en tiempos pasados desde Quito, en la República del Ecuador, hasta las provincias de Tucumán y Catamarca, de la República Argentina, y por todas las razas indígenas del imperio de los Incas. En él se distinguen cinco dialectos principales: el *cuzcano,* hablado en el Cuzco (Perú), el más puro y el más importante, aquel cuyo estudio ha servido de base para las investigaciones lexicográficas de los eruditos que se han interesado por la lengua peruana. El *lamano* o *lamista,* particular de Trujillo, interesante por la ausencia de la *k,* reemplazada por la *g* y por la *z,* y por el cambio de la *o* en *u* y de la *e* en *i.* El *quitena,* muy rudo, y cuyo vocabulario quedó muy afectado por las palabras extranjeras. El *chanchaisayo,* hablado en Lima. Y el *calchaqui,* hablado en Tucumán.

Los sonidos correspondientes a *b, d, f, g, l* y *v* del alfabeto latino en el quechua; la posición de los acentos y una justa proporción entre las vocales y las consonantes dan armonía a la lengua. La declinación tiene tres casos por flexión y dos por preposición. La conjugación es muy rica en modos y en tiempos. La sintaxis tiene un sistema fijo: el verbo queda siempre colocado al final de la frase, y las preposiciones preceden siempre a sus complementos.

Se desconoce el origen del quechua, aun cuando algunos lexicógrafos lo refieren al idioma súmero de Caldea. La existencia de una escritura iconomática o iconofónica—imágenes y sonidos representados y hablados en Mesopotamia—ha demostrado que muchos vocablos quechuas tienen un origen semítico.

Algunas palabras quechuas—*pampa, puma, guano, cóndor, quinquina*—han pasado a las lenguas europeas.

En 1570, Felipe II fundó una cátedra de quechua en la Universidad de San Marcos, que en 1770 fue suprimida por Carlos III.

V. González Holguín, P. Diego: *Vocabulario... de la lengua quichua o del Inca,* 1608. Patrán, P.: *Origen del quechua y aimará.* Lima.—Torres Rubio, Diego: *Gramática y vocabulario quechuas.* Sevilla, 1603.—Santo Tomás, Domingo: *Gramática quechua.* Valladolid, 1560; Lima, 1586.—Tschudi: *Die Kechua Sprache.* Viena 1884.—Spilsbury: *Lenguas indígenas de Sudamérica: el quichua.* Buenos Aires, 1898.

QUIETISMO

Nombre dado a la doctrina errónea, referente a la mística, de Miguel de Molinos.

Molinos nació—1628— en Muniesa (Zaragoza). Murió—1696—en Roma. Cursó estudios eclesiásticos y se doctoró en Valencia. En esta última ciudad se ordenó sacerdote y fue beneficiado de la iglesia de San Andrés y confesor de monjas. En 1665 se trasladó a Roma para solicitar, como procurador del reino de Valencia, la beatificación del venerable Francisco Jerónimo Simón. En la Ciudad Eterna se dedicó con gran fervor a la predicación. Esta, excelentísima, su reputación de hombre ascético y su gran sabiduría le granjearon el entusiasmo de los italianos, ganándose millares de adeptos. Ejerció gran influjo en la Escuela de Cristo, cofradía de origen español. En Roma llegó a tener fama de santo iluminado.

La publicación de su celebérrima obra *Guía espiritual*—Roma, 1675—provocó un entusiasmo inmenso. En su libro se presentaba Miguel de Molinos como el apóstol y definidor del *quietismo,* posición pasiva, nirvanesca, ante el fenómeno místico, que lleva, necesariamente, al "vacío espiritual". Como ha dicho muy bien un crítico español, Molinos es el símbolo de nuestra mística "activa y apasionada en sus comienzos y madurez, que por ley natural llega a la vejez, al cansancio, a un lento extinguirse como un sol de ocaso". El alma ha de sumergirse en la nada", como camino más breve para llegar a Dios preconizó Miguel de Molinos. Ciencia del "nihilismo" místico, que resurgiría en el siglo XIX con Schopenhauer y los poetas rusos.

Como un reguero de pólvora prendió esta doctrina del "quietismo" en todas las clases sociales de Italia, Francia e Inglaterra. Llegó lo mismo a los palacios que a los conventos. Aristócratas, escritores, monjas y frailes, burgueses se entregaron a ella con un pasmoso frenesí. El cardenal D'Estrées, embajador en Roma de

Luis XIV de Francia, y que había sido amigo de Molinos, denunció a este, que, juntamente con otros quietistas, fue preso—1685—y procesado "por inmoralidad y heterodoxia", y condenado a cárcel perpetua en un monasterio. Miguel de Molinos abjuró sus errores y murió cristianamente, después de recibidos los Santos Sacramentos.

Pero sus doctrinas estaban tan arraigadas, que tuvo la Iglesia que hacer enormes esfuerzos para anularlas. Porque inclusive cardenales como Casanata, Carpegna, Azzolini y D'Estrées se honraban con la amistad del autor, y otros, como Coloredi, Ciceri y Petrucci, obispo de Jesi, las habían abrazado abiertamente. Y el propio Clemente XI pareció a muchos inclinado en favor de Molinos y dispuesto a hacerle cardenal.

La *Guía espiritual* corrió mucho en latín, francés, italiano e inglés. En quince años se hicieron veinte ediciones en diversas lenguas.

Según el quietismo, "el alma, una vez conseguido el estado de perfección y unida íntimamente con Dios, no tiene que realizar actos de ningua especie, ni esfuerzos ni mortificaciones para oponerse a la tentación, y debe permanecer en una especie de *sopor*—de aquí el nombre de quietismo, del latín *quies* = reposo, dado a la doctrina—, indiferente incluso para su propia salvación".

En el mismo año en que el quietismo era condenado por Roma, la señora de la Mothe-Guyon (1648-1717), dirigida por su confesor el barnabita P. Lacombe, introducía el quietismo en Francia, donde fue acogido por la *alta sociedad extravagante* con un entusiasmo indescriptible.

Dicha señora publicó su obra *Torrentes espirituales,* donde afirmaba "que la perfección consiste en el puro y desinteresado amor de Dios, sin tener en cuenta ni la recompensa ni el castigo, y que este estado puede llegar a convertirse en *estado habitual* de un alma perfecta y no en simple *estado transitorio*".

Una de las primeras discípulas apasionadas de madame Guyon fue la famosa favorita de Luis XIV, madame Maintenon. Los escritos de madame Guyon fueron denunciados al arzobispo de París. Después pasaron a examen de una comisión de prelados y teólogos—entre los que estaban los célebres Bossuet y Fenelón—, la cual públicó los llamados *34 artículos de Issy,* condenando las ideas de madame Guyon.

Pero temiendo Bossuet que se propagase el quietismo—aun cuando madame Guyon se había sometido—, publicó una *Instrucción pastoral referente a los estados de la oración,* que dirigió a Fenelón para que los confirmase, pero este rehusó, pretextando que su honor le impedía condenar a una mujer que ya había sido condenada. Poco después, Fenelón, amigo de la Guyon, escribió la *Explicación de las máximas de los santos sobre la vida interior,* obra en la que se insinuaba un *semiquietismo,* y que fue causa de una viva controversia entre ambos prelados. La cuestión fue llevada a Roma, a petición de Fenelón. Por fin, después de dos años de examen y de 132 sesiones, el 12 de marzo de 1699 el libro de Fenelón fue condenado en un *Breve* de Inocencio XII. La condena iba precisamente contra *veintitrés* de las proposiciones de las *Máximas de los santos.* Fenelón se sometió con la mayor humildad.

Las doctrinas del quietismo, que Miguel de Molinos redujo a sistema, hállanse extractadas en las 68 proposiciones condenadas el 20 de noviembre de 1687 por Inocencio XI en su Bula *Caelestis Pastor.* Y pueden reducirse a los cuatro puntos siguientes:

1.º Completa aniquilación del alma *en su ser operativo,* por una entrega total a Dios.

2.º Exclusión de todo amor interesado.

3.º Exclusión de cualquier manera de orar, *fuera de la contemplación* reducida a un acto de *fe pura.*

4.º Resistencia meramente negativa a las tentaciones.

Debe advertirse que el quietismo *no reducido a sistema* fue anterior a la religión cristiana. El *nirvana* de la religión del *brahamanismo* (V.) no es sino el quietismo que sistematizó Miguel de Molinos. Los *gnósticos* y los *antimonianos* fueron quietistas. Quietista fue Prisciliano. Escoto Eriugena—siglo IX—ofreció una teosofía de sabor marcadamente panteísta. En el siglo XIV, Juan II condenó varias proposiciones quietistas del maestro Eckart. Entre los siglos XIII y XIV tuvieron gran influencia religiosa los *Hermanos del Espíritu Santo,* llamados también *Homines intelligenciae,* que afirmaban "que una vez entregado el hombre totalmente a Dios, no tenía necesidad de oraciones ni de sacramentos". Y los *alumbrados* que pulularon por España durante los siglos XVI y XVII eran auténticos precursores del quietismo. (V. *Iluminismo* y *Molinosismo.)*

V. MENÉNDEZ PELAYO, M.: *Heterodoxos españoles.* Tomo II, Madrid, 1880.—DUDON, P.: *Le quiétiste espagnol Miguel de Molinos.* París, 1928. 2.ª ed.—ENTRAMBASAGUAS, J.: *Miguel de Molinos.* Madrid, Aguilar, 1935.

QUILUK (Lengua)

Idioma perteneciente a la rama de las lenguas *nilóticas* orientales, que se habla en el Sennaar (Abisinia) por la tribu que lleva su nombre.

QUINTETO

Combinación métrica de cinco versos *de arte mayor,* aconsonantados y ordenados como los de la quintilla.

Oyendo hablar a un hombre, fácil es
acertar dónde vio la luz del sol:

si os alaba su tierra, será inglés;
si os habla mal de Prusia, es un francés;
si os habla mal de España, es español.

(JOAQUÍN M. BARTRINA.)

QUINTILANISMO

Nombre dado a una de las doctrinas heréticas derivadas del *montanismo* (V.). Tomó su nombre de una profetisa llamada Quintila, que juraba haber tenido revelaciones divinas.

QUINTILLA (V. Española, Versificación)

Estrofa de cinco versos octosílabos, unas veces isosílabos y otras rimados con dos consonantes combinadas al arbitrio del poeta, pero no deberán concertar los dos últimos versos, ni tres seguidos.

Las formas posibles son: *ababa, abaab, abbab, aabab, aabba;* por tanto, solo dos rimas.

Pasó un día y otro día,
un mes y otro mes pasó,
y un año pasado había,
mas de Flandes no volvía
Diego, que a Flandes marchó.

(ZORRILLA.)

Todo mi discurso atajo,
sin poder hallar consuelo,
viendo que en ese trabajo
en ti se nos cayó el cielo
y no nos cogió debajo.

(QUEVEDO.)

Se atribuye a los italianos la invención de la quintilla. Pero en nuestra época preclásica—siglo XV—ya la manejaron con exquisita facilidad Sánchez de Badajoz, Juan Ambrosio de Morales, Juan de Mena y Pedro Manuel de Urrea.

Acaso las quintillas más famosas en la literatura sean las del *Isidro,* de Lope; las de *Fiesta de toros en Madrid, de* N. Fernández de Moratín, y las de *A buen juez, mejor testigo,* de Zorrilla.

QUITTA

Especie de cuarteta de la prosodia indostánica, compuesta, no por cuatro versos, sino por cuatro hemistiquios, de los cuales los dos últimos riman entre sí. La *quitta* fue y es empleada en las composiciones en prosa entreveradas con versos. Puede formar estrofas, denominadas *quitta band.*

R

RABELESIANO

Estilo literario exuberante, vitalísimo, sarcástico, de una extremada crudeza, conforme lo marcó Rabelais, su creador.

RABÍNICA (Lengua)

Se da este nombre a la *lengua hebrea* (V.), hablada y escrita modernamente por los rabinos de España, Portugal, Italia, y Alemania.

RABINISMO

Rabinismo tiene dos significaciones: una religiosa y otra cultural o literaria.

Desde el punto de vista *religioso,* rabinismo es el conjunto de las instituciones que representan, hasta cierto punto, la vida religiosa del judaísmo oficial a partir de la constitución de la gran sinagoga por Esdras.

Desde el punto de vista *cultural,* rabinismo comprende toda la cultura del pueblo hebreo desde la conclusión del canon hasta el movimiento mendelssohniano.

"La esencia del rabinismo consiste en el reconocimiento de la *Toráh* o ley escrita como fundamento del orden universal, juntamente con la ley oral o tradición transmitida desde Moisés hasta Esdras."

En un principio, el rabinismo derivó de las escuelas teológicas que comenzaban a florecer en Palestina en los comienzos de la era cristiana, y cuya escolástica se fudamentaba en la Biblia, de la que pretendía deducir toda ciencia.

El rabinismo fundó inmediatamente escuelas, tomando por modelo la del Sanedrín. Cada una de ellas estaba dirigida por un rabí, ayudado por los asesores *(thaberim).*

Las escuelas de Hillel y de Schammai Sameas fueron las matrices de rabinismo; de ellas nacieron otras muchas, y ellas prestigiaron hasta lo extraordinario el cargo de rabí, el cual llegó a presidir no solo la vida religiosa, sino también la civil. El rabinismo aspiró a preservar al judío de la influencia de las doctrinas paganas y del contacto de las naciones infieles.

Diseminadas las escuelas rabínicas en Palestina, Mesopotamia y Persia, se hizo necesidad imprescindible reunir sus enseñanzas en un cuerpo legal. Esta empresa la realizó—siglo II—Judas el *Santo,* último de los depositarios de la ley escrita *(tanaim),* quien redactó una colección metódica de las tradiciones para que sirviera de código civil y canónico a sus compatriotas. La colección recibió el nombre de *Mischna.* El rabino Jochanán unió a este libro una colección de decisiones de los doctores, sentencias y parábolas. La nueva colección recibió el nombre de *Gemara.* Unidas *Mischna* y *Gemara,* constituyeron el *Talmud de Jerusalén.* Otro rabino, Rav-Asché, compuso otra *Gemara* para complemento de la *Mischna,* naciendo así el *Talmud de Babilonia,* menos dogmático que el de Jerusalén y más eficaz para el comentario y la polémica.

Para el rabinismo llegó a ser más importante el *Talmud* que la ley de Moisés. Y su apogeo se logró en las escuelas de Pombedita y de Mehazia.

La propagación del islamismo dispersó el rabinismo hacia el mundo occidental. Y surgió potentísimo en España. Córdoba fue el centro principal de la célebre escuela de la sinagoga española. Y en el año 948, Rabí-Moséh obtuvo la dignidad de juez de los judíos cordobeses, y propagó con entusiasmo el estudio y el comentario del *Talmud.* Pronto se formaron academias en Granada, Toledo y Barcelona. José-ben-Schatnés, judío llegado de Persia, tradujo al árabe el *Talmud.* Y Alphesi, llegado de Marruecos, hizo un compendio de la misma obra, a la que llamó *Pequeño Talmud.* Ya en el siglo XI se hallaban los judíos españoles a la cabeza de la civilización. Conservaban los conocimientos de la escuela alejandrina. Y la literatura rabínica llegó a su mayor esplendor en el siglo XII, gracias al impulso que le dieron Abén-Ezra y Maimónides. Este último redactó el símbolo de la fe, que llegó a ser el fundamento de la enseñanza dogmática de las escuelas judías. Más tarde, José Albo redujo el símbolo de la fe expuesta por aquel gran maestro a los tres dogmas siguientes: la existencia de Dios y sus atributos; la verdad de la ley y de la misión de Moisés; las penas y recompensas futuras. En ninguna de las demás naciones prosperó tanto el rabinismo como en España. Fueron en él figuras excepcionales, además de las ya mencionadas: Salomón ben Gabirol, Yehuda ha-Levi, Ibn Ganah, Samuel Ibn Nagrela, Isaac ben Reubén, Nahmánides...

El rabinismo español representó direcciones variadas y fecundas dentro del espíritu de la ortodoxia judaica. El racionalismo de las ideas de Maimónides provocó una verdadera revolución en la Sinagoga. Y el famoso *Sulhan Aruk,* de Josef Caro, fue la última compilación legal y religiosa del rabinismo que alcanzó autoridad en toda la Diáspora.

En 1492 terminó el rabinismo en España, dispersándose por el norte de Africa, Holanda, el Imperio turco, Asia, como tradición rabínica sefardita.

El racionalismo alemán dio lugar a la famosa reforma de Moisés Mendelssohn, que representa, en realidad, la relegación del rabinismo a la esfera de lo histórico, y un profundo cambio en las ideas del judaísmo.

V. MAIMÓNIDES: *La segunda ley (Mischna-Thora).*—MAIMÓNIDES: *Guía de los extraviados.*—ARAGÓN FERNÁNDEZ, A.: *Literatura rabínica española del siglo XIII.* Barcelona, 1898.

RACIONALISMO

Doctrina filosófica—del siglo XVIII—según la cual los problemas generales que interesan a la conciencia humana pueden ser resueltos por la razón, sin necesidad de una revelación sobrenatural. También se ha llamado recionalismo a la negación de toda revelación sobrenatural.

Y también a la doctrina de la inneidad de los principios lógicos, la que admite una razón irreducible a la experiencia. En este caso se opone al *empirismo* (V.).

En un *sentido* lato, el racionalismo es un sistema que concede abusivos derechos y poder a la razón en los distintos órdenes de la cultura. En *sentido estricto,* racionalismo es un sistema en el que se da más de lo debido al apriorismo de la razón en relación con la experiencia.

En el dominio estricto de la filosofía, racionalismo "es la posición que radicalmente establece en la razón la totalidad de las operaciones cognoscitivas, tanto las que se refieren al hecho como las relativas al acto".

Posiblemente, el sentido racionalista más antiguo aparece en Platón, quien reconocía que los sentidos no pueden conducirnos jamás al verdadero saber, y que, por consiguiente, este saber ha de ser buscado "en el yo pensante". En Roma, Cicerón sentó los principios más puros del racionalismo con su teoría—en génesis—de las *ideas innatas.* Pero la auténtica sistematización del racionalismo hay que buscarla—siglo XVII—en los escritos de Descartes y de Leibniz.

Asegurada la existencia del yo pensante—*cogito, ergo sum*—, Descartes, haciendo uso de un proceso eliminativo (yo no soy mi brazo, ni mi pierna, etc.), concluye que es una cosa que piensa: *Ego sum res cogitans.* El yo, pues, queda circunscrito *a la razón.* En la razón, en el yo, Descartes funda su filosofía.

Leibniz distingue dos clases de verdades: las de *razón* y las de *hecho.* Aquellas son necesarias, eternas, inmutables y evidentes *a priori,* independientemente de toda experiencia. Las de hecho son contingentes y toman su fuerza en la experiencia; se fundan en el principio de *razón suficiente.* Leibniz, en cuanto se refiere al origen del conocimiento, es un racionalista completo, opuesto con radicalismo al *empirismo* (véase) de Locke.

Ya sistematizado el racionalismo, toma dos direcciones paralelas: una, como racionalismo religioso, opuesto a la revelación sobrenatural; otra, estrictamente filosófica, firme en la creencia de que la razón es suficiente para llegar a la verdad de los hechos y de las cosas.

El racionalismo prende rápidamente en distintos países, y en cada uno de estos adquiere *matices* muy peculiares. Así, puede aludirse a un racionalismo inglés, a un racionalismo francés, a un racionalismo alemán...

En Alemania, el racionalismo encuentra una ayuda inestimable para triunfar en el afrancesado monarca Federico el *Grande* y en la Academia de Ciencias de Berlín, restablecida por él.

Kant definió así el racionalismo: "Salida del hombre del estado de tutela de que él mismo es culpable." *Sapere aude,* atrévete a servirte de tu razón; esta ha de ser su divisa; es decir: la provocación al hombre para que constraste las circunstancias bajo las cuales vive, con la escala de su razón, y hacerlas razonables.

"En sus comienzos, el racionalismo, tanto en Inglaterra como en Alemania, se orienta más hacia lo que es o lo que ha sido, busca la razón en la esencia de las cosas y de su evolución, la religión de la razón y el derecho natural en su forma más pura y primitiva. En su desarrollo posterior, para el racionalismo la conformación racional de las cosas es más lo que debe ser, se piensa, más que en la razón divina, en la humana, la cual hasta ahora no ha realizado su cometido. De cualquier modo que hayan nacido los estados y las religiones, se trata de crear la verdadera religión y el verdadero Estado, que satisfagan a las exigencias de la razón y sean dignos del hombre, en cuanto ser racional. Desde un principio, el racionalismo adopta una posición crítica contra la mera autoridad, tradición y el poder exterior; en Francia, su desarrollo se orienta verdaderamente hacia una actitud de ruda lucha contra lo existente y también en favor de un ideal futuro, mientras el racionalismo inglés más bien trata de fundar racionalmente las conquistas de una revolución llevada a cabo. Al mismo tiempo, un cruzamiento raro: la lucha del racionalismo francés se dirige cada vez con mayor acritud no solo contra ideas, sino también contra fuerzas políticas; suministra el instrumento intelectual a la burguesía que aspira al dominio político. Al propio tiempo, la alta cultura de la corte francesa crea en los corifeos del racionalismo francés una aristocracia del espíritu, que contrasta extraordinariamente con la estrechez campesina, de que, a pesar del genio gigantesco de Leibniz y de la Academia afrancesada de Federico II, el espíritu alemán no se libra sino excepcionalmente en la época del racionalismo. El *despotismo ilustrado* de Federico actúa mucho más como presión que como factor estimulante de la evolución intelectual.

"La lucha del racionalismo alemán se orienta casi exclusivamente contra la Teología, y, lo mismo que esta Teología, ostenta también dicha lucha algo de pedante y de escuela. Se lucha por la humanización de diferentes dogmas, como el de la eternidad de los castigos del infierno, que Leibniz, en su aspiración a armonizar la revelación y la Filosofía, reconoció, y Wolff rechazó desde el punto de vista de la concepción humana del castigo como medio de corrección. Lessing es el primero que sitúa todo el problema en una esfera superior: los castigos del infierno son eternos, pero no como medio correctivo en un establecimiento de castigo en ultratumba, sino como conciencia torturadora de la falta cometida, que ni el mismo Dios puede suprimir y que yo en la vida no quise suprimir." (VON ASTER.)

Si el racionalismo inglés surge después de la revolución inglesa de Cromwell, el racionalismo francés aparece antes de la gran Revolución francesa; pudiéramos asegurar que es el que prepara y hace posible esta Revolución. Y si el inglés medra sobre el terreno abonado de una libertad amplia—ya existente—religiosa, política y económica, el francés se transforma en medio y en método de combate y da las armas de la razón, del arte y de la ciencia para libertar al mundo de la opresión y de la ignorancia.

El racionalismo francés se patentiza ya en el *cartesianismo* (V.), en el famoso *Diccionario* de Pedro Bayle (1647-1706) y en la no menos famosa *Enciclopedia* iniciada por D'Alembert y Diderot. Y racionalistas ilustres son Voltaire (1694-1778) Montesquieu (1689-1755), Rousseau (1712-1778)...

Para Külpe, es racionalismo toda la filosofía anterior al empirismo y al criticismo; un racionalismo no muy diferente, en el fondo, al de los pitagóricos, al de Parménides—dando a la razón el conocimiento exclusivo del ser—, al de Aristóteles—haciendo de la razón el Organon de la verdad—, al de los neoplatónicos.

El racionalismo, precisamente por su intento y por su posición radicales, ha sido combatido rudamente. El empirismo inglés del siglo XVIII puede ser declarado como un movimiento nacido exclusivamente para combatir la dictadura racional.

El racionalismo religioso ha encontrado siempre la condenación de la Iglesia, ya que esta busca la armonía y dependencia de la razón respecto de la fe y de la revelación. El racionalismo religioso ha sido condenado por el *Syllabus* de Pío IX, por la constitución tercera del Concilio Vaticano, por el decreto *Lamentabili* y en la encíclica *Pascendi*.

Ferrater y Mora—en su *Diccionario de la Filosofía*—resume certeramente: "Mientras para el siglo XVII el racionalismo es la expresión de un supuesto metafísico y a la vez religioso, por el cual se hace de Dios la suprema garantía de las verdades racionales y, por consiguiente, el apoyo último de un Universo concebido como inteligible, el siglo XVIII entiende la razón como instrumento, mediante el cual el hombre podrá disolver la oscuridad que le rodea."

V. KÜLPE, D.: *Einleitung in die Philosophie.* Leipzig, 1922.—EISLER: *Handwörterbuch der Philosophie.* Berlín, 1922.—ROUGIER: *Les Paralogismes du rationalisme.* París, 1920.—FERRATER Y MORA, J.: *Diccionario de la Filosofía.* México, ¿1943?—ASTER, Ernst von: *Historia de la Filosofía.* Barcelona, 1935.—VOLTAIRE: *Dictionnaire Philosophique.*

RADICALISMO

Tendencia doctrinal o sistema que no admite en los problemas filosóficos soluciones radicales.

Para muchos historiadores de la Filosofía, el radicalismo no es sino el conjunto de todos los movimientos y teorías llevados a su más radical extremo; así, el idealismo absoluto, el materialismo puro, el realismo exagerado, el rígido espiritualismo, el amoralismo, etc., forman el radicalismo filosófico.

Para otros filósofos y críticos, el radicalismo no es una suma de extremas rigideces, ni un pozo donde vierten su desesperación los sistemas y teorías desorbitados, sino como una corriente que irrumpe y que perturba dichas teorías y doctrinas; y así, es el *determinismo* (V.) en Psicología, y el *utilitarismo* (V.) en Moral, y el exclusivismo experimental en Lógica, y el *individualismo* en Sociología.

V. HALÉVY, A.: *Le radicalis. philosoph.* París, 1901-1904.

RAÍZ

1. Voz primitiva de una lengua, de la cual se derivan otras.

2. Elemento, el más puro, que sirve para la formación de las palabras.

3. Elemento invariable de un sonido, que puede modificarse añadiéndole afijos, sufijos prefijos, desinencias y terminaciones.

Las raíces pueden ser: *verbales* (predicativas)

las más numerosas y de las que derivan los verbos y los sustantivos, y *pronominales* (demostrativas), que han dado origen a los pronombres, preposiciones, conjunciones y partículas.

V. JESPERSEN, O.: *El progreso de las lenguas*. Madrid, 1902.—WUND, W.: *Psicología de los pueblos: el lenguaje*. Madrid. Varias ediciones.

RAMAÍSMO

Nombre dado a una secta religiosa hindúe adoradora de Rama como última encarnación de Visnú.

El ramaísmo pasó por ser, en la India, durante mucho tiempo, una religión herética, ya que Rama era un héroe puramente humano, según se sabe por el *Ramayana*. Un héroe, eso sí, prodigio de moralidad, de valor, de generosidad, de fortaleza. El ramaísmo hubo, pues, de iniciar el proceso de deificación de Rama, identificándose con el supremio dios Visnú, pero no como tal, en su primitiva esencia, sino como en su encarnación, característica muy frecuente en la religión hindúe.

¿Cuándo quedó deificado Rama? Posiblemente, en los primeros siglos de la Era cristiana, porque ya en el canto X del poema de Kalidasa—siglo V—*Rhaguvamsa,* el poeta, luego de narrar el nacimiento de Rama, recuerda la promesa de Visnú "de que nacerá como hijo del rey Dasa-Ratha, para destruir al malvado Ravana". Y en el siglo XI, en la obra *Amitagate,* se afirma que Rama era tenido "por el protector del mundo, como divinidad omnisciente y presente a todo el Universo".

El ramaísmo ha sido expuesto, en primer lugar, en el *Adhyatama-ramayana,* libro en el que se establece una doctrina monística, la única existencia de un espíritu supremo—que es Rama—, la pura ilusión que es el mundo y la más pura ilusión que es el alma individual. Pero el libro más eficaz e intenso del ramaísmo es el titulado *Ramcharitmanas,* al que algunos comentaristas han llamado *la Biblia del ramaísmo;* libro que es como una adaptación del *Ramayana* de Valmiki, compuesto en el siglo XVI por el poeta Tulasi Dasa.

Las características del ramaísmo están contenidas en cuatro puntos cardinales: 1.º La divinidad y sus atributos; 2.º La divinidad suprema es Visnú, único ser al que debe prestarse adoración en unión con su esposa Laksmi; 3.º Rama es la encarnación más perfecta de Visnú; 4.º Ramanuja y todos los demás grandes preceptores que le han sucedido son, asimismo, reencarnaciones del único dios.

El ramaísmo es, posiblemente, la más noble y pura de las religiones hindúes. Exige, inexorablemente, la bondad, el renunciamiento, la fraternidad, la paz, la pureza de vida, el sacrificio.

El ramaísmo forma parte del *vaisnavismo,* una de las dos grandes divisiones de la religión hindúe, el cual comprende no solo a cuantos adoran a Rama, sino también a los adoradores de Krisna, otra de las encarnaciones más populares de Visnú.

El ramaísmo cuenta en la actualidad con más de treinta millones de creyentes.

V. WILKINS, W. J.: *Modern Hinduism*. Londres, 1887.—WINTERNITZ, M.: *Geschichte der Indischen Litteratur*. Leipzig, 1909.

RAPSODA

Nombre dado en Grecia a los recitadores que iban de ciudad en ciudad declamando poesías propias o ajenas y acompañándose con una cítara.

Las poesías recitadas eran, generalmente, épicas. Fueron llamados *homéridas* u *homeristas* los rapsodas que recitaban los poemas de Homero en las fiestas *panateneas*.

Con posterioridad al siglo II antes de Cristo, los rapsodas dejaron de utilizar la cítara, degenerando el recitado en una declamación enfática.

V. JORDAN: *Das kunstgesetz Homere und die Rhapsodik*. Francfort, 1869.

RAPSODIA

1. Trozo o fragmento de un poema, principalmente *homérico*.
2. Poema o fragmento de un poema recitado por un rapsoda.
3. Compilación poética presentada por un autor como original.
4. Centón u obra literaria lograda con materiales ajenos.

RAZÓN

1. Facultad de discurrir.
2. Acto del entendimiento, discurriendo.
3. Palabras con que se expresa la facultad de discurrir.
4. Facultad intelectiva pasando de unas nociones a otras.

R

RAZONAMIENTO

Operación mental y discursiva que establece relaciones entre los conceptos, ya primariamente relacionados entre sí mediante juicios.

REALISMO

Movimiento literario y artístico del siglo XIX.

Cuando el romanticismo alcanzó su apogeo en toda Europa, ya llevaba dentro de sí el cáncer que lo había de matar. Este cáncer era el realismo. De cada movimiento espiritual y literario se puede afirmar, rápida y provisionalmente, que se trata de "una reacción", que se trata de algo opuesto en absoluto al movimiento precedente, que se trata de una "destrucción" segura y de una posible "construcción". Casi todos los movimientos culturales, como casi todos los emperadores romanos, se iniciaron con un asesinato—el de su antecesor—y terminaron con otro asesinato—el propio.

Hacia 1860—¡cuán efímera la vida del romanticismo, que había balbucido treinta años antes!—ya no se vivía en Europa de lo romántico, ni se intentaba volver a explotar el explotadísimo filón clásico. El hallazgo era el realismo.

¿Y qué era el realismo? Para los súbditos, para los epidérmicos, para aquellos que no desean meterse en honduras y que viven de impresiones—y de expresiones—, el realismo era lo contrario del romanticismo. Exactamente su antípoda. El no para el sí. Lo negro contra lo blanco. Realismo era el afán por cada día y por la consecuencia del día; la palabra cruda y escueta; el paisaje "ambiente" para el retrato, el razonamiento tozudo y la corazonada contenida; el deseo desnudo de convencionalismo; la acción sin ceremonias. Lo que se masca. Lo que se huele. Lo que se toca. Lo que se ve sin telarañas en los ojos.

Sí, el realismo es todo eso. Pero es algo más. que únicamente se descubre a los menos espontáneos, a los que gustan de manosear las cosas y de calarlas, a cuantos buscan las transformaciones lógicas y razonables... hasta en lo literario. Realismo, para estos, es cuanto "no deforma", sino que "conforma"; el tomar los días y las cosas como vienen, notarse los pies enraizados en la tierra; la filosofía de estoicismo, de epicureísmo; el análisis concienzudo del detalle, de lo insignificante; la valoración de los defectos; el sometimiento a lo exclusivamente humano; la trascendencia máxima concedida a cuanto nace del hombre, sirve para el hombre y muere con el hombre.

¿Cómo se explica un cambio tan radical, en toda España, del romanticismo a su antípoda literario? Cansancio de una tensión de superabundancia tan sostenida. Necesidad de un compás de calma después de la tormenta. Tras lo ideal más delgado y apurado, lo real más sólido y voluntarioso. Afanes de vela y acción, luego de una larga pesadilla. Empacho de dulzonería y una loca afición por lo salaz y por lo ácido.

El romanticismo dijo al hombre: "¡No te conformes! ¡Eres algo más que hombre! ¡Rebélate! ¡Grita! ¡Ruge! ¡Llora!"

El realismo dijo al hombre: "¡No eres más que hombre! ¿Y qué mejor puedes ser? ¡Alégrate! ¡Ama! ¡Goza! ¡Sufre estoicamente!"

Mucha parte de este desdén por lo romántico tuvieron la crítica de la razón, la ciencia experimental y la filosofía positiva. Las tres descubrieron que el romanticismo era un fantasma: una sábana que volaba sin cuerpo alguno debajo. Si el romanticismo se impuso por una "revolución", el realismo lo hizo por una "evolución". Muchas cosas gratas trajo el realismo a la literatura. Obras meditadas y pulidas. Trabajó y acicaló el estilo. Huyó de la improvisación. Exigió la observación sutil, la conciencia y la consciencia de cuanto se realizaba. No toleró los desmanes efectistas. Ató la imaginación con las cadenas del instinto, del razonamiento y de la pasión. En una palabra: ordenó que el espejo de la inventiva, de que hablaba Stendhal, se paseara "a lo largo de un camino". Los románticos lo pasearon a lo largo de un sueño. El realismo pintó a los hombres y las cosas "como son", no "como pudieran o debieran ser". Y dio igual importancia a la fealdad que a la belleza, a lo sucio que a lo limpio...

El escritor que quisiera ser realista tenía que empezar por el asesinato de su imaginación.

"El realismo—escribió Federico Lolié—casi a la vez se extendió por toda Europa: violento y patológico, en Francia; muy local, y conservando el perfume del terruño, en España; mezclado de aspiraciones elevadas, en las obras de los grandes escritores ingleses, americanos, eslavos y escandinavos."

El realismo se inició en Francia. Stendhal y Balzac se debatieron conmovidos por los posos románticos y por las primeras efervescencias realistas. Fue Flaubert, tan frío, tan objetivo, el primero que presentó el espécimen de la realidad. Fue Flaubert el primero que se convenció de que el hombre no tenía alas.

Conviene, sin embargo, advertir que vamos a referirnos aquí al realismo como *movimiento consciente* de reacción, no como *procedimiento literario,* ya que este es tan antiguo como la más antigua de las literaturas. ¿Quién podrá negar, en España, el realismo del *Libro del Buen Amor,* de *El Corbacho,* de *La Celestina,* del *Quijote,* del *Lazarillo de Tormes,* del *Buscón,* de muchas comedias de Lope, de muchos dramas de Calderón? Pues algo semejante puede afirmarse de autores como Chaucer, Shakespeare, Boccaccio, Bandello, Molière, Scarron..., realistas de la máxima calidad.

También conviene advertir que el movimiento realista se dio casi por entero en la prosa, rozando apenas la poesía.

1. Realismo literario.

a) *El realismo literario en Francia.*—El realismo triunfó en Francia hacia 1850, y derivaba del *sensualismo* (V.), tanto del sensualismo científico—que Comte llamó *positivismo* (V.) —como de la forma tradicional y sencilla que explica la inteligencia y la voluntad mediante las sensaciones. Sin embargo, este segundo sensualismo es el que preconizó el *arte por el arte,* al que se identificaron Flaubert, Gautier, los Goncourt, es decir, los auténticos realistas. El sensualismo científico es el que dio origen, años más tarde, al *realismo utilitario* de Zola y Maupassant, es decir, al *realismo naturalista.*

Con lo dicho, creemos que quedan suficientemente diferenciados el *realismo puro* o *moderado* y el *realismo inmoderado,* llevado a sus últimas consecuencias, o *naturalismo.*

Dos autores excepcionales, Stendhal y Balzac, pueden ser considerados como *puentes* entre el romanticismo y el realismo.

Henri Beyle "Stendhal" (1783-1842) fue el primer escritor que abrió el cauce de la novela realista. Stendhal, materialista y ateo, fue un verdadero discípulo de la Enciclopedia, y estuvo en absoluto desacuerdo con la época en que vivió. Manifestó una gran influencia italiana, y se apasionó por la música, por la pintura y por los viajes. En 1817 publicó su primer libro personal, *Rome, Naples et Florence,* al que siguieron: *Racine et Shakespeare, De l'amour* —1825—, *Promenades dans Rome*—1829—, *Mémoires d'un touriste*—1838—, *Armance, Le rouge et le noir, La Chartreuse de Parme, Lucien Leeuwen, Lamiel.*

Honoré de Balzac (1799-1850), de Tours, ha sido llamado "el padre de la novela realista". Después de escribir algunos novelones históricos y románticos—firmados con seudónimo—, se lanzó con ímpetu de titán a su prodigiosa obra *La Comedia Humana,* en la que pretendía retratar, íntegra, la sociedad francesa de su tiempo. *La Comedia* quedó dividida en varias series: Escenas de la vida privada *(La mujer de treinta años, El coronel Chabert);* Escenas de la vida de provincias *(El cura de Tours, El lirio del valle, Ursula Mirouet);* Escenas de la vida parisiense *(El padre Goriot, César Birotteau, El primo Pons, La prima Bela, La casa de Nucingen);* Escenas de la vida militar *(Los guerrilleros);* Escenas de la vida política *(El diputado de Arcis, Un asunto tenebroso);* Escenas de la vida del campo *(El médico rural)...* Para terminar el plan grandioso de su *Comedia,* Balzac hubiera tenido que vivir más de cien años. Según Taine, esta portentosa serie de novelas representa "el más grande almacén de documentos que poseemos sobre la naturaleza humana".

Entre los novelistas ya francamente naturalistas cuentan: Aurora Dupin (1804-1876), que inmortalizó el seudónimo de "George Sand", hija espiritual de Rousseau, justificación póstuma de Rousseau, autora de *Lélia, Indiana, Mauprat, Le marquis de Villemer, Messieurs de Bois-Doré, Cora, La Mare au Diable, Le petite Fadette, Elle et lui, Lucrezia Floriani...* Próspero Mérimée (1803-1879), gran erudito y gran viajero, uno de los creadores de la "novela corta", autor de *Colomba, Chronique du Régne de Charles IX, Carmen, Mateo Falcone, Lucrèce, La partie de Trictrac, Les ames du Purgatoire.* Charles-Augustin de Sainte-Beuve (1804-1869), creador de la crítica moderna, pero autor de *Volupté,* una de las primeras y más completas novelas realistas. Gustave Flaubert (1821-1880) alcanzó la más cumplida perfección en la búsqueda de la documentación humana con sus obras *Education sentimentale, Madame Bovary*—la más alta cumbre del realismo francés—, *La tentation de Saint-Antoine, Salammbo, Bouvard et Pécuchet, Trois contes.* Henri Murger (1822-1861), hijo de un portero de París, autor de *Scènes de la vie boheme* y de *Scènes de la vie de jeunesse.* Edmond (1822-1896) y Jules (1830-1870) Goncourt, que habían inventado—según ellos mismos aseguraban—tres cosas: el naturalismo, la fama del siglo XVIII y el japonismo; en realidad, muéstranse realistas en *Charles Demailly, Soeur Philomène, Manette Salomon, Madame Gervaisais, Renée Mauperin, Germinie Lacerteux...* Alphonse Daudet (1840-1897) marcó el último límite del realismo—insinuado ya el naturalismo—con *Jack, L'evangéliste, Sapho, Femmes d'artistes, Tartarin de Tarascon, Tartarin sur les Alpes, Port-Tarascon, Numa Roumestan, Les rois en exil, Fromont jeune et Rislev ainé, Contes du lundi, Lettres de mon moulin, Petit Chose, L'immortel, Le nabab.*

El realismo teatral está representado por Alejandro Dumas, hijo (1824-1895)—*La dame aux camélias, L'ami des femmes, Le demimonde, Diane de Lys, Le fils naturel, Francillon, Denise*—. Emile Augier (1820-1889)—*L'aventurière, Les effrontés, Le fils de Giboyer, La ciguë, Les Fourchambault, Maître Guérin, La ceinture dorée*—; Ludovic Halévy (1834-1908)—*La belle Hélène, La vie parisienne, Les Brigands, Frou-Frou*—; Victorien Sardou (1831-1908)—*Séraphine, Nos intimes, Fédora, La Haine, Tosca, Daniel Rochat, Divorçons*—; Eugène Labiche (1815-1888)—*Le chapeau de paille d'Italie, Le voyage de monsieur Perrichon*—, y Meilhac, Théodore Barrière, Lambert Thiboust, Pailleron—*Cabotins, Ma cousine, Madame Sans-Gêne, Le monde où l'on s'ennuie...*

b) *El realismo literario en Italia.*—La novela realista tiene sus mejores representantes en Verga, Fogazzaro, Matilde Serao, Grazia Deledda, D'Annunzio, Giovanuoli ("Spartacus"), Salvatore Farina, Rovetta y Edmundo de Amicis.

Giovanni Verga (1840-1922) peleó a las órdenes de Garibaldi y llegó a senador vitalicio; está considerado como el "padre del realismo novelesco italiano", alcanzando fama y discípulos con sus obras *Amore et patria. Eros, Pane Nero, Mastro Don Gesualdo, La lupa, Cavalleria rusticana, La caccia al lupo;* Antonio Fogazzaro (1842-1911), gran patriota, senador; su famosa novela *Il Santo* fue incluida en el Indice Romano, sometiéndose Fogazzaro a la Santa Sede. Otras obras suyas son: *Daniel Cortis, Leila, Ascensioni umane, Pequeño mundo antiguo, Pequeño mundo moderno;* Matilde Serao (1858-1927), considerada por Paul Bourget "como la más grande pintora de multitudes después de Zola", autora de *Fior di passione, Piccole anime. La virtù de Checchina, Terno secco, O giovannino o la morte, Donna Paola, Il castigo, La ballerina...* Salvatore Farina (1846-1918), que, en su tiempo, como Dickens, ganó mucho dinero leyendo en público sus novelas: *Fruto prohibido, Oro nascosto, Coraggio e avanti, Il sig-*

nor Yo, Caporal Silvestro. Gerolamo Rovetta (1851-1910) alcanzó grandes éxitos con sus novelas *Mater Dolorosa, Il primo amante, I barbaro, L'idolo, La signorina;* sin embargo, aún tuvo mucha más fama como autor teatral: *La comtessa Maria, I disonesti, La trilogia di Dorina, La realtà, Madame Fanny, Il re burlone...* Edmundo de Amicis (1846-1908)—*Cuore, La carroza di tutti*—. Gabrielle D'Annunzio (1864-1938), uno de los más grandes poetas y dramaturgos de Italia; en sus novelas predomina un realismo crudísimo, que marca la aparición del naturalismo novelesco: *El fuego, El placer, Las vírgenes de las Rocas, El triunfo de la Muerte, El inocente, Quizá sí, quizá no...*

c) *El realismo literario en Inglaterra.*—En el realismo novelesco inglés triunfaron los nombres de Jane Austen, Dickens, Thackeray, mistress Gaskell, "Jorge Eliot", las hermanas Brontë, Trollope, Reade, Meredith, Hardy...

Jane Austen (1775-1817), comparada a Shakespeare por lord Macaulay, la "escritora de más talento de Inglaterra", según Walter Scott, autora de *Sense and Sensibility, Pride and Prejudice, Northanger Abbey, Mansfield Park, Emma, Persuasión...* Charles Dickens (1812-1870), el más famoso de los novelistas ingleses—*Nicolás Nickleby, La niña Dorrit, Papeles póstumos del Club Pickwick, David Copperfield, Martín Chuzzlewit, Oliverio Twist, Historia de dos ciudades, Dombey y Compañía, La casa lúgubre, El grillo del hogar...*—. William Makepeace Thackeray (1811-1863), gran humorista, gran crítico, gran conferenciante, le inmortalizaron sus novelas *The History of Henry Esmond, The Book of Snobs, The History of Pandennis, Vanity Fair.* Elizabeth Cleghorn de Gaskell (1810-1865), esposa de un clérigo unitario, cuentista magnífica y autora de las novelas *Mary Barton, Ruth, Lizzie Seigh, Crawford, Cousin Phillis.* María Ana Evans (1819-1880), que inmortalizó el seudónimo de "George Eliot" con *Adam Bede, Silas Marner, Agatha, Romola.* Charlotte Brontë (1816-1855), la mayor de tan interesantes novelistas, autora de *Jane Eyre* y *Shirley.* Emily Brontë (1818-1848), cuya única novela, *Cumbres borrascosas (Wuthering Heights),* es una de las obras maestras de la novelística universal. Anny Brontë (1820-1849)—*Agnes Grey*—. Anthony Trollope (1815-1882), viajero incansable por todo el mundo, ganó una verdadera fortuna con sus novelas: *Richmonds Castle, Rachel Rey, Clergymen of the Church of England, The Golden Lion of Grandpere.* Georg Meredith (1828-1909) abrió una escuela de novelistas psicólogos, morosos en el análisis, penetrantes en la visión de los caracteres y de los ambientes —*Vittoria, Sandra Belloni, The adventures of Harry Richmond, The egoist, Lord Ormont and his Aminta, The amazing marriage.* Thomas Hardy (1840-1928), uno de los narradores ingleses más populares en el mundo, estando traducidas a diez o doce idiomas sus obras: *Unos ojos azules, Teresa la de Urbevilles, Judas el oscuro, Un grupo de nobles damas, La bien amada...*

d) *El realismo literario en Alemania.*—La novela realista alemana alcanzó su apogeo con Freitag, Hacklaender, Spielhagen, Keller, Heyse, Scheffel, Auerbach, Clara Viebig, Sudermann, Fontane, Frenssen, Ebers, Meyer, Beyerlein, Suttner...

Gottfried Keller (1819-1890), nacido en Zurich, alcanzó una popularidad inmensa con sus obras—escritas en un magnífico alemán—: *Seldwyla, Sieben Legenden, Martin Salander, Der grüne Heinrich.* Berthold Auerbach (1812-1882) pintó de mano maestra las costumbres y los tipos de la campiña—*Neues Leben, Joseph im Schnee, Edelweis, Brigitta, Auf der Höhe*—. Friedrich Spielhagen (1820-1911), novelista recio y ameno, que puso como escenario de la mayoría de sus obras la costa del mar Báltico y la isla de Rügen, donde pasó su infancia y su juventud—*Platt land, Suzi, Faustulus, Frei goberen, Noblesse oblige, Ein neue Pharao...*—. Clara Viebig (1860), en quien ya se insinúa el naturalismo—*Kinder der Eifel, Vor Tau und Tag, Dilettanten des Lebens, Das Weibendorf*—. Paul Johann Ludwig Heyse (1830-1914), en 1884 ganó el Premio Schiller para obras teatrales, y en 1910, el Premio Nobel—*Der Salamander, Jungfer Justine, Maria von Magdala, Maria Moroni, Vanina Vanini, Elfride, Hadrian, Des Kinder der Welt*—. Hermann Sudermann (1857-1928), dramaturgo y novelista, que ejerció una influencia enorme en su patria—*Frau Sorge, Die Ehre, Iolanthes Hochzeit, Stein unter Steinen, Das Blumenboot, Es Lebe das Leben, Der Bettler von Syrakus, Johannes, Morituri...*

En el teatro—además de Sudermann—: Gustav Freytag (1816-1895), retratista impasible de la sociedad alemana de su tiempo—*El manuscrito perdido, Debe y Haber*—. Otto Ludwig (1813-1865)—*El guardabosque, Los Macabeos*—. Gerhardt Hauptmann (1862-1946), novelista y principalmente dramaturgo de un realismo pesimista y crudo; en 1912 alcanzó el Premio Nobel. Entre sus mejores obras figuran: *Vor Sonnenaufgang, Die Weber, Die Biberpelz, Griselda, Die Ratten, Florian Geyer, Der arme Heinrich, Anna, Das Friedensfest, Schluck und Jan, Einsame Menschen, Till Eulenspiegel.* Ernst von Wildenbruch (1845-1909), poeta, novelista y, principalmente, gran autor dramático—*Harold, Der Menonit, Die Karolinger, Christoph Marlow, Der neue Herr, Väter und Söhne, Die Tochter des Erasmus...*

e) *El realismo literario ruso.*—La novela realista rusa cuenta con los nombres gloriosos de Gogol, Turgueniev, Goncharov, Korolenko, Rechetnikov, Ponialovsky, Levitov, Leskov, Naumov, Omulievsky, Garshin, Potapenko... (Tolstoi y Dostoyevski marcan el inicio del naturalismo.)

Nikolai Vasielevich Gogol (1809-1852) fue el iniciador del realismo, costumbrista excepcional y humorista, consumado psicólogo, el apóstol más entusiasta de la Naturaleza, cuyas bellezas describió con mano maestra; autor de *Las veladas de Dikanka, Arabescos, Mirgorod, Taras Bulba, El capote, La nariz, Las almas muertas, Roma, El retrato*... En el teatro alcanzó un gran éxito con su comedia *El inspector*. Iván Sergeyevich Turgueniev (1818-1883), de noble familia; vivió casi siempre en Francia; cultivó un realismo intenso, pero delicado; fue un maestro en la creación de tipos y en la prosa; los rusos le atacaron atribuyéndole un occidentalismo poco patriótico. Entre sus obras sobresalen: *Humo, Primer amor, Padres e hijos, Nido de hidalgos, Aguas primaverales, Demetrio Rudin, El rey Lear en la estepa, Una desdichada, Relatos de un cazador*... Vladimir Galaktionovich Korolenko (1853-1921), periodista, anarquista, cultivó el realismo patético en obras como *El sueño de Makar, El músico ciego, Nochebuena, Cuentos de Ucrania y de Siberia, El día del juicio, Una muchacha extraña*. Iván Alexandrovich Goncharov (1812-1891), de noble familia, incansable viajero; su novela *Oblomov*—1858—le dio una justa e inmensa fama, ya que su protagonista—tipo de hombre indeciso, vago, soñoliento—es una creación genial, comparable a las mejores de Gogol y Dostoyevski; también son excelentes novelas suyas: *Una historia vulgar, El abismo*. Vsevolod Mikhailovich Garshin (1855-1888)—*Trus, Chetyre dnya, Vstrecha, Attalea, Nadezhda, Nicolayevna*.

f) *El realismo literario español*.—El realismo español, *tendencia* literaria, ya hemos indicado que es tan antiguo como el idioma castellano. Quizá es España el país que más se ha esforzado en producir letras y arte más apegados al sentimiento trágico de la vida o al sentimiento pícaro de cada día. Pero el realismo como *movimiento* de reacción contra el romanticismo fue iniciado—1848—por Cecilia Böhl de Fáber (1796-1877) con *extraordinaria timidez*. Esta narradora, hija de alemán y de gaditana, nacida en Morges (Berna) hizo famoso su seudónimo de "Fernán Caballero"—*La Gaviota, Lágrimas, La familia de Alvareda, Un servilón y un liberalito, Clemencia, Cuadros de costumbres populares andaluzas*.

Pero siete nombres gloriosos, con una ingente producción novelesca, lograron afianzar e imponer el realismo: Alarcón, Valera, Pereda, Pérez Galdós, Emilia Pardo Bazán, "Clarín" y Palacio Valdés.

Juan Valera (1824-1905), de Cabra (Córdoba), de noble familia, diplomático, eruditísimo, crítico prestigioso—*Pepita Jiménez, Doña Luz, Las ilusiones del doctor Faustino, Juanita la "Larga", Morsamor, El comendador Mendoza, Pasarse de listo*...—. Pedro Antonio de Alarcón (1833-1891), de Guadix (Granada), periodista insigne, cronista de la guerra de Africa (1859-1860), diputado a Cortes, consejero de Estado y de la Real Academia Española—*El escándalo, Diario de un testigo en la guerra de Africa, De Madrid a Nápoles, El final de Norma, El sombrero de tres picos, El Niño de la Bola*...—. José María de Pereda (1833-1906), de Polanco y de hidalga familia, académico de la Real de la Lengua—*Sotileza, Peñas arriba, Pedro Sánchez, La puchera, El sabor de la tierruca, De tal palo, tal astilla; La Montálvez, Escenas montañesas, Nubes de estío*...—. Benito Pérez Galdós (1843-1920), de Las Palmas (Canarias), abogado, de la Real Academia Española, diputado a Cortes, el más grande novelista español después de Cervantes, el más formidable creador de personajes...—*Episodios Nacionales* (46 tomos), *Fortunata y Jacinta, Angel Guerra, Doña Perfecta, Gloria, Marianela, Torquemada, ¡Miau!, El amigo Manso, La familia de León Roch, Lo prohibido, La de Bringas, Tormento, El doctor Centeno, El abuelo, Realidad, La loca de la casa*...—. Emilia Pardo Bazán (1851-1921), coruñesa, de familia noble y de cultura excepcional, maestra insuperable del dificilísimo género del cuento y de la novela breve —*Pascual López, La tribuna, Los pazos de Ulloa, La Madre Naturaleza, Insolación, Morriña, El saludo de las brujas, La quimera, Sirena negra, Misterio, Dulce dueño, San Francisco de Asís*...—. Leopoldo Alas, "Clarín" (1852-1901), nacido en Zamora, catedrático en la Universidad de Oviedo, acaso el primer crítico literario del siglo XIX, polemista excepcional—*La Regenta, Su único hijo, Berta, Pipá, Superchería, Solos de "Clarín", El Señor, y lo demás son cuentos; Mezclilla, Cuentos morales, El gallo de Sócrates, Sermón perdido*...—. Armando Palacio Valdés (1853-1938), asturiano, de la Real Academia Española, ateneísta famoso—*El idilio de un enfermo, Marta y María, La alegría del capitán Ribot, La hermana San Sulpicio, José, La aldea perdida, Maximina, Riverita, Los majos de Cádiz, El señorito Octavio, El cuarto poder, El maestrante, Santa Rogelia, Papeles del doctor Angélico, Tristán o el pesimismo*...

Formando "coro" alrededor de los siete maestros ganaron fama justa: P. Luis Coloma (1851-1915)—*Pequeñeces, Boy*—; Jacinto Octavio Picón (1852-1924)—*Dulce y sabrosa, Juanita Tenorio, El enemigo, La honrada*—; José Ortega y Munilla (1855-1922)—*La Cigarra, Sor Lucila, Estrazilla, El paño pardo*—; José María Mathéu (1847-1929)—*Jaque a la reina, Un santo varón, El santo patrono*.

Y aún merecen un recuerdo otros muchos novelistas realistas como Alfonso Pérez Nieva, Emilio Gutiérrez Gamero, Luis Taboada, José Selgas, Carlos Frontaura, Martínez Barrionuevo, Pamplona Escudero, Enrique Menéndez Pelayo, Teodoro Baró, José Zahonero...

Cultivaron el realismo (V. *Melodramatismo*)

en el teatro: Joaquín Dicenta (1863-1917)—*Juan José, El señor feudal, Sobrevivirse, Daniel, Aurora, El crimen de ayer*—, y todos los saineteros: Ricardo de la Vega, Javier de Burgos, Tomás Luceño... Vital Aza (1851-1911—*El sombrero de copa, Aprobados y suspensos, Perecito, La rebotica, La sala de armas*—; Miguel Ramos Carrión (1851-1915)—*El noveno mandamiento, El señor gobernador, La mamá política*...

(Conviene advertir que en el *modernismo* (V.) persiste la tendencia realista de la novela y del teatro, con un *imperio* casi absoluto. Realismo que exalta los nombres de Baroja, Benavente, Valle-Inclán, Blasco Ibáñez, Linares Rivas, los hermanos Alvarez Quintero, Ricardo León... Pero hemos creído preferente *no descentrar* los respectivos *ismos* literarios, perfectamente determinados en sus épocas correspondientes.)

2. Realismo artístico.

En modo alguno puede hablarse de realismo artístico, como se habla del literario, equiparándolo a un *movimiento de reacción* aparecido en una determinada época. El realismo artístico es y ha sido una tendencia permanente de comprensión y de expresión. Cabe decir que la tendencia más acusada y fecunda del arte en cualquier tiempo y en cualquier país.

Y para que se comprenda bien la trascendencia de este realismo artístico, recalcaremos que tiene él una existencia propia e *impenetrable* a cualquier influencia, y, sin embargo, su influjo, su nervio y su "sentido" se encuentran en otras muchas tendencias artísticas, no eternas como él: en el goticismo, en el renacentismo, en el barroquismo, en el romanticismo, etc., etc. Ningún *movimiento artístico* de reacción, por muy peculiar y subversivo que sea, deja de delatar trazas o trazos del realismo. Y cuando así no es, en contadas ocasiones, el movimiento lleva una existencia precaria y efímera; así el luminismo, o el magicismo, o el cubismo. Diríase que es el realismo el que enraíza y medula toda expresión que intente perennizarse y fecundar, aun cuando las técnicas y las tácticas, los temperamentos y las audaces inventivas encubran con más o menos tino la medula y la raíz.

En el arte español jamás ha desaparecido el realismo. Y se encuentra bien a las claras en las figuras coloreadas de Altamira y del Cerro de los Santos; en la escultura románica y gótica; en la pintura de los primitivos—Ferrer Bassa, Pedro Nicoláu, Nicolás Francés, Jacomart, Bartolomé Bermejo, Jorge Inglés, Juan de Flandes, Jaime Huguet...—; en la arquitectura de Juan Bautista de Toledo, Juan de Herrera o Francisco de Mora; en la escultura policromada—Berruguete, Juni, Forment, Becerra, Gregorio Hernández, Alonso Cano, Mesa, Martínez Montañés, Pedro de Mena, los Roldán Pereyra, Salzillo—; en la pintura de los siglos XVI y XVII—Pedro Berruguete, Juan de Borgoña, Alejo Fernández, Luis de Vargas, Juan de Juanes, Sánchez Coello, Morales, Pantoja, Herrera "el Viejo", Ribera, Ribalta, Zurbarán, Velázquez, Valdés Leal, Alonso Cano, Mazo, Murillo...—; en la arquitectura neoclásica de Ventura Rodríguez y Juan de Villanueva; en la pintura romántica iniciada con Goya—retratista y pintor de Historia—y continuada con Vicente López, Alenza, Lucas, Esquivel, los Madrazo, Gutiérrez de la Vega...

Indiscutiblemente, en ninguna época ha dejado el realismo de dominar en el arte español. El realismo, perenne e impasible, ha visto surgir, detonar y desaparecer innumerables tendencias subversivas atentas únicamente a un modo o a una moda.

Algo parecido cabría afirmar del realismo artístico en los demás países, en ninguno de los cuales ha dejado de tener vigencia fecunda en ninguna época.

Modernamente, la crítica ha querido dar importancia a dos realismos *sui generis:* el realismo místico y el realismo mágico. El realismo mágico, según Franz Roh, es "aquel en el que lo misterioso se esconde y palpita *tras él*". En el realismo místico, según Bontempelli, "el misterio *desciende* al mundo representado".

Se comprende fácilmente cuanto hay de caprichoso y de falso en tales figuraciones. En todas las obras dadas como modelos de estos realismos—recuérdese la titulada *Durmiente,* de Henri Rousseau—, lo verdaderamente real no llega a *identificarse* con lo misterioso, llegando, cuando más, a *colaborar* en un efecto o a *impresionar* precisamente por el "contrasentido".

V. Menéndez Pelayo, M.: *Historia de las ideas estéticas...* Madrid, 1940.—González-Blanco, Andrés: *Historia de la novela en España.* Madrid, 1909.—Pijoán, José: *Summa Artis. Historia general del Arte.* Madrid, Espasa-Calpe, 1932-1950.—Sainz de Robles, F. C.: *Los movimientos literarios.* Madrid, Aguilar 1948.—Roh, Franz: *Realismo mágico.* Madrid, "Revista de Occidente", ¿1929?

REALISMO (Filosófico)

Es la doctrina filosófica según la cual los *universales* o ideas generales existen *realmente* fuera de las individualidades, como prototipos o modelos eternos de que estas individualidades son imitaciones temporales. El realismo se opone, pues, el *nominalismo* (V.). Y, lógicamente, en estética, se opone al *idealismo* (V.), ya que para el realismo la belleza se consigue reproduciendo fielmente lo real, inclusive en lo que tiene, a veces, de feo, de repugnante, de vil.

"En la teoría del conocimiento—escribe Goblot—, el realismo consiste en decir que nuestro conocimiento discierne realidades verdaderas; si se trata de la percepción, hay percepción inmediata del mundo exterior como tal. Es lo que Hamilton llama *realismo natural:* Las cualidades primarias son percibidas tales como son en los cuerpos. Si se trata de conocimiento racional, hay una intuición intelectual de lo Absoluto. Si se trata del conocimiento sensible o racional, hay una garantía del valor objetivo del conocimiento: veracidad divina (Descartes), visión en Dios (Malebranche), unidad de Dios (Spinoza), armonía preestablecida (Leibniz). En ontología: el mundo exterior existe realmente, sea tal como lo percibimos, sea como causa de nuestras sensaciones."

Los antiguos escolásticos encontraron el realismo preformado en su forma más universal, en la doctrina de las *ideas* de Platón. ¿Cómo solucionó Platón la relación entre las cosas singulares y las ideas, si aquellas solo lo son por la participación de las cosas en sí? ¿De qué naturaleza era esta participación? Platón halló la solución en el *ejemplarismo.* La doctrina metafísica del realismo llegó al *escolasticismo* (V.) por medio de los filósofos eclécticos, como Boecio. En el siglo IX, Escoto Erígena inició una intepretación realista y panteísta de las doctrinas filosóficas antiguas. Roscelino y Abelardo—fundadores del *nominalismo* (V.)—combatieron inútilmente el realismo, defendido con gran sagacidad por San Anselmo, San Bernardo y la escuela de Chartres, que recibieron el nombre de *realistas.* Poco después surgieron nuevos adversarios en Durando, Auréolo y Ockam con su escuela determinista.

En tales disputas justo es declarar que el realismo quedó bastante *deformado* y roído de suspicacias y de distingos.

En la Edad Moderna—y en las cuestiones epistemológicas—penetró el realismo "como oposición" a las direcciones fenomenistas, relativistas y agnósticas. Pero poco a poco tal vocablo quedó reservado "a la solución objetivista del problema sobre el contenido del conocimiento, en oposición al fenómeno y al concencialismo".

El realismo anda filtrado en las grandes concepciones filosóficas de los siglos XVII y XVIII; pero, a partir del siglo XIX, se descompone en varios *neorrealismos:* el norteamericano de Montague, Fulleton, Lovejoy, Santallana, Perry; el alemán de Oswald Külpe, Husserl; el *realismo ideal* de Brentano y Helmoltz; el *realismo trascendental* de Hartmann; el *realismo metafísico* de Herbart.

De estos neorrealismos, los más interesantes se inclinan hacia el realismo aristotélico-escolástico, como el realismo crítico de Külpe.

V. KÜLPE, O.: *Einleitung in die Philosophie.* Leipzig, 1921.—HUSSERL, E.: *Logische Untersuchungen.* Halle, 1913.—DWELSHAUVERS, J.: *Réalisme et réalisme critique.* Bruselas, 1896.—JEANNIERE: *Critériologie.* París, 1910.—KREMER: *Le néorrealisme américain.* Lovaina, 1920.—DRAKE, LOVEJOY...: *Essays in critical Realism.* Londres, 1921.

RECAPITULACIÓN

1. Compendio. Resumen (V.).
2. Reseña rápida de los hechos con la imaginación retrospectivamente contempladora.
3. Evocación de tiempos pasados.
4. Recuerdos. Memorias.

RECENSIÓN

1. Comparación crítica de la edición o ediciones de una obra literaria con el manuscrito original.
2. Texto de una obra revisado y publicado por un crítico.

RECITACIÓN

1. Lectura pública.
2. Declamación hecha por un poeta u orador.

RECITADO

En el género escénico y musical, recitado es una declamación más acentuada que la ordinaria, sostenida por notas musicales y acompañada de uno o varios instrumentos; conviene a las escenas menos apasionadas, en que se delibera, reflexiona o cuentan sucesos, siendo lento, veloz o precipitado, según convenga a las situaciones.

El recitado es propio también del género litúrgico.

RECLAMO

1. Palabra o sílaba colocada en los libros impresos al pie de cada página, y que era la primera de la siguiente.

Se usó, generalmente, el reclamo en aquellos libros que no llevaban sus páginas numeradas, y en los manuscritos.

2. Señal puesta en los libros para llamar la atención del lector hacia algunas notas, correcciones o advertencias.
3. Anuncios breves insertos *llamativamente* en las páginas de los periódicos.

RECOPILACIÓN

1. Compendio, resumen, reducción (V.) de una obra o de un discurso.
2. Colección de varias cosas o materias homogéneas.

RECRIMINACIÓN (V. **Antanagoge**)

Recurso que consiste en acusar al acusador o a la víctima, en vez de disculparse quien habla de los cargos contra él levantados.

Los griegos denominaron también la *recriminación* con los nombres de *anticategoría* y *anticlema*; los latinos, con los de *mutua accusatio* y *concertativa oratio.*

REDACCIÓN

1. Acto de escribir cualquier obra literaria.
2. Poner por escrito.
3. Explicar las ideas por escrito.
4. Conjunto de literatos que escriben una publicación periódica.

REDARGUCIÓN

1. Argumento convertido contra el que lo hace.
2. Cargo hecho contra alguien, valiéndose de las mismas razones y de las mismas palabras utilizadas por él.

REDONDILLA (V. Española, Versificación)

Llámase así a la estrofa cuarteta *de arte menor,* en versos octosílabos. Pueden rimar el primer verso, con el tercero y el segundo con el cuarto, o el primero y el cuarto y el segundo con el tercero.

Posiblemente, la *redondilla* tiene un origen portugués. Al menos, las más antiguas que se han encontrado pueden leerse en el *Cancionero del Vaticano.*

En España las utilizaron ya don Alfonso el Sabio en sus versos gallegos, y el Arcipreste de Hita.

Omildade con pobreza
queer a Uirgen coroada,
mai d'orgullo con requeza
e ela mui despagada.

(Don Alfonso X.)

Santa Virgen escogida,
de Dios Madre muy amada,
en los cielos ensalzada,
del mundo salud e vida.

(Arcipreste de Hita.)

La redondilla quedó perfecta en algunas poesías de Pero Guillén de Segovia y de Cristóbal de Castillejo.

Acaso las más famosas redondillas de la poesía castellana sean aquellas de sor Juana Inés de la Cruz.

Hombres necios que acusáis
a la mujer sin razón,
sin ver que sois la ocasión
de lo mismo que culpáis.

REDUNDANCIA

Defecto del lenguaje que consiste en abusar de las palabras superfluas en una inoportuna repetición, y que no logrando reforzar o embellecer la expresión, por el contrario, la debilitan y oscurecen, transformando el estilo en lánguido y pesado.

REDUPLICACIÓN

Es una elegancia del lenguaje, que consiste en repetir una misma palabra consecutivamente, formando un solo inciso, al principio de una cláusula o de un miembro.

(Levántate), (levántate) y vístete de fortaleza, brazo del Señor; (levántate) como en los días antiguos y en las generaciones de los siglos.

(Fray Luis de Granada.)

(Guarte), (guarte), rey don Sancho,
no digas que no te aviso,
que de dentro de Zamora
un alevoso ha salido...

(Romancero.)

Tan natural es esta figura, que se hace uso de ella en la conversación corriente. Así: "Quita, quita." "¡Calla!, ¡calla!" "¡Alto!, ¡alto!"... *(V. Conduplicación.)*

REFERENCIA

1. Narración o relación de algo.
2. Indicación, en un escrito, del lugar mismo o de otro a que se remite el lector.
3. Relación o dependencia de una cosa respecto de otra.
4. Signo tipográfico colocado en el texto —por ejemplo: (12) o (*)—para llamar la atención hacia una nota aclaratoria colocada al pie de la página o al fin del volumen.

REFLEXIÓN

1. *Vuelta* del espíritu, mente o inteligencia sobre sí mismo o sobre sus actos espontáneos.
2. Pensamiento, sentencia, máxima, etcétera, acerca de los cuales el espíritu medita.
3. Detenida consideración sobre algo.

REFORMISMO

Doctrina política y forma gubernamental del Partido reformista español. Credo nacido en el moderno *constitucionalismo* (V.), con una concepción innovadora, frente al *moderantismo* (V.), pero dentro de la Monarquía, acentuando los principios de la izquierda liberal.

El reformismo es un movimiento político nacido en el siglo XX, y que ocupó uno de los sectores de la política liberal más avanzada de los tiempos actuales.

Muchos tratadistas de Derecho político han querido encontrar el precedente del reformismo en el *progresismo* (V.) del siglo XIX.

Realmente, las semejanzas entre uno y otro son muchas y muy características. Los dos presentaron como ideal único la libertad humana llevada hasta su último límite frente a una concepción liberalísima del Estado. Los dos defendieron los postulados de la elección de alcaldes —y no su nombramiento por Real orden—, de la formación del Jurado, del sufragio universal, de la libertad religiosa. Los dos se sumaron a los principios más audaces de la democracia europea. Los dos pugnaron por alcanzar la reforma de una Constitución que creían demasiado *moderada;* los progresistas, la de 1812; los reformistas, la de 1876. Los dos jamás creyeron que la Monarquía podría torcer sus designios, por lo que la acataron decididamente.

Para los aludidos tratadistas, el reformismo del siglo XX deriva de una de las ramas en que se dividió el progresismo: la de ideología más avanzada, la que se lanzó al campo republicano capitaneada por Ruiz Zorrilla. Es decir, que, a creer esta opinión, el reformismo fue un partido integrado por elementos que llegaban a servir a la Monarquía desde el campo de la República, "en cuya bandera se había escrito el lema de una reforma sensacional: la de la Constitución de 1876". De tales afanes reformistas tomó el partido su nombre.

Al surgir en España el reformismo no encontró la repulsa de ninguno de los partidos políticos *de turno,* o *de expectativa.* Porque todos estos estaban conformes en que la reforma constitucional era necesaria. Lo que separó al reformismo de estos partidos fue "su exigencia de una reforma inmediata". No la creían *oportuna* entonces los partidos, cuando la gran guerra de 1914-1918 traía revolucionado a medio mundo y una reforma podía dar lugar a la caída de las instituciones fundamentales. Tampoco estaban conformes en *cómo* habría de realizarse la reforma. ¿Como una ley cualquiera? ¿Por medio de las Cortes con el rey?

Para el reformismo, la Constitución podía ser reformada del mismo modo que había sido hecha, a saber: por las Cortes con el rey *en función de reforma constitucional.* Esta solución pareció ser la más constitucional y la más conforme con el espíritu originario de la Constitución. Así lo creyó el gran tratadista Adolfo Posada: "Implica la solución indicada que se vuelve al origen, atribuyendo a las mismas atribuciones que han decretado y sancionado la Constitución, las Cortes y el rey, el poder de la reforma, pero actuando aquellas extraordinariamente, es decir, para reformar la Constitución, lo cual parece suponer: 1.º, un momento previo, preparatorio de iniciativa de la reforma, por obra de las Cortes o del rey; 2.º, la reunión de las Cortes convocadas y elegidas, habiendo planteado ante el Cuerpo electoral y el país la reforma iniciada; 3.º, la elaboración de la reforma en las Cortes así convocadas y reunidas; 4.º, la promulgación de la reforma en los términos del preámbulo mismo de la Constitución de 1876, si se mantiene su esencia doctrinaria."

Resumiendo: el reformismo español deseaba la reforma de la Constitución *por medio de unas Cortes constituyentes.* Este deseo pareció ser la esencia misma del partido acaudillado por don Melquíades Alvarez. Naturalmente, presentó otros puntos concretos en su programa político. Así, el reformismo, en lo social, admitió que no todo el capital era una usurpación expoliadora del trabajo no pagado; anunció el fomento de corporaciones y sindicatos, que serían con el tiempo la estructura de la vida política del país; pidió la libertad para todas las ideas, exceptuada la del *terrorismo* (V.), ya que "este no era una idea, sino un crimen"; exigió la supremacía del Poder civil en todos los órdenes de la vida estatal; declaró la propiedad función social, aun cuando en su desarrollo quedaría siempre sometida al interés general.

El reformismo no llegó a ser jamás un partido político de gran fuerza en España. Con la exigencia de unas Cortes constituyentes, se unió, en 1930, a otros partidos republicanos, contribuyendo a la caída de la Monarquía —1931—. No acabó *de adaptarse* a la segunda República española, y pasó a la oposición, quedando liquidado totalmente, con los demás partidos políticos, al triunfar el *nacionalsindicalismo* (V.) después de la revolución de 1936-1939.

V. POSADA, Adolfo: *Derecho político.* Madrid, 1916.

REFRÁN

La palabra refrán es sinónima de adagio, proverbio, aforismo, máxima, sentencia, apotegma, todas ellas derivadas de la muy amplia: dicho; y todas ellas, quizá, comprensibles y comprendidas en la generalísima: proposición, por constar todas ellas de sujeto, verbo y predicado, y cumplir con todos los requisitos de materia y forma que la lógica exige de ellas.

Tal vez sea la palabra proposición demasiado universal. Acaso en exceso nacionalista la de refrán.

Quisiéramos, sin embargo, intentar una distinción suficiente entre todas aquellas palabras cuyas diferencias esenciales no todos aciertan a ver; diferencias que otros les asignan en un afán más interpretativo que etimológico y filológico. Téngase en cuenta que todas ellas encierran *un dicho breve, agudo, sentencioso y, generalmente, anónimo.*

Proposición. El término más amplio es una frase en que se enuncia o expone aquello de que se quiere convencer y persuadir a los oyentes.

Dicho. Es aquella expresión sucinta de uso más o menos común, casi siempre doctrinal o sentenciosa, célebre y, por lo regular, aguda, con novedad en su aplicación, antigüedad en su origen y aprobación en su uso.

Refrán. Es un *dicho breve, sentencioso y popular,* conocido y admitido comúnmente. Ejemplo:

Por un perro que maté,
me llamaron mataperros.

Los refranes, sin aconsonantar ni asonantar la mayoría de las veces, guardan para el oído —como en el anterior ejemplo—la música de la medida.

Adagio. Es un *dicho breve* que encierra un sentido *doctrinal* encaminado a proporcionar algún consejo para saber conducirse en la vida. Ejemplo:

Haz bien
y no cates a quién

Proverbio. Es un *dicho breve,* que guarda cierto significado moral o histórico:

No es por el huevo,
sino por el fuero.

Aforismo. Es un *dicho breve,* en que se propone como regla de alguna ciencia o arte:

Quien va despacio,
va lejano.

Máxima. Es un *dicho breve,* que sirve de norma de conducta moral:

Conócete a ti mismo

Apotegma. Es un *dicho breve,* sentencioso y feliz, cuya celebridad proviene de haberlo dicho alguna persona ilustre.

Para Sbarbi, el *dicho* puede ser vulgar o no; si lo primero, toma el nombre de *refrán;* si lo segundo, el de *adagio* y *proverbio.* En el *refrán* entran—como cualidades distintivas—el chiste, la jocosidad, alguna vez la chocarrería, y no pocas el simple sonsonete; en el *adagio,* la madurez y la gravedad propias de la moral sentenciosa; y en el *proverbio,* la naturalidad y la sencillez peculiares al relato de algún suceso acaecido en tiempo anterior. "En una palabra: el *refrán* es, por lo regular, festivo; el *adagio,* doctrinal; el *proverbio,* histórico." Y en los tres reinan por igual los sentidos literal, metafórico o parabólico.

Considerando—insistimos—al *refrán* como la más sencilla manifestación que del arte popular existe en todos los idiomas, debemos reconocer, sin embargo, que dicho nombre no se emplea —en Castilla, donde, como luego diremos, tuvo su origen—hasta el siglo XVII. Antes, para designar su contenido, se utilizaban los nombres de patraña, fabulilla, moraleja, cuento...

Recordemos al Arcipreste de Hita:

Redreme de la dueña et creí la "fabrilla"
que diz: "Por lo perdido, no estés mano en me-
[xilla..."

y también los de *brocárdicos*—del *brocard* francés, con significación de pulla o dicho chistoso—, *exiemplos, verbos, apólogos...* Don Juan Manuel—en el *Conde Lucanor*—los denomina *palabra:*

Cuemo diz la "palabra", que "Corre más el
[fado
que viento nin lluvia nin rocín ensillado."

Sancho IV, en *Castigos e documentos:*

Según dice un "verbo" antiguo de Castilla:
"Hombre percibido, medio combatido."

"Resulta, pues—escribe Cotarelo—, que desde principios del siglo XIII hasta mediar el XV, nuestros refranes llevan los nombres de *fablas, fablillas* y otros diminutivos de la misma voz; *patraña, parlilla, verso, vieso, palabra, retraire, ejemplo* y *proverbio,* el más común de todos, sin que una sola vez hayamos tropezado con la voz *refrán,* que, al fin, llegó a prevalecer."

De los anteriores nombres sustitutivos de *refrán,* el de *retraire*—el más extraño—lo hallamos en el mismo Arcipreste de Hita:

Verdad es la que dicen los antiguos "retraeres":
"Quien l'arenal siembra, non trilla pegujares."

Por lo que respecta a la palabra *refrán,* creemos que tomó esta denominación en Castilla. Los franceses tienen un vocablo, *refrain,* que traducido literalmente no significa *refrán,* sino *estribillo.* Los franceses utilizaban su *refrain* como estrambote, estribillo, final de una poesía. Y su *refrain* era un punto sentencioso. De la costumbre de aplicar la palabra *refrán* a los estribillos—que eran como síntesis o como moraleja—de las poesías, nació la de dar tal nombre a los *refranes,* que, en verdad, no parecen sino estrambotes, e incluso suelen estar en rima perfecta.

Juan de Valdés, el admirable humanista, calificó los refranes de "dichos vulgares los más dellos, nacidos y criados entre viejas, tras el fuego, hilando sus ruecas".

Sin embargo, no se puede negar que el refrán es la primera y más sencilla manifestación del arte popular; que pudiera clasificarse como poesía paradigmática didáctica; que abraza, no obstante, todos los géneros y aun es el germen de todos ellos.

"En los refranes—escribe Cejador—, como en toda obra popular, se barajan tan hondamente el fondo y la forma, que hacen un todo, inconscientemente nacido del pueblo; así, pertenecen tanto a la filosofía como a la literatura, mezclando *utile dulce.* Si en su forma no hubiera brotado bello el modo de expresar el pensamiento, no hubiera corrido como refrán, pues cabalmente se repite y corre como tal el pensamiento que ha hallado su bien entallada expresión; y una expresión, por bella que parezca, no corre como refrán si no entraña un pensamiento digno de retenerse por su provecho común."

Y el famosísimo Mal-Lara, en el preámbulo de su *Philosophia vulgar,* declara lo espontáneo y natural del saber vulgar y su infalible certeza: "Se puede llamar esta sciencia, no libro esculpido, ni trasladado, sino natural y estampado en memorias y en ingenios humanos; y según dize Aristóteles, parescen los Proverbios y Refranes ciertas Reliquias de la Antigua Philosophia, que se perdió por las diversas suertes de los hombres y quedaron aquellas como antiguallas... No hay refrán que no sea verdadero, porque lo dize todo el pueblo no es de burla, como dize Hesíodo. Antes que hubiese filósofos en Grecia, tenía España fundada la Antigüedad de sus refranes. En fin, el refrán corre por todo el mundo de boca en boca, según moneda que va de mano en mano, gran distancia de leguas y de allá vuelve con la misma ligereza por la circunferencia del mundo, dejando impresa la señal de su doctrina... Son como piedras preciosas salteadas por ropas de gran precio, que arrebatan los ojos con sus lumbres."

Maravillosa es la riqueza de formas que revisten los refranes castellanos. Los hay ingeniosos, profundos, graves, socarrones, sentidos, sentenciosos, chistosos, severos, circunloquiales, dramáticos. En su métrica hay que tener en cuenta la aliteración, el paralelismo, la acentuación, el número de sílabas y la rima. Quizá de la expresión deriva inexorablemente el metro. De aquí su grandísima variedad. Los hay de versificación libre, de semirrima o concordancia de vocales finales de rima imperfecta o asonancia, de rima perfecta o consonante, de rima *interior,* de congruencia de sonidos en la sílaba radical de las dos palabras principales, de aliteración y a la vez asonante o consonante...

¿Cuáles son las fuentes de donde brotan los refranes?

Es inagotable el manantial a que deben su existencia los *dichos* de todos los pueblos. Y desde los más remotos tiempos. En el Antiguo Testamento, el *Libro de los Proverbios* es un arsenal abundantísimo, rica mina de máximas y sentencias:

> La mujer hacendosa, corona es de su marido (I, 7).

> Ninguno puede servir a dos señores (MATEO, VI, 24).

La boca de los Padres de la Iglesia fluye perennemente en refranes y proverbios. "Todo lo vence el amor", exclama San Jerónimo. Y San Cipriano: "Ninguno es buen juez en causa propia."

Los oráculos del paganismo responden en refrán a las arduas consultas. Los sabios dan a conocer sus sistemas filosóficos en refranes o máximas:

> Quien da primero, da dos veces. (SÉNECA.)

> Conócete a ti mismo. (QUILÓN.)

Un cantar antiquísimo rima:

> A la guerra me lleva
> mi necesidad;
> si tuviera dineros,
> no fuera en verdad.

Y un antiquísimo romance:

> Cosas tenedes el Cid
> que farán fablar las piedras.

No ha existido personaje famoso en la Historia del que no se conozcan *apotegmas.* Aludimos a Catón, a César, a Arquímedes, a Epaminondas, a Periandro... Ya Escalígero, el gran médico y helenista del siglo XV, pudo fácilmente reunir más de mil proverbios. Poliodoro Virgilio, el historiador de Urbino, por la misma época, publicó su *Vocabulario de Proverbios.* Y Erasmo dio a la imprenta 800 proverbios en 1500 y 4.000 en 1517.

En España, la colección más antigua en lengua romana que se conoce es la obra de don Iñigo de Mendoza: *Refranes que dicen las viejas tras el fuego, ordenados por la orden del ABC.* En 1541 publica Blasco de Garay—racionero de la iglesia de Córdoba—sus dos cartas, llenas de refranes, enderezadas a una señora cuyo servidor quería confesarse. En 1549, Pedro de Vallés escribió y publicó su *Libro de refranes...* por orden de ABC, en el que define el *refrán* como "un dicho antiguo, usado, breve, sotil y gracioso, oscuro por alguna manera de hablar figurado, sacados de aquellas cosas que más tratamos". En 1555, Hernán Núñez, profesor de Retórica y Griego en Salamanca, coleccionó sus *Refranes o proverbios en romance,* obra la más rica y copiosa, pues comprende 8.331 refranes.

Coleccionadores—¿coleccionistas?—de refranes muy importantes fueron: Juan López de Velasco, de quien se conservan dos cuadernos manuscritos en la Biblioteca de El Escorial; Sebastián de Horozco, que dejó dispuesta una serie de refranes glosados, impresa por la Academia Española en 1915; el maestro Gonzalo Correas, autor de un *Vocabulario de refranes y frases proverbiales y otras fórmulas comunes de la lengua castellana;* Juan Pérez de Moya, con sus *Comparaciones o símiles para los vicios y virtudes;* el licenciado Juan de Aranda, con sus *Lugares comunes de conceptos, dichos y sentencias en diversas materias.*

De los grandes escritores de nuestra literatura del Siglo de Oro ninguno es ajeno a la dicción aguda, al pensamiento revelador, al sentir práctico. Hurtado de Mendoza, Pérez de Hita, Cervantes, Lope de Vega, Quevedo, Gracián, Juan de Mariana, Bañes, Domingo de Soto, Láinez...

La Celestina, ese monumento genial del arte dramático, está esmaltada de los proverbios y refranes más discretos y deliciosos. Las obras del *primer español,* Miguel de Cervantes, están sembradas de ellos; de los más diversos: profundos y ligeros, vulgares o selectos, graciosos y severos.

¿Qué importancia tienen los refranes? Los refranes son para el ingenio como el pincel para el pintor: instrumento con el que se puede copiar la Naturaleza bajo todos sus aspectos; de una manera concreta y decisiva, por no sustraerse nada a su jurisdicción, en los trances de la vida en que hay que defender y autorizar un principio, nos presta un inigualable servicio.

Para Sbarbi, el refrán es: norma segura de las costumbres; regla infalible en el terreno de la higiene; faro luminoso en el comercio social; brújula que nos guía en el vasto océano de la Historia; intérprete fiel de las verdades eternas que atesoran las ciencias, las letras y las artes; salsa sabrosa que derrama el donaire y la jovialidad en el discurso, conduce el proverbio al conocimiento de la filosofía moral; vale para persuadir; sirve para ornato de las Bellas Letras; da realce a la poesía y se hace indispensable su estudio para la más cumplida inteligencia y acertada interpretación de los autores clásicos.

No le falta razón a Sbarbi en muchas de sus afirmaciones. ¿Existe *verdad histórica* de más alto valor que el refrán:

Quien ama el peligro, en él perecerá,

ni máxima de costumbres más certera que:

Antes se pilla a un mentiroso que a un cojo;

ni consejo sanitario más eficaz que:

Debes comer para vivir, y no vivir para comer?

En efecto, grande es la utilidad y mayor la importancia de los refranes; lo mismo en el campo de la Historia, la Filología y la Filosofía, que en el más reducido de la familia y en el amplísimo de las costumbres. Sin un estudio a fondo de la *paremiología* —tratado de los refranes—, quedarían sin resolver arduas cuestiones prosódicas, ortográficas y sintácticas.

Con autoridad máxima habla Cervantes por boca de Don Quijote—parte primera, capítulo XXI—, en alabanza de los refranes:

—Paréceme, Sancho—dice Don Quijote—, que no hay refrán que no sea verdadero; porque todos son sentencias sacadas de la misma experiencia, madre de las ciencias todas, especialmente aquel que dice: "Donde una puerta se cierra, otra se abre."

Y más adelante (parte segunda, capítulo XLIII):

—No has de mezclar en tus pláticas la muchedumbre de refranes que sueles, que si bien los refranes son sentencias breves, muchas veces los traes tan por los cabellos, que más parecen disparates que sentencias.

A lo que Sancho replica:

—Eso Dios lo puede remediar, porque sé más refranes que un libro, y viénense tan juntos a la boca cuando hablo, que riñen por salir unos con otros; pero la lengua va arrojando los primeros que encuentra, aunque no vengan a pelo. Mas yo tendré cuenta de aquí adelante de decir los que convenga a la gravedad de mi cargo, "que en casa llena pronto se guisa la cena, y quien destaja no baraja, y a buen salvo está el que repica, y el dar y el tener, seso ha menester".

El uso de los refranes puede constituir un adorno del estilo. Recordemos las palabras de Don Quijote: "No me parece mal un refrán traído a cuento; pero cargar y ensartar refranes a troche moche hace la plática desmayada y baja."

S. SBARBI, José María: *El refranero general español.* Madrid, 1874-1878.—SBARBI, José María: *Monografía sobre los refranes, adagios y proverbios castellanos.* Madrid, 1871. CEJADOR, Julio: *La ironía y el gracejo en los refranes.* Madrid, 1906. "La España Moderna".—RODRÍGUEZ MARÍN, F.: *De los refranes en general y en particular de España.* Discurso.—MELO, Juan de: *Siete centurias de refranes castellanos.* Madrid, 1590.—MARTÍN CARO, J.: *Aforismos, refranes y modos de hablar castellanos.* Madrid, 1671.—MAYÁNS Y SISCAR, Gregorio: *Colección de refranes castellanos.* Valencia, 1736. — GARCÍA, Melchor: *Catálogo paremiológico.* (En él puede encontrarse una bibliografía bastante completa de la materia.)

REFRANERO

Colección de refranes.

Entre las más antiguas colecciones españolas de refranes figuran: *Refranes que dicen las viejas tras el fuego*—Sevilla, 1543—, de López de Mendoza; *Refranes o proverbios*—Madrid, 1619—, de Hernán Núñez; *Refranes glosados*—Burgos, 1515—; *Refranes o proverbios castellanos*—París, 1609.

De época moderna: *Refranero general español,* de José María Sbarbi, y los tres volúmenes—con más de 50.000 refranes—de Francisco Rodríguez Marín (V. *Refrán* [con la bibliografía correspondiente], *Proverbio, Adagio).*

REFUNDICIÓN

1. Adaptación, a los gustos del momento y a las necesidades escénicas de una época, de una obra dramática antigua.

2. Dar nueva forma y disposición a una obra literaria.

REFUTACIÓN

Parte del discurso en que se contestan y destruyen las objeciones que se han hecho, o pudieran hacerse, contra la proposición que se defiende.

> Quítenseme de delante los que dijeren que las letras hacen ventaja a las armas, que les diré, y sean quien se fueren, que no saben lo que dicen; porque la razón que los tales suelen decir, y a lo que ellos más se atienen, es que los trabajos del espíritu exceden a los del cuerpo, y que las armas solo con el cuerpo se ejercitan, como si fuese su ejercicio oficio de ganapanes, para el cual no es menester más de buenas fuerzas; o como si en esto que llamamos armas los que las profesamos, no se encerrasen los actos de la fortaleza, los cuales piden para ejecutallos mucho entendimiento; o como si no trabajase el ánimo del guerrero, que tiene a su cargo un ejército, o la defensa de una ciudad sitiada, así con el espíritu como con el cuerpo. Si no, véase si se alcanza con las fuerzas corporales a saber y conjeturar el intento del enemigo, los designios, las estratagemas, las dificultades, el prevenir los daños que se temen, que todas estas cosas son acciones del entendimiento en quien no tiene parte alguna el cuerpo. (CERVANTES.)

Ha sido llamada también la refutación *confirmación indirecta.*

Se distinguen varios medios de refutación. Unos forman una verdadera respuesta a las pruebas del adversario. Otros debilitan estas mismas pruebas. Entre las refutaciones más importantes están:

Antiparástasis, giro metafórico que un acusado da a su defensa, tratando de probar que si hubiera hecho lo que se le imputa sería más digno de premio que de castigo.

Compensación, que opone una buena acción a la mala que se le imputa.

Confutación, que pone en ridículo las pruebas del adversario.

Distinción, que separa el hecho del derecho y el principio de las consecuencias, o viceversa.

Evasión, que elude la respuesta, intentando distraer la atención del auditorio.

Hypophora (alegación), que expone los motivos atribuidos al adversario para explicar sus actos y sus pretensiones.

Negación, que niega el hecho, sin restricciones, amparándose en las leyes y en el espíritu de los jueces.

Recriminación, que reprocha al acusador de faltas análogas a las que este le ha atribuido.

REGALISMO

Sistema o doctrina que defiende las regalías de la Corona en las relaciones del Estado con la Iglesia. Las regalías fueron concedidas por la misma Iglesia a la Corona, en determinados momentos de la Historia, y consistían en privilegios, preeminencias, prerrogativas o excepciones en puntos relativos a la disciplina de la Iglesia. Debe advertirse que la Iglesia jamás llamó regalías a las prerrogativas que concedió o que sigue concediendo y que mantiene el criterio de su derecho a no concederlas o a cancelar las ya concedidas. Fue el Estado el que les dio tal nombre, transustanciando su esencia, esto es, considerándolas como el reconocimiento de una deuda hecho por la Iglesia.

En realidad, la historia del regalismo es la historia de la lucha del poder civil contra el eclesiástico, no porque aquel combata la Iglesia, sino porque cree que debe disponer de privilegios eclesiásticos por el hecho *de que la Igelsia viva dentro del Estado.*

No cabe aludir al regalismo en el ámbito del Derecho canónico, ya que la doctrina de la Iglesia determina que el rey es, en definitiva, aun como rey, súbdito de la Iglesia y que está sujeto a su potestad dentro de lo que es de competencia de la misma. Y añade: "que comoquiera que las prerrogativas que otorga a los reyes la Iglesia lo son respecto de la Iglesia dicente, o súbdita, en cuanto en la misma, el rey, por derecho natural, tiene una preeminencia que la Iglesia ha querido recoconocer".

Para los partidarios del regalismo nunca existieron determinados derechos de los que la Iglesia se apropió "y a los que luego renunció voluntaria y condicionalmente". Según los regalistas, el imperio o potestad eclesiástica que ejercieron los apóstoles no les pertenecía; no fueron los apóstoles sino *administradores,* delegados u oficiales del pueblo; y los obispos que le sucedieron se apropiaron, usurpándosela al pueblo, de la potestad delegada.

Para los regalistas, comoquiera que los príncipes o reyes han sucedido a los pueblos en sus derechos, lógicamente se comprende que los príncipes o reyes deben poseer las prerrogativas que afirman les corresponden en la Constitución de la Iglesia.

El regalismo ha tenido tres defensores excepcionales en las personas de Menandro, Edmundo Richer y Nicolás de Honthein.

Marsilio Menandro, llamado *Patavino,* por haber nacido en Padua (1276-1343), fue profesor de Teología y rector de la Sorbona. Sus libros y máximas ejercieron una gran influencia en el pensamiento político y religioso del Wicleff, en las doctrinas conciliares del siglo XV y en las de la Reforma; y puede afirmarse de ellas que fueron el origen de toda política antieclesiástica sucesiva. Clemente VI, en con-

R

sistorio público, dijo de él "que era el peor hereje que había conocido". Marsilio publicó en 1234 su obra *Defensorium pacis,* que ha sido llamada "la Biblia del regalismo". En ella se afirmaba: que toda potestad reside en la congregación de los fieles, y esto por derecho natural y común a todas las sociedades; que dicha potestad fue transferida después a los príncipes, si son fieles, o, si son infieles, a los obispos, no sin que éstos queden obligados a los reyes y al pueblo; que la potestad eclesiástica no consiste en obligar, sino en aconsejar, en predicar y en cosas semejantes.

La doctrina regalista de Marsilio fue condenada por Juan XII en varias Constituciones, y especialmente en la *Licet*—23 de octubre de 1327.

Edmund Richer (1559-1633), doctor por la Universidad de París, síndico de la Sorbona, publicó—1611—el *Libellus de ecclesiastica et politica potestate,* en que defendía el regalismo, y que fue condenado—1612—por Paulo V. Richer afirmó: que toda potestad reside en el conjunto de los fieles, a los que Cristo entregó *más inmediata y esencialmente las llaves,* siendo, por tanto, nula toda ley eclesiástica no confirmada por el pueblo; que el Pontífice es la *cabeza ministerial* de toda la Iglesia; que su potestad está templada por el régimen *aristocrático* y que no puede obligar a la Iglesia sin consultarla, como tampoco cuando disienta o se oponga.

El regalismo de Richer fue también condenado por Gregorio XV—1622—, por Inocencio XI—1681—y por Clemente XI—1709.

Nicolás de Honthein (1701-1790), sacerdote alemán, fue profesor de Derecho canónico en Tréveris y obispo auxiliar de este arzobispado. Con el seudónimo de "Justinus Febronius" publicó—1763—, en Francfort del Main, el libro titulado *Ecclesia et Romani Pontificis legitima potestate,* en el que exaltó el regalismo, sosteniendo que los obispos tenían plena potestad en materia de fe y de disciplina, no habiendo necesidad, por tanto, de recurrir a la Santa Sede en casos relacionados con tales materias. Según Honthein, los príncipes eran custodios y ejecutores de los cánones *aun contra* el Romano Pontífice, pudiendo retener las Bulas apostólicas, utilizar el *placet* episcopal y *real,* y la apelación *ab abusu* contra las sentencias de la Iglesia y de los Romanos Pontífices. (V. *Febronianismo.)*

Honthein mereció por sus doctrinas numerosas condenaciones, entre ellas las de Clemente XIII en tres Breves del 14 de marzo de 1764.

El regalismo alcanzó una mayor preponderancia en Francia (V. *Galicanismo),* donde lo defendió—con el mismo absolutismo que ponía en todos sus mandatos—Luis XIV con las cuatro famosas proposiciones expuestas en la Asamblea de 1682, reunida a instancias suyas. Dichas cuatro proposiciones eran las siguientes:

1.ª El Pontífice no tiene sobre el rey ni en los asuntos civiles autoridad ninguna, directa ni indirecta.

2.ª La autoridad del Concilio general es superior a la del Pontífice.

3.ª La potestad de la Sede Apostólica queda sometida: a los cánones ya establecidos y consagrados *y a las costumbres y leyes recibidas en el Reino e Iglesia galicana.*

4.ª El Pontífice no es infalible si no se agrega a sus decisiones el consentimiento de la Iglesia.

La fuente principal de las regalías, o sea de derechos otorgados a los Estados—*sin perder su esencial condición de ser concesiones de la Iglesia*—está en los Concordatos celebrados entre la Santa Sede y los países católicos. (V. *Josefismo* o *Josefinismo.)*

V. Boulenger, A.: *Historia de la Iglesia.* Barcelona, 1930.—Carramolino, J. M.: *Las regalías de la Corona.* Madrid, 1864. Discurso de ingreso en la Real Academia de Ciencias Morales.

REGIONALISMO

Región viene de la palabra latina *rego,* regir, gobernar; regionalismo defínelo el Diccionario: "Tendencia o doctrina política, según las cuales en el gobierno de un Estado debe atenderse especialmente al modo de ser y a las aspiraciones de cada región."

"No basta copiar esto; en el regionalismo hay muchas categorías y diferentes puntos de vista antes anotados, que constituyen clases diversas de él, porque desde la simple protesta contra la centralización administrativa, desde el deseo legítimo natural, de que la Administración tenga en cuenta en el gobierno local las necesidades locales, hasta el regionalismo a base de autonomía política que raya, y a veces se confunde, con el separatismo, hay distancia enorme. Hablar de regionalismo simplemente como una defensa de la vida local, como un deseo de consagración de las entidades, región o provincia, en cuanto las circunstancias históricas, sociológicas actuales, abonen la personalidad natural de dichas entidades, solo como ventajoso para la Administración y para los intereses generales del país puede considerarse; sin miedo a que mantenido en sus justos y verdaderos límites, constituya atentado ni sea incompatible con la unidad nacional. Mas si se habla de regionalismo en el sentido de significar, respecto de la región, lo que el patriotismo nobilísimo y necesario sentimiento, respecto de la patria, manifestando, como se ha manifestado, que no hay distinción entre patria pequeña y patria grande, "porque el hombre tiene una sola patria, como tiene un solo padre y una sola familia; que lo que generalmente se llama patria grande no es sino el Estado, unidad política artificial, voluntaria, mientras que la patria es una comunidad histórica, natural, necesaria"; entonces, el regionalismo así comprendido, no es admisible.

"Domina en la tendencia regionalista el deseo de robustecimiento de la vida local, sin que baste a caracterizarla la significación del vocablo, pues diferencia esencial hay entre el regionalista que solo aspira a una descentralización administrativa orgánica, a una sustitución de provincias o departamentos por regiones, en los que tengan los administradores campo de libre gestión, pero como meros órganos locales dentro de un Estado unitario, y aquel que, llevando el regionalismo a lo político, aspira a que se reconozca la personalidad política de la región, admite regionalismo como sinónimo de nacionalismo y, para no hacer desaparecer la unidad del Estado, acude al vínculo federativo. Cuando el Estado unitario existe, el regionalismo político, a base federativa, será desintegración política, pues a cada una de las regiones se llevarían elementos estatistas de que carecen." (GASCÓN Y MARÍN.)

El regionalismo no es solo una aspiración, y, por ende, un sentimiento, sino que, además, es un régimen. Puede ser a la vez, o por separado, gobierno y administración. Lo que no puede ser nunca, sin desnaturalizar gravemente su concepto, es soberanía.

Como sentimiento, supone el regionalismo un sistema o doctrina en la que se halla esbozado como parte de la nación, con sus elementos característicos de orden natural y moral.

Royo Villanova distingue cuatro regionalismos: *literario, administrativo, jurídico* y *político*. Y apreciando los matices de este último, lo subdivide en *federal, económico, nacionalista* y *separatista*.

El *literario* está basado en el libre uso de la lengua regional, que en nada menoscaba la soberanía del Estado unitario. Este regionalismo es laudable y simpático. "No comprendo siquiera—dijo Vázquez de Mella—que se haya planteado como un problema las relaciones entre la lengua regional y la lengua común. Yo creo que en España las regiones más acentuadas y completas son los pueblos bilingües, y que las dos lenguas, la regional y la común, obedecen a dos necesidades imprescindibles."

El regionalismo *económico* "significa que la región es elemento intermediario entre el Estado y los individuos para satisfacer, en nombre de estos últimos, los tributos de carácter general, y así, en vez de percibir estos directamente el Estado, lo hace el organismo regional que personifica este sector de la sociedad política". Se denominan *conciertos económicos* los que celebra el Estado con determinadas regiones o provincias para atender a la mencionada necesidad.

El regionalismo *administrativo* "es simplemente la descentralización orgánica del Estado, es decir, el desarrollo de las instituciones locales libres de trabas y de tutelas, aumentadas sus atribuciones y gozando de plena autoadministración". (ROYO VILLANOVA.) Para muchos autores, el regionalismo administrativo va unido al político, como la administración va unida al gobierno; por ello se oponen a aquel. Para hacer posible tal regionalismo administrativo se ha defendido la descentralización *por servicios,* que significa el reconocimiento por el Estado de la personalidad jurídica de la región a la que se confía la gestión de un servicio especial, señalándole campo de libre gestión y dotándola de recursos, ya en forma de asignación fija, salida del presupuesto general, ya de recursos propios: bienes, arbitrios, etc.

"Obsérvese que mientras en las formas que pudiéramos llamar clásicas de descentralización, al descentralizar los servicios pasan de una entidad a otra del Estado—a la región, a la provincia, al municipio—, en la nueva descentralización el servicio no pierde su carácter de servicio general del Estado, sino que redúcese todo a la libertad de acción de los gestores del servicio mismo y a traspasar la decisión del Poder público a los que poseen la competencia técnica." (GASCÓN Y MARÍN.)

El regionalismo *civil* consiste—en España—en pedir para la región el mantenimiento de las legislaciones civiles que con carácter de fuero o excepción del principio unitario tuvieron vigencia en determinadas regiones: Aragón, Cataluña, Baleares, Vizcaya y Navarra.

El Código civil mantuvo este regionalismo, dejando en todo su vigor las legislaciones forales, sin merma alguna de la soberanía del Estado. Unicamente se ha señalado el peligro del regionalismo civil cuando este pretenda "tener órganos de renovación legislativa". Estos órganos traspasarían el marco del regionalismo para incidir en una tesis nacionalista. Resumiendo: el regionalismo civil puede *conservarse* según fue otorgado el fuero por la soberanía nacional, pero no puede *renovarse* por la región.

El regionalismo *político*—afirmación de gobierno propio por parte de la región—es el que plantea los problemas más hondos en relación con la soberanía del Estado, ya que, casi siempre, es el paso definitivo hacia un *separatismo* (V.)

El regionalismo—aunque no desconocido en la antigüedad—es un movimiento de la Edad Moderna. Y data—definitiva su fuerza—de la caída del *absolutismo* (V.) gobernante. La civilización contemporánea—afirma Bryie—lleva en su seno anhelos de conservar cada pueblo su propia personalidad. Los tratados de paz que siguieron a la gran guerra de 1914-1918 se tradujeron en concreciones nacionales—Yugoslavia, Finlandia, Bohemia, Letonia, Lituania, Estonia...—. Desde entonces el movimiento regionalista se encuentra en un período de avance precisamente por la aplicación del principio de las nacionalidades adoptado en la posguerra análogamente a las regiones, y así se pudo percibir en España, Inglaterra, Italia y aun en la misma Francia, el país detractor del *Droit coutumier*.

Naturalmente, la diferencia de las nacionalidades y de los regionalismos estaba en la *fase política*. Aquella alcanzaba su plena soberanía. Estos debían quedar privados de la misma, pues entregársela *proporcionalmente* era llegar al *federalismo* (V.), y entregársela *totalmente* era acabar en el *separatismo*.

En España existen, acusadamente, los regionalismos *catalán, valenciano, gallego, vasco*... En algunos de ellos con sectores en aspiraciones de carácter nacionalista.

Y resume sutilmente Gascón y Marín la verdad del regionalismo y sus posibles mistificaciones: "El regionalismo significa en muchos protesta contra el centralismo; en otros, tras de campaña meramente regionalista, ha venido a derivar hacia el nacionalismo, planteando, no un problema de organización administrativa, sino un problema político, de desintegración política, inadmisible dadas las orientaciones modernas, que contraría la unidad política nacional. Solo en lo que tiene de protesta contra el centralismo exagerado, de reivindicaciones de la vida local, de una organización administrativa local inspirada, no en régimen de verdadera tutela del Estado y de subordinación de los órganos locales a los del Poder central, sino de subordinación a la ley y de libre gestión de los intereses confiados a tales organismos, el regionalismo tiene razón de ser y no ha encontrado la hostilidad con que han sido recibidas las peticiones radicales de cambio de forma política del Estado."

En España, la aceptación del movimiento regionalista *no político* se contenía ya en el proyecto de Escosura—1847—; en el de Moret —1884—, y en el de Silvela y Sánchez de Toca—1891—. El Estatuto provincial de 1925 admite la posible organización de regiones.

V. DURÁN Y VENTOSA: *Federalismo y regionalismo*. Barcelona, 1905.—GASCÓN Y MARÍN: *Derecho administrativo*. Madrid, 1928.—SÁNCHEZ DE TOCA: *Regionalismo, municipalismo y centralización*. Madrid, 1910.—ROMANÍ Y PUIGDENDOLAS: *Antigüedad del regionalismo español*. Barcelona, 1890.—PI Y MARGALL, F.: *Las nacionalidades*. Madrid, 1882.—ROYO VILLANOVA, A.: *La descentralización y el regionalismo*. Zaragoza, 1900.—LEZÓN Y FERNÁNDEZ: *El regionalismo*. Madrid, 1918.—MAÑÉ Y FLAQUER, J.: *El regionalismo*. Barcelona, 1887, 2.ª edición.—BRAÑAS, Alfredo: *El regionalismo*. Barcelona, 1889.

REGLA

Cierta ley que prescribe al escritor lo que debe hacer o evitar para producir obras perfectas.

REIMPRESIÓN

1. Segunda, tercera, cuarta, sucesivas impresiones de una obra.
2. Conjunto de ejemplares reimpresos en una tirada.

RELACIÓN

1. Narración. Información (V.).
2. En un poema dramático, fragmento largo que dice un personaje para contar algo.
3. Romance de algún suceso real o ficticio que cantan y venden los ciegos por las calles.
4. En la Argentina, versos que recitan, parados al frente uno de otro, los que bailan los *aires*, después de las vueltas del estilo.
5. Conexión o enlace entre dos términos de una misma oración: *fuerza del amor, poder de la imaginación*.

RELATIVISMO

Doctrina filosófica que afirma que los conocimientos humanos únicamente tienen por objeto *relaciones*, sin llegar jamás al conocimiento de lo absoluto. El conocimiento, pues, es una pura relatividad. *Todo conocimiento es el conocimiento de una relación*.

El relativismo aún afirma algo más radical: la realidad carece de substrato permanente y no consiste sino en la relación de los fenómenos.

El relativismo puede considerarse bajo dos formas:

1.ª Como atinente a cuanto de variable y contingente existe en la ciencia, convirtiéndose entonces en el fondo constitutivo del *empirismo* (V.) de Stuart Mill, Spencer, Comte, Taine...

2.ª Como "teoría de la contingencia de las leyes naturales, que supone que la Naturaleza no está gobernada por la necesidad, sino que es contingente e indeterminada".

El fundamento general del relativismo puede ser este: todas las propiedades del conocimiento son relativas; y existen innumerables naciones que no pueden llegar a ser concebidas si no es en *relación* a otros seres.

Para Eisler, "la relación es una apercepción de la conciencia activa y de la atención que une los contenidos entre sí en la unidad de conciencia, ya en la intuición, ya en la noción abstracta. La constitución y descubrimiento de las relaciones pertenecen a la esencia del pensar finito, el cual analiza los primeros datos de la experiencia para unir entre sí los elementos así fijados por ella". Según Hartmann, "es la relación la categoría fundamental, como función intelectual inconsciente". Wundt considera la relación "como la más elemental de las funciones de la apercepción, como unión de dos contenidos psíquicos". Y antes, Kant ya aconsejó considerar las relaciones como formas de unidad del contenido de las experiencias.

Existen dos relativismos: el *parcial* y el *radi-*

cal. El *parcial* corresponde al criticismo kantiano y sus derivaciones más inmediatas, y es el que no niega el absolutismo y, por ende, el valor universal y necesidad de la percepción en sus relaciones categóricas; más aún: mantiene el absoluto trascendental *a priori.*

El relativismo *radical* insiste en la universal variabilidad o mutabilidad de la verdad.

El relativismo es una concepción filosófica sumamente antigua. Protágoras y los sofistas fueron relativistas; y lo fueron igualmente los escépticos. Sexto Empírico afirmó repetidas veces que lo que es verdad para unos puede no serlo para otros. Claramente relativistas son el *pragmatismo* (V.) y otras teorías análogas.

V. EISLER: *Handwörterbuch der Philosophie.* Berlín, 1922.

RELATO (V. Narración)

REMINISCENCIA

1. Memoria de algo que pasó.
2. En literatura, semejanza o identidad de una obra con otra de distinto o del mismo autor.

RENACENTISMO

Movimiento literario y artístico iniciado en Italia y en el siglo XV. Fue una reacción contra los ideales y las formas culturales de la Edad Media, *apoyada* en la admiración por la civilización clásica griega y romana, y en la imitación de ella. Coincidió este movimiento literario y artístico con la ruina de la estructura feudal medieval y con la formación de los grandes Estados y la creación de una economía capitalista. El renacentismo encontró su más eficaz antecedente y auxiliar en el *humanismo* (V.).

1500... Los Estados se unifican y consolidan, impulsados por las leyes inexorables de la Naturaleza, hasta alcanzar su categoría de naciones. Se descubre a América y hacia ella derivan una obsesión y un estímulo españoles, primero, en seguida europeos, inagotables, siempre a punto de frutecer. Se inventa la imprenta de tipos móviles, con cuyo auxilio vuelan las culturas sin encontrar barreras. El Mediterráneo deja de ser un *mar interior* para convertirse en el camino—concurridísimo—del Oriente. Se relacionan diplomáticamente las modernas naciones. La política queda elevada a categoría de arte. Se zurcen más o menos sólidamente los Imperios. Quedan perfiladas las lenguas. La Iglesia de Roma magnifica su influencia universalmente. Este vastísimo conjunto de fenómenos políticos, culturales y religiosos recibe el nombre de renacimiento.

Con el renacimiento piensan muchos críticos que quedó desvalorado el cuadro espiritual de la Edad Media. Se basan, tal vez, en la disconformidad que encuentran entre la emoción medieval recoleta y la vehemencia explosiva renacentista. Buckhardt concibe el renacimiento como una ruptura total con el espíritu cristianomedieval, como una vuelta al mundo clásico pagano. ¿Es cierta esta rotunda afirmación? ¿Renuncia Europa a todos sus valores medievales? ¿No extrae de ellos, antes de eliminarlos con decisión, secuencias *que pesen* sobre los valores radicales *reencontrados?* ¿Es el renacimiento un golpe tajante que divide las dos épocas con esa precisión de la guillotina, que no permite sino la consideración de dos porciones sin nexo posible? Este retorno a lo clásico pagano, ¿no tendrá, al menos hasta que se note fuerte y dueño de sí mismo, que apoyarse en los asideros expresivos que dejó enhiestos la Edad Media? La opinión de Buckhardt parece tener veracidad refiriéndose a ciertos países como Francia, Alemania e Inglaterra. En estos países, el renacimiento se vuelve al clasicismo con ese entusiasmo con que un hijo vuelve a su padre, dejando sin emoción alguna la casa donde se crió sin gusto y sin afinidades.

Cuantos defienden con tesón el radicalismo del renacimiento europeo rompiendo con la Edad Media, arguyen que esta hizo lo mismo con el clasicismo pagano. Lo cual es una gran injusticia de los Taine, Gobineau, Arnold, Hauser y demás corifeos renacentistas. La Edad Media no desdeñó al clasicismo; lo que hizo fue no conocerlo sino a medias, o con restricciones, acaso por prejuicios religiosos, tal vez por falta de datos precisos. Pero no se olvide, como recuerda Bremón, la devoción medieval por Safo, Virgilio, Terencio, Ovidio... No se olvide cómo trabajaron los monjes copistas para salvar obras fundamentales del clasicismo. Ni los afanes escolásticos por la filosofía aristotélica. Ni el amor con que los señores feudales formaban sus bibliotecas con códices de los moralistas clásicos cristianos y con códices de los poetas clásicos paganos. La comparación, pues, es injusta a todas luces.

Pero ¿qué es el renacimiento en resumidas cuentas? El renacimiento implica restauración; y una restauración no recordatoria, sino vital. Lo restaurado fue el mundo grecolatino. ¿Cuáles sucesos, cuáles intentos intelectuales hicieron posible esta restauración? Díaz-Plaja los enumera con singular acierto: "Una independencia cada vez mayor en el espíritu de las gentes hace posible la creación de una cultura laica, que se liberta de la absorbente unidad de la Iglesia. El progreso de la clase llana, mercantil y burguesa; los cismas que dividían la cristiandad; los descubrimientos científicos y geográficos; el avance de las universidades; el hallazgo de numerosos manuscritos de la antigüedad grecolatina; la caída de Constantinopla, que provoca una emigación de la cultura helenística hacia Occidente, y la invención de la Imprenta, populizadora del saber, son una serie sucesiva de acontecimientos que conducen a la creación de un tipo humano cuyas características son: un culto a la antigüedad clásica, de la que se estiman los rastros literarios y los ejemplos vitales; un interés por todo lo que el hombre ha realizado y puede realizar de alto, profundo y glorioso, que es lo que, en último término, y partiendo de una frase de Terencio—*Homo sum; humani nihil a me alienum puto*—, se llama *humanismo;* un anhelo por conocer todos los extremos del mundo que nos rodea, desde el paisaje próximo hasta los últimos confines—astronómicos y geográficos—del Universo, del que el hombre renacentista se considera dueño y gozador. Frente al hombre de la Edad Media, sometido a un gran aparato cósmico, político y religioso, el hombre del renacimiento se yergue orgulloso de su saber y de su poder. La vida ha dejado de ser el río fugitivo que desemboca en el mar de la muerte para ser un alegre botín que magnifica la vida."

Si la Edad Media estaba caracterizada por el monarca pobretón, andariego y peleador; por el áspero señor feudal, siempre dispuesto a la caza bárbara y a la guerra impía; por el fraile erudito y "facedor de milagros suaves"; por el cortesano artista, arrinconado en su sencillez, el renacimiento tuvo igualmente sus tipos fundamentales: el cortesano escéptico de que habla Castiglione, el caballero cristiano, el escolástico y el conquistador. De estos cuatro tipos sale la íntima fusión de las armas y las letras, tan sugestiva y de tanta importancia para la historia de la poesía, ya que las armas procuran vivirla incluso antes que la pluma pueda escribirla; y acaso la viven únicamente para poetizarla a beneficio de la posteridad... y de la gloria de sus nombres. Porque si en la Edad Media el hombre no se interesaba sino por su actuación, en el renacimiento se preocupaba más por las consecuencias de su vida. Las ideas fundamentales del mundo poético del renacimiento están basadas en el *neoplatonismo.*

1. RENACENTISMO LITERARIO.

El profesor Ezquerra ha señalado las características de la literatura del renacimiento:

a) Importancia de la forma, que adquiere un valor desconocido en la literatura medieval.

b) Sentido del estilo, consecuencia de la lectura de los clásicos.

c) Imitación de estos y consiguiente resurrección de los antiguos géneros poéticos y de la mitología grecolatina.

d) Tendencia a la creación de un estilo poético diferenciado, y, por consiguiente, al robustecimiento, a la sutileza, a la artificiosidad.

e) Adopción de los temas, ideas y sentimientos de la antigüedad.

f) Divergencia consiguiente entre el hombre, que es el autor realmente, y el literato.

g) Crítica de las formas de cultura medievales, de una manera satírica o humorística, reveladora de un verdadero sentido revolucionario.

h) Perduración de las ideas cristianas, que a veces solo sirven para encubrir temas paganos por el estilo y por la concepción.

i) Tendencia a la depuración de las ideas y de los sentimientos, humanizándolos y extrayendo de ellos su contenido de nociones generales.

j) Valoración de la vida y del mundo en sentido sensualista. De aquí la exaltación de la Naturaleza y de la acción, que es la base de gran parte de la literatura renacentista.

k) Cosmopolitismo. Aumento de los contactos culturales. Transmisión rápida de las obras literarias nacionales.

a) *Renacentismo literario en Italia.*—El renacentismo literario italiano tuvo su inicio en la segunda mitad del *Quattrocento,* y su apogeo, en el *Cinquecento,* siglo que presenció la unificación de la lengua y la literatura, habiendo sido planteada la reforma lingüística—con el modelo de la lengua florentina del siglo XIV, tal como la hablaron y escribieron Dante y Petrarca—por el veneciano Pietro Bembo.

Figuras destacadas del *Cinquecento* fueron: Niccolo Machiavelli (1469-1527), florentino, célebre hombre de Estado, maestro en el arte de la política—*Istorie Fiorentini, Il Principe, Discorsi sopra la prima Deca di T. Livio, I sette libri dell' arte de la guerra* y el drama *Mandrágora*—. Francesco Guicciardini (1483-1540), paisano y amigo de Maquiavelo, político insigne y embajador, historiador, de gran talento práctico y clara agudeza—*Ricordi, Relazione di Spagna, Storia de Italia, Storie fiorentini, Considerazioni sui Discorsi del Machiavelli*—. Ludovico Ariosto (1474-1533), nacido en Reggio y de noble familia, estuvo al servicio del cardenal Hipólito de Este y del duque Alfonso de Ferrara; su musa fue una bellísima mujer llamada Alessandra, viuda del humanista Tito Strozzi; Ariosto acabó casándose con ella, encontrando así la felicidad—*Capitoli amorosi, Orlando furioso*—. Torcuato Tasso (1544-1595), nacido en Sorrento, estudiante de Derecho en Padua y en Bolonia, estuvo en París y se enamoró con pasión de Leonor de Este, hermana del duque de Ferrara; víctima de una manía persecutoria, permaneció encerrado en una casa de orates entre 1579 y 1586; al salir de ella marchó a Roma, llamado por el cardenal Aldobrandini, para ser coronado públicamente por el Pontífice... —*Il Rinaldo, Gerusalemme liberata, Mondo creato, Le diferenze poetiche, Le lacrime di Gesù, Aminta, Lettere familiari,* la tragedia *Gismondo, Dialogui e discorsi...*—. Giorgio Vasari (1511-1574), de Arezzo, arquitecto y pintor, autor de una obra escrita en excelente prosa: *Le vite dei più eccellenti pittori, scultori e archiletti.* Benvenuto Cellini (1500-1571), escultor y cincelador florentino, escribió su *Autobiografía* con tanto desaliño como viveza y veracidad inimitable. Paolo Paruta (1540-1598), veneciano, historiógrafo de la señoría—*Discorsi politici, Storia veneziana*—. Jacopo Nardi (1476-1563), historiador y político—*Istoria della città di Firenze*—. Mateo Bandello (1480-1561), de Castelnovo, dominico, obispo de Agen—1550—, novelista original y de mucha inventiva, inspiró a Shakespeare, Lope de Vega, Salas Barbadillo, Scarron... Sus *novelas* pasan de doscientas. Agnold Firenzuola (1493-1543), de Florencia, sacerdote, de vida licenciosa, amigo del Aretino, traductor de Apuleyo—*Discorsi degli animali, Ragionamenti amorosi, Discorsi delle bellezze delle donne*—. Baldassare Castiglione (1478-1529), de Casatico, una de las más interesantes figuras del renacimiento, nuncio en España, obispo de Avila, gran amigo de Rafael Sanzio, autor de *Il Cortegiano,* cuatro libros de diálogos, llenos de sabiduría y de elegancia, que dictan las normas de la cortesía. Pietro Aretino (1492-1557), natural de Arezzo, aventurero, protegido de pontífices y de monarcas, de vida cínica y licenciosa; poseyó ingenio, cultura y mala intención—las comedias *Il marescalco, La talanta, Il filosofo, La cortigiana, L'ipocrito;* los *Ragionamenti, Sonetti lussuriosi*—. Gian Giorgio Trissino (1478-1550), de Vicenza, gramático y poeta, editor y defensor de las doctrinas del Dante, autor de la tragedia *Sofonisbe,* de *Rime,* de la epopeya *Italia liberata di Goti,* e inventor del endecasílabo sin rima, el llamado *verso sciolto* (verso blanco). Giambattista Cinzio Giraldi (1504-1573), de Ferrara, profesor de Elocuencia, novelista y autor dramático, autor de varias tragedias imitadas de Séneca, entre las que destaca la titulada *Orbecche,* y de una colección de novelas, *Ecatommiti.* Giambattista della Porta (1535-1615), de Nápoles, polígrafo, viajero en Alemania, Francia y España, autor de varias tragedias y comedias y de *Magiae naturalis, libri IV,* y *De humana Physiognomonia.* Giordano Bruno (1548-1600), de Nola, filósofo y literato, dominico; abandonó los hábitos y viajó por Europa, mezclándose con calvinistas y luteranos—*De umbris idearum, Ars memoriae, Cena de le ceneri, Eroici furore, Spaccio de la Bestia trionfante...*

No pueden olvidarse tampoco que fueron excelentes poetas el genial Miguel Angel Buonarroti y las bellísimas Vittoria Colonna y Gaspara Stampa.

b) *Renacentismo literario francés.*—Entre los poetas renacentistas franceses sobresalen: Clément Marot (1495 - 1544), natural de Cahors (Quercy), protegido de Francisco I y de Margarita de Valois, sospechoso de luteranismo, condenado por la Sorbona a causa de la traducción francesa que hizo de los *Salmos de David;* compuso 65 epístolas, unos 300 epigramas, elegías, baladas...—*L'adolescente Clémentine, Le banquet d'honneur, Le temple de Cupide*—. Pierre Ronsard (1524-1585), nacido en el castillo de la Poisonnière (Vendôme), de noble familia, llamado en Francia "el príncipe de los poetas", fundador—1548—de la nueva escuela de poesía denominada *Pléyade,* gran reformador y enriquecedor de la lengua francesa—*Elégies, La Franciade, Les étoiles, Odes, Les amours, Les meslanges, Abregé de l'art poétique français...*—. Mathurin Régnier (1573-1613), de Chartres, eclesiástico, canónigo de vida aventurera y relajada, capellán de una embajada en Roma—*Satyres, Chloris et Philis*—. (François Malherbe (1555-1628) marca la transición del renacentismo al llamado "Gran Siglo".) Joachim du Bellay (1525-1560) perteneció a la *Pléyade* y fue llamado "el Ovidio francés", canónigo de Nuestra Señora de París—*Jeux rustiques, Les regrets, La courtisane romaine, Défense et illustration de la langue française*—. Remy Belleau (1528-1577) perteneció a la *Pléyade,* fue llamado por Ronsard "el poeta de la Naturaleza"—*Petites inventions, La Bergerie*—. Jean Dinemandy, llamado Dorat o Daurat (1508-1588), perteneció a la *Pléyade,* de antigua y noble familia, profesor de Griego en el Colegio de Francia; Carlos IX le concedió el título de "poeta real". Guillaume Saluste du Bartas (1544-1590) perteneció a la *Pléyade,* soldado de heroísmo y fortuna, cultivó los temas bíblicos —*Judith, La Sepmaine, La seconde Sepmaine*—. Etienne Jodelle (1532-1573), poeta dramático, perteneció a la *Pléyade* y fue el iniciador del teatro francés moderno—*Cléopatre captive, La recontre, Didon se sacrifiant, Les amours, L'hymenée du roi Charles IX*—. Robert Garnier (1534-1590), ganador de la Rosa de Oro en los Juegos florales de Toulouse, autor de las tragedias *Porcie, Hippolyte, Marc Antoine, La Troade, Sédecie, Cornélie, Bradamante.* Pierre Larivey (1550-1612), de Troyes, cuyo teatro influyó decisivamente en la escena francesa, y particularmente en Molière y Régnard—*Comédies facétieuses, La laquais, La veuve, Les esprits, Le morfondu, Le jaloux, Les escoliers, La fidèle, La constance, Les trampéries*—. Jacques Amyot (1513-1593), de Melun, enseñó griego en la Universidad de Bourges, asistió al Concilio de Trento, obispo de Auxerre, enriquecedor magnífico de la prosa francesa, tradujo a Plutarco, *Dafnis y Cloe,* y la novela griega *Teágenes y Cariclea.* Michel Eyquem de Montaigne (1533-1592) nació en el castillo de Montaigne (Périgord), de nobilísima familia, gran erudito, gentilhombre de cámara del rey, alcalde de Burdeos, ensayista y prosista incomparable—*Essais de messire Michel, seigneur de Montaigne,* 1580—. François Rabelais (1495-¿1553?), natural de Chinon de la Touraine, franciscano, sacerdote; colgó los hábitos y se dedicó al estudio de los clásicos y a la vida regalona; Paulo III le absolvió, permitiéndole reingresar en la Orden de San Benito; cura de Meudon en 1552; formidable satírico y uno de los maestros de la prosa francesa—*Les grandes et inestimables chroniques du grand et énorme géant Gargantua, Pantagruel, Gargantua, Lettres de François Rabelais*—. Etienne de la Boetie (1530-1563), natural de Sarlac (Périgord). Jean Calvino (1509-1564), de Noyon, reformador protestante, gobernante déspota e inhumano, teólogo y excelente prosista—*Institutio Christianae Religionis, Institution de la religion Chrétienne, Catéchisme de l'église de Génève, Traité de la Sainte Cène, Traité des reliques, Contre l'astrologie judiciarie, Correspondance*...

c) *Renacentismo literario alemán.*—Realmente el renacentismo alemán *no coincide,* como en los demás países occidentales y latinos de Europa, con una *época clásica.* La Reforma luterana lo impide, impone la iniciación de una mera cultura, *genuinamente alemana,* que nada tiene que ver con el medievalismo dirigido por la Iglesia romana, ni con el regusto de la civilización grecorromana.

Los historiadores Gándara y Miranda han expuesto acertadamente el fenómeno: "La Reforma en Alemania es la realización de un hecho que se venía preparando a través de varios siglos. La influencia que Italia ejerció en la Edad Media sobre los pueblos de Europa, y que fue para ellos un poderoso medio de civilización, no fue aceptada nunca con gusto en Alemania. La cultura latina, sobre la cual se había asentado el Cristianismo, encontró en el Mediodía y Occidente un terreno preparado para recibirla; pero al otro lado del Rin y del Danubio tuvo que enfrentarse con el viejo espíritu germánico, que la conquista romana no había podido borrar y que persistió a lo largo de todas las revoluciones políticas y religiosas. Alemania creó con la Reforma un abismo entre ella y los pueblos meridionales y se privó del beneficio de la lenta y laboriosa educación que Europa había recibido bajo la tutela de la Iglesia. A partir de la Reforma, Alemania tuvo que empezar de nuevo y rehacer por su cuenta todo el trabajo de la civilización moderna. La vida intelectual de un pueblo reposa sobre un cierto número de conceptos generales que constituyen su religión. Alemania, al romper con la tradición de Roma, tuvo que dedicarse a crear una forma nueva de Cristianismo. El gusto, apenas nacido, por los estudios de la antigüedad, se apagó de nuevo. La lengua, incluso, que Lutero había independizado del latín y de los dialectos y que había animado con su elocuencia, cayó de nuevo en su estado anterior. En una palabra: el momento de la literatura clásica en Alemania se retrasó en un par de siglos, y no se puede hablar de época clásica de la literatura alemana hasta llegar al momento en que el más grande de los poetas alemanes (se alude a Goethe) abandonó el cielo de Weimar para ir a buscar en tierra italiana, y ante los monumentos del arte antiguo, el secreto de la eterna belleza."

El renacentismo literario alemán—por la época coetánea con la del resto de los renacentismos literarios europeos occidentales y latinos—no coincide con su clasicismo, sino con los balbuceos de su lengua y de su literatura peculiares.

Entre sus más egregias figuras cuentan: Sebastián Brandt (1458-1521), de Estrasburgo, conde palatino, secretario de Maximiliano I de Alemania y de Carlos I de España, autor del famoso poema satírico *Narrenschiff (La nave de los locos)*—1494—, cuadro humorístico de la sociedad de su tiempo. Ulrich von Hutten (1488-1523), como poeta recibió del emperador Maximiliano la corona de laurel y el anillo de oro; lector en la Universidad de Augsburgo; de ideas ya francamente antirromanas y amigo del heresiarca Zwinglio—*Anzeige, Vadismus, Gesprächbüchlein, Clag und Vormanung, Arminius*—. Martín Luther o Lutero (1483-1546), de Eisleben (Sajonia), agustino, catedrático de Filosofía, de Teología y de Sagrada Escritura en Witemberg, apóstata y "padre de la Reforma". Como literato, tuvo un valor excepcional. Fue el verdadero fundador de la estilística en Alemania, y ni antes ni después de él ha tenido la prosa alemana un cultivador tan eximio. Y aún más: Lutero es el creador único y exclusivo del léxico germano moderno—*An den Christlichen Adel deutscher Nation, Von der Freiheit eines Christenmenschen, Von der Babylonischen Gefangenschaft der Kirche*...—. Hans Sachs (1494-1576), de Nuremberg, poeta, dramaturgo y humanista, cantor vagabundo, maestro del gremio de zapateros. Su popularidad fue inmensa. Su fecundidad poética acompañaba el paso de su vida gozosa. En 1567 llevaba escritos 4.275 poemas, 1.700 cuentos, 200 poemas dramáticos... Sus obras han sido divididas en cantos *de Meistersinger* y poemas gnómicos. Sachs fue para la poesía alemana lo que Lutero fue para la prosa: el reformador genial, el enriquecedor inagotable. Johannes Turmaier, conocido por Aventinus (1477-1534), de Abensberg, preceptor de los príncipes de Baviera—*Annales Baiorum*—. Sebastián Franck (1499-1543), sacerdote católico que se pasó al luteranismo, gran prosista y ascético—*Paradoxa, Guldene Arche, Zeitbuch und Geschichtsbibel, Weltbuch*...—. Johann Fischart (1545-1590), prosista y satírico, uno de los hombres más cultos de su época, dominador del lenguaje, al que enriqueció notablemente—*Flöhatz, Das Schift von Zürich, Geschichklitterung*—. Erasmus Alberus (1500-1553), poeta didáctico-religioso, discípulo de Lutero en la Universidad de Witemberg y profesor en Eisenach y Ursel—*Cánticos espirituales, De la virtud y de la sabiduría*—. Johann Schnitter, conocido por Juan Agrícola (1492-1566), teólogo protestante; secretario de Lutero, con el que se enemistó; capellán del elector de Brandeburgo; compuso una magnífica colección de *Proverbios* comentados.

El drama culto, en alemán, tuvo excelentes representantes en Paulus Rebhun y Jakob Ayrer, y las farsas, en Nicolás Manuel.

d) *Renacimiento literario inglés.*—Fue espléndido y fecundísimo, iniciándose a fines del reinado de Enrique VIII con la imitación y las traducciones de obras italianas, españolas y francesas. Las más interesantes traducciones de los cuentos de Francia, Italia y España llevan por títulos: *El palacio del placer,* por William Paniter; *Cuentos trágicos,* por George Tuberville, y *Promos y Casandra,* por George Whetstone.

La *poesía* encontró sus hombres más representativos en sir Thomas Wyatt (1503-1542), gentilhombre de Enrique VIII, uno de los introductores del *soneto* en Inglaterra, platónico enamorado de Ana Bolena—que le salvó la vida—, autor de epigramas, sátiras, odas, epístolas y salmos. Henry Howard, conde de Surrey (1517-1547), militar insigne, introductor —con Wyatt—del soneto en Inglaterra; fue decapitado por creérsele conspirador contra el trono—*Songs and sonetts written by the late Earl of Surrey,* y tradujo en verso libre los libros II y IV de la *Eneida*—. Henry Constable (1556-¿1616?), católico ardiente y entusiasta de María Estuardo; vivio huido en varios países de Europa, y al regresar a su patria estuvo encerrado tres años en la Torre de Londres. Libertado, volvió a huir a Lieja—*Diana* (colección de sonetos), *England's Helicon, Venus and Adonis*—. Georg Chapmann (1559-1634), poeta y dramaturgo, el primero y el mejor traductor inglés de Homero y de Museo, amigo y precursor de Shakespeare—*The Shadow of Night containing two poetical Hymns, Ovid's Banquet of Sence, The amorous Contention of Philis and Flora, The Coronel*—. Edmund Spenser (1552-1599), extraordinario poeta, nacido en Londres; fue protegido por la reina Isabel I; su fama fue inmensa—*Shepheardes Calender, Oreames, Visiones, Amoretti* (sonetos), *Jaerie Queene, Dying Pellican...*—. Michael Drayton (1563-1631) tuvo la protección de Isabel I; pero Jacobo I y sus cortesanos le desdeñaron públicamente; mereció ser enterrado en la Abadía de Westminster—*The Harmony of the Church, Idea's Minor, The Shepherd's Garland*—. John Donne (1573-1631), poeta y predicador, pirata contra España, protestante, clérigo desde 1615, seudomístico —*Holy sounets*—. John Milton (1608-1674), de Londres, gran erudito; viajó por Francia e Italia; abogado y secretario del Consejo de Estado y de Cromwell; ciego desde 1652; el más universal de los poetas épicos ingleses—*Samson Agonistes, Paradise Regained, Paradise Lost, Poems*—. John Bunyan (1628-1688), hijo de un calderero, de juventud licenciosa y bohemia, predicador de la congregación de los bautistas; su obra *Pilgrim's Progress* llegó a ser la verdadera epopeya de los puritanos y su libro de cabecera en Inglaterra y en los Estados Unidos.

Otros poetas insignes fueron: el *madrigalista* Waston; el autor de finísimas *canciones* Byrd; el satírico Hall, obispo de Exeter y Norwich; los *épicos* Daniel y Warner; los *sonetistas y elegíacos* Herbert, Vaughan y Waller.

En el *teatro* fueron figuras excepcionales: Christopher Marlowe (1564-1593), nacido en Canterbury, considerado como el creador de la tragedia inglesa, director de compañías teatrales, hereje contumaz; murió asesinado por un lacayo, a quien había birlado su amante, una zafia sirvienta—*Tamburlaine the Great, Edward III, Dido Queen of Carthage, The Laves of Hero and Leander...*—. William Shakespeare (1564-1616), de Stratford upon Avon, director de compañías teatrales, cómico insigne, fundador del famoso teatro del Globo, el más extraordinario de los dramaturgos de la Edad Moderna; su talento fue fenomenal e incomparable; uno de los mayores "creadores" de figuras maravillosas pletóricas de humanidad —*Hamlet, Romeo y Julieta, Otelo, El mercader de Venecia, Macbeth, El rey Lear, Las alegres comadres de Windsor, Noche de Epifanía, El sueño de una noche de verano, Mucho ruido para nada, La doma de la bravía, Coriolano, La tempestad...*—. Ben Jonson (1574-1637), de Westminster y de familia humildísima; peón de albañil; habiendo matado en duelo a un compañero, marchó a Flandes, donde combatió asalariado a los españoles; actor; posiblemente el mejor dramaturgo inglés después de Shakespeare—*Sejanus, The masque of blackness, The Alchemist, Volpone or the fox, Catilina, The poetaster.*

En la *novela:* sir Philip Sidney (1554-1586), de noble familia; estudiante en Oxford y en Cambridge; embajador en Viena y en los Países Bajos; la reina Isabel I le llamó "la mejor joya de mi reino"—*Arcadia* (imitación de la novela pastoril de Sannazaro), *Astrophel and Stella*—. John Lyly (¿1554?-1606), poeta, comediógrafo y novelista; con su obra *Euphes* originó el *eufuísmo* (V.), estilo análogo al gongorismo español y al marinismo italiano—*Alexander and Compaspe, Sapho and Phao, Endymion, Midas, Gallathea...*—. Robert Greene (1560-1592), de Norwich, poeta, autor dramático y novelista; estuvo en España, donde se aficionó a las representaciones teatrales; eclesiástico de conducta poco edificante; su gran fama la debió, más que a sus dramas y a sus poemas, a su novela de amor *Mamillia.* Thomas Nash (1567-1601), de Lowestoft; poeta, dramaturgo y novelista; llevó una vida bohemia en tabernas y en prostíbulos; murió tuberculoso y sifilítico; su obra maestra es la novela *On the live of Jack Wilton.*

La *crítica* tuvo felices representantes en Webbe, Gascoigne, Puttenham, Stephen Gosson, Harvey y sir Philip Sidney.

El *ensayo,* en Thomas Coryate—*Crudities*—. Thomas Hall—*Characters*—y John Earle—*Microcosmographie.*

La *prosa,* la *filosofía* y la *controversia religiosa,* en Richard Hooker; Francis Bacon (1561-1626), de noble familia, insigne filósofo, político ilustre; en su obra universal *Novum Organum* expuso su nuevo método o instrumento de conocimiento inductivo; otras obras: *Sapientia veterum, Apopthegms, New Atlantis*—novela científica utópica—, *History of Henry VII...* Robert

Burton (1577-1640), filósofo y ensayista, llamado "el Montaigne inglés"—*Anatomy of Melancholy.*

e) *Renacentismo literario español.*—Tuvo una maravillosa floración y una espléndida fecundidad. En poesía lírica lucharon la escuela tradicional castellana—empleo de versos cortos y especialmente el octosílabo—y la escuela toscana o italiana, introducida por Boscán y Garcilaso, que hizo triunfar el endecasílabo. En poesía narrativa predominó la imitación de lo italiano, bien de Ariosto, bien de Tasso. En la dramática, la originalidad fue mucho más patente; el teatro español tuvo dos modelos: el trazado por Juan del Enzina sobre las reminiscencias medievales, y *La Celestina* y las obras de Torres Naharro, en las que se acusan los síntomas culturales y vitales del renacimiento. La novela pasa del género caballeresco al género pastoril. Y la historia, de la crónica medieval a las obras eruditas inspiradas en los historiadores clásicos: César, Tácito, Tito Livio.

El renacentismo literario español tiene un género original y rico como en ningún otro país europeo: el misticismo.

Y dicho renacimiento se apoyó en hechos realmente admirables:

1.º La introducción de la Imprenta en España, siendo Valencia la cuna de tan singular arte, ya que en la ciudad del Turia apareció —1474—el primer libro impreso en caracteres móviles: *Les Trobes en lahors de la Verge Maria,* colección de cuarenta y cinco poesías laudatorias.

2.º La publicación del *Arte de la lengua castellana*—1492—, de Elio Antonio de Nebrija, primera gramática impresa de un idioma vulgar.

3.º La edición de la famosa *Biblia Poliglota Complutense*—1502 a 1520—, dirigida y patrocinada por el cardenal Ximénez de Cisneros, y en cuya redacción intervinieron Demetrio Ducas Cretense, Diego López de Estúñiga y Hernando Núñez Pinciano, en la parte griega y latina; Alfonso de Alcalá, Alfonso de Zamora y Pablo Coronel, en la parte hebrea; Juan de Vergara y Bartolomé Castro, en la confrontación de los textos; Arnaldo Guillermo de Brocar, de la tipográfica.

4.º El descubrimiento de América—1492.

5.º Las relaciones guerreras, diplomáticas y culturales entre España e Italia. Porque si la cultura italiana influyó mucho y decisivamente en España, no es menos cierto que Italia aceptó los metros líricos españoles—coplas, villancicos, romances—, que se entusiasmó con *El tirante, La Celestina* y *Cárcel de amor,* imitándolos no pocas veces.

Como no pretendemos dar un cuadro minucioso del renacentismo español, tarea que consumiría centenares de páginas, nos limitaremos a señalar, dentro de cada género literario, los más insignes representantes, situándolos de modo que el lector obtenga una idea precisa de la época.

En *poesía lírica*—como *petrarquistas*—: Juan Boscán (¿1493?-1542), Garcilaso de la Vega (1501-1536), Diego Hurtado de Mendoza (1503-1575), Hernando de Acuña (¿1520-1580?), Gutierre de Cetina (1520-¿1557?), Francisco de Figueroa (1536-1617), Jerónimo Lomas Cantoral (¿?-¿1580?). Como poetas líricos tradicionalistas: Cristóbal de Castillejo (¿1490?-1550), Antonio de Villegas (murió hacia 1551), Gregorio Silvestre (1520-1569), Luis Gálvez de Montalvo (¿1549-1591?). Como poetas líricos de la *escuela salmantina:* Fray Luis de León (1527-1591), Pedro Malón de Chaide (¿1530-1596?), Francisco de la Torre (¿1534-1594?), Francisco de Medrano (¿1545-1615?). Como poetas líricos de la *escuela sevillana:* Juan de Mal Lara (¿1525?-1571), Fernando de Herrera (1534-1597), Francisco de Medina (1544-1615), Baltasar del Alcázar (1530-1606), Pablo de Céspedes (1538-1603), Francisco Pacheco (¿1540?-1599).

En la *poesía narrativa:* Juan de la Cueva (¿1550?-1610)—*Conquista de la Bética*—; Luis Barahona de Soto (1548-1595)—*Las lágrimas de Angélica*—; Luis Zapata (1526-1595)—*Carlo famoso*—; Juan Rufo (¿1547-1621?)—*Austríada*—; Alonso de Ercilla (1533-1594)—*La Araucana*—; Pedro de Oña (1570-¿1644?)—*Arauco, domado*—; Juan de Castellanos (1522-1607)—*Elegías de varones ilustres de Indias*—; Cristóbal de Virués (1550-1609)—*El Monserrate.*

En la *poesía dramática:* Bartolomé de Torres Naharro (¿1476-1531?)—*Tinellaria, Soldadesca, Serafina, Himenea, Jacinta*—; Gil Vicente (¿1470-1539?)—*Las tres barcas, Sibila Casandra, Don Duardos, Comedia del viudo, Comedia rubena*—; Cristóbal de Castillejos (¿1490?-1550)—*Farsa llamada Constanza*—; Jaime de Huete (¿1480?-¿1532?)—*Tesorina, Vidriana*—; Vasco Díaz Tanco de Fregenal (¿1514-1570?)—*Absalón, Amón y Saúl, Jonatás en el monte de Gelboé*—; Francisco de Avendaño—*Comedia Florisea*—1551—; Francisco de las Natas—*Comedia Tidea, Comedia Claudina*—; Hernán López de Yanguas *Farsa sacramental en coplas,* 1520, posiblemente el más antiguo auto sacramental—; Juan Rodrigo de Alonso—*Comedia de Santa Susana*—; Juan Pastor—*Comedia Fenisa*—; Micael de Carvajal (1480-¿1530?)—*Tragedia llamada Josefina, Auto de las Cortes de la Muerte*—; Juan de Pedraza—*Farsa llamada Dança de la muerte,* 1551—; Bartolomé Paláu (¿1525?-¿1585?)—*Farsa llamada Salmantina, Farsa llamada Custodia del hombre*—; Sebastián de Horozco (¿1510?-1580); Lope de Rueda (¿1510?-1565)—*Comedia Eufemia, Armelina, Medora, de los engañados; El Deleitoso* (siete pasos), *Diálogo de la invención de las calzas, Auto de Naval y Abigail*...—; Andrés de Prado—*Farsa llamada Cornelia,* 1537—; Luis de Miranda—*Comedia Pródiga,* 1554—; Alonso de la Vega—*Tragedia Serafina, Comedia Tolomea, Comedia Duquesa de la Rosa*—; Juan de Timoneda (m. 1583)—*Tragicomedia Filomena, Comedia Aurelia, Farsa Rosalina*—; Juan de Mal Lara (¿1525?-1571); Juan de la Cueva (¿1550?-1610)—*Muerte de Virginia, El infamador, Los siete infantes de Lara, Bernardo del Carpio, El viejo enamorado, La tragedia de Ayax Telamón*—; Fray Jerónimo Bermúdez (¿1530?-1599)—*Nise lastimosa, Nise laureada*—; Micer Andrés Rey de Artieda (1549-1613)—*Los amantes*—; Cristóbal de Virués (1550-1609)—*La gran Semíramis, La cruel Casandra, Atila, furioso; La infelice Marcela, Elisa Dido*—; Joaquín Romero de Cepeda—*Comedia Selvage, Comedia Metamorfosea*—; Miguel Sánchez Requejo (¿1550?-¿1618?)—*La guarda cuidadosa, La isla bárbara*—; Lupercio Leonardo de Argensola (1562-1613)—*La Filis, La Isabela, La Alejandra*—; Agustín de Rojas Villandrando (1572-¿1618?)—*El viaje entretenido, 38 loas* en prosa y en verso.

En la *novela "caballeresca"*: Garci Ordóñez de Montalvo—*Sergas de Esplandián,* 1510, primera continuación, o *libro quinto* del *Amadís*—; Páez de la Ribera—*Florisando, príncipe de Cantaria,* 1510, *sexto libro* del *Amadís*—; Anónimo—*Lisuarte de Grecia,* 1514, *libro séptimo* del *Amadís*—; Feliciano de Silva (¿1492?-1560)—*Don Florisel de Niquea, Don Rogel de Grecia*—; Anónimo—*Palmerín de Oliva,* 1511; *Primaleón,* 1516; *Palmerín de Inglaterra,* 1547—; Fernando Basurto—*Don Florindo*—; Jerónimo de Urrea —*Don Clarisel de las Flores*—; Juan de Silva y Toledo—*Historia de Don Policisne de Beocia*—; Jerónimo de la Huerta—*Florando de Castilla,* 1588—, Jerónimo de Sempere—*Caballería celestial de la Rosa fragante,* 1554—; Pedro Hernández de Villaumbrales—*El Caballero del Sol,* 1552.

En la *novela "pastoril"*: Jorge de Montemayor (¿1520?-1561)—*Los siete libros de la Diana,* Valencia, 1559—; Alonso Pérez—*Segunda parte de la Diana,* Salamanca, 1564—; Gaspar Gil Polo (¿1529?-1591)—*Diana, enamorada*—; Antonio de Lofrasso—*Los diez libros de Fortuna de amor,* 1573—; Luis Gálvez de Montalvo (¿1549-1591?) *Pastor de Fílida*—; Miguel de Cervantes Saavedra (1547-1616)—*La Galatea*—; Bartolomé López de Enciso—*Desengaño de celos,* 1586—; Bernardo González de Bobadilla—*Ninfas y pastores del Henares,* 1587—; Bernardo de la Vega—*Los pastores de Iberia,* 1591—; Lope de Vega (1562-1635)—*La Arcadia*—; Bernardo de Balbuena (1568-1627)—*El Siglo de Oro en las selvas de Erifile*—; Juan de Arce Solórzano—*Tragedias de amor,* 1607—; Cristóbal Suárez de Figueroa (1571-¿1639?)—*La constante Amarilis,* 1609—; Jacinto de Espinel Adorno—*El premio de la constancia y pastores de sierra Bermeja,* 1620—; Francisco de las Cuevas—*Experiencia de amor y fortuna,* 1626—; Gabriel del Corral—*La Cintia de Aranjuez,* 1628—; Gonzalo de Saavedra—*Pastores del Betis,* 1633.

En la *novela "picaresca"*: Anónimo—*Lazarillo de Tormes,* Burgos, 1554—; Anónimo—*Segunda parte del Lazarillo,* Amberes, 1555, por Martín Nucio—; Juan de Luna o H. de Luna—*Segunda parte del Lazarillo de Tormes,* París, 1620.

En la *novela "histórica"*: Fray Antonio de Guevara (¿1480?-1545)—*Libro llamado Relox de Príncipes,* 1529—; Anónimo (¿Antonio de Villegas?)—*Historia del Abencerraje y de la hermosa Jarifa,* 1565—; Ginés Pérez de Hita (¿1544-1619?) —*Historia de los bandos de Zegríes y Abencerrajes o Guerras civiles de Granada.*

De la *novela "sentimental o amatoria"*: Juan de Segura—*Processo de cartas de amores,* 1548—; Anónimo—*Historia de los amores de Peregrino y Ginebra,* traducción de la obra de Jacobo Caviceo *Il Peregrino.*

De la *novela "bizantina"*: Francisco de Vergara tradujo la célebre novela griega *Teágenes y Cariclea;* Alonso Núñez de Reinoso—*Historia de los amores de Clareo y Florisea,* 1552—; Jerónimo de Contreras—*Selva de aventuras,* 1565.

En la *novela corta y en los cuentos:* Pero Mexía (¿1499?-1551)—*Silva de varia lección, Coloquios* o *Diálogos*—; Juan de Mal Lara (¿1525?-1571)—*Philosophia vulgar*—; Luis Zapata (1526-1595)—*Miscelánea*—; Sebastián de Horozco (¿1510?-1580)—*Libro de cuentos*—; Juan de Timoneda (¿1490?-1583)—*Buen aviso y portacuentos, El Patrañuelo*—; Melchor de Santa Cruz —*Floresta española de apotegmas y sentencias,* 1574.

En la *historia:* Florián de Ocampo (¿1499-1555?)—*Los cuatro libros primeros de la Crónica general de España,* 1543—; Jerónimo Zurita (1512-1580)—*Anales de la Corona de Aragón*—; Ambrosio de Morales (1513-1591)—*Las antigüedades de las ciudades de España* y *Crónica general de España* (continuación de la de Ocampo)—; Esteban de Garibay y Zamalloa (1525-1599)—*Los cuarenta libros del Compendio historial de las Crónicas y universal historia de todos los reinos de España,* 1571, e *Ilustraciones genealógicas de los reyes de España*—; Juan de Mariana (1535-1624)—*Historia de España*—; Alonso de Santa Cruz—*Crónica de Carlos V*—; Pero Mexía (¿1499?-1551)—*Historia imperial y cesárea, Historia del emperador Carlos V*—; Juan Ginés de Sepúlveda (¿1490?-1573)—*De rebus gestis Caroli V,* y la continuación de la titulada *De rebus gestis Philippi II*—; Francisco de Zúñiga—*Coronica istoria,* 1527—; Fray Prudencio de Sandoval (1553-1620)—*Historia de la vida y hechos del emperador Carlos V, Historia de los reyes de Castilla y de León*—; Diego Hurtado de Mendoza (1503-1575)—*Guerra de Granada*—; Luis de Mármol Carvajal (¿1520?-1600)—*Historia de la rebelión y castigo de los moriscos de Granada*—; Luis de Avila y Zúñiga (m. 1572)—*Comentario de la guerra de Alemania hecha por Carlos V en el año 1546 y 1547*—; Carlos Coloma (1573-1637)—*Las guerras de los Estados Bajos*—; Juan Cristóbal Calvete de Estrella (muerto 1593)—*El felicísimo viaje del príncipe don Felipe, hijo de Carlos V, a Alemania y Flandes*—; Luis Cabrera de Córdoba (1559-1623)—*Historia de Felipe II*—; Antonio de Herrera (1549-1625) —*Décadas o Historia general de los hechos de los castellanos en las islas y tierra firme del mar Océano*—; Gonzalo Fernández de Oviedo (1478-1557)—*Historia general y natural de las Indias*—; Bartolomé de las Casas (1470-1566)—*Historia de las Indias* y *Brevísima relación de la destruyción de las Indias*—; Francisco López de Gomara (1512-¿1572?)—*Hispania victrix, Historia general de las Indias*—; Bernal Díaz del Castillo (1492-¿1581?)—*Crónica de la Conquista de Nueva España*—; Francisco Cervantes de Salazar (¿1514?-1575)—*Crónica de la Nueva España*—; Bernardo de Sahagún—*Historia general de las cosas de Nueva España*—; Juan de Castellanos (1522-1607)—*Elegías de Varones ilustres de Indias*—; P. Pedro Aguado—*Historia de Santa Marta y del Nuevo Reino de Granada* y la *Historia de Venezuela*—; Pedro de Cieza de León (1518-1560)—*Crónica del Perú*—; el inca Garcilaso de la Vega (1540-1615)—*Los Comentarios Reales, que tratan del origen de los Incas*—; Francisco de Jerez (1504-1539)—*Relación de la conquista del Perú*—; Agustín de Zárate (m. después de 1560)—*Historia del Perú*—; Pedro Sarmiento de Gamboa (¿1530?-1592)—*Historia del reino de los Incas*—; Fray Pedro Simón (1574-¿1630?)—*Noticias historiales de las conquistas de Tierra Firme en las Indias Occidentales.*

En la *ascética* y *mística:* Fray Luis de Granada (1504-1588)—*Libro de la oración y meditación, Guía de pecadores, Introducción del Símbolo de la fe*—; P. Alonso de Cabrera (¿1549?-1598)—*Consideraciones sobre todos los Evangelios de la Cuaresma*—; Fray Alonso de Madrid —*Arte para servir a Dios,* 1521, y *Espejo de personas ilustres*—; Fray Francisco de Osuna (¿1475-1542?)—*Tercer Abecedario espiritual*—; Fray Diego de Estella (1523-1578)—*Meditaciones devotísimas del amor de Dios*—; Fray Juan de los Angeles (¿1536?-1609)—*Triunfos del amor de Dios, Manual de vida perfecta, Diálogos de la conquista del espiritual y secreto reino de Dios*—; P. Juan de Pineda (m. 1597)—*La Agricultura cristiana*—; Santa Teresa de Jesús (1515-1582)—*Libro de las misericordias de Dios (Libro de su vida), Camino de perfección, El castillo interior o las Moradas, Libro de las fundaciones*—; San Juan de la Cruz (1542-1591)—*Subida al Monte Carmelo, Noche escura del alma, Declaración del Cántico espiritual entre el alma y Cristo su esposo, Avisos y sentencias espirituales*—; Santo Tomás de Villanueva (1488-1555) —*Sermón del amor de Dios, Soliloquio que entre Dios y el alma conviene hacerse después de la Sagrada Comunión*—; Beato Alonso Horozco (1500-1591)—*Vergel de Oración y Monte de Contemplación, Desposorio espiritual y Regimiento del alma*—; Fray Luis de León (1527-1591)—*Los Nombres de Cristo, Exposición del libro de Job*—; Pedro Malón de Chaide (¿1530-1596?) —*Libro de la conversión de la Magdalena*—; Alonso Rodríguez (1538-1616)—*Ejercicio de perfección y virtudes cristianas*—; Luis de la Puente (1554-1624)—*Meditaciones de los misterios de nuestra santa fe, Guía espiritual*—; Fray Hernando de Talavera (1428-1507)—*Instrucción cristiana*—; Alejo Venegas del Busto (¿1493?-1554) —*Agonía del tránsito de la muerte*—; Beato Juan de Avila (1500-1569)—*Audi, filia, et vide, Epistolario espiritual para todos los estados.*

En la *prosa* y en la *didáctica:* Judá Abrabanel, llamado también León Hebreo (¿1460?-1520) —*Diálogos de amor*—; Gabriel Alonso de Herrera (m. ¿1534?—*Agricultura general*—; Juan López de Palacios Rubios (¿1450?-¿1525?)—*Tratado del esfuerzo bélico heroico*—; Fernán Pérez de Oliva (m. 1531)—*Diálogos*—; Alonso de Valdés (1490-1532)—*Diálogo de Mercurio y Carón*—; Juan de Valdés (¿1501?-1545)—*Diálogo de la lengua*—; Francisco López de Villalobos (¿1473?-1549)—*Sumario de Medicina, Libro titulado de los Problemas*—; Fray Antonio de Guevara (¿1480?-1545)—*Libro áureo del emperador Marco Aurelio, Menosprecio de corte y alabanza de aldea, Epístolas familiares*—; Pero Mexía (¿1499?-1551)—*Silva de varia lección, Coloquios y Diálogos*—; Cristóbal de Villalón (¿1505-1581?) —*Tragedia de Mirrha, Crotalón, Viaje de Turquía*—; Antonio de Torquemada—*Coloquios satíricos,* 1553—; Miguel Sabuco (m. 1588)—*Nueva Filosofía de la naturaleza del hombre,* publicada con el nombre de su hija doña Oliva Sabuco de Nantes—; Pedro Simón Abril (¿1530-1595?)—traductor de Aristóteles, Eurípides, Terencio y Cicerón—; Juan de Huarte San Juan (¿1530-1595?) —*Examen de ingenios para las ciencias*—; Benito Arias Montano (1527-1598)—*Paráfrasis del Cantar de los Cantares*—; Juan Pérez de Moya (¿1513?-1597)—*Aritmética práctica y especulativa*—; Antonio Pérez (¿1540?-1611)—*Relaciones, Norte de príncipes*—; Eugenio de Salazar (¿1530?-¿1612?)—*Cartas*—; Cipriano de Valera (¿1532-1603?)—traductor en admirable castellano de la *Biblia*—; Alonso López Pinciano (¿1547-1628?) —*Filosofía antigua poética*—; Cristóbal Pérez de Herrera (1558-1625)—*Proverbios morales, Discursos del amparo de los legítimos pobres y reducción de los fingidos.*

Entre los autores y colectores de *refranes,* máximas, proverbios, aforismos, etc., cuentan: Pedro de Vallés—*Libro de refranes..., por el orden de ABC,* 1549—; Hernán Núñez (1463-1553)—*Refranes o proverbios en romance,* 1555—; Gonzalo Correas—*Vocabulario de refranes y frases proverbiales y otras fórmulas comunes de la lengua castellana*—; Francisco de Luque Faxardo—*Fiel desengaño contra la ociosidad y los juegos*—; Sebastián de Covarrubias y Orozco—*Tesoro de la lengua castellana,* 1611.

2. Renacentismo artístico.

Tiene, como el literario, su origen en Italia, y se inició durante el siglo xv, extendiéndose por casi todas las naciones europeas. Y, según la crítica, el mismo significado que tiene el nombre de *filósofo del renacimiento* en la historia de la Filosofía, ha de reconocerse, en la historia del Arte, al de artista del renacimiento.

"No fue el odio a la Iglesia lo que inspiró el estilo de que hablamos—escribe el P. Naval—, a pesar de que este anduvo íntimamente unido con el desdén más atrevido e injusto contra el estilo ojival, genuinamente cristiano: los templos fueron sus obras principales; la católica Italia le dio vida, y Florencia y Roma constituyeron su teatro predilecto. Mucho, no obstante, influyó en la creación del estilo el filosofismo de la época, no tan cristiano, por cierto, como era la filosofía escolástica precedente; y bastante debió contribuir a lo mismo la frivolidad de las costumbres en la corte de Florencia; contra las cuales, lo mismo que contra su arte, primer ensayo del renacimiento, clamó con tan fogoso ardor el insigne Savonarola; pero la causa principal del retroceso del arte a las formas grecorromanas parece ser el apego de los italianos a sus tradiciones antiguas, pues nunca logró echar raíces entre ellos la arquitectura ojival en su pureza, ni se perdieron del todo las mencionadas formas en las construcciones principales, y hasta hubo ciertos conatos de restauración de las mismas en los siglos precedentes. Además, el descubrimiento de la obra de Vitruvio a mediados del siglo xv, el gusto en literatura, pintura y escultura que se iba acentuando en favor de los estilos de Grecia y Roma, y la decadencia del estilo ojival por exceso de ornamentación, acabaron por determinar la Arquitectura en el expresado sentido, e hicieron triunfar en toda la línea la idea de Renacimiento. Y como varios de sus artistas eran a la vez arquitectos, escultores y pintores, llevaron a la Arquitectura el atrevimiento de su fantasía en las otras Bellas Artes."

El renacimiento artístico comenzó, pues, en Florencia, a principio del siglo xv; pasó, luego, a Roma, se extendió por toda Italia; de aquí se trasladó en el xvi a España y Francia, por las relaciones comerciales y políticas, que mediaban entre dichas naciones, y más tarde se propagó a Inglaterra y Alemania.

a) *Renacimiento artístico en Italia.*—Hay que determinar en este dos períodos: el *Quattrocento* y el *Cinquecento.* En el primero el centro artístico es Florencia; en el segundo, el centro se desplaza a Roma.

I. *Arquitectura renacentista italiana.*—Influyen decisivamente en la aparición, desarrollo y triunfo de la misma: el descubrimiento en el Monasterio de Saint-Gall del manuscrito de la obra de Vitruvio, libro fundamental para la arquitectura del renacimiento; las obras técnicas de Alberti, Ciríaco d'Ancona o la Hipnenotemachi Poliphili; el modelo sugestivo de las ruinas de Roma, estudiado por los grandes arquitectos florentinos Brunelleschi y Alberti a instancias de los Médicis.

"Se constituye el estilo del renacimiento por los elementos siguientes: adopción de los antiguos órdenes clásicos de la Arquitectura romana, o bien con más libertad en las medidas y aun en la traza de fustes y capiteles; úsanse exclusivamente los arcos redondos de diferentes clases y contorneados por alguna archivolta; se emplean los arquitrabes y frontones, ya en función, ya decorativos; son tan frecuentes las bóvedas de medio cañón con lunetos y las de arista, excluyéndose las ojivales; las cúpulas, semiesféricas generalmente, montadas sobre tambor o careciendo del mismo; el cimborrio o domo aparece también semiesférico y separado o independiente de la cúpula interior; las puertas y ventanas rematan en un frontoncito ornamental y a veces llevan columnitas en las jambas; se adopta la planta basilical de cruz latina o griega en las iglesias, con el ábside redondo o poligonal (aunque muchas veces se suprime), la cúpula sobre el transepto y las torres gemelas; en lo alto de los muros hay siempre por dentro una ancha cornisa, sobre la cual se monta con frecuencia una balaustrada, formando verdadero triforio, aunque es más común sustituirlo por una serie de tribunas; en la capilla mayor de muchas iglesias y santuarios se establece el uso de los camarines; en la parte exterior de los edificios, una imposta corrida, llamada cordón, indica la división de los pisos; la fachada de los templos tiende a la forma de un pórtico griego o de un grande arco triunfal romano, sin que se revele, como en los edificios románicos y ojivales, la estructura interior de ellos; la ornamentación, además de las pinturas murales, consiste en molduras diferentes, agallones, ovos, hojas acuáticas, postas, hojas de acanto, volutas, guirnaldas, quimeras, mascarones y medallones, como en la Arquitectura clásica; hay esmerada ejecución en las obras de escultura ornamental y tallado, buscando el realismo. De todo lo cual se infiere que la Arquitectura del renacimiento es *ecléctica,* uniendo elementos griegos y romanos con bizantinos, y aun paganos con cristianos." (P. NAVAL.)

Las dos etapas arquitectónicas renacentistas tienen una común obsesión: *el empleo de la cúpula;* y se diferencian el Quattrocento y el Cinquecento en que, mientras aquel decora sobriamente, este decora con mayor generosidad.

Entre los arquitectos del Quattrocento se destacan: Filippo Brunelleschi (1377-1443), iniciador del renacimiento florentino, escultor y arquitecto—*Pórtico del Hospital de los Inocentes, Gran Cúpula de Santa María del Fiore, Palacio Pitti*—. Michelozzo Michelozzi (1396-1472)—fachada de *San Agustín en Montepulciano, Claustro y biblioteca del Convento de San Marcos, Palacio Ricardi*—. Giuliano da Majano (1432-1490)—*Porta Capuana* de Nápoles, *Catedral de Faenza*—. Benedeto da Majano (1442-1497)—*Palacio Strozzi* de Florencia—. Giuliano da Sangallo (1445-1516)—*Santa María delle Carceri,* en Prato, *Palacio Gondi*—. León Battista Alberti

R

(1404-1472), considerado, justamente, como el restaurador de la Arquitectura en Italia, por sus trabajos en Florencia, Roma, Mantua y Rímini, y por sus admirables escritos teóricos; fue pintor, escultor, arquitecto, músico, poeta, filósofo, mecánico, matemático... De sus obras arquitectónicas sobresalen: el *templo de Malatesta* en Rímini, *San Andrés* de Mantua, *Santa María Novella, Palacio Rucellai*... De sus obras técnicas: *De pictura, De re aedificatoria, De componenda statua, Della traquillitá dell animo*... Bernardo Gambarelli (1409-1464) "el Rosselino" —*Palacios Piccolomini* en Siena y Pienza—. Agostino di Duccio (1418-1498)—*Iglesia de San Bernardino* en Perugia—. Francesco Laurana (1420-1479)—*Arco de Alfonso V de Aragón* en Nápoles, *Palacio ducal* de Pésaro, ampliación del *Palacio Urbino*.

En la Lombardía trabajaron: Antonio Averlino Filareto (m. 1469)—*Hospital* de Milán, planos de la *Catedral de Bérgamo* y autor del curioso libro *Trattato di architettura*—. Mantegazza y Giovanni Amadeo u Omodeo (1477-1522) —*fachada de la Cartuja de Pavía,* una de las obras fundamentales del renacimiento—. En Venecia trabajaron Pietro Lombardo y sus hijos Antonio y Tulio, siendo obras de aquel la *Iglesia de Santa María del Milagro* y el *Palacio Vendramin-Calergi.*

Entre los arquitectos del Cinquecento destacaron: Donato di Angelo Bramante (1444-1514), nació cerca de Urbino y trabajó en Florencia, Milán y Roma. Estuvo al servicio de Ludovico "el Moro", y fue el arquitecto representativo de la transición al Cinquecento. En Milán y sus alrededores construyó: *Santa María de San Sátiro, Pórtico de San Ambrosio, Santa María de las Gracias, Monasterio de San Ambrosio, Iglesia de Abbiategrasso;* en Roma: el *claustro de Santa María de la Paz,* la *casa llamada de Rafael,* el *Palacio de San Blas, reconstrucción de San Pedro* y la reorganización del *Vaticano.* Baldassare Peruzzi (1481-1536), discípulo de Bramante, autor de la *Farnesina.* Antonio da Sangallo "el Joven" (1483-1546), en 1515 inició el *Palacio Farnesio,* y en 1520 se encargó de las obras de *San Pedro.* Michelangelo Buonarroti (1475-1564), escultor, pintor, arquitecto y poeta; como arquitecto, sus obras fundamentales son: la continuación de las obras de *San Pedro* y la terminación del *Palacio Farnesio* en Roma. Iacopo Barozzi, Il Vignola (1507-1573), autor del tratado *Regole dei Cinque ordini dell'architettura civile;* como arquitecto fueron sus mejores obras: *Iglesia del Gesú,* en Roma, *Villa Caprarola.* Iacopo Tatti, Il Sansovino (1477-1770), quien, en Venecia, construyó el *Palacio Corner,* la *Librería de San Marcos* y la *Loggetta.* Andrea Palladio (1508-1580), constructor de la *Basílica de Vicenza, Villa Capra, Loggia del Capitano* y las *Iglesias de San-Giorgio-Maggiore* y del *Redentor* en Venecia.

II. *Pintura renacentista italiana.*—Como la Arquitectura y la Escultura, nació—siglo XV—en Florencia. Tuvo como características esenciales: la aceptación de la pintura al óleo—antes pintábase al temple—introducida en Florencia por Domenico Veneziano, o Antonello de Mesina, o el propio Rogerio Van de Weyden, que estuvo en Italia por esta época; la amplia composición mural que excluía el excesivo detallismo de la pintura flamenca; la elección del hombre como tema esencial, a la que contribuyó el concepto humanista del Renacimiento florentino.

En Italia, durante el Quattrocento hubo varias escuelas pictóricas: Florencia, Siena, Umbría, Padua y Venecia.

En la escuela florentina sobresalieron: Lorenzo Mónaco (1370-1425), el dominico Fra Giovanni da Fiésole o Fra Angélico (1387-1455), Masolino (1383-1447), Tommasso di Ser Giovanni, Il Masaccio (1401-1429), Paolo Ucello (1396-1475), Fra Filippo Lippi (1406-1469), Andrea del Castagno (1423-1457), Pietro de la Francesca (1416-1492), Antonio Pallaiolo, Andrea di Lione, Il Verrocchio (1436-1488), Luca Signorelli (1441-1523), Benozzo Gozzoli (1420-1498), Alessandro Filippepi Botticelli (1445-1510), Domenico Bigordi il Ghirlandaio (1449-1494), Fillippino Lippi (1457-1504), hijo de Fra Fillippo Lippi.

En la "escuela de Siena": Il Sassetta (1392-1450), Sano di Pietro (1406-1481), Matteo di Giovanni (1435-1495).

En la "escuela de Umbría": Gentile da Fabriano (1360-1428), Pietro Vannucci, il Perugino (1446-1524), Bernardo di Betto, il Pinturicchio (1454-1513).

En la "escuela de Padua": Andrea Mantegna (1431-1506).

En la "escuela veneciana": Antonio Pisano, il Pisanello (1398-1450), Gentile da Fabrino (1408-1441), Gentile Bellini (1429-1507), Giovanni Bellini, il Giambellino (1430-1516), Vittore Carpaccio (m. 1522).

Durante el Cinquecento, el centro de la pintura se desplaza—como el de la arquitectura—de Florencia a Roma, siendo los más admirables cinquecentistas: Leonardo da Vinci (1452-1519), Michelangelo Buonarroti (1475-1564), Rafael da Sanzio (1483-1520), Antonio Allegri, il Corregio (1489-1534).

Entre los discípulos de los mencionados grandes maestros, y a los que se llamó *manieristas,* por limitarse a seguir las enseñanzas de aquellos o imitarlos servilmente, se encuentran: Fra Bartolomeo della Porta (1475-1517), Bernardino Luini (1490-1532), Andrea del Sarto (1486-1531), Jacobo Carucci, il Pantormo (1494-1555), Angelo Allori, il Bronzino (1502-1572), Giovanni Antonio Bazzi, il Sodoma (1477-1549), Francesco Mazzola, il Parmigiano (1503-1540), Federico Flori, il Barocci (1528-1613).

III. *La escultura renacentista italiana.*—Tuvo su cuna en Florencia y fueron sus bases fundamentales: la inspiración directa en las obras clásicas y el naturalismo gótico del siglo XV. El mármol y el bronce fueron los materiales preferidos, y como temas, los retratos.

Escultores famosos son: Lorenzo Ghiberti (1378-1455), Iacopo della Quercia (1374-1438), Filippo Bruneleschi (1377-1446), Donato di Niccolo di Betto Bardi, il Donatello (1386-1466), Luca della Robbia (1400-1482) y sus descendientes Andrea y Giovanni della Robbia; Andrea del Verrocchio (1435-1488), Antonio Pollaiuolo (1432-1498), Agostino di Duccio (1418-1481), Desiderio da Settignano (1428-1464), Bernardo y Antonio Rossellino, Benedetto da Majano (1442-1497), Mino da Fiésole (1431-1484), Matteo Civitali (1436-1501), Michelangelo Buonarroti (1475-1564), Andrea Contucci da Monte San Savino, il Sansovino (1450-1529), Iacopo Tatti (1486-1570), Baccio Bandinelli (1488-1560). Bartolomeo Ammannati (1511-1592), Antonio Begarelli (murió en 1523), Alessandro Vittoria (1525-¿?), Guglielmo della Porta (m. 1577), Giovanni da Nola (m. 1588), Benvenuto Cellini (1500-1571), Jean Boulogne, il Giambologna (1524-1608).

b) *Renacentismo artístico en España.*—I. *La arquitectura renacentista española.*—Se introdujo en nuestra patria la influencia renacentista italiana a fines del siglo XV. Y fueron arquitectos famosos: Lorenzo Vázquez, quien, al erigir (1487-1491) el *Colegio de Santa Cruz,* de Valladolid, introdujo el renacimiento arquitectónico en España; otras obras suyas: *Palacio de Cogolludo, Patio del Instituto de Guadalajara.* Pedro Gumiel, de Alcalá de Henares, trazó y ejecutó la obra de la *Iglesia Magistral* y la del *Colegio Mayor de San Ildefonso,* de su ciudad natal, y la *Sala Capitular* de la catedral de Toledo. Vasco de Zarza introdujo en Avila el renacentismo con el *trascoro de la Catedral.* Juan de Alava (muerto 1537)—*Capilla mayor* de la Catedral de Plasencia, *Iglesia de San Agustín* en Salamanca, *fachada* del convento dominico de *San Esteban*—. Diego de Riaño (m. 1534)—fachada del *Ayuntamiento de Sevilla* y *Sacristía de la Catedral sevillana*—. Alonso de Covarrubias (m. 1570)—*patios* del *Palacio Arzobispal de Alcalá de Henares* y del *Hospital de la Cruz de Toledo, Capilla de los Reyes Nuevos* en la Catedral y la *portada de San Clemente, fachada* del Alcázar y *Puerta Nueva de Bisagra*—. Rodrigo Gil de Hontañón (¿1500?-1577)—*fachada de la Universidad de Alcalá de Henares, Palacio de Monterrey,* en Salamanca—. Juan de Vallejo—reconstrucción del *cimborrio de la Catedral de Salamanca*—. Pedro Machuca (¿1480-1550?)—*Palacio de Carlos V* en la Alhambra de Granada—. Diego de Siloé (¿1490-1563?)—*escalera dorada* de la Catedral burgalesa, la *torre de Santa María del Campo,* continuación de la *Catedral de Granada,* empezada por Egas—. Andrés Vandaelvira (1500-1577)—*Catedral de Jaén, Hospital y Capilla de Santiago,* en Ubeda; *Iglesia de Villacarrillo, Monasterio de Uclés* (parcialmente) y *Catedral de Baeza,* que no llegó a terminar—. Hernán Ruiz (murió en 1583)—*puente de Benamejí* sobre el Guadalquivir, *remate renacentista de la Giralda, Hospital de la Sangre y su iglesia,* de Sevilla—. También trabajó en España el alemán Francisco de Colonia—*puerta de la Pellejería* de la Catedral de Burgos.

La arquitectura renacentista española se fue impurificando al mezclarse con el ojival decadente y el mudéjar, dando así lugar al *estilo plateresco,* llamado así por haberlo adoptado primeramente en orfebrería los plateros, y que añadió al renacentista una caprichosa y minuciosa ornamentación.

Pero durante el reinado de Felipe II la arquitectura española tomó un matiz especial, llamado *estilo severo,* debido a los arquitectos del monarca Juan Bautista de Toledo y Juan de Herrera, matemáticos más aún que artistas, a cuya escuela renacentista rigurosa pertenecieron Villalpando, Vega, Vergara y Gómez de Mora. El carácter de todas las obras de estos artistas—*Monasterio de El Escorial, Catedral de Valladolid, Catedral de Jaén, Audiencia de Granada, Santa Cruz de Rioseco...*—es la grandiosidad en las medidas, la sencillez y uniformidad en las líneas y la severidad en los adornos, guardando, por lo demás, bastante ajustamiento a los patrones clásicos en las formas de los miembros arquitectónicos, aunque no en sus dimensiones y distancias proporcionales.

II. *La pintura renacentista española.*—Puede quedar dividida en dos períodos: 1.º *Italianismo*—aun con escasa mitología, casi ningún desnudo femenino y predominio casi absoluto del tema religioso—y 2.º *Filipismo* o pintura sobre la que influyeron el temperamento y las obras arquitectónicas del gran monarca Felipe II. Si en el *italianismo* aún pueden encontrarse las fórmulas y los procedimientos "claros y alegres" de los maestros florentinos, en el *filipismo* no se encontrarán sino temas hondos, formas severas, tintas discretas, dibujos precisos.

Al *italianismo* pertenecen: Hernando Llanos (m. ¿1526?), Juan Vicente Masip (¿1490-1548?), Vicente Juan Masip, más conocido por Juan de Juanes (¿1523?-1579), Juan de Pereda (¿1505-1551?), Juan de Borgoña (... 1494-1554), Juan Correa de Vivar (m. en 1554), Blas de Prado (m. ¿1602?), Francisco Comontes. (m. 1565), Pedro Machuca (m. 1550), Alonso de Berruguete (1490-1561), Luis de Vargas (1502-1568), Pablo de Céspedes (1548-1608), Gaspar Becerra (1520-1570), Antonio de Alfián (...1542-1587...), Pedro Villegas Marmolejo (¿1520-15¿77?), Antonio Mohedano (1560-1625), Alonso Vázquez (¿1560-1635?), Luis de Morales (¿1500?-1586).

Al *filipismo* corresponden los *pintores de El Escorial* y los *retratistas.* De estos sobresalen: Alonso Sánchez Coello (1531-1588) y Juan Pantoja de la Cruz (m. 1608). De aquellos: Juan Fernández de Navarrete, el *Mudo* (¿1502?-1579), Diego de Urbina (m. 1593), Luis de Carvajal (1534-1607), Alonso Sánchez Coello (1531-1588), Miguel Barroso (1538-1590).

En El Escorial trabajaron los italianos Rómulo Cincinato, Patricio Caxés, Lucas Cambiaso, Federico Zuccaro, Peregrino Tibaldi.

Y una figura excepcional como reacción expresionista contra el manierismo: Domenico Theotocópulos, el *Greco* (1541-1614).

III. *La escultura renacentista española.*—Posiblemente, el renacimiento escultórico no llegó a España desde Italia, como habían llegado la arquitectura y la pintura, sino indirectamente a través del llamado renacimiento del Norte, continuación del predominio flamenco logrado en el siglo XV.

Escultores insignes renacentistas fueron: Gil Morlanes el *Viejo,* Damián Forment (¿1481?-1543) y sus continuadores Gil Morlanes el *Joven,* Juan Moreto, Gabriel Joly, Juan de Salas y Martín de Tudela; Vasco de la Zarza (m. 1524); Felipe Bigarny, de Borgoña, que trabajó en España desde 1498, muriendo en 1543; Juan de Balmaseda, Bartolomé Ordóñez (m. 1520), Diego Siloé (m. 1563), Alonso Berruguete (1490-1561), Juan de Juni (1507-1577), León y Pompeyo Leoni y Juan Bautista Monegro (m. 1621), (que trabajaron para El Escorial); Bautista Vázquez, Gaspar Becerra (1520-1570), Esteban Jordán, Juan de Ancheta, Diego de Pesquera (m. 1580), Diego Velasco y Jerónimo Hernández.

También trabajaron en España los escultores renacentistas italianos: Julián Florentino—*trascoro* de la Catedral de Valencia, 1524—, Domenico de Alexandre Fancelli (m. 1518), Juan de Nola—*sepulcro del virrey Cardona,* en Bellpuig, 1531; Pedro Torrigiano, de Florencia.

c) *Renacimiento artístico en Francia.*—Se inicia con la llegada a Francia de artistas italianos como Fra Giacondo de Verona. Dominico de Cortona, Marcolino da Brescia y otros muchos, a quienes se encarga la restauración de castillos y palacios como los de Gaillon y Amboise.

I. *Arquitectura renacentista francesa.*—Tuvo sus tres artistas más caracterizados en Pierre Lescot (1510-1570)—*fachada del Louvre*—; Philiber Delorme (1510-1578)—*Castillo de Anet,* proyecto e inicio de las *Tullerías, sepulcro de Francisco I* en Saint-Denis—; Jean Bullant (¿1512?-1578) —parte de las *Tullerías*—. También fue un gran arquitecto Jean Goujon, que intervino en las obras del Louvre, principalmente en su parte decorativa.

II. *La pintura renacentista en Francia.*—Se inicia en la segunda mitad del siglo XV—con pequeños detalles—y triunfa en los primeros años del siglo XVI. Y fueron italianos los creadores de la "escuela de Fontainebleau", de la que fue alma el francés Jean Cousin (1490-1560) —*Juicio Final,* en el Louvre.

La influencia renacentista flamenca la delatan artistas como Jean Clouet, nacido en Bélgica y establecido en París hacia 1540, pintor de cámara de Francisco I; François Clouet, llamado Janet (1519-1572), hijo del anterior, pintor de cámara y dibujante excepcional, y Corneille de Lyón, Quesnel, Demoustier.

III. *La escultura renacentista en Francia.*—Tuvo su origen en las expediciones de Carlos VIII a Italia, de las que se trajo a numerosos artistas, como Guido Mazzoni, Giovanni Giusti, Battista di Jacopo, il *Rosso*... También enseñaron en Francia el boloñés Francesco Primatticcio, Benvenuto Cellini...

Escultores franceses importantes fueron: Michel Colombe, Pierre Bontemps (1505-1568), Jean Goujon (¿1510?-1568), Germain Pilon (1535-1590), Ligier Richier (1502-1567).

d) *El renacimiento artístico alemán.*—Se ha dicho que "el arte italiano soñó en la belleza y realizó su sueño; que el arte flamenco enamoróse de la verdad y casi llegó a igualar la Naturaleza, y que el arte alemán solo por excepción alcanzó la belleza y la verdad, pero supo expresar con una fidelidad absoluta, en ocasiones brutal, el carácter alemán en vísperas de la Reforma y ya pasada esta".

Los primeros escultores renacentistas alemanes tuvieron como influencias: las formas plásticas venecianas, las obras de Durero y de otros grabadores de comienzos del siglo XVI.

El arte alemán por excelencia fue la escultura en madera, que ilustraron Jorge Syrlin (m. 1491), Veit Stoss (m. 1533) y Adán Krafft (m. 1508). En Nuremberg se inició la escultura renacentista merced a las obras de Peter Vischer (1460-1529) y de sus hijos Hermann y Peter. Destacan también en este período: Peter Flotner y Adolfo y Hans Dauher.

La pintura y el grabado renacentistas ofrecen nombres mucho más admirables: Alberto Durero (1471-1528), Hans Baldung Grien (1480-1545), Mathias Grünelwald (1485-1530), Hans Holbein el *Joven* (1497-1543), Albrecht Altdorfer (1480-1538), Lucas Cranach (1472-1553), Hans de Kulmbach, Bartolomé Bruyn, Ch. Amberger.

e) *El renacimiento artístico en los Países Bajos.*—Fue introducida la arquitectura por el francés Guyot de Beauregard, quien construyó en Malinas el *Palacio de Margarita de Austria.* Un arquitecto indígena, Cornelis Floris de Vriendt, construyó el *Ayuntamiento de Amberes.*

Escultores: Conrad Meit, Jean Dubroecq (1505-1584), Jean Mone (entre 1510 y 1580), Juan Terwen Aertsz, Cornelis Floris van Vriendt (1514-1575).

Pintores: Quentin Metsys (¿1466?-1530), Joachim Patinir (¿1480?-1520), Lucas de Leyden (1494-1533), Jan Mostaert (¿1475-1556?), Jan Gossart Mabuse (¿1478-1535?), Bernard van Orley (¿1495?-1542), Pierre Bruegel el *Viejo* (¿1525?-1569), Pierre Balten, Jan Verbbeek, Franck Floris de Vriendt (1516-1570), Jerónimo van Aken el *Bosco* (¿1460?-1516).

f) *El renacentismo artístico inglés.*—La arquitectura renacentista se introdujo en Inglaterra durante el reinado de Enrique VIII. Pero se introdujo *tímidamente,* ya que no logró sino imponer los motivos ornamentales del Quattrocento italiano a la estructura gótica.

Tampoco tuvo gran importancia la escultura renacentista inglesa; a que la tuviera se opusieron la furia iconoclasta del puritanismo y la resistencia del nórdico a aceptar las formas del renacimiento. Sin embargo, en Inglaterra trabajaron numerosos artistas italianos, entre ellos Pietro Torrigiano (1472-1528), que dejó en la Abadía de Westminster las obras maestras de las *tumbas de Enrique VII y de su madre Margaret, condesa de Richmond.*

V. PFANDL, Ludwig: *Historia de la Literatura nacional española en la Edad de Oro.* Barcelona, Gili, 1933.—PFANDL, Ludwig: *Cultura y costumbres del pueblo español de los siglos XVI y XVII.* Barcelona, 1929.—BELL, Aubry: *Notes on Spanish Renaissance.* En "Rev. Hispanique", 1930, LXXX, 321-652.—COURAJOD, Louis: *Les véritables origines de la Renaissance.* París, 1888.—GEBHART, E.: *Les origines de la Renaissance en Italie.* París, 1879.—BURCKHARDT, J.: *Die Kultur der Renna'ssance in Italien.* Leipzig, 1885.—TAINE, H.: *Philosophie de l'art.*—GEIGER: *Rennaissance und Humanismus...* Berlín, 1907.—MÜNTZ, E.: *Les précurseurs de la Rennaissance.* París, 1908, 5.ª ed.—MÜNTZ, E.: *Histoire de l'art pendant la Rennaissance en Italie.* Tres tomos. París, 1889-1895.—PIJOÁN, José: *Suma Artis. Historia general del arte.* Madrid, Espasa-Calpe, tomos XIII y XIV.—WOERMANN, Karl: *Historia del arte.* Madrid, 1924, tomo IV.

REPERCUSIÓN (V. Figuras de palabra)

Sinónimo de *antanaclasis.* Repetición de una palabra en sentido contrario al que antes se le dio.

> Viéndote (vivir) como vives, te diré que eso no es (vivir).

REPERTORIO

1. Libro abreviado o prontuario en que sucintamente se hace mención de cosas notables, clasificadas por orden alfabético, cronológico o, según la analogía de los asuntos, refiriéndose y remitiéndose a lo que expresa más latamente o con toda extensión en otros escritos.

2. Especie de manual o índice ligeramente orientador sobre motivos de mayor examen de obras aludidas.

3. Recopilación o colección de obras o de noticias de una misma clase.

4. Nomenclatura de las obras que forman el fondo ordinario de un teatro.

5. Nomenclatura de las obras que deben ser representadas en un teatro durante una temporada.

6. Nomenclatura de los *papeles* aprendidos y desempeñados por una actriz o por un actor.

REPETICIÓN (V. Figuras de palabra)

Figura de estilo, que consiste en el uso repetido de las mismas palabras, de los mismos tonos, de los mismos pensamientos, para dar a la frase más elegancia y fuerza.

La *repetición* puede no tener más objeto que llamar la atención; pero más frecuentemente se emplea para dar al estilo más vivacidad, fuerza y sugestión: Así, dice Virgilio:

> *Me, me adsum qui feci...;*

y Horacio:

> *Quo, quo, scelesti, recitis?;*

y Ovidio:

> *(Flebile) nescio quid queritur lyra; (flebile) lingua murmurat exanimis, respondent (flebile) ripae.*

Los retóricos han distinguido con nombres diversos algunas especies de *repetición.*

Anáfora, cuando la misma palabra se encuentra al principio de varios miembros de una frase:

> *(Te), dulcis conjux; (te) solo in littore secum;*
> *(Te), veniente die; (te), decedente, canebat...*
>
> (VIRGILIO.)

Anadiplosa, cuando la palabra final de un verso se repite al principio del verso siguiente:

> *...Sequitur pulcherrimus (astur),*
> *(Astur) equo fidens...*
>
> (VIRGILIO.)

Antístrofa, cuando la repetición de una palabra tiene lugar al final de varios miembros consecutivos en una misma frase.

> Todo el Universo está lleno *del espíritu del mundo;* se juzga *según el espíritu del mundo;* se obra y se gobierna *según el espíriu del mundo;* ¿qué más diré?, hasta se quiere servir a Dios *según el espíritu del mundo.* (BOURDALOUE.)

Puede suceder que en una misma frase o estrofa haya *anáfora* y *antístrofa.*

> *¿Quién* es el autor de la ley? *Rulo. ¿Quién* ha privado del sufragio a la mayor parte del pueblo romano? *Rulo. ¿Quién* ha presidido los comicios? *Rulo.* (CICERÓN.)

Finalmente, la *repetición* que consiste en multiplicar las partículas conjuntivas ha sido llamada *conjunción.*

> Un tonto *ni* entra, *ni* sale, *ni* se sienta, *ni* se levanta, *ni* se calla, *ni* está en pie como una persona normal.

R

Se degüella a los niños, *y* a los ancianos, *y* a las mujeres, *y* a los impedidos...

En el refranero español abundan los ejemplos de *repetición* con un valor excepcional.

Burlas de manos, *burlas* de villanos.
Hijo sin dolor, *hijo* sin amor.
Ira de hermanos, *ira* de diablos.
Mucho hablar, *mucho* errar.
O errar, *o* quitar el banco.
Cuando yunque, sufre; *cuando* mazo, tunde.

RÉPLICA

1. Parte del discurso en la que el orador contesta los argumentos de la parte contraria y los refuta. (V. *Refutación.*)
2. Ultima frase o palabra de un diálogo teatral.

REPORTER o REPORTERO

1. Periodista.
2. Informador.
3. El escritor que está encargado en un periódico de recoger las noticias interesantes, de primerísima actualidad, que se dan en diversos lugares de una localidad: reuniones políticas, espectáculos, deportes, desgracias, crímenes, sesiones de Cortes o de Tribunales, etc., etc.
4. Escritor enviado por un periódico a recoger, *de primera mano,* las impresiones sensacionales de acontecimientos de trascendencia mundial: guerras, paces, conferencias, etcétera, etcétera.

REPRESENTACIONISMO

Nombre dado por algunos filósofos al *idealismo* (V.) extremado, que afirma de todo ser meramente una representación o un producto subjetivo de la actividad de la conciencia.

REPRESENTANTE

Nombre dado a los actores en el Siglo de Oro.

REPRISE

Voz francesa, admitida en el género teatral. Equivale a reestreno, a nueva representación de una obra escénica.

REPUBLICANISMO

Sistema político que proclama la forma republicana para el gobierno de un Estado.

El republicanismo exige: que el Poder resida en el pueblo; que el pueblo esté representado por un jefe supremo, llamado presidente; que a tal personificación se llegue mediante un procedimiento electivo; que la suprema magistratura sea, necesariamente, temporal y responsable. El republicanismo se basa, en primer lugar, en el ejercicio de la soberanía, y, después, en la personificación de este Poder supremo. De estos dos conceptos, el primero es de índole sustancial.

Desde la más remota antigüedad, el republicanismo fue el sistema político opuesto al *monarquismo.* La razón, por su parte, no halla otro fundamento que el que distingue aquellas formas—monarquía y poliarquía—según que la autoridad resida en persona física o en persona moral, es decir, en un individuo o en una comunidad o entidad colectiva, en la cual tengan todos los miembros los mismos derechos gubernativos, legalmente al menos.

Algunos autores no han reconocido sino dos tipos de Estado: la monarquía y la república. Existe la primera cuando varias personas se reunen en torno de una de mayor poder; y la segunda, cuando cierto número de personas, igualmente poderosas e idóneas, se conciertan y llevan tras de sí el apoyo de los individuos inferiores por menos capaces o capacitados. Los dos tipos de Estado son naturales; la aparición de cada uno depende de las condiciones que predominen en la distribución de la riqueza y poder. La monarquía se distingue por su mayor eficacia y duración, y tiene su origen, comúnmente, en la riqueza territorial, en los triunfos militares, en la supremacía espiritual. En la monarquía, el rey no tiene más restricciones que las que le imponen la ley moral, que algunos tratadistas identifican con la ley de Dios.

El republicanismo puede ser *democrático, teocrático, militar, tecnocrático, directo, representativo, parlamentario, presidencial, directorial, unitario, federativo...*

El republicanismo *directo* exige que el pueblo soberano llene la función legislativa; mientras el *representativo* es partidario de la división de poderes y del equilibrio de los mismos, preconizando que en la separación de las competencias del *demos* y de las autoridades está el único medio de garantizar las normas del Derecho político en la realidad de la vida del Estado.

El republicanismo *parlamentario* aboga por la colaboración de los dos órganos—Gobierno y Parlamento—en todas las funciones del Estado, y por que ejerzan el uno sobre el otro una acción recíproca.

El republicanismo *presidencialista* tiene como fórmula esencial esta: *el Poder ejecutivo es independiente de las Cámaras,* y su tipo más saliente es el de los Estados Unidos.

El republicanismo *directorial* defiende el poder soberano de las Asambleas, es decir, del poder legislativo. Tal es el caso de Suiza. Su Asamblea federal, que simboliza la democracia suiza, tiene como su agente un directorio llamado *Consejo federal,* formado por personas técnicas más que políticas.

El republicanismo *unitario* busca una soberanía no compartida ni delegada en organismos inferiores dentro del Estado, centralizando los poderes y las funciones.

El republicanismo *federal* busca el concierto

de Estados dentro de una soberanía, sin que aquellos pierdan la suya por completo.

En Grecia, el republicanismo sustituyó al monarquismo al darse aquel dualismo fundamental en su historia: de un lado, los dorios y Esparta, en el Peloponeso; de otro, los jonios y Atenas, en la Hélade. Esparta fue una república aristocrática que escindió el poder entre un Senado aristocrático—*Gerusia*—y una Asamblea popular—*Agora*—. Atenas fue una república democrática. En Roma, el republicanismo implantó, primero, la República aristocrática, sustituyendo los reyes con los cónsules y permitiendo que los patricios se adueñaran de todo cuanto en la vida pública y privada pudiera tener trascendencia. Pero con la retirada de los plebeyos al monte Aventino, la República se democratiza, y el tribuno plebeyo acaba por absorber los poderes que anteriormente acapararon los cónsules.

Durante la Edad Media, el republicanismo triunfó exclusivamente en Italia, donde repúblicas fueron Venecia, Génova, Pisa, Milán, Pavía, Florencia, Saboya, Piamonte... Repúblicas de marcadísima tendencia aristocrática, y aun alguna, como Venecia, francamente oligárquica.

En la Edad Moderna el republicanismo alcanza su máximo poder y su máxima significación con la Revolución francesa de 1789. Desde esta fecha ha ido ganando grandes batallas a la monarquía, hasta el punto de que hoy son escasísimas las monarquías que restan en el mundo, y aun estas amenazan desaparecer.

V. Posada, Adolfo: *Tratado de Derecho político.* Madrid, 1916.—Burgess: *Ciencia política.* Traducción castellana. Madrid, "La España Moderna".—Pi y Margall, F.: *Las nacionalidades.* Madrid, 1882.—Vacherot: *La Démocratie libérale.* París, 1892.—Miceli, Vicente: *Principii di Diritto costituzionale.* Milán, 1913.—Campagnole: *La Démocratie représentative.* París, 1914.—Racioppi, F.: *Forme di Stato...* Roma, 1898.

RESIPISCENCIA

Figura retórica, que consiste en corregirse el orador de algo que ha dicho. "*Donde dije digo, digo Diego*"; esta expresión vulgar define claramente la *resipiscencia.*

RESONANCIA (V. Consonancia)

1. Eco. Imagen. Recuerdo.
2. Asonancia y consonancia de las palabras.

RESTAURACIÓN

Reconstituir las partes destruidas o perdidas de los escritos de un autor.

RESTITUCIÓN

En literatura se llama así al restablecimiento de un texto en su primitivo estado.

RESUMEN

1. Sinónimo de extracto, compendio, epítome.
2. Recopilación de discursos, sucesos, etcétera, según un caso especial.

RETICENCIA (V. Figuras de pensamiento)

Es una figura retórica, y algunas veces un medio oratorio, que consiste en empezar una frase o apuntar alguna especie a fin de que se comprenda y alarme en cierto modo más o menos, sin llegar a declararla en todo punto, quedando a medio hablar en tal materia con estudiado disimulo.

Las pasiones del alma originan la *reticencia,* la cual nos da a entender el sentido de lo que no se dice y a veces mucho más de lo que se calla. Como figura retórica, expresa perfectamente todo lo que hay de tumultuoso, de desordenado en la cólera, en la indignación, en la amenaza; pinta la agitación del hombre que en un principio se deja arrebatar y no mide sus palabras, y después se detiene por temor de decir demasiado; pero esto no es más que un artificio calculado.

Se hace uso de la reticencia cuando se quiere hacer sospechar una cosa sin decirla expresamente. Ante la reticencia, la imaginación va mucho más allá que la palabra.

La reticencia entre los romanos correspondió a la ἀποσιώπησις de los griegos, y se llamó también *obtitencia* por Celso, *praecisio* por Erenio, e *interruptio* por otros.

Pero existe otra clase de *reticencia* que nace de un puro sentimiento artístico; como cuando un orador quiere terminar con *un silencio oportuno y grandioso* la descripción que iba haciendo de un objeto inconmensurable e infinito.

¿Quién puede
sobre la cuera y enmallada cota
vestir ya el duro y centellante peto?
¿Quién enristrar la poderosa lanza?
¿Quién...? ¡Vuelve, oh fiero berberisco, vuelve,
y otra vez corre desde Calpe al Deva!

(Jovellanos.)

RETÓRICA

Retórica es *el arte de bien decir.* En la antigüedad no era sino lo apuntado, según la definieron los primeros preceptistas: Platón, Aristóteles, Cicerón, Horacio, Quintiliano. Es decir, era una *reglamentación de la oratoria.* Su etimología incluye la idea fundamental de referirse puramente a la *palabra hablada.*

Si la Gramática fue el *ars bene loquendi,* la Retórica fue el *ars bene dicendi.*

Posteriormente, a fines de la Edad Media, la Retórica fue unida a la Poética, "ciencia o arte de la poesía"; y las dos formaron la *Preceptiva literaria.* Y en la Preceptiva se comprendían no solo las reglas de la oratoria y de la poesía, sino todo lo referente a la *técnica literaria.*

Precisando más. La Retórica no es el arte mismo de bien decir, sino la *teoría* de este arte, el conjunto de reglas que nos enseñan lo que debemos hacer y lo que debemos evitar para conseguir el fin que nos proponemos por medio de la palabra.

El uso abusivo de las reglas retóricas ha dado lugar a que hoy se califique *retórica pura* la abundancia de palabras y sofisterías empleadas para engañar o excusarse de algo. Y se dice: *todo esto es retórica pura* al tratar de un orador que disimula con una abundancia abusiva de palabras sonoras la ausencia de ideas *con sustancia*.

Con acierto indudable ha escrito el profesor González Garbín: "Hasta poco después de la guerra del Peloponeso, Grecia no empleó otro medio que la palabra para expresar y difundir las concepciones de la inteligencia. La escena, la tribuna y el foro eran lo que son aún, lugares donde el orador y el poeta comunicaban verbalmente sus ideas y sus impresiones a los conciudadanos allí reunidos. Pero el uso de la palabra hablada, como manifestación del pensamiento literario, no se limitaba a esto: la poesía épica, la elegía, la oda, la historia misma, se cantaban y se recitaban en las calles y en las plazas, en los juegos de Olimpia y de Nemea. Hasta la filosofía presentaba sus doctrinas bajo la forma dramática del diálogo: el lugar de la escena era un pórtico, un paseo, un jardín, la prisión de Sócrates o el promontorio Sunión.

"Los primeros retóricos griegos pudieron, pues, sin faltar a la etimología, encontrar en el *arte de hablar* todas las reglas del *arte de escribir* (literario). Más tarde, la Filosofía, la Poesía y la Historia se retiraron del dominio de la literatura oral; pero continuaron, sin embargo, los retóricos dando preceptos sobre todos los géneros, comprobándolos con ejemplos de prosistas y poetas.

"Los romanos, más prácticos y positivos, despreciaron cuanto en la llamada Retórica por los griegos consideraron como inútil, vano juego de imaginación; y solamente se ocuparon de aquella parte de la Retórica a la que las instituciones democráticas daban una importancia real en la vida activa y pública, considerando como código único y universal del estilo, y, por consiguiente, como exclusivo objeto de la Retórica, los preceptos de la Elocuencia. La Retórica, para Cicerón y Quintiliano y para todos los retóricos romanos, quedó principalmente reducida al arte oratorio. Con este mismo carácter volvió a aparecer su estudio en la época del Renacimiento, y ha continuado hasta casi nuestra época."

El primer maestro de Retórica de que nos habla la Historia fue Corax de Siracusa—siglo v antes de Cristo—, griego, nacido en Sicilia. Posteriormente, escribieron sobre la Retórica: Platón, en su diálogo *Gorgias;* Aristóteles, en su *Retórica;* Cicerón—*La Retórica a Herennio, De la Invención Retórica, De oratore*—; Marco Séneca, el *Retórico;* Quintiliano—*Instituciones oratorias*—; San Isidoro de Sevilla—*Etimologías*—; Averroes—*Paráfrasis a la "Retórica" de Aristóteles*—; Alfonso X—en la enciclopedia recopilada por su mandato, el *Setenario.*

Modernamente, acaso, es el primer retórico el inglés Hugo Blair, que publicó a fines del siglo XVIII sus *Lecciones de Retórica.*

En España escribieron excelentes tratados de Retórica: Hermosilla, Milá y Fontanals, Coll y Vehí, Revilla, Navarro Ledesma, Méndez Bejarano.

La Retórica de los clásicos comprendía los siguientes tratados:

1.º *De la invención o argumento.*
2.º *Disposición de los argumentos.*
3.º *De las diversas clases de piezas oratorias.* (Civiles, forenses, militares, religiosas.)
4.º *De los poemas mayores.* (Epopeya, tragedia, drama, comedia.)
5.º *De los llamados poemas menores.* (Cuento, epístola, sátira, fábula, apólogo, epigrama, poesía lírica...)
6.º *De la locución y estilo.* (Figuras retóricas de palabra y de pensamiento, tropos...)
7.º *De la pronunciación y del gesto.*

(V. cualquiera de las obras de los autores citados en el texto.)

RETORICISMO

Tendencia literaria a fiar demasiado de las reglas de la Retórica, sometiéndose dócilmente a ellas y aun sacrificándoles los apremios y rebeldías de la fuerza creadora. El retoricismo se reaviva en las épocas de indigencia de inspiración o de indigencia de entusiasmo, y no debe ser considerado como disciplina o ejercicio, sino como *afán estudiado* de encubrir con la expresión frondosa la falta de contenido intelectual o espiritual o un prurito de llamar la atención multiplicando los adornos y flexibilidades del lenguaje en los sentidos directo y figurado. Se ha dicho que si del pensamiento nace la poesía y del habla la retórica, el retoricismo, llevado a su perfección y extremo, sería la suprema expresividad de lo poético, ya que la poesía humana pervive en el lenguaje.

El retoricismo tuvo insignes representantes en todos los tiempos. Sí conviene advertir que no debe creerse que el retoricismo es una *fórmula literaria culta* y que únicamente en lo popular hállanse la sencillez y la naturalidad. Archipopulares fueron Gonzalo de Berceo y el Arcipreste de Hita, y, sin embargo, sus obras presentan todos los síntomas del retoricismo. Nadie puede negar la hondura y la sutileza de Santa Teresa de Jesús o de San Juan de la Cruz, y, no obstante, de su poesía quedan excluidos la retórica y el énfasis.

El peligro del retoricismo está en que suele ocultar casi siempre la falta de inspiración creadora o de gracia espiritual. Unicamente quienes no son auténticos poetas, auténticos pensadores, usan de la retórica a tontas y a locas, sin esperar inspiración ninguna, sin sentirse dentro de un "clima propicio", escribiendo o hablando porque sí o por razones que escapan a una necesidad espiritual. (V. *Retórica.*)

RETÓRICO

1. Competente en Retórica.
2. Fecundo en metáforas brillantes y en otras figuras retóricas.
3. Muy abusivamente fecundo en palabrería artificiosa y carente de hondura ideológica.

RETORSIÓN

Figura retórica, que consiste en volver contra uno las mismas razones propuestas por él.

RETRATO

En literatura se denomina así la descripción de una figura o de un carácter, es decir, de las cualidades físicas o morales de una persona.

Miguel de Cervantes trazó incomparablemente su autorretrato:

> Este que veis aquí, de rostro aguileño, de cabello castaño, frente lisa y desembarazada, de alegres ojos y de nariz corva, aunque bien proporcionada; las barbas de plata, que no ha veinte años que fueron de oro; los bigotes grandes, la boca pequeña, los dientes no crecidos, porque no tiene sino seis, y ésos mal acondicionados y peor puestos, porque no tienen correspondencia los unos con los otros; el cuerpo entre dos extremos, ni grande ni pequeño; la color viva, antes blanca que morena; algo cargado de espaldas y no muy ligero de pies; este, digo, que es el rostro del autor de *La Galatea* y de *Don Quijote de la Mancha*, y del que hizo el *Viaje al Parnaso*, a imitación del de César Caporal Perusino, y otras obras que andan por ahí descarriadas, y, quizá, sin el nombre de su dueño, llámase comúnmente Miguel de Cervantes Saavedra, fue soldado muchos años y cinco y medio cautivo, donde aprendió a tener paciencia en las adversidades; perdió en la batalla naval de Lepanto la mano izquierda de un arcabuzazo, herida que, aunque parece fea, él la tiene por hermosa, por haberla cobrado en la más memorable y alta ocasión que vieron los pasados siglos, ni esperan ver los venideros, militando debajo de las vencedoras banderas del hijo del Rayo de la guerra, Carlos Quinto.

RETRÓGRADOS (Versos)

Llamados también *palindromos* (de πάλιν y δρόμος, marcha atrás).

Son aquellos versos que presentan la misma medida y el mismo sentido leídos al derecho que del revés. Las dos mitades de cada verso se componen de las mismas letras en el orden inverso.

De Sidonio Apolinar es el siguiente ejemplo:

Roma, tibi subito motibus ibit amor.

Pero los versos retrógrados no son estos únicamente, sino también aquellos que, *no por letras*, sino *por palabras*, pueden ser leídos a la inversa con un sentido lógico. Así se ve en el dístico siguiente, atribuido a Policiano, en el cual Abel y Caín hablan de sus sacrificios:

ABEL.—*Sacrum pingue dabo, non macrum sacrificabo.*
CAÍN.—*Sacrificabo macrum, non dabo pingue sacrum.*

En este ejemplo, leído al revés, hay la misma medida y el mismo sentido; pero el verso adquiere un nuevo ritmo y una idea contraria. Forma, eso sí, bajo los dos aspectos, un dístico completo. Pero en otras ocasiones, el dístico formado conserva su mismo ritmo aun cuando se lean, una a una, las palabras a la inversa. Tal sucede en el dístico en que Sidonio Apolinar se alaba de haberse referido a un arroyo henchido por una tormenta:

Praecipiti modo quod decurrit tramite flumen
Tempore consumptum jam cito deficiet.

Leído al revés:

Deficiet cito jam consumptum tempore, flumen
Tramite decurrit quod modo praecipiti.

La invención de los versos retrógrados se atribuye a Sotades, poeta griego del siglo III antes de Cristo. En el siglo XVI se hizo famoso un verso retrógrado. Como *hexámetro*, hacía decir a un católico:

Patrum dicta probo, nec sacris belligerabo.

Y el protestante lo repetía bajo forma de *pentámetro:*

Belligerabo sacris, nec probo dicta patrum.

RETRUÉCANO

El *retruécano* o *conmutación* es una figura retórica, que consiste, por decirlo así, en volver una frase del revés, repitiendo las palabras de que se compone, pero con orden y régimen inversos, y a veces significación contraria:

¿No ha de haber un espíritu valiente?
¿Siempre se ha de (sentir) lo que (se dice)?
¿Nunca se ha de (decir) lo que se (siente)?

(QUEVEDO.)

Yo soy aquel (gentil hombre),
dijo aquel (hombre gentil),
que por un dios adoró
un ceguezuelo ruin.

(GÓNGORA.)

Marqués mío, no te asombre
ría y llore cuando veo
tantos hombres sin empleo,
tantos empleos sin hombre.

(PALAFOX.)

REVISTA (Género teatral)

Piezas *de circunstancias,* de carácter generalmente frívolo y humorístico, en las que se alude —para el comentario burlesco o la sátira—a acontecimientos, disposiciones, modas, modos del momento. Suelen carecer de todo otro argumento. El *hilo* finísimo de un chascarrillo enhebra los distintos cuadros de que la revista se compone. La revista mezcla los diálogos con los *cantables,* y tiene en ella, ciertamente, la música la parte más importante; y de la música depende, en la mayoría de los casos, el éxito o el fracaso de la pieza. También colaboran decisivamente en la revista los decorados, la vestimenta, los juegos de luces...

La revista es un género inferior a la zarzuela. En esta existen un argumento sugestivo, caracteres, pasiones, y la música armoniza la tensión dramática. En la revista, la sustancia está en la *visualidad* y en la *musicalidad.*

La revista es un género teatral muy moderno. Su origen está en la *opereta.*

REVISTA (Literaria)

Publicación periódica, por cuadernos, cuyo contenido se refiere a una materia única (Literatura, Pedagogía, Sociología, Derecho, etcétera) o a varias dispuestas con cierta armonía.

Los temas a tratar en una revista son más permanentes y trascendentales que los recogidos en los periódicos. En la revista, la investigación y el razonamiento se sobreponen a la pasión y a la improvisación. Los escritos de la revista admiten el estilismo expresivo y la máxima profundidad del pensamiento.

En España, las revistas de índole literaria surgen en el siglo XVIII, aun cuando ninguna de ellas lleva el título de revista. La primera publicación que lo lleva es la titulada *Revista Española* (Madrid, 1832-1836) fundada por Carnerero.

En el siglo XVIII fueron muy importantes: *Diario histórico, político, canónico y moral* (Madrid, 1732), *Duende de Madrid* (1735), *Diario de los Literatos* (1737-1742), costeado por Felipe V, copia de la revista famosa *Journal des Savants,* que dirigieron Huerta y Vega, Martínez Salafranca y Leopoldo Jerónimo Puig; *Mercurio de España* (1738-¿1829?), *Correo General Histórico, Literario y Económico de la Europa*—continuación de *La Estafeta de Londres*—(1763), el *Semanario Erudito,* de Valladares (1787-1794), del que aparecieron 34 tomos de más de 250 páginas.

En el siglo XIX: *La Lira de Apolo* (1818), revista musical en cuadernos mensuales; *Miscelánea de Comercio, Arte y Literatura* (1819-1821), dirigida por Javier de Burgos; *La Minerva Nacional* (1820), de José Joaquín de Mora; *Academia de las Musas* (1820), *El Censor,* fundado por León Amarita, y que sumó 17 tomos con 480 páginas, del que fueron redactores Alberto Lista, Gómez Hermosilla y Sebastián Miñano; *El Vapor, El Europeo* (1823-1824), de Barcelona; *Semanario Pintoresco Español,* fundado y dirigido por Mesonero Romanos; el *Semanario Patriótico,* de Quintana; *Cartas Españolas, Revista de Europa* (1846), *Revista Europea* (1848-1849), *Revista Española, política, científica, literaria...* (1852), *La Revista Española* (1832-1836), *El Laberinto, El Español,* (1845), dirigido por Navarro Villoslada; *Revista de Madrid* (1838-1845), fundada por Pedro Pidal y Gervasio Gironella; *No Me Olvides, El Artista*—órgano el más influyente del Romanticismo—, que dirigió Pedro de Madrazo.

La famosa "generación del 98" dispuso de muchas e interesantísimas revistas: *Germinal, Vida Nueva, Alma Española, La Vida Literaria, Helios, La República de las Letras, Revista Nueva, Juventud...*

El siglo XX inicia su importancia literaria con: *Revista Ibérica, Revista Latina, Prometeo, Faro, Europa, Arte Joven*—dirigida por Picasso—, *Vida y Arte, Renacimiento, España Moderna, La Lectura, Nuestro Tiempo...*

En 1915 fundó Ortega y Gasset *España,* y en 1923, *La Revista de Occidente,* interrumpida en 1936, acaso la más importante publicación literaria de lo que va de siglo en España, con "aires" auténticamente europeos. La *Gaceta Literaria* (1927), de Giménez Caballero; *Cruz y Raya* (1934), de José Bergamín; *Cervantes* (1918-1925), que dirigió Cansinos-Asséns...

Entre 1907 y 1936 aparecieron más de cincuenta revistas dedicadas exclusivamente al género novelesco: *El Cuento Semanal, Los Contemporáneos, La Novela Corta, La Novela Semanal, La Novela de Hoy, El Libro Popular, La Novela de Bolsillo, Los Novelistas, El Cuento Nuevo...*

Entre 1921 y 1936 aparecieron importantísimas revistas dedicadas a la nueva poesía: *Grecia, Ultra, Alfar, Carmen, Litoral, Isla, El Gallo, El Caballo Verde, Héroe, Verso y prosa...*

Revistas dedicadas a la erudición literaria: *Revista de Archivos...* (Madrid), *Revista de la Biblioteca, Archivo y Museo* (Madrid), *Revista de Filología Española* (Madrid), *Revista de Filología Hispánica* (Buenos Aires), *Sur* (Buenos Aires), *Nosotros* (Buenos Aires), *Bulletin Hispanique* (Burdeos), *Hispanic Review* (Filadelfia), *Revue Hispanique* (París)...

A partir de 1939 merecen especial interés: *Fantasía, El Español, Escorial, Clavileño, Mundo Hispánico, La Estafeta Literaria, Cuadernos de Literatura Contemporánea, Poesía Española...,* todas ellas de Madrid.

La importancia de la revista ha sido señalada

con una precisión admirable por el gran crítico Guillermo de Torre en *Nosotros,* de Buenos Aires, núm. 67, 1941: "Todo genuino movimiento literario, todo amanecer, todo "crevar de albores"—por decirlo con la imagen matinal de *Mío Cid*—, ha tenido indefectiblemente su primaria exteriorización en las hojas provocativas de alguna revista. Y, recíprocamente, puede volverse la oración por pasiva y afirmar que todo escritor o período sin expresión previa en revistas, no merece ser tomado en cuenta, salvo excepciones. La revista anticipa, presagia, descubre, polemiza. "Las revistas jóvenes son los borradores de la literatura del mañana", dijo Valéry Larbaud con frase feliz. El escritor de revistas es el guerrillero madrugador, el "pioneer" que zapa terrenos intactos. La revista es vitrina y es cartel. El libro ya es, en cierto modo, un ataúd. Quizá más duradero y perfecto, pero menos jugoso y vital. La revista es el laboratorio de nuevas alquimias, o no es nada. El libro es la ecuación resuelta en un ángulo del pizarrón, mientras todo el resto del mismo aparece lleno de fórmulas confusas y signos nerviosos. La revista, finalmente—y como escribió Ortega y Gasset en la primera columna de un auténtico spécimen, en *La Gaceta Literaria*—, tiene una misión placentaria. La revista debe acoger con preferencia los brotes que no siempre llegan a cuajar en libros: lo prematuro, lo íntimo, lo recóndito, los esquemas preformes de la obra."

V. ASENJO, Antonio: *Catálogo de la Hemeroteca Municipal de Madrid.* [Obra importantísima, por recoger todas las revistas españolas publicadas entre 1732 y 1925.]

RIMA

1. Consonancia.
2. Asonancia.

Rima puede definirse como "igualdad o semejanza de las letras de dos versos, a contar desde la última acentuada".

La *rima* es *perfecta* o *consonante* "si hay igualdad de todas las letras, desde la última acentuada", y es *imperfecta* o *asonante* "si la igualdad es únicamente de las vocales, desde la última acentuada".

Según las sílabas concertadas sean una, dos, tres o cuatro, se denominarán *masculina, femenina, dactílica* y *peónica.*

Las rimas de la siguiente composición son *consonantes:*

Recuérdate de mi vida,
pues que viste
mi partir e despedida
ser tan triste

(SANTILLANA.)

Las rimas de la siguiente composición son asonantes:

No digáis que, agotado su tesoro,
de asuntos falta, enmudeció la lira:
podrá no haber poetas, pero siempre
habrá poesía.

(BÉCQUER.)

Preceptistas y filósofos hay que dan a la rima más valor que el puramente musical. "La *rima* no tiene un valor puramente musical, no. La rima posee un gran valor intelectual, y se ha de estimar, sobre todo, por su significación. Krause conviene en esto con nosotros: la *rima* —dice—es signo real del pensamiento, como lo es del sentimiento y ánimo por su elemento musical. En los proverbios se ve palpable la relación entre la homofonía de las palabras y la congruencia de los significados. La *rima* tiene, además, otro papel interesante que desempeñar: en el término sensible del período rítmico, y, una vez percibido, el período no puede continuar." (MÉNDEZ BEJARANO.)

La *rima* propiamente dicha va al final del verso, y se la llama *rima externa;* pero, en ocasiones, se han rimado versos en sus *partes interiores*—*rima interna,* al *mezzo* o *leonina.*

En España fue Garcilaso quien primero cultivó—aprendida en Italia—la *rima interna:*

¿Qué es esto, Nemeroso, y qué cosa
puede ser tan sabrosa en otra parte
a mí, como escucharte? No la siento;
cuanto más este cuento de Severo;
dímelo por entero, por tu vida,
pues no hay quien nos impida o embarace.

En ocasiones se ha rimado *a manera de eco,* como en la estrofa siguiente, citada por Eduardo de la Barra en su *Métrica:*

Mucho a la majestad sagrada agrada
que entienda a quien está el cuidado dado,
que es el reino de acá prestado estado,
pues es al fin de la jornada nada.

En la poesía clásica se rechazó la *rima* o se admitió como una licencia. Al perderse la distinción de sílabas largas y breves como base métrica, se desarrolló pujante la *rima.*

Sin embargo, el propio Horacio, en su *Epístola a los Pisones,* cumple a un tiempo mismo la *medida* en pies y sílabas y la *rima externa:*

Non satis est pulchra esse poemata: dulcia SUNTO,
Et quod cumque volent animum auditoris AGUNTO...

La *rima* se introdujo en la poesía al morir el clasicismo grecolatino a manos de la barbarie septentrional, para surgir luego en las culturas medievales. Los pueblos neolatinos resucitaron el *similiter cadens* y el *desinens* de la poética latina.

R

RIPIO

Palabra o frase impertinente, insustancial, *prosaica,* que se emplea para *rellenar* un verso con objeto de darle la medida cabal.

El *ripio* puede ser: de *pensamiento*—dicho vulgar, frase hecha—y de *vocablo—enojos y ojos, padre y taladre o cuadre*—; de *consonante* —rima externa—o de *relleno* o *central*—en medio del verso.

Ni los más insignes poetas se han librado de los ripios. Famosos son los infinitos del drama de Zorrilla *Don Juan Tenorio.* Y Echegaray —otro gran ripioso—, en *Haroldo el Normando,* lanza este:

> Recuerdo que en mi castillo
> otro rescoldo ya había;
> pero no se parecía
> a este rescoldo sencillo.

RÍTMICO (Acento)

Es denominado así el acento que marca y sostiene el ritmo en el lenguaje.

Puede ser principal o secundario. El primero recae en la penúltima sílaba del verso:

> Granada de cuentas *ró*jas
> e inconfesables hech*í*zos,
> rosario de olvidad*í*zos,
> corazón que la luz *mó*jas...
>
> (M. BACARISSE.)

El acento secundario, con más fácil movilidad, suele tener, sin embargo, un lugar preferente en las sílabas cuarta o quinta de los octasílabos, o en la sílaba sexta de los endecasílabos.

RITMO

Ritmo o *número* de la cláusula es la armonía que nace de la acertada combinación de los tiempos, acentos y pausas, y de la agradable cadencia final.

En el *ritmo* distinguen los retóricos: la *medida,* el *movimiento,* la *tonalidad,* la *modulación,* la *melodía* y la *armonía.*

Medida es la relación de las partes del ritmo con la unidad, que está constituida por la sílaba media o grave; las sílabas, en relación con tal unidad, se dividen en breves y largas.

Movimiento o *aire* es la rapidez o lentitud en que se acompasan los sonidos.

Tonalidad es la elevación de la nota fundamental del ritmo con el *la* natural del diapasón. Los tonos quedan representados en el lenguaje por los acentos prosódicos.

Modulación es el cambio armónico de tonalidades.

Melodía es el resultado de las leyes rítmicas.

Primitivamente, el *ritmo* fue *sinonímico*—si se basaba en el paralelismo de las ideas—y *antitético*—si se basaba en el contraste de las mismas.

El *ritmo* se consigue: o con la proporción de duración y medida de las palabras—*ritmo cuantitativo*—, o con la acertada distribución de los acentos—*ritmo acentual*—. Entre los antiguos predominó el *pie cuantitativo;* entre los modernos, el *pie acentual.*

V. Las obras de LA BARRA, MÉNDEZ BEJARANO, BENOT, BELLO...

RITUAL

1. Conjuro de ritos—ceremonias—de una religión o de una iglesia.
2. Libro que contiene las normas para celebrar los ritos religiosos.

Los primeros *rituales* los poseyeron los egipcios en relación a sus ceremonias fúnebres. El famoso *Libro de los Muertos* no es otra cosa, según Champollion, sino un *ritual.*

El *ritual* más famoso y vigente aún es el RITUAL ROMANO, libro de los sacerdotes, el último —cronológicamente—de los libros litúrgicos del catolicismo, llamado también, según los tiempos y las diócesis: *Manuale, Manipulus, Sacramentale, Agenda, Liber agendarum, Liber ordinum...*

El rito griego llama a su ritual el *Eucologión.*

RITUALISMO

Nombre dado al movimiento—siglo XIX—llamado de *Oxford,* iniciado por el doctor Pusey, profesor de la Universidad y amigo del gran cardenal Newman (1801-1890), y dirigido *a reanimar la Iglesia anglicana con prácticas rituales y litúrgicas suprimidas por la Reforma.* Movimiento en el que muchos creyeron ver una aproximación a Roma.

El ritualismo—llamado también *puseysmo,* de su iniciador, y *tractaísmo,* de sus *Tracts*—intentó atraerse a todos los elementos que no estaban conformes con el cristianismo primitivo y que había introducido la Reforma en la Iglesia anglicana después de Enrique VIII.

El ritualismo, muy dado a los estudios sobre la antigüedad cristiana, se inclinó, *a pesar suyo,* hacia el catolicismo, motivando la rápida conversión de muchos de sus adeptos, entre ellos el admirable Newman, sus discípulos Ward y Dalgairns, el célebre oratoriano P. Faber y el ilustre futuro cardenal Manning.

Quedó solo, pues, el doctor Pusey entre los grandes iniciadores del movimiento, y continuó el camino de la evolución; siguió trabajando por la renovación de la Iglesia establecida. Los puseystas, desde 1850, fueron llamados ritualistas, ya que admitieron del catolicismo: la confesión auricular y sacramental, la disciplina clerical y el ritualismo de la ordenación sacerdotal.

Durante algún tiempo se creyó que si Roma reconocía las ordenaciones anglicanas ritualistas, se llegaría a la unión de catolicismo y ritualismo. Pero la encíclica *Apostolicae curae,* de León XIII—15 de septiembre de 1896—, declarando "que eran completamente inválidas y nulas", puso fin a las tentativas de unión.

Desde esta fecha, el movimiento de Oxford tuvo dos partidos: el inclinado hacia la Iglesia católica y el *puseysta,* de tendencias católicas, que se titula unas veces *Alta Iglesia,* porque admite casi todos los dogmas, y también *ritualismo,* porque admite en su culto los principales ritos de la Iglesia romana: la misa y sus ceremonias, el culto de la Virgen y de los santos, la confesión...

El ritualismo fue rudamente atacado por los rígidos protestantes de la *Baja Iglesia,* y por un tercer partido: la *Amplia Iglesia,* de tendencias racionalistas.

Al ritualismo le son debidos dos sucesos de gran trascendencia: el fomento de los estudios patrológicos y el que Pío IX juzgara oportuno, por su Breve *Universalis Ecclisiae,* restaurar la jerarquía en Inglaterra, instaurando el arzobispado de Westminster y doce obispados sufragáneos. León XIII creó el arzobispado de Edimburgo y el de Glasgow.

El ritualismo, que ha llevado al catolicismo más de cuatro millones de protestantes, continúa vigente hoy.

V. BERGSON: *Non-Catholic Denominations.* Londres, 1910.—LAW: *Sacerdotalism and Ritualism.* Londres, 1875.—MALLOCK: *Doctrine and doctrinal disruption.* Londres, 1908.

RODOMONTADAS

Nombre dado a las colecciones de dichos y bravuconerías atribuidas a los españoles del siglo XVI por los franceses. Dichas sátiras eran como una reacción contra las continuadas victorias de las armas de España en Europa.

El primero que recopiló las *Rodomontadas,* sin traducirlas, fue Pierre de Brantôme (1540-1614), magnífico prosista francés, que en su fina sátira delató la gran admiración y la simpatía que le merecían los soldados españoles.

Las demás colecciones son, por el contrario, muestras del odio, de la envidia y del complejo de inferioridad. Así, las *Rodomontadas castellanas recopiladas de diversos autores, y mayormente del capitán Escardón Bombardón,* de Nicolás Baudon; y las *Rodomontadas castellanas recopiladas de los comentarios de los muy espantosos, terribles e invencibles Matamoros, Crocodillo y Rajabroqueles*—París, 1607.

El español Francisco de Cáceres, luterano refugiado en Lyón, escribió *Nuevos fieros españoles.*

V. LÓPEZ BARRERA, Joaquín: *Brantôme y el género bufo y grotesco de las "Rodomontadas españolas" en la literatura francesa.* En "Rev. de Arch., Bib. y Mus.", 1923, enero a marzo, páginas 56-81.

ROLLO (ROLE)

Término teatral que designa la parte de una obra dramática que debe representar cada actor. Dicha parte, escrita por separado, le es entregada al comediante para su estudio.

ROMANA (Lengua y Literatura) (V. Latina, Lengua y Literatura)

ROMANCE

1. Cada una de las lenguas modernas derivadas del latín (español, francés, italiano, portugués, rumano, sardo, provenzal, rético, dalmático).

2. Novela, en prosa o en verso, de tema caballeresco.

Romance es una combinación métrica que consta de un número indeterminado de versos de igual medida, quedando los impares libres, y concertando con un mismo asonante los pares. Cuando se compone de versos de menos de ocho sílabas, se llama *romance menor;* si es de versos de ocho sílabas, se llama *romance octosílabo* o simplemente *romance;* y si se compone de endecasílabos, se denomina *romance mayor* o *heroico.*

Para la inmensa mayoría de la crítica, el *Romancero,* con *La Celestina, Don Quijote* y el *Poema del Cid* forman la tetralogía incomparable—raza, inspiración y estilo—de la literatura española. ¿Es que los romances no aparecen hasta el siglo XV? En modo alguno. En esta centuria empiezan a mencionarlos, a recogerlos, a imitarlos los poetas eruditos, pero ya los llaman *viejos.* Estos romances viejos son los que se transmitieron por tradición oral y fueron después recogidos y publicados en pliegos sueltos a partir de la primera mitad del siglo XVI. Argote de Molina, al tratar del *Conde de Lucanor,* afirma que en el *Cancionero* del infante don Juan Manuel—muerto en 1347—, que él poseyó y pensó publicar, ya había *romances.* Y versos del pie de romance se encuentran en el *Mío Cid* y en otras gestas castellanas. ¿Cuándo *salta* por vez primera la palabra *romance* en la literatura castellana? Seguramente en el famoso *Prohemio* del marqués de Santillana, escrito entre 1445 y 1448: "Infinitos poetas son aquellos que, sin ningún orden, regla ni cuento, facen estos cantares e romances, de que las gentes de baja e servil condición se alegran." Todos ellos eran anónimos. Carvajales es el primer poeta conocido que firma dos romances—1442—, publicados en el *Cancionero de Stúñiga.*

¿Cuál es el origen de los *romances?* Hay acerca de este problema dos opiniones enteramente opuestas: la de Milá y Fontanals, Menéndez y Pelayo y Menéndez Pidal, y la de Durán y don Julio Cejador. Para los tres primeros, los romances *son restos de los cantares de gesta.* Al ser estos purificados e intercalados en las *Crónicas,* los juglares y troveros recitaron aquellos restos que conservaban en la memoria, por tradición oral, y aun los modificaron para darles un sentido íntegro. Sí, el pueblo retuvo sentimentalmente fragmentos poéticos de sus gestas, y con estos fragmentos formó sus romances populares históricos y heroicos que airearon cumplidamente en caminos, plazas de armas, rinconadas, salones de príncipes y ferias los juglares de boca—con instrumentos de viento—, los juglares de péñola—con instrumentos de cuerda—, los *omes de atambor, saltadores, tromperos, juglaresas, cantaderas, danzaderas, troteras y entendederas.* Cuando la gesta se refugia en las *Crónicas* para hacerse historia y relegarse a un público escaso, las esencias poéticas de aquella se escapan de los mamotretos a la memoria y a la sensibilidad del pueblo para permanecer pura poesía. Para los aludidos críticos, pues, los romances derivan de los cantares de gesta, bien directamente, bien por la línea transversal de las *Crónicas.*

Por el contrario, para Durán y Cejador fue el romance *la primera manifestación de la epopeya castellana,* recitado, mas no escrito, por los juglares, prosificado después en la *Crónica general*—que ofrece restos del pie de romance—, causa de que algunos poetas, reuniendo los romances relativos a un mismo tema, compusieran las gestas. "Tal poesía—escribe Durán—empezó por el inculto pueblo, se continuó por los juglares y más tarde se aceptó por los poetas para devolverla a su origen más bella y perfecta." Esta teoría está apoyada por una exacta afirmación de Wolf en el prólogo a su bella obra *Primavera y Flor de Romances:* "Es un axioma, ahora generalmente reconocido en la historia literaria, que en el desarrollo espontáneo y natural de toda literatura verdaderamente nacional—y la española es nacional, y muy nacional—siempre precede la poesía a la prosa, la poesía popular a la artística, y en la poesía popular, la épica o liricoépica a la poesía pura."

Alguna otra teoría menos posible cabe apuntar. Por ejemplo: la de Huet y Conde, que señalan a los romances un origen musulmán; pretendido origen que es un mero influjo en la materia, no en la forma, ya que los romances no son literatura de imitación, sino que, como indica Ticknor, "son españoles de nacimiento e índole...; su libertad, soltura y energía, su entonación cristiana, su lealtad caballeresca, anuncian, desde luego, un carácter del todo original e independiente..." Foulché-Delbosc encontraba inverosímil la teoría de Milá, Menéndez y Pelayo y Menéndez Pidal, ya que el caso de una colectividad creadora de romances no es lógico; y menos aún la transformación de un cantar de gesta por la transmisión oral.

El origen de los romances coincidió, sin duda alguna, con la época en que los castellanos, ya firmes en su nacionalidad, en su lenguaje y en su cultura, sintieron el impulso irresistible de pregonar poéticamente sus hechos memorables. Esto debió de ser en los siglos X y XI. Y entonces nadie pensaba en separar lo popular de lo artístico.

Romance es, en una acepción amplia, la lengua vulgar contrapuesta al latín, del que deriva. En un sentido más estricto y poético, "la combinación métrica singular de un género poético español". ¿En qué consiste esta combinación? Ocho sílabas tienen los romances. Excepciones: el romancillo, que tiene menos, y el romance heroico, que tiene más.

Los versos de ocho sílabas suelen ir en grupos de cuatro, y—esto es lo esencial—los *impares son libres, carecen de rima,* y los *pares son asonantes.* Existe *asonancia* entre dos o más palabras *cuando en sus terminaciones tienen vocales iguales desde la última acentuada: rosa, boda, honda,* son palabras asonantes. Y *rueda, sueña, fiesta.* Las palabras esdrújulas pueden omitir la identidad de la vocal de *en medio,* así como a los diptongos no se les cuenta la vocal sin acento.

(1. Impar) Des-pués-que el-rey-don-Ro-dri-go
(2. Par) a Es-pa-ña-per-di-do ha-bí-a,
(3. Impar) í-ba-se-de-ses-pe-ra-do
(4. Par) por-don-de-más-le-pla-cí-a...

En esto consiste el romance. Hay que indicar, no obstante, que en el romance viejo se empleó el verso de dieciséis sílabas partido en dos hemistiquios de ocho, con asonancia uniforme. Así, el ejemplo anterior tenía esta *vieja* forma:

Después que el rey don Rodrigo—a España perdi-
[do había,
íbase desesperado—por donde más le placía...

"El verso de dieciséis sílabas, o, si se quiere, de ocho más ocho, es indígena y privativo de España; no se encuentra en la poesía francesa ni en la italiana" (M. y P.). La asonancia se empleaba ya en el bajo latín—precedente *inmediato* de la lengua romance o vulgar—. La palabra *romance,* en su sentido actual de combinación métrica, empezó a usarse en el siglo XV. Ya he dejado consignadas las palabras de Santillana. En esta misma centuria no eran conocidos sino los anónimos romances llamados *viejos.* Alvarez Gato consideraba "como una antigualla" los de don Bueso. Nebrija—*Arte de la lengua castellana*—llama viejo a un romance de Lanzarote. Juan del Enzina alude concretamente—*Arte de trovar,* 1496—a los "romances del tiempo viejo". Afirma Menéndez y Pelayo que "ya en tiempo de los Reyes Católicos podía llamarse *vieja*" tal poesía. Por vez primera, en 1815, Grimm distingue y separa de los modernos y artísticos los *romances viejos.* Para él, son estos: 1.º Todos los existentes antes del siglo XV. 2.º Todos los impresos hasta 1550. 3.º Algunos de los impresos en la segunda mitad del siglo XVI, siempre que delaten un vestigio tradicional. 4.° Algunos conservados por tradición oral que ofrecen un tipo análogo a las viejas colecciones o pliegos impresos.

En 1856, basándose en el criterio de Grimm, Wolf agrupó los romances en históricos, novelescos, caballerescos sueltos y caballerescos del ciclo carolingio. Depping, en históricos, caballerescos, moriscos y de varios asuntos. Ducamin, en históricos y fronterizos, novelescos y caballerescos, históricos y varios. Ticknor, en de ficciones caballerescas, relativos a la Historia de España y sus tradiciones, moriscos y de costumbres y de la vida doméstica de los españoles. Pero la más completa de las clasificaciones es la redactada por Menéndez y Pelayo, perfeccionando la apuntada por su maestro, Milá y Fontanals:

I.—*Romances históricos.*
- *a)* El rey don Rodrigo y la pérdida de España.
- *b)* Bernardo del Carpio.
- *c)* El conde Fernán González y sus sucesores.
- *d)* Los infantes de Lara.
- *e)* El Cid.
- *f)* Romances históricos varios.
- *g)* El rey don Pedro.
- *h)* Romances fronterizos.
- *i)* Romances históricos de tipo no castellano.

II.—*Romances del ciclo carolingio.*
III.—*Romances del ciclo bretón.*
IV.—*Romances novelescos sueltos.*
V.—*Romances líricos.*

Es capital la importancia de los romances viejos de asuntos relativos a la Historia de España, hasta el punto de que confiesa Durán que "los romances históricos importan mucho para el estudio de la historia particular literaria, política y filosófica de nuestros más remotos tiempos, pues apenas en otra parte se hallan vestigios del sentimiento íntimo de la incipiente sociedad que los produjo". Y aún los alabó más Ticknor: "Colección [de romances] que constituiría por sí sola una ilustración poética de la Historia de España, tal cual no puede presentarla ninguna otra nación."

Conviene hacer ahora alguna indicación, muy breve, acerca de alguno de los subgrupos comprendidos en el primer apartado y de los restantes grupos.

Son los *fronterizos* romances viejos históricos que tratan de episodios ciertos propios de las luchas de fronteras entre cristianos y musulmanes durante la centuria última de la Reconquista, poco más. "Estos romances fronterizos —indican Wolf y Hoffmann—son muy históricos, verdaderamente populares, puramente nacionales y limpios de toda imitación extraña." Los considera Milá como "joya incomparable de la poesía castellana", y señala que "en el campamento de los Reyes Católicos se cantaban, sin duda, numerosos romances fronterizos, los cuales contribuían a inspirar nuevos actos caballerescos, que fueron, a su vez, no mucho más tarde, objeto de nuevos cantos". Menéndez y Pelayo afirma que "esta nueva generación de cantos épicos brota en forma esporádica, con la dispersión y el desorden propios de las emboscadas y sorpresas, arremetidas y algaras, rebatos y saqueos de aquella crudísima guerra de frontera en que se templó y arreció el brío castellano durante los siglos XIV y XV, preparándose para más altas, aunque no más castizas, empresas".

"Inspirados por el más vivo espíritu nacional", fueron compuestos para cantar proezas de hombres heroicos, guerreros de carne y hueso y de gran espíritu, cuyas hazañas singulares entusiasmaban más a nuestro pueblo belicoso que las de entes fantásticos propios de la caballería andante. Así, al margen de la caballería nórdica u oriental, surgió en España durante la Cruzada secular de la Reconquista una caballería real, cuyas esencias eran las de un pueblo en armas, las de generaciones de combatientes que ensanchaban su tierra, pues "cada español era un guerrero; cada guerrero, un noble; cada noble, un caballero de la patria" (DURÁN).

De los *históricos no castellanos* dice Menéndez y Pelayo: "Aunque nuestra poesía narrativa es castellana por esencia, no dejó de hacer algunas incursiones en la historia de los demás reinos peninsulares. Hay, pues, un cortísimo número de romances relativos a la historia de Aragón, Cataluña, Navarra y Portugal, y alguno que otro tocante a cosas de Italia en el tiempo en que fue medio española."

Para la referente al *ciclo carolingio,* me serviré de palabras de Durán: "Trata este ciclo de los hechos fabulosos de Carlomagno y los Doce Pares. La *Crónica de Turpín,* el libro de los *Linajes reales de Francia,* el de *Los cuatro hijos de Aymón,* el de *Reinaldos de Montalván,* el de *Los encantos de Maugés* y otros diferentes, han dado el corto número de romances viejos hechos por los juglares que poseemos sobre tales fábulas." El mismo erudito dice: "Por la índole, el carácter y los asuntos de que tratan los romances caballerescos, propiamente dichos, proceden casi todos de los libros y novelas de su género, escritos y propagados durante los siglos medios en los países feudales y en los tiempos de las Cruzadas. De allí los tomamos y aceptamos los españoles desde el principio, si no por el espíritu que los anima, casi extraño a nosotros, a lo menos por las hazañas y valientes hechos que refieren y nos eran simpáticos."

Y completa Gella: "Gozaron un tiempo de gran popularidad, sobre todo los relativos a la victoria nacional de Roncesvalles, así como los de don Gaiferos, Julianesa, Melisendra, Moriana, marqués de Mantua, conde Claros de

Montalván, Montesinos, conde d'Irlos—el más extenso de los viejos, con sus 680 versos de dieciséis sílabas—y Valduino o Valdovinos. Signo distintivo de ellos es que lo sobrenatural y maravilloso, tan frecuente en leyendas caballerescas, "es puramente cristiano y tomado de las leyendas monacales". Sarmiento afirma que los romances de este grupo lo sabían de coro el vulgo y hasta los niños. Si bien fue grande el entusiasmo popular por tales romances, fue, en general, menos duradero en intensidad que el despertado por los fronterizos, impregnados en esencias caballerescas netamente españolas."

Concluyo, con Menéndez y Pelayo: "Reflejan extrañas influencias o pertenecen al fondo común de la canción popular de Europa; pero fue tan enérgica la vitalidad de nuestra musa histórica, que transformó estos mismos asuntos, borrando a veces las huellas de su origen, los hizo propios por derecho de conquista, los castellanizó en fondo y forma, los incorporó en el caudal de nuestras tradiciones y se enriqueció con ellos sin perder un ápice de su originalidad nativa."

El *cliclo bretón* lo componen un grupo de romances caballerescos referentes al rey Artús o leyendas artúsicas, País de Gales u Orden de los Caballeros de la Tabla Redonda, fundada por aquel monarca. Este ciclo está informado únicamente por tres romances viejos: dos, de cierto humor, referentes a Lanzarote; otro, de atisbos sentimentales, alusivo a Tristán de Leonís y a Blancaflor. Esta parquedad indica la escasísima influencia que ejerció en nuestro sentimiento caballeresco lo caballeresco bretón, por oponerse a tal influencia "tanto las buenas cualidades como los defectos y limitaciones de nuestro carácter y de la imaginación peninsular" (M y P.).

En el grupo de *novelescos sueltos* caben todos aquellos de diversos temas, generalmente atinentes como a fragmentos de novelas y cuentos. Son de indiscutible belleza casi todos; tienen claridad tersa, gracia expresiva y un indiscutible tono lírico. Wolf y Hoffmann afirman que "si se han llamado *Iliada* española los romances históricos, se podrán señalar con el nombre de *Odisea* española los romances novelescos y caballerescos, pues pintan la vida íntima de la familia, el estado doméstico de la sociedad y principalmente las diversas fases que siguen las pasiones eróticas...; pueden "contarse algunos de ellos (por ejemplo, los de Moriana y Galván, de la mora Moraima, etc.) entre las composiciones más bellas, más lozanas, a la par que más genuinas, de la poesía popular de España".

De los llamados *romances líricos* conviene destacar los bellísimos de *Fontefrida*, el *Conde Arnaldos* y el *Conde de Alarcos*. Como sugerencia a este grupo, añado que los *líricos* fueron romances ya del siglo XV—fines—, del XVI y del XVII, de los romances llamados artísticos y que en su mayoría tenían autor conocido.

Acerca de la belleza y de la perfección poética de los romances, se debe a Hegel—*Estética*—un juicio definitivo: "Los romances son un collar de perlas; cada cuadro particular es acabado y completo en sí mismo, y, al propio tiempo, estos cantos forman un conjunto armónico. Están concebidos en el sentido y en el espíritu de la caballería, pero interpretada conforme al genio nacional de los españoles. El fondo es rico y lleno de interés. Los motivos poéticos se fundan en el amor, en el matrimonio, en la familia, en el honor, en la gloria del rey, y, sobre todo, en la lucha de los cristianos contra los sarracenos. Pero el conjunto es tan épico, tan plástico, que la realidad histórica se presenta a nuestros ojos en su significación más elevada y pura, lo cual no excluye una gran riqueza en la pintura de las más brillantes proezas. Todo esto forma una tan bella y graciosa corona poética, que nosotros los modernos podemos oponerla audazmente a lo más bello que produjo la clásica antigüedad."

Y don Julio Cejador completa el antiguo elogio así: "El *Romancero* es un monumento histórico maravillosamente rico de la vida interna, de las costumbres, del alma española, con todas las mudanzas que en ella han ido poniendo los tiempos y con lo sustancial e inmutable de sus cuidados de raza, de sus vicios como de sus virtudes. Ninguna literatura nos ofrece obra tan trascendental, por los siglos que abraza y la variedad que muestra en todo linaje de acontecimientos, sentimientos, tonos y colores, y por lo que ha influido en las demás obras literarias de España y de fuera de España. Las *Crónicas*, las *Historias* de Ocampo y Mariana, llenas están de sus ecos. La novela y el teatro se han alimentado de él desde que nacieron en toda Europa y, sobre todo, en España. A su importancia responde el sinfín de trabajos que sobre él se han hecho en todas las naciones de Europa."

Felizmente para la conservación de estos romances, fueron incluidos inmediatamente en cuantas antologías poéticas aparecieron a partir de principios del siglo XVI. Así, en el *Cancionero de Constantina*—principios del XVI—; en el *Cancionero general de Hernando del Castillo* —1511—; en los *Cuarenta cantos* de Alonso de Fuentes—1550—; en el *Cancionero de Romances*, de Amberes—1550—; en la *Silva de varios romances*, de Zaragoza—1550—; en el *Cancionero general de Amberes*—1557—; en la *Rosa de Romances*, de Timoneda—1572—; en el *Cancionero llamado Flor de enamorados*—Barcelona, 1573—; en el *Romancero historiado*, de Lucas Rodríguez—Alcalá, 1579—; en el *Romancero general de Madrid*—1600—; en la *Primera parte del Jardín de amadores*, de Juan de la Fuente—Zaragoza, 1611—; en el *Romancero del Cid*, de Juan de Escobar—Madrid, 1688—; en *Poesías escogidas de nuestros Cancioneros y Romanceros*, de Quintana—Madrid, 1796.

Modernamente, las colecciones de romances quedan perfectamente definidas y circunscritas a ellos exclusivamente. Así, la *Silva de romances viejos,* de Jacobo Grimm—Viena, 1815—; el *Tesoro de los Romanceros,* de Ochoa—París, 1838—; el *Romancero del Cid,* de A. Keller —Stuttgart, 1840—; el *Romancero castellano,* de G. B. Depping—Leipzig, 1844—. la *Rosa de Romances,* de Depping y Wolf—Leipzig, 1846—; el *Romancero pintoresco,* de Hartzenbusch —Madrid, 1848—; el *Romancero general,* de A. Durán—Madrid, 1849—; la *Primavera y Flor de Romances,* de Fernando J. Wolf y Conrado Hoffmann—Berlín, 1856—; los *Romances choisis,* de Ducamin—París, ¿1850?—; la *Poesía heroico-popular castellana,* de Milá y Fontanals —Barcelona, 1874—; el *Cancionero musical de los siglos XV y XVI,* de Asenjo Barbieri—Madrid, 1890—; el *Romancero español,* de Menéndez Pidal—Nueva York, 1910—; *Antología lírica de poetas castellanos,* de Menéndez y Pelayo; el *Romancero*—seis tomos de la *Biblioteca Universal*—; la *Floresta de leyendas antiguas heroicas españolas,* de R. Menéndez Pidal—Madrid, 1915—; los *Romances viejos castellanos,* de Hurtado y Palencia—Madrid, en "Letras Españolas"—; *Romancero español,* de Santullano—Madrid, 1930—; el *Romancero,* de Gonzalo Menéndez Pidal—Madrid, 1934—; *Flor nueva de romances viejos,* de Menéndez Pidal—Madrid, ¿1934?—; *Romances viejos,* de Gella Iturriaga —Zaragoza, 1943.

De todos los mencionados—alguno más quedará sin mención—son los principales: *Cancionero de Romances, Silva de varios romances, Primavera y Flor de Romances,* el *Romancero,* de Durán, y *Flor nueva de romances viejos.*

Y entre los eruditos que más y mejor han estudiado el tema, cabe señalar, de los extranjeros, a Hegel, Grimm, Depping, Wolf y Hoffmann, y de los españoles, a Durán, Milá y Fontanals, Menéndez y Pelayo y Ramón Menéndez Pidal.

ROMANCERO

Colección de romances.

La publicación de los *Romanceros* fue muy posterior a la popularidad de los romances. Estos fueron publicados por vez primera en los *Cancioneros* del siglo XVI. Posteriormente, en pliegos sueltos, que tuvieron un gran éxito. Esta demanda que hacía el pueblo de los romances hizo pensar en la conveniencia de reunirlos en volúmenes. Martín Nucio fue el primero que los recogió con el título de *Cancionero de Romances,* publicado en Amberes el año 1550, y existiendo otra edición, también de Amberes, de fecha desconocida.

En el mismo año 1550, Esteban García de Nájera publicó en Zaragoza otra colección: *Silva de varios romances...* También en 1550 apareció en Sevilla *Quarenta cantos de diversas y peregrinas historias,* por Alonso de Fuentes. Y en 1551, en Amberes, Lorenzo de Sepúlveda ofreció su *Cancionero de Romances.*

Juan de Timoneda imprimió en Valencia varias colecciones de romances: *Rosa de amores* —1572—, *Rosa española*—1573—, *Rosa gentil* —1573—y *Rosa real*—1573—. Durante el mismo siglo XVI aún aparecieron diversas colecciones: *Romancero*—1583—, de Padilla; *Flor de varios romances nuevos*—1597—, por el bachiller Pedro de Moncayo y Francisco Enríquez.

A principios del siglo XVII (1600-1604 y 1604-1614) se publicó el *Romancero General,* que comprendía los romances artísticos de los poetas más refinados del siglo anterior. Y a continuación, colecciones de romances acerca de personas y temas determinados: *Romancero de los Doce Pares de Francia*—1608—, por López de Tortajada—; *Romancero de Germania*—1609—, por Hidalgo; *Romancero del Cid*—1612—; por Escobar; *Romancero de los Infantes de Lara* —1626—, por Metge.

Desde estos años hasta la aparición del Romanticismo, a principios del siglo XIX, los romances fueron olvidados. La reacción en su favor se inició en Alemania. En 1815, Jacobo Grimm publicó *Silva de romances viejos.* Y en 1821, en Hamburgo, Böhl de Faber dio a la estampa una más completa colección: *Primavera y Flor de romances.*

Pero el *Romancero General*—el más completo y perfecto—se debe a don Agustín Durán, 1822, reimpreso en la *Biblioteca de Autores Españoles* (1849-1851). Esta colección recoge no solo los *romances artísticos,* sino también los populares. La más completa colección de *romances viejos* la publicó Menéndez y Pelayo en los tomos VIII, IX, X, XI y XII de su *Antología de poetas líricos castellanos.*

(V. Para la bibliografía, la referente a *Romance.*)

ROMANCILLO

Romance en una combinación métrica formada con versos de menos de ocho sílabas—*de arte menor:*

> Hermana Marica,
> mañana, que es fiesta,
> no irás tú a la amiga,
> ni iré yo a la escuela;
> pondráste el corpiño
> y la saya buena;
> cabezón labrado,
> toca y albanega,
> y a mí me pondrán
> mi camisa nueva,
> sayo de palmilla,
> calza de estameña;
> y si hace bueno,
> traeré la montera
> que me dio la Pascua

mi señora abuela,
y el estadal rojo
con lo que le cuelga,
que trujo el vecino
cuando fue a la feria.
Iremos a misa,
veremos la iglesia;
darános un cuarto
mi tía la ollera;
compraremos dél,
que nadie lo sepa,
chochos y garbanzos
para la merienda,
y en la tardecica,
en nuestra plazuela,
jugaré yo al toro
y tú a las muñecas
con las dos hermanas
Juana y Madalena,
y las dos primillas
Marica y la Tuerta;
y si quiere madre
dar las castañetas,
podrás, tanto dello,
bailar en la puerta,
y al son del adufe
cantará Andregüela:
"No me aprovecharon,
mi madre, las yerbas"
Y yo de papel
haré una librea
teñida con moras,
porque bien parezca,
y una caperuza
con muchas almenas;
pondré por penacho
las dos plumas negras
del rabo del gallo
que acullá en la huerta
anaranjeamos
las carnestolendas;
y en la caña larga
pondré una bandera
con dos borlas blancas
en sus trenzaderas;
y en mi caballito
pondré una cabeza
de guadamecí,
dos hilos por riendas,
y entraré en la calle
haciendo corvetas,
yo y otros del barrio,
que son más de treinta,
jugaremos cañas
junto a la plazuela,
porque Bartolilla
salga acá y nos vea:
Bartola, la hija
de la panadera,
la que suele darme
tortas con manteca;
porque algunas veces
hacemos yo y ella
mil bellaquerías
detrás de la puerta.

(Góngora.)

ROMÁNICAS (Literaturas)

Se denominan así las escritas en las lenguas neolatinas formadas por la desintegración del latín vulgar hablado en las diferentes provincias del Imperio. Y son: española, portuguesa, italiana, francesa, provenzal, rética y rumana.

ROMANICISMO

Tendencia artística. Estilo románico. Uno de los apogeos arquitectónicos, escultóricos y pictóricos desarrollados dentro del *medievalismo* (V.). Arte que preponderó en la Europa cristiana entre el final del siglo X y mediados del siglo XIII. Recibió su nombre por presentarse con elementos del arte romano, al que se unían influencias orientales recibidas a través de Bizancio, o bien por aportaciones de los árabes en el Mediodía español. El romanicismo o estilo románico vale tanto como *romance* o vulgar *neolatino,* y así como fueron llamadas *romancescas* o *romances* las lenguas derivadas del latín, así fue llamado romanicismo el arte que paralelamente con ellas se había formado.

Realmente, el romanicismo fue llamado así a partir de 1825 y a iniciativa del arqueólogo M. de Gerville, cofundador de la Sociedad de Anticuarios de Normandía. Hasta entonces al mismo estilo habíansele dado muy distintos nombres: los de los países o pueblos en que surgía; así: *bizantino, lombardo, carolingio, teutónico, asturiano, visigótico...* En verdad, estos estilos *no son propiamente románicos;* son como "antecedente" del románico, hasta el punto de comprender todos ellos el período de *formación románica* que abarca los siglos VI a X.

El románico auténtico llena los dos períodos siguientes: el de *perfección*—del siglo XI al XII—y el de *transición* al gótico—del siglo XII al XIII.

1. Arquitectura románica.—"A la formación del estilo románico en su período propio contribuyeron tres factores principales: la constitución y afianzamiento de la sociedad en Europa, los viajes y comunicaciones internacionales, incluyendo en ellos las Cruzadas y las peregrinaciones, y la difusión e importancia de las Ordenes monásticas. Estos grandes acontecimientos que la Historia nos revela y demuestra debieron establecer por necesidad una especie de comunidad de bienes científicos y artísticos, los cuales, aumentados por el estudio de los estilos de Oriente, y auxiliados por la mayor copia de medios naturales y por el gran caudal de fervor religioso que atesoraban los pueblos y sus reyes, habían de producir paulatinamente la unidad, fijeza y elegancia de estilo. Algo pudo contribuir al mismo objeto la desapari-

ción del temor que preocupaba a muchos respecto del fin próximo del mundo, acontecimiento que presentían para el año 1000, y cuya expectativa fue acaso un impedimento para las grandes obras que se realizaron pasada la referida centuria. Tuvieron su parte, y no pequeña, en la formación de la arquitectura románica las irrupciones marítimas de los normandos en los siglos X y XI, las cuales, si fueron terribles por sus piraterías y destrozos causados en muchos pueblos meridionales, se convirtieron a la postre en beneficiosas para el arte, por los elementos que aportaron desde la Escandinavia, recibidos en su gran parte del Oriente por medio de Rusia."

La característica esencial de la arquitectura románica es la sustitución en las iglesias *de la cubierta de madera por la bóveda de cañón o arista.* Como consecuencia inmediata, se consolidan los muros, aumentando su espesor, con escasos vanos, y un sistema de contrafuertes adosados. La columna—que rara vez se emplea exenta—es sustituida por gruesos pilares, rectangulares o cruciformes, sobre los que descansan los arcos de las bóvedas. Los vanos, puertas y ventanas son escasos y sencillos, siendo muy características la forma de ventanas, portadas y cornisas. En las portadas se emplean siempre arcos redondos concéntricos, o sea en degradación, que más bien parecen a veces archivoltas del gran arco de la puerta; de modo que todo el conjunto forma una especie de arco abocinado, el cual se apoya sobre columnitas con capiteles; en el tímpano, que está sobre el dintel, suele haber símbolos e imágenes en relieve. Las ventanas, estrechísimas y rasgadas—muy raras veces redondas—, se abren en la fachada, en el ábside, en lo más alto de los muros; generalmente, terminan por arriba en arco doble o triple—plano o en arista viva—, y las jambas llevan columnitas como las de las portadas. Las cornisas, lejano recuerdo de los clásicos arquitrabes, forman como una imposta corrida sobre pilastras y muros o a continuación de los ábacos de los capiteles, y adornan el frontispicio colocadas encima de la portada o debajo de las ventanas.

La decoración comprende motivos geométricos, dientes de sierra, lazos, motivos vegetales o animales muy estilizados..., la mayoría de los cuales adquieren una importancia simbólica.

La arquitectura románica es esencialmente *monástica,* es decir, que en los monasterios se encuentran los ejemplos más admirables del estilo.

En los monasterios hay que considerar: la *iglesia,* el *claustro* y las distintas *dependencias.*

"Los elementos más comunes y típicos de las iglesias románicas de este período, prescindiendo ahora de escuelas o sistemas regionales, pueden reducirse a los siguientes: *planta* basilical, en forma de cruz latina con tres o más naves que terminan por la parte del testero en uno, tres o cinco ábsides semicirculares; la nave central resulta más ancha y alta que las de los lados, y estas, en algunas iglesias muy principales, se prolongan detrás de la capilla mayor, constituyendo la girola o deambulatorio, en el cual se disponen capillas menores. Se cubren las naves con bóvedas de medio cañón, y con frecuencia se emplean las de cuarto de cañón (formando arbotantes corridos) o las de arista para las naves laterales. Se monta sobre el crucero una cúpula, generalmente poligonal, apoyada en trompas o en pechinas, y sobre la cúpula un domo prismático ochavado y piramidal.

"Resulta difícil en las iglesias el problema de abovedar las naves y a la vez de iluminarlas; problema que es el principal y que se va resolviendo de diferentes modos, según el atrevimiento de los constructores; en algunos casos ábrense las ventanas laterales en los muros de las naves menores, y la luz penetra en la nave central por los *triforios* o galerías interiores que se sitúan sobre un piso de las referidas naves. Otro problema de esta arquitectura es dar al crucero una cubierta proporcionada, elegante y firme, y la solución está principalmente en la cúpula poligonal o esférica, montada sobre arcos torales con el intermedio de pechinas o trompas."

Puede afirmarse que la idea que preside en la arquitectura románica en su forma perfecta es la unión racional y armónica de los elementos latinos o de basílica, y los elementos bizantinos o de construcción central con bóvedas y cúpulas, siempre excluyendo las formas clásicas; pero se concibe que ni todas las iglesias románicas entran de lleno en la idea, ni esta se desarrolla por igual manera en todos los países ni aun en todas las regiones de un mismo país.

En los extremos de las naves se abren las puertas, y el claustro queda adosado a la iglesia por el lado de la Epístola. Los claustros son patios interiores con peristilo, arquerías de medio punto sobre columnas con capiteles exquisitamente trabajados, a los que se abren las distintas dependencias del monasterio: biblioteca, refectorio, sala capitular, almacenes, etc.

La arquitectura románica tuvo en Francia el más excelso apogeo, diferenciándose admirablemente en las llamadas "escuelas" de Normandía, Borgoña, Provenza, Poitou, Perigord y Auvernia.

La "escuela normanda" cubrió las naves con armaduras de madera, desconoció la girola, señaló el crucero con una linterna, construyó mucho más alta la nave central—iluminándola por ventanales sobre el triforio—, ideó la fachada flanqueada por dos torres cuadradas. Ejemplos magníficos de esta escuela: *Iglesias de Caen, Cerisy* y *Jumièges.* Esta escuela se difundió por Inglaterra y Sicilia.

La "escuela borgoñona"—la que más influyó en el resto de Europa—edificó grandes templos con girola, de varias naves—las laterales con bóvedas de arista—. Ejemplos: *Iglesias de Cluny, Beaune, Autun, Saint-Benoît-sur-Loire, Vezelay, Anzy-le-Duc...*

La "escuela provenzal" edificó templos de una o tres naves, con bóvedas de cañón, con cúpula. Ejemplos: *Iglesia de San Trófimo* (Arlés), *Catedral de Aviñón.*

La "escuela de Poitou" edificó las tres naves de igual altura, no resolviendo por ello el problema de la iluminación; tampoco admitió el tímpano en la portada, pero multiplicó los adornos escultóricos en jambas y paramentos. Modelo: *Notre-Dame de Poitiers.*

La "escuela de Perigord" edificó una sola nave con una serie de cúpulas sobre pechinas: *Cahors, Saint-Front-de-Périgueux...*

La "escuela auvernesa" popularizó la cúpula central con torre octogonal: *Notre-Dame-du-Port* (Clermont-Ferrand), *Notre-Dame-du-Puy...*

También en Italia la arquitectura románica tuvo muy interesantes *diferencias* por regiones.

En la Lombardía—*Catedrales de Parma y Ferrara*—aparecen aún influencias bizantinas. Las iglesias presentan un pórtico con columnas exentas ante la puerta. Y abundan en arquillos ciegos y listeles verticales.

En la Toscana—*Catedral de Pisa*—son cinco las naves, con cúpula elíptica en el crucero, monumental fachada con varias fajas de arquerías y policromía, el *Campanile* (torre inclinada) y el *Baptisterio*—de planta circular.

En Italia meridional—*Capilla palatina de Palermo* y *Catedral de Monreale*—, el romanicismo se entrevera en demasía con los artes bizantino, árabe y normando.

Cabe señalar que Italia no presenta ni un solo ejemplo de arquitectura *románica pura* como Francia o España.

En Inglaterra, la arquitectura románica quedó hondamente relacionada con la "escuela normanda" francesa, si bien amplió las proporciones de esta escuela tanto en longitud como en altura, añadiendo algunas originales innovaciones: bóvedas con ojivas—las más antiguas de Europa, 1093—en la *Catedral de Durham;* cabecera con girola y capilla—*Iglesia de San Agustín de Cantorbery, Catedrales de Winchester y Worcester*—; ábside central flanqueado por otros más pequeños—*Westminster, Santa María de York, Catedrales de Linconl y Durham.*

El románico alemán elevó y amplió los templos, colocó originalmente las torres y puso ábsides dobles a la cabecera y a los pies; así, en las *Catedrales de Ratisbona, Ausburgo, Bamberg, Spira, Worms* y *Maguncia.* La de *Spira* —la más importante entre las catedrales románicas alemanas—presenta: planta con dos ábsides, cuatro torres y decoración exterior de arquillos y listeles verticales.

Después de Francia, es España el país que presenta una arquitectura románica más pura y abundante.

Pero en España actuaron, además de los factores generales que originaron el románico, ya mencionados, factores influyentes de Francia. Una legión de caballeros franceses acudió a la conquista de Toledo. Los condes de Borgoña casaron con hijas de Alfonso VI. Y, sobre todo, la poderosa Orden de Cluny, acaparadora de sedes episcopales, protegida de reyes y magnates, como más tarde la del Císter (ya es sabido que en la época los más de los arquitectos o sus clientes eran monjes, y las mayores obras, las religiosas), todos ellos fueron factores que quebraron la evolución paulatina de la arquitectura española, que por sus propios medios, en que yacían en embrión todos los elementos fecundos del románico, hubiera llegado a expresiones monumentales propias. En conjunto, el románico español, comparado con el francés, ofrece una mayor tosquedad; las proporciones más pesadas, las estructuras más sencillas, como la decoración, parecen comprobar el alejamiento relativo de los hogares del gran arte medieval, a la vez que la pertinacia del influjo mahometano trasciende en pormenores y elementos, con lo cual las obras de arquitectura exótica adquieren sabor indígena peculiar.

Queremos señalar algunas características del románico español.

En su composición, las iglesias siguen, en general, el tipo latino: basílicas de una o tres naves, con crucero o sin él, y tres ábsides semicirculares; con bóvedas de ejes paralelos en las naves y sin linterna central.

Bastante más escaso es el tipo bizantino, cuya influencia redúcese a la cúpula sobre planta cuadrada en una composición basilical, como en la *Catedral vieja de Salamanca.*

Cuando los tipos se entremezclan, dan obras de una escuela híbrida: tal *Silos,* con tres cúpulas sobre una basílica latina; tal las iglesias poligonales sin cúpula, como la *Catedral de Jaca.*

La influencia de Francia queda igualmente patente en la estructura y en la decoración escultórica y pintada. Principalmente en Cataluña también se precisan influencias lombardas, caracterizadas por las cúpulas poligonales sobre trompas, galerías exteriores, bandas y arquillos ciegos. Mucho más débiles son las influencias escandinavas y normandas, que afectan únicamente a los ornatos. Y más honda la influencia mahometana, que se inicia en el *románico-mudéjar* con bóvedas de crucería musulmanas *(Almazán,* la *Vera Cruz* de Segovia), con los arcos lobulados *(San Isidoro de León,* claustro de *San Pablo del Campo,* en Barcelona) y el exorno de los capiteles *(Silos).*

Las fronteras del románico español son las lindes de la cuenca del Duero con penetraciones escasas más abajo. Don Vicente Lampérez distingue dos grandes grupos correspondientes a las dos grandes monarquías cristianas: Castilla y Aragón; en el primero es una innovación exótica; en el segundo, una evolución clara.

Los principales monumentos románicos españoles son:

En Castilla y León: *San Isidoro de León* —consagrado en 1149—; *San Vicente de Avila* —hacia 1100—; la *Colegiata de Cervatos* (Santander) —consagrada en 1199—; la *Colegiata de Santillana del Mar* (Santander) —segunda mitad del siglo XII—; claustros de *San Pedro* y de *San Juan del Duero* (Soria); la *Abadía de San Quirce* (Burgos) —consagrada en 1147—; *San Pedro de Arlanza y San Juan de Ortega,* ambas en Burgos, obra la última del mismo santo, muerto en 1163, que fue, pues, arquitecto, discípulo y colaborador de Santo Domingo de la Calzada; *San Martín de Frómista* (Palencia) —anterior a 1066—; la *Vera Cruz* (Segovia) —dedicada en 1202—; *San Miguel de Almazán* (Soria) —finales del siglo XII—; el *Monasterio de Sahagún* (León) —hacia 1080—, fue la casa matriz del Cluny en España; el *Monasterio de Silos* (Burgos) —1041 a 1073—; la *Catedral de San Salvador de Zamora*—consagrada en 1174—; *Santa María de la Sede* o *Catedral vieja de Salamanca*—empezada en 1120—; *Santa María la Mayor de Toro*—mediados del siglo XII—; *Catedral de Ciudad Rodrigo*—1170—; *San Marcos de Salamanca*—1178.

En Galicia: *Catedral de Santiago de Compostela*—empezada entre 1073 y 1078, concluida en 1128—; *Catedrales de Mondoñedo, de Lugo, de Túy, de Orense*—entre 1150 y 1250—, las tres primeras imitando la de Santiago en lo estructural, y la cuarta, en lo ornamental; *Santa María del Sar* (Santiago) —hacia 1147—; *Monasterios de Osera y Melón,* aquel el más importante de Galicia; *Colegiata de Junquera* (Orense) —fundada en 1164.

En Andalucía y Extremadura: *San Pablo el Real de Córdoba* y *Santa Eulalia de Mérida* (Badajoz) con los dos tipos únicos con relativa pureza de estilo.

En Navarra y las Vascongadas: *San Salvador de Leyre* (Navarra); *Santa María la Real de Sangüesa* (Navarra); *Santo Sepulcro de Torres* (Navarra), de fines del XII, hermoso ejemplar de la arquitectura románico-morisca; *San Pedro de Tavira,* según la tradición, el primer templo católico de Vizcaya, con antigüedad que remontan algunos al siglo X, y anterior su fundación al XII.

En Cataluña: *San Martín de Canigó*—1009—; *San Pablo del Campo* (Barcelona) —principios del siglo X—; *Santa María de Ripoll*—977 ó 1032—; *San Vicente de Cardona*—1019 a 1040—; *claustro de Santa María del Estany* (Barcelona); *San Pedro de Galligáns* (Gerona) —anterior a 1131—; *claustro de San Cucufate del Vallés* (Barcelona) —se construía ya en 1190—; *Santa María de la Seo de Urgell*—consagrada en 1040—; *San Pedro de Roda* (Gerona) —consagrada en 1022—; *San Juan de las Abadesas*—consagrada hacia 1150—; *San Pedro de Besalú*—siglo XII—; la *Iglesia del Poblet*—probablemente, de la primera mitad del siglo XIII, debiéndose señalar que el claustro de este mismo monasterio tiene un ala románica: la vecina a la iglesia.

En Aragón: la vieja *Catedral de Roda*—hacia 1067—; *San Pedro de Siresa, San Juan de la Peña*—consagrado en 1094—y el *Monasterio de Alaón,* son del rudo y sobrio protorromántico, como lo antiguo de la *Catedral de Jaca; San Pedro el Viejo* (Huesca) —primera mitad del XII—; la *Iglesia de Santa María,* en el *Monasterio-castillo de Loarre; Monasterio de Sigena* (Huesca) —empezado en 1183.

España también presenta buenos ejemplos del estilo románico en obras civiles. Así: el *Castillo de Palafolls* (Barcelona); el de *Marmellá*—siglo XII—; el *Palacio de Alfonso VIII,* en Castro-Urdiales (Santander); el *Palacio episcopal de Santiago de Compostela*—siglos XII y XIII—; los *Palacios episcopales de Orense*—mitad del XIII— y de *Barcelona*—finales del XIII—; *Palacio de los Reyes de Aragón* (Huesca); *Castillo de Loarre*—siglo XI—; *Palacio de los duques de Granada,* en Estella—finales del XII—; *La Pahería* o *Ayuntamiento de Lérida*—fines del XII—; la *Puerta de San Vicente* (Avila) —siglo XI—; el *Puente de Besalú* (Gerona) —principios del XII.

2. ESCULTURA ROMÁNICA.—Escribe el Padre Naval: "Pueden considerarse como preliminares de la escultura románica los dípticos y demás relieves bizantinos o latinobizantinos de los siglos anteriores al XI; pero durante el mismo y el siguiente va adquiriendo la escultura un tipo más uniforme y un carácter más propio, multiplicándose las estatuas y los relieves iconísticos y ornamentales, corriendo parejas con las obras arquitectónicas. A este período de la escultura se le llama *románico,* distinguiéndose en él dos tiempos, que corresponden al secundario y terciario de la arquitectura, pudiendo quedarse con el nombre de *románico primario* el que precedió a ellos desde el siglo VI en Occidente. El estilo románico se caracteriza por la rigidez de las figuras, falta de proporción en los miembros, cierta angulosidad típica de los pliegues y simetría de ellos en la vestimenta, que recuerda los del período arcaico griego y sus imitaciones antiguas; repetición de los mismos tipos y cierta tosquedad en la ejecución de la obra. A mediados del siglo XII empiezan a desaparecer los amaneramientos, la rigidez y el convencionalismo; se da más movimiento a las figuras; se tiende algo más a la copia del natural; pierden paulatinamente la forzada simetría y angulosidad los pliegues, los cuales se hacen más menudos, y la ejecución procede con mayor esmero. Es común la policromía en las esculturas de toda la Edad Media."

El arte escultórico románico es esencialmente religioso.

En los templos, la ornamentación responde a la única idea de que *plásticamente* los símbolos hablen al hombre del Bien y del Mal, del Juicio Final, de Jesucristo, de la Virgen... Los mejores ejemplares de la escultura románica se encuentran casi siempre en las *portadas*—jambas y tímpanos—y en los *claustros*.

Si es Francia el país más interesante y peculiar en la arquitectura románica, lo es igualmente en la escultura. Y también esta, como aquella, tiene distintas *escuelas*.

La "escuela de Languedoc" presenta sus mejores modelos en *Moissac, Souillac* y *Beaulieu*.

La "escuela de Auvernia", en la *Iglesia de Clermont-Ferrand* y en la *portada de Conques*.

La "escuela de Borgoña": los *capiteles del claustro de Cluny*—siglo XI—, el *tímpano de Sainte Madeleine de Vézelay*, el *tímpano de Saint-Lazare de Autun* y los *tímpanos de Anzy-le-Duc* y *Santa Cruz* en la *Charité-sur-Loire*.

En la "escuela del Oeste": *Notre-Dame de Poitiers* y *Saint-Pierre de Angulema*.

En la "escuela de Provenza": las esculturas de las Iglesias de *Saint-Trofime, Saint-Gilles*, de *Arlés*, y las de *Beaucaire*.

En Italia, la escultura románica tuvo, como en Francia, varias "escuelas": la *lombarda*, la *toscana*, la *romana* y la *meridional*.

Como detalle curioso, consignaremos que se conocen los nombres de algunos de los mejores artistas italianos de la época. Wiligelmo trabajó a principios del siglo XII en la *Catedral de Módena*—escenas del Génesis en la fachada—y en *Cremona*—las cuatro estatuas de los profetas de las jambas de la portada—. Nicolás y Guillermo de Verona esculpieron en la *Catedral de Ferrara*—1135—, en *San Zenón de Verona* —1138—y en la portada de la *Catedral de Verona*—1139.

A fines del siglo XII, Benedetto Antelami trabajó en la *portada del Baptisterio de Parma*, siendo su obra más famosa el *Descendimiento* de la catedral de la misma ciudad.

El maestro Guglielmo ejecutó entre 1157 y 1162 el *púlpito del Duomo de Pisa*. Y casi un siglo después, Guido Bigarelli ejecutó la *pila bautismal del Baptisterio de Pisa*.

En Roma trabajaron los Cosmati, principalmente como decoradores, originando el estilo llamado *cosmatesco*, a base de trocitos geométricos de mármoles diversos colocados caprichosamente en basamentos, frisos y acanaladuras de las columnas.

En España tuvo extraordinaria importancia la escultura románica.

Durante el siglo XI puede afirmarse que se redujo a la ornamentación, bien en marfiles y metales, bien en decoración arquitectónica.

En marfiles son obras admirables: la *Cruz de Fernando I y Sancha*—1063—; el *Arca de San Millán de la Cogolla*—1067—; el *Arca de San Felices I*.

En metales: el *Arca de San Isidoro de León* y el *Arca Santa de Oviedo*.

Como decoración arquitectónica, la escultura románica dejó obras tan valiosas como los *capiteles de la Catedral de Jaca*—hacia 1054—; los *capiteles y las esculturas de la fachada de San Isidoro de León*—1067, 1072, 1101—; los *capiteles historiados* y la *portada de las Platerías de Santiago de Compostela*—1075 a 1128.

Durante el siglo XII, la escultura románica española adquirió su "trascendencia singular", ya como adorno de la arquitectura, ya como arte aislado con designio decisivo.

A este siglo pertenecen las esculturas de la *portada de Santa María de Ripoll;* las *Estaciones del claustro de Silos;* las *estatuas de San Vicente y Santa Sabina*, en Avila; los *relieves de la fachada de San Miguel de Segovia;* la *portada principal* y el *sepulcro de los Santos*, en San Vicente, de Avila; el *Pórtico de la Gloria*, en Santiago de Compostela, obra del maestro Mateo—1183—; la *portada de la Catedral de Orense*, imitación de la obra anterior; los *sepulcros de Doña Blanca*—en Nájera—, *San Vicente* —en Avila—, *Santa Aldara*—en Lugo—, *San Millán de la Cogolla* y *Santo Domingo de la Calzada*, el de la *Iglesia de la Magdalena*—en Zamora.

Obras de menor importancia, dentro de este siglo, se encuentran en el *friso de Carrión de los Condes;* en los *claustros de San Pedro el Viejo* y *San Juan de la Peña* (Aragón); en la *portada de Sangüesa* y en los *capiteles y tímpanos de San Miguel de Estella* (Navarra); en los *claustros de San Cugat de Vallés* y en las *Catedrales de Gerona y Tarragona*.

3. La pintura románica.—Tuvo mucha menor importancia que la arquitectura y que la escultura. Se desarrolló entre los siglos XI y XIII, y ofreciendo una indiscutible unidad, tuvo sus orígenes en la fusión de los estilos romano y bizantino, dedicándose principalmente a la iluminación de los códices y a la pintura de tablas y frescos en los interiores de las iglesias.

A la técnica bizantina del mosaico pintado sucedió la pintura al fresco, que revistió los amplísimos muros de los templos románicos con representaciones iconográficas destinadas a la enseñanza y a la ejemplarización de los fieles.

La pintura románica tendió a la esquematización, al naturalismo, al hieratismo mayestático. El paisaje quedó reducido a un mero accidente o complemento.

La pintura románica dejó impresionantes muestras de su valor en algunos países europeos.

En Francia: los frescos de la *Abadía benedictina de Saint-Savin* y los de *Liget* y *Montoire;* los frescos de *Berzé-la-Ville* (Saone-et-Loire).

En Italia: los frescos del ábside de *San Vicenzo-di-Galliano*.

En Alemania: las pinturas murales de *San Jorge de Obersell*, de *Prüfening*, de *Reichneau*.

Pero es en España donde se encuentran los más bellos ejemplos de la pintura románica en frescos y tablas.

Pintura al fresco: *San Climent de Tahull* —1123—, *San Juan de Bohí* y *Santa Eulalia de Estahón*, en Cataluña; *Panteón de los Reyes de San Isidoro*, de León; *San Baudelio de Berlanga* (Soria), *Maderuelo* (Segovia).

Pintura sobre tabla: *Frontales de San Martín de Mongrony* (Vich), *San Andrés* (Vich) y *Santa Margarita* (Vich); el *Retablo de Augustrina*, y varios ciborios o baldaquinos.

Miniatura: los *Beatos* de Burgo de Osma y Madrid; la *Biblia* de Avila; el *Liber testamentorum* de la catedral de Oviedo.

De la *transición* al románico en la miniatura: las *Biblias* catalanas de Ripoll y Roda.

V. PIJOÁN, José: *Summa Artis. Historia general del arte.* Madrid, Espasa-Calpe, tomo IX, 1944.—AUBERT: *L'art roman en France.* París, 1929.—GÓMEZ MORENO, M.: *El arte románico español.* 1934.—LAMPÉREZ, Vicente: *Historia de la arquitectura cristiana española.* 1930.—MEYER, A.: *El estilo románico en España.* Madrid, Espasa Calpe, 1931.—POST: *A History of Spanish paiting.* Londres, 1930. PORTER, Kingsley: *La escultura románica en España.* 1930.—PORTER, Kingsley: *The romanesque sculpture of the pilgrimage roads.* 1921.—ENLART, Cam.: *Manuel d'Archeologie française.* París, 1904.

ROMANISMO (V. Romanicismo)

ROMANOESLAVA (Lengua y Literatura) (V. Rumana, Lengua y Literatura)

ROMANTICISMO

¿Qué es el romanticismo? Una revolución. La última de las revoluciones de la Edad Moderna. Antes que ella, la revolución religiosa; el protestantismo. Antes que ella, la revolución filosófica: el cartesianismo y el kantismo. Antes que ella, la revolución política y social: la francesa de 1789. El romanticismo fue una revolución artística. Quizá la más radical de todas. Tal vez la prepararon las demás revoluciones. Fue una revolución repentina, estridente. Como todas las revoluciones, iba contra un régimen establecido. ¿Cuál era este régimen cultural y artístico, vigente en todo el mundo? El neoclasicismo, representación de lo rígido, de lo frío, de lo reglado, de lo antinacional, de lo cerebral, de la estética pagana, de la incredulidad religiosa, de la preponderancia de lo objetivo sobre lo subjetivo, de la impersonalidad artística del criticismo, del énfasis declamatorio. ¿De qué medios—o armas—se valió el romanticismo para atacar y vencer? Precisamente de las desdeñadas por los neoclásicos. De la contemplación de la Naturaleza. De las delicias íntimas de la vida natural. Del regusto de la Edad Media cristiana y caballeresca. Del fervoroso culto al Yo. De la sugestión emotiva. El romanticismo, rápido y corrosivo, atacó un mundo de prejuicios y de premisas al grito de *Lo propio contra lo extraño.* A lo extranjero opuso lo nacional; a lo pagano y mitológico, lo cristiano y lo histórico; a lo heroico inverosímil, lo caballeresco ideal; a lo épico objetivo, lo subjetivo lírico; a la imitación de los textos antiguos, la copia de la realidad circundante; a la ley retórica, la inspiración anárquica; a la razón fría, la fantasía calenturienta a más de cuarenta grados; a lo prosopopéyico erudito, lo lego curioso y suspicaz; a la ironía enmascarada, la emoción desnuda.

Como todas las revoluciones cuando triunfan, el romanticismo victorioso, en un principio, se excedió de sí, fue más allá de sus posibilidades y de sus intenciones. Cometió demasías. Por ir contra la frase pulida y redicha, pecó de desaliño y hasta de desnudez. Por ir contra el expresionismo alambicado, caer en un impresionismo como beodo. Por atacar a ciegas la objetividad olímpica que no reconocía fronteras, caer en el más desaforado individualismo, menos que nacional, casi local.

Felizmente, en muy pocos años, el romanticismo se encontró a sí mismo, se definió y veló sus armas legítimas, atacó con *técnica propia* y triunfó con gloria inmarcesible.

¿Podría precisarse el concepto de romanticismo? Tal vez la principal dificultad no estribe en la precisión, sino en la multitud de definiciones que se han dado de él, y de las cuales todas tienen algo de él y algo que no le corresponde. Esa a b u n d a n c i a de definiciones, como los árboles que no dejan ver el bosque o como las casas que no dejan ver la ciudad, han dificultado una definición canónica. La lucha de la pasión contra la razón. El gusto y regusto por lo imprevisto sentimental. Una alianza del espíritu con la fantasía para no detenerse nunca. La anarquía en la inventiva y en los procedimientos. La íntima conexión entre el arte y la vida. La emancipación entera y absoluta del Yo. Indiscutiblemente, le corresponde a Alemania la gloria—en parte *de reavivación*—del romanticismo. Fue ella quien primero opuso—como protesta al principio, en seguida como lucha sin cuartel—el cristianismo, la caballeresca, todos los ideales de la Edad Media, a los postulados impasibles de lo neoclásico. Tiek, los Schlegel, Werner, Arndt, Goethe, los primeros románticos alemanes, para justificar su actitud, acudieron a ensalzar a los grandes dramáticos españoles del siglo XVII, deificándolos casi, oponiéndolos—¡a ellos, tan apasionados, tan individualistas!—a los formulismos franceses de la centuria decimoctava. No los engañó, no, su instinto a los románticos alemanes. Era España el único país donde el racionalismo no había extirpado por completo la fibra *romanesca.* El romanticismo español del romantiquísimo—por los cuatro costados: la vida,

la tradición, el lirismo y patetismo—Lope de Vega, río impetuoso, no hizo, durante el siglo XVIII, sino soterrarse, como otro Guadiana, para fluir de nuevo, ancho y hondo y largo, una centuria después.

Quizá se diga (contra esta opinión de dar la gloria del *reavivamiento* del romanticismo a los alemanes) que los franceses Rousseau y Saint-Pierre y los ingleses Walter Scott y Soutnay, y los lakistas, habían allanado el camino a lo romántico, proclamando *la vuelta a la Naturaleza,* el menosprecio de lo urbano y cortesano, la dulzura consoladora de la religión, la gracia del estado monárquico, el encanto de un individualismo más ferviente que fervoroso Y quizá se diga con cierta razón. Pero lo exacto es que el romanticismo tuvo—como arte nacido en climas septentrionales, de raza germánica—el mismo sentido—y sentimiento también, y hasta sensiblería—de la novela caballeresca, la misma tendencia a lo misterioso y fúnebre, a lo milagrero y sobrenatural en el fondo, y a lo brumoso, a lo vago en la forma.

Quizá lo único verdaderamente nuevo del nuevo movimiento fuera el nombre: *romanticismo,* palabra derivada, al parecer, del *romantik aspect* con que aludió a la isla de Córcega el viajero inglés Borwell en 1765. ¡Romántico! Sonaba bien el calificativo. ¡Romántico! Con sonoridad patente y con melodía secreta. Sonaba bien y se refería a algo muy personal y muy íntimo, que era como un desquite de tanto objetivismo ordenancista como imperaba por el mundo en aquella época. Del *romantik* derivaron los franceses *romanesque*—novelesco—y *romantique.* Y de los vocablos franceses, los españoles los suyos *romántico* y *romanticismo.*

La verdadera y sustanciosa *almendrilla* del romanticismo era la consideración de que el arte *resulta* lo mismo que *expresión.* Por tanto, así como para los neoclásicos no podían tener interés artístico sino las cosas bellas, ya que ellos se limitaban a *reflejar,* para los románticos tenían interés artístico parigual las cosas bellas y las cosas feas, ya que ellos *sabían embellecer* la expresión de estas cosas feas en sí. Arte = a belleza, divisa clásica. Arte = a expresión, divisa romántica. La rebeldía artística y literaria fue general en los países más cultos europeos. En Inglaterra, con los poetas lakistas, aficionados únicamente a la contemplación del mundo físico circundante; en Francia, con Rousseau, paladín de la vida natural y anticiudadana; en Alemania, con los primeros teorizantes y definidores, vueltos los ojos a la Edad Media cristiana y caballeresca. En España... En España, siglo y medio antes, con Lope, con Calderón, con Góngora, con Gracián, con tantos otros, huyendo de reglas y de trabas, buscándose a sí mismos, exaltando el sentimiento y el mundo como espectáculo *humanizado,* pletóricos de religiosidad y de medievalismo, plantados en lo caballeresco y en lo nacional.

Acaso sea verdad—como afirma la mayor parte de la crítica moderna—que los orígenes del romanticismo hay que buscarlos en Inglaterra, en Sterne—*Tristán Shandy* y su *Viaje sentimental*—, en Young—*Las noches lúgubres*—, en Macpherson—*Fingal* y *Temora*—, en Walpole, en Burns, en Radcliffe, en Walter Scott...; pero justo es reconocer que le corresponde a Alemania el honor de teorizar la primera acerca del romanticismo. El fenómeno literario *Sturm und Drag—Tormenta e Impulso*—queda perdurable en los escritos de los Schlegel, Novalis, Tieck, Wackenroed... Y a Francia le cabe la nota de haber *sensualizado* y *violentado* el romanticismo. Unción natural, paladeo, sensualismo... Con estas características, el romanticismo se filtra, empapa, se desborda en el mundo. Con sus tres características busca con ahínco el paisaje "como proyección espiritual del poeta", y en sus afanes evasivos de lo normal cotidiano se decide a dar una importancia decisiva en sus poemas al elemento sobrenatural o maravilloso. Del choque, también diario, entre lo real —tan hondamente vivido y saboreado—y lo ideal—tan ardientemente soñado—, surgen la decepción, la melancolía, la desesperación, el suicidio.

Aun cuando el romanticismo fue un movimiento genuinamente literario, influyó decisivamente y durante mucho tiempo sobre la pintura, la música, las costumbres y la política. Posiblemente, sobre las dos últimas, mucho más que cualquier otro movimiento de cualquier otra época. El ciudadano romántico—por sus gestos, modales, palabras y acciones—lo fue con más exclusivismo que el ciudadano neoclásico o renacentista. Y algo parecido puede indicarse del político romántico en relación con el renacentista o neoclásico. El romanticismo, además de un impulso artístico "fenomenal", fue un *modo de vivir.*

a) *Romanticismo literario alemán.*—Los primeros románticos alemanes buscaron los modelos en la antigua epopeya alemana, en los cantos y canciones populares, en las literaturas extranjeras—Italia, España e Inglaterra—de los siglos XVI y XVII, muy bien conocidas. El romanticismo literario alemán de la primera época no esgrimió la idea de la oposición frente al clasicismo, pero ya inició su inquina contra los grandes géneros de la literatura, que tendieron a disolver o desorganizar. Para el romanticismo, lo menos importante del drama fue el interés dramático, y lo trascendental que fuera una exaltación mística, simbolista o fatalista; el romanticismo hizo completamente arbitraria la novela, transformándola en un pretexto para digresiones, lucubraciones y episodios deshilvanados. El escritor romántico se preocupó mucho más en sus escritos de los detalles que del conjunto.

Los fundadores de la escuela romántica alemana fueron los hermanos Schlegel y Ludwig Tieck.

August Wilhelm von Schlegel (1767-1845), crítico, poeta, filólogo y orientalista, nació en Hannover y murió en Bonn. Fue discípulo de Heine y de Schiller. Con su hermano Federico fundó la archifamosa revista *Athenaeum* —1798—, el órgano más admirable del romanticismo, que ejerció una influencia enorme dentro y fuera de Alemania. Tradujo a Shakespeare, a Calderón y a Dante. Catedrático de la Universidad de Bonn, tradujo al latín el *Baghavad Gita* y fragmentos del *Ramayana*. Como poeta colaboró en el *Musenalmanach*, y como crítico en el *Allgemeine-Zeitung*. Son notabilísimos sus ensayos acerca de las literaturas española, provenzal, portuguesa e hindúe.

Carl Wilhelm von Schlegel (1772-1829), crítico, poeta y filósofo, nació en Hannover y murió en Dresde. Fue enemigo de Schiller, pero amigo de Goethe y de Fichte. Metternich le nombró en Viena secretario áulico. En 1802 se convirtió al catolicismo. Sintió el mayor entusiasmo por Calderón y Dante, a quienes colocó por encima de Goethe. Pronunció más de mil magníficas conferencias en distintas Universidades alemanas. Son notabilísimos sus ensayos acerca de la poesía griega y romana.

Johann Ludwig Tieck (1773-1853), poeta, novelista y crítico, nació y murió en Berlín; el filósofo Solger ejerció una gran influencia en él. Viajó por Italia, España y Francia, cuyos idiomas dominó a la perfección. En 1802, con Schlegel y en Dresde, publicó el famoso *Almanaque de las Musas*. Durante muchos años fue crítico literario de la *Abendzeitung*, y realizó una magnífica traducción de *Don Quijote de la Mancha*.

Friedrich Leopold von Hardemberg Novalis (1772-1801), poeta excepcional; amigo de Schiller, los Schlegel y Fichte; la muerte de su prometida Sofía Kuhen le causó un dolor inmenso, jamás mitigado, que le convirtió en un lírico de un fenomenal romanticismo místico y le llevó al sepulcro antes de cumplir los treinta años.

Heinrich Heine (1797-1856), pensador y poeta excepcional, nació en Düsseldorf y murió en París. Doctor en Leyes por la Universidad de Gotinga y en Lenguas clásicas por la de Berlín; abjuró del judaísmo y se hizo luterano. Fue discípulo de los Schlegel y viajó por Italia, viviendo en Francia los últimos años de su vida. Ha sido Heine, probablemente, el lírico romántico alemán que mayor influencia ejerció en toda Europa. Su *Libro de los Cantares*—en el que van incluidos el *Intermezzo, El retorno* y *El mar del Norte*—fue durante muchos años el breviario de los románticos alemanes.

Klement Brentano (1778-1842), viajó por toda Europa, llevando una vida casi delirante; estuvo casado dos veces, pero su gran pasión fue la enloquecida Ana Catalina Emmerich, cuyas visiones consignó en varios volúmenes. Posiblemente, fue el poeta que vivió una existencia más romántica; el más parecido en ello a nuestro Espronceda.

Ludwig Achim von Arnim (1781-1831), poeta y novelista, recorrió toda Alemania recogiendo canciones populares y componiendo él otras muchas; de imaginación sombría y febril, escribió novelas fantásticas.

Adalbert von Chamisso (1781-1838), de origen francés y nacido en Francia; militar y profesor de idiomas; realizó un viaje alrededor del mundo; miembro de la Academia de Berlín y amigo de madame Staël, a la que siguió en su destierro a Suiza. Su novela breve *Peter Schlemihl*, traducida a más de quince idiomas, aún sigue teniendo millares de lectores.

Heinrich von Kleist (1777-1811), poeta y dramaturgo de vida intensa y aventurera, que acabó suicidándose en compañía de una mujer a quien amaba, llamada Adolfina Vogel. Fue militar y luchó contra las huestes napoleónicas. Según muchos críticos alemanes, Kleist es el más genial de los líricos románticos de su patria, el más hondo, el más turbador. Sus obras dramáticas—*La familia Schroffenstein, Catalina de Helibronn*—son atroces, extravagantes, angustiosas.

Johann Ludwig Uhland (1787-1862), poeta y crítico, fue el jefe de la llamada "escuela suaba"—en la que se distinguieron Müller y Kerner—. Uhland fue catedrático de Literatura en Tubinga y fundó el *Almanaque Poético* y *La Selva de los Poetas*. Las juventudes románticas tuvieron en él uno de los mejores guías y maestros.

Aun cuando hemos hecho mención de los más admirables románticos alemanes, sería injusto no mencionar a otros, muy importantes también. Entre ellos: los poetas dramáticos y críticos Franz Grillparzer (1791-1872), austríaco, gran admirador de Lope de Vega y del teatro español; Christian Grabbe—*Don Juan, Fausto*—; Friedrich Zacharias Werner (1768-1823) —*El 24 de febrero, Martín Lutero*—; Ernst Theodor Wilelhm (llamado Amadeo) Hoffmann (1776-1822), pintor, músico, poeta, cuyos *Cuentos fantásticos* le han dado un renombre universal; Karl Leberecht Immermann (1796-1840), poeta, dramaturgo, novelista; Joseph Carl, barón de Eichendorff (1788-1857), poeta y novelista, militar y diplomático, gran enemigo de Napoleón, de un fuerte catolicismo; Friederich Karl de la Motte, barón de Fouquet (1777-1843), poeta, dramaturgo, novelista, fue llamado el "Don Quijote del romanticismo", y escribió un drama titulado *Don Carlos*, rehabilitando las figuras de Felipe II y del duque de Alba, tan vilipendiadas en el *Don Carlos* de Schiller; "Nicolaus Lenau" (1802-1850), seudónimo del poeta húngaro Nikolaus Franz Niembosch von Strebenau, panteísta y pesimista; los hermanos Jakob Ludwig (1785-1863) y Wilelhem Karl (1786-1859) Grimm, filólogos, críticos, poetas, cuyos *Cuentos infantiles* les han inmortalizado en todos los idiomas; los hermanos Karl Wilelhm (1767-1835) y Friedrich Heinrich (1769-1859) Humboldt, literatos e historiadores y filólogos, políticos y diplomáticos...

Y sería injusto no mencionar entre los románticos alemanes a sabios, historiadores, filólogos como Niebuhr, Wolf, Otfried Müller, Curtius, Droysen, Mommsen, Ranke, Fallmerayer, Gregorovius, Rückert, Platen... Y al único poeta verdaderamente romántico de la "escuela austríaca", Joseph Christian Zedlitz.

b) *Romanticismo literario francés.*—El "primer romanticismo francés", el que marcó la oposición al neoclasicismo, sin acabar de desprenderse de muchas de las calidades de este, tuvo tres representantes ilustres en José de Maistre, Chateaubriand y madame de Staël.

José de Maistre (1754-1821), plenipotenciario en Rusia, gran defensor del Pontificado, escribió las *Veladas de San Petersburgo, Historia de la Iglesia galicana, Consideraciones sobre Francia* y *Del Papa.*

François René, vizconde de Chateaubriand (1768-1848), de noble familia bretona, militar, diplomático, enemigo de la Revolución, emigrante en Londres—donde pasó días de miseria—, ministro, académico, muy mimado por Napoleón, ejerció una enorme influencia literaria en su patria y se inmortalizó con obras como *Les martyres, Mémoires d'outretombe, Vie de Rancé, Génie du Christianisme, Atala, René, Le dérnier abencerraje, Les Natchez, Etudes historiques, Itinéraire de Paris à Jérusalem...* Su principal mérito fue haber marcado con enorme precisión el tránsito de la escuela poética clásica a la romántica.

Anne Louise Germaine Necker, baronesa de Staël (1766-1817), hija del famoso ministro de Luis XVI, sumamente instruida y encantadora, calvinista y liberal, contrajo matrimonio —1786—con el barón de Staël, del que se separó en 1796; sus salones en Coppet (Suiza), Italia, Inglaterra y Francia fueron el punto de reunión de los mejores ingenios de su época; con su famosa obra *De l'Allemagne* dio a conocer en Francia el movimiento literario alemán del círculo de Goethe; como escritora, con su antidogmatismo inició el romanticismo francés; entre sus mejores producciones figuran: *Dix anées d'éxil, Impressions de voyages, Corinne, Delphine, Considérations sur la Révolution française.*

Ya triunfante el romanticismo francés, entre sus grandes poetas figuran:

Alphonse de Lamartine (1790-1869), diplomático, académico, diputado, ministro, muy amado por todos los franceses, quienes se sabían sus versos de memoria, autor de *Méditations poétiques*—1820—, *Nouvelles méditations* —1823—, *Harmonies poétiques et religieuses;* también se mostró gran prosista en *Voyage en Orient, La chûte d'un ange, Jocelyn, Histoire des Girondins*—1847—; y gran narrador en *Graziella* y *Raphaël.*

Víctor-Marie Hugo (1802-1885), hijo de un general de Napoleón, la figura literaria más grande del siglo XIX en Francia, pontífice indiscutido del romanticismo, político revolucionario, fue desterrado por Napoleón III; diputado, senador, académico, fogoso orador, ídolo de su patria; cultivó todos los géneros literarios: la poesía—*Les Orientales, Feuilles d'automne, Chants du crépuscule, Les voix intérieures, Les rayons et les ombres*—, el teatro—*Marion Delorme, Lucrèce Borgia, Cromwell, Hernani, Angelo, Marie Tudor, Ruy Blas, Le roi s'amuse, Les Burgraves*—, la novela—*Notre Dame de Paris* (1831), *L'année terrible, Han d'Islande, Bug-Jargal, Les misérables, Les travailleurs de la mer, L'homme qui rit, Le dernier jour d'un condamné*—, el libro polémico—*Napoléon le Petit, Les contemplations, Les châtiments, Littérature et philosophie mélées.*

Alfred de Musset (1810-1857), de existencia aventurera y bohemia, tuvo tormentosos amores con Aurora Dupin ("George Sand") y perteneció al famoso *Cénacle;* su mundo lírico de amor y de ensueño se halla en la línea de Heine y de Bécquer; escribió para el teatro deliciosas comedias—*Lorenzaccio, Les caprices de Marianne, On ne badine pas avec l'amour, Fantasio, Bettine, Louison*—, cuentos y novelas—*Contes d'Espagne et d'Italie, Confession d'un enfant du siècle, Mimi Pinson, La mouche*—; pero su inmortalidad la debe a sus libros de poesía: sus *Nuits*—1835—, *Nuit de mai, Nuit d'août, Nuit d'octubre, Nuit de décembre*—, en *Souvenir.*

Alfred Víctor, conde de Vigny (1797-1863), de familia noble, militar, romántico en grado sumo, autor de poesías—*Moïse, Eloa, Poèmes, Poèmes antiques et modernes*—, de novelas —*Stello, ou les diables rouges, Les destinées, La maison du berger, Cinq-mars, Servitude et grandeur militaires*—, de obras teatrales—*La maréchale d'Ancre, Chatterton.*

Casimire Delavigne (1793-1843), académico, autor del poema *Las Mesenias*—1818—, en honor de los que combatían por la independencia de Grecia, y de las obras teatrales *El paria* y *Las vísperas sicilianas.*

Pierre Jean de Béranger (1780-1857), aprendiz de tipógrafo, bohemio, escribiente en la Universidad Imperial, diputado en la Asamblea constituyente de 1848, autor de *Les gueux, Le roi d'Ivelot, Le boeuf gras, Chansons nouvelles.*

Fueron novelistas románticos, además de los ya mencionados, Lamartine, Víctor Hugo, Vigny y Musset, Alejandro Dumas, padre (1803-1870), el más popular de los novelistas franceses de su siglo, de fama mundial y numen inagotable, autor de más de un centenar de novelas traducidas a todos los idiomas, entre las que destacan: *Los tres mosqueteros, El vizconde de Bragelonne, Veinte años después, El conde de Montecristo, El collar de la reina, La reina*

Margot, Los mohicanos de París... Dumas escribió también algunas obras teatrales: *Charles VII, La Tour de Nesle, Caterine Howard, Mademoiselle de Belle-Isle, Un mariage sous Louis XV, Les demoiselles de Saint-Cyr, Henri III et sa cour...* Alejandro Dumas, hijo (1824-1895), de vida fastuosa, académico, a quien hizo famosísimo su novela *La dame aux camélias;* pero su verdadero temperamento fue de autor dramático, como demostró en numerosas producciones: *Demi-monde, Le fils naturel, L'ami des femmes, Diana de Lys, Le père prodigue, Francillon, La princesse Georges, La question du divorce...*

Fueron autores teatrales románticos, además de Musset, Víctor Hugo, Vigny y los dos Dumas, Augustin Eugène Scribe (1791-1861), de familia rica dedicada al comercio, el autor dramático más popular entre 1830 y 1850, y jefe de la nueva escuela dramática; escribió más de cien obras dramáticas, que se tradujeron a varios idiomas y se imitaron en otros países: *La petite soeur, Frontin, Mon oncle César, La veuve malabar, Bataille de dames, Fra Diavolo, Robert le diable, Les Hugonots, La czarine, Le Prophète, Bertrand et Raton, La Favorite, Le verre d'eau...* Victorien Sardou (1831-1908), autor de obras tan famosas como *Madame Sans-Gêne, Tosca, Dora, Odette, Fedora, Cléopatre, Divorçons, Piccolino, La perle noire...*

Dentro del romanticismo deben considerarse historiadores como Augustin Thierry, Jules Michelet, François Guizot y Adolphe Thiers; críticos como Villemain y Saint-Marc Girardin; oradores como Monsaere, Lacordaire, Lammenais, Montalembert, Gambetta, Périer...

c) *Romanticismo literario inglés.*—El romanticismo inglés fue iniciado *líricamente* por los poetas lakistas (V. *Laquismo)* Wordsworth, Coleridge y Southey.

William Wordsworth (1770-1850), en 1842 fue nombrado *poeta laureado,* consagración máxima oficial en Inglaterra; autor de *Lyrical Ballads, Pastoral and other Poems, Sonnets, The Prelude.* Samuel Taylor Coleridge (1772-1834), el más importante de los lakistas, autor de *Poems, The Friend, Remorsa, Sybillene Leaves, Christabel.* Robert Southey (1774-1843), periodista, teólogo, defensor de la Revolución francesa, viajero por Alemania, Francia, España y Portugal, autor de *Thalaba the destroyer, The curse of Kehama, Carmen triumphale, Visión of Judgment...*

Pero los auténticos poetas románticos fueron: Walter Scott (1771-1832), nacido en Edimburgo, glorificado universalmente en vida, auténtico *iniciador* del romanticismo inglés, autor de los libros de poemas *El último menestral, La dama del lago.* Walter Scott alcanzó su enorme fama como novelista de temas historicorrománticos: *El pirata, Ivanhoe, Kenilworth, Lucía de Lammermoor, El anticuario, Waberley, Guy Mannering, Rob Roy, Quentin Durward...* Percy Bysshe Shelley (1792-1822), de familia noble y rica, de belleza casi femenina, de existencia atormentada y turbia; vivió en Italia, fue gran amigo de Byron y murió ahogado en la bahía de Spezzia (Italia); autor de *Queen Mab, Alastor or the Spirit of Solitude, Adonais, Poetical pieces, Prometheus unbound.* Thomas Moore (1779-1852), irlandés, representó para Irlanda lo que Walter Scott para Escocia; poeta fogoso y brillante; autor de *National melodies, Sagred Songs, Lover of the angels, A Pastoral ballads, Lalla Rookh, Lines to Zelia.* John Keats (1795-1821), de familia humilde; una tuberculosis hereditaria le hizo morir en Roma. Delicadísimo, apasionado, natural, su lirismo entusiasmó a los ingleses, quienes le prefirieron, en su época, a Shelley y a Byron. Autor de *Poems*—1817—, *Endymion*—1818—, *Hyperion*—1820—, *The Eve of St. Agnes and other poems*—1820—. Georg Noël Gordon, lord Byron (1788-1824), de familia nobilísima, llevó una existencia mucho más romántica que románticas fueron sus romantiquísimas poesías. Tuvo amores numerosos y turbulentos; viajó novelescamente por España, Portugal, Francia, Italia, Holanda, Turquía, Grecia, países en los que hizo gala de una vida desordenada y absurda; murió en Missolonghi (Grecia), defendiendo con las armas la libertad de los helenos y contra los turcos. Autor de los poemas *Childe-Harold, Don Juan, El corsario, La prometida de Abydos, Parisina, Lamentaciones,* y de los dramas *Manfredo, Marino Faliero, Mazeppa, Beppo, Sardanápalo, Caín...*

Entre los novelistas románticos ingleses de primer orden cuentan, además de Walter Scott, ya mencionado, Jane Austen (1775-1815), hija de un pastor protestante, muy culta, alabada panegíricamente por Walter Scott y autora de novelas famosísimas y traducidas a todos los idiomas: *Sense and Sensibility, Pride and Prejudice, Northanger Abbey, Mansfield Park, Emma, Persuasión.* En estas obras describe magistralmente y con suave ironía la vida íntima de la clase media inglesa. Edward George Bulwer-Lytton (1803-1873), autor de la universalmente conocida novela *Los últimos días de Pompeya,* y de otras narraciones, como las tituladas *Eugene Aram, Rienzi, The Last of the Barons, Falkland.* Charlotte Brontë (1816-1855), hija de un clérigo protestante y hermana de Emily y de Anny, escribió *Jane Eyre, Shirley, El profesor.* Emily Brontë (1818-1848), que se inmortalizó con una única novela: *Wuthering Heights (Cumbres borrascosas).* Anny Brontë (1820-1849), autora de *Agnes Grey* y *El inquilino de Wildfell Hall.* "George Eliot", seudónimo de María Ana Evans (1819-1880), popularísima autora de *Adam Bede, Silas Marner, Agatha, Daniel Deronda, El molino.* Elizabeth Cleghorn Stevenson de Gaskell (1810-1865), esposa de un clérigo unitario, y que, sin salirse del procedimiento romántico, inició el paso hacia el realismo en *Mary Barton, Ruth, Cranford, Norte y Sur, Mi prima Filis.* Benjamín Disraeli, conde de Beaconsfield (1804-1881), uno de los más ilustres políticos de la época victoriana; en su juventud escribió novelas estimables: *The young Duke, Sybil, Tancred or the new crusade, The adventures of Pompanilla, The wonderous tale of David Abroy, Vivian Grey.*

Algunos críticos estiman como novelistas románticos ingleses a Stevenson, Dickens y Thackeray. Pero nosotros creemos que pertenecen enteramente al primer período del realismo.

Lo que ya es más discutible es la existencia de un *segundo grupo* de grandes poetas románticos, entre los que cabe mencionar a Alfred Tennyson (1809-1892), Robert Browning (1812-1889), Elizabeth Barret Browning (1806-1861), esposa del anterior; Dante Gabriel Rossetti (1828-1882) y Algernon Charles Swinburne (1837-1909).

Dentro del romanticismo han de ser considerados los críticos y estéticos John Ruskin (1819-1900), Mathew Arnold (1822-1888), Sydney Smith, Charles Lamb, William Hazlitt y Thomas de Quincey; los historiadores lord Macaulay (1800-1889), Thomas Carlyle (1795-1881), Stubbs, Freeman, Green y Secley; los eruditos Tyndall y Darwin.

d) *Romanticismo literario italiano.*—Es sumamente peculiar; mientras el romanticismo de otros países es un fenómeno puramente estético, el italiano contiene una mixtura de lo artístico y de lo político, e implica una obsesión del alma hacia una era de libertad política. Se explica lo apuntado, considerando que era Italia, en los comienzos del siglo XIX, el único país occidental y latino que aún no había conseguido su unidad política.

Figuras cumbres del romanticismo italiano fueron: su iniciador, Alessandro Manzoni (1785-1873), poeta, novelista, erudito, autor dramático, de familia ilustre, figura egregia de su patria, político apasionado; entre sus obras figuran: *Urania*—poema—, *Il comte di Carmagnola* —tragedia—, *Los novios (I promessi sposi)*—novela—, *Del tronfo della Libertà*—polémica—. Giovani Berchet (1783-1851), lírico llamado "el Tirteo de los italianos". Silvio Pellico (1789-1854), poeta y prosista, político de orientación católica, autor dramático, erudito; entre sus obras destacan: *Francesca de Rimini, Laodamia, Erodiade* y *Gismonda da Mendrisio*—tragedias—; *Le mie prigione*—memorias—, *Poesie, Discorso dei doveri degli uomini.* Massimo Taparelli D'Azeglio (1801-1866), novelista, político y diplomático, autor de *Héctor Fieramosca* y *Niccolo dei Sappi.* Francesco Domenico Guerrazzi (1804-1873), político y prosista, autor de *Assedio di Firenze, Serpicina, Assedio di Roma* y de la famosa novela *Beatrice Cenci.* Giacomo Leopardi (1798-1837), acaso el más excelso poeta lírico de la Italia moderna, prosista y filósofo, de noble familia y excepcional cultura, ídolo de sus compatriotas; entre sus obras destacan: *Inno a Nettuno, Versi, Amore e morte, Il risorgimento, Le ricordanze, Ultimo canto di Saffo, Operette morali, Canti, Alla sua donna...* Arnaldo Fusinato (1817-1889), poeta excelente en *El estudiante de Padua* y *Caída de Venecia.* Luigi Mercantini (1821-1872), autor del famoso himno *Garibaldi.* Godofredo Mamelli (1827-1849), autor del himno *Hermanos de Italia.* Giambattista Niccolini (1782-1861), autor dramático insigne, entre cuyas obras alcanzaron éxito grandioso *Medea* y *Arnaldo de Brescia.* Giuseppe Giusti (1809-1850), poeta y dramaturgo. Cesare Balbo (1789-1853), historiador y político, autor de una *Historia de Italia.* Vincenzo Gioberti (1801-1852). Filósofo, historiador y político, autor de *Lo bello, Lo bueno, Filosofía de la Revelación.* Niccolo Tommaseo (1802-1874), político, filósofo, erudito, autor de *Dizionario della lingua italiana, Belleza e civilità, L'uomo e la scimmia.* Giuseppe Mazzini (1808-1872), revolucionario político, orador y prosista, periodista y polemista ilustre. Cesare Cantú (1804-1895), famosísimo historiador y político, novelista y crítico; su *Historia Universal* le hizo famoso en todo el mundo. Y los historiadores y críticos Amari, Nievo, Dupré...

e) *Romanticismo literario portugués.*—Tuvo sus principales representantes en Almeida Garret (1799-1854), de noble familia, poeta, autor teatral, crítico, auténtico genio romántico, autor de *Hojas caídas, Flores sin fruto, Camoens* —poemas—; de *El arco de Santa Ana*—novela—; de *Catón, Fray Luis de Sousa, Doña Felipa de Vilhena*—tragedias—. Alejandro Herculano (1810-1877), poeta, novelista, historiador, autor de *El arpa del creyente, Semana Santa* —poesías—; de *El monje del Cister, Eurico el presbítero* y *Leyendas y narraciones*—novelas—; de *Historia de Portugal* y *La Inquisición en Portugal.*

En parte solo son románticos Antero de Quental (1842-1891), Abilio Guerra Junqueiro (1850-1923) y Joao de Deus (1830-1896). Pero son auténticamente románticos: Antonio Feliciano de Castilho (1800-1875), Joao de Lemos (1819-1890), José de Serpa (1814-1870), Soares de Passos (1826-1860), poetas líricos. Los novelistas Oliveira Marreca (1805-1889), Andrade Corvo (1824-1890), Rebello da Silva (1822-1871), Arnaldo Gama (1828-1869), Camilo Castello Branco (1826-1890)—autor de *Mysterios de Lisboa, Anathema, Filha do Arcediago, Amor de prediçao, Amor de salvaçao*—, Francisco María Bordallo (1821-1861), "Julio Diniz" (1839-1870), seudónimo de Joaquín Guillermo Gomes Coelho, autor de *Una familia inglesa, Novellas do Minho, Fidalgos da Casa Mourisca, Pupillas do señor Reitor.* Los autores dramáticos Blas Martins (1823-1872), Mendes Leal (1818-1886), Costa Cascaes (1815-1898), Andrade Corvo (1824-1890), Ernesto Biester (1829-1880). Los historiadores, críticos y eruditos Luz Soriano (1802-1890), Latino Coelho (1825-1891), Rebello da Silva, Silveira Malhao (1791-1860), Antonio Rodrigues

Sampaio (1806-1882), Bulbao Rato (1879-1912), escogido por Eça de Queiroz para una caricatura del romanticismo en *Los Maias;* Tomás Ribeiro (1831-1891).

f) *Romanticismo literario español.*—En España, el romanticismo no penetró súbitamente ni con violencia. Entre 1780 y 1830 existió una *zona fronteriza y de transición,* en la que vibran ya algunas notas de las que serían características de la nueva manera. Notas ya apuntadas al referirnos a varios poetas españoles neoclásicos: Cadalso, Meléndez, Quintana, Martínez de la Rosa, Gallego, Gallardo... Pero en los primeros años del siglo XIX es cuando ya se señalan los hitos inmediatos de la revolución literaria en España. O, si se prefiere, de su reanimada revolución. Muy al principio del siglo XIX se publicaba en Madrid una revista titulada *Variedades de Ciencia, Literatura y Artes,* de la que era mando y voz Tomás García Suelto, médico y literato al alimón. Pues bien: en unas *Reflexiones sobre el estado actual de nuestro teatro,* García Suelto afirmaba que el público español ya se había cansado de las traducciones mediocres de las tabarrosas tragedias neoclásicas, y que buscaba con verdadero afán las producciones de Lope y de Calderón... "...siendo digno de notarse que el público no se complacía, como en otro tiempo, con las largas relaciones recitadas en tono musical y afectado, sino que sabía distinguir los pasajes verdaderamente cómicos y prefería los defectos ingeniosos de Tirso y Lope, mezclados con muchas bellezas, a las monstruosas tragicomedias modernas". Primer tanto a favor. El público español no podía hacer traición por mucho tiempo a su sentimentalismo *romántico desde siempre.* ¿No ha descubierto Américo Castro, certerísimamente, notas genuinamente románticas en *La Celestina,* escapadas de los dulces labios, desde el sensible corazón de Melibea? Aquellas palabras en murmullo que su emoción amorosa dirige a Calixto: "¡Oye los altos cipreses cómo se dan paz unos con otros por intercesión de un templadico viento que los menea! ¡Mira sus quietas sombras, cuán oscuras están y aparejadas para encubrir nuestro deleite!"

En la misma revista de las *Variedades,* con fecha 12 de julio de 1805, aparecían unas *Reflexiones sobre la poesía,* en las que se extractaban ideas de Schiller y en las que el articulista anónimo—fue Böhl de Faber—señalaba dos inclinaciones en la existencia del hombre: una material y otra espiritual, siendo poesía lo que *a ambas inclinaciones* satisface. El artículo terminaba proclamando a Shakespeare "el intérprete de la mayor parte de las afecciones", y aludiendo con interés a los *romancistas* alemanes. La guerra de la Independencia detuvo durante algunos años el desarrollo de la revolución literaria española. El primer nuevo brote data de 1814. El 16 de septiembre, en *El Mercurio Gaditano,* Nicolás Böhl de Faber—hispanófilo e hispanista alemán, padre de nuestra "Fernán Caballero"—publicó un extracto de las ideas de Schlegel, uno de los epigonos del romanticismo germano. Este artículo inició una polémica larga y ruidosa entre el alemán afincado en España y el periodista y aventurero, de talento innegable, José Joaquín de Mora, defensor desde *El Constitucional* de las inmutables reglas del arte que preconizaban los moribundos neoclasicistas, muriendo sin querer arriar el grito de su fe. Distintos periódicos y revistas tomaron partido por uno u otro. Y de la discusión—no pocas veces agriada, como la mala leche—fue naciendo la luz... La luz romántica, que durante el primer romanticismo —hasta 1833, en que llegaron a Madrid, de Francia, los emigrados intelectuales—fue de prosapia alemana; prosapia que en aquella época significaba remoción de leyendas medievales, entrañable localización de los temas, sentimientos patéticos de fe, subjetivismos idealistas, sensiblerías y rebeldías temperamentales que, a veces, terminaban con el pistoletazo de Werther. Böl de Faber hubo de luchar ardientemente en pro del romanticismo, que era, ni más ni menos, y él así lo proclamaba, la patentización de los valores eternos de nuestros más gloriosos dramáticos del siglo XVIII, Calderón sobre todos. Pero Böhl de Faber tuvo su recompensa doble: en 1820, la Academia Española le nombró académico de honor; y murió en 1836, después de haber visto triunfar con estrépito al romanticismo en España.

Triunfo que no había sido rápido, conviene declararlo, porque el español, entre 1808 y 1833, ya por guerras o por azarosos y turbulentos alzamientos políticos, no tuvo un instante de sosiego para dedicarlo a la literatura y a sus reacciones. Entre 1808 y 1830 no hubo en España sino guerrilleros, docentistas, exaltados, serviles, feotas, que preferían los himnos y las canciones de facción o de partido. En los famosos cafés madrileños—el Lorencini, de la Puerta del Sol; La Fontana de Oro, de la carrera de San Jerónimo; la Cruz de Malta, en el Caballero de Gracia—, donde años después se formarían famosas tertulias poéticas, entre 1808 y 1830, únicamente se reunían conspiradores, espías, agitadores, aprendices de parlamentarios, provocadores, polizontes secretos. Sí, la invasión francesa y la efervescencia política fueron las causas de la tardanza con que cuajó el romanticismo en España, ya que el iniciamiento se verificó al tiempo mismo que en Inglaterra y Alemania: con Cadalso, con Meléndez, con Quintana, en la segunda mitad del siglo XVIII. Tal vez por esta lentitud con que floreció en suelo español no adquirió *homogeneidad.* Fue, es verdad, el romanticismo lírico en nuestra patria *algo* desarraigado, suelto, sin correspondencia de trayectoria y de finalidad entre los autores; *algo* carente de base, de una firme preparación crítica.

Pero, en fin, en frase verdadera de Menéndez

Pidal: "El romanticismo había vuelto a España." Su libertad y su indisciplina lo hicieron el más adorable y el más ingrato de los romanticismos. La avanzadilla del romanticismo español, la que recogió con avidez las sugerencias de Böhl de Faber, surgió en Barcelona. El 8 de octubre de 1823 apareció, como órgano "de la escuela romanticoespiritualista", *El Europeo,* periódico fundado por dos españoles: Buenaventura Carlos Aribáu y Ramón López Soler, y tres extranjeros: el inglés C. E. Cook y los italianos Luis Monteggia y Florencio Galli. En este periódico se recogía cuanto con sabor romántico circulaba por la Europa de aquellos años: las novelas de Grossi y de Walter Scott; las poesías de Ossián, de Collis, de Bronner; los estudios de Schlegel y de Uhland; el teatro de Schiller; las impresiones poéticas de Heine. Y fue Ramón López Soler quien, al frente de su novela *Los bandos de Castilla,* lanzaría el auténtico e interesantísimo manifiesto romántico. Y es muy curioso considerar cómo estando Cataluña inmediata a Francia, y muy en relaciones culturales con ella, no fue el francés el romanticismo que propagaron y defendieron los catalanes, sino el alemán. El romanticismo francés penetró en España *por Andalucía.* Casi siempre las convulsiones y revulsiones literarias penetraron en España por esos dos caminos de Andalucía y Levante. El romanticismo francés en el sur español lo habían exaltado los constitucionalistas, los emigrados políticos, los comerciantes que vivían con un ojo en España y otro en América. El romanticismo andaluz era *liberal;* el catalán era *tradicionalista.*

¿Qué otras notas distintas había en ellos? "Dos bandos—escribe Tubino—partían ya la arena del romanticismo en creyente, aristocrático, arcaico y restaurador, y descreído, democrático, radical en las innovaciones y osado en los sentimientos. Ateniéndose Walter Scott a la tradición de la escuela germánica, de los Schlegel, abrazóse al primero; Víctor Hugo... declarábase por el segundo, escandalizando a los públicos con las inauditas libertades artísticas del *Hernani* y de *Nuestra Señora;* quería el uno oponer recio valladar a las disolventes máximas de liberalismo nivelador, ofreciendo el cuadro de los esplendores feudales; asimilaba el otro el romanticismo a la política revolucionaria, presentándola como un 93 del pensamiento..." Cataluña se decidió por Walter Scott. Andalucía, por Víctor Hugo. Y, casi al mismo tiempo, las dos corrientes románticas iniciaron su marcha a la conquista de Madrid. Y Madrid se entregó al romanticismo liberal francés. ¿Por qué?

Intentaré enumerar los *motivos* que pudieron influir en dicho triunfo. Uno de ellos fue el de los emigrados liberales españoles durante el absolutismo fernandino. Dichos emigrados se refugiaron en Londres y París y fundaron periódicos, en los cuales defendían sus ideales políticos y fueron delatando sus evoluciones poéticas muy en consonancia con los ambientes en que respiraban lirismos. Estos emigrados, al regresar a su patria—1833—, muerto Fernando VII, traían ya en sus almas la llama viva del romanticismo liberal. Y la prendieron en cuantos artistas vivían en la Corte "esperando el milagro de la renovación". Otro de los motivos pudo ser la multiplicación de los cenáculos literarios, donde los recién llegados a Madrid, ávidos de propagar su nueva fe, disertaban con exaltación. Los más importantes entre los cenáculos fueron *El Parnasillo, El Ateneo* y *El Liceo. El Parnasillo* era el café lóbrego, misérrimo, sucio, del teatro del Príncipe. En él se reunían Grimaldi, Estébanez Calderón, Gil y Zárate, Escosura, Espronceda, Larra, Ventura de la Vega, Roca de Togores, Cheste, Ros de Olano, García Gutiérrez, Hartzenbusch, Mesonero Romanos. Al *Ateneo*—de la calle de la Montera—, de cuya Junta era presidente el año 35 el duque de Rivas, acudían Olózaga, Alcalá Galiano, Antonio María Segovia, Rodríguez Rubí, Gertrudis Gómez de Avellaneda, Carolina Coronado, Fernández y González, Joaquín Francisco Pacheco. *El Liceo,* fundado en 1837, se instauró en el palacio de los duques de Villahermosa, y en él se reunieron cuantos eran concurrentes al *Ateneo* y al *Parnasillo,* sin distinción de matices políticos, ya que a todos los *igualaba* el interés por la novedad literaria, tan preñada de sugestiones.

Otro de los motivos fue la enorme cantidad de traducciones que se hicieron de las obras más significativas del romanticismo francés. Los entusiasmados neófitos españoles se enardecían leyendo en lengua castellana a madame de Staël, a madame de Genlis, a Bernardino de Saint-Pierre, a Chateaubriand, a D'Arlincourt, a Ducange, a madame Cottin, a Hugo, y hasta se lanzaron con verdadero frenesí a escribir novelones, en prosa y en verso, en los que abundaban los castillos lúgubres con mazmorras y espectros, las noches de tormenta, los murciélagos, las tumbas, los cantos agorinos de las aves, las princesas soñadoras y desdichadas, los donceles malogrados, las brujas, los magos, la luna maléfica, los diablos y hasta los vampiros. Porque si el que pudiéramos llamar "primer romanticismo español" estaba henchido de ternuras recónditas, de emotivas leyendas medievales, de ingenuos sentimientos de fe, de idealismos, fue en el segundo, "en el francés", cuando la temática fundamental se redujo al egoísmo sin esperanza y a la infelicidad desgarradora.

Mucho influyeron también en el ánimo de los espíritus ávidos de transformaciones ideológicas y de revuelos poéticos dos discursos extraordinarios de sendos extraordinarios escritores. Fue uno de ellos el escrito por el gran erudito y crítico don Agustín Durán, discípulo de Lista y compañero de Böhl de Faber, quien, tal vez, le asesoró cumplidamente en la materia. El

Discurso sobre el influjo de la crítica moderna en la decadencia del teatro antiguo español y sobre el modo con que debe ser considerado para juzgar convenientemente de su mérito peculiar, escrito en 1828, tuvo en España el mismo valor expositivo y la misma hondura reformadora que las *Lecciones,* de Schlegel, en Alemania; la *Carta sobre las tres unidades,* de Manzoni, en Italia, y el prefacio de *Cromwell,* de Hugo, en Francia.

El discurso de Durán, expositor y defensor *del fondo romántico* de la literatura española del siglo XVII, se adelanta y excede en eficacia al que pasa por ser el manifiesto del romanticismo español: el prólogo puesto por Alcalá Galiano a *El moro expósito,* del duque de Rivas,

Agustín Durán tenía ya fama de hombre de solidísima cultura, de crítico lleno de ponderación y de buen gusto. Su discurso fue leído con avidez, y fue calificado por don Alberto Lista como "opúsculo lleno de ideas nuevas y luminosas". Acerca de la poesía, afirmó Durán que era "la voz viviente de los pueblos o de la Humanidad misma". Y para demostrarlo publicó su felicísimo *Romancero* con los restos venerables, encantadores y lozanos inmarcesiblemente de la primitiva poesía. Los románticos, leyendo los viejos romances españoles, se sintieron deslumbrados y conmovidos. ¡En ellos encontraban la más maravillosa de las resurrecciones!

El otro discurso fundamental fue el pronunciado por don Juan Donoso Cortés en el Colegio de Humanidades de Cáceres, en octubre de 1828. Porque aun cuando versaba acerca del estado social y político de Europa en aquellos días, aludió con una secuencia sutil a las nuevas orientaciones estéticas. Y dedicó grandes alabanzas a Byron, a Walter Scott y a Schiller.

Se puso en moda que, a imitación de *El Europeo,* de Aribáu, los periódicos—aun los de matices políticos—recogieran las controversias literarias, las traduciones románticas y manifestaciones "de la nueva modalidad europea". Así, *El Correo Nacional* publicó el estudio de Donoso Cortés sobre *El clasicismo y el romanticismo.* Así, en las revistas *Cartas Españolas* y *Revista Española*—1831 a 1836—, José María Carnerero brindó campo ancho a la discusión estética en torno al romanticismo. Así, en *El Siglo* —24 de enero de 1834—, un anónimo articulista, acaso Espronceda, ironizaba acerca de la cuestión, ya enranciada, de las unidades. Así, en enero de 1835 apareció al fin la verdadera revista romántica, *El Artista,* dirigida por el crítico Eugenio de Ochoa y por el pintor Federico de Madrazo. En *El Artista* se definió con exactitud el romanticismo y al romántico; en *El Artista* pudo—y puede—estudiarse perfectamente la evolución de nuestra lírica; en *El Artista* se afirmaba: "Hemos hecho una guerra de buena ley a *Favonio,* a *Mavorte Insano,* a *Ciprina,* al *ronco retumbar del raudo rayo* y a las zagalas que tienen la mala costumbre de *triscar* y a todas las plagas, en fin, del clasicismo. Pero esto hicimos mientras vivió este malandante mancebo con peluquín; ahora ya murió. *Requiescat in pace.*" En *El Artista* se dieron a conocer Espronceda, Pastor Díaz, Salas Quiroga, Escosura, Tassara, Maury, Julián Romea, Madrazo, Zorrilla... Cuando *El Artista* desapareció, ocupó su puesto avanzado en la lucha la revista de Salas Quiroga *No Me Olvides* —1837—, cuyo intento principal era "establecer los sanos principios de la literatura y vengar a la escuela llamada romántica de la calumnia que se ha alzado sobre su frente..." ¡Nada menos!

Los románticos no se hartaban de afirmar que en su escuela *iban enlazados* Homero, Dante y Calderón; que preferían Jimena a Dido, el Cid a Eneas, Calderón a Voltaire y Cervantes a Boileau; que hallaban mayores bellezas en las catedrales cristianas que en los templos del paganismo; que consideraban más noble llorar de amor que sonreír de escepticismo.

Posiblemente contribuyó no poco a *hacer románticos* a los hombres de 1830, de 1840, de 1850, la vida política española, llena de incidencias en dichos años. Las conspiraciones reunidas en sótanos y buhardillas, a las altas horas de la noche, entre embozos de capas y contraseñas. Las sublevaciones cuarteleras a toque de clarín, al romper el alba de los días malogrados, en busca de las barricadas barriobajeras y costanilleras. Las intrigas palatinas, con rostros pálidos ante las cornucopias, rumores de rasos y de espuelas en las vueltas de todas las galerías, temblores de moños altos y de *moscas* afiladas en los aledaños de las consolas y en los vanos de los grandes ventanales. Epoca del sobresalto y de la esquelilla anónima. Epoca en la que la pólvora de los pistolones sustituía en los duelos a la pinta centelleante del espadín. Epoca en que la lividez sustituía a la palidez en los rostros. Epoca de la discusión a voces, y del dolor a gritos, y de la pasión con arrebatos de locura.

Como, antes que nada—insisto—, el romanticismo fue una reacción violenta, de enemistad eterna, contra el neoclasicismo, rápidamente los románticos quisieron distinguirse de los clásicos no solo en las obras, sino hasta en el aspecto: cara y atuendo. ¿Que los clásicos llevaban pelucas rizadas, encañonadas, perfumadas? Los románticos se dejarían las melenas largas, lacias, despeinadas. ¿Que los clásicos se depilaban el rostro de barba y bigote? Los románticos se dejarían las barbas, las patillas y las *moscas.* ¿Que los clásicos cuidaban de *su expresión* risueña o grave, pero muy estereotipada siempre? Los románticos presumirían de ceños, de ojeras, de ojos fulgurantes, de muecas. ¿Que los clásicos vestían casacas amplias de raso bordado, camisas de encajes con *espumas,* amplios pantalones

R

cortos, sujetos a la rodilla con lazos; medias blancas impolutas, zapatos con hebillas fulgentes? Los románticos vestirían levitillas de menguada faldamenta y abrochadas tenazmente hasta la nuez de la garganta, estrechos pantalones unidos a los botitos, sombreros de formas misteriosas, fuertemente introducidos hasta la ceja izquierda. Y también discreparían radicalmente en las aficiones. ¿Que los clásicos visitaban los salones con músicas de Mozart o de Haydn para lanzar el madrigal o el epigrama? Los románticos visitarían los cementerios—de noche— y las escuelas anatómicas para componer sus "desesperaciones o arrepentimientos". ¿Que los clásicos aprendían el lenguaje del *sol febeo,* del ave de Jove, de los dulces pastores nemorosos? Los románticos aprenderían el de los búhos y lechuzas, el de los bosques arrasados por el huracán, el del mar engalernado, el del "ruido con que rueda la ronca tempestad", el de los fantasmas aparecidos en medio de una orgía...

Contrario, en todo, al neoclasicismo. Este fue el lema del romanticismo. Sin razonamientos. Porque sí. Cuestión de antipatía súbita. Porque en otras revoluciones literarias, triunfante la revolución—léase: Edad Media, barroco—, no prescindió en absoluto de todos los valores de la efusión clasicista vencida, sino que se asimiló algunos y respetó no pocos. Pero el romanticismo fue vencedor implacable. No concedió nada. No perdonó nada. No reconoció nada. No aprovechó nada. Imaginativamente guillotinó a su precedente artístico, literario político, social.

I. *La poesía romántica.*—Pueden señalarse tres poetas prerrománticos: el malagueño Juan María Maury (1772-1845)—con los poemas *Agresión británica, Esvero y Almedora* y *La ramillera ciega*—; el catalán, de Villanueva y Geltrú, Manuel de Cabanyes (1808-1833)—*La independencia de la poesía, A Cintia,* la oda *Al cólera morbo*—, y el madrileño y eminente crítico y erudito Agustín Durán (1793-1862), insigne compilador del *Romancero* y su habilísimo imitador.

Y poetas auténticamente románticos: Francisco Martínez de la Rosa (1787-1862)—*Poesías, La aparición de Venus, El recuerdo de la patria, Epístola al duque de Frías*—; Mariano José de Larra, "Fígaro" (1809-1837); Angel de Saavedra, duque de Rivas (1791-1865)—*El faro de Malta, El sueño del proscrito, El moro expósito, El aniversario, Romances*—; José de Espronceda (1808-1842)—*A la noche, Al verdugo, Canto del cosaco, Canto del pirata, El estudiante de Salamanca, El diablo mundo, El himno al Sol, A Jarifa*—; Antonio García Gutiérrez (1813-1884)—*Poesías,* 1841—; Juan Eugenio Hartzenbusch (1806-1880)—*La muerte, El alcalde Ronquillo, Al busto de mi esposa*—; José Zorrilla (1817-1893)—*La flor de los recuerdos, Leyendas, Orientales*—; Antonio Gil y Zárate (1796-1861); José García de Villalta (¿1798-1850?); Enrique Gil y Carrasco (1815-1846) —*Una gota de rocío, La violeta*—; Nicomedes Pastor Díaz (1811-1863)—*Al Eresma, La mariposa negra, A la luna*—; Gertrudis Gómez de Avellaneda (1814-1873)—*Al sol, Al mar, Amor y orgullo, A la esperanza, La Cruz*—; Salvador Bermúdez de Castro (1814-1883); Juan Ariza (1816-1876); Eusebio Asquerino (1822-1892); Eduardo Asquerino (1826-1892); Miguel Agustín Príncipe (1811-1863); Gregorio Romero Larrañaga (1815-1872); José María Díaz (1800-1888); Juan Arolas (1805-1849)—*La sílfide del acueducto, Orientales, Caballerescas*—; Pablo Piferrer (1818-1848)—*Canción de la primavera, Alina y el genio, El ermitaño de Montserrat*—; Tomás Aguiló (1812-1884)—*Rimas*—; Carolina Coronado (1823-1911)—*El amor de los amores, La palma, La rosa blanca*—; Mariano Roca de Togores, marqués de Molíns (1812-1889); Gustavo Adolfo Bécquer (1836-1870), el más genial de los poetas románticos—*Rimas.*

II. *El teatro.*—Martínez de la Rosa—*La conjuración de Venecia, Aben-Humeya*—; Duque de Rivas—*Don Alvaro o la fuerza del sino, El desengaño en un sueño*—; Espronceda—*Blanca de Borbón*—; García Gutiérrez—*El trovador, El rey monje, Juan Dandolo, Juan Lorenzo, Venganza catalana, Simón Bocanegra*—; Hartzenbusch—*Los amantes de Teruel, La jura de Santa Gadea, Alfonso el "Casto"*—; Zorrilla—*Don Juan Tenorio, El zapatero y el rey, Traidor, inconfeso y mártir; El puñal del godo*—; Gil y Zárate—*Carlos II el "Hechizado"*—; Eulogio Florentino Sanz (1825-1881)—*Don Francisco de Quevedo*—; Tomás Rodríguez Rubí (1817-1890) —*La trenza de sus cabellos, Borrascas del corazón, Detrás de la cruz, el diablo*—; Luis de Eguílaz (1830-1874); Narciso Serra (1830-1877); —*La calle de la Montera*—. También escribieron teatro romántico la Avellaneda, José María Díaz, los Asquerino, García de Villalta, Romero Larrañaga, Ariza...

III. *La novela.*—Larra—*El doncel de don Enrique el "Doliente"*—; Espronceda—*Sancho Saldaña o El castellano de Cuéllar*—; García de Villalta—*El golpe en vago*—; Gil y Carrasco —*El señor de Bembibre* una de las mejores novelas españolas de su siglo—; Patricio de la Escosura—*El conde de Candespina*—; Pastor Díaz —*De Villahermosa a la China*—; la Gómez de Avellaneda—*Espatolino, Sab, Dos mujeres*—; Ariza—*Don Juan de Austria*—; Manuel Fernández y González (1821-1888), de portentosa fecundidad—*El pastelero de Madrigal, El cocinero del rey, Los siete infantes de Lara*—; Enrique Pérez Escrich (1829-1897)—*El cura de aldea, El Mártir del Gólgota, La caridad cristiana*—; Ramón López Soler (1806-1836)—*Los bandos de Castilla,* novela cuyo prólogo es, para muchos críticos, el *verdadero manifiesto del ro-*

manticismo español—. También escribieron novelones románticos: Tárrago y Mateos, Ortega y Frías, Julián Castellanos, "Pedro Escamilla", Florencio Luis Parreño, Juan de la Puerta, Julio Nombela...

2. LA PINTURA ROMÁNTICA.—La pintura se dejó prender en absoluto por el romanticismo, igual que la música. No así la arquitectura ni la escultura. Y pueden aplicarse al romanticismo pictórico las mismas tendencias, los mismos ideales que a la poesía.

El origen de la pintura romántica española hay que buscarlo en Goya; pero no en el artista de los cuadros históricos o de los retratos, sino en el Goya sordo, solitario, gruñón, ya entrado en años y de vuelta de todas las decepciones; en el Goya apasionado por los tonos lúgubres y por el dibujo frenético y antiacadémico; en el Goya de los *Disparates,* de la *Tauromaquia,* de las *pinturas negras* de la "Quinta del Sordo"; en el Goya ya delirante, buen amigo de los monstruos y de las brujas. Con este Goya, irritado enemigo del clasicismo—en fondo y forma—, el romanticismo pictórico alcanzó súbitamente su triunfo y su plenitud, jamás igualados ni dentro ni fuera de España. Con este Goya, el romanticismo *íntegro* está en el dibujo anárquico y desorbitado, en la pincelada caprichosa y detonante, en los temas violentos y alucinados. Francisco de Goya y Lucientes (1746-1828), con la detonación tremebunda de su romanticismo abre una enorme brecha en la tradición, por la que habrán de *colarse* fácilmente sus discípulos, de dentro y de fuera de España, en la nueva tendencia apasionante.

Pintores españoles netamente románticos son: Leonardo Alenza (1807-1845), José Gutiérrez de la Vega (¿1795?-1865), Antonio Esquivel (1806-1857), Jenaro Pérez Villaamil (1807-1854), Eugenio Lucas (1824-1870), el temperamento más exaltado y el menos reflexivo de todos los pintores españoles de su tiempo; Valeriano Domínguez Bécquer (1834-1870), hermano del genial poeta Gustavo Adolfo.

El romanticismo pictórico español fue sumamente breve y no demasiado fecundo. La cumbre estuvo en Goya; los demás pintores románticos no hicieron sino *descender* hacia una nueva reacción de la modalidad tradicional.

Francia tuvo sus más representativos pintores románticos en Pierre-Paul Prud'hon (1758-1823), Eugène Delacroix (1798-1863), Jean-Baptiste Corot (1796-1875), Théodore Rousseau (1812-1867), Théodore Chassériau (1819-1856), Paul Delaroche, Charlet, Baffet, Daumier (1810-1879).

En Inglaterra representaron el romanticismo pictórico: John Constable (1776-1837), J. M. W. Turner (1775-1851), William Holman Hunt (1827-1910), Ihon-Everett Millais (1829-1885), Dante Gabriel Rossetti (1828-1882), Madox Brown (1821-1893), Burne Jones (1833-1898).

En Italia: Francesco Hayez (1791-1882), Giovanni Fattori (1825-1908), Silvestro Lega (1826-1895), Telémaco Signorini (1835-1901).

En Alemania: Wilhelm Kaulbach (1804-1874), Kaspar-David Friedrich (1774-1840), Alfred Rethel, Anselm Feuerbach (1829-1880), Hans von Marées (1837-1887) y Max Klinger (1857-1920).

En Bélgica: Gustave Wappers (1803-1874).

V. MENÉNDEZ Y PELAYO, M.: *Historia de las ideas estéticas...* Madrid, 1889, tomo III.— MILÁ Y FONTANALS, M.: *Principios de estética y literatura.* Barcelona, 1867.—COLL Y VEHÍ, José: *Diálogos literarios.* Barcelona, 1878.—GAUTIER, Th.: *Histoire du romantisme.* París, 1884.—HAYM, W.: *Die romantische Schule.* Berlín, 1889, 2.ª edición.—MICHIELS, M.: *Histoire des idées littéraires.* París, 1902, 3.ª edición.—HUCH, Ricarda: *Blütezeit der Romantische.* Leipzig, 1899. GARCÍA MERCADAL, José: *Historia del romanticismo en España.* Barcelona, Labor, 1943.—DÍAZ-PLAJA, Guillermo: *Introducción al estudio del romanticismo español.* Madrid Espasa-Calpe, 1936.—PIJOÁN, José: *Historia del arte.* Barcelona, 1923-1925, tomo III.—BERUETE Y MORET, A. de: *La pintura española en el siglo XIX.*—BERUETE Y MORET, A. de: *La peinture spagnole.* En la "Histoire générale de la peinture", de Dayot.—ROSENTHAL, L.: *La peinture romantique.* París, 1920.—DAYOT, A.: *Histoire générale de la peinture.* (En colaboración con los más reputados críticos del mundo.)

ROMANZA

1. Composición poética que se ajusta a una música melodiosa para ser cantada. El nombre de romanza se aplica a la barcarola, a la cantata, a la canción, a la serenata y, en general, a cuantas poesías se acompañan de musicalidad.

2. Palabra italiana correspondiente a la castellana *romance.*

RONDA (Canción de)

Canción cuyo estribillo es cantado por un coro y cuyo refrán se repite moviéndose los cantores en círculo.

Las canciones de ronda fueron conocidas por griegos y romanos. Y siempre tuvieron como fin celebrar un hecho o a una persona.

Modernamente, las canciones de ronda han quedado casi circunscritas a expresiones de amor. Los novios, con sus amigos, provistos de instrumentos musicales, acuden ante las casas de las novias, y allí, puestos en semicírculo, entonan una canción, en la que se patentizan amores, reproches, celos, anhelos, gozos.

En España, principalmente durante la noche de San Juan, fueron siempre alegría primaveral de los pueblos las canciones de ronda. Mozas y mozos, cantando, se dirigían, al amanecer, a recoger *la verbena,* planta de un misterioso poder afrodisíaco y de un excepcional augurio de felicidad.

RONDALLA

1. Cuento. Conseja. Patraña (V.).
2. Reunión de mozos para ejecutar *canciones de ronda* (V.).

RONDEL o RONDEAU

Pequeña composición poética, peculiar de la poesía francesa, y cuya forma ha variado según las épocas. En el siglo XIV se componía de ocho versos únicamente y de una estrofa. De tales versos, el primero se repetía en el medio de la estrofa, y los dos primeros se repetían al fin.

Blanche com lys, plus que rose vermeille,
resplendissant com rubis d'oriant,
en remirant vos biauté non pareille,
blanche com lys, plus que rose vermeille,
suy si ravis que mes cuers toudis veille
afin que serve à loy de fin amant,
blanche com lys, plus que rose vermeille,
resplendissant com rubis d'oriant.

(G. DE MACHAULT.)

En el siglo XV, el rondel se fijó y tomó un ritmo muy marcado. Consistía esencialmente en tres estrofas de versos—o coplas—, en las cuales el primer verso de la primera estrofa se repetía como verso final de las estrofas segunda y tercera. La primera estrofa constaba siempre de cuatro versos; la segunda, de tres o de cuatro; la tercera, de cinco o de seis. El total del rondel era de doce o de catorce versos, y se hacía con dos *únicas rimas.*

Le temps a laissié son manteau
du vent, de froidure et de pluye,
et s'est vestu de broderye
de soleil riant, cler et beau.

Il n'y a beste ne oiseau
qu'en son jargon ne chante ou crye:
le Temps a laissié son manteau.

Rivière, fontaine et ruisseau
portent en livrée jolye
goultes d'argent d'orfaverie;
chascum s'abille de nouveau,
le Temps a laissié son manteau.

(CARLOS DE ORLEÁNS.)

En los siglos XVI y XVII el rondel se compuso de trece versos, divididos en tres estrofas—de cinco, cuatro y seis—y sostenidos por dos únicas rimas.

RONDEÑA

Copla, para cantada en tono especial, compuesta de cuatro versos octosílabos y característica de Ronda. En ocasiones, el primer verso se repite después del cuarto, formando así una quintilla.

ROPÁLICO (Verso y período)

Se llama así el verso griego y latino cuya palabra primera es monosílaba y todas las demás van creciendo progresivamente y haciéndose más largas a medida que se van apartando de la primera.

Período ropálico es aquel en que los miembros van haciéndose cada vez más cortos o más largos.

RUBA'I

Composición de la lírica persa, equivalente al cuarteto castellano. Se utilizaba principalmente para los epigramas, y su más feliz cultivador fue Omat Kayham.

RUMANA (Lengua y Literatura)

El rumano es una de las lenguas neolatinas, hablada por los moldovalacos, mezcla de las razas latina, griega y eslava. El fondo de esta lengua es el latín, llevado a las provincias danubianas por las colonias romanas establecidas en Dacia y Tracia durante el imperio de Trajano. La lengua rumana ha sido llamada también *dacorromana* y *romanoeslava.* Se distinguen en ella cuatro dialectos: el *románico* o *valaco,* particular de Valaquia, que es el más puro; el *moldavo,* hablado en Moldavia; el *ardiliano* o *valacohúngaro,* hablado en la Transilvania y en Hungría, y el *zinzar,* hablado en Hungría por los *zínzares* o *zíngaros.*

La lengua rumana es sumamente interesante de estudiar en la filología comparada. Su gramática ofrece las particularidades siguientes: el artículo se coloca detrás del sustantivo y forma con él una sola palabra; el plural de los nombres difiere sensiblemente del singular; comprende numerosos aumentativos y diminutivos, como el español, el italiano y el portugués; los grados de comparación son similares a los de la lengua francesa; su conjugación es más compleja que las de los restantes idiomas neolatinos, aproximándose por ella a las lenguas eslavas; los verbos auxiliares son empleados no solo para formar lo pasivo, sino también los tiempos activos del futuro.

El rumano tuvo antiguamente el alfabeto cirílico, que poco a poco ha sido sustituido por el alfabeto latino. Aun cuando, en ocasiones, es un *alfabeto mixto* el que se utiliza.

El estudio de la literatura rumana abarca cuatro períodos: *antiguo*—hasta el siglo XV—, *eslavónico*—de 1550 a 1710—, *griego*—de 1710 a 1830—y *moderno.*

Período antiguo (hasta el siglo XV).—Está formado por tradiciones populares ligadas con la fundación de los principados de Valaquia y Moldavia. El carácter de su literatura es emignentemente religioso; sus primeras obras aparecen escritas en el antiguo eslavo, lengua litúrgica y oficial desde el siglo IX.

El primer monumento literario de este período es un himno religioso, *Polieleo*, escrito por el monje Filos después de 1394.

En el siglo xv abundaron las traducciones del griego: *salterios, evangeliarios, vidas de santos*, conservados en bellísimos códices con miniaturas.

Pero no faltan en esta centuria las obras originales. Los *sermones* del voevoda Alejandro "el Bueno"; una Epístola del obispo moldavo Basilio de Roman; un *libro de cánticos* del protocantor Eustratio; la *Oración en alabanza de San Juan el Nuevo*—patrón de Moldavia—, de Teodosio; varios *Anales* y *Crónicas* de principios del siglo XVI; un *Tratado de educación*, escrito por el príncipe de Valaquia Veagoe Basarab (1512-1562) para su hijo Teodosio, y que guarda cierta semejanza con el *Relox de príncipes* de nuestro Antonio de Guevara.

Segundo período: eslavónico (1550-1710.— La literatura rumana de carácter netamente nacional aparece a fines del siglo xv, y responde a la necesidad del apoyo de la fe y de la difusión de la cultura entre el pueblo. Este segundo período comienza con traducciones de la Biblia, entre las que se hicieron famosas las de Koresi —siguiendo textos eslavónicos—, Cantacuzeno, Sylvestre, Greceanu, Anthim.

La literatura profana tiene sus orígenes en una corriente de carácter popular. Ejemplos: *La leyenda de San Alesio, Flor de virtudes;* las novelas *Alixandria (Libro de Alejandro) y Valaam Si Iosaf;* el tratado *El modo como debe portarse alguien con los grandes señores;* la *Crónica de los Buzesti*—guerreros famosos del tiempo de Miguel "el Bravo".

En el siglo XVII logra su apogeo la literatura rumana gracias al empleo de la Imprenta. Abundan las recopilaciones sagradas y profanas: el *Código de Govora*—1640—, de Miguel Moxa; *La profesión de fe ortodoxa*—1642—, de Pedro Movila; la traducción de la *Imitación de Cristo*, de Udriste Nasturel; el *Libro romano de edificación*, del arzobispo Barlaam; el *Evangelio con explicaciones*, del arzobispo Simón Esteban; *Vida y hechos de santos* y el *Salterio en versos*, del arzobispo Dosoftei; las *Prédicas*, del arzobispo Antim Ivireanul; los tratados teológicos e iconográficos de Nicolás Milescu.

Las tendencias europeas del humanismo y del Renacimiento se delatan en: *Crónica del país de Moldavia*, de Gregorio Ureche; la *Crónica del país de Moldavia*, de Miron Costin, continuación de la de Ureche. Costin escribió poesías excelentes y la *Vida del mundo*—poema filosófico—; las *Crónicas* de Nicolás Costin, hijo del anterior, quien escribió también *Relox de príncipes*, recopilación de la obra de Antonio de Guevara.

El período se cierra con la gran figura del príncipe Demetrio Cantemir (1674-1723), muy culto, autor de *El diván o disputa del sabio con el mundo, Historia jeroglífica, Descripción de Moldavia* y *Crónica de la antigüedad de los romanos-moldovalacos.*

Tercer período: griego (1710-1830).—La nueva influencia llega desde la Transilvania. Como figuras culminantes tiene: Samuil Micu (1745-1806), monje, teólogo, pedagogo—*Historia, cosas y sucesos rumanos*—; Jorge Sincai (1753-1816), monje, teólogo y pedagogo—*Crónica de los rumanos y de otros pueblos vecinos*—; Pedro Maior (¿1760?-1812), monje, teólogo y pedagogo—*Literatura antigua de los rumanos, Disertación sobre el origen de la lengua rumana*—. En 1768 apareció una colección interesantísima de *Canciones campesinas con voces rumanas.*

Escritor importante de la época fue Ion Budai-Deleanu (1760-1820), jurista, teólogo, magistrado, poeta, autor del poema heroico-cómico *Gitaniada*, vasta epopeya con más de 6.000 versos.

Poetas excelentes: Ienache Vacarescu (1740-1799) y sus hijos Alecu y Nicolás; Mateo Millo, Atanasio Critopulos y Psalides, Costache Conachi, Barbu Paris Mumuleano.

A principios del siglo XIX sobresalieron: Alecu Beldiman, cuya *Tragedia de Moldavia después del levantamiento de los griegos*—1821— revela una llorona tendencia romántica; Iancu Varescu (1792-1863), espíritu refinado e intelectual, gran poeta y gran dramaturgo, imitador de Racine, a quien tradujo; Antonio Pann (1794-1854), fecundísimo y cultísimo, gran creador popular, autor de *Poesías populares, Canciones mundanas, El hospital del amor, Las travesuras de Nastradin Hogea, Cuentos del habla, Una tertulia aldeana...*

Cuarto período: moderno (desde 1830).—En este período cuaja definitivamente la literatura rumana, en cuyo apogeo tuvieron una gran parte la multiplicación de los periódicos y revistas, entre estas *La Abeja Rumana*—1829—. Los principales escritores de la época se relacionaron grandemente con la Europa occidental. Jorge Asaki (1788-1869), poeta inspirado en modelos italianos; Juan Eliade Radulesco (1802-1872), poeta, traductor de Byron, de Lamartine, del *Don Quijote de la Mancha* y de *La Divina Comedia.*

El romanticismo literario rumano surgió de los grupos que colaboraban en las revistas literarias *La Abeja Rumana, El Correo Rumano* y *Dacia Literara.*

Basilio Carlova (1809-1831) puede ser considerado como el primer poeta romántico. Pero superior a él fue Gregorio Alexandrescu (1812-1885). Muy influido por el romanticismo de Víctor Hugo estuvo Demetrio Bolintineanu.

Otros grandes escritores del período romántico fueron: Nicolás Balcescu (1819-1852), historiador y poeta—*Los rumanos bajo Miguel "el Bravo"*—; Miguel Kogalniceanu (1817-1891), crítico literario, cuentista, dramaturgo, que estuvo en España en 1846; Basilio Alecsandri (1819-1890), cuentista, poeta; Constantino Negruzzi (1808-1868), gran amigo de Puschkin y de la literatura española; Alecu Ruso (1817-1859), espíritu de poeta apasionado—*El Cantar de Rumania*—; Alejandro Odobescu (1834-1895), prosista, crítico literario y de arte, historiador—*Falso tratado de montería*—; Patricelcu Hasdeu (1836-1907), historiador y filólogo y dramaturgo—*Historia crítica de los rumanos* y el drama *Razvan y Vidra,* 1867—; Nicolás Filimón (1819-1865), autor de la interesante novela *Los advenedizos;* Tito Maiorescu (1840-1917), filósofo, jurista, crítico—*Conversaciones literarias, Críticas*—; Miguel Eminescu (1850-1889), de enorme cultura europea, cuentista, poeta, prosista, excelente; Juan Creanga (1873-1889), uno de los escritores rumanos más originales —*Recuerdos de infancia, Leyendas y cuentos rumanos*—; Juan Luca Cara Geale (1852-1912), extraordinario escritor, renovador del teatro rumano—*Don Leónidas, Una noche borrascosa, Una carta perdida*—y cuentista y humorista singularísimo; Alejandro Xenopol (1847-1920), historiador y filósofo—*Teoría de la historia*—; Alejandro Macedonski (1854-1920), iniciador de la *poesía social*—*Prima verba, Excelsior, El libro de las joyas*—y gran dramaturgo; Juan Gherea (1855-1920), excelente crítico.

Ya como escritores cuya obra trasciende en el siglo actual, pueden ser considerados: el poeta y prosista Duilio Zamfirescu (1858-1922); Barbu Delavrancea (1858-1918), realista excepcional, dramaturgo, cuentista y novelista—*Los parásitos, El trovador, Entre el sueño y la vida*—; Alejandro Vlahutsa (1858-1919), poeta, novelista —*Rumania pintoresca, Dan*—; Jorge Cosbuc (1866-1918), el principal poeta de esta generación—*Baladas y sueños, Hilos de rueca, Diario de un haragán*—; Nicolás Iorga (1871-1941), erudito, crítico, que ha ejercido una gran influencia en las letras rumanas contemporáneas —*Un combate literario, Historia de la literatura rumana contemporánea*—; Miguel Sadoveanu (n. 1880), poeta y narrador—*Los halcones, Bajo el signo de Cáncer, Flor marchita, Noches de hadas, Espejismo*—; Juan Agârbiceanu (n. 1882), novelista extraordinario—*El cura Man, La ley del cuerpo, El amor de los amores, Los arcángeles*—; e igualmente gran novelista Constantino Sandu-Aldea (1874-1927)—*Dos linajes*—; Emilio Gârleanu (1878-1914), poeta; Alejandro Cazaban (1876-1945), humorista y narrador—*Un hombre modesto.*

Entre los poetas: Octaviano Goga, Estébano O. Iosif, Demetrio Anghel.

Entre los prosistas: Calistrato Hogas—*La pequeña flor, Por caminos de montañas*—; Demetrio Patrascanu, Gala Galaction—*El calígrafo Tercio.*

Poetas de los novísimos movimientos literarios son: Miguel Codreanu—*Estatuas, La canción de la vanidad, La torre de marfil*—; Jorge Topârceanu; el simbolista Juan Minulesco (1881-1944)—*Canciones para más tarde, Hablando conmigo mismo*—; Jorge Bacovia (n. 1881), poeta de obsesiones y de alucinantes motivos —*Plomo, Centellas amarillas, Trozos nocturnos.*

Gran crítico literario fue Miguel Dragomi Nerescu (1868-1942), fundador de la revista *Conversaciones Críticas,* y que agrupó lo más selecto de las actuales letras rumanas—*Teoría de la poesía, La ciencia de la literatura*—; el gran dramaturgo Víctor Eftimiu—*El gallo negro, Don Juan, Tebaida*—; el dramaturgo Miguel Sorbul—*El desertor, El abismo, Don Quijote de la Mancha.*

En España, el escritor rumano más conocido es Panait Istrati (n. 1884), excelente novelista de vida azarosa y aventurera, que escribió varias de sus obras en francés—*Cuentos de Adrián Zograffi, Por amar la tierra, La casa Thüringer.*

V. ALEXI, J.: *Grammatica daco-romana.* Viena, 1826.—SCHOIMUL, H.: *Walachische Grammatik.* Viena, 1855.—GARTNER: *Darstellung d. rumanischen Sprache.* Berlín, 1920.—MUNTEANO, B.: *Littérature roumaine.* París, 1938.—MURARASU, D.: *Istoria literaturii române.* Bucarest, 1940. BUSUIO CEANU, Alejandro: *Literatura rumana.* Madrid. Editorial Atlas. 1946.

RUNA

Cada uno de los caracteres de escritura empleados por los antiguos escandinavos.

RUSA (Lengua)

Una de las lenguas eslavas del brazo oriental. Pertenece a la gran familia indoeuropea. El ruso o ruski comprende varios dialectos, pero tan parecidos unos a otros, que no logran romper la homogeneidad del gran idioma. Entre tales dialectos están: el *veliki-ruski,* hablado puramente en Moscú y que ha llegado a ser la lengua oficial y literaria; el *malo-ruski, russniaco* o *pequeño ruso,* particular de la Ucrania, que se diferencia del anterior en algunos matices de pronunciación y cambios de sentido; el *susdaliano* o *rusdaliano,* hablado en el gobierno de Vladimiro; el dialecto *olonetz,* muy mezclado con palabras finesas.

Desde el siglo X hasta el reinado de Pedro el *Grande* hubo en Rusia dos lenguas: una vulgar y otra escrita; era esta última el eslavón, adoptado para la liturgia por los fundadores del rito grecoeslavo. En tiempos de Pedro el *Grande,* la lengua vulgar fue muy cultivada y destinada a las manifestaciones literarias.

El ruso es un lenguaje muy rico en vocablos, dulce, sonoro. En él se hallan: un elemento griego introducido por el culto; muchas palabras escandinavas importadas por la inmigración de los varegos en Rusia; un contingente de expresiones impuestas por los mogoles durante su dominación; muchos términos que las artes y las industrias han pasado desde idiomas como el alemán, el holandés, el francés y el inglés. La lengua rusa posee en su mismo fondo original un gran número de raíces. Y posee una extremada facilidad para formar nombres compuestos por medio de los aumentativos y diminutivos. Tiene tres géneros, que se distinguen por flexiones bien caracterizadas, pero únicamente dos números, por no haber conservado el dual del eslavón. Como a los demás idiomas eslavos, le falta el artículo definido. La declinación de sus nombres se realiza por medio de desinencias y ofrece una gran complicación de reglas y de excepciones. Tiene siete casos. Algunos gramáticos han reducido a cuatro los diferentes modos de la declinación rusa, pero otros amplían hasta noventa los paradigmas para la declinación de los sustantivos y cuarenta para los adjetivos. El verbo es susceptible de recibir, por medio de flexiones particulares, los sentidos invocativo, iterativo, etc. Los modos condicional y subjuntivo no existen, pero se suplen con el empleo de partículas. Las conjugaciones, excluyendo los verbos irregulares y defectivos, quedan reducidas a trece paradigmas. Las formas de su radical verbal pueden multiplicarse en ruso de una manera hasta cierto punto análoga a lo que sucede en lengua semítica.

La sintaxis de la lengua rusa se caracteriza por su simplicidad. Pese a la riqueza de las flexiones y a la diversidad de giros y de construcciones que los muchos casos de la declinación favorecen, los literatos modernos tienen la tendencia a la adopción de un estilo cada vez menos inverso.

Empléanse para escribir el ruso 34 caracteres sacados del alfabeto eslavón. También fue Pedro el *Grande* quien creó, por decirlo así, el alfabeto ruso, suprimiendo en él las letras superfluas del carácter eslavón de San Cirilo, y simplificando ciertas formas utilizadas del mismo. La caligrafía rusa se ha perfeccionado especialmente por Elías Kopievitsch a fines del siglo XVII. Esta simplificación del alfabeto y su subordinación a una forma cursiva de escritura han contribuido poderosamente al desarrollo del ruso como lengua literaria.

V. LUDOLZ, H. W.: *Grammatica russica et manuductio ad linguam slavonicam*. Oxford, 1696. LOMONOSOV: *Grammaire russe*. Traducción francesa. Varias ediciones,—TAPPE, A. W.: *Praktische Grammatik der russischen Sprache*. Leipzig, 1815.—GRETSCH, N.: *Introducción a la enseñanza de la lengua rusa*. Madrid, 1909.—MEYER: *Historische Grammatik d. russischen Sprache*. Berlín, 1924.—GARTNER: *Russka Grammatyka*. Lemberg, 1913.—ULIANOF: *Znacenija glagol'nyx osnor*. Varsovia, 1925.

RUSA (Literatura)

Se han querido fijar los orígenes de la literatura rusa en el siglo x. Pero los críticos más autorizados afirman que no deben buscarse aquellos más allá de la centuria decimoquinta.

Los albores de esta literatura son cantos populares muy sencillos sobre temas de la vida hogareña y campestre, que se alternaban con la danza en las fiestas llamadas *Jorovod* y *Posidyelki*— de la Gran Rusia—, *Dosvitki*—de la Pequeña Rusia—y *Supretki*—de la Rusia Blanca—. Canciones conocidas con los nombres de *pliasovaia, koliadovaia, svadébnaia*.

Estas canciones eran dramatizadas, en ocasiones, cuando se referían a los antiguos héroes como Sviatogor, Tugarin, Gorinich, que personificaban las fuerzas naturales.

Con posterioridad a estas canciones, las obras épicas, cuyo fondo plantea las luchas contra los tártaros—*Al otro lado del Don, Lucha con Mamay*—, el relato del mercader Afanasiy Nikitin —*El viaje más allá de los tres mares*—, la satírica *Historia de Flor Skabieyew*, el didáctico *Domostroi*, del monje Silvestre, forman los primeros y principales monumentos de la literatura rusa.

La verdadera literatura rusa, con toda su fuerza, se inicia bajo el reinado de Pedro el *Grande*, al terminarse la elaboración del lenguaje literario, purificado de las numerosas influencias latinas, búlgaras, polacas y ucranianas.

A este período corresponden: Mikhail Wasiliewich Lomonosov (1711-1795), Wasiliy Kirillowich Trediakowsky (1703-1769) y Nikolai Mikhailowich Karamzin (1765-1826), quienes logran la ingente labor de una perfecta construcción idiomática.

Pero en esta época abundan los escritores cuya única ilusión es la imitación de la literatura francesa. Así, Sumarokov imita a Racine; y Kheraskov, a Voltaire; y Karamzin y Bogdanowich, a los precursores sentimentaloides del romanticismo; y Chemnitzer, a La Fontaine.

Los primeros escritores *que miraron a Rusia* fueron: Gawriil Romanowich Dierzawin (1743-1816), autor de poesías religiosas y patrióticas; Iwan Fonfizin (1745-1792), comediógrafo insigne —*Brigadier, Adolescente*—; Iwan Andrieyewich Krylow (1768-1844), fabulista de méritos.

Los anteriores literatos cierran la época que pudiera llamarse *preparatoria*. El grave conflicto antinómico que brotó de la imposibilidad de armonizar las tendencias europeizantes con las tradiciones nacionales, fue delatado por escritores como Aleksandr Nikolayewich Radischew (1749-1802), quien, por exaltar sus ideas liberales, fue condenado a trabajos forzados en Siberia; Aleksandr Griboiedow, gran dramaturgo —*¡Desdichado el que tiene ingenio!*—; Wasiliy A. Zukowskiy (1783-1852), poeta de una sentimentalidad muy honda.

"La mal planteada y peor organizada revolución de diciembre de 1825 obsequió a la literatura rusa con un manojo de patíbulos, donde fueron colgados Ryleiew, Murawiew-Apóstol y

R

Bestuzew, con el principio de la trágica quiebra de Puschkin y con un enérgico refuerzo de la censura, que imposibilitaba una vida literaria más animada. Y, no obstante, en esta época aparecen tres grandes figuras, cada una de ellas con influencia decisiva para el desarrollo futuro de la literatura, y creando escuela. Puschkin, Liermontov y Gogol: de estos tres, como de una fuente trial, brotaron todos los arroyos y los ríos literarios, que solo cien años más tarde habían de reducir su caudal y secarse, obligados por la férrea lógica de la Historia a correr en dirección de las sordas estepas asiáticas." (J. LOBODOWSKI.)

Aleksandr Siergieyewich P u s c h k i n (1799-1837), de enorme cultura europea, fue, sin embargo, un magnífico poeta netamente ruso; su influencia ha sido enorme en la literatura rusa contemporánea; y para los rusos es considerado como su más grande poeta nacional; entre sus obras están: *Ruslán y Ludmila*—poema—, *El prisionero del Cáucaso*—poema—, *Boris Godunow*—drama—, *Eugenio Onieguin*—poema dramático—, *El zar Saltán*—poema dramático—, *La hija del capitán*—novela—, *Los gitanos*—poema—, *Jinete de bronce*—poema...

Mikhail Yuriewich Liermontov (1814-1841), gran poeta, gran narrador, gran dramaturgo; su romanticismo desesperado, su idealismo hermético, dejaron en las letras rusas profundísimas huellas; él y Puschkin dieron a la literatura de su patria una categoría europea. Entre sus obras son famosas: *Chadzi-Murat*—poema—, *El héroe de nuestro tiempo*—novela—, *El demonio*—poema—, *Baile de máscaras*—drama—, *Canción sobre el zar Iván*—poema...

Nikolai Wasiliewich Gogol-Yanowskiy (1809-1852), de imaginación portentosa, genial en la sátira y en el humor, maestro en la narración; su novela *Almas muertas* es una de las más grandiosas creaciones de todos los tiempos. Otras obras: *Veladas en una aldea*—cuentos—, *Mirgorod*—cuentos—, *El inspector*—comedia—, *Los esponsales*—comedia—. En Gogol se mezclan el romanticismo y el realismo más impresionantes.

A la muerte de estos tres grandes escritores se desencadenó una corriente paneslavista formidable; quien intentó oponerse a ella, abogando por la europeización de Rusia, como Piotr Chaadayew (1793-1856)—*Carta filosófica*—, fue encerrado en un manicomio. Bajo el reinado de Alejandro II, triunfante el paneslavismo, aparecen las grandes figuras de Dostoyevski, Tolstoi y Blok.

En la corriente nacionalista fueron excelentes poetas: Maykow, Polonskiy, Aleksiey Tolstoi, Kolvow, Nikitin, Nikolai A. Niekrasow (1821-1877)—cuya popularidad fue tan grande como la de Puschkin—, Fiedor Tiutchew, Afanasiy Fiet-Shenshyn...

Y críticos como Bielinskiy, Dobrolubow, Pisiemskiy y Chernyshewskiy.

El camino admirable de la *novela de costumbres* lo abren: Dimitriy Grigorowich (1822-1900), Nikolai S. Leskow—*Los clérigos*—, Pawel I. Melnikow—*En los bosques, En las montañas.*

Una de las primeras figuras de la novelística rusa es el *occidentalizado* Iván Siergieyewich Turgueniev (1818-1883); odiado por los paneslavistas, tuvo que vivir fuera de su patria, en Francia y en Alemania; dominador del leguaje, profundo en el análisis, límpido en la manera de pensar, pintor exquisito de tipos y de costumbres. Entre sus obras: *Padres e hijos, Humo, Nido de hidalgos, Rudín, Relatos de un cazador, Aguas primaverales...*

Narradores y dramáticos de primer orden fueron: Iván A. Goncharow (1812-1891), autor de *Una historia vulgar* y *Oblomow;* el héroe de esta última novela es un tipo representativo de la abulia y del fatalismo en Rusia; Aleksiey Tolstoi (1817-1875), satírico, y también occidentalista—*El príncipe Sieriebrianyi* (novela), *Iván el Terrible* (drama), *Don Juan* (poema)—; Aleksandr N. Ostrowskiy (1823-1886), uno de los más sutiles captadores del alma rusa—*Usurpador* (drama), *La tormenta* (drama)—; Mikhail Y. Saltykow-Schedrin (1825-1889), de realismo y malignidad satírica impresionantes—*Los Golowlew, Historia de cierta ciudad.*

Fiodor Mikhaylowich Dostoyevski (1821-1881) es uno de los más geniales novelistas del mundo y el más admirable de la literatura rusa. Artísticamente limitado, mal constructor de sus novelas, en Dostoyevski pasman la fuerza creadora, el análisis psicológico, la capacidad emotiva, el idealismo infinito. Entre sus obras—todas ellas famosas—destacan: *Crimen y castigo, El idiota, El demonio, Los hermanos Karamazov, Recuerdos de la casa muerta, Humillados y ofendidos...*

Lew Nikolayewich Tolstoi (1823-1910) es otra de las figuras cumbres de la literatura rusa; pensador y novelista mundialmente famoso; de gran fuerza creadora y sutil analizador—*Ana Karenina, Guerra y Paz, El Poder de las tinieblas, Los cosacos, Resurrección.*

Figuran entre los grandes novelistas y dramaturgos: Máximo Gorki (1868-1936), seudorromántico, exaltador de las clases menesterosas, de gran fuerza descriptiva—*La madre, Los ex hombres, Imán, Malva, Tomás Gordieff*—; Wladimir Korolenko (1853-1921), de fuerza emotiva, gran estilista—*Novelas siberianas, El mar, El músico viejo*—; Antón P. Chejov (1860-1904), de tan extraordinaria calidad, que la crítica le suele colocar en la misma línea de los grandes maestros Dostoyevski y Tolstoi, dramaturgo y cuentista y humorista genial—*El jardín de los cerezos, Historia de mi vida, La sala número 7, La dama del perro, El saltamontes*—; M. Arzybashew—*Sanín, Cerca de la última raya*—; Aleksandr Kuprin—*El brazalete de rubíes, El desafío*—; Vladislao Siero-Jeowski—*La fuga*—;

Feodor Sologub—*El trasgo*—; Osip Dymov, Briusov, Zensky...

Mención especial merecen dos grandes novelistas y dramaturgos: Leonid Andrieyew (1871-1919), de talento fenomenal, el más implacable y sutil sondeador psicológico de la sociedad rusa, de un patetismo conmovedor—*Los siete ahorcados, La risa roja, Judas Iscariote, El zar Hambre, Sascha Yegulew, El misterio, Los espectros, Las tinieblas, El vals de los perros...*—; Dimitri S. Mierieshkowskiy, muy escasamente ruso por inclinaciones culturales y por temperamento, occidental en su estilismo, en su inventiva y en su crítica—*Juliano el Apóstata, Leonardo de Vinci, Los símbolos, Zar Pawiel...*

Autores dramáticos de importancia fueron: Chirikow—*Judíos y labriegos*—; Jusckevich —*Hombre y rey*—; Naidenov—*El casero*—; Kosorotov—*Tormentas de juventud*—; Protopopov —*Fuera de la vida*—; Briosov—*La tierra*—; Balmont—*La eflorescencia*—; Sologub—*Las danzas nocturnas.*

Magníficos son los poetas de la Rusia contemporánea, simbolistas y futuristas. Aleksandr A. Blok (1830-1922)—*Las doce, Lo que canta el viento, Los versos sobre la dama bonita*—es uno de los más grandes líricos mundiales, que comparte la mejor gloria con Nikolai Gumilow —*Las perlas, La tienda, La hoguera.*

Por debajo de los dos anteriores están: Wladimir W. Mayakowskiy, jefe del futurismo ruso —*Yo y Napoleón, La nube con pantalones*—; Yesienin (1896-1925)—*Azul, Confesión de un golfo*—; Kluyew—fundador del *imaginismo*—; Gorodieckiy; Konstantin Balmont—refinado esteta—; Briusow; Zinaida Hippius—*Diario del terror*—; Iwanow; Baltrushaitis; Boris Pasternak —*Mi hermano y la vida, Temas y variaciones...*

Pero no podemos cerrar esta síntesis de la literatura rusa sin mencionar a varios extraordinarios cuentistas y dramaturgos, muchos de los cuales aún viven, pero fuera de la Rusia bolchevique. Aleksiey Tolstoi, el tercer excelente escritor de este apellido y segundo con este nombre en la literatura rusa—*Pedro el Grande*—; Iván Bunin, Premio Nobel 1935, delicado estilista, fino observador—*Los aldeanos, Natalia, Un ruso en San Francisco, Sufodol, Primavera de la vida*—; A. Averchenko, el más genial de los humoristas rusos—*Ladrones, El paisaje, Cinco elefantes, El desconocido*—; Pilniak—*El Volga desemboca en el mar Caspio, El año desnudo*—; L. Leonov—*El gran cambio en Petuchikno*—; Lebedinsky—*La semana*—; C. Fedin—*Las ciudades y los días*—; Lidya Seifulina —*Crimen, Los infractores, Komsomol*—; Ivanov —*Vientos de color*—; Ilya Eremburg—*El amor de Juana Grey, Una callejuela de Moscú, Citroen 10 HP.*—; Savinkov—*El caballo blanco del Apocalipsis*—; Zamiatine—*Habitantes de una isla*—; Kazin; Rodionof—*Chocolate*—; Kovner—*Las confesiones de un judío*—; Diemian Biedniy...

V. SAKULIN, Piotr.: *Russkaia literatura.*—BRÜCKNER, Aleksandr.: *Geschichte der russischem Literatur.* Leipzig, 1905.—PYPIN, Alekseiei: *Istoria russkoi literatury.* San Petersburgo, 1898.—LOBODOWSKI, Józez: *Literatura rusa.* Madrid, Ed. Atlas, 1946.

R

S

SABELIANISMO

Nombre dado a la herejía antitrinitaria de Sabelio.

Se conocen pocas noticias de la vida de este heresiarca. Y esas pocas están tomadas de los *Philosophoumena* de Hipólito.

Sabelio fue africano, probablemente de la Libia. Durante el pontificado de San Ceferino (199-217) se hallaba en Roma, dirigiendo el partido de los patripasianos. Fue discípulo de Noeto de Esmirna, y, al parecer, ejerció toda su mucha influencia a favor de San Calixto para que este ocupara el pontificado (217-222). Pero apenas nombrado Papa, San Calixto condenó a Sabelio y le arrojó del seno de la Iglesia.

¿Cuántos y cuáles fueron los errores del sabelianismo?

El sabelianismo afirmaba que el único, eterno, invisible, ingénito, impasible Dios que existe se llamaba *Padre*. Que este mismo Dios, cuando por un acto de libre voluntad, tomando carne de una Virgen, naciendo, padeciendo y muriendo en una cruz, quería redimirnos de nuestras culpas, se llamaba *Hijo*. De donde se infiere que, según el sabelianismo, fue Dios Padre quien se encarnó y obró la Redención.

En resumen, el sabelianismo proclamó la existencia de un solo Dios, que se revela bajo tres nombres diferentes—Padre, Hijo y Espíritu Santo—, y negó, por tanto, la distinción de las tres personas y el misterio de la Santísima Trinidad. En algunos aspectos, este error tenía punto de contacto con el *monarquianismo* (V.).

Aun cuando anatematizadas en varios Concilios, las doctrinas del sabelianismo, renovadas en el siglo IV por Fotino y por los antitrinitarios, formaron el fondo del *socinianismo* (V.).

A fines del siglo III, los sabelianos constituían una secta bastante numerosa, extendida por los alrededores de Roma y en la Mesopotamia. Según San Agustín, a principios de la centuria quinta estaba completamente destruida.

Sabelio, en un principio, siguió las doctrinas de Eoecio y Proxeo, de quienes luego se emancipó, formando un cuerpo de doctrina independiente. Decía Sabelio que el *Hijo* no era más que un hombre, un enviado que poseía en grado eminente algo de la naturaleza divina; y que el *Espíritu Santo* no era sino *un estado de inspiración* de Dios. Algo así "como si el Padre fuera la sustancia del sol, y el Hijo la luz, y el Espíritu Santo el calor".

Posiblemente, esta segunda acepción del sabelianismo no fue obra de Sabelio, sino de los sabelianos, quienes introdujeron bastantes modificaciones en la herejía. Teodoreto resumió así la doctrina del sabelianismo: "Una hipóstasis es el Padre y el Hijo y el Espíritu Santo y una triple manifestación."

El sabelianismo fue combatido duramente por Dionisio de Alejandría; pero los sabelianos le contraatacaron, acusándole de *triteísmo* y obligándole a que se explicara ante el Papa San Dionisio (259-268), demostrando su absoluta ortodoxia acerca del misterio de la Santísima Trinidad.

V. Boulenger, A.: *Historia de la Iglesia*. Barcelona, 1936.

SADISMO

El término *sadismo* ha pasado al caudal de las lenguas cultas y a cierta tendencia literaria para expresar la satisfacción y el regodeo en el daño y en la maldad, en el vicio y en la depravación.

Sadismo es también la pretensión—o la necesidad—de incorporar a la vida y a la literatura *el mal;* el mal al amor físico y el mal a la expresión y a la emoción literarias. El nombre procede del escritor francés Donaciane Alphonse F., marqués de Sade (1740-1814), nacido en Charenton y miembro de una de las más antiguas familias de la Provenza, que padeció esta perversión y la llevó a sus obras.

Según el gran penalista español Bernaldo de Quirós, sadismo es "la perversión sexual, a la vez obsesiva e impulsiva, que establece como condición de la emoción erótica la crueldad en la posesión de la persona poseída, incluso hasta la muerte".

Naturalmente que esta perversión es tan antigua, casí, como el mundo; pero el marqués de Sade fue el primero en hacer de ella un postulado literario; de aquí a que, *literariamente,* tomara su nombre.

La Historia presenta casos famosísimos de sadismo con los nombres tristemente célebres de la duquesa Bathory de Hungría, de Gurayo el *Sacamantecas,* de Verzeni, Landrú, Alton, Jack el *Destripador,* Vacher, Tirsch y Gruyo. Se ha dado una explicación científica del sadismo, y ha sido detenidamente estudiado por la Medicina legal. Pero aquí no nos interesa el sadismo sino desde el punto de enfoque literario.

Literariamente, quizá tampoco fue el marqués de Sade el único, en su época, en cultivar el sadismo. Basta recordar la alucinante *Penthesilea,* del gran poeta alemán Heinrich de Kleist, y la novela *Brunilda,* de Ernst de Wildenbruch. Lo que no puede negarse a Sade es que estableció una literatura sádica, muy explotada, principalmente en Francia, por escritores de mucho menor talento, como Lorrain, Rachilde...

El sadismo tiene sus más audaces motivos en dos frases del propio Sade: "Mi desdicha es hallarme virtuoso en el crimen, y criminal en la virtud." "¿Qué son todas las criaturas humanas en comparación con el menos apremiante de nuestros deseos?"

Sade ganó en la guerra de los Siete Años las insignias de capitán. Tuvo la desdicha de enamorarse de la hija mayor del presidente Montreuil y de tenerse que casar con la segunda, a la que no amaba, pero que le amaba, pues la mayor ingresó en un convento. Poco después raptó a la monja, quien murió inmediatamente. Su vida fue una larga cadena de escándalos, libertinaje y prisiones. Pasó en la cárcel muchos años de su vida, condenado por la República, por el Directorio y por Napoleón.

Cuéntase que contribuyó al asalto de la Bastilla por el pueblo, ya que él, estando encerrado en ella, denunció a este muchos excesos por medio de un tubo que le habían facilitado para la evacuación de las inmundicias.

El mismo día 14 de julio, la Asamblea Constituyente decretó la libertad de Sade. Murió loco furioso en el manicomio de Charenton.

Sade fue un escritor profundo y libertino. Puso su talento y su amplia cultura al servicio del más angustioso y refinado erotismo. Y quiso defender *una estética del vicio.*

El sadismo literario hizo posible el *masoquismo* literario—complacencia de los amantes en dejarse vejar y martirizar por el ser que adoran—, puesto de moda por el escritor austríaco Leopold von Sacher-Masoch (1835-1895) en su famosa novela *Die Dame in Pelz*—1881—*(La Venus de las pieles),* traducida a todos los idiomas, lo mejor y más representativo de la literatura *masoquista,* cuya influencia fue grande en Alemania, Francia, Inglaterra y España.

Algunas novelas de Felipe Trigo—*La Altísima*—y de Eduardo Zamacois—*El otro*—caen dentro de la órbita trazada por Sacher-Masoch.

Tendencias tan angustiosas y tan enervantes como el sadismo y el masoquismo no podían tener larga vida. Y no la tuvieron. El naturalismo violento impuesto a Europa por Zola—y en el que quedaban *atisbos* de aquellas—las barrió.

V. CABANÉS, Dr.: *La folie du marquis de Sade.* En el tomo IV de "Le cabinet secret de l'histoire".—JANIN: *Le marquis de Sade.* París, 1833. D'ALMERES, E.: *Le marquis de Sade: l'homme et l'écrivain.* París, 1908.—BELFOUR, Ch.: *Sadisme: vie et littérature.* París, 1871.

SAETA

Copla breve y sentenciosa, de tema religioso, cantada sin acompañamiento de música, para excitar la devoción de cuantos la escuchan durante algunas solemnidades—procesiones, novenarios, etc.—de Andalucía y otras regiones españolas.

Miraslo por dónde viene
er Señó der Gran Podé.
Por cada paso que da
nase un lirio y un clavé...

SÁFICO (Verso)

Verso griego y latino de once sílabas. En su forma griega, es verso sáfico, del cual era base el troqueo; en términos de prosodia resultaba un trocaico-trímetro-braquicataléctico; es decir, más sencillamente, un verso de cinco pies y medio, que comprendía tres troqueos, dos yambos y una sílaba larga. Catulo nos ofrece en latín un ejemplo exacto de este verso, más tarde modificado por Horacio:

Seu Sa / cas sa / gitti / feros / que Par / tos...
Oti / um, Ca / tulle, / tibi / moles / tum est

Reunidos tres versos sáficos y un adónico —formado por un dáctilo y un espondeo—, se obtiene la estrofa inventada por la célebre poetisa Safo, una de las más sonoras y agradables al oído:

Ποικιλόθρον', ἀθάνατ' 'Αφροδιτα,
Παῖ Διὸς, δολοπλὸκε, λίσσομαι σε
Μὴ μ'ἄσαισι, μηδ' ἀσιασι δαμνα,
Πότνια, θῦμον.

El verso sáfico recibió entre los latinos dos modificaciones importantes: el troqueo del segundo pie fue reemplazado por un espondeo; luego fue introducida una cesura pentimímera, de manera que el verso quedaba dividido en los cinco pies siguientes: troqueo, espondeo, dáctilo, dos troqueos. Este ritmo quedó bien patente en Horacio:

Jam sa / tis ter / (ris) nivis / atque / dirae
Grandi / nis mi / (sit) Pater / et / ru / bente
Dexte / ra sa / (cras) jacu / batus / arces
Terruit / urbem.

S

Algunas veces el tercer sáfico y el adónico están en conexión tan estrecha, que se los puede considerar como un solo verso de siete pies.

Horacio estableció así dicha continuidad:

Labitur ripa, Jove non probante, u-
xorius amnis.
Grosphe, non gemmis, neque purpura ve-
nale nec auro.

En castellano se llaman versos sáficos los endecasílabos que, teniendo acentuadas la cuarta, octava y décima sílabas, llevan *cesura* en la *quinta.* A cada tres sáficos suele juntarse un verso de cinco sílabas, al cual se le da entonces el nombre de *adónico.*

Vuela al ocaso, busca otro hemisferio,
baje tu llama al piélago salobre,
délfico numen, y a tu luz suceda
pálida noche.
Manto de estrellas el Olimpo vista,
su gala oculten pájaros y flores,
sombras y nieblas pavorosas cubran
valles y montes.

(Fray Diego González.)

SAGA

Nombre dado a cada una de las antiguas leyendas poéticas de Escandinavia—heroicas y mitológicas—. Las *sagas* eran recitadas por los bardos y los escaldas—sus autores muchas veces—en pueblos y ciudades. Las *sagas* han llegado a nosotros por medio de la tradición oral. Su conjunto compone el monumento literario más antiguo de Dinamarca, Noruega, Suecia e Islandia.

Las *sagas* pueden ser equiparadas a las *baladas* inglesas, a los cantos guerreros suecos y daneses, del *Heldenbuch* y del poema anglosajón de Beowulf. Algunas, tales como *La Kristni, La Eyrbiggia, La Hungurwaka, La Nial, La Sturlunga saga,* pueden ser consideradas como verdaderas crónicas. La última es una historia nacional.

Otras son puros relatos poéticos: la *Gunnlangui saga,* de Kormak, y la *Fridhjolfs saga,* de Egil. Una tercera variedad comprende las que mezclan hechos auténticos con hechos imaginarios.

Se han dividido también las *sagas* en *históricas* y *legendarias.* Las primeras se han subdividido en muchas variedades: las *noruegas (Sagas de Olaf y de San Olaf),* las *islandesas (Sturlunga, Laxdaela, Eyrbiggia, Glum, Viga),* las *danesas (Knytlniga saga, Jamoviking),* las *suecas (Ingvars saga),* las *rusas (Eymunds saga),* las de las islas Orcadas y Feroe.

Las *legendarias* se subdividen en dos categorías: las comunes a las poblaciones germánicas *(Woelsunga saga, Norna saga)* y las verdaderamente escandinavas *(Frithjolfs saga).*

Muchas de estas *sagas* eran escritas en las paredes de las casas y bordadas en los tapices y grabadas en la madera.

V. Sinardson, Halfdan: *Historia literaria de Islandia.*—Schlozer: *Historia de la literatura islandesa.*

SAINETE

Composición teatral, de breve extensión y carácter jocoso y burlesco, donde por lo común se ridiculizan defectos y malas costumbres del pueblo. Sus interlocutores suelen ser gentes vulgares; su asunto, picaresco y muy sencillo; su estilo, el llamado *bajo cómico.*

Algunos críticos han señalado como antecedentes del *sainete* el *pasillo* o *paso*—que inmortalizó Lope de Rueda—y el *entremés*—que inmortalizaron Cervantes, Moreto y Quiñones de Benavente—. Los modernos críticos dan al *sainete* una categoría superior, por tener más declarada intención moral y mayor extensión que aquellos.

Según el *Diccionario de Autoridades*—1726—, *sainete* es sinónimo de *baile.* "*Baile.* Se dice también el intermedio que se hace en las comedias españolas entre la segunda y la tercera jornada, cantado y bailado, y por eso llamado así, que por otro nombre se llama *sainete.*"

Sin embargo, hasta bien mediado el siglo XVIII apenas se usó el nombre de *sainete,* utilizando, para referirse a géneros similares, los de *entremeses, mojigangas, jácaras, pasos* y *bailes.*

En aquel momento, *sainete* era, pues, toda pieza intermedia de cualquier género que fuese.

Don Ramón de la Cruz fue quien sistemáticamente empezó a denominar *sainetes* sus producciones escénicas y él es el creador del moderno *sainete,* cuadro breve, pero de gran fuerza realista, de mucho colorido, trasunto fiel y poético de los elementos nacionales.

"El sainete moderno—escribe Cejador—es el de don Ramón de la Cruz; en los maestros, con más redondeo de acción y de pensamiento; en los adocenados, con pincel más aguado. El romance octosílabo popular, el diálogo ordinario del pueblo, el habla familiar; en el fondo, la vida de las gentes comunes y bajas. Lo celebrado del género está en retratar la vida tal cual es, sin artificios ni exageraciones, pero sí con selección, cerniendo y aprovechando lo más saliente y típico."

V. Sainz de Robles, F. C.: *Historia y antología del teatro español.* Madrid, 1943. Tomos V, VI y VII.—Zurita, Marciano: *El género chico.* Madrid. Prensa Popular. 1920.

SAJÓN (Idioma)

Nombre del antiguo y bajo alemán. (Véase *Alemana, Lengua.*)

SALIANOS o SALIOS (Cantos)

Himnos que cantaban en Roma los sacerdotes salios, mientras llevaban procesionalmente por las calles los *escudos sagrados*, "vestidos con una túnica púrpura—como los describe Plutarco—, largas bandas de seda, cascos brillantes, y haciendo sonar los escudos al tocarlos con sus cortas espadas".

Los fragmentos que nos han sido transmitidos por Varrón y otros autores no presentan sentido alguno, por haber sido cortados y colocados *formando versos* por los eruditos, deseosos de hallar su ritmo.

El *Canto de los Arvales*, uno de los primeros monumentos de la lengua latina, está inspirado en los *cantos salios*. Los romanos dieron a estos el nombre de *Axamenta*.

SALMO

Composición poética que contiene alabanzas a Dios. El *salmo* era recitado o cantado con acompañamiento de algún instrumento musical.

Por antonomasia, llamáronse *salmos* las alabanzas a la Divinidad del rey David.

SALONES LITERARIOS

Eran denominadas así las tertulias de personas distinguidas por su condición o su cultura, celebradas en la mansión de algún noble o literato célebre.

Tuvieron su apogeo en la sociedad francesa del siglo XVIII. Aun cuando uno de los más famosos salones literarios, el de la marquesa de Rambouillet, data de 1608, estando abierto hasta la muerte de la dama en 1659. Y otro salón célebre, especie de Academia francesa y seguramente su pauta, fue el de Conrart, inaugurado en 1629. Reinando Luis XIII abrió su salón madame Des Loges, a quien sus admiradores llamaron la *décima musa*.

Los concurrentes a estas reuniones solían darse nombres clásicos y mitológicos. Conrart se hizo llamar *Teodamas;* Pellison, *Acanto;* Sarazin, *Poliandro;* Godeau, el *Mago de Sidón;* madame Arragonais, *Filoxena;* mademoiselle de Scudery, *Sapho*... Esta última, en la novela *Clélie*, describió con fidelidad estos salones literarios.

Otros salones famosos franceses fueron: el del abate D'Aubignac—que solicitó para el suyo el título de Academia—, el de madame de Sablé, el de Ninón de Lenclos, el de madame de Maintenon, el de los hoteles de Albret y de Richelieu, el de la duquesa de Maine, abierto en el castillo de Scéaux; el del hotel de Sully—al que acudieron Fontenelle, Voltaire, Hénault, Argenson, Ramsay, madame de Villars—, el de madame Du Deffand, el de madame Geoffrin—visitado por Diderot, Marmontel, D'Alembert, Caylus, Holbach—, el de madame d'Epinay, el de madame Quinault, el de madame Doublet de Persan, el de madame de Staël, el de madame Récamier, el de madame de Girardin, el de los hermanos Goncourt.

En España también hubo algunos famosos: en el siglo XVII, el del conde de Lemos; en el siglo XVIII, el de la marquesa de Sarria, que tomó el nombre de *Academia del Buen Gusto;* en el siglo XIX, el de los duques de Villahermosa, el de la duquesa de Osuna y el de doña Emilia Pardo Bazán.

V. GAY, Sophie: *Les Salons célèbres*. París, 1857.—COLOMBEY: *Ruelles, salons et cabarets*. París, 1858.—SAINZ DE ROBLES, F. C.: *Madrid: autobiografía*. Madrid, Aguilar, 1948.

SALVADOREÑA (Literatura)

El Salvador no tiene literatura propia hasta bien entrado el siglo XIX.

Uno de sus primeros líricos—cronológicamente—fue Miguel Alvarez de Castro (1795-1856). Ignacio Gómez (1813-1879), poeta que vivió algún tiempo en Italia y España, y que perteneció a la famosa Academia de los Arcades, de Roma, con el nombre de "Clitauro Itacense"; tradujo a Metastasio, a Byron, a Goethe, a Lamartine. Francisco Díaz (1812-1845)—*Epístola clásica*—. Juan José Cañas (1826-1900), autor de los populares versos de *Se va el vapor*. Rafael Cabrera (1860-1885) y Ana Dolores Arias (1859-1888), llamados "los poetas novios de Cuscatlán". Francisco Castañeda, novelista y crítico. Santiago Ignacio Barberena (1851-1916), filólogo y arqueólogo, Isaac Ruiz Araújo (1850-1881), poeta y costumbrista. Francisco A. Galindo (1850-1900), autor del drama *Dos flores*. Joaquín Aragón, poeta y dramaturgo—*Leyendas nacionales*—. Calixto Velado y Carlos Arturo Imendia, poetas. Alberto Masferrer, profundo ensayista.

Entre los modernistas y postmodernistas figuran: Francisco A. Gavidia (1863), gran amigo de Rubén Darío y gran poeta. Vicente Acosta (1863-1908), gran sonetista. Salvador Salazar Arrué, narrador—*El Cristo negro*—. Alfonso Rochac, poeta en prosa—*Poemas de niño*—. Román Mayorga Rivas (1862-1926), nativo de Nicaragua, cantor de la Naturaleza americana y antologista con la *Guirnalda Salvadoreña*. Gilberto González y Contreras (1904), de un lirismo indigenista realista—*Piedra india, Trinchera, Rojo en azul*—. Alicia Lardé de Venturino, gran poetisa. Arturo Ambrogi, pintor de la vida local—*Libros del trópico*—. Isaías Gamboa (1872-1904), nativo de Colombia, narrador—*La sonrisa del retrato*...

V. HENRÍQUEZ UREÑA, Pedro: *Literatura de Centroamérica*. En el tomo XII de la "Historia universal de la Literatura", de Prampolini. Buenos Aires, Uteha, 1941.—LEGUIZAMÓN, Julio A.: *Historia de la Literatura hispanoamericana*. Buenos Aires, 1945. Dos tomos.—RIVAS, R. M.: *La Literatura de El Salvador*. En "Nueva Revista", de Buenos Aires, tomo VI.

SANDWICH (Lengua)

Hablada por los habitantes del archipiélago de este nombre. Una de las particularidades de esta lengua es no tener sino dos pronombres personales. Posee dos partículas para determinar, en el tiempo de la acción, una el futuro y otra el pasado. Su alfabeto se compone de doce letras, y sus nombres terminan todos por una vocal. Existe en esta lengua una historia del archipiélago con el título *Ka moolelo Havai,* escrita por isleños instruidos por misioneros americanos; representa una curiosidad extraordinaria, ya que tiene también todas las *canciones* que forman la total literatura sandwich. El libro fue impreso—1838—en Lahaina.

V. ANDREWS, L.: *Grammar of the hawaian language.* Honolulú, 1854.—BISHOP, Ewa: *Manual of conversation in hawaian and english.* 5.ª ed. Honolulú, 1915.

SÁNSCRITA (Lengua)

Lengua literaria, filosófica y religiosa de la India. Es uno de los idiomas de la gran familia de las lenguas indoeuropeas el *hermano mayor* de todos aquellos que parecen derivar de la raíz común que representa la *sospechada* lengua aria. El sánscrito tuvo primitivamente su formación en la lengua védica; cesó de ser un idioma vulgar en el siglo III de nuestra Era, y fue reemplazado por el *páncrito* (V.) y posteriormente por "los idiomas modernos de la India".

El nombre de esta lengua significa *perfecto;* al *páncrito* se le llamó *inferior* o *imperfecto.*

Las raíces de la lengua sánscrita son monosilábicas. Las vocales contribuyen a la formación de las radicales, contrariamente a lo que sucede en las lenguas semíticas. Estas raíces se elevan de 1.700 a 2.000. La gramática, sin ser muy simple, es más regular que las de los demás idiomas de la misma familia: el griego, el latín, el germano, etcétera. Como estas lenguas, tiene tres géneros; como el griego, tres nombres. Su declinación presenta ocho casos, los del latín, más el locativo e instrumental. Para la *a* privativa posee los aumentos y la reduplicación del griego, y los incrementos del latín. El adjetivo toma, como el nombre, las flexiones de los casos; estos casos se reducen a tres con significado dual. La conjugación posee tres voces, seis modos y seis tiempos; en el indicativo cuentan tres presentes y dos futuros. Los otros modos, subjuntivo u optativo, imperativo, predicativo, condicional e infinitivo, no tienen otro tiempo que el presente. En la voz activa tienen un número de conjugaciones que, según los filólogos, varía de siete a catorce. El pasivo no tiene sino una sola forma, pero abarca como conjugaciones derivadas algunas de los verbos causativos, frecuentativos y desiderativos. En el sánscrito hay un número extraordinario de partículas. Las preposiciones son reemplazadas muchas veces por las simples flexiones de los nombres.

El sánscrito tiene la más completa libertad de construcción. Las formas de versificación son numerosas; tienen por base el verso de ocho sílabas, que compone la forma de doble dístico o *sloca,* el metro especial de la poesía heroica, inventada por el autor del *Ramayana.*

El alfabeto propio de la lengua sánscrita no tiene en su forma actual una antigüedad que responda a la de la lengua. Este alfabeto quedó precisado entre los siglos V y X de nuestra Era. Lleva el nombre de *devânagari,* es decir, *escritura de los dioses.* Se compone de 50 signos: 14 vocales y diptongos, 34 consonantes y dos caracteres que imprimen la nasalidad y la aspiración finales. La escritura se traza de izquierda a derecha; no existe puntuación. La ortografía sigue con fidelidad la pronunciación.

V. REGNIER, Ad.: *Etudes sur l'idiome des Védas et les origines de la langue sanscrite.* París, 1855.—BERGAIGNE Y HENRY: *Manuel pour étudier le sanscrit védique.* París, 1890.—STENZLER: *Elementarbuch der Sanskritsprache.* 7.ª ed. Munich, 1902.—WACHERNAGEL, J.: *Altindische Grammatik* (1896-1905).

SÁNSCRITA (Literatura)

Comprende dos épocas: la *de los Vedas* y la *clásica.* Resulta sumamente difícil señalar los límites a estas dos divisiones, dada la gran inseguridad de la cronología india. Además, de la segunda época no poseemos sino aquellas obras culminantes en cada género, de modo que es imposible darse cuenta de su desarrollo.

En la literatura sánscrita los géneros son muy varios: la *poesía lírica,* la *poesía épica,* la *poesía romántica,* el *drama,* la *leyenda,* el *apólogo,* los *tratados de filosofía,* de *legislación civil* y de *gramática.*

La poesía lírica es el género más antiguo, y comprende el himno y la oda. En seguida el género épico adquiere un desarrollo extraordinario; produce poemas de una gran extensión, como el *Mahâbhârata* y el *Ramayana,* obras de Vyasa y Valmiki; los *Puranas,* los *Mahacavyas.* El drama resulta una mezcla de la tragedia y de la comedia, es decir, se acerca a nuestro melodrama, y en él alternan la prosa y el verso, y también presenta las danzas y los cánticos, inspirándose con preferencia en las tradiciones heroicas del *Ramayana* y del *Mahâbhârata* y en la historia maravillosa de la metamorfosis del Krichna y en las leyendas de los *Vedas.* Alguna vez el drama es puramente metafísico; tal es el *Nacimiento de la luna de la inteligencia,* de Krichna-Misra. Nos son conocidos varios dramas, unos de autores famosos como Sômilli y Bhâsaca, de época incierta, anteriores a Kalidasa—que los cita—, el príncipe Sudraka, Bhava-Buthi, Srî Harscha Dêva, Visakha-Datta y Kalidasa, el más célebre de todos, autor de *Sakuntala.*

La poesía amorosa—muy licenciosa—fue cultivada por Kalidasa, autor también de tres poemas: *Raghuwança, Kumarasambhawa* y *Meghaduta;* Jayadêva, Amaru y otros.

La fábula y el cuento, formas esencialmente orientales, están representados por los apólogos de Bidpaï o Vischnú-Sarma—autor del *Pantchatantra*—, por el *Hitopadesa* y por los *Avadanas.*

Las obras morales y filosóficas, los tratados de legislación, forman una rama muy importante de esta literatura. Son, por orden cronológico, los *Brâhamanas,* los *Sûtras,* los *Upanichads,* comentarios dogmáticos a los Vedas. Los más antiguos *sûtras* los escribió Kapila, creador del sistema filosófico *Sânkhya.* Pantandjali y Yalnavalkya aplicaron a la vida práctica la doctrina del Yôga. Jaimini y Badarayana enseñaron las doctrinas contenidas en los *Mimânsâ-Sûtras.* La recopilación de leyes más famosa lleva el nombre de *Dharmasastras.*

V. WEBER: *Histoire de la littérature sanscrite.* Trad. francesa. 4.ª ed. París, 1904.—WEBER: *Indische Skizzen.* Berlín, 1850.—MAZURE, A.: *Essai sur la langue et la philosophie des Indiens.* París, 1838.—SCHRÖDER: *Indiens Literatur und Kultur.* Leipzig, 1887.—LÉVY, Sylvayn: *Le théâtre indien.* París, 1890.

SANSIMONISMO

Doctrina socialista de Saint-Simon, según la cual cada uno debe ser clasificado según su capacidad y remunerado según sus obras. El sansimonismo empezó como doctrina económica, se transformó en socialismo político y terminó en secta filosófica y mística.

Claude-Henry de Rouvroy, conde de Saint-Simon, nació—1720—y murió—1825—en París. Se creyó descendiente de Carlomagno. Cuando tenía veinte años marchó a América, combatiendo al lado de Jorge Washington. Ideó un proyecto fantástico de canal interoceánico, en el cual no consiguió interesar a las autoridades españolas. Y después de llevar una vida errante "de aventurero de la filosofía", regresó a Francia. Durante la Revolución tuvo que vivir algún tiempo escondido, a causa de su nobleza, pero pronto se envalentonó, se unió a los revolucionarios y aún ganó mucho dinero especulando con los bienes nacionales. Fue encarcelado, pero no tardó en ser puesto en libertad. Entonces, según confesión propia, se dio cuenta del papel importante que el destino le tenía reservado: el de reformar la sociedad.

Sus primeras *inspiraciones* fueron estas: la propiedad debía ser abolida; debían ser cedidos a la comunidad los medios de producción, siendo administrados estos por una jerarquía compuesta por los individuos más idóneos; el régimen económico-social reinante era "la explotación del hombre por el hombre", y su remedio estaba en la ilustración del pueblo y de la burguesía.

El sansimonismo alcanzó su mayor auge a raíz de la Revolución de 1830, gracias a los libros y a los discursos y propagandas de los corifeos de Saint-Simon: Barthélemy Prosper, Enfatin y Saint-Amand Bazard. El sansimonismo tuvo sus órganos periodísticos en *Le Producteur* (1825-1826), *L'Organisateur* (1823-1831) y *Le Globe* (1829-1832).

Saint-Simon dejó escritas algunas obras de mérito, entre las que destacan: *Lettre d'un habitant de Genève à ses contemporains*—1802—, *Introduction aux travaux scientifiques du XIX*[e] *siècle*—1808—, *Mémoires sur la science de l'homme*—1811—, *Réorganisation de la société européenne*—1814—, *Du système industriel* —1821 a 1822, tres tomos—, *Catéchisme des industriels*—1823—, *Nouveau Christianisme* —1825—, *Opinions littéraires, philosophiques et industrielles*—1825.

Se ha buscado en el sansimonismo el origen del *colectivismo* (V.) y también del *socialismo* (V.). Pero resulta difícil hallar este último en las doctrinas sansimonianas. El socialismo es obra de sus discípulos. Para Gide y Rist, la doctrina de Saint-Simon es "una prolongación, una forma exagerada del liberalismo económico", y, sin embargo, la de los sansimonianos "se deduce lógicamente de los principios del maestro, que se limita a extender y prolongar".

Filosóficamente, el sansimonismo está influido por la idea del progreso. Para Saint-Simon, como para su discípulo Augusto Comte, la Humanidad es un ser colectivo que obedece a una ley fisiológica de progresivo desarrollo. "La Edad de Oro está delante de ella, no a sus espaldas." Filosóficamente, el sansimonismo combate la moral ascética cristiana; basa su moral en la rehabilitación de la carne, en la legitimidad de los goces terrenales; hace la apología de la riqueza y del bienestar.

Espíritu aristocrático y esencialmente prendado de las jerarquías y de la construcción, se escandalizó ante la noción del *dejar hacer.* "Tened presente—dijo—que no es posible hacer nada sin entusiasmo, sin orden ni jerarquía."

S

Pero Saint-Simon no logró redondear bastante su sistema y hacerlo accesible para la gran masa. Lo alcanzaron sus discípulos, y por este motivo sus doctrinas no lograron fama hasta después de la muerte de su autor.

El sansimonismo económico está basado en el individualismo. Según el propio Saint-Simon, el estudio de la Historia le puso de manifiesto la importancia de la industria y reconoció que esta no alcanzaba en el Estado la elevada posición que le corresponde, a causa de no tener en cuenta la diferencia que hay entre empresario y obrero...

"Y considerando que la clase media, la de los industriales, está en condiciones de inferioridad, trató de anteponerla a todas las demás. En este sentido plantea el problema, que ha llegado a ser célebre, sobre qué constituiría para

Francia mayor pérdida: que desaparecieran súbitamente del mundo 3.000 de sus más elevados personajes, toda la familia real, la corte, el clero, los más altos empleados, etc., o bien 3.000 de sus primeros sabios e industriales. Lo resuelve diciendo que la pérdida de estos últimos sería mucho más lamentable, lo que le valió una denuncia de los Tribunales, siendo absuelto más tarde por los mismos, ante un gran concurso de público. Cree, en consecuencia, necesario que las monarquías se apoyen sobre las fuerzas productoras, entregando la administración pública a los más inteligentes agricultores, comerciantes y fabricantes.

"Examinó a través de la Historia por qué semejante régimen natural hasta el presente no se ha dado. En la antigüedad fue la aristocracia, poseedora de la tierra, la que obtuvo el poder; bajo Luis XI se acentuó la monarquía absoluta; bajo Luis XIV se desarolló la industria, y con ella el tráfico internacional; el dinero ganó en importancia y el propietario del mismo vino a sustituir a la aristocracia antigua en el poder político que antes esta ejerciera. Sin embargo, al lado de dichos industriales, y formando con ellos la clase media, hay los legistas, los escritores, los médicos, etc., que son los representantes del más puro egoísmo, quienes, efectivamente, se apoderan del poder diciendo a aquellos: *Ote-toi, que je m'y mette.* Los industriales, pues, deberán tomarlo otra vez en sus manos." (CONRAD.)

De las doctrinas de Saint-Simon no se desprende con claridad cómo ha de establecerse el régimen de gobierno, ya que él tenía tanta aversión a la soberanía del pueblo como a la ilimitada libertad individual. Y como no combatió la propiedad particular, ni pretendió en modo alguno conseguir la igualdad absoluta, de aquí que no puedan atribuírsele tendencias socialistas, sino más bien reformadoras liberales. A pesar de ello, sus discípulos han construido el socialismo sobre sus doctrinas. Si Rousseau había simplemente declarado injusta la propiedad del suelo, el sansimonismo dedujo sus consecuencias para la clase obrera inscribiendo en su estandarte: *El trabajo, emancipado de la propiedad.* Lo que constituye la base del socialismo, es decir, "la idea de hacer completamente accesible al obrero los instrumentos de trabajo para asegurar a aquel su independencia, el reconocimiento de un derecho sobre los medios de producción y la asociación para utilizarlos, solamente ha sido establecido por el sansimonismo".

Bazard y Enfantin, los dos principales discípulos de Saint-Simon, llevaron al sansimonismo teorías aún más avanzadas.

Bazard publicó—1830—su obra *Exposition de la doctrine de Saint-Simon;* en ella afirmaba: que había que suprimir el derecho de herencia, y nombrar heredero a la colectividad, nunca al individuo; que todo disfrute tendría su origen en el trabajo; que desaparecería la explotación por razón de cobro de intereses, de rentas, de alquileres, etcétera; que en la vida social hay que distinguir dos bases: el interés individual o individualismo y la que se encuentra enfrente de ella, la asociación, teniendo que ser sacrificada aquella a esta; que la mujer debía tener los mismos derechos que el hombre.

Enfantin llegó a proclamar *el amor libre,* y aun quiso llevarlo a la práctica. Entonces se fraccionó el sansimonismo, pues Bazard y sus partidarios lo abandonaron.

Resumiendo: Saint-Simon fue el teorizante del industrialismo; para organizar científicamente la sociedad, con miras a la industria, dijo que el poder debía ser entregado a los sabios y a los industriales; fue rigurosamente antidemócrata; creyó que solo los elegidos podían aspirar al gobierno, y que "como todo debe hacerse para la industria, todo tiene que ser hecho *por ella*"; que debían ser administradas las cosas antes que gobernados los hombres; redujo la misión del Estado "a mantener el orden y la libertad de la producción"; sostuvo que las clases sociales que se oponen son nada más que la de los ociosos, por un lado, y la de los productores, por otro, cualesquiera que sean sus categorías.

Algunos economistas han asegurado que lo que organizó Saint-Simon fue la plutocracia, el gobierno por una oligarquía de capitanes de industria; que el sistema sansimoniano no tiene nada de igualitario ni de liberal, y que acaba por decidirse, como más adelante Augusto Comte, por la jefatura de un pontífice infalible; que el sansimonismo, en el fondo, es, sobre todo, una doctrina de producción más que de distribución, y que modifica esta para desarrollar aquella; que es un industrialismo que se esfuerza en sobreexcitar la actividad económica, en estimular y armar las capacidades "para que *den todo su valor económico a los individuos,* hasta cuando niega su valor como entidad jurídica".

El sansimonismo, caído en desuso a fines del siglo XIX, tuvo en 1918, al terminar la primera gran guerra mundial, un fulgurante resurgimiento en toda Europa; y es que, entonces, parecía lo único importante el *culto a la producción.*

V. CHARLÉLY: *Essai sur l'histoire du santsimonisme.* París, s. a.—JEAN: *Le principe saint-simonien.* París, 1904.—WITT: *Saint-Simon et le système industriel.* París, 1912. Traducción francesa.—LEROY, M.: *Henri de Saint-Simon.* París, 1896.

SARCASMO

Es la misma ironía (V.), mas con un carácter sangriento, y es una amarga irrisión con que insultamos a nuestros contrarios, a una persona desgraciada o a una cosa, dignos de compasión,

¿Son estos, por ventura, los famosos,
los fuertes, los belígeros varones
que conturbaron con furor la tierra,
que sacudieron reinos poderosos,
que domaron las hórridas naciones,
que pusieron desierto en cruda guerra
cuanto el mar indo encierra,
y soberbias ciudades destruyeron?
¿Dó el corazón seguro y la osadía?
¿Cómo así se acabaron y perdieron
tanto heroico valor en solo un día?

(FERNANDO DE HERRERA.)

SATANISMO

Nombre dado a un movimiento, iniciado en la segunda mitad del siglo XIX, que señala "una posición de *mística invertida,* gracias a la cual se llega al culto de la condenación y a la asimilación de lo heroico con lo rebelde" (Ugo Déttore).

El satanismo, según Sidney Hartland, tiene en algunos países de Europa y de América dos ramas o grupos de adeptos.

La primera, la más auténticamente *satánica,* es la "de los desesperados, enemigos del cristianismo, que acusan a Dios de haber hecho traición al género humano, y por ello coinciden en la rebeldía con Luzbel, al que adoran con ritos que constituyen un desafío al mismo Dios.

La segunda rama del satanismo, la más definida, es la de los paladistas—*paladismo*—, quienes adoran a Luzbel como *a un igual* y enemigo de Jehová. Para el paladismo, Luzbel es el dios de la luz, el principio del bien, mientras Jehová es el principio del mal, el dios de las tinieblas.

El paladismo tomó su nombre de *paladión,* símbolo de su adoración, un ídolo grotesco llamado Bafomet. Según los paladianos, los Templarios ya adoraron a Bafomet, y por ello fueron secularizados y despojados de sus bienes. El ídolo permaneció escondido hasta 1801, en que lo encontró Isaac Long en París, trasladándolo a Estados Unidos.

El satanismo revivió en Charleston, y tuvo como primeros jefes a Alberto Pike y a Adriano Lemmi. Este último trasladó la dirección del movimiento satánico a Roma, con intención de que luchara con el catolicismo en su propia cátedra eterna. Los ritos del satanismo lindaban con la alta magia, y eran extravagantes y obscenos, culminando "con una solemne abjuración de Jesucristo y de su sacrosanta religión, en la aparición de Luzbel a sus devotos y en un culto organizado y periódico a Satanás".

Dos libros excepcionales descubrieron los manejos del satanismo, dándole una publicidad extraordinaria: la novela de J. K. Huysmans *Là-bas*—1891—y *La Francmaçonnerie, synagogue de Satan,* de "Leo Táxil", seudónimo de Gabriel Jogand.

La ceremonia más impresionante del satanismo era la *misa negra,* apogeo de las mayores procacidades y concupiscencias.

Muchos escritores han afirmado que el satanismo no es sino una ramificación de la francmasonería.

El satanismo, por su extravagancia, se apoderó de muchos poetas y pintores. La crítica cree encontrar *buenas dosis* de satanismo en el *Caín,* de lord Byron; en el *Prometeo liberado,* de Shelley; en los *Himnos a Satanás,* de Carducci y Baudelaire; en *La vejez del Padre Eterno,* de Guerra Junqueiro...

En el *decadentismo* lírico y pictórico se hallan las audacias máximas de un satanismo adulterado de ficciones puramente imaginativas y enfermizas.

V. BATAILLE: *Le diable au sixième siècle.* París, 1893-1894.—LILLIE, A.: *The Worship of Satan in modern France...* Londres, 1896.—URBANO, R.: *El Diablo.* Madrid, Biblioteca Nueva, ¿1919?—SIDNEY HARTLAND, E.: *Satanism.* Dublín, 1920.

SÁTIRA

Es una composición poética u otro escrito en prosa—agudos, picantes, mordaces—dirigidos a censurar los defectos, ridiculeces, errores, vicios y crímenes humanos.

Desdeñando valerse de artificio,
la sátira, maligna en apariencia,
sana de corazón, persigue el vicio
por vengar la virtud y la inocencia.

(MARTÍNEZ DE LA ROSA.)

La sátira es muy antigua; existió entre los orientales envuelta en el apólogo, y mezclada con la comedia entre los griegos; pero los romanos hicieron de ella un género aparte.

La sátira es por su forma un poema especial destinado a la censura, mas a veces se presenta combinada con otras composiciones, pues hay comedias y novelas satíricas; así como también son verdaderas sátiras muchas epístolas, los poemas burlescos y hasta algunos artículos en prosa.

Puede escribirse la sátira sobre dos órdenes de asuntos: ya sobre las *ridiculeces* y *defectos* del hombre, como son la vanidad, la tacañería, la ignorancia, etc.; ya sobre los *errores graves, vicios* y *crímenes,* como la calumnia, la disolución, las violencias injustas, etc. De aquí resultan dos clases de sátiras: la *jocosa y familiar* y la *seria y elevada.*

Así, el adusto Persio,
conciso, vigoroso,
insta, reprende, arguye;
Juvenal, acre, ardiente,
arrójase a su presa impetuoso,
la hiere, la destruye;

mientras Horacio, plácido y festivo,
asesta al vil, al necio, al codicioso,
las leves flechas de su ingenio vivo.

El precepto fundamental de la sátira es combatir lo malo, absteniéndose siempre de personalizar.

Mas ora en fácil juego
gracia, donaire y libertad ostente;
ora grave corrija; ora indignada
del corazón anuncie el noble fuego;
de puro celo armada,
muestre siempre la sátira modesta
su pecho vigoroso,
y al vicio acose, pero no al vicioso.

La sátira puede escribirse en cualquier clase de metro y combinación métrica; pero en España se han adoptado por lo común para la sátira jocosa los versos menores, y para la seria, los endecasílabos, ya tercetos, ya libres.

SATÍRICO (Drama)

Composición escénica del antiguo teatro griego. Sus personajes fueron *ficticios*, tipos grotescos de silenos ventrudos, de sátiros con cabeza de toro, de pánidas con pies de cabra; la escena representaba un bosque; los coros estaban formados por bacantes, que ejecutaban unas danzas delirantes conocidas con el nombre de *sicinnis*. El drama tomó el nombre de sus intérpretes; y de los recitados de estos nacieron las *poesías satíricas* o simplemente las *sátiras*. Horacio las calificó de *agrestes satyros*, por alusión a su origen, y de *risores satyros*, para significar su principal intención, que no era otra que disipar los horrores provocados por la tragedia. Estos dramas satíricos griegos se representaban al fin de la función, igual que los *éxodos* en el teatro latino.

En tiempos de Esquilo, el drama satírico se constituía regularmente como un género intermedio entre la tragedia y la comedia. La alegoría y la parodia se entreveraban en él, y el patetismo y la jocosidad de expresión. Fue adoptado para él el verso trímetro; verso que nos es conocido por *El Cíclope*, de Eurípides.

El origen del drama satírico está en las *fiestas báquicas*. Según los antiguos, Arión fue el primero que introdujo los sátiros en los coros ditirámbicos. Pratinas de Fliunte, que introdujo en el Atica el género, escribió 32 dramas satíricos. Y la importancia se la dieron Aristias, Choerilo y Esquilo. Este último escribió cinco dramas satíricos.

V. CASAUBON, Isaac: *De Satyrica graecorum poesi et romana satyra*. 1600.—PATIN: *Etudes sur les tragiques grecs*. Varias ediciones.

SATURACIÓN

Licencia poética o ley eufónica, valiéndose de la cual los poetas árabes añaden detrás de una vocal una letra análoga para *rellenar* el sonido.

SATURNILISMO

Nombre dado a la doctrina herética introducida en Antioquía de Siria, durante el reinado del emperador Adriano, por Saturnilo o Saturnino, célebre gnóstico, continuador de las doctrinas de Simón, Menandro y Cerinto.

Saturnilo proclamó el dualismo zoroastriano. Para él, existía un ser primitivo, Padre desconocido, residente en el imperio de la luz, del que emanaban los ángeles, los arcángeles, las potestades. Y existía, frente a este principio del bien, dentro de las tinieblas, Satán, teniendo bajo su dominio siete espíritus planetarios.

Para Saturnilo, Satán y sus siete espíritus, deseosos de llegar hasta la luz y de apoderarse de ella, idearon crear un ser a su imagen y semejanza que excitara la piedad del Padre. Y crearon, torpemente, al hombre, desdichada masa de concupiscencias, incapaz ni de tenerse en pie, y que, por ello, se arrastró como un gusano. El Padre, en efecto, se apiadó de este engendro, y para librarle del poder de Satán envió a la tierra su *eón*, o el Cristo, revestido de cuerpo fantástico, para que enseñase al hombre la verdadera ciencia de la inmortalidad *dentro de la luz*.

El saturnilismo tuvo como fermentos transformadores las creencias y prácticas del *Zendavesta* y quizá de la misma *Cábala*. Saturnilo formó escuela y tuvo numerosos discípulos; pero su fama y su influencia fueron bien efímeras. Combatido inexorablemente por la famosa escuela de exegetas de Antioquía—defensores de las rectas interpretaciones de las Sagradas Escrituras—, no supo defender con acierto sus doctrinas, las cuales quedaron completamente olvidadas a fines del siglo III. Los últimos adeptos del saturnilismo se unieron con los gnósticos.

V. MATTER: *Histoire critique du gnosticisme*. París, 1843.—KOFFMANN: *Die Gnosis nach Tendenz und Organisation*. Breslau, 1881.

SAUDADE

Voz portuguesa equivalente a nuestra *añoranza;* voluptuosidad y pena en el recuerdo. La *saudade* tiene una enorme fuerza lírica, y ha determinado infinitas poesías de primer orden dentro y fuera de Portugal. En este país, las llamadas *Canciones de amigo* no son sino expresión lírica de la *saudade*.

SECENTISMO

Designación del movimiento literario y artístico italiano barroco del siglo XVII. (V. *Barroquismo* y *Marinismo*.)

SECULAR (Poema)

Carmen saeculare. Nombre dado por los romanos a unas composiciones poéticas en exaltación de los *juegos seculares*—cada cien años—celebrados en honor de Apolo y Diana, para darles gracias por las cosechas ubérrimas antes de cosecharlas.

Es famoso el poema de Horacio, así llamado, que compuso a instancias de Augusto para conmemorar el séptimo centenario de la fundación de Roma.

V. DEZOBRY, Ch.: *Rome au siècle d'Auguste*. Tomo II.

SEGUIDILLA (V. Española, Versificación)

Composición de siete versos, distribuidos en esta forma: primero hay un cuarteto asonantado en los versos pares, que son de cinco sílabas, mientras van libres los impares, que son de siete; y después un terceto, cuyo primero y tercer verso tienen cinco sílabas y van concertando con asonante distinto del anterior; el sexto verso es heptasílabo y queda libre. También pueden escribirse en versos consonantes.

Dijo la Zorra al Busto,
después de olerlo:
—Tu cabeza es hermosa,
pero sin seso.
Como este hay muchos
que, aunque parecen hombres,
solo son bustos.

(SAMANIEGO.)

Pocas manifestaciones tan populares y genuinas de la métrica española como la seguidilla. "La seguidilla—escribe Pfandl—aparece esporádicamente después de 1450; pero el nombre no se usa hasta el siglo XVI, y parece que al principio designaba la *gente de vida seguida o airada*. En la seguidilla del siglo XVII, los versos dos y cuatro, por tanto, los dos que riman o asonantes, son más cortos que el primero y el tercero, y es corriente que el par más largo sea de siete sílabas, y el más breve de cinco. Si la combinación era de seis más cinco, en vez de siete más cinco, se llamaba *endecha*. Al principio, cada dos versos se escribían juntándolos en uno, de lo cual todavía tenemos muestras en el *Quijote* y en el *Rinconete y Cortadillo*. Si la seguidilla tenía también estribillo, este no iba nunca al principio, como en el *villancico*, sino al final *(vuelta, tornada)*. La seguidilla es la canción típica de la improvisación, que raras veces crea algo nuevo, pero que con habilidad y prontitud transforma temas conocidos y repetidas veces cantados. Es la canción de la alegría y del buen humor, que ríe incluso cuando se queja, y que dice cosas a veces que sería mejor callar."

De tu cama a la mía
pasa un barquillo;
aventúrate y pasa,
moreno mío.

(Seguidilla anónima del Siglo de Oro.)

Se llama *seguidilla chamberga* a la que tiene un estribillo irregular de seis versos, de los cuales hacen asonancia el primero y el segundo, el tercero y el cuarto, y el quinto y el sexto. Los impares, libres, suelen tener tres sílabas.

SELECTAS (V. Analectas)

Colección de trozos escogidos, en verso o en prosa, de las obras de uno o de varios autores.

SEMÁNTICA

Semántica o *semasiología* es la parte de la lingüística que estudia la significación de las palabras.

Semántica equivale al estudio histórico de las palabras consideradas en los cambios que han experimentado *en su sentido*. Si la fonética se fija exclusivamente en el *aspecto exterior* de las palabras, considerándolas como sonidos o como conjunto de sonidos, la semántica se fija exclusivamente en el *aspecto interno*.

Si la palabra, como signo, evoluciona, lógicamente ha de evolucionar también su significado. Si la palabra expresa ideas o estados de conciencia, al modificarse radicalmente estos, lógicamente si su expresión no se modifica, darán a esta expresión *no modificable*—la palabra—muy distintos significados. Por ejemplo: antiguamente *alameda* aludía a un lugar poblado de álamos; hoy alude a una arboleda en general. Antiguamente, *raíz* tenía una única referencia vegetal; hoy tiene múltiples referencias, algunas de las cuales ni son materiales: la *raíz del bien*, la *raíz matemática*, etc.

La semántica nos descubre por qué una misma palabra designa objetos que a primera vista no tienen nada de común.

Acaso por operar sobre valores menos tangibles que los fonéticos y gramaticales, la semántica inició su trascendencia en el momento en que el estudio científico del lenguaje llegaba a su madurez. Pero gracias a la utilización sabia de los resultados de las ciencias naturales y morales, en muy pocos años ha conseguido un rigor fundamental. Sin embargo, aún es pronto para poder señalar leyes semánticas.

V. RESTREPO, F.: *El alma de las palabras*. MALLÉN GARZÓN: *Ensayos lingüísticos (Teoría de los significados)*.—DARMSTETER, A.: *La vie des mots*.—WELBY, L.: *What is meaning?* Londres, 1903.—BALLY, Charles: *El lenguaje y la vida*. Buenos Aires, Ed. Losada, 1941.—VOSSLER, Karl: *Filosofía del lenguaje*. Buenos Aires, Ed. Losada, 1943.

SEMEJANZA (V. Comparación)

Figura retórica, que hace notar el parecido entre dos objetos.

Veo que las leyes son contra los flacos como las telarañas contra las moscas. (LUIS MEJÍA.)

(V. *Símil.*)

SEMIANTICADENCIA (V. Cadencia)

SEMIARRIANISMO

Nombre dado a la doctrina herética arrianista *atenuada* después del Concilio de Nicea —325—. (V. *Arrianismo.*)

Después de este Concilio, Arrio y cuatro de sus compañeros fueron desterrados por no haberse retractado. Pero poco después procuraron por todos los medios desarmar el poder secular, atraerlo hacia ellos y volverlo contra sus adversarios. Y para asegurar mejor su plan, atenuaron su herejía "reduciéndola a formas ambiguas que no podían ser acusadas de heréticas". Así nació el partido llamado *antiniceno* de los semiarrianistas, los cuales reconocían que el Hijo es de una sustancia *semejante (omoiousios),* pero no la *misma* que el Padre, *no consustancial (omoousios),* como había definido el Concilio de Nicea.

Uno de los más hábiles expositores del semiarrianismo, y uno de sus más enérgicos jefes, fue Eusebio de Nicomedia. "A decir verdad—escribe Boulenger—, no había otra diferencia entre este y el primer error que la de *una letra* entre las dos palabras griegas que expresaban ambas doctrinas, pero esa letra era de suma importancia. Añadiendo una *iota* a la palabra *omoousios,* los semiarrianos negaban de golpe *la identidad de la sustancia,* el monoteísmo, y llegaban al *triteísmo,* o sea a la doctrina que admite en la Trinidad *tres sustancias divinas.*

El partido *antiniceno*—con una unidad de doctrina: la oposición a la consustancialidad del Hijo con el Padre—se desenvolvió en tres tendencias: la primera—rígida—mantenía el primitivo programa del arrianismo, y estaba dirigida por Aecio y Eunomio. La segunda tendencia—flexible—defendía una fórmula vaga, propia para *interpretaciones subjetivas,* a saber: *homoios to Patri* (semejante al Padre). La tercera tendencia—la de los semiarrianos propiamente dichos—sustituyó la palabra *omoiousios (semejante)* por la de *omoousios (no consustancial).*

Los adeptos de la primera tendencia fueron llamados *aecianos* o *eunomianos,* de los nombres de sus jefes. Los de la segunda, *homeos.* Los de la tercera, *homeousianos* y *semiarrianos.*

El semiarrianismo alcanzó una enorme popularidad, y arrastró hacia sí a ilustres varones que habían atacado el arrianismo en el Concilio de Nicea. Los Sínodos de Arlés—353—, de Milán—355—y de Rímini—359—fueron favorables al semiarrianismo, pareciendo así que el error iba a triunfar.

Entre los semiarrianos se contaron: Basilio de Ancira, Jorge de Laodicea, Eusebio de Emesa, Eustacio de Sebaste, Teodoro de Heraclea, Auxencio de Milán... Bueno es advertir que varios de estos ilustres personajes, aclarados determinados conceptos, se pasaron al partido niceno. Otros, sin embargo, cayeron definitivamente en el arrianismo, y algunos, como Macedonio de Constantinopla, fundaron nuevas herejías.

El primer acto público de los semiarrianos fue el Concilio de Ancira—358—, en el que se pronunciaron anatemas contra los arrianos. Basilio de Ancira, Eustacio de Sebaste y Eulecio de Cícico, que lo habían presidido, lograron del emperador que reuniese un Concilio en Sirmio, en el que se redactó una tercera fórmula, que, sin ser heterodoxa, no contenía la palabra *omoousios.* Un año después—359—, en el Concilio de Seleucia, los partidarios del Concilio de Nicea estaban en una escasísima minoría. Pero, gracias a la firmeza de los ilustres defensores de la ortodoxia, Atanasio, Cirilo de Jerusalén, Basilio, Gregorio Nacianceno, Gregorio de Nisa, Hilario de Poitiers, la herejía fue condenada solemnemente en el segundo Concilio ecuménico de Constantinopla—381.

Tres años antes—378—, en el Sínodo de Antioquía (Caria), la mayoría de los asistentes se pronunciaron por la palabra *omoiousios—semejante*—y rechazaron la palabra *omoousios—no consustancial.*

Al Concilio de Constantinopla acudieron 150 obispos ortodoxos y 36 semiarrianos. Estos se retiraron pronto de la asamblea, aconsejando a sus partidarios que permaneciesen firmes en su creencia. Pero los 150 ortodoxos votaron unánimemente la fe establecida en Nicea.

Entre los mencionados 150 obispos ortodoxos se contaban numerosos semiarrianos convertidos. El primer canon del Concilio anatematizó no solo al arrianismo, sino también al semiarrianismo y al *neumatismo* o *macedonismo* (V.), que había aplicado al Espíritu Santo la misma doctrina herética que aquel tuvo del Hijo.

La invasión del occidente europeo por los bárbaros—visigodos, vándalos, borgoñones—, que habían sido convertidos por los misioneros arrianos, retrasó el hundimiento total de estas herejías.

V. MAINBOURG, L.: *Histoire de l'arrianisme depuis sa naissance jusqu'à sa fin.* París, 1686. STARCK: *Versuch einer Geschichte des Arrianismus.* Berlín, 1783-1785.—BARDENHEWER: *Patrología.* Trad, cast. Barcelona, 1910.

SEMICADENCIA (V. Cadencia)

SEMICULTISMO (V. Latinismo)

SEMIPELAGIANISMO

Nombre dado a una doctrina—herética—intermedia entre el *pelagianismo* (V.), que todo lo concedía a la libertad humana, y la doctrina agustiniana, que, atribuyendo a la gracia una fuerza irresistible, *parecía* sostener una tesis irreconciliable con la humana libertad. El semipelagianismo lo iniciaron unos monjes de

Marsella: Juan Casiano—muerto en 432—, abad de San Víctor, y Vicente de Lerins—muerto en 450—. Algunos historiadores afirman que Vicente de Lerins no hizo sino propagar el semipelagianismo, cuyo verdadero iniciador fue el célebre monje Casiano, que había hecho vida solitaria en la Tebaida, y que, elegido diácono de la Iglesia de Constantinopla por San Juan Crisóstomo, ascendió en Roma al presbiterado. Casiano fundó en Marsella dos monasterios, uno para cada sexo. Nombrado abad del monasterio de San Víctor, adquirió gran fama por su virtud y publicó—426—unas *Colaciones* o *Conferencias espirituales,* para la instrucción de sus monjes, en las que se hacían algunas afirmaciones sumamente peligrosas. Afirmaba Casiano que el hombre puede tener por sí mismo un principio de fe y un deseo de convertirse; que el bien del hombre no depende menos de su libre albedrío que de la gracia de Jesucristo; que esta gracia es gratuita en cuanto no la merecemos en rigor, pero que Dios la da, no arbitrariamente por su soberano poder, sino según la medida de la fe que halla en el hombre o que Dios ha puesto en la humana criatura; que en muchos seres humanos existe una fe que Dios no ha puesto, "como parece la que Cristo alabó en el Centurión del Evangelio".

Casiano no negó, como Pelagio, la existencia del pecado original en todos los hombres, ni sus efectos, que son la concupiscencia, la muerte y la privación de la bienaventuranza. Pero defendió que el pecado original no debilita al hombre, y que este puede salir *por sus medios* del pecado y recuperar la justicia; y que cuando el hombre tiene tales buenas disposiciones, Dios las premia con el don de la gracia. Según Casiano, pues, el principio de la salvación viene del hombre y no de Dios.

La doctrina de Casiano fue acogida con entusiasmo en todo el sur de la Galia. Alarmados por el progreso de este semipelagianismo, San Próspero y San Hilario escribieron a San Agustín rogándole que lo refutase. Y el sabio doctor de Hipona lo hizo en dos extraordinarios libros: *De la predestinación de los santos* y *Del don de la perseverancia.*

El semipelagianismo puede quedar resumido en los puntos siguientes:

1.º El hombre, a pesar del pecado original, tiene tanta facultad de hacer el bien como el mal, y se determina con tanta facilidad el uno como el otro.

2.º El hombre puede merecer la gracia de la fe y de la justificación por sus fuerzas naturales, sus oraciones y sus piadosos deseos.

3.º Dios quiere salvar a todos los hombres *indistintamente;* Jesucristo murió *por todos los hombres;* la salvación y la gloria eterna se ofrecen a todos, se conceden a los que están dispuestos, y solamente se niegan a los que no las quieren.

4.º La diferencia entre los elegidos y los réprobos proviene de sus disposiciones naturales.

5.º Dios predestina a la fe y a la salvación a aquellos cuyos buenos deseos, buena voluntad y obediencia prevé, y reprueba a aquellos en quienes prevé resistencia.

6.º Dios hace anunciar el Evangelio a los pueblos que sabe han de ser dóciles, y no a los que sabe han de ser incrédulos.

7.º Respecto de los niños que mueren sin bautismo, Dios otorga la justificación y la salvación a los que prevé que si llegaran a la edad madura serían fieles.

8.º Que la gracia dada a los predestinados siempre depende de ellos obedecerla o resistirla.

9.º No podía admitirse el modo como San Agustín explicaba la predestinación *secundum prepositum.* Y añadían los semipelagianos que si un hombre no puede creer sino en cuanto Dios le da la voluntad para ello, no puede ser reprobado el que no la tiene, teniendo que recaer toda la reprobación sobre Adán, única causa de la condenación de los demás hombres.

A las dos obras de San Agustín contra el semipelagianismo contestó Vicente de Lerins con la suya: *Commonitorium pro catholicae fidei antiquitate et universalitate, adversus profanas omnium haereticorum novitates*—434.

Semipelagianos principales fueron Fausto de Riez, Arnobio el *Joven* y Genadio.

El semipelagianismo fue condenado en los Sínodos de Arlés—473—y de Lyón—474—por los Concilios de Orange y de Valence—529—y por el Pontífice Bonifacio II—530.

V. LENTZEN: *De pelagianorum doctrinae principiis.* Colonia, 1833.—HERGENRÖTHER: *Semipelagianismo.* En el "Dic. de Ciencias eclesiásticas". Barcelona, 1889.

SEMIRRIMA

Rima imperfecta o rima asonante. (Véase *Asonancia.*)

SEMÍTICAS (Lenguas)

S

Familia que comprende el hebreo, el siríaco, el caldeo, el fenicio, el árabe y, según algunos filólogos, el etíope. Estas lenguas, que corresponden a una división tradicional del género humano, son habladas por cerca de cien millones de hombres. La denominación de *lenguas semíticas,* ofrecida por Eichhron, reemplaza a la de *lenguas orientales,* pero no resulta rigurosamente exacta. Leibniz propuso la denominación de *lenguas arábigas,* que tiene el inconveniente de designar *una de las partes.* Renán y otros filólogos han preferido la de lenguas *siroárabes.*

En la antigüedad, estas lenguas aparecieron divididas en dialectos, cada uno de ellos con su propia fisonomía. Todos alcanzan una misma antigüedad y se desarrollaron paralelamente. Puede admitirse que tuvieron el origen común de una lengua desconocida hoy, cuyos gérmenes se desenvolvieron en las distintas ramas. En una época primitiva del descubrimiento de estas lenguas, designada con el nombre de *periodo hebraico,* las ramas hebrea y fenicia predominaron. Hacia el siglo VI antes de Cristo se inicia el *periodo arameo,* que comprende el *arameo judío—o caldeo bíblico—,* el *samaritano,* el *siriaco.* Este período llega hasta el siglo VII después de Cristo, en el cual empieza el *periodo árabe,* distinguiéndose en él la rama meridional, *joktanida* o *sabeana (himarita, etiope)* y la rama *ismaelita* o *maaddica* (árabe). Este período llega hasta nosotros.

Aclarando: pueden clasificarse las lenguas semíticas en tres familias: la del *Norte* o *aramea,* la del *Centro* o *cananea* y la del *Sur* o *árabe.*

Las lenguas semíticas ofrecen muchas características peculiares. Las raíces *trilíteras;* las formas gramaticales por composición y por modificaciones íntimas de las raíces; las vocales, consideradas como secundarias, no se escriben, quedando indicadas por signos accesorios; el verbo queda reducido a un número muy pequeño de tiempos.

Las lenguas semíticas son analíticas esencialmente. Se prestan poco a las ideas abstractas y especulativas, pero se *ajustan* mucho a las expresiones poéticas. La simplicidad de su organismo las hace refractarias a las especulaciones racionales. Pero su carácter tiene algo de *físico y sensual,* que se adapta muy bien a lo esencialmente lírico y se prestan a las imágenes brillantes.

Muchos filólogos se han preguntado si las lenguas semíticas y las lenguas arias tuvieron una primitiva unidad. Entre los dos sistemas gramaticales, las diferencias son radicales. Y mientras las lenguas indoeuropeas se siguen expandiendo y alejándose más y más de la lengua madre, las semíticas se van reduciendo y tendiendo a una sola lengua: la árabe.

V. WRIGHT, H.: *Lectures onthe comparative Grammar of the Semitic Languages.* Cambridge, 1920.—LINDBERG, O. E.: *Vergleichende Grammatik d. semitischen Sprachen.* Göteborg, 1917.—MÜLLER, Max: *Ensayo sobre el origen del lenguaje.*

SENARIO (Verso)

Verso latino compuesto de seis pies, por lo regular yambos, que fue, después del hexámetro y del pentámetro, el más usado por los latinos. Fue llamado también yámbico-trímetro-acataléctico.

Nilne es / se propri / um cui / quam! Di
[*vostram fidem.* (PLAUTO: *Andr.,* 716.)

(V. *Yambo* o *Yámbico.)*

SENEQUISMO

Doctrina moral y filosófica de Séneca, verdadera corrección muy original del estoicismo.

Lucio Anneo Séneca (3-65) nació en Córdoba. Su padre fue Marco Anneo el *Retórico,* su primer maestro. Estudió en Roma poesía y elocuencia. Viajó por Egipto y Asia. Practicó la abogacía en Roma. Fue maestro de Nerón, quien terminó por ordenar la muerte de su genial preceptor. Séneca murió abriéndose las venas con la más admirable resignación, aconsejando a cuantos le acompañaron en el último trance la templanza en las acciones, la morigeración en las apetencias, la resignación en los dolores, el perdón en las ofensas.

Entre sus principales obras morales y filosóficas cuentan: *De providentia, De ira, De vita beata, De constantia sapientiae, De tranquilitate animi, De brevitate vitae, De beneficiis, De consolatione ad Marciam, De consolatione ad Polybium, De consolatione ad Helvetiam...*

El senequismo, aun cuando no llega a la idea de un Dios personal distinto del mundo, abandona el panteísmo estoico y la doctrina antropológica del estoicismo, penetrando en la concepción platónica acerca de tales puntos.

La moral del senequismo es realmente admirable. La virtud es suficiente para alcanzar la felicidad, la mejor felicidad entre las felicidades. Las riquezas, los honores, la sabiduría, la gloria humana deben quedar subordinadas a la virtud. Todos los hombres son iguales, pues que su naturaleza común los hermana. Aconseja el amor al prójimo.

Estoicismo el de Séneca templado y acomodado a la naturaleza humana, pero a la que jamás mima. Ni especulativo ni metafísico, rehuyendo las abstracciones, toma de la filosofía la parte práctica y moral. Todo en Séneca rebosa hambre de virtud y de justicia. Y si le falta plan, orden, unidad, se derrama de sinceridad honda, de grandeza de miras, de nobleza de pensamientos. Todo en él es nervio y valor. Su virtud, tan humana, tan imponente de ejemplaridad, fue llamada senequismo.

Cuanto en el senequismo hay de doctrina cristiana pudo llegar a Séneca por medio de San Pablo, al que, tal vez, conociera en Roma el año 62.

V. RIBER, Lorenzo: *Estudio y notas* en la edición de *Obras completas* de Séneca. Madrid, Aguilar, 1944.—VERA, Francisco: *Séneca (Vida y doctrinas).* Madrid, Aguilar, 1935.—MENÉNDEZ Y PELAYO, M.: *Séneca.* Conferencias. En el "Boletín de la Sociedad Menéndez y Pelayo", Santander, 1923.—BONILLA SAN MARTÍN, A.: *Historia de la Filosofía española.* Tomo I.

SENSACIONISMO (V. Sensualismo)

SENSISMO

Doctrina que sostiene ser los sentidos la única fuente del conocimiento. Para el sensismo, cuanto es sensible o traducible en términos de sensación es incognoscible. Los límites del conocimiento son los límites de nuestra capacidad de sentir.

El sensismo se diferencia del *empirismo* (V.) en que este suma la doble experiencia: externa e interna; y ambos se oponen al *innatismo* (V.), ya que este admite ideas y principios anteriores a la experiencia; y también al *intelectualismo* (V.), defensor de la razón, como fuente de conocimiento.

El sensismo reduce hasta lo inverosímil el campo de la filosofía. Priva a la lógica de su teoría fundamental: la del concepto, sustituyéndola por la de la imagen compuesta o genérica. Priva a la psicología de la introspección como método impreciso que lleva al error. Niega la ontología y la ética, acusándolas de ser especulaciones sin base empírica suficiente. Y reduce la moral al *hedonismo* (V.), al *utilitarismo* (V.), al *sentimentalismo* (V.).

El sensismo incurre en todos los errores del empirismo, y en uno más: supeditar la experiencia interna a la externa.

Para muchos filósofos, el sensismo reducía la filosofía a una descripción y a una enumeración de los hechos. (V. *Sensualismo.)*

SENSUALISMO

Doctrina filosófica, según la cual todo conocimiento humano deriva de las sensaciones. (V. *Sensacionismo.)* También se da el nombre de sensualismo a la doctrina que afirma que los sentidos son no tan solo las únicas fuentes de nuestros conocimientos, sino los únicos jueces de su validez, de donde la concepción sensualista de la lógica y de la ciencia.

El sensualismo se opone, pues, al *racionalismo* (V.)—que considera la razón como irreducible a la experiencia—, al *empirismo* (V.)—que hace derivar nuestros conocimientos de la experiencia, sea interna o externa—, del *idealismo* (V.), del *intelectualismo* (V.) y del *espiritualismo* (V.).

El fundador del *sensualismo* fue el filósofo y literato francés Etienne Bonnot de Condillac, nacido—1715—en Grenoble y muerto—1780—en Flux, cerca de Beaugency. Se ordenó y fue abad de Mureaux. Unióse a Rousseau, Diderot, Duclos, y, desde entonces, se entregó con pasión a la Filosofía y a la Literatura. En 1757 fue preceptor del nieto de Luis XV—infante don Fernando de Parma—y compuso para él un *Curso de estudios* en trece tomos. En 1767 ingresó en la Academia Francesa, reemplazando al abate Olivet. Fue también miembro de la Academia de Ciencias de Berlín. En Filosofía fue discípulo de Bacon y de Locke.

Condillac, en su famosa obra *Traité des sensations* llevó el empirismo a sus últimas consecuencias, transformándolo en *sensualismo.* Condillac desconoció la existencia de las ideas absolutas, porque no pudiendo estas deducirse de las sensaciones, y no admitiendo él otro origen de los conocimientos, le era imposible explicar su formación. Indiscutiblemente, el análisis de que se sirvió es riguroso; pero la materia que analizó es uno solo de los muchos fenómenos que ofrece el hombre moral.

Condillac afirmó resueltamente que el origen de todos nuestros conocimietos es la sensación externa. Y más aún: que no existen otros conocimientos que los sensoriales, siendo los juicios y las ideas sensaciones transformadas. Según Condillac, las facultades del alma se reducen asimismo a la atención, porque la reflexión es mera modificación de aquella. La atención es una sensación que predomina sobre las demás. Todo viene, pues, a terminar en la sensación, no habiendo más que un origen para las ideas, y *un estado de pasividad en el alma.* Para probar su doctrina, apeló al famoso ejemplo de la estatua.

Imagina—Condillac—una estatua organizada como nosotros, animada de un espíritu, pero sin idea alguna, y le supone un exterior todo de mármol que no le permite el uso de ningún sentido, reservando abrírselos el filósofo según lo creyere conveniente. Empieza en seguida por abrirle el olfato, porque le parece que este es uno de los más limitados en orden a la producción de los conocimientos, y continúa luego por los demás; los considera aislados y en conjunto, observa lo que cada cual da de sí; y, por fin, se encuentra con el satisfactorio resultado de que la estatua, sin más que las sensaciones, va adquiriendo deseos, pasiones, juicio, reflexión; en una palabra, todo cuanto hay y puede haber en el corazón, en la fantasía, en la voluntad y en el entendimiento.

Y añade Balmes: "Tan fecundo es semejante método de observación, que el filósofo francés llegó a mirar como inútil el suponer que el alma recibía inmediatamente sus facultades de la Naturaleza; basta que se nos den los órganos para advertirnos por el *placer* y el *dolor* de lo que debemos buscar o huir; con dos resortes tan sencillos, la obra del espíritu humano se hace por sí misma; la experiencia sensible nos produce las ideas, deseos, hábitos, talentos de toda especie. Condillac, metido dentro de su estatua, habla como un oráculo. Se conoce que los ideólogos anteriores le parecían caviladores frívolos. Tiene una indecible satisfacción al ver que todo se aclara con la antorcha de su *nueva* teoría. Platón, San Agustín, Malebranche, tenían mucha dificultad en explicar la idea del número. Condillac lo extraña, y en dos palabras les señala el camino para salir del apuro. Esos hombres habían creído que en la idea había algo superior a lo sensible; esto no es así; la idea del número sólo encierra sensación; la dificultad quedó soltada."

Aun cuando hemos señalado a Condillac como fundador del sensualismo—porque, en rigor, él fundamentó la doctrina—, este tuvo muy

S

anteriores iniciaciones. David Hume ya afirmó que las ideas se fundan necesariamente en una *impresión* intuitiva; y que las ideas son *copias* pálidas de las impresiones directas.

Para el sensualismo *completo,* la "observación" no es otra cosa que la presencia de la sensación de la conciencia; la "comparación" es la coexistencia de sensaciones *comparadas;* el "recuerdo" es su eco posterior más débil en la conciencia.

El sensualismo, como toda teoría audaz y *fácil* de comprensión, alcanzó un éxito extraordinario en Europa. Pero muy pronto llegó a su resultado fatal: el más burdo materialismo, el defendido en Inglaterra por Hartley y Priestley, y en Francia, por La Mettrie y el barón de Holbach.

V. VORLANDER, K.: *Historia de la Filosofía.* Tomo II. Madrid, Beltrán, ¿1915?—HÖFFDING, H.: *Historia de la Filosofía moderna.* Madrid, Jorro. Dos tomos.—BALMES, Jaime: *Historia de la Filosofía.* Barcelona, 1884, 7.ª edición.—DE GÉRANDT: *Histoire comparée des systèmes philosophiques.* París, 1804.

SENTENCIA

1. Dictamen. Parecer.
2. Dicho grave y sucinto que encierra doctrina o moralidad digna de notarse.
3. Decisión, por persona competente, que pone fin a disputa o controversia.
4. Sentencia es una figura lógica, consistente en una reflexión profunda expresada de un modo sucinto y enérgico, y que encierra una gran verdad.

> Nadie tiene más necesidad que quien desea más de lo necesario; la codicia hace que se carezca de lo mismo que se posee. (P. NIEREMBERG.)

Pueden considerarse como variedades de la *sentencia: Máxima, Apotegma, Adagio* (V.).

SENTIDO

1. Que intuye o explica un sentimiento.
2. Modo de interpretar una palabra, un dicho, una frase, una obra, y juicio que se hace de ellos.
3. Entendimiento o razón, en cuanto discierne de las cosas.
4. Conocimiento o inteligencia con que se ejecutan algunas cosas.

SENTIMENTALISMO

Manía de exagerar el sentimiento o de llevarlo a un punto que tal vez por demasiado sublime toca en lo ridículo, que es el extremo opuesto. Entiéndese principalmente de los afectos tiernos, simpáticos, amorosamente melancólicos, producidos por imágenes fantásticas del género de las que figuran en el bello ideal, creado por el *Romanticismo* (V.), sobre motivos novelescos o puramente dramáticos e ilusorios.

El sentimentalismo ha dominado de manera casi absoluta en ciertos movimientos espirituales y literarios; por ejemplo, en la época romántica.

Pero cabe asegurar que el sentimentalismo —no el sencillo sentimiento que no puede ni debe faltar en ninguna obra de arte, sino la tendencia a exagerarlo, a hacer de él la *nota dominante* de una producción artística o literaria—es un movimiento tan antiguo como el arte y la literatura. Sentimentalismo agudísimo hállase en los poetas elegíacos griegos, en Ovidio, en Prudencio, en la *Leyenda áurea,* en Dante y Petrarca, en el *Romancero,* en Shakespeare, en el mejor teatro español del siglo XVII...

El sentimentalismo—como tendencia y aun como *recurso* y *truco*—no ha fallado nunca; no ha faltado sino en escasísimos movimientos literarios y artísticos, así en el creacionismo, en el ultraísmo, en el picassismo.

Pero precisamente por sus mismas universalidad y perennidad resulta sumamente difícil hacer su historia y señalarle sus efectos.

SENTIMIENTO

1. La acción y el efecto de sentir, de sentirse.
2. Percepción del alma en las cosas espirituales, acompañada de gusto, placer, deleite; impresión agradable o movimiento interior análogo.
3. Estado del ánimo afligido por un suceso triste.

Esta palabra, tomada en su acepción filosófica, se aplica a todos los fenómenos afectivos; es decir, a todos los placeres y penas que nacen inmediatamente de un fenómeno intelectual o de actividad, o, si se quiere, que resultan del desarrollo de la inteligencia del principio activo.

Se llama *sentimiento de la Naturaleza* a la conciencia que de las bellezas de esta tiene el artista, sirviéndole de fuente inagotable de inspiración.

SEPARATISMO

Acción y efecto de conspirar y de impulsar para que un territorio o colonia se separe o emancipe de la soberanía actual.

Según Bernaldo de Quirós, "separatismo es la descomposición regional de las antiguas nacionalidades, demasiado amplias, superficiales y prematuras, en nuevas nacionalidades más íntimas, con o sin la recomposición del antiguo conjunto en forma política, superior y más libre, de la federación de Estados, aunque con manifiesta tendencia a ella".

Y añade: "Desde el punto de vista de la biología del Estado, constituye una interesante investigación la de si, en relación con la evolución de las formas políticas, el separatismo, dentro de las nacionalidades constituidas, representa una fuerza, un movimiento regresivo, degenerativo y hasta patológico, como verdadero proceso de descomposición; o, por el contrario, a pesar de las apariencias, es, en el fondo, un proceso de reconstitución que confirma, con una nueva aplicación de tanta importancia, la llamada *ley de regresión aparente*."

Antes de exponer con mayor amplitud lo que pudiéramos llamar *sentido de la fórmula separatista,* conviene recordar algunos conceptos previos. Todo separatismo, ha dicho Montero Díaz, encierra un contenido de nacionalidad; separatismo no es sino un ansia de renacionalización, es decir, de renacimiento nacional contra un régimen, una organización o un estado de mediatización política.

¿Qué es nación? ¿Qué es Estado?

"El concepto nación encierra contenidos espirituales e históricos. La ciencia política, especialmente aquella que aspira a la máxima ejemplaridad y al mayor clasicismo, distingue pulcramente la nación del Estado. Constituyen una nación aquellos grupos humanos que viven bajo una comunidad de lenguaje, de costumbres, de aspiraciones. Cuando un pueblo ha realizado sus destinos históricos con cierta independencia con respecto a los demás, cuando se ha creado su idioma, su estilo de vida, su carácter peculiar y distintivo, ese pueblo forma una nacionalidad. Naturalmente que la existencia de todos estos elementos presupone un largo proceso, una trabajosa elaboración histórica; por eso decimos que toda nación ofrece un tejido de contenidos históricos.

"El Estado es la organización, la estructura orgánica y convencional que un grupo humano acepta como reguladora de su vida. Por eso, el economista alemán C. J. Buchs decía, con sagacidad aunque simplistamente: "Una nación no es esencialmente otra cosa que una gran tribu, y el Estado, a su vez, es la organización política de la nación o de un pueblo." En esta definición de doble filo quedan plenamente contrapuestos y delimitados los dos conceptos: Estado y nación." (MONTERO DÍAZ.)

Para muchos tratadistas políticos, una nación puede subsistir sin organización política. Y es, entonces, cuando esta nación corre el peligro de quedar mediatizada políticamente por otra nación políticamente estructurada. Pero los elementos esenciales de aquella—idioma, religión, costumbres, tradiciones, aspiraciones comunes—se mantienen vivos a través de muchos siglos. Y es lógico que la nación así mediatizada se esfuerce por resolver su independencia cuando se sepa capaz de estructurarse políticamente.

El ideal, para evitar movimientos separatistas, es que el Estado sea la expresión orgánica de la nación; que entre los dos exista un equilibrio inalterable, y que si al Estado responde un contenido *nacional,* la nación, a su vez, encierre una fórmula estatal completa.

Cuando un Estado está formado a base de centralización de varias nacionalidades—con hegemonía de una de ellas, y recordemos el caso del imperio austrohúngaro—, el peligro de tremendos disturbios es constante. La buena fórmula es esta: un Estado y una nación. Y como excepción: la Federación, el pacto de varios estados.

Muchos tratadistas han afirmado que la base de la nacionalidad era el estado político. Falsa apreciación. ¿Quién puede negar que Polonia es una nación? Y, sin embargo, durante siglos, repartido su territorio entre Rusia, Alemania y Austria, privada de todo gobierno propio, Polonia ha exaltado su enorme nacionalismo *incansablemente separatista.*

Otros teoristas políticos han querido radicar el elemento sustancial de la nacionalidad en la circunstancia geográfica *territorio.* Afirmación igualmente inexacta, ya que el pueblo judío, sin territorio durante siglos, ha conservado rotundamente la conciencia de su nacionalidad. Su confesionalismo mesiánico persiste. Un judío alemán no discrepa de un judío inglés o italiano.

Como regla general, puede afirmarse:

1.° Mientras exista una nacionalidad *concreta* que someta a otra o a otras nacionalidades *también concretas,* por medio de un poder centralizador que forma el Estado, existirá el separatismo.

2.° El separatismo se mostrará con rebeldía creciente mientras le mueva la supervivencia del sentimiento nacional.

3.° La supervivencia del sentimiento nacional a veces la sostiene y apura el idioma, a veces la costumbre, en ocasiones la conciencia religiosa.

No cabe, pues, basar el separatismo en el llamado movimiento regionalista (V. *Regionalismo),* ya que en la región no existe otra posible reivindicación que la de una descentralización administrativa.

"El separatismo es una tendencia a disgregarse del Estado centralizado, restituyendo todos los derechos a la nacionalidad, acumulando en ella todas sus primitivas autonomías, independizándola en absoluto de toda mediatización. Es natural que la tendencia separatista ha de apoyarse por fuerza en la concepción doctrinaria del nacionalismo. Separatismo sin nacionalismo carece de sentido. Supongamos el caso de Galicia, juzgado por un regionalista y por un nacionalista. El regionalista, considerándola simple matiz, simple variante de una nacionalidad más amplia, no pedirá desintegrarla del Estado español. El nacionalista, juzgándola por su historia, su lengua, sus usos, su derecho consuetudinario, su ritmo de vida, en una palabra, como una nación mediatizada desde el siglo XV por otros territorios peninsulares, pedirá su separación. Todo separatismo, por tanto, se apoya en una previa doctrina nacionalista. En estos términos hay una absoluta interdependencia. El nacionalismo significa teoría; separatismo significa táctica. Nacionalismo es doctrina, razonamiento previo, premisa. Separatismo es acción, deducción, consecuencia." (MONTERO DÍAZ.)

El separatismo, como afán nacionalista, es muy antiguo. Durante la Edad Media y gran parte de la Edad Moderna se da el curiosísimo caso de Italia. Siglos y siglos la tierra italiana vive dividida en repúblicas, ducados y hasta reinos, en los cuales el idioma es el mismo, idéntica la religión, iguales las costumbres y tradiciones... ¿Cómo pueden sostenerse estas *falsas nacionalidades,* amparándose en absurdos separatismos? Es un hecho realmente inexplicable, si no se acude a la explicación de unos intereses políticos avivados por egoísmos extranjeros. Casos distintos presentaron: Francia, que en medio de su fraccionamiento feudal, siempre fue una; Alemania, que por cima de la multiplicidad de sus estados, alentó siempre la idea del Imperio.

Contrariamente a Italia, en España, durante la Edad Media surgen distintas y auténticas nacionalidades: Castilla, Cataluña, Vascongadas, Galicia... Cada una de ellas con su lengua, con sus tradiciones, con sus distintos destinos. En el siglo XV, con los Reyes Católicos, Castilla absorbe—o domina—las demás nacionalidades *políticamente.* Y el absolutismo de la corona austríaca y borbónica pudo soldar en una nación las que aún conservaban sus propios idiomas, tradiciones y costumbres, literatura... Sin embargo, los movimientos separatistas no tardan en surgir. Durante el reinado de Felipe II—1567—estalla la rebelión de los moriscos en las Alpujarras. Reinando Felipe IV, se subleva y gana su independencia Portugal; y se alza igualmente Cataluña, aunque siendo sometida en seguida, luego de un derroche de sangre, de dinero y de odios. En 1641 el duque de Medina Sidonia estimula el separatismo andaluz.

Conciencia de la variedad nacional de España, y de la coexistencia de distintos pueblos en el territorio peninsular, la tenía el agudísimo Gracián cuando escribió: "Los mismos montes, los mismos mares y ríos le son a Francia término connatural, muralla para su conservación. Pero en la monarquía de España, donde las provincias son muchas, las naciones diferentes, las lenguas varias, las inclinaciones opuestas, los climas encontrados, así es menester gran capacidad para conservar, así mucha para unir."

En el siglo XIX, conjugándose con el constitucionalismo político y con el romanticismo literario, se recrudecen los separatismos en España. *Renaixement* dijeron los catalanes, y *renascencia* los gallegos.

Un crítico moderno ha señalado agudamente las características generales de los movimientos separatistas en España:

"*a)* El uso de la lengua, la resurrección de las literaturas vernáculas, la fundación de periódicos y publicación de libros en los respectivos idiomas, celebración de juegos florales, etc.

b) El gusto romántico imperando en la literatura, inspirándose un poco Cataluña en Francia y Galicia en Portugal.

c) El comenzar por un simple movimiento regionalista, que más tarde se fue desenvolviendo, adquiriendo más bríos, hasta rebasar los estrechos límites del regionalismo para alcanzar su verdadera extensión, su auténtico contenido nacionalista, y, por último, su fórmula política separatista, mucho más acusada en Cataluña que en Galicia.

d) El nacer al abrigo de un régimen de libertad y de una época tan agitada como la del constitucionalismo español del siglo XIX.

Las mismas características, poco más o menos, distinguen el nacionalismo vasco, aparecido mucho más tarde, y de carácter menos literario por la especial estructura de su lengua. Resumiendo: los nacionalismos españoles se distinguen por una continua propaganda literaria y por una evolución de la fórmula regionalista (meramente sentimental) a la posterior fórmula separatista (de contenido político)."

V. MONTERO DÍAZ, S.: *Los separatismos.* Valencia, *Cuadernos de cultura,* XXXIX, 1931. PI Y MARGALL, F.: *Las nacionalidades.* Madrid, 1882.—ROVIRA Y VIRGILI, A.: *Historia dels moviments nacionalistes.* Barcelona.

SEPTENARIO (Verso)

Verso latino compuesto por siete pies, por lo regular yambos, y que fue denominado *yámbico-tetrámetro-cataléctico.*

Loquere au / dio at / jam hoc non / agis /
[agam / videu / dum est.

(PLAUTO: *Heaut,* 694.)

(V. *Yambo* o *Yámbico.)*

SERBIA (Lengua y Literatura) (V. Yugoslava, Lengua y Literatura)

SERENA

Nombre dado a una composición lírica que los trovadores cantaban de noche, acompañándose de algún instrumento musical.

SERENATA

1. Canción popular nocturna para celebrar a una persona.

2. Composición lírica destinada a cantarse de noche y con música.

3. Canto nocturno y muy frecuente de los trovadores. Tenía por regla llevar al final de

cada copla o estrofa la palabra provenzal *sera:* noche iniciada.

SERMÓN

1. Antiguamente se dio este nombre a la composición poética, de estilo familiar, como las epístolas y sátiras de Horacio.

2. Discurso pronunciado en el púlpito para la enseñanza de la buena doctrina.

El sermón es la forma más importante de la oratoria sagrada. Hay dos clases de sermones: los *morales* y los de *misterios,* según que el tema de ellos sea una verdad moral o un punto del dogma. El sermón se distingue de la *plática* y de la *homilía* por su mayor extensión, la ciencia de su composición y la proporción de sus partes. El sermón queda iniciado por un texto sagrado, que viene a ser como su *motivo central;* luego siguen el exordio, la proposición, la división, la confirmación de dos o tres puntos y la peroración o conclusión. Las reglas del sermón en particular, como de la elocuencia del púlpito en general, han sido señaladas y desenvueltas por San Agustín—*De Doctrina Cristiana*—, Fenelón—*Dialogues sur l'éloquence*—, fray Luis de Granada, el cardenal Maury—*Ensayo acerca de la oratoria sagrada.*

SERRANILLA

Composición lírica de tema rústico; villanesco o amoroso, escrita en versos cortos.

En España tuvo mucha boga esta composición durante los siglos XIV y XV. El Arcipreste de Hita y el marqués de Santillana nos dejaron modelos bellísimos e imperecederos de serranillas.

Moça tan fermosa
non vi en la frontera
como una vaquera
de la Finojosa.
Faciendo la vía
del Calatraveño
a Santa María,
vençido del sueño,
por tierra fragosa
perdí la carrera,
do vi la vaquera
de la Finojosa.
En un verde prado
de rosas e flores,
guardando ganado
con otros pastores,
la vi tan graciosa,
que apenas creyera
que fuese vaquera
de la Finojosa.
Non creo las rosas
de la primavera
sean tan fermosas
nin de tal manera,
fablando sin glosa
si antes supiera
de aquella vaquera
de la Finojosa.
Non tanto mirara
su mucha beldad,
porque me dejara
en mi libertad.
Mas dije: "Donosa
por saber quién era,
¿aquella vaquera
de la Finojosa?..."
Bien como riendo,
dijo: "Bien vengades,
que ya bien entiendo
lo que demandades:
non es desseosa
de amar, nin lo espera,
aquessa vaquera
de la Finojosa."

(MARQUÉS DE SANTILLANA.)

SERVENTESIO

1. Cuarteto de versos endecasílabos, en el que riman los versos primero y tercero y segundo y cuarto.

Triste ciprés que entre las nubes meces
tu oscura cima y tu letal verdor;
tú, que obelisco de aflicción pareces,
al cielo eleva mi infeliz clamor.

(ARRIAZA.)

2. Género de composición provenzal, semejante a las canciones amatorias por su versificación, pero con temas morales y políticos y tendencias satíricas. Se los llamó *sirventés* por considerárselos de categoría inferior a la canción amatoria, género este el más amado y cultivado por los trovadores.

SERVIA (V. Serbia)

SEUDÓNIMO

1. Nombre empleado por un autor en vez del suyo verdadero.

2. Obra del autor que oculta su nombre verdadero con otro falso.

Los seudónimos, en la literatura, aparecen con posterioridad al siglo XIV. Al menos no se tiene noticia de ninguno anterior a esta fecha. Muchísimos hombres egregios del Renacimiento ocultaron sus nombres vulgares con otros sonoros y rimbombantes. Julio de la Escala se llamó *Julio Escalígero.*

En ocasiones se utilizaron los seudónimos en escritos violentos o subversivos, que, de conocerse su verdadero autor, hubieran atraído sobre este castigos y calamidades. Casi todos los *panfletos* (V.) y *libelos* (V.) van firmados con seudónimos.

En España—como en el resto del mundo—el gusto por los seudónimos ha sido grande. Muchos de ellos se han inmortalizado, como los de *Fray Gerundio de Campazas*—el padre Francisco de Isla—, *Fígaro*—Mariano José de Larra—, *El Curioso Parlante*—Mesonero Romanos—, *Clarín*—Leopoldo Alas—, *Juan García*—Amós de Escalante—, *El Estudiante*—Antonio María de Segovia—, *Serafí Pitarra*—Federico Soler—, *Sobaquillo* y *El Chico del Instituto*—Mariano de Cavia—. *El Solitario*—Serafín Estébanez Calderón—. Y, sobre todos, *Tomé de Burguillos*—Lope de Vega.

V. (para seudónimos españoles) MAXIRIARTH: *Unos cuantos seudónimos de escritores españoles*. Madrid, 1904.

SEXTILLA

Composición métrica de seis versos de arte menor, consonantes alternativamente o de otra manera.

Era un jardín sonriente,
era una tranquila fuente
de cristal;
era, a su borde asomada,
una rosa inmaculada
de un rosal.

(S. y J. ALVAREZ QUINTERO.)

Y sextillas son las inmortales *Coplas* de Jorge Manrique:

Recuerde el alma dormida,
avive el seso y despierte,
contemplando
cómo se pasa la vida
y cómo viene la muerte
tan callando.

SEXTINA

Combinación de seis versos de rima mayor consonante. Se llama también *sexta rima* o *sextina real*, y es una reducción de la *octava real*. Sus combinaciones pueden ser: ABABCC; ABAABA; ABABAB..., etc.

La generosa musa de Quevedo
desbordóse una vez como un torrente,
y exclamó, llena de viril denuedo:
"No he de callar, por más que con el dedo,
ya tocando los labios, ya la frente,
silencio avises o amenaces miedo."

(NÚÑEZ DE ARCE.)

Algunos poetas del siglo XIX—Zorrilla, Núñez de Arce—usaron con acierto sextinas de versos *anisosilábicos* en esta forma: *AaBCcB* (sextina romántica).

Cuando recuerdo la piedad sincera
con que en mi edad primera
entraba en nuestras viejas catedrales,
donde, postrado ante la cruz de hinojos,
alzaba a Dios mis ojos,
soñando en las venturas celestiales...

(NÚÑEZ DE ARCE.)

SIAMESA (Lengua)

Siamesa o thaï. Idioma hablado por la población dominante del reino de Siam. Es lengua monosilábica, con la excepción de las palabras de origen extranjero. Posee *cinco tonos*, que pueden dar a una misma palabra cinco significaciones diferentes. Varios son sus dialectos: el *siamés propio*, el *thaïjhai*—hablado por los habitantes de la costa—; el *laos*, usado en la provincia de este nombre; el *pé-y* y el *pa-pe*, el *siuanlo*. Muchos de estos dialectos guardan grandes semejanzas con el chino. Y cada uno de ellos posee su alfabeto o sus alfabetos propios; el *siuanlo* tiene tres, y dos el *pé-y*. El alfabeto siamés, el más usado, deriva del sánscrito *devanagari*, y comprende cuarenta y cuatro consonantes y veinte vocales, diptongos y semivocales.

V. ROSNY, L. de: *Observations sur la langue siamoise et sur son écriture*. París, 1855.

SIBERIANAS (Lenguas)

Se comprenden bajo la denominación de lenguas siberianas los idiomas usados entre los pueblos primitivos de la Siberia. Tan incultos como los pueblos que los hablan, no han sido objeto de investigaciones filológicas importantes. Se sabe que ofrecen algunas raíces que parece les son comunes con otros idiomas del Asia central y occidental y aun de Europa. Ninguna de las lenguas siberianas ha sido bien determinada por la escritura, y todas presentan como rasgos característicos sonidos ásperos y duros y raras entonaciones.

Se las ha clasificado en cuatro familias: *samoyeda, kosieka, kamtchadala, kuriliana*.

La samoyeda comprende: el *samoyedo* o *khassomo*, el *turukans*, el *tawghi*, el *narym*, el *laak*, el *karasso*, el *kamaschekobado* y el *uriangkhai*.

La familia *jenissei* comprende: el *senka*, el *imeazk*, el *arino*, el *pumpokalsk* y el *kottenaso*. Al lado de esta familia se coloca el *yukaghire*, que parece ser un idioma distinto.

La familia *kamtchadala* se compone de las lenguas *kamtchadatigel, kamtchadala media* y *kamtchadala austral* y el *ukek*.

Por último, la familia *kuriliana* integra el *kuriliano*, el *kamtchatka*, el *jesso* y el *terakaï*.

SIBILISMO

Nombre dado a la doctrina de las sibilas.

Eran las sibilas seres míticos que poseían a la vez caracteres humanos y sobrenaturales, y cuya facultad esencial era la predicción del porvenir por medio de oráculos complicados y oscuros. La institución de las sibilas constituye uno de los temas más complicados de la religiosidad pagana.

Se hace venir su nombre de ξιος (ο Διός) Βουλή, "voluntad de Júpiter". Según Eustaquio, la primera sibila, después de la cual se reservó el nombre a ciertas profetisas, era hija de Dardano y de Neso. Solin y Ausonio cuentan tres: la eritrea, la sarda y la cumea. Elien admite cuatro, añadiendo a las tres precedentes la samia. Verón, que reconocía cuatro, las designaba así:

1. La persa, babilónica o caldea. Se llamaba Saba a Sambithe; en unos versos supuestos se hace hija de Noé. 2. La síbila libia, hija de Júpiter y de Lamia. Actuaba en Claros, Samos, Delfos, etc. 3. La sibila délfica, elevada sobre el Helicón por las musas; parece que no es otra que Manto. Otros la identifican con Herófila. Diodoro la mira como a la primera que ha recibido el nombre de sibila. 4. La cumana, nacida en Cumas, en la Eólida. Se la llama Demófila, Herófila o Amaltea. 5. La eritrea, de Eritres, en Jonia. Esta residía en el antro Coricio, y, después de haber previsto la caída de Troya, se consagró al culto de Apolo Esmintes. Murió en Eritres, después de largas excursiones. Marpeso y Cumeo reivindicaron el honor de haberle dado el día. 6. La samia, que se llamaba Filo. 7. La cùmea, llamada Herófila, aunque se da también este nombre a la sibila de Eritres, o Demófila (sacerdotisa del templo de Apolo en Cumas; condujo a Eneas a los infiernos). 8. Helespontina, nacida en Marpeso, profetisa del templo de Solón. 9. La frigia, en Ancira. 10. La tiburtina, llamada albunea.

Bueno es hacer notar que esta nomenclatura sistemática no quita de modo alguno el sentimiento de los antiguos sobre el nombre y cualidades de las sibilas, que debe quedar tan confuso en la historia como en la creencia. Así, Pausanias identifica a las sibilas de Eritres y Delfos; así, la sibila de Cumas, la más célebre de todas, es llamada por los antiguos Amaltea, Demo, Demófila, Herófila, Dafnea, Manto, Fernonoa, etc. No se sabe cuál de las dos sibilas de Cumas aportó en Tarquin una colección de profecías, una de cuyas partes fue quemada por ella, y el resto confiado a un colegio de sacerdotes. El incendio del Capitolio, habiendo devorado este tesoro, el Senado hizo recoger en Grecia todo lo que se pudiera de versos sibilinos y los hizo colocar en la plaza de Júpiter Capitolino. En este tiempo se quemaron las profecías apócrifas que circulaban en Roma o en el Imperio. Augusto hizo lo mismo, colocando los preciosos libros sibilinos bajo el monumento de Apolo Palatino. Tiberio hizo una nueva recopilación. Un segundo incendio con Nerón quemó los libros; pero parece que vencieron de sus cenizas, pues han servido en circunstancias importantes e incluso a los cristianos. Nuevos incendios bajo Juliano, en 363, y bajo Honorio, en 395. En el siglo VI, en el sitio de Roma por los godos, hubo una aparición sibilina, que fue, sin duda, la última.

Hay que distinguir entre los libros sibilinos paganos y las predicciones sibilinas cristianas. Según Parmeneder—en el *Diccionario enciclopédico de teología católica,* de Wetzer y Welte—, los libros sibilinos judíos fueron salvados en el arca por una de las nueras de Noé. En dichos libros se predice el advenimiento del Salvador del mundo, sus milagros, su muerte, la persecución de sus discípulos, la formación de la Iglesia romana, la aparición del anticristo y el fin del mundo.

Estos libros tuvieron un gran prestigio durante los primeros siglos del cristianismo, pues fueron citados con respeto por Hermas, Justino, Teófilo de Antioquía, Clemente de Alejandría, Lactancio. Posteriormente cayeron en el mayor descrédito, hasta que durante el siglo XVI se volvió a hablar de ellos.

A principios del siglo XIX, el eruditísimo cardenal Maï añadió a los ocho libros sibilinos conocidos los que descubrió en la Biblioteca de Milán: *Sibyllae libre XIV, Cum libro VI et octavi parte*—1817—, y más tarde otros cinco.

Los libros sibilinos—*Oráculos sibilinos*—fueron editados por vez primera—1545—en Basilea, bajo la inspección de Sixto Betuleyo. Y fueron reproducidos en París—1566—y en Amsterdam—1689.

V. Badt: *De oraculis sibyllinis...* Breslau, 1869. Bouché-Leclerq: *Histoire de la divination.* París, 1882.—Reinach, S.: *Orfeo. Historia de las religiones.* Madrid, 1910.—Sainz de Robles, F. C.: *Ensayo de un diccionario mitológico.* Madrid, 1944.

SIC

Voz latina usada en los manuscritos e impresos españoles, por lo general entre paréntesis, para dar a entender que la palabra o cita que la precede, y que pudiera parecer inexacta, ha sido tomada *textualmente.*

SICÍLICO

Especie de acento o apóstrofo que los escritores de la baja latinidad colocaban después de una vocal para indicar que era larga, y después de una consonante, para duplicarla.

SICHUANO (Lenguaje)

Uno de los idiomas cafres.

V. Casalis: *Etude sur la langue sichouana.* París, 1841.

SIGILOGRAFÍA

Ciencia que tiene por objeto conocer la descripción y la interpretación de los sellos. Ha sido también llamada *esfragística*, y sirve de poderoso auxiliar para el estudio de la Edad Media.

Su alcance es mayor que el de la Numismática, pues mientras que el derecho de acuñar moneda quedaba reservado a los soberanos y a algunos vasallos, el empleo del sello era universal.

V. FERNÁNDEZ MURILLO, Manuel: *Apuntes de sigilografía española*. Madrid, 1859.—GIRY: *Manuel de Diplomatique*.

SIGLA

Letra inicial empleada como abreviatura de una palabra.

Las siglas se utilizaron muy a menudo en las inscripciones romanas. Así, D. O. M. = *Deo Optimo Maximo*. Cuando la letra es doble, indica que el nombre está en plural. Así, SS. MM. = *Sus Majestades*.

Los epigrafistas han dividido las siglas en *simples, dobles* y *compuestas*, llamando *simples* a las constituidas por una sola letra, como A., por *Augustus; dobles*, a las constituidas por dos, como AA., por *Altezas;* y *compuestas* o *combinadas*, a la reunión de dos o más siglas simples que mutuamente completan su sentido, como C. A., por *Caesar Augustus*.

Modernamente, es frecuentísimo el uso de las siglas para la enunciación abreviada de entidades, industrias, compañías, círculos, etcétera, etcétera.

SIGNATURA

1. Señal. Signo. Carácter.

2. Señal que, con letras o números, se pone al pie de las primeras planas de cada pliego o cuaderno impreso para gobierno del encuadernador.

3. Señal de números o letras que se pone a un libro en sus guardas y en su lomo para indicar su colocación dentro de una biblioteca o de un archivo.

Fue el impresor alemán Juan Koelhof quien primero utilizó las signaturas—1472—en la obra de Nider *Praeceptorium divinae legis*.

En los libros manuscritos anteriores al siglo XVI, la signatura era colocada al pie del reverso de la última hoja del cuadernillo. La signatura en cifras romanas parece haber sido la única utilizada en la antigüedad.

SÍLABA

Letra vocal o conjunto de letras en cuya pronunciación se emplea una sola emisión de voz.

Sílaba aguda es aquella en que el acento carga la pronunciación.

Sílaba breve, la que se pronuncia en menos tiempo que la larga.

Sílaba larga, la que se pronuncia en más tiempo que la breve.

Sílaba átona, la que carece de acento prosódico.

Sílaba postónica, la átona que en el vocablo viene detrás de la tónica.

Sílaba protónica, la átona que en el vocablo precede a la tónica.

SÍLABO

Indice. Catálogo. Lista (V.).

SILEPSIS (V. Figuras de palabra)

Es un tropo que consiste en usar una misma palabra en su sentido recto y en su sentido figurado. En la silepsis, figura de construcción, se quebrantan las leyes de la concordancia en el género o en el número de las palabras.

> Poner a uno en el "disparadero".
> Dejar a uno más "suave" que un guante.
> Dejar a uno en el "atolladero".

SILOGISMO

Argumento que consta de tres proposiciones —mayor, menor y consecuencia—, artificiosamente dispuestas para convencer al que defiende cualquier tema controvertible o cuestionable. Las dos primeras se llaman también *premisas,* y de estas dos se deduce necesariamente la primera.

El silogismo implica: una serie de juicios o actos del pensamiento; el establecimiento de una relación o juicio nuevo; la conexión de este juicio nuevo—suficiente y necesario—con los conocidos previamente.

> Todo hombre es mortal.
> Juan es hombre.
> Luego Juan es mortal.

SILVA (V. Española, Versificación)

Es una combinación métrica que no consta de un número determinado de versos, en la que alternan libremente los de siete y once sílabas, sin regularidad ninguna, ni en cuanto a su respectiva colocación, ni en cuanto al modo de concertar los consonantes, admitiendo versos libres, pero no asonantes. Llena de flexibilidad y maravillosa de amplitud, la silva ha invadido todos los géneros: la sátira, la didascálica, el teatro.

A LA ROSA

> Pura, encendida rosa,
> émula de la llama
> que sale con el día,
> ¿cómo naces tan llena de alegría,
> si sabes que la edad que te da el cielo
> es apenas un breve y veloz vuelo?
> Y ni valdrán las puntas de tu rama,
> ni púrpura hermosa,
> a detener un punto

la ejecución del hado presurosa.
El mismo cerco alado
que estoy viendo riente,
ya temo amortiguado,
presto despojo de la llama ardiente.
Para las hojas de tu crespo seno
te dio Amor de sus alas blandas plumas,
y oro de su cabello dio a tu frente.
¡Oh fiel imagen suya peregrina!
Bañóte en su color sangre divina
de la deidad que dieron las espumas.
¿Y esto, purpúrea flor, esto no pudo
hacer menos violento el rayo agudo?
Róbate en una hora,
róbate silencioso su ardimiento
el color y el aliento;
tiendes aún no las alas abrasadas,
y ya vuelan al suelo desmayadas:
tan cerca, tan unida
está al morir tu vida,
que dudo si en sus lágrimas la aurora,
mustia, tu nacimiento o muerte llora.

(F. de Rioja.)

También se ha llamado *silva* a una colección de varias materias o especies escritas sin plan ni método. La denominación fue muy utilizada durante los siglos XVI y XVII. Pero Mexía es el autor de la famosa *Silva de varia lección,* Sevilla, 1544.

SIMBOLISMO

Escuela poética, nacida en Francia en la segunda mitad del siglo XIX.

Representó una reacción contra el *parnasianismo* y tuvo una influencia extraordinaria en toda Europa sobre la lírica posterior. Sus principales representantes fueron Verlaine, Rimbaud y Mallarmé.

El profesor Ezquerra ha escrito: "Aspiran estos poetas a evocar impresiones en una lengua pura y con una versificación clásica, y no a expresar ideas. Sus imágenes, desprovistas de toda ligazón lógica, dieron lugar a una poesía rebuscada y oscura, que pretendía evadirse de la literatura y obrar directamente sobre los sentidos. Además, estos poetas eran partidarios de una extremada libertad en la versificación, usando del verso libre casi constantemente, y rompiendo con los modelos de la métrica francesa tradicional."

"El simbolismo representa una completa renovación poética, no una mera escuela literaria. Esta denominación—ha dicho Remy de Gourmont—puede indicar individualismo en literatura, libertad del arte, abandono de las fórmulas enseñadas, tendencia hacia lo nuevo y lo raro, aun hacia lo extravagante; puede indicar también idealismo, desdén por la anécdota social, antinaturalismo. El exceso de sutilidad en la expresión y el amor a los asuntos extraños, que valió en un principio a estos poetas el nombre de decadentes, fue producto de la época y el medio. Pero, olvidados estos excesos momentáneos, el simbolismo dio a la literatura la libertad más completa y una nueva estética. Persiguió, ante todo, la música de la palabra, como los parnasianos habían buscado su precisión plástica. A la descripción opone la sugestión evocadora del verso y de la imagen; no nombrar, sino sugerir, según la frase mallarmeana." (E. Díez-Canedo.)

Según los primeros simbolistas, el símbolo no era válido por sí mismo, sino por lo que permitía evocar o intuir. El símbolo se *apoyaba* en las *correspondencias;* esto es, que objetos, en apariencia muy distantes por las ideas que representan, contribuyen eficazmente a evocarse. Esta teoría de Baudelaire guarda gran semejanza con la teoría física que relaciona las vibraciones de los colores con las vibraciones de los sonidos. Y en un famoso soneto, Rimbau atribuye a las vocales un color:

"A negra, E blanca, I roja, U verde, O azul..."

Importa tener muy en cuenta esta fecha: 1885. Un año antes, un naturalista de las *Soirées de Médan,* Huysmans, publicó su novela *Au rebours,* libro que puso al público en estado de expectación y de disponibilidad en relación con la nueva poética y que desempeñó el papel preparatorio de *genio del simbolismo.* Debe tenerse muy en cuenta que el simbolismo llevó en sí tres revoluciones. La primera y más importante fue la libertad del verso. La segunda, la necesidad de poner en contacto fecundo y vibrante la poesía y la música. La tercera fue la idea misma de la revolución; porque si otros *ismos* poéticos—el *romanticismo,* el *parnasianismo,* por ejemplo—llevaron, por la revolución, a una conquista y a una organización, a la libertad, pero dentro de *ciertas normas,* el simbolismo habituó a la literatura "al concepto de la revolución indefinida". Y un crítico moderno añade: "Tal vez en una literatura vieja sea esto un signo de decadencia, pero se verá que, ante todo, se trata de un clima poético, y que la poesía, precisamente desde el simbolismo, es cada vez menos *lo principal de la literatura.* Y podremos ver que el término *decadencia* y cuanto él significa ha sido alzado como bandera de la nueva escuela. Que una de sus revistas se llamó *Le Décadent.* Para descartar este peligroso nombre y volverlo a su estado natural de apodo es para lo que Jean Moréas encontró la palabra *simbolismo.*"

Para el gran crítico francés Thibaudet, el simbolismo ha sido absolutamente la última revolución poética, pues ha incorporado el motivo de la revolución crónica al estado normal de la literatura. Para André Beaunier, el papel de los poetas simbolistas "consiste en devolver, de una u otra manera, al espíritu moderno una perdida facultad: el sentido del misterio". Mas conviene aclarar que si el poeta simbolista entenebrecía el mundo poético—para la luz de la razón—por medio del misterio de los símbolos, era para aclararlo inmediatamente por un método y aun por un capricho subjetivos, en los que igualmente se precisaban los símbolos.

Y magníficamente ha resumido un crítico y poeta español contemporáneo, Juan Eduardo Cirlot: "Situados en la cresta que divide esas dos vertientes mágicas (realismo e irrealismo), que son la propiedad del hombre, los poetas simbolistas interfieren constantemente en sus creaciones elementos de la belleza de uno y otro mundo, y si se atreven a declararse por el espíritu en contra de la vida, es cuando, por esa nostalgia sustancial, oyen más conmovedoramente el canto de las sirenas existenciales, que eleva y sublima cualquier cosa de lo cotidiano, para que el lirismo contemplativo no la desprecie absolutamente. En Mallarmé convive con el anhelo simbolista de vivir en el universo de las imágenes un ansia impresionista de recibir también los mensajes de la Naturaleza. Vimos cómo, entre los románticos, se dio también frecuentemente este doble impulso hacia lo indecible y hacia lo natural. ¿Por qué esas continuas vacilaciones? Sin duda, porque el hombre no sabe todavía exactamente dónde se halla el centro de gravedad de su destino; podría decirse que le sobran facultades espirituales y sensitivas y, sobre todo, tiempo. El símbolo quiere anular el espacio; la música simbolista busca el acorde para concentrar en él toda la belleza temporalista de la melodía; la poesía quema la discursividad para reducir a la imagen instantánea la hermosura de su contorno."

Algo trascendental separó en poesía al simbolismo del parnasianismo; este apoyábase en la *línea;* aquel, en el *matiz.* Verlaine, el genial simbolista, en su poema *Arte poética,* exigió que *fuera la música antes que todo,* y elogió los *versos grises* que lograban unir lo *Indeciso* con lo *Exacto.*

No cabe ignorar que el simbolismo en literatura y en arte es tan viejo como la expresión. En la filosofía helénica se precisaban los símbolos en cuatro grupos: 1.º, objetos ideales para sustituir cosas reales; 2.º, objetos ideales conocidos para concebir objetos ideales ocultos; 3.º, objetos reales para hallar otros objetos reales, y 4.º, objetos reales para concebir objetos ideales. El simbolismo ocupó la exigencia capital en las religiones remotísimas de la Persia y de la India. Y algo semejante sucedió en la magia de los chinos y de los caldeos. Los más geniales poetas y artistas de Grecia se arrojaron con ansia al mar misterioso de la mitología, en la que nada se explicaba sino por los símbolos. ¿No se piensa con pasmo en el simbolismo impresionante del *Apocalipsis* de San Juan? Los gnósticos y los neoplatónicos llevaron el simbolismo a su filosofía; y los árabes y los judíos medievales a la suya.

Llena de simbolismo está la liturgia de todas las religiones vigentes. Simbolista es el Dante. Y en nuestra literatura, ¿pueden olvidarse *Las Trescientas,* de Juan de Mena, o los *Autos sacramentales?* Muchas páginas necesitaríamos para enumerar las obras gloriosas—en literatura y en arte—de todos los tiempos y de todos los países, enraizadas en el simbolismo enigmático tan sugestivo para la Humanidad, siempre propensa a sobrepasar su realismo, a vencer con ilusión la tragedia del espacio y del tiempo, a encontrar en las imágenes la potencia existencial de sus deseos más apremiantes fallidos.

Sin embargo, la crítica se ha negado a reconocer como de *tendencia simbolista* los ejemplos precedentes, en los que, indudablemente, falta la intencionalidad perseverante, la consciencia creadora y la fuerza paradigmática. La crítica pretende que el simbolismo, como tendencia y modalidad precisa, se cumple únicamente "cuando la pasión del símbolo elimina toda otra fuerza constitutiva en su obra de arte".

Realmente, este requisito únicamente se cumple en el movimiento iniciado en Francia en la segunda mitad del siglo XIX.

Sin innovar nada la técnica, prolongando aún el parnasianismo, Jean Lahor (1840-1909) escribió una poesía búdica, en la que el pesimismo tiene un acento personal y profundo. Y Maurice Bouchor (1855-1929), en sus dramas para marionetas, uno de los cuales se titula *Symboles,* mezcló a la filosofía y a la emoción una propensión invencible a lo misterioso de las antiguas religiones.

Sin embargo, los "padres" del simbolismo fueron el pesimista y decadente Verlaine y el brillante y libreversista Mallarmé. Y el precursor legítimo, Baudelaire.

El éxito del simbolismo fue repentino y escandaloso. La juventud lo acogió con júbilo indescriptible. El público curioso denominó tal poesía *decadente, simbolista,* afirmando que hablaba con versos *libres, liberados* o *polimorfos.*

Para propagar la nueva manera poética surgieron numerosas revistas: *La Décadence, Le Décadent, La Cravache, La Vogue, Scapin, La Wallonie, Le Banquet, La Plume, L'Ermitage...* Y hasta publicaciones tan prestigiosas como *Mercure de France* y *Revue Blanche* defendieron el simbolismo y ofrecieron sus páginas a los simbolistas. Y Moréas y Paul Adam lograron imponer un diario: *Le Symboliste*—1886.

Los más importantes simbolistas fueron: Verlaine, Mallarmé, René Ghil, Péladan, Rimbaud, Laforgue, Gustave Kahn Moréas, Adam, Rodenbach, Samain, Verhaeren, Maeterlinck, Henri de Régnier...

Paul Verlaine (1844-1896)—*Poèmes saturniens,* 1866; *Sagesse,* 1881; *Jadis et naguère,* 1885; *Parallèlement,* 1889; *Oeuvres complètes,* seis tomos, Vanier, 1899 a 1903—. Stéphane Mallarmé (1842-1898)—*L'après-midi d'un faune,* 1876; *Divagations,* 1897; *Poésies complètes,* 1888—. Jules Laforgue (1860-1887)—*Les complaintes,* 1885; *Poésies complètes,* 1895; *Les palais nomades,* 1887.— Jean Moréas (1856-1910)—*Les Syrtes,* 1884; *Cantilénes,* 1886; *Les premières armes du symbolisme,* 1889; *Le Pèlerin passionné,* 1891; *Stances,* 1899 y 1900—. Albert Samain (1859-1900)—*Au jardin de l'infante,* 1893; *Aux flancs du vase,* 1898—. Arthur Rimbaud (1854-1891)—*Le bateau ivre,* 1872; *Une saison en enfer,* 1873; *Les illuminations,* 1875—. Emile Verhaeren (1855-1916), el más excelso poeta belga en lengua francesa—*Les Flamandes,* 1883; *Les Soirs,* 1887; *Les débâcles,* 1888; *Poèmes,* 1895; *Les heures claires,* 1896; *Le cloître,* 1900; *Les forces tumultueuses,* 1902.— Henri de Régnier (1864-1936)—*Lendemains,* 1885; *Sites,* 1887; *Les Jeux rustiques et divins,* 1897; *Les médailles d'argile,* 1900; *La citè des eaux,* 1902; *La sandale ailée,* 1906—. Georges Rodenbach (1855-1898), belga—*Les tristesses,* 1879; *Le règne du silence,* 1891; *Le vies encloses,* 1896.

Insisto en que no menciono sino a los más excelsos poetas simbolistas.

El simbolismo penetró en España con los versos de Rubén Darío. Pero este genial poeta traía un simbolismo poco firme y mezclado con el parnasianismo. En España estos dos movimientos poéticos, entreverados, tomaron el nombre de *modernismo* (V.).

Tampoco en Italia, Alemania e Inglaterra existió un simbolismo cuajado y fecundo.

2. Simbolismo pictórico.—Se inició en Francia y Alemania hacia 1880, como consecuencia del literario. Sería injusto no indicar que tuvo dos atisbos estrictamente pictóricos: el nazarenismo y prerrafaelismo (V.) inglés impuesto por Dante Gabriel Rossetti y Burne Jones. La pintura simbolista tuvo como única intención *los temas* por alusión, en la que predominaba el ensueño y la fantasía.

Los primeros y más excelsos pintores simbolistas fueron el suizo Arnold Boecklin (1827-1901) y el francés Gustavo Moreau (1826-1896), obsesionados ambos por los mundos mitológicos, por las pasiones y ambiciones desconocidas, por las quimeras y los climas impresionantes. Otros grandes pintores simbolistas fueron: Alberico Vincent Beardsley (1872-1898), protegido de Burne Jones, ilustrador de Wilde, quien llegó a decir: "El arte decadente soy yo." El austríaco Gustav Klimt (1862-1918), alegorista y escenógrafo excepcional. El alemán Max Klinger (1857-1920), pintor y escultor muy influido por Boecklin. El francés Pierre Puvis de Chavannes (1824-1898), de noble simbolismo y de admirable carácter decorativo, decorador del Panteón, de París.

Georges Albert Aurier, en 1891, enumeró los requisitos que debía reunir la pintura simbolista. Ser *ideísta,* es decir, que la idea fuera su ideal único. Representar dicha idea exclusivamente por medio de *símbolos.* Ser *sintetista,* ya que los signos o las formas simbólicas han de ser expresados para una comprensión general. Ser *subjetiva,* ya que el objeto será el signo de la idea concebida por el sujeto. Ser *decorativa.*

Si la literatura simbolista tuvo precedentes en la más remota antigüedad, también la pintura simbolista los tuvo, principalmente en Egipto, cuyo arte fue enteramente ideográfico, sintético y simbolista.

Sumamente curiosa resulta la relación del simbolismo pictórico con el *impresionismo.*

V. Morice, Charles: *La littérature de tout à l'heure.* París, 1889.—Souza, R. de: *Le rythme poétique.* París, 1892.—Gourmont, Remy de: *Promenades littéraires.*—Vigié-Lecoq, E.: *La poesie contemporaine,* 1897.—Léautaud, J.: *Symbolisme littéraire.* Lyón, 1901.—Cirlot, J. E.: *Diccionario de ismos.* Barcelona, Argos, 1949.

SÍMIL

Figura retórica que hace notar formalmente el parecido entre los objetos comparándolos expresamente, para dar idea viva y eficaz de ellos.

> Nuestras vidas son los ríos
> que van a dar a la mar,
> que es el morir.

> Como los ríos que en veloz corrida
> se llevan a la mar, tal soy llevado
> al último suspiro de mi vida.

El *símil* puede ser de dos clases: el que sirve para probar algún hecho por su semejanza—o por su analogía—con otro, y el que se trae para hacer sensible una idea abstracta, o para embellecer o ilustrar algún objeto.

Reglas importantes para la utilización del *símil* son: no acudir a semejanzas o analogías demasiado próximas; no acudir a semejanzas y analogías demasiado remotas; no acudir a símiles muy desconocidos o desconocidos por completo; no buscar símiles bajos o innobles; buscarlos oportunos y claros.

V. Coll y Vehí: *Diálogos literarios.* Barcelona, 1878.—Méndez Bejarano, M.: *La ciencia del verso.* Madrid, 1908.—Navarro Ledesma, F.: *Preceptiva literaria.* Madrid, 1901.

SIMILICADENCIA

Figura que consiste en terminar varios incisos con nombres puestos en un mismo número y caso, o verbos puestos en un mismo tiempo, número y persona, o palabras de sonido semejante.

> Con asombro de (mirarte),
> con admiración de (oírte),
> ni sé qué pueda (decirte),
> ni qué pueda (preguntarte).
>
> (Calderón.)

S

Los preceptistas clásicos colocaron la *similicadencia* entre las figuras de *semejanza*, dividiéndolas en *similiter cadens* y en *similiter desinens.* La primera, basada en la repetición de voces en sus mismos casos o tiempos. La segunda, en terminar las canciones o miembros de un período con una especie de consonancia.

El apuntado ejemplo de Calderón corresponde a la *similiter cadens.*

A la *similiter desinens,* el siguiente, de Antonio de Guevara:

> Haciendo todo lo que podían y lo que querían, vinieron a hacer lo que no debían.

V. Bloise, P.: *Diccionario de la rima.* Madrid, Aguilar, 1946.

SINALEFA

Es el concurso de dos, tres o cuatro vocales que se pronuncian de un golpe, formando una sola sílaba métrica, y que pertenecen a distintas palabras de un mismo verso.

En virtud de la *sinalefa,* se cogen en una sola sílaba la última de una voz que acaba en vocal y la primera de la voz siguiente, si comienza por vocal o *h* que no deba aspirarse, entrando ambas voces en un mismo verso, pues la *sinalefa* no pasa de un verso a otro.

También pueden plegarse en *sinalefa* vocales pertenecientes a tres distintas palabras. En los diptongos y triptongos se reúnen vocales de una misma palabra; en la *sinalefa,* vocales pertenecientes a distintos vocablos.

> Estos, Fa(bio), ¡(ay) dolor!, que ves ahora campos de soledad...
>
> (R. Caro.)

> Flor la vimos primer (o her)mos (a y) pura...
>
> (Rioja.)

En la lectura de composiciones anteriores al siglo xvii, especialmente en las de poetas andaluces, deberá tenerse presente que no siempre se comete *sinalefa* con las palabras que comienzan por *h,* lo cual nos prueba que en tales casos deberá pronunciarse aspirada dicha letra; y es indudable que así la pronunciarían aquellos autores, porque, de lo contrario, no tendrían armonía ni fluidez los versos en que esto acontece.

Se aspiraban, pues, aunque no siempre, las voces con *h* inicial procedentes de otras latinas que llevan *f,* como *(h)ermosura, (h)azaña, (h)erido, (h)umo, (h)echo, (h)uye, (h)oja,* etc.

> Con su mano serena
> en mi cuello (h)ería,
> y todos mis sentidos suspendía.
>
> (San Juan de la Cruz.)

> Descubrirá presente,
> con prez (y ho)nor de España,
> la lumbre singular de esta (h)azaña.
>
> (F. de Herrera.)

V. Navarro Ledesma, F.: *Preceptiva literaria.* Madrid, 1901.

SINATROÍSMO

Figura que se comete cuando se juntan en una frase muchos términos de significación correlativa, muchos adjetivos, verbos o proposiciones complementarias.

SÍNCOPA

Metaplasmo (V.), que consiste en eliminar una sílaba o letra en medio de la palabra. *Navidad* por *Natividad.*

SINCRESIS

Reunión de dos vocales en un diptongo.

SINCRETISMO

Sistema filosófico que consiste en la *conciliación* de distintas teorías. Se opone al *eclecticismo* (V.). También se ha llamado sincretismo a la *fusión* en una doctrina única de varias doctrinas diferentes. En su *Crítica de la razón práctica,* Kant denominó sincréticas a las formas de la moral acomodaticia que no siguen un criterio único, aceptando los principios más convenientes de las diferentes escuelas. La crítica señala que el sincretismo es una manifestación ideológica propia de las épocas decadentes.

El sincretismo—informado por el *dogmatismo* (V.)—es una dirección filosófica contraria al *escepticismo* (V.)—informado por el *eclecticismo* (V.).

Renán llamó sincretismo a la primera de las tres formas del conocimiento que reconocía; es decir, a la visión general y confusa del todo. Las otras dos formas son: *análisis* y *síntesis.*

Han creído algunos filósofos que el sincretismo es, en ocasiones, una preparación del eclecticismo. Según ellos, el *neoplatonismo* (V.) de los siglos iii al vi, tan pronto fue un sincretismo—afán de *unificación* de tendencias diversas—como un eclecticismo—afán de una *combinación* de las mismas tendencias.

Modernamente, el sincretismo ha quedado reducido a la *tendencia* de recoger cuanto de valor se halla en las distintas culturas.

SINCRISIS

Antítesis (V.) o comparación de personas o cosas contrarias.

SINCRÓNICO

1. Dícese de un cuadro histórico o literario en que están reunidos los acontecimientos que

se han verificado al mismo tiempo en distintos lugares.

2. Método histórico en el que se consideran hechos contemporáneos en distintos países.

SINDHI (Lenguaje)

Uno de los principales dialectos locales de la India, derivado del sánscrito, hablado en las riberas del Indo. Se divide en *sindhi* y en *sub-sindhi*. Este último emplea para su escritura caracteres árabes, a los cuales une algunos signos peculiares.

V. WATHEN: *Grammaire sindhi*. Traducción francesa. Bombay, 1836.—STACK: *Dictionnaire sindhi*. Trad. franc. Bombay, 1849.

SINDICALISMO

Sistema y doctrina de organización obrera por medio del Sindicato. Sindicato puede ser definido como "unión acordada y establecida entre personas dedicadas a la misma profesión, con objeto de defender y promover sus intereses comunes". Llámase, más generalmente, Sindicato "a cada asociación obrera organizada bajo estrecha obediencia y compromisos rigurosos".

Una más exacta definición del sindicalismo, tal y como hoy se comprende, es esta: "Movimiento social, primordialmente obrerista, de defensa económica y de clase, iniciado como reacción contra el sistema individualista, que significa para el obrero una situación de aislamiento e indefensión frente al patrono."

"Descansa el sindicalismo en una filosofía pragmática. El desarrollo de la organización y la actuación racional se oponen a la expansión y el crecimiento; hay que propugnar la libertad en la actividad. El progreso brota únicamente del esfuerzo de la confianza en sí mismo; la intuición, el sentimiento y la pasión son mejores guías que la razón misma. El sindicalismo representa una de las formas extremas de las tendencias críticas y antirracionales de la época; pone su mayor pasión en el carácter esencialmente *proletario* de la forma social, y considera el *Sindicato* como organización de productores que rigen sus propios asuntos, la unidad básica del sistema económico. En un principio se favorece el control de las uniones locales; posteriormente se define la creación de una unión general. La formación de una sociedad integrada por grupos industriales, federados y autónomos, constituye la aspiración del sindicalismo.

"El sindicalismo enciende con una nueva pasión la doctrina de la lucha de clases; y pone todas sus esperanzas en la huelga general, de la que espera el comienzo de la revolución industrial. Otra de sus armas es el *sabotaje*, esto es, la reducción deliberada de la producción, la confección de calidad inferior o la destrucción de la maquinaria y material. El sindicalismo defiende la acción directa en el terreno económico; se manifiesta opuesto a la influencia política. Por medio de la huelga general, asumirán los trabajadores la dirección de las principales industrias; y, desde entonces, habrán conseguido su manejo y propiedad."

La reacción contra el sistema individualista originó la constitución de los primeros Sindicatos como órganos de autodefensa que hubieron de ser clandestinos, ya que estaban—en todo el mundo—prohibidas las asociaciones profesionales. Al aparecer la gran industria, la situación de los obreros se hizo angustiosa; tan angustiosa, tan irritantemente injusta, que determinó un cambio de criterio en los gobernantes, los cuales reconocieron y encauzaron el movimiento sindical. Quedó establecido el derecho de coalición y el de asociación obrera, y los obreros se agruparon en Sindicatos de clase, que vinieron a sustituir a los antiguos Gremios y Corporaciones, pero que evolucionaron de muy distinto modo al separarse más o menos de su misión profesional para invadir el campo político, agravando así el llamado problema social y marcando diferentes tendencias, según su ideología. Bien pronto el sindicalismo quedó dividido en:

Anarquista, cuando pretende la destrucción del Estado, al que sustituirían en la misión gobernante los Sindicatos.

Socialista, cuando aspira a la posesión de los medios de producción, que pasarían al Estado, reconociendo a este como supremo organizador de la vida pública.

Comunista, cuya finalidad es la dictadura del proletariado puesta al servicio de un Estado absorbente, poseedor de todos los medios de producción y de distribución.

Evolucionista, si trata de que terminen las luchas de clases, organizando armónicamente las relaciones del capital y del trabajo para llegar a la mejora de la vida del obrero y de los procedimientos de producción, y prefiriendo el arbitraje a las huelgas.

Cristiano, muy parecido al anterior, que adopta la fórmula de corporación obligatoria en el Sindicato libre y los principios que informan el Cristianismo.

El sindicalismo alcanzó su enorme fuerza de expansión durante la segunda mitad del siglo XIX, época en que se aparta del *colectivismo* (V.). En Inglaterra, las *Trade-Unions* obreras se multiplicaron durante toda la centuria pasada, siendo reconocidas expresa y totalmente en 1871, 1875 y 1876. En los Estados Unidos se inscribió en el pacto federal el principio de libertad de asociación, si bien reglamentado de modo diferente, según los Estados. En Alemania, donde las Corporaciones de la Edad Media no fueron suprimidas hasta 1869, los Sindicatos quedaron aprobados en 1881.

"De un modo general, después de 1870, las asociaciones profesionales, en particular las obreras, se beneficiaron con una legislación más favorable y con un impulso de consideración. Paralelamente, y aparte de las antiguas formas de socialismo corporativo, se constituyó una doctrina que oponía la realidad (deformada a veces y agrandada desmesuradamente) de la asociación profesional a la ideología de la libertad del trabajo estrictamente individualista. Esta doctrina fue el sindicalismo, subterráneamente desarrollado hasta 1884, y abiertamente desde esta fecha, y, sobre todo, desde los primeros progresos de la Confederación General del Trabajo, a principios del siglo xx.

"El sindicalismo se expandió en una florescencia de doctrinas, con frecuencia muy diferentes unas de otras por su color político, social o religioso, y que no se parecen más que por su tendencia uniforme a convertir los Sindicatos en el gran instrumento de la reforma—o de la revolución—social y la piedra angular de la sociedad futura. Efectivamente, junto al sindicalismo obrero, más o menos expresamente revolucionario, se hallan el sindicalismo científico, pacífico y reformador de ciertos teóricos pertenecientes a los partidos políticos de izquierda; el sindicalismo confesional de los católicos sociales, y más recientemente, el sindicalismo fascista italiano." (GONNARD.)

En 1919, poco después de firmado el armisticio que puso fin a la gran guerra mundial de 1914-1918, quedó constituida la Internacional Sindicalista sobre las siguientes bases:

1.ª Necesidad de constituirse por naciones, al objeto de formar una Internacional potente.

2.ª Necesidad de fomentar el movimiento sindicalista en los países no adheridos.

3.ª Necesidad de que existiera un común acuerdo entre todas las Federaciones, para la defensa de los intereses sociales.

4.ª Abstención de todo contacto con los anarquistas.

5.ª Auxilio económico absoluto a las agrupaciones federadas.

Esta Internacional sindicalista, constituida en Amsterdam, que contaba—1922—con cerca de 20 millones de adheridos, no fue mirada con simpatía por la Tercera Internacional Comunista de Moscú, por la *actuación moderada* de aquella, decidiéndose a organizar la *Internacional Sindicalista Roja.*

Para el profesor español Juan Beneyto, "la versión más radical y típica frente al Estado liberal corresponde al primer esfuerzo de incorporación del nuevo estamento: al sindicalismo; bien que este lleve la reacción al punto de prescindir del Estado, desintegrando en sus esencias el organismo político al apoyarse en la teoría de la acción directa. Visto desde el plano de las ideas, el sindicalismo considera la función económica como primordial. En el Congreso de Montpellier, en 1902, se trató del gobierno ideal futuro, dándose punto de partida a la utopía correspondiente. El orden buscado por el sindicalismo consiste en el Estado confederal, sobre el esquema de la Confederación General del Trabajo. El Sindicato constituye la célula del nuevo régimen. Los trabajadores son clasificados por grupos, cada uno de estos dispone de las primeras materias, mientras el capital queda en común para los distintos Sindicatos, que son agrupados en Federaciones nacionales. La ley es suprimida; la reemplaza una ordenación jurisdiccional, una de cuyas primeras sanciones es la de expulsión del territorio. El ejército, abolido también, es sustituido por las milicias locales. El trabajo está colectivizado. Los órganos centrales del Poder son el Congreso de la Confederación y su Comité federal, que viene a ser el ejecutivo".

El sindicalismo, y el revolucionario especialmente, llamó la atención de muchos intelectuales, de carrera y de mentalidad profundamente extrañas a las de sus promotores. Entre tales teóricos destacó Jorge Sorel (1847-1922), nacido en Cherburgo (Francia), ingeniero de caminos, físico y matemático, pensador audaz y algo inconstante, definido "como enemigo del progreso por medio de las reformas, y creyente en el progreso de la violencia".

Sorel—que en sus obras *L'avenir socialiste des syndicats* (1908) e *Illusions du progrès* (1911) había vislumbrado la posición táctica del sindicalismo revolucionario—en 1908 publicó su más famoso libro: *Réflexions sur la violence,* apología de la vida más radicalmente subversiva y violenta del sindicalismo.

Sorel llegó a admitir que el proletariado sigue siendo el único depósito de fuerzas morales intactas; y que el medio de mantenerlas es mantener el espíritu de lucha en el seno de la clase obrera; que la lucha de clases es moralizadora; que la violencia es benéfica; que los militantes están en lo cierto al preconizar la acción *directa;* que la violencia proletaria salvará a Europa, "embrutecida por el humanitarismo, el pacifismo y el espíritu democrático"; que será provechosa (por lo menos, temporalmente) hasta para la burguesía, que, obligada a defenderse contra un proletariado fuerte y decidido, tendrá que desarrollar su propia actuación con más energía, de modo que, ante esta presión, la sociedad capitalista alcanzará su perfección histórica. Para Sorel, el espíritu de violencia se expresa particularmente *en el mito de la huelga general;* entendido el *mito* como una representación esotérica y sorprendente del ideal propuesto, con el carácter de una idea-fuerza, una virtud de atracción, que contribuye a exaltar a los creyentes y a mantener su energía.

El sindicalismo revolucionario de antes de 1919 fue poco explícito en cuanto a la organización de la sociedad futura. Pero desde esta fecha alcanzó su fórmula nueva: la de la *nacionalización industrializada,* sintetizando la organización naciente en los siguientes términos:

Especialización de cada rama de la industria.
Autonomía de su administración.
Descentralización regional.
Coordinación de todas las ramas, considerando la unidad de consumo y la independencia de todas las producciones.

Justo es consignar, pese a sus principios revolucionarios y violentos, que el sindicalismo—que manifestó sus tendencias antiestatistas—no es absolutamente *radical* en sus aspiraciones libertarias. Apela de buen grado a Proudhon; pretende realizar "el individuo libre en el Sindicalismo libre"; cree que la libertad de cada uno aumenta con el contacto de la de los demás; afirma su reacción contra la "degeneración democrática"; no cree en el número, en las mayorías, en los sufragios; profesa el desprecio a la masa ineducada y confía en la actuación de los escogidos, en la eficacia de las iniciativas repentinas e individuales del corto número de los violentos.

En España—Barcelona, junio de 1870—se celebró el primer Congreso Obrero Español con un marcado carácter político y de intervención en el movimiento socialista internacional. Pero hasta 1882 no se concretó el carácter exclusivamente profesional de los Sindicatos, convocándose un Congreso con el fin de constituir la *Asociación Nacional de Trabajadores,* cuyo programa era totalmente *apolítico* y ajeno a cualquier idea religiosa. En 1888 quedó constituida la *Unión General de Trabajadores,* que, en un principio, también fue apolítica, pero convirtiéndose posteriormente en la base del partido socialista, frente a la *Confederación Nacional del Trabajo*—fundada en 1910—, representante de las ideas del anarquismo libertario.

A raíz de la gran guerra europea de 1914-1918 y sus revoluciones políticosociales aparecieron en España los *Sindicatos Unicos,* que propugnaban la formación de un solo Sindicato para cada especialización industrial y empleando toda clase de violencias para conseguirlo. Frente a ellos, como contrapartidas a sus tendencias anarquistas, aparecieron dos nuevas organizaciones: el *Sindicato Libre* y el *Sindicato Católico;* el primero, con fines exclusivamente profesionales; adaptado el segundo a las iniciativas políticosociales del Pontífice León XIII.

La Dictadura militar de 1923 acalló la lucha sindical e implantó—1926—la *Organización Corporativa del Trabajo,* con el principio del sindicato libre y corporación obligatoria.

Le República de 1931 hizo renacer con mayores bríos las antiguas organizaciones—abreviadamente—U. G. T. y C. N. T. Poco después el *falangismo* (V.) inició su potente nacionalsindicalismo, creando sus núcleos primitivos, que fueron la *Central Obrera Nacional Sindicalista* y la *Central de Empresarios Nacional Sindicalista,* que sostuvieron violentas luchas hasta el triunfo del falangismo y del Movimiento Nacional. Aquel fusionó los dos núcleos primitivos en un solo organismo: *Central Nacional Sindicalista,* creando la *Delegación Nacional de Sindicatos.*

El sindicalismo actual español es profundamente católico.

V. Mott, R. L.: *The political Theory of Syndicalism.* En "Pol. Sc. Quart", 37, 1922.— Pataud y Pouget: *Syndicalism...* Traducción inglesa. Oxford, 1913.—Spann, O.: *Der wahre Staat.* Jena, 1931.—Grand, G. G.: *La philosophie du syndicalisme.* París, 1911.—Cole, G. D. H.: *Some Relations between Political and Economic Theory.* Nueva York, 1934.—Harley, J. H.: *Syndicalism.* Londres, 1912.—Pestaña, Angel.: *Sindicalismo.* Valencia, "Cuadernos de Cultura", IX, 1931.

SINÉCDOQUE (V. Figuras de palabra)

Sinécdoque o *comprensión* es un *tropo de dicción* por *conexión* o *enlace,* que consiste en designar un objeto, físico o metafísico, con el nombre de una de sus partes, o al contrario.

Hay nueve especies de *sinécdoque:*

1.ª De la *parte* por el *todo.* Ejemplo: *Una escuadra de veinte velas* (por *veinte buques)*

2.ª Del *todo* por la *parte.* Ejemplo: *Todo el mundo piensa lo mismo* (por *es opinión general).*

3.ª De la *materia* por la *obra.* Ejemplo: *Truena el bronce* (por *el cañón).*

4.ª Del *número singular* por el *plural.* Ejemplo: *El español* (por *los españoles).*

5.ª Del *género* por la *especie.* Ejemplo: *Todos los mortales* (por *todos los hombres).*

6.) De la *especie* por el *género.* Ejemplo: *No tiene camisa* (por *no tiene vestido).*

7.ª Del *individuo* por la *especie.* Ejemplo: *Es un Nerón* (por *hombre cruel).*

8.ª De la *especie* por el *individuo.* Ejemplo: *El Apóstol* (por *San Pablo).*

9.ª De lo *abstracto* por lo *concreto.* Ejemplo: *La juventud española* (por *los jóvenes españoles).*

SINEQUISMO

Según el filósofo norteamericano Charles Sanders Peirce (1839-1914), el primero que aplicó el principio del *pragmatismo* (V.) a la filosofía y quien propuso el término sinequismo, este comprende "una tendencia del pensamiento filosófico que trata de establecer como fundamental—en la Filosofía—la idea de la continuidad y particularmente la necesidad de las hipótesis que implican la continuidad verdadera".

Según algunos filósofos contemporáneos, el sinequismo es, quizá, el aspecto más metafísico del pragmatismo.

SINÉRESIS (V. Metaplasmo)

Es la reunión en diptongo, para formar una sola sílaba métrica, de dos vocales que pertenecían a sílabas distintas en una misma palabra. Constituye una licencia poética.

> Alma r(ea)l en cuerpo hermoso,
> tres veces de imperio digna.
>
> (IGLESIAS.)

> También ser(ía) notada
> el aspereza de que estás armada.
>
> (GARCILASO.)

SINERGISMO

Nombre dado a una doctrina herética sobre la gracia, sustentada por algunos protestantes durante el siglo XVI.

El sinergismo tuvo su raíz y fundamento en el libro de Melanchton *Loci theologici*.

Radicalmente, el *luteranismo* (V.) declaró que el hombre no cooperaba con Dios a la obra de su conversión. Pero Melanchton, más suave y más profundo que Lutero, modificó sutilmente aquel radicalismo, afirmando que en la conversión del hombre obran simultáneamente tres factores: el Verbo, el Espíritu Santo y la voluntad humana, ya que el hombre intenta contrarrestar su flaqueza.

Esta doctrina de Melanchton recibió el nombre de *sinergismo,* y fue la que prevaleció en el llamado *Interim* de Leipzig.

La doctrina de Melanchton, completada —1555—por el profesor de la Universidad de Leipzig Juan Pfeffinger, provocó una verdadera explosión de cólera entre los luteranos intransigentes. La combatieron implacablemente los teólogos Stolz, Amsdorf y Flacio, calificándola de impía. Y en 1558 apareció la obra de Stössel: *Liber refutationis,* con la que se quiso dar el golpe de gracia al sinergismo, cuyos principales defensores entonces, el teólogo y catedrático de Leipzig Strigel y el predicador Hugel, fueron encerrados en la fortaleza de Grimmenstein. Pero poco después quedaron en libertad a instancias del duque Juan Federico de Gotha, inclinado francamente al sinergismo.

Se organizaron varias controversias públicas en Weimar, Jena, Wittemberg y Leipzig. Strigel y Hugel defendieron brillantemente el sinergismo, atacado con rudeza, pero con menos brillantez, por los discípulos del catedrático de Jena Flacio. Y el triunfo fue netamente de Strigel y Hugel.

Pero el año 1567, a raíz de la toma de Gotha, el duque Juan Federico II, gran defensor de los sinergistas, cayó prisionero, y sus estados pasaron a poder de su hermano el duque Juan Guillermo partidario decidido de los flacianos, a los que devolvió el predominio en los asuntos eclesiásticos.

Decididos a terminar con las agrias disputas de sinergistas y antisinergistas, el príncipe Augusto de Sajonia y el duque Juan Guillermo acordaron—1568—celebrar una conferencia religiosa en Altenburgo. En ella llevó la voz de los flacianos—luteranos intransigentes—Wigand, y la de los sinergistas o melanchtonianos, Ebert.

Pero de aquella conferencia no se sacó nada en limpio. Continuaron las luchas implacables, y la opinión de los príncipes hacia prevalecer las doctrinas de uno u otro partido. (V. *Luteranismo.*)

SINESIS

Reunión de palabras cuando se ajustan a las reglas.

SINOLOGÍA

Estudio de la lengua y de la escritura de los chinos; conocimientos de sus costumbres, historia y literatura.

SINONIMIA

1. Circunstancia de ser sinónimos dos o más vocablos.

2. Elegancia del lenguaje que nace de emplear en una cláusula voces sinónimas sin indicar su diferencia.

Estas voces deben colocarse en una escala ascendente o descendente de fuerza, a partir desde la más débil a la más significativa, o al contrario, según el efecto que se desee producir.

> Señor, (derriba), (mortifica), (aniquila) y (deshaz) en mí todo lo que quisieres, para que del todo me haga a tu voluntad, para que toda mi vida sea un sacrificio perfecto, que todo se abrase en el fuego de tu amor.
>
> (FRAY LUIS DE GRANADA.)

SINÓNIMOS

Llámanse *sinónimos* o palabras *sinónimas* las que expresan una misma idea fundamental, modificada en cada una de ellas por algunas ideas accesorias. Son voces que se escriben y pronuncian de distinto modo, y que, llevando en su fondo un significado semejante, se diferencian por su extensión y aplicaciones.

Avaro, avaricioso, avariento.

Oír y escuchar.

Ver, mirar y contemplar.

Cueva, caverna, gruta.

Lucha, combate, batalla.

Restos, escombros, ruinas.

Continuar. // *Perseverar.* // *Persistir.* // *Insistir.* Estos cuatro verbos manifiestan permanencia en el modo de hacer las cosas. El primero no indica ninguna otra idea; mas los otros contienen algunas accesorias que los diferencian del primero y ellos entre sí.

Continuar nada más significa que seguir procediendo u obrando como se procedía u obraba antes.

Perseverar, mantenerse constante en la prosecución de lo ya comenzado, sin intención ni disposición alguna de variar.

Persistir, permanecer o estar firme, constante y tenaz en una cosa.

Insistir, instar de todos modos, porfiada y ahincadamente, en hacer o lograr una cosa que nos hemos propuesto; *se insiste* en una cosa o contra alguna cosa cuanta más resistencia opone o mayores dificultades presenta.

Por tanto, *insistir* tiene significación más fuerte que *persistir,* y este que *perseverar,* y *perseverar* más que *continuar.*

Continuamos por *hábito; perseveramos* por *reflexión; persistimos* por *apego; insistimos* por *terquedad* y *obstinación.*

V. CASARES, Julio: *Diccionario ideológico.* Barcelona, Gili, 1944.—SAINZ DE ROBLES F. C.: *Diccionario de sinónimos y antónimos.* Madrid, Aguilar, 1953.—BARCIA, Roque: *Sinónimos castellanos.* Madrid, 1870.

SINOPSIS

Compendio, extracto, resumen de una ciencia o tratado.

SINTAXIS

Parte de la Gramática que determina el régimen y la dependencia de las palabras entre sí, para coordinarlas, formar oraciones y expresar conceptos.

Como indica su etimología, parece que la *sintaxis* no debía ocuparse sino de la colocación relativa de las palabras en el discurso; pero no es así, sino que también se refiere a la conformidad de accidentes de ciertas palabras y de su dependencia recíproca. De aquí la división de la *sintaxis* en tres partes: CONSTRUCCIÓN, CONCORDANCIA y RÉGIMEN.

Construcción es la coordinación relativa de las palabras en la oración; y puede ser: *regular* o *natural* e *irregular* o *artificial* y *figurada.*

Concordancia es la conformidad de ciertos accidentes entre algunas de las palabras que entran en la oración, y pueden ser: de *artículo* y *nombre,* de *sustantivo* y *adjetivo,* de *relativo* y *antecedente* y de *sujeto* y *verbo.* En los tres primeros casos conciertan las dos partes en género y número; en el cuarto, en número y persona.

Régimen es la dependencia de unas partes con respecto a otras. Todas las partes de la oración pueden ser *regentes* menos la conjunción, el adverbio y la interjección; y solo son regidos el nombre—no siendo sujeto o apóstrofe—y el verbo en subjuntivo o infinitivo, y tanto uno como otro, cuando son palabras regidas, se llaman complementos de régimen, y pueden ser de principio o de fin.

SÍNTESIS

1. Suma, compendio, extracto de una materia o cosa.

2. Composición de un todo por la reunión de sus partes.

SINTÉTICAS (Lenguas) (V. Lengua, Lenguaje)

SINTETISMO

En un sentido restringido, "sintetismo es la *tendencia* de una ley de la realidad o del espíritu".

En un sentido amplio, "sintetismo es un *sistema* que intenta convertir dicha ley en principio general explicativo del conocimiento o de la existencia".

El sintetismo, contra lo que han creído no pocos filósofos, se diferencia radicalmente del *sincretismo* (V.) y del *eclecticismo* (V.).

El sincretismo tiende a mezclar doctrinas distintas y aun contrarias.

El eclecticismo trata de unir, con cierta armonía, elementos dispersos de distintos sistemas.

El sintetismo se propone *armar* una concepción coherente y armónica con dos filosofías de épocas y de culturas distintas.

El sintetismo universal tiene un principio básico: el símbolo del Cosmos, "que considera todas las cosas unidas por relaciones profundas, aun cuando cada una mantenga su propia naturaleza".

Para algunos críticos contemporáneos, el sintetismo "es como el supuesto mental del cual arranca todo el desarrollo de nuestro conocimiento". Para otros, como la condición del objeto perceptible, así interno como externo.

Apoyándose en el sintetismo, Wilhelm Traugott Krug (1770-1842), filósofo y literato alemán, discípulo y sucesor de Kant en la cátedra de Königsberg—1805—, formuló su *sintetismo trascendental,* término medio entre el idealismo y el realismo, con el cual quiso corregir el escepticismo de su maestro.

Según Krug, el idealismo y el realismo son el resultado de una especulación trascendente; y el sintetismo considera la idea y la realidad como puestas primitivamente juntas, siendo absurdo querer deducir la una de la otra, ya que si el idealismo intenta extraer lo real de la idea, caerá en el *nihilismo* (V.)—negación de toda realidad—, y si el realismo arroja de sí todo idealismo, se hundirá fatalmente en el materialismo.

La conciencia es la verdadera síntesis del ser y del saber, del ideal y de lo real. La conciencia del *yo*—estado de relación entre algo conocido y un ser que conoce—sería imposible, según reconoce Krug, sin una síntesis primitiva *del ser y del saber en el yo,* síntesis que se coloca más allá del alcance de la más aguda observación, y que por lo mismo es *a priori.*

Se ha calificado de *sintetismo epistemológico* a la teoría del conocimiento de William Hamilton (1788-1856), filósofo escocés, profesor en

Edimburgo, que hermanó la doctrina escocesa del *common sense* con el criticismo de Kant.

Según Hamilton, existían seis sistemas para explicar el testimonio de la conciencia con respecto al mundo externo: el llamado de la *identidad absoluta,* el *idealismo,* el *materialismo,* el *nihilismo,* el *realismo hipotético* y el *realismo natural.* Este último, por él defendido, es un sintetismo, ya que acepta en su totalidad el dato de la conciencia, es decir: el conocimiento intuitivo del espíritu y de los cuerpos y la realidad de su antítesis.

Hamilton explica así su fórmula: síntesis en el conocimiento y antítesis en la existencia. Es decir: en un hecho y en un orden primitivos están reunidos en una síntesis el mundo de los cuerpos y el mundo de los espíritus, y, sin embargo, aquel es antitético a este.

Para la crítica moderna, el sintetismo *como sistema,* ya sea el de Hamilton, ya el de Krug, no contiene sino una verdad: la de su punto de partida. Apenas intenta sacar consecuencias de este, pierde interés, verdad y eficacia.

SINTOÍSMO

Nombre dado a la religión nacional del Japón.

Ha hecho observar un historiador contemporáneo, Reinach, que de cada diez japoneses instruidos, interrogados acerca de la antigua religión nacional llamada *Sinto,* nueve responden que consiste "en el culto de los antepasados".

Tal respuesta, históricamente, no es exacta. Aun cuando los libros sagrados del sintoísmo no se remontan más allá del siglo VIII de nuestra Era, dan fe de que el fondo de la religión es animista y naturalista, con supervivencias del *totemismo* (V.).

El origen del sintoísmo se confunde con el del pueblo japonés, y a tal supuesto induce la circunstancia de no existir antecedentes ni noticias de otras religiones antes de la introducción de las doctrinas de Saka, que tal se denomina a Buda en el idioma de aquel país.

El sintoísmo reconoce la existencia de un soberano creador, al que se da el título de *Señor del cielo,* y dos auxiliares, llamados *Creador del universo*—que crea y produce—y *Creador de Kami*—que conserva y sostiene.

El Ser superior creó, primero, un elemento sutilísimo y diáfano, que produjo el cielo; y, después, una materia sólida y pesada, que fue la base de la formación de la tierra. La obra del Ser superior fue completada por las demás divinidades que forman parte de la teogonía sintoísta, como son *La eterna existencia celeste* y *La eterna existencia terrena.*

Las divinidades *Izanagui* e *Izanaji* separaron con la punta de una lanza los elementos que flotaban en el espacio, y engendraron a *Ameterasu,* la diosa de la luz, el Sol, y a *Susanó,* el dios de la Tierra, que es el tronco de donde arrancan los soberanos que durante millares de años rigen los destinos del Japón.

El sintoísmo tiene como mandatos inapelables: la pureza absoluta, tanto física como moral; la estricta obediencia a las leyes del país; el respeto al soberano y la consideración y el afecto más intensos a aquellos a quienes cada ser debe su existencia.

El sintoísmo denomínase en japonés *Kaminomichi,* o sea, *el camino de los dioses;* y el culto ríndese a las almas de los muertos, a los genios inspiradores del bien y de la belleza, a las fuerzas naturales y a *ese algo* indefinible que presidió la creación.

El sintoísmo ordena las purificaciones por el fuego, el arroz y la sal; que las ofrendas jamás sean quemadas, y permite que se practiquen el maleficio y la adivinación.

Según el sintoísmo, los templos son las moradas de las divinidades, que en ellas tienen "su lecho y su almohada". Al servicio de los templos hay sacerdotes y también sacerdotisas, que son las que ejecutan las pantomimas del culto, dejando el templo cuando contraen matrimonio.

El sintoísmo señala como atributo de las divinidades determinados animales: el caballo albino, el zorro, la rata, el gallo...

El sintoísmo enumera millares de espíritus o de dioses, entre los cuales destacan: la Tierra, fecunda y alimentadora; la *diosa* solar, el *dios* lunar, el dios del fuego... Es curioso señalar que en el Japón el sol es femenino.

El sintoísmo ha pasado por tres fases perfectamente determinadas:

1.ª Sintoísmo primitivo. Desde los tiempos más remotos hasta el siglo VI después de Cristo, época en que el budismo penetró con fuerza extraordinaria en el Japón, llegando a mezclar sus dogmas y sus prácticas con las del Sinto.

2.ª Renacimiento del sintoísmo puro. Desde 1700 después de Cristo hasta fines del siglo XIX. Este período lo prepararon tres ilustres samurais: Keichiu, Mabuchi—que interpretó con exactitud las obras del puro sintoísmo *Kojiki y Nihonghi*—y Motoori—autor de *Kojidi-Keu*—, comentarista el más insigne de los antiguos relatos de la historia del Japón.

3.ª Renovación del sintoísmo puro. Desde fines del siglo XIX hasta la actualidad. En este período se rechazan cuantas *sectas impuras* habíanse unido al sintoísmo; se renuncia la violencia, empleándose la bondad y los procedimientos amistosos; los sacerdotes vuelven a tener todas sus prerrogativas. Que existan más de 140.000 templos sintoístas en el Japón da idea de la fuerza del culto nacional.

Algunos historiadores creen que en esta última fase se ha acentuado el fervor por el doble carácter del sintoísmo: el culto de la Naturaleza y el culto de los espíritus.

V. FLORENZ, C.: *Japanische Mythologie.* Leipzig, 1901.—REVON, M.: *Le shintoïsme, sa mythologie et sa morale.* En "Annales du Musée Guimet", X, París, 1904.—REVON, M.: *Le synthoïsme.* En "Rev. de l'Histoire des Religions". 1905-1907.

SIONISMO

Organización internacional—política y económica—de los judíos para recobrar la Palestina como patria. Movimiento moderno de simpatía para la constitución de una patria que devolver a los hebreos dispersos por el mundo.

La idea del sionismo es tan vieja como la dispersión del pueblo judío; pero surgió como empresa política a fines del siglo XIX y le dio estructura práctica Herzl.

Theodor Herzl (1860-1904) nació en Hungría y alcanzó grandes éxitos como autor dramático y periodista. Con ocasión del famoso proceso Dreyfus, en Francia, se despertó en él el sentimiento de solidaridad con el pueblo judío, y lo exteriorizó en su libro *Der Judenstaat*—1896—, lanzando la idea de la fundación de un Estado judío, y creando así el sionismo político, del que fue el primer caudillo. Poco después —1902—, en su novela *Altneuland* trazó los contornos del futuro Estado judío de Palestina.

Herzl fundó la *Organización Sionista Internacional,* cuyo primer Congreso se celebró—1897— en Basilea. El centro del sionismo había de ser Palestina.

Terminada la primera gran guerra mundial de 1914-1918, se reconoció a los judíos su derecho a constituir un hogar nacional en Palestina, dando el oportuno consentimiento la Sociedad de Naciones. La inmigración hebrea en Palestina se inició en gran escala. Pero casi en seguida empezaron las enconadas luchas entre los judíos y los árabes, pues estos se oponían a la instalación de aquellos en tierras que reputaban suyas.

Terminada la segunda gran guerra mundial de 1939-1945, el pueblo judío recobró *parte* de la Palestina, ya que *parte* sigue en poder de los árabes. Este reparto, tan artificial, es motivo de continuas guerras, que la organización de las Naciones Unidas se ve impotente para evitar.

SIOUX (Lenguaje)

Lengua indígena de la América septentrional, hablada en los Estados de Missouri-Columbia. El *dakota,* el *osago* y el *assinibcin* se adscriben al *sioux,* idioma de sonidos guturales y silbantes. Entre ellos las diferencias más sensibles se refieren a determinados y escasos vocablos.

V. LUDEWIG, H. E.: *The Literature of american aboriginal Languages.* 1858.

SIRÍACA (Lengua y Literatura)

Una de las lenguas semíticas de la rama aramea. Su formación es antiquísima, pero ha sido muy modificada por la adjunción de elementos persas, griegos, latinos y árabes. Sus dialectos principales son: el *sabeano* o *sabetano,* el *nabateo* y el *palmireano.* La lengua siríaca posee varios alfabetos: el *sabeano,* que hace entrar vocales en el cuerpo de la escritura; el *peschito,* el *estranghelo* y el *nestoriano,* que indican las vocales por adiciones colocadas detrás o delante de las consonantes.

Hasta el siglo VIII antes de Cristo, la cultura intelectual de Oriente tuvo como centros de difusión Blesa y Nínive. El apogeo de la literatura siríaca coincidió con los siglos V y VI. Y su principal importancia está en ser la fuente más segura para la historia de los Padres de la Iglesia en Asia. La mayor parte de los escritos de los cristianos sirios se refieren a la religión. Sin hablar de las versiones de los libros santos, litúrgicos y de los comentarios sobre las diversas partes de la Escritura, la Teología dogmática o polémica ocupa un lugar inmenso. La más célebre versión siríaca de la Biblia data del siglo II, y, por tanto, es de creer sea la primera versión hecha del original. Existen otras dos traducciones de los Evangelios, la de Filexenes, obispo monofisita de Hierópolis en el siglo VII, y la que se titula de Palestina o Jerusalén.

Las primeras poesías siríacas conocidas son debidas al gnóstico Bardesana—siglo II—. Teófilo de Edesa—770—tradujo los poemas de Homero. Bar-Hebreus puede considerarse como el último autor clásico de la literatura siríaca—siglo XIII—; escribió una *Historia Universal,* que él mismo tradujo al árabe.

V. BAUMSTARK, A.: *Geschichte der Syrischen Literatur.* Bonn, 1922.—RUBENS DUVAL: *La littérature syriaque.* París, 1919.—BELL, G.: *Syria.* Londres, 1919.—RENÁN, E.: *Histoire des langues semitiques.*

SIRVENTÉS

Composición satírica trovadoresca que tuvo mucha importancia en la poesía provenzal durante los siglos XII y XIII.

Estas sátiras estaban divididas en estrofas y eran cantadas como los otros poemas provenzales. Algunas de ellas tuvieron la importancia de verdaderos manifiestos políticos. Villemain las ha calificado de "documentos diplomáticos de su tiempo".

Fueron famosas las sátiras de Pierre Cardinal y de Bertrand de Born.

V. RAYNOUARD: *Choix de poésies des troubadours.* París, 1816.—VILLEMAIN: *Littérature de moyen âge.* Tomo I.—BARET, E.: *Espagne et Provence.* París, 1857.

SISTEMA

1. Conjunto de reglas.
2. Principios enlazados entre sí sobre alguna materia.

3. Conjunto de cosas ordenadas y relacionadas entre sí que contribuyen a determinado objeto.

SÍSTOLE

Término de prosodia—licencia poética—que consiste en usar como breve una sílaba larga. (V. *Diástole.*)

SOBRERREALISMO (V. Superrealismo)

SOCIALISMO

Define la Real Academia Española de la Lengua: "Socialismo es el sistema de organización social que supone derivados de la colectividad los derechos individuales, y atribuye al Estado absoluta potestad de ordenar las condiciones de la vida civil, económica y política, extremando la preponderancia del interés colectivo sobre el particular."

Se han dado numerosas definiciones de socialismo, y es más que dudoso que se pueda encontrar entre ellas una con la cual estén todos de acuerdo o casi de acuerdo. ¿Por qué? Posiblemente, porque el socialismo comprende fines muy diversos—políticos, económicos, sociales—y los realiza por muy distintos caminos.

Etimológicamente—y filosóficamente—, socialismo no es sino una doctrina que afirma la primacía de lo social sobre lo individual, la realidad superior de la sociedad respecto al individuo, la subordinación de este a aquella; en una palabra, una doctrina que hace de la sociedad el fin, y del individuo, el medio.

Claro está que no es lo mismo definir el socialismo político, moral o religioso que el socialismo económico. Porque mientras aquellos pueden asegurarse con doctrinas como las de Comte o Hegel, que anulan al individuo ante la sociedad y llegan a negarle toda realidad, el socialismo económico se ve obligado a comenzar con un acto de fe en la realidad del individuo, se ve obligado a aceptar como fin al individuo y a reconocer—como ya la reconoció el socialista Platón—que la finalidad del Estado es la dicha individual.

Alguien ha dicho que el socialismo es *un estado intermedio entre dos comunismos:* el *utópico*—que va desde Platón a Esteban Cabet—y el *revolucionario* de la Tercera Internacional, hoy en su apogeo.

En efecto, el socialismo *nace* del comunismo utópico; es el socialismo quien primero *lleva a la práctica* las teorías comunistas de Platón, Moro, Campanella, Morelly, Owen... El socialismo nace del comunismo idealista y enraíza en la filosofía de Hegel, en las concepciones de Proudhon, Luis Blanc, Carlos Marx, Lorenz von Stein... Pero del socialismo—y no, como pudiera parecer lógico, del comunismo utópico—nació el comunismo revolucionario actual.

Es indiscutible que el fenómeno más importante de nuestra época es el socialismo, que justamente se presenta—a los efectos de la crisis política—como antagónico del *liberalismo* (V.). Mientras este defiende *el precioso tesoro de las libertades jurídicas,* el socialismo las combate, las merma, las pulveriza en cuanto puede, ya que no se contenta con reformas políticas, sino que procura—ya que es su destino—trastrocar las bases de la sociedad.

El profesor español Besteiro ha sintetizado con pluma maestra la trayectoria del socialismo. Nosotros queremos estampar aquí dicha síntesis, para después ampliarla en necesarias aclaraciones.

"Tras la primera etapa utópica de Owen, de Saint-Simon y de Cabet, llegó la superación realista de Blanc y de Proudhon, y especialmente de Rodbertus, de Lassalle y de Marx, ligada al *Manifiesto* de 1848, y del *Manifiesto* a la Asamblea de Erfurt, que aclama el programa designado con el nombre de aquella ciudad (1891). El *Programa* de Erfurt—escribía Besteiro—señala el triunfo teórico indiscutible de las concepciones de Marx, sostenidas por Kautsky en horas difíciles, frente a la oposición reformista. En Erfurt se consideraron ineficaces las distintas reformas. En sus conclusiones se estimó que la actividad económica del Estado constituye la base del proceso natural que conduce a la comunidad socialista. Consumada esta etapa, este dejará de ser una empresa capitalista, y entonces será posible transformarlo en una comunidad socialista.

"Frente a la utopía sindicalista, el socialismo no quiere trazar un cuadro del Estado futuro. Es ridículo—subrayaba Besteiro—exigir esa determinación. Lo que importa es poseer un sentido socialista y una clara conciencia de la situación circunstante; más que programas, estados de espíritu.

"La intervención política del movimiento socialista está ligada al desenvolvimiento de las Asociaciones obreras. En 1863 se fundan la *Asociación General de Trabajadores,* con Fernando Lassalle, y el partido social democrático, que tiene como teorizante a Carlos Kautsky. El movimiento se refleja en Inglaterra con la *Fabian Society* (1884). En España, el primer testimonio es de 1871, con el debate en las Cortes sobre la Asociación Internacional Obrera.

"Visto desde el plano de la historia de las ideas, la mayor personalidad del socialismo es la de Carlos Marx (1818-1883), y su formación debe la más importante ayuda al filósofo Feuerbach, cuyo libro sobre el cristianismo plantea las consecuencias materialistas con un realismo absoluto y un racionalismo radical de evidente huella en Marx, a quien más que el Derecho —que estudió sin vocación—le apasionaban la Filosofía y la Historia.

"Según la versión dada por Lenin, Marx continúa tres corrientes: la filosófica clásica alemana, la económicopolítica clásica inglesa y la del socialismo francés. De la primera, Feuerbach es el puente entre Hegel y Marx. De Feuerbach proceden la versión del hombre como estómago y la postura antirreligiosa arrancada a la tesis de la divinidad como obra del miedo. De la escuela inglesa se acoge a Adam Smith, con su teoría del trabajo como principal fuente de la riqueza. También algo de Malthus y, sobre todo, de Ricardo, de quien son tributarias las teorías de las rentas y del salario, difundida esta última por Lassalle como "ley de bronce". En fin, del socialismo francés, más que la utopía de Babeuf y la filosofía social ilustrada, se recogen la condenación de la propiedad individual de las tierras de aquel, y de Saint-Simon, la visión de la revolución como lucha de clases. La personalidad de Marx supera sus raíces. Hacia 1845 puede datarse, con sus once tesis sobre Feuerbach, una propia concepción. Ya Engels, en 1886, publicando esta doctrina, habla de materialismo marxista. Para Engels, Marx trasplanta a la Historia lo que Feuerbach creyó encontrar en la Naturaleza. De ahí su explicación materialista de la Historia y su concepto de la lucha de clases, que habrá de culminar con el fin de la burguesía y la implantación de una sociedad aclasista.

"La teoría del Estado se debe más bien a Engels, quien parte del estudio de la *polis* griega. Desde su origen—dice—, el Estado es un órgano de dominación de una clase. La elaboración posterior, leninista, ofrece al "Estado-hacha", en la frase de Stalin, como instrumento de decapitación de la burguesía. Así entra plenamente en esta versión el sovietismo, aplicación del marxismo, que no agota las fórmulas socialistas, sino solo el aspecto del socialismo marxista. Bien puede afirmarse, en efecto, como socialismo mucho de lo que se ha ido recogiendo para vivificar los elementos permanentes encuadrados en la fórmula liberal."

Ya hemos apuntado antes que no puede hablarse con propiedad de socialismo, sino de *socialismos,* pues que hay uno político, y otro económico, y otro agrario, y otro del Estado, y otro cristiano, y otro científico... Pues bien, Charles Gide ha expuesto los puntos en que *coinciden* todas las doctrinas socialistas, *divergentes* en cuanto a los medios propuestos de solución. Dichos puntos son:

1.º Todas consideran la organización de las sociedades modernas como inficionadas de vicios incurables que han de acarrear su fin en plazo más o menos breve.

2.º Ven la causa esencial del desorden social en la concentración de los bienes en manos de un reducido número de individuos, que permite a estos explotar a la masa haciéndola trabajar en provecho de ellos.

3.º Esperan un orden nuevo en el cual estén cada vez más limitados, si no abolidos, la propiedad capitalista y el salariado. Y, según su mayor o menor radicalismo en este punto esencial, se clasifican en *comunistas* (que quieren suprimir la libertad privada para todos los bienes), *colectivistas* (que quieren aquella supresión únicamente para los bienes que sirven a la producción) y *agrarios* (que limitan la supresión a la propiedad de las tierras y de las casas).

4.º Están dispuestas a extender las atribuciones de los poderes colectivos, representados por el Estado, Concejos o por Asociaciones obreras, pero perdiendo aquel todo carácter político para volverse simplemente económico, algo así como el Consejo de Administración de una gran Sociedad cooperativa que comprendería todo el país.

5.º Finalmente, esperan la revolución como una sacudida indispensable para el cambio del orden actual por el que preconizan.

A estos puntos debe añadirse que todos los socialismos, bajo la influencia marxista, toman un carácter netamente *obrero,* y como tal opuesto radicalmente a la burguesía, adoptando como lema la *lucha de clases.* Aunque ya advierten algunos tratadistas que tal lucha de clases no implica una revolución violenta, pues la conquista del Poder puede alcanzarse legalmente por medio de elecciones.

El socialismo *agrario* está fundado sobre la teoría de *la renta de la tierra*—la que percibe el propietario que no la trabaja—, original de David Ricardo, y desarrollado como sistema por Henry George.

Según Ricardo, la renta de la tierra aumenta constante y automáticamente, sin intervención del propietario, por causas sociales, como el aumento de población, la mejora de los medios de comunicación, la extensión del cultivo... ¿Es justo que tal aumento, que se debe a la colectividad, beneficie a un solo individuo, el propietario, que nada hizo por el logro del aumento? El aumento pertenece en pleno derecho a la comunidad. Stuart Mill fundó—1870—una Liga para propagar este principio, y propuso que el Estado valuara la totalidad de las tierras y que periódicamente determinara el aumento de su valor, apoderándose de este *por medio del impuesto.* Tal idea fue desarrollada por Henry George, "el cual afirmó que la renta de la tierra absorbe todos los beneficios del progreso social, que es la causa de la miseria de los trabajadores y de las crisis económicas; por lo cual, es preciso que el Estado se apodere no solo del aumento periódico de la renta, sino de toda la renta, por medio del *impuesto único,* el cual, por su gran rendimiento, bastaría para cubrir todos los gastos del Estado.

Se ha llamado socialismo *científico* o *evolutivo* a aquel, contrario al utópico, que deduce un sistema de leyes de la evolución de la economía política y del desarrollo histórico de la sociedad. Fueron inspiradores de este socialismo Thompson, Owen y Proudhon; y lo desarrolló Rodbertus-Jagetzow en sus libros *Reivindicaciones de las clases obreras*—1837—y *Cartas sociales*—1850—. La teoría del socialismo científico se basa en este postulado: la felicidad de cada uno depende de los otros productores y de la buena realización de ciertas funciones sociales, que son: adaptación de la producción a las necesidades; mantenimiento de la producción al mismo nivel de los recursos existentes, con la plena utilización de los instrumentos de trabajo; justo reparto del producto entre los productores.

Según Rodbertus, los propietarios reciben una parte—la mejor—de los productos; pero como lo único que produce es el trabajo, la parte que se da a los propietarios es un despojo que se hace a los trabajadores. ¿Remedio de esta expoliación? Suprimir la libertad de contratación y que sea el Estado quien valúe en trabajo el valor del producto total social y fije la porción de este que corresponda a los trabajadores. Esta doctrina alcanzó una enorme influencia, originando en su tronco las dos ramas del *socialismo del Estado* y del *colectivismo marxista*.

"El socialismo del Estado representa la fusión de dos direcciones ideológicas. Por una parte, aparecen una serie de economistas que limitan la explicación del principio del *laissez faire*. Un sector numeroso de escritores se opone a la identificación de los intereses públicos y privados, según la concepción de Adam Smith, por estimar que sus conclusiones no arrancan de los hechos y que es necesario permitir una esfera considerable a la acción legítima del Estado. List, en Alemania; J. Stuart Mill, en Inglaterra, y Sismondi y Chevalier, en Francia, representan esta dirección intelectual.

"Por otra parte, aparece un sector socialista que sigue una táctica oportunista y dirige sus peticiones a los Gobiernos existentes, solicitando determinadas reformas en favor de los trabajadores. Pretenden estos socialistas servirse de los poderes del Estado moderno, con el fin de transformar la sociedad injusta del presente en la mayor perfección social del Gobierno del mañana. El primero que defiende esta política en Francia es Luis Blanc; entre sus representantes y defensores más eminentes se encuentran J. K. Rodbertus y F. Lassalle en Alemania.

"Rodbertus sigue en sus doctrinas, principalmente, las orientaciones ideológicas de Francia, sobre todo de Sismondi, Proudhon y Saint-Simon. Considera la sociedad como un organismo creado mediante la división del trabajo; no cree, sin embargo, en los resultados beneficiosos del libre juego de las leyes naturales. El Estado representa una formación histórica; no se crea una organización de una manera espontánea, sino merced a la intervención de los individuos. Cada Estado tiene sus leyes propias y un sistema adecuado a su desarrollo. Por esto, Rodbertus favorece la acción del Estado frente a la libertad natural y pone todas sus esperanzas en la actuación de un partido socialista que dedique su actividad exclusivamente a las cuestiones sociales. Rodbertus no simpatiza con las ideas económicas del socialismo de cátedra. El Estado no debe condicionar la producción a las exigencias de la demanda, asegurando una distribución equitativa entre todos los productores". (GETTELL.)

El socialismo del Estado ha tenido dos derivaciones: la *moderada* y la *maximalista*, defendidas, respectivamente, por Adolfo Wagner y Fernando Lassalle. Según el primero, "el socialismo del Estado debe imponerse dos misiones estrechamente unidas: elevar las clases inferiores a costa de las superiores, y anular la desmedida acumulación de las riquezas en ciertas fuentes y miembros de la clase poseedora".

Para Lassalle, los obreros deben transformarse en patronos mediante la asociación y con la ayuda del Estado.

Los defensores del mal llamado *socialismo* cristiano se oponen a esta denominación, afirmando como auténticamente suya la de *cristianismo social*. Y, en efecto, sólo coincide con el socialismo en su oposición a las exageraciones del individualismo económico; pero las diferencias son muchas y profundas. El cristianismo social no pretende abolir instituciones fundamentales, como la propiedad, la herencia, el salario, etc.; no cree en la evolución de la especie humana; busca su ideal en el regreso a ciertas instituciones de la Edad Media, como gremios y corporaciones; cree en la existencia de *leyes providenciales;* rechaza que el trabajo del hombre sea una mera mercancía, cuyo precio deba regularse por la ley de la oferta y la demanda únicamente; rechaza el materialismo histórico y la lucha de clases, si bien pide la intervención del Estado para reprimir los abusos de los poderosos y proteger a los débiles. Este movimiento recibió su consagración con las encíclicas de León XIII *Rerum novarum* e *Inmortale Dei*. (V. *Comunismo, Colectivismo*...)

V. HILLQUIT, M.: *Socialism in theory and practice*. Nueva York, 1909.—JANET, P.: *Les origines du socialisme*. París, 1903, 4.ª edición. KIRKUP, T.: *History of socialism*. Londres, 1913, 5.ª ed.—MORATO, J. J.: *El Partido Socialista Español*. Madrid, 1918.—Ríos, Fernando de los: *El sentido humanista del socialismo*. Madrid, 1926.—PARETTO, W.: *Les systèmes socialistes*. París, 1926.—MACDONALD, J. R.: *Socialismo*. Traducción castellana. Barcelona, Colección Labor, 1928.

SOCIEDADES LITERARIAS (V. Academia)

SOCINIANISMO

Nombre dado a la doctrina herética de los socinianos, cuyos jefes fueron Lelio Socino —muerto en 1562—y su sobrino Fausto Socino—muerto en 1604.

El socinianismo, como el antitrinitarismo, pertenece al grupo *racionalista,* uno de los tres —los otros dos: *revolucionario* y *místico*—que nacieron de las diversas interpretaciones del protestantismo, formando otras tantas sectas.

El socinianismo tuvo su entronque natural en las doctrinas del español Miguel Servet, por lo que también ha sido llamado por algunos críticos *antitrinitarismo* (V.).

Lelio Socino—*Sozzini* en italiano—, nacido —1525—en Siena, de familia noble, estudió en Francia, Suiza y Alemania. Su conversión al protestantismo debió realizarse durante los años que residió en Wittemberg, de 1548 a 1551. Inmediatamente se afilió al antitrinitarismo, y como los antitrinitarios estaban perseguidos implacablemente por los calvinistas y los demás protestantes, Lelio Socino tuvo que emigrar a Polonia, donde, con su cultura, su simpatía, su oratoria fogosa y sugestiva y su bondad, ganó gran número de prosélitos, entre ellos el franciscano Francisco Lismanin, confesor de la reina Bona Sforzia. El propio monarca Segismundo II le protegió decididamente y permitió que se refugiaran en su reino todos los disidentes del protestantismo.

En 1574 se publicó en Cracovia la obra de Jorge Schoman *Catecismo.* En ella se afirmaba que Cristo fue el mejor de los hombres y el primero de los profetas, elevado por el Padre al rango de Señor, y por quien el Padre devolvió la paz al mundo; que el Espíritu Santo era un poder divino cuya plenitud fue dada por Dios Padre a su Hijo unigénito para que los hombres, en calidad de hijos adoptivos, gozasen del mismo beneficio.

Entre los antitrinitarios polacos surgieron agrias controversias. Para procurar reconciliarlos, intervino Fausto Socino, sobrino de Lelio, también italiano, y aún más elocuente y sugestivo que su tío. Y fue Fausto quien dio el nombre de *socinianismo* a su tendencia religiosa, y el de socinianos a sus adeptos. Fausto Socino fue muy perseguido, inclusive por los propios antitrinitarios; pero de todas las persecuciones salió triunfante, llegando a dominar en las iglesias de Cracovia, Lublín, Kiovia, Rakov, Novogorod y otras muchas de menor importancia.

El socinianismo aceptó el principio protestante sobre la libre interpretación de la Biblia, pero acentuando su tendencia racionalista y naturalista al destruir todo elemento sobrenatural en el Cristianismo. Fausto Socino revalidó, al menos en parte, los errores de Pablo de Samosata, de Arrio, de Fitino y de Pelagio.

Los principales dogmas del socinianismo son los siguientes:

1.° La Sagrada Escritura—libremente interpretada—es la única fuente religiosa.

2.° Existe un solo Dios: Dios Padre, uno en esencia y uno en persona.

3.° Cristo no es sino *un hombre,* concebido por obra del Espíritu Santo, de una manera sobrenatural y dotado de gran poder.

4.° El llamado pecado original no existe. El pecado de Adán únicamente dañó a este.

5.° La redención no es otra cosa que una legislación más pura, a la vez que la promesa de una vida gloriosa.

6.° La justificación es el perdón de los pecados por Cristo; pero no supone *la gracia,* ni siquiera *la imputación* de los méritos de Cristo.

7.° El hombre, por sus solas fuerzas naturales, puede conocer y practicar el bien, vivir sin pecado y merecer la eterna vida gloriosa.

8.° No existen ni la predestinación ni la eternidad de las penas.

9.° Solo existen dos sacramentos: el Bautismo y la Cena. Aquel no es necesario. Este es un mero recuerdo de la muerte de Cristo.

10. No se peca dudando o negando la Providencia, la creación *ex nihilo,* el conocimiento del futuro por parte de Dios y la omnipotencia y otros atributos divinos.

11. Jesucristo no es, como para los luteranos, un *mediador,* sino un *legislador,* modelo de moralidad.

12. El sentido de la Biblia no es claro, como para los luteranos, ni está al alcance de todas las inteligencias.

El socinianismo eliminó por completo de sus doctrinas el último resto de supernaturalismo.

V. Lelio Socino: *De sacramentis, De resurrectione corporum, Dialogus inter Calvinum et Vaticanum.*—Fausto Socino: *Auctoritates Sacrae Scripturae, De Jesu Christo salvatore, Christianae religionis brevissima institutio, Praelectiones theologicae, De statu primi hominis ante lapsum.*—Lamy: *Histoire du socinianisme.* París, 1723.—Bock, Fr. S.: *Hist. antitrinitariorum, maxime socinionorum.* 1774-1784.—Fock: *Der Socinianismus.* Kiel, 1847.

SOCIOLOGISMO

Vocablo forjado por Augusto Comte. Y encierra distintos contenidos.

Sociologismo es una tendencia a creer que los problemas filosóficos únicamente pueden resolverse dentro de la conciencia social.

Pero también es sociologismo—*moderado*—la tendencia a considerar lo social como específicamente distinto de las demás modalidades de la actividad humana.

Y sociologismo—*radical*—igualmente el sistema que intenta explicar los fenómenos psíquicos solo por las condiciones sociales en que aparecen.

El sociologismo ha sido explicado y defendido por primera vez por el filósofo francés Etienne Emile Boutroux (1845-1921), profesor en Nancy, Montpellier y en la Sorbona, miembro de la Academia Francesa y fundador del contingentismo, contrario a la concepción mecánica del universo, sentada por el *positivismo* (V.).

Según Boutroux, el sociologismo con el psicologismo caracterizan toda actitud ideológica; aquel, la de los fenómenos religiosos por las manifestaciones de la actividad social; este, la de la actividad psíquica individual. Boutroux opone el sociologismo y el psicologismo a las doctrinas espiritualistas de la filosofía de la acción y de la filosofía de la experiencia religiosa.

SOCRATISMO

Influencia y tendencia de las doctrinas de Sócrates.

Sócrates, el genial filósofo griego, nació—469 antes de Cristo—y murió—399—en Atenas. Fue hijo del escultor Sofronisco y de la partera Fenareta. Su infancia y su juventud nos son desconocidas. Al parecer, ayudó a su padre en la escultura, y se le atribuye—sin pruebas—el grupo de las *Gracias veladas,* que todavía pudo ver Pausanias a la entrada de la Acrópolis. Merced a Critón, dejó el taller y se dedicó a estudios más elevados. Combatió en Potidea, donde salvó la vida a Alcibíades. Y en Delium y en Anfípolis se comportó heroicamente. Estuvo casado con Jantipa, de la que tuvo tres hijos. Y se ha dicho—también sin pruebas—que tuvo una segunda esposa, Mirto, hija o nieta de Arístedes el *Justo.* Primero estuvo unido a los sofistas y luego a los filósofos de la escuela jónica. Desde entonces se le presenta yendo acá y acullá por Atenas, en las plazas públicas, como en las tiendas y talleres, entreteniéndose con los artesanos de cosas de su oficio, del fundamento de las leyes, de la economía doméstica, de los deberes, del Dios que dispuso el mundo con tanto orden como sabiduría; haciendo la guerra a las preocupaciones y a los vicios, despertando las almas y mejorando las costumbres. Para confundir a los sofistas, echaba mano de cuestiones embarazosas y a una especie de interrogatorio apremiante, que se llamó *la ironía de Sócrates.* Cuando se trataba de instruir, hacía preguntas, respondía a ellas, aclaraba las materias con ejemplos fáciles de comprender, haciendo así prevalecer en su auditorio las ideas justas y sanas: es el método de *inducción,* o, como él decía, *el arte de hacer parir al entendimiento.* Hablaba con frecuencia del *demonio,* y del *genio familiar* que le inspiraba. Repetía constantemente su máxima: "Conócete a ti mismo." De él mismo declaraba "que lo único que sabía es que no sabía nada".

Combatió la esclavitud, la ignorancia, la idolatría, la crueldad, la injusticia. Fue magistrado recto, que llenó fielmente los deberes de la vida civil y privada. Acusado de corromper las ideas de la juventud y de desdeñar los dioses nacionales, introduciendo divinidades nuevas, fue condenado a beber la cicuta. Por no desobedecer las leyes, rechazó los medios que le ofrecieron sus amantes discípulos para huir de la prisión. Y sufrió la muerte con una serenidad admirable de admirable filósofo.

Su moral fue viva, positiva y noble. Supeditó la política a la moral. Rehabilitó el trabajo, a la mujer y al esclavo. En religión, reveló al mundo *el Dios invisible,* causa y principio de la vida, del orden y de la armonía universal. Fue más bien un sabio que un fundador de escuela. Para él, la Filosofía tiene como únicos fines conocer la naturaleza moral del hombre, la verdadera ciencia, el arte de bien vivir. Sócrates dio a la posteridad el ejemplo de todas las virtudes.

No escribió nada. Sus doctrinas las explicaron sus discípulos, principalmente Platón y Jenofonte. A Aristófanes le cabe *la deshonra* de haber preparado el ambiente desfavorable a Sócrates con su comedia *Las nubes.*

Repetimos que Sócrates no dejó ningún escrito; y, sin embargo, su influencia fue y sigue siendo inmensa, irresistible, en la historia de la Filosofía. Y unas veces por Platón, otras por Aristóteles, otras por San Agustín, otras por Santo Tomás, el socratismo se reaviva como el ave fénix, lleno de gloria y de gracia humana. El socratismo proyectó una irradiación tan magnífica como fecunda sobre la totalidad del pensamiento griego. Más aún: el Cristianismo no rechazó ni negó la importancia decisiva del socratismo, sino que trabajó por completar y purificar el fondo de su espiritualidad, impregnándolo del sentido de lo divino.

El socratismo constituyó la orientación característica de la filosofía desde los sofistas hasta el platonismo religioso.

El contenido y la actitud del socratismo pueden ser considerados en cuatro momentos: los dos primeros, constitutivos de la obra de Sócrates; los últimos, elaborados por las escuelas socráticas:

1. Confirmación de la ineludible necesidad de *no separar* las ciencias del hombre y las del universo.

2. Concentración de todos los problemas en torno al problema del hombre, armonizado en dos fórmulas: ¿qué podemos saber? ¿Cómo dedemos obrar?

3. Reforma socrática de la teoría del conocimiento.

4. Deformación del socratismo al ser sometida la filosofía a la ética.

Los estoicos, los epicúreos y los escépticos —herederos directos de los cínicos, los cirenaicos y los megáricos—condujeron al socratismo al Imperio romano. No puede afirmarse que el socratismo haya dejado de tener vigencia durante algún tiempo. La doctrina de la bondad natural del hombre repercutirá muchos siglos después en Rousseau. Y, ya en nuestros días, la moderna filosofía existencialista aún se relacionará con Sócrates, sobre todo mediante su fundador, Kierkegaard.

Desde el siglo IV antes de Cristo, toda la filosofía griega—y no griega, nos atreveríamos a complementar—tiene una raíz en Sócrates. Y cuanto él dejó esbozado hubo de realizarse *forzosamente* en su fecunda tradición. Esta tradición que le atribuye dos expresiones características: *que la virtud es ciencia* y que *nadie hace voluntariamente el mal.* Heráclito y Parménides hacen de la Naturaleza el Logos. Sócrates hace del hombre el Logos. Sócrates se propuso someter las especulaciones científicas a la virtud, y referir la religión a la moral. Sin ser precisamente el fundador de una escuela, ni establecer un sistema filosófico, se distinguió de sus predecesores por haber encaminado las investigaciones a un orden de ideas aplicable a la dirección moral del hombre.

Su doctrina es una verdadera teoría de los deberes. Dios es el tipo de la virtud, el autor del bien y de la belleza, y el que con su providencia gobierna el universo. La virtud reside en el alma, semejante a Dios por su naturaleza y por su inmortalidad. La esencia de la virtud comprende la prudencia, que refrena los deseos; la justicia, que enseña los deberes que tenemos respecto de los demás hombres, y la piedad, que nos muestra los que nos unen al Ser Supremo. Varios medios existen para practicar la virtud. El conocimiento que adquirimos de nosotros mismos, la moderación en los deseos y la inspiración divina. La felicidad es el término de la virtud; y Dios nos asegura que la armonía entre la felicidad y la virtud llegará a verificarse por fin. Es la más alta expresión esta doctrina socrática del eudemonismo moral.

Sócrates admite la creencia en un demonio que guía al hombre mediante una voz interior. Este demonio—ajeno por completo al concepto católico del demonio—es una especie de instinto moral que dictamina—aparte de la razón—lo que ha de hacerse a cada instante.

"Sócrates—escribe González Alvarez—, en medio de una época de escepticismo general, devuelve al pueblo griego la confianza en la verdad. El intelecto vuelve a ocupar su rango y a convertirse en instrumento para la captación del ser. El conocimiento de las realidades morales será, por de pronto, incuestionable. Así lo supo entender Platón, quien, trascendiendo el escepticismo desde el primer momento, llevará los *conceptos* socráticos a todas las esferas de la realidad."

V. HEINSIUS, D.: *De doctrina et moribus Socratis.* Leyden, 1627.—CHARPENTIER, F.: *La vie de Socrate.* Amsterdam, 1657.—COOPER, J. G.: *Life of Socrate.* Londres, 1749.—MELCHIORI: *Storia della vita di Socrate.* Venecia, 1758.—HELLER, W F.: *Sokrates.* 1790.—LASAULX, E. von: *Das Sokrates Leben, Lehren und Tod.* Munich, 1857.—GOULBOM, E. M.: *Socrates.* Londres, 1858-1859.—DAHLBACH, C. J.: *Sokrates.* Estocolmo, 1876.—LANDORMY, P.: *Socrate.* París, 1900.—ZUCCANTE: *Socrate: fonti, ambiente, vita, dottrina.* Turín, 1909.—MAIER, H.: *Sokrates sem Werk und seine geschichliche Stellung.* Leipzig, 1913. TOVAR, Antonio: *Sócrates.* Madrid. "Revista de Occidente", 1947.—PLATÓN: *Apología de Sócrates.*

SOFISMA

1. Razón aparente.
2. Argumento falso.
3. Defensa o persuasión que se intenta de lo falso.
4. Nombre extensivo a todo género de argucia o cosa equivalente.

Entre los sofismas están: el *quid pro quo* (ignorancia del sujeto): la *grammatica fallacia* (paso del sentido colectivo al distributivo, o viceversa); *petición de principio* (responder lo mismo que se pregunta); dar como *causa* la que no lo es; *enumeración imperfecta* (deducción de consecuencias generales de divisiones imperfectas); *juicio de la cosa por uno de sus accidentes;* sacar *una conclusión absoluta* de lo *puramente relativo;* pasar del *sentido dividido* al *sentido compuesto,* o viceversa.

SOFISMO (V. Sufismo)

SOLECISMO

1. Falta de sintaxis.
2. Error perpetrado en la pureza del idioma.
3. Defecto en la estructura de la oración, respecto de la concordancia y composición de sus partes.

La Academia Española señala—en su *Gramática*—como *solecismos:*

1.º Uso indebido del pronombre *cuyo,* trueque en el uso debido de los personales e inversión en el orden de los pronombres.

2.º Empleo de una preposición distinta de la que exige el complemento.

3.º Uso de dos partículas incongruentes o mal colocadas en una misma y sola oración.

4.º Sustitución improcedente de unas partículas por otras.

5.º Cambio del oficio de una parte de la oración por el de otra.

6.º Caprichosa e injustificada colocación de los miembros de un período.

7.º Empleo imperfecto en la colocación de determinados afijos.

SOLEDAD

Copla popular andaluza de carácter melancólico y doliente. Se canta con música, en compás de tres por ocho.

El viento barre las nubes
y vuelve la claridad;
el nublado de mis penas
con ningún viento se va.
Tengo una pena conmigo
y una congoja mortal:
me encuentro con dos caminos
sin saber por cuál tomar.

SOLILOQUIO

1. *Discurso que una persona se dirige a sí misma.*
2. Lo que habla para sí—en un aparte—un actor sobre la escena, cuyas palabras se supone no oyen cuantos están con él.
3. Título muy utilizado en obras de mística y ascética. Son famosos los *Soliloquios* de San Agustín y los *Soliloquios* de Lope de Vega (1612).

SOLIPSISMO

Sistema filosófico del idealismo subjetivo, según el cual no existe más que *el propio yo con sus representaciones.*

El solipsismo designa también la actitud mental y especulativa que el yo toma cuando se atreve a resolver toda la realidad en sí mismo, ya desde un punto de vista metafísico, ya desde un punto de vista práctico.

El solipsismo declara ilusoria y fantástica toda realidad independiente o separada del espíritu.

Kant utilizó el vocablo solipsismo para significar el amor de sí mismo, en sus dos fases de egoísmo y de arrogancia. Haeckel, que no encontró absoluta congruencia entre el solipsismo y su contenido filosófico, propuso que fuera sustituido aquel por el término *psicomonismo.*

Lo que no cabe poner en duda es que el solipsismo fue una modalidad de otros sistemas anteriores: *egoísmo, egotismo, semetipsismo.* El término solipsismo puede hallarse en las filosofías de Berkeley, de Fichte, de Schopenhauer.

La crítica, en general, ha llamado solipsista a la *filosofía de la inmanencia,* acaso por afirmar esta "que el mundo es inmanente en la conciencia del yo". Y Francis Herbert Bradley (1845-1925), parece haber sido quien—en su obra *Apariencia y realidad,* 1893—ha fijado con más precisión el tema del solipsismo: "Yo no puedo liberarme de la experiencia; mejor aún, la experiencia no puede ser más que mi experiencia. De esto se deduce que nada existe fuera de *mi yo,* ya que lo que es experiencia no es sino un estado de *mi yo.*"

Se ha señalado como el principal fallo del solipsismo la confusión entre el *yo* empírico y el *yo* metempírico. No cabe duda que al afirmar de una representación que es nuestro yo, lo afirmamos apoyándonos, siquiera sea momentáneamente, en algo que pudiéramos llamar el *no yo.* La experiencia nos prueba irrefutablemente que basamos nuestra creencia en algo distinto de nosotros mismos; y la razón apoya la objetividad de nuestro conocimiento en los principios de la sustancialidad y de la causalidad.

Es, pues, sumamente falsa esta rara actitud —que constituye el solipsismo—: "No conozco el mundo exterior sino por las modificaciones que produce en mí por los sentidos; no conozco más que el yo y mis propias modificaciones; y la dificultad de probar ninguna otra existencia lleva a examinar la hipótesis de que yo soy el único ser, y que el universo no es nada más que el conjunto de mis representaciones actuales y posibles." (E. Goblat.)

V. Renouvier, Ch.: *Les dilemmes de la méthaphysique pure.* París, 1900.—Jones, H.: *Idealism and epistemology.* 1893.—Schiller, F. C. S.: *Solipsism.* 1909.—Pastore, S.: *Il solipsismo.* 1924.

SOLUCIÓN

1. Desenlace en el drama y en el poema épico.
2. Término o desenredo en el género narrativo (novela, cuento).

SOMALI (Lenguaje)

Uno de los idiomas del centro de Africa, hablado por el pueblo del mismo nombre. El *somali,* como el *copto* y el *berebere,* ha sufrido fuertemente la influencia de las lenguas semíticas, principalmente en el pronombre y en la terminación de los verbos. El artículo se marca como sufijo: el pronombre, como afijo; las preposiciones sirven para formar una especie de declinación; los géneros se distinguen, pero sin quedar perfectamente precisos cuando se trata de cosas inanimadas.

Su gramática y vocabulario tienen semejanzas con el *galla* y el *dankali.*

El *somali* se escribe con caracteres árabes.

SONETO

El *soneto* puede ser considerado como *combinación métrica* y como *composición poética.* Como *combinación métrica,* es una estrofa que consta de catorce versos endecasílabos, distribuidos en dos cuartetos y dos tercetos.

El soneto clásico exigía que los versos fueran precisamente endecasílabos, y los cuartetos o serventesios tuvieran rimas comunes: ABBA-ABBA, o ABAB-ABAB. En los tercetos caben distintas combinaciones: ABC-ABC, o ABC-CBA, o ABA-BAB, u otras más. Modernamente, se han escrito sonetos con dodecasílabos y alejandrinos, y los tercetos se han preferido rimar así: AAB-CCB.

Algunos sonetos tienen *estrambote,* que es una adición de dos o tres versos, uno de ellos heptasílabo. También modernamente suelen no existir consonancias entre los cuartetos; así,

ABBC-DEED; y únicamente, en los tercetos, el verso once con el catorce: AAC-BBC.

El soneto como poema es composición lírica que encierra un pensamiento dentro de la combinación métrica que lleva su nombre; dicho pensamiento queda desarrollado gradualmente y termina con un rasgo, con una imagen notables.

Los sonetos pueden tener forma *subjetiva, objetiva* y *dialogada.*

El soneto tuvo su origen en Italia, en el siglo XIII. Dante y Petrarca lo llevaron a su perfección. En España, nuestros primeros sonetistas fueron el marqués de Santillana—quien escribió cuarenta y dos sonetos *fechos al itálico modo*—y Juan de Villalpando—siglo XV—. Boscán y Garcilaso los llevaron a la perfección y los pusieron "de moda". Desde entonces... el soneto es la composición lírica más cultivada por los poetas españoles, hasta el punto de haberle dado cierta monotonía de *artificialidad* o de *artesanía.*

¡Oh dulces prendas, por mi mal halladas,
dulces y alegres cuando Dios quería!
Juntas estáis en la memoria mía,
y con ella en mi muerte conjuradas.
¿Quién me dijera, cuando en las pasadas
horas en tanto bien por vos me vía,
que me habíades de ser en algún día
con tan grave dolor representadas?
Pues en un hora junto me llevastes
todo el bien que por términos me distes,
llevadme junto al mal que me dejastes.
Si no, sospecharé que me pusistes
en tantos bienes porque deseastes
verme morir entre memorias tristes.

(GARCILASO DE LA VEGA.)

¿Qué tengo yo, que mi amistad procuras;
qué interés se te sigue, Jesús mío,
que a mi puerta, cubierto de rocío,
pasas las noches del invierno escuras?
¡Oh, cuánto fueron mis entrañas duras,
pues no te abrí! ¡Qué extraño desvarío,
si de mi ingratitud el hielo frío
secó las llagas de tu plantas puras!
¡Cuántas veces el ángel me decía:
"Alma, asómate agora a la ventana;
verás con cuánto amor llamar porfía"!
Y ¡cuántas, hermosura soberana,
"mañana le abriremos", respondía,
para lo mismo responder mañana!

(LOPE DE VEGA.)

(CON ESTRAMBOTE)

AL TÚMULO DEL REY FELIPE II EN SEVILLA

Voto a Dios que me espanta esta grandeza
y que diera un doblón por describilla:
porque ¿a quién no sorprende y maravilla
esta máquina insigne, esta riqueza?
Por Jesucristo vivo, cada pieza
vale más de un millón, y que es mancilla
que esto no dure un siglo, ¡oh gran Sevilla!
Roma triunfante en ánimo y nobleza.
Apostaré que el ánima del muerto
por gozar este sitio hoy ha dejado
la gloria donde vive eternamente.
Esto oyó un valentón, y dijo: "Es cierto
cuanto dice voacé, señor soldado.
Y el que dijere lo contrario, miente."
Y luego in continente
caló el chapeo, requirió la espada,
miró al soslayo, fuese, y no hubo nada.

(CERVANTES.)

SONORIDAD

Propiedad armónica de algunas cosas, o armonía, dulzura, consonancia, agradable y delicada cadencia, ora sobre motivos musicales, ora sobre temas poéticos; así *sonoridad de canto o de instrumento; sonoridad de metro elevadamente rotundo.*

SORBE o SORABO (Lenguaje)

Llamado también *venedo* o *wendo,* idioma eslavo hablado desde Lobau a Lüben por los sorabes, antes del siglo XIV.

El *sorbe* tomó del alemán numerosas palabras, el artículo y algunas particularidades desconocidas en los idiomas eslavos. Se descompuso en dos dialectos: el de la Alta Lusacia, cuyo centro era Bautzen, y el de la Baja Lusacia, cuyo centro era Cottbus.

En este lenguaje se conservan unos *cantos populares* y diferentes *himnos,* publicados por Curt-Bose.

V. CURT-BOSE: *Wendisch deutsches Handwoerterbuch, nach dem obedansitzer Dialecte.* Grimma, 1840.

SOTÁDICO (Verso)

Combinación métrica inventada por el poeta griego Sotades, del siglo III antes de Cristo. Era un tetrámetro cataléctico jónico mayor; con frecuencia tenía una pausa o corte después del primer dímetro.

SOTIE

Farsa o sátira francesa de la Edad Media, que era representada. El teatro francés tiene en ella uno de sus posibles orígenes. Fueron compuestas y representadas por los alegres camaradas que formaban las asociaciones llamadas *Basochiens*—curiales—, *Enfants de Sans Souci, Sots*—necios—, *Mère Folle, Mère Sotte.*

Se diferenció de las más antiguas composiciones—*farsas* o *moralidades*—por los groseros personajes que intervenían en ella, por su lenguaje crudo, de una picardía extremada. Pierre Gringoire, al empezar el siglo XVI, fue el autor de las *soties* más conocidas: *Jeu du prince Sot et de Mère Sotte* y las *Fantaisies de Mère Sotte,* escritas contra el Pontífice Julio II cuando sus desavenencias con Luis XII de Francia. También son célebres *Le vieux monde* y *Le nouveau monde,* atribuída esta última a Jean Bouchet, poeta del siglo XIII.

Al principio, los monarcas protegieron las *soties* contra las gentes de iglesia, la nobleza y la milicia. Carlos VII las privó de sus inmunidades. La censura real de Francisco I prohibió este género dramático, obligándole a transformarse.

SOVIETISMO

Tendencia política que se inclina hacia el gobierno popular del Soviet. (V. *Bolcheviquismo, Marxismo* y *Comunismo.)*

Soviet es una palabra sinónima de junta o de concejo, y no es de cuño moderno ni mucho menos, aunque ha sido casi desconocida fuera de los países eslavos. La palabra soviet data de la alta Edad Media, y se empleó para designar el Gobierno de tribus nómadas y ciudades eslavas situadas en las llanuras regadas por el Volga, el Don, el Niemen, el Dniéper y el Vístula.

Pero súbitamente, con los primeros zares déspotas, en el siglo XV, desaparece el sovietismo. Y no vuelve a renacer hasta nuestro siglo. En 1905 reaparecen en Rusia los Soviets o Consejos de diputados obreros con ocasión de la famosa huelga revolucionaria que terminó con el absolutismo de los zares.

Soviet puede traducirse con la máxima propiedad por *Consejo de los obreros.*

Tras un eclipse de doce años, el Soviet reaparece a raíz de la revolución de febrero de 1917, inmediatamente después de la abdicación del zar Nicolás II. Esta revolución de las jornadas de febrero-marzo de 1917 fue la terminación de un movimiento empezado hacía ya mucho tiempo. Desde los últimos años de la centuria dieciocho se manifestaron en Rusia aspiraciones liberales, débiles ciertamente, esporádicas y cruelmente reprimidas. Reinando Alejandro II, en febrero de 1861, pareció que el liberalismo iba a conseguir el Poder, e inspiró la gran reforma de 19 de febrero: supresión de la servidumbre y de la prestación personal, creación de la propiedad de tierras para los campesinos. Pero al ser de nuevo eliminado por la fuerza, se transformó en movimiento revolucionario. De liberal que era, se hizo socialista, y conquistó rápidamente a gran parte de los intelectuales y a la mayoría de los estudiantes y de los obreros y campesinos. Adquirió en seguida caracteres de violencia y de propaganda con hechos, provocando los feroces métodos represivos del Poder.

En 1898 fue fundado el partido socialdemócrata obrero ruso, que en 1903 quedó escindido en tres grupos rivales: *socialistas revolucionarios, bolcheviques* o *mayoritarios* y *mencheviques* o *minoritarios.*

La revolución de febrero de 1917 se realizó por el esfuerzo simultáneo, ya que no combinado, de los partidos socialista, liberal y popular. Pero al mes siguiente, la fracción más agresiva del partido socialista, la bolchevique, se apoderó del Poder y proclamó el Gobierno de los soviets.

Soukhanov—en *Notas sobre la Revolución*—cuenta la reaparición del sovietismo en las postrimerías del Imperio zarista:

"El 27 de febrero, hacia las dos de la tarde, hallábanse reunidos en el palacio de Táuride gran número de representantes del movimiento cooperativo y sindicalista. Con el concurso de estos diputados de la izquierda de la Duma y de los *leaders* obreros del Comité industrial militar, que acababan de ser licenciados, formaron un Comité ejecutivo provisional del Soviet de diputados obreros. Este Comité tenía por objeto convocar lo más pronto posible el Soviet de la capital. A este efecto, lanzó una proclama invitando a los soldados de las tropas que habían hecho causa común con el pueblo a elegir inmediatamente un representante por compañía; y a los obreros de las fábricas y talleres, a escoger un diputado por cada 1.000 obreros. Al propio tiempo, este Comité nombró una Comisión de aprovisionamiento, encargada de procurar que los soldados revolucionarios estuviesen bien alimentados."

El jefe principal del sovietismo fue Wladimiro Ulianoff, llamado Lenin, nacido—1870—en Simbisk, y que tenía en su hoja de servicios una larga carrera de agitador, de polemista y de desterrado. Rusia entraba en el período—no finalizado todavía—del experimento del comunismo integral.

"Para designar el régimen que se dio a sí misma Rusia, suelen emplearse con demasiada frecuencia, como sinónimas o poco menos, una serie de palabras que conviene ante todo precisar y distinguir: son las de bolchevismo, sovietismo, comunismo, marxismo, etc. El marxismo es una doctrina muy determinada, que conocemos, que hemos analizado, y de la cual se declararon unánimemente adeptos los promotores o directores de la revolución rusa; pero doctrina que se aplicó, sobre todo, a determinar el procedimiento por medio del cual la sociedad capitalista había de caminar hacia su subversión, y que, en lo referente a la sociedad futura, se limitaba a dar indicaciones sumarias y a caracterizarla especialmente como comunista en su última fase.

"La palabra *sovietismo* solo designa, en realidad, cierta organización política. En octubre de 1917, los bolcheviques dieron a la multitud esta consigna: *Todo el poder para los soviets.*

"Pero el sovietismo, que puede ser considerado por esta como una finalidad, lo tomaron aquellos como un medio, "el medio—escribe Antonelli—de manejar aquella masa popular, encaminándola hacia fines sociales: los fines del comunismo. El sovietismo en sí no es comunismo; ni aun teóricamente es, por fuerza, socialismo. Corresponde más al derecho constitucional que a la economía política."

Posiblemente, desde 1923 se ha ido desarrollando una determinada idea comunista para ser convertida en sustancia del sovietismo. Esa *idea honda y vasta* comprende diferentes nociones, entre las que destacan las siguientes:

No es posible socializarlo *todo* ni suprimir *de golpe* el Estado. Por ahora se trata de reemplazar el Estado burgués por otro Estado proletario, y, prácticamente, en nombre de este, por un grupo escogido de comunistas conscientes. *Esto es,* posiblemente, sovietismo.

La voluntad popular no se expresa—como dice Berdiaeff—por medio de la soberanía formal del pueblo o de la nación, sino por la soberanía material de una clase elegida, de una clase-mesías: el proletariado; pero no un proletariado-pueblo, sino un proletariado-idea, es decir: "una minoría elegida por el espíritu de la Historia, una agrupación de los más conscientes". Sí, *esto* también puede ser sovietismo.

El derecho de expresar la propia voluntad no pertenece, realmente, más que a una fracción de los partidos socialistas: a los bolcheviques. Lo cual, siendo el ápice de lo antidemocrático, parece ser la medula del sovietismo.

El sovietismo no pretende que haya libertad para todos, ni igualdad; al contrario, mantiénese la noción de clase, "que no ha de desaparecer hasta la remota edad de oro del comunismo". El sovietismo mantiene la separación de clases, traducida en un conjunto imponente de inferioridades legales y de restricciones impuestas a la libertad. El sovietismo mantiene a los trabajadores severamente regidos y estrechamente intervenidos, privándoles de muchos derechos, entre ellos *el de huelga,* que aún mantienen los países burgueses. El propio Lenin declaró sin equívocos que no habría ni igualdad ni justicia durante la primera etapa de la era bolchevique; que tampoco habría mejoría inmediata en la condición material de los obreros.

Que el sovietismo es una tendencia política gobernante, lo demuestra que la Constitución rusa de 1918 se dio a sí misma el atributo de *República Federal Socialista de los Soviets.* Y, hoy, Rusia se titula *Unión de las Repúblicas Socialistas Soviéticas* (U. R. S. S.).

Los Soviets o Consejos de diputados obreros de todos los grandes centros industriales se reorganizan periódicamente en los Congresos, tanto generales como especiales, que son la característica del sistema de organización política establecido por la revolución. Bajo el régimen soviético, en este sistema de Congresos, los Congresos panrusos de los Soviets ocupan el primer lugar; son, de derecho, el órgano árbitro de la soberanía en la U. R. S. S.

V. MOCH, J.: *La Russie des soviets.* París, 1925.—KAUTSKY, C.: *La dictadura del proletariado.* Trad. cast. Madrid, 1924.—POSTGATE, R. W.: *The bolshevist theory.* Londres, 1920.—ZAGORSKY, S.: *La République des soviets.* París, 1921.—PERTICONE, Giacomo: *Storia del comunismo.* Milán, 1940.—SCHLESINGER, M.: *El Estado de los Soviets.* Traducción cast. Barcelona, Colección Labor, núm. 161.

SPINOZISMO

Sistema filosófico de Spinoza, calificado de "cartesianismo lógico, simplificado y empobrecido".

Benito Spinoza fue un filósofo holandés, descendiente de una familia española judía. Nació —1632—en Amsterdam. Murió—1677—en La Haya. Sus antepasados huyeron a Holanda, perseguidos por la Inquisición. Su padre aún se firmaba *Miguel de Espinosa.* Se educó en Amsterdam y se naturalizó holandés. Abandonó la ortodoxia rabínica y fue discípulo de van Ende, quien, sospechoso de ateísmo, se refugió en Francia, donde fue comprometido en la conspiración de Rohán y ahorcado.

En 1656, perseguido por los judíos, que trataron de asesinarle, abandonó Spinoza a Amsterdam, refugiándose en La Haya. Estudió con avidez los escritos de Descartes, adoptando este precepto: "No se debe tomar por verdadero sino lo que está probado por buenas y sólidas razones." Tuvo que ganarse la vida con el oficio de pulir lentes ópticas. Después pudo enseñar privadamente y sin alharacas a un grupo de jóvenes, que seguían con interés sus enseñanzas de Filosofía, Política y Moral.

Spinoza profesó un panteísmo de *inmanencia.* Opinaba que no existía otra sustancia que la divina, presentada *en la extensión*—mundo sensible—y *en el pensamiento*—mundo espiritual—. Formando la *natura naturans*—naturaleza productora—y la *natura naturata*—naturaleza producida—una sola cosa: Dios. Dios es, pues, inmanente en la naturaleza, pues que la constituye. En esencia, Spinoza niega la libertad de Dios y del hombre.

Figuran entre sus obras: *Renati Descartes Principiorum philosophiae pars prima et secunda more geometrico demostrata*—1663—, *Tractatus Theologico-Politicus*—1670—, *Tractatus de Deo et Homine, Tractatus de Intellectus Emendatione, Ethica*—1675—, *Epistolae, Compendium grammaticae linguae hebraeae.*

"Spinoza expone los principios de la vida moral, deduciéndolos con rigor matemático de las nociones más sublimes de la razón, por lo cual denominó *ética* a su sistema. No existe, en su sentir, más que una sustancia, Dios, el ser infinito con sus atributos infinitos, que son la extensión y el pensamiento. Todas las cosas finitas se reducen a apariencias, a meras determinaciones o modos de la extensión y del pensamiento infinitos. La sustancia no es un ser indívidual, pero constituye el fondo de toda individualidad; no ha sido hecha, existe por sí misma *(causa sui)*. Lo individual, esto es, las modificaciones de los atributos infinitos de la sustancia, son los que empiezan a existir; del seno de la existencia infinita proceden el movimiento y el reposo; del seno del pensamiento infinito, los modos de la inteligencia y de la voluntad. Todo cuerpo particular, toda inteligencia finita, tienen por *substractum* la extensión y el pensamiento infinitos; y estos dos infinitos forman juntos una unidad necesaria, sin que por eso el uno de ellos haya producido el otro. Todas las cosas finitas, cuerpos y almas, existen en Dios, Dios es su causa inmanente *(causa naturans)*; no es finito, aunque todas las cosas finitas proceden de la sustancia divina necesariamente y no en virtud de ideas y fines predeterminados. No hay causalidad; existe la necesidad unida a la libertad en Dios, porque es la única sustancia cuya existencia y actos no reciben límites de otra ninguna. Dios procede en sus obras en virtud de una necesidad interior, inherente a las condiciones mismas de su ser, y su voluntad es inseparable de su inteligencia. No existe causalidad infinita determinada libremente hacia un objeto fijo; solo hay la causalidad de la naturaleza y de su especial constitución. La noción directa, inmediata, de una individualidad real y actual, se llama el *espíritu*, el *alma (mens)* de esta misma individualidad; y, recíprocamente, esa individualidad, considerada como el objeto directo de semejante noción, se llama el *cuerpo* de aquella alma. Estas dos cosas forman un solo e idéntico objeto, que se considera, ora bajo el aspecto del pensamiento ora bajo el de la extensión. Todas las ideas, en cuanto se refieren a Dios, son verdaderas, porque estando en Dios corresponden a sus objetos. De lo que se sigue que toda idea absoluta es cierta. El error proviene de la privación del pensamiento, que resulta de aplicarlo a ideas subordinadas y corrompidas. La esencia eterna e infinita de Dios comprende en sí la idea de toda realidad particular; y, recíprocamente, la noción del ser eterno e infinito, comprendida implícitamente en toda idea, es una noción adecuada y perfecta. De lo que se infiere que el alma posee una noción adecuada de este ser divino. En el pensamiento activo y eficaz de la realidad de Dios consiste nuestra suprema felicidad; porque mientras mejor la conocemos, más inclinados nos sentimos a vivir conforme a su voluntad, y en esto se cifran nuestra felicidad y nuestra libertad. La voluntad no es absolutamente libre, porque las determinaciones del alma nacen de una causa, que a su vez recibe la determinación de otra causa, y así progresivamente. Lo propio sucede con las otras facultades del alma."

Resumiendo: Spinoza cae en el panteísmo, y niega la libertad del hombre y hasta la de Dios. Dios es todo y todo es Dios. No hay, pues, creación, todo es uno y eterno. Todo es necesario; no hay, pues, contingencia ni libertad.

Para Spinoza no existe el problema cartesiano de la comunicación de las sustancias; y no existe porque no admite sino *una* sustancia. Pero aunque esta sustancia tiene dos atributos, sigue sin existir el problema de la comunicación, ya que los atributos no tienen que comunicarse, sino que *corresponderse;* esta correspondencia puede quedar establecida *a priori*.

Puede afirmarse que la ética de Spinoza abarca todo su sistema filosófico. En efecto, comprende, primero, una ontología de Dios, único ser infinito y eterno; segundo, un tratado de los dos atributos: extensión y pensamiento; tercero, un estudio de las pasiones; y cuarto, una investigación de la servidumbre humana.

Afirmó Santo Tomás de Aquino que un ligerísimo error en el principio da origen a un error grande al final. Esta afirmación se cumple totalmente en el sistema filosófico de Spinoza, en el cual, el error inicial es la falsa noción de la sustancia.

El spinozismo ha sido combatido duramente por Cuper, Wittich, Poirer, Boulainvilliers, Jacquelot, Wolf, Bayle, Edwald.

V. COLERUS: *Leven van Spinoza*. Amsterdam, 1705.—WRAESE, Lucas de: *La vie de Spinoza par un de ses disciples*. Amsterdam, 1719.—PHILIPSON: *Leben Benedikt's von Spinoza*. Leipzig 1790.—GUZZO, A.: *Il pensiero di Spinoza*. Florencia, 1924.—ERHARDT, F.: *Die philosophie Spinozas im Lichte der Kritik*. Leipzig, 1908.—SLUMPF, C.: *Spinoza studien*. 1919.

STURM UND DRANG

Nombre dado por los prerrománticos alemanes a la reacción—por el instinto y el sentimiento—contra el frío racionalismo francés del siglo XVIII.

El nombre deriva del drama del mismo título *Sturm und Drang (Tempestad y pasión)*, de Klinger.

Tuvo una gran importancia esta reacción; ella preparó el triunfo del romanticismo en Alemania y en toda Europa.

Uno de los primeros *sturmundränger* fue Goethe.

SUARISMO

Sistema de filosofía contenido en las obras del jesuita español Francisco Suárez (1548-1617), gran teólogo, llamado el *Doctor Eximius*, profesor en Valladolid, Alcalá, Salamanca y Coimbra, quien discrepó en no pocos puntos del escolasticismo de Santo Tomás de Aquino, especialmente en la doctrina de la gracia divina.

Entre sus obras figuran: *Disputationes me-*

thapysicae—1597—, *De Incarnatione Verbi* —1590—, *De Deo uno et trino*—1606—, *De legibus*—1612—, *De vera inteligentia auxilii efficacis*—póstuma, 1655.

En realidad, suarismo se llamó a su teoría del *concurso simultáneo,* inventada para conciliar la libertad humana con la infalible eficacia de la gracia divina. Doctrina que alcanzó un memorable triunfo, sumando numerosísimos adeptos y comentaristas.

SUBCONSCIENTE

Modernamente, el subconsciente ha sido valorado extremadamente, señalándosele por la crítica como una fuente inagotable de inspiración artística y literaria para ciertas escuelas llamadas de *vanguardia.* (V. *Superrealismo.*)

SUBJETIVISMO

Sistema filosófico que reduce toda la existencia a la existencia del *yo.* También se llama subjetivismo al sistema filosófico que somete al sujeto cognoscente todo objeto de conocimiento.

El subjetivismo queda sometido a tres principios:

1.° Tendencia del individuo a encerrarse obsesivamente dentro de su propia personalidad, valorando el mundo exterior según sus ideas y sus sentimientos.

2.° Incapacidad del individuo para colocarse *en un punto de vista objetivo.*

3.° Propósito deliberado—o intención refleja—del individuo a considerar el mundo moral sometido a sus conveniencias.

El subjetivismo presenta *dos formas históricas: como tendencia y como sistema.*

Como tendencia tiene un carácter de reacción contra el *dogmatismo* (V.), y se presenta, genenalmente, después de un período en que han predominado los sistemas realistas o metafísicos.

Como sistema, es un intento de considerar toda especulación acerca del *no-yo* como una posición del *yo* mismo.

En general, según el subjetivismo, no hay más realidad—al menos, no puede conocerse otra—que la interior de la conciencia; la inteligencia, aprisionada en aquella, no puede saber *lo que es en sí* el mundo exterior.

El subjetivismo es un sistema sumamente antiguo. En Grecia, desde Tales de Mileto hasta Anaxágoras, se marca la evolución de la consideración puramente objetiva de las cosas hasta el genuino subjetivismo, cuya fórmula culmina en el famoso apotegma de Protágoras: "El hombre es la medida de todas las cosas, de las que son, en cuanto son, y de las que no son en cuanto no son." La filosofía presocrática se divide, pues, entre el objetivismo y el subjetivismo. Desde Sócrates, los filósofos se colocan en el punto de vista del sujeto, pero saben superar el subjetivismo como método. Desde Sócrates, la filosofía helénica será, sucesivamente, metafísica, moral, religiosa, pero nunca subjetivista.

El problema agudo del subjetivismo se plantea nuevamente en la época moderna. Pero ahora hay que considerar dos subjetivismos: el cartesiano y el kantiano. El cartesiano se reduce a la cuestión llamada "de las cualidades secundarias de los cuerpos". El kantiano parte de la distinción original entre materia y forma del conocimiento; con él cree Kant zanjar la antigua lucha de los dos dogmatismos, el de la experiencia y el de la razón. Y algunos ilustres filósofos—Berkeley, Hume—defendieron el idealismo fenomenista o subjetivismo. Sin embargo, conviene no confundir el subjetivismo con el idealismo, ya que este tiene otra expresión absolutamente objetivista, en la cual hace de las ideas realidades trascendentales. Cuando el idealismo es auténticamente subjetivista, ve en la representación un producto espontáneo del yo sin relación ninguna con los objetos externos.

SUBLIME (Estilo)

La definición algo más admisible que nos dan las obras de Retórica y Poética es la de que lo sublime "es una belleza tal en sí misma, que la imaginación y la inteligencia no pueden concebir una cosa superior a ella".

Gil y Zárate—en su *Manual de Literatura*—escribe: "Lo sublime es una belleza que no podemos expresar."

A nuestro entender, es sumamente difícil *definir* lo sublime, ya que las definiciones dependen de prejuicios y apreciaciones muy subjetivas. Más fácil es *describir* lo sublime. En una grandeza cualquiera no se halla lo sublime, que se presenta como irreducible a una medida.

El *estilo sublime* apenas si se ha dado en la literatura, aun cuando caprichosamente se califiquen de sublimes obras geniales somo el *Quijote,* la *Ilíada,* la *Divina Comedia,* los dramas de Shakespeare. Acaso, por excepción, pudiera calificarse de *estilo sublime* el *Apocalipsis,* de San Juan.

SUBYECCIÓN

Figura que se comete cuando el orador pregunta, añadiendo en seguida él mismo la respuesta. (V. *Sujeción.*)

SUECA (Lengua)

Le lengua sueca está clasificada en la rama escandinava de la familia de lenguas germánicas. Puede considerarse, lo mismo que la danesa, como hija del *normánico,* antiguo idioma que sirvió, sin duda, para la escritura de las misteriosas *runas,* y en que los escaldas, bardos de Escandinavia, escribieron las poéticas narraciones llamadas *sagas.*

El sueco ha tomado numerosos vocablos del

finés y del alemán. En el siglo XV empezó a fijarse en su forma actual.

Los adjetivos, como los sustantivos, son susceptibles de tres géneros; pero al paso que los sustantivos solo tienen dos casos, uno de los cuales, el genitivo, tiene, como en alemán, por característica una *s* final, los adjetivos tienen un tercer caso, que representa a la vez acusativo y ablativo. Los nombres se reparten en cuatro declinaciones, y los verbos, en igual número de conjugaciones. Hay cinco verbos auxiliares, que tienen sus análogos, parte en alemán y parte en inglés.

Las letras llamadas góticas se han conservado por espacio de mucho tiempo en la escritura sueca. En el alfabeto, que difiere ya del alemán por la ausencia del *ch,* al cual comúnmente se sustituye con *k,* se encuentra como letra especial, tanto de forma como de valor, una *a,* tildada por la parte superior con una *o* pequeña, en forma de acento. Esta *a,* que se pronuncia como *o* muy abierta, tiene analogía con la vocal que los ingleses dan a oír en las voces *all, talk,* etc.

El sueco no se habla con completa uniformidad en toda Suecia. Hof distingue en su patria dos dialectos principales: el *sueco propiamente dicho* y el *sueco gótico.* El primero se subdivide en los dialectos secundarios de Upland, Dalecarlia y Norrland; el segundo, en los de Ostrogotia y Wesgotia.

V. SUENON TILIANDER: *Grammatica suecana.* Estocolmo, 1696.—RYDQUIST: *Grammaire suédoise.* Trad, franc. 1852.

SUECA (Literatura)

La investigación ha puesto de manifiesto que la primitiva literatura nórdica es de origen islandés y noruego, y que Suecia quedó incluida en la órbita de difusión de los eddas, escaldas y sagas, teniendo algunos cultivadores nacionales en la época vikinga y sirviendo de zona de transmisión de esta literatura a tierras de Estonia, Finlandia y Laponia.

En la *norrena tunga,* o lengua común de Escandinavia, quedaron los monumentos literarios de las inscripciones rúnicas. La literatura vikinga tuvo un carácter épico y legendario. Y fueron, además, conocidos en Suecia los poemas alemanes de gesta, como *Los Nibelungos.*

Se ha estimado por la crítica que el primer documento auténtico literario de la lengua sueca es el *Landskapslagarne,* conjunto de manuscritos referentes a las leyes del reino. La poesía lírica de los eddas y escaldas tuvo una métrica muy complicada, llegando a sumar ciento treinta y seis variedades de verso.

El triunfo del Cristianismo—producto de un proceso muy lento—tuvo una repercusión inmensa en el desarrollo de la cultura sueca.

En el siglo XIII puede decirse que se inicia la literatura sueca con propios matices. Los primeros ejemplos literarios de esta época son legislativos: el código *Elder West Göta*—1230—, de Eskil; la *Ley Común General*—1347—, de Magnus Erikson, y el *Um Styrilse Kununga ok Hofdinga (De la conducta de los reyes y los príncipes),* de autor desconocido y escrito hacia 1325.

Del mismo siglo XIV datan: una imitación sueca del *Ivain,* de Chrétien de Troyes; las bellísimas *Visiones,* de Santa Brígida, y las traducciones de romances occidentales muy en boga, como los de *Carlomagno, Flores y Blancaflor, Alejandro y Federico de Normandía.*

Las más famosas composiciones líricas datan del mismo siglo XIV y del XV; así, las tituladas *Liters Karin, Axel och Valborg, Kampen Grimber.* Uno de los escasos autores conocidos en este ciclo es Tomás, obispo de Strengnäs. Y como excepcionales monumentos poéticos pueden señalarse: las *Crónicas rimadas*—de autores anónimos—, la *Eriks Kronikan*—1320—, la *Kares Kronikan*—1440—, la *Sture Kronikana* —1500—; los romances rimados *Cantos de la reina Eufemia*—¿1312?—y el *Epistolario amoroso* de Ingrid Persdotter religioso de Vadstena, el joven caballero Axel Nilsson, en 1498.

La Reforma luterana, la creación de las universidades y la influencia del Renacimiento marcaron otro grado de cultura. Las grandes figuras literarias de esta época fueron Olav y Lorenzo Petri, monjes carmelitas convertidos al protestantismo. Olav contribuyó al perfeccionamiento de la lengua sueca, tradujo el *Nuevo Testamento* y fue autor de una *Crónica*—primera obra histórica y crítica que se publicó en Suecia—, del primer boceto teatral del país, *Tobie Komedie,* y de tres libros de salmos, titulados *Nagre Gudhelige Vigsor (Ciertos cantos divinos).* Su hermano Lorenzo dirigió la traducción de la Biblia.

A esta época pertenecen: Juan Magnus—*Historia de omnibus Ghotorum Sveonumque regibus,* 1544, Roma—; Petrus Niger o Pedro Swart —*Historia del rey Gustavo I*—; Olav Magnus, hermano de Juan, autor de *Historia de gentibus septentrionalibus*—1555, obra geográfica de gran valor—; Juan Messenius (1579-1636), que cultivó la historiografía en su *Scondia illustrata* e inició el teatro histórico sobre temas nacionales en *Disa* y *Signil;* Juan Bureus, bibliotecario real, que enlaza la época de Magnus con la de Stjiernhjelm y fue filólogo y arqueólogo notabilísimo: Lars Wivalius (1605-1669), aventurero, humanista menor, humorista y lírico.

El siglo XVII, convertida Suecia en primera potencia europea por obra de Gustavo Adolfo, marca el apogeo de su literatura. La Universidad de Upsala fue uno de los más florecientes centros de cultura del mundo.

La poesía tuvo cultivadores admirables en Olov Rudbeck—*Atlanttika*—; Schering Rossenhame (Skigekär Bärgbo)—*Lamentaciones,* de sabor petrarquista; *Venerid,* ciclo de cien sonetos, los primeros publicados en Suecia.

Pero el gran lírico de esta época y uno de los más admirables de su país fue Georg Stierhnjelm (1598-1672), también polígrafo de superior calidad; de gran imaginación, frase y sonido musicales, riqueza y colorido de estilo, apasionado y sugestivo; entre sus obras sobresalen: *Hércules*—poema didáctico—, *Bröllops Besvans Jhugkommelse,* epitalamio heroico cómico; los entremeses escénicos *El Paraíso triunfante, Cupido prisionero, El nacimiento de la paz.* Gunno Eurelius (m. 1709) representó el *marinismo* sueco y escribió baladas, odas, epitalamios.

En la prosa y en el teatro: Magnus Olav Stropherus, dramaturgo—*Tisbe*—; Nicolás Catonius, dramaturgo—*Troigenborgh*—; Andrés Prytz, obispo de Linköping, autor de dramas religiosos; Jacobo Rondeletius, dramaturgo—*Judas redivivus*—; los historiadores Egidio Girs y Erico Göranson Fegez; Urbano Hjärne, dramaturgo—*Rosimunda*—e introductor del gusto teatral francés; Lars Johansson, narrador—*Lucidor el infortunado, Flores de Helicón.*

El siglo XVIII se inicia con una influencia muy grande del neoclasicismo francés. Von Triewald, el primer poeta satírico de su tiempo, traduce a Boileau. Frese destaca como poeta elegíaco. La princesa Luisa Ulrica, hermana de Carlos XII, funda la *Vitterhets Akademi.* Gustavo III fundó—1786—la Academia Sueca. Se purifica la lengua sueca. La *Aufklärung,* racionalista y antilírica, es como el código y la panacea de la literatura. Son creadas numerosas sociedades literarias y artísticas: el *Tankebyggareorden* (Orden de los constructores del pensamiento) y la *Utile Dulci*—1766—. Y surgen los primeros nombres insignes. Olof von Dalin (1708-1763), poeta, dramaturgo, narrador, fundador de la revista *Svenska Argus,* autor de la comedia *El envidioso,* del poema épico *La libertad sueca* y del poema dramático *Brynhilda.* La poetisa H. Ch. Nordenflycht (1718-1763), llamada "la Safo sueca", imitadora de Rousseau, autora del poema *La tórtola desconsolada.* Philip Creutz (1731-1785), autor de elegantes pastorales —*Ates och Camilla*—. Gustav Gyllenborg (1731-1808), patético y didáctico, autor de la epopeya *Expedición a través del Belt.* Johan Henrik Kellgren (1751-1795), poeta—*La unión de los sentidos*—, fundador del periódico *Stokholms Posten.* Carl Gustav af Leopold (1756-1829), autor de tragedias neoclásicas en versos alejandrinos. Johan Gabriel Oxenstierna (1750-1818), autor de elegías y de idilios sumamente delicados. Carl Michael Bellman (1740-1765), popular recitador y cantante en las tabernas y prostíbulos de Estocolmo, compositor de canciones báquicas y creador de dos figuras "encarnación de la alegría sueca: el relojero borrachón "Fredman" y su ninfa galante "Ulla Winblad". Bengt Lidner (1757-1793), aventurero y sensual. Thomas Thorild (1759-1808), de ideas revolucionarias.

Figuras de transición entre el neoclasicismo y el romanticismo fueron: Franz Michael Franzen (1772-1831), poeta atildado y muy religioso. Johan Olof Wallin (1779-1839), "llamado el Salmista del Norte".

Fue centro del movimiento romántico la ciudad de Upsala, donde se formaron dos grupos literarios: *Aurora*—con sus dos revistas: *Polyphem* (1809) y *Phosphorus*—, que defendía el romanticismo filosófico; y el de los *Godos*—con su revista *Iduna*—, defensor de un romanticismo nacional y popular.

El primer grupo simpatizó con los románticos alemanes, y fue su jefe Per Daniel Amadeus Atterbom (1790-1825), poeta de enorme sentido musical y dramaturgo de gran fantasía—*El pájaro azul, La isla de la felicidad*—. Al mismo grupo pertenecieron: Erik Sjöber (1794-1818) y varios líricos de menor importancia.

También tuvo representantes de mérito el *Gotiska Förbund.* Erik Gustaf Geijer (1783-1847), de vigoroso acento patrio—*El campesino libre, El Vikingo*—. Henrik Ling (1776-1839) cultivó las epopeyas y los dramas medievales. Esaías Tégner (1782-1846), estético insigne y uno de los grandes líricos suecos, idealista apasionado, estilista, romántico "sui generis"—*Svea Frithiofs saga*—. Erik Johan Stagnedius (1793-1823), poeta y dramaturgo—*Blenda, Los mártires, Las bacantes.*

Hacia 1825 Estocolmo recobra la hegemonía literaria y artística. Y entre 1830 y 1880 el romanticismo decae lentamente para dar paso al naturalismo, que iba a tener su glorioso mantenedor en Strindberg.

Son figuras importantes de ese medio siglo: Fredrik Cederborgh (1784-1835), precursor de la novela realista; K. A. Nicander (1799-1839), que escogió para sus novelas temas italianos; Bernhard af Beskow (1796-1868), prosista, secretario de la Real Academia Sueca; K. V. Böttiger (1807-1878), lírico sentimental; Johan Nyblom (1815-1889), de vida y poesía ardiente; B. E. Malmström (1816-1865), elegíaco; Gunnar Wennerberg (1817-1901), autor de popularísimas canciones infantiles; Karl Vilhem August Strandber (1818-1877), de fuerte personalidad nacionalista; Fredrika Bremer (1801-1865), cuentista, novelista y feminista; Emile Flygare-Carlén (1807-1892), poetisa, que cantó la vida de los pescadores de las costas occidentales.

El paso del romanticismo al realismo lírico lo marcó el aventurero y alocado Carl Jonás Love Almqvist (1793-1866), poeta, cuentista, ensayista, novelista—*Murnis, Las lágrimas de la belleza, El joyel de la reina, Libro de la rosa, Novelas de la vida del pueblo*—; Carl David af Wirsén (1842-1912), que atenuó su realismo con una corriente de romanticismo idílico. El conde Carl Johan Gustav Snoilsky (1841-1903), llamado "el último clásico sueco"—*Imágenes suecas*—. Víctor Rydberg (1828-1895), extraordinario lírico lleno de humanidad, periodista insigne, académico, cuentista, personalidad llena de matices —*Singoalla, El último ateniense, El armero, Prometeo y Ahasvero, Emperadores romanos.*

El naturalismo triunfó plenamente con la figura excepcional del universal y glorioso August Strindberg (1849-1912), uno de los espíritus europeos más hondos y fecundos; poeta, novelista, dramaturgo, estético... Entre sus obras escénicas sobresalen: *La señorita Julia, El padre, Los compañeros, Mäster Olof, Pascua, El guante negro, La sonata de los espectros, Mal tiempo, Blancura de cisne, Medio verano, La esposa de la corona.* Entre sus novelas: *La alcoba gótica, En alta mar, Destinos y aventuras suecas, Casados, El hijo de la criada, Los habitantes de la isla de Hems, La alcoba roja, La vida de la gente de los Skär...*

Pertenecieron al grupo naturalista de Strindberg: Anna Charlotte Leffler (1849-1892), feminista en sus novelas. Victoria Benedictsson, conocida por el seudónimo de "Ernst Ahlgren" (1850-1888), que escribió novelas con temas de la vida del pueblo. A. U. Baath (1853-1912), poeta y novelista.

Mayor rango tienen: Gustaf af Geijerstam (1858-1909), fecundo, muy estimado en Alemania, novelista y ensayista admirable—*La cabeza de Medusa*—. Ola Hansson (1860-1925), poeta naturalista, que terminó convertido al catolicismo—*Parias, Sensitiva amorosa*—. Axel Lundegard (1861-1930), novelista de temas históricos y amorosos. Tor Hedberg (1862-1931), novelista —*Judas*—y gran dramaturgo—*Johan Ulfstjerna.*

Hacia 1890 iniciaron casi al mismo tiempo su prestigio los literatos llamados *nittiotalister.*

Verner von Heidenstam (1859-1916), que recibió el mismo año de su muerte el Premio Nobel de Literatura, poeta, narrador, estético —*Hans Aliennus, Peregrinaciones y años vagabundos, Un pueblo, San Jorge y el dragón, La floresta murmura, La peregrinación de Santa Brígida, Magnus Ladulas, El árbol de los Folkungos*—. Oscar Leventin (1862-1906), historiador, crítico de arte, narrador, poeta elegíaco; Peter Hallström (n. 1866), novelista, cuentista admirable, dramaturgo—*Pájaros perdidos, Thanatos, Los cuatro elementos.*

Una de las figuras literarias suecas más admiradas universalmente es Selma Lagerlöff (1858-1940), a quien en 1909 le fue concedido el Premio Nobel, poetisa llena de humanidad, novelista de una gran intensidad, de un fuerte y conmovedor nacionalismo, maestra en la técnica del género—*Viaje maravilloso de Nisl Holgersson, El carretero de la muerte, Anna Svärd, Gosta Berlings, Leyendas de Cristo, Jerusalén, La hucha del señor Arne, Raigambres invisibles, Reinas de Kungahalla, El Anticristo, La saga de una saga...*

Gustav Fröding (1860-1911), gran poeta—*Guitarra y acordeón, Gotitas del Graal, Segunda cosecha, Salpicaduras y turbonadas*—. Erik Axel Karlfeldt (1864-1931), poeta, a quien se concedió póstumamente el Premio Nobel, académico, exaltador de la Naturaleza en sus aspectos más amables—*Flora y Pomona, El cuerno del otoño, Pinturas de Dalecarlia puestas en verso*—. Pelle Molin (1864-1896), poeta y novelista. Ellen Key (1849-1926), novelista del feminismo y de la filosofía social. Albert Engström (n. 1869), narrador de temas populares. Nathan Söderblom (1866-1931), crítico literario. Carl G. Laurin (nacido en 1868), ensayista y crítico. Matilde Malling (n. 1864), narradora feminista. Sven Anders Hedin (n. 1865), explorador y novelista.

A la *Tiotalisterna*—tercera generación literaria—pertenecen los escritores que empezaron a escribir hasta el año 1900, neorrománticos o naturalistas.

Hjalmar Söderberg (n. 1869), pesimista, volteriano, novelista—*Doktor Glas*—, dramaturgo —*Gertrud*—y magnífico cuentista—*Los extranjeros, Anochece en el camino*—. Bo Bergman (n. 1872), novelista—*El ojo de la vida, A pesar de todo*—. Birger Sjöberg (1885-1929), poeta y prosista—*Crisis y coronas*—. Henning Berger (1872-1924), novelista del emigrante sueco. Sigfrid Siwertz (n. 1882), representante de la novela de ideas—*Selambs, El gran almacén, Jonás y el dragón, Los compañeros de viaje*—. Svend Lidmann (nació en 1883), novelista lírico y sensual —*La casa de las viejas solteras*—. Gustaf Hellström (n. 1882), periodista, novelista humorista —*El mercero Lekholm tiene una idea*—. Elin Wägner (n. 1882), gran narradora de temas sociales—*El portaplumas, Asa-Hanna*—. Marika Stjernstedt (n. 1875), novelista afrancesada y erótica—*La cuestión planteada, Fröken Liwin*—. Anna Lenah Elgström (n. 1884), cuentista de temas feministas. Agnes von Krusenstjerna (nació en 1894), que ha conseguido fama con su trilogía *Historia de Tony Hastfer,* de asunto patológico.

Hjalmar Bergman (1883-1931), novelista de fogosa imaginación, de un realismo mágico—*Testamento de su Gracia, Memorias de un muerto, La abuela y Nuestro Señor*—. Carl August Bolander (n. 1888), novelista fecundo y muy traducido a distintas lenguas. Olof Högberg (nació en 1855), evocador histórico en su mejor novela: *La gran ira.* Ludwig Nordström (nació en 1882), poeta—*Hijos de Caín*—y novelista de humor—*Burgueses*—. Ernst Didring (1868-1931), novelista—*Mineral*—y autor dramático. Gustaf Janson (1866-1913), excelente novelista de temas policíacos. Fabián Mânsson (n. 1872), autor de novelas históricoculturales. Hildur Dixelius Brettner (n. 1879), escritora excelente de crónicas novelescas—*La hija del pastor*—. Astrid Väring (n. 1892), apasionada narradora—*Hielo, El pantano de invierno*—. Bengt Berg (n. 1885), narrador de vidas de animales—*Las últimas águilas, Vida de un pato silvestre.*

Como discípulos del simbolismo francoalemán figuran: Vilhelm Ekelund (n. 1880), maestro de la forma, poeta y filósofo, ensayista—*Objeto y apariencia, Metron, Verisimilia*—. Bertil Malmberg (n. 1889), estético y lírico. Karin Ek (1885-1926), elegíaca. Anders Osterling (n. 1884), académico, cantor realista de la Naturaleza. Hans Larsson (n. 1862), estético y filósofo. Karl-Erik Forsslund (n. 1872), poeta y novelista rousseauniano.

También líricos neorrománticos: Carl Larsson, Gustaf Johansson, Gustaf Ullman, Fredrik Vettierlund, Fredrik Nycander.

La poesía "proletaria sueca" cuenta con excelentes cultivadores: Karl Gustaf Ossianilsson (1875), Martín Koch (n. 1878), Dan Andersson (1888)—*Canciones del guardián del carbón*—, Ture Nerman (n. 1886), Iván Ol'felund (n. 1892) —*En una tierra nueva, Con la G mayúscula*—, Harry Blomberg (n. 1887), Rangnar Holmström (n. 1894), Rudolf Värnlund (n. 1900)—*Caminantes hacia la nada*—, Eyvind Johnson (n. 1901) —*Ciudad en tinieblas*—, Pär Lagerkvist (nació 1891)—*El misterio del cielo, El invisible, Hierro y hombres*—, Erik Blomberg (n. 1894) —*La tierra, El dios prisionero*—. Erik Lindorm (n. 1889)—*Mi mundo, Días de juicio, Confesiones.*

Después de la gran guerra de 1914-1918 se revelaron con indiscutible personalidad: Sten Selander, crítico de los "ismos" de subversión; Karl Asplund, Gunnard Mascoll Silfverstolpe, Ragnar Jandel, Karin Boye, Arthur Lundkvist (n. 1906), cantor del "maquinismo"; Suen Stolpe (n. 1905), novelista—*En la sala de espera de la muerte.*

V. Schück, H.: *Histoire de la Littérature suédoise.* 1923.—Boor, H. de: *Literatura sueca.* Barcelona, Labor, 1931.—Maury, L.: *Littérature suédoise.* París. En "Panorama des Littératures contemporaines". Ed. du "Sagitaire".—Prampolini, S.: *Literatura sueca.* En el tomo X de la "Historia universal de la Literatura". Buenos Aires, Uteha, 1941.

SUFISMO

Nombre dado a la doctrina mística profesada por cierto número de mahometanos en Persia.

El sufismo es una de las sectas siitas. Su nombre deriva de la palabra árabe *suf,* que significa lana, a causa de la túnica de lana que usan sus adeptos.

La inspiradora del sufismo fue una mujer: Rabia, hacia el año 700. La doctrina se desarrolló en Persia durante el siglo IX. Fundáronse conventos musulmanes—lo que había prohibido Mahoma—, y el ascetismo hizo de esta suerte su entrada en el Islam. La principal creencia del sufismo es la de que las almas son emanación de Dios, y que su destino es unirse a El por el amor. El sufismo representa, pues, el enemigo más peligroso que tiene el dogma islámico.

El sufismo es un puro panteísmo. Todas las cosas son de Dios y están en Dios. Nada puede ser preferido ni rechazado por el hombre sin incurrir en culpa, ya que *todo* es Dios.

La teoría del sufismo, según la cual el sabio llega a identificarse con Dios mismo mediante el amor y la contemplación, atacó directamente el dogma islámico, celoso ante todo de la personalidad del Dios de Mahoma.

Según el sufismo, su doctrina mística comprende cuatro grados o escalones: *humanidad, senda, conocimiento* y *beatitud.*

En el primer grado están todos los hombres que viven sometidos a los preceptos y a las prácticas de la religión.

En el segundo grado—*senda*—penetran los iniciados en una voluntaria y ardiente dedicación hacia el conocimiento de Dios. Algo así como cuantos, en el catolicismo, ingresan en una regla monástica con ánimo de no vivir sino para Dios.

Al tercer grado—*conocimiento*—llegan los *elegidos* entre los *iniciados,* después de haber sufrido pruebas decisivas y durísimas y de haber demostrado su preparación intelectual y espiritual para la sublime empresa de la *comprensión* de la divinidad.

El cuarto grado—*beatitud*—no lo alcanzan sino muy pocos, luego de terribles ayunos y penitencias, dueños ya de una ciencia tan sutil como misteriosa, aislados por completo del mundo.

Los espíritus que han alcanzado la *beatitud son iguales a Dios.* Esta unión, esta absorción y este aniquilamiento en Dios, realizados por medio de la oración, de la soledad, del amor y del éxtasis, dan al individuo grandes privilegios; entre ellos, el de hacer milagros.

Dentro del sufismo surgieron dos sectas: la de los *inspirados* y la de los *unitarios.*

Los *inspirados* afirmaban que en el grado de *beatitud,* Dios descendía en el hombre y se hacía *uno con él.*

Los *unitarios,* por el contrario, creían que en el grado de *beatitud* es el hombre el que *sube* a Dios, siendo absorbido por El y formando una parte integrante e inseparable del mismo.

Hay autores que han creído encontrar las raíces del sufismo en la filosofía neoplatónica.

V. Reinach, Salomón: *Orfeo. Historia de las religiones.* Madrid, 1910.—(V. Bibliografía de *Islamismo.*)

SUFRAGISMO

Sistema político que concede a la mujer el derecho del sufragio. (V. *Feminismo.*)

SUIZA (Literatura)

La diversidad de Estados en que se divide Suiza, la diversidad de idiomas que se habla en

S

ellos—alemán, francés, italiano, romanche y ladino—han impedido la formación de una literatura genuina y autónoma. En Suiza coexisten tantas literaturas como lenguajes. Por ello no se puede hablar sino de *escritores suizos*. La literatura retorromana de Suiza no tiene sino un interés regional.

Como la primitiva Confederación Helvética se compuso de Estados exclusivamente alemanes, la más antigua y fuerte de las influencias literarias en Suiza es alemana. Hasta 1291, el lenguaje de este país fue el latín. En 1376 era ya el alemán. Las primeras producciones literarias fueron lirismos populares debidos a los *Minnesinger*. Entre los primeros poetas cuentan: los Manesses —padre e hijo—, Juan Hadcaub, Hans Halbsuter, el dominico Ulrico Boner.

La literatura histórica se manifestó en las *Crónicas del Monasterio de Sankt-Gallien, Crónica rimada de las guerras de Appenzell y el abad de Sankt-Gallien, Crónicas* de Conrado Justinger y de Hans Frund, *Crónica fantástica* de Strartlingen y el no menos fantástico poema *La ascensión escandinava de los hombres de Schwyz y Ober Hasle,* de Eulogio Kiburger.

Al siglo XV corresponden: el primer poema de *Guillermo Tell,* el drama *Urnespiel,* el *Libro blanco,* de Sarne, y las *Crónicas* de Russ, Etterlin, Giraldo Eplibach, Lenz, Dieboldo Schilling...

Magníficos escritores del renacimiento fueron: Nicolás Manuel, poeta satírico; Valerio Anshelm, historiador; Sebastián Munster—*Cosmographia*—; Conrado Gesner, polígrafo; Juan Stumpf—que fue el primer renacentista que escribió en alemán, haciendo famosa su *Historia y descripción de Suiza*—; Simler, historiador; Tomás Plater—*Autobiografía*—; Félix Plater—*Diario*—; Fortunato Sprecher—*Pallas raetica*—; los Anhorm, Stetler, Juan Guler.

Y en alemán escribieron siempre: Arduser —*Autobiografía*—; Hans Rodolfo Rebman—*Diálogo de Niesen y el Stockhorn*—; y en latín y alemán, los escritores del siglo XVII J. B. Plansin —*Helvetia nova et antigua*—y J. J. Wagner —*Mercurius herveticus.*

Durante el siglo XVIII hubo diferentes centros culturales: Basilea, Berna y Zurich. Al primero de ellos pertenecieron: Euler—matemático—; los Bernoulli—refugiados de Amberes—; Isaac Iselin —filósofo, fundador de la Sociedad Helvética y autor de *Geschichte der Menschheil*—; Carlos Víctor de Bonstetten—autor de varios libros de viajes—; Samuel Wyttenbach—narrador—; Juan Jorge Altmann—narrador de viajes—; Teodoro Sigismundo Gruner—amenísimo cuentista—; Teodoro Manuel de Haller—historiador.

El centro de la literatura suiza en lengua alemana fue Zurich, llamada "la Atenas de Limmat", donde J. J. Bodmer y Juan Jacobo Breitinger crearon una verdadera escuela literaria, que admiró *lo inglés* a través de la admiración por Shakespeare y Milton. La escuela alemana la dirigió Gottsched. Y entre las dos se suscitaron polémicas violentísimas.

Otros escritores de este período: Salomón Gessner—poeta pastoral—; Lavater—geógrafo y narrador—; J. H. Pestalozzi—célebre pedagogo—; Juan Gaspar Hirtzez; Juan Jorge Sulzer, autor del magistral tratado de estética *Allgemeinen Theorie d. schönen Kunste.*

Ya en el siglo XIX, durante el romanticismo y el realismo, sobresalieron: Juan Jorge Zimmermann—*La Soledad*—; A. E. Fröhlich—fabulista—; Juan Muller—historiador—; Zschokke—autor de la más popular de las historias de Suiza—; Alberto Bitzius—gran crítico, pensador y narrador y autor mucho más conocido por Jeremías Gotthelf, porque con este nombre inmortalizó sus *Cuentos de Immenthal*—; Godofredo Keller (1819-1890)—uno de los mejores poetas y novelistas suizos, autor de las famosísimas obras *Der grüne Heinrich, Steben legenden, Martín Salander y Die Leute von Seldwyla,* traducidas a todos los idiomas cultos—; el celebérrimo historiador y crítico literario Jacobo Burckhardt —*Historia del renacimiento, Historia de la cultura griega*—; David Hess, novelista—*Un cura en Baden de Argovia*—; Ulrico Hegner—novelista—; J. D. Wyss—autor de la novela de fama mundial *El Robinsón suizo*—; Juana Spyri—autora de deliciosas narraciones infantiles.

Poetas excelentes fueron: Enrique Leuthold, Corrodi, Usteri, Widmer, Juan Rodolfo Wyss —autor del himno nacional *Rufst du mein vaterland*—, Kuhn, Schmid, Isabel Kayser.

Entre los autores contemporáneos suizos de lengua alemana están: Carl Friedrich Spitteler (1845-1924), gran novelista y poeta, premio Nobel, autor de *Prometheus und Epimetheus, Extramundana, Glockenlieder*—; Hermann Hesse (n. 1877), poeta y novelista, premio Nobel, autor de *Peter Kamenzind, Unterm Rad, Demian, Siddharta, Steppenwolf*—; Adolfo Frey, Walter Siegfried, J. C. Herr, Strassea, Meinrat, Lienert, Fritz Martí, Ernesto Zahn, Arnold Ott, todos ellos poetas y narradores; Ran, Liebenau, Wartmann, Brandstetter, Scollenberger, historiadores y críticos.

La literatura suiza en lengua francesa se inicia con los poemas del caballero Oton de Grandson, algunos de ellos traducidos por Chaucer.

A los siglos XV y XVI corresponden: autos y comedias sagradas; la *Chronique des chanoines de Neuchâtel*—tildada de apócrifa—; el poema de Juan Bangnyon *Fierabras le Géant;* la composición rimada de Jaime de Bognin *Congié pris du siècle séculier;* y las *Chroniques de Genève,* de Francisco Bonnivard y Miguer Roset.

Durante la Reforma y el Renacimiento la influencia francesa se hizo más intensa. Robert y Pierre de Vingle tradujeron al francés por vez primera la Biblia—1535, Neuchâtel—. A esta época pertenecen: David Piaget—*Histoire de l'Escalde*—; Samuel Chappuzeau—poeta, *Genève délivrée*—; Pierrefleur—*Mémoires*—; Juana de Jussie—*Lévain du calvinisme*—; Juan Sarasin —narrador excelente en *Citadin de Genève*—; Plantin de Vaud—*Helvetia antiqua et nova*—; Jorge de Montmoulin—*Mémoires de mon époque*.

Mucho más interés literario tuvo el siglo XVIII que el XVII. En la primera mitad, el hugonote Luis Bourget publicó las revistas *Revue Italique* y *Mercure Suisse;* en ellas se dieron a conocer numerosos literatos y científicos. Fermín Abauzit—filósofo—; Abraham Ruchat—historiador—; Juan Jacobo Burlamaqui—precursor de Montesquieu en sus *Principes du droit natural et politique*—; Emerico de Vatel—*Droit de gens*—; Loys de Bochat—*Mémoires critiques sur divers points de l'ancienne histoire de la Suisse*—; Croussal—filósofo, maestro de Gibbon.

La segunda mitad del siglo XVIII adquiere aún mayor importancia literaria con el regreso de Rousseau a Ginebra, el establecimiento de Voltaire en Ferney y la estancia en Suiza de muchos refugiados franceses insignes, como Benjamín Constant, madame Staël, Jacobo Necker y su hija, Sismondi.

Autores importantes de este período son: Madame de Charrière—novelista de costumbres en *Lettres de mistress Hesiley* y *Le mari sentimental*—; Felipe Ciriaco Bridel—*Poésies helvétiennes*—; Emilio Javelle—*Souvenirs d'un alpiniste*—; Justo Olivier—magnífico poeta—; Juan Antonio Petit-Sen, llamado "el La Bruyère suizo"; el famosísimo esteta y pensador H. F. Amiel —*Diario íntimo*—; Juan Jacobo Porchat—*Fables et paraboles*—; Víctor Cherbuliez (1829-1899), cuya fama de novelista es universal—*El tema de Juan Tozudo, El conde Kostia, Paula Meré, Miss Rovel, El caballo de Fidias, Rojos y negros, El príncipe Vitale, El desquite de José Noirel*—; Pedro Scioberet—novelista—; Jean Bachelin, novelista—*Jean Louis*—; Luis Duchosal, novelista; Madame Gasparin—*Horizonts prochains*—; Alice de Chambrier, excelente poetisa.

Entre los contemporáneos: Eduardo Rod, novelista y poeta—*El silencio*—; Marc Monier —poeta y dramaturgo—; Samuel Cornut, Noelle Roger, Pablo Seipel, Virgilio Rossel, Oscar Huguenin, Felipe Goded, Adela Huguenin, Carlos Bois-Melly, Luis Favre. Y sobre todos ellos, el magnífico novelista Charles Ferdinan Ramuz (n. 1878), de vivo realismo, rico en matices descriptivos, estilista en *Aline, Jean Luc persecuté, La Beauté sur la Terre, Une main, Tête des vignerons, Farinet ou la fausse monnaie*.

La literatura suiza en lengua italiana es mucho menos importante que las dos anteriores. Apenas pueden ser destacados ocho o diez nombres. En el siglo XIX: Stefano Franscini—narrador y poeta—; Luigi Lavizzari—poeta y narrador—; Angelo Boroffio; Emilio Motta—novelista—; Pietro Peri, Giovanni Airoldi, Carlo Cioccari y J. B. Buzzi, excelentes poetas, y gran dramaturgo Cioccari.

Las ramas llamadas *romanche* y *ladina* parecen derivar de la *lingua rustica romana*. El primer monumento de aquella es un sermón de San Agustín, con traducción interlineal latina. El primero de la segunda: un canto sobre la *Guerre de Musso*—1527—, obra de Juan de Travers.

Los más interesantes autores modernos en *romanche* son: Teodoro de Castelberg—poeta—, P. A. de Latour—poeta—, Antonio Huomper—el más importante lírico—, Alejandro Balletta—narrador—, J. C. Muoth—narrador.

En lenguaje *ladino:* Conradino de Flugi—poeta y novelista—, Zacarías Palliopi—poeta satírico—, J. F. Caderas—gran novelista—, Florín Valentín, P. Lansel, S. Cartsch, O. P. Juvalta, poetas.

V. BACHTOLD, J.: *Geschichte d. Deutschen Literatur in der Schweiz*. Fraunfeld, 1912.—ROSSEL, V.: *Histoire littéraire de la Suisse romande*. Ginebra, 1911.—MOTTA: *La litteratura svizzera italiana*. Trieste, 1911.—RAUSCH, F.: *Geschichte des Literatur drhäto-romanischen Volkes*. Francfort, 1925.

SUJECIÓN (V. Figuras de pensamiento)

Es una figura lógica que consiste en subordinar y referir a una proposición, generalmente interrogativa, otra positiva o afirmativa que es como respuesta, explicación o consecuencia de la primera.

—Capitán eres; levanta,
Ignacio, una compañía.
—Levantaréla famosa.
—¿Será grande?—Será fuerte.
—¿No temerá?—Ni a la muerte.
—¿Peleará?—Siempre animosa.
—¿Y la gente?—Belicosa.
—¿Durará?—Constante y fina.
—¿Quién la guía?—Amor la inclina.
—¿Quién la alienta?—Mi afición.
—¿Y cuál será tu blasón?
—La mayor gloria divina.

(P. CÉSPEDES.)

Yo ¿para qué nací? Para salvarme.
¿Que tengo que morir? Es infalible...

(LOPE DE VEGA.)

SUMARIO

1. Breve. Sucinto.

2. Resumen. Compendio. Suma. Extracto de lo sustancial.

3. Epígrafe o párrafo al comienzo de un capítulo o de un libro en el que se enumeran los temas a tratar en este.

SUPERRACIONALISMO

Tendencia filosófica contemporánea que admite que no todos los caminos del hombre son

 SUPERREALISMO

racionales. Según esta tendencia, solo por lo irracional no es posible destruir la razón ni desaprobar la mayoría de sus resoluciones. Es, pues, imprescindible superar la razón *con posibilidades* de un evidente realismo; para ello, lo mágico y lo lógico pueden sumarse y armonizarse como la noche y el día del pensamiento.

El superracionalismo establece "que la razón se halla en un perpetuo devenir", y que, por ende, lo que hoy consideramos como irracional puede ser la base de un racionalismo futuro.

El superracionalismo es este *sexto sentido* que vivifica lo futuramente lógico y trascendental.

SUPERREALISMO

Movimiento artístico y literario del siglo XX, aparecido como consecuencia lógica de *Dada*. "El superrealismo está hecho de una costilla de *Dada*", ha dicho uno de sus seguidores. Y, en efecto, son muchas las semejanzas que pueden hallarse entre las teorías estéticas de Tzara y las expuestas por André Breton en su *Manifeste du surréalisme*.

Breton ha definido el superrealismo así: "Automatismo psíquico puro, en virtud del cual uno se propone expresar el funcionamiento real del pensamiento. Dictado del pensamiento con ausencia de todo control ejercido por la razón y al margen de toda preocupación estética y moral. El superrealismo reposa sobre la creencia en la realidad superior de ciertas formas de asociaciones desdeñadas hasta la fecha, en la omnipotencia del sueño y en el juego desinteresado del pensamiento."

Y añade el profesor Ezquerra: "Exalta también el superrealismo el valor de inspiración de los sueños. *El poeta trabaja* mientras duerme. Valora el automaticismo, expresión del subconsciente. Como el psicoanálisis freudiano, ve en las fuerzas inconscientes de la personalidad humana el secreto de toda creación. La realidad y el sueño, tan contradictorios e inconciliables en apariencia, aspiran los seguidores del movimiento a fundirlos en una realidad absoluta o *superrealidad*."

El superrealismo tomó su nombre del calificativo que Guillaume Apollinaire dio a su drama *Les mamelles de Tiresias*—1916—. Los propagandistas máximos del movimiento fueron Breton y Philippe Soupault.

El superrealismo se interesa por todo lo irracional, por lo inconsciente, por los fenómenos del sueño y del automatismo, buscando el hecho psíquico elemental puro, considerado "como el único capaz de revelar nuestra verdadera naturaleza". Rehúsa, pues, la actividad *premeditada* del espíritu.

André Breton—en su *Segundo manifiesto del surrealismo*, 1930—proclamó la "necesidad integral más alta de todo arte y de toda literatura", ya "que todo induce a creer que existe un punto del espíritu desde el cual la vida y la muerte, lo real y lo imaginario, el pasado y el futuro, lo comunicable y lo incomunicable, lo alto y lo bajo, dejan de ser percibidos como contradicciones, y no debe buscarse en la actitud superrealista otro móvil que la esperanza de determinar este punto".

Conviene ampliar y explicar con machaconería las anteriores afirmaciones.

Nuestro gran crítico literario Guillermo de Torre, el más sutil vigía de todo conato lírico, se muestra tan irritado como justo con el superrealismo. Leámosle.

"Convencidos del agotamiento irremisible de Dadá, o aspirando a condensar sus consecuencias póstumas en un cuerpo de doctrina orgánico y coherente que constituya por sí mismo una nueva escuela, han venido a *reencontrarse* con el *surréalisme*. ¿Qué es el superrealismo? Ninguno de los que siguen con asiduidad de centinelas la marcha evolutiva de las vanguardias desconocíamos esta palabra y su concepto. No era necesario que André Breton adoptase un continente trágico como si fuese a hacernos una revelación escalofriante y publicase con tanto estrépito su *Manifeste du surréalisme* para que recordásemos el origen apollinariano de este rótulo... Mas ¿acaso este superrealismo de traje flamante, pero de cuerpo ya osificado, no cae dentro de las teorías genéricas peculiares del arte de *creación* o de *invención* que ya el mismo Apollinaire preconizaba desde 1912 en las liminares de sus *Méditations estétiques,* en sus *Peintres cubistes?* Vemos, pues, con una simple ojeada que este decantado superrealismo no ofrece ninguna novedad de concepto: es la continuación de las intenciones creadoras o creacionistas comunes a todo arte genuino de nuestro tiempo, y, por esto, ya clásicas y tradicionales en cierto modo. Ahora bien, si este propósito común—enmascarado bajo diversos rótulos—adquiría desarrollo y conservábase latente, el marbete superrealista había sido dejado al margen. Surgieron otras etiquetas más deslumbrantes que motivaron su eclipse. El gran sol de *Dadá* anuló cualquier otro satélite nominal. Mas he aquí que cuando los rayos de aquel hipotético astro se han debilitado, inténtase ahora resucitar el letrero *surréalisme,* presentando la añeja mercancía apollinairiana y dadaísta, que encubre, como intacta y recién elaborada. Entronca el superrealismo—agregamos nosotros—en línea directa con algunas de las teorías primigenias de Tristán Tzara, aunque el nombre de este haya sido escamoteado en la lista de precursores y adherentes que redacta Breton. Mas para verificar tal primogenitura basta abrir los *7 Manifestes Dadá* que Tzara acaba de recopilar en un volumen—1924—muy oportunamente. Tzara se encuentra ya de vuelta cuando otros van perforando el camino. Mientras Breton intenta hacer el proceso del realismo, asesta fuertes piquetazos en la fortaleza de la lógica, y a la zaga de

Freud se lanza a explorar las posibilidades literarias de la mina subconsciente. Tzara, condensando estos problemas, ha escrito últimamente: "Yo he pensado siempre que la escritura carecía en el fondo de control, aunque se tuviese o no la ilusión de él; y aún más, he propuesto en 1918 la *espontaneidad dadaísta* que debía aplicarse a los actos de la vida." Y *Dadá*, a su vez (como Tzara reconoce más explícita y noblemente que Breton), arranca del primitivo *surréalisme* de Apollinaire, tendiendo al desarrollo de los principios espontaneístas. La resurrección indirecta de *Dadá* solo vale, en suma, para subrayar su papel de puente entre el apollinarismo y el superrealismo. Mas ninguno de estos dos ismos nos parece un término de llegada aún..."

Y añade el mismo Guillermo de Torre, con una certísima clarividencia: "El superrealismo —por encima de los juegos de palabras en que algunos se entretienen buscando meros contrastes acústicos—, en su expresión más seria, implica—como he insinuado—un abandono absoluto del poeta a un estado de inspiración casi religiosa. Y al hacer volar todos los puentes entre el poeta y la *bouche d'ombre*—como dijo Hugo—, dispensadora de poesía, aspira a una máxima, lúcida e inconsciente pureza poética. Mas, lógicamente—aunque acudir para las objeciones a la invocación de la Lógica es obvio en este caso—, el hecho de cortar las amarras no solo con la realidad, sino hasta con el puerto de la intelección normal, y de romper todo contacto con la mente del lector, hace que queden suprimidas todas las escasas posibilidades inteligibles que ofrecía esta modalidad poética, ya difícil de suyo... Otras objeciones nos suscita el superrealismo. Cierto que puede ser interesante despertar en nosotros esas oscuras fuerzas del subconsciente, generadoras de poesía. Mas de ahí a convertir tal posibilidad en un filón único, desdeñando lo demás del sincero impulso subconsciente—surgido con espontaneidad—a su aborto reglamentado y a su exploración sistemática y obcecada, va mucha diferencia. Por ello, *el superrealismo puro es imposible,* ha dicho Martin du Gard a Breton. Y, a nuestro juicio, amanerado y estéril. El verdadero superrealismo será el involuntario. El del artista que consigue la transfiguración de elementos reales y cotidianos, elevándolos a un plano distinto y a una atmósfera de pura realidad poética."

Y es un excelente poeta y prosista francés, Louis Aragon, quien, en su obra *Le paysan de Paris,* escribe: "El vicio llamado *surréalisme* es el empleo irregular y pasional del estupefaciente imagen, o más bien de la provocación, sin albedrío, de la imagen por ella misma, y por todo lo que esta lleva al dominio de la representación: perturbaciones imprevisibles y metamorfosis. Ya que toda imagen, a cada embate, conduce a una revisión de todo el universo."

En efecto, el superrealismo es como un automatismo psíquico puro. Y con él nos proponemos expresar *el funcionamiento real del pensamiento;* dictado del cual es esencia de toda intervención ejercida por la razón, con independencia de cualesquiera preocupaciones estéticas o morales. El superrealismo se apoya en el juego caprichoso y desinteresado del pensamiento, en la omnipotencia del sueño—imprevisto—y de los ensueños—previstos—, en la realidad superior de ciertas formas de asociaciones. El superrealismo intenta arruinar definitivamente los demás mecanismos psíquicos. El superrealismo, además, intenta desbordarse del campo puramente literario para penetrar tumultuosamente en el más amplio y complejo campo de la vida.

En otro libro nuestro hemos sintetizado el superrealismo así:

"El superrealismo es la evasión al mundo inconsciente; la vida intensa en la zona más confusa y, por ende, atractiva de nuestro espíritu; la valoración angustiosa de todas las posibilidades y de todas las probabilidades del alma; los afanes apasionados por cuanto no sea cotidiano y elemental, por cuanto linde con lo fantástico; el *dejarse llevar sin resistencia* por el yo psicológico; la negación irritada ante cualquier traba formal. El superrealista cuenta sus sueños y sus ensueños más desorbitados en las palabras más ilógicas *en apariencia* y se niega a poner orden en la fecunda confusión de la cosecha subconsciente.

"El superrealista defiende la anarquía de sus impulsos hacia la plasticidad y la vivencia de su vida psíquica. Y rompe todas las fórmulas de la expresión. El superrealista nos invita a una orgía de sentimientos y de ideas incontroladas. El superrealista se tira a todos los abismos sin clima y caza las inconsistencias fantasmales."

En 1924 apareció un órgano de propaganda con la revista *La Révolution Surréaliste.* Y hasta se estableció en París un Círculo en el que se captaban todas las reacciones superrealistas del mundo. En 1928, Louis Aragon, en su *Traité du Style,* asimiló el superrealismo—con definición un tanto caprichosa—a la inspiración pura.

Ya por entonces el superrealismo presentaba grandes grietas, que amenazaban con el derrumbamiento estrepitoso. Fueron necesarias nuevas aclaraciones del pontífice Breton, el cual lanzó piruetas como estas: "El poeta de mañana sobrepasará la idea deprimente del divorcio entre el Ensueño y la Vida." "El surrealismo se negaría a sí mismo si pertendiera haber dado una solución definitiva a cualquier problema." Y otro dirigente, Louis Aragon, añadió: "El principio de autoridad será ajeno a todos los que practiquen este vicio superior (el superrealismo)." Con no escasa gracia, Ramón Gómez de la Serna afirma que en los primeros tiempos del suprarrealismo actuaban los suprarrealistas como un colegio de ciegos que fuesen *mediums*. "Yo pido—escribió Breton en su último manifiesto—que se observe bien que las búsquedas suprarrealistas tienen una notable semejanza con las de los alquimistas: la piedra filosofal no es más que lo que debe permitir a la imaginación del hombre tomar una revancha entusiasta sobre todas las cosas. Así comenzaremos de nuevo, después de una absurda domesticación del espíritu y de la resignación, a intentar llevar esa imaginación redimida por el *largo, inmenso, razonado desorden de todos los sentidos y por* todo el resto."

Además del portaestandarte André Breton, figuraron entre los primeros y más representativos escritores superrealistas Paul Eluard, Benjamín Pêret, René Clevel, Robert Desnos, Philippe Soupault, G. Ribemont-Dessaigues, Louis Aragon, Marcel Duchamp, Pierre Reverdy, Picabia, Antonin Artaud...

En España, el superrealismo fue otro de los movimientos subversivos de importancia. Se inició hacia 1925, como integración de los desaparecidos ultraísmo y creacionismo. Llegó a su plenitud en 1928. Si el ultraísmo tuvo como temática cuantos sucesos y cosas habían siempre escapado de la inspiración poética: mecánica, industria, finanzas, sociología, el superrealismo no admitió otra temática que *los misterios del yo, y el yo infusorio en el mundo subconsciente*. Análisis. Análisis. Análisis. Con maestría, con morosidad. Cada poeta es el cirujano que debe operar en sí mismo; pero únicamente en aquellas zonas de sí mismo donde las reacciones bordean lo misterioso o lo fantástico, donde los afanes se transforman en centro magnético de todas las posibilidades anímicas y hasta físicas. El poeta superrealista no deja de escindir con el bisturí de su fanatismo ni el más replegado pliegue de su *persistencia interior*. Fanáticamente se regodea en notarse herido y soliviantado, en sangrar y en supurar, en convencerse *al detalle* de cuantos accidentalismos hacen de *su yo un mundo aparte*.

A estos poetas superrealistas no se les puede exigir en modo alguno *una disciplina formal;* y si se les exige, da lo mismo. La estrofa, el ritmo, la melodía, son cosas muy accesorias para ellos. A veces las consiguen dentro de una graciosa heterodoxia. En la mayoría de las ocasiones, lo que André Breton calificó de *automatisme psychique pur* se materializa en prosaísmos incongruentes. No tenemos, pues, inconveniente en admitir que el superrealismo es un movimiento neorromántico. Como el romanticismo, no busca sino su *yo*. Sino que el romanticismo buscó su *yo patético*.

El primer poeta español que alcanza una plenitud superrealista es Rafael Alberti (1901), con su libro *Sobre los ángeles,* la más interesante colección de poemas del superrealismo español. El superrealismo de Alberti no es una reacción tranquila, no, erigida en una dogmática rigurosa. Es un superrealismo, a veces, irritado consigo mismo, inconforme en cada momento, inminente de estallar en mil añicos. Y, en ocasiones, zumbón y escéptico.

Muchos y excelentes poetas siguieron el rumbo de Alberti; unos con vocación de permanencia, otros con deseo de momentáneo "cambio de postura". Entre los primeros cuentan Luis Cernuda, Juan Larrea, Vicente Aleixandre, Emilio Prados, José Moreno Villa, Antonio Espina... Entre los segundos: Federico García Lorca, Gerardo Diego, Dámaso Alonso, Manuel Altolaguirre, Pedro Pérez Clotet.

Justo es consignar que los augures pesimistas, que vaticinaron la pronta defunción del superrealismo se han equivocado. El superrealismo ha sido el más decidido y fecundo de los movimientos de vanguardia. Hoy, aún vive en plenitud y fertilidad. Y, al menos en España, el lirismo superrealista resulta ya como una *plaga,* contra la que se han estrellado todos los insecticidas "a base de tradicionalismos". Cabe, sí, señalar que la vida y la fertilidad del superrealismo español son de una monotonía, de una vulgaridad, de un "desangelamiento" apabullantes. Para vivir así, más vale una muerte explosiva de las que se recuerdan con asombro.

V. TORRE, Guillermo de: *Literaturas europeas de vanguardia.* Madrid, Caro Raggio, 1925. GÓMEZ DE LA SERNA, R.: *Ismos.* Madrid, Biblioteca Nueva, 1931.—ARAGON, Louis: *Traité du Style.* París, 1928.—GOLL, Iván, y DERMÉE, Paul: *Surréalisme* y *Le mouvement accéléré.*—BRETON, A., y SOUPAULT: *Les champs magnétiques.* París, 1919.—BRETON, André: *Manifeste du surréalisme.* París, Ed. "Sagittaire", 1924.

EL SUPERREALISMO ARTÍSTICO.—La pintura superrealista tiene un antecedente curiosísimo: la pintura *onírica,* es decir: la obra de aquellos pintores que, hastiados del realismo, se dedicaron a la exploración y a la interpretación de los sueños. Entre estos artistas oníricos destacaron el belga James Ensor, Marc Chagall, Jean Lurgat, Giorgio di Chirico. A su vez, los oníricos tuvieron unos precursores en Paul Gauguin (1848-1903)—que definió el tema "como un pretexto" y enseñó que la belleza reside en la combinación "plástica" de líneas y de colores—y Vicent Van Gogh (1850-1890), de ilimitada fantasía, fuerte impresión cromática y decidido simplificador por medio del color.

El superrealismo pictórico se inició hacia 1924; nació violento, sin preocupación alguna moral, estética o de razón; nació entrañablemente unido con lo subjetivo, con lo subconsciente. Y tuvo un lema: *Nada sino lo asombroso es bello.* Sus más célebres representantes fueron—y son—Giorgio di Chirico, antecesor al superrealismo y al cubismo; René Magritte, Giacometti, Tanguy, Max Ernst, Roger Vitrac, Donati, Georges Huguet, Matta y los españoles Pablo Picasso—héroe del cubismo y del picassismo—, Salvador Dalí y Juan Miró. Los pintores superrealistas, a las críticas acerbas, replicaron: "No sabéis hasta dónde nos puede llevar nuestro hastío de la lógica."

V. GÓMEZ DE LA SERNA, R.: *Ismos.*—BRETON, André: *Le surréalisme et la peinture.* 1928.—ORTEGA Y GASSET, J.: *La deshumanización del arte.* 1925.—HEILMEYER-BENET: *La escultura moderna y contemporánea.* Barcelona, Labor, 1949, 2.ª edición.

SUPOSICIÓN

Acepción de un término en lugar de otro.

SUPRARREALISMO (V. Superrealismo)

SUPUESTO

1. Persona o cosa de que se afirma o niega algo.
2. Materia u objeto no expresados en la proposición, pero de los cuales depende y en los cuales se funda la verdad de ella.

SURREALISMO (V. Superrealismo)

SUSPENSIÓN (V. Figuras de pensamiento)

Figura que se comete cuando el orador dilata artificiosamente, haciéndose a sí mismo varias preguntas, la verdadera decisión de la cuestión. (V. *Sustentación.)*

SUSTANCIALISMO

Teoría filosófica que distingue al *yo*—ser uno y fundamentalmente el mismo—de sus actos, que son múltiples y variados. Equivale a un realismo psicológico.

Hamilton reduce a dos clases las doctrinas sobre el mundo exterior: 1.ª Realismo o sustancialismo; 2.ª Nihilismo o no-sustancialismo.

El sustancialismo afirma, pues, la existencia de seres u objetos independientemente del pensamiento y en oposición al fenomenismo, el cual reduce toda existencia a las representaciones del sujeto cognoscente. (V. *Subjetivismo.)*

El sustancialismo fue profesado por Leibniz.

SUSTANCIARISMO

Nombre dado a una secta *sui generis* del luteranismo.

El sustanciarismo—cuyas raíces alguien ha señalado en los escritos de Melanchton—exageró los errores de Lutero. (V. *Sinergismo.)* Su doctrina fue señalada por Flacio Ilírico, según el cual *el pecado original era la misma sustancia del hombre,* la cual, "privada por el pecado del primer hombre de la imagen de Dios, del libre albedrío y de todo movimiento hacia el bien, con inevitable necesidad propende al mal".

Según el sustanciarismo, "únicamente la fe en Cristo puede salvar al hombre de su terrible destino".

Esta doctrina herética y despiadada tuvo su principal adversario en el propio Melanchton, quien se rectificó, afirmando la cooperación del hombre a la gracia de Dios.

SUSTENTACIÓN (V. Figuras de pensamiento)

Es una figura lógica, que consiste en mantener por algún tiempo suspenso el ánimo de los oyentes o lectores, cerrando luego el sentido del discurso con un rasgo inesperado.

Caen de un monte a un valle, entre pizarras,
guarnecidos de frágiles helechos,
a su margen, carámbanos deshechos,
que cercan olmos y silvestres parras.
Tiene este monte por vasallo un prado,
que, para tantas flores, le importuna
sangre a las venas de su pecho helado.
Y en este monte y líquida laguna,
para decir verdad como hombre honrado,
jamás me sucedió cosa ninguna.

(LOPE DE VEGA.)

T

TABLA

Uno de los más importantes elementos usados en épocas remotas para la escritura, cuando esta se refería a textos de trascendencia, epigrafía histórica y leyes.

La tabla era de madera, piedra o bronce.

Sobre tablas de piedra fueron grabadas en Grecia las leyes de Solón.

Sobre doce tablas de bronce fueron grabadas las más famosas leyes romanas.

Sobre tablas de madera estaban escritas las leyes dadas por Jehová a Moisés en el Sinaí.

En Caldea y Asiria se servían de tablas arcillosas en forma de ladrillo, que, recién amasadas, grabábanse con el estilo, siendo luego endurecidas por el sol, el aire o el calor de un horno.

Tablas mucho más pequeñas—*tablillas*—, cubiertas de cera, sirvieron durante muchos siglos, a pueblos diversos, para la escritura.

Muñoz y Rivero dividió estas tablillas enceradas: por su tamaño, en *tabullae, tabellae* y *pugillares;* por la materia de que estaban hechas, en *citratae, eburnae, membranae;* por el asunto a que se refería su contenido, en *votivae, testamentariae, nuptiales, epistolares;* por su número, en *duplices, triplices* y *códices.*

V. Muñoz y Rivero: *Manual de paleografía diplomática española.* Madrid, 1889.

TABLA DE MATERIAS

Indice que se pone en los libros, regularmente por orden alfabético, para que con mayor facilidad se busquen y hallen las materias o puntos que contienen.

TAGALA (Lengua)

El principal y más perfecto y pulido de los idiomas indígenas de las Islas Filipinas, hablado en los territorios de Cavite, Mindoro, Bataán, Tongo, Tabayas, Nueva Ecija, Batangas, Bulacán y Laguna.

Su escritura es una mezcla de la española y de los peculiares caracteres autóctonos.

Sus vocales son tres: *a, i, o.* Sus consonantes, catorce: *ba, ca, da, ga, nga, ha, la, ma, na, pa, sa, ta, ua, ya.* Sus artículos son tres: *ang, nang* y *sa.*

El tagalo es un idioma *particulario,* con mucho de adverbial. Los nombres se declinan con estos tres artículos: *si, ni, cay.*

Las partículas son *nominales* y *verbales;* estas últimas, combinadas con las raíces, *dan el verbo.* Los tiempos son tres: presente, pasado y futuro; pero uniendo adverbios determinantes a dichos tiempos, se forman los pretéritos y los imperfectos.

V. Totanes, Fray Sebastián: *Arte de la lengua tagala.* Manila, 1745.—San Agustín, Fray Gaspar de: *Compendio de la arte de la lengua tagala.* Manila, 1787.—San José, Fray Francisco de: *Arte y reglas de la lengua tagala.* Manila, 1832.—Minguella, Fray Toribio: *Ensayo de gramática hispanotagala.* Manila, 1878.

TAHITIANA (Lengua)

Lengua de la Polinesia, de la familia malaya. Pasa por ser la más dulce y armoniosa de las lenguas polinésicas. Las vocales alternan con las consonantes, y jamás van seguidas dos de estas últimas. Las articulaciones correspondientes a las letras *c, g, k, s, d,* del alfabeto latino faltan en el tahitiano. En la declinación existe el nombre dual.

V. Buschmann, Ed.: *Aperçu de la langue des îles Marquises et de la langue tahitienne.* En el "Vocabulario" de G. de Humboldt.—Gaussin, J. B.: *Du dialecte de Tahiti...* París, 1853, 1899.

TALENTO

1. Entendimiento. Inteligencia. Capacidad. Ingenio.

2. Dotes intelectuales.

3. Dotes naturales o sobrenaturales que Dios otorga a los hombres.

Con este nombre se designa en la literatura, como en las artes, una aptitud particular, una capacidad, una habilidad recibida de la Naturaleza o adquirida por la voluntad al servicio del esfuerzo. El talento difiere en muchos puntos del genio, siendo este como el grado más culminante de aquel. El talento debe menos a la Naturaleza que el genio, y más al trabajo. Pero el trabajo nada alcanzará donde la Naturaleza no haya sembrado algo de ingenio; y los mejores talentos naturales fracasan por falta de voluntad y de trabajo. Se asocian más fácilmente el talento y el gusto que el genio y el gusto. El gusto puede unirse a los dos o puede de los dos separarse. Bajo la influencia *de la moda* o *de la necesidad*—las cuales nada pueden contra el genio—, el talento puede consumirse en inútiles trabajos o en claudicaciones indignas.

TALMÚDICA (Lengua)

El *Talmud,* nombre que significa *disciplina,* es un conjunto de tradiciones de los judíos y de comentarios acerca de sus leyes civiles y religiosas, formando por ello como un complemento de la Biblia.

Existen dos *Talmudes*: el de Jerusalén y el de Babilonia. El primero, compilado por el rabino Jochanan, de la tribu de José (Jochanan ben Eliezer), fue acabado el año 230 de nuestra Era; su redacción definitiva corresponde al siglo IV, y es poco inteligible, por lo que los creyentes prefieren el *Talmud* de Babilonia, escrito por los judíos babilonienses y terminado en el siglo V. Los dos están escritos en caldeo, mezclado con todos los dialectos hablados por los judíos en las diferentes épocas de su historia. Este lenguaje bárbaro, en el que las formas gramaticales escapan a los análisis más sutiles, justifica el nombre de *lengua artificial* que se ha dado a la lengua talmúdica.

El *Talmud* de Babilonia está dividido en dos partes: la *Misnáh*—segunda ley—, cuya mejor redacción se debe al rabino del siglo II Judá el *Santo,* y la *Gemará*—definición—, especie de glosa o comentario comenzado por el rabino Asser en el siglo V.

La forma del *Talmud* carece de todo valor literario; el estilo es, a veces, prolijo con exceso, y otras, de una concisión desesperante, y carece de armonía, de medida y de reglas.

El interés del *Talmud* está en que explica los detalles materiales del *Antiguo* y del *Nuevo Testamento* (Evangelios).

Existen dos célebres clases de doctores que respetan o admiten el *Talmud*: los *talmudistas* o *rabinistas,* que lo toman como base de sus enseñanzas, y los *caraïtes,* que se atienen a la letra de la Biblia.

V. GRAETZ: *Geschichte der Juden.* Leipzig, 1871.—MIELZINER: *Introduction to the Talmud.* Cincinnati, 1894.

TALMUDISMO

Nombre dado a la inclinación manifestada por los judíos entre los siglos II y XVIII por observar la tradición, doctrinas, ceremonias y policía del *Talmud.*

Talmud es el código completo, civil y religioso, de la sinagoga. En su formación trabajaron los más ilustres rabinos entre los siglos II y VI de nuestra Era. En la época señalada para los judíos, el talmudismo logró tanta importancia como la tuvo el *mosaísmo* (V.) para el pueblo de Israel, antes de la llegada de Cristo a la tierra.

El talmudismo pretende armonizar la ley mosaica con la tradición verbal. (V. *Rabinismo.*)

El núcleo del *Talmud*—que contiene leyes, discusiones, opiniones, digresiones sobre historia y ciencias—lo forma el *Misnáh,* compuesto, según Maimónides, por el rabí Judá *el Santo,* en el siglo II. Judá recogió todas las tradiciones, todos los juicios, las sentencias, las exposiciones de la ley, la vida de Moisés, y con tales elementos compuso su obra y la leyó públicamente para que la conocieran todos los hijos de Israel.

El *Misnáh* contiene: la Ley escrita atribuida a Moisés; las disposiciones orales con las cuales Dios completó la Ley escrita del Sinaí; las conclusiones de los doctores aceptadas por la mayoría; los decretos de los profetas y doctores encaminados al mejor cumplimiento de la Ley; los reglamentos relativos a la vida civil.

La *Misnáh,* último monumento literario religioso importante de Palestina, fue el resultado de trescientos años de esforzado magisterio. Otros tantos años fueron necesarios para su explicación y comentario. Y este comentario y aquella explicación formaron la *Guemará* (complemento). Y unidas *Misnáh* y *Guemará* dieron origen al *Talmud.* Si aquella fue obra exclusiva de Palestina, esta fue obra de Palestina y Babilonia. Por ello puede hablarse con propiedad del *Talmud* de Jerusalén y del *Talmud* de Babilonia.

El talmudismo tuvo bien pronto sus escuelas. Apenas Tito hubo destruido el templo de Jerusalén, Johanán ben Zacai abrió una escuela en Yabue. Y escuelas importantes dirigieron poco después Rabí Aquiva y Rabí Meir. En Babilonia dirigió la primera escuela en Sora —215—Rab, que había sido discípulo, en Jerusalén, de Judá el *Santo,* y llevó la *Misnáh* a Babilonia.

El *Talmud,* con los siglos, se convirtió en el más importante venero de la literatura rabínica, ya que los doctores, para comentarlo, se valieron de paráfrasis, de invocaciones poéticas, de apólogos y de leyendas. Durante más de diez siglos, la única realidad para los judíos fue el *Talmud,* siendo también esta obra—de contenido tan diverso y abigarrado—la educadora de la nación judía.

Los más antiguos talmudistas fueron: Isaac Alfesí, Rachí, Natán, Maimónides, Jacob y Josef Caso.

Al introducirse durante el siglo XVIII el racionalismo en las doctrinas rabínicas, el talmudismo perdió gran parte de su influencia.

V. Mielziner: *Introduction to the Talmud.* Cincinnati, 1894.—Bernfeld: *Der Talmud, sein Wessen, seine Bedeutung und seine Geschichte.* Leipzig, 1900.—Strack, H. L.:*Einleitung in den Talmud.* Leipzig, 1900.

TAMUL o MALABAR (Lengua)

Una de las lenguas de la India, de la familia de los idiomas drávidas. Es hablada a lo largo de la costa de Coromandel, en el cabo Comorín y en la región de Orissa.

Esta lengua, aunque mezclada con muchos vocablos indios, no tiene ningún parentesco con los idiomas de origen sánscrito.

El alfabeto *tamul,* que comprende diez vocales y dieciocho consonantes, se remonta al siglo VIII o al IX, y parece haber derivado, en tal época, de la antigua escritura semítica.

El tamul es la más arcaica de las lenguas drávidas. Posee nueve casos, dos números, y distingue en géneros la casta superior (hombres, espíritus y dioses) de la inferior (animales, objetos, ideas abstractas).

El verbo se forma añadiendo por sufijo los pronombres personales a un tema predicatorio radical. El presente, el pretérito y el futuro son sus tiempos simples; pero por medio de formaciones perifrásticas se forman el perfecto, el pluscuamperfecto, el continuativo o anativo.

La lengua tamul posee una abundante literatura, que se inicia en el siglo VIII o IX de nuestra Era. Al siglo X corresponde el *Kural de Tiruvalluvar,* poema en 1.330 dísticos, acerca de la filosofía de Sakya Muni. Posteriores son el *Chintamani*—poema épico de 15.000 versos, de autor desconocido—y el *Divakaram*—Diccionario "que hace al día"—. En 1865 existían impresas en tamul cerca de 1.500 obras.

V. Caldwell: *Comparative grammar of Dravidian languages.* Londres, 1865.—Burnell: *Elements of south-indian paleography.* Mangalore, 1875.

TANKA

Poema japonés, compuesto por treinta y una sílabas, repartidas en cinco versos o frases que forman una estrofa única.

Es un delicado lirismo, dedicado a los afectos más íntimos—amor, hogar—o a las emociones más puras—alguna expresión de la Naturaleza.

TAOÍSMO

Nombre dado a las doctrinas religiosas de Lao-tsé, que integran una de las tres religiones oficiales de la China. El *confucionismo* (V.) y el *budismo* son las otros dos.

Algunos críticos han puesto en duda la existencia de Lao-tsé, creyendo que este nombre tradicional caracterizaba no a un personaje, sino un sistema filosófico.

Sin embargo, hoy, parece fuera de toda duda la existencia del filósofo y gran reformador religioso.

Lao-tsé nació—hacia el año 729 antes de Cristo—en Khiogin (reino de Thsou). De más edad que Confucio, al que conoció, Lao-tsé vivió alejado de los negocios. Una tradición refiere que fue engendrado por la luz y que su madre le llevó en su vientre durante ochenta años. Lao-tsé era racionalista, mientras Confucio fue tradicionalista. Su discípulo predilecto afirma que Lao-tsé murió retirado en su distrito de China. Dejó escrita una obra fundamental: *Tao-teh-king (El camino de la virtud).* Parece ser que Lao-tsé conoció la filosofía hindúe de los *Upanishads,* y de ellos dedujo su sistema, que contenía ideas absolutamente desconocidas en China, contrarias al confucionismo. Sus discípulos Lie-tsé y Tchoang-tsé desarrollaron sus doctrinas, desde el siglo V al IV, y crearon el taoísmo filosófico.

La religión que se funda en el *Tao* es el *taoísmo.* El *Tao* trata de los deberes y de la política en un estilo sumamente oscuro. Su moral es ascética, casi cristiana. *Tao* es la razón que gobierna al mundo y en que el hombre debe inspirarse; a este efecto, la meditación importa más que el saber.

Según Lao-tsé, el medio político más eficaz para restablecer el imperio de la virtud era *proscribir la instrucción.* Y aclaró así su intención: "La sabiduría engendra el deseo; y el deseo hace esclavo de la Naturaleza al hombre. El mal es, pues, una consecuencia inevitable del saber. Solo la ignorancia y la sencillez pueden devolver a los hombres a su natural estado de virtud y de inocencia."

Debe consignarse que el primitivo taoísmo nada tiene que ver con el sistema mágico y supersticioso que le añadieron los taoístas durante los siglos III y II. Seguramente creyeron que se llegaría antes a la inmortalidad por los medios mágicos. A principios de nuestra Era, los templos taoístas no servían para sus primitivos fines de la oración y de la predicación. Los habían invadido adivinos, hechiceros, alquimistas. Y el taoísmo unía al culto de los héroes nacionales el de la Naturaleza con sus prácticas mágicas y supersticiosas.

En los templos taoístas hállanse los tres grandes ídolos de *San-Ch'ing,* o sea: los dioses puros y santos, que, en verdad, no son sino una triple representación de Lao-tsé.

El primitivo taoísmo exaltaba la virtud, prometiendo como recompensa a los virtuosos la inmortalidad. La maldad era castigada por los espíritus perversos de la tierra.

"El taoísmo—escribe Reinach—ha degenerado mucho. Influjos búdicos, un sistema complicado de magia han alterado su carácter. El taoísmo tiene exorcistas, monjes célibes, un jefe religoso que es como un Papa (sin poder temporal). Los ritos son más arcaicos que la doctrina, por ser de origen popular. En la fiesta de la primavera son encendidas hogueras, a las que los sacerdotes taoístas, medio desnudos, arrojan arroz y sal, atravesándolas descalzos y corriendo; se trata de una supervivencia del culto solar. El agua es personificada por el rey de los Dragones, al cual se erigen templos en las orillas de los lagos y de los ríos. Los muertos han de tener seguro reposo en la tumba, sin lo cual molestarán a los vivos. Reglas minuciosas presiden la elección de las sepulturas, y se toman infinitas precauciones para impedir que sean violadas. Todo esto constituye una ciencia llamada *feng-shui*."

Lao-tsé, fundador del taoísmo, despreció la sociedad y la civilización.

V. MIR, P. Juan: *La Religión*. Madrid, 1899. CORDIER: *Taoïsme*. En "The Catholic Encyclopedia".—PARKER: *Studies in Chinese Religión*. Londres, 1910.—CHANTEPIE DE LA SAUSSAYE: *Manuel de l'histoire des Religions*. 1904.

TAQUIGRAFÍA

Arte de escribir a la misma rapidez con que se habla, valiéndose para ello de signos y abreviaturas.

Este arte es tan antiguo como el hombre, aun cuando la crítica estima que fueron los fenicios y los egipcios los primeros que usaron signos y abreviaturas verdaderamente taquigráficos, habiéndolos perfeccionado los griegos.

La *escritura acropólica*—grabada en hueco en unas tabletas de mármol en la *Acrópolis* de Atenas, hacia el año 350 antes de Cristo—es una de las muestras taquigráficas más antiguas que se conocen.

Y el autor del primer tratado de taquigrafía fue Ennio—500 años antes de Cristo—, inventor de las *Mil y cien notas vulgares,* que sirvieron para tomar los discursos del Senado hasta la aparición de las *Notas tironianas* (V.).

En España ha sido Martí quien verdaderamente elevó la taquigrafía a su perfección, en nada inferior a la de las normas extranjeras.

V. MARTÍ, Francisco de Paula: *Estenografía o arte de escribir abreviado*. Madrid, 1800. ZIMMERMANN: *Geschichte der Stenographie*. Viena, 1897.

TARGUM

Nombre que en caldeo significa *interpretación,* y que designa las paráfrasis en lengua caldea que fueron hechas de los textos del *Antiguo Testamento,* al regreso de los hebreos de la cautividad de Babilonia, para ser rezadas por el pueblo, que había olvidado el hebreo. Se cita como el más antiguo *Targum* auténtico el del rabino Onkelos, contemporáneo de Cristo, acerca del *Pentateuco*. En él el idioma es puro. Pero en el *Targum* de Jonathan ben Uziel, acerca de los *Profetas* mayores y menores, la lengua se manifiesta corrompida, y en él se mezclan con los textos auténticos leyendas maravillosas.

El primer *Targum* se imprimió—1482—en Venecia. El segundo, en 1492.

La mejor edición de ambos es la de Buxtorf, Basilea, 1720.

V. WINER, G. B.: *Chaldaisches Lesebuch aus den Targumin*. Leipzig, 1825.—ETHEDIDGE, J. W.: *The Targums of Onkelos*. Londres, 1862-1865.

TÁRTARAS (Lenguas)

En esta denominación quedan comprendidas todas las lenguas *uraloaltaicas,* pero designa en especial las lenguas *mogolas* o *tártaras:* el *mogol,* el *manchú,* el *turco,* el *kalmuko,* el *buriato.*

V. RÉMUSAT, Abel: *Recherches sur les langues tartares*. París, 1820.—SCHOTT, W.: *Versuch über die tartarischen Sprachen*. Berlín, 1836.

TASIS

Palabra griega que significa *intensión* o *vehemencia de la voz;* es todo período que por ser muy largo y numeroso exige un gran esfuerzo, intensión y vehemencia en su pronunciación. Será defectuosa la *tasis* si la extensión del período es tal que fatiga al que lo pronuncia o lee.

TAUTOGRAMA (Verso y poema)

Poema o verso cuyas palabras comienzan por una misma letra. Existieron en la antigüedad. Famoso es el tautograma hexámetro de Ennio:

O Tite, tute, Tate, tibi tanta tyranne tulisti.

Los tautogramas tuvieron gran aceptación en la Edad Media y en los siglos XVI y XVII.

Ubaldo de Saint-Amand, monje del siglo X, escribió un poema, dedicado a Carlos el *Calvo,* y titulado: *De laude calvorum,* cuyos 136 versos latinos están compuestos por palabras que empiezan por *c.*

Carmina clarisonae calvis cantate, Camoenae...

Poemas tautogramas son: *Pugna porcorum* —siglo XVI—, de Leo Placentius; *Canum cum cattis certamen*—siglo XVI—, de H. Harder; *Christus crucifixus,* de Cristián Pierius; *Certamen catholicorum*—1607—, de Martín Hamconius.

TAUTOLOGÍA

De ταὐτό y λέγω, decir la misma cosa. Figura retórica que consiste en repetir una misma idea, seguidamente, bajo dos o más formas, con intención de dejarla bien grabada en el espíritu.

Según los retóricos, la *tautología* sirve para reforzar la expresión.

Corriente es la *tautología* cometida en los modernos edictos y bandos, en los que se empieza con el *ordeno y mando.*

Y famosa es la de Cicerón, dirigiéndose a Catilina:

Obiit, excessit, evasit, erupit...

En el sentido de *amplificación formal,* los antiguos la denominaron *perisología* (de περισσός, superfluo). También fue llamada *batología,* nombre derivado de *Battas,* rey de Cirene, que para corregirse de su tartamudez repetía las mismas palabras; otros eruditos afirman que deriva de *Bathis,* poeta mediocre muy aficionado a la redundancia. (V. *Amplificación.)*

TAUTOMETRÍA

Repetición servil de unos mismos metros en la poesía antigua.

TCHUTCHI **(Lenguaje)**

Lengua hablada por los tchutchis, que habitan en Kantchatka y la denominada América rusa. Guarda relación con los idiomas esquimales. Sus dialectos son numerosos y muy diferentes entre sí.

TCHUVACHE **(Lenguaje)**

Idioma de la familia uraloaltaica, hablado por los tchuvaches, que habitan, en la Rusia europea, los distritos de Oremburg, Perm, Simbirsk, Viatka y Kazan. Carece de artículos y de género; los pronombres y los sustantivos se declinan juntos; el plural se forma en los sustantivos con la adición de la palabra *zam* o *sam* en el singular; los adjetivos son indeclinables; las preposiciones quedan colocadas después de su régimen; las conjugaciones poseen los modos infinitivo, indicativo, conjuntivo e imperativo; el indicativo tiene tres tiempos: presente, pasado y futuro; los demás modos tienen un solo tiempo.

V. SCHOTT, G.: *De Lingua Tschuwachorum dissertatio.*—BALBI, Adrien: *Atlas ethnographique du globe.*

TEATRO **(V. Dramático, Arte)**

1. Edificio destinado a las representaciones dramáticas y a otros espectáculos escénicos.
2. Escenario. Escena.
3. Arte o práctica de representar.
4. Conjunto de todas las producciones dramáticas de una época (teatro isabelino), de un pueblo (teatro español), de un autor (teatro de Lope).
5. Literatura dramática.
6. Arte dramático.

El teatro más antiguo del que se tienen noticias fue el de Atenas: unas gradas de madera para el público en la falda de la Acrópolis. El actor que recitaba se subía a una mesa—escena—. Este teatro se derrumbó el año 449 antes de Cristo. Esquilo persuadió a sus compatriotas de la conveniencia de construir un teatro de piedra. Los arquitectos Demócrates y Anaxágoras levantaron uno en una llanura situada al pie de la Acrópolis.

El primitivo teatro comprendió las siguientes partes: la *sala, auditorio* o *cavea* de los latinos; la *orchestra* y las edificaciones de la *escena.* En la escena se distinguían: el *proscenio*—parte de la escena adelantada hacia el público—y *postcenio*—última parte, la más lejana de la escena.

En Grecia se multiplicaron los teatros, y los hubo en Atenas, Eretria, Epidauro, Megalópolis, Assos, Oropos, Delos, Efeso, Sicione, Mileto, Esmirna, Heraclea, Laodicea, Mitilene...

En Roma, el primer teatro dató del año 599. Después fueron famosos los de Campo Marcio, Marcelo, Pompeyo... Casi todas las ciudades importantes de Italia lo tuvieron: Herculano, Pompeya, Aspendus en Panfilia, Orange.

En España, los romanos levantaron teatros en Mérida, Sagunto, Tarragona, Clunia, Toledo, Itálica, Reina, Rueda la Vieja.

Durante la Edad Media, los *Misterios,* representaciones las más antiguas, se desarrollaban en las catedrales, y, posteriormente, en las plazas, con escenarios y graderías improvisados.

Otra clase de escenario medieval fue la *carreta,* utilizada en toda Europa para representación de las farsas; en las carretas, un escenario circular presentaba a los espectadores los diversos lugares en que tenía efecto la acción.

El inventor de los teatros de perspectiva—ya en la Edad Moderna—fue el famoso arquitecto Bramante. Peruzzi construyó el primero en la *plaza Vicenza,* modelo de los restantes teatros del Renacimiento.

El primer teatro *en forma de herradura* lo construyó—1618—Juan Bautista Aleotti, en Parma, llamándolo *Teatro Farnesio.* Su discípulo Torelli extendió la innovación por toda Italia.

En Francia—1687—, Francisco Dorbay construyó el primer teatro de dicho género, y fue el de la antigua *Comédie Française.*

Corrales y teatros famosos de España.—El origen de los teatros en Madrid no puede ser más curioso. Poco después que Felipe II trasladara su Corte a Madrid—1561—, y con el fin de proporcionar recursos a las Hermandades de La Sagrada Pasión y de La Soledad para que los dedicasen a las obras pías, se les permitió que arrendasen *corrales,* o patios traseros de casas, y en ellos organizasen representaciones teatrales. La Hermandad de la Pasión instaló desde luego tres; uno en la calle *del Sol* y dos en la *del Príncipe,* los llamados de *Burguillos* y el de *Isabel Pacheco—de la Pacheca—,* origen este último del actual teatro Español. La Hermandad de la Soledad habilitó otros tres: el de la viuda de Valdivieso, el de Cristóbal de la Puente, en la calle *del Lobo,* y el de la calle de *la Cruz;* este último, rival del *de la Pacheca* durante siglos, y los dos únicos que fueron permitidos como teatros definitivos, con los nombres de *la Cruz* y *el Príncipe.* Para librarse del pago de los alquileres de los solares, las Cofradías decidieron edificarlos por cuenta propia: el *de la Cruz,* en la calle de este nombre, junto *al Cerrillo,* y el *del Príncipe,* al lado del que era de la Pacheca, en casas que poseía el doctor Alava de Ibarra, médico de Felipe II, quien las vendió a las Cofradías en los términos que expresa la escritura siguiente:

> "Sepan quantos como yo, el doctor Alava de Ibarra, médico de Su Majestad, residente en esta corte, otorgo e conozco por esta presente carta, e por mí mesmo, y en nombre de Juan Alava de Ibarra, mi hijo legítimo, que vendo por juro de heredad (a las Cofradías de la Pasión y la Soledad) dos casas e corrales que yo y el dicho mi hijo tenemos y poseemos en esta villa de Madrid, libres de censos..., en la calle que dicen del Príncipe, desta misma villa, que han por linderos, de la una parte, casas de Catalina Villanueva, e por la otra parte, casas de Lope de Vergara, Solicitador en esta corte de negocios de la ciudad de Sevilla, e por las espaldas, casas del Contador Pedro Calderón, e por delante la dicha calle del Príncipe, con todas sus entradas y salidas, usos y costumbres, pertenecientes a servidumbre..., por precio de ochocientos ducados... En la villa de Madrid, a 24 días del mes de febrero de 1582."

Además de las casas de la Pacheca y de Alava de Ibarra, compraron las Cofradías otra, propiedad de don Rodrigo de Herrera, la cual tenía una ventana que daba al teatro y que se conservó a modo de servidumbre como mirador.

El costo de los corrales de la Cruz y del Príncipe fue de ¡mil trescientos cincuenta ducados! El segundo se inauguró, aún no acabado, el 21 de septiembre de 1583, día de San Mateo, representando Vázquez y Mateo, quienes pagaron ¡sesenta reales! por el alquiler del teatro, precio irrisorio, que se *justificaba* "porque aún no estaban hechas las gradas, ni ventanas, ni corredor". El de la Cruz abrió su escena en 1584, representando Gálvez y Cisneros, quienes pagaron por el alquiler de un día ciento cincuenta reales.

Por espacio de siglo y medio, estos dos indecentes corrales fueron los que glorificaron el maravilloso teatro español que inicia Cervantes y cierran Solís y Cubillo. Fueron convertidos en *coliseos*—teatros cómodos y cerrados por completo—en 1743 el de la Cruz, en 1745 el del Príncipe. La obra de este último fue dirigida por el famoso arquitecto don Juan Francisco de Sachetti—el proyectista del Palacio Real de Madrid—, de quien era delineante el que había de ser famosísimo arquitecto don Ventura Rodríguez.

Los primitivos corrales de la Cruz y del Príncipe se componían de: el tablado para representar, a cuyas espaldas se corrían los dos vestuarios de las cómicas y de los actores; las gradas para los hombres en las laterales del patio; los bancos portátiles, hasta noventa y cinco, que se alineaban delante de las gradas y hasta el tablado; el corredor para las mujeres; los aposentos o ventanas con balcones de hierro; las ventanas con rejas o celosías; las canales maestras; los tejados que cubrían las gradas, y el toldo de anjeo, el cual se tendía sobre el patio "como una vela" y que defendida del sol, pero no de las aguas. Los patios estaban empedrados.

En Madrid puede afirmarse que la primera representación "en un corral" la dio el aplaudido comediante Alonso Velázquez, el miércoles 5 de mayo de 1568. Ya *hechos* y exclusivos los de la Cruz y del Príncipe, alternaron en ellos las compañías "de Granados, Salcedo, Rivas, Quirós, Gálvez, Balbín, Francisco Osorio, Cisneros, Saldaña, Velázquez y Ganasa". Este último, italiano, dirigía una compañía de mímicos, danzantes y volatineros.

Después de Madrid, fue Sevilla, la ciudad más rica de España durante el siglo XVI, la que tuvo mayor afición a las representaciones teatrales, pudiéndose vanagloriar de sus numerosos *corrales.* El más antiguo de estos fue el llamado de *las Atarazanas,* y en el que se representaron, entre 1579 y 1581, dos comedias de Juan de la Cueva: *La libertad de España por Bernardo del Carpio* y *La libertad de Roma por Mucius Escévola.* Fueron protagonistas de ellas Pedro de Saldaña y Alonso de Capilla, respectivamente. Otro de los *corrales* sevillanos fue el *de San Pedro,* mencionado por Rodrigo Caro en sus *Antigüedades de Sevilla,* y situado en la collación de San Pedro, de donde tomó el nombre. En el *corral de Don Juan,* propiedad de don Juan Ortiz de Guzmán, y en cuyo solar se levantó más tarde el convento de Menores, Pedro de Saldaña representó—1579—*El viejo enamorado,* de Juan de la Cueva.

El más famoso de todos los *corrales* sevillanos fue el *de Doña Elvira,* edificado en el barrio y casas de doña Elvira de Ayala, esposa del almirante don Alvar Pérez de Guzmán, e hija del canciller don Pero López de Ayala. Se ignora la época de su construcción, pero puede afirmarse que ya hacía años que funcionaba cuando, entre 1579 y 1581, Alonso Rodríguez, Alonso de Cisneros y Pedro de Saldaña representaron las principales obras de Juan de la Cueva.

Algunas particularidades de las representaciones:

A) *Orden de la representación.*—Primero, el guitarrista de la compañía, con vihuela en mano, tocaba unos aires populares. Inmediatamente le sucedía el canto—una o dos voces—, acompañado de varios instrumentos, cuyos tocadores se colocaban "a medio círculo" sobre el tablado. Los cantantes quedaban "detrás de la cortina". A continuación, la loa, indispensable introducción de toda obra teatral, recitada por el director de la compañía. Después, la comedia, en cuyos entreactos "o descanso" había entremeses o bailes con castañuelas. Bailes que se repetían al final del espectáculo.

B) *Tramoya teatral.*—"Es difícil dar idea —escribe el meritísimo Ricardo Sepúlveda—de la pobreza de la escena de la Pacheca en decoraciones, compuestas con retazos de tela pintada de algodón y seda, y de la llamada maquinaria. Los dioses aparecían a caballo en una viga sin cepillar; el sol era figurado por una docena de faroles de papel, con su luz de sebo correspondiente; los truenos, por un costal de piedras, que se removía de un extremo a otro, debajo de las tablas, y cuando en la escena se invocaba a los demonios, subían estos muy tranquilamente por las escaleras de los escotillones o agujeros abiertos en el tablado. El público toleraba que en el artificio de las decoraciones se pasara súbitamente desde la selva al palacio, o desde la gruta del castillo sin moverse del lugar ni cambiar los cachivaches del teatro. Bastaba que el recitante se ocultara un segundo tras uno de los colgajos que servían de telones y que volviera a presentarse diciendo: "Ya estamos en el palacio." El espectador aceptaba la ilusión del cambio, y aunque al poco rato volviera a decir el mismo recitante: "Ya estamos en el castillo", o en la iglesia, o en la gruta, la mosquetería no chistaba, y el *degolladero* permanecía silencioso, como si tal cosa sucediera; pero si, por desgracia, se ponían en escena casos de mal ejemplo, repugnantes o de escándalo, aunque fueran ciertos, el público no los sufría, y castigaba con su reprobación al poeta."

Sin embargo, había dos decoraciones—burdas sábanas mal pintadas—imprescindibles: la *del bosque* y la *del aposento.*

C) *Silbas teatrales.*—Curiosísimas son las *Advertencias a la vida humana,* de Cristóbal Suárez de Figueroa, en su libro *El pasajero,* acerca de las reprobaciones teatrales. "Dios os libre de la furia mosqueteril; entre quien no agrada lo que se representa no hay cosa segura, sea divina o profana. Pues la plebe de negro no es menos peligrosa, desde sus bancos o gradas, ni menos abastecida de instrumentos para el estorbo de la comedia y su regodeo. ¡Ay de aquellos cuyo aplauso nace de carracas, cencerros, ginebras, silbatos, campanillas, capadores, tablillas de San Lázaro y, sobre todo, de voces y silbos incesables! Todos estos géneros de música resonaron no ha mucho en cierta farsa, llegando la desvergüenza a pedir que saliese a bailar el poeta, a quien llamaban por su nombre." Los *mosqueteros*—temibles críticos de la acción—eran los poetas émulos, los militares sin soldada, los bravucones de oficio, los paseantes en corte, cuantos llenos de rencores o de intenciones pésimas asistían *de barato* a las representaciones, dispuestos a malograrlas a poco que el autor se escurriese. Llamábaselos también la *Infantería española,* y eran temidos por los autores y los cómicos, y aun por el público distinguido, lo mismo que la peste.

Al final de la mayoría de las obras solían disculparse el autor y los actores, suplicando el favor, para conjurar así el nublado:

"¡Piedad, ingeniosos *bancos!*
Perdón, nobles *aposentos!*
¡Favor, belicosas *gradas!*
¡Quietud, *desvanes* tremendos!
¡Atención, mis *barandillas!*
Carísimos *mosqueteros,*
granuja del auditorio,
defensa, ayuda, silencio,
y brindis a todo el mundo.
(Toma tabaco.)
Que ya os doy de lo que heredo.
Damas, en quien dignamente
cifró su hermosura el cielo..."

Y el mismo Quiñones de Benavente, en otro entremés:

"Sabios y críticos *bancos,*
gradas bienintencionadas,
piadosas *barandillas,*
doctos *desvanes* del alma,
aposentos que, callando,
sabéis suplir nuestras faltas,
Infantería española
(porque ya es cosa muy rancia
el llamaros *mosqueteros);*
damas que en aquesa *jaula*
nos dais, con pitos y llaves,
por la tarde alboreada;
a serviros he venido..."

D) *Días de representación y precio de las localidades.*—Al principio, únicamente se concedió licencia para dar funciones los domingos y días de fiesta. En 1587 se permitieron en los días de Pascua, con excepción del primer día. Hacia 1592 fueron dados como días hábiles, además de los domingos, los martes y los jueves, y quince días seguidos antes de Carnestolendas, en cuyo último día cesaban las representaciones hasta el domingo de Resurrección. La entrada de grada para hombre valía 16 maravedíes; de mujer, en la pieza grande —*cazuela*—, 20 maravedíes; la de aposento, 12; cada asiento de banco, un real; entrada de celosía, 12 reales. Aparte de estos precios, la Cofradía podía cobrar *por la entrada al corral* un cuarto a cada persona.

E) *Descripción interior de los "corrales".* "Los *corrales* eran patios que daban a las casas vecinas. Las ventanas de estos edificios contiguos, provistas ordinariamente de rejas y celosías, según costumbre española, hacían las veces de palcos, pues su número se aumentó mucho, comparado con el que hubo al principio. Las del último piso se llamaban *desvanes,* y las inferiores inmediatas, *aposentos,* nombre en verdad genérico, que a veces se aplicó también a las primeras. Estas ventanas, como los edificios de que formaban parte, eran propiedades de distintos dueños, y cuando no las alquilaban las Cofradías, quedaban a disposición de aquellos, aunque con la obligación anual de pagar cierta suma para disfrutar del espectáculo. Algunos de los edificios contiguos, y por lo común la mayor parte, pertenecían a las Cofradías. Debajo de los aposentos había una serie de asientos, en semicírculo, que se llamaban *gradas,* y delante de estas, el patio, espacioso y descubierto, desde donde las gentes de clase más ínfima veían en pie el espectáculo. Este linaje de espectadores, así a causa del tumulto que promovían como por sus ruidosas demostraciones en pro o en contra de comedias y actores, se denominaban *mosqueteros,* sin duda porque su alboroto se asemejaba a descargas de mosquetes. En el *patio,* y cerca del escenario, había filas de bancos, probablemente también al descubierto, como el patio, o resguardados, a lo más, por un toldo de lona, que los cubría. Una especie de cobertizo preservaba a las gradas de la intemperie; y a él se acogían los *mosqueteros* en tiempo de lluvia; pero si el teatro estaba muy lleno, no quedaba otro recurso que suspender la representación.

"Al principio no se pensó en destinar un local aparte para las mujeres; más tarde, esto es, un siglo después, se construyó para las de la clase más baja un departamento, sito en el fondo del *corral,* que se llamó la *cazuela* o el *corredor de las mujeres.* Las damas principales ocupaban los *aposentos* o *desvanes.*

"Además de estas divisiones principales de los teatros españoles, debemos mencionar también algunas otras, cuya situación no se puede determinar con exactitud, a saber: las *barandillas,* el *corredorcillo,* el *degolladero* y los *alojeros.* Dábase este último nombre a un lugar en donde se vendía una especie de refresco, llamado aloja, compuesto de agua, miel y especias; más tarde se agregó a él un palco, destinado al alcalde, que presidía la función, y se sospecha que el antiguo alojero ocupaba el lugar de este palco, de creación más moderna, y situado sobre la cazuela. En tiempos anteriores, los alcaldes tenían su asiento en el escenario.

"Hay razones para presumir que la construcción de los teatros más importantes de las demás ciudades de España se asemejaba en lo esencial a la del de Madrid."

Algunos *corrales* célebres en España durante el siglo de oro de su teatro:

En Sevilla existían dos famosísimos: el *Corral de Don Juan* (1578) y el *Corral de Doña Elvira* (1579). En este último se representaron las obras del célebre Juan de la Cueva.

En Madrid hubo seis: dos en la calle *del Príncipe* (¿1562 y 1563?), el *de la Pacheca* (1574), el *de la Cruz* (1579), el *de la Puente*—calle del Lobo—(1566) y el corral *de la calle del Sol* (1565).

En Valencia era célebre el *Corral de la Olivera o Vallcubert,* inaugurado muy poco después de 1582.

Barcelona tuvo su *corral* en las Ramblas, en el solar que hoy ocupa el teatro Principal, donde ya se representaba en 1581.

Valladolid se glorió muy justamente del *Corral de la Puerta de San Esteban* (1575).

El *Mesón de la Fruta* (1576) sirvió de *corral* a los aficionados toledanos, que eran legión, por ser la del Tajo ciudad muy afecta de autores y cómicos.

Granada tuvo *El mesón del Carbón* (1583), y Córdoba, en el solar de la *Cárcel vieja,* el suyo, muy famoso (1586).

El *corral* de Zaragoza se alzó en el *Coso* (1589).

TÉCNICA

1. Conjunto de recursos y procedimientos de que se sirve una ciencia o un arte.

2. Habilidad, pericia, ingenio para usar de tales recursos y procedimientos.

TEÍSMO

Creencia ciega en un Dios personal y providente, creador y conservador del mundo, independientemente de toda religión positiva.

Se llama también teísmo al sistema de Teodicea o Filosofía de la Religión, que afirma la existencia de un Dios único, personal y libre, creador, conservador y gobernador del mundo.

Si se desea hallar la diferencia entre teísmo y *deísmo* (V.), se podrá admitir que ambos significan la fe en la existencia de un Dios único, y que deísmo indica además una creencia puramente filosófica, independiente de toda religión revelada.

El teísmo abarca, en general, cuantas doctrinas se oponen explícitamente al ateísmo, al panteísmo y al politeísmo.

Algunos filósofos distinguen un *teísmo personal*—concepto antropomórfico que de Dios tienen la mayoría de las gentes—y un *teísmo racional*—en el que se confunden las ideas de Ser Divino y Suprema Razón de las cosas.

El teísmo tiene su verdadera forma en el monoteísmo; y las pruebas que más emplea acerca de la existencia de Dios son: la *ontológica* (de San Anselmo de Canterbury, Descartes, Leibniz); la *cosmológica* (de los creacionistas, desde Platón); la *teleológica* (de Anaxágoras, Sócrates); la *lógica* y la *ética* o *moral,* que se reducen a la teleológica.

San Anselmo precisaba así: "El hombre tiene la idea de un ser que no admite otro más sublime que él. Existir en la realidad y en la

T

inteligencia es más que existir únicamente en el intelecto. Luego ese ser existe también en la realidad."

Platón enseñaba que Dios es causa y sustancia juntamente. Como sustancia, contiene en sí las ideas o tipos eternos de las cosas. Como causa, produce las formas que constituyen el orden del universo. Las almas humanas, en cuanto están unidas a las ideas, participan de la naturaleza divina y son por esencia inmortales; pero en fuerza de la bondad y de la justicia de Dios, las que han imitado la acción divina han de ser premiadas, y castigadas las que hayan obedecido a los impulsos de la materia.

Antes que Platón, Anaxágoras habló del *nous*, mente, y a la que parece haber identificado con Dios, ya que el *nous* es el principio de ordenación del mundo y la más pura de todas las cosas.

Dentro de la Historia de las Religiones, algunos teólogos y filósofos afirman que el teísmo es "un concepto de la filosofía religiosa, según el cual el sujeto de los atributos divinos —omnipotencia, aseidad, omnipresencia, paternidad universal—es distinto de todos los demás seres y pertenece a un orden trascendente".

El teísmo, afirmación rotunda de Dios, tendrá un carácter racional y filosófico o teológico y positivo, según quede establecida aquella afirmación como un objeto demostrable o como fruto de una creencia.

En el siglo XIX, y en Alemania, capitaneada por Manuel Hermann (1796-1879), hijo de Fichte, surgió la escuela defensora de un *teísmo especulativo*, que, apartándose del idealismo romántico y del monismo postkantiano, se opuso al materialismo y al positivismo, al voluntarismo de Schopenhauer, al hegelismo.

El teísmo especulativo es una defensa tenaz de la metafísica espiritualista, y reconoce una base puramente especulativa o racional.

V. CROLL, J.: *Philosophy of theism*. Londres, 1851.—FLINT, R.: *Theism*. Edimburgo, 1877.—BOWNE, B. P.: *Studies in theism*. Nueva York, 1879.—MOORE, H. H.: *The anatomy of theism*. Londres, 1890.—KNIGHT, W.: *Aspectos del teísmo*. Madrid, 1894.—WOYSEY, Ch.: *Theism as a science of natural theology and natural religion*. Londres, 1909, 2.ª edición.—GRANDMAISON, L. de: *Manuel d'histoire des religions*. París, 1921.—PÉCANT, F.: *De l'avenir du théisme chrétien consideré comme religion*. París.

TELEOLOGÍA

Ciencia de las causas finales. Con esta palabra, introducida en el lenguaje desde Kant, se designa el conjunto de especulaciones que se aplican al conocimiento del fin, de la finalidad considerada de una manera general y abstracta. El dominio de esta ciencia en la filosofía natural se opone al del mecanismo.

TELEOLOGISMO

Sistema de las causas finales. Se opone al mecanicismo o sistema de las causas eficientes.

Aun cuando teologismo deriva de la teología—doctrina general de los fines en su doble aspecto cosmológico y teológico—, no es exactamente lo mismo. En la Historia de la Filosofía, cuando se emplea, en un sentido general, el término teologismo, se da a entender "que la doctrina de las causas intencionales (teleología) se ha convertido en un sistema metafísico del mundo".

Para Haeckel, son sinónimos teleologismo y *vitalismo* (V.), ya que ambos, rechazando el determinismo de las leyes causales, explican la vida por un principio finalista.

TELIAMBO (Verso)

Calificación que daban los antiguos retóricos a un verso cuyo último pie era yambo. (V. *Baquiaco, Crético, Hexámetro*—diferentes especies de teliambo—.)

TELINGA (Lengua)

Una de las lenguas de la India, cuya existencia es anterior a la introducción del sánscrito en este país. Es hablada en una gran parte del Deccan. Es de todas las lenguas drávidas la que se ha mezclado más con el sánscrito. Es igualmente la que más palabras ha tomado de los idiomas malayos, en especial del javanés.

El *telinga* abunda en aspiraciones; su gramática y su sintaxis se asemejan a las del *tamul, kanara* o *karnatic*. Su alfabeto, rico en letras, es más completo que el de estas lenguas.

La más antigua obra *telinga* conocida data del siglo XII, y fue publicada por Morris—Madras, 1823—en *Telegoo selections, with traslations...*

V. CALDWELL: *Gramática comparada de las lenguas drávidas*. Londres, 1840.—BROWN: *On the Language and literature of the Telega*. Madras, 1840.

TEMA

1. Asunto o materia de una obra literaria o de un discurso.
2. Trozo de una composición que se propone para su lectura y comentario.
3. Parte esencial, fija o invariable, de un vocablo.
4. Idea obsesiva.

TEMÁTICA

1. Lo ejecutado y dispuesto según un tema o asunto de cualquier materia.
2. Conjunto de temas de un movimiento literario o de una época en la historia de la literatura. (*Temática clasicista, temática romántica.*)

TEMPLE (Sociedad del)

Nombre dado a un grupo de poetas, de espíritus refinados y de grandes señores aficionados a las letras francesas de fines del siglo XVII y principios del XVIII, cuyas reuniones habituales tenían lugar en el palacio del Temple y bajo la presidencia del "gran prior" el príncipe de Vendôme.

El espíritu y el tono que reinaban en la *Sociedad del Temple* marcaban una reacción muy viva contra la austeridad y la hipocresía oficiales que madame de Maintenon había entronizado en la corte. Chapelle y La Fontaine fueron miembros relevantes de esta Sociedad.

V. SAINTE-BEUVE: *Causeries du lundi.* Tomo I

TENSÓN

Composición poética provenzal, que consistía en una controversia entre dos o más poetas acerca de un tema determinado, generalmente *amoroso.* Fue llamado también *joc inamorat, partimen, joc d'amor, contenso, torneyamen.*

El poema se componía de un número indeterminado de estrofas, de seis a treinta formada cada una de ellas por seis, siete u ocho versos octosílabos o decasílabos. El demandado estaba obligado a conservar las rimas del que proponía la cuestión, y esta quedaba sujeta a la decisión de un árbitro.

Fueron poetas muy destacados en estas controversias poéticas Alan Chartier, Guillermo de Machaut, Cristina de Pisan.

V. ZENKER, Rudolfo: *Die Provenzalische Tenzone.* Leipzig, 1880.

TEOCRATICISMO

Doctrina política que defiende y explica el gobierno ejercido directamente por Dios, y también que el concepto de teocracia implica que la divinidad, considerada como soberana, es una divinidad *personal.*

Sin embargo, el concepto anterior fue modificado decisivamente a partir de la alta Edad Media. Hoy puede definirse el teocraticismo como la doctrina política que defiende el gobierno de la clase sacerdotal, o del príncipe como ministro de Dios y en su cualidad, por tanto, de supremo sacerdote.

La teocracia alcanzó su mayor auge en la antigüedad. La monarquía fue teocrático-militar en Oriente. El rey fue considerado como la personificación del gobierno directo de Dios, como en Judea; o era hijo del mismo cielo, como en China; o aparecía dominado por la influencia sacerdotal, como en Egipto y la India. Algunos tratadistas creen que la teocracia dirigió siempre la civilización primitiva, y que las naciones han comenzado por ella, siendo la forma social que primero se presenta en la historia de las sociedades humanas.

El Código de Manú sujeta al rajá a la voluntad de los brahmanes. En Egipto, el faraón tuvo carácter de jefe de la religión, reemplazando los sacerdotes a los legisladores. Mahoma no solo fue pontífice y fundador de su religión, sino también jefe civil de los musulmanes. El Mikado, hasta hace muy pocos años, fue la única autoridad religiosa y política. En el Tibet, el Dalai Lama es jefe absoluto civil y religioso. Y el pueblo judío del Antiguo Testamento fue llamado "el pueblo de Dios", ya que estuvo regido por El, valiéndose de sus sacerdotes, de sus profetas y de sus reyes.

En España, el teocratismo estuvo patente con la monarquía visigótica y con la de los Reyes Católicos y primeros Austrias.

Modernamente, la teocracia se manifestó en la Rusia de los zares y en el Estado de Utah, de Norteamérica, donde los mormones están organizados a la manera del antiguo pueblo judío.

Hoy, sin embargo, para doctos escritores de Derecho político, teocraticismo es una doctrina "según la cual Dios es la verdadera fuente de la autoridad moral en la sociedad humana".

Y cuando se concibe la Vida como el Reino de Dios, tenemos el mejor símbolo de la organización teocrática de la tierra.

V. MARTINEAU: *Study of Religion.* Londres, 3.ª edición, ¿1920?

TEOGONÍA

1. Generación de los dioses paganos.
2. Cualquier sistema religioso del gentilismo.

TEOLOGÍA

Ciencia que se refiere a Dios, a sus perfecciones y a sus atributos.

TEOLOGISMO (V. Tradicionalismo, Fideísmo)

TEORÍA

Conocimiento especulativo de las cosas, considerado independientemente de toda práctica y aplicación.

TEOSOFISMO

Nombre dado a la más moderna forma del *ocultismo* (V.). Alguien ha dicho que el ocultismo fue el abuelo del teosofismo, y el *espiritismo* (V.), su padre.

En la historia de la Filosofía, teosofismo es el racionalismo teológico, y más especialmente el racionalismo místicopanteísta de ciertas escuelas: antiguos gnósticos, neoplatonismo alejandrino, cábala, etc. Designa también ciertos misticismos filosófico-religiosos de inspiración panteística, como los de Böhm y Swedenborg.

La principal fundadora del teosofismo fue Elena Petrovna Blavatsky, nacida—1831—en Ekatarinoslav (Rusia), mujer extravagante, fácilmente irritable, aventurera, escandalosa, que se pasó la vida viajando por todo el mundo, después de haberse separado de su marido.

Llegó a combatir, vestida de soldado, con las tropas de Garibaldi en Italia, recibiendo varios balazos y cuchilladas.

Elena Blavatsky se relacionó en Europa y los Estados Unidos con Víctor Michal—espiritista y masón—, con Metamón—egiptólogo y alquimista—, con Enrique Steele Olcott—masón y ocultista—, con Jorge H. Felt—dedicado al estudio de la antigua cábala.

En 1875, Elena Blavatsky fundó en Nueva York una Sociedad de Investigaciones Espiritistas. Los fines de esta Sociedad se declaraban en un manifiesto curiosísimo.

"El título de Sociedad teosófica explica los objetos y deseos de sus fundadores. Pretenden conseguir el conocimiento de la Naturaleza y de los atributos del Poder Supremo y de los más encumbrados espíritus mediante procedimientos físicos. En otros términos, esperan que penetrando en las filosofías de los tiempos antiguos más profundamente que la ciencia moderna, se capacitarán para adquirir por sí mismos y por otros investigadores la prueba de la existencia de un universo invisible, de la naturaleza de sus habitantes, si los tienen; de las leyes que los rigen y de sus relaciones con el género humano. Los fundadores, conscientes de que toda tentativa para adquirir la suspirada ciencia ha fracasado en todos los demás países, vuelven sus ojos al Oriente, cuna de todos los sistemas religiosos y filosóficos."

Los teosofistas fundadores se creyeron los sucesores de los Rishis de la India védica y de los Arhats del budismo primitivos; superhombres vivientes, dotados de cualidades insólitas, con facultad para conocer el pensamiento ajeno y para comunicarse, directa o indirectamente, por medio de la *telegrafía psíquica,* con maestros y discípulos dondequiera que estén, inclusive en los astros.

El teosofismo amalgama los dogmas, la magia, la medicina, las ciencias y las supersticiones, y admite las *reencarnaciones* y las *desencarnaciones.*

El teosofismo alcanzó un éxito extraordinario entre 1880 y 1910. Poseyó tres secciones independientes: la Indostánica—dirigida por Olcott—, la Americana—por Judge—y la Europea—por Annie Besant, discípula predilecta y sucesora de Elena Blavatsky.

El teosofismo tuvo sus grandes revistas: *Lucifer,* en Londres; *Lotus Bleu,* en París; *Loto Blanco,* en Barcelona.

En esta última revista se determinaron con la mayor claridad los fines de la Sociedad teosófica:

1.° Formar un núcleo de fraternidad universal, sin distinciones de raza, creencias, sexo, casta o color.

2.° Fomentar el estudio comparativo de las religiones, ciencias y literaturas de los pueblos orientales.

3.° Investigar las leyes inexplicables de la Naturaleza y los poderes psíquicos latentes en el hombre.

Los postulados esenciales del teosofismo son: el esoterismo doctrinal, el panteísmo, el proceso progresivo del Universo, el proceso evolutivo del hombre—con el ego individual, la reencarnación y la desencarnación.

Como el teosofismo afirma que todos los hombres son modalidades divinas y proclaman, lógicamente, la igualdad absoluta de ellos y entre ellos, la moral del teosofismo es relativamente honesta. Fomenta el pacifismo y las asociaciones benéficas; aboga por un internacionalismo universal que linda con el anarquismo.

El ascetismo teosófico ordena la máxima purificación de los cuerpos y manda abstenerse de las carnes y de las bebidas alcohólicas. Dicha purificación corporal aumenta extraordinariamente la sensibilidad y "hace que los teosofistas vean lo que otros no ven, oigan lo que otros no oyen, y produce los fenómenos espiritistas."

La residencia central del teosofismo está en Adyar, Madrás, India inglesa.

V. Blavatsky, Elena P.: *Clave de la teosofía, Isis sin velo, La doctrina secreta, La voz del silencio.* Traducidas al castellano y publicadas en Barcelona.—Besant, Annie: *Manual teosófico, Poder del pensamiento, Las logias teosóficas...* Traducción castellana. Barcelona.

TERCERILLA

Composición métrica de tres versos de arte menor, dos de los cuales riman o hacen consonancia.

> Después que nascí,
> non vi tal serrana
> como esta mañana.
>
> (Marqués de Santillana.)

TERCETO

Es una combinación métrica de tres versos, generalmente endecasílabos, de los cuales riman el primero con el tercero, quedando libre el segundo.

En composiciones largas, los *tercetos* son estrofas de tres versos endecasílabos y consonantes, de los cuales rima el primero con el tercero, el segundo concierta con el primero y último del terceto siguiente, y se continúa el mismo artificio hasta la conclusión, en la que se añade un verso concertado con el segundo del último terceto, con el cual forma un cuarteto para no dejar un verso sin consonante. Como ejemplo, ponemos dos fragmentos—primero y último—de la *Epístola moral a Fabio,* modelo inigualable de tercetos:

> Fabio, las esperanzas cortesanas
> prisiones son do el ambicioso muere
> y donde al más activo nacen canas.
> El que no las limare o las rompiere,

ni el nombre de varón ha merecido,
ni subir al honor que pretendiere.
El ánimo plebeyo y abatido
procura, en sus intentos temeroso,
antes estar suspenso que caído;
que el corazón entero y generoso
al caso adverso inclinará la frente
antes que la rodilla al poderoso.
....
¿Es, por ventura, menos poderosa
que el vicio la verdad? ¿O menos fuerte?
No la arguyas de flaca y temerosa.
La codicia en las manos de la suerte
se arroja al mar, la ira a las espadas,
y la ambición se ríe de la muerte.
¿Y no serán siquiera tan osadas
las opuestas acciones, si las miro
de más nobles objetos ayudadas?
Ya, dulce amigo, huyo y me retiro
de cuanto simple amé: rompí los lazos:
ven y sabrás al grande fin que aspiro,
antes que el tiempo muera en nuestros brazos.

Los tercetos endecasílabos son propios de las composiciones de carácter satírico, filosófico, elegíaco. Los de arte menor—*tercerillas*—, de temas ligeros y graciosos.

Rubén Darío escribió *tercetos octosílabos* (AAA, BBB, CCC...)

Poderoso visionario,
raro ingenio temerario,
por ti enciendo mi incensario.
Por ti, cuya gran paleta,
caprichosa, brusca, inquieta,
debe amar todo poeta...

(RUBÉN DARÍO: *A Goya.*)

El *terceto* tiene un origen italiano. Se atribuye su invención a Dante Bruneto Latini. En España los introdujo Boscán.

TERMINISMO

Sistema filosófico que encuentra la universalidad del pensamiento únicamente en el término o signo lógico que lo expresa.

Se han señalado tres soluciones fundamentales al problema de lo universal: *realismo* (V.), *conceptualismo* (V.) y *nominalismo* (V.). Pues bien: el terminismo "es una forma del nominalismo conceptualista".

El terminismo surge durante la alta Edad Media, aun cuando el calificativo *terministae* lo usa por vez primera—siglo XIV—el gran filósofo Gerson. Hoy, se utiliza dicho calificativo para señalar el sistema de Guillermo de Occam (1300 a 1348), según el cual: "*genera et species non sint sine termini apud animan existentes*".

Puede aclararse que el terminismo aparece a un tiempo mismo que el problema de los universales—siglo IX—. Occam lleva el terminismo a su prestigio, al separarse del realismo, tanto escotista como tomista. Occam cree que el valor de lo universal debe ser ponderado en el momento en que ejerce su acción unificadora en el juicio o proposición lógica.

Para el terminismo, lo universal es el *término-concepto*. En realidad, nada hay universal; todo es individual o singular. "El conocimiento es una representación *(signum)* que como tal está en lugar *(supponit)* del objeto representado. Lo que distingue al signo mental *(terminus)* del lenguaje y de la escritura es que aquel es natural y los otros son artificiales."

El terminismo—nacido en la Escuela de Oxford—representó las sutilezas y finuras dialécticas frente a las doctrinas dogmáticas o racionales. Fue *como una gimnasia* del espíritu. Acaso por ello encontró en seguida defensores ilustres y numerosísimos: Guillermo de Heytesbury, Ricardo Billingham, Clymeton Langley, Juan Dumbleton, Adam Vodeham, Roberto Holcot...

El terminismo pasó rápidamente de Oxford a París, donde lo defendieron y explicaron Juan de Buridan, Marsilio de Inghen, Enrique Hainbuch de Langenstein, Pedro de Palude, Juan de Basilea, el franciscano Pedro de Candía... A fines del siglo XIV se enseñaba terminismo en las Universidades de Viena, Colonia, Erfurt, Praga, Leipzig...

Pero, inmediatamente, el terminismo fue perseguido y condenado. Clemente VI lo calificó de sofístico. Juan XII se pronuncia abiertamente contra él. Luis XI prohibió—1474—su enseñanza en la Universidad de París. El gran Luis Vives lanzó su diatriba *In Pseudo-dialecticos* contra los terministas que enseñaban en Salamanca, Alcalá y Coimbra. Y hasta los heterodoxos Juan Huss y Jerónimo de Praga lograron que la Universidad de Praga negara sus cátedras al terminismo.

Aun cuando este prolongó su influencia durante el Renacimiento, la renovación humanística y naturalista en que se iniciaron la ciencia moderna y los nuevos sistemas filosóficos le dieron el golpe de gracia. Sin embargo, es necesario indicar que el terminismo fluyó soterrañamente hasta la escuela inglesa de Locke, filósofo que recogió la herencia del nominalismo. Más aún: "disfrazado" de conceptualismo, el terminismo deja sus vestigios en el idealismo abstracto de Kant.

V. WULF, M. de: *Le problème des universaux et son évolution historique du IXe auXIII^e siècle.* 1896.—CANELLA, G.: *Il nominalismo e Guglielmo d'Occam.* Florencia, 1908.—KÜTHMANN, A.: *Zur Geschichte des Terminismus.* Leipzig, 1911.

TÉRMINO

1. Voz. Vocablo. Palabra.
2. Cada uno de los elementos necesarios en la relación gramatical.
3. Cada una de las palabras que integran sustancialmente una proposición o silogismo.

T

Los de la proposición son dos: *sujeto* y *predicado*. Los del silogismo, tres: *mayor, menor* y *medio*.

TERTULIA LITERARIA

Reunión de escritores. Una tertulia literaria puede equivaler a un grupo de literatos comprendidos *en una misma tendencia,* con idénticos gustos y un mismo ideal. Los asistentes a la famosa *Fonda de San Sebastián*—Nicolás F. Moratín, Iriarte, Cerdá, Conti, Cadalso, etc.—eran acérrimos partidarios del neoclasicismo y enemigos igualmente acérrimos del barroco. Pero una tertulia literaria puede también estar formada por escritores de distintos gustos y tendencias. Modernamente, las tertulias literarias no significan *armonía* entre sus componentes, sino desigualdad y controversia.

La influencia de las tertulias en las distintas promociones literarias ha sido siempre muy grande, aun cuando no siempre beneficiosa.

Aun cuando no otra cosa que tertulias literarias fueron las famosas *Academias* (V.) de nuestro Siglo de Oro, y las dieciochescas *Academia del Buen Gusto*—presidida por la marquesa de Sarria—, del conde de la Palma y de la ya aludida *Fonda de San Sebastián,* fue el Romanticismo quien multiplicó las tertulias. En Madrid, durante el siglo XIX, se hicieron famosas la *del Parnasillo*—en el café del Príncipe—; la *del Liceo*—fundada por Fernández de la Vega, 1837, en su domicilio de la calle de la Gorguera—; la *Academia del Mirto* y la del café *La Fontana de Oro*—en la carrera de San Jerónimo—, que mezclaban con la literatura enormes dosis de política más o menos subversiva; la del *café de la Esmeralda,* al que acudían Fernández y González, Ortega y Frías, Eguílaz, Cánovas del Castillo y otros cultivadores de la novela histórica.

A fines de siglo, la tertulia denominada *Bilis-Club* se reunía en distintos cafés: el Levante, el Inglés, Fornos..., y estaba compuesta por "Clarín", Manuel del Palacio, Palacio Valdés, Sellés, Taboada, Adolfo Posada, Tomás Tuero... De esta tertulia surgió la idea de la famosísima revista *Madrid Cómico.*

En lo que va de siglo XX, las más importantes tertulias literarias han sido: la del *Café Gato Negro,* fundada por Jacinto Benavente; la del *Café-Botillería Pombo,* de la que fue alma Ramón Gómez de la Serna, y la del *Café de Platerías,* donde acudían muchos de los escritores que iniciaron los "ismos" subversivos del ultraísmo y del superrealismo.

Sobre las tertulias literarias madrileñas pueden consultarse las *Memorias de un setentón,* de Mesonero Romanos; varios *Episodios Nacionales* y novelas de Galdós, y el amenísimo *Pombo,* de Gómez de la Serna.

TERTULIANISMO

Nombre dado a la doctrina herética de Tertuliano.

Quinto Septimio Florente Tertuliano nació —¿160?—en Cartago y murió—¿220?—en la misma ciudad. Su padre fue un oficial romano que estaba de guarnición en la famosa plaza africana. Recibió una magnífica educación científica y literaria. Abogado. Contrajo matrimonio. Y hacia el año 194 se convirtió al cristianismo. Según San Jerónimo, llegó a ordenarse sacerdote. En el año 205, su carácter ultrarrigorista, vehemente y sombrío, le indujo a iniciarse en el *montanismo* (V.), dentro del cual Tertuliano dirigió una facción de adictos, que tomaron el nombre de *tertulianistas.*

Tertuliano fue, hasta San Agustín, el más fecundo y original de los escritores eclesiásticos latinos. Poseyó una viveza exaltada, un conocimiento profundo de las más diversas materias, una inteligencia penetrante y una elocuencia arrebatadora.

Entre las obras ortodoxas de Tertuliano destacan: el *Apologeticum*—defensa magnífica del cristianismo—, *De testimonio animae, Adversus Judaeos, De praescriptione haereticorum, Adversus Marcionem, libri V; Adversus Hermogenem, De resurrectione carnis...*

Pero aquí nos interesa más referirnos a las obras de Tertuliano en las que surgen sus errores montanistas.

Así, en el tratado *De anima*—que es la primera psicología cristiana—, sin negar la inmortalidad del alma, Tertuliano opina que puede atribuírsele cierta corporeidad, y sustenta contra las doctrinas ortodoxas de la creación de la misma el generacionismo o traducianismo más burdo.

En el tratado *De pudicitia,* Tertuliano impugna el derecho de la Iglesia a la remisión de los llamados pecados capitales.

En *De ieiunio adversus psychicos* ataca a los católicos—psíquicos—, acusándolos de glotones y de no guardar con rigor los ayunos durísimos de su secta.

En *De exhortatione castitates* condena las segundas nupcias, combatiendo la opinión de San Pablo, y llegando a combatir el matrimonio y la familia.

En *De fuga* condena la huida de los verdaderos cristianos en tiempos de persecuciones.

En *De velandis virginibus* afirmó que las vírgenes, dentro y fuera de los templos, debían ir siempre con el rostro cubierto por un velo.

En *De idolatria* prohíbe a los cristianos fabricar imágenes, construir templos y aun ejercer los oficios de comerciante, de maestro de escuela y de funcionario.

En *De Baptismo* se manifiesta lleno de sutilezas, bastante pueriles, acerca de las virtudes misteriosas del agua y de sus gracias santificantes.

¿Cuáles fueron las causas de que varón tan sapiente, tan recto, cayera en la herejía? San Jerónimo dice expresamente: "Los celos y los malos tratamientos del clero de Roma le llevaron a los dogmas de Montano." Sin embargo, su carácter rudo y ardiente debía inclinarse naturalmente hacia el rigorismo estoico de esta secta. El lado dulce y tierno del cristianismo le había escapado, o le pareció una relajación y hasta un enervamiento de la tradición.

En general, todos los escritos de Tertuliano manifiestan una severidad llevada hasta el ascetismo, un radicalismo sombrío, absoluto y estrecho.

Puede afirmarse que el *tertulianismo* es la herejía de la *exageración*. Sí, Tertuliano se hizo hereje nada más que por *exagerar* las doctrinas ortodoxas que defendió durante gran parte de su vida.

V. NEANDER: *Antignostikus. Geist des Tertullianus und Einlectung in dessen Schriften.* Berlín, 1849.—D'ALES: *La théologie de Tertullien.* París, 1905.—ROBERTS, H. E.: *The Theology of Tertul.* Londres, 1924.—ZAMA: *Il pensiero di Q. S. F. Tertul.* Lanciano, 1921. SCIASCIA: *Tertulliano e la Chiesa.* Caltanissetta, 1923.

TESIS

1. Proposición controvertible que se sostiene con razonamientos sobre motivos literarios, artísticos, científicos.

2. Estudio escrito que el aspirante al título de doctor debe presentar ante un tribunal universitario para su aprobación.

TETRALOGÍA

De τέτρα, cuatro, y λογος, discurso. Entre los antiguos griegos se llamó así un conjunto de cuatro obras dramáticas, presentadas a un concurso público, que perfectamente relacionadas entre sí por el tema y los personajes, formaban como una composición dramática en cuatro partes.

Generalmente, componían la *tetralogía* tres tragedias y un drama satírico; raramente cuatro tragedias. La ligazón entre estas obras estriba en los personajes o en la leyenda sobre la cual estaban basadas; así, en la *Orestíada,* de Esquilo; la *Pandionida,* de Filocles, y la tetralogía de Eurípides, formada por *Alexandro* o *Paris, Palamedes* y *Los Troyanos,* sujetos todos ellos de gran interés en la guerra e historia de Troya. En ocasiones, las cuatro partes tenían una leve afinidad entre sí, como se ve en la tetralogía de Jenocles: *Edipo, Licaón, Las Bacantes,* tragedias, y *Athamas,* drama satírico—títulos que conocemos por Eliano.

Esquilo compuso: *Fineo, Los Persas, Glauco* o *Pontios,* tragedias y *Prometeo,* drama satírico.

En el pasado siglo, Ricardo Wagner compuso, para musicarla, la famosa tetralogía *El anillo del Nibelungo,* cuyas partes tenían por títulos: *El oro del Rin, Las Walkyrias, Sigfrido* y *El crepúsculo de los dioses.*

V. WOLF, Ferd.: *Tetralogia dramatum graecorum.* Leipzig, 1787.—PATIN: *Etudes sur les tragiques grecs.* 1841-1843. Cuatro tomos.

TETRÁMETRO

Verso griego y latino formado por cuatro dáctilos o anapestos y de cuatro yambos.

El tetrámetro se componía de cuatro pies, cuando la medida no era más que un solo pie; y de ocho, cuando aquella comprendía dos pies y una dipoplia.

Uno de los tetrámetros más usados fue el *yámbico tetrámetro* u *octonario*—de ocho pies— y *quadratus*—de cuatro medidas—. Era el verso más largo de los yámbicos. La invención de este verso se atribuye a Alceo—por Hifestion—y a Boïscus de Cicico—por Rufino.

Los griegos no utilizaron el tetrámetro en el género teatral, pero sí, frecuentemente, los latinos. Cicerón—en sus *Tusculianas*—nos cita un ejemplo de *yámbico tetrámetro,* tomado de un trágico.

Este verso, lo mismo que el *trímetro yámbico,* tenía en la comedia el privilegio de numerosas licencias.

Había, además, un *yámbico tetrámetro cataléctico,* o verso al que le faltaba una sílaba, el cual fue inventado por Hipona.

TETRASÍLABO

Verso de cuatro sílabas. Lleva el acento constitutivo en la sílaba tercera.

> Veinte pr*é*sas
> hemos h*é*cho
> a desp*é*cho
> del ingl*é*s...
>
> (ESPRONCEDA.)

El tetrasílabo es usado como hemistiquio suelto en las coplas de *pie quebrado* (V.).

TETRÁSTICO

Que consta de cuatro versos.

TETRÁSTROFO

Nombre dado a la estrofa típica de la cuaderna vía medieval.

Su rasgo diferencial era el uso forzado, violento, del hiato, oponiéndolo a la sinalefa, que exige una normal pronunciación.

El tetrástrofo fue usado correctamente por Gonzalo de Berceo.

> Quiero fer una prosa en roman paladino,
> en qual suele el pueblo fablar a su vecino,
> ca non so tan letrado por fer otro latino,
> bien valdrá, commo creo, un vaso de bon vino.

TEXTO

1. Lo escrito por un autor.

2. Contenido de un libro, excepción hecha de portada, índices, apéndices, etc.

3. Pasaje citado en una obra literaria.

4. Por antonomasia, sentencia de la Sagrada Escritura.

THESIS

Se designa con este nombre en la métrica clásica la *depresión de voz* que sigue a una *elevación (arsis)* producida por el ritmo de acento *(ictus)*.

TIBETANA (Lengua y Literatura)

La lengua tibetana es monosilábica, y muchas de sus raíces son comunes con las del chino y los idiomas indochinos. Está llena de consonantes duras, por lo que su pronunciación resulta muy áspera. Comprende numerosos dialectos: el *lassa,* el *kombo,* el *ladak,* el *butan,* el *sifan,* todos ellos muy poco estudiados.

El tibetano tiene dos números; los géneros existen únicamente para los nombres de seres animados; su declinación comprende ocho casos, y en los verbos las personas son indicadas por los pronombres. La ortografía es la más irregular conocida, y la pronunciación difiere mucho de la escritura. Los versos quedan medidos por el número de sus sílabas, sin preocupación de la cantidad prosódica. La rima es accidental.

Su alfabeto deriva del sánscrito y comprende 30 caracteres, más algunos signos que marcan las vocales. Diferentes grupos de consonantes añaden otros 229 caracteres. Posee cuatro sistemas de escritura, muy diferentes entre sí: el *dvou-djan,* o forma cerrada, que se emplea en la impresión de los libros; el *dvou-min,* o forma cursiva; el *bamyik,* forma cerrada, y el *brutcha,* compuesto por caracteres mitad redondos y mitad angulosos.

El tibetano es el idioma de los lamas o sacerdotes mogoles y kalmukos. Es la expresión verbal del budismo en Mogolia, Manchuria, Corea y en la misma China.

Los centros de la literatura tibetana están precisamente en las residencias de los lamas. Las producciones más importantes son los *tratados religiosos.* El viajero húngaro Csoma de Koros vio en la biblioteca del templo de Kanom una compilación religiosa en 120 volúmenes. Son conocidos también el *Kah-Gyur (Mandamientos),* en 100 volúmenes, que contienen historia, metafísica, moral, etc., y el *Stan-Gyur (Instrucciones),* en 225 volúmenes. Los tibetanos tienen *libros de preces,* llamados *libros de salud.* Tales libros están impresos en hojas de papel muy estrechas y largas. La escritura va de izquierda a derecha. Los manuscritos asombran por la elegancia de sus letras y por sus ilustraciones, de un exquisito gusto.

V. GEORGEI: *Alphabeticum tibetanum.* Roma, 1762.—BELIGATTI, Cassiano: *Alphabeticum tangutanum seu tibetanum.* Roma, 1773.—FEER, León: *Exercice de la langue thibétaine.* París, 1865.—FOUCAUX, Ed.: *...Littérature thibétaine...* París, 1842.

TIMBRE

Modo propio y característico de sonar cada voz y cada instrumento de música.

TIPO

1. Símbolo.
2. Letra de imprenta y cada una de las clases de letras de imprenta.
3. Imagen que sirve de modelo para otras semejantes.
4. Personaje paradigmático de ficción en los géneros literarios dramáticos y narrativos. Así, *Polichinela, Otelo, Don Juan, Celestina.*

TIPOGRAFÍA (V. Imprenta)

TIRADA

1. Acción y efecto de imprimir.
2. Conjunto de los ejemplares de una misma obra—o de un periódico o revista—impresos en una misma edición.

TIRANA

Canción popular española. En su origen fue un aire de baile y canto. Habiendo caído en desuso el baile, se conservó como canción. Iza Zamácola, más conocido por "Don Preciso", describe así la *tirana:* "Al paso que se cantaba con coplillas de a cuatro versos asonantados de a ocho sílabas, se bailaba en un compás claro y bien marcado..."

La *tirana* degeneró mucho; sin embargo, siguieron componiéndose multitud de canciones para guitarra con el nombre de *tiranas.*

TIRONIANAS (Notas)

Caracteres abreviados de escritura que usaron los *notarii* romanos y que pueden ser considerados como los predecesores de la moderna taquigrafía. Se atribuye su invención a *Tullius Tiro,* liberto de Marco Tulio Cicerón, a quien servía de amanuense. Otros críticos afirman que las inventó Ennio, habiéndolas perfeccionado Tiro.

Los griegos no ignoran las abreviaturas de las palabras, porque, según Diógenes Laercio, Jenofonte se valió de ellas para compendiar los discursos y conversaciones de su maestro Sócrates.

En 1747, Carpentier recogió en un folleto un alfabeto de las *notas tironianas.* (V. *Taquigrafía.*)

V. GRUTER, J.: *Notae Tironis et Annae Senacae, sive characteres quibus utebantur Romani veteres in scriptura compendiaria.* Francfort, 1603.—CARPENTIER: *Alphabetum tironianum.* París, 1747.—LALANNE, Lud.: *Curiosités bibliographiques.*—TARDIF, Jules: *Mémoire sur les notes tironiennes.* París, 1852.—KOPP: *Palaeographia critica.* Manheim, 1817-1829. Cuatro volúmenes.

TÍTULO

1. Palabra o frase con que se da a conocer el asunto o la materia de una obra o de cualquiera de sus partes.

2. Inscripción que singulariza una obra literaria y da a conocer el nombre de su autor.

3. Cada una de las inscripciones secundarias o epígrafes de los capítulos o divisiones de un libro.

4. Inscripción o rótulo exterior para el conocimiento de una cosa interior.

TOLERANTISMO

Filosóficamente, tolerantismo designa la tolerancia sistemática o el exceso de tolerancia. Modernamente, algunos filósofos llaman tolerantismo al otorgamiento de iguales valores y virtudes a todas las opiniones, cualquiera que sea su sentido intrínseco.

El sentido de este vocablo es relativamente moderno. En el lenguaje de los teólogos, significa la indulgencia con respecto a los desvíos doctrinales o a las infracciones a la disciplina eclesiástica. Los molinistas y los jesuitas, durante el siglo XVII, representaron el tolerantismo, en oposición a la intransigencia de los jansenistas. En el siglo XVIII, los enciclopedistas franceses denominaron tolerantismo a una especie de amenidad, a una especie de cortesía que hace posible la convivencia social a despecho de las diferencias de opiniones. Hoy, tolerantismo es algo mucho más elegante y sugestivo: saber exponer las propias opiniones sin tratar nunca de imponerlas; buscar las convicciones leales, no las sumisiones vergonzosas por causa del miedo o de las conveniencias materiales.

TOMISMO (Filosófico)

Sistema escolástico contenido en las obras de Santo Tomás de Aquino. Nadie como este supo armonizar la razón con la fe y la filosofía con la teología.

En *lógica*, el tomismo resolvió el problema de los universales con el sentido de un realismo moderado; en *metafísica*, demostró la trascendencia del Ser divino, único en el que la esencia y la existencia son rigurosamente idénticas; en *teodicea*, no admitió otras pruebas de la existencia de Dios que aquellas fundadas sobre el principio de causalidad. Para el tomismo, Dios es la causa final, la causa ejemplar y la causa eficiente de todas las criaturas.

Santo Tomás sistematizó con gran sutileza la distinción y las relaciones entre la filosofía y la teología. La teología se fundamenta en la Revelación. La filosofía depende de la razón humana. La teología y la filosofía se mueven en campos diferentes; sin embargo, una y otra buscan sustancialmente la verdad. La razón usada con rectitud conduce a la verdad, inexorablemente. La Revelación, que llega al hombre desde Dios, jamás puede dejar de ser verdadera. Por tanto, a la filosofía y a la teología las enlaza la verdad. Si alguna vez entre las dos surge una diferencia, el error está en la razón, en la filosofía. Es el filósofo, pues, quien debe rectificar. Además, la teología y la filosofía pueden coincidir parcialmente por el *objeto material*, aun cuando se distingan por el *objeto formal*. Ciertas verdades reveladas pueden adquirirse por el solo uso de la razón, aun cuando tras mucho esfuerzo y con grandes peligros de error. Dichas verdades de fe, que el vulgo cree, sin más razones, *porque sí*, deben, sin embargo, ser demostradas por el filósofo. La filosofía tiene, también, a Dios por objeto; por ello, cree el tomismo que las teologías son dos: la *revelada*—que enraíza en el Dogma—y la *natural*—elaborada por las únicas fuerzas de la razón.

La teología natural es, pues, *una parte* de la filosofía. El tomismo, filosóficamente, tuvo como seguro guía a Aristóteles, discutiendo las opiniones de los Santos Padres y de los árabes acerca de este filósofo.

El tomismo—escribe G. Luna—"establece que todas las ciencias humanas tienen un solo y exclusivo fin: la perfección del hombre. Siempre que varias cosas se refieren a un fin idéntico debe haber un principio regulador de su acción común. Las ciencias constituyen, pues, una sociedad como los individuos; sociedad que implica, a la manera de asociación política, un poder que coordine y dirija. Vemos que en la sociedad política el poder corresponde a la inteligencia. Del mismo modo, la ciencia reguladora de las otras ciencias ha de ser la más intelectual, esto es, la que trate de las cosas más inteligibles. La inteligibilidad de las cosas se considera bajo tres aspectos. En primer lugar, el conocimiento de las causas, en cuanto encierra una explicación completa de los efectos, y da a la mente una luz superior al simple conocimiento de los efectos. En segundo, el intelecto, que difiere de los sentidos, porque estos se refieren a las cosas particulares, al paso que el intelecto abraza lo universal. En tercero, la inteligibilidad de las cosas depende de su proporción con el intelecto, que crece a medida que se sustrae a las condiciones materiales; así, las cosas son tanto más inteligibles cuanto más se apartan de la materia. De aquí se sigue que la ciencia más intelectual, y, por consiguiente, la ciencia reguladora, es la metafísica, puesto que siendo la ciencia del *ser* en general y de sus propiedades, considera las causas primeras en su mayor generalidad y pureza. Todas las demás ciencias especulativas solo consideran al ser desde un punto de vista especial y subordinado. Y respecto a las ciencias prácticas, por su misma esencia, carecen de gran generalidad, toda vez que son relativas a la actividad particular del hombre.

"Así, la unidad radical de la filosofía de Santo Tomás está en su metafísica. El ser, la posibilidad, la existencia, lo uno y lo múltiplo, la causa y el efecto, la acción y la pasión, constituyen la materia de su doctrina central. Pero este cuadro va desarrollándose por medio de una multitud de divisiones y subdivisiones que se pierden en sus complicadas categorías.

"Los principios de la ciencia han menester de la experiencia, que nos da a conocer los términos de que se componen, y de la razón, que descubre el enlace que entre sí tienen. *El todo es mayor que la parte.* Las ideas de *todo* y de *parte* son los términos del principio: *la idea de extensión más grande* es la relación que percibe la mente. La adquisición de la ciencia muestra que preexisten en la inteligencia los gérmenes de las concepciones racionales. Así, en toda demostración hay dos elementos: *empírico* y *racional.* El primero es la materia de la demostración; el segundo, la forma especial de que esta se reviste.

"Los universales pueden considerarse, sea en su materia, sea en su forma. La materia de la idea universal del hombre es la reunión de atributos que constituyen la especie humana; los universales son bajo este aspecto *a parte rei.* Su forma es el carácter de universalidad que se aplica a esta materia, haciendo abstracción de lo que es propio de cada individuo; bajo este nuevo aspecto, los universales son *a parte intellectus.*

"La idea de la existencia de Dios se demuestra elevándose el entendimiento de los efectos a las causas, del movimiento al primer motor, de las causas y de los efectos particulares, a una causa primera de que todas las otras proceden; de lo contingente a lo necesario, de los grados de perfección que existen en los individuos a la perfección cumplida y absoluta de los fines inteligentes que revelan los fenómenos de la naturaleza a la inteligencia suprema que con sus leyes rige el mundo.

"En todas estas demostraciones se comprenden los dos elementos ya citados. En la primera, el movimiento es un hecho de experiencia, un fenómeno percibido por los sentidos, un hecho empírico. *Todo movimiento supone un principio inmóvil.* Es el principio racional que, unido con el hecho anterior, completa la demostración. Con los cuatro restantes sucede lo propio.

"Reproduce contra el dualismo y el panteísmo los argumentos de los Santos Padres de la Iglesia. Los espíritus humanos representan a la trinidad divina de un modo especial. En cuanto *seres inmateriales,* son imagen del Padre, principio del ser; como *inteligentes,* son imagen del Verbo, y como dotados de *voluntad,* lo son del Espíritu de amor.

"La eternidad es la medida de la permanencia absoluta del ser, esto es, de Dios, que no solo es inalterable en su esencia, sino que no está sujeto a modificaciones accidentales. Las criaturas inteligentes, en cuanto reciben modificaciones sucesivas, están sometidas al tiempo; pero, en cuanto su esencia subsiste a pesar de tales modificaiones, participan de la eternidad.

"Los seres creados se dividen en tres clases: *absolutamente inmateriales, absolutamente materiales* y *compuestos de espíritu y de materia.* El espíritu humano, aunque uno en esencia, posee triple vida: racional, sensitiva y orgánica. La inteligencia humana unida al cuerpo reside en los confines de dos horizontes: el horizonte de las realidades eternas y el horizonte de las cosas finitas y variables. La voluntad está también en los confines del *bien absoluto* y de los bienes relativos y perecederos".

En el tomismo, la ética deriva de la metafísica. Y afirma que la libertad de la voluntad es un supuesto de toda moral. Unicamente son morales las acciones libres brotadas de una reflexión racional. La acción del hombre es buena cuando se ajusta al precepto divino, es decir, "con el orden de valores de las cosas, cognoscible y creado por Dios". Las virtudes son disposiciones adquiridas para obrar el bien.

El tomismo tomó de la enseñanza filosófica helénica las cuatro *virtudes naturales:* prudencia, justicia, fortaleza y templanza; pero las completó con las *virtudes sobrenaturales:* fe, esperanza y caridad. El fin del hombre es la eterna felicidad; sin embargo, esta inmortalidad feliz únicamente puede ser lograda con el auxilio divino *mediante la gracia,* "que es una participación de la naturaleza divina, lograda por la encarnación de Dios y por los sacramentos establecidos por Cristo y administrados por la Iglesia, cuya cabeza es Cristo".

El tomismo recuerda en no pocos puntos el *aristotelismo* (V.). Y es que Santo Tomás tomó, no solo de Aristóteles, sino de todos los sistemas filosóficos del pasado, lo que en ellos había de verdad. Sin embargo, sería falso afirmar que el tomismo es un sistema filosófico dependiente de otro anterior. Como la verdad, es absoluto y universal el tomismo, y solo depende de sí mismo, pues aun de su época—y de cualquier época—queda desligado, y como propicio en grado sumo a todos los tiempos. De aquí su éxito enorme y perenne. Claro está que otros insignes pensadores han contribuido a depurarlo, eliminando de él los *matices* propios de una época, y profundizando y ampliando sus soluciones.

V. GRABMANN, M.: *Die Geschichte der scholastichen Methode.* Friburgo de Brisgovia, 1909-1911. Dos tomos.—GRABMANN, M.: *Mittelalt. Geistesleben.* Friburgo de Brisgovia, 1926.—DEMPE, A.: *Die Hauptform mittelalt. Weltanschaung.* Friburgo de Brisgovia, 1925.—GRABMANN, A.: *La Filosofía medieval.* Barcelona. Col. "Labor", núm. 177.—GRABMANN, A.: *Santo Tomás de Aquino.* Barcelona, Colección "Labor", núm. 240.

TOMISMO (Teológico)

Se llama tomismo al sistema escolástico contenido en las obras de Santo Tomás de Aquino y de sus discípulos. Pero se aplica más especialmente a la teoría de la *premoción física*, inventada por el gran teólogo dominico español Domingo Báñez (V. *Congruismo)*, para conciliar la libertad humana con la infalible eficacia de la gracia divina.

El tomismo, como el *molinismo* (V.)—teoría contraria—, admite la necesidad de la gracia y del libre albedrío, los dos puntos esenciales de la doctrina católica.

"Según Domingo Báñez, Dios, por su gracia, determina *físicamente* la voluntad humana: la gracia eficaz opera infaliblemente el bien. Pero esta *premoción física*, tal como los tomistas llaman a esta conexión intrínseca entre la gracia divina y la voluntad humana, no suprime de ninguna manera la libertad; por el contrario, ayuda a que el hombre *coopere libremente* a la gracia eficaz: es la *gracia eficaz* la que mueve la voluntad y causa el acto que le sigue, mientras que la gracia suficiente no da más que un poder que no se resuelve con el propio acto." (BOULENGER.) (V. *Tomismo histórico* y *Tomismo filosófico.)*

TONADILLA

1. Canción alegre y ligera.
2. Composición breve, de versos de arte menor, con temas amorosos, satíricos o picarescos, por lo general.
3. Acción escénica de cortas dimensiones, destinada a ser cantada y bailada.

El origen de la *tonadilla* se fija hacia el primer tercio del siglo XVIII, y era una especie de introducción o intermedio musical en las representaciones teatrales, generalmente escenificada—cantada y bailada—por cuatro de las actrices de la compañía, lujosamente ataviadas y situadas en el proscenio.

El esplendor de la *tonadilla* se señala entre 1771 y 1790.

Las coplas no tenían medida fija, sino que oscilaban entre dos y cuatro estrofas, con un final, al que seguían boleras. La *seguidilla* fue sustituida por la *tirana* (V.).

V. SUBIRÁ, José: *La tonadilla española*. Madrid. Tres tomos. 1928-1930.—CAMBRONERO, Carlos: *Las tonadillas*. En "Revista Contemporánea". Julio 1895.—ANÓNIMO: *Origen y progreso de las tonadillas que se cantan y representan en los teatros de esta Corte...* En "Memorial Literario Instructivo y Curioso de Madrid". 1787.—MITJANA, R.: *La tonadilla*. En la "Encyclopédie de la Musique", de Lavignac.

TÓPICO

1. Expresión trivial o vulgar.
2. Lugar común u oratorio.
3. Frase hecha muy usada en la conversación o en el discurso.
4. Ciertos *modismos* aplicados siempre a las mismas cosas.

La Prensa es la fuente inagotable de tópicos y topicazos: *Selecta concurrencia; probo funcionario; pundonoroso militar; sentido pésame; la novia estaba encantadora con sus galas nupciales; en el finado concurrían singulares prendas...*

TOPOGRAFÍA (V. **Figuras de pensamiento**)

Se da el nombre de *topografía* a la *descripción* o *hipotiposis* cuando es la descripción pintoresca de un país o localidad.

> Del monte en la ladera,
> por mi mano plantado, tengo un huerto,
> que con la primavera
> de bella flor cubierto,
> ya muestra en la esperanza el fruto cierto.
> Y como codiciosa
> por ver y acrecentar su hermosura,
> desde la cumbre airosa
> una fontana pura
> hasta llegar corriendo se apresura;
> y luego sosegada,
> el paso entre los árboles torciendo,
> el suelo de pasada
> de verdura vistiendo
> y con diversas flores va esparciendo.
> El aire el huerto orea
> y ofrece mil olores al sentido:
> los árboles menea
> con un manso rüido,
> que del oro y del cetro pone olvido.
>
> (FRAY LUIS DE LEÓN.)

TORNADA

Estrofa que solía colocarse al final de algunas composiciones poéticas provenzales a modo de despedida.

La *tornada*, de menos versos que las restantes estrofas, se repetía a veces después de cada una de estas, como un estribillo.

TOSCANO (Dialecto)

Uno de los más importantes dialectos de la lengua italiana, hablado en la región de la Italia Central, comprendida entre el mar Tirreno al Oeste, la ribera izquierda del Magra al Noroeste y los Apeninos al Sureste. (V. *Italiana, Lengua.)*

TOTALITARISMO

Doctrina política y sistema de gobierno, aparecido en estos últimos años como consecuencia de las subversiones que provocó la primera gran guerra mundial de 1914-1918. Ante una profundísima crisis de autoridad, el totalitarismo intentó vigorizar los instrumentos de la coacción e incluso de montar sobre la realidad de la dictadura una nueva teoría del Estado.

Apoyándose en el concepto hegeliano del poder y adversario implacable del *liberalismo* (V.), el totalitarismo exige que el Estado se confunda con el Gobierno y que tenga derecho ilimitado a intervenir en todas las esferas sociales—orden, economía, cultura—, regulando todas las relaciones que se originen en ellas y entre ellas, y sin que nada quede fuera de su alcance. El totalitarismo niega soberanía a la voluntad de las partes. El totalitarismo no acepta sino un único partido político: el que gobierna confundido con el Estado. El totalitarismo gobierna con despotismo absoluto y con una absoluta falta de ética.

Los tratadistas de Derecho político señalan como principios fundamentales del totalitarismo:

Nacionalismo exaltado.
Antiindividualismo feroz.
Jerarquía rígida.
Caudillaje.

El *nacionalismo* implica una profunda xenofobia, que se manifiesta casi siempre *estúpidamente,* ya creyendo que todo lo propio es maravilloso, o que todo lo extranjero es desdeñable. El nacionalismo exaltado funda el Estado sobre la doble base del territorio y de la raza.

El *antiindividualismo,* como reacción contra las doctrinas liberales, ataca *insensatamente* los más nobles y espirituales derechos del hombre: la libre palabra, el libre pensamiento, la libre voluntad de movimiento, el libre albedrío en votar sus gobernantes o en poder ser elegido... Para el antiindividualismo no cuentan sino los intereses de la colectividad. Es decir: *eso declara* el totalitarismo; sin embargo, lo que cuenta es el interés de los que gobiernan totalitariamente.

La *jerarquía* opone al liberalismo y a la democracia la rigidez de sus *categorías.* La jerarquía implica *no razonar* los mandatos, ni las sentencias, ni los castigos, y es la entronización del *¡porque sí!*

El *caudillaje* es la exaltación de la jerarquía e informa toda la construcción estatal.

Se ha dicho muy acertadamente que el Estado totalitario es un Estado bélico. "Mientras la forma estatal se acoraza—ha escrito el docto profesor Beneyto, harto suave con los totalitarismos—, el individuo queda desprovisto de las defensas que habían elaborado las Declaraciones de derechos y aun de algunas que venían ligadas a la naturaleza del hombre. Si esta actitud puede justificarse en un momento histórico determinado, no encuentra sitio en la filosofía de cualquier *optima politia.* El propio Pontificado ha condenado el totalitarismo, como en los tiempos de la *Unam Sanctam.* La encíclica de Pío XI *Mit brennender Sorge*—1937—declaró que quien eleva la raza, o el pueblo, o el Estado, o una determinada fuerza suya (adviértase aquí la particularización específica), los representantes del Poder estatal y otros elementos fundamentales de la sociedad humana a suprema norma de todo, aun de los valores religiosos, y los diviniza con culto idolátrico, *pervierte y falsea el orden de cosas creado y querido por Dios.*"

Y añade: "Desde un ángulo histórico, el totalitarismo mantiene su interés como consecuencia de la posición absolutista hobbesiana y del democratismo que sigue al régimen de la mayoría dominante: partido vencedor y voluntad de partido sustituida por voluntad de jefe. La gran quiebra del Estado liberal está precisamente en que haya podido ser asaltado con sus propias armas."

Habría que añadir a lo dicho por el profesor Beneyto, y para aclarar su extrañeza, que únicamente—ahora y siempre—los regímenes que otorgan generosamente la libertad—sin cortapisas ni distinciones—pueden ser asaltados por el libertinaje. Difícilmente el totalitarismo entregará las armas que hayan de vencerle. Si las entregase, dejaría de ser totalitarismo.

Pero el drama de todos los totalitarismos es perecer trágicamente por falta del oxígeno vital: la libertad. (V. *Fascismo, Nacionalsocialismo, Bolcheviquismo.)*

V. SCHMITT, C.: *Staat, Bewegung, Volk.* Hamburgo, 1933.—BENEYTO, J.: *Nacionalsocialismo.* Barcelona, 1934.—FRANCESCO, F. M. de: *Lo Stato sovietico nella dottrina generale dello Stato.* Padua, 1932.—HELLER, H.: *Europa y el facismo.* Trad. cast. Madrid, 1931.—VECCHIO, G. del: *El Estado nuevo.* Traducción cast. Valladolid, 1939.—ORTEGA y GASSET, J.: *La rebelión de las masas.* Madrid. Varias ediciones.—PARETTO, W.: *La transformazione dello Stato.* En "Riv. di Milano", 1930.

TOTEMISMO

Nombre dado al conjunto de creencias, supersticiones y costumbres de que es objeto el *totem* por parte de un salvaje, de un clan o de una tribu.

Totem es *un animal* al que se considera como el antepasado de una familia, de un clan o de una tribu.

El *totemismo* es, pues, individual o colectivo.

El *totemismo* ha sido magistralmente expuesto por Salomón Reinach en su *Orfeo* o *Historia de las Religiones:*

"Es muy difícil definir el *totemismo.* Se puede decir, a reserva de precisar más adelante, que es una especie de culto rendido a los animales y a los vegetales, considerados como aliados y emparentados con el hombre. ¿Cuál es el origen de esta concepción y cómo se ha desarrollado?

"Los antiguos han observado ya que el hombre es esencialmente animal social. En vano Juan Jacobo Rousseau, en el siglo XVIII, quiso desconocer este carácter y ver en la sociedad humana el resultado de un convenio, de un contrato; Voltaire le desmintió, y todo el mundo piensa hoy como Voltaire. En el estado más primitivo en que podemos estudiarle, el hombre no vive solamente en hordas, en rebaños, como muchos mamíferos superiores, sino que constituye grupos sociales, que obedecen a escrúpulos diversos, escrúpulos que son el embrión de la moralidad y de las leyes.

"El instinto social del mundo primitivo, como el del niño, franquea sin esfuerzo los límites de la especie y hasta los del mundo orgánico a que pertenece. La ilusión del animismo le hace reconocer en todas partes espíritus semejantes al suyo; entabla trato con ellos, los hace sus amigos y sus aliados. Esta tendencia universal del espíritu humano se refleja en el fetichismo, que no es, como creía De Brosses, el culto de los objetos materiales, sino el trato amistoso del hombre con los espíritus que se supone residen en esos objetos. Muy niño, no habiendo oído hablar nunca de fetichismo, tenía yo una concha azul clara, que era para mí un verdadero fetiche, porque en ella alojaba yo mentalmente un espíritu protector.

"Si de improviso quisiéramos rebuscar en nuestros bolsillos, examinar nuestras cadenas de reloj o nuestras alhajas, ¡qué buena cosecha de fetiches podríamos hacer! Protestaríamos quizá diciendo que no se trata de fetiches, sino de recuerdos, de fruslerías; sin embargo, es cierto que el sentimiento que nos une a estos objetos no es, en formas más o menos laicas o literarias, sino una supervivencia de viejo fetichismo prehistórico, del animismo de nuestros antepasados más lejanos.

"Una vez que el hombre primitivo cede así a la tendencia de ensanchar casi indefinidamente el círculo de sus relaciones verdaderas o supuestas, es natural que en él englobe ciertos animales y vegetales, a los cuales asigna un lugar en el grupo ofensivo y defensivo formado por los miembros de su clan. Muy pronto un mismo escrúpulo protege a los hombres y *totems* contra sus caprichos y su violencia, y parece, para unos y para otros, atestiguar comunidad de origen, puesto que los miembros del clan, que se guardan mutuos miramientos, piensan tener una madre o un padre común.

"Este respeto a la vida de un animal, de un vegetal, forma primitiva del culto de los animales y de los vegetales, que hallamos, con más o menos forma de antropomorfismo, en Egipto, en Grecia y en muchos otros países, no es otra cosa que una exageración, *una hipertrofia del instinto social.* Los animales se prestan a ello más que los vegetales, y estos más que las cosas inanimadas. Basta llevar a un niño a un jardín zoológico para asegurarse de que esta hipertrofia es naturalísima en el hombre. La civilización no la hace desaparecer, pero le pone freno.

"El culto de los animales y el de los árboles o plantas se encuentra como supervivencia en todas las sociedades antiguas. Se ven en el origen de las fábulas llamadas *metamorfosis.* Cuando los griegos nos cuentan que Júpiter—Zeus—se ha transformado en águila o en cisne, hay que ver en ello mitos contados al revés. El águila dios y el dios cisne han cedido el puesto a Zeus, cuando los dioses de los griegos han sido adorados en forma humana; pero los animales sagrados han seguido siendo los atributos o los compañeros de los dioses que a veces se ocultan bajo la forma animal. Sus metamorfosis no son sino una vuelta a su estado primitivo. Así, la fábula nos cuenta que Júpiter se transformó en cisne para enamorar a Leda. Esto significa para nosotros que en época remotísima una tribu griega tenía por dios un cisne sagrado y que creía que este cisne podía llegar a tener trato con los mortales. Más tarde, el cisne fue sustituido por un dios en forma humana, Júpiter; pero la fábula no fue olvidada, y se pensó que Júpiter se había transformado en cisne para engendrar a Helena, a Cástor y a Pólux, hijos del cisne divino y de Leda.

"Ya a principios del siglo XVIII observaron los misioneros, entre los indios del norte de América, una forma más general y rigurosa del culto a los árboles y a los animales. De estos indios ha procedido el nombre de *totem,* más exactamente *otam* (marca o insignia), que designa el animal, el vegetal o, menos corrientemente, el mineral o cuerpo celeste en que el clan reconoce un protector, un antepasado y un signo de unión. El totemismo parece haberse extendido tanto como el animismo de que deriva; se le observa un poco en todas partes, si no en el estado puro y sin mezcla de concepciones religiosas más recientes, al menos en el de supervivencias más o menos claramente acentuadas. Las religiones de Egipto, de Siria, de Grecia, de Italia y de las Galias están impregnadas de totemismo.

"He aquí un ejemplo de supervivencia del totemismo en nuestras regiones. La ciudad de Berna mantiene unos osos desde tiempo inmemorial; se cuenta, para explicar esta costumbre, la historia de un grande oso, muerto en el siglo IX cerca de Berna por un cazador cuyo nombre llega a citarse. Esta historia, como muchas fábulas antiguas, ha sido completamente inventada para explicar a la vez el nombre de Berna—oso en alemán se dice *Bär*—y el respeto tradicional que los berneses tienen a los osos. En realidad, la causa de esta especie de alianza es mucho más antigua; la prueba se ha dado en nuestro tiempo. Muy cerca de Berna se ha descubierto un grupo en bronce, datando del siglo I o II de la Era cristiana, que representa un oso muy corpulento que se acerca, como para rendirle culto, a una diosa que está sentada; la inscripción grabada en el pedestal nos dice que se trata de una ofrenda piadosa, de un exvoto a la diosa *Artio. Artio* es un nombre celta que se parece mucho al nombre griego del oso, *arktos.* Artio era entonces una diosa osina, que tenía al oso por compañero o atributo. Luego, antes de la época de las divinidades de figura humana, *Artio* era una diosa-osa, una osa sagrada; el recuerdo del culto del oso se ha mantenido en la ciudad del oso (Berna) a través de los siglos, y solamente en nuestros días un feliz descubrimiento ha permitido reconocer en este caso una supervivencia del totemismo prehistórico.

"El totemismo primitivo no ha dejado menos huellas en la literatura. La fábula animal, tan extendida, es la forma más vieja de las literaturas populares, y los niños de hoy la prefieren todavía a todas las demás; por ella empieza a educárselos. Ahora bien: la fábula no es más que el residuo de los relatos que fraguaba la imaginación y que aceptaba la credulidad de los hombres en el tiempo lejano en que las bestias hablaban. Nuestros hijos la miran con placer porque son totemistas sin saberlo. En la *Biblia,* tal como la leemos, los animales no hablan sino por excepción; ¡pero recordad la serpiente del *Génesis* y la burra de Balaam! Los relatos primitivos debían de abundar en historias de animales. En los Evangelios hallamos todavía la paloma, ave sagrada en Siria, que desempeña característico papel en la escena del Jordán; pero los Evangelios llamados apócrifos, que son producto de la literatura popular, ofrecen numerosos ejemplos de animales y de árboles que hablan. Cuando no existe totemismo en un monumento de las antiguas literaturas, es que sus huellas han sido borradas por los correctores.

"El animal *totem,* considerado como protector del clan, es un principio inviolable; hoy todavía se conocen pueblos cazadores que tienen como *totem* el oso, que piden perdón a este animal antes de matarlo. En las épocas remotas a que nos lleva el totemismo puro es probable que cada clan tuviese, por lo menos, un *totem* que no podía ser muerto ni comido, ni más ni menos que los hombres del clan mismo. El *totem* estaba, pues, protegido por un *tabú.* Las consecuencias de este hecho han sido inmensas y se dejan sentir hoy todavía. La primera ha sido la domesticación de los animales y de las plantas, es decir, la vida agrícola. Supongamos una tribu compuesta de dos clanes, uno de los cuales tiene por *totem* un jabalí; el otro, una variedad de cereal silvestre. Interesa a cada uno de estos clanes y a los hombres que lo forman mantener, cerca de su campamento, una pareja de jabalíes, por lo menos, que se reproducirán cuidados por el hombre, y una pequeña plantación de cereales, que renueva el cultivo. Aun cuando el hambre los apure, los cazadores no comerán su *totem,* que preserva un *tabú* religioso, y no se permitirán, sino por excepción, comer o destruir el *totem* del clan vecino. Al cabo de unas cuantas generaciones, los jabalíes divinos habrán venido a serlo domésticos, es decir, puercos, y el trigo silvestre, una planta cultivada.

"¿Cómo y por qué ha concluido este estado de cosas? En este punto también la religión interviene, y es la única que da una explicación satisfactoria. El *totem* es sagrado; en calidad de tal se le considera depositario de fuerza y de santidad. Vivir a su lado, bajo su protección, es ya saludable; pero, ¿no podría lograrse mayor fortaleza—en caso de epidemia, por ejemplo, o de un desastre natural—asimilándole la sustancia misma del *totem?* Así, excepcionalmente en un principio y para santificarse, los individuos de un clan se permitieron matar y comieron ceremoniosamente su *totem.* Poco a poco, multiplicándose estos festines religiosos, llegaron a ser comilonas; luego, con los progresos del racionalismo, se olvidó la santidad de los animales y de las plantas, para pensar solo en su utilidad.

"Por otra parte, en los medios conservadores, la idea de que había que abstenerse de comer ciertos *totems* sobrevivió mucho tiempo a los progresos de la civilización material. El animal o vegetal de que es cosa convenida abstenerse se considera unas veces sagrado; otras, inmundo; en realidad, no es ni una cosa ni otra; es *tabú.* La vaca es *tabú* entre los indios; el puerco lo es entre los musulmanes y los judíos; el perro, en casi toda Europa, el haba, lo era en Grecia, en las sectas de los pitagóricos y de los órficos. En el siglo XVIII, los filósofos propagaron la falsa idea de que si ciertos legisladores religiosos habían prohibido tal o cual alimento, era por motivos higiénicos. Renán mismo creía todavía que el temor a la triquinosis y a la lepra había hecho que se prohibiera a los hebreos el consumo de la carne de puerco. Para demostrar cuán poco racional es esta explicación, basta observar que en toda la *Biblia* no podría encontrarse un solo ejemplo de enfermedad o de epidemia atribuida al consumo de carnes impuras; la idea de la higiene no ha nacido sino muy tarde, en el mundo griego. Para los autores bíblicos, como para los salvajes actuales, la enfermedad es sobrenatural; *es el resultado de la cólera de los espíritus.* Los judíos piadosos se abstienen de comer puerco porque sus antepasados remotos, cinco o seis mil años antes de nuestra Era, tenían por *totem* el jabalí."

El totemismo existe todavía en el Canadá, en Norteamérica, en Australia, en muchas islas del Pacífico, en muchos pueblos de Africa; y, naturalmente, siempre entre hombres nada o escasamente civilizados.

V. Van Geenep: *Le Totemisme.* París, 1898.
Frazer: *Totemism and Exogamy.* Londres, 1910.

TOTONACA (Lenguaje)

Lengua hablada en el Estado de Veracruz (Méjico). Es notable por la riqueza de sus conjugaciones. Las consonantes *b, d, f, k* y *v* faltan en su alfabeto.

V. Olmos, Andrés de: *Gramática totonaca.* Méjico, 1560.—Zambrano y Bonilla: *El lenguaje totonaco y su gramática.* Puebla, 1752.

TRACTARIANISMO

Nombre dado a un movimiento reformador religioso surgido en el seno del anglicanismo. Tomó su nombre de una serie de folletos—noventa en total—por nombre *tracts,* aparecidos entre 1833 y 1841. El último fue redactado por el futuro cardenal católico Newman. Poco después, el tractarianismo se fusionó con el ritualismo y el anglocatolicismo, formando—1866— la *Chuch Union.*

En sus comienzos coincidió con el *movimiento religioso de Oxford,* que se proponía restablecer el sentido religioso y el poder episcopal, la confesión auricular y el celibato eclesiástico, independizando la Iglesia evangélica del poder civil. El tractarianismo tuvo mucha influencia en el desarrollo del catolicismo inglés.

TRADICIÓN

1. Noticia de un hecho transmitida oralmente de generación en generación.

2. Doctrina, poesías, ritos, costumbres, etcétera, conservados por transmisión de padres a hijos.

3. La palabra de Dios emanada de boca del mismo Jesucristo, o recogida por los apóstoles, inspirados por el Espíritu Santo, o transmitida de viva voz por los primeros fieles a sus sucesores. Se halla consignada en los Concilios, en los escritos de los Santos Padres y en la uniformidad de creencias de todas las Iglesias.

Según San Agustín, no se coloca en el número de las tradiciones apostólicas sino aquello que es generalmente enseñado, sin saberse su principio.

4. Literalmente, la tradición alcanza su mayor importancia en cuanto se refiere a los *cantares* y a los *romances* del pueblo, tan numerosos y tan admirables, que ella nos ha conservado.

TRADUCCIÓN

1. Figura retórica que consiste en emplear dentro de una misma cláusula un mismo nombre o adjetivo en distintos casos, géneros o números, o un mismo verbo en distintos modos, tiempos y personas.

2. Reproducción de palabras o giros de otra lengua.

3. Interpretar. Aclarar. Aplicar.

4. Versión de un idioma a otro; trasladar más o menos fielmente a una lengua lo que está escrito en otra.

Según San Jerónimo, el buen traductor debe trasladar *el alma del concepto* y la elocuencia y la energía del dicho sin necesidad de usar de las mismas voces que halla en el original ni observar la colocación de las palabras, siempre que explique el verdadero sentido del todo.

La traducción bien hecha de un libro es cosa tan difícil como hacerlo de nuevo. Los primores de una buena traducción se hallan en aquella que con arte y gracia se la ve transformada en propias voces, y con aquellos rasgos, surcos y gracias que gozan solo las obras en su idioma original.

La traducción es en literatura lo que en arte la copia de una pintura.

La primera cualidad de la traducción es la *fidelidad,* que consiste no solamente en dar a las ideas palabras equivalentes, sino también en captar y reproducir debidamente el sentimiento, el colorido, el movimiento de la obra original. Voltaire se indignó, con razón, contra Desfontaines, que creía haber traducido a la perfección el verso de la *Eneida:*

Apparent rari nantes in gurgite vasto

con esta estúpida expresión: "Apenas un pequeño número de los que se habían embarcado pudieron salvarse a nado." "Esto es—dijo Voltaire—traducir a Virgilio en estilo de gaceta." El sentimiento, la imagen, toda la poesía del modelo han desaparecido aquí, dejando paso a la mediocridad, a la vulgaridad de la traducción.

Entre las cualidades exigibles a un buen traductor están: 1.ª Conocimiento perfecto de las dos lenguas, aquella en que el original está escrito y aquella a la que el original va a ser traducido. 2.ª Cultura más que discreta. 3.ª Profesar con verdaderos arte y maestría la materia de la obra que ha de traducir; el buen poeta traducirá bien a los poetas, y el buen dramaturgo, a los dramaturgos. 4.ª Sensibilidad grande para *no matar,* ni mucho menos, *el recuerdo* de la obra original con sus propias interpretaciones, por magníficas que sean. Aun cuando esta calidad *se perdona* cuando *la intromisión* del traductor *es genial,* como en el caso de fray Luis de León traduciendo a Horacio, o en el de Corneille traduciendo a Guillén de Castro.

La traducción puede ser *literal* o *libre,* según se pretenda reproducir exactamente la forma externa o solo el pensamiento de la obra que se traduce.

V. Tende, Gaspar de: *Tratado de la traducción.* Madrid, 1704.—D'Alembert: *Observations sur l'art de traduire.* En las "Mémoires de littér. et de phil.". Tomo III.—Ferry de Saint-Constant: *Rudiments de la traduction.* París, 1808.

TRADUCIANISMO

Sistema teológico y filosófico que intenta explicar el origen del alma humana, afirmando que las almas individuales no son criadas por creación inmediata, sino por generación de los padres, del mismo modo que el cuerpo de estos engendra el de los hijos. (Véase *Tertulianismo.*)

Esta idea fue sustentada por Tertuliano, quien, con ella, deseaba justificar la herencia del pecado original. Según él, las almas se perpetuaban por generación—*per traducem*—, y a ello era debido la semejanza de caracteres, gustos e inclinaciones entre hijos y padres. La corrupción de Adán se transmitió hereditariamente—*ex origines vitio*—como un mal natural en cierto modo.

El traducianismo alcanzó un gran suceso a partir del siglo IV. No fue declarado herético. Sin embargo, su defensa constituye, cuando menos, una temeridad. Desde el siglo VIII hasta el XIX, el traducianismo cayó en el olvido. Pero en esta última centuria retoñó pujante, más pulido de expresión y refinado de sentido, merced a las obras de Klee, La Forêt, Frohschammer y, principalmente, del italiano Rosmini (1797-1855).

La Santa Congregación del Indice—5 de marzo de 1857—condenó el libro de Frohschammer *Defensa del generacionismo.* Y en 1866, Pío IX mandó que se eliminase una teoría generacionista de la obra del profesor Ubaghs, de Lovaina, titulada *Antropología.*

TRAGEDIA

Uno de los grandes géneros de composición dramática. Parece haber sido, entre los antiguos, la forma nacional y exclusiva del *drama serio* en oposición a la *comedia* o *drama satírico.* Para los modernos, la tragedia no es otra cosa que una restauración literaria y sabia al lado de otras formas más populares y más espontáneas del arte dramático.

La tragedia tuvo su origen en Grecia. Su primer vestigio queda en el canto con que acompañaban los sacerdotes de Baco el sacrificio del macho cabrío (τράγος ᾠδέ). Dichos sacerdotes formaron el *primer coro* de lo trágico. De τράγὰς, tragedia. Posteriormente formaron otro coro los sátiros acompañantes de Dionisos. Según Aristóteles, antes que el coro de los sátiros entonase su canto, había quien improvisaba preludios, a los que el coro respondía. La tragedia nació—añade el gran filósofo—de esos preludios del ditirambo.

Los coros no se limitaron a los cantos báquicos; en seguida entonaron otros en loor de las fuerzas de la Naturaleza, de las pasiones, de los dioses, de los héroes.

Tragedia es la representación de una acción extraordinaria, interesante y grande, en la que intervienen altos personajes, imitada con la posible verosimilitud y belleza.

La pintura ofrezca
de una acción singular, extraordinaria,
que la atención cautive,
el ánimo suspenda,
y de opuestas, vivísimas pasiones,
muestre el encono y la fatal contienda.
Una, grande, completa, interesante,
la acción trágica sea.

(MARTÍNEZ DE LA ROSA.)

La acción trágica debe excitar entre los espectadores los sentimientos de *terror* y de *compasión,* fundados en la grandeza de la acción y en el carácter heroico de los personajes que luchan contra los acontecimientos adversos, quedando envueltos en terribles desgracias.

Tal es de la tragedia el dulce encanto.
No refiere, no pinta: representa
un suceso terrible, lastimero,
y tan viva su imagen nos presenta,
que con tierno placer arranca el llanto.
Porque al ver a los héroes más famosos,
a reyes poderosos,
víctimas tristes de la suerte impía,
su poder y grandeza
con sublime "terror" fuerzan al hombre
a contemplar medroso su flaqueza;
mientras inquieta el alma, enternecida,
con sensible "piedad" mide y compara
su inmensa elevación y su caída.

(MARTÍNEZ DE LA ROSA.)

No es necesaria la efusión de sangre para producir el sentimiento trágico; pues hay otras desgracias y males tan temibles como la muerte misma, que ponen a prueba la energía moral, y resultan de la impetuosa lucha del deber y la virtud contra el vicio y las pasiones desordenadas.

El *desenlace* de la tragedia es ordinariamente *funesto,* mas no es preciso que lo sea siempre; así, por ejemplo, es feliz en la de Corneille titulada *El Cid.*

El *coro* significaba el pueblo en la tragedia antigua; estaba constantemente en la escena, y fue *la base* del género y su elemento principal en los primeros tiempos. Eran sus oficios entonar himnos alusivos en los intermedios, y, mientras la representación, alentar al justo, execrar al culpable y pedir a los dioses protección y auxilio.

No tiene igual carácter la tragedia moderna que la antigua. En la griega y en la romana los acontecimientos que se sucedían y las desgracias que abrumaban a los personajes se hacían provenir de la Fatalidad inexorable, que, según las creencias gentílicas, empujaba a todos los hombres, aun a los más animosos y heroicos, a su perdición y ruina. En la tragedia moderna no es la fatalidad el móvil de la acción, sino su responsabilidad.

En la tragedia griega, el primitivo narrador se convirtió en el actor trágico hacia el año 535 antes de Cristo, fecha aproximada de la LXI olimpíada. El poeta Tespis de Icaria aumentó la importancia del jefe del coro—corifeo—, dándole la representación de un héroe o de un dios. Y este mismo poeta hizo representar dos obras suyas—*Penteo* y *Alcestes*—con dos únicos personajes: el actor y el coro. Después de Tespis, Corilos de Atenas, Pratinas de Fliunte, Frinicos, fueron aumentando el número de los personajes y disminuyendo la acción y la importancia del coro. A Esquilo le cupo la gloria de presentar la tragedia "en su perfección helénica", transformando el coro ditirambo primitivo—que exigía un personal numeroso—en el coro trágico, que no contó con más de quince coristas.

Los grandes trágicos griegos fueron Esquilo, Sófocles y Eurípides.

Primitivamente, igual que en Grecia, las tragedias tuvieron en Roma un carácter religioso, y se efectuaban durante las cuatro grandes fiestas anuales: *juegos megalesianos*—abril—, *juegos apolinianos*—julio—, *juegos romanos*—septiembre—y *juegos plebeos*—noviembre.

La tragedia floreció en Roma durante la época republicana; pero siempre fue una imitación de la helénica. Andrónico, griego de Tarento, poeta y actor, fue quien primero tradujo al latín las tragedias griegas, haciéndolas representar en Roma. Ennio y Cneo Nevio propagaron el género, del que gustaron los romanos, aun cuando prefiriendo siempre la comedia propia derivada de las *atelanas*. Otros poetas latinos que cultivaron la tragedia fueron Pacuvio, sobrino de Ennio; Accio, Vario y Séneca.

Durante la Edad Media la tragedia quedó en el más absoluto olvido. Y fue el Renacimiento, con su amor al pasado, quien la resucitó A Italia le cabe el honor de ser el primer país que produjo tragedias *de gusto y de corte clásicos* en el siglo XVI. La *Sofonisba*, de Trissino, se considera la más antigua de las tragedias regulares de Italia. Giraldi Cintio escribió algunas hermosas tragedias, entre ellas *Altila*, que tiene un desenlace feliz.

En España no hubo propiamente tragedia ni en los tiempos del Renacimiento. Algún ensayo muy feliz, sí: *La Numancia*, de Cervantes.

En Inglaterra, la primera tragedia es—1562—la de Tomás Sackville, *Gordobue*. Y los ingleses acogieron con entusiasmo el género, por lo que las producciones trágicas se multiplicaron, debidas a las plumas admirables de Shakespeare, Thomas Kyd, Marston, Marlowe.

En Francia fue Esteban Jodelle quien primero compuso tragedias imitadas de la antigüedad y siguiendo las reglas de Aristóteles. Su primera obra, estrenada por los cómicos del *hôtel* Borgoña, fue *Cleopatra*—1552—. A Jodelle siguieron: Jaime Grévin, Juan de la Péruse, Mairet, los hermanos La Traille, Tristán, Roberto Garnier, Antonio de Moncrestiu, Alejandro Hardy. Corneille y Racine llevaron la tragedia neoclásica a la perfección.

Los alemanes fueron tardíos—fines del siglo XVII—en ensayar la tragedia. El primer poeta que las escribió y las hizo representar fue Martín Opitz, quien se limitó a traducir a Séneca y a Sófocles. Tragedias más originales, pero con escasa elevación, las escribieron Gsyphins, Lohenstein, Hallmann, Cristián Weisse.

Italia tuvo su mejor trágico moderno en Alfieri—siglo XVIII—. En España, durante este mismo siglo, fueron asombrosos los esfuerzos que por cultivar la tragedia clásica hicieron numerosos poetas de segundo orden, demasiado retóricos y demasiado fríos. Pero de los varios centenares de tragedias que se escribieron y que se representaron, únicamente se salvan dos: *La Raquel*—1776—, de García de la Huerta, y *La condesa de Castilla*, de Alvarez Cienfuegos.

V. NIETZSCHE, Federico: *El origen de la tragedia*.—PATIN: *Etudes sur les tragiques grecs*. París, 1858.—VOLTAIRE: *Diccionario filosófico*. Art. *Arte dramático*.—SCHNEIDER, J. G.: *De originibus tragediae graecae*. Breslau, 1818.—PATIN: *Histoire générale de la tragédie grecque*. París, 1841-1843.—DELAVIGNE, F.: *La tragédie chrétienne au XVII*[e] *siècle*. Burdeos, 1848.—CHASSANG: *Des essais dramatiques imités de l'antiquité*. París, 1852.—SAINT-VICTOR, P. de: *Las dos máscaras*. Varias ediciones.—SCHLEGEL, A. W.: *Literatura dramática*. Madrid, ¿1898?

TRÁGICO (V. Actor)

1. Autor de tragedias.
2. Actor especializado en representar tragedias.

TRAGICOMEDIA

Este nombre, que sirve para designar una obra dramática en la cual alternan el elemento dramático y el elemento cómico, fue también empleado en Francia, en el siglo XVII, para designar aquellas tragedias que no terminaban luctuosamente, como *Le Cid* y *Nicomède*, que su autor, Corneille, calificó de *tragicomedias*.

Aun cuando, casi dos siglos antes, en España, Fernando de Rojas escribía su famosa *tragicomedia de Calixto y Melibea*.

Posiblemente, la *tragicomedia* es una invención del poeta latino Plauto, que ensalza la denominación felizmente hallada en el prólogo de su *Anfitrión*. En 1493—impresa en Roma—apareció el *Fernandus Servatus*, de Menardo de Casena.

TRANSCRIPCIÓN

1. Copia de un escrito.
2. Traslado de un escrito.
3. Procedimiento gráfico especial para reproducir el lenguaje hablado con la mayor fidelidad, ateniendo exclusivamente a sus elementos filológicos y prescindiendo de las normas ortográficas. Los sistemas de transcripción son muchos, y de ellos trata la *Fonética*.

TRANSPOSICIÓN

Figura retórica que consiste en alterar el orden que las palabras deben llevar en la oración, o en la interposición de alguna voz entre las sílabas de otra. El abuso de esta figura está perfectamente criticado en aquellos versos de *La Gatomaquia,* de Lope de Vega:

> En una de fregar cayó caldera
> (transposición se llama esta figura)
> de agua acabada de sacar del fuego.

TRASLACIÓN

1. Traducción.
2. Es un tropo de dicción, fundado en la semejanza, y consiste en expresar una idea con el signo de otra con la cual guarda analogía o semejanza. Así, por ejemplo, un *guerrero valiente* y un *león* se asemejan en la fuerza y en la intrepidez, y fundados en esto, decimos: *el indomable guerrero era un león;* donde la palabra *león* está tomada en un sentido traslaticio.

TRASNOMINACIÓN

Trasnominación o *metonimia* es un tropo de dicción por *correlación* o *correspondencia,* que consiste en designar un objeto con el nombre de otro distinto en cuya existencia o manera de existir haya influido, o del cual haya recibido influencia. (V. *Metonimia.*)

TRASUNTO

1. Figura o representación que imita perfectamente a otra.
2. Copia o traslado que se saca de un original.
3. Imitación (V.).

TRATADO

1. Libro de cualquier materia ordenada científicamente.
2. Escrito referente a una determinada materia en cuantos efectos y causas le son concernientes.
3. Título general de numerosas publicaciones científicas.

TRENO

1. Canto fúnebre.
2. Evocación poética de alguna desgracia personal o calamidad pública. Su forma, generalmente, es la de una *oda* o *silva.*

En la liturgia se da al *treno* el nombre de *lamentación,* y la denominación deriva de los *Trenos* o *Lamentaciones* del profeta mayor Jeremías.

En la liturgia visigoticomozárabe llámanse *trenos* las súplicas cantadas en las misas feriales de Cuaresma, después de la primera lección y antes de la epístola.

TRÍBACO (V. Tribaquio)

TRIBAQUIO o TRÍBACO

Pie de la poesía griega y latina que consta de tres sílabas breves, como *facere.*

TRILOGÍA

Se llamó así, en el teatro griego, al conjunto de tres obras trágicas—relacionadas entre sí por el argumento o por los personajes—del mismo autor presentadas al concurso de los distintos *Juegos,* cuyo premio otorgaba el Arconte.

El tipo perfecto de la *trilogía* lo marca la de Esquilo, que comprende: *Agamenón, Las Coéforas* y *Las Euménides.* Cuando a estas tres tragedias se les añadía un *drama satírico,* quedaba formada la *tetralogía* (V.).

Modernamente, componen una excelente *trilogía,* aun cuando no trágica ni aun dramática, las obras de Beaumarchais: *El barbero de Sevilla, El casamiento de Fígaro* y *La madre culpable.*

Por extensión, se denomina *trilogía* cualquier poema o novela divididos en tres partes, como *La Divina Comedia,* de Dante.

V. PATIN: *Etudes sur les tragiques grecs.* París, 1841-1843.

TRÍMETRO

Verso de la poesía griega o latina, que consta de tres medidas o seis pies.

Entre los más importantes trímetros están:

Yámbico trímetro o—para los latinos—*senario,* cuya invención se atribuye a Arquíloco, quien lo formó con seis yambos. Catulo le imitó así:

> *Phare / lus il / le, quem / vide / tis, ho / [spites,*
> *tit / fuis / se, na / vium / celer / rimus...*

Horacio admitió el espondeo en los pies impares, dando así mayor majestad al verso. Otros poetas trágicos introdujeron en los mismos pies, además del espondeo, el dáctilo y el anapesto, y en los pies pares, el tríbaco, siempre que no fuese el último pie.

Había también un *yámbico trímetro cataléctico* de cinco pies y medio:

> *Mea / remi / det in / domo / lacu / nar...*

Y un *yámbico trímetro braquicataléctico,* compuesto de cinco pies:

> *Spernis / deco / rae vir / ginis / toros.*

Existían además otros trímetros: el *trocaico,* el *anapéstico,* el *yómico mayor,* el *coriámbico* y el *glicónico* (V.).

TRIOLET

Pequeña composición poética francesa muy antigua, compuesta de ocho versos, de los cuales el cuarto y el séptimo son una repetición del primero, y el último del segundo. El verso era generalmente de ocho sílabas. La disposición de la rima quedaba marcada por la *vuelta* del verso. El pensamiento del *triolet* solía ser vivo y gracioso, como este del poeta Rauchin:

Le premier jour du mois de mai
fut le plus heureux de ma vie:
le beau dessein que j'ai formai
le premier jour du mois de mai!
Je vous vis et je vous aimai.
Si se dessein vous plut, Sylvie,
le premier jour du mois de mai
fut le plus heureux de ma vie.

El *triolet* también estuvo dedicado a la poesía erótica muy delicada.

Modernamente, en Francia, el *triolet* ha sido muy cultivado, sobresaliendo entre ellos el famosísimo de Alfonso Daudet, titulado *Les Prunes,* publicado en su libro *Les Amoureuses*—París, 1858.

Algunos excelentes poetas hispanoamericanos contemporáneos han escrito *triolets* de suma delicadeza.

V. GAUDIN, G.: *Du rondeau, du triolet, du sonnet.* París, 1870.—GRAMONT, F. de: *Les vers français et leur prosodie.* París, 1876.

TRITEÍSMO

Nombre dado a la doctrina herética opuesta radicalmente al *unitarismo* (V.) o *sabelianismo* (V.).

Según el triteísmo, así como hay en Dios tres personas distintas, hay también *tres esencias* o *naturalezas.* Es decir, para el triteísmo existen *tres dioses.*

El triteísmo fue una de las primeras herejías que aparecieron.

El Pontífice San Dionisio, en una epístola dirigida a San Dionisio de Alejandría, se la atribuye a Marción, hereje del siglo II, oriundo de Sinope (Ponto), fundador de una secta gnóstica y que murió en Roma hacia el año 170.

Pero durante los siglos IV y V el triteísmo, concepción harto grosera de la divinidad y consecuencia—en el orden doctrinal—del *monofisismo* (V.), desapareció por completo.

Y surgió nuevamente en el siglo VI, por obra de los filósofos Juan Filopón y Juan Askunages.

Sin embargo, fue el primero el que dio un mayor impulso a la herejía. Filopón, discípulo del monofisita Severo de Antioquía, "identificó en Cristo la esencia o naturaleza con la hipóstasis o persona, afirmando que, no habiendo en Cristo más que una sola persona, forzosamente no podía haber más que una sola naturaleza después de la encarnación".

Filopón, estudiante apasionado de Aristóteles, creyó encontrar en la filosofía de este la prueba evidente de la teoría monofisita acerca de la identificación de la naturaleza con la persona. Y como, según Aristóteles—decía Filopón—, toda naturaleza sustancial concreta y real es una hipóstasis o individuo, y la naturaleza no puede existir fuera de los individuos, siendo lo mismo decir individuo que hipóstasis..., "los que admiten en Cristo una sola hipóstasis y una sola naturaleza están conformes con la verdad; pero los que admiten una sola hipóstasis y dos naturalezas, se ponen en oposición a la verdad".

Poco después, la íntima conexión del misterio de la Encarnación con el de la Trinidad llevó a Filopón a su teoría triteísta. "En Dios—escribió Filopón—confesamos tres personas o hipóstasis; luego también debemos confesar tres naturalezas o esencias; si fuera una sola naturaleza en las tres personas, esa debería ser común, específica, abstracta, ideal, no real y verdadera."

Naturalmente, admitiendo tres esencias o divinidades, se caía en la herejía de admitir tres dioses.

El triteísmo encontró adeptos ilustres, entre los que destacaron: el monje Atanasio, el filósofo Temistio, los obispos Comón de Tarsos y Eugenio de Seleucio. Pero también encontró ilustres impugnadores en el monje León, Jorge de Pisidia y Anastasio de Antioquía.

Después de algún tiempo de olvido, el triteísmo reapareció en el siglo XI merced a Roscelin de Compiègne, Gilberto de la Porrée y Joaquín de Fiore.

Roscelin, nacido—hacia 1050—en Compiègne y muerto en 1125, fue el principal representante del *nominalismo* (V.), a base del cual llegó a considerar como puramente *nominal* la unidad de las tres divinas personas en el dogma de la Trinidad. Fue condenado—1092—en el Concilio de Soissons.

Gilberto de la Porrée, prelado y teólogo francés, nació—1070—y murió—1154—en Poitiers. Fue discípulo de Bernardo de Chartres, de Abelardo y de Anselmo de Laon, y enseñó Teología en Chartres, en París y en Poitiers, de cuya diócesis fue luego obispo. Gilberto de la Porrée, creyendo que las cosas son en la realidad igual que las concebimos, estableció una diferencia real entre Dios por una parte y su esencia y sus atributos por otra.

El Concilio de Reims—1148—condenó las doctrinas de Gilberto, cuyos puntos capitales eran estos:

1.° Que la divina esencia, sustancia y naturaleza no es Dios, sino la forma por la cual es Dios.

2.° Que las tres personas, Padre, Hijo y Espíritu Santo, no son un Dios, ni una sustancia, ni *unum aliquid.*

3° Que las tres personas son tres cosas con tres unidades y son distintas con tres propiedades, las cuales no son las mismas personas, sino tres cosas eternas, que se diferencian en número entre sí y con la sustancia divina.

El famoso místico cisterciense italiano Joaquín de Fiore (1130-1202) admitió que "el Padre, el Hijo y el Espíritu Santo son *una* esencia, *una* sustancia y *una* naturaleza; pero que, sin embargo, tal *unidad* no es propia y verdadera, sino *colectiva y metafórica,* al modo que muchos hombres se dicen un pueblo y muchos fieles una Iglesia". La doctrina triteísta de Joaquín de Fiore fue condenada por el IV Concilio de Letrán—1215.

El triteísmo, sin demasiada fuerza nunca, ha llegado hasta casi nuestros días, defendido en Alemania por Enrique Nicolai; en Inglaterra, por Guillermo Sherlock; en Francia, por el oratoriano Pedro Faydit...

V. San Anselmo: *De fide Trinnitatis et de persona et duabus naturis.*—Hefele-Leclerq: *Histoire des Conciles.* París, 1912.—Boulenger, A.: *Historia de la Iglesia.* Barcelona, 1936.

TRIVIO

En la época clásica latina, el conjunto de las tres artes liberales relativas a la elocuencia: *Gramática, Retórica* y *Dialéctica.*

Su estudio fue obligatorio durante la Edad Media en las Universidades, juntamente con el del *Cuadrivio,* conjunto de las artes matemáticas: *Aritmética, Geometría, Astrología* y *Música.*

TROCAICO (Verso)

Verso griego y latino que tiene por base un troqueo o coreo, pie formado por una sílaba larga y una breve—*arma, junge*—. Cada metro de esta especie de verso se compone de un *dipodio,* es decir, de dos pies. Hay doce variedades de trocaico, sin contar las formas compuestas que de aquellas se derivan.

1.ª *Trocaico monómetro cataléctico,* de un pie y medio. Se le encuentra como cláusula de exclamación:

Occi / di!

(Terencio.)

2.ª *Monómetro,* de dos pies, empleado también como cláusula:

Non la / bor jam.

3.ª *Monómetro hipercataléctico,* de dos pies, más una sílaba, empleado por los poetas dramáticos:

Deci / dit cae / lo.

(Séneca.)

4.ª *Dímetro braquicataléctico,* de tres pies, que puede tomar como segundo un dáctilo:

Lute / umve pa / paver.

(Catulo.)

Cuando lleva un dáctilo como primer pie, recibe el nombre de *aristofánico:*

Lydia / dic per / omnes.

(Horacio.)

Si se compone de tres troqueos, recibe el nombre de *itifálico:*

Bacche, / junge / tigres.

(Servio.)

5.ª *Dímetro cataléctico,* compuesto de tres pies, más una sílaba; no admite sino troqueos:

Trudi / tur di / es di / e.

(Horacio.)

6.ª *Dímetro,* muy usado por los poetas de la decadencia:

Purpu / ra cla / ros ni / tente.

(Boecio.)

7.ª *Dímetro hipercataléctico,* de cuatro pies más una sílaba, empleado por Séneca en los coros de sus tragedias :

Sensit / ortus, sensit /occa / cus.

8.ª *Trímetro braquicataléctico,* de cinco pies, usado por Séneca:

Te duce, / conci / dit toti / dem di / ebus.

Esto prueba que el verso *sáfico* es un *trocaico trímetro cataléctico.*

9.ª *Trímetro cataléctico,* de cinco pies más una sílaba, también empleado por Séneca:

Luci / dum cae / li decus, / huc ad / es vo / tis.

10. *Trímetro,* de seis pies, no usado apenas por los poetas latinos:

Arva / sicca / Nilus / intra: / ite / laeti.

(Servio.)

El *trímetro hipercataléctico,* de seis pies más una sílaba, empleado por Séneca:

Vidi / mus patri / am ru / entem / nocte / fu-
[nes / ta.

11. *Tetrámetro cataléctico* o *septenario,* de siete pies y medio, con una pausa después del cuarto:

Ecce / Caesar / nunc tri / umphat, // qui
[sub / egit / Galli / as. (Suetonio.)

12. *Tetrámetro acataléctico* u *octonario,* de ocho pies, con una pausa o reposo después del cuarto; empleado en el género teatral:

Latere / pedens / saxa / spargens // tabo, /
[sanie et / sangui / ne atro. (ENNIO.)

Este es el más largo de los trocaicos, y con el *yámbico tetrámetro acataléctico,* el más largo de los versos usados.

También se encuentran entre los trocaicos: el *glicónico* o *caraico,* troqueo dímetro cataléctico, con un dáctilo o espondeo en el segundo pie:

Tempe / rem zephy / ro le / vi
Vela, / ne pres / sae gra / vi
Spiri / tu ante / nae ge / mant.

(SÉNECA.)

Y aún derivan del trocaico los siguientes versos:

El *gran alcaico,* compuesto de un troqueo, un espondeo, un dáctilo, una cesura, más un trocaico dímetro cataléctico:

Te de / os o / ro, syba / rin // cur propre /
[res a / mando. (HORACIO.)

El *dactílico trocaico tetrámetro,* dos dáctilos seguidos de dos troqueos:

Post equi / tem sedet / atra / cura.
(HORACIO.)

El *yámbico trocaico,* formado de un primer hemistiquio de yámbico trímetro y de un itifálico (tres troqueos):

Trahunt / que sic / cas // machi / nae ca /
[rimas. (HORACIO.)

El *priápico,* usado en los cantos en honor de Príapo, y compuesto de un troqueo o espondeo, un dáctilo, un troqueo, una cesura, un troqueo, un dáctilo y un troqueo:

Hunc lu / cum tibi / dedi / co // conse /
[croque, Pri / ape. (CATULO.)

El *gran arquíloco* o *dactílico trocaico heptámetro,* de siete pies: tres dáctilos o espondeos, un dáctilo y un itifálico:

Solvitur / acris hi / ems gra / ta vice // veris
[et Favoni...
Nunc et in / umbro / sis Fau / no docet //
[immo / lare / lucis.
(HORACIO.)

TROPO (V. Figuras de palabra)

Es la traslación del sentido de una palabra o una frase, haciéndola pasar de la significación propia a otra distinta con la que esté de algún modo relacionada. *Verbi vel sermonis a propria significatione in aliam cum virtute mutatio.*

Fabio, las esperanzas cortesanas
prisiones son do el ambicioso muere,
y donde al más astuto nacen canas.
El que no las limare o las rompiere,
ni el nombre de varón ha merecido,
ni subir al honor que pretendiere.

(F. DE RIOJA.)

Divídense los tropos en dos clases: de *dicción* y de *sentencia.* En los de dicción se traslada el sentido de una palabra; en los de sentencia, el sentido de una frase.

El fundamento lógico de los tropos se halla en la *asociación de ideas* que el entendimiento relaciona por la *semejanza,* por la *conexión* o por la *correlación* que existe entre los objetos que representan.

Los tropos de dicción o palabra son tres: *metáfora*—por semejanza—, *sinécdoque*—por conexión—y *metonimia*—por correspondencia—. Y no son en rigor más que tres, porque todas las relaciones que sirven de fundamento a la traslación del sentido de las palabras se reducen a las tres enunciadas de *semejanza, enlace* y *correspondencia* entre los objetos.

Entre los tropos de sentencia están: *alegoría, ironía, litote, metalepsis, preterición* (V.).

Con los tropos se consigue: sugerir dos ideas con una misma frase; hacer más claras las expresiones; lograr más energía en el estilo; lograr, en ocasiones, una concisión admirable; enriquecer el lenguaje, multiplicando las palabras y dándoles nuevas significaciones; dar dignidad al estilo; darle belleza y gracia; sirven para disfrazar ideas tristes, desagradables o contrarias a la decencia; dar un aspecto de novedad a las ideas comunes.

TROQUEO (Pie)

Pie de la poesía griega y latina, compuesto de dos sílabas: la primera, larga, y la segunda, breve.

El troqueo era el contrario del yambo. El equivalente de uno y otro era el tríbaco. El troqueo se empleaba generalmente en las poesías vivas y animadas, en las marchas guerreras y en ciertos aires bailables.

En la poesía castellana se llama así al pie compuesto por una sílaba acentuada y otra átona: prado. (V. *Trocaico, Verso.)*

TROVA

1. Composición poética breve, para ser cantada.
2. Canción amorosa compuesta por los trovadores.
3. Composición métrica que en el método, estilo, consonancia, imita a otra.
4. Relación poética breve y ligera de un sucedido o fábula, recitada con música o cantada.

TROVADOR

Nombre provenzal de los poetas del mediodía de Francia, desde fines del siglo XI hasta principios del XIV. Los trovadores, con su poesía, exaltaron una de las literaturas más delicadas que hubo en la Edad Media. Su nombre, que no difiere del de los *troveros* sino en una alteración particular de la misma etimología, significa lo mismo: de *trobar, trouver.*

Han sido estudiados con ahínco los orígenes de los trovadores. Se ha querido fijar estos en una *institución* de procedencia céltica, y encontrar en ellos *el carácter grave* atribuido a los bardos bretones. Pero es esta una hipótesis sin consistencia. Vale más pensar en un surgimiento espontáneo de la poesía provenzal, favorecido por cierto refinamiento de costumbres y la vida feliz que se llevaba en aquellas comarcas de ambiente *amoroso,* regidas por pequeños príncipes ilustrados—los de Tolosa, Provenza, Barcelona—, a cuyas tierras habían llegado el lirismo y la molicie, el ingenio y la suavidad cortesana de los árabes.

Muchos de los trovadores se habían educado en los conventos, centros estos de la cultura medieval; y conocían el latín y el griego, y les eran familiares la mitología clásica, Homero, Platón, Virgilio...

Los primeros trovadores aparecieron en el siglo X. Constanza—llamada Blanca—, hija de Guillermo, conde de Provenza, y esposa de Roberto, rey de Francia, inició en su palacio unas veladas literarias, a las que concurrían los trovadores. Pero fue en el siglo XII y en la corte de Ramón Berenguer cuando los trovadores alcanzaron toda su fama y toda su significación.

Los trovadores no se pasaban la vida recorriendo a pie las provincias, de castillo en castillo, con la mandolina o la cítara debajo del brazo, como se ha creído y se ha dicho, reducidos a un estado de poetas mendicantes. Trovadores eran muchas veces los propios castellanos, los nobles señores, los príncipes, dueños de riquezas, viajeros insignes por España e Italia. Y sus composiciones eran popularizadas por los *juglares.* Es decir, que el juglar era al trovador lo que el caballerizo al caballero o el escribano al escritor.

Los trovadores hacían profesión de la galantería y del amor. Pese al misterio que empleaban, ocultando el nombre de sus damas bajo denominaciones poéticas—*Mi deseo, Mi suspiro, La más que bella*—, ponían todos sus entusiasmos en rendirles pleitesía y en cantar los triunfos de su hermosura o de sus virtudes. Tanto se estimó a los trovadores, que numerosos príncipes desearon serlo; entre ellos: Guillermo IX, conde de Poitiers; Alfonso II de Aragón; Ricardo *Corazón de León.* Y muchas hermosas y cultas damas se preciaron de ser consideradas como cultivadoras de la *gaya ciencia* de trovar.

Caracterizó la poesía trovadoresca, además de su inspiración lírica, su perfección formal. Por vez primera en la poesía de Occidente, se puede hablar de una obra artística.

La métrica provenzal se complica, y sus temas se aquilatan casi hasta la confusión. Coexisten dos escuelas: la del *trobar leu,* o de la *clara expresión,* y la del *trobar clus,* o de la culterana y conceptista ambición.

Las combinaciones de ritmo y de estrofa fueron abundantísimas entre los trovadores. La *canço*—expresión amorosa—, el *sirventés*—expresión satírica—, el *plany*—lamentación por la pérdida de seres queridos—, *joc partit*—diálogo político—, *tenço*—diálogo amoroso—, *pastorella*—debate entre una pastora y un caballero—, *l'alba*—canción de despedida de los amantes al amanecer—, *dansa*—tema amoroso con estribillo—, el *descort*—angustia de ánimo—, *falabey*—canto de torneo—, *escreadig*—defensa de una acusación.

Según varios críticos, la *canço* "es la obra de arte por excelencia, debida a los trovadores; de ella derivó toda la lírica del Renacimiento italiano, y a través de ella, la europea moderna".

La guerra de los albigenses pareció ser el *golpe funesto* que acabó con los trovadores. Su último refugio fue la corte de Aix. Pero la paz, el refinamiento, la pasión amorosa delicada, la exquisita cortesanía que el arte de trovar exigía, se habían concluido en Francia, donde el feudalismo y las guerras religiosas iban a presentar cuadros tan temibles como poco a propósito para el lirismo provenzal.

Entre los trovadores más famosos fueron: Guillaume de Cabestaing, Geoffroy, Jaufre Rudel—príncipe de Blaya—, Arman Daniel, Bernard de Ventadour—que terminó en el claustro su vida aventurera—, Pierre Vidal de Tolosa, Arnaud de Marveil, Bertrand de Born, Giraud de Borneilh, Cadenet, Gaucelm Faïdit, Folguet de Marsella, Pedro Cardenal, Rambaldo de Vaqueiras, Giraldo Riquier, Ramón Vidal Blacas, Raimon de Miravals, Guillem de Bergadam, Severo de Gerono, Pedro III de Aragón y su hijo Fadrique, Pons Hugo—conde de Ampurias—, Bonifacio Calvo...

V. BALAGUER, Víctor: *Los trovadores,* 1878. BARET, E.: *Les trouvadours.* 1867.—MENÉNDEZ PIDAL, R.: *Poesía juglaresca y juglares.* Varias ediciones.—MILÁ Y FONTANALS, M.: *De los trovadores en España.* Tomo II de sus *Obras completas.*—ANGLADE, J.: *Les troubadours, leurs vies, leurs oeuvres, leur influence.* París, 1908.—AUBRY, P.: *Trouvères et troubadours.* 1910.—MILLOT, Abbé: *Histoire littéraire des troubadours.* París, 1774.

TROVEROS

Nombre dado a los poetas del norte de Francia en la Edad Media. Vulgarmente se los llamaba *juglares.* El *trovero* correspondía a la lengua de *oïl,* mientras el trovador a la lengua de oc. El trovero componía sus canciones y las cantaba, marchando de castillo en castillo, de corte en corte. El trovador componía sus canciones, pero las hacía cantar a los juglares. La de *trovero* era una profesión; la de *trovador*, una categoría de nobleza espiritual.

Los troveros estuvieron muy protegidos por los duques de Brabante y los condes de Champagne y de Flandes. Sin embargo, jamás alcanzaron la fama ni las consideraciones que los trovadores.

Los troveros fueron pobres en su mayoría, y muchos de ellos viviron ignorados. Sus nombres ni figuran en las *canciones de gesta* que ellos inmortalizaron.

El número de troveros—poetas épicos, romancistas, fabulistas, satíricos, cronistas, hagiógrafos, moralistas, autores dramáticos, sabios, cantantes...—es muy crecido, pese al anonimato de muchísimas de sus obras.

En el siglo XII sobresalieron: Jean de Flagy, Raimbert de Paris, Graindor de Douai, Chrétien de Troyes, Alexandre de Bernay, Audefroy le Bâtard, Jean Renaut, Guyot de Provins, Guillaume Ferrière, Hugo d'Oisy, Quesnes de Béthune, Hue de Tabarie, Richard "le Pélerin", Turold...

En el siglo XIII: Thomas de Kent, Pierre de Saint-Cloud, Jacques Forest, Aimes de Varennes, Hugues de Rotelande, Bertrand de Bar-sur-Aube, Jean Bodel, Adénes le Roi, Gautier de Tournai, Marie de France, Moniot de Paris, Richard de Fournival, Gautier de Coincy, Jean Sarrasin, Jean Bretel, Alexandre du Pont, Gilbert de Montreuil, Herbert le Duc...

En el siglo XIV: Girart d'Amiens, Nicolás de Padoue, Jean de Meung, François de Rues, Philiphe de Vitry, Chaillon de Pestain, Jehannot de Lescurel...

V. DINAUX, A.: *Trouvères, jougleurs et ménestrels du nord de la France et midi de la Bélgique*. París, 1837-1843. Tres tomos.—LA RUE, Abbé de: *Essai historique sur... des trouvères...* Caen, 1834. Tres tomos.

TROVO

Composición poética popular y breve, de asunto generalmente amoroso.

TUCIORISMO

Nombre dado a uno de los sistemas teológicos escogidos para resolver la cuestión moral en que puede hallarse el hombre en presencia de una obligación dudosa.

Los jansenistas sostuvieron el tuciorismo. Según ellos, cuando el hombre se halla en presencia de una ley o de una obligación dudosa, "debe tomar el partido más favorable a la ley, el partido *(tutiorem)* más seguro".

Según el tuciorismo, no es permitido eludir una *ley dudosa* a favor de opiniones contrarias a ella, por muy respetables que sean tales opiniones.

El tuciorismo fue condenado por el Pontífice Alejandro VIII. (V. *Probabilismo.)*

TURCA (Lengua)

La lengua turca u osmanlí es la hablada en el antiguo Imperio turco, hoy República. Idioma turco se llaman también al *nïgur* del Turquestán, al lenguaje del Azerbeidjan y al *turcomano* de las poblaciones de la frontera persa. La lengua turca nació bajo la forma de dialecto tártaro. Tomó un gran número de palabras al persa y se sometió a decisivas influencias del árabe. Gracias al árabe y al persa, el antiguo dialecto turco, rudo y pobre, fue enriqueciéndose y adquiriendo flexibilidad, tomando de aquellas lenguas las reglas de construcción y de inflexión.

La gramática turca es muy simple. Carece de artículos y de géneros. El sustantivo se declina en seis casos. El adjetivo es invariable. Tiene pocos verbos irregulares. Las preposiciones se colocan después de sus complementos. La construcción es sumamente inversa. El acento carga sobre la última sílaba de las palabras, cuando esta síiaba no es una inflexión. Las reglas de la versificación *turca-osmanlí* son idénticas a la persa y árabe. El alfabeto turco tiene veintiocho letras árabes y cuatro tomadas del alfabeto persa, más los caracteres propios que representan determinado juego de vocales: *an, in, on*.

V. MENINSKI: *Institutiones linguae turcicae*. Viena, 1756.—KLAPROTH, J.: *Abhandlung über die Sprache und Schrift der Niguren*.—BÉRÉSINE, E.: *Système de dialects turcs*. Kazan, 1848.

TURCA (Literatura)

La liteartura turco-osmanlí puede considerarse dividida en tres períodos: 1.º *Formación* (1301-1520); 2.º *Clasicismo* (1520-1730), y 3.º *Moderno* (1730 hasta nuestros días).

PRIMER PERÍODO: FORMACIÓN (1301-1520).— Se caracteriza por la influencia persa, transmitida a los otomanos por los turcos seldjúcidas. Los temas religiosos inspiraron a los primeros poetas. Y uno de estos fue Sultán Valed. Y otro, Ashik Bajá, autor de la obra de carácter místico *Divan*.

En la segunda mitad del siglo XIV, Ghazi Fazil compuso un bello poema heroico y descriptivo sobre *La toma de Gallípoli* por Solimán, hijo de Orkán.

En el siglo XV sobresalió la ilustre personalidad de Yaziji Oglu, gran poeta, gran prosista y gran erudito; autor del poema epicohagiográfico *Muhammediya*, sobre Mahoma. A Cheik Zada se atribuye la célebre *Historia de los cuarenta visires*, magnífica colección de cuentos.

Los poetas de esta época cultivaron las *ghazelas*, cuyos temas eran el amor, la religión y las conquistas de los turcos en Europa. Poetas fueron: Mahomet II, Ahmed Bajá, Kemal Bajá Zada, Selim I. Kemal escribió *Los amores de*

ultraísmo, para el que invocan la colaboración de toda la juventud literaria española... Nuestra literatura debe renovarse; debe lograr su *ultra,* y en nuestro credo cabrán todas las tendencias, sin distinción, con tal que expresen un anhelo nuevo. Más tarde, estas tendencias lograrán su núcleo y se definirán..."

¿Qué fue el movimiento *ultraísta?* Ante todo, un movimiento sísmico: alborotó hasta el escándalo, derrumbó sin ton ni son, trastrocó, trastornó, tergiversó. Sin embargo de lo proclamado en el manifiesto, no guardó respeto alguno por los valores poéticos precedentes—acaso con la excepción de Juan Ramón Jiménez—. Pero yo recuerdo vivamente haber escuchado en los cenáculos de Pombo y Platerías las diatribas más feroces contra Rubén Darío, Unamuno, los Machados, Carrere, Pérez de Ayala, Marquina, Rueda... Y también recuerdo alguna de las definiciones que del ultraísmo daban sus más conspicuos adeptos: "Es una ráfaga de aire puro que entra en una rancia habitación soñolienta." "Es un ventilador que ha enloquecido en un ambiente rarefacto." "La enseñanza de todo cuanto no se debe decir." "La rana que cría pelos." "La orientación inapelable hacia continuas y reiteradas evoluciones." "La caja de las sorpresas." "La pubertad perenne de lo espiritual." "El tren que pasa siempre; hay que subir y bajar en marcha." "Un *pleno* de exorbitancias."

No creo que el ultraísmo contuviera fuerza creadora alguna. Pero tuvo un verdadero mérito: fue un grito de auténtica rebeldía juvenil contra la rutina y la inercia de una poesía *modernista,* que ya cansaba y empalagaba, que ya estaba caducada y seca. Su importancia específica fue la de purificar el ambiente poético y dar paso a todas las novedades. Ganó también en todos los espíritus la batalla cuya paz lograda era una preocupación por cuanto significase renovación. Sí, el ultraísmo, indudablemente, careció de ilusiones, pero estuvo pletórico de preocupaciones y quedó desgarrado de atisbos. El contenido teórico del ultraísmo fue su aspiración a reflejar en su temática lo dinámico, lo industrial, cuanto en sí nada tenía de lirismo. Creían los ultraístas que el poeta podía poetizarlo todo. Lo peor que tuvieron los ultraístas fue su falta de alegría, parecer como desesperados de una cosecha opima en las tierras de lo desconocido.

"La tendencia del ultraísmo era la adquisición del poema en toda su pureza, la rehabilitación de la imagen y la separación de toda retórica y todo sentimentalismo. Movimiento juvenil, batallador, lanzó sus imágenes como proyectiles sobre un campo de batalla. Le faltó el sentido arquitectónico y uno del poema, la serenidad de la forma lograda, la armonía del elemento constructivo y el rítmico. Del ultraísmo se recuerdan metáforas aisladas, aciertos visuales, audaces anticipos. Esa es su importancia. Tal es su valor." (VALBUENA PRAT.)

Las poesías del ultraísmo apenas cuajaron en algunos libros estimables—de Gerardo Diego, de Antonio Espina, de Guillermo de Torre—; quedaron sueltas en las numerosas y efímeras revistas que para defender y definir el ultraísmo nacieron: *Ultra, Tableros, Reflector, Los Cuatro Vientos, Pasquín, Caballo Verde, Cosmópolis* y *Horizonte,* de Madrid; *Grecia* y *Mediodía,* de Sevilla; *Alfar,* de La Coruña; *Agora* y *Hoja Literaria,* de Barcelona; *Papel de Aleluyas,* de Huelva; *Gallo,* de Granada; *Isla,* de Cádiz; *Verso y Prosa,* de Murcia; *El Gallo Gris,* de Orihuela; *Litoral,* de Málaga; *Ronsel,* de Lugo —fundada por Correa Calderón—; *Parábola,* de Burgos, y algunas más de menor importancia.

Según afirmación del gran cronista de *Ultra,* Guillermo de Torre, el movimiento pudo darse por acabado en 1923. Había muerto a manos de una de esas "fórmulas de contención" que liquidan todos los períodos revolucionarios, literarios o políticos. La fórmula que apuntilló al Ultra se llamó neopopularismo; fórmula andaluza que exaltó la imagen, pero no la desorbitada de los ultraístas, sino la natural y lírica nacida en los decires del pueblo.

Guillermo de Torre, gran paladín del ultraísmo—y autor, además, de esta denominación—, explicó así el movimiento: "El ultraísmo—señalemos como nexo y propósito común—ha tendido preliminarmente a la reintegración lírica, la rehabilitación genuina del poema. Esto es, a la captura de sus más puros e imperecederos elementos—la imagen, la metáfora—y a la impresión de sus cualidades ajenas o parasitarias: la anécdota, el tema narrativo, la efusión retórica. Si la poesía ha sido hasta hoy desarrollo, en adelante será síntesis. Fusión en uno de varios estados anímicos. Simultaneísmo. Velocidad espacial. Anticipemos que la rima desaparece totalmente de la nueva lírica. Algunos poetas ultraístas, los mejores, poseen el ritmo. Un ritmo impersonal, vario, mudable, no sujeto a pauta. Acomodado a cada instante y a la estructura de cada poema. Igualmente, en muchas ocasiones, se suprimen las cadenas de enganche sintácticas—artículos, adverbios, etc.—y las fórmulas de equivalencia—"como", "parecido a", "semejante a"—. La imagen, por tanto, no es tal en paridad. El pareado es realidad. La imagen se identifica con el objeto, le anula, le hace suyo. Y nace la metáfora noviformal... En cuanto a los medios técnicos, a la grafía, el ultraísmo acepta la disposición común a toda la nueva lírica: suprime la puntuación. Esta es inútil. Ata, mas no precisa. En su lugar, el sistema tipográfico de blancos y espacios le sustituye con ventaja. El poema prescinde de todas sus cualidades auditorias—sonoras, musicales, retóricas—y propende a adquirir un valor visual, un relieve plástico, una arquitectura visible. En suma: variación de predilecciones: ondulación de las artes: un salto en la rosa de los vientos."

Y Jorge Luis Borges, paladín hispanoamericano del Ultra, sintetizó así los principios del movimiento: "Reducción de la lírica a su elemento primordial: la metáfora. Tachadura de las frases medianeras, los nexos y los adjetivos inútiles. Abolición de los trabajos ornamentales, el confesionalismo, las prédicas y la nebulosidad rebuscada. Síntesis de dos o más imágenes en una, que ensancha así su facultad de sugerencia. Los poemas ultraístas constan, pues, de una serie de metáforas, cada una de las cuales tiene sugestividad propia y compendia una visión inédita de algún fragmento de la vida. La desemejanza raigal que existe entre la poesía vigente y la nuestra es la siguiente: En la primera, el hallazgo lírico se magnifica, se agiganta, se desarrolla; en la segunda, se anota brevemente, ¡y no creáis que tal procedimiento menoscabe la fuerza emocional! "Más obran quintaesencias que fárragos", dijo el autor del *Criticón* en sentencia que sería inmejorable abreviatura de la estética del ultraísta. La unidad del poema le da el tema común—internacional u objetivo—sobre el cual versan sus aspectos parciales."

Guillermo de Torre, el gran crítico y máximo teórico—y aun excelente *practicante*—del ultraísmo, rechaza categóricamente la insinuación hecha por algunos críticos de haber sido Juan Ramón Jiménez el *precursor remoto* del Ultra. Y escribe: "Múltiples características acusan en Juan Ramón Jiménez la persistencia de su espíritu primitivo."

El auténtico precursor del Ultra fue Ramón Gómez de la Serna, hombre de vanguardia, siempre anticipado a su época, disidente e impar, quien en su *Primera Proclama de Pombo*—1915—, "sonoro petardo subversivo, donde chisporrotean sus más acres invectivas contra el público y contra las jerarquías establecidas... en una violenta frase memorable: *Aquí no se ha pasado ningún límite,* condensa su anhelo de superaciones personales, que luego, cuando la eclosión ultraísta, no mantuvo netamente, enmurallándola de restricciones" (G DE T).

El gran crítico Rafael Cansinos-Asséns también fue un teorizante y un propagador del Ultra, aun cuando Guillermo de Torre, con excesiva injusticia, le reproche que su papel, en los albores del movimiento, fuera "el de un promotor teórico, el de un inductor de entusiasmos, el de un consejero mayor de edad, *siempre desde un plano marginal*". Nadie, sin embargo, puede negar a Cansinos-Asséns haber convertido a las importantes revistas *Cervantes* y *Grecia* —¡oh, qué paradoja de títulos!—en los escenarios escandalosos del Ultra *ya desmelenado.*

Pero insistimos en recordar que fueron Guillermo de Torre, Jorge Luis Borgues y Eugenio Montes los únicos que intentaron dotar de una ideología al Ultra.

Yo recuerdo perfectamente el éxito de escándalo alcanzado en Madrid por el ultraísmo. Ultraístas y antiultraístas se insultaban ferozmente de palabra y por escrito, llegando en muchas ocasiones *a las manos* en los cafés, en los teatros y aun en la vía pública.

Los más importantes poetas ultraístas fueron: Jorge Luis Borgues (n. 1900); Eugenio Montes (1897); Gerardo Diego (1890)—*Imagen, Manual de espumas*—; José Rivas Panedas (¿1897?) —*Cruces, Oración de los árboles*—; Pedro Garfias—*Ritmos cóncavos*—; Isaac del Vando-Villar —*La sombrilla japonesa*—; Humberto Rivas —*La ciudad múltiple*—; Rafael Lasso de la Vega (1890); Adriano del Valle (1895)—*Primavera portátil*—; Juan Chabás y Martí (1898)—*Espejos*—; César A. Comet—*Bellezas cotidianas y grotescas*—; "Luciano de Sansaor"—seudónimo de Lucía Sánchez-Saornil—; José de Ciria Escalante (¿1902?); Juan Larrea (1895); Joaquín de la Escosura; Juan Gutiérrez-Gili—*Primer libro de poemas*—; Rogelio Buendía (1891)—*La rueda de color*—; Guillermo de Torre (1900) —*Hélices*—; Mauricio Bacarisse (1895-1931)—*El esfuerzo*—; Antonio Espina (1894)—*Signario, Umbrales*—; Heliodoro Puche; Ernesto López-Parra, Evaristo Correa Calderón (1899).

Refiriéndose al genial Federico García Lorca, Guillermo de Torre escribe: "En especial el último, en cuya obra, a pesar de haberse formado aparte y netamente diferenciado del ultraísmo, pueden encontrarse muy curiosos puntos de contacto. En rigor, Lorca es el único poeta que, sin estar adscrito oficialmente, puede considerarse como el mejor afín. Su *Libro de poemas* —1921—, que recoge sus más tempranas sensaciones de adolescencia, abunda ya en certeras visiones y delicadas imágenes." ¡Curiosa paradoja! Y fue García Lorca quien más contribuyó a la muerte del ultraísmo...

Ya hemos indicado que el ultraísmo fue un movimiento literario netamente español; pero el argentino Jorge Luis lo propagó en la Argentina con la fundación de sus revistas *Prisma* y *Proa.* Poco después, Maples Arce fundó en Méjico *Actual;* y en Santiago de Chile, Jacobo Nazaré, *Vórtice.*

Y ultraístas importantes fueron: los argentinos González-Lanuza—*Prismas*—, Brandán Caraffa, Roberto A. Ortelli, F. Piñero, Norah Lange—*La calle de la tarde*—, Helena M. Murguiondo, María Clemencia López Pombo; los uruguayos Alexis Delgado, Pereda Valdés, Federico Morador, Clotilde Luisi; los chilenos Pablo Neruda—*Veinte poemas de amor*—, Salvador Reyes—*Barco ebrio*—, Yépez Alvear, Jacobo Nazaré; el ecuatoriano Hugo Mayo.

La revista argentina *Nosotros*—núm. 160. 1922—llegó a publicar una curiosa antología de poetas ultraístas.

V. TORRE, Guillermo de: *Manifiesto ultraísta*: *Vertical.* Madrid, 1920.—TORRE, Guillermo de: *Literaturas europeas de vanguardia.* Madrid, Caro Raggio, 1925.—GÓMEZ DE LA SERNA, Ra-

fueron sus paladines. Pero los poetas románticos rompieron radicalmente con traba tal, no sometiéndose sino a la *verosimilitud moral*, es decir, que caracteres y situaciones estén bien sostenidos y los sucesos enlazados en el orden natural y lógico de la vida real.

Hoy el problema de las tres unidades está relegado al olvido, como un trasto viejo. El público acepta, perfectamente ilusionado, las variaciones de tiempo y lugar, y, en ocasiones, hasta la de acción.

V. LUZÁN: *Arte poética*.—AUBIGNAC, Abbé d': *La pratique du théâtre*. París. Varias ediciones. HUGO, Víctor: Prefacio a *Cromwell*.—SCHLEGEL, G.: *Curso de literatura dramática*. Madrid, 1894.

UNIONISMO

1. Nombre dado al movimiento religioso que en Alemania, desde la época de Lutero hasta principios del siglo XX, intentó unir todas las sectas protestantes, principalmente la Iglesia luterana y las llamadas Iglesias reformadas.

El iniciador del unionismo fue Zwinglio, quien, en Marburgo, reunió una asamblea a la que acudieron cerca de trescientos teólogos. La reunión fracasó por completo ya que ninguno, y Zwinglio más que todos, quiso ceder en sus posiciones doctrinales.

Pero lo que durante siglos no consiguieron los teólogos, lo alcanzaron, en parte, los monarcas de la dinastía Hohenzollern. Federico Guillermo III decretó la unión en 1817; y aun cuando esta unión fue bastante ficticia, al menos quedaron reguladas las ceremonias del culto. Federico Guillermo IV autorizó la creación de una Iglesia alemana autónoma. Y Guillermo II impuso la unión en los países anexionados y organizó un Consejo de la Iglesia común, formado por representantes de la confesión luterana y de las confesiones reformadas. (V. *Ritualismo.)*

2. Pero el unionismo no ha sido solo un movimiento entre los luteranos. Todas las Iglesias disidentes de todo el mundo han sentido la necesidad y la ilusión de unirse. Y desde principios del siglo XIX el unionismo ha trabajado firmemente en tal sentido, organizando con frecuencia a manera de grandes Concilios ecuménicos. Cabe recordar aquí: la *World Conference,* ideada por los episcopalianos de los Estados Unidos; la Conferencia de Lambeth —1920—, que propuso "olvidar el pasado y marchar hacia el ideal de una Iglesia católica reconciliada"; las *Conversaciones de Malinas* —1925—, en las que representó a los católicos el cardenal Mercier, y a los anglocatólicos, lord Halifax, y que, al fracasar en su intento, encontraron la oposición de Pío XI para reanudarse; la Conferencia de Estocolmo—1925—; la Conferencia de Lausana—1927—; la tendencia denominada *Acción y Vida,* que, dejando intactos los distintos credos, intentó unificar la acción; el movimiento llamado *De Fe y de Orden,* organizado por los episcopalianos de Norteamérica. Hay que reconocer que los resultados de tantas Conferencias fueron nulos.

3. También existió el unionismo entre los cismáticos orientales, deseosos de unirse a Roma. Y con el beneplácito del Papa, el pensador ruso Vladimiro Soloview organizó en julio de 1927 el V Congreso Unionista de Velchrad (Checoslovaquia).

4. La Iglesia católica ha quedado al margen de tales movimientos unionistas, aunque no se ha opuesto a ellos y aun, en ocasiones, los ha promovido. Su abstención débese a no querer tomar parte en asambleas en que se hallan grupos que no tienen de cristianos sino el nombre. La opinión firme y clara del catolicismo en relación con el unionismo está declarada en la famosa encíclica *Mortalium animos,* de Pío XI, publicada en Roma el día de la Epifanía de 1928.

UNITARISMO

Doctrina herética que defiende—admitiendo *en parte* la revelación—la existencia de una sola persona en Dios. El unitarismo rechaza la Trinidad cristiana, proclamando en Dios la unidad de persona. Por ello, el Hijo, o el Verbo, y el Espíritu Santo no son *sino maneras de concebir las operaciones de Dios.*

El unitarismo fue una doctrina muy extendida desde épocas remotas. Unitarios fueron Fotino, Pablo de Samosata, Sabelio, Miguel Servet, los dos Socinos—Lelio y Fausto.

El unitarismo surgió con una fuerza excepcional—siglo XVI—en Polonia, donde se multiplicaron las comunidades unitaristas merced a las predicaciones de Valentino Gentilis y Juan Pablo Alciato. Amenazada la ortodoxia de esta doctrina herética—valga la paradoja—, se salvó gracias a los esfuerzos de Fausto Socini, sobrino de Lelio, quien se proclamó *cabeza única* del unitarismo, dando lugar a que este vocablo fuera sustituido por el derivado de su gentilicio (V. *Socinianismo).*

Apagado durante más de un siglo, el unitarismo surgió vivamente en el siglo XVIII. Su nuevo defensor fue el anglicano Lindsey, nacido en 1723, cuyas predicaciones apologéticas continuaron Priestley, Channing y Martineau... Hoy, el unitarismo se defiende aún en Francia, Hungría, Estados Unidos, Polonia, Checoslovaquia, Alemania...

Según Walter Lloyd, los puntos esenciales de la teología unitaria son los siguientes:

1.º Cristo no es Dios. Puede ser llamado, eso sí, Hijo de Dios u hombre divino, pero no Dios en el recto sentido de la palabra. No debe, pues, ser adorado, sino imitado.

2.º El Espíritu Santo no es Dios, y sí una operación o virtud de Dios.

3.º Jesucristo salvó al mundo solo con su

doctrina y con su ejemplo, *pero no con su muerte.*

4.º Lo sobrenatural no es sino *una emanación* que brota de cierto sentido íntimo.

5.º No existe Iglesia alguna. El hombre se salva buscando la verdad, la justicia y la caridad.

6.º El bautismo no es sino un *rito*, innecesario, que carece de toda virtud regenerativa.

7.º La Eucaristía es un *símbolo* de la caridad y memoria de la Pasión de Cristo.

8.º Los Sacramentos no son sino signos o ceremonias que distinguen a los fieles de los judíos y de los gentiles.

9.º La justificación es la reversión a Dios.

V. HALL, Mr. A.: *Orthodoxy and Heresy: Unitarianism.* 1888-1889.—CLARKE, J.: *Manual of Unit. belief.* Londres, 1898.—BOULENGER, A.: *Historia de la Iglesia.* Barcelona, 1936.

UNITEÍSMO

Doctrina social de Fourier, que defiende la necesidad de unidad que existe en todos los hombres, "considerada como una tendencia fundamental para armonizar las demás tendencias humanas". Dicha tendencia actúa como una pasión que absorbe todas las demás.

Carlos Fourier, gran sociólogo francés del siglo XIX, distinguió doce pasiones simples o radicales: cinco sensitivas—correspondientes a los cinco sentidos—, cuatro afectivas—amistad, amor, familismo y ambición—y tres distributivas. Fourier añadió a las antecedentes una decimotercera: la armonía o uniteísmo, formada por siete afectivas y distributivas. En el uniteísmo alcanzan su máxima fuerza y su mayor eficacia las restantes pasiones. El uniteísmo las armoniza, dándoles una auténtica unidad en la que es imposible hallar fisuras ni matices.

UNIVERSALISMO

El universalismo, doctrina filosófica opuesta al *individualismo* (V.) y al *atomismo* (V.), defiende que la realidad es un todo único o universal, dentro del cual los individuos solo pueden vivir aislados por vía de abstracción.

También se define al universalismo como la doctrina que defiende el asentimiento universal del género humano como el principal criterio de certeza.

El universalismo—de contenido análogo al humanitarismo—es un dique contra el egoísmo humano, pues coloca el interés del individuo por debajo del de la familia, y el de esta por debajo del de la nación, y el de esta por debajo de la sociedad en general.

Alguien ha dicho (Hegel) que el universalismo tiene sus raíces en la concepción metafísica del mundo. Para Comte, los tiene en la concepción sociológica de la vida.

El universalismo ha desenvuelto su sentido en campos tan diversos como los de la Metafísica, la Filosofía de la Religión y la Historia de la Religión.

Metafísicamente, el universalismo es una doctrina del ser "que considera la realidad como un todo único". Cosmológicamente, el universalismo defiende el carácter universal de las leyes de la Naturaleza y su inmutabilidad a través de todos los avatares del devenir. El universalismo en la Historia de la Religión—o en la Filosofía de la Religión—cree en la salvación final de todos los hombres, basándose en la imperfección humana, en la bondad infinita de Dios y en el objeto ilimitado de la Redención de Cristo.

Modernamente se ha sostenido que el universalismo es la tendencia y la cualidad de lo universal, concepto este que puede entenderse de dos modos distintos: el uno, concreto, referido al universo objetivo, al mundo de las ideas o de las cosas; el otro, abstracto, genérico, que toma en consideración el valor universal, "o sea, válido en todo tiempo y lugar, de lo pretendiente a la universalidad".

De estos dos modos de comprensión surgen dos direcciones de consecución y de aplicación. En virtud del primero se llega al universalismo por la integración de nociones concretas, definidas, ordenadas y generales sobre lo universal. En virtud del segundo modo, se establece un nexo interior entre las diversidades, "basándose en la estructura indiferenciada de estas".

UNIVERSIDADES

Literariamente, culturalmente, la importancia de las Universidades es enorme. En ellas se refugió, se conservó, se desarrolló con fecundidad maravillosa el esfuerzo intelectual de todos los pueblos durante la Edad Media.

En la imposibilidad de hacer un estudio, siquiera sucinto, de las Universidades de todo el mundo, me ceñiré a una referencia de las españolas.

El centro de enseñanza más antiguo de España que la más rigurosa crítica ha encontrado ha sido el de Huesca, fundación del guerrillero Sertorio en su celebérrima urbe de "Osca" —Huesca—y en el siglo I antes de la Era cristiana. Y es incontrovertible el testimonio de Plutarco, único historiador que alude a él en su biografía de Sertorio: "Mas lo que principalmente cautivó su voluntad (la de los naturales) fue la disposición que tomó con los jóvenes; porque reuniendo en Huesca, ciudad grande y populosa, a los hijos de los más ilustres y principales de entre aquellas gentes, y poniéndoles maestros de todas las ciencias y profesiones, griegas y romanas, en realidad los tomaba en rehenes; pero en la apariencia los instruía para que en llegando a la edad varonil participasen del gobierno y de la magistratura. Los padres, en tanto, estaban sumamente contentos viendo a sus hijos marchar a las escuelas muy bien vestidos y engalanados de púrpura, y que Sertorio

una lista de las sesenta bibliotecas públicas que funcionaban en la España árabe a fines del siglo x.

Cuando se produjo la caída del califato, contaban con *madrisas*—escuelas oficiales—Córdoba, Sevilla, Badajoz, Zaragoza, Valencia, Murcia, Almería y Toledo. Era tal la importancia de alguno de estos centros docentes, que fueron—algunos de ellos—conservados por los cristianos después de la Reconquista. Don Raimundo, arzobispo de Toledo, convirtió en escuela de traductores la *madrisa* toledana. Y Alfonso X se esforzó en que la *madrisa* de Sevilla conservara todo su rango y aun lo aumentara con las enseñanzas de Música, Gramática y Poesía.

Con las *madrisas* musulmanas competían en la misma Andalucía, en la propia Córdoba, escuelas cristianas muy concurridas. San Eulogio, educado en el colegio clerical de Córdoba, enseñaba en la iglesia de San Zoilo de la misma ciudad. El famosísimo abad Speraindeo recorría toda la Bética desempeñando una especie de cátedra ambulante, a la que acudían a cientos los discípulos, entre los cuales destacaron el mencionado San Eulogio y Alvaro Cordobés.

No se crea que las escuelas cristianas podían funcionar con libertad alguna. La asistencia a ellas constituía un serio peligro. Muchos de sus discípulos fueron apresados y martirizados, como Pedro de Astigi—Ecija—, Walabonso, diácono de Elepla, y el abad Fragello. Sin embargo, no creo que la enseñanza en las *madrisas* fuera muy intensa. Y debe desecharse la idea de que la cultura musulmana española superó extraordinariamente a la cristiana de la misma época. El propio Dozy, apasionado de los árabes, en sus *Recherches* confiesa que estos, aprovechándose hábilmente del saber de los vencidos, llegaron a serles superiores.

*

Puede afirmarse que de los reinos de reconquista fue el de Navarra donde antes se hallan vestigios de escuelas y bibliotecas. El viaje de San Eulogio a Navarra dejó patente la anterior aseveración. En cuantos monasterios visitó en la parte del Pirineo, halló magníficos depósitos de códices. Solamente del de San Zacarías, en el que habitaban ciento cincuenta monjes, bajo la dirección del venerable Odoario, arrambló San Eulogio con no pocos volúmenes, entre los que se contaban la *Eneida*, de Virgilio; la *Ciudad de Dios*, de San Agustín; las *Sátiras*, de Juvenal; las colecciones de himnos de todos los poetas cristianos y las obras de Adelelmo, Avieno y Porfirio. Las escuelas se dividían en "regias, clericales y catedralicias".

El Silense, en su *Crónica*, ya habla de que el rey *Ferdinandus filios suos et filias ita ceusuit instruere est primos liberatibus disciplinis, quibus et ipse studium dederat, erudirentur.* ("El rey Don Fernando hizo que sus hijos se instruyesen en las artes liberales, en las cuales él mismo había cursado y aprendido antes".)

En un privilegio del siglo x, que recoge, en su discurso de ingreso en la Academia de la Historia, Oliver y Hurtado, se leen las palabras *Schola de Rege*, referente a la que funcionaba en el monasterio de San Juan de la Peña y en la que se enseñaba Gramática latina, Retórica y algo de Matemática.

Celebérrima en extremo fue la escuela de *Ansa*—Vich—, a la que llegaban a instruirse en letras sagradas y profanas ingenios de todos los países de Europa, entre ellos el monje Geoberto, que más tarde ocuparía el solio pontificio con el nombre de Silvestre II. En Castilla, Fernando I, Alfonso VI y Alfonso VII preparan un magnífico *renacimiento* de las letras, dotando a muchas escuelas, de las cuales salieron eruditos profesores que llegaron a ejercer en Universidades como las de Bolonia y París. En esta, Francisco Bachó, fray Alonso de Vargas y Dionisio Murcia. En aquella, Bernardo el *Compostelano*, San Raimundo de Peñafort y Juan de Dios. La entrada en España de los monjes de Cluny da un impulso extraordinario a la creación y desarrollo de las escuelas monásticas y catedralicias. En León, el año 1190, había ya un *Rodericus Pelagii Magister Scholarum;* y poco después se creaban en su catedral doce prebendas, llamadas *de bachilleres,* que aún duraban en el siglo XVI.

Es sumamente sencillo seguir en los archivos catedralicios de los reinos cristianos el nacimiento del cargo de maestrescuela; Salamanca lo tenía en 1134; Astorga, en 1154; Toledo, en 1172; Segovia, en 1190; Calatayud, en 1242. ¿Qué importancia tenía el cargo de "maestrescuela"? ¿Cuáles eran las disciplinas que enseñaba? Por lo que hace a lo primero, la encomia una ley de Partida en el siglo XIII: "E á su oficio pertenesce de estar delante cuando se probasen los escolares en las cibdades donde son los estudios, sin son tan letrados que merezcan ser otorgados por maestros de gramática o lógica, e de "algunos de los otros saberes", e aquellos que entendiese que los merescen, puédeles otorgar que lean así como maestros. E esta misma dignidad llaman en algunas iglesias "Canciller". Patente queda la importancia.

"El "maestrescuela" era un hombre docto "que examinaba" a cuantos pretendían alcanzar el título de doctores. Y, "además", enseñaba. ¿Qué enseñaba? No solo Gramática y Lógica, sino "algunos otros saberes". ¿Cuáles eran esos saberes? Canto, Retórica, Teología, Sagrada Escritura... Si poco tiempo después los cánones lateranenses mandaban dar todas estas enseñanzas en "todas las catedrales", es señal de que ya se enseñaban en algunas.

Pero no se crea que es el de "maestrescuela" el primer título docente que se encuentra en los documentos históricos de los reinos cristianos. Más antiguo aún es "el auténtico, el de siempre": ¡maestro! El tomo XVII de la *España*

Sagrada recoge un documento del siglo x—año 996—suscrito por un "magister viriza notarius". Más tarde—1064—, otro documento lleva la firma de un tal Munión o Muñón, intitulado maestro.

Yerran, por consiguiente, cuantos eruditos afirman que fue el cardenal Guido quien primero gozó de título tan hermoso. Maestros fueron llamados—y en verdad lo eran por la ciencia y por el ejemplo—don Rodrigo Ximénez de Rada; don Lucas, obispo de Túy; el obispo de Cartagena don Gómez Barroso; Ferrando de Zamora; Roldán—encargado del "ordenamiento de las tafurerías" por don Alfonso el *Sabio*—; Jácome Ruiz o Jacobo el de las Leyes, jurisconsulto eminente del tiempo de San Fernando; Pedro Arbués, a quien se le llamaba, por ser de Epila, "Maestre Epila" o—contracto—"Mastrepila".

Pero no eran únicamente, durante los siglos IX al XIII, frecuentes las cátedras monacales y catedralicias, sino que lo debieron de ser, igualmente, "los estudios", ya que las Partidas —título XXXI de la Partida 2.ª—hacen una definición acabada de los mismos. "Estudio es el ayuntamiento de maestros e escolares que es fecho en algún logar, con voluntad et con entendimiento de aprender los saberes."

Los estudios se dividieron en "generales y particulares". Los primeros recibieron más adelante el nombre de Universidades. Los segundos, que eran creados por disposición temporal de algún prelado o concejo en cualquier lugar y que, generalmente, no tenían sino un maestro y pocos escolares, se denominaban "Escuelas o Estudios de Arte".

*

¿Cuál fue la primera enseñanza? El maestro Gonzalo de Berceo lo dice en sus *Milagros de Nuestra Señora:* leer, escribir, contar... Y se cursaba en cualquier parte. En un claustrillo. En un pórtico. En un zaguán. Carretera adelante. Como nadie la exigía, eran poquísimos los que se sometían a ella.

Más tarde, los Reyes Católicos pusieron una sanción penal a los padres que no enviasen a sus hijos al colegio de la villa, según se dispuso en Madrid, a 22 de octubre de 1512. En 1560 se imponían tres años de destierro a tales padres en Galicia. Carlos I, en 1540, y Felipe III, en 1610, otorgaron a los maestros exenciones y privilegios mucho mayores de los que tenían en el resto del mundo sus similares. Felipe IV entregó a la famosa Hermandad de San Casiano el monopolio de la instrucción primaria oficial. En el siglo XVIII San José de Calasanz estableció en España la enseñanza primaria gratuita por medio de la Congregación de las Escuelas Pías.

Los "Estudios de Arte" se multiplicaron con una rapidez extraordinaria. Reyes, prelados, grandes señores y concejos se disputaban el honor de fundarlos y dotarlos y hasta de erigir para asiento de ellos soberbios edificios. Los de Valencia fueron obra de Jaime I, en 1245, y se denominaron "Escuelas de Gramática y Artes"; los de Mallorca, de Raimundo Lulio, en 1280; los de Murcia, del obispo Julián, hacia 1300; los de Toledo, de don Gil de Albornoz, hacia 1350. Fernández de Navarrete, en su *Conservación de monarquías,* impresa en 1626, fija en más de cuatro mil los Estudios de Gramática existentes en toda España.

Puede afirmarse que en todos estos Estudios y Escuelas el método de enseñanza se sujetaba férreamente a un refrán: la letra con sangre entra. El palmetazo. El zurriagazo. El coscorrón. El puntapié. Conocida es la resolución de Pedro IV de Aragón absolviendo al maestro del Estudio de Tarazona Gil de Calatayud, que ocasionó la muerte de uno de sus discípulos, propinándole una terrible bofetada, por el delito de no estarle escuchando la explicación atentamente.

De los estudios generales, el mencionado Fernández de Navarrete enumera hasta treinta y dos a fines del siglo XVI. En todos ellos se enseñaba el Derecho romano, el canónico, la Lógica, la Gramática, la Retórica, la Aritmética, la Geometría, la Astronomía y la Música. Y en alguno de ellos, las Ciencias Naturales y la Medicina. Para que pudieran expedir los títulos correspondientes a sus estudios era necesario que la fundación fuera real o papal, o que estuviera autorizada por uno de los dos. Si lo era por el Pontífice, los títulos eran válidos en toda la cristiandad. Si por el rey, su validez era exclusiva para el reino.

*

Las tres primeras Universidades "verdad" que tuvo España fueron las de Palencia, Salamanca y Valladolid. La Universidad de Palencia fue fundada—carácter episcopal—el año 1212, por don Tello Téllez de Meneses. La Universidad de Salamanca lo fue—carácter real—por don Alfoson IX de León, en 1215. La Universidad de Valladolid—carácter municipal—, el año 1260, por una resolución del concejo. A la de Palencia otorgó el Pontífice Urbano VI los mismos privilegios de que gozaba la de París.

Sucesivamente fueron surgiendo las demás Universidades españolas con breves intervalos, con muchos entusiasmos y en una soberbia emulación de los monarcas. 1254: Alfonso X el *Sabio* crea en Sevilla unas Escuelas generales de latino y de arábigo, denominaciones que piensa De la Fuente representen: El latino, las letras; lo arábigo, las ciencias. A estos Estudios alfonsinos se los calificó en un Breve de Alejandro IV —1260—de "Estudium generale literarium". 1300: Jaime II de Aragón establece la Universidad de Lérida. 1354: Pedro IV, la de Huesca. 1411: la de Valencia, por influencias de San Vicente Ferrer. 1446: Alfonso V, la de Gerona. 1450: Alfonso V, la de Barcelona. 1474: el Pontífice Sixto V, la de Zaragoza. 1508: el cardenal Cisneros, la de Alcalá de Henares.

Durante el reinado de Carlos I: 1520, la de Toledo; 1533, la de Lucena; 1534, la de Sahagún; 1538, Juan de Avila, la de Baeza; 1540, la de Granada; 1542, Rodrigo Mercado, la de Oñate; 1544, la de Santiago; 1546, San Francisco de Borja, la de Gandía; 1548, la de Osuna; 1550, el inquisidor Torquemada, la de Avila; 1553, el obispo Francisco Loales, la de Orihuela; 1553, la de Almagro; 1554, el prelado Pedro da Costa, la de Burgo de Osuna; 1557, el inquisidor Valdés, la de Oviedo.

Durante el reinado de Felipe II: 1565, Francisco de Córdoba, la de Estella; 1570, la de Vich; 1572, la de Córdoba; 1572, el arzobispo Gaspar de Cervantes, la de Tarragona.

En realidad, de todas estas Universidades, las que alcanzaron mayor importancia fueron las de Salamanca y Alcalá. La primera compitió en importancia con las de París y Bolonia. Se enseñaban en ella todas las ramas del saber jurídico, la Teología y la Medicina. Los profesores llegaron a ser más de ciento cincuenta. De ellos, treinta, en 1569, de Matemáticas. En 1551 la matrícula de alumnos alcanzó la cifra de 5.856. En el curso 1556-1557, la de 7.832. Aún, en cursos siguientes, fue sobrepasado este número La Universidad de Alcalá llegó a contar con cerca de tres mil.

Al mismo tiempo de aparecer las Universidades lo hicieron los "Colegios universitarios" o "Colegios mayores". Durante mucho tiempo se ha creído que en ellos se conferían grados, unidos y como dependientes de las Universidades.

Sin embargo, ha demostrado la investigación que dichos "Colegios" eran similares a nuestras modernas "Residencias de estudiantes". Estaban destinados al internado de los alumnos, a quienes se evitaba así de la vida de jarana de las posadas y casas de pupilos. En ellos la disciplina era rigurosa, y el estudio, vigilado por maestros y licenciados, muy eficaz. Los recreos eran honestos; las disquisiciones, muy sutiles; la alimentación, sana. Se ingresaba en ellos generalmente por la obtención de las becas fundacionales en reñidas oposiciones.

Desde los "Colegios" se trasladaban los estudiantes a la Universidad, en grupos, con sus bedeles o asistentes de asignatura. Y regresaban de la misma manera ejemplar. El profesorado de estos "Colegios" auxiliaba a los internos en el estudio y entendimiento de las disciplinas. Muchísimos fueron en España, y muy importantes, los "Colegios mayores o universitarios". Cuatro nada menos tuvo Salamanca. El de "San Bartolomé", fundado por don Diego de Anaya y Maldonado, arzobispo de Sevilla; el de "Cuenca", obra del obispo de esta ciudad don Diego Ramírez—año 1500—; el de "Santiago o Fonseca", logro del arzobispo de Compostela don Alonso de Fonseca y Acevedo—1521—, y el de "Oviedo", fundación del prelado ovetense don Diego Mígüez de Vendaña—1517—. Los cuatro estuvieron dotados con pingües rentas, y la consecución de una de sus becas exigía una capacidad grande, un estudio intenso y una dialéctica opositora muy sutil.

"Colegios mayores" muy importantes fueron: el de San Clemente, en Bolonia, fundado por el arzobispo don Gil Alvarez de Albornoz en 1365. Los de la "Cruz y San Gregorio", en Valladolid —1479 y 1488, respectivamente—. El de "San Antonio de Portaceli", en Sigüenza—1477—. El de "San Ildefonso", fundado en Alcalá—1459— por don Alonso Carrillo. El de "Santa Catalina", en Toledo—1485—. En Sevilla, el de Maese Rodrigo—1506—y el de "Santo Tomás"—1517—. En Madrid, los famosísimos "Estudios de San Isidro", fundados en tiempo de Felipe IV, ante la oposición que hicieron las Universidades españolas de que hubiera otra en la capital de España.

No eran los apuntados los únicos centros de enseñanza en España durante los siglos gloriosos de su resurgimiento y culminación cultural. Existieron los "Colegios menores", de fundación particular, para el estudio de las Humanidades, que llegaron a alcanzar el número de cinco mil. De ellos destaca el celebérrimo "Estudio de la villa", del maestro López de Hoyos, situado en la calle de Segovia, en el que fue alumno aventajado Miguel de Cervantes.

Los jesuitas y los teatinos montaron numerosos de estos "Colegios menores" en todos los pueblos importantes de la monarquía, dulcificando los métodos de los antiguos dómines y perfeccionando los planes de estudio y su mejor desarrollo.

*

Cuando el Concilio de Trento mandó la apertura en cada diócesis de un Seminario conciliar, luego de leer, en su sesión de 15 de julio de 1563, las doctísimas constituciones del arzobispo don Pedro Guerrero, pertinentes a tales centros docentes, ya Granada, desde 1498, obra del arzobispo fray Hernando de Talavera, se enorgullecía del suyo, al que acudían más de quinientos futuros clérigos. A partir de la disposición, en poco más de treinta años, antes de terminar la centuria decimosexta, existían en España dieciséis: los de Tarragona, Huesca, Córdoba, Mondoñedo, Osuna, Palencia, Cuenca, Málaga, Cádiz, Murcia, Urgel, Tarazona, Barcelona, Guadix, Gerona y Lugo. Y en el siglo siguiente, los de Baeza, Coria, León, Almería, Avila, Jaén, Vich, Sigüenza, Badajoz y Plasencia.

Y no se piense que la enseñanza estaba vedada a la mujer. A partir del año 1500 se multiplican los establecimientos de cultura femenina. En casi todos los conventos de religiosas —clarisas, agustinas, carmelitas...—se daban clases gratuitas o semigratuitas a niñas de familias poco pudientes. Para mujeres, Cisneros fundó en Alcalá el colegio de "San Juan de la Penitencia"; y el cardenal Silíceo, el de "Damas nobles", en Toledo; y Felipe II, en Madrid, los de "Loreto"—1581—y "Santa Isabel"—1592—; el marqués de Leganés—1603—, el llamado de las "Niñas de Leganés". Guadalajara y Zaragoza tuvieron sendos colegios de las "Vírgenes". Y Salamanca, el de las "Doncellas". También existieron "colegios particulares", fundados y dirigidos por mujeres de excepcionales méritos. Así, doña Beatriz Galindo, en Madrid; doña Francisca de Lebrija, en Alcalá; doña María Pacheco, en Toledo; doña Lucía Medrano, en Salamanca; la marquesa de Monteagudo, en Segovia.

Se enseñaron también determinadas disciplinas en otros "Estudios" especiales. Así, Matemáticas y Astronomía, con un rigor máximo y una competencia inigualada, en la "Casa de Contratación", de Sevilla, fundada por los Reyes Católicos, y de la que fueron insignes profesores: Sánchez Ciruelo, autor del primer tratado completo de Matemáticas, texto en la Universidad de París; Martín Cortés, que hizo la distinción de los meridianos magnéticos y de los astronómicos; Alonso de Santa Cruz, que proyectó los mapas que llevan el nombre de Wrigt; Pérez de Oliva, primer ensayista del telégrafo eléctrico; Felipe Guillén, inventor de la brújula de variación; Juan de Urdaneta, descubridor de las causas de los ciclones; Diego Rivero, inventor de las bombas de metal para achicar el agua; Jerónimo Muñoz, calculador de la trayectoria de los proyectiles; Juan Escribano, que fue quien inició los estudios del vapor como fuerza motriz.

El Archivo de Simancas y la Biblioteca de El Escorial fueron museos enciclopédicos para toda clase de estudios. Y aparecieron innumerables "Academias científicas y literarias", la mayoría de ellas con carácter particular; así la de Ciencias, de Madrid, y la de Matemáticas, de Sevilla; "Jardines Botánicos", cual el de Simón Tobar, cuyos magníficos catálogos anuales anduvieron por toda Europa; "Bibliotecas" en las que se daban conferencias eruditas; "Laboratorios" de clases prácticas y "Colecciones". Hubo un momento en España—y en Castilla principalmente—en que quien no fuera hombre de letras "no se sentía caballero" ni como tal era reconocido. Y el propio Erasmo aseguraba que "la ilustración de Castilla podía servir de modelo a las naciones más cultas de Europa".

*

Acontecimiento de inmensa importancia en la vida escolar española fue el establecimiento del Fuero Académico. Un privilegio del rey San Fernando lo concedió a la Universidad de Salamanca. Su hijo, Alfonso X, lo hizo extensivo a las demás Universidades. Dicho privilegio se reprodujo en la ley 7.ª del título final de la Partida 2.ª, casi con las mismas palabras con que fue redactado por primera vez: "Otrosí mando que los escolares vivan en paz e cuerdamente de guisa que non fagan tuerto nin demas a los de la villa, e cada cosa que acaezia de contienda entre los escolares ó entre los de la villa, e los escolares..."

El Rey Sabio, elevando el Fuero a derecho común, recalca en la partida 6.ª: "El rector debe castigar e apremiar a los escolares que no levanten vandos nin peleas ros los omes de los lugares do fueren los escolares ni entre sí mismos. E que se guarden en todas guisas que non fagan deshonra nin tuerto a ninguno... Los maestros que muestran las ciencias en los estudios pueden judgar sus escolares en las demandas que ovieron unos contra otros, o en las otras que los omes les fiziesen "que no fuesen sobre pleito de sangre", e no les deven demandar ni traer a juicio delante de otro alcalde sin su placer de ellos. Pero, si les quieren demandar delante de su maestro, es su escogencia e de responder a ella, o delante del obispo del lugar, o delante del juez de fuero, cual más quisiese."

El entrecomillado anterior es mío. Con él quiero patentizar que desde un principio quedaron excluidos del Fuero los delitos de sangre.

La ley sigue: "Otrosí decimos que si el escolar es demandado ante el "juez del fuero" e non alegare su privilegio diciendo "que non deve responder si non delante de su Maestro", o ante el obispo, assi como sobredicho es, si respondiere llanamente a la demanda, pierde el privilegio que avia cuanto en aquellas cosas sobre que respondió, e deve ya por el pleito adelante, fasta que sea acabado por aquel juez."

Derivación del Fuero Académico fueron innumerables privilegios, exenciones, libertades y franquicias que se concedían a los doctores y los estudiantes y aun a los familiares de estos. Ejemplos: se libraba del impuesto de lezda, peaje y demás gravámenes a cuantos venían a estudiar a la Universidades y a sus efectos "aun cuando fueran animalejos". Quedaban exentos los libros y pergaminos que trajeran a vender los comerciantes. Se consideraba matriculados gratuitamente a los alumnos distinguidos en cursos anteriores.

Aun cuando las Universidades españolas no tuvieron en sus inicios carácter clerical, según probaron incluso destacados teólogos dominicos y jesuitas, como el Padre Mendo y el Padre Gregorio López, justo es consignar que como nacieron en los claustros de las catedrales tuvieron cierta concepción y determinada organización un tanto eclesiásticas. "Claustros" se llamaban las reuniones de autoridades universitarias por el lugar en que se reunían.

Dos significaciones tenía la palabra matrícula. Primera: inscripción en los registros de la Universidad para enseñar o ser enseñado y tener opción al Fuero Académico. Segunda: sumisión al rector. La primera constituye un derecho. Un deber, la segunda. Eran distintas las matrículas para doctores licenciados, bachilleres y simples humanistas. La matrícula significó también, algún tiempo, una jurisdicción exenta y, a veces, privativa del rector y la sumisión a este del matriculado "si deseaba gozar" de los beneficios del Fuero Académico. La matrícula había de renovarse todos los años, y puesto que era "goce de un privilegio por la sumisión a una disciplina", se negaba a los ingratos, a los díscolos, a los desaplicados con reiteración, a los condenados por la justicia del rey y a los incursos en herejías.

Las leyes de Partida no establecen su matrícula, ni siquiera la nombran, pero "la suponen" al hablar del Fuero: "Como los maestros a los escolares pueden fazer ayuntamiento e hermandad entre sí, e escoger uno que les castigue" (ley 6.ª, título XXXI, Partida 2.ª). Y casi a renglón seguido patentiza hasta qué punto tuve razón para afirmar antes que las primeras Universidades no tuvieron un "carácter" clerical, sino, simplemente, unas apariencias hasta cierto punto lógicas. "Ayuntamiento e cofradías de muchos omes defendieron los sabios antiguos que no se fiziesen en las villas, nin en los reinos, porque dello se levanta más mal que bien. Pero tenemos por derecho que los maestros e los escolares pueden fazer un Estudio general, porque ellos se ayuntan con entención de fazer bien, e son extraños, e de logares de partidos. Onde conbiene que se ayunten todos a derecho, quando les fuere menester, en las cosas que fueren a pro de sus Estudios, e a amparanza de sí mismo, e de los suyos. Otrosí pueden establecer de sí mismos un mayoral sobre todos, que se llama en latín "rector" del Estudio, al cual obedezcan en las cosas convenibles, e guisadas, e derechas. E el rector deue castigar e apremiar a los escolares que no levanten vandos ni peleas con los omes de los lugares do fueren los escolares, ni entre sí mismos. E que se guarden en todas guisas que non fagan deshonra nin tuerto a ninguno. E defenderles que non anden de noche, mas que finquen sossegados en sus posadas, e que punen de estudiar, e de aprender, e de fazer vida honesta e buena. Ca los estudios para esto fueron establecidos, e non para andar de noche nin de día armados, trabajándose de pelear, e de facer otra locura, o maldad, a daño de sí, e estorbo de los logares do viuen. E si contra esto fiziessen, entonce el nuestro juez deue castigar e enderezar, de manera que se quiten de mal e fagan bien."

Y comenta muy atinadamente De la Fuente que el párrafo anterior indica cómo el Fuero Universitario no alcanzaba más que a los casos ordinarios, sin comprometer jamás el orden público.

*

¿Qué títulos eran los que se otorgaban en las Universidades? Los de Bachiller, Licenciado y Doctor.

Posiblemente, el origen de la palabra "Bachiller" es la palabra latina "Bacillarius", por el bastón que llevaban. Tal vez la de "Bachalaurei", aludiendo a la corona de laurel con que se les adornaba al terminar los ejercicios y declarárseles aprobados en ellos. Du Cange, que ha disertado largamente acerca de la etimología, se inclina por creerla derivada de "Bacilarius". Era el de Bachiller el grado menor al que se llegaba desde el estudio de las Humanidades. Desde el siglo XII son ya frecuentes las inscripciones con el título de Bachiller. Y siempre fue tenido en mucho respeto. Acordémonos del orgullo con que lo estampa Fernando de Rojas, magnífico autor de *La Celestina,* en el acróstico celebérrimo.

En el monasterio de Ripoll halló el infatigable Villanueva, en su "viaje literario", un documento de hacia el año 1230, en el que se da el título de Bachiller en Cánones a Ponce de Vilamur, obispo de Urgel. El estudio del bachillerato duraba seis años, al término de los cuales quien deseara graduarse debía pronunciar públicamente un discurso o dar una lección desde el sillón de un catedrático, que elegía el examinando, y por cuya elección quedaba patrocinado de dicho catedrático.

En el mismo Código de Partidas aparece la palabra "licencia" como germen del título de "Licenciado". Cuando se trata de demostrar la suficiencia de los Estudios ante los "Mayorales", dice: "que han poder se les otorgar *licencia* para esto". En las mismas Partidas—2.ª, ley 9.ª, título XXXI—se manifiesta cómo se había de conferir el título de Licenciado para poder enseñar. Primera condición: Haber estudiado durante cinco años ("Desque oviesse bien aprendido"). Segunda: Súplica al Claustro de que quería recibir la licenciatura ("Deue venir ante los Mayorales"). Tercera: Expediente reservado acerca de la buena fama y costumbres del suplicante ("Deuen catar en poridad"). Cuarta: Lecciones públicas para demostrar la aptitud ("Deue dar liciones de los libros de aquella sciencia en que quiere comenzar"). Quinta: Responder a los argumentos que se le hagan ("E si responde bien a las cuestiones preguntas"). Sexta: Juramento de no haber sobornado a los jueces y de enseñar bien ("Tomando jura del que demuestre bien e lealmente o su sciencia"). Séptima: Solemnidad de la investidura pública ("Déuenle después otorgar públicamente honrra para ser maestro").

La votación para otorgar el título de Licenciado era secreta, por cédulas y ante notario. Y el opositor quedaba obligado a ir al día siguiente a la casa del maestrescuela a conocer el resultado del escrutinio.

El Concilio de Letrán dispuso—año 1162—que en cada catedral hubiera un licenciado. El

Pontífice Alejandro III—año 1180—prohibió que se exigiera cantidad alguna por conceder la "licencia de enseñar".

Las opiniones más autorizadas conceden que el título de Doctor lo empezaron a usar los teólogos y regulares a principios del siglo XIV. En una escritura de la catedral de León del año 1304—que se copia en la *España Sagrada*—, se lee, acaso por primera vez, la inscripción siguiente: "Tratre Bartholomeo Doctore Praedicatorum: Joanne Ferdinandi Magistro in Grammatica."

Posteriormente, con distinción que buscaron los propios religiosos, quedó el título de "Maestro" para los graduados en Teología, y el de Doctor, para los graduados en las restantes disciplinas. Sin embargo, mucho tiempo antes, un canon del Concilio de Zaragoza, en el año 380, se refiere al título de Doctor, que más bien se debía de referir al dictado de "catequista" o encargado de enseñar a los niños y catecúmenos. San Isidoro, en sus *Etimologías,* dice que "Doctor" deriva de "doctus".

Al propio San Isidoro, el Concilio VIII de Toledo le nombra "Doctor esclarecido". Y el Pacense llama a San Julián "Doctore clarente". El grado de Doctor, que capacitaba para enseñar en cualquier Universidad, se otorgaba con gran solemnidad. El recipiendario debía pronunciar una disertación y sufrir la ceremonia llamada "vejamen o gallo", en la que se le censuraba o satirizaba inclusive por sus defectos físicos. El vejamen lo pronunciaba otro doctor. La defensa del "vejado" corría a cargo de cualquier estudiante amigo, al que se le daba el nombre de "gallina". Y se "cacareaba" el vejamen. Esto es: se pronunciaba en latín macarrónico o en verso castellano endecasílabo.

Ninguno de los grados tenía traje o distintivos propios, contra todo lo que se ha opinado en esta materia y contra lo que se ha expuesto en la literatura novelesca y teatral, presentándonos a los estudiantes con sus trajes rituales, oscuros, de largas capas, calzas graciosas, sombreretes de mil formas y distintivos románticos. Bien es verdad que no faltan los testimonios de determinadas prendas. Mas no como obligatorias, sino como de costumbre local o de voluntad particular.

Los estudiantes y doctores usaban las ropas que querían, siempre que fueran honestas, de colores suaves, de coste barato y sin adornos rimbombantes. En el claustro de la catedral de Salamanca está el sepulcro de don García de Medina, doctor en Decretos y catedrático de la Universidad. Se le representa sobre la landa con muceta o capirote de doctor. Pero la muceta doble que cubría los hombros y, a veces, la cabeza, era una prenda usual de aquella época. Recuérdense los retratos de Dante.

También usaban los doctores un gorro de teciopelo, de la hechura que aún solían usar los Pontífices en el pasado siglo, y con el que aparece retratado el famoso Inocencio, pintado por nuestro impar Velázquez. En la primera edición del libro que acerca de Navarra escribió el gran consejero de los Reyes Católicos, Palacios Rubios, puede contemplarse una tosca viñeta muy curiosa. En ella se ve a don Fernando el *Católico* rodeado de consejeros; los militares llevan espada; los letrados, una loba o balandrán y birretes negros cónicos. Y si se han visto las tablas pintadas por Gallegos para el retablo del claustro viejo de la vieja catedral salmantina, se recordará a San Cosme y a San Damián con unos birretes a manera de solideos clericales, con una borlita amarilla.

Puede afirmarse que era una simple contribución—sin exigencias de efectividad alguna—la impuesta por las Constituciones universitarias "por uso de traje". "Quienes reciban las insignias de maestro o doctor deben pagar por el traje—"pro vestibus"—al maestrescuela cincuenta florines, y cien reales al notario, y otros tantos a los bedeles." Así explica la Constitución XX de las primitivas de Salamanca. Y a continuación: que para la ceremonia del doctorado, la misma Universidad debía proporcionar al rector guantes y birrete—"chirothecas et birreta dabit rectori".

Lo cierto es que los estudiantes de Salamanca y Alcalá vestían con un lujo y una diversidad tan ostentosos que hacían poner—como vulgarmente se dice—el grito en el cielo a personas tan sencillas como Cisneros y don Fernando el *Católico;* muy orgulloso este de su coleto de ante, al que su esposa le echó tres pares de mangas..., si hemos de creer al venerable Palafox, que es quien contaba esta anécdota luego de lanzar pestes contra el lujo de los profesores y estudiantes.

*

Las Universidades gozaban de autonomía económica, administrativa y jurídica. Gozaban de rentas propias, del importe de los derechos de matrículas y exámenes. Ellas pagaban, en cambio, todos los sueldos de los catedráticos y los demás gastos. Se gobernaban por un rector, nombrado directamente por los estudiantes o indirectamente por los consiliarios, y asistido por los definidores. Gozaban del fuero en lo civil, especial y propio, y tenían obligación de redactar sus estatutos. Según estos, la jerarquía académica se nombraba siempre así: rector, doctores, maestros, licenciados, bachilleres, estudiantes y oficiales o empleados. La primera Facultad era la de Derecho—civil o canónico—, seguida de las de Teología, Medicina y Filosofía. A los juristas se los llamaba doctores. A los teólogos, maestros.

Los cargos universitarios eran los de rector, cancelario, conservadores, consiliarios, primicerio, decano, estacionarios y bedeles.

El rector era el jefe de la Universidad, aun

girarse anualmente por personas competentes a las Universidades de Valladolid, Alcalá y Salamanca.

*

Como resumen de estos apuntes acerca de las Universidades españolas en la época de su mayor esplendor, deseo copiar unos párrafos, muy eruditos y justos, del gran historiador don Vicente de la Fuente:

"Hemos visto nacer las Universidades de Castilla por la voluntad y buenos deseos de monarcas generosos; a la sombra y al amparo de la Iglesia, con pobre y precaria vida, y arrastrando hasta principios del siglo XV una existencia mezquina. Muere la de Palencia por falta de rentas; la de Salamanca corre el mismo riesgo durante el siglo XIV, y la de Valladolid apenas da muestras de existencia por largo tiempo, ni apenas deja vestigios de su enseñanza. Casi la misma suerte corren las de la Corona de Aragón. Allí el municipio tiene más vida que en Castilla, lucha briosamente con el feudalismo, y suele estar, por lo común, al lado de la Corona. Los *paheres* de Lérida y los *conselleres* de Barcelona son el alma de sus respectivas Universidades; el Ayuntamiento de Huesca sostiene a la suya con pobres recursos municipales; los jurados de Valencia luchan también briosamente hasta ver establecida la suya, a pesar del fuero de la libertad de enseñanza; y los jurados de Zaragoza miran sus escasas escuelas como cosa municipal y propia. Los reyes allí dan privilegios, pero no recursos como en Castilla; y aun esos privilegios, en su mayor parte exclusivos, producen algunas veces más daños que provecho. En una y otra Corona se reputa ya por nobleza la enseñanza, y, sobre todo, se enaltece la carrera de Derecho.

"Las leyes de Partida declaran noble al doctor en esta Facultad, y le llaman "Señor de Leyes", consideración que se dio más adelante por los reyes de Aragón a los graduados de Valencia, y aun se cree que a los de las otras.

"También favorece la Iglesia a las Universidades nacientes de Aragón; pero allí el municipio no deja la institución en manos de la Iglesia enteramente, como sucede en Castilla. Las Universidades de este país, regias en su origen, pierden su carácter durante el siglo XV, y quedan convertidas en apostólicas. Ya no otorga los Estatutos el rey, como los había otorgado Alfonso *el Sabio;* los estatutos los da el Papa, Martín V, sin intervención ninguna del monarca de Castilla. Ya las cátedras no las crea ni las modifica el rey, como las había establecido y dotado Alfonso *el Sabio* con las palabras "mando e tengo por bien". Lejos de eso, la Universidad misma, viendo, a mediados del siglo XV, incompleta la enseñanza del Derecho canónico por carecer de cátedra de Clementinas, acude al Papa Eugenio IV, en 1440, para que le conceda establecer una cátedra de aquella enseñanza.

"Mas ¿qué había de suceder con reyes tan flojos como Juan II de Castilla y Enrique IV *el Impotente?*

"Desaparecen los conservadores regios y principian a prevalecer los cancelarios y maestrescuelas, a los que veremos tan avasalladores y prepotentes en siglos posteriores.

"La Teología, relegada a los claustros de las catedrales hasta el siglo XIII, principia a desaparecer de estos, y es acogida en los claustros de los mendicantes, que la cultivan con éxito, y los Cabildos mismos se ven precisados a tomar frailes mendicantes que les enseñen en las cátedras de sus iglesias. Desde entonces, el maestrescuela queda relegado a ser un mero titular o, cuando más, inspector de la escuela; pues ya es un maestro de escuela que no enseña en su escuela."

*

Los canónigos mismos de las catedrales van a las Universidades extranjeras a estudiar Teología, que no se enseña en nuestras Universidades hasta principios del siglo XV, en que la admiten en sus claustros las Universidades de Salamanca, Valladolid y Lérida, y la de Valencia, que convierte en cátedras universitarias las que tenían en su iglesia los frailes dominicos.

Las luchas canónicas y políticas promovidas en Constanza y Basilea hacen aparecer en plena luz los grandes talentos de los hombres educados en las Universidades de España, y figuran en primera línea, como dos siglos después hubieron de figurar en Trento. Sin estas asambleas, ¡cuántos españoles eminentes hubieran vivido y muerto en la oscuridad! Cesa ya desde entonces el espectáculo, poco lisonjero, de que los españoles vayan a estudiar a extraños países, y que los hombres de talento nacidos en España lleven sus luces a las Universidades extranjeras y expliquen allí con aplauso de los extraños, mientras nuestras cátedras son confiadas a profesores extranjeros. Las ciencias naturales, médicas y físicas, cultivadas durante el siglo XIII en España, con superioridad a las de los extranjeros, decaen lastimosamente durante el siglo XIV. Encontramos por entonces nombres célebres, pero ninguno de ellos dedicado a la enseñanza y a propagar los conocimientos adquiridos por ellos. La Medicina se halla en su mayor parte a cargo de los musulmanes y, aún más, de los judíos, a pesar de las prevenciones desfavorables que existían contra ellos.

Por fortuna, desde mediados del siglo XIV principian a florecer, en las dos Coronas de Aragón y Castilla, médicos eminentes, españoles y cristianos, cuyos títulos académicos indican haber formado su enseñanza, no empíricamente, sino en las escuelas universitarias. Los colegios, que durante esta época apenas habían sido conocidos ni ejercido influencia, comienzan a tenerla desde mediados del siglo XV, en tales términos, que principian ya a injerirse en la vida universitaria y a darle nueva forma, como veremos en la época siguiente, de modo que desde los tiempos de los Reyes Católicos las Universidades nacen en los colegios y toman la forma de "Colegios-Universidades" durante el siglo XVI, así como en el XVII la influencia monástica hace surgir los "Conventos-Universidades".

*

Un suceso notable en nuestra Historia viene a cerrar esta época de un modo significativo. En una reunión de los prelados de Castilla con el cardenal don Rodrigo de Borja, que vino a España como legado apostólico en 1463, lamentándose aquellos del mal estado de las iglesias de Castilla y León por efecto de los inconvenientes favores que se hacían en la provisión de las prebendas eclesiásticas en ellas, unas veces por las gracias expectativas y mandatos de "providendo", que daba la Curia Pontificia; otras, por el nepotismo de los prelados, llegando el caso de no haber ningún graduado ni hombre de letras en medio de unos cabildos entonces tan numerosos.

Resultaba de aquí, pues, que estos no tenían sujetos dentro del Cabildo que defendiesen sus derechos, necesitando valerse de personas extrañas y mercenarias, con no poca mengua y descrédito suyo. El preámbulo de la Bula lo indica así, y, por tanto, no puede ponerse en duda la existencia de aquel daño, reconocido por la Santa Sede, y la causa de tal abandono, que era el favoritismo. El remedio que se adoptó fue poco eficaz, pues se redujo a que en todas las iglesias catedrales se creasen dos prebendas de oficio, una para un maestro o licenciado en Teología, y otra, llamada doctoral, para un doctor o licenciado en ambos Derechos, o en uno de ellos. Esta medida vino a favorecer, aunque indirecta y escasamente, a los estudios, haciendo que hubiese en las catedrales siquiera dos hombres de letras y dos premios para fomentar los estudios.

*

La decadencia de las Universidades fue rápida y estrepitosa a partir del año 1610. Guerras interiores, como las de Cataluña y Portugal; validos ambiciosos e ineptos, monarcas incapaces, ministros tan prosopopéyicos cuanto imbeles, incendios, robos y calamidades mil intervinieron decisivamente en el desastre cultural. En el año 1682 se llegó a proponer a la Corona, por sus consejeros (¡!), que se apoderase de las rentas de las Universidades.

En el año 1665 desaparecieron de la Casa de Contratación de Sevilla todos los instrumentos científicos. En el de 1674 llevaban sin cobrar dos cursos los catedráticos de Salamanca. En Valladolid—1678—permanecían sin cubrir más de quince cátedras. De las treinta cátedras que de Matemáticas tenía pocos años antes "la primera Universidad de España", no quedaba "ni una" en 1682.

En la mayoría de los centros docentes españoles se enseñaban verdaderos dislates, como la teoría de Tolomeo, ya desechada por los españoles del siglo anterior. En 1696, la Universidad de Zaragoza no tenía sino pocas más de cien matrículas. Los catedráticos entraban exclusivamente en posesión de su cargo "comprándole". Felipe IV dispuso que únicamente hubiese estudios públicos de Gramática en aquellos pueblos y ciudades que tuvieran corregidor y que no se hiciesen fundaciones particulares de colegios con menos de trescientos ducados de renta sino en las mismas ciudades y villas.

Igualmente fue disposición de Felipe IV que las cátedras de Valladolid, Alcalá y Salamanca se proveyesen por el Consejo y que todos los graduados en dichas Universidades dijesen y declarasen en su juramento las palabras de la Purísima Concepción en el primer instante de la animación, conforme lo dispuesto por Alejandro VII en la Constitución *Sollicitudo.* Es del propio desgraciado monarca el acuerdo de prohibir la impresión de libros ¡por la demasiada abundancia de ellos!

Carlos II aún fue más riguroso con cuanto afectaba a la imprenta. El 2 de mayo de 1682 acordó que a la licencia que necesitaba cada libro precediese un examen minucioso de este por un Tribunal pertinente, en el que, cuando menos, tomarían parte dos clérigos. Más adelante estableció—1689—cierta rigurosidad en las oposiciones a cátedras de Salamanca, que no llegó a surtir efectos, ya que, más que nunca, quien contaba con una respetable cantidad de oro podía considerarse elegido profesor de la disciplina académica que mejor ignorase.

*

Indiscutiblemente que Felipe V de Borbón, apenas se vio seguro en el trono de España, se preocupó por la enseñanza. No se olvide que llegaba de un país que precisamente por entonces sufría una obsesión cultural, delatada en sus más mínimas instituciones. Decir Francia equivalía a decir: saber, claridad en el saber, elegancia en el ejemplarizar, precisión en el enseñar. Pero el afán que Felipe V puso en impulsar, en coordinar la enseñanza, no fue un afán español. El modo, francés. La moda, francesa. El carácter nacional que tenían las antiguas instituciones fue desapareciendo, le sustituyó un sentido galo, un tanto amanerado.

Hasta los nombres de las cosas no se libraron del relevo. En su lugar aparecieron otros extranjeros que, justo es decirlo, a los españoles les hizo muchísima gracia. Puede decirse que se acabó con la autonomía de los centros de cultura.

El año 1740, Felipe V aprobó las *Ordenanzas de la Hermandad de San Casiano.* En ellas se hilaba muy delgado en todo lo atinente al nombramiento de los maestros de Primera enseñanza, considerándolos—justamente—como la piedra fundamental de toda la cultura. Un maestro competente en cada pueblo, por pequeño que sea, pareció ser el azoguillo de aquellos días de paz.

En compensación a exigirles mucha ciencia, mucha paciencia y mucho fervor docente, conservaron y aumentaron—real cédula de 1 de septiembre de 1743—cuantas ventajas les otorgaba la Nueva Recopilación. Exención de quintas, levas, cargas concejiles y oficios públicos. No poder ser presos por obligaciones civiles. No ser embargables sus emolumentos. Tener el tratamiento de respeto. Tener preeminencia en todas las ceremonias oficiales que se celebraran en la localidad.

A Felipe V se debe la fundación del Real Seminario de Nobles de Madrid—1725—, de la Universidad de Cervera—1717—, en la que refundió las cinco que funcionaban en Cataluña (aun cuando yo creo esto una pequeña venganza, por el ahínco con que el gran condado defendió la causa del archiduque Carlos durante la guerra de Sucesión); exigió la lengua latina para las oposiciones a cátedras y persiguió la compra de estas, incapacitando de por vida a quien hubiera intentado sobornar al Tribunal; creó la Real Academia Española—1714—, la Real Biblioteca—1716, origen de la llamada hoy Nacional—, la Real Academia de Medicina —1734—, la Real Academia de la Historia —1738—; elevó la categoría de "protomedicato" y del "protoalbeirato".

No se conformó Felipe V con fundar instituciones de tal importancia, sino que procuró dotarlas de manera que fuera relativamente fácil su funcionamiento. A la Academia de la Lengua le otorgó 60.000 reales anuales para que los dedicase a redactar e imprimir el *Diccionario de la Lengua;* más otras pequeñas rentas para el pago de las dietas de los académicos. A la Academia de la Historia la dotó igualmente para que redactase e imprimiese un *Diccionario historicocrítico universal de España.* Al Real Seminario de Nobles le cedió un importante arbitrio sobre el tabaco. Y dispuso que de cuantos libros se editasen en España y en los dominios españoles fuera enviado un ejemplar a la Biblioteca de El Escorial y otro a la Real Biblioteca.

*

Importantísima para la historia de la enseñanza española es la "Representación" que dirigió el marqués de la Ensenada a Fernando VI el día 18 de junio de 1748. En ella se hacía patente, primeramente, la falta de disciplina académica, los abusos de las matrículas, la liviandad de los libros de texto, el poco amor al estudio de los escolares y el mal funcionamiento del mecanismo universitario.

Después se señalaban los remedios más urgentes: reglar las cátedras; reformar las superfluas y restablecer—o crear—las necesarias; disminuir la pompa y la colación de los grados; exigir la especialización a cuantos opositaran a las cátedras; acabar con las parcialidades, rivalidades y debilidades en los centros docentes; exigir la emulación escolar y la seriedad científica en los libros de texto; ordenar a los profesores un mayor ahínco en inculcar a los estudiantes el amor a la patria; organizar las investigaciones culturales.

Casi nada de ello, desdichadamente, se llevó a la práctica. La "Representación" del marqués de la Ensenada es un modelo de exposición, de verdad y de acierto. Como tantos otros modelos... ahí quedó, maqueta admirable que todos admiran, pero que no se copió nunca. Fernando VI fundó las Academias de Bellas Letras de Barcelona—1751—, de Sevilla—1752—, el Observatorio Astronómico y el Jardín Botánico—1755—, la Real Academia de Bellas Artes de San Fernando—1757—, estos dos en los terrenos del famoso soto de Migas Calientes.

•

Durante el reinado del gran rey Carlos III, la vida universitaria española sufrió una gran conmoción. Toda la reforma de la enseñanza giró sobre los goznes de la secularización y de la centralización. La segunda mataba la autonomía universitaria. La primera podía realizarse cuando fuera expulsada la Compañía de Jesús, a cuyo cargo estaban casi todos los Colegios mayores y menores.

La Primera enseñanza se hizo rigurosamente obligatoria. Cada Concejo tenía la obligación de levantar una escuela, próxima a la parroquia, en la cual se admitiría a cuantos niños hubieran cumplido siete años. Suprimida la Congregación de San Casiano, que era la encargada de los menesteres de la Primera enseñanza, fue sustituida por un Colegio Académico, integrado por los maestros de las escuelas públicas de la corte.

No se prohibió en absoluto el que los particulares pudieran abrir escuelas, pero se les pusieron muchas cortapisas. La más justa de ellas fue la de que a cuantos tuvieran tal pretensión debía examinarlos y aprobarlos el Colegio Académico, el cual les concedería el título de suficiencia. Quedarían separados en las escuelas los varones y las hembras, siendo enseñados, respectivamente, por maestros y maestras. La Primera enseñanza comprendía los estudios siguientes: Lectura, Escritura, Gramática, Aritmética y Religión. Los corregidores eran los encargados de vigilar por que los maestros cumplieran sus obligaciones, pudiéndolos acusar ante el Colegio Académico. En aquellas villas que no tuvieran Universidades ni Colegios mayores, se establecerían unas Casas-pensiones con maestros "seculares", en las que serían acogidos cuantos mozalbetes lo deseasen y estuvieran en condiciones de cursar estudios superiores.

En Madrid se crearon treinta y dos escuelas gratuitas, que debían sostener las Diputaciones de los barrios, y que estarían bajo la vigilancia de los alcaldes de cuartel.

Uno de los lugares donde más se dejó sentir la expulsión de los jesuitas—1767—fue en Madrid. Para remediar el mal, reorganizó Carlos III los Reales Estudios de San Isidro—cuyo edificio estaba en el antiguo de la Compañía, hoy catedral—, con cátedras de Lenguas orientales—hebreo y árabe—, Griego, Latín, Matemáticas, Filosofía, Derecho civil y canónico, Liturgia y ritos sagrados, Disciplina eclesiástica y Física experimental.

Los Colegios mayores sufrieron una radical reforma. Se revisó su constitución. Se nombraban sus cargos con terna, de la que elegía el rey como protector y patrono.

En las Universidades no podía enseñarse nada que fuera en contra o menoscabo de las regalías e ideales preenciclopédicos de la época. Se suprimió radicalmente cuanto "olía" a clericalismo. Las cátedras de temas eclesiásticos. Los libros de texto de autores eclesiásticos y aquellos otros que, siéndolo de seglares, defendían la libertad católica y los derechos de la Iglesia y del Papado.

Famosas son las reprensiones que, a puerta cerrada y por orden severa del Colegio de Abogados de la corte, hubo de dirigir el rector de la Universidad de Valladolid a cuantos catedráticos habían votado en pro de unas conclusiones expuestas por el bachiller Miguel de Ochoa, con el título "De la excepción de los servicios temporales a los clérigos y de la jurisdicción secular".

Todas las Universidades sufrieron el control riguroso y directo del Estado. El Gobierno nombraba un director para cada una, cargo que exigía recayese en persona que jamás hubiera pertenecido a la Universidad que le era asignada, y que fuera consejero de Castilla. A estos directores debían dar cuenta los rectores, tantas veces como aquellos se las pidieran durante el curso, de cuantas incidencias acaecieran en la Universidad. Los directores tenían amplias facultades para imponer sanciones, destituciones y modificar el desarrollo del curso.

Las reformas afectaron igualmente a los escolares. Exigíaseles a estos, cuando redactaban sus matrículas, el juramento "de obediendo Rectori in licitis et honestis"; no se les daba validez en cuantos estudios tuvieran ganados en seminarios y conventos, con la excepción, para las Matemáticas, Física y Filosofía, de los cursados en los Seminarios de Nobles de Madrid, Vergara y Valencia y en los Estudios Reales de San Isidro; el curso terminaba el día de San Juan, 24 de junio; las horas de clase eran de una y media a tres horas diarias; la asistencia a las clases era obligatoria, hasta el punto de que las doce faltas sin justificar durante el curso daban causa a la repetición del mismo; se prohibían las "tunas" y las "rondas"; los escolares no podrían llevar otras insignias que las alusivas a los estudios que cursasen, y ellas de un modo poco ostentoso.

Aprovechando los edificios que habían dejado vacantes los jesuitas, Carlos III ordenó que se estableciesen colegios particulares cuyos directores y profesores fueran seglares, quienes estarían bajo el patronato de su majestad y de los prelados. Colegios que, para revalidar sus enseñanzas, eran incorporados a las Universidades.

Los Seminarios más importantes quedaron incorporados igualmente a los centros universitarios más próximos. Entre ellos: el de "San Pedro", de Córdoba, a la Universidad de Sevilla (1773); el de "San Julián", de Cuenca, a la de Alcalá (1775); el de "Murcia", a la de Granada (1777); el de "San José", de Palencia, a la de Valladolid (1779); el de "Mondoñedo", a la de Santiago (1780); el de "Ciudad Rodrigo", a la de Salamanca (1784); el de "León", a la de Valladolid (1789).

Se mantuvo la previa censura para los libros con un rigor extraordinario; principalmente para los textos universitarios, que debían pasar por dos exámenes: el académico, dentro de la Universidad, y el que llevaba a cabo una Comisión competente, designada por el patronato de su majestad y de los prelados. Con las dos censuras favorables aún podía ponérseles tacha y ser sometidos a nuevo examen por una Comisión suprema.

*

Como "meterse" con la enseñanza parecía ser cosa indispensable de cada rey, de cada ministro, apenas subió al trono Carlos IV y empuñó la dirección de los negocios de España Godoy, aquella sufrió nuevas reformas. Quedó suprimido el Colegio Académico, que vino a sustituir a la Hermandad de San Casiano. En su lugar apareció—máxima autoridad en la enseñanza—una Academia de primera educación (1791).

Para alcanzar el título de maestro era suficiente el probar la suficiencia ante una Junta de Exámenes, radicada en Madrid—1804—y formada por personas competentes. Acabaron por desaparecer los Colegios mayores; sus rentas y caudales ingresaron en la Caja de Amortización, y sus fincas se vendieron, destinándose el interés del 3 por 100 a la creación de escuelas en los pueblos más pequeños, aldeas y aun cortijadas.

El plan de reforma general de Universidades fue encomendado a una Junta de hombres eminentes, entre los que figuraban don Bernabé Portillo, don Juan Bautista Vicio, don Marcos Marín y don Juan Melón. Esta Junta, como primera providencia, en el plan que publicó el 12 de julio de 1807, suprimió las Universidades de Toledo, Osma, Oñate, Orihuela, Ainsa, Irache, Baeza, Osuna, Almagro, Gandía y Sigüenza, y dejó vigentes Alcalá, Cervera, Granada, Huesca, Oviedo, Salamanca, Santiago, Sevilla, Valencia, Valladolid y Zaragoza. Los Estatutos de la Universidad de Salamanca servirían de modelo a las demás.

El estudio del Derecho público, natural y de gentes se suprimió en el cuadro de las disciplinas académicas, por considerarlo "peligroso de momento", y siendo sustituido por el de la Filosofía moral. La Lógica se estudiaría "precisamente" por la obra de Valdinoti—traducida por los catedráticos Manuel Valbuena y Santos Díez—. En las Universidades mayores de Salamanca, Valladolid y Alcalá, y en las menores de Valencia, Sevilla, Granada, Toledo, Huesca, Zaragoza, Santiago, Oviedo y Cervera se establecieron dos cursos de lección diaria de Instituciones de Castilla y dos de Leyes de Toro, cuyos complementos serían unos conocimientos de la Novísima Recopilación y de la *Curia filípica.* Para alcanzar la licenciatura de Derecho se exigían dos ejercicios en forma de conclusiones: uno sobre el Derecho romano y sus Códigos y otro sobre el Derecho español y su historia, la fuerza de sus Códigos y la práctica de los Tribunales. No se podían simultanear dos enseñanzas. Los estudios de los seminarios y de los conventos valían únicamente para el doctorado de Teología o de Derecho canónico. La Universidad de Alcalá no podía conferir grados mayores—Doctorado y Licenciatura—en Leyes. Se regularon las oposiciones a cátedras, en el sentido de que quien las ganara podría disfrutarlas toda su vida. A casi todas las Universidades se adscribieron las Facultades de Medicina y Cirugía—ya separados sus estudios—, y se creó la Real Junta Superior de Medicina, que se desenvolvió paralelamente al Colegio Académico, resucitado en 1804.

De todas estas reformas—muchas de ellas muy favorables y meditadas—, casi ninguna se cumplió. Antes bien, para salvar al Tesoro público varios años—1801, 1803, 1805—hubo que poner el precio de 375 pesetas a la aprobación del curso "sin examen alguno". Seguramente por consejos de Godoy, Carlos IV decretó en una real cédula la supresión de la censura para los libros de Economía, Agricultura, Industria y Comercio.

*

La guerra de la Independencia desarticuló toda la enseñanza española. Entre 1808 y 1812 prácticamente no se realizó estudio alguno. Todos los españoles de más de catorce años andaban con las armas en las manos, haciendo a la perfección el papel de guerrilleros. Memorable es la acción de Puente Sampayo, en la que se cubrió de gloria una facción de estudiantes universitarios de Santiago de Compostela. Y en la batalla de Bailén tomaron parte 200 estudiantes sevillanos, de los que murieron 140 y quedaron heridos los restantes. En el año 1812, la matrícula de Salamanca registró 35 alumnos.

El Gobierno del rey José, para sustituir a las Ordenes religiosas y las Escuelas Pías, a las que suprimió como represalia a su comportamiento patriótico de resistencia, creó una escuela gratuita en cada uno de los colegios que habían sido de los escolapios. Estableció un Liceo en cada capital de intendencia y formó una Junta para examinar las necesidades de la instrucción pública.

*

Las Cortes de Cádiz y el Gobierno Nacional—tan pronto como pudieron, luego de organizar la magna y gloriosa defensa de España—nombraron una Comisión para redactar un plan de ley general de Instrucción Pública. La Comisión estaba compuesta por Manuel José Quintana, Ramón Gil de la Cuadra, Eugenio de Tapia, Diego Clemencín, José Vargas Ponce y Martín González de las Navas; pero la ponencia fue obra del gran poeta neoclásico Quintana. En ella no se acredió precisamente de continuar la inmensa obra tradicional de España en materia de enseñanza.

El plan dividía la Península en distritos universitarios. En Madrid habría una Universidad Central, y en provincias, Universidades mayores para los estudios facultativos y Universidades menores para los de Segunda enseñanza. Se suprimía la autonomía universitaria y se copiaba el plan napoleónico de las Universidades dirigidas y costeadas por el Estado, quedando, por tanto, supeditadas a este. ¡Y... extraña paradoja! El Gobierno "absoluto" implantado por Fernando VII devolvió a las Universidades su "liberalismo", desenvolvimiento del que les habían privado los defensores de la "libertad".

De 1814 a 1820, pese a la enorme pasión política que late y se debate, se realizaron notabilísimos adelantos en materia de enseñanza. Se crean las Facultades de Farmacia y el Museo de Ciencia Naturales. Se reforman los estudios que se daban en Observatorios, Jardines Botánicos y Gabinetes de Historia Natural y Laboratorios de Ciencias fisicoquímicas. Se establecen cátedras de Zoología, Mineralogía, Botánica y Agricultura. Se les restituyen a los jesuitas todos sus colegios, en los que vuelven a funcionar, con todo rigor, las disciplinas de Lenguas orientales y clásicas y de Humanidades. Solamente en Madrid se abren 62 escuelas gratuitas.

Disposiciones casi inútiles... 1820... Subida al Poder de los liberales. Constitución. Ideas liberalísimas... Pero vuelta al plan retrógrado de Quintana. Dirección General de Estudios... Universidad Central en Madrid... Poco crédito a los profundos estudios que dirigían los regulares... Libertad a los estudiantes para no asistir a clase... Conferencias ampulosas mejor que lecciones sutiles... Una terrible importancia a la Retórica... Un torbellino de proyectos y de declamaciones... ¡Puro romanticismo! Prácticamente, ¡nada!

1823. Reacción absolutista, feroz. Fernando VII persigue con saña a los liberales. Parecería lógico que deshiciera el plan universitario de estos, volviendo al suyo—"liberal" a pesar suyo—, tan bien trazado por el canónigo de Guadalajara, Romo. ¡Pues, no, señor! ¡Ca! Consolidación del plan centrista de los liberales.

Destrucción de lo poquísimo que quedaba de la autonomía universitaria. Eso sí: ¡las denominaciones cambiaron por completo! El "plan Quintana" se llamó "plan Martínez"—del mercedario Padre Martínez, obispo de Málaga—. La Dirección General de Estudios se llamó "Inspección General de Instrucción Pública". La Universidad Central se llamó "Universidad General"—por ser la única en que debían funcionar todas las Facultades.

En 1825 se publicó un Reglamento general de Escuelas, que, en opinión de Gil y Zárate, en nada era aventajado por los mejores del extranjero. Sin embargo, en el plan Martínez se perseguía con saña a los libros prohibidos, se crearon cátedras de Religión en las Facultades, se establecieron comuniones generales los días de la Purísima y San Fernando; ninguna oposición se adjudicaba a profesores de ideas que no fueran rigurosamente ortodoxas; se expulsaba de los estudios al escolar que pronunciara una blasfemia. Los liberales achacaron al famoso ministro Calomarde ser enemigo de la cultura, porque cerró en dos ocasiones las Universidades y abrió en Sevilla una Escuela de Tauromaquia. Ambas cosas, rigurosamente exactas. Pero es Menéndez y Pelayo quien para ambas encuentra piadosas disculpas.

La interrupción de los cursos se debió a los alborotos de los estudiantes, de ya demasiadas corrompidas costumbres y de espíritus imbuidos por ideas revolucionarias. La creación de la Escuela de Tauromaquia tuvo como causa la humanitaria idea de evitar las desgracias que ocurrían en las corridas de toros por ignorancia de los lidiadores. En este período se abrieron el Conservatorio de Artes (1825) y el de Música (1830), de Madrid.

*

Muerto Fernando VII, durante algún tiempo continuó vigente el plan Martínez—patrocinado por Calomarde.

1834. Nombramiento de una Comisión para redactar un plan de enseñanza, compuesta del comisario general de Cruzada, Manuel Fernández Varela; el duque de Gor, don José Escario, el coronel Pablo Montesino y don Alejandro Oliván. En el mismo año—21 de octubre—se promulgó una "Instrucción para el régimen y gobierno de las escuelas". En ella se prohibía a los estudiantes de Facultad el uso de manteo y tricornio, permitiéndoseles el frac o la levita —*lechuguinos*—o el hongo—*monicongos.*

Los terribles sucesos de 1835—los conocidos por "las matanzas de frailes"—y el cierre que los siguió de los conventos, puede decirse que mataron la llamada Segunda enseñanza, ya que esta, en su casi totalidad, había quedado encomendada a los religiosos, y principalmente a los jesuitas, quienes poseían los mejores—los únicos—laboratorios de Ciencias fisicoquímicas que existían en España. En los colegios apenas si se estudiaba un Latín macarrónico y una Lógica de recuelo, pasada por los cien tamices de la crítica más absurda y puntillosa. Cuantos mozalbetes querían ampliar sus conocimientos, aun sin título alguno de bachiller, debían concurrir a las Facultades, a las Escuelas de Comercio o de Artes y Oficios, en las que se les enseñaban idiomas vivos y muertos, Matemáticas y Gramática.

*

1836. Nuevo plan de estudios. Su autor, el duque de Rivas. He dicho "nuevo" y he dicho mal. Un plan antiguo, el de 1821, remendado con cierta discreción. Motín en La Granja. Cambio de Gobierno. ¿Uno más? ¡Qué más da! El plan del duque de Rivas se resquebraja, se desmorona, se viene abajo con estrépito. En su "solar", de prisa y corriendo, se levanta un "Arreglo provisional". Alguien ha llamado a la España borbónica la "Casa de las Chapuzas". Tente mientras cobro. Hacer por hacer. En este año se suprimió la Universidad de Alcalá, siendo trasladada a Madrid. Y en el siguiente, la de Cervera a Barcelona.

El "Arreglo" insinuaba la precisión de ir creando paulatinamente Escuelas Normales. En Madrid se inauguró la suya en 1839. Pocos años después, en 1845, existían ya cuarenta y dos en sendas provincias. Se refundieron en una sus Facultades de Leyes y Cánones. Se suprimió la Dirección General de Estudios, sustituyéndola por un "Consejo de Instrucción Pública" y una "Sección" en el Ministerio de la Gobernación: Sección y Consejo que prepararon un auténtico nuevo "Plan general de enseñanza", informado por don Pedro José Pidal e implantado por real decreto de 17 de septiembre de 1845. Plan de un sentido centralista absoluto y secularizador por completo, que creó la Facultad de Ciencias y la Real Academia de Ciencias Exactas, Físicas y Naturales. No se crea que ni este plan regía en todo y por todo, ni que los anteriores habían sido derogados. Entre lo subsistente de estos y lo válido de aquel se formaba un a manera de mosaico que no había ser humano que lo entendiera. Era lo mismo que si se quisiera lograr un "rompecabezas" con piezas sin casación posible.

*

1857. Claudio Moyano, el insigne. "Ley general de Instrucción Pública". Distinción de Primera enseñanza—Colegios—, Segunda—Institutos—y Facultativa—Universidades—. Más las Escuelas Superiores y las Escuelas Especiales y las Escuelas Normales. La Segunda enseñanza duraba cinco cursos; cursados estos, previa reválida satisfactoria, se concedía el título de bachiller, que habilitaba para los estudios facultativos. Las Facultades eran seis: Teología, Filosofía y Letras, Derecho, Ciencias, Medicina y Farmacia. Eran diez Universidades—las mismas que hoy, con la excepción de Murcia—, y en ellas no estaban establecidas las seis Facultades. Unicamente en la Central funcionaban las seis. Al frente de cada Universidad había un rector, un vicerrector y un Consejo formado por el Claustro de profesores, estando cada Facultad presidida por un decano.

La Enseñanza se dividía en oficial—asistencia obligatoria a las clases—y libre. Las asignaturas debían aprobarse teniendo en cuenta su rigurosa prelación. Para alcanzar la Licenciatura bastaba aprobar los cursos determinados para cada Facultad. El Doctorado lo conseguían los licenciados redactando una "Memoria" que debía ser leída por un Tribunal, el cual ponía al graduando objeciones que este había de contestar, aprobándosele o no.

La ley Moyano, "casi perfecta" para el grado de la cultura española en el pasado siglo, estuvo vigente muchos años y acabó radicalmente con todos "los planes" anteriores. Y su vigencia no fue "sino modificada" por algunas disposiciones que no la afectaban en su esencia. Estas modificaciones—las más importantes—fueron:

1.ª Supresión de la Facultad de Teología—1868—, cursada únicamente desde entonces en Universidades pontificias: Burgos, Comillas, Granada, Santiago y Tarragona.

2.ª Reorganización de la instrucción primaria en lo atinente a un aumento progresivo de escuelas municipales y de maestros mejor capacitados con los procedimientos pedagógicos modernos.

3.ª Reorganización de la Segunda enseñanza, elevándose a seis los cursos y reduciéndose el estudio del latín de un modo exagerado.

4.ª Reorganización de los estudios facultativos, creándose nuevas cátedras a medida que lo exigían los adelantos modernos.

5.ª Creación de numerosas Escuelas Especiales.

6.ª Creación del Ministerio de Instrucción Pública—1900—, desintegrado del de Fomento.

7.ª Supresión de la asistencia obligatoria a clases y de las reválidas; compra de los títulos al Estado cuando se han cursado las asignaturas obligatorias en cada Facultad.

*

Circunscribiéndonos a la Enseñanza universitaria—motivación y medula de esta monografía divulgadora, y sin salirnos "todavía" de la proyección histórica de las Universidades—, debemos recalcar aún algunos pormenores que completen el cuadro general de esta Introducción.

Once son los distritos universitarios de España, a los cuales están sometidos todos los Institutos, Colegios y Escuelas de la circunscripción: Salamanca, Valladolid, Valencia, Zaragoza, Sevilla, Santiago, Barcelona, Granada, Oviedo, Madrid y Murcia.

Las Facultades son cinco: "Filosofía y Letras"—con tres secciones: Filosofía, Letras e Historia—; "Ciencias", con cuatro secciones: Exactas, Físicas, Químicas y Naturales—; "Derecho", "Medicina" y "Farmacia".

Los estudios de Filosofía y Letras comprendían cinco cursos: uno común de las tres secciones y "Derecho"; dos comunes a las tres secciones; dos especiales a cada sección. La Facultad de Derecho comprendía seis cursos. Y seis la de Medicina. Cinco la de Farmacia. Y cuatro las secciones de Ciencias. El Doctorado era un curso aparte. No en todas las Universidades se cursaban todas las Facultades. Unicamente en la de Madrid. Y en esta, además, el Doctorado de cualquiera de ellas.

*

Un real decreto de 1930 modificó con notables particularidades el plan de enseñanza de las Universidades españolas, con referencia a las distintas Facultades. En la de Filosofía y Letras, los títulos de Licenciado a otorgar eran los siguientes: Filosofía, Letras clásicas, Letras semíticas, Literaturas modernas, Historia, Diplomática-Bibliología-Arqueología y Pedagogía. Los títulos de Doctor: en Filosofía, Letras clásicas, Letras (Literatura arábiga), Letras (Literatura española) e Historia. En la Facultad de Ciencias, los títulos de Licenciado: en Ciencias matemáticas, en Ciencias físicas, en Ciencias químicas, en Ciencias fisicomatemáticas, en Ciencias fisicoquímicas y en Ciencias naturales. Los títulos de Doctor eran los cuatro siguientes: Matemáticas, Físicas, Químicas y Naturales. En las restantes Facultades, los títulos de Licenciado y Doctor eran únicos.

El mismo año de 1930—decreto de 25 de septiembre—fue aprobado un "Estatuto general de enseñanza universitaria", en el que se respetaban las cinco Facultades, concediéndosele el derecho a cada una de ellas de acordar el elenco de materias para el plan de estudios. Las enseñanzas se clasificaban en tres grupos o cursos:

1.º De conjunto, elementales, teóricas o prácticas.
2.º De especialidad profesional.
3.º De investigación.

Las Facultades tenían plena autonomía para determinar la extensión de sus enseñanzas; y dentro de cada Facultad, cada catedrático disfrutaba de esa misma autonomía en su disciplina. Las enseñanzas empezaban en todas las Universidades españolas el día 1 de octubre, terminando el 31 de mayo—para la enseñanza oficial—. La Junta de gobierno de cada Universidad quedaba en la obligación de redactar anualmente, y con la antelación debida, el cuadro de los días de vacación—teniendo en cuenta que los de clase no podían ser menos de ciento setenta—y un "Anuario", que, cuando menos, debía contener las noticias "oficiales" acerca de catedráticos, libros de texto, horario de las clases, locales, trabajos de investigación, preparación de profesiones concretas, resumen de la labor científica del curso anterior y—en fascículos aparte—las Memorias del profesorado. Las pruebas de suficiencia de fin de curso podrían ser teóricas o prácticas, o las dos a la vez, quedando a la discreción de los catedráticos el estimar la capacidad y el estudio de los escolares.

Para alcanzar el título de Licenciado era necesario acreditar el mínimo de escolaridad fijado y someterse a una doble prueba—oral y escrita—de conocimiento: la oral, para demostrar la seguridad de sus estudios; y la práctica, para demostrar la soltura de redacción, la composición, la traducción, el comentario y el manejo de los textos auxiliares. El título de Doctor únicamente podían conseguirlo los Licenciados, aun cuando podían simultanearse los estudios de ambos títulos. Los ejercicios de este último y más codiciado grado comprendían:

1.º Una tesis de libre elección del aspirante, resultado de su particular investigación.

2.º Exposición de una tesis referente a los trabajos generales en el estudio seguido por el graduando.

El tema de esta segunda tesis sería fijado por el Tribunal con un mes de anticipación, y desarrollado en público.

La tesis primera sería presentada al Tribunal por un catedrático, padrino de la misma—y miembro nato del Tribunal—, quien respondería ante este de la exactitud de cuanto de su labor personal expusiera el graduando. Cualquier miembro del Tribunal podría solicitar del padrino las aclaraciones que estimase necesarias.

La matrícula estaba determinada de una manera global y única por cada curso, y el Claustro podría acordar un 25 por 100 de los inscritos de matrículas gratuitas, para estudiantes indigentes. El Ministerio de Instrucción Pública, de acuerdo con el Consejo de Ministros, era quien acordaba el importe de las matrículas, la forma de su pago y su plazo.

Otro real decreto de 1930—2 de octubre—estableció los "Patronatos Universitarios", cuya misión era auxiliar a las Universidades en el cumplimiento de sus fines culturales, educativos y sociales; fomentar el interés de la sociedad por las labores docente y discente; coordinar las iniciativas particulares y las oficiales; administrar los donativos, fundaciones y legados para becas; organizar cursillos de conferencias por catedráticos extranjeros o de otras Facultades españolas; establecer colegios auxiliares, residencias, laboratorios, servicios benéficos; publicar Memorias de los profesores, nuevos doctores con premios extraordinarios; correspondientes en el extranjero; recabar bienes y recursos de las Asociaciones y Corporaciones.

Ejercerá el Patronato un Consejo compuesto por el rector, el vicerrector, los directores de los establecimientos de enseñanza secundaria, los presidentes de las Diputaciones correspondientes a la demarcación, el alcalde de la capital del distrito universitario, el presidente de la Audiencia, un doctor por cada provincia del distrito, que no ejerzan el profesorado oficial; el decano del Colegio de Abogados y los presidentes de Academia.

Por último, tendrán derecho a ser vocales del mismo Consejo del Patronato:

1.º Cuantas personas hicieran donativos, *inter vivos* o *mortis causa,* a los fines del Patronato, siempre que excedieran de 50.000 pesetas.

2.º Cuantas personas constituyeran fundaciones por valor, como mínimo, de 100.000 pesetas.

3.º Un vocal por cada una de las Corporaciones que subvencionen anualmente al Patronato con una cantidad no inferior a 10.000 pesetas.

4.º Un alumno oficial por cada uno de los dos últimos cursos de cada Facultad.

La Junta de gobierno de la Universidad estaría compuesta por: 1.º El rector; 2.º El vicerector; 3.º Los decanos de las Facultades; 4.º Los secretarios de las mismas; 5.º Dos vocales representantes elegidos por cada Facultad, y 6.º El secretario general de la Universidad.

Como facultades y obligaciones de esta Junta,

se estipulaban: preparar los presupuestos de la Universidad; examinar y aprobar las cuentas parciales de cada Facultad; entender de las competencias entre estas; atender a las peticiones y reclamaciones de cuantos asuntos afecten a la Universidad; auxiliar al rector en el gobierno; nombrar y deponer al administrador y al interventor del Patronato, y representar a la Universidad en los actos oficiales.

Las cátedras no podrían obtenerse sino por oposición, verificada obligatoriamente en Madrid. Los ejercicios de la oposición serían seis: en el primero, el opositor presentaba su labor personal durante el plazo máximo de una hora; consistía el segundo en la exposición oral, durante el plazo máximo de una hora, del concepto, método, fuentes y programas de la disciplina; en el tercer ejercicio, de igual tiempo, el opositor exponía una lección elegida entre las del programa y que preparaba libremente; en el cuarto, el expositor discurría durante una hora acerca de una lección elegida entre las diez, sacadas a la suerte, del programa del opositor, para preparar la cual contaba con un tiempo de seis horas; los ejercicios quinto y sexto eran de carácter práctico y de índole teórica, respectivamente, y el Tribunal debía decidir acerca de ellos antes de comenzar la exposición.

Con estas disposiciones del año 1930 creo que termina lo que pudiera llamarse "fase histórica" de las Universidades españolas. Desde esta fecha, han sido numerosas las leyes que modifican, complementan y transforman la vida cultural en España; pero ninguna de ellas ha adquirido una estabilidad tal que valga la pena su mención. "Lo demás"—desde 1930—ya no es histórico: entra de lleno en ese trajín incesante que es lo provisional, lo parcial, lo fortuito.

UNÍVOCO

1. Lo que designa varios distintos objetos, pero de un mismo género, con el mismo sentido.
2. Lo que con una misma expresión significa cosas distintas que convienen en una misma razón.
3. Semejante a otra cosa o unido con ello.

URALOALTAICAS (Lenguas) (V. Lengua)

URBANIDAD (V. Asteísmo)

Urbanidad o *asteísmo* es una figura indirecta, consistente en una alabanza delicada bajo el aparente carácter de reprensión o vituperio, o expresada en tono festivo y forma de chanza.

Que ni voz ni labio mueve,
y aun por eso le llamaron
el "buey mudo" en sus niñeces;
porque calló hasta que pudo
dar un bufido tan fuerte,
que estremeció a su bramido
toda la herética gente.

(Alusión a Santo Tomas de Aquino, en el auto sacramental de Calderón de la Barca *El sacro Parnaso.)*

URUGUAYA (Literatura)

"Habiendo sido el Uruguay—escribe el doctísimo crítico uruguayo Alberto Zum-Felde—el último de los países suramericanos donde sentó sus reales la colonización española, su historia, así política como literaria, es también la más breve de todas."

El primer escrito culto, de autor nativo, pertenece al sacerdote Pérez Castellano (siglo XVIII), y es una *Memoria* acerca del estado social de la gobernación. En 1808, otro clérigo apellidado Martínez escribió e hizo representar una alegoría dramática en verso, titulada *La lealtad nos acendra a Buenos Aires vengada.* Bartolomé Hidalgo (1788-1823), autor de inspiradas canciones, que se hicieron populares, sobre las tonadas de las "vidalitas", canciones llamadas "cielitos". Francisco Acuña de Figueroa (1790-1862), autor del himno nacional, de epigramas y del poemilla satírico *La Malambrunada.*

El primer período del Romanticismo—iniciado en 1834, precisamente en las páginas de *El Iniciador*—, cuenta con algunos escritores poco notables. Adolfo Berro (1819-1841), moralista y humanitario—*¿Por qué, sangrienta muerte...?, Liropeya*—. Juan Carlos Gómez (1820-1884), quien, como Zorrilla ante la de Larra, leyó sus primeros versos ante la tumba de Berro—*El tiempo, Poesías selectas*—, Heraclio C. Fajardo (1837-1867). Marcos Sastre (1809-1883), poeta y prosista—*Tempe argentino*—. Andrés Lamas (1820-1891), biógrafo de Rosas y de Rivadavia. Alejandro Magariños Cervantes (1825-1893), poeta—*Horas de melancolía, Brisas del Plata, Palmas y ombúes*—, primer narrador uruguayo de la vida del gaucho—*Caramurú*—y comediógrafo—*Percances matrimoniales*—. Enrique de Arrascaeta (n. 1819); Francisco X de Achá (1828-1888); Fermín Ferreiras y Artigas (1837-1872); Melchor Pacheco y Obes (1809-1851); Laurindo Lapuente; Ramón de Santiago (nacido en 1833).

Nombres más importantes presenta la segunda generación romántica. Juan Zorrilla de San Martín (1857-1931), gran poeta y gran prosista, de fama mundial—*Leyenda patria, Tabaré, Resonancias del camino, Notas de un himno*—. Washington P. Bermúdez (1845-1913), poeta satírico—*Anatema*—y dramaturgo—*Artigas*—. Victoriano E. Montes (1855-1917)—*El tambor de San Martín*—. Joaquín de Salteraín (n. 1856)—*El desterrado, Intimidades, El ritmo eterno*—. Luis Melián Lafinur (1850-1938), poeta y crítico muy notable—*Los grandes y los pequeños*—. José G. del Busto (1860-1904)—*A Grecia, El ideal*—. José Sienra Carranza (n. 1843)—*A una paraguaya*—. Carlos María Ramírez (1848-1898), novelista—*Los amores de Marta, Los palmares*—. Daniel Muñoz, novelista, que firmó sus escritos con el seudónimo de "Sansón Carras co"—*Cristina.*

Con el realismo adquiere la literatura uruguaya su mayoría de edad. Los nombres ilustres se suceden en ella. Eduardo Acevedo Díaz (1851-1924), iniciador de la novela nacional—*Ismael, Nativa, Brenda, Soledad, El combate de la tapera, Lanza y sable*—. Santiago Maciel (n. 1861), novelista—*Nativos, La estirpe brava*—y poeta—*Flor de trébol*—. Manuel Bernárdez (n. 1867), novelista y cronista brillante—*Veinticinco días de campo.*

El naturalismo tuvo su pregón en *La novela experimental,* de Juan Carlos Blanco (m. 1909), y prendió primeramente en la literatura teatral. Elías Regules (1860-1929), autor del drama *El Entenao.* Abdón Arózteguy (n. 1853), autor del drama *Julián Jiménez.* Orosmán Moratorio (1852-1898), dramaturgo—*Juan Soldao, Pollera y chiripá, La flor del pago*—. Juan C. Nosiglia; Víctor Pérez Petit—*Cobarde, Las tribulaciones de un criollo*—; Benjamín Fernández Medina —*El Fausto criollo*—. Samuel Blixen (1869-1919), naturalista e ibseniano—*Ajena.*

Mención excepcional merece Florencio Sánchez (1875-1910), el más intenso y célebre dramaturgo que ha dado Hispanoamérica, mundialmente conocido y apreciado—*M'hijo el dotor, Los muertos, Barranca abajo, La gringa, El desalojo, Los derechos de la salud, Nuestros hijos, En familia, El pasado, Moneda falsa, La tigra.*

Dentro del realismo vivieron algunos excelentes literatos "supervivientes" del Romanticismo. Así: Antonino Lamberti (1845-1926), uruguayo que vivió y murió en la Argentina, muy querido por Rubén Darío—*Montaraz, Flor del aire*—. Luis Piñeyro del Campo (n. 1851)—*El canto de la calandria, El último gaucho*—. Rafael Fragueiro (1864-1914)—*Allegretto, Recuerdos viejos*—. Víctor Arreguine (n. 1898)—*Rimas*—. Santiago Maciel (n. 1867)—*Auras primaverales*—. Carlos Roxlo (1861-1926), poeta pesimista—*Luces y sombras, Cantos de la tierra*— y crítico literario—*Historia crítica de la Literatura uruguaya* (1912-1916).

El modernismo lírico poético lo inicia una figura excepcional: Julio Herrera y Reissig (1873-1909), quien, para muchos críticos, representa la significación más genuina del modernismo. Su influencia fue muy grande, dentro y fuera de su patria. Hondo, melancólico, intenso, de una forma sugestiva—*Los parques abandonados, Los éxtasis de la montaña, El laurel rosa, Los peregrinos de piedra, Las clepsidras, Berceuse Blanca*—. Alvaro Armando Vasseur (n. 1878), poeta muy original y notable —*Cantos augurales, Cantos del Nuevo Mundo, Cantos del otro yo, El vino de la sombra, Hacia el gran silencio*—. Julio Raúl Mendilaharsu (1882-1923), armónicamente modernista y romántico. Emilio Frugoni (1881)—*Bajo tu ventana, Los himnos, Bichitos de luz, Poemas montevideanos*—. Carlos Sabat Ercasty (n. 1877) —*Pantheos, Poemas del hombre, Eglogas y poemas marinos, Vidas, El vuelo de la noche, Los adioses*—. María Vaz Ferreira (¿1875?-1924), briosa, fantástica, de gran sonoridad verbal, expresiva de una "fiera castidad de Walkyria"—*La isla de los cánticos*—. Delmira Agustini (1890-1914), una de las figuras más brillantes del modernismo, genial y erótica, dueña primorosa de todas las dotes artísticas, de una idealidad insaciable, "alma sin velos y corazón en flor", como la llamó Rubén Darío—*Libro blanco, Rosario de Eros*—. Juana de Ibarbourou (1895), llamada "Juana de América", en nuestra opinión, la más excelsa poetisa de Hispanoamérica, espontánea y sencilla de expresión, toda intuición y sabiduría de los sentidos, "su don femenil grana como el trigo, en ínsitas alegorías de pan de gracia", apasionada hasta los límites últimos del amor, de la gracia, de la ternura y de la melancolía, voz de fundamental calidad poética—*Lenguas de diamante, Raíz salvaje, Cántaro fresco, La Rosa de los Vientos*—. Carlos Rodríguez Pintos (1875)—*Canto de amor*—. Julio J. Casal (1889), fundador de la revista poética *Alfar,* modernista, ultraísta y superrealista—*Arbol, Colina de música, Cincuenta y seis poemas*—. Fernán Silva Valdés (n. 1887), que representa el retorno a lo nativo—*Agua del tiempo, Poemas nativos, Intemperie, Romances chúcaros, Romancero del Sur*—. Emilio Oribe (nació 1893), de un lirismo realista y de gran densidad intelectual—*Los cadáveres, El halconero austral, El nardo del ánfora, La colina del pájaro rojo*—. Otro nativista es José Alonso Trelles (1867-1925), nacido en España y que hizo popular el seudónimo de "El Viejo Pancho" —*Paja brava, Juan el Loco.*

Muchos nombres pueden adscribirse a la vanguardia poética uruguaya. Ildefonso Pereda Valdés (n. 1899), cuya poesía entronca con el folklore negro—*Línea de color, Raza negra, La guitarra de los negros*—, Sara Ibáñez, que suma valores excepcionales en *Canto* y *Hora ciega.* Luisa Luisi, serena y crítica—*El polvo de los días*—. Sarah Bollo—*Los nocturnos de fuego*—. La honda, sugestiva y encantadora Clara Sylvia y la intimista Dora Isella Russell.

Enrique Casaravilla Lemos, Pedro Leandro Ipuche, Carlos María de Vallejo, Jesualdo Sosa, Vicente Bassó Maglio, Juvenal Ortiz Saralegui, Nicolás Fusco, Elbio Prunell, Roberto Ibáñez, Giselda Zani, María Adela Bonavita, Blanca Luz Brun, Santiago Vitureira, María Elena Muñoz, Luis Alberto Zeballos, Juan Silva Vila, Orfila Bardesio, Juan M. Filartigas, Maeso Tognochi, Humberto Zarrilli, Ester de Cáceres...

Tanta importancia como la poesía tiene la

prosa uruguaya en sus distintos géneros. Y debemos enumerar un gran número de pensadores, historiadores, críticos, ensayistas, novelistas...

José Enrique Rodó (1871-1917), el renovador de la prosa, una de las mentalidades más lúcidas, hondas, fecundas y atractivas del Continente Americano; pensador y ensayista, crítico y prosista de excepción, clásico y romántico —*Ariel, Motivos de Proteo, El mirador de Próspero*—. Mateo Magariños Solsona (1867-1925), novelista—*Valmar, Las hermanas Flamaris, Pasar*—. Carlos Reyles (1870-1939), uno de los grandes maestros de la novela hispanoamericana —*Beba, El embrujo de Sevilla, El gaucho florido, La raza de Caín, El terruño*—y también finísimo ensayista—*La muerte del cisne, Ego sum, Diálogos olímpicos*—. Javier Viana (1872-1925), a quien la crítica ha considerado como el fundador de la moderna novela uruguaya —*Leña seca, Yugos, Macachines, Campo, Guri, Gaucha*—. Horacio Quiroga (1879-1937), considerado justamente como el más extraordinario cuentista hispanoamericano—*La gallina degollada, El crimen del otro, El desierto, Anaconda, Pasado amor, Los perseguidos, Cuentos de amor, de locura y de muerte*—. Francisco Espínola—*Raza ciega, Sombras sobre la tierra*—. Vicente Carrera, colorista y castizo en *El cubil de los leones*. Manuel de Castro—*Historia de un pequeño funcionario, El Padre Samuel*—. Isidro Más de Ayala—*Cuadros del Hospital, El hombre que yo maté*—. Juan José Morosoli—*Los albañiles de los Tapes*—. Alberto Lasplaces—*El Club de los Jubilados, El hombre que tuvo una idea*—. Raúl A. Baethgen—*La gente no sabe, El error del profesor Bodhiel, Barcos anclados*—. Vicente A. Salaverri, vasco de origen —*El manantial, Este era mi país, Cuentos del Río de la Plata*—. Otto Miguel Cione—*Maula, Caraguatá, Chola se casa, Lauracha*—. Yamandú Rodríguez—*Cimarrones, Bichitos de luz*—. Miguel Víctor Martínez—*Santa Teresa de Rocha*—. Justino Zavala Muñiz—*Crónica de un crimen, Crónica de los Muñiz*—. Enrique Amorim (n. 1900)—*La carreta, El paisano Aguilar, El caballo y su sombra, Tangurapá, La luna se hizo con agua*—. Justo P. Sáenz—*Baguales, Pasto puro*—. Adolfo Montiel Ballesteros—*Cuentos uruguayos, Luz mala, Alma nuestra, Montevideo y su cerro*—. Juan A. Dosseti—*Los Molles*—, Fernán Silva Valdés—*Tradiciones y costumbres uruguayas*.

Son figuras importantes del género dramático: el excepcional, el más próximo a Florencio Sánchez, Ernesto Herrera (1886-1917), de obra tan escasa como admirable—*El estanque, El pan nuestro, El león ciego, La moral de misia Paca, El caballo del comisario, De mala laya*—. Otto Miguel Cione—*El bringo, El arlequín, La rosa de Jericó, Gallo ciego*—. Justino Zavala Muñiz—*La luz de los caminos*—. Carlos Princivalle—*El Higuerón, El último hijo del Sol*—. Francisco Espínola—*La fuga en el espejo*—. Yamandú Rodríguez—*El matrero, Fraile Aldao, 1810*—. Alberto Zum-Felde—*El caudillo, Alción, Aula Magna o la Sibila y el Filósofo*—. José Pedro Bellán—*¡Dios te salve!*—. Víctor Pérez Petit—*Cobarde, Claro de luna, El baile de misia Goya*—. Silvano Campos, Edmundo Bianchi, Francisco Imhof, Arturo Despouey...

Entre los críticos más importantes figuran: Víctor Pérez Petit y Samuel Blixen, considerados como los iniciadores contemporáneos del género. Gustavo Gallinaz (1889), ecuánime y muy culto—*Letras uruguayas, Crítica y arte*—, Alberto Zum-Felde (n. 1888), de enorme cultura, juicio finísimo y espíritu amplio y noble—*El proceso intelectual del Uruguay, La literatura del Uruguay, El problema de la cultura americana*—. Raul Montero Bustamante, antólogo de la poesía uruguaya e ilustrador de sus letras. Osvaldo Crispo Acosta, que firma su escritos con el seudónimo de "Lauxar"—*Motivos de crítica hispanoamericana*—. Alberto Nin Frías, Juan Carlos Sabat Pebet, Norberto Estrada, Giselda Zani, José G. Antuña, Emilio Frugoni —*La sensibilidad americana, Estética del novecientos*.

Mención especial merece Carlos Vaz Ferreira (nació 1864), único tipo de filósofo neto, puro, aparecido hasta hoy en Hispanoamérica, según Zum-Felde—*Fermentario, Moral para intelectuales, Los problemas de la libertad, Lógica viva*.

Otros ensayistas: Carlos Dieste—*Teseo, Buscón poeta y su teatro*—. Adolfo Agorio—*Ataraxia, La sombra de Europa*—. Roberto Serra—*La dama de San Juan...*

V. ZUM-FELDE, Alberto: *Literatura del Uruguay*. En el tomo XII de la *Historia universal de la Literatura*, de Prampolini. Buenos Aires, Uteha, 1914.—ZUN-FELDE, Alberto: *El proceso intelectual del Uruguay*. Montevideo, 1936. Tres tomos.—ZUM-FELDE, Alberto: *La literatura del Uruguay*. Buenos Aires, 1939.—MONTERO BUSTAMANTE, R.: *Historia de la literatura uruguaya*. Montevideo, 1910.—REYLES, Carlos: *Historia sintética de la literatura uruguaya*. Montevideo, 1931, tres tomos.—ROXLO, Carlos: *Historia crítica de la literatura uruguaya*. Montevideo, 1912, siete tomos.

USO (Literario)

"Decía Horacio en su *Epístola ad Pisones* que el tiempo produce muchas mudanzas en el lenguaje, lo mismo que en las demás cosas, y el considerar que algunas palabras antiguas eran desechadas, admitiéndose otras nuevas, le sirvió de motivo para compararlas con las hojas de los árboles:

Ut silvae foliis propa mutantur in annos,
prima cadunt: ita verborum vetus interim acta,
et juvenum ritu florent modo nata vigentque

Y más adelante, decía:

Mutta renascentur quae am cecidere, cadentque, quae nunc sunt in honore vocabula, si volet usus quem pene arbitrarium est, et us et norma loquendi.

Según las palabras del imortal poeta, el uso es la norma del lenguaje, su árbitro y su legislador, y no cabe duda de que él ha sancionado las numerosas variaciones con que las lenguas pobres y rudas en un principio, han venido después a ser ricas, suaves, llenas de majestad y de armonía; pero también es verdad que el uso ha contribuido más de una vez a la corrupción y decadencia del lenguaje, de lo cual pudieran citarse numerosos ejemplos. Esta observación nos lleva como de la mano a comprender que no siempre deberá respetarse el uso, que alguna vez será lícito contrariarlo y que será en extremo pernicioso para las letras dar un sentido absoluto a las palabras del preceptista romano.

El uso deberá estimarse como precepto en materia de lenguaje, cuando corrige o perfecciona y cuando establece lo que está fundado en razón y es conforme a las leyes de la belleza y de la armonía. El uso tiene tanto menos que alterar o modificar una lengua cuanto más cultivada ha sido esta por hombres de excelente ingenio, que han cuidado de pulirla y enriquecerla. El uso tiene más ancho campo para introducir innovaciones, en cuanto su objeto es un idioma que se aprende sin arte. La Gramática, fijando las Leyes del lenguaje, precave muchas alteraciones."

UTILIDAD

1. Calidad de *algo* para ser usado con algún fin o servir a una intención.
2. Provecho o ventaja que se saca de alguna cosa, así en lo físico como en lo moral.

UTILITARISMO

Doctrina filosófica moderna que considera la *utilidad* como principio de la moral. Es decir, la utilidad y el placer de cada individuo son lícitos siempre que no se opongan al placer o utilidad generales. Para el utilitarismo, la moral será tanto más respetable cuanto aspire a conseguir el mayor bien posible para la mayor cantidad posible de individuos.

El utilitarismo—que guarda grandes semejanzas con la doctrina de Epicuro—tiene como principios de su moral: 1.°, que no hay otro bien ni otro mal que aquellos que sentimos el placer y el dolor; 2.°, que el sujeto no tiene que perseguir otro bien ni que rehuir otro mal que su bien y su mal.

El utilitarismo rechaza como quimérica la idea de un bien moral independiente del placer, y la idea de una obligación moral independiente del interés. Como Epicuro, los utilitaristas hacen de la *virtud,* o más bien de la *sensatez,* un arte sabio de prever las consecuencias agradables o penosas de cada acción, de apreciarlas y, si es posible, de medirlas, de hacer la suma algebraica de los placeres y de las penas que de ella se derivan, y de escoger los actos que proporcionan al sujeto la mayor suma de placer y la menor suma de dolor.

Como Epicuro, los utilitaristas pretenden demostrar que no hay conflicto, sino acuerdo entre el interés individual y el interés general, "y que la persecución de la dicha individual conduce a preceptos prácticos análogos a aquellos que deducimos del principio de la obligación".

El utilitarismo es, pues, un *hedonismo* (V.) sabio; no un *eudemonismo* (V.), como han afirmado algunos críticos, ya que el eudemonismo "considera la dicha como un sentimiento que acompaña al bien, pero que no lo constituye". Mientras que el hedonismo confunde la felicidad con el bien, o a la inversa.

Bentham y Stuart Mill fueron los iniciadores del utilitarismo.

Jeremías Bentham (1748-1832), jurisconsulto y filósofo inglés, sostuvo que siendo el interés el único móvil de las acciones humanas, el legislador debería tener siempre en cuenta el interés general. Para Bentham, cada hombre, ante todo, busca su felicidad; pero la circunstancia de que los hombres estén relacionados entre sí y dependan unos de otros deben llevarles al convencimiento "de que solo la coordinación de las aspiraciones a la propia felicidad con las aspiraciones a la felicidad de todos es el mejor medio de servir los intereses propios".

John Stuart Mill (1806-1876) fue, acaso, el apóstol más ilustre del utilitarismo. Valiosos llamamos aquellos objetos a que se encaminan nuestras aspiraciones; el verdadero fin de nuestra aspiración es el placer. Por consiguiente, los resultados placenteros son los motivos de nuestras acciones y las reglas de su valorización. Pero la representación de estos resultados placenteros se une luego asociativamente al fin respectivo, del cual por experiencia sabemos que, en general, suele tener tales consecuencias, independientemente de que en este o en aquel caso particular se presenten *para mí;* de las consecuencias placenteras representadas surge, por el camino de aquella asociación, el *valor como propiedad* de aquel fin. Por consiguiente, en realidad, el *valor* es la *utilidad* de lo valorado como medio para la consecución del placer en general *(utilitarismo).*

Esto es especialmente aplicable al valor moral de las acciones y cualidades de carácter. Como se ve, coloca el verdadero sentido de toda valoración en una apreciación de las consecuencias y no de los motivos de nuestra conducta, que en el fondo son una y misma cosa; y el verdadero fin, al que también debe servir el filósofo, "es la previsión inteligente y finalista de tales consecuencias y la adaptación de nuestra conducta al conjunto de efectos que de ella resulten". Así resume el utilitarismo de Stuart Mill Ernst von Aster.

El mismo Stuart Mill—en *Utilitarianism,* II, 4—nos da la más completa definición de la doctrina: "Doctrina que toma por fundamento de la Moral la utilidad o el principio de la dicha mayor, y sostiene que las acciones son buenas en la medida que tienden a aumentar la dicha y malas en cuanto tienden a producir el efecto contrario. Por dicha se entiende el placer y la ausencia del dolor, y por desdicha, el dolor y la ausencia del placer.

También fue el mismo Stuart Mill quien se opuso a que el utilitarismo se confundiera con el *hedonismo,* ya que este es el sistema *del placer por el placer,* mientras el utilitarismo es el *placer por el interés.* Sin embargo, puede afirmarse que el moderno utilitarismo tuvo sus etapas antecedentes en el hedonismo puro de los cirenaicos, en el eudemonismo individualista de Epicuro, en el eudemonismo universal de Aristóteles, en el eudemonismo social de Bacon, en la moral del interés de Hobbes, en el materialismo de Hartley y Priestley...

Con posterioridad a Stuart Mill, el utilitarismo sufrió un cambio hacia dos direcciones originales señaladas por Herbert Spencer (1820-1903) y por Henry Sidgwick (1838-1900). Spencer señaló el regreso hacia un hedonismo, afirmando que el elemento esencial de todos los conceptos de moralidad es el placer, cualquiera que sea su naturaleza, en cualquier momento en que se considere y para cualquier ser o seres. Según el propio filósofo, el placer es una forma tan necesaria para la intuición moral como lo es el espacio para la intuición intelectual.

Sidgwick propone una conciliación entre el hedonismo egoísta y el intuicionismo racionalista, de la que surgiría el que podría ser llamado hedonismo universal.

En todas las épocas se han señalado en el utilitarismo errores casi catastróficos, entre los que destacan: el que suprime la esencia de la obligación moral; el que es una moral sin ideales; el que niega un orden de relaciones morales permanentes, como son los valores absolutos y el fin último.

V. Stuart Mill, J.: *Utilitarianism.* Londres, 1863.—Grote, J.: *Examination of the utilitarian Philosophy,* Cambrigde, 1870.—Carrau, M.: *La morale utilitaire.* París, 1889, 2.ª edición. Marchesini, S.: *La teoria dell' utile.* Milán, 1900. Kein, A.: *L'épicuréisme, l'ascetisme et la morale utilitaire.* París, 1924.

UTOPÍA

1. Estado de perfección supuesto en un ideal irrealizable.

2. Aspiración fantástica o ilusoria del espíritu.

3. Doctrina o sistema halagüeño que no puede ser llevado a la práctica.

4. Título de la más conocida de las obras de Santo Tomás Moro.

UTOPISMO

1. Sistema, doctrina o plan halagüeños respecto de algún suceso o problema político, pero irrealizables.

El utopismo, como movimiento político, surgió de la obra del famoso canciller inglés Tomás Moro, titulada *Utopía,* nombre de una isla, república imaginaria, en la que se desarrollaba la Vida entre maravillosas delicias materiales y espirituales—1516.

Sin embargo, el utopismo nació muchos siglos antes. Ya Platón, en su *República,* y Aristófanes, en *Las aves,* idearon Estados tan felices y tan bien gobernados como el de Utopía.

Posteriormente a la obra de Tomás Moro fueron apareciendo otras muchas, mantenedoras del utopismo. Así, el *Colloquium Hetaplomeres de rerum sublimium arcanis abditis*—1593—, compuesta por Bodin; *La ciudad del sol* —1623—, de Campanella; la *New Atlantis* —1627—, de Francisco Bacon; el *Voyage en Icarie,* de Cabet; la *Oceana,* de Harrington —1656—; la *Basiliade*—1753—, de Morelly; el *Looking Backward*—1888—, de Bellamy; las *News from Nowhere*—1891—, de William Morris; y las más recientes de Julio Verne, Kells y Huxley.

Desde que el mundo es mundo, preclaras inteligencias y nobles corazones buscaron las normas para conseguir Estados ideales. Justo es confesar que no lograron sus intenciones; pero los frutos de su inteligencia fueron elementos en condiciones de orientar la sociedad por caminos de mayor perfección. Licurgo no consiguió llevar a la práctica todos los primores de su famoso Código, pero logró que su pueblo fuera austero, viril y disciplinado. Cierto que la severidad de Catón llegó a la utopía; pero verdad igualmente que con su moral contuvo muchos de los excesos de Roma. Utopías han sido los intentos de convertir en oro los más viles metales, de hallar la *piedra filosofal,* de dotar al hombre de alas, de crear una ley universal... ¿Pero de tales utopías no han surgido la química moderna, la aviación, la Sociedad de Naciones? Luego el utopismo no es tan desdeñable como creen los realistas, porque si no tiene posibilidades de existir y de subsistir, sí las tiene de *sugerir.*

Utopías parecieron las *imaginaciones* de Roger Bacon en su *Opus mains:* naves gobernadas por un solo hombre; carros no movidos por animales; aparatos mediante los cuales un hombre sentado y haciendo mover con una palanca ciertas alas artificiales podría volar...

El utopismo, amado por tantos hombres, sin ser él realidad, es fecundo originador de realidades.

2. El utopismo corresponde también al campo de la filosofía, y es "un supuesto estado de perfección o de felicidad que designa un ideal irrealizable o una aspiración fantástica".

Existen, sin embargo, diferencias de grado entre el ideal y la utopía. La utopía es lo que no ha sido realizado nunca y lo que no puede ser realizado; aquello imposible para las fuerzas o las cualidades humanas. El ideal es, para cada ser humano, una meta de aspiraciones a la que puede llegar. El ideal es algo *personalísimo* y *relativo,* y por ello más o menos difícil de alcanzar. La mujer amada, la vocación cumplida, el deseo colmado son ideales. El ideal cae dentro de la lógica y la utopía es una forma característica del ilogismo. Sin embargo, hay filósofos que afirman que el utopismo se halla —por ejemplo—en las primeras hipótesis del inventor. Y Lamartine afirmó que las utopías suelen ser verdades prematuras.

También se ha querido comparar la utopía con el *mito.* Pero el mito es algo menos comprensivo. Es una tentativa de interpretación de algún fenómeno, por ejemplo: de la utopía. Es un símbolo o motivo que da forma a las fuerzas que dominan o quieren dominar los grandes movimientos de la Humanidad. Es la expresión de la voluntad de un grupo...

El mito está más próximo al hombre que la utopía. Dícese que el socialismo fue una utopía durante muchos siglos; pues bien: por medio de un mito—la huelga general—se hizo una realidad casi invencible.

V

VALDOSISMO o VALDENSISMO

Nombre dado a las doctrinas heréticas de Pedro Valdo.

Pedro Valdo, heresiarca francés del siglo XII, nació en Vaux y fue hijo de un comerciante de Lyón. La muerte repentina de un amigo suyo, durante una orgía, le causó tal impresión, que vendió todos sus bienes y repartió cuanto tenía entre los pobres, renunció al mundo y se dedicó por completo al estudio de la *Biblia* y a predicar por los pueblos y ciudades la necesidad de volver a la vida de los Apóstoles, llena de pobreza, de sencillez y de verdad. En muy poco tiempo se le unieron numerosísimos discípulos, y Valdo fundó una iglesia de pobres, los *Pobres de Lyón* o *Humillados,* los cuales, de dos en dos, calzados con zuecos, recorrían todo el país, predicando el desprecio del mundo y de las riquezas y la vuelta al Evangelio.

El arzobispo de Lyón les prohibió predicar, y el Pontífice Lucio III los excomulgó en 1184. Pedro Valdo huyó de Francia y pasó a Alemania, a Italia y a Bohemia, donde murió en 1197. La secta de los valdenses se difundió por el sur de Francia, el Franco Condado, el Rin, el norte de Italia y los reinos de Aragón y de Sicilia. Se distinguían entre ellos los *fieles* o *creyentes* que después de su conversión seguían viviendo en el mundo, y los *perfectos,* encargados de la predicación, que vivían en comunidades de tipo monástico. Los valdenses, dedicados a propagar las Sagradas Escrituras, cuya lectura había prohibido Inocencio III a los fieles, pueden ser considerados como los precursores de la Reforma.

El valdosismo puede ser considerado, *desde el punto de vista dogmático* y *desde el punto de vista social.*

Dogmáticamente, el valdosismo tenía como puntos esenciales de su doctrina:

1.° La predicación del Evangelio.
2.° La caridad y la práctica de la pobreza.
3.° La negación de la autoridad eclesiástica.
4.° El desprecio del sacerdocio.
5.° La negación de los sacramentos, a excepción del Bautismo y de la Cena.
6.° La negación de la transustanciación.
7.° La negación del purgatorio y del culto de los santos.

Desde el punto de vista *social,* el valdosismo encerró aún mayores peligros, ya que con el pretexto de reformar la Iglesia y de levantarse contra las riquezas del clero, condenaron el trabajo y la propiedad, y formaron verdaderos ejércitos que promovían discordias y guerras lamentables, a las que acudían con el mayor fanatismo.

En 1536, Farel, ministro de Ginebra, logró que los valdenses se unieran al *calvinismo* (V.). En 1540 tomaron las armas, quemaron los altares, destruyeron los templos y cometieron toda clase de excesos. La Dieta de Aquisgrán dictó, entonces, contra ellos una sentencia de exterminio. Las poblaciones valdenses de Merindol y Cabrières fueron reducidas a escombros, pereciendo más de 40.000 personas. Ha de tenerse en cuenta que la persecución contra los valdenses fue más una medida política que religiosa, ya que los disturbios que provocaban excedían el área y el clima de lo estrictamente religioso.

En el siglo XVIII, los territorios habitados por los valdenses empezaron a gozar de tranquilidad. Y justo es consignar que dichos territorios —en la región italiana del Piamonte—llegaron al más alto grado de cultura, moralidad e industria.

Los ministros de su culto organizaron—1860— una escuela de Teología en Florencia. Y el valdosismo contó con una revista hebdomadaria escrita en francés. En 1880 los disidentes sumaban más de 25.000.

V. PERRIN: *Histoire des Vaudois.* Ginebra, 1616.—REINACH, S.: *Orfeo. Historia de las Religiones.* Madrid, 1910.—BOULENGER, A.: *Historia de la Iglesia.* Barcelona, 1936.

VANGUARDISMO

En rigor, no es *una* tendencia literaria y artística, sino el *conjunto* de todos los *ismos* modernos, reacciones profundas contra todo lo tradicional caduco; sugerencias de "un cambio de creencias o de maneras expresivas"; ápices de los subjetivismos más audaces en busca de inexploradas regiones de belleza.

Con el título de *literaturas de vanguardia* se designan las *teorías* o *escuelas literarias* que adoptan posiciones subversivas o revolucionarias frente a las tendencias y evoluciones ortodoxas. Las *literaturas de vanguardia* adoptan, casi siempre, credos estéticos radicales y originalísimos, provocando cismas en las gramáticas, en las preceptivas y en los estilos.

Las *literaturas de vanguardia* no suelen ser *creadoras;* su misión es destruir; su aspiración, conmocionar.

El término de *vanguardia* es rigurosamente de nuestro siglo, y se aplicó a movimientos como el *Dada,* el *Superrealismo,* el *Ultraísmo,* el *Creacionismo.*

Sin embargo, como tales *literaturas de vanguardia* pueden ser considerados ciertos movimientos espirituales y literarios de siglos anteriores; así, el *marinismo,* iniciado por el poeta italiano Marini, muerto en 1628. Y también nuestro *gongorismo.*

Los llamados movimientos literarios subversivos aparecen en Europa inmediatos a la gran guerra de 1914-1918. Estas literaturas europeas de vanguardia, como también se las ha llamado, fueron estudiadas al por menor, en serio, por Guillermo de Torre, y con humor, por Ramón Gómez de la Serna, en su libro *Ismos.*

En realidad, pueden ser considerados como precursores en estas posturas poéticas de inconformidad el norteamericano Walt Whitman, el italiano Marinetti—fundador del *futurismo*—, el francés Apollinaire—fundador de un nuevo *imaginismo* con sus *Calligrammes*—y el hispanoamericano Vicente Huidobro—fundador del *creacionismo* en un sentido de "desrealización" o "deshumanización" de la poesía—. Todos estos *ismos,* que integran la suma de movimientos subversivos, surgieron también en España. El *dadaísmo,* el *creacionismo,* el *cubismo,* el *futurismo,* el *imaginismo,* el *impresionismo...* Pero de todos estos movimientos, únicamente dos tuvieron alguna importancia: el *ultraísmo* y el *superrealismo.*

La estética de los movimientos vanguardistas ha tenido parecidos postulados: negación consciente e implacable del pasado; afirmación de originalidad, para lo que no se admiten límites de razón o de conveniencia; tendencia internacionalista; confusionismo entre las bellas artes, buscándose fervorosamente la correlación entre la palabra, la línea, el color y el sonido.

Generalmente, los movimientos de vanguardia suelen tener una vida efímera. Cumplida—o no—su misión de destruir, de reformar, de insinuar, los artistas y escritores que militaron en ellas y que en ellas impusieron su personalidad, imprimiendo su carácter genial a las tendencias, evolucionan hacia las fórmulas de contención, primero, y después, hacia las *formas tradicionales purificadas;* eso sí, habiéndose beneficiado con todas las innovaciones dignas de perduración.

V. Torre, Guillermo de: *Literaturas europeas de vanguardia.* Madrid, Caro Raggio, 1925.—Gómez de la Serna, Ramón: *Ismos.* Madrid, Biblioteca Nueva, 1931.—Epstein, Jean: *Le phénomène littéraire.* París, ¿1927? Epstein, Jean: *Poésie d'aujourd'hui.*

VAQUEIRA (V. Pastoral, Poesía)

Breve composición poética—de origen provenzal o gallego—, cuyo tema es exclusivamente pastoril—bien amoroso, bien descriptivo.

El género aún continúa vigente en Galicia.

VARIANTES

Reciben este nombre las diferentes maneras de leer una palabra, un pasaje de una obra o los diferentes sentidos que el autor de esta obra dio a tal pasaje en sucesivas ediciones.

Cuando las variantes no se deben al autor, provienen de la ignorancia o de la negligencia de los copistas, o de las tentativas hechas por los críticos y comentadores para esclarecer las oscuridades del texto, evitar las contradicciones y allanar las dificultades de su lectura. Cuando las variantes provienen del autor, alcanzan un superior interés literario. Son como la historia misma del pensamiento y del estilo del escritor, de su progreso o de su decadencia, de las épocas de su formación literaria. Las variantes en los manuscritos de Pascal señalan uno de los más significativos ejemplos del esfuerzo de un escritor genial para expresar su pensamiento en la forma que le puede convenir más y mejor.

VARIORUM (Ediciones)

Reciben este nombre, en general, aquellas ediciones que reproducen con el texto de un autor las notas de sus diversos comentaristas: *Cum notis variorum.*

La primera edición *variorum* fue la de autores griegos y latinos, publicada simultáneamente en Holanda e Inglaterra desde 1670 a 1780, que comprendió setenta autores en doscientos noventa y cinco volúmenes.

VASCA o ÉUSCARA (Lengua)

Idioma hablado por los bascos, vascos, éuscaros, pueblo que vive en España y Francia, en las dos vertientes de los Pirineos y en las costas del golfo de Vizcaya. En España, en las provincias de Navarra, Guipúzcoa, Vizcaya y Alava.

El príncipe Luis Luciano Bonaparte clasificó la lengua éuscara en ocho dialectos: vizcaíno, guipuzcoano, altonavarro septentrional, altonavarro meridional—correspondiente a España—, suletino, labortano, bajonavarro oriental y bajonavarro occidental—correspondiente a Francia—. Mas ha de advertirse que esta clasificación no corresponde rigurosamente a los territorios aludidos. Por ejemplo: el vizcaíno se habla en la cuenca del Deva, provincia de Guipúzcoa, y el altonavarro septentrional, en los territorios guipuzcoanos de Lezo, Oyarzun y Fuenterrabía. El guipuzcoano se habla en los valles navarros de Ergoyena y Burunda. El suletino y el labortano, en los pueblos navarros de Urdax y Zugarramundi. Y en Alava se hablan los dialectos guipuzcoanos, vizcaíno y navarro. Pero además de los ocho dialectos existen numerosos grupos *subdialectales.*

Particularidades principales del vascuence son:

1.ª La existencia de consonantes dobles. Por ejemplo: una *g* gutural y otra paladial; una *r* fuerte y otra suave; una *j* gutural continua y otra gutural sorda y semiaspirada; una *t* dental y otra dentipaladial; una *l* dental y otra paladial mojada *(ll).*

2.ª Los prefijos y los afijos son escasos. Pero los sufijos, numerosísimos, ya que con ellos se efectúa la derivación nominal, mediante su agregación a la radical.

3.ª Los nombres carecen de género gramatical, expresándose los sexos con nombres distintos.

4.ª Los aumentativos se forman con los sufijos *kote y tzar.*

5.ª Los artículos están considerados como afijos.

6.ª El tema nominal permanece siempre incólume. Son los sufijos que se le agregan los que padecen las alteraciones de carácter fonético.

7.ª Los diptongos que comienzan por *i* se disuelven si van precedidos de consonante.

8.ª La lengua éuscara, con relación al castellano, carece de las consonantes *c, h, q, v;* la doble *ll* se escribe *l,* y la doble *rr, r.*

9.ª La *x* representa los sonidos equivalentes a la *ch* francesa y a la *tx* y *ch* castellanas.

10. Los pronombres posesivos se forman añadiendo a los personajes el sufijo *en.* De *zu,* tu, *zuen,* tuyo.

11. El vascuence carece de pronombres reflexivos y recíprocos. La reflexión se suple por el sustantivo precedido de un posesivo. La reciprocidad, por los vocablos: *alkar, alkhar, elkar y elgar.*

"La lengua éuscara—según M. Michel—posee un gran número de radicales, compuestas por una sola sílaba, que son la base de su sistema. La gramática vascuence no conoce sino dos palabras: el nombre y el verbo. Su sintaxis es nula, o se reduce al reconocimiento perfecto de su sistema de conjugaciones y declinaciones. Por el privilegio de una eficacísima inversión, sus frases pueden expresar todas las combinaciones del pensamiento La ortografía consiste en escribir las palabras como se pronuncian. La regla más importante de la versificación es la cantidad silábica. Está permitida la elisión."

Existen diversas entidades dedicadas a evitar la decadencia del vascuence. En Francia: *Euskalzaleen Biltzarra;* en Navarra: *Euskereren Adiskideak;* en Guipúzcoa: *Euskal Esnalea y Euskaltzaleak;* en Vizcaya: *Jaungoiko Zale.* Y la *Academia de la Lengua Vasca,* compuesta de doce miembros, nueve españoles y tres franceses, dedicada al *estudio científico del idioma.* También funciona, con menesteres parecidos, la *Sociedad de Estudios Vascos.*

V. MENÉNDEZ PIDAL, R.: *Introducción a la lingüística vasca.* 1921.—AZKUE, A.: *Morfología vasca.* Bilbao, 1925.—CAMPIÓN, A.: *La lengua baska.* En "Geografía general del País Vasco".—LÉCLUSE: *Disertation sur la langue basque.* Toulouse, 1826.—MICHEL, TR.: *Le pays basque.* París. Varias ediciones.

VASCUENCE (Idioma) (V. Vasca o Éuscara, Lengua)

VAUDEVILLE

Género francés de poesía ligera y de composición teatral, iniciado a principios del siglo XVIII.

Posiblemente, el nombre deriva de *Vaux de Vire,* región de Normandía, donde eran populares las canciones picantes y satíricas del juglar Oliverio Basselin, muerto en Vire a mediados del siglo XV. Sus canciones, coleccionadas, fueron impresas en 1610 por Juan le Houx, quien ya las denominaba *vau de vire,* ya que el músico de Anjou Juan Chavordoine publicó en París—1575—una colección de canciones en *forme de voix de ville.* Y no han faltado musicólogos que deriven *vaudeville* de *Vauls de ville* (cantos favoritos de la ciudad).

La palabra *vaudeville,* aplicada a la canción ligera, frívola, picaresca, pegadiza, se conoció ya a fines del siglo XVI. En el siglo siguiente, las coplas satíricas llamadas *mazarinades* no fueron sino *vaudevilles* de carácter político.

Pero el *vaudeville* como pieza teatral no se conoce hasta 1700, que lo pusieron en boga algunos teatrillos de barrio y de ferias.

En el *vaudeville* teatral se mezclan: un argumento sin hondura, generalmente de amores y de picardías; canciones de carácter popular, basadas en aires conocidos y fáciles de retener en el oído; muchos chistes y frases ingeniosas.

Boileau declaró el género *vaudeville* absolutamente francés:

D'un trait de ce poème en bons mots si fertile,
le français, né malin, forma le vaudeville:
agréable, indiscret, qui, conduit par le chant,
passe de bouche en bouche et s'accroit en marchant.

Fuzelier, Piron, Le Sage, Dorneval escribieron *vaudevilles* para los teatros de feria. El pueblo los acogió con entusiasmo tal, que puede decirse que su popularidad eclipsó la de los restantes géneros teatrales. Y en 1792 se levantó en París el *Théâtre du Vaudeville.* Hoy el *vaudeville* está ciertamente desprestigiado, por las excesivas obscenidades acumuladas en él, y porque los autores de sus músicas y letras suelen ser ingenios de tercera y hasta de cuarta categoría.

V. Régnier, P.: *Histoire du théâtre en France.* En "Patria". Tomo II.—Muret, Th.: *L'histoire par le théâtre.* París, 1865.

VEDANTISMO

Sistema metafísico fundado en la parte teológica de los *vedas* (V.), y uno de los dos sistemas ortodoxos de la filosofía hinduista. Su fundación se atribuye a Vyasa, y a sus más famosos intérpretes fueron Sankara-Acharga—siglo IX—y Ramanuja—siglo XII.

Vyasa—cuyo nombre significa *el compilador*—fue un personaje casi legendario, y aun se le ha creído uno de los avatares del Visnú. La leyenda le hace hijo de Parasara, varón muy sabio, y de su esposa Santanú, mujer muy virtuosa. Se le considera autor del *Mahabbharata* y ordenador de los *Vedas.* También se le atribuyen los *Puranas,* los *Upapuranas,* el *Kalipurana* y el *Vedanta-darsana.* (V. *Vedismo.)*

El vedantismo puede resumirse así: "El hombre aspira al reposo perfecto, para lo cual busca alguna cosa inmutable y absoluta en que fijarse. Hay dos vías para conseguirlo: las obras y la ciencia. Las obras, pasajeras por su misma índole, solo producen una satisfacción también pasajera. La ciencia, que contempla lo inmutable, es sola capaz de elevar a la criatura sobre la esfera de lo transitorio.

"Para adquirir la ciencia no bastan los sentidos, porque la sensación solo da idea de las cosas movedizas e inconstantes; el raciocinio no es tampoco adecuado para este propósito, porque, ceñido a la capacidad relativa de cada entendimiento, es por esencia relativo, y mal podría convertirse en medida de lo absoluto. Fuerza es, pues, acudir a una revelación del ser absoluto e inmutable; revelación conservada de siglo en siglo por los maestros de la doctrina.

"Para disponerse a aprender esa ciencia son menester al discípulo algunos preliminares. Ha de despojarse de todo deseo que se refiera a las cosas pasajeras, sea de goces terrestres, sea de la esperanza de la felicidad transitoria que se obtenga en el otro mundo como galardón de las obras ajustadas a las prescripciones de los Vedas.

"Debe absorberse, cerrando, por decirlo así, el alma al contacto de todos los objetos exteriores, concentrando el ánimo entero en meditaciones piadosas, y dejándose poseer de un vivo deseo de alcanzar la ciencia. Preparado así el discípulo, se hallará dispuesto a recibirla. La ciencia en esto consiste. Brahma es quien única y exclusivamente posee la existencia; todo lo demás es pura ilusión. Para probarlo basta considerar que él es el ser único eterno, puro, racional y que no conoce límites. Si además de Brahma hubiese realidades múltiples, limitadas y compuestas, preciso sería que el mismo Brahma las hubiese producido; pero si tal producción fuera posible, habría de suponerse que Brahma poseía en sí mismo un principio de imperfección, de limitación y de multiplicidad que repugna a su esencia íntima.

"Síguese de aquí que el alma humana en sus relaciones con la verdad existe en dos estados: uno, semejante al sueño, y otro, semejante a la vigilia. Cuando reputa seres distintos de Brahma, el mundo, los hombres y su propio ser, sueña y da realidad a fantasmas que de ella carecen. Cuando reconoce que Brahma es todo, despierta, y el despertar de este modo es la ciencia del hombre.

"Las imágenes mismas, que percibe durante su sueño, le sirven para comprender la anterior verdad. La esencia divina es como la araña eterna que saca de su seno el tejido de la creación; como un fuego inmenso, del cual, a manera de centellas, proceden las criaturas; como el océano del mar en cuya superficie se levantan y vuelven a desaparecer las olas de la existencia; como la espuma de esas mismas olas, que, aunque aparezca distinta de ellas, no son unas y otra más que el océano mismo.

"Los seres múltiples se reducen a nombres diversos de Brahma, y son nombres vanos como los que solemos fantasear durante el sueño. Considerando a Brahma a través de la ilusión, aparece activo y pasivo juntamente. Activo, porque produce las transformaciones aparentes; y pasivo, porque es el que transforma y es transformado. Estas transformaciones siguen una escala decreciente de lo más perfecto a lo menos perfecto, esto es, que las formas distintivas que constituyen la ilusión son cada vez más notables. Brahma deseó ser múltiple, y produjo la luz; la luz tuvo el mismo deseo, y produjo las aguas; las aguas también desearon ser múltiples, y produjeron el elemento terrestre o sólido. Mientras más visibles son las cosas, más predominan las formas y más intensa es la ilusión. Brahma ve y es invisible; la inteligencia humana ve también; pero, invisible en su esencia, es solo visible en las cualidades que le afectan. El ojo material ve y es visible; la forma de las cosas no ve y es visible.

"Luego que cesa la ilusión se desvanecen todas las formas, todos los nombres, todas las distinciones; y solo se percibe la sustancia sin distinción, sin nombre, sin forma, la unidad pura en la que son idénticos el sujeto capaz de conocer y el objeto conocido. Cuando alcanza el alma este grado supremo de conocimiento, se liberta del error, porque este consiste en la afirmación de lo particular que supone la existencia distinta de los seres; y de la ignorancia, porque conociendo a Brahma, todo nos es conocido.

"Asimismo queda exento de pecado y hasta de la posibilidad de pecar, y de obligaciones y deberes de toda clase, porque estas cosas suponen la distinción de lo justo y de lo injusto, que ni existe ni puede existir en Brahma. No hay actividad. Para que la haya son menester dos términos: el agente y el objeto sobre el cual ejerce aquel su acción. Dualismo ilusorio, puesto que se funda en la negación absoluta de todas las cosas. Ni deseos ni afectos, porque nada desea ni a nada se inclina el que todo lo posee. Al acercarse la hora postrera, el alma del sabio que conoce a Brahma percibe las impresiones ilusorias, al modo de que al despertar se acuerda de las impresiones recibidas durante el sueño. Al morir, el alma del sabio queda libre del dominio de la ilusión y de todo vestigio de individualidad, de nombre y de forma, y va a confundirse con Brahma, como los ríos van a perderse en las profundidades del océano."

V. DEUSSEN, P.: *Allgemeine Geschichte der Philosophie mit Berücksichtigung der Religionem.* Leipzig, 1906. Cuatro tomos.—KINKEL, W.: *Allgemeine Geschichte der Philosophie.* Osterwieck, 1920-1927. Cuatro tomos.—UEBERWEG, F.: *Grundriss der Geschichte der Philosophie.* Berlín, tomo I, 12.ª edición, 1926.—STRAUSS, O.: *Indische Philosophie.* Munich, 1927.

VEDISMO

Nombre dado a las doctrinas contenidas en los *Vedas* y a las creencias en tales doctrinas.

Vedas son los libros sagrados más antiguos y más venerados entre los hindúes, y que sirven de base a su religión.

Son cuatro: el *Rig,* que contiene súplicas e himnos en verso; el *Yajur,* que contiene plegarias en prosa; el *Sama,* cuyos rezos, llamados *mantras,* están destinados al canto; y el *Atharva,* compuesto de fórmulas de consagración, de expatriación y de imprecación.

El *Rig-Veda* es el más importante de los cuatro y el monumento más antiguo de la literatura hindúe. Consta de diez libros—*mandala*—con 1.028 himnos—*sukta*—. Su contenido es, en la mayor parte, de carácter religioso, y consiste en cantos dedicados a los dioses, principalmente al dios Soma. Los cantos profanos aluden a hechos históricos y a asuntos cosmogonicofilosóficos; algunos, a magia y hechicería.

Se supone que los *Vedas* fueron escritos mil quinientos años antes de la Era cristiana. Pero muchos siglos después, Vyasa dio a estos libros una forma regular, distribuyéndolos en cuatro partes, según la naturaleza de las oraciones que contienen, y que si están en verso se llaman *rig;* si en prosa, *yajur,* y si se destinan al canto, *sama.*

Según el vedismo, el alma humana es tenida como separable del cuerpo durante la inconsciencia, y se cree que continúa la existencia después de destruido el cuerpo por la incineración y la inhumación; las almas de los buenos, llegadas al cielo, recobran su primitivo cuerpo en forma completa y gloriosa; existe un lugar inferior, de negra y honrosa oscuridad, que es la morada de los malos espíritus y de los hombres perversos.

Según el vedismo, la parte religiosa práctica tiene dos aspectos principales: el culto de los dioses—oraciones y sacrificios—y los ritos familiares—ceremonias nupciales y fúnebres y culto ancestral.

En el vedismo se conoció ya el ascetismo—*tapas*—; pero no la *metempsicosis* o transmigración de las almas, cuyos principios se remontan a los brahmanes. Según el vedismo, los difuntos avanzan, a través del aire, por la senda trillada por los padres—*pitara*—, hacia el reino de la luz sempiterna. (Véase *Brahamanismo, Vedantismo.)*

V. SCHROEDER: *Mysterium und Mimus im Rigveda.* Leipzig, 1908.—WINTERNITZ, M.: *Geschichte der indischen Literatur.* Leipzig, 1909.

VEJAMEN

1. Especie de broma, vaya o reprensión satírica o festiva que se da a alguno sobre cierto defecto particular o personal, o incluido en alguna acción que haya ejecutado.

2. En los certámenes y concursos literarios, o con motivo de los grados universitarios y académicos, el discurso festivo y satírico en que se hace cargo a los poetas o a los estudiantes concurrentes al acto de algunos defectos personales, bien de algunas faltas cometidas en sus escritos.

Generalmente, el *vejamen* lo leía el secretario de los certámenes, y podía estar escrito en prosa o verso. En ocasiones, los *criticados* aceptaban la burla y aun la seguían de muy buena gana; a veces se sublevaban en contra, soliendo acabar entonces el *vejamen* con bofetadas, palos, insultos y aun con cuchilladas.

En Madrid, durante el siglo XVII, se celebraron numerosos y famosísimos *vejámenes* en Academias literarias diversas. Entre ellos sobresalió el escrito y leído por Cáncer y Velasco en la *Academia de Madrid*—¿1640?—, curiosísimo documento por la historia íntima de muchos escritores de la época allí satirizados.

V. SAINZ DE ROBLES, F. C.: *Historia del teatro español.* Madrid, M. Aguilar, 1943.

VENEZOLANA (Literatura)

Un fino crítico hispanoamericano, Picón Salas, ha dicho que la "literatura de Venezuela comienza—prescindiendo de las proclamas, los discursos y las cartas de Simón Bolívar—con la obra, bajo muchos aspectos significativa, de Andrés Bello". Lo mismo creía yo; pero me pareció que mi opinión podría ser puesta en cuarentena por los venezolanos. Y he preferido que dictamine un venezolano ilustre contemporáneo.

El neoclasicismo venezolano—o el verdadero clasicismo de las letras de Venezuela—suma nombres ilustres y obras de mucha y alta consideración.

Andrés Bello (1781-1865), erudito, poeta, filólogo, crítico, admirable humanista, verdadero promotor y seguro guía de la cultura venezolana contemporánea. Entre sus mejores obras figuran: *Silva a la agricultura de la zona tórrida, Teoría del entendimiento, Gramática castellana, Principios de ortología y métrica de la lengua castellana, Compendio de la historia de la literatura.* Sus mejores poesías aparecieron en dos famosas revistas por él fundadas: *Biblioteca Americana* y *Repertorio Americano.* Vivió los últimos años de su vida en Chile; y su influencia cultural fue inmensa en la mayor parte de Hispanoamérica. José Luis Ramos (1785-1847), filósofo, erudito, helenista—*Gramática castellana, Silabario ortológico, Disertación sobre el verso endecasílabo, Gramática greco-española*—. Fermín Toro (1807-1873), poeta y erudito, mezcla curiosa de neoclasicista y de prerromántico —*Oda a la zona tórrida, Costumbres de Barullópolis, Hecatonfonia,* y las novelas *La viuda de Corinto, La sibila de los Andes* y *Los mártires*—. Juan Vicente González (1811-1866), erudito, poeta, prosista "tragalibros" le llamaron sus contemporáneos—*Manual de Historia universal, Mesenianas, Biografía de José Félix Ribas, Gramática castellana, Ecos de las bóvedas, Lecciones de elocuencia*—. Rafael María Baralt (1810-1860), pensador, poeta, historiador y humanista de sumo interés—*Diccionario de galicismos, Poesías, Resumen de la historia de Venezuela, Diccionario matriz de la lengua española.*

Iniciado el Romanticismo, surgen innumerables figuras literarias venezolanas dignas del recuerdo y de la admiración.

José Antonio Maitín (1814-1874), poeta elegíaco, de mucha popularidad—*Ecos de Choroní, Obras poéticas*—. Abigaíl Lozano (1821-1866), que, según Picón Salas, "tuvo el tremendo erotismo de todos los hombres feos"—*A la noche. Poesías completas*—. José Ramón Yepes (1822-1881), murió ahogado en un río, donde cayó mientras contemplaba extático la luna; con ello está dicho todo—*Anaida, Iguaraya, Balada marina*—. Francisco Gualcaipuro Pardo (1829-1882), poeta grandilocuente y escasamente romántico—*El poder de la idea, A Venezuela, La gloria del Libertador*—. Juan Vicente Camacho (1829-1872), lírico patético—*La causa de mi bronquitis, Ultima luz*—. Domingo Ramón Hernández (1829-1893), poeta sencillo y musical—*Canto místico a María Santísima, Flores y lágrimas,* y el drama histórico *Poncio Pilatos en Viena*—. Rafael Arvelo (1814-1878), español de nacimiento, satírico y escéptico—*Mistiforis*—. José Antonio Calcaño (1827-1894), admirable lírico—*A llorar al río, A la Academia Española, El santo huésped, El canto de primavera, La flor del tabaco.*

(Como detalle curioso consignaré que los hermanos Calcaño constituyen una importante "constelación literaria venezolana". Eduardo Calcaño fue orador, poeta, ensayista, dramaturgo—*Páginas literarias,* y los dramas *Policarpa Salavarrieta* y *En pos de la gloria*—. Julio Calcaño fue novelista—*Blanca de Torrestella, La danza de los muertos*—, poeta—*Hojas de ciprés*—y crítico literario. Y también fueron poetas Juan Bautista, Arístides, Simón y Luis Camilo Calcaño.)

Juan Antonio Pérez Bonalde (1846-1892), precursor romántico del modernismo, cuya amarga filosofía deploraba Menéndez y Pelayo—*Al Niágara, Vuelta a la patria, Primavera, Flor*—. Miguel Sánchez Pesquera (1851-1920). Nicanor Bolet Peraza (1838-1906), periodista, costumbrista, dramaturgo—*Cuadros caraqueños, Cartas gredalenses*—. Francisco de Sales Pérez (1836-1926), humorista y moralista, es "el pequeño La Bruyère de una sociedad todavía azarosa e informe". Arístides Rojas (1826-1894), poeta, historiador, filólogo—*Estudios históricos: orígenes venezolanos, Estudios indígenas, Leyendas históricas de Venezuela*—. Tulio Febres Cordero (1860-1938), poeta y pedagogo, narrador—*Tradiciones y leyendas*—. Eduardo Blanco (1840-1912), creador de la más importante epopeya venezolana en prosa: *Venezuela heroica*—. Cecilio Acosta (1819-1881), legislador, poeta y prosista, de quien dijo su biógrafo José Martí: "Sus manos, hechas para manejar los tiempos, eran capaces de crearlos"—*Cosas sabidas y cosas por saberse, La gota de rocío, La casita blanca.* Manuel Fombona Palacio (1857-1903), humanista y poeta—*Hannibal ante portae,* paráfrasis de temas antiguos—. Marco Antonio Saluzzo (1834-1913), gran orador, erudito y filólogo. Felipe Tejera (m. 1926), crítico ecuánime, que popularizó el seudónimo "Rey de Bastos". Víctor Racamonde (1870-1907), poeta descriptivo. Andrés Mata (1870-1931), parnasiano—*Pentélicas, Arias sentimentales...*

El año 1883 marca, en las letras venezolanas, el fracaso del romanticismo y el inicio del realismo; un realismo mucho más francés que español. Figuras importantes de él son: Gonzalo Picón Febres (1860-1918), poeta—*Caléndulas*—, novelista naturalista—*Nieve y lodo, Fidelia, El sargento Felipe, Flor*—, crítico literario—*Literatura venezolana en el siglo XIX*—. Manuel Vicente Romero García, fundador de la novela criolla—*Peonía, Las muchachas corianas, Acuarelas.*

La etapa modernista se inicia mediante dos revelaciones singulares: Lisandro Alvarado y Samuel Darío Maldonado.

Samuel Darío Maldonado (1870-1925), investigador, crítico de cultura europea—*Tierra nuestra*—. Lisandro Alvarado, agudísimo crítico desde las páginas de la revista *Cultura Venezolana.*

Luis López Méndez (1862-1891), crítico y ensayista demoledor—*Mosaico de política y literatura*—. José Gil Fortoul (1862-1943), que llegó a ser el historiador político y sociológico de Venezuela—*El hombre y la historia, Filosofía constitucional*—. César Zumeta (1860-¿?), crítico y estilista—*Escrituras y lecturas, Poetas y críticos de América*—. Pedro Emilio Coll (1872), narrador, crítico, uno de los mejores guías de la "generación del 95"—*Palabras, La escondida senda, El castillo de Elsinor*—. Manuel Díaz Rodríguez (1871-1927), crítico, estilista, novelista de primer orden—*Sensaciones de viaje, Sangre patricia, Idolos rotos, Peregrina o el pozo encantado*—. Rufino Blanco Fombona (1874-1944), poeta, crítico, novelista, historiador, biógrafo, polemista, una de las figuras más interesantes y fecundas de las letras venezolanas—*Pequeña ópera lírica, El hombre de oro, El hombre de hierro, Cuentos americanos, La lámpara de Aladino, La mitra en la mano, Simón Bolívar, Dramas mínimos, Letras y letrados de Hispanoamérica*—. Horacio Blanco Fombona (1899), poeta y periodista—*Estalactitas, En las garras del águila, Crímenes del imperialismo norteamericano*—. Luis M. Urbaneja Alchepohl (1874-1937), prosista y novelista—*En este país, La casa de las cuatro pencas, El tuerto Miguel, El Gaucho y el Llanero*—. Francisco Lazo Martí (1864-1909), poeta y narrador—*Silva criolla.*

Dentro ya del último período literario de Venezuela sobresalen: José Rafael Pocaterra (1888), magnífico novelista—*Vidas oscuras, Cuentos grotescos, Tierra del sol amada, Memorias de un venezolano de la decadencia, El doctor Bebé*—. Pedro César Dominici (1872), novelista de evocaciones paganas e históricas —*Dionisios, La tristeza voluptuosa, El triunfo del ideal*—. Teresa de la Parra, novelista confidencial, de suave sensualidad—*Ifigenia, Las memorias de mamá Blanca*—. Rómulo Gallegos (1884), el mejor novelista que ha dado Venezuela, de fama mundial, traducido a todos los idiomas, netamente de su tierra, que ha descrito como nadie, en *El último solar, Cantaclaro, Doña Bárbara, Canaima, Pobre negro, La trepadora, Los aventureros.*

Alfredo Larriva Arvelo (1883-1934), poeta de sentimentalismo y de humor, maestro de la rima—*Sones y canciones*—. José T. Arreaza Calatrava, poeta cívico, subjetivo y melancólico, de un riquísimo idioma—*Cantos civiles, Lo triste*—. Andrés Eloy Blanco (1897), de caudalosas inspiración y expresión, cuyo *Canto a España* premió en 1923 la Real Academia Española—*Tierras que me oyeron, Barco de piedra, Poda, Malvina, recobrada*—. Luis Enrique Mármol, malogrado muy joven—*La locura del otro*—. Jacinto Fombona Pachano (1901), de honda y brillante temática rural—*Virajes*—. Fernando Paz Castillo (1895), el poeta de la intimidad y del primor—*Signo, La voz de los cuatro vientos*—. Luis Barrios Cruz—*Respuesta a las piedras*—. Julio Morales Lara—*Savia*—. Pedro Sotillo—*Andanza*—. Manuel F. Rugeles—*Cántaro*—. Manuel Rodríguez Cárdenas—*Tambor*—. Miguel Otero Silva, que ha cultivado los temas indios en *Agua y Cauce.* Héctor Guillermo Villalobos —*Afluencia*—. Enrique Planchart—*Primeros poemas, Sonata a Muntzer...*

Poetas interesantes de la última promoción son: Rodolfo Moleiro, Héctor Cuenca, Gonzalo Carnevali, Angel Miguel Queremel, Pablo Rojas Guardia, Luis Fernández Alvarez, Israel Peña, Carlos Augusto León, José Ramón Heredia —*Gong en el tiempo*—. Pascual Venegas Filardo—*Música y eco de su ausencia*—. Otto D'Sola, Vicente Gerbasi, Alberto Arvelo Torrealba, Luis Barrios Cruz...

Entre los novelistas de la última promoción figuran: Arturo Uslar Pietri (¿1905?)—*Barrabás y otros relatos, Las lanzas coloradas*—. Ramón Díaz Sánchez—*Mene,* historia de una aldea criolla—. Antonio Arráiz, poeta—*Aspero*—y novelista—*Puros hombres*—. Julián Padrón—*La Guaricha, Madrugada*—. Guillermo Meneses —*Canción de negros, La balandra "Isabel" llegó tarde*—. Miguel Otero Silva—*Fiebre*—. Julio Garmendía—*La tienda de los muñecos...*

Entre los prosistas, ensayistas y críticos sobresalen: Mariano Picón Salas, que ha escrito novelas—*Registro de huéspedes, Odisea de Tierra Firme*—, se ha hecho famoso en toda Hispanoamérica como crítico, historiador y ensayista —*Intuición de Chile y otros ensayos, Formación y proceso de la literatura venezolana, Preguntas a Europa, Un viaje y seis retratos*—. Jesús Semprún (1882-1931), biógrafo y crítico de figuras tan señeras como Julio Calcaño, Díaz Rodríguez, Pocaterra, Andrés Mata... Luis Correa (1888-1940), que estudió a Bello, Baralt y Cecilio Acosta. C. Parra Pérez, hispanista insigne en *El régimen español en Venezuela, Bolívar* e *Historia de la primera República.* Briceño Iragorry, ideólogo y ensayista político.

V. Picón Salas, Mariano: *Formación y proceso de la literatura venezolana.* Caracas, 1940. Narbona Nenclares, F.: *Literatura de Venezuela.* En el tomo XII de la "Historia universal de la Literatura", de Prampolini. Buenos Aires, Uteha, 1941.—Calcaño, Julio: *Reseña histórica de la literatura venezolana.* Caracas, 1888.—Guel y Mercader, José: *Literatura venezolana.* Caracas, 1883. Dos tomos.—Picón Febres, Gonzalo: *La literatura venezolana en el siglo XIX.* Caracas, 1906.

VERBALISMO

Para algunos críticos, manera de filosofar "en la cual se es víctima de las palabras, y se hacen razonamientos que no podrían subsistir con convenciones verbales diferentes".

Para otros filósofos, especie de filosofía "en la que se intenta sustituir con *proposiciones verbales* la argumentación conceptual fundada en relaciones internas o de contenido".

En modo alguno debe creerse que el verbalismo tiene algún parecido con el *terminismo* (V.) o con el *nominalismo* (V.), ya que estos son sistemas explicativos, y el verbalismo es un vicio dialéctico que atribuye a la palabra una acción decisiva sobre el pensamiento.

El verbalismo tuvo sus épocas más decisivas en Grecia con los sofistas de la época de Sócrates; durante los siglos XIV y XV en las logias italianas; en el siglo XVIII, en Francia, con los enciclopedistas.

En estas épocas la *dialéctica fulgurante* lo fue todo. Se perdonaba un grave error filosófico siempre que triunfara envuelto en un verbalismo impecable. Una frase feliz servía para fundar, entonces, un sistema filosófico.

VERSETE

Los clásicos españoles llamaron versetes a los versos de dieciséis sílabas.

VERSÍCULO

1. Cada una de las divisiones de los breves capítulos de ciertos libros, y principalmente de las Sagradas Escrituras.

2. Parte del responsorio que se dice en las horas canónicas, regularmente antes de la oración.

Estuvieron divididos en versículos los libros de la Biblia llamados poéticos: *Job*, los *Salmos*, los *Proverbios*, el *Eclesiástico*, el *Cantar de los Cantares*. La división en versículos de los libros restantes se introdujo con un fin práctico: el de buscar con facilidad en los textos un pasaje determinado.

VERSIFICACIÓN

Versificación — considerada técnicamente — es "la artística distribución de una obra poética en porciones simétricas o mutuamente combinables y de dimensiones determinadas" (MÉNDEZ BEJARANO).

"La versificación o arte métrica tiene por objeto someter la palabra a normas especiales para conseguir un efecto artístico superior." A los distintos modos de versificar se los denomina *sistemas métricos*, siendo los principales los basados en el *paralelismo*, la *aliteración*, la *cantidad silábica* y el *acento*.

El *paralelismo* es un ritmo del pensamiento mejor que del lenguaje. "Consiste en dividir las cláusulas, estrofas o versos en dos partes o elementos poco más o menos iguales, por donde fluyen las ideas como paralelamente; la segunda parte explica, repite, amplía y confirma la primera, o bien se opone en forma de contraste. Se sirvieron de este procedimiento los pueblos orientales, en especial los hebreos y los árabes."

El *paralelismo* puede ser *sinonímico, antitético* y *sintético, ideológico* y *gramatical*.

Aliteración, procedimiento de todas las literaturas, pero principalmente de las nórdicas, "consiste en repetir sonidos preferentemente radicales por la mayor fuerza con que se pronuncian; no excluye otros recursos".

En España tenemos muestras de *aliteración* en numerosos proverbios: *Poco tienes, poco temes; Meter aguja y sacar paja...*

> Quien da pan a perro ajeno,
> pierde pan y pierde perro.

Cantidad silábica, procedimiento griego y latino—clásico—, se basa en la relación de las sílabas largas—dos tiempos—y de las breves—un tiempo—, agrupadas en pie, unidad de medida. El pie quedaba dividido en dos partes, caracterizadas por la elevación—*arsis*—o depresión—*tesis*—de la voz; la elevación se señalaba golpeando el suelo con el pie—*ictus*.

Acento, procedimiento de los pueblos modernos.

En la versificación española se distinguen las siguientes modalidades:

1.ª *Versificación amétrica*, sistema libre, que no se sirve de la uniformidad silábica ni rítmica.

2.ª *Versificación acentual* o *rítmica*, en la que el acento "produce efectos bien definidos, relacionados con la música o, al menos, con el origen lírico de los versos".

3.ª *Versificación de imitación clásica*, que intenta resucitar la métrica cuantitativa de los griegos y latinos.

4.ª *Versificación silábica*, basada en contar las sílabas que componen un verso.

Las dos primeras modalidades son irregulares, y regulares las dos últimas. (V. *Verso, Rima.*)

V. BLOISE, P.: *Diccionario de la Rima.* Madrid, M. Aguilar, 1946.

VERSIÓN

1. Modo que cada persona tiene de referir un mismo hecho o de describir una misma cosa.

2. Traducción de una obra de un idioma a otro.

VERSO

Verso—*pie* o *bordón*—es una frase melodiosa, sujeta a una medida determinada; y también la palabra o palabras sujetas a cierta ley fundada en el número de sílabas y colocación de los acentos.

Luzán definió así el verso: "Es una oración o parte de un discurso, medida por cierto número de pies métricos, esto es, de sílabas breves o largas, que, dispuestas en cierto orden y número, hacen una cadencia agradable, la cual cadencia y medida se repite siempre sin cesar. Esta repetición distingue el verso de la prosa (V. *Métrica, Arte.*)

Verso libre o *suelto* es el que no queda sujeto a consonancia ni asonancia, no estando tampoco rimado.

Verso blanco es, a veces, el verso suelto, por afinidad al *blank verse* inglés.

Verso de arte mayor es aquel que excede de las ocho sílabas.

Verso de arte menor es el que no excede de las ocho sílabas.

Verso de cabo roto es aquel que suprime la sílaba final de cada verso. A Cervantes se atribuye su invención.

Soy Rocinante el famo-,
bisnieto del gran Babie-;
por pecados de flaque-
fui a poder de un Don Quijo-.
Parejas corrí a lo flo-;
mas por uña de caba-
no se me escapó ceba-;
que esto saque a lazari-
cuando, para hurtar el vial ciego, le di la pa-.

Verso de pie quebrado es aquel más corto que los restantes de la estrofa; suele ser un hemistiquio del verso empleado. En castellano abundan las composiciones de siete y de cinco sílabas y las de once y siete.

Versos de pie forzado son rimas dadas de antemano, como finales de versos que deben escribirse, improvisando luego las sílabas restantes y el asunto.

V. *Versificación inglesa, francesa, alemana,* etcétera; *Pie, Rima, Ritmo,* y las distintas especies de versos: *Hexámetro, Pentámetro,* etc.

VERSOS (**Empalmar o montar los**)

Frase que significa componerlos de modo que no formen sentido perfecto hasta el fin de cada uno, sino que es necesario juntar partes de dos para que se complete la oración o el miembro del período.

VILLANCICO

Composición poética popular, con estribillo, para la música de la festividad navideña.

"El *villancico*—escribe Pfandl—puede tener el número de versos que se quiera, pero se mueve de ordinario entre dos y cinco. El número de sílabas de los versos cambia dentro de una misma canción y oscila, en general, entre cuatro y doce. Estróficamente, consta el *villancico* del tema o estribillo, que precede siempre, de la parte principal o *copla,* y de la repetición del estribillo, que se llama *vuelta* o *tornada.* Asunto pueden serlo todas las formas imaginables de expresión o de materia poética. Los hay serios y alegres, de amor y sentenciosos, interrogativos, monologados y dialogados, religiosos, históricos, caballerescos y pastoriles, irónicos, burlescos y hasta groseros. Grupo aparte forma, a mi entender, el *villancico eclesiástico,* que, con baile o sin él, era cantado únicamente en los oficios de las festividades religiosas, como, por ejemplo, en las noches de Navidad, en la misa del gallo o en las danzas de los seises de Sevilla y Toledo. Profano es, en cambio, a pesar de su carácter religioso, el villancico en forma de romance que canta la gitanilla de Cervantes en la iglesia ante la imagen de Santa Ana, bailando y acompañándose de las castañuelas. Profanos son también en este sentido los villancicos de los autos del Corpus, que se unían, con canto y baile, a la loa, y luego salían siempre de nuevo, en el decurso de la acción, como temas conductores. No solo el *villancico,* sino también la canción popular, en tanto no se conviertan en canción artística, son a una voz."

¡Esta sí que es siega de vida;
esta sí que es siega de flor!
Hoy, segadores de España,
vení a ver a la moraña
trigo blanco y sin argaña,
que de verlo es bendición.
¡Esta sí que es siega de vida;
esta sí que es siega de flor!
Labradores de Castilla,
vení a ver la maravilla,
trigo blanco y sin negrilla,
que de verlo es bendición.
¡Esta sí que es siega de vida;
esta sí que es siega de flor!

(Anónimo.)

VILLANELA

Pequeña poesía pastoril, de origen italiano, dividida en coplas, que tuvo gran boga en Francia durante el siglo XVI.

Los poetas Grévin, Honoré d'Urfé, Passerat, Du Bellay escribieron admirables *villanelas* con temas de amoríos y de frivolidades.

El ritmo de la *villanela,* el número de sus coplas y de sus versos varió a voluntad de los poetas. Las más corrientes constaban de cuatro estrofas de a ocho versos; el último o los dos últimos versos de la primera copla eran repetidos a modo de *estribillo* después de cada copla.

Después de las restricciones prosódicas de Richelet, la *villanela* se compone de tercetos, que llevan como refrán o estribillo cada uno de los dos versos de la misma rima del primer terceto.

J'ay perdu ma tourterelle;
est-ce point elle que j'oy!
Je veux aller après elle.
Tu regrettes ta femelle;
hélas! aussy fay-je, moy.
J'ay perdu ma tourterelle.
Si ton amour est fidèle,
aussy est ferme ma foy:
Je veux aller après elle.
....

Mort que tant de fois j'appelle,
prends ce qui se donne a toy!
J'ay perdu ma tourterelle,
je veux aller après elle.

(PASSERAT.)

V. GRAMONT, F. de: *Les vers français et leur prosodie.* París, 1876.

VILLANESCA (Poesía)

1. Canción rústica antigua.
2. Canción, para la danza, con tema popular de amor, siega, siembra, recolección, etcétera. Las estrofas terminaban con un *estribillo.*

V. *Villanela.*

VIRELAI

Pequeño poema francés, cuyo origen data del siglo XIII. Como su nombre indica, fue una modificación de una de las formas del *lai* (V.). Esta modificación, según la teoría de los críticos, consistió en un cambio o transformación de las rimas del *lai* mediante el añadido de cierto número de versos. En los *virelais,* compuestos de versos desiguales, los versos más largos llevaban la rima que en los *lais* correspondían a los más breves, y recíprocamente. Según el arte se hizo más o menos refinado, aumentaron o disminuyeron las dificultades de composición de este pequeño poema, que tuvo semejanzas con la canción coreada por un refrán o estribillo basado en dos rimas.

Sui-je, sui-je, sui-je belle?
Il me semble, à mon avis,
que j'ay beau front et doulz viz,
et la bouche vermillete:
dictes-moy si je sui belle.
J'ay vers yeulx, petits sourcis,
le chief blont, le nez traitis,
ront menton, blanche gorgette:
sui-je, sui-je, sui-je belle?

En el siglo XVII hubo una forma más libre de *virelai,* que consistía en sujetar una composición extensa a dos rimas, marcadas en los dos primeros versos de la primera estrofa.

V. GRAMONT, F. de: *Les vers français et leur prosodie.* París, 1876.

VIRTUALISMO

Filosofía según la cual el conocimiento que tenemos de nosotros mismos *inmediatamente* y de las cosas *mediatamente* "es el efecto de la resistencia que experimentamos por parte de las cosas mismas". (Bonterweck.)

Generalmente, llámase virtualismo a la teoría de las virtualidades; teoría que es de doble utilización: lógica y ontológica, "según la cual existen en los seres propensiones innatas que les inclinan a un acto o a una forma determinada". El virtualismo marca una posición intermedia entre los términos de *actualidad* y de *posibilidad,* y templa la teoría cruda del *innatismo* (V.) puro.

El virtualismo afirma la razón como protagonista en el acto cognoscitivo.

Metafísicamente, el virtualismo—suma de las virtualidades—manifiesta "la verdadera esencia de las cosas en su aspecto manifestativo o dinámico, y explica el devenir como un cambio guiado o determinado por la naturaleza del ser específico, que se modifica o transforma lejos de todo albur o capricho".

El virtualismo influyó en la filosofía de Maine de Biran (1766-1824), para quien la autoconciencia de la actividad volitiva era la base de la vida espiritual; actividad determinada como un sentimiento de esfuerzo y de resistencia.

El virtualismo marca la armonía entre la inclinación fenomenal para conocer y la resistencia fenomenal que oponen las cosas a ser conocidas.

VITALISMO

Se han dado distintas definiciones de vitalismo. Para unos, "es la teoría que defiende la necesidad de admitir en el ser vivo, además de las fuerzas fisicoquímicas, una *fuerza vital,* distinta de ellas y superior, que las organiza". Para otros, "es una teoría según la cual los fenómenos vitales son irreducibles a los fenómenos físicos y químicos, y exigen, por tanto, un principio explicativo diverso, una *fuerza vital,* distinta de las fuerzas del mundo inorgánico".

Algunos afirman que "es la doctrina del *principio vital,* siendo este principio una fuerza o un ser activo que reside en el organismo, análogo al alma, pero distinto de ella, y que ciertos fisiólogos han juzgado necesario para explicar los fenómenos de la vida".

El vitalismo se opone a la teoría unicista de la vida o *mecanicismo* (V.). El vitalismo es dualista, ya que supone que cada ser vivo se halla integrado por la armónica conjunción de dos entidades: la materia organizada y el principio vital. El vitalismo siempre afirma dos principios coadyuvantes: alma y cuerpo, fuerza y materia.

El vitalismo ha permanecido vigente y firme a través de la historia de la filosofía; naturalmente, con diversos y muy interesantes *matices.* Y así pueden sumarse al vitalismo el animismo de Aristóteles, el naturalismo de Hipócrates, el espiritualismo de Descartes, el vitalismo de Barthez, el neovitalismo de Driesch o de Bergson.

"La oposición entre la consideración mecanicista y la vitalista de los procesos orgánicos—escribe von Aster—, entre su explicación o por las fuerzas ciegas y mecánicas de la Naturaleza, o por la admisión de fuerzas vitales especiales finalistas, se remonta, como es sabido, a la mayor antigüedad. Demócrito es *mecanicista;* Aristóteles, *vitalista.* El comienzo de la filosofía nueva con Descartes, mediante el florecimiento en general de las ciencias naturales mecánico-matemáticas, da un fuerte impulso también a la explicación mecánica del organismo, a la "teoría de la vida como máquina". En cambio, posteriormente, el descubrimiento de los microorganismos y de que la vida, en cuanto sabemos, jamás surge de lo inorgánico, sino siempre y solamente de gérmenes orgánicos, actúa en dirección opuesta. Kant busca a su manera una prudente delimitación entre estos dos modos; la explicación mecánica seguirá siendo el ideal indiscutido; pero como complemento imprescindible, como principio regulador, se introduce en el organismo el punto de vista teleológico cuando la explicación causal no basta. El Romanticismo es vitalista. A su modo de pensar, orientado en general según el arquetipo de lo viviente, la subordinación del organismo a las fuerzas de la naturaleza inorgánica le parece absurda."

En las antiguas cosmogonías, el principio del vitalismo radicaba en la armonía del espíritu con la materia, armonía de la cual resultaba la vida. El ser vivo era la suma de tres factores decisivos: *alma, cuerpo* y *vida.* La pérdida de esta significaba la separación del cuerpo y del espíritu.

Posteriormente, cuando el alma, como animadora de la materia, se atribuyó exclusivamente al hombre—ser pensante, sensible, volitivo—, descartándose de la armonía vital de los vegetales y de los animales inferiores, el vitalismo creó para su explicación la existencia de una fuerza —principio vital—independiente de la materia y causa de la organización.

La vida fue, desde entonces, *causa* y no efecto para el vitalismo, contrariamente a lo que afirmaba el mecanicismo.

El vitalismo afirmado por Aristóteles en su libro *De anima* prevaleció durante muchos siglos, siendo adoptado unánimemente en la Edad Media por todos los escolásticos y perfeccionado por Santo Tomás de Aquino.

Fue Descartes quien inició un movimiento interesante y muy aceptado contra las teorías de Aristóteles. El cartesianismo, fortalecido por el incremento de las ciencias positivas, por el empleo de los métodos experimentales y por otras muchas influencias, retuvo, durante más de dos siglos, a la inmensa mayoría de los hombres de ciencia y a muchísimos filósofos. Para Descartes, toda la vida corpórea ha de explicarse mecánicamente y por las solas fuerzas fisicoquímicas.

Contra las teorías de los cartesianos se levantaron, ya en el siglo XIX, los médicos de la Escuela de Montpellier—Barthez, Bérard, Lordat—, quienes seguían el vitalismo exagerado, poco afecto al aristotelismo y al escolasticismo de Sthal.

El auténtico vitalismo de este siglo lo fijaron un filósofo y un médico: Augusto Comte y Claude Bernard.

Comte afirma que los mismos fenómenos fisicoquímicos que se observan en el mundo universal se observan igualmente en los seres vivos; y, sin embargo, la materia viviente "tiene un orden especial de actividades propias".

Bernard afirma "que aunque los fenómenos vitales representan acciones fisicoquímicas, no podría explicarse por ellas el plan fijado de antemano que nos revela cada ser vivo".

Un retorno hacia un vitalismo espiritualista se observa desde mediados de la centuria diecinueve, siendo sus principales defensores Driesch, Nietzsche, Dilthey, Bergson.

Hans Driesch (n. en 1867) es el principal representante del vitalismo en Alemania. Para él, lo característico y original del ser viviente es la *causalidad de la totalidad,* "la determinación del elemento, de la parte, por el todo. Pero esta causalidad de totalidad indica la existencia de un sujeto invisible, que designa con la expresión aristotélica *entelequia,* o, más brevemente, como *alma;* el alma es un factor natural, elemental, inespacial, que condiciona la causalidad de la totalidad del cuerpo orgánico, la cual, naturalmente, no excluye la interacción fisicoquímica de sus partes, aunque la domina".

Para Bergson, la materia es la solidificación del espíritu; el *impulso vital* mantiene y vivifica la evolución creadora; y cuando dicho impulso se debilita, la evolución creadora se interrumpe, el espíritu se materializa y la vida se solidifica. Para Bergson, lo viviente procede de lo orgánico, y lo muerto, de lo viviente. Para Dilthey, el hombre ni *tiene* ni *hace* historia: el hombre *es* historia, es decir, vida.

V. MERCIER, Card.: *La définition philosophique de la vie.* Lovaina, 1898.—FRANCK, P.: *Philosophia Naturalis.* Friburgo, 1926.—LA VAISSIERE: *Philosophia Naturalis.* París, 1912. PALMÉS, S. I.: *De Vitalismo praelectiones psychologiae.* Barcelona, 1926.—GEMELLI: *L'enigma della vita.* Florencia, 1910.

VOCABLO

1. Palabra. Término. Dicción.

2. Voz significativa de algo en cualquier lengua o idioma.

Se llama *jugar el vocablo* a usar o valerse de él con gracia y novedad en diversos y equívocos sentidos.

3. Expresión cabal de una idea, que puede componerse de una o de varias sílabas.

Los vocablos se dividen:

Por su número de sílabas: en *monosílabos, trisílabos, cuadrisílabos, pentasílabos, sextasílabos,* etcétera, etcétera.

Por su cadencia: en *consonantes, asonantes* y *disonantes.*

Por la colocación en ellos del acento: en *agudos, llanos* y *esdrújulos.*

VOCABULARIO (V. Diccionario)

1. Catálogo o lista de palabras colocadas por orden alfabético.
2. Conjunto de vocablos que se usan en una determinada materia.
3. Conjunto de palabras de un idioma o dialecto.
4. Conjunto de palabras a las que acompañan definiciones o explicaciones.

VOLUNTARISMO

Es una doctrina metafísica y psicológica.

Metafísicamente, el voluntarismo es una teoría que defiende la voluntad como fundamento del universo, y también como fundamento de la vida psíquica individual.

Psicológicamente, el voluntarismo es una teoría que establece la superioridad y primado de la voluntad sobre la inteligencia.

El voluntarismo psicológico fue defendido en la Edad Media, principalmente, por Duns Escoto y Occam; en la Edad Moderna, por Maine de Biran.

El voluntarismo metafísico tiene su paladín en Schopenhauer.

Los precedentes de la posición de Escoto y de Occam hay que buscarlos en San Agustín, el cual, en su tratado *De Civitate Dei,* establece la superioridad de la voluntad sobre el entendimiento desde el doble punto de vista psicológico y moral.

Duns Escoto afirma terminantemente: *tota animae naturae voluntas est;* añade que todo acto de la voluntad es libre *per essentiam (Voluntas nihil de necessitate vult).*

Descartes participó de tal doctrina al confesar en sus *Meditaciones:* "Mi voluntad libre es la que principalmente me da a conocer que llevo en mí la imagen y semejanza de Dios." Y refuerza esta creencia asignando a la inteligencia un estado pasivo y reduciendo la actividad a la volición.

Desde Maine de Biran a Bergson, la filosofía de la voluntad aparece como una de las tesis preferidas del idealismo. Maine de Biran (1766-1824) presenta el voluntarismo como la actividad de nuestro *querer* frente la resistencia que un *mundo exterior* opone a esa voluntad, es decir, a nuestro *yo.*

En Francia defendieron el voluntarismo la escuela espiritualista, Secrétan, Renouvier, Boutroux. En Alemania, Beneke, Fortlage.

Muchos de estos voluntaristas distinguieron, sin embargo, entre un voluntarismo *inmanente* y un voluntarismo *trascendente;* para aquel, la voluntad es un principio interior; para este, una acción. Así determinada su distinción, no cabe ciertamente confundir la voluntad con la actividad, aun cuando ambas deban ir unidas para producir el efecto.

El voluntarismo metafísico ha sido defendido ardientemente por Schopenhauer. El gran filósofo alemán afirma que la voluntad es un impulso ciego e irresistible que penetra en todas las cosas y que para su satisfacción y triunfo se vale de la inteligencia y origina diversos procesos que forman el mundo.

Schopenhauer afirma también que la voluntad es la base última de la realidad.

V. Külpe, O.: *Die Lehre vom Willem in der neueren Psychologie.* En "Philos. Studien", 1890. Alexander, H.: *Theories of will in the history of philosophy.* Nueva York, 1898.—Sciascia, P.: *La dottrina della volontà...* Palermo, 1898.—Sollier: *Le voluntarisme.* En "Rev. Philos.", 1909.—Tegen: *Moderne Willenstheorien.* Upsala, 1924.—Marinare, A.: *Intellectualismo e voluntarismo.* Nápoles, 1925.—Simmel, G.: *Schopenhauer-Nietzsche.* Munich, 2.ª ed., 1920.

VOZ

1. Sonido que vibra en las cuerdas vocales, producido por el aire, al salir de la laringe.
2. Timbre o calidad de dicho sonido.
3. *Vocablo* (V.).
4. Sonido arrancado por el viento a ciertas cosas inanimadas: el mar, los árboles, etcétera.

VULGATA

Nombre dado a la versión latina de la Biblia, reconocida canónicamente por el Concilio de Trento como la única conforme en el fondo y en la sustancia con los textos sagrados. Fue obra de San Jerónimo, hacia el año 384, por indicación del Papa San Dámaso. Las más célebres de sus ediciones críticas son las de Sixto V—Roma, 1593—y la de Clemente VIII—Roma, 1592-1593.

V. Blanchini, J.: *Vindiciae vulgatae latinae editionis.* Roma, 1740.—Butler: *Horae biblicae.*

W

WALONA (Lengua)

Antiguo dialecto del romance del Norte. En la fusión del celta con el latín, el walón ha hecho de este idioma más aportaciones que el francés, tanto en su vocabulario como en su gramática; hasta el punto que algunos filólogos han considerado el walón como una derivación de la lengua céltica.

Se habla en las provincias belgas de Hainaut, Namur y Lieja.

En algunas localidades está mezclado con el flamenco y con el alemán.

V. Henaux, F.: *Etudes... sur le wallon.* Liège, 1843.

WENDA o WINDE (Lengua)

Una de las lenguas eslavas, hablada en Croacia, las costas del mar Adriático, el Isonzo y la Drave. Comprende tres dialectos principales: el *carnioliano,* el *carintiano* y el *estiriano.* El *wenda* es el más pobre de los idiomas eslavos. En su vocabulario cuenta con gran número de palabras del eslavón y del alemán; y por el uso del artículo y algunas particularidades gramaticales, ha sido clasificado por algunos filólogos y lingüistas entre las lenguas de la rama germano-eslava.

Su alfabeto glagolítico, mucho tiempo usado en la escritura, ha sido reemplazado por las letras latinas.

V. Kopitar: *Grammaire de la langue slave en Carniole, en Carinthie et en Styrie.* Traducción franc. Laybach.—Murko: *Grammaire wende.* Gratz, 1843.—Dainko, P.: *Lehrbuch der windischen Sprache.* Graetz, 1824. Jarnik: ... *Idiome sloveno.* Klagenfurt, 1832. Ahazel, Mathias: *Koroshke inho shtajarske pesme.* Klagenfurt, 1838.

WICLEFIANISMO

Nombre dado a las doctrinas heréticas de Juan Wiclef o Wycliffe.

Wiclef nació—1324—en Hipswell, condado de York. Y murió—1387—en Lutterworth, condado de Leicester. Estudió en la Universidad de Oxford. Doctor en Teología. Profesor en Oxford y en Cantorbery. Cura de Lutterworth en la diócesis de Lincoln. Protegido por Eduardo II, Wiclef se distinguió por la violencia de sus ataques contra Roma. Defendió los derechos del monarca contra las pretensiones de Gregorio IX. Y auxiliado por la Universidad, a la que defendía contra los frailes, pudo hacer públicas sus doctrinas heterodoxas, que se divulgaron rápidamente por Inglaterra. Tradujo la Biblia a la lengua vulgar. Y en sus explicaciones de cátedra, en sus sermones, en sus escritos, se declaró abiertamente contra el poder temporal de la Iglesia, contra las Ordenes mendicantes, contra la propiedad monástica y del clero, frente al cual opuso a los pobres curas que constituyeron la secta de los *lolardos* o *wiclefitas.* Estos numerosos adeptos de Wiclef realizaron innumerables copias de su traducción de la Biblia.

El Pontífice ordenó al arzobispo de Cantorbery que encarcelase al heresiarca; y Wiclef fue sometido a un interrogatorio solemne, después del cual quedó en libertad bajo la condición de no predicar más. En 1382 fue condenado por los Concilios de Londres y de Oxford, retirándose, sin ser molestado, a su curato de Lutterworth, donde escribió su *Triálogo.* En 1415 el Concilio de Constanza condenó su doctrina de 45 artículos. A consecuencia de esta condena, el sepulcro de Wiclef fue abierto, sus restos fueron exhumados y quemados, y las cenizas, arrojadas a un arroyo inmediato. También ardieron públicamente todos sus escritos, salvándose su traducción de la Biblia, que está considerada como uno de los primeros y mejores monumentos de la literatura inglesa. Conviene advertir que en dicha traducción omitió Wiclef los deuterocanónicos del Antiguo Testamento.

En 1401, Jerónimo de Praga se llevó de Oxford el *Trialogus,* el *Dialogue* y otros opúsculos de Wiclef, dándolos a conocer entre los husitas de Bohemia, sobre los que ejerció una gran influencia.

Wiclef sostuvo:

1.° Que la Sagrada Escritura era la única regla de fe.

2.° Que la Sagrada Escritura podía ser interpretada libremente.

3.° Que la legitimidad del poder, civil o religioso, dependía del estado de gracia del que lo ejercía.

4.° Que la Iglesia estaba compuesta únicamente de los predestinados.

5.° Que era falso el dogma de la transustanciación y de la presencia real de Cristo.

6.° Que eran falsas las indulgencias e ineficaces.

7.° Que era una idolatría el culto de los santos.

Las doctrinas heréticas de Wiclef están contenidas en sus obras tituladas *Confessio, Complaint, Summa, Opus Evangelicum, Dialogue* y *Trialogus.*

V. VARILLAS, A.: *Histoire du wiclefianisme.* Lyón, 1682.—VAUGHAN, R.: *The lije and opinions of John de Wycliffe.* Londres, 1828.—VATTIER: *J. Wycleff, sa vie, ses oeuvres, sa doctrine.* 1892.—POOLE: *Wycliffe and movements por Reform.* Londres, 1889.

WOLOF (Lengua)

Lengua hablada en Senegambia, la más extendida aquí después del árabe y del mandinga. Su gramática ofrece muchas semejanzas con las de las lenguas semíticas; coloca el artículo después del sustantivo, formando con este un solo vocablo; es rica en versos derivados, formados como los árabes; su verbo es susceptible de tomar diecisiete modificaciones, las cuales, por la adición de una o dos sílabas, extienden o restringen la acepción. En esta lengua se encuentran innumerables vocablos árabes y algunos portugueses.

V. DARD: *Grammaire wolof.* París, 1826.—ROGER, B.: *Recherches sur la langue ouolof.* París, 1829.

WÓLTICO (Lenguaje)

Idioma de la familia uraloaltaica, hablado en la Rusia europea por los wólticos, que viven en los gobiernos de Wiatka, Kazan y Oremburgo.

Su gramática ofrece curiosas particularidades: los sustantivos se declinan de seis maneras, según los pronombres posesivos que los preceden; el verbo tiene dos conjugaciones y cinco modos; las preposiciones, colocadas detrás de sus regímenes, tienen tres terminaciones, regidas, no por los géneros, que el wóltico no distingue, sino por las personas.

X

XILOGRAFÍA

De ξύλον madera, y γράφω, escribir. Arte de grabar sobre planchas de madera los caracteres para imprimirlos sobre pergamino, papel y otras materias. Fue la primitiva forma de la imprenta.

El testimonio más antiguo de la *xilografía* que se conoce data de 1406 y se halla constituido por dos láminas impresas que forman parte de un manuscrito descrito por Delaborde.

La *xilografía* se utilizó para la impresión de grabados. Lucas de Leyden fue el artista más insigne de la *xilografía.*

V. BERNARD: *De l'origine et des débuts de l'imprimerie en Europe.*—GUSMAN, P.: *Le gravure sur bois et sur metal du XIV*e *au XX*e *siècle.* París, 1916.—SAINZ DE ROBLES, Federico Carlos: *La Imprenta y el libro en España durante el siglo XVI.* Madrid, 1948.

Y

YAKUTA (Lengua)

De la familia uraloaltaica. Hablada por los sakalars o yakutas, que forman el más septentrional y más oriental de los pueblos turcos; contiene bastantes vocablos tártaros. Su alfabeto está formado por cinco vocales y diecisiete consonantes.

V. Bohtlingk, J.: *Ueber die Sprachen der Jakuten*. Berlín, ¿1876?.

YÁMBICO (Verso)

Verso griego y latino, cuya base es el yambo, pie compuesto por una sílaba breve y una larga *(Deos, canunt)*. La reunión de dos yambos es llamada diyambo *(negotiis)*.

Cada metro de esta especie de verso se compone de dos pies o de un dipodio. Y se distinguen doce variedades de yámbico:

1.ª *Yámbico monómetro* o de dos pies, cuyo empleo fue muy raro:

Pessima / mane.
(Terencio.)

2.ª *Monómetro hipercataléctico;* se encuentra empleado, igual que el anterior, como cláusula:

Discruci / or ani / mi.
(Terencio.)

3.ª *Dímetro braquicataléctico* o *dímetro* al cual le falta un pie. Es empleado como cláusula:

Qui hoc / noctis a / portu.
(Plauto.)

4.ª *Dímetro cataléctico,* de tres pies más una sílaba, llamado también *anacreóntico* por lo mucho que fue usado por Anacreonte. Igualmente lo emplearon como cláusula los autores dramáticos, y en especial Séneca, Plauto, Claudiano:

Vultus / cita / tus i / ra
riget, et / caput / fero / ci
quatiens / super / ba mo / tu,
regi / mina / tur ul / tro.
(Séneca.)

5.ª *Dímetro,* compuesto por dos dipodios o cuatro pies:

Vide / re prope / rantes / domum.
(Horacio.)

6.ª *Dímetro hipercataléctico,* de cuatro pies más una sílaba; forma parte de la estrofa *alcaica:*

Lenes / que sub / noctem / susur / ri.
(Horacio.)

7.ª *Tetrímetro braquiacataléctico,* de cinco pies; no es otro que el *alcaico* (V.):

Te pau / per amb / it sol / licita / prece.
(Horacio.)

8.ª *Tetrímetro cataléctico,* de cinco pies más una sílaba; se encuentra en Prudencio, alternado con los trocaicos:

Pius, / fide / lis, in / nocens, / pudi / cus.

9.ª *Yámbico trímetro,* tipo principal del yámbico, al que los latinos llamaron *senario;* está formado de tres dipodios o de seis pies, es decir, de tres diyambos o de seis yambos:

Bea / tus il / le qui / procul / nego / tiis.
(Horacio.)

10. *Escazón,* también llamado *coliámbico,* es un yámbico trímetro cuyo último pie es un espondeo. Puede haber yambos de cuatro pies y, sobre todo, de cinco. Marcial y Catulo los emplearon frecuentemente:

Si non / moles / tum est, te / que non / pige, [(Escazón)
nostro / roga / mus pau / ca ver / ba ma / terno
dicas / in au /rem, sic / ut au / diat / solus.
(Marcial.)

La invención del *escazón* se atribuye a Hipponax.

11. *Yámbico tetrámetro cataléctico* o *septenario,* verso de siete pies más una sílaba, también inventado por Hipponax. Lleva un reposo después del cuarto pie, con el privilegio de un fin de verso. Regularmente recibe un yambo como séptimo pie, y los pies pares pueden ser yambos o tríbacos:

Remit / te pal / lium / mihi // meum, / quod
[in / volas / ti. (CATULO.)

12. *Tetrámetro acataléctico* u *octonario,* verso de ocho pies, poco usado por los trágicos griegos, pero mucho por los dramáticos latinos:

Ita im / peri / tus estupi / dita / erum / pit
[se, im / poscom / sili. (ATTIUS.)

Al yámbico se sujetaron cuatro especies de verso: el *galliámbico,* el *elegiámbico,* el *yamboelegiaco* y el *saturniano.*

El *galliámbico* se compone de un yámbico dímetro cataléctico, seguido de un anapesto, de un tríbaco y de un yambo:

Super al / ta vec / tus Ar / tis // celeri / rate /
[ma / ria. (CATULO.)

El elegiámbico está formado por un segundo hemistiquio depentímetro o elegíaco, seguido de un yámbico dímetro:

Fervidi / ore me / ro // arca / na pro / mo-
[rat / loco. (HORACIO.)

El yamboelegiaco es como un reverso del precedente; está formado por un yámbico dímetro, seguido de un segundo hemistiquio del elegíaco:

Tu vi / na Tor / quato / move // consule /
[pressa me / o. (HORACIO.)

El *saturniano* es como una mezcla del yámbico y del trocaico. Quedó formado, desde Servio y Tarenciano Mauro, por un yámbico de tres pies y medio, seguido de un *itifálico* (tres troqueos):

Isis / perer / rat or / bem // crini / bus pro /
[fusis.

V. HERMANN, God.: *De metris poetarum graecorum et romanorum, libre III.* Leipzig. Varias ediciones.—CHAIGNET: *De versu iambico.* Tesis. París, 1862.

YAMBO

Pie de la poesía griega y latina y base del verso *yámbico* (V.). Sirvió para designar el género mismo de poesía que el inventor del yambo, Arquíloco, había consagrado: la sátira. Los latinos, que adoptaron para este género el hexámetro, conservaron el nombre de yambo para designar las composiciones mordaces y agresivas.

Por extensión, pie de la poesía española que tiene una sílaba átona después de una sílaba tónica. (V. *Yámbico, Verso.)*

YÉNISSEI (Lenguaje)

Lengua asiática correspondiente a la región siberiana. Fue llamada así por Klaproth, que fue el primero en estudiarla, porque las gentes que la hablaban eran llamadas los ostiaks del Yénissei, y vivían en el gobierno de Tomks, a lo largo de aquel gran río y de sus afluentes. Comprendía el lenguaje yénissei varios dialectos: el *denka,* el *imbazk,* el *pumpokolsk,* el *kotten-assano.* Esta lengua tiene semejanzas con el *samoyedo* y las demás lenguas siberianas.

YOGUISMO

Práctica del sistema filosófico y ascético denominado Yoga, reunido en un cuerpo doctrinal por Patanjali (siglos V y VI después de Cristo) y destinado a conseguir la liberación del ciclo de transmigraciones sucesivas y la unión con la divinidad.

El yoguismo intenta—reconociendo la antítesis entre el espíritu y la materia—llegar a la completa liberación del alma del peso funesto de su carne, practicando una contemplación cada vez más intensa hasta hacerse independiente por completo del mundo exterior.

Los medios ascéticos del yoguismo son, entre otros, el silencio, la inmovilidad, la regulación de la respiración, la insensibilidad sensorial, la concentración del alma...

Repetimos que el yoguismo es el complemento *práctico* del sistema filosófico Samkhya, uno de los seis sistemas ortodoxos de la India, compilado por Patanjali.

Samkhya es la doctrina del Yoga Sastra, cuyo origen elevan algunos comentaristas a un personaje mitológico llamado Patanjali, autor de muchas obras célebres.

La palabra Samkhya equivale a *número;* pero su raíz significa el *raciocinio,* la deliberación, nombre que afecta excelentemente al sistema, ya que toda su ciencia consiste, conforme a sus principios, en el uso legítimo de la razón. La metafísica Samkhya comprende el conocimiento: 1.º, del principio de las cosas; 2.º, de las combinaciones entre las cosas; y 3.º, del fin de las cosas.

Los principios de la doctrina Samkhya suman hasta veinticinco:

1. La Naturaleza *(Prakriti),* materia primordial indeterminada, raíz de las cosas, no percibida en sí misma, sino observada en realidad por sus efectos.
2. La Inteligencia, primera producción de la

naturaleza y origen de otros muchos principios.

3. La Conciencia o sentimiento del Yo.

4-8. Cinco partículas o átomos, nacidos de la inteligencia individualizada, que componen la forma primera de la individualidad.

9-19. Once órganos de los sentidos y de la acción derivados de la conciencia del Yo. Cinco son de la sensación y cinco de la acción, que se armonizan en un órgano interno llamado *manas,* centro de sensaciones y principio de la actividad.

20-24. Cinco elementos: el fluido etéreo, que es sonoro; el aire, que es sonoro y tangible; el fuego, que es sonoro, tangible y que posee color; el agua, que es sonora, tangible, coloreada y sápida; la tierra, que tiene las anteriores propiedades, a las que suma el olor.

25. El alma *(atma),* eterna, inmaterial, inalterable, individual y sensible.

La individualidad es la *forma* y *envoltura* del alma, y es llamada persona sutil.

La creación corporal es dividida en tres mundos: el superior o mundo de la bondad; el intermedio o mundo de la pasión; el inferior o mundo de la oscuridad.

La creación intelectual comprende los diversos estados del entendimiento, dotado de ocho propiedades divididas en dos series paralelas y *antipáticas.* La virtud, el juicio, la tranquilidad de los sentidos o impasibilidad y la fuerza participan de la bondad. El pecado, el error, la incontinencia y la debilidad participan de la oscuridad.

El perfeccionamiento de la inteligencia se consigue por aquellos medios que sirven para prepararse a recibir la ciencia, *que es el único preservativo del mal.*

La redención consiste en que el alma se libre de los lazos en que la Naturaleza la tiene presa; y lo consigue penetrándose de que tales lazos no son más que apariencias fenomenales. Libre de todo cuanto constituye su persona sutil, el alma queda exenta de todos los vínculos de la Naturaleza.

El estudio de los principios referidos conduce a este resultado: *No existe el yo ni nada de cuanto le pertenece; toda existencia individual es un sueño.* Tal es la verdad libertadora.

La lógica Samkhya afirma que son tres los orígenes de los conocimientos humanos: la *percepción*—que nos da idea de los objetos sensibles—y la *inducción* y el *raciocinio*—que nos la dan de aquellos objetos a que no alcanza la jurisdicción de los sentidos—. Si una verdad no se deduce del raciocinio, ni puede ser conocida por la inducción, se la reputa *revelada.*

Patanjali cree que la abstracción completa es la absorción del alma en Dios.

Simplificada así la doctrina Samkhya, de que se halla influido el sistema Yoga, repetimos que el yoguismo es, antes que nada, una práctica, es decir, como una guía para la práctica de la profundización, de la liberación del espíritu del cuerpo y de sus deseos y necesidades. "Es sabido que los indios han avanzado extraordinariamente en la técnica de esta redención, de este dominio de las funciones corporales por el alma; el sistema, por ellos elaborado, de ejercicios espirituales, como prácticas de concentración, adopción de determinadas posturas del cuerpo, regulación de la respiración, etc., es seguramente lo más perfecto y lo más eficaz que al respecto existe; y se debe, sobre todo, al Yoga, y a los yoguistas, los maestros de tal práctica. Pero no hay que olvidar que estos ejercicios espirituales y corporales solo tienen una importancia preparativa, en cuanto que son medios para un fin, y el fin para que sirven es la meditación y el conocimiento que en ella se obtiene. Lo que redime es el conocimiento, no el ejercicio. Por eso la práctica *yoguismo* puede también unirse con la idea de la filosofía Samkhya. Pero "conocimiento" no es para la filosofía hindúe un *mero tomar nota de,* sino un compenetrarse plenamente con la visión de aquello de cuyo conocimiento se trata. Sin esto no podría el conocimiento tener aquella eficacia redentora, eminentemente práctica... En realidad, en esta teoría el querer y el obrar son un proceso *material,* con lo cual armoniza muy bien el hecho de que los procesos corporales, como la actitud del cuerpo, la regulación de la respiración, la inmovilidad, preparen la redención, es decir, hagan brotar la intuición de la dualidad de espíritu y cuerpo." (VON ASTER.)

El yoguismo es una práctica sumamente antigua. Tales prácticas de ascetismos ya las observaron los griegos durante las campañas bélicas de Alejandro Magno, refiriéndolas con asombro Arriano y Plutarco. Como *gimnosofistas,* vuelve a mencionar a los yoguistas Apolonio de Tiana. Durante la Edad Media se refirieron a ellos viajeros famosos, como Marco Polo y Orderico Vitalis. Hoy, el yoguismo sigue teniendo adeptos en la India y fuera de la India. En opinión de muchos médicos, el yoguismo actual no es sino un fenómeno de autosugestión religiosa que ofrece todos los caracteres de hipnotismo. Así, se observan en los yoguistas formas catalépticas y catatónicas de larga duración con braditrofia y autofagia.

V. CAMPBELL OMAN: *Ascetis, mystice and saints in India.* Bombay, 1905.—STRAUSS, O.: *Indische Philosophie.* Munich, 1927.—LE DANTEC: *Précis de Pathologie exotique.* París, 1911.

YORUBA (Lengua)

Lenguaje del Africa, hablado en la Senegambia. Es muy curiosa la regularidad de su sistema gramatical. El verbo, auxiliado por los prefijos, toma formas de nombres, adjetivos, pronombres, etc. El sustantivo, por el mismo procedimiento, se transforma en verbo de posesión.

V. CROWTHER, Samuel: *Grammar and vocabu-*

lary of yoruba language. Londres, 1852.—BOWEN, T. J.: *Grammar and Dictionary of yoruba.* Londres, 1858.

YUGOSLAVA (Lengua)

Pertenece a la familia de las lenguas eslavas y es la principal del grupo ilírico. Se habla en la antigua Servia, la Dalmacia, una parte de Croacia y otra de Bohemia. Esta lengua se desarrolló a partir del siglo IX, adquiriendo su formación definitiva en el XIV y en el XV. El yugoslavo guarda más analogía con el ruso que con el polonés o el bohemio. Bajo las influencias griega e italiana, el predominio de las vocales le ha dado una armonía y una dulzura que no tienen los demás idiomas eslavos. También el turco ha influido en el yugoslavo. Los habitantes de Dalmacia hablan un dialecto denominado *illuski,* en el interior, y *ragusiano,* en las orillas del Adriático.

El yugoslavo es rico en aumentativos y en diminutivos obtenidos por flexión; sus sistemas de declinación y conjugación están completos; la construcción guarda grandes semejanzas con la latina; la pronunciación no difiere apenas de la ortografía, gracias a la riqueza de los alfabetos empleados, que son: el *latino,* con la adición de los acentos, y el *cirílico.* El primero es el empleado por los católicos, y el segundo, por los que profesan el rito griego.

V. MAIKOW: *Historia serbskago jazyka.* Moscú, 1897.—VIDAKOVITCH, Milán: *Courte introduction à l'examen philologique de la langue serbe.* Traducción franc. Pesth, 1838.—Y las *Gramáticas* de Wuk Stephanovitch, Berlic, Babukic y Froelich.

YUGOSLAVA (Literatura)

Los orígenes de la literatura yugoslava se remontan a la segunda mitad del siglo IX. Aparece muy unida a la búlgara y a la rutena; y todas ellas tienen un origen común: Bizancio. Naturalmente, las primeras muestras de esta literatura fueron: en el siglo IX, trabajos de lingüística, y en el siglo XIII, obras literarias—poesías populares y cantos litúrgicos, libros ascéticos y algunas composiciones históricas—. El zar Esteban (1195-1228) escribió la *Vida* de su padre, Esteban Nemanja. Dometiano, monje de Chiljenday, escribió las *Vidas* de San Sava y de San Simón.

Entre las obras históricas contaban: la *Crónica de Dukla* y *Latopis Popelica.* Y entre las políticas: los *Estatutos Vinodolski*—siglo XIII—y *Krkski*—siglo XIV.

La dominación otomana extinguió toda posibilidad de desarrollo de la literatura yugoslava, hasta el siglo XVIII, en la mayor parte del país. Unicamente en el Norte—Eslovenia y Croacia—y en la costa dálmata recibieron gran impulso las letras yugoslavas durante el siglo XVI, gracias a los humanistas y reformistas Primus Trobar (1508-1586), traductor del *Nuevo Testamento;* Juraj Dalmatin, Dobrotic, gran amigo y defensor de Savonarola; Tomás Illiricus—teólogo y publicista—; y los poetas Cervinus, Pannonius, Verantius, Bonus.

En el mismo siglo XVI fueron muy intensas las influencias italianas en los poetas dálmatas Bobaljevic, Boziczevic y Matulic, quienes escribieron indistintamente en croata y en italiano; Mazulic y Haljeskovic—*Canciones de Carnaval.*

Entre los autores dramáticos de esta época sobresalieron: Vetranovic—con sus dramas religiosos *Susana, Abraham, La Resurrección*—; Dominik Zlataric—traductor de *Electra*—; Lucic (1485-1533)—*Robinja (El esclavo)*—; Martín Drzic—gran satírico—; Iván Gundulic (1588-1638)—*Dubravka,* drama psicológico.

También destacó el mismo Gundulic como gran poeta épico en *Osman;* Cubranovic—*El sitio de Shiget*—; Kanalavic—*Poema en la gloria del rey Sobieski*—; Bogarzinovic—*Salvación de Viena.*

Durante los siglos XVII y XVIII las luchas y sublevaciones contra los turcos impiden el desarrollo eficaz de la literatura yugoslava. Sin embargo, estas se honraron con los nombres ilustres de los verdaderos precursores de su apogeo contemporaneo: Jovan Rajic, Kasin-Miosik, Matija Relkjovic, Zaharije Orfelin, Tamo Tito Brezovacki...

A últimos del siglo XVIII y principios del XIX dan los primeros y firmes pasos para remozar y purificar el idioma Obradovic, Vuk Stetanovic Karadzic—filólogo y publicista—, Ljudevic Gaj (1809-1872), Jan Blajvajs. Con la edición de *Pismenica srpskoho jezika,* de Karadzic, da comienzo la época moderna de la literatura yugoslava.

A la poesía romántica pertenecen los épicos y líricos Petar Njegos (1813-1851)—*Gorski Vilnac (Guirnalda de la montaña)*—; Mikola Njegos—*Kuc arvanit*—; Iván Mazuranic (1814-1890)—*La muerte de Smail aga Cencic*—; los croatas: Stanko Vraz, Radicevic, Vucotinovic, Topalovic, Petr Preradovic; los eslovenos: Franc Presern (1800-1849), Jovan Jovanovic Zmaj.

El modernismo poético se inicia con Vojislav Iljic (1862-1892), y continúa con Gregoric, Zupanic, Jovan Ducic, Riza Bey Kapetanovic, Osman Stafil Bey, Krajucevic, Harambasic.

La novela moderna cuenta con los nombres de Bogoboj Atanaskovic (1826-1858), August Shenoa (1838-1881), Vezic, Jozef Tomic; y entre los naturalistas y realistas: Igniatovic, Vojnovic, Kozarac, Lopusic.

Entre los dramaturgos: Jovan Sterija Popovic, Laza Kostic, Ivo Vojnovic.

V. MURKO, M.: *Geschichte del älterem südslawischen Literaturen.* Leipzig, 1909.—POPOVIC, P.: *La littérature yougoslave.* En "Le Monde Slave", VII, 1930.—POPOVIC, P.: *Pregled Knjizevnosti hrvatsk i srpske.* Zagreb, 1908.—LOBO-

DOWSKI: *Literatura yugoslava.* En "Historia de la Literatura universal". Madrid, Atlas, 1946.

"YU-TING-LI-TAI-KI-SSE-PIAO"

Vasta publicación histórica china, en una serie de cuadros rigurosamente sinópticos, con todos los acontecimientos de la nación desde el año 2357 antes de Cristo hasta el final de la dinastía mogólica, año 1340 de nuestra Era. Esta obra comprende cien volúmenes y fue impresa en 1715 con un prefacio *facsímil* de mano del emperador Kang-hi, seguido de los nombres de todos los miembros de la Academia de los *Han-lin* que tomaron parte en la redacción.

Z

ZARABANDA

Copla antigua castellana que acompañaba al baile del mismo nombre, famosísimo durante el siglo XVI. De carácter voluptuoso y desenfrenado, era cantada y bailada exclusivamente por mujeres. El Consejo de Castilla la prohibió en 1630, como perniciosa para las buenas costumbres.

ZARZUELA

Los afanes populares de mezclar la música con el verso en el teatro son tan antiguos como este. Cantatas, antífonas se intercalaban en las evocaciones casi teatrales celebradas en las catedrales y en los claustros de los monasterios durante los siglos XII, XIII y XIV. La música daba una grandeza emocionante al recitado litúrgico, que prendía en los creyentes espectadores, sobrecogiéndolos. Las *Eglogas* de Juan del Encina, las *Farsas* de Lucas Fernández, los *Autos* de Gil Vicente, los *Pasos* de Lope de Rueda, los *Entremeses* de Timoneda eran precedidos o seguidos de *villancicos* y *cantarcillos,* las *cosantas* y *rondelas,* las *ensaladas,* las *tonadas,* los *cuatro de empezar* y otras composiciones musicales igualmente alegres y movidas, cantadas por las mujeres de la compañía y coreadas por los hombres.

Ya a fines del siglo XVI y principios del XVII, con el teatro de Juan de la Cueva y Cervantes, de Lope de Vega y Tirso, los públicos exigían antes de la representación las *loas* cantadas; y en los entreactos y al final de las comedias, los *bailes,* que venían a ser como ilustraciones musicales en las obras. A los más intensos dramas como el *Turdión,* la *Pavana,* el *Pie de gibao,* el *Rey don Alfonso el Bueno,* el *Pollo,* las *Gambetas,* la *Japona,* la *Pipironda,* el *Rastrojo,* el *Villano,* las *Zapatetas,* el *Canario,* el *Zapateado,* el *No me los ame nadie,* la *Perra Mora,* el *Hermano Bartolo,* la *Gorrona,* el *Pasacalles,* la *Chacona* y, sobre todo, el más famoso y provocativo: la *Zarabanda,* acompañada del *Escarramán,* que fue anatematizado repetidamente por teólogos e inquisidores y prohibido por autos judiciales y por monarcas, pero que retoñaba con nombres nuevos, como el *Fandango,* la *Guaracha* y el *Agua de nieve.*

Generalmente, estos bailes iban acompañados de *jácaras, letrillas, romances* y *villancicos,* que se cantaban, por lo común, acompañados a la guitarra, y a veces con flautas y arpas. El público deseaba que se intercalase en la comedia un poco de jolgorio, algo de castañuelas y de piruetas, "para quitarse del alma la gravedad de los versos".

Los propios grandes dramaturgos llegaron a desear que sus obras fueran escoltadas, precedidas de los heraldos o seguidas de los pajes, que eran los bailes y las loas. Lope de Vega se quejó ya en *La Dorotea* de que hubieran caído en desuso los bailes antiguos, como la *Alemana* y el *Pie de gibao.* Para terminar con estas lamentaciones de poetas y dramáticos, llegó de la Mancha y Andalucía una especie de "panacea" lírica-melódica en los versos, de a siete y cinco sílabas, que forman la *copla* y el *estribillo;* y el baile llamado *Seguidilla,* verdadera matriz de casi todos los bailes y recitados sobre música que se llaman nacionales, como el *Fandango,* el *Vito,* el *Polo,* el *Bolero,* la *Tirana,* las *Habas verdes,* las *Manchegas,* la *Jota aragonesa* y el *Chairo.*

En estas loas, en estos bailes intercalados con las obras dramáticas, puede atisbarse el origen remoto de la *zarzuela.* Al menos, el público ya inclinaba decididamente sus predilecciones hacia un género teatral combinado de verso y música. ¿Qué le faltaba al *combinado* para ser *zarzuela?* Precisamente lo que es esencia de la definición. Que los versos se *alternen* con la música o que se canten *sobre* la música. Precisamente, que los versos fueran versos *cantables.* Porque es zarzuela "una obra escénica, intermedia entre el drama y la ópera, o sea en la que la parte declamada alterna con el canto, constituyendo en nuestro país un género teatral similar a la *opéra comique* francesa, la *opereta* italiana, el *singpiel* alemán y el *musical play* inglés".

Caso curioso: la primera auténtica zarzuela española es anterior a la denominación. En 1629 se estrenó en el Alcázar de Madrid la égloga pastoril de Lope de Vega *La selva sin amor,* con música de un autor hasta ahora ignorado. Lope, en la dedicatoria del ejemplar impreso de su obra, declaró "que se representó toda cantada". Basándose en esta afirmación, Asenjo Barbieri opina que se trató no de una zarzuela, sino de una ópera. Para Pedrell, errónea la declaración lopesca, *La selva sin amor* fue una zarzuela verdadera; ya que la obra, en su estructura, no ofrece sino determinados pasajes para ser cantados. Y Pedrell los determina: las cuatro estrofas de Filis y Silvio que van a continuación del *prólogo;* las cuatro estrofas de Silvia en la escena segunda; el *Coro de los tres Amores;* otro, en unión de Filis y Flora; y el que pone término a la obra. Parece ser que la obra entusiasmó al auditorio selecto, formado por reyes y magnates, "quienes corearon estribillos muy lisonjeros a los oídos".

El más entusiasmado fue el cardenal-infante don Fernando, quien se propuso cultivar aquel género en un muy bello teatrito que tenía—y dirigía—en su famosa finca *La Zarzuela,* aledaña a los montes regios de El Pardo. La primera de las representaciones en dicho delicioso escenario, del mejor marco velazqueño, fue la comedia mitológica de Calderón de la Barca *El jardín dé Falerina,* a la que puso música el maestro Juan Risco, "hombre de gran ingenio y travesura en la música, con especialidad en el género alegre". "Como se ve por el nombre de *representación en dos actos* con que Calderón bautizó a esta obra, ni le dio importancia de melodrama, comedia o fiesta cantada, ni el escaso mérito de loa, sainete o entremés, por lo que siendo un género dramático-lírico-bailable, de cortas dimensiones, de escaso argumento, situaciones semifantásticas y sin nombre determinado hasta entonces, se le caracterizó con el de *zarzuela,* por el sitio en que se representó por primera vez esta clase de composición, literariamente hablando, mas no por la novedad del canto en medio de la declamación, puesto que esto tiene antiguedad en muchas producciones, tantos poéticas como dramáticas."

En efecto, el título de aquella casa de campo maravillosa vino a englobar en una sola denominación los diversos géneros de obras dramáticas musicales que con mucha anterioridad existían y eran espectáculos corrientes y estimadísimos en toda España. La asociación de la música verbal e instrumental imprimía mayor encanto al verso, realzaba la teatralidad de los efectos escénicos, y con su poder descriptivo inmenso remachaba en la memoria del público las sensaciones encantadoras de los temas. Pero conviene advertir que los españoles jamás se aficionaron a la ópera, es decir, a la música continuada, excediendo en valores al verso o a la prosa interpretativa. "Los extranjeros—escribe Eximeno en su *Origen de la música,* 1774—echan de menos en el teatro español el melodrama, ya trágico, ya cómico; pero los españoles tienen demasiado juicio para haber adoptado un género repugnante a la razón, al buen gusto y a la naturaleza de las lenguas modernas. Gustan, sí, y con pasión, de la música en el teatro, pero no sacrifican el buen gusto a esta pasión; tienen piezas pequeñas de música que sirven de intermedios, y juntamente presentan dramas con música que llaman *zarzuelas,* en los cuales se declaman las escenas y solamente se canta la parte que exige música, esto es, los pasajes en que brilla alguna pasión. De este modo no se fastidia a los espectadores con la insufrible monotonía del recitado italiano; se oye y entiende todo el artificio de la fábula, los caracteres, las costumbres, etc., conciliando así el placer del oído con la instrucción del entendimiento."

El éxito de las *zarzuelas* debió de ser grande, ya que desde 1629 hasta 1659 se estrenaron más de cien, cuyas *letras* eran originales de los más gloriosos dramaturgos—Tirso, Vélez de Guevara, Alarcón, Moreto, Rojas, Montalbán, Solís, Salazar y Torres—, y cuyas músicas eran originales de compositores tan ilustres como Juan Hidalgo, Carlos Patiño, Juan Risco, Juan Losada, Mateo Romero—llamado el "Maestro Capitán"—, Juan de Navas, Juan de Palomares, Blas de Castro, Cristóbal Galán, Martínez Verdugo, Pedro Rodríguez, Garay y otros.

Y es que tales espectáculos aunaban mil motivos de interés y delectación. Los argumentos, tomados en su mayor parte de la mitología, para que tuvieran algo de sobrenatural. La música, variada. Las decoraciones, tramoya y trajes, exóticos y relumbrones. La atmósfera, galante.

Es el conde Schak, sutil crítico e historiador del teatro español, quien afirma que de todas las comedias mitológicas de Calderón, unicamente la titulada *La púrpura de la rosa*—estrenada en el Buen Retiro hacia el año 1650—fue compuesta exclusivamente para ópera. Luego se sobrentiende que todas las demás lo fueron para zarzuelas. Contra esta opinión de Schak, afirma un moderno investigador y crítico musical—Subirá—que *Celos, aun del aire matan,* del propio Calderón, era ópera, ya que él ha encontrado la música de la primera jornada, único resto de la partitura, "que muestra que se cantaba por entero".

Para muchos musicólogos, es *El laurel de Apolo*—1657—, de Calderón, la obra escénica que merece el título de primera zarzuela española. Pero lo cierto es que el título se aplicó por primera vez referido a las piezas del mismo inmortal autor *Eco y Narciso* y *El golfo de las sirenas.* A una obra de Vélez de Guevara y el compositor Juan Hidalgo, *Los celos hacen estrellas o El amor hace prodigios,* corresponde el honor de ser el modelo más antiguo—1642—de *recitado medido;* modelo que se conserva en la Biblioteca Nacional de Madrid.

Bances Candamo, Marcos de Lanuza y Antonio Zamora son los últimos autores dramáticos del siglo XVII que cultivaron con gran acierto la *zarzuela*. Del primero destacan—modelos de libretos en el género—*Cómo se curan los celos, Orlando furioso* y *Fieras de celos y amor*. Del segundo, más conocido por su título de conde de Clavijo, *Las Belides, Júpiter e Io* y *Celos vencidos de amor*, estrenadas—1686 y 1699—en los jardines madrileños de la Priora. El último estreno—1707—en el Buen Retiro, *Todo lo vence el amor*. Se desconocen los autores de las partituras, aun cuando los libretos—alguno de ellos conservado en la Biblioteca Municipal de Madrid—no dejan lugar a duda acerca de su significación zarzuelera, ya por las indicaciones marginales manuscritas, ya por los versos *cantables* intercalados.

El siglo XVIII fue funesto para la zarzuela española. Felipe V de Borbón se inclinó decididamente por la ópera italiana. Y con él las clases aristocráticas. Hasta el punto que los compositores españoles, para halagar al público selecto, se vieron precisados a denominar a sus obras *zarzuelas a la italiana*, plagándolas de arias "con floreos" para lucimiento de los divos. El golpe decisivo lo recibió este género tan español con la llegada a la corte del famoso músico, compositor y cantante italiano Carlos Broschi, conocido universalmente con el nombre de Farinelli. Amigo dilecto durante diez años de los reyes Isabel de Farnesio y Felipe V, usó de toda su incontrastable influencia para imponer por completo la moda operetística de su país. El *farinellismo* infectó el gusto español. A la zarzuela se la consideró como un arte vulgar y bárbaro. Pese a la defensa que de ella hizo Tomás de Iriarte en su poema *La música* —1779:

> Digna mención pudieras
> haber hecho también de nuestro drama
> que zarzuela se llama,
> en que el discurso hablado
> ya con frecuentes arias se interpola,
> o ya con dúos, coro y recitado;
> cuya mezcla, si acaso se condena,
> disculpa debe hallar en la española
> natural prontitud, acostumbrada
> a una rápida acción de lances llena,
> en que la recitada cantilena
> es rémora tal vez que no le agrada.

Durante el reinado del misántropo Fernando VI, protector igualmente de Farinelli, las poquísimas zarzuelas que se estrenaron lo fueron en teatros provincianos y en algunos barracones barriobajeros de Madrid, como el teatro llamado de *La Estrella*—1769—, situado en la calle de las Urosas. Y si no llegó a desaparecer un género tan castizo fue porque evolucionó, quedando reducido a la acción—¿o reacción?—representada por la *tonadilla* escénica, la *jácara* y la *tirana*, piezas breves musicales, cuyas letras eran como cuentos o evocaciones, y que se escenificaban como *fin de fiesta*, para completar las óperas breves en algún programa de gala, o, sencillamente, cuando oficialmente se quería demostrar a algún viajero ilustre extranjero que existía la música española.

Conviene destacar algunos nombres de autores y algunos títulos de zarzuelas de los que triunfaron popularmente en este desdichado —para la escena—siglo XVIII. La Biblioteca Municipal de Madrid guarda un verdadero tesoro de música española producida en esta centuria. Tonadillas, tiranas, jácaras, loas de Blas de la Serna, de Floriano Guzmán, García Pacheco, Rosales, Esteve, Misón Lidón, los Soler y de otros muchos inspiradísimos compositores. Antonio Rodríguez de Hita—maestro de capilla de la Encarnación, de Madrid—puso música a las zarzuelas de don Ramón de la Cruz *Briseida* —1768—, *Las segadoras de Vallecas*—1768—y *Las labradoras de Murcia*—1769—. Fabián García Pacheco, a la zarzuela del mismo inmortal sainetero *En casa de nadie no se meta nadie o El buen marido*—1770—. Carlos Juliáns musicó *Aun después de muerto, vence*, y *Venus y Adonis*—1739—; el famoso tonadillero Misón, *Eco y Narciso, El triunfo del amor, El tutor enamorado* y *Píramo y Tisbe;* Martín y Soler, *La madrileña o El tutor burlado;* Antonio Rosales, *El tío y la tía;* Pablo Esteve, *Los zagales del Genil*, zarzuela pastoral. El celebérrimo músico Bocherini se rindió a este género, colaborando con don Ramón de la Cruz en *Clementina*, comedia de costumbres, en dos actos.

Sin embargo, sin la tonadilla escénica—pieza breve con un recitado de circunstancias—, en la que se exaltaba el garbo y la majeza de lo popular, la música española hubiera muerto sin salir de su colapso. Y debe tenerse muy en cuenta que la zarzuela y la tonadilla españolas representaban—desde 1700—el realismo de la música. El romanticismo y el neoclasicismo eran la ópera. El papel que hicieron García de la Huerta, Moratín y Bretón, manteniendo inextinta la antorcha realista de la tradición española en la dramática, lo hicieron los tonadilleros en la musical, enlazando la nacional del XVI y XVII con la zarzuela grande, cuya apoteosis se cumple entre 1845 y 1870.

Es curiosa una carta de Moratín a Godoy, desde Londres, el 20 de diciembre de 1792, en la que patentiza el lamentable estado de ruina a que había llegado la música española. "La música teatral está, como todos los demás ramos, envilecida y atrasada; ni es en la parte poética otra cosa que un hacinamiento de frialdades, chocarrerías y desvergüenzas; en la parte musical, un conjunto de imitaciones inconexas, sin unidad, sin carácter, sin novedad, sin gracia, sin gusto..."

Precisamente ese año 1792 marca el apogeo de las *tonadillas, jácaras* y *tiranas*. Los nobles madrileños se inclinan a lo popular. Hay duquesas majas y condes chulos. El genio inmenso de Goya borra los límites entre lo plebeyo y lo aristocrático. La pasión por las tradiciones devotas—romerías y ferias—, por los festejos de bailes y toros, reaviva el carácter genuino popularchero. La tonadilla, la tirana, la jácara exaltan estos gustos y estos sentimientos con cierto paroxismo y con muchísimo sabor y más gracia castiza. El pueblo ama en la vida y adora en las tablas a sus tonadilleras, a sus tiranas, a sus jacarandosas. Ellas se convierten en musas de los más hondos sentimientos de patria. La soberbia reacción patriótica de 1808 la prepararon aquellas musiquillas a las que acompañaban versos impregnados en fogoso y auténtico españolismo. Lorenza Correas, Josefa Morales, Isabel Colbrán, Juana Acevedo y tantas y tantas tonadilleras más, hermosas y llenas de gracia, merecen realmente el nombre de sacerdotisas.

Felizmente, el siglo XIX se inició bajo los mejores auspicios para la zarzuela. Por prescripción consignada en el Apéndice al Reglamento de Teatros, aprobado en 6 de marzo de 1807, se prohibía "representar, cantar ni baylar piezas que no sean en idioma castellano y actuadas por autores y actrices nacionales o naturalizados en estos reinos, así como está mandado en Real orden de 28 de diciembre de 1799". Por esta razón, desde noviembre de 1800 hasta enero de 1808 cuantas óperas se representaron en el teatro de los Caños del Peral se cantaron con letra española y por artistas españoles. Habían quebrado el divismo y la solemnísima memez extranjera. De esta admirable reacción musical española fue alma el famoso músico y cantante Manuel García, quien desde 1803 a 1806 compuso diez zarzuelas deliciosas, entre ellas *El poeta calculista, Quien porfía, mucho alcanza; El reloj de madera* y *El Farfalla.* A Manuel García se agruparon Fernando Sors, José Melchor Gomis y Ramón Carnicer.

La guerra de la Independencia y los años absolutistas de Fernando VII representan un compás de espera. La zarzuela ni avanza ni retrocede. El año 1831, para celebrar el nacimiento de la infanta Luisa Fernanda, se cantó en el Conservatorio de María Cristina la zarzuela *Los enredos de un curioso,* letra de Enciso Castrillón y música de Carnicer, Ramón Albéniz, Saldoni y Piermarini. La representación de esta zarzuela la estimó Asenjo Barbieri "tanto más significativa cuanto que por entonces precisamente era cuando la ópera italiana en Madrid monopolizaba, digámoslo así, la atención del público, y cuando el mismo Conservatorio, dirigido por Piermarini, daba una preferencia casi exclusiva a la enseñanza de la música italiana".

Desde 1832 a 1840 se representaron varias zarzuelas en el teatro de la Cruz y en el del Príncipe, alternando con los dramas más felices del romanticismo. Caso curioso: la zarzuela era cada vez mejor reflejo de la realidad. Un número de *La Iberia Musical*—el correspondiente al 15 de enero de 1843—relata los curiosos detalles del estreno de una zarzuela verificado en el teatro del Príncipe a beneficio de la orquesta: "Una cosa notable hubo en esta bonita función; hablamos de la zarzuela *Los solitarios,* cuya poesía juguetona y graciosa del señor Bretón de los Herreros proporcionó al maestro don Basilio Basyli una ocasión de lucir su talento como compositor. Entre las diversas piezas musicales de que se halla salpicada la referida zarzuela, sobresale muy ventajosamente el *terzeto* de tiple, mezzosoprano y tenor; esta pieza está trabajada maestramente, y el autor ha sacado un partido grande de las melodías cantables y de las aplicadas a la orquesta. Ese terceto, cantado muy bien por las señoras doña Teodora Lamadrid de Basyli, doña Matilde Díez de Romea y don Julián Romea, arrancó grandes aplausos de los numerosos espectadores que habían escuchado con tanto placer como sorpresa la perfecta ejecución de tan difícil pieza por unos actores transportados de improviso a la región del canto."

Para lograr un nuevo auge de la zarzuela, en 1847 se formó en Madrid la agrupación artística—que ahora llamaríamos nacional—*La España Musical.* La presidía Hilarión Eslava y la constituían Arrieta, Barbieri, Gaztambide, Saldoni, Basyli, Martín y el notable cantante y empresario Salas. El primer gran esfuerzo de esta agrupación consistió en restaurar en nuestra escena el género proscrito y menospreciado, la vieja zarzuela *grande,* aunque, naturalmente, acomodando su forma y espíritu a los progresos realizados en el arte musical y a la evolución de los gustos del público. Fue arrendado para estos intentos el viejo y pequeño teatro del Instituto, situado en la calle de las Urosas—hoy Vélez de Guevara—y levantado sobre el solar en el que estuvo el barracón de "La Estrella". La primera zarzuela estrenada en él fue *Colegialas y soldados,* libro de Pina padre y del maestro don Rafael Hernando. El éxito de público fue tan enorme, que el teatrillo pareció insuficiente a la empresa formada por los señores Gaona y Carceller. Inmediatamente, las huestes se trasladaron al teatro Variedades, de la calle de la Magdalena, próximo a Antón Martín. Y desde este al teatro-circo de la plaza del Rey. En esta primera temporada destacan las obras *La mensajera*—letra de Olona y música de Gaztambide—, *Gloria y Peluca* y *Tramoya* —música de Barbieri—y *El duende* y *Bertoldo y Comparsa*—música de Hernando.

Se desentendió del negocio la empresa Gaona y Carceller. Para continuarlo se formó una empresa artística en comandita, compuesta por Gaztambide, Hernando, Salas, Olona, Oudrid, Barbieri e Inzenga, bajo la presidencia de Olona. Los artistas asociados unieron sus esfuerzos y su talento y tomaron el teatro-circo, que inauguró sus funciones el 14 de septiembre de 1851 con el estreno de la zarzuela *Tribulaciones,* de Tomás R. Rubí, música de Gaztambide. El éxito fue muy mediano. Desanimada la comandita, a los veintiséis días de inaugurar ya pensaba en disolverse, cuando tuvo la suerte de llevar al cartel *Jugar con fuego,* libro en tres actos de Ventura de la Vega y música de Barbieri. Fue una doble explosión: explosión de entusiasmo y explosión de dinero. La honra artística y las necesidades materiales estaban a salvo. La tarde de Navidad de aquel mismo año conseguían un nuevo éxito con el delicioso disparate de Olona *Por seguir a una mujer.*

Los motivos de regocijo se sucedieron. En 1853 triunfaban Gaztambide con *El estreno de un artista* y *El valle de Andorra;* Oudrid, con *Buenas noches, don Simón;* Barbieri, con *Gracias a Dios que está puesta la mesa;* el novel Arrieta, con *El dominó azul* y *El grumete.* En 1854 los éxitos aún fueron mayores: *Catalina* y *El amor y el almuerzo,* de Gaztambide; *Los diamantes de la corona, El vizconde* y *Mis dos mujeres,* de Barbieri; *Marina,* de Arrieta; *Moreto* y *El postillón de la Rioja,* de Oudrid; *Estebanillo,* de Oudrid y Gaztambide; *El sargento Federico,* de Gaztambide y Barbieri.

Ya había obras. Ya había un público entusiástico. Pero no había teatro capaz. La sociedad artística primitiva, reducida a Olona, Salas, Gaztambide y Barbieri, se puso al habla con el opulento banquero don Francisco de las Rivas. Y este cedió el solar y adelantó el dinero necesario. En seis meses quedó flamante el gran teatro de la Zarzuela, de la calle de Jovellanos. Su inauguración, el día 10 de octubre de 1856, resultó algo apoteósico. Componían el programa: *Sinfonía sobre motivos de zarzuela,* para orquesta y banda militar, de Barbieri; una *Cantata,* de Olona y Hurtado, música de Arrieta; *El somnámbulo,* zarzuela en un acto, de Hernando y Arrieta, y *La Zarzuela,* alegoría de Hurtado y Olona, con música de Gaztambide, Barbieri, Arrieta y Rossini. El género estaba definitivamente creado y había adquirido vida robusta. La primera compañía de este magnífico teatro estaba integrada por las tiples Carolina Di Franco, Amalia Ramírez y Adelaida Latorre; el tenor Francisco Salas—que era el director artístico—; el tenor cómico Vicente Caltañazor, José Font, Ramón Cubero, Becerra y Calvet. Directores de orquesta eran Oudrid y Gaztambide. El auge del teatro de la Zarzuela y del género en él cultivado duró cuatro lustros y se enriqueció con obras de verdadera altura artística, muchas de las cuales se representan aún.

Hacia 1866, un nuevo género teatral hizo guerra a la zarzuela. El empresario Francisco Arderíus empezó a explotar—importado de París—*lo bufo,* precisamente en el teatro llamado de *Los Bufos.* Este género bufo se componía de musiquillas frívolas, letras desenfadadas y sucintas indumentarias en las suripantas; inmediatamente el público se apasionó por él. El 22 de septiembre de 1866 se estrenó *El joven Telémaco,* primera obra del repertorio, muy picante, alegre y chistosa, libro de Eusebio Blasco y música de Rogel. Felizmente, la moda pasó pronto. El propio Arderíus tuvo que dedicarse a explotar la zarzuela grande *de espectáculo,* como *La vuelta al mundo, Los sobrinos del capitán Grant, El siglo que viene* y *El Potosí submarino.*

Peor enemigo de la zarzuela resultó el llamado *género chico,* nacido en 1869 y fenecido en 1910, a manos del *género ínfimo* y de las operetas vienesas. Tuvo el *género chico* su origen en la ocurrencia de haber remedado a los cafés-conciertos los teatros *por horas,* con el intento de abaratar los precios y dar lugar a que todas las clases sociales pudieran asistir al teatro, como iban al café-concierto. Hiciéronse piezas en un acto, breves, casi improvisadas: sainetes, pasillos, parodias, juguetes, revistas, disparates, bocetos... Creció hasta lo infinito el número de los autores, comúnmente festivos, creyéndose cualquiera capaz de endilgar cuatro escenas populares, a las cuales se añadía música no menos popular y callejera. Chulos, flamencos, trapisondistas, hembras de rompe y rasga, paletos avispados, señoritos viciosos, triunfaron sobre los tablados. Para dedicarlos al *género chico* se edificaron los teatros de la Comedia, Apolo, la Princesa, Eslava y Lara. El *género chico* se inició a fines de 1869, en el teatro de Recreo o de la Flor, situado en la calle de la Flor Baja, por los actores José Vallés, Antonio Riquelme y José Juan Luján. De allí pasaron al Variedades. Era *por horas,* a real la butaca. En el de la Flor se hacían piezas de repertorio, viejas. En el Variedades empezaron a estrenar Matoses, Ramos Carrión, Estremera, Vital Aza, Flores García, Javier de Burgos, Luceño, Ricardo de la Vega. El apogeo del *género chico* fue en el teatro Apolo, de la calle de Alcalá, inaugurado en 1874.

Al éxito general contribuyeron varios factores: la baratura, las obras cortas y bien acomodadas a las diversas clases de la sociedad madrileña. El *género chico* pide expresión musical al alma del pueblo; y toda técnica y esfuerzo que denote gran saber, pero que no dé la tonalidad musical española, está fuera de su lugar y es reprobable. Al día siguiente de cada estreno, las señoritas en el piano, los ciegos por las calles, las sirvientas en las cocinas, los horteras ambulantes, tocaban, cantaban, berreaban y silbaban la canción tal o la tonada cual de la obrilla. A la semana eran conocidas en toda España. Y así una vez. Y otra. Y otra. Apolo llegó a ser la *catedral del género chico.* Y Novedades, "una especie de colegiata".

"Los autores enseñaron chulaperías a los chulos, enseñaron a las chulaponas a taconear, a contonearse, a terciarse el mantón más y mejor de lo que de unas y de otros ellos mismos lo habían aprendido. Estas mutuas corrientes entre el público retratado en el teatro y el teatro que retrata al público, de mutua imitación e influjo, hicieron al género chico el género dramático más popular y más característico que jamás se vio en España.

"La música, mayormente, contribuyó a despertar más y más el gusto de estos espectáculos, y volvió a renacer el espíritu aquel del siglo XVII, cuando autores y público se compenetraban y entendían, dándose una nueva época de florecimiento teatral extraordinario. Los aires populares en que los músicos aprendían y se inspiraban volvían al público, que gusta oírlos en las tablas en boca de los personajes. Todo ello prueba lo popular que en España es el teatro y los cantares y lo popular del género chico; por consiguiente, el alto valer estético de las piececillas de un género, al parecer baladí, y a pesar de los disparates con que las aderezaban autores realmente legos y nada leídos, pero que, a vueltas de su crasa ignorancia y de los despropósitos que estrujaban de su acartonado caletre, habían dado con la veta del arte popular cuanto a varios de los elementos musicales y cómicos, que eran los que daban valer hasta a no pocos verdaderos esperpentos teatrales. El espíritu de tales piezas muestra mejor que todas las filosofías de nuestros escritores cuál es el espíritu del pueblo español. Cansados estamos de oírles proclamar lo de la tristeza española, lo de la parda y seca meseta castellana que la engendra, lo de la falta de sensibilidad de la raza. Todo ello es patarata de fracasados, de extranjerizados escritores, que no conocen el alma española ni por el forro. Prueba al canto. Muchos de los asuntos del género chico serían fuentes de dolor y luto para el arte de fuera de España: el hambre, los cesantes, los apuros caseros, la canallería política, el caciquismo... Y, sin embargo, los autores del género chico convierten todas esas fuentes amargas en chorros de alegría y buen humor, merced a la broma e ironía con que las consideran, por observar que por ese lado las toma el pueblo. ¿No es ello filosofía popular y levantadísimo arte? ¿No es lo más refinado del arte sacar placer del pesar, alegría del dolor, dulzura de mieles del acibarado cáliz de muchas flores? ¿No es ese el más alto timbre de gloria de Cervantes y de todo gran artista? El pueblo español se lo ha enseñado así a sus poco leídos, pero populares escritores del género chico." (CEJADOR.)

Claro está que, como no hay regla sin excepción, de esta calificación de iletrados que aplica el crítico aragonés a los autores del *género chico* se salvan muy dignamente algunos; entre los cuales se cuentan Ricardo de la Vega, Javier de Burgos, Tomás Luceño, Sinesio Delgado, Fernández-Shaw, López Silva, Jackson Veyan, Perrín y Palacios, Pérez Zúñiga, Fiacro Irayzoz...

V. COTARELO MORI, E.: *Historia de la zarzuela.* En el "Boletín de la Academia Española". (Entre los años 1928 y 1934.)

ZÉJEL

Composición estrófica de la métrica popular de los musulmanes españoles. Comprendía una estrofilla inicial temática—*estribillo*—y varias estrofas de tres versos monorrimos, seguidos de otro verso de rima constante igual a la del estribillo.

ZENDA (Lengua)

La más importante de las lenguas persas, correspondiente a la familia indoeuropea. El *zenda* pasa por ser la raíz de esta familia, y se habló en la Bactriana. Fue la lengua del magismo o mazdeísmo, es decir, de la doctrina atribuida a Zoroastro, y de la cual es ejemplo el Zend-avesta. Su antigüedad es superior a la del *pehlvi* y a la del *parsi.*

Es el zenda una lengua sobrecargada de vocales; sus palabras son extraordinariamente largas. Como el sánscrito y otras lenguas antiguas, posee las privativas *a* y *e,* de las que hace frecuente empleo. Carece de artículo y de géneros. Admite tres números. Las preposiciones propiamente dichas no existen, pero se forman con la ayuda de los afijos. El alfabeto zenda ha variado, según las épocas, en cuanto al número de sus caracteres; el alfabeto más completo está compuesto de 50 letras, de las cuales 15 son vocales y 35 consonantes. La letra *l* falta, y queda reemplazada por la *r.* Sus caracteres se escriben de derecha a izquierda.

V. BURTON: *Historia veteris linguae persicae.* Londres, 1657.—SAINT-BARTHÉLEMY: *De antiquitate linguae zendicae.* Roma, 1798.—RASK, R.: *Ueber das Alter und die Echtheit der zend.* Berlín, 1826.—PIETRASZEWSKI: *Abregé de la grammaire zende.* Trad. franc. París, 1861.—MÜLLER, Fr.: *Zend. Studien.* Viena, 1863.—BOPP, Fr.: *Grammaire comparée du sanscrit, du zend...* Trad. franc. París, 1866.

ZEUGMA (V. Adjunción)

Figura que se comete cuando una palabra expresada en una proposición se halla sobrentendida en otra proposición análoga a la primera y ligada con ella.

ZÍNGARA (Lengua) (V. Bohemia, Lengua)

ZOROASTRISMO

Nombre dado a las doctrinas religiosas de Zoroastro o Zaratustra. (V. *Mazdeismo.)*

Zoroastro, fundador de la antigua religión persa, vivió, probablemente, en el siglo VII antes de Cristo. Su vida—y algunos críticos han llegado a poner en duda su existencia—aparece estrechamente enlazada con leyendas. Al parecer, fue la Bactriana el centro de su mayor actividad, si bien él procedía de la Media. Luego de varios años de predicaciones, logró la conversión del rey Vishtaspa y después la de todo su pueblo.

Según la tradición, murió a los setenta y siete años, al ser conquistada por los enemigos la capital de la Bactriana.

Según una leyenda sagrada, los ángeles condujeron a Zoroastro ante *Ahura-Mazdad (señor gran sabio)*, que conversó mucho tiempo con él y le reveló sus leyes; de donde proviene el nombre de *zoroastrismo* dado a la religión del *Avesta*.

El *Zendavesta*—comentario de la revelación—forma la colección más antigua de los libros sagrados de Persia. Esta colección se completa con el *Bundehesh* (creación primera), redactado después de la conquista árabe, y con el *Shah Nameh (libro de los reyes)*, vasta recopilación de todas las leyendas iranias.

La base de la doctrina zoroástrica es el dualismo de dos principios opuestos: Ormuz (el *Ahura-Mazdad)* o el Bien, y Ahrimán (el *Agra Mainyus)* o el Mal, principios que salieron del infinito en el tiempo y en el espacio *(Zervana Akerena)*. A Ormuz, en su tarea de implantar el bien en beneficio de sus criaturas, le ayudan unos genios benéficos llamados *amshapands, yaratas* y *fervers*. Y Ahrimán, a su vez, se vale, para pervertir y contristar al mundo, de otros genios maléficos, nombrados *darvands* y *devas* o demonios, Mitra, hijo de Ormuz, sirve de mediador, porque, realmente, toda la mitología persa se basa en esta lucha imponente entre el Bien y el Mal.

Según Zoroastro, el Eterno, el dios supremo, invisible, incomprensible, sin comienzo ni fin, el señor del tiempo sin límites *(Zervan Akarena)*, que se engendró a sí propio, creó dos principios, dos seres: Ormuz *(Ahura-Mazdad)*, el bonísimo, el sapientísimo, y Ahrimán *(Agra Mainyus)*, el malvadísimo, el inteligentísimo. Aquel, la luz, la verdad, la felicidad. Este, las sombras, la mentira, el dolor. Aquel, la fecundidad de la Naturaleza y su conservación. Este, la destrucción de todo. Hijos de Ormuz son los siete Amshapands; esto es: hombres, animales, fuego, metales, árboles, agua y tierra; reyes de la luz, manantiales inagotables de la verdad y la belleza, modelos y dechados de las criaturas, llamados Bahman (rey y regulador del firmamento), Abutad (que lleva las almas a la morada eterna), Ardibehechet (que preside el fuego), Shariver (que preside los metales), Sapadomad (que preside la vida campestre), Khordad (que reina sobre las aguas) y Armaiti (que preside la vegetación). Bajo la autoridad de los Amshapands puso Ormuz a los Izeds, príncipes y capitanes, que ayudan a los hombres a triunfar y a bien morir. El más poderoso de los Izeds es Mitra, ministro predilecto de Ormuz, su gran guerrero leal. Mitra dirige a los Ferwers, arquetipo de los hombres. Mitra, con Zervan y Ormuz, forma como una tríada divina, representación del pensamiento, de la palabra y de la acción. Pero estas tres personas no se confunden en una, ya que de ellas la única eterna es Zervan.

Según Zoroastro, Ormuz creó el mundo con su palabra, y Mitra es el encargado de conservarlo, repitiendo sin cesar dicha palabra. Y el hombre fue creado puro y nació de Abudad, el toro primitivo, en quien Ormuz había depositado los gérmenes de todas las existencias físicas. El primer hombre se llamó Kaimorts, y fue unido a su *ferwer*, a su representación inmaterial, a su alma. Inmediatamente se inicia la lucha entre Ormuz y Ahrimán por la salvación o la perdición del hombre. Y así como del primero nació Mitra, de Ahrimán nace Mitra-Darnoj, enemigo encarnizado de Mitra. Para esta lucha, para este dualismo, de los que emanan todos los dogmas y los ritos de la mitología persa, el eterno Zervan tiene fijado un límite: fórmanlo cuatro milenarios divididos en cuatro edades de duración igual. En la primera época gobierna pacíficamente Ormuz. En la segunda se inicia la lucha entre Ormuz y Ahrimán. En la tercera, creado ya el hombre, Ahrimán pónese a la cabeza de los Devas para invadir el imperio de Ormuz. En la cuarta, arrojado Ahrimán a los sombríos abismos por la espada victoriosa de Mitra, el dios del mal se dedica a perturbar la vida de Koiomorts, el primer hombre. En el último milenario, una gran catástrofe borrará hasta las raíces del mal; y de la paz que suceda al cataclismo resucitarán Meskia y Meskianea, quienes repoblarán el mundo hasta el día glorioso del Juicio universal. En este día todos los poderes se fundirán en Ormuz; el reino de Ahrimán quedará pulverizado. Y brillará la eterna dominical luz.

Los sacerdotes del zoroastrismo tomaron el nombre de magos. Y se dividían en: *heberds* (discípulos), *mobeds* (maestros) y *destursmobeds* (perfectos maestros). Todos estaban sometidos a la dirección del archimago o gran sacerdote, único que podía comentar y escoliar la doctrina de Zoroastro.

En el zoroastrismo el animismo está muy desarrollado; las almas de los muertos se consideran protectoras de los vivos; los *tabús* son innumerables y las purificaciones ocupan lugar preponderante en el ritual; el *totemismo* (V.) ha dejado recuerdos evidentes en el carácter sagrado a ciertas plantas y a determinados animales, como el toro, la vaca, el caballo, el perro, la serpiente; el culto está todo impregnado de magia.

V. Reinach, S.: *Orfeo. Historia de las Religiones.* Madrid, 1910.—Jackson, W.: *Zoroaster.* 1899.—Bréal: *Le Zendavesta.* 1894. En "Le Journal des Savants".—Geiger-Khun: *Le Zendavesta.* 1892. Tres tomos.

Z

ZUINGLISMO

Nombre dado a las doctrinas heréticas protestantes de *Zuinglio*.

Ulric Zuinglio nació—1484—en Wildhaus, cantón de Glaris (Suiza). Y murió—1531—en la batalla de Cappel. Estudió Humanidades en Basilea, Berna y Viena. Se doctoró en Teología y fue nombrado párroco de Glaris—1506—. En 1515 conoció a Erasmo. Párroco de Einsiedeln—1516—y posteriormente—1517—de la catedral de Zurich. Al predicar en esta ciudad la indulgencia el franciscano Bernardo Sanson, Zuinglio protestó contra ella, calificándola de *superstición romana*. Ante las protestas del obispo de Constanza, el Gran Consejo de Zurich organizó dos grandes controversias religiosas, que acabaron con el triunfo del heresiarca.

En 1522 publicó su primera obra en el espíritu de la Reforma; en ella defendía el *incumplimiento del ayuno*. Poco después, en otra obra, titulada *Archeteles*, defendió que la Escritura es la única autoridad para el creyente, y atacó el primado del Pontífice. Presentó—1523—ante la Dieta helvética una petición, firmada por diez eclesiásticos del cantón, en la que se pedía *la libre predicación del verdadero Evangelio y la abolición del celibato eclesiástico*. A continuación [illegible] se resumía en 67 conclusiones. En 1524 se casó con Ana Reinhard.

En 1525 organizó un nuevo culto en Zurich. Mandó [illegible] *de las iglesias*, *rompió las imágenes*, *derribó los altares*, *suprimió las campanas y los órganos y abolió la misa*, sustituyéndola por un servicio religioso sumamente austero, que consistía en la oración, en la predicación y [illegible] en la Comunión. [illegible] unas bandejas [illegible] de pan y en unos jarros llenos de vino [illegible] en una mesa para [illegible] por el sacerdote, el [illegible] los asistentes, que permanecían sentados en sus bancos".

Zuinglio [illegible] con Lutero y sus partidarios [illegible] de la Eucaristía [illegible] presencia real de Cristo. [illegible] de la fe cristiana, [illegible] (V.) [illegible] El Gran Consejo de [illegible] de Zuinglio, viendo en ellas un medio excelente para aumentar su importancia política y para enriquecerse con los bienes eclesiásticos. Pero como muchos cantones suizos permanecieran fieles a Roma, Zuinglio quiso reducirlos por las armas y estalló la guerra, que terminó con la derrota de los protestantes en la batalla de Cappel—1531—, en la que encontraron la muerte Zuinglio y siete de sus mejores predicadores. Sin embargo, en la paz firmada se concedía la libertad de conciencia y quedaba consagrada la división religiosa de los cantones.

Los más importantes puntos del zuinglismo son:

1.º La Providencia divina es un misterio indescifrable. La única actitud de la criatura es la *impotencia* et *integritas*.

2.º Existe la predestinación absoluta.

3.º No existen sino dos sacramentos: el *Bautismo*, o signo exterior de entrada en la Iglesia, y la *Cena*.

4.º Niega la presencia real de Jesucristo en la *Eucaristía*, a la que considera como un *memorial* de la muerte de Cristo, un signo [illegible] testimonio de unión con Cristo.

5.º Concede la suprema autoridad a la Sagrada Escritura, libremente interpretada.

6.º La justificación está en la fe.

7.º La Iglesia, como [illegible] tendrá un solo cuerpo con el [illegible] tendrá, pues, una organización [illegible]

Igual que Lutero, Zuinglio tuvo dos [illegible] muy ilustres: Ecolampadio y Bucero, representando éste en el zuinglismo el papel que en el luteranismo (V.) representó Melanchthon. Y así como Lutero buscó el apoyo [illegible] alianza con los príncipes, Zuinglio organizó la Iglesia suiza en una forma más [illegible] Según Voltaire, la religión de Zuinglio se llamó después *calvinismo* (V.). Calvino le dio su nombre, como Américo Vespucio dio el suyo al Nuevo Mundo descubierto por Colón.

V. ZELLER: *Das theologische System Zwinglis*. Tubinga, 1853.—BAUR, A.: *Zwinglis Theologie*. Halle, 1885-1889.—KÖHLER, [illegible] *Zwingli*. Leipzig, 1908.—JACKSON, S. M.: *Zwingli, a life of the swiss patriot and reformer*. Londres, 1903.—BOULENGER, A.: *Historia de la Iglesia*. Barcelona, 1930.